CÓDIGO DE PROCESSO PENAL

ANOTADO

M. MAIA GONÇALVES

CÓDIGO DE PROCESSO PENAL

ANOTADO

LEGISLAÇÃO COMPLEMENTAR

17.ª EDIÇÃO, REVISTA E ACTUALIZADA

ALMEDINA

COIMBRA – 2009

CÓDIGO DE PROCESSO PENAL – ANOTADO

AUTOR
M. MAIA GONÇALVES

EDITOR
EDIÇÕES ALMEDINA, SA
Av. Fernão Magalhães, n.º 584, 5.º Andar
3000-174 Coimbra
Tel.: 239 851 904
Fax: 239 851 901
www.almedina.net
editora@almedina.net

PRÉ-IMPRESSÃO | IMPRESSÃO | ACABAMENTO
TIPOGRAFIA LOUSANENSE, LDA.
3200-909 Lousã
tipograf.lousanense@mail.telepac.pt

Janeiro de 2009

DEPÓSITO LEGAL
284448/08

Os dados e as opiniões inseridos na presente publicação
são da exclusiva responsabilidade do(s) seu(s) autor(es).

Toda a reprodução desta obra, por fotocópia ou outro qualquer
processo, sem prévia autorização escrita do Editor, é ilícita
e passível de procedimento judicial contra o infractor.

Biblioteca Nacional de Portugal – Catalogação na Publicação

PORTUGAL. Leis, decretos, etc.

Código de processo penal / Anotado / M. Maia Gonçalves.
17.ª ed., rev. e actualizada – (Códigos anotados)
ISBN 978-972-40-3777-6

I – GONÇALVES, Manuel Lopes Maia

CDU 343

PREFÁCIO DA 17.ᴬ EDIÇÃO

Esgotada a precedente edição desta obra, dada à estampa logo após a extensa e inovadora revisão do Código de Processo Penal levada a cabo pela Lei n.º 48/2007, de 29 de Agosto, vem a presente actualizada com os novos dispositivos introduzidos pelo Decreto-Lei n.º 34/2008, de 26 de Fevereiro e pela Lei n.º 52/2008, de 28 de Agosto.

Na anterior edição formulámos reservas quanto a alguns dos dispositivos introduzidos pela Lei n.º 48/2007, reservas agora mantidas, por vezes com mais demorada ponderação.

Na doutrina e na jurisprudência dos tribunais superiores surgiram entretanto estudos e acórdãos do maior interesse, designadamente sobre os controversos dispositivos reguladores do segredo de justiça e das medidas de coacção.

Porque se trata de uma edição actualizada, enriquecida e aumentada, mais uma vez voltamos a confiar em que também esta venha a constituir um valioso instrumento de trabalho para todos aqueles que, no seu dia-a-dia, se confrontam com os dispositivos do Código de Processo Penal e a ter o mesmo êxito das anteriores.

Lisboa, Janeiro de 2009

MAIA GONÇALVES

SIGLAS

Ac.	Acórdão
Ac. RC	Acórdão da Relação de Coimbra
Ac. RE	Acórdão da Relação de Évora
Ac. RG	Acórdão da Relação de Guimarães
Ac. RL	Acórdão da Relação de Lisboa
Ac. RP	Acórdão da Relação do Porto
Ac. STJ	Acórdão do Supremo Tribunal de Justiça
Acs.	Acórdãos
AJ	Actualidade Jurídica
Al.	Alínea
Anot.	Anotação
Aproj.	Anteprojecto de Código de Processo Penal, publicado no Boletim do Ministério da Justiça, n.º 329
Art.	Artigo
BMJ	Boletim do Ministério de Justiça
CC	Código Civil
Circ.	Circunstância
CJ	Colectânea de Jurisprudência
Cód.	Código
CP	Código Penal
CPC	Código de Processo Civil
CPP	Código de Processo Penal
CRCPP	Comissão encarregada de proceder à revisão do Código de Processo Penal constituída pelo Despacho Ministerial n.º 32/91; *DR*, II série, de 9 de Abril de 1991. Integraram a Comissão o Prof. Doutor Jorge Figueiredo Dias, que presidiu; os Conselheiros Cunha Rodrigues (Procurador-geral da República), Manso-Preto e Maia Gonçalves; o Prof. Doutor Manuel Costa Andrade; o Dr. José António Barreiros; o Dr. Manuel António Lopes Rocha, Procurador-geral adjunto; o Dr. Silva Teixeira, director adjunto da PJ e posteriormente, em substituição deste, o Dr. Euclides Simões. Coadjuvou os trabalhos da Comissão a Dr.ª Maria João Antunes e secretariou a Comissão o Dr. José Manuel Martins Meirim.
CRef.CPP	Comissão para a reforma do Código de Processo Penal constituída por Desp. n.º 54/MJ/96, que funcionou em 1996 e 1997, com a seguinte composição: *a)* Prof. Doutor Germano Marques da Silva, que presidiu; *b)* Dr. Eduardo Manuel Pinto Correia Lobo, juiz de direito; *c)* Dr. Luís Armando Bilro Verão, procurador da República;

Código de Processo Penal

> *d)* Dr. Jorge Manuel F. de Magalhães e Silva, representante da Ordem dos Advogados;
> *e)* Dr. Rui Carlos Pereira, assistente da Fac. de Direito da Un. Clássica de Coimbra;
> *f)* Dr.ª Maria João Antunes, assistente da Fac. de Direito de Coimbra;
> *g)* Dr. José Augusto Preto Xavier Lobo Moutinho, assistente da Fac. de Direito da Un. Católica, que também secretariou; e
> *h)* Dr. Artur Joaquim Fernandes Pereira, inspector-coordenador da Polícia Judiciária.

CRP	Constituição da República Portuguesa
Dec.	Decreto
Dec.-Lei	Decreto-Lei
DGSP	Direcção-Geral dos Serviços Prisionais
DR	Diário da República
GNR	Guarda Nacional Republicana
LOFTJ	Lei de Organização e Funcionamento dos Tribunais Judiciais (Lei n.º 52/2008, de 28 de Agosto.)
MP	Ministério Público
PGR	Procuradoria-Geral da República
PJ	Polícia Judiciária
Port.	Portaria
Proj.	Projecto de Código de Processo Penal, 1986, suplemento do Boletim do Ministério da Justiça
PSP	Polícia de Segurança Pública
RCP	Regulamento dos Custos Processuais
RDES	Revista de Direito e de Estudos Sociais
RLJ	Revista de Legislação e de Jurisprudência
RMP	Revista do Ministério Público
ROAdv.	Revista da Ordem dos Advogados
RPCC	Revista Portuguesa de Ciência Criminal
SASTJ	Sumários de acórdãos do Supremo Tribunal de Justiça. Reprodução e distribuição da biblioteca do Supremo Tribunal de Justiça.
SJ	Scientia Iuridica
STA	Supremo Tribunal Administrativo
STJ	Supremo Tribunal de Justiça
TPI	Tribunal Penal Internacional
UMRP	Unidade de Missão para a Reforma Penal,criada pela Resolução do Conselho de Ministros n.º 113/2005, de 29 de Julho, coordenada pelo Professor Rui Pereira.

DECRETO-LEI N.º 78/87

DE 17 DE FEVEREIRO

Depois de diversos propósitos e tentativas, algumas com começo de execução, que se foram esboçando ao longo dos anos, ingressa, por fim, na vida jurídica portuguesa um novo Código de Processo Penal. Só as obras não significativas são incontroversas; o Código que agora passa a ocupar o espaço do de 1929 e da legislação avulsa que, dispersa e, por vezes, incoerentemente, o complementou, surge, no entanto, em resultado de uma ponderada preparação e de um debate institucional alargado.

Decorrerão da sua entrada em vigor modificações orgânicas e adaptações de vária índole; haverá mesmo que reconverter, até certo ponto, as mentalidades de alguns dos protagonistas do sistema. Daí a necessidade de diferir o início da sua aplicação, excluindo-se, para além disso, tal aplicação aos processos pendentes.

Uma excepção foi aberta; crê-se que com inteira justificação. Diz ela respeito à supressão da incaucionabilidade, por força da lei, quanto a certas categorias de crimes. Realmente, o princípio da caucionabilidade abstracta de todas as infracções é o que se adequa com o direito fundamental da liberdade pessoal. Pressupõe, aliás, uma reafirmação de confiança nos critérios dos juizes; trata-se de uma outorga de confiança que constituirá um elemento matricial de um Estado do Direito. Daí a entrada em vigor desde já da revogação do Decreto-Lei n.º 477/82, de 22 de Dezembro; este diploma teve, de resto, o condão de suscitar uma quase unanimidade nas opiniões discordantes.

Noutro plano esteve, naturalmente, presente a intencionalidade de assegurar uma proporcionada compatibilização do novo Código

Código de Processo Penal

com a legislação estravagante conexionável com o Código de 1929 até que se venha a concretizar a modificação geral dessa legislação. Assume o problema particular melindre no que respeita ao processamento das transgressões e contravenções que em legislação avulsa se vêm mantendo, não obstante o declarado movimento no sentido da convolação desses ilícitos penais para o direito contraordenacional. A fórmula encontrada — largamente preferível à da revivência do Código anterior naquilo em que ele continha uma forma especial para a tramitação de tais infracções — parece equilibrada e praticável; e nem será a eventualidade de reenvio para a forma comum que irá prejudicar a exequibilidade do sistema no que respeita ao julgamento de transgressões e contravenções puníveis com multa.

Assim:

No uso da autorização conferida pela Lei n.º 43/86, de 26 de Setembro, o Governo decreta, nos termos da alínea *b)* do n.º 1 do artigo 201.º da Constituição, o seguinte:

ARTIGO 1.º

É aprovado o Código de Processo Penal publicado em anexo e que faz parte integrante do presente diploma.

ARTIGO 2.º

1. É revogado o Código de Processo Penal aprovado pelo Decreto-Lei n.º 16 489, de 15 de Fevereiro de 1929, com a redacção em vigor.

2. São igualmente revogadas as disposições legais que contenham normas processuais penais em oposição com as previstas neste Código, nomeadamente as seguintes:

   a) Decreto-Lei n.º 35 007, de 13 de Outubro de 1945;
   b) Decreto-Lei n.º 31 843, de 8 de Janeiro de 1942;
   c) Artigos 26.º, 27.º e 28.º do Decreto-Lei n.º 32 171, de 29 de Julho de 1942, o Decreto-Lei n.º 47 749, de 6 de Junho de 1967 e o artigo 28.º do Decreto-Lei n.º 48 587, de 27 de Agosto de 1968, todos na parte aplicável ao processo penal;
   d) Artigo 36.º do Decreto-Lei n.º 37 047, de 7 de Setembro de 1948;

e) Artigo 67.º do Código da Estrada, aprovado pelo Decreto-
-Lei n.º 39 673, de 20 de Maio de 1954, com a redacção
em vigor;
f) Decreto-Lei n.º 45 108, de 3 de Julho de 1963;
g) Decreto-Lei n.º 605/75, de 3 de Novembro, com a redacção
que lhe conferiu o Decreto-Lei n.º 377/77, de 6 de Setembro;
h) Lei n.º 38/77, de 17 de Junho;
i) Decreto-Lei n.º 377/77, de 6 de Setembro;
j) Decreto-Lei n.º 477/82, de 22 de Dezembro.

ARTIGO 3.º

(Este artigo foi revogado pelo Dec.-Lei n.º 17/91, de 10 de Janeiro, que
regulou o processamento e julgamento das contravenções e transgressões,
transcrito no final desta obra).

1. As transgressões e contravenções previstas em legislação
avulsa serão processadas:

a) sob a forma de processo sumaríssimo, sempre que forem
puníveis só com multa ou medida de segurança não detentiva
ou ainda quando, não sendo puníveis com pena de prisão
superior a seis meses, ainda que com multa, o Ministério
Público entender que ao caso deverá ser concretamente
aplicada só pena de multa ou medida de segurança não
detentiva;
b) sob a forma de processo sumário, sempre que forem puníveis
com pena de prisão ou medida de segurança detentiva
cometidas em flagrante delito e não houver lugar a processo
sumaríssimo;
c) sob a forma de processo comum, nos demais casos.

2. No caso de transgressões ou contravenções que devam ser
processadas em processo sumaríssimo, aplicam-se as disposições
do Código anexo reguladoras do processo sumaríssimo, com as
seguintes modificações:

a) do requerimento mencionado no artigo 394.º do Código de
Processo Penal constarão apenas as indicações tendentes à
identificação do arguido e à descrição dos factos imputados
e a menção às disposições legais violadas, a prova existente
e a indicação da sanção proposta;

Código de Processo Penal

b) com a notificação a que alude o n.º 1 do artigo 396.º do Código de Processo Penal é o arguido advertido de que pode aceitar, em audiência, a sanção proposta pelo Ministério Público, imposto de justiça e custas, as quais lhe serão especificadas, e de que, caso não aceite, será submetido a julgamento sob a forma sumária;

c) havendo lugar a julgamento, nos termos da alínea anterior, aplicam-se-lhe, com as necessárias modificações as disposições dos artigos 385.º, 389.º, 390.º e 391.º.

3. Não há lugar à constituição de assistente nem à dedução de pedido cível no processo penal.

ARTIGO 4.º

Consideram-se efectuadas para as correspondentes disposições do presente Código de Processo Penal as remissões feitas em legislação avulsa para o Código anterior.

ARTIGO 5.º

1. Os processos cuja instrução esteja legalmente cometida aos tribunais de instrução criminal prosseguirão aí os seus termos até à conclusão da instrução.

2. O Conselho Superior da Magistratura e a Procuradoria-Geral da República adoptarão, de forma articulada, as medidas necessárias à célere conclusão dos processos referidos no número anterior.

ARTIGO 6.º

As somas em unidade de conta processual penal, tal como se encontram definidos na alínea *h)* do n.º 1 do artigo 1.º do Código, arrecadadas em processo nos quais seja decretada a condenação respectiva, terão o seguinte destino:

a) 20% para os Cofres do Ministério da Justiça;
b) 20% para o Instituto de Reinserção Social;
c) 60% para o organismo a quem for cometida competência em matéria de acesso ao direito.

Decreto-Lei n.º 78/87, de 17 de Dezembro

ARTIGO 7.º

1. O Código de Processo Penal aprovado pelo presente diploma e as disposições antecedentes começarão a vigorar no dia 1 de Junho de 1987, mas só se aplicam aos processos instaurados a partir dessa data, independentemente do momento em que a infracção tiver sido cometida, continuando os processos pendentes àquela data a reger-se até ao trânsito em julgado da decisão que lhes ponha termo, pela legislação ora revogada.

2. Exceptua-se do disposto no número anterior o artigo 209.º do Código aprovado pelo presente diploma, bem como a revogação decretada pela alínea *j)* do n.º 2 do artigo 2.º deste Decreto-Lei, que produzem efeitos no dia imediato ao da publicação do presente diploma, sendo os processos em que tiver sido ordenada ou mantida prisão preventiva incaucionável ao abrigo daquele diploma, ora revogado, feitos conclusos ao juiz para que este, através de despacho fundamentado, se pronuncie no prazo de 15 dias, quanto à subsistência da prisão ou quanto à concessão da liberdade provisória.

3. Da decisão proferida ao abrigo do número anterior cabe recurso, nos termos gerais.

---

1. A data de entrada em vigor do Código, prevista no n.º 1, foi diferida para 1 de Janeiro de 1988 pelo artigo único da Lei n.º 17/87, de 1 de Junho.

2. O regime de processamento das transgressões e contravenções previsto no art. 3.º revelou-se fonte de dúvidas, mormente quanto ao pagamento voluntário fora dos mecanismos do Código. As dúvidas e omissões foram resolvidas e colmatadas pelo Dec.-Lei n.º 387-E/87, de 29 de Dezembro, diploma que, pela sua importância, se reproduz no final desta obra e que, segundo se nos afigura, respeitou as particularidades de alguns processos especiais, como o das contravenções laboriais.

O Dec.-Lei n.º 387-E/87, embora tivesse melhorado a situação, não veio porém eliminar todas as dúvidas nem resolveu todas as dificuldades. Por isso o Dec.-Lei n.º 17/91, de 10 de Janeiro, também transcrito no final desta obra, veio estabelecer um conjunto de normas que regulam de modo autónomo o processamento e julgamento das contravenções e transgressões.

3. Para efeitos do n.º 1 do art. 7.º do Dec.-Lei n.º 78/87 o processo considera-se instaurado no momento em que a participação inicial é apresentada. É neste sentido a jurisprudência uniforme do STJ, como se deduz, dentre outros, dos acs. de 4, 12 (dois) e 19 de Outubro de 1988; *TJ*, n.º 47, págs, 25 e 26.

Código de Processo Penal

4. A Portaria n.º 203/91, de 13 de Março, alterada pela Portaria n.º 1039//91, de 11 de Outubro, regulamentou o processamento e a liquidação voluntária das multas e das coimas por infracções ao Código da Estrada, matéria que porém agora é regulada por este último diploma, aprovado pelo Dec.-Lei n.º 2/98, de 3 de Janeiro, e disposições para onde remete.

CÓDIGO DE PROCESSO PENAL

I. 1. A urgência de uma revisão sistemática e global do ordenamento processual penal constitui um dos tópicos mais consensuais da experiência jurídica contemporânea. Reclamada pelos cultores da doutrina processual penal, ansiosamente aguardada pelos práticos do direito, a reforma do processo penal tem também persistido como um compromisso invariavelmente inscrito nos programas dos sucessivos governos constitucionais.

Igualmente pacífica é hoje a convicção de que só uma nova codificação do direito processual penal poderá representar o início de uma resposta consistente aos múltiplos e ingentes desafios que neste domínio se colocam à sociedade portuguesa. Na verdade, de uma qualquer tentativa de revisão parcial da codificação ainda vigente mais não poderá esperar-se que o aumento da complexidade e a multiplicação das aporias, tanto no plano teórico como no da aplicação da lei. Iniciado em 1929, o ciclo de vigência do Código de Processo Penal anterior caracterizou-se por uma produção praticamente ininterrupta de novos diplomas legais em matéria de processo penal: umas vezes com o propósito de sancionar inovações a inscrever no próprio texto codificado, outras a engrossar o já incontrolável caudal das leis extravagantes. Tratou-se, além disso, de diplomas projectados em horizontes históricos vários, com diferente densidade ideológica e cultural, e, por isso mesmo, prestando homenagem a distintas concepções do mundo e da vida, do estado e do cidadão, da comunidade e da pessoa, e portadores de programas político-criminais centrífugos e frequentemente antagónicos.

O quadro esboçado agravou-se ainda com as reformas ditadas e introduzidas pelas transformações iniciadas em 25 de Abril de 1974. De tudo resultou um ordenamento processual penal minado

Código de Processo Penal

por contradições, desfasamentos e disfuncionalidades comprometedoras; um ordenamento onde, às dificuldades de identificação, na multidão de regulamentações sobrepostas, do regime concretamente aplicável, se somavam as emergentes da impossibilidade de referenciar um sistema coerente, preordenado à realização de uma teleologia claramente perspectivada e assumida.

2. É a dar resposta aos imperativos que revelam deste contexto que se destina o presente Código de Processo Penal. Para mais fácil apreensão do seu espírito e dos seus propósitos, e como forma de mediatizar a sua consensual e generalizada aceitação, importará assinalar alguns dos princípios que deliberadamente foram erigidos em matriz e étimo legitimador das soluções técnicas por que se optou. Como convirá por outro lado, e a título meramente exemplificativo, pôr em relevo algumas destas soluções, muitas delas de cariz inovador. Antes, porém, será oportuno explicitar algumas das coordenadas que definiram o ambiente em que a reforma teve de operar e que condicionaram, por isso, as linhas de equilíbrio e de superação de princípios de projecção muitas vezes antinómica, ditando deste modo, frequentemente, a preferência por uma certa solução técnica entre várias em princípio disponíveis.

Distinguir-se-á, para o efeito, entre condicionalismos exógenos e endógenos: os primeiros, derivados da cada vez mais intensa inserção de Portugal nas comunidades e organizações supranacionais e da cada vez mais acentuada sintonia com o ritmo dos grandes movimentos ideológicos, culturais, científicos, político-criminais e jurídicos que permanentemente agitam e renovam o rosto do mundo; os segundos, provenientes da experiência jurídica nacional e das idiossincrasias irrenunciáveis do nosso universo histórico-cultural.

3. No que aos factores exógenos respeita, ponderou-se atentamente a lição de direito comparado. Procurou-se, em particular, tirar vantagem dos ensinamentos oferecidos pela experiência dos países comunitários (Espanha, França, Itália, República Federal da Alemanha) com os quais Portugal mantém um mais extenso património jurídico e cultural comum; países de resto, todos eles, empenhados num processo de profunda renovação das instituições processuais penais. Igualmente se cuidou de analisar os resultados alcançados pelas aturadas investigações criminológicas empreendidas nalguns daqueles países e que incidem sobre a acção das diferentes

Código de Processo Penal

instâncias que integram o sistema formal de controlo da criminalidade. Sem se advogar nem pretender uma transposição mecânica de tais resultados, verdade é que não devem desatender-se as consistentes injunções político-criminais que deles emanam, na perspectiva de um sistema apostado em maximizar e racionalizar o seu funcionamento; apostado, noutros termos, em obviar às elevadas «cifras negras» e às desigualdades que elas incorporam e em vencer os desajustamentos e disfuncionalidades entre as singulares instâncias e entre o sistema globalmente considerado e a comunidade ambiente.

Particularmente relevante para a elaboração do presente Código foi a ciência jurídico-processual penal dos países referidos. O que facilmente se compreende, certo como é ter sido a este poderoso movimento de elaboração dogmática que ficaram a dever-se os progressos registados na afirmação das implicações dos princípios basilares de um Estado de Direito democrático e social sobre um processo penal que se quer sintonizado com tais princípios. À mesma doutrina devem, de resto, creditar-se os esforços mais consequentes na procura de alternativas susceptíveis de plasmar com maior eficácia, na experiência quotidiana, aqueles princípios e a axiologia última a que prestam homenagem.

Despicienda não foi, por último, a influência que irradia de um foro com o prestígio moral e cultural do Conselho da Europa, ao qual o nosso país se orgulha de pertencer. Recorde-se, a propósito, que inúmeros temas do processo penal — com destaque, *v. g.,* para os problemas da prisão preventiva, das garantias e direitos dos arguidos, dos processos acelerados e simplificados, da posição jurídico-processual da vítima, do sentido e âmbito de aplicação do princípio da oportunidade, etc. — têm constituído objecto de reuniões científicas sob o seu patrocínio e, não raro, de recomendações ou deliberações dos seus órgãos competentes.

4. De entre as condicionantes endógenas deve evidenciar-se, em primeiro lugar, o relevo que no presente Código quis atribuir-se à tradição processual penal portuguesa. Procurou-se, com efeito, que a busca da inovação e da modernidade se não fizesse com sacrifício indiscriminado de instituições e de princípios que, apesar de tudo, devem ser preservados como sinais identificadores de uma maneira autónoma de estar no mundo, de fazer história e de criar cultura. Paradigmático a este respeito é o que se passa com o estatuto da *vítima-assistente,* que nos singulariza claramente no contexto do direito comparado e por cujo modelo começam agora

a orientar-se os movimentos de reforma de muitos países, sob o impulso das mais recentes investigações criminológico-vitimológicas.

Importa referir, em segundo lugar, a Constituição da República e o Código Penal — dois diplomas que, pelo seu papel no contexto da ordem jurídica portuguesa, em muitos casos estreitam drasticamente o espectro das alternativas disponíveis, enquanto noutros casos predeterminam o sentido e o alcance das soluções a consagrar em processo penal. Assim, a Constituição da República elevou, por exemplo, à categoria de direitos fundamentais os princípios relativos à estrutura básica do processo penal, aos limites à prisão preventiva como medida que se quer decididamente subsidiária, à regularidade das provas, à celeridade processual compatível com as garantias de defesa, à assistência do defensor, ao juiz natural. Por seu turno, de entre os condicionalismos decorrentes do Código Penal pode salientar-se, desde logo, o que se prende com a sua fidelidade ao ideário socializador e que aponta por sua vez, por exemplo, para uma autonomia, ao menos relativa, do momento processual de determinação e de medida da pena. Menos óbvias e significativas não são, de resto, as implicações decorrentes da circunstância de o Código Penal ter definido a indemnização, arbitrada ao lesado como consequências de um crime, como uma prestação de natureza civilística; o que não pode deixar de contender, por exemplo, com o princípio de um generalizado arbitramento oficioso, vigente no direito anterior.

Relevante foi, em terceiro lugar, a representação — que se quis tão aproximada e verdadeira quanto possível — dos principais estrangulamentos e desvios registados na *praxis* dos nossos tribunais e responsáveis pela frustração de uma justiça tempestiva e eficaz. Tais disfuncionalidades foram principalmente diagnosticadas: na existência da instrução, como fase necessária à submissão do feito a julgamento nos crimes mais graves; no desregramento em matéria de continuidade e de disciplina da audiência de julgamento e na invencível anomia do desrespeito dos prazos em geral; num sistema de recursos que, por sobre induzir ao abuso, se relevava paradoxalmente como oferecendo um segundo grau de recurso sem, simultaneamente, garantir uma dupla jurisdição sobre o mérito; numa pletora de formas comuns e especiais do procedimento. Tudo, de resto, se agravando com a desconfiança generalizada dos cidadãos quanto à idoneidade da justiça formal prestada, num processo de afastamento que se alimentava em espiral e induzia

Código de Processo Penal

à procura de soluções informais autotutela, de desforço ou vindicta, de composição e de ressarcimento privados.

II. 5. Para se ganhar a perspectiva adequada à compreensão da estrutura básica do modelo de processo subjacente ao presente Código, dos seus princípios fundamentais e das suas soluções concretas, convirá começar por uma referência prévia aos fins ou metas que, em última instância, é legítimo esperar de um processo penal no quadro de um Estado de Direito democrático e social.

São, com efeito, os valores e as formas deste modelo de organização comunitária que definem o horizonte em que o Código pretende inscrever-se. Este assume, em conformidade, a ideia-mestra segundo a qual o processo penal tem por fim a realização de justiça no caso, por meios processualmente admissíveis e por forma a assegurar a paz jurídica dos cidadãos.

Sabe-se, porém, como estas três referências valem no processo penal como polarizadores autónomos de universo de valores e geradores de princípios de implicações inevitavelmente antitéticas. Afastada está pois, à partida, a possibilidade de se pôr de pé um sistema processual que dê safisfação integral às exigências decorrentes de cada uma daquelas três referências. Por maioria de razão deve, aliás, afastar-se, sem mais, toda a pretensão de absolutizar unilateralmente qualquer deles — sob pena de se abrir a porta às formas mais intoleráveis de tirania, ou de se advogar soluções do mais inócuo ritualismo processual. O possível, e também — importa acentuá-lo — o desejável, é, assim, um modelo processual preordenado à concordância prática das três teleologias antinómicas, na busca da maximização alcançável e admissível das respectivas implicações.

No estado actual do conhecimento, e tendo presente o lastro da experiência histórica, seria ociosa qualquer demonstração das antinomias que medeiam entre, por exemplo, a liberdade e dignidade dos arguidos e a procura a todo o transe de uma verdade material; ou entre o acréscimo de eficência da justiça penal e o respeito das formas ou ritos processuais que se apresentam como baluartes dos direitos fundamentais.

As transformações políticas e sociais mais recentes, e mesmo o avanço da reflexão teórica mais ou menos empenhada, têm entretanto feito aflorar novas e importantes linhas de clivagem e de conflitualidade entre os fins do processo penal.

19

Código de Processo Penal

Está no primeiro caso o triunfo do moderno Estado de Direito social, cujos reflexos no processo penal (solialização, conciliação, transacção, oportunidade, etc.) podem colidir drasticamente com as exigências ancoradas em mais de dois séculos de afirmação da vertente meramente liberal do Estado de Direito clássico.

Paradigmática, no que ao segundo caso respeita, é a antinomia que resulta da descoberta do relevo institucional de certos direitos fundamentais, a ponto de o Estado de Direito contemporâneo os assumir como seus próprios valores simbólicos. O que se traduz, *v. g.*, na sua irrenunciabilidade mesmo no contexto do processo penal, para mediatizar os seus fins e sob o envolvimento das suas garantias formais. O que se passa com as proibições de prova — que, por obediência aos imperativos constitucionais, o Código expressamente consagra —, cujo regime sobreleva de forma explícita o consentimento do arguido e a sua autonomia, constitui a manifestação proventura mais expressiva, mas não seguramente a única, desta postura do Estado de Direito perante os direitos fundamentais. Ao erigi-los em «instituição» e ao impô-los de certo modo contra o próprio titular, é também a «instituição» de um processo penal plenamente legitimado que o Estado moderno procura preservar. Por via reflexa e em última instância, é a sua própria legitimação que o Estado procura acautelar.

6. São, assim, as antinomias a nível dos próprios fundamentos do processo penal que reclamam um regime integrado de soluções compromissórias, precludindo a possibilidade de um sistema alinhado segundo os ditames de uma lógica unilinear e absolutizada. As pressões no sentido de um sistema aberto mais se acentuam, de resto, quando se entra em linha de conta com duas considerações complementares: a primeira contende com a heterogeneidade da realidade sobre que versa o processo penal; a segunda tem a ver com a diversidade de atitude ou de *ethos* próprios das diferentes estruturas de interacção em que se analisa o drama processual. Noutros termos, e seguindo neste ponto a formulação de alguns processualistas contemporâneos, é possível inscrever todo o universo processual num sistema de coordenadas definido por um eixo horizontal e outro vertical.

a) Quanto ao primeiro eixo, convém não esquecer a importância decisiva da distinção entre a criminalidade grave e a pequena criminalidade — uma das manifestações típicas das sociedades modernas. Trata-se de duas realidades claramente distintas quanto à sua explicação criminológica, ao grau de danosidade social e ao alarme colectivo que provocam. Não poderá deixar de ser, por isso, completamente diferente o teor da reacção social num e noutro caso, *maxime,* o teor da reacção formal. Nem será mesmo por acaso que a procura de novas formas de controlo da pequena criminalidade representa uma das linhas mais marcantes do actual debate político--criminal. Concretamente, é sobretudo com os olhos postos nesta específica área da fenomenologia criminal que, cada vez com maior insistência, se fala em termos de oportunidade, diversão, informalidade, consenso, celeridade. Não se estranhará por isso que o presente Código preste uma moderada mas inequívoca homenagem às razões que estão por detrás destas sugestões político-criminais. Nem será outrossim difícil identificar soluções ou institutos que delas relevam directamente. Pelo seu carácter inovador e pelo seu peso na economia do diploma, merecem especial destaque a possibilidade de suspensão provisória do processo com injunções e regras de conduta e, sobretudo, a criação de um processo sumaríssimo — forma especial de processo destinado ao controlo da pequena criminalidade em termos de eficácia e celeridade, sem os custos duma estigmatização e dum aprofundamento da conflitualidade no contexto de uma audiência formal.

b) Um segundo eixo estabelece a fronteira entre aquilo que se pode designar por espaços de consenso e espaços de conflito no processo penal: embora em boa medida sobreponível com a anteriormente mencionada — no tratamento da pequena criminalidade devem privilegiar-se soluções de consenso, enquanto no da criminalidade mais grave devem, inversamente, viabilizar-se soluções que passem pelo reconhecimento e clarificação do conflito —, esta segunda distinção possui sentimento autónomo.

Por um lado, abundam no processo penal as situações em que a busca do consenso, da pacificação e da reafirmação estabilizadora das normas, assente na reconciliação, vale como um imperativo ético-jurídico. Expressões do eco encontrado no presente Código por tais ideias são, entre outras: o relevo atribuído à confissão livre e integral, a qual pode dispensar toda a ulterior produção da prova; o acordo de vários sujeitos processuais como pressuposto de institutos como o da suspensão provisória do processo, o do processo sumaríssimo, a competência do juiz singular para o julgamento de casos em abstracto pertinentes à competência do

Código de Processo Penal

tribunal colectivo, bem como as numerosas disposições cuja eficácia é posta na dependência do assentimento de um ou de vários intervenientes processuais.

Contudo, o Código não erige a procura do consenso em valor incondicionado. Pela natureza das coisas, também aqui a absolutização só seria possível à custa do arbítrio, subalternizando à «paz» a própria vida e a autonomia humanas. Acresce que, não raro, o controlo eficaz da criminalidade só pode lograr-se mediante a formalização da conflitualidade real. Paradigmática do respeito que esta consideração merece ao Código é, por exemplo, a possibilidade que assiste ao arguido de aceitar ou rejeitar a desistência da queixa ou da acusação particular. Da mesma postura relevam, em geral, todas as disposições que, como implicações do sistema acusatório, visam realizar na medida do possível a reclamada «igualdade de armas» entre a acusação e a defesa. O mesmo poderá ainda afirmar-se a propósito o reforço da consistência do estatuto do assistente, com a intenção manifestada de consolidar o papel de um dos protagonistas no campo da conflitualidade real.

III. 7. O que fica dito permitirá uma mais fácil identificação e explicação dos contornos mais salientes da arquitectura do processo penal previsto no presente Código. Três notas complementares ajudarão a evidenciar outros tantos aspectos que imprimem cunho ao sistema delineado.

a) A primeira nota tem a ver com a estrutura básica do processo. Por apego deliberado a uma das conquistas mais marcantes do progresso civilizacional democrático, e por obediência ao mandamento constitucional, o Código perspectivou um processo de estrutura basicamente acusatória. Contudo — e sem a mínina transigência no que às autênticas exigências do acusatório respeita —, procurou temperar o empenho na maximização da acusatoriedade com um princípio de investigação oficial, válido tanto para efeito de acusação com de julgamento; o que representa, além do mais, uma sintonia com a nossa tradição jurídico-processual penal.

b) Em segundo lugar, o Código optou decididamente por converter o inquérito, realizado sob a titularidade e a direcção do Ministério Público, na fase geral e normal de preparar a decisão de acusação ou de não acusação. Por seu turno, a instrução, de carácter contraditório e dotada de uma fase de debate oral — o

Código de Processo Penal

que implicou o abandono da distinção entre instrução preparatória e contraditória —, apenas terá lugar quando for requerida pelo arguido que pretenda invalidar a decisão de acusação, ou pelo assistente que deseje contrariar a decisão de não acusação. Tal opção filia-se na convicção de que só assim será possível ultrapassar um dos maiores e mais graves estrangulamentos da nossa actual *praxis* processual penal. E esteia-se, por outro lado, no facto de todos os actos processuais que contendam directamente com os direitos fundamentais do arguido só devem poder ter lugar se autorizados pelo juiz de instrução e, nalguns casos, só por este podem ser realizados. Refira-se ainda que, como decorrência directa da opção de fundo acabada de mencionar, os órgãos de polícia criminal são, na fase de inquérito, colocados na dependência funcional do Ministério Público.

c) Inovador a muitos títulos é, em terceiro lugar, o regime de recursos previsto neste Código. Com as inovações introduzidas procurou obter-se um duplo efeito: potenciar a economia processual numa óptica de celeridade e de eficiência; e, ao mesmo tempo, emprestar efectividade à garantia contida num duplo grau de juris-dição autêntico.

Para alcançar o primeiro desiderato, tentou obviar-se ao reco-nhecido pendor para o abuso dos recursos, abrindo-se a possibilidade de rejeição liminar de todo o recurso por manifesta falta de fun-damento. Complementarmente, procurou simplificar-se todo o sistema, abolindo-se concretamente a existência, por regra, de um duplo grau de recurso. Por isso os tribunais de relação passam a conhecer em última instância das decisões finais do juiz singular e das decisões interlocutórias do tribunal colectivo e do júri, devendo o recurso das decisões finais destes últimos tribunais ser directamente interposto para o Supremo Tribunal de Justiça.

Por outro lado, é logo a partir da primeira instância que se começa por dar expressão à garantia ínsita na existência de uma dupla jurisdição. Com efeito, o Código aposta confiadamente na qualidade da justiça realizada a nível da primeira instância, para o que não deixa de adoptar as medidas consideradas mais adequadas e de supor que outras — que a ele não cabe editar — não deixarão de ser consagradas nos lugares próprios. Entre estas avulta a da separação entre os juizes que hão-de actuar como juizes singulares e os que pertencem aos tribunais colectivos. No mesmo enqua-dramento deverá interpretar-se o alargamento da competência dos

23

Código de Processo Penal

jurados, agora extensiva também à matéria de direito, combinado com a diminuição sensível do seu número que deverá ser estatuída pela lei complementar sobre o júri. No que aos recursos especificamente respeita, estebelece o Código um regime aparentado com a ideia do recurso unitário, em princípio idêntico para a Relação e para o Supremo e abarcando, na medida possível e conveniente, tanto a questão de direito como a questão de facto. Com o mesmo propósito de emprestar ao recurso maior consistência, procura contrariar-se a tendência para fazer dele um labor meramente rotineiro executado sobre papéis, convertendo-o num conhecimento autêntico de problemas e conflitos reais, mediatizado pela intervenção motivada de pessoas. Por isso se submetem os recursos ao princípio geral — aliás jurídico-constitucionalmente imposto! — da estrutura acusatória, com a consequente exigência de uma audiência onde seja respeitada a máxima da oralidade.

8. Mesmo no contexto de uma apresentação sumária, não pode deixar de sublinhar-se outra das motivações que esteve na primeira linha dos trabalhos de reforma: a procura de uma maior celeridade e eficiência na administração da justiça penal.

Importa, contudo, prevenir que a procura da celeridade e da eficiência não obedeceu a uma lógica puramente economicista de produtividade pela produtividade. A rentabilização da realização da justiça é apenas desejada em nome do significado directo da eficiência para a concretização dos fins do processo penal: realização da justiça, tutela de bens jurídicos, estabilização das normas, paz jurídica dos cidadãos. A eficiência é, por um lado, o espelho da capacidade do ordenamento jurídico e do seu potencial de prevenção, que, sabe-se bem, tem muito mais a ver com a prontidão e a segurança das reacções criminais do que com o seu carácter mais ou menos drástico. A imagem de eficiência constitui, por outro lado, o antídoto mais eficaz contra o recurso a modos espontâneos e informais de autotutela ou ressarcimento, catalizadores de conflitos e violências dificilmente controláveis. Mas a eficiência — no sentido de redução das cifras negas e das desigualdades a que elas obedecem — pode também valer como a garantia da igualdade da lei em acção, critério fundamental da sua legitimação material e, por isso, da sua aceitação e interiorização colectiva.

Acresce que a celeridade é também reclamada pela consideração dos interesses do próprio arguido, não devendo levar-se a crédito do acaso o facto de a Constituição, sob influência da Convenção

Europeia dos Direitos do Homem, lhe ter conferido o estatuto de um autêntico direito fundamental. Há, pois, que reduzir ao mínimo a duração de um processo que implica sempre a compressão da esfera jurídica de uma pessoa que pode ser — e tem mesmo de presumir-se — inocente. Como haverá ainda que prevenir os perigos de uma estigmatização e adulteração irreversível da identidade do arguido, que pode culminar no compromisso com uma carreira delinquente. De resto, a aceleração processual redundará tanto mais em favorecimento do arguido quanto mais ela tiver por reverso — como sucede no presente Código — um reforço efectivo da sua posição processual.

9. Como facilmente se intuirá, o propósito de aceleração processual aflora já em algumas das alterações e inovações mencionadas noutros contextos. Para além delas, e sempre a título meramente exemplificativo, outras poderão mencionar-se: umas directamente preordenadas à aceleração processual, outras apresentando pelo menos uma inquestionável valência neste sentido.

A favor directamente da aceleração processual estão sem dúvida: a introdução de um incidente autónomo de aceleração do processo; a nova disciplina em matéria de prazos, com cominações que se esperam eficazes; o poder de disciplina e direcção conferido às autoridades judiciárias, *maxime,* ao juiz na fase da audiência de julgamento; a estruturação desta audiência e o seu desenvolvimento em termos de continuidade e concentração reforçada; a simplificação e desburocratização de numerosos actos processuais, nomeadamente as notificações.

O mesmo efeito se espera da criteriosa definição, delimitação e articulação da competência das diversas instâncias de controlo, como, por exemplo, do Ministério Público e do juiz, sobretudo do juiz de instrução, prevenindo assim eventuais conflitos e desfasamentos, inevitavelmente geradores de demoras e delongas.

É também à ideia de aceleração que em boa medida deve imputar-se a redução substancial das formas de processo. Na verdade, a par de uma única forma de processo comum (comportando apenas as particularidades impostas pela circunstância de o processo decorrer perante o juiz singular, o tribunal colectivo ou o tribunal do júri), prevêem-se apenas duas formas de processo especial: o sumário e o sumaríssimo. A este propósito, a forma de processo especial cuja falta será mais notada é naturalmente a

Código de Processo Penal

do processo de ausentes. O Código optou decididamente por fugir aos inconvenientes do processo de ausentes tradicional, nomeadamente numa perspectiva de desincentivação da ausência, privilegiando um conjunto articulado de medidas drásticas de compressão da capacidade patrimonial e negocial do contumaz, que se espera sejam suficientes e eficazes.

10. Por último, o estatuto dos diferentes sujeitos e intervenientes processuais constitui outro dos domínios onde as alterações são, a par de menos ostensivas, igualmente de tomo. De um modo geral, elas operaram-se em três direcções: em uma mais cuidadosa delimitação legal; num alargamento e reforço das competências dos órgãos das diferentes instâncias formais de controlo, em ordem à viabilização efectiva das tarefas que lhe são cometidas, e no reforço da posição jurídica do arguido.

A mais precisa definição das competências relativas das diferentes autoridades processuais é, desde logo, ditada por obediência às exigências do princípio acusatório. Por seu lado, a ampliação dos meios ao seu dispor explica-se pela necessidade de maximizar a eficiência e pelo propósito de salvaguardar o prestígio dos órgãos processuais nas suas relações com a comunidade, em ordem a um mais cabal adimplemento das obrigações de colaboração na realização da justiça penal. Nesta linha avultam as chamadas medidas cautelares de polícia e as medidas de caução e de garantia patrimonial a que podem recorrer, nos casos e nos termos especificamente previstos, o juiz, o Ministério Público e a polícia criminal. De recordar que ao Ministério Público é deferida a titularidade e a direcção do inquérito, bem como a competência exclusiva para a promoção processual: daí que lhe seja atribuído, não o estatuto de parte, mas o de uma autêntica magistratura, sujeita ao estrito dever de objectividade.

Na redefinição do estatuto do arguido começa logo por sobressair o cuidado e uma certa solenidade com que se rodeia a sua constituição formal. Por outro lado, não será difícil verificar que o regime do Código, globalmente considerado, redunda num inquestionável aumento e consolidação dos direitos processuais do arguido. Também aqui, de resto, o respeito intransigente pelo princípio acusatório leva o Código a adoptar soluções que se aproximam duma efectiva «igualdade de armas», bem como à preclusão de todas as medidas que contendam com a dignidade pessoal do arguido.

Código de Processo Penal

Uma última referência merecem, neste contexto, as disposições relativas às medidas de coacção — categoria que integra, entre outras, a figura da prisão preventiva. Por um lado, o Código submete todas estas medidas aos princípios da legalidade, da proporcionalidade e da necessidade. Por outro lado, alarga o respectivo espectro, introduzindo, a par das medidas de coacção já clássicas, novas modalidades, como, por exemplo, a obrigação de permanência na habitação. Este alargamento permite uma maior maleabilidade na escolha das soluções concretamente aplicáveis, com o respeito pelos ditames da proporcionalidade e da necessidade. Mas permite, acima de tudo, a realização efectiva do princípio constitucional da subsidiariedade da prisão preventiva, em homenagem ao qual, de resto, o Código extingue a categoria dos crimes incaucionáveis.

IV. 11. Pensa-se que, pela forma sumariamente descrita, o Código que em seguida se apresenta poderá constituir uma peça fundamental do diálogo, sempre em aberto e sempre renovado, entre a vertente liberal e a vertente social do Estado de Direito democrático, entre a justiça e a eficiência na aplicação da lei penal, entre as exigências de segurança da comunidade e de respeito pelos direitos das pessoas. Se assim for, do Código de Processo Penal — a pedra essencial que faltava no edifício renovado da nossa legislação penal — poderá legitimamente esperar-se que cumpra a função decisiva que lhe cabe na tarefa ingente de controlo e domínio da criminalidade.

LEI N.º 90-B/95, DE 1 DE SETEMBRO

AUTORIZA O GOVERNO A REVER O CÓDIGO DE PROCESSO PENAL

A Assembleia da República decreta, nos termos dos artigos 164.º, alínea *e)*, 168.º, n.º 1, alíneas *b)* e *c)* , e 169.º, n.º 3, da Constituição, o seguinte:

ARTIGO 1.º

É concedida ao Governo a autorização legislativa para rever o Código de Processo Penal, aprovado pelo Decreto-Lei n.º 78/87, de 17 de Fevereiro.

ARTIGO 2.º

O sentido essencial da autorização é o de proceder à adequação do Código de Processo Penal às alterações introduzidas no Código Penal pelo Decreto-Lei n.º 48/95, de 15 de Março.

ARTIGO 3.º

De harmonia com o sentido a que se refere o artigo anterior, a extensão da autorização legislativa revela-se no seguinte elenco de soluções:

a) Adequar as remissões efectuadas para o Código Penal, aprovado pelo Decreto-Lei n.º 400/82, de 23 de Setembro, para as correspondentes disposições do Código Penal revisto pelo Decreto-Lei n.º 48/95, de 15 de Março, com a extensão e alcance resultantes da revisão;

Código de Processo Penal

b) Relativamente às regras de competência do tribunal colectivo determinadas em função da moldura penal, estabelecer a competência do tribunal colectivo para processos relativos a crimes cuja pena máxima abstractamente aplicável seja superior a cinco anos de prisão, mesmo quando, no caso de concurso de infracções, seja inferior o limite máximo correspondente a cada crime;

c) Relativamente às regras de competência do tribunal singular determinadas em função da moldura penal ou da pena em concreto proposta pelo Ministério Público, elevar o limite máximo de três para cinco anos, aumentando em conformidade o limite da pena máxima aplicável pelo tribunal, bem como eliminar a possibilidade de determinação do tribunal competente em função de um juizo de prognose relativamente à medida de segurança aplicável;

d) No domínio da dispensa do segredo profissional (artigo 135.º, n.º 3), remeter para as normas e princípios aplicáveis da lei penal, nomeadamente da prevalência do interesse preponderante, face à eliminação da cláusula de exclusão da ilicitude constante do artigo 185.º do Código Penal de 1982;

e) Dar nova redacção à alínea *e)* do n.º 1 do artigo 187.º, de modo a contemplar os crimes de injúria, de ameaça, de coacção, de devassa da vida privada e perturbação da paz e sossego, enquanto cometidos através do telefone, e à alínea *f)* do n.º 2 do artigo 187.º no sentido de as remissões aí referidas se considerarem efectuadas para os artigos 262.º, 264.º, na parte em que remete para o artigo 262.º, e para o artigo 267.º, na parte em que remete para os artigos 262.º e 264.º, todos do Código Penal;

f) Dar nova redacção à alínea *a)* do n.º 2 do artigo 209.º no sentido de as remissões aí referidas se considerarem efectuadas para os artigos 272.º, n.º 1, alínea *a)*, 299.º, 312.º, n.º 1, 315.º, n.º 2, 318.º, n.º 1, 319.º, 325.º, 326.º, 331.º e 333.º, n.º 1, do Código Penal;

g) Eliminar as alusões à isenção de pena, substituindo-as pela dispensa de pena;

h) Eliminar o limite de três anos relativamente à medida de segurança a que alude o artigo 370.º, n.º 2;

i) Eliminar no artigo 409.º, n.º 2, alínea *b)*, a referência aos artigos 103.º e 104.º do Código Penal;

Lei n.º 90-B/95, de 1 de Setembro

j) Estabelecer para a execução de decisão que tenha sido revista e confirmada regra de competência idêntica à da execução da decisão proferida em 1.ª instância pela Relação ou pelo Supremo Tribunal de Justiça;

l) Prever expressamente a competência do tribunal da última condenação, colectivo ou singular, conforme os casos, para a realização do cúmulo jurídico em caso de conhecimento superveniente do concurso, sendo o cúmulo efectuado em audiência, com observância do contraditório, com presença obrigatória do defensor e do Ministério Público, cabendo ao tribunal determinar os casos de presença obrigatória do arguido;

m) Clarificar que é o tribunal competente para a execução que declara a extinção da execução da pena ou da medida de segurança;

n) Estender o regime da contumácia aos condenados que dolosamente se tenham eximido, total ou parcialmente, à execução de uma medida de internamento;

o) Estabelecer a obrigatoriedade de elaboração de plano individual de readaptação nos casos em que o condenado esteja preso há mais de cinco anos para instrução do processo de liberdade condicional;

p) Prever que, em caso de urgência, a libertação pode ser ordenada por qualquer meio de comunicação devidamente autenticado, com remessa posterior do respectivo mandato;

q) Estabelecer o regime a observar nos casos em que durante a execução da pena sobrevenha anomalia psíquica com os efeitos previstos nos artigos 105.º, n.º 1, e 106.º, n.º 1, do Código Penal, cabendo a decisão aí prevista ao Tribunal da Execução das Penas, que a proferirá precedendo perícia psiquiátrica ou sobre a personalidade, relatório social e outras diligências necessárias, com observância do princípio do contraditório, só podendo ser dispensada a presença do condenado se o seu estado de saúde tornar a audiência inútil ou inviável;

r) Adaptar a execução da pena suspensa ao novo figurino traçado pela revisão do Código Penal, que consagra o regime de prova como modalidade de pena suspensa e consequente eliminação da previsão da execução do regime de prova como medida autónoma de substituição;

Código de Processo Penal

s) Consagrar a necessidade de parecer prévio do Ministério Público, quando não seja o requerente, relativamente à decisão sobre suspensão da execução da prisão subsidiária;

t) Regulamentar o momento e forma de execução da admoestação, prevendo-se que seja proferida após o trânsito em julgado de decisão que a aplicar, ou logo após a decisão, se Ministério Público, arguido e assistente declararem para a acta que prescindem da interposição de recurso;

u) Aperfeiçoar o regime relativo à suspensão provisória, revogação, extinção e substituição do trabalho a favor da comunidade;

v) Prever o regime de substituição do tempo de prisão por prestação de trabalho a favor da comunidade, nos termos do artigo 99.º, do Código Penal, estabelecendo-se que a decisão tomada nos termos do artigo 99.º, n.º 6, do Código Penal é sempre precedida de audição do defensor;

x) Aperfeiçoar os capítulos relativos à execução das penas acessórias e das medidas de segurança, em função da introdução da pena acessória de proibição da condução de veículo motorizado e das medidas de segurança da cassação da licença e de interdição da concessão de licença;

z) Clarificar o regime da revisão, prorrogação e reexame do internamento, prevendo-se que a revisão obrigatória da situação do internado tem lugar com audição do Ministério Público, do defensor e do internado, só podendo a presença deste ser dispensada se o seu estado de saúde tornar a audição inútil ou inviável, que o tribunal pode aplicar o regime de revisão obrigatória quando esta for requerida e que o regime de revisão obrigatória é igualmente aplicável à decisão sobre prorrogação do internamento e reexame, previstos nos artigos 92.º, n.º 3, e 96.º do Código Penal, respectivamente;

aa) Introduzir a obrigatoriedade da audição do defensor para decisão sobre a revogação da liberdade para a prova;

bb) Prever o regime aplicável à execução da pena relativamente indeterminada, definindo-se o conteúdo do plano individual de readaptação, que incluirá os regimes de trabalho, aprendizagem, tratamento e desintoxicação que se mostrem adequados, bem como o regime de liberdade condicional, da revisão da situação do condenado e da revogação da liberdade condicional e liberdade para a prova;

cc) Alterar o n.º 2 do artigo 104.º, de forma que a circunstância de, por princípio, os prazos nos casos ali previstos correrem

Lei n.º 90-B/95, de 1 de Setembro

nas férias não redundar em prejuizo do arguido, aditando-se àquele n.º 2 o seguinte: «excepto quando tal possa redundar em prejuizo da defesa»;

dd) Aditar ao artigo 107.º, um n.º 5 com o seguinte teor:

Independentemente de justo impedimento, pode o acto ser praticado, no prazo, nos termos e com as mesmas consequências que em processo civil, com as necessárias adaptações;

ee) Alterar o n.º 1 do artigo 287.º, passando para 20 dias o prazo em que pode ser requerida a abertura de instrução;

ff) Alterar o n.º 1 do artigo 315.º, passando para 20 dias o prazo para apresentação da contestação;

gg) Revogar o n.º 2 do artigo 342.º, já que a indagação em audiência pública dos antecedentes criminais do arguido atenta com a sua dignidade e com as suas garantias constitucionais.

ARTIGO 4.º

Fica ainda o Governo autorizado a rever a redacção das disposições do Código cujo conteúdo permanece inalterado para adequada harmonização com a técnica de articulação e terminologia resultante do Código Penal revisto e das restantes disposições do Código de Processo Penal.

ARTIGO 5.º

A presente autorização legislativa tem a duração de 90 dias.

Aprovada em 21 de Junho de 1995.

O Presidente da Assembleia da República, *António Moreira Barbosa de Melo.*

Promulgada em 19 de Agosto de 1995.

Publique-se.

O Presidente da República, MÁRIO SOARES.

Referendada em 28 de Agosto de 1995.

O Primeiro-Ministro, *Aníbal António Cavaco Silva.*

DECRETO-LEI N.º 317/95

DE 28 DE NOVEMBRO

Em cumprimento do Programa do XII Governo Constitucional, o Governo procedeu à revisão do Código Penal, com o propósito, designadamente, de eliminar assimetrias de punição essencialmente entre os crimes contra as pessoas e os crimes contra o património e de valorização da pena de multa e outras penas não detentivas na punição da pequena e média baixa criminalidade, de modo a optimizar vias de reinserção social do delinquente. Do ponto de vista formal, e no plano da técnica legislativa, pretendeu-se ainda reduzir o número de tipos legais de crime, através de nova forma de articulação, de modo a evitar a prolixidade que caracterizava a construção de tipos afins, bem como melhorar a colocação sistemática dos tipos legais de crime, em função da relativa preeminência dos valores e interesses protegidos com a incriminação.

O Código de Processo Penal, continuando a revelar-se instrumento adequado à prossecução da política do Governo no tocante ao combate à criminalidade, não poderá deixar de reflectir estas alterações.

Neste momento, afigurou-se adequado proceder estritamente aos ajustamentos ditados pela revisão do Código Penal, relegando-se para próxima oportunidade uma revisão mais global do processo penal, na qual, nomeadamente, a problemática dos adiamentos sistemáticos por falta do arguido — importante factor de bloqueio da justiça penal — se espera possa ser enfrentada sem os constrangimentos de ordem constitucional que vêm inibindo o legislador ordinário de intervir nessa matéria.

No sentido de potenciar uma maior celeridade e eficácia da justiça penal, reequacionou-se a competência do tribunal singular

Código de Processo Penal

e do colectivo determinada em função da moldura penal aplicável, de modo a reservar a intervenção deste último aos casos de maior gravidade. Nessa conformidade, estende-se a competência do tribunal singular para o julgamento dos crimes puníveis com prisão até cinco anos, em consonância com a consagração, no plano do direito substantivo, de novos escalões de punição, sobretudo no âmbito da criminalidade patrimonial, de modo a atenuar a amplitude de certas molduras penais.

O capítulo relativo à execução das penas mostrou-se carecido de uma revisão mais profunda, de forma a responder cabalmente ao propósito de privilegiar o recurso às penas alternativas à prisão enunciado na reforma do Código Penal.

Por outro lado, aproveitou-se a oportunidade para colmatar lacunas evidentes, consagrando-se soluções cuja aceitação se afigura pacífica, bem como para aperfeiçoar a redacção de certos preceitos e respectiva sistematização.

No plano das medidas alternativas à prisão, destaca-se a reformulação do regime da execução da pena suspensa, de modo a adequá-lo ao figurino resultante da revisão do Código Penal, designadamente a descaracterização do regime de prova como medida autónoma de substituição. Assim, o Código de Processo Penal prevê a execução da pena suspensa, acompanhada ou não de deveres ou regras de conduta e outras obrigações, ou do regime de prova.

Refira-se, ainda, a regulamentação do regime a seguir no caso de verificação de anomalia psíquica posterior à condenação, com os efeitos previstos nos artigos 105.º e 106.º, n.º 1, do Código Penal.

Em matéria de liberdade condicional, as alterações introduzidas destinam-se sobretudo a clarificar alguns aspectos da respectiva tramitação, de modo a conferir-lhe maior eficácia e a adequá-la às modificações decorrentes da revisão do Código Penal.

No tocante à execução das penas acessórias, reflectiu-se no direito adjectivo a inovação decorrente da consagração expressa no texto do Código Penal da proibição de conduzir veículos motorizados. E no âmbito das medidas de segurança não privativas da liberdade, passou-se a regular tanto a cassação de licença de condução de veículo automóvel, como a interdição de concessão de licença, em consonância com o disposto no diploma substantivo.

Decreto-Lei n.º 317/95, de 28 de Novembro

No plano de integração de lacunas existentes, destaca-se a previsão do tribunal da última condenação como o tribunal competente para a realização do cúmulo jurídico em caso de conhecimento superveniente do concurso, prevendo-se, ainda, a respectiva tramitação.

Na mesma ordem de ideias, regulamentou-se o momento e a forma da execução da admoestação, de modo a distingui-la da alocução final.

De referir, ainda, a clarificação de qual o tribunal competente para declarar a extinção da execução, bem como a extensão do regime da contumácia, previsto para o condenado que se exime dolosamente à execução da pena de prisão, aos casos em que o inimputável se exime à execução de medida de internamento.

A execução da pena relativamente indeterminada foi objecto de regulamentação nas suas diversas vertentes: plano individual de readaptação, liberdade condicional, revisão da situação do condenado e da revogação da liberdade condicional e da liberdade para prova.

Apesar de a revisão que se pretende levar a efeito ter como objectivo essencial a adaptação do Código de Processo Penal às alterações recentemente introduzidas no Código Penal, afigurou-se pertinente adaptar o seu âmbito a algumas disposições cuja melhoria e correcção a experiência de aplicação do Código revelou conveniente. Estas alterações prendem-se com o fortalecimento das garantias de defesa do arguido e da sua dignidade, o que assenta em claros imperativos constitucionais.

Assim:

No uso da autorização legislativa concedida pelo artigo 1.º da Lei n.º 90-B/95, de 1 de Setembro, e nos termos da alínea *b)* do n.º 1 do artigo 201.º da Constituição, o Governo decreta o seguinte:

ARTIGO 1.º

Os artigos 1.º, 13.º, 14.º, 16.º, 104.º, 107.º, 135.º, 187.º, 209.º, 220.º, 224.º, 242.º, 280.º, 287.º, 313.º, 315.º, 342.º, 367.º, 370.º, 375.º, 409.º, 469.º a 509.º e 521.º do Código de Processo Penal, aprovado pelo Decreto-Lei n.º 78/87, de 17 de Fevereiro, passam a ter a seguinte redacção:

Nota do autor: A redacção introduzida vai transcrita no articulado do Código, nos lugares próprios, pelo que não é aqui repetida.

Código de Processo Penal

ARTIGO 2.º

1. O Título I do Livro X do Decreto-Lei n.º 78/87, de 17 de Fevereiro, cuja epígrafe se mantém, é constituído pelos artigos 467.º a 476.º.

2. Os Capítulos I, II e III do Título II do referido Livro, cujas epígrafes se mantêm, são constituídos pelos artigos 477.º a 483.º, 484.º a 486.º e 487.º a 488.º, respectivamente.

3. O Título III do referido Livro, cuja epígrafe se mantém, passa a ser constituído por 4 Capítulos: os Capítulos I e II mantêm as respectivas epígrafes abrangendo, respectivamente, os artigos 489.º a 491.º e 492.º a 495.º; o Capítulo III, que pssa a ter a epígrafe «Da execução da prestação de trabalho a favor de comunidade e da admoestação», abrange os artigos 496.º a 498.º e o Capítulo IV, sob a epígrafe «Da execução das penas acessórias», é constituído pelos artigos 499.º e 500.º.

4. O Título IV do referido Livro, que mantém a epígrafe, passa a ser constituído por três Capítulos. O primeiro, que abrange os artigos 501.º a 506.º, sob a epígrafe «Da execução das medidas de segurança privativas da liberdade»; ao segundo, epigrafado «Da execução de pena e da medida de segurança privativa de liberdade», corresponde o artigo 507.º; e o artigo 508.º constitui o Capítulo III epigrafado «Da execução das medidas de segurança não privativas de liberdade».

5. O Título V do referido Livro passa a Título VI, mantendo a mesma epígrafe e os mesmos artigos, introduzindo-se um Título V com a epígrafe «Da execução da pena relativamente indeterminada» que é constituído pelo artigo 509.º.

Visto e aprovado em Conselho de Ministros de 8 de Setembro de 1995. — *Aníbal António Cavaco Silva — José Manuel Cardoso Borges Soeiro.*

Promulgado em 13 de Outubro de 1995.

Publique-se.

O Presidente da República, Mário Soares.

Referendado em 16 de Outubro de 1995.

O Primeiro-Ministro, *Aníbal António Cavaco Silva.*

LEI N.º 59/98

DE 25 DE AGOSTO

A Assembleia da República decreta, nos termos da alínea *c)* do artigo 161.º, das alíneas *b)* e *c)* do n.º 1 do artigo 165.º e do n.º 3 do artigo 166.º da Constituição, para valer como lei geral da República, o seguinte:

ARTIGO 1.º

Os artigos 1.º, 11.º, 12.º, 13.º, 16.º, 23.º, 24.º, 25.º, 26.º, 28.º, 30.º, 35.º, 36.º, 38.º, 39.º, 40.º, 43.º, 49.º, 51.º, 52.º, 57.º, 58.º, 59.º, 61.º, 62.º, 64.º, 66.º, 68.º, 72.º, 75.º, 76.º, 77.º, 78.º, 79.º, 86.º, 88.º, 89.º, 93.º, 94.º, 97.º, 103.º, 104.º, 105.º, 107.º, 109.º, 111.º, 113.º, 114.º, 116.º, 117.º, 139.º, 141.º, 144.º, 156.º, 159.º, 160.º, 178.º, 181.º, 182.º, 185.º, 188.º, 190.º, 194.º, 196.º, 200.º, 201.º, 206.º, 209.º, 210.º, 213.º, 214.º, 215.º, 223.º, 225.º, 227.º, 228.º, 229.º, 230.º, 231.º, 233.º, 240.º, 246.º, 249.º, 250.º, 251.º, 254.º, 264.º, 268.º, 269.º, 270.º, 271.º, 272.º, 275.º, 276.º, 277.º, 278.º, 281.º, 283.º, 284.º, 285.º, 286.º, 287.º, 288.º, 289.º, 290.º, 291.º, 297.º, 300.º, 303.º, 306.º, 307.º, 308.º, 309.º, 310.º, 311.º, 312.º, 313.º, 314.º, 315.º, 317.º, 318.º, 319.º, 320.º, 328.º, 330.º, 332.º, 333.º, 334.º, 335.º, 336.º, 337.º, 338.º, 339.º, 342.º, 344.º, 348.º, 350.º, 358.º, 362.º, 364.º, 370.º, 372.º, 373.º, 374.º, 375.º, 376.º, 377.º, 379.º, 381.º, 382.º, 385.º, 386.º, 387.º, 389.º, 390.º, 392.º, 393.º, 394.º, 395.º, 396.º, 397.º, 398.º, 400.º, 403.º, 404.º, 408.º, 409.º, 410.º, 411.º, 412.º, 413.º, 414.º, 417.º, 418.º, 419.º, 420.º, 421.º, 425.º, 426.º, 428.º, 429.º, 430.º, 431.º, 432.º, 433.º, 434.º, 435.º, 436.º, 437.º, 439.º, 440.º, 441.º, 442.º, 443.º, 445.º, 446.º, 454.º, 455.º, 456.º, 462.º, 463.º, 469.º, 473.º, 484.º, 485.º,

Código de Processo Penal

487.º, 489.º, 490.º, 495.º, 496.º, 498.º, 500.º, 508.º, 509.º, 511.º, 512.º, 514.º, 518.º, 520.º, 521.º, 522.º, 523.º e 524.º do Código de Processo Penal, aprovado pelo Decreto-Lei n.º 78/87, de 17 de Fevereiro, alterado pelos Decretos-Leis n.ºˢ 387-E/87, de 29 de Dezembro, 212/89, de 30 de Junho, e 317/95, de 28 de Novembro, passam a ter a seguinte redacção: (*a*)

. . . .

ARTIGO 2.º

Ao Código de Processo Penal são aditados os artigos 82.º-A, 380.º-A, 391.º-A, 391.º-B, 391.º-C, 391.º-D, 391.º-E e 426.º-A, com a seguinte redacção: (*a*)

. . . .

ARTIGO 3.º

São ainda introduzidas as seguintes alterações ao Código de Processo Penal:

a) O título II do livro VIII passa a designar-se «Título II — 'Do processo abreviado'», sendo constituído pelos artigos 391.º-A a 391.º-E;

b) O livro V passa a designar-se «Livro V — Relações com autoridades estrangeiras e entidades judiciárias internacionais»;

c) No livro VIII é inserido um novo título, a seguir ao artigo 391.º-E, com a redacção «Título III — 'Do processo sumaríssimo'», constituído pelos artigos 392.º a 398.º;

d) O livro XI passa a designar-se «Livro XI — 'Da responsabilidade por custas'».

ARTIGO 4.º

O tribunal singular mantém competência para julgar os processos respeitantes a crimes de emissão de cheque sem provisão puníveis com pena de prisão superior a cinco anos, nos termos do artigo 16.º, n.º 2, alínea *b)*, do Código de Processo Penal, na redacção introduzida pelo Decreto-Lei n.º 387-E/87, de 29 de Dezembro.

(*a*) As novas redacções vão nos lugares póprios do Código.

ARTIGO 5.º

Enquanto os tribunais militares permanecerem em funções, nos termos do artigo 197.º da Lei Constitucional n.º 1/97, de 20 de Setembro, mantêm-se em vigor os artigos 26.º, alínea *a),* e 72.º, n.º 1, alínea *h),* do Código de Processo Penal, na redacção aprovada pelo Decreto-Lei n.º 78/87, de 17 de Fevereiro.

ARTIGO 6.º

1. As alterações ao Código de Processo Penal introduzidas pelo presente diploma são aplicáveis aos processos pendentes na data da sua entrada em vigor.

2. Exceptuam-se do disposto no número anterior os processos em que tenha sido interposto recurso da sentença, nos termos do artigo 411.º, n.º 3, do Código de Processo Penal, os quais continuarão a reger-se pelas disposições anteriormente vigentes.

3. Para efeitos da aplicação do disposto nos artigos 332.º a 337.º e 380.º-A, a autoridade judiciária ou o órgão de polícia criminal, conforme os casos, independentemente do estado do processo, sujeitam o arguido a termo de identidade e residência, com as indicações a que se refere o artigo 196.º, n.º 3, na redacção introduzida pelo presente diploma.

ARTIGO 7.º

O artigo 85.º, n.º 1, alínea *c),* do Código das Custas Judiciais, aprovado pelo Decreto-Lei n.º 224-A/96, de 26 de Novembro, passa a ter a seguinte redacção:

«Em processos sumários e abreviados, entre 1 UC e 20 UC;»

ARTIGO 8.º

São revogados:

a) O artigo 6.º, n.º 3, do Decreto-Lei n.º 329-A/95, de 12 de Dezembro, com a redacção decorrente do artigo 4.º do Decreto-Lei n.º 180/96, de 25 de Setembro;

b) O artigo 97.º do Decreto-Lei n.º 783/76, de 29 de Outubro, alterado pelos Decretos-Leis n.ºˢ 222/77, de 30 de Maio, e 204/78, de 24 de Julho.

Código de Processo Penal

ARTIGO 9.º

O Código de Processo Penal, aprovado pelo Decreto-Lei n.º 78/87, de 17 de Fevereiro, alterado pelos Decretos-Leis n.ºˢ 387-E/87, de 29 de Dezembro, 212/89, de 30 de Junho, e 317/95, de 28 de Novembro, é republicado em anexo, na íntegra, com as alterações resultantes do presente diploma.

ARTIGO 10.º

1. O presente diploma entra em vigor no dia 1 de Janeiro de 1999.
2. Exceptuam-se do disposto no número anterior os artigos 57.º, 58.º, 59.º, 61.º, 62.º, 64.º, 66.º, 75.º, 76.º, 77.º, 82.º-A, 196.º, 254.º, 272.º, 312.º, 332.º, 333.º, 334.º, 335.º, 336.º, 337.º, 380.º-A, 381.º, 382.º, 386.º, 387.º, 389.º e 390.º do Código de Processo Penal, na redacção introduzida pelo presente diploma, bem como o artigo 6.º, n.º 3, do presente diploma, os quais entram em vigor no dia 15 de Setembro de 1998.

Aprovada em 29 de Junho de 1998.

O Presidente da Assembleia da República, *António de Almeida Santos.*

Promulgada em 5 de Agosto de 1998.

Publique-se.

O Presidente da República, JORGE SAMPAIO.

Referendada em 11 de Agosto de 1998.

Pelo Primeiro-Ministro, *Jaime José Matos da Gama,* Ministro dos Negócios Estrangeiros.

LEI N.º 27-A/2000, DE 17 DE NOVEMBRO

AUTORIZA O GOVERNO A ALTERAR O CÓDIGO DE PROCESSO PENAL, APROVADO PELO DECRETO-LEI N.º 78/87, DE 17 DE FEVEREIRO, ALTERADO PELOS DECRETOS-LEIS N.ᵒˢ 387-E/87, DE 29 DE DEZEMBRO, 212/89, DE 30 DE JUNHO, E 317/95, DE 28 DE NOVEMBRO, E PELA LEI N.º 59/98, DE 25 DE AGOSTO

A Assembleia da República decreta, nos termos da alínea *d)* do artigo 161.º da Cosntituição, o seguinte:

ARTIGO 1.º
(Objecto)

Fica o Governo autorizado a rever o Código de Processo Penal, aprovado pelo Decreto-Lei n.º 78/87, de 17 de Fevereiro, alterado pelos Decretos-Leis n.ᵒˢ 387-E/87, de 29 de Dezembro, 212/89, de 30 de Junho, e 317/95, de 28 de Novembro, e pela Lei n.º 59/ /98, de 25 de Agosto, sendo o sentido e a extensão das alterações a introduzir, em matérias abrangidas pela reserva de competência legislativa da Assembleia, os constantes dos artigos subsequentes.

ARTIGO 2.º
(Notificações por via postal simples)

1. Fica o Governo autorizado a prever a notificação do arguido, do assistente e das partes civis mediante via postal simples, nos casos em que aqueles já tenham indicado à autoridade policial ou judiciária que elaborar o auto e notícia ou que os ouvir no inquérito

Código de Processo Penal

ou na instrução, a sua residência, local de trabalho ou outro domicílio à sua escolha.

2. No caso de notificação postal simples, o funcionário toma cota no processo com indicação da data da expedição e do domicílio para a qual foi enviada e o distribuidor do serviço postal depositará o expediente na caixa de correio do notificando, lavrará uma declaração indicando a data e confirmando o local exacto desse depósito e enviá-la-á de imediato ao serviço ou ao tribunal remetente, considerando-se a notificação efectuada no 5.º dia posterior à data indicada na declaração lavrada pelo distribuidor do serviço postal, cominação esta que deverá constar do acto de notificação.

ARTIGO 3.º

(Limitação do número de testemunhas)

Em processo comum e abreviado, fica o Governo autorizado a prever a limitação de rol a 20 testemunhas, podendo tal limite ser ultrapassado desde que a prestação de depoimentos se afigure necessária à descoberta da verdade material, designadamente quando tiver sido praticado algum dos crimes referidos no n.º 2 do artigo 215.º ou se o processo se revelar de excepcional complexidade, devido ao número de arguidos ou ofendidos ou ao carácter altamente organizado do crime.

ARTIGO 4.º

(Interrupção de comunicações)

Permite-se que o juiz possa limitar a audição das gravações às passagens indicadas como relevantes para a prova, sem prejuizo de as gravações efectuadas lhe serem integralmente remetidas.

ARTIGO 5.º

**(Limitação dos casos de adiamento da audiência
de julgamento)**

1. A falta de comparência de pessoa que não possa ser de imediato substituída e de cuja presença não se prescinda ou que seja indispensável à boa decisão da causa ou cuja presença seja imposta por força da lei ou de despacho do tribunal não determina o adiamento da audiência, sendo todas as outras pessoas inquiridas ou ouvidas, pela ordem referida nas alíneas *b)* e *c)* do artigo 341.º,

Lei n.º 27-A/2000, de 17 de Novembro

sem prejuizo da alteração da ordem que seja necessário efectuar dentro do respectivo rol.

2. As declarações referidas no número anterior serão documentadas, e ao caso nele previsto não se aplica o n.º 6 do artigo 328.º.

ARTIGO 6.º

(Realização da audiência na ausência do arguido)

1. Se o arguido, regularmente notificado, não estiver presente na hora do início da audiência:

a) O presidente toma as medidas necessárias e legalmente admissíveis para obter a sua comparência e a audiência de julgamento só será adiada se o tribunal considerar absolutamente indispensável para a descoberta da verdade material a sua presença desde o início da audiência;

b) Se o tribunal considerar que a presença do arguido desde o início da audiência não é absolutamente indispensável para a descoberta da verdade material ou se a falta do arguido for justificada, ao abrigo dos n.ºs 2 a 4 do artigo 117.º, a audiência não é adiada, sendo inquiridas as testemunhas e ouvidos o assistente, os peritos ou consultores técnicos ou as partes civis presentes;

c) O arguido mantém o direito a prestar declarações até ao encerramento da audiência e, se esta ocorrer na primeira data marcada, o advogado constituído ou o defensor pode requerer que seja ouvido na segunda data designada pelo juiz, nos termos do n.º 2 do artigo 312.º.

2. As delarações referidas no número anterior serão documentadas, e ao caso nele previsto não se aplica no n.º 6 do artigo 328.º.

ARTIGO 7.º

(Meios de comunicação)

Permite-se o alargamento da utilização dos meios de telecomunicação em tempo real à tomada de declarações ao assistente, às partes civis, às testemunhas, aos peritos ou consultores técnicos, residentes noutra comarca, a ser solicitada ao juiz dessa comarca, e ainda o recurso à teleconferência para ouvir os peritos ou con-

Código de Processo Penal

sultores técnicos, nos próprios locais de trabalho, sempre que estes disponham dessa tecnologia.

ARTIGO 8.º

(Perícias)

As perícias requisitadas às diversas entidades devem ser cumpridas dentro do prazo fixado pela autoridade judiciária, prevendo-se:

a) A possibilidade de estas assegurarem o cumprimento desse prazo através da contratação de entidades terceiras que não tenham qualquer interesse na decisão final ou ligação com o assistente ou com o arguido;

b) A necessidade de comunicação da impossibilidade de cumprimento do prazo fixado pela autoridade judiciária, para que esta possa determinar a eventual designação de novo perito.

ARTIGO 9.º

(Despacho de pronúncia ou de não pronúncia)

Encerrado o debate instrutório, o despacho de pronúncia ou de não pronúncia é logo ditado para acta, considerando-se notificado aos presentes, podendo o juiz fundamentar por remissão para as razões de facto e de direito enunciadas na acusação ou no requerimento de abertura da instrução.

ARTIGO 10.º

(Sentença nos processos sumários e abreviados)

No final da audiência de julgamento dos processos sumários e abreviados, a sentença é logo proferida verbalmente e ditada para a acta.

ARTIGO 11.º

(Recursos)

Os acórdãos absolutórios enunciados na alínea *d)* do n.º 1 do artigo 400.º, que confirmem decisão de 1.ª instância sem qualquer declaração de voto, podem limitar-se a negar provimento ao recurso, remetendo para os fundamentos da decisão recorrida.

Lei n.º 27-A/2000, de 17 de Novembro

ARTIGO 12.º

(Duração)

A autorização concedida pela presente lei caduta no prazo de 120 dias.

Aprovada em 19 de Outubro de 2000.

O Presidente da Assembleia da República, *António de Almeida Santos.*

Promulgada em 14 de Novembro de 2000.

Publique-se.

O Presidente da República, JORGE SAMPAIO.

Referendada em 16 de Novembro de 2000.

O Primeiro-Ministro, *António Manuel de Oliveira Guterres.*

DECRETO-LEI N.º 320-C/2000

DE 15 DE DEZEMBRO

...

No uso da autorização legislativa concedida pelo artigo 1.º da Lei n.º 27-A/2000, de 17 de Novembro e nos termos da alínea *b)* do n.º 1 do artigo 198.º da Constituição, o Governo decreta o seguinte:

ARTIGO 1.º

(Alterações ao Código de Processo Penal)

Os artigos 113.º, 145.º, 158.º, 188.º, 196.º, 277.º, 283.º, 284.º, 285.º, 307.º, 312.º, 313.º, 315.º, 316.º, 317.º, 318.º, 328.º, 331.º, 332.º, 333.º, 334.º, 335.º, 350.º, 364.º, 386.º, 389.º, 391.º-E e 425.º do Código de Processo Penal, aprovado pelo Decreto-Lei n.º 78/87, de 17 de Fevereiro, alterado pelos Decretos-Leis n.ºs 212/89, de 30 de Junho, 387-E/87, de 29 de Dezembro, e 317/95, de 28 de Novembro, e Lei n.º 59/98, de 25 de Agosto, passam a ter a seguinte redacção:

Nota — As novas redacções vão nos lugares próprios do Código.

ARTIGO 2.º

(Aditamento do artigo 160.º-A)

Ao Código de Processo Penal é aditado o artigo 160.º-A, com a seguinte redacção:

Artigo 160.º-A

1 — As perícias referidas nos artigos 152.º, 159.º e 160.º podem ser realizadas por entidades terceiras que para tanto

tenham sido contratadas por quem as tivesse de realizar, desde que aquelas não tenham qualquer interesse na decisão a proferir ou ligação com o assistente ou com o arguido.

2 — Quando, por razões técnicas ou de serviço, quem tiver de realizar a perícia não conseguir, por si ou através de entidades terceiras para tanto contratadas, observar o prazo determinado pela autoridade judiciária, deve imediatamente comunicar-lhe tal facto para que esta possa determinar a eventual designação de novo perito.

ARTIGO 3.º

(Norma revogatória)

É revogado o artigo 380.º-A do Código de Processo Penal.

ARTIGO 4.º

(Entrada em vigor)

O presente diploma entra em vigor em 1 de Janeiro de 2001.

LEI N.º 48/2007

DE 28 DE AGOSTO

ARTIGO 1.º
(Alteração ao Código de Processo Penal)

Os artigos 1.º, 11.º a 14.º, 17.º, 19.º, 35.º, 36.º, 38.º, 40.º, 45.º, 58.º, 61.º, 62.º, 64.º, 65.º, 67.º, 68.º, 70.º, 75.º, 77.º, 86.º a 89.º, 91.º a 94.º, 97.º, 101.º, 103.º, 104.º, 107.º, 117.º, 120.º, 126.º, 131.º a 135.º, 141.º, 143.º, 144.º, 147.º, 148.º, 154.º, 155.º, 156.º, 157.º, 159.º a 160-A.º, 166.º, 172.º, 174.º a 177.º, 180.º, 185.º a 190.º, 193.º, 194.º, 198.º a 204.º, 212.º a 219.º, 225.º, 242.º, 243.º, 245.º a 248.º, 251.º, 257.º, 258.º, 260.º, 269.º a 273.º, 276.º, 277.º, 278.º, 281.º, 282.º, 285.º a 289.º, 291.º, 296.º, 302.º, 303.º, 310.º a 312.º, 315.º, 326.º, 328.º, 331.º, 336.º, 337.º, 342.º, 345.º, 355.º a 357.º, 359.º, 363.º, 364.º, 367.º, 370.º, 372.º, 380.º, 381.º, 382.º, 385.º a 387.º, 389.º, 390.º, 391-A.º a 395.º, 398.º, 400.º, 402.º a 404.º, 407.º a 409.º, 411.º a 420.º, 423.º a 426-A.º, 428.º, 429.º, 431.º, 432.º, 435.º, 437.º, 446.º, 449.º, 465.º, 467.º, 477.º, 480.º, 482.º, 484.º a 488.º, 494.º a 496.º, 509.º, 517.º e 522.º do Código de Processo Penal, aprovado pelo Decreto-Lei n.º 78/87, de 17 de Fevereiro e alterado pelos Decretos-Leis n.ºˢ 387-E/87, de 29 de Dezembro, 212/89, de 30 de Junho, e 17/91, de 10 de Janeiro, pela Lei n.º 57/91, de 13 de Agosto, pelos Decretos-Lei n.º 423/91, de 30 de Outubro, 343/93, de 1 de Outubro, e 317/95, de 28 de Novembro, pelas Leis n.ºˢ 59/98, de 25 de Agosto, 3/99, de 13 de Janeiro, e 7/2000, de 27 de Maio, pelo Decreto-Lei n.º 320-C/2000, de 15 de Dezembro, pelas Leis n.ºˢ 30-E/2000, de 20 de Dezembro, e 52/2003, de 22 de Agosto, e pelo Decreto-Lei n.º 324/2003, de 27 de Dezembro, passam a ter a seguinte redacção:

Nota — As novas redacções vão nos lugares próprios do Código.

Lei n.º 48/2007, de 28 de Agosto

ARTIGO 2.º

(Aditamento ao Código de Processo Penal)

São aditados ao Código de Procsso Penal os artigos 252.º-A, 371.º-A e 391.º-F, com a seguinte redacção:

«Artigo 252.º-A
Localização celular

1 — As autoridades judiciárias e as autoridades de polícia criminal podem obter dados sobre a localização celular quando eles forem necessários para afastar perigo para a vida ou de ofensa à integridade física grave.

2 — Se os dados sobre a localização celular previstos no número anterior se referirem a um processo em curso, a sua obtenção deve ser comunicada ao juiz no prazo máximo de 48 horas.

3 — Se os dados sobre a localização celular previstos no n.º 1 não se referirem a nenhum processo em curso, a comunicação deve ser dirigida ao juiz da sede da entidade competente para a investigação criminal.

4 — É nula a obtenção de dados sobre a localização celular com violação do disposto nos números anteriores.

Artigo 371.º-A
Abertura da audiência para aplicação retroactiva de lei penal mais favorável

Se, após o trânsito em julgado da condenação mas antes de ter cessado a execução da pena, entrar em vigor lei penal mais favorável, o condenado pode requerer a reabertura da audiência para que lhe seja aplicado o novo regime.

Artigo 391.º-F
Recorribilidade

É correspondentemente aplicável ao processo abreviado o disposto no artigo 391.º».

ARTIGO 3.º

(Redenominação do Capítulo III do Título III do Livro X do Código de Processo Penal)

O Capítulo III do Título do Livro X do Código de Processo Penal passa a denominar-se «Da execução da prisão por dias livres e em regime de semidetenção ou de permanência na habitação».

ARTIGO 4.º

(Aditamento à Lei n.º 144/99, de 31 de Agosto)

É aditado o artigo 154.º-A à Lei n.º 144/99, de 31 de Agosto, que aprova a lei da cooperação judiciária internacional em matéria penal, alterada pelas Leis n.ºˢ 104/2001, de 25 de Agosto, e 48/2003, de 22 de Agosto, com a seguinte radacção:

«Artigo 154.º-A
Transmissão e recepção de denúncias e queixas

1 — Os órgãos de polícia criminal e as autoridades judiciárias recebem denúncias e queixas pela prática de crimes contra residentes em Portugal que tenham sido cometidos no território de outro Estado-membro da União Europeia.

2 — As denúncias e queixas recebidas nos termos do número anterior são transmitidas pelo Ministério Público, no mais curto prazo, à autoridade competente do Estado-membro em cujo território foi praticado o crime, salvo se os tribunais portugueses forem competentes para o conhecimento da infracção.

3 — O Ministério Público recebe das autoridades competentes de Estados-membros da União Europeia denúncias e queixas por crimes praticados em território português contra residentes noutro Estado-membro, para efeitos de instauração de procedimento criminal.»

ARTIGO 5.º

(Norma revogatória)

São revogados:

a) O Decreto do Governo n.º 12487, de 14 de Outubro de 1926; e

b) O artigo 54.º do Decreto-Lei n.º 15/93, de 22 de Janeiro.

ARTIGO 6.º

(Republicação)

É republicado, em anexo, que é parte integrante da presente lei, o Código de Processo Penal, com a redacção actual.

ARTIGO 7.º

(Entrada m vigor)

A presente lei entra em vigor no dia 15 de Setembro de 2007.

CÓDIGO DE PROCESSO PENAL

DISPOSIÇÕES PRELIMINARES E GERAIS

ARTIGO 1.º
(Definições legais)

Para efeitos do disposto no presente Código considera-se:

a) *Crime:* o conjunto de pressupostos de que depende a aplicação ao agente de uma pena ou de uma medida de segurança criminais;

b) *Autoridade judiciária:* o juiz, o juiz de instrução e o Ministério Público, cada um relativamente aos actos processuais que cabem na sua competência;

c) *Órgãos de polícia criminal:* todas as entidades e agentes policiais a quem caiba levar a cabo quaisquer actos ordenados por uma autoridade judiciária ou determinados por este Código;

d) *Autoridade de polícia criminal:* os directores, oficiais, inspectores e subinspectores de polícia e todos os funcionários políciais a quem as leis respectivas reconhecerem aquela qualificação;

e) *Suspeito:* toda a pessoa relativamente à qual exista indício de que cometeu ou se prepara para cometer um crime, ou que nele participou ou se prepara para participar;

f) *Alteração substancial dos factos:* aquela que tiver por efeito a imputação ao arguido de um crime diverso ou a agravação dos limites máximos das sanções aplicáveis;

g) *Relatório social:* informação sobre a inserção familiar e sócio-profissional do arguido e, eventualmente, da vítima, elaborada por serviços de reinserção social, com o objectivo de auxiliar o tribunal ou o juiz no conhecimento da per-

Código de Processo Penal

sonalidade do arguido, para os efeitos e nos casos previstos neste diploma;

h) Informação dos serviços de reinserção social: resposta a solicitações concretas sobre a situação pessoal, familiar, escolar, laboral ou social do arguido e, eventualmente, da vítima, elaborada por serviços de reinserção social, com o objectivo referido na alínea anterior, para os efeitos e nos casos previstos neste diploma.

i) Terrorismo: as condutas que integrarem os crimes de organização terrorista, terrorismo e terrorismo internacional;

j) Criminalidade violenta: as condutas que dolosamente se dirigirem contra a vida, a integridade física ou a liberdade das pessoas e forem puníveis com pena de prisão de máximo igual ou superior a 5 anos;

l) Criminalidade especialmente violenta: as condutas previstas na alínea anterior puníveis com pena de prisão de máximo igual ou superior a 8 anos;

m) Criminalidade altamente organizada: as condutas que integrarem crimes de associação criminosa, tráfico de pessoas, tráfico de armas, tráfico de estupefacientes ou de substâncias psicotrópicas, corrupção, tráfico de influência ou branqueamento.

---

1. O texto deste artigo foi introduzido pela Lei n.º 48/2007, de 29 de Agosto.

Relativamente ao texto anterior, que já não era o originário, pois este sofrera várias alterações referidas na edição anterior desta obra, notam-se as seguintes alterações:

O artigo tem agora um único corpo, contrariamente à versão anterior, composta de dois números.

As alíneas a) a h) são as do n.º 1 da versão anterior; as alíneas i) a m) resultam de alargamento e aperfeiçoamento do disposto nas alíneas a) e b) do n.º 2 da versão anterior, mediante actualização das definições de terrorismo, criminalidade violenta e criminalidade altamente organizada.

A noção de criminalidade especialmente violenta foi acrescentada por imposição da revisão constitucional de 2001, que a introduziu ao admitir a entrada no domicílio durante a noite.

Todos estes conceitos são considerados separadamente, para poderem ser utilizados *per se*, a propósito de cada crime.

2. A existência de um artigo contendo um quadro de definições legais constituiu novidade nas leis penais portuguesas, mas não na legislação do direito comparado. Veja-se, por exemplo, o art. 110.º do CP Suisso.

Assim se evitam indefinições, embora com risco de se entrar num domínio que mais curialmente pertenceria à doutrina ou à jurisprudência. Assim também poderão ser, no futuro, colmatadas omissões e resolvidas dúvidas que

Artigo 1.º

certamente irão surgir, o que poderá ser feito através da introdução de novos números ou alíneas, ou de rectificação dos já existentes.

As definições, como consta do texto legal, são válidas tão-só para efeitos do disposto no presente Código; no entanto deve atentar-se em que se trata do diploma fundamental em matéria de processo penal, portanto aplicável relativamente a todas as leis processuais penais extravagantes, desde que nelas se não disponha de outro modo.

Além das definições legais constantes deste artigo, que são certamente algumas de maior interesse, outras são formuladas ao longo do Código. Alguns exemplos:

Conexão de processos — art. 24.º, n.º 1;
Conflito de competência — art. 34.º, n.º 1;
Arguido — art. 57.º, n.º 1;
Lesado — art. 74.º, n.º 1;
Demandados — art. 74.º, n.º 3;
Intervenientes — art. 74.º, n.º 3;
Sentenças — art. 97.º, n.º 1;
Despachos — art. 97.º, n.º 1;
Acórdãos — art. 97.º, n.º 1;
Auto — art. 99.º, n.º 1;
Objecto da prova — art. 124.º, n.º 1;
Indícios suficientes — art. 283.º, n.º 2.

3. A noção de *crime* aqui dada, e que vale estritamente para a lei processual, é formal, e corresponde ao conjunto de pressupostos que condicionam a aplicação de uma pena ou de uma medida de segurança, portanto independentemente da existência ou não de culpa.

A noção de *autoridade judiciária* é dada pela enumeração taxativa das autoridades que assim devem ser consideradas e pela explicitação de que só o devem ser relativamente aos actos processuais que cabem dentro da sua competência. Este conceito não deve ser confundido com o de *entidade judiciária,* que abrange qualquer funcionário judicial — cfr. art. 198.º.

O conceito de *órgãos de polícia criminal* é amplo, como se intui do texto conforme a al. *c). Polícia criminal* é toda aquela à qual cabe levar a cabo actos ordenados por uma autoridade judiciária, ou directamente determinados pela lei processual penal. E seus órgãos são todas as entidades ou agentes dessa polícia. Consequentemente, não importa saber, em concreto, de que polícia se trata, somente importando saber se lhe compete levar a cabo aqueles actos e se se trata de uma entidade ou de um agente dessa polícia.

Os *órgãos de polícia criminal,* como melhor se verá em anot. ao art. 55.º, não são sujeitos processuais, mas coadjutores ou auxiliares das autoridades judiciárias, não obstante terem o poder-dever, de, em casos pontuais, praticar actos processuais no uso de uma competência e não meramente delegada, designadamente quanto a medidas cautelares e de polícia e de detenção, nos casos dos arts. 248.º a 261.º. A este respeito não podemos concordar com a doutrina expendida por Costa Pimenta, *Código de Processo Penal Anotado,* anots. aos arts. 1.º e 56.º, de que se trata de verdadeiros sujeitos processuais.

Conforme o art. 3.º da Lei n.º 49/2008, de 27 de Agosto (Lei de Organização da Investigação Criminal), são órgãos de polícia criminal de

55

Código de Processo Penal

competência genérica a Polícia Judiciária, a Guarda Nacional Republicana e a Polícia de Segurança Pública.

Quanto à Inspecção-Geral do Ambiente e Ordenamento do Território (IGAOT), cuja orgânica foi aprovada pelo Dec.-Lei n.º 276-B/2007, de 31 de Julho, prescreve-se no art. 11.º, sob a epígrafe *Órgão de polícia criminal*, que para a «prossecução da atribuição referida na alínea n) do n.º 2 do artigo 3.º, a IGAOT tem a natureza de órgão de polícia criminal, actuando no processo sob direcção e na dependência funcional da autoridade judiciária competente» (n.º 1). E o n.º 2 acrescenta que «para efeitos do disposto no Código de Processo Penal e no n.º 1 do presente artigo, o inspector-geral, os subinspectores-gerais e os funcionários da carreira de inspector superior são considerados autoridade de polícia criminal».

Quanto à Autoridade de Segurança Alimentar e Económica (ASAE), cuja orgânica foi aprovada pelo Decreto-Lei n.º 274/2007, de 30 de Julho, o art. 15.º, com a epígrafe *Órgão de polícia criminal,* preceitua que detém poderes de autoridade e é órgão de polícia criminal, sendo autoridades de polícia criminal, nos termos e para os efeitos do Código de Processo Penal: a) O inspector-geral; b) Os subinspectores-gerais; c) Os directores-regionais, designados por inspectores-directores; d) O director de serviço de planeamento e controlo operacional e os inspectores-chefes; e) Os chefes de equipas multidisciplinares.

Os *órgãos de polícia criminal* têm a competência genérica especificada no n.º 1 do art. 55.º e a especial indicada no n.º 2 desse artigo. A competência especial pode ser exercida por iniciativa própria, portanto ainda não delegada, mesmo antes da abertura do inquérito. Os mesmos órgãos têm ainda competência especial em casos pontuais, como os dos referidos arts. 248.º a 261.º.

As normas emblemáticas do pensamento legislativo em matéria de processo penal no que concerne aos órgãos de polícia criminal são as dos arts. 55.º e 56.º.

Com excepção dos restritos casos em que, devido à urgência, podem actuar por iniciativa própria, e que fundamentalmente são os do art. 55.º, n.º 2, esses órgãos não têm qualquer competência própria; outra solução seria até inconstitucional no que se refere às relações com o juiz, e não receberia mesmo apoio dos sistemas de direito comparado afins do nosso.

Logo que levadas a cabo as missões urgentes especificadas na lei, em que os órgãos de polícia criminal podem actuar por iniciativa própria, devem eles dar conta do ocorrido às autoridades judiciárias, sob cuja dependência funcional ficam.

Assim, *v. g.*, logo que adquirida a suspeita fundamentada do cometimento de um crime, o órgão de polícia criminal deve dar notícia ao MP, que abrirá inquérito. A realização, por qualquer órgão de polícia criminal, de inquérito sem delegação do MP (ou seja por iniciativa própria) seria usurpação de funções e as diligências assim realizadas não teriam valor.

De notar que o Código evita a referência a qualquer especialidade dentre os diversos órgãos de polícia criminal, designadamente no que toca à PJ. As especialidades, quando existem, constam das leis orgânicas de cada um dos órgãos, *maxime* do Dec.-Lei n.º 295-A/90 quanto à PJ e do Dec.-Lei n.º 231/93, de 26 de Junho, quanto à GNR.

A definição de *autoridade de polícia criminal* é dada pela enumeração taxativa, feita na alínea *d)*, das entidades que ocupam os lugares mais elevados

Artigo 1.º

na hierarquia, aí especificados, e daquelas a quem os estatutos respectivos reconheceram essa qualificação.

A este respeito, no que concerne à Polícia Judiciária, segundo o art. 11.º Lei n.º 37/2008, de 6 de Agosto (Lei Orgânica da Polícia Judiciária), são autoridades de polícia criminal, nos termos e para os efeitos do CPP os seguintes funcionários:

a) Director nacional;
b) Directores nacionais-adjuntos;
c) Directores das unidades nacionais;
d) Directores das unidades territoriais;
e) Subdirectores das unidades territoriais;
f) Assessores de investigação criminal;
g) Coordenadores superiores de investigação criminal;
h) Coordenadores de investigação criminal;
i) Inspectores-chefes.

Quanto à GNR, as autoridades de polícia criminal vêm enumeradas nos arts. 11.º, n.º 1 e 12.º, n.º 1, al. a) da Lei n.º 63/2007, de 6 de Novembro, que revogou os arts. 5.º, n.º 1 e 6, n.º 1, do Dec.-Lei n.º 231/93, de 26 de Junho. São o comandante-geral, o 2.º comandante-geral, o comandante do Comando Operacional, os comandantes de unidade e subunidades de comando do oficial e outros oficiais, quando no exercício de funções de comando ou chefia operacional.

Quanto à PSP as autoridades de polícia criminal vêm enumeradas nos arts. 10.º, n.º 1 e 11.º, n.º 1, al. a) da Lei n.º 53/2007, de 31 de Agosto, que revogou os arts. 7.º, n.º 1 e 8.º, n.º 1, al. a), da Lei n.º 5/99, de 27 de Janeiro. São o director nacional, os directores nacionais-adjuntos, o inspector nacional, os comandantes de Unidade Especial de Polícia, os comandantes das unidades e subunidades até ao nível de esquadra, e outros oficiais, quando no exercício de funções de comando ou chefia operacional.

As empresas de segurança privada, cuja competência se encontra regulada nos arts. 5.º e 6.º do Dec.-Lei n.º 35/2004, de 21 de Fevereiro, não podem exercer actividades que tenham por objecto a prossecução de objectivos ou o desempenho de funções correspondentes a competências exclusivas das autoridades judiciárias ou policiais. Podem no entanto controlar a entrada, presença e saída de pessoas nos locais de acesso vedado ou condicionado ao público e, no controlo de acesso aos recintos desportivos, podem efectuar revistas pessoais de prevenção e segurança, com o estrito objectivo de impedir a entrada de objectos e substâncias proibidas ou susceptíveis de gerar ou possibilitar actos de violência.

Quanto ao Serviço de Estrangeiros e Fronteiras as autoridades de polícia criminal vêm enumeradas no art. 3.º, n.º 1, do Dec.-Lei n.º 252/2000, de 16 de Outubro. São o director-geral, os directores-gerais-adjuntos, os directores de direcção central, os directores regionais, os inspectores superiores, os inspectores e os inspectores-adjuntos, quanto exerçam funções de chefia de unidades orgânicas.

A noção de *suspeito* é dada de forma ampla na alínea e). Para além do que aí se exige, não é necessária a constituição de alguém como suspeito,

Código de Processo Penal

e este não goza de estatuto especial. O suspeito pode requerer a constituição como arguido, no caso do art. 59.º, n.º 2. Contrariamente ao que sucede com o arguido, o suspeito não é, assim, sujeito de qualquer relação jurídica processual. Além do referido art. 59.º, n.º 2, vejam-se, quanto ao suspeito, as normas dos n.ºˢ 2 e 3 do art. 250.º, sobre identificação.

O conceito de *alteração substancial dos factos* é dado pela alínea f). A alteração é aferida relativamente aos factos de que o arguido é acusado e tem que deduzir a sua defesa, isto é, relativamente aos factos descritos na acusacão, no requerimento para abertura da instrução, ou na pronúncia, e respectivo tratamento jurídico.

O conceito é de grande importância processual e relaciona-se com os poderes de cognição do tribunal, como será referido mais pormenorizadamente nas anots. aos arts. 358.º e 359.º, para que remetemos.

Por ac. do Plenário das secções criminais do STJ de 27 de Janeiro de 1993 e posteriormente pelo ac. com força obrigatória geral do Trib. Constitucional de 25 de Junho de 1997, mais pormenorizadamente referidos em anot. ao art. 358.º, para onde remetemos, foi fixada jurisprudência sobre o alcance deste conceito no que concerne à alteração da qualificação jurídica dos factos descritos na acusação ou na pronúncia, designadamente para efeitos de defesa do arguido.

A definição de *relatório social* é dada pela alínea g). Trata-se de um documento elaborado pelos serviços especializados de reinserção social, com o objectivo de auxiliar o tribunal ou o juiz a conhecer a personalidade do arguido, e eventualmente da vítima. Não se antolham aqui dificuldades de relevo, mas deve insistir-se na função primacial do relatório no conhecimento perfeito da personalidade, quer do arguido quer da vítima, sabendo-se que esse conhecimento é fundamental para o preenchimento dos fins do direito criminal hodierno.

O texto desta al. *g),* como ficou apontado na anot. 1, foi introduzido pela Lei aí mencionada. Não há porém relevantes alterações de fundo em relação ao texto originário, mas tão-só mais exacta definição formal.

A al. *h)* contém a definição de *Informação dos serviços de reinserção social* e não tinha correspondente na versão originária do Código.

As definições de relatório social e de informação dos serviços de reinserção social vieram tornar claro o seu objectivo, de modo a prevenir interferências com o conceito de perícia sobre a personalidade, do art. 160.º, ao mesmo tempo que possibilitam a substituição do relatório pela informação sempre que apenas estejam em causa aspectos concretos da situação do arguido ou da vítima, que, pela sua especificidade, dispensem a elaboração, mais morosa, do relatório. Além disto, foram definidas de forma taxativa as situações em que o relatório ou a informação são admissíveis, em respeito pelo princípio da presunção de inocência e pela privacidade.

As definições de *terrorismo, criminalidade violenta* e *criminalidade altamente organizada,* que já constavam do n.º 2 deste artigo na versão anterior, inspiraram-se no contexto da Convensão Europeia para a Repressão do Terrorismo, aprovada pela Lei n.º 19/81, de 18 de Agosto.

A definição de *criminalidade especialmente violenta*, dada na alínea l), não constava da versão anterior deste artigo. Foi acrescentada por imposição

Artigo 1.º

da revisão constitucional de 2001, que a introduziu ao admitir a entrada do domicílio durante a noite.

De notar que a noção de *criminalidade violenta,* dada na alínea j), veio possibilitar a aplicação da medida de coacção de prisão preventiva no crime de violência doméstica do art. 152.º do CP, onde se incluem também os maus tratos entre casais homossexuais.

i) Terrorismo: as condutas que interarem os crimes de organização terrorista, terrorismo e terrorismo imternacional;

j) Criminalidade violenta: as condutas com dolosamente se dirigirem contra a vida, a integridade física ou a liberdade das pessoas e forem puníveis com pena de prisão de máximo igual ou superior a 5 anos;

l) Criminalidade especialmente violenta: as condutas previstas na alínea anterior que forem puníveis com pena de prisão de máximo igual ou superior a 8 anos;

m) Criminalidade altamente organizada: as condutas que integrarem crimes de associação criminosa, tráfico de pessoas, tráfico de armas e tráfico de estupefacientes ou de substâncias psicotrópicas.

A Lei n.º 43/86, no art. 2.º, n.º 2, al. 80), determinou a introdução, para fazer face à erosão monetária, do conceito de unidade de conta processual como valor de base para o cômputo de sanções e outras medidas de garantia patrimonial, em alternativa à sua tipificação em valor determinado. Tratou--se de uma proposta da Comissão que elaborou o Projecto, que foi perfilhada pela AR, e cujas vantagens são manifestas: permanente actualização do valor pecuniário das sanções e medidas de garantia patrimonial, sem necessidade de qualquer providência legislativa em matéria de processo penal. A actualização dos quantitativos passa a ser automática, logo que se verifique alteração do salário mínimo nacional.

As UCs arrecadadas nos processos tiveram primeiramente o destino estabelecido na Lei introdutória do Código – Dec.-Lei n.º 78/87, de 17 de Fevereiro.

Porém o destino é agora fixado, como consta do art. 39.º do Regulamento das Custas Processuais aprovado pelo Dec.-Lei n.º 34/2008, de 26 de Fevereiro, por portaria dos membros do Governo responsáveis pelas áreas das finanças e da justiça.

O montante de cada UC é actualizado anual e automaticamente, de acordo com o indexante de apoios sociais (IAS) atendendo-se, para o efeito, ao valor de UC respeitante ao ano anterior, devendo efectuar-se a primeira actualização posterior a esta edição em 2009 (arts. 22.º do Dec.-Lei n.º 34/2008, de 26 de Fevereiro e 5.º do Regulamento das Custas Processuais.

4. A originária alínea h) veio a ser revogada pelo art. 8.º, al. *b)* do Dec.-Lei n.º 212/89, de 30 de Junho, e substituída por um regime inspirado nos mesmos princípios. Esse diploma, já referido na anot. anterior, contém no seu relatório, além do mais, as seguintes considerações:

«...Para atingir um dos factores que mais complica a conta — a circunstância de a lei afectar certas verbas a várias entidades, o que obriga a que, processo a processo, se efectuem as divisões de cada uma das

Código de Processo Penal

receitas pelos vários organismos, com a correspondente emissão de uma multiplicidade de cheques — tal disciplina legal é agora profundamente alterada, por se fazer reverter, em regra, para o Cofre Geral dos Tribunais todas essas verbas, cabendo ao mesmo Cofre a sua distribuição global por cada um das entidades às quais, em princípio, calculadas logo no tribunal, processo a processo, se destinariam.

Este propósito de simplificação atinge, porém, um outro objectivo: o de aumentar as receitas das autarquias locais. Com efeito, enquanto na hora actual, em regra, os municípios só recebem metade das multas cujo produto constitua receitas das autarquias, cabendo a outra metade aos cofres do Ministério da Justiça, daqui para o futuro, por uma questão de simplificação, é preferível afectar o produto dessas multas integralmente para os municípios, deixando assim os cofres do Ministério de ter qualquer participação na cobrança dessas receitas.

Por último, reformula-se o sistema da unidade de conta.

No corrente ano, a unidade de conta processual penal (UC) tem sido de 7500$, enquanto a unidade de conta de custas (UCC) não ultrapassa a importância de 6300$.

Ora não faz grande sentido esta diversidade de montantes, como menos se justifica que a UC seja actualizada anualmente e que a UCC seja objecto de alteração de três em três anos.

Logo, importa uniformizar os montantes das duas unidades de conta e modificar a sua designação para 'unidade de conta processual' (UC), a fim de ela poder ser alargada a domínios diversos do processo penal e das custas judiciais....»

Os arts. 5.º e 6.º, n.º 1 do referido Dec.-Lei n.º 212/89, alterados pelo Dec.-Lei n.º 323/01, de 17 de Dezembro, são do seguinte teor:

Art. 5.º — 1 — Em substituição da unidade de conta processual penal (UPP) e da unidade de conta de custas (UCC), é criada a unidade de conta processual (UPP) à qual passa a reportar-se qualquer referência legal às primeiras.

2 — Entende-se por unidade de conta processual (UC) a quantia em dinheiro equivalente a um quarto da remuneração mínima mensal mais elevada, garantida, no momento da condenação, aos trabalhadores por conta de outrem, arredondada, quando necessário, para a unidade de euros mais próxima ou, se a proximidade for igual, para a unidade de euros imediatamente inferior.

Art. 6.º — 1 — Trienalmente, e com início em Janeiro de 1992, a UC considera-se automaticamente actualizada nos termos previstos no artigo anterior a partir de 1 de Janeiro de 1992, devendo, para o efeito, atender-se sempre à remuneração mínima que, sem arredondamento, tiver vigorado no dia 1 de Outubro do ano anterior.

...

Nota. O Dec.-Lei n.º 212/89, que vem sendo referido e parcialmente transcrito, foi revogado pelo art. 2.º do Dec.-Lei n.º 224-A/96, de 26 de Novembro, que aprovou o CCJ. No entanto, o art. 3.º, n.º 1, deste diploma manteve a vigência dos transcritos arts. 5.º e 6.º, n.º 1, do Dec.-Lei n.º 212/89.

Artigo 2.º

A noção de unidade de conta continua portanto a ser dada pelo transcrito n.º 2 do art. 5.º do Dec.-Lei n.º 212/89, e o respectivo valor a ser automaticamente actualizado, conforme se estabelece no n.º 1 do art. 6.º do mesmo diploma, também atrás transcrito.

O art. 3.º da Lei n.º 65/98, que procedeu à revisão do CP manteve expressamente esta orientação.

5. *Jurisprudência:*

— Um escriturário judicial não é nem autoridade judicial nem entidade policial. (Ac. RC de 27 de Junho de 1991; *CJ*, XVI, tomo 3, 170);

— Na al. *f)* do n.º 1 do art. 1.º do CPP não se sustenta a alteração substancial dos factos como a que determina uma agravação dentro da moldura penal do tipo de crime, mas sim como a que determina uma ultrapassagem do limite máximo dessa moldura penal. (Ac. STJ de 28 de Abril de 1999, proc. 68/99-3.ª; *SASTJ*, n.º 30, 84);

— O relatório social é definido como uma informação, e não é uma prova pericial, não lhe sendo assim aplicável o disposto no art. 163.º do CPP. Não é um juizo técnico, científico ou artístico, mas apenas uma narrativa de factos que foram pesquisados por uma pessoa e que são levados ao conhecimento do tribunal para que este os julgue como provados ou não. A expressão *informação* que é dada ao relatório social acentua que o conteúdo do documento se limita essencialmente a dar *testemunho de factos* que interessam para caracterizar a personalidade do arguido e fixar a pena concreta. Consequentemente, os juizos de valor eventualmente formulados no relatório social não vinculam o juiz, que os deve apreciar segundo a sua livre convicção, nos termos do art. 127.º do CPP, não estando obrigado a fundamentar a divergência, como seria seu dever se se tratasse de juizo técnico, científico ou artístico — art. 163.º do CPP. (Ac. STJ de 14 de Abril de 1999; *BMJ*, 486, 111);

— A expressão *crime diverso*, contida na al. *f)* do art. 1.º do CPP, não corresponde à de *diferente tipo legal de crime*, no sentido substantivo, mas antes de *crime* para efeitos processuais, no sentido de *facto diverso* dos que integram os limites pré-existentes do objecto do processo, ultrapassando estes. (Ac. STJ de 3 de Novembro de 1999, proc. 1001/98-3.ª; *SASTJ*, n.º 35, 71).

ARTIGO 2.º

(Legalidade do processo)

A aplicação de penas e de medidas de segurança criminais só pode ter lugar em conformidade com as disposições deste Código.

---

1. Reproduz os arts. 2.º do Proj. e 1.º do Aproj.

2. Estabelece-se aqui o *princípio da legalidade do processo,* que tem significado e alcance diferentes do *princípio da legalidade da acção penal,* imposto pelo corpo do art. 1.º do CPP de 1929, aprovado pelo Dec. n.º 16 489, de 15 de Fevereiro de 1929.

Código de Processo Penal

Enquanto com o *princípio da legalidade da acção penal* se visava estabelecer o dever de acusação em relação a qualquer infracção criminal, com a consequente rejeição do *princípio da oportunidade*, com o *princípio da legalidade do processo*, agora consagrado e posto em lugar de destaque entestando o Código, pretende-se significar que todo o processo, incluindo portanto o inquérito, que é uma fase de natureza processual, está submetido às normas do Código.

O *princípio da legalidade do processo*, agora consagrado, implica um dever, não só para os agentes incumbidos da sua aplicação e das normas de processo penal de natureza extravagante, os quais não poderão praticar actos processuais fora do previsto no Código, como igualmente para o legislador, no sentido de se absterem de criar formas processuais *ad hoc,* extrínsecas à estrutura do Código e pelas quais se possam aplicar penas ou medidas de segurança criminais. Se outra fosse a intenção do legislador, a lei não se teria referido aqui às disposicões *deste Código,* mas sim *à lei, tout court.* Trata-se, evidentemente, de um princípio sem dignidade constitucional, pelo que pode vir a ser rejeitado por lei com igual força, designadamente em casos pontuais; contudo, se isso vier a suceder, implicará quebra da hermenêutica processual penal e violação de um princípio fundamental que se quis consagrar.

O princípio da *legalidade do processo penal,* aqui consagrado, ao estabelecer-se neste artigo à testa do Código que a aplicação das penas e das medidas de segurança criminais só pode ter lugar em conformidade com as suas disposições, implica também que só através do processo penal é possível a aplicação daquelas reacções criminais *(nulla poena sine judicio),* em afloramento na lei ordinária de normativos dos arts. 32.º e 205.º da CRP.

3. O *princípio da legalidade do processo,* agora consagrado, como se referiu *supra,* tem significado e alcance diferentes do *princípio da legalidade da acção penal,* que o corpo do art. 1.º do Codigo de 1929 consagrava. O *princípio da legalidade da acção penal* significava a total rejeição de critérios de oportunidade, com o consequente dever de acusação, por parte do MP, sempre que houvesse sido praticada qualquer infracção criminal.

Perante o Código de 1929, não havia lugar a qualquer juizo de oportunidade sobre a promoção e a prossecução do processo penal, que se apresentava sempre como um dever para o MP, isto em virtude do referido *princípio da legalidade da acção penal.*

O mesmo não sucede em relação ao presente Código, que aceita, embora em termos cautelosos e mitigados, o funcionamento, em casos específicos, do *princípio da oportunidade.* Como afloramentos deste princípio podem apontar-se os casos dos arts. 280.º e 281.º — arquivamento em caso de dispensa ou isenção de pena e suspensão provisória do processo.

O Código seguiu, assim, a generalidade das legislações modernas do direito comparado, ao afastar-se da consagração generalizada do *princípio da oportunidade,* mas aceitando-o em casos específicos, designadamente em alguns casos da chamadas *bagatelas penais.*

Para justificação mais completa desta posição assumida pelo Código, e em geral para estudo da temática da legalidade e da oportunidade, ver Costa Andrade, *Consenso e Oportunidade, in Jornadas de Direito Processual*

Artigo 3.º

Penal, ed. do Centro de Estudos Judiciários, Livraria Almedina, 338 e segs. e Costa Pimenta, *Introdução ao Processo Penal,* Livraria Almedina, 118 e segs.

4. Como se referiu *supra,* anot. 3, o Código afastou-se da consagração generalizada do *princípio da oportunidade,* mas aceitou-o em casos específicos, designadamente em alguns casos das chamadas *bagatelas penais,* e assim de modo acentuadamente mais mitigado que os modelos seguidos pelos Estados Unidos e por numerosos países europeus, como a Inglaterra, a Holanda, a Bélgica e a França (este país a pátria clássica da oportunidade na Europa).

O Código seguiu aqui de perto a doutrina de Costa Andrade, *loc. cit.* 388 e segs.

Como casos pontuais em que funciona o *princípio da oportunidade,* por vezes também designado de *princípio da conveniência,* podem apontar-se, antes de mais, os de arquivamento em caso de dispensa ou isenção de pena e de suspensão provisória do processo, já referidos na anot. 2. Ainda dentro do CPP pode-se apontar o caso do processo sumaríssimo — ver Costa Andrade, *loc. cit.,* 356.

No CP podem apontar-se os casos dos arts. 299.º, n.º 4 (associações criminosas); 300.º, n.º 6 (organizações terroristas) e 301.º, n.º 2 (terrorismo), embora aqui sejam mais acentuadas razões pragmáticas de política criminal.

Como casos que se integram no *princípio da oportunidade* já se têm apontado os dos arts. 133.º e 160.º da CRP, relativamente ao Presidente da República e a deputados (Costa Pimenta, *loc. cit.,* 128-129). Esta configuração afigura-se-nos muito duvidosa; pesem embora os contornos pouco nítidos do princípio, o caso do PR configura-se mais como um caso de legitimidade e o dos deputados um caso de imunidade.

5. *Jurisprudência:*

— A estrutura acusatória do processo criminal não significa de modo algum que a acção penal apenas se inicie com a acusação. Com esta, o que começa é a fase acusatória mas, no processo criminal, a acção penal desencadeia-se logo com a entrada em juízo do denunciado crime ou com a sua instauração, por dever de ofício, pelo MP, e não se circunscreve àquela fase — art. 48.º do CPP. (Ac. STJ de 14 de Março de 1990; *AJ,* n.º 7, 4).

ARTIGO 3.º

(Aplicação subsidiária)

As disposições deste Código são subsidiariamente aplicáveis, salvo disposição legal em contrário, aos processos de natureza penal regulados em lei especial.

---

1. Corresponde aos arts. 3.º do Proj. e 2.º do Aproj. Não havia disposição paralela ou correspondente no CPP de 1929, e o preceito tornou-se mais premente em virtude do princípio da legalidade do processo penal, estabelecido no art. 2.º.

Código de Processo Penal

2. Neste artigo determina-se a aplicação subsidiária das disposições do Código, estabelecendo-se que elas são aplicáveis aos processos de natureza penal regulados em leis especiais, salvo se houver disposição legal em contrário.

Assim, em todas as leis que estabeleçam ou regulem processos penais de natureza especial, dever-se-á procurar qual o formalismo que elas impõem e, em tudo o que não preceituarem, directamente ou por remissão, seguir-se-ão os trâmites do CPP.

ARTIGO 4.º

(Integração de lacunas)

Nos casos omissos, quando as disposições deste Código não puderem aplicar-se por analogia, observam-se as normas do processo civil que se harmonizem com o processo penal e, na falta delas, aplicam-se os princípios gerais do processo penal.

1. Reproduz os arts. 4.º do Proj. e 3.º do Aproj.

Teve por fontes o § único do art. do CPP de 1929, disposição que era idêntica, e os ensinamentos da doutrina autorizada, *maxime* do Prof. Figueiredo Dias, *Direito Processual Penal,* I, 94 e segs.

2. Estabelece-se aqui o comando fundamental sobre integração das lacunas da lei processual penal, determinando ele que, nos casos omissos, quando as disposições do Código não possam aplicar-se por analogia, se observem as normas do processo civil que se harmonizem com o processo penal e que, na falta delas, se apliquem os princípios gerais do processo penal.

Trata-se de comando idêntico ao do § único do CPP de 1929, porque nesta matéria se não suscitam dúvidas ou divergências de relevo.

Nos casos omissos aplicam-se, portanto, primeiramente os preceitos da legislação processual penal que sejam análogos; na falta de disposição análoga em processo penal, terá o intérprete que se socorrer de preceitos do processo civil que se harmonizem com os princípios do processo penal. Só na falta de preceito em qualquer destes dois ramos que possa ser aplicado nos termos expostos, deverá o intérprete socorrer-se dos princípios gerais do processo penal.

De assinalar que este Código procurou, muito mais que o de 1929, estabelecer uma regulamentação total e autónoma do processo penal, tornando-a mais independente do processo civil. Isto é notório ao longo de todo o Código, e atinge a máxima expressão em matéria de recursos.

3. O recurso à analogia para suprir as lacunas da lei processual penal é admissível, mas em moldes mais estritos do que suprir as lacunas da lei civil, pois o processo penal tem fins específicos a realizar, que poderiam ser postos em risco pelo uso excessivo da analogia, designadamente enfraquecendo a posição processual do arguido ou diminuindo-lhe os seus direitos.

A doutrina de que nada de particular há a assinalar à aplicação da analogia em processo penal, dominante na doutrina alemã, francesa, austríaca e portu-

Artigo 4.º

guesa, não mereceu a aceitação de Figueiredo Dias, que no *Direito Processual Penal*, I, 96-97, considera que a pretensa instrumentalidade do processo penal só se deixa afirmar no plano funcional e não prejudica a sua plena autonomia teleológica: também o processo penal tem os seus fins a realizar. E constituindo o princípio da legalidade a mais sólida garantia das pessoas contra possíveis arbítrios do Estado, ele deve estender-se ao processo penal, cuja regulamentação pode a todo o momento pôr em grave risco a liberdade das pessoas. E esta doutrina era claramente inscrita no § 10.º do art. 145.º da Carta Const. de 1826 e no n.º 21.º do art. 3.º da Const. de 1911. Adjuvantemente, considerada ainda F. Dias que toda a norma que restrinja o conteúdo ou o livre exercício de direitos subjectivos é uma norma excepcional, e por conseguinte não comporta aplicação analógica.

Ainda segundo F. Dias, isto não significa que o recurso à analogia, como a qualquer outra fonte integrativa que desta tecnicamente se distinga, fique completamente vedado em processo penal, mas só que ele fica vedado *na medida imposta pelo conteúdo de sentido do princípio da legalidade,* e portanto sempre que o recurso venha a traduzir-se num *enfraquecimento da posição* ou numa *diminuição dos direitos processuais do arguido* (desfavorecimento do arguido, *analogia in malam partem*).

Segundo Cavaleiro de Ferreira, *Curso,* I, pág. 61, no § único do art. 1.º mostra-se a interferência entre *analogia legis* e *analogia juris;* a lógica da distinção não é absoluta, não sendo possível considerar na *analogia legis* qualquer preceito como referente a casos análogos, sem fundamentar esta primeira conclusão em princípios gerais comuns a todos os casos análogos. A *analogia legis* baseia-se por isso já numa ilação dos princípios gerais; somente a referência a estes princípios é feita mediatamente, através dum preceito positivo, enquanto na *analogia juris* se faz a aplicação directa destes princípios aos casos omissos.

De salientar que os princípios gerais de direito são, em primeiro lugar, os do processo penal e os da doutrina geral do processo. Cremos que, como se expressa hoje o CC, art. 10.º, n.º 3, a situação será resolvida segundo a norma que o intérprete criaria, dentro do espírito do sistema.

O Código não enumera os princípios gerais do processo penal que devem ser aplicados na falta de dispositivos aplicados por analogia e de normas do processo civil que se harmonizem com o processo penal. Podem, no entanto, ser mencionados os seguintes:

— *Princípio da jurisdição,* consagrado no arts. 202.º da CRP e 8.º do CPP;

— *Princípio do juiz natural,* consagrado nos art. 32.º n.º 9, da CRP;

— *Princípio da legalidade do processo,* consagrado nos arts. 206.º da CRP e 2.º e 9.º do CPP;

— *Princípio do processo equitativo,* consagrado nos arts. 20.º, n.º 4, e 32.º, n.º 1, da CRP, e aflorado nos arts. 283.º, n.º 3, al. d) e n.º 7 e 315.º, n.º 4, do CPP;

— *Princípio do acusatório,* consagrado nos arts. 32.º, n.º 5, da CRP e 40.º e 311.º , n.ºs 2, al. a) e 3 do CPP;

— *Princípio do contraditório,* consagrado nos arts. 32.º, n.º 5, da CRP e aflorado em numerosos dispositivos do CPP;

— *Princípio da celeridade,* consagrado nos arts. 32.º n.º 2, da CRP e 323.º, al. g); 340.º, n.º 4, al. c) e 362.º, n.º 2, do CPP.

Código de Processo Penal

De salientar ainda que, contrariamente ao que sucede no direito penal substantivo quanto à incriminação, a analogia não é proibida no processo penal (a não ser, evidentemente, nos casos em que, em geral, é proibida, *v. g.*, quanto às normas excepcionais).

Sobre integração das lacunas da lei processual penal, ver ainda Eduardo Correia, *Processo Criminal*, págs. 76 e segs.; Castanheira Neves, *Sumários*, págs. 65 e segs. e *BMJ*, 4, 212 e, já tendo em vista o presente Código, J. A. Barreiros, *Manual de Processo Penal*, 229 e segs. e Rodrigo Sampaio, *SJ*, tomo XLIV, n.os 253/255, 141 e segs.

4. Em face do exposto *supra*, 2 e 3, particularmente da conclusão de que a analogia não pode aplicar-se quando isso implique a diminuição dos direitos do arguido ou lesão ou agravamento do seu estatuto processual, como resolver, nomeadamente, o caso de uma eventual omissão legislativa quanto a determinar a existência de certo direito do arguido, por exemplo uma via de recurso? A pergunta pode ter duas respostas: a da inexistência desse direito, obtida pela interpretação analógica face a outros institutos consagrados no diploma, ou a da sua existência (admissibilidade do recurso), derivada da aplicação subsidiária das normas do processo civil. Nesta alternativa, a analogia, porque lesiva do arguido, deve decair.

5. Caso omisso que tem suscitado dúvidas é o da regulamentação dos efeitos do caso julgado, tanto formal como material. Alguns dispositivos se lhe referem, como os dos arts. 84.º e 467.º, n.º 1, porém manifestamente insuficientes para abarcar todo o regime deste instituto.

Como resulta deste art. 4.º, perante a insuficiência dos dispositivos do CPP e a impossibilidade de aplicação analógica das normas deste diploma, observar-se-ão as normas do processo civil, desde que se harmonizem com o processo penal e, não as havendo ou não se harmonizando com o processo penal aplicar-se-ão os princípios gerais do processo penal.

6. *Jurisprudência fixada:*
— O n.º 1 do artigo 150.º do Código de Processo Civil é aplicável em processo penal por força do artigo 4.º do Código de Processo Penal. (Ac. do Pleno das secções criminais do STJ de 9 de Dezembro de 1999; *DR*, I-A série, de 7 de Fevereiro de 2000). *Nota* — Foi assim fixada a jurisprudência no sentido de que em processo penal as peças referentes a quaisquer actos que devam ser praticadas por escrito pelas partes podem ser entregues na secretaria judicial ou a esta remetidas pelo correio, sob registo, acompanhadas dos documentos e duplicados necessários, valendo, neste caso, como data do acto processual a da efectivação do respectivo registo postal.

7. *Jurisprudência:*
— I — No actual CPP, a ausência de regulamentação sobre o caso julgado só pode significar que o legislador não quis, pura e simplesmente, firmar regras rígidas no processo penal em tal matéria, dada a natureza deste ramo de Direito. II — O recurso às normas do processo civil sobre a contagem de prazos apenas é possível desde que se esteja perante uma lacuna e que os respectivos preceitos se harmonizem com o processo penal. (Ac. STJ de 18 de Dezembro de 1997; *CJ, Acs. do STJ,* V, tomo 3, 259);

Artigo 4.º

— I — Em processo penal não é possível o recurso ao processo civil, como lei potencialmente subsidiária, para se determinar a natureza da excepção de caso julgado. II — Por isso, transitada em julgado a decisão proferida, verifica-se a extinção definitiva da lide processual penal e perempção do direito-dever do Estado de voltar a julgar o mesmo acusado. (Ac. STJ de 18 de Junho de 1998; *CJ, Acs. do STJ*, VI, tomo 3, 167);

— Não contendo o CPP qualquer norma que directa ou indirectamente contemple a situação, é aplicável ao processo penal o disposto no art. 675.º do CPC, por força do art. 4.º daquele Código, devendo prevalecer a decisão transitada em primeiro lugar. (Ac. STJ de 9 de Dezembro de 1998, proc. 1151/98-3.ª; *SASTJ*, n.º 26, 76);

— É aplicável no processo penal o que se dispõe no CPC sobre a prática de actos processuais por via postal, através de telecópia ou por meios telemáticos. (Ac. RP de 10 de Março de 1999; *CJ*, XXIV, tomo 2, 219).

Nota: — Ver supra, jurisprudência fixada;

— I — Em processo penal, não é admissível a condenação como litigante de má fé, ao abrigo do disposto nos n.ᵒˢ 1 e 2 do art. 456.º do CPC. II — Ainda que proferido em processo de contra-ordenação, é admissível recurso para o STJ do acórdão da Relação que tenha condenado o recorrente como litigante de má fé. (Ac. STJ de 26 de Junho de 2002; *CJ. Acs. do STJ*, X, tomo 2, 227);

— I — O caso julgado formal também atinge as decisões judiciais processuais penais, isto porque se visa a prossecução de um fim tido por imutável — a paz jurídica; a inalterabilidade dos efeitos da decisão judicial surge como decorrência da sua irrecorribilidade ordinária.

— II — A CRP assegura o direito ao recurso, no art. 32.º, n.º 1, como máxima expressão do direito de defesa, como também consagra o direito ao respeito absoluto pelo caso julgado material, nos termos do art. 29.º, n.º 5, garantia que não pode deixar de tornar-se extensiva ao caso julgado formal, incidente sobre a relação processual com eficácia dentro do próprio processo. (Ac. STJ de 3 de Março de 2004, proc. n.º 215/03-3.ª);

— Não é inconstitucional a alínea b) do n.º 1 do art. 150.º do CPP, aplicável em processo penal, quando interpretada no sentido de que a apresentação a juizo de actos processuais que devam ser praticados por escrito, mediante remessa pelo correio, sob registo, só pode ser comprovada através do talão do registo postal. (Ac. do Trib. Constitucional n.º 700/2005, de 14 de Dezembro de 2005, proc. n.º 64/2005-1.ª; *DR*, II série, de 8 de Fevereiro de 2006);

— I — O efeito negativo do caso julgado em processo penal consiste em impedir qualquer novo julgamento da mesma questão. II — No processo penal, a causa de pedir é o facto jurídico concreto que fundamenta a aplicação de uma pena; o pedido é a pretensão jurisdicional de que os factos acusados constituem crime, implicando a aplicação da correspondente sanção penal. (Ac. STJ de 2 de Março de 2006; *CJ Acs. do STJ*, XIV, tomo 1, 198);

— I — O caso julgado material, em processo penal, apenas existe quando a decisão se torne firme, impedindo a renovação da instância em qualquer processo que tenha por objecto a apreciação dos mesmos factos ilícitos. II— o caso julgado formal, em processo penal, atinge, no especial, as decisões que visam a pressecução de uma finalidade instrumental — um efeito de

Código de Processo Penal

vinculação intraprocessual e de preclusão. III — A prescrição do procedimento criminal é u m instituto de natureza substantiva. (Ac. STJ de 24 de Maio de 2006, proc. n.º 1041/06; *CJ, Acs. do STJ,* ano XIV, tomo 2, 188);

— O legislador processual penal previu casos pontuais afins à litigância de má fé, pelo que não há, nessa matéria, qualquer lacuna que fundamente a aplicação analógica do instituto processual civil da litigância de má fé. (Ac. STJ de 14 de Fevereiro de 2007; *CJ, Acs. do STJ,* ano XV, tomo I, 187).

ARTIGO 5.º

(Aplicação da lei processual penal no tempo)

1. A lei processual penal é de aplicação imediata, sem prejuizo da validade dos actos realizados na vigência da lei anterior.

2. A lei processual penal não se aplica aos processos iniciados anteriormente à sua vigência quando da sua aplicabilidade imediata possa resultar:

a) Agravamento sensível e ainda evitável da situação processual do arguido, nomeadamente uma limitação do seu direito de defesa, ou

b) Quebra da harmonia e unidade dos vários actos do processo.

---

1. Teve por fontes os arts. 5.º do Proj. e 4.º, n.º 1 do Aproj. e inspirou--se na doutrina do Prof. Figueiredo Dias, exposta no *Direito Processual Penal,* 1.º vol., 111/112.

A redacção do n.º 2 foi introduzida pelo art. 2.º do Dec.-Lei 387-E/87, de 29 de Dezembro.

2. No domínio do CPP de 1929 entendia-se geralmente, pelo menos até aos últimos anos da sua vigência, que a lei processual penal só dispunha para o futuro, significando isso que se aplicava a todos os actos praticados na sua vigência, mesmo que o processo tivesse sido instaurado ou a infracção tivesse sido cometida no domínio da lei antiga. É que se entendia geralmente que o princípio da legalidade só tinha incidência substantiva, e não processual.

Mas tal doutrina foi contestada pelo Prof. Figueiredo Dias, no *Direito Processual Penal,* vol. 1.º, 111-112, para quem a cadeia por vezes inextricável da tramitação processual pode conduzir a que se deva aplicar uma alteração legislativa processual apenas aos processos iniciados na vigência da lei nova. Por outro lado, segundo o mesmo Mestre, era nulo o valor extraído da instrumentalidade do processo penal, e devia entender-se que o princípio da legalidade é extensivo a este ramo, importando assim que a aplicação da lei processual penal a actos ou situações que decorram na sua vigência, mas se ligam a uma infracção cometida do domínio da lei processual antiga, não contrarie nunca o conteúdo da garantia conferida pelo princípio da legalidade. Assim, concluiu o Prof. Figueiredo Dias que se não devia aplicar a nova lei processual penal a um acto ou a uma situação processual que ocorresse em

Artigo 5.º

processo pendente ou derivasse de um crime cometido no domínio da lei antiga, sempre que da nova lei resultasse um agravamento da posição processual do arguido, ou, em particular, uma limitação do seu direito de defesa.

Também J. A. Barreiros, *Processo Penal,* I, págs. 207-208, expendeu que se a nova lei estabelecer um regime processual mais gravoso para o arguido, com minimização dos direitos processuais deste, a lei processual anterior, sob vigência da qual o processo conheceu o seu início de tramitação, deverá estender a sua aplicabilidade até ao fim do processamento, pondo-se porém aqui questões paralelas às que em direito substantivo se suscitam quanto a saber qual o regime mais favorável.

Dentro da mesma orientação expendeu o Prof. Germano Marques da Silva, *Curso de Processo Penal,* I, 91-92 (nota 1).

Trata-se, por outro lado, de emanação de ditames constitucionais, como se tem salientado na jurisprudência do Tribunal Constitucional (cfr. *Jurisprudência, infra,* anot. 4.

De notar que a doutrina assim exposta e sustentada perante o Código anterior que a não consagrara expressamente, na qual se inspirou manifestamente este artigo, fora consagrada pela Carta Constitucional, § 10.º do art. 145.º e pela Constituição de 1911, art. 3.º, n.º 21, e sustentada também por Caeiro da Matta, *Apontamentos do Processo Penal Anotado,* I, pág. 63.

Sobre a aplicação no tempo da lei processual penal, tendo já em vista o novo Código, veja-se J. A. Barreiros, *Manual,* 237 e segs. e *Sistema e Estrutura do Processo Penal Português,* I, 182 e segs.

3. A regra *tempus regit actum,* formulada no n.º 1, conduz-nos a que os actos do processo criminal sejam regulados pela lei em vigor no momento da respectiva prática.

Esta regra, porém, sofre as duas ordens de excepções, constantes das als. *a)* e *b)* do n.º 2.

Não define a lei o que se deve entender por *agravamento sensível da situação processual do arguido,* questão que fica para o prudente critério do julgador, que a deverá resolver casuisticamente. Caso claro será, por exemplo, o de uma lei nova, na vigência do processo, retirar o direito de recorrer; neste caso o direito de recorrer continuará a reger-se pela lei antiga. De notar, porém, que em tudo o mais que não represente agravamento da situação do arguido se aplica a nova lei, não sendo aqui, como no direito substantivo, necessário optar, em bloco, por um outro dos regimes.

A expressão *ainda evitável* foi introduzida tendo em vista aqueles casos em que a sucessão de leis processuais implica a extinção de qualquer órgão processual, o que não prejudica a possibilidade de se aplicar a outros casos análogos. É que a ultra-actividade da lei não poderá implicar a revivescência de um órgão cuja eliminação estivesse decretada.

A quebra da harmonia e unidade dos vários actos do processo, que nos termos da al. *b)* do n.º 2 é obstáculo à aplicação imediata da nova lei processual penal, procura solucionar os casos em que há contradição normativa ou quebra de harmonia entre qualquer instituto da lei processual numa fase do processo e o seu correlativo no âmbito de uma nova lei. A solução é a ultra-actividade, como meio de obstar aos danos emergentes da aplicação imediata da nova lei. Será este, por exemplo, o seguinte caso: uma lei não

Código de Processo Penal

admite recurso em processo que está a ser julgado. No dia da sentença entra em vigor uma outra lei que admite o recurso, desde que no início do julgamento se peça a redução da prova a escrito. Neste caso, não é admissível recurso, por ultra-actividade da lei antiga. É que a aplicação da lei nova implicaria a quebra da harmonia e unidade dos actos do processo, uma vez que não fora oportunamente pedida a redução a escrito da prova, e não ficaram assim criadas as condições para que pudesse ser aplicável a lei nova.

Este obstáculo à aplicação imediata da nova lei processual penal ficou consagrado, segundo supomos, devido aos ensinamentos dos Professores Castanheira Neves, *Sumários de Processo Criminal,* policopiados, 1967-1967, pág. 70 e Figueiredo Dias, *Direito Processual Penal,* 1974, pág. 111.

Mas ainda no domínio do CPP de 1929 a solução fora acolhida pela RP, que em ac. de 19 de Novembro de 1976 decidira que embora a nova lei processual penal seja de aplicação imediata, mesmo aos processos pendentes, não será de observar se a transição imediata se não puder fazer sem quebra do respeito devido aos actos processuais anteriores.

4. Jurisprudência:
— Extraída certidão de um processo para prosseguimento em processo autónomo, este último deve considerar-se instaurado no momento em que foi o processo de onde se extraiu a certidão, desde que o objecto sejam crimes investigados nesses autos. O novo processo é uma continuação, por desdobramento, do principal. (Ac. STJ de 9 de Janeiro de 1991; *AJ,* n.ºs 15/16, 2);
— O princípio constitucional da aplicação retroactiva da lei mais favorável ao arguido não se restringe ao domínio da lei penal substantiva, devendo ser alargado à protecção de situações em que estão em causa normas processuais penais de natureza substantiva, cuja projecção no processo não pode deixar de ser intimamente conexionada com o princípio da legalidade, condicionando a responsabilidade penal ou contendendo com os direitos fundamentais do arguido. (Ac. do Tribunal Constitucional n.º 451/93, de 15 de Julho de 1993; *BMJ,* 429, 337);
— I — A questão da aplicação temporal da lei processual penal é regulada no art. 5.º do CPP, que proclama a imediata aplicação daquela, sem prejuízo da validade dos actos realizados na vigência da lei anterior, com as duas excepções consignadas no n.º 2 daquele normativo, a saber: quebra da harmonia e unidade dos vários actos do processo, ou agravamento sensível e ainda evitável da situação processual do arguido. II – O facto de a lei nova retirar ao arguido o direito a um recurso que estava inserido no sem complexo de direitos e garantias, se aplicada a lei antiga, leva-nos a considerar que, por aplicação do art. 5.º do CPP, é a mesma lei aplicável. (Ac. STJ de 2 de Maio de 2008, proc. n.º 578/08 – 3.ª secção). *Nota.* trata-se de jurisprudência constante do STJ.

ARTIGO 6.º

(Aplicação da lei processual penal no espaço)

A lei processual penal é aplicável em todo o território português e, bem assim, em território estrangeiro nos limites definidos pelos tratados, convenções e regras do direito internacional.

Artigo 6.º

1. Corresponde ao art. 6.º do Proj., bem como ao n.º 2 do art. 4.º do Aproj. Não havia norma correspondente no CPP anterior. Teve como fontes os arts. 4.º e 5.º do CP e a doutrina do Prof. Figueiredo Dias, *Direito Processual Penal*, vol. 1.º, 105-107.

2. O CPP de 1929 não continha norma expressa sobre o âmbito de aplicação da lei processual penal no espaço, valendo, para o efeito, as normas dos arts. 53.º do CP de 1886, dos arts. 4.º e 5.º do CP de 1982 e os afloramentos do princípio da territorialidade decorrentes do próprio CPP, nomeadamente do seu art. 45.º.

Como no Direito Penal substantivo, também no Direito Processual Penal o âmbito de aplicação espacial da lei portuguesa é dominado pela regra de que a jurisdição penal portuguesa se contém dentro dos limites do Estado, valendo aqui igualmente, como regra, o *princípio da territorialidade*, formulado no art. 4.º do CP. Segundo este princípio, a lei portuguesa aplica-se, antes do mais, a todas as infracções cometidas no território nacional, ou seja dentro dos limites das fronteiras do Estado Português, incluindo portanto a terra firme, ilhas, rios, lagos, canais, portos e mar territorial.

Para maior desenvolvimento sobre a definição e extensão deste princípio, e dos princípios complementares *da defesa dos interesses nacionais, da nacionalidade, da pluralidade da prática do crime,* também por vezes designado de *universal* e do *do direito mundial,* veja-se o nosso *Código Penal Português,* anot. ao art. 4.º.

3. A formulação do preceito, como foi referido *supra,* n.º 1, foi inspirada na exposição do Prof. Figueiredo Dias, *loc. cit.,* que é do maior interesse, não só para a correcta interpretação do proceito como ainda para entendimento da premente prática de auxílio interestadual em matéria penal, que tem surgido e se tem desenvolvido de modo a ganhar foros de um novo princípio neste domínio.

4. Sobre a aplicação da lei penal portuguesa, particularmente sobre a problemática actual da aplicação da lei portuguesa a factos ocorridos no estrangeiro e da aplicação da lei penal estrangeira pelo juiz nacional, podem ver-se ainda Figueiredo Dias, *Competence des jurisdictions penales portuguaises pour les infractions commises à l'étranger, Bol. da Fac. de Dir. de Coimbra,* 41 (1965), 120; Furtado dos Santos, *Direito Internacional Penal e Direito Penal Internacional, Aplicação da lei penal estrangeira pelo juiz nacional; BMJ,* 92, 182 e o extenso Parecer da PGR n.º 58/81, de 25 de Junho; *BMJ,* 313, 63 e segs., onde se encontra relacionada também bibliografia estrangeira.

Tendo já em vista o presente Código, veja-se o *Manual de Processo Penal* de J. A. Barreiros, 267 e segs. e ainda este autor *Sistema e Estrutura do Processo Penal Português,* I, 224 e segs.

5. Dentre as questões que se podem pôr a propósito da aplicação da lei processual penal no espaço salienta-se a da possível aplicação aos crimes cometidos na zona económica exclusiva das 200 milhas, da Lei n.º 33/77, de 28 de Maio. A este propósito, Alda Fernandes e Cruz Leal, na *RPM,* ano 3.º, vol. 12, 98, no seguimento da Circular da PGR n.º 1776, de 15 de Julho

Código de Processo Penal

de 1981, apontam a seguinte solução: Sempre que esteja em causa a violação de interesses efectivos de exploração de riquezas nacionais parece nada impedir a aplicação da nossa lei aos factos aí ocorridos.

6. As disposições deste artigo sobre a aplicação da lei processual no espaço devem ser integradas, além de outras, pelas da Lei n.º 144/99, de 31 de Agosto, diploma relativo à cooperação judiciária internacional em matéria penal. Está dividido em seis títulos, contendo disposições gerais, regime da extradição, transmissão de processos penais (onde se contêm capítulos sobre delegação de procedimento penal nas autoridades judiciárias portuguesas e sobre delegação num Estado estrangeiro da instauração ou continuação de procedimento penal), execução de sentenças penais, vigilância de pessoas condenadas ou libertadas condicionalmente e auxílio judiciário mútuo em matéria penal.

ARTIGO 7.º

(Suficiência do processo penal)

1. O processo penal é promovido independentemente de qualquer outro e nele se resolvem todas as questões que interessarem à decisão da causa.

2. Quando, para se conhecer da existência de um crime, for necessário julgar qualquer questão não penal que não possa ser convenientemente resolvida no processo penal, pode o tribunal suspender o processo para que se decida esta questão no tribunal competente.

3. A suspensão pode ser requerida, após a acusação ou o requerimento para abertura da instrução, pelo Ministério Público, pelo assistente ou pelo arguido, ou ser ordenada oficiosamente pelo tribunal. A suspensão não pode, porém, prejudicar a realização de diligências urgentes de prova.

4. O tribunal marca o prazo da suspensão, que pode ser prorrogado até um ano se a demora na decisão não for imputável ao assistente ou ao arguido. O Ministério Público pode sempre intervir no processo não penal para promover o seu rápido andamento e informar o tribunal penal. Esgotado o prazo sem que a questão prejudicial tenha sido resolvida, ou se a acção não tiver sido proposta no prazo máximo de um mês, a questão é decidida no processo penal.

---

1. O n.º 1 corresponde ao n.º 1 do art. 7.º do Proj. e ao n.º 1 do art. 6.º do Aproj., e reproduz, no essencial, a doutrina dos arts. 2.º e 3.º do CPP de 1929.

Os n.ºˢ 2, 3 e 4 reproduzem os n.ºˢ 2, 3 e 4 do Proj. e ainda os n.ºˢ 2 a 4 do Aproj. Traduzem, no essencial, a doutrina dos arts. 2.º e 3.º do CPP anterior, na redacção introduzida pelo Dec.-Lei n.º 185/72, de 31 de Maio, com excepção do § 1.º do referido art. 3.º.

Artigo 7.º

2. No n.º 1 consagra-se o *princípio da suficiência da acção penal,* talqualmente se consagrava no art. 2.º do CPP de 1929.

O dispositivo deste n.º 1 consagra a orientação de que a jurisdição penal pode julgar todas as questões prejudiciais de feitos penais e a de que a acção penal é exercida e julgada independentemente de quaisquer outras acções. No processo penal resolvem-se todas as questões que interessem à decisão da causa, qualquer que seja a sua natureza, salvo nos casos exceptuados por lei. Assim, as questões penais são sempre prejudiciais relativamente a questões de outra natureza, e não pode fazer-se a união das duas acções na jurisdição não penal (cfr. Cavaleiro de Ferreira, *Curso de Processo Penal,* III, págs. 64-65).

Esta primazia da jurisdição penal na resolução das questões prejudiciais não significa a exclusividade da sua competência para o julgamento das questões de natureza não penal, como se deduz dos n.ᵒˢ 2 a 4 deste artigo.

O princípio da suficiência da acção penal tem um fundamento manifesto, que é o de arredar obstáculos ao exercício do *jus puniendi* que, directa ou indirectamente, possam entravar ou paralisar a acção penal. «A razão deste princípio é clara: só garantida nestes termos a independência e a suficiência da acção penal fica ela ao abrigo de quaisquer obstáculos que indirectamente se quisessem pôr ao seu exercício (p. ex., através da disposição processual de outras acções de que ela fosse dependente ou que para ela fossem elementos materialmente condicionantes). O que justamente nos explica que alguns autores tratem do problema das questões prejudiciais — problema para o qual afinal o princípio da suficiência nos remete e a que pretende dar certa solução — sob a epígrafe *obstáculos processuais à acção penal*» (Castanheira Neves, *Sumários de Processo Criminal,* liç. dact., 1967-1968, pág. 88).

Sobre o fundamento e o alcance deste princípio é do maior interesse Figueiredo Dias, *Direito Processual, Penal,* I, pág. 164 e 169, segundo o qual, se não se contivesse dentro dos mais apertados limites a possibilidade de o processo penal ser sustido ou interrompido pelo surgimento de uma questão penal ou não penal susceptível de cognição judicial autónoma, pôr-se-iam em sério risco as exigências, compreensíveis e relevantíssimas, de concentração processual ou de continuidade do processo penal, permitindo-se assim que, deste modo, se levantassem indirectamente obstáculos ao exercício da acção penal. Assim, o princípio deve ser defendido na medida do possível, não obstante ser certo que o relevo, a complexidade ou a especialidade de que se revestem certas questões prejudiciais podem postular insistentemente que, nestes casos, o processo penal se suspenda e a questão seja devolvida para o tribunal normalmente competente, a fim de aí ser decidida.

3. O n.º 2 reproduz, quase textualmente, a solução do corpo do art. 3.º do CPP de 1929, na redacção introduzida pelo Dec.-Lei n.º 185/72, de 31 de Maio.

O *princípio da suficiência da acção penal,* definido no n.º 1, não evita que, muitas vezes, o juiz criminal tenha que devolver a tribunal de outra natureza o conhecimento da questão não penal, prejudicial em relação à questão penal a resolver. Essa devolução, no regime anterior, presumia-se mesmo conveniente nos dois casos previstos no § 1.º do art. 3.º do CPP (quando a questão prejudicial incidisse sobre o estado civil das pessoas e quando fosse de difícil solução e não versasse sobre factos cuja prova a lei civil limitasse). Esta presunção de conveniência de devolução não foi reproduzida agora pelo

Código de Processo Penal

Código, que deixou ao prudente critério do tribunal os casos de conveniência da devolução.

a) Não é discutível o caso de questão prejudicial criminal em processo criminal. É que o tribunal criminal tem competência para julgar questão desta natureza, e assim julgá-la-á, nos termos do n.º 1 deste artigo, sem devolução a outro tribunal.

b) Quando surgem questões prejudiciais de natureza não criminal em processo criminal, podem deparar-se as seguintes situações:

I — *O tribunal criminal conhece, ele próprio, da questão prejudicial, usando dos poderes conferidos pelo n.º 1 deste artigo, e porque entendeu que a questão pode por ele ser convenientemente resolvida.*

Neste caso, o tribunal, após a decisão da questão prejudicial, entra no conhecimento da questão principal, de harmonia com a solução encontrada para a questão prejudicial.

Não há, porém, acordo sobre se a decisão do juiz criminal na questão não penal tem valor de caso julgado fora do processo. Cavaleiro de Ferreira, *Curso de Processo,* vol. 3.º, pág. 60 sustentou a solução afirmativa. Fez notar que da unidade da jurisdição e da competência atribuída ao juiz penal para julgar certas questões não penais deviva a eficácia do caso julgado quanto a tais questões, nos mesmos termos e com os mesmos limites do caso julgado proferido pela jurisdição civil, que só poderá ser normalmente alegado, como excepção, em outro processo criminal ou civil, entre as mesmas partes. Castanheira Neves, *Sumários,* pág. 118, entendeu que não é suficiente invocar aqui o princípio da unidade da jurisdição, de que arrancou Cavaleiro de Ferreira, sendo a solução mais razoável idêntica àquela que o CPC prescreve, no art. 97.º, n.º 2 *in fine,* para as questões prejuduciais não civis em processo civil — a decisão sobre a questão prejudicial não produz efeitos fora do processo em que foi proferida.

II — *O tribunal criminal suspende o processo, nos termos do n.º 2 deste artigo, para que o tribunal não criminal competente conheça da questão prejudicial.*

Para que o tribunal use desta faculdade, é necessário que se trate de questão essencial, e não só circunstancial, e que a mesma não possa ser convenientemente resolvida no processo criminal.

O § 1.º do art. 3.º do Cód. anterior, na redacção introduzida pelo Dec.--Lei n.º 185/72, de 31 de Maio, estabelecia dois casos de presunção de inconveniência de resolução de questões prejudiciais não criminais no processo penal, os quais foram referidos *supra.* Nem esses casos, nem quaisquer outros, foram reproduzidos pela lei actual, que assim deixou ao prudente critério do tribunal decidir os casos de conveniência de devolução da questão prejudicial não penal outra jurisdição.

Sobre o condicionalismo que deve presidir à devolução, pode ver-se Beleza dos Santos, *RLJ,* ano 63.º, págs. 9 e segs.

A decisão do tribunal não criminal competente sobre a questão prejudicial não criminal constitui caso julgado, mesmo no processo criminal. Embora a lei actual não seja tão clara e terminante como o art. 152.º do Código anterior, isso deduz-se inequivocamente dos dispositivos dos n.os 2, 3 e 4. Há, por outro lado, acordo na doutrina sobre este ponto, não importando mesmo que as partes no processo não penal em que teve lugar a decisão sejam ou não as mesmas do processo penal. O tribunal criminal considerou a conveniência de a questão prejudicial ser resolvida pelo tribunal normalmente competente para a decidir, e, assim, a decisão deste tribunal produz efeitos no processo criminal, como se neste tivesse sido decidida.

Vejam-se, sobre este ponto, Cavaleiro de Ferreira, *Curso*, vol. 3.º, pág. 57; *O Direito*, 67.º, pág. 200 e Castanheira Neves, *Sumários*, pág. 113.

III — *A questão prejudicial não criminal já foi anteriormente decidida em processo não criminal*.

Neste caso, em que a questão não criminal que agora surge no processo criminal já foi anteriormente decidida em processo não criminal pelo tribunal competente, não há acordo sobre se a decisão vincula o tribunal criminal.

Como a decisão prejudicial não criminal já se encontra proferida pelo tribunal competente, parece que os efeitos dessa decisão terão que ser resolvidos nos termos gerais, isto é, em função da regulamentação própria do caso julgado civil.

Não, há, porém, acordo na doutrina, quer nacional quer estrangeira.

A solução tradicional na nossa jurisprudência, inspirada na doutrina francesa, só atribui força de caso julgado, como tal vinculante, às sentenças não penais em processo penal, no caso de este ter sido suspenso. Baseia-se esta orientação na independência das duas jurisdições e na prevalência da penal, O direito processual penal demanda a verdade material, que se pode opor à formal, muitas vezes estabelecida pelo processo civil. Este está mais na disponiblidade das partes; aqui a decisão pode ser tomada por limitações formais na investigação, *v. g.*, falta de contestação, o que de modo algum se compadece com o princípio fundamental da demanda da verdade material, que comanda o processo penal.

A decisão não penal, nesta orientação, só pode ser considerada pelo juiz criminal como um facto com carácter de meio de prova. Neste sentido, pode ver-se o Ac. STJ de 12 de Março de 1965; *BMJ,* 147, 160 e segs. bem como a jurisprudência indicada na anot. e o estudo de Oliveira Guimarães, *S. J.,* tomo XVII, n.º 91, 398 e segs.

Uma outra orientação, com predomínio na doutrina nacional e defendida pela doutrina italiana, atribui força de caso julgado, que vincula o juiz criminal, às decisões não penais proferidas nas apontadas circunstâncias.

Esta doutrina escuda-se no princípio da unidade da jurisdição, na inadmissibilidade de decisões contraditórias sobre a mesma questão, e ainda em que, na realidade, o processo civil demanda também a verdade material. Por outro lado, consideram os defensores desta corrente que, aceite o princípio da vinculação, teria esta que ser vista à luz das regras reguladoras do caso julgado próprias da jurisdição em que a decisão tivesse sido proferida. E assim, considera-se que o efeito do caso julgado civil não se rege pelas disposições do CPP, mas pela lei processual civil, só produzindo efeitos *erga omnes* em decisões sobre o estado das pessoas (art. 694.º do CPC), limitando-se os efeitos nos demais casos às mesmas partes (art. 502.º do mesmo diploma), o que esbate os inconvenientes apontados pela corrente oposta.

Seguiram esta orientação Beleza dos Santos, *RLJ,* 63.º, 8 e segs. e 66.º, 136 e segs.; Cavaleiro de Ferreira, *Curso,* III, 57 e segs. e *S. J.,* tomo VII, n.º 35, 314 e segs. e Castanheira Neves, *Sumários,* 115.

Código de Processo Penal

4. Como inovação legislativa é de salientar que a suspensão só pode agora ser requerida ou ordenada após a acusação ou o requerimento para abertura de instrução (n.º 3).

No regime do art. 3.º do Cód. anterior segundo a redacção introduzida pelo Dec.-Lei n.º 185/72, de 31 de Maio, a suspensão podia ser decretada em qualquer fase do processo.

Portanto, no regime actual a suspensão não pode ser requerida nem ordenada durante o inquérito. Mas logo que a acusação seja deduzida ou a instrução requerida já o pode ser, podendo, portanto, requerer-se a suspensão durante a instrução.

A possibilidade de a suspensão poder ser decretada durante a fase instrutória afigura-se-nos muito vantajosa, como o seria até durante o inquérito. É da experiência corrente que os interessados recorrem muitas vezes ao processo criminal visando alcançar interesses que têm natureza civil, procuramdo cansar a outra parte ou obter provas que depois utilizam nas acções cíveis. Em tais casos, a suspensão impõe-se logo que surjam fundadas suspeitas de que se está perante uma dessas situações.

5. Como inovação legislativa, salienta-se ainda ter ficado agora expressamente consagrado, n.º 4, *in fine,* que, esgotado o prazo que o tribunal fixou sem que a questão prejudicial tenha sido resolvida, ou se a acção não tiver sido proposta no prazo máximo de um mês, será a questão decidida no processo criminal.

Embora a lei anterior não tomasse posição, assim devia ser entendido — cfr. o nosso *Código de Processo Penal* anot. ao art. 3.º.

Pode dar-se o caso de a questão prejudicial não penal ser resolvida pelo tribunal normalmente competente, para a qual for devolvida pelo tribunal criminal após a suspensão, mas depois de esgotado o prazo e de o tribunal criminal ter decidido apreciá-la. Neste caso, se o tribunal não criminal decidir antes de o tribunal criminal proferir a sua própria decisão, afigura--se-nos que este tribunal deve sobrestar na decisão a respeitar a decisão não criminal.

6. *Jurisprudência:*

— A decisão judicial sobre a prorrogação de um prazo de suspensão do processo penal por necessidade de julgar questão não penal que não pode ser convenientemente resolvida naquele processo pode ser tomada antes ou depois de o prazo ter decorrido. Em qualquer dos casos, a prorrogação do prazo inicialmente concedido inicia-se no termo desse prazo, nunca a partir da data do despacho que concedeu a prorrogação. (Ac. RC de 11 de Janeiro de 1995; *CJ, XX,* tomo 1, 53);

— O caso julgado cível só é eficaz no domínio penal quando se tenha formado numa acção prejudicial que haja implicado a suspensão do processo penal. (Ac. STJ de 5 de Junho de 1996; *CJ, Acs. do STJ,* IV, tomo 2, 191);

— I — A presunção de inconveniência do julgamento no processo penal de questão prejudicial conexa com o estado civil das pessoas não

Artigo 7.º

foi reproduzida no CPP de 1987, o qual deixou ao prudente critério do tribunal os casos de conveniência da devolução. II — Não tendo o tribunal *a quo* sentido necessidade de suspender o processo para ajuizar da existência ou não de casamento civil urgente válido, em ordem à verificação dos elementos típicos do crime de burla imputado na acusação, nem tendo o MP ou a arguida, em qualquer fase do processo ou do julgamento, requerido a sua suspensão para esse efeito, não se justifica que, em fase de recurso, a ela se proceda, para se intentar uma acção de estado tendo em vista o oportuno cancelamento do registo, em ordem a fazer nascer a posição sucessória do Estado e perfectibilizar a referida incriminação. (Ac. STJ de 20 de Abril de 1999, proc. 52/98-3.ª; *SASTJ,* n.º 30, 89);

— I — O art. 7.º do CPP consagra o princípio da suficiência do processo penal, que visa afastar impedimentos injustificáveis ao exercício do *jus puniendi,* através da maior satisfação possível das exigências de concentração e continuidade do processo penal. II — Por isso, o n.º 2 desse artigo só permite a suspensão se o tribunal (no uso de um poder discricionário vinculado às finalidades da sua atribuição e, assim, sindicável em recurso) entender: que se trata de questão cujo julgamento constitui um antecedente jurídico concreto da decisão penal principal, antecedente necessário a essa decisão e com possibilidade de ser objecto de autónomo conhecimento jurisdicional; e que essa questão não pode ser convenientemente resolvida no processo penal. (Ac. STJ de 20 de Outubro de 1999, proc. 1452/98-3.ª; *SASTJ,* n.º 34, 73);

— As decisões judiciais proferidas nos tribunais cíveis não possuem autoridade de caso julgado no processo penal, só adquirindo essa eficácia de caso julgado quando o processo-crime foi suspenso a aguardar a decisão proferida no processo cível. (Ac. RP de 9 de Maio de 2001; *CJ,* XXVI, tomo 3, 232).

PARTE PRIMEIRA

LIVRO I

DOS SUJEITOS DO PROCESSO

TÍTULO I

DO JUIZ E DO TRIBUNAL

CAPÍTULO I

DA JURISDIÇÃO

ARTIGO 8.º

(Administração da justiça penal)

Os tribunais judiciais são os órgãos competentes para decidir as causas penais e aplicar penas e medidas de segurança criminais.

---

1. Corresponde ao art. 8.º do Proj. e ao n.º 1 do art. 7.º do Aproj.

2. Usa-se aqui a expressão *tribunais judiciais,* e não *tribunais penais,* em consonância com os princípios constitucionais que reservam aos tribunais judiciais a competência exclusiva para a aplicação das penas.

A exclusividade da competência dos tribunais judiciais neste domínio era ainda mais vincada pelo n.º 1 do art. 7.º do Aproj., que empregava o adjectivo *únicos* entre *são os* e *órgãos.*

3. Sendo os tribunais órgãos de soberania, nos termos do art. 113.º, n.º 1, da CR, cabe à própria Constituição definir a respectiva competência.

Código de Processo Penal

A lei fundamental não o faz, porém, de modo exaustivo; contudo, quanto à competência, e no aspecto específico que agora abordamos, diz-nos claramente que só os tribunais comuns têm competência para o julgamento dos crimes, e que é proibida a existência de tribunais com competência exclusiva para o julgamento de certas categorias de crimes (art. 211.º, n.º 4),

O princípio da exclusividade dos tribunais para o julgamento da matéria criminal ou da jurisdicionalização das causas penais, resulta, pois, dos textos constitucionais. E, para além da aplicação das penas e das medidas de segurança criminais, também as medidas processuais preventivas mais gravosas, como a prisão preventiva, estão constitucionalmente sujeitas ao princípio da exclusividade judicial, para efeitos de validação e de manutenção (art. 28.º, n.º 1, da CR); o mesmo sucede quanto à instrução, que, por imperativo constitucional, é da competência de um juiz (art. 32.º, n.º 4), e até quanto à extradição e à expulsão do território nacional (art. 33.º, n.º 4).

Sobre este princípio, veja-se a *Constituição da República Portuguesa,* de Gomes Canotilho-Vital Moreira, 2.ª ed., vol. 1.º, págs. 214 e 219.

ARTIGO 9.º

(Exercício da função jurisdicional penal)

1. Os tribunais judiciais administram a justiça penal de acordo com a lei e o direito.

2. No exercício da sua função, os tribunais e demais autoridades judiciárias têm direito a ser coadjuvados por todas as outras autoridades; a colaboração solicitada prefere a qualquer outro serviço.

---

1. Corresponde, com alterações, aos arts. 9.º do Proj. e 8.º do Aproj. Não tinha correspondente na legislação processual penal, mas só na geral.

2. A norma de que os tribunais administram a justiça penal de acordo com a lei e o direito, formulada no n.º 1, é nova e de muito interesse.

A ordem de preferência — lei e direito — significa que a primeira tarefa na aplicação da justiça penal é a subsunção à lei (em sentido material, escrita e formalmente válida), e só em segunda linha e de modo subsidiário se colocará a aplicabilidade do ordenamento ou das normas que tenham todos os requisitos de legitimidade e de justiça intrínseca embora não os da lei no sentido que ficou definido.

Nesta categoria se inclui o chamado *Direito Natural Processual,* ou seja, na definição de Aragoneses, *apud* J. A. Barreiros, *Processo Penal,* I, pág. 97, «aquele conjunto de regras jurídicas eternas, imutáveis e universais, criadas por Deus e por ele reveladas ao homem, o qual pode alcançar o seu conhecimento através da interpretação da Igreja e da sua própria razão».

Artigo 9.º

Esse Direito estaria subjacente a certos normativos concretos, nomeadamente, segundo a enumeração de J. A. Barreiros, *loc. cit.*:

I) À regra pela qual o juiz não pode ser parte no processo penal, nem pessoalmente, nem em nome do Estado;

II) Ao princípio pelo qual a acção punitiva do Estado se deve basear em regras jurídicas claras e precisas;

III) À necessidade de excluir da instrução criminal qualquer forma de tortura física ou psíquica;

IV) À permissão ao acusado de todos os meios de defesa; e

V) À obrigatoriedade de o Estado reparar todos os danos causados à liberdade, propriedade, honra e melhoramento da vida dos indivíduos.

A disposição do n.º 1 significa, assim, que os tribunais administram a justiça penal de acordo com a lei, em sentido técnico estrito que é dado pelo art. 115.º, n.º 1 da Constituição, e com todas as normas que constituem o ordenamento jurídico, incluindo aquelas para onde este remete, portanto aqui as normas de direito com a amplitude referida.

Cremos que, com este entendimento, nunca haverá antinomia entre lei e direito, nem consequentemente casos de rejeição de aplicação da lei por parte do juiz penal, contrariamente ao que sustenta Costa Pimenta, *in Código de Processo Penal Anotado,* 2.ª ed., 57.

Por outro lado, não vemos incompatibilidade entre a disposição do n.º 1 e a do art. 206.º da CRP, onde a lei fundamental estabelece que os tribunais são independentes e apenas estão sujeitos à lei. É que a Constituição refere aqui a lei em sentido amplo, sucedendo ainda que esta sua disposição é alusiva à independência dos tribunais, pouco tendo a ver com as normas que os tribunais devem aplicar.

Sobre estes pontos, vejam-se Gomes Canotilho-Vital Moreira, *Constituição Anotada,* 2.ª ed., 2.º vol., 315 e Laborinho Lúcio, *Jornadas de Direito Processual Penal,* ed. do Centro de Estudos Judiciários, 44 (Livraria Almedina).

3. A disposição do n.º 2, que como se aludiu não tinha correspondente na lei processual penal anterior, mas só na geral, impõe a todas as autoridades o dever de coadjuvar não só os tribunais judiciais mas também todas as autoridades judiciárias (ver art. 1.º, *b)*) na sua função de administrar a justiça penal, estabelecendo ainda, para evitar delongas e expedientes, que a colaboração solicitada prefere a qualquer outro serviço.

Este n.º 2, na sua primeira parte, é afloramento do art. 209.º da CRP, sobre o direito que assiste aos tribunais de serem coadjuvados por todas as outras autoridades para o exercício das suas funções.

Este direito de coadjuvação envolve todas as autoridades do Estado, incluindo os próprios tribunais uns em relação aos outros, e a coadjuvação deve ser prestada nos termos indicados pelo tribunal que a solicita.

Geralmente as leis orgânicas de cada uma das autoridades estatuais e os estatutos dos seus membros contêm normativos de sentido idêntico.

Relativamente à PSP é ainda necessário atentar no Parecer da PGR de 23 de Novembro de 1989, homologado por despacho do Ministro da Administração Interna de 19 de Dezembro do mesmo ano e publicado no *DR,* II série, de 7 de Fevereiro de 1990. Aí se consagra, além do mais, que a com-

Código de Processo Penal

parência do agente da PSP por determinação da autoridade judiciária para intervir em acto processual constitui um acto de serviço; que a colaboração com o tribunal e com as autoridades judiciárias se inscreve no âmbito da competência da PSP e está definida no art. 9.º do CPP; e que a colaboração com as autoridades judiciárias constitui um acto de serviço que prefere a qualquer outro.

4. A exclusividade da competência dos tribunais judiciais em matéria penal sofria uma única excepção, permitida pelos arts. 211.º, n.º 4 e 215.º da CRP na versão anterior à revisão de 1997. Aí se estabelecia que competia aos tribunais militares o julgamento de crimes essencialmente militares; que a lei, por motivo relevante, podia incluir na jurisdição dos tribunais militares crimes dolosos equiparáveis aos essencialmente militares; e ainda que podia atribuir aos tribunais militares competência para aplicação de medidas disciplinares.

Só havia tribunais militares em dois ramos das Forças Armadas: no Exército (tribunais militares territoriais) e na Marinha (Tribunal Militar da Marinha), funcionando os tribunais militares territoriais relativamente aos crimes essencialmente militares do ramo da Força Aérea. O Supremo Tribunal Militar exercia jurisdição sobre os três ramos, a esse tribunal subindo portanto os recursos interpostos de acórdãos proferidos nos tribunais militares territoriais e no Tribunal Militar da Marinha.

Os tribunais militares foram extintos pela revisão da CRP de 1997.

CAPÍTULO II
DA COMPETÊNCIA

SECÇÃO I
COMPETÊNCIA MATERIAL E FUNCIONAL

ARTIGO 10.º

(Disposições aplicáveis)

A competência material e funcional dos tribunais em matéria penal é regulada pelas disposições deste Código e, subsidiariamente, pelas leis de organização judiciária.

---

1. Reproduz o art. 10.º do Proj. e é idêntico ao art. 9.º do Aproj.

2. É duvidoso que o CPP seja o local sistematicamente mais adequado à inserção de normas sobre a competência, ou se esta matéria, com excepção das disposições referentes à competência territorial, não terá sede mais adequada nos diplomas sobre organização judiciária, tal como foi opção do Dec.-Lei n.º 377/77, de 6 de Setembro, com a redacção que deu ao art. 35.º do CPP anterior.

Artigo 11.º

Trata-se, porém, de uma opção legislativa, cujo maior inconveniente é o de esta norma e outras sobre competência material e funcional dos tribunais ficar sujeita às contingências da organização judiciária, que tem de estar sempre actualizada e é, portanto, objecto de mais frequentes alterações do que outras normas do CPP.

Sobre competência dos tribunais judiciais regula ainda o Capítulo II da Lei de Organização e Funcionamento dos Tribunais Judiciais — n.º 3/99, de 13 de Janeiro.

3. Nem só o CPP e, subsidiariamente, as leis de organização judiciária regem a competência material e funcional dos tribunais em matéria penal, a qual é regida prioritariamente pela própria CRP.

Sendo os tribunais, no caso em apreciação os tribunais com competência penal, órgãos de soberania, caberia à própria Constituição a definição da sua composição, da sua competência e do funcionamento (art. 110.º, n.º 1 e Gomes Canotilho-Vital Moreira, *Constituição da República Portuguesa Anotada,* 2.ª ed., 2.º vol. 322). Mas quanto aos tribunais, particularmente quanto à sua competência, a CRP é sucinta; estabelece, no entanto, no art. 211, n.º 1, que os tribunais judiciais são os tribunais comuns em matéria criminal.

Em tudo o que se não contém nestes aspectos específicos da competência dos tribunais em matéria penal, regulados na CRP, é que vigoram as normas do CPP e, subsidiariamente, as das leis da organização judiciária.

Do exposto se deduz a necessidade de, em cada momento, consultar as leis de organização judiciária em vigor, particularmente a Lei de Organização e Funcionamento dos Tribunais Judiciais, a-fim-de que seja determinada a competência material e funcional dos tribunais.

4. O presente artigo alude à *competência material* e à *competência funcional* dos tribunais em matéria penal. *Competência material* é a que se obtém através da natureza do crime, da medida da pena a aplicar ou da qualidade do arguido, embora esta deva, com mais propriedade, ser designada por *competência em razão das pessoas.* A *competência funcional* diz-nos qual o tribunal que em cada fase do processo exerce sobre ele jurisdição: tribunal de instrução, singular, colectivo, do júri, de recurso, ou outro.

O texto legal *minus dixit quam voluit,* pois que devia ainda ter referido a *competência em razão do território* e *da conexão,* que também são espécies de competência reguladas no Código e, subsidiariamente, pelas leis de organização judiciária.

ARTIGO 11.º

(Competência do Supremo Tribunal de Justiça)

1. Em matéria penal, o plenário do Supremo Tribunal de Justiça tem a competência que lhe é atribuída por lei.

Código de Processo Penal

2. Compete ao presidente do Supremo Tribunal de Justiça, em matéria penal:

a) Conhecer dos conflitos de competência entre secções;
b) Autorizar a intercepção, a gravação e a transcrição de conversações ou comunicações em que intervenham o Presidente da República ou o Primeiro-Ministro e determinar a respectiva destruição, nos termos dos artigos 187.º a 190.º;
c) Exercer as demais atribuições conferidas por lei.

3. Compete ao pleno das secções criminais do Supremo Tribunal de Justiça, em matéria penal:

a) Julgar o Presidente da República, o Presidente da Assembleia da República e o Primeiro-Ministro pelos crimes praticados no exercício das suas funções;
b) Julgar os recursos de decisões proferidas em 1.ª instância pelas secções;
c) Uniformizar a jurisprudência, nos termos dos artigos 437.º e seguintes.

4. Compete às secções criminais do Supremo Tribunal de Justiça, em matéria penal:

a) Julgar processos por crimes cometidos por juízes do Supremo Tribunal de Justiça e das relações e magistrados do Ministério Público que exerçam funções junto destes tribunais, ou equiparados;
b) Julgar os recursos que não sejam da competência do pleno das secções;
c) Conhecer os pedidos de *habeas corpus* em virtude de prisão ilegal;
d) Conhecer dos pedidos de revisão;
e) Decidir sobre o pedido de atribuição de competência a outro tribunal da mesma espécie e hierarquia, nos casos de obstrução ao exercício da jurisdição pelo tribunal competente;
f) Exercer as demais atribuições conferidas por lei.

5. As secções funcionam com três juízes.

6. Compete aos presidentes das secções criminais do Supremo Tribunal de Justiça, em matéria penal:

a) Conhecer dos conflitos de competência entre relações, entre estas e os tribunais de 1.ª instância ou entre tribunais de

Artigo 11.º

1.ª instância de diferentes distritos judiciais.
b) Exercer as demais atribuições conferidas por lei.

7. Compete a cada juiz das secções criminais do Supremo Tribunal de Justiça, em matéria penal, praticar os actos jurisdicionais relativos ao inquérito, dirigir a instrução, presidir ao debate instrutório e proferir despacho de pronúncia ou não pronúncia nos processos referidos na alínea *a)* do n.º 3 e na alínea *a)* do n.º 4.

O texto deste artigo foi introduzido pela Lei n.º 48/2007, de 29 de Agosto.
O texto imediatamente anterior já não era o originário, mas o que fora introduzido pela lei n.º 59/98, de 25 de Agosto, diploma que reestruturou a competência do STJ em matéria penal, restringindo-se ao Pleno das secções criminais a competência para o julgamento das entidades a que se refere a al. *a)* do art. 26.º da Lei n.º 38/87, de 23 de Dezembro (Presidente da República, Presidente da Assembleia da República e Primeiro Ministro), pelos crimes praticados no exercício das suas funções, face ao princípio da especialização dos juízes que integram o Tribunal.
O n.º 3 reproduz o n.º 2 da versão anterior.
Nos restantes números apontam-se relevantes alterações no regime anterior; designadamente:
— As secções criminais funcionam com 3 juízes, enquanto que no regime anterior só funcionavam com 3 juízes no julgamento de processo por crimes cometidos por juízes do STJ e das Relações e por magistrados do MP exercendo funções junto desses tribunais ou equiparados;
— Os dispositivos da al. a) de n.º 2 e da al. a) do n.º 6 são novos. A estes dispositivos nos referimos mais demoradamente.
Quanto a competência do STJ e do Presidente deste alto tribunal rege ainda a Lei n.º 52/2008, de 28 de Agosto (Lei de Organização e Funcionamento dos Tribunais Judiciais – LOFTJ), designadamente nos arts. 41.º a 44.º e 52.º do seguinte teor:

Artigo 41.º

Competência do plenário

Compete ao Supremo Tribunal de Justiça, funcionando em plenário:
a) Julgar or recursos de decisões proferidas pelo pleno das secções criminais;
b) Exercer as demais competências conferidas por lei.

Artigo 42.º

Especialização das secções

1 — As secções cíveis julgam as causas que não estejam atribuídas a outras secções, as secções criminais julgam as causas de natureza penal e as secções sociais julgam as causas referidas no artigo 118.º.

85

Código de Processo Penal

2 — As causas referidas nos artigos 121.º e 122.º são distribuídas sempre à mesma secção cível.

Artigo 43.º

Competências do pleno das secções

Compete ao pleno das secções, segundo a sua especialização:

a) Julgar o Presidente da República, o Presidente da Assembleia da República e o Primeiro Ministro pelos crimes praticados no exercício das suas funções;
b) Julgar os recursos de decisões proferidas em 1.ª instância pelas secções;
c) Uniformizar a jurisprudência, nos termos da lei de processo.

Artigo 44.º

Competência das secções

Compete às secções, segundo a sua especialização:

a) Julgar or recursos que não sejam da competência do pleno das secções especializadas;
b) Julgar processos por crimes cometidos por juízes do Supremo Tribunal de Justiça e dos tribunais da Relação e magistrados do Ministério Público que exerçam funções junto dos tribunais, ou equiparados, e recursos em matéria contra-ordenacional a eles respeitantes;
c) Julgar as acções propostas contra juízes do Supremo Tribunal de Justiça e dos tribunais da Relação e magistrados do Ministério Público que exerçam funções junto destes tribunais, ou equiparados, por causa das suas funções;
d) Conhecer dos pedidos de *habeas corpus,* em virtude de prisão ilegal;
e) Conhecer dos pedidos de revisão de sentenças penais, decretar a anulação de penas inconciliáveis e suspender a execução das penas quando decretada a revisão;
f) Decidir sobre o pedido de atribuição de competência a outro tribunal da mesma espécie e hierarquia, nos casos de obstrução ao exercício da jurisdição pelo tribunal competente;
g) Julgar, por intermédio do relator, os termos dos recursos a este cometidos pela lei de processo;
h) Praticar, nos termos da lei de processo, os actos jurisdicionais relativos ao inquérito, dirigir a instrução criminal, presidir ao debate instrutório e proferir despacho de pronúncia nos processos referidos na alínea a) do artigo anterior e na alínea b) do presente artigo;
i) Exercer as demais competências conferidas por lei.

Artigo 11.º

Artigo 52.º

Competência do presidente

1 — Compete ao Presidente do Supremo Tribunal de Justiça:

a) Presidir ao plenário do Tribunal, ao pleno das secções especializadas e, quando a estas assista, às conferências;
b) Homologar as tabelas das secções ordinárias e convocar as secções extraordinárias;
c) Apurar o vencido nas conferências;
d) Votar sempre que a lei o determine, assinando, neste caso, o acórdão;
e) Dar posse aos vice-presidentes, aos juízes, ao secretário do tribunal e aos presidentes dos tribunais da Relação;
f) Dirigir o tribunal, superintender nos seus serviços e assegurar o seu funcionamento normal, emitindo as ordens de serviço que tenha por necessárias;
g) Exercer acção disciplinar sobre os funcionários de justiça em serviço no tribunal, relativamente a pena de gravidade inferior à de multa;
h) Exercer as demais funções conferidas por lei.

2 — Das decisões proferidas nos termos das alíneas *f)* e *g)* do número anterior cabe reclamação para o plenário do Conselho Superior da Magistratura.

3 — Compete ainda ao Presidente do Supremo Tribunal de Justiça conhecer dos conflitos de jurisdição cuja apreciação não pertença ao tribunal de conflitos e, ainda, dos conflitos de competência que ocorram entre:

a) Os plenos das secções;
b) As secções;
c) Os tribunais da Relação;
d) Os tribunais da Relação e os tribunais de comarca;
e) Os tribunais de comarca de diferentes distritos judiciais ou sedeados na área de diferentes tribunais da Relação.

4 — A competência referida no número anterior é delegável nos vice--presidentes.

2. A apontada lei que introduziu o texto actual deste artigo alterou significativamente o regime anterior nos seguintes pontos:
a) As secções criminais do STJ, conforme o n.º 5, passam funcionar com 3 juízes que, como se dispõe no art. 435.º, são o presidente da secção, o relator e um juiz adjunto. No regime anterior funcionavam com 5 juízes: presidente da secção, relator e 3 juízes adjuntos, excepto no julgamento de processos por crimes cometidos por juízes do STJ e das relações e por magistrados do MP exercendo funções junto desses tribunais ou equiparados.
b) Na al. a) do n.º 2 atribui-se ao presidente do STJ, em matéria penal,

Código de Processo Penal

competência para conhecer dos conflitos de competência entre as secções, e na al. a) do n.º 6 atribui-se aos presidentes das secções criminais do STJ, em matéria penal, competência para conhecer dos conflitos de competência entre relações, e entre estas e os tribunais de 1.ª instância de diferentes distritos judiciais.

No regime anterior a resolução dos conflitos de competências pertencia sempre a um tribunal colegial, STJ ou Relação, conforme os casos, e não a um juiz singular, ainda que presidente do tribunal ou de alguma das suas secções.

Sabe-se que a resolução dos conflitos de competência tem provocado atrasos injustificados no regular e desejável andamento dos processos, a que as alterações agora introduzidas procuraram obstar.

Estas alterações inspiraram-se manifestamente na tramitação sobre divergências na distribuição entre juízes da mesma comarca, estabelecida no art. 210.º, n.º 2, do CP Civil.

Era, sem dúvida, premente a intervenção do legislador para evitar o injustificado arrastamento dos processos através do expediente, tantas vezes flagrantemente dilatório, de provocar um conflito de competência.

Dirimindo-se nos conflitos de competência geralmente questões de natureza jurisdicional, tantas vezes bem complexas (crime de furto ou de peculato? Homicídio doloroso, com dolo eventual ou homicídio negligente, com negligência consciente?; Unidade ou pluralidade de crimes?; Comarca da acção ou comarca do resultado?; Competência da Relação ou do tribunal de 1.ª instância para julgamento de um magistrado na situação de reforma? ..etc); extrai-se de preceitos constitucionais que a resolução de estes conflitos, que implica mesmo censura de decisões de tribunais, só pode ser atribuída a outros tribunais, e nunca a qualquer órgão da Administração.

Logo o art. 205.º da Lei fundamental estabelece que são os tribunais que administram a justiça, anotando Gomes Canotilho-Vital Moreira, *in Constituição* anotada, 2.º vol., 2,ª ed., pág. 205, que do preceito decorre que não podem ser atribuídas funções jurisdicionais a outros órgãos, designadamente à Administração Pública, e na página seguinte que a usurpação de funções jurisdicionais pelas autoridades administrativas constitui um dos fundamentos típicos da invalidade dos actos administrativos.

E aqui salientamos que um conflito de competência nada tem a ver com o caso de divergência ou erro na distribuição entre juizos da mesma comarca. Neste caso, os tribunais, sejam juízos ou varas, pertencem à mesma comarca e têm por igual competência; não se discute algo de natureza jurisdicional, pelo que as divergências ou os erros podem ser solucionados por via administrativa, como repetida e uniformemente tem sido decidido pelo STJ. E também nada tem a ver com o caso de reclamação contra o despacho que não admite ou que retém o recurso, a decidir nos termos estabelecidos no art. 405.º. Neste caso, o presidente do tribunal superior profere um despacho de expediente, meramente administrativo, pois que, se houver decisão do recurso, será proferida pelo tribunal superior.

Questões da natureza jurisdicional serão sempre decididas por um tribunal, seja o tribunal *a quo* seja o tribunal *ad quem*.

Vêm estas considerações a propósito de uma dúvida que aqui se suscita sobre a competência atribuída ao Presidente do STJ e aos presidentes das secções para decidirem conflitos de competência. Estas entidades, conforme se estabelece nos arts. 52.º e 69.º da Lei de Organização e Funcionamento

Artigo 11º

dos Tribunais Judiciais (LOFTJ) têm competência diversificada. Praticam actos geralmente de natureza administrativa, mas podem intervir também na decisão em que se discutem questões jurisdicionais, como se estabelece no art. 52.º, da referida LOFTJ.

Em síntese, e em conclusão destas considerações, para obstar a uma eventual inconstitucionalidade, os referidos dispositivos atribuindo competência ao Presidente do STJ e aos presidentes das secçoes criminais do STJ para decidirem conflitos de competência devem ser interpretados no sentido de a competência pertencer ao STJ que, nestes casos, funciona singularmente. Qualquer outra interpretação, entendendo que a decisão do conflito não foi proferida por um tribunal, e antes tem natureza administrativa, estará ferida de inconstitucionalidade.

A orientação que perfilhamos e que acaba de ser explanada, de que a resolução destes conflitos de compotência pertence ao STJ, que no caso funciona singular e não colegialmente, encontra ainda argumento literal no título deste artigo — *Competência do Supremo Tribunal de Justiça.*

Entendimento diverso do que acaba de ser explanado é o de Pinto de Albuquerque que nas anots. 4 a este art. 11.º e 4 ao art. 36.º, no *Comentário ao Código de Processo Penal* considera este dispositivo e o da n.º 2 do art. 36.º inconstitucionais porque, sendo irrecorríveis, violam os arts. 2.º; 20.º, n.º 1 e 32.º, n.ºs 1 e 7 da CRP. Discordamos, no entanto, deste entendimento, pelas razões seguintes:

É sabido e tem sido afirmado repetidamente pelo Tribunal Constitucional que o princípio das garantias de defesa não consagra a possibilidade de interposição de recurso de quaisquer decisões judiciais, mas somente das que afectem directamente restrições à liberdade ou quaisquer outros direitos fundamentais. E este não é o caso, pois se trata de decisão intercalar que não tomou posição sobre liberdade ou qualquer outro direito fundamental. E segue-se ainda que a resolução de um conflito de competência, não tendo embora o *nomenvuris* de um recurso, é no entanto uma figura afim, pois é decidida por um tribunal competente, mediante audição dos que estão em conflito, do MP e dos sujeitos processuais que não tiverem suscitado o conflito e possam ser afectados, que podem alegar no prazo de 5 dias. Existem aqui, portanto, as garantias de um recurso, tratando-se, *cum grano salis,* verdadeiramente de um recurso inominado.

O entendimento que sustentamos, de que não padece de inconstitucionalidade a atribuição de competência ao Presidente do STJ para decidir conflitos de competência, merece porém reflexão, em face do n.º 4 do art. 52.º da LOFTJ, dispositivo onde se estabelece que a competência do Presidente do STJ para conhecer dos conflitos de jurisdição e de competência é delegável nos vice-presidentes.

Tratando-se, como sustentamos, de um tribunal singular, o referido n.º 4 do art. 52.º será inconstitucional, por violação do princípio do juiz legal ou natural e da proibição de desaforamento, que têm protecção constitucional, no art. 32.º, n.º 9, da CRP. Este n.º 4 só não sofrerá de inconstitucionalidade dentro da tese de que o Presidente do STJ, ao decidir conflitos de jurisdição e de competência, intervém como entidade administrativa. Mas então será inconstitucional a alínea *a)* do n.º 2 do art. 11.º do CPP, pelas razões já explanadas, orientação que não é a nossa, como procurámos sustentar.

Código de Processo Penal

3. Para além do Presidente da República, o Proj. não definia quais as entidades que deviam ser julgadas pelo STJ, nem tão-pouco pelas Relações; esta questão era aí deixada para os estatutos dessas entidades, quando não resolvida pela CRP.

A omissão foi considerada inconveniente, tanto mais que não existe qualquer forma especial de processo para o julgamento do Presidente da República ou de quaisquer outras entidades, funcionando as normas dos processos comum, sumário, abreviado ou sumaríssimo, com as adaptações decorrentes da natureza do tribunal, por se tratar de um órgão colegial. Designadamente quanto a magistrados criar-se-ia, de momento, um vazio legislativo, dada a ausência de normas, sobre o ponto, no Estatuto dos Magistrados Judiciais.

A lacuna foi colmatada na última fase dos trabalhos de elaboração do Código, ficando a competência para o julgamento de magistrados regulada em termos análogos aos do direito anterior. Daí, as mais salientes alterações introduzidas no articulado do Proj., quanto aos arts. 11 e 12.º.

4. As regras de competência formuladas na al. *a)* do n.º 3 e na al. *a)* do n.º 4 não contrariam qualquer preceito constitucional, designadamente os que proíbem a criação de tribunais especiais não previstos na CRP e o art. 13.º, n.º 1, que estabelece o princípio da igualdade dos cidadãos perante a lei. O STJ e as relações são tribunais comuns, e por outro lado estas regras de competência fundamentam-se em distinção objectiva de situações e de salvaguarda de dignidade de determinadas funções, sendo ainda certo que as pessoas a julgar não têm qualquer tratamento privilegiado perante a lei substantiva ou a lei adjectiva. A CRP não impõe uma igualdade absoluta em todas as situações, nem proíbe discriminações quando se revelam necessárias, adequadas e proporcionadas à satisfação dos seus objectivos, prevendo até ela própria discriminações legitimadoras de tratamento diferenciado — cfr. Gomes Canotilho-Vital Moreira, *Constituição Anotada,* 2.ª ed., 1.º vol., 150.

5. *Jurisprudência:*

— I — Os fundamentos do regime sobre a competência material penal relativa a magistrados radicam na qualidade funcional destes; a garantia, não privilégio pessoal, mas funcional, de um foro especial justifica-se pela dignidade e melindre das funções que os magistrados desempenham e para defesa e prestígio dessas funções. II — Por tal razão, o critério da competência não deriva, nem é determinado pela prática dos factos que estejam em causa, nomeadamente das circunstâncias de tempo (critério temporal), mas apenas da qualidade que o seu autor detenha no momento em que se iniciem ou prossigam actos processuais próprios determinados pela ocorrência de tais factos. III — Assim, se alguém praticar determinados factos quando não detinha (ou quando suspensa) a qualidade de magistrado, as normas sobre a competência determinada pela qualidade das pessoas aplicar-se-ão, apenas, a partir do momento, processualmente relevante, em que o autor dos factos assuma a qualidade de magistrado, valendo, antes desse momento, as regras gerais sobre competência. (Ac. STJ de 26 de Novembro de 2003, proc. n.º 3675/03-3.ª; *SASTJ,* n.º 75, 101);

Artigo 12.º

— I — A competência em matéria penal determinada pela qualidade de magistrado constitui uma garantia funcional e não pessoal, justificada pelas exigências próprias do prestígio e resguardo da função. II — Os magistrados em situação de licença ilimitada não gozam da garantia funcional decorrente do seu estatuto de magistrado, porquanto o mesmo se encontra suspenso. (Ac. STJ de 11 de Abril de 2007; *CJ, Acs do STJ*, ano XV, tomo 2, 163).

ARTIGO 12.º

(Competência das relações)

1. Em matéria penal, o pleneário das relações tem a competência que lhe é atribuída por lei.

2. Compete aos presidentes das relações, em matéria penal:

a) Conhecer dos conflitos de competência entre secções;

b) Exercer as demais atribuições conferidas por lei.

3. Compete às secções criminais das relações, em matéria penal:

a) Julgar processos por crimes cometidos por juízes de direito, procuradores da Republica e procuradores-adjuntos;

b) Julgar recursos;

c) Julgar os processos judiciais de extradição;

d) Jugar os processos de revisão e confirmação de sentença penal estrangeira;

e) Exercer as demais atribuições conferidas por lei.

4. As secções funcionam com três juízes.

5. Compete aos presidentes das secções criminais das relações, em matéria penal:

a) Conhecer dos conflitos de competência entre tribunais de 1.ª instância do respectivo distrito judicial;

b) Exercer as demais atribuições conferidas por lei.

6. Compete a cada juiz das secções criminais das relações, em matéria penal, praticar os actos jurisdicionais relativos ao inquérito, dirigir a instrução, presidir ao debate instrutório e proferir despacho de pronúncia ou não pronuncia nos processos referidos na alínea *a)* do n.º 3.

---

1. O texto deste artigo foi introduzido pela Lei n.º 48/2007, de 29 de Agosto. A versão originária deste artigo sofreu alterações introduzidas pelo Dec.

Código de Processo Penal

- Lei n.º 387-E/87, de 17 de Dezembro e pela Lei n.º 59/98, de 27 de Agosto. Porém a Lei n.º 3/99, de 13 de Janeiro (LOFTJ), com as alterações introduzidas pela Lei n.º 105/2003, de 10 de Dezembro, atendendo à extinção dos tribunais militares e consequente premência de estabelecer novas competências para os tribunais judiciais, veio regular a competência das relações nos seus arts. 55.º e 56.º, em vigor até à entrada em vigor do texto actual.

Quanto a competência dos tribunais da Relação e do respectivo Presidente regem ainda os arts. 65.º, 66.º e 69.º da LOFTJ, do seguinte teor:

Artigo 65.º

Competência do plenário

Compete aos tribunais da Relação, funcionando em plenário, exercer as competências conferidas por lei.

Artigo 66.º

Competência das secções

Compete às secções, segundo a sua especialização:

a) Julgar recursos;

b) Julgar as acções propostas contra juízes de direito e juízes militares de 1.ª instância, procuradores da República e procuradores-adjuntos, por causa das suas funções;

c) Julgar processos por crimes cometidos pelos magistrados e juízes militares referidos na alínea anterior e recursos em matéria contra-ordenacional a eles respeitantes;

d) Julgar os processos judiciais de cooperação judiciária internacional em matéria penal;

e) Julgar os processos de revisão e confirmação de sentença estrangeira, sem prejuízo da competência legalmente atribuída a outros tribunais;

f) Julgar, por intermédio do relator, os termos dos recursos que lhe estejam cometidos pela lei de processo;

g) Praticar, nos termos da lei de processo, os actos jurisdicionais relativos ao inquérito, dirigir a instrução criminal, presidir ao debate instrutório e proferir despacho de pronúncia ou não pronúncia nos processos referidos na alínea c);

h) Exercer as demais competências conferidas por lei.

Artigo 69.º

Competência do presidente

1 — À competência do presidente do tribunal da Relação é aplicável, com as necessárias adaptações, o disposto nas alíneas *a)* a *d)*, *f)*, *g)* e *h)* do n.º 1 do artigo 52.º.

92

Artigo 12.º

2 — O presidente do tribunal da Relação é competente para conhecer dos conflitos de competência entre tribunais de comarca sedeados na área do respectivo tribunal, podendo delegar essa competência no vice-presidente.

3 — Compete ainda ao presidente dar posse ao vice-presidente, aos juízes e ao secretário do tribunal.

4 — É aplicável o disposto no n.º 2 do artigo 52.º às decisões proferidas em idênticas matérias pelo presidente do tribunal da Relação.

2. Como mais relevantes e significativas alterações ao regime imediatamente anterior ao actual apontam-se as seguintes:

a) Conforme o dispositivo do n.º 4, as secções das relações funcionam com três juízes. No regime anterior a composição do tribunal em audiência era constituida pelo presidente da secção, pelo relator e por dois juízes adjuntos (art. 429.º). Conforme o texto actual do art. 429.º, nas audiências passam a intervir o presidente da secção, o relator e um juiz adjunto; a alteração consiste, portanto, na eliminação de um juiz adjunto.

b) Conforme a al. a) do n.º 2, compete aos presidentes das relações, em matéria penal, conhecer dos conflitos de competência entre as secções e, conforme a al. a) do n.º 5, compete aos presidentes das secções criminais das relações, em matéria penal, conhecer dos conflitos de competência entre tribunais de 1.ª instância do respectivo distrito judicial.

Sobre estes dispositivos atribuindo competência para a decisão de conflitos aos presidentes das Relações e das secções criminais destes tribunais remetemos para as considerações expendidas na anot. 2 ao art. 11.º, aqui aplicáveis, *mutatis mutandis*.

3. *Jurisprudência:*

— Um juiz de direito na situação de licença ilimitada não goza de foro especial. (Ac. STJ de 21 de Maio de 1989; *BMJ*, 387, 490);

— O STJ só tem competência para conhecer de recursos interpostos de acórdãos, isto é de decisões do tribunal colectivo (arts. 11.º, n.º 3, e 432.º, al. c), do CPP e 28.º, n.º 3, da LOTJ). Se o recurso foi interposto de um despacho, isto é de uma decisão do juiz singular embora durante uma audiência de julgamento com intervenção do tribunal colectivo, o recurso é para a Relação. (Ac. STJ de 12 de Novembro de 1992, proc. 43.166/3.ª);

— É ao plenário da secção criminal da relação, presidido pelo presidente, que compete proceder ao julgamento de processo-crime contra magistrado. (Ac. RC de 19 de Junho de 1996; *CJ*, XXI, tomo 3, 54);

—I—O art. 210.º, n.º 2, do Cód. Proc. Civil, visa a providenciar sobre forma de resolver divergências acerca da distribuição do serviço entre órgãos do mesmo tribunal, mas sem que a entidade encarregada de o fazer haja de invadir a esfera de actividade da função judicial. II—Trata-se de função tipicamente judiciária a que tende a definir a culpabilidade do acusado e a qualificar sob o aspecto criminal a sua conduta. III—Tal função cabe aos tribunais e não aos seus presidentes. IV—Não é a um presidente de um tribunal que compete averiguar e definir se há indícios suficientes da existência da infracção, e de qual, e se ocorre alguma circunstância modificativa. V—É ao Tribunal da Relação que compete decidir se determinado processo deve ser distribuído aos juízes

Código de Processo Penal

criminais ou aos juízes correccionais quando para tal se exija uma apreciação de regras de direito substantivo (Ac. STJ, de 15.1.1975: *BMJ*, 243.º-168);

—I—A divergência surgida entre um juiz de comarca e um juiz de círculo sobre a competência para proferir sentença em determinada acção não tem simples conteúdo administrativo, semelhante à prevista no artigo 210.º. n.º 2, jurisdicional de cada um dos juízes em acção no mesmo tribunal. III— Na verdade, por um lado, o corpo do artigo 121.º, daquele código tornou extensivo o regime dos artigos 117.º e 120.º "a quaisquer outros conflitos que devam ser resolvidos pelas Relações ou pelo Supremo", enquanto que, por outro lado, a alínea c) do artigo 40.º da Lei n.º 82/77, de 6 de Dezembro, atribui às secções dos tribunais das Relações, consoante as especializações, o dever de "conhecer dos conflitos de competência entre juízes de direito do respectivo distrito judicial," sem exigir que os juízes em conflito pertençam a tribunais diferentes (Ac. STJ, de 20.11.1986: *BMJ*, 361.º-492);

—I—Ultrapassada a fase administrativa da distribuição, o processo passa a correr a fase jurisdicional. II—As decisões surgidas nesta fase não se destinam a "igualizar a repartição do serviço" como é finalidade da distribuição (artigo 209.º do Código de Processo Civil), mas são o resultado de verdadeiras funções jurisdicionais incidindo sobre a competência para o conhecimento da matéria do fundo da causa (Ac. STJ, de 5.5.1987: *BMJ*, 367.º-453);

—I—Na fase administrativa ou pré-judicial da distribuição é da competência do presidente da Relação do distrito decidir as divergências entre juízes da mesma comarca sobre a designação do juizo ou vara em que o processo há-de correr. II—Ultrapassada esta fase, entra o processo na fase jurisdicional, momento a partir do qual compete ao tribunal hierarquiamente superior dirimir quaisquer controvérsias entre juízes—assim, o conflito negativo entre o juiz de círculo e o juiz da comarca acerca da competência para o julgamento de determinada acção (Ac. STJ, de 15.6.1989: *BMJ*, 388.º-359);

—I—Para que estejamos em face de um conflito de competência necessário se mostra que *dois ou mais tribunais* da mesma espécie declinem ou se arroguem competência para conhecer de determinado litígio. II—A esta competência denominada *externa*, contrapõe-se, por ampliação imprópria do respectivo conceito, a de *competência interna*, ou seja, a que respeita à repartição dos processos, *dentro de cada tribunal*, entre os vários juízes que nele servem e entre as secções que compõem a respectiva secretaria. III— Tratando-se de um conflito entre os juízes da 1.ª e da 3.ª Secção do 1.º Juizo do Tribunal de Família de Lisboa, ou seja entre dois juízes do mesmo tribunal, esta divergência deve ser solucionada, nos termos prescritos no n.º 2 do art. 210.º do Cód. Proc. Civil, pelo Presidente da Relação de Lisboa (Ac. STJ, de 22.2.1990: *BMJ*, 394.º-457);

—I— A competência em matéria penal determinada pela qualidade de magistrado —foro especial —constitui uma garantia não pessoal, mas funcional, justificada por exigências próprias do pretígio e resguardo da função. II— Se o magistrado deixa de exercer funções ou passa a situação que lhe suspende a qualidade e seja incompatível com o exercício dessas funções, cessa a competência determinada pela qualidade de magistrado. (Ac. STJ de 21 de Junho de 2006, proc. n,º 1573/06; *CJ, Acs.do STJ*, ano XIV, tomo 2, 221).

ARTIGO 13.º

(Competência do tribunal do júri)

1. Compete ao tribunal do júri julgar os processos que, tendo a intervenção do júri sido requerida pelo Ministério Público, pelo assistente ou pelo arguido, respeitarem a crimes previstos no Título III e no Capítulo I do Título V, do Livro II do Código Penal e na Lei Penal relativa às Violações do Direito Internacional Humanitário.

2. Compete ainda ao tribunal do júri julgar os processos que, não devendo ser julgados pelo tribunal singular, e tendo a intervenção do júri sido requerida pelo Ministério Público, pelo assistente ou pelo arguido, respeitarem a crimes cuja pena máxima, abstractamente aplicável, for superior a oito anos de prisão.

3. O requerimento do Ministério Público e o do assistente devem ter lugar no prazo para dedução da acusação, conjuntamente com esta, e o do arguido, no prazo do requerimento para abertura de instrução. Havendo instrução, o requerimento do arguido e o do assistente que não deduziu acusação devem ter lugar no prazo de oito dias a contar da notificação da pronúncia.

4. O requerimento de intervenção do júri é irretractável.

---

1. Corresponde, com alterações decorrentes da aplicação da Lei n.º 43/86, de 26 de Setembro (Lei de Autorização legislativa) ao art. 13.º do Proj. A competência para o tribunal do júri estava regulada nos arts. 363.º e 256.º, n.ºs 2 e 3 do Aproj. O texto do n.º 1 foi introduzido pelo Dec.-Lei n.º 317/95, de 28 de Novembro, em resultado da revisão do CP levada a efeito pelo Dec.-Lei n.º 48/95, de 15 de Março, sendo-lhe porém aditada oração final e na Lei Penal relativa às violações do Direito Internacional Humanitário pela Lei n.º 48/2007, de 29 de Agosto. O texto de n.º 3 foi introduzido pela Lei n,º 59/98, de 25 de Agosto. Ver anot. 1 ao art. 14.º.

2. A competência e a composição do tribunal do júri encontram-se ainda estabelecidas nos arts. 140.º e 141.º da LOFTJ, dispositivos do seguinte teor:

Artigo 140.º

Composição

1 — O tribunal do júri é constituído pelo presidente do tribunal colectivo, que preside, pelos restantes juízes e por jurados.
2 — A lei regula o número, recrutamento e selecção dos jurados.

Código de Processo Penal

Artigo 141.º

Competência

1 — Compete ao tribunal do júri julgar os processos a que se refere o artigo 13.º do Código de Processo Penal, salvo se tiverem por objecto crimes de terrorismo ou se referirem a criminalidade altamente organizada.

2 — A intervenção do júri no julgamento é definida pela lei de processo.

3. Os n.ºˢ 1 e 2 resultam do desdobramento do n.º 1 do Proj., e de alterações introduzidas em virtude da Lei n.º 43/86.

No Proj. estabelecia-se, além do mais, a competência do tribunal do júri para julgar os processos relativos a crimes cuja pena máxima, abstractamente aplicável, fosse superior a 3 anos de prisão. Da Lei n.º 43/86, que concedeu ao Governo autorização para aprovar o novo Código de Processo Penal, resultou patente o intuito de restringir os casos de intervenção do júri, e mesmo do tribunal colectivo, privilegiando a intervenção do tribunal singular.

Assim, o art. 2.º, n.º 2, al. 56) da Lei estabeleceu a restrição do julgamento com intervenção do júri aos processos em que a acusação ou a defesa irretractavelmente o requeiram e em que estejam em causa crimes contra a paz e humanidade ou contra a seguranca do Estado e àqueles que respeitem a crimes cuja pena máxima, abstractamente aplicável, for superior a oito anos de prisão.

As alterações do texto definitivo, relativamente ao do Proj., radicam na aludida disposição da Lei n.º 43/86.

4. Os n.ºˢ 3 e 4 reproduzem os n.ºˢ 2 e 3 do Proj., tendo porém o n.º 3 sofrido as alterações introduzidas pela Lei referida na anot. 1.

5. O tribunal do júri é composto pelos três juízes que constituem o tribunal colectivo e por quatro jurados efectivos e quatro suplentes, sendo presidido pelo presidente do tribunal colectivo e intervindo os jurados suplentes quando, durante o julgamento ou antes do seu início, algum dos efectivos se impossibilitar.

O processo de selecção dos jurados foi regulado pelo Dec.-Lei n.º 387--E/87, de 29 de Dezembro.

6. *Jurisprudência:*

— É inconstitucional a norma extraída dos n.ºˢ 1 e 2 do art. 13.º do CPP (na redacção anterior à Lei n.º 48/2007, de 29 de Agosto), conjugada com o artigo 51.º do Decreto-Lei n.º 15/93, de 21 de Janeiro, quando interpretada no sentido de que o tribunal do júri é competente para julgar o crime de tráfico de estupefacientes enquanto criminalidade altamente organizada. (Ac. do Trib. Constitucional n.º 450/2008; *DR,* II série, de 28 de Outubro de 2008).

ARTIGO 14.º

(Competência do tribunal colectivo)

1. Compete ao tribunal colectivo, em matéria penal, julgar os processos que, não devendo ser julgados pelo tribunal do júri, respeitarem a crimes previstos no Título III e no Capítulo I do Título V, do Livro II do Código Penal e na Lei Penal relativa às Violações do Direito Internacional Humanitário.

2. Compete ainda ao tribunal colectivo julgar os processos que, não devendo ser julgados pelo tribunal singular, respeitarem a crimes:

a) Dolosos ou agravados pelo resultado, quando for elemento do tipo a morte de uma pessoa; ou

b) Cuja pena máxima, abstractamente aplicável, for superior a cinco anos de prisão, mesmo quando, no caso de concurso de infracções, for inferior o limite máximo correspondente a cada crime.

---

1. Corresponde ao art. 14.º do Proj., porém com alterações introduzidas por força da Lei n.º 43/86 (Lei de Autorização legislativa) e pela Lei n.º 48/2007, de 29 de Agosto, esta consistente no aditamento da parte final do 1.º 1: e na Lei Penal relativa às violações do Direito Internacional Humanitário.

O n.º 1 e a al. *b)* do n.º 2 têm redacção data pelo Dec.-Lei n.º 317/95, de 28 de Novembro, em resultado da revisão do CP levada a efeito pelo Dec.-Lei n.º 48/95, de 15 de Março e de aquele diploma e a respectiva Lei de Autorização legislativa terem estabelecido a competência do tribunal colectivo para processos relativamente a crimes cuja pena máxima aplicável seja superior a 5 anos de prisão (na versão originária do Código 3 anos), mesmo quando, no caso de concurso de crimes, seja inferior o limite máximo correspondente a cada crime.

O n.º 1 sofreu ainda posteriormente o aditamento supramencionado.

A composição e a competência do tribunal colectivo e do respectivo presidente encontram-se ainda estabelecidas nos arts. 136.º, 137.º e 139.º da LOFTJ, do seguinte teor:

Artigo 136.º

Composição

1 — O tribunal colectivo é composto por três juízes.

2 — Nos tribunais de comarca desdobrados em juízos de grande e média instância cível ou criminal, o tribunal colectivo é constituído por juízes privativos, salvo se o Conselho Superior da Magistratura, por conveniência de serviço e ouvido o presidente do tribunal de comarca, determinar composição diversa.

3 — Nas comarcas em que o volume de serviço o aconselhar e que estejam indicadas em decreto-lei, o tribunal colectivo é constituído por

Código de Processo Penal

dois juízes em afectação exclusiva ao julgamento em tribunal colectivo e pelo juiz do processo.

4 — Nos restantes casos, o Conselho Superior da Magistratura, ouvido o presidente do tribunal de comarca, designa os juízes necessários à constituição do tribunal colectivo, devendo a designação recair em juiz privativo da mesma comarca, salvo manifesta impossibilidade.

5 — Os quadros da grande instância criminal de Lisboa e do Porto prevêem um juíz militar por cada ramo das Forças Armadas e um da GNR, os quais intervêm nos termos do disposto no Código de Justiça Militar.

Artigo 137.º

Competência

Compete ao colectivo julgar:

a) Em matéria penal, os processos a que se refere o artigo 14.º do Código de Processo Penal;

b) As questões de facto nas acções de valor superior à alçada dos tribunais da Relação e nos incidentes e execuções que sigam os termos do processo de declaração e excedam a referida alçada, sem prejuízo dos casos em que a lei de processo exclua a sua intervenção;

c) As questões de direito, nas acções em que a lei de processo o determine.

Artigo 139.º

Competência do presidente

1 — Compete ao presidente do tribunal colectivo:

a) Dirigir as audiências de discussão e julgamento;

b) Elaborar os acórdãos nos julgamentos penais;

c) Proferir a sentença final nas acções cíveis;

d) Suprir as deficiências das sentenças e dos acórdãos referidos nas alíneas anteriores, esclarecê-los, reformá-los e sustentá-los nos termos das leis de processo;

e) Organizar o programa das sessões do tribunal colectivo;

f) Exercer as demais funções atribuídas por lei.

2 — Compete ainda ao presidente do tribunal colectivo o julgamento no caso previsto no n.º 5 do artigo 334.º do Código de Processo Penal.

2. De notar que nos casos dos n.ᵒˢ 1 e 2, al. *a)*, a lei não leva em conta a pena aplicável para atribuição da competência ao tribunal colectivo (ou eventualmente ao júri), tratando-se mesmo, no caso do n.º 1, de competência em razão da matéria. Há até, particularmente no que concerne ao âmbito do n.º 1, casos de molduras penais muito baixas, sem que por isso os feitos possam ser julgados pelo tribunal singular.

98

Artigo 15.º

Por esta razão, no caso do n.º 1 nunca pode funcionar o desvio de competência para o tribunal singular previsto no n.º 2 do art. 16.º.

A distribuição da competência funcional e material entre o tribunal colectivo e o singular foi aqui estabelecida dentro dos parâmetros da al. 57) da Lei de Autorização legislativa, e assim atribuindo-se àquele o conhecimento de crimes graves, como são os crimes contra a paz e a humanidade e contra o Estado; os crimes dolosos ou agravados pelo resultado quando for elemento do tipo incriminador a morte; e, como regra, aqueles cuja pena máxima, abstractamente aplicável, for superior a 5 anos de prisão.

A gravidade da pena, que no CPP de 1929 era o elemento fundamental para determinar a competência do tribunal colectivo, continua a ser relevante para o efeito, conforme o n.º 2, al. *b),* mas abrem-se excepções, *maxime* as do art. 16.º, n.º 2, als. *a)* e *b)* e funciona também a competência em razão da matéria tratando-se de crimes abrangidos pela previsão do n.º 1.

3. *Jurisprudência:*

— I — A competência para aplicação da pena única, no caso de conhecimento superveniente de concurso (art. 79.º do CP) pertence ao tribunal da última condenação. II — Aplicada por um tribunal militar a pena de 3 anos de prisão militar, e proferida a última condenação por um juizo correccional, na fixação de uma pena única que abrange aquela deve intervir o competente tribunal colectivo da comarca. (Ac. STJ de 3 de Maio de 1989; *BMJ,* 387, 477);

— É ao juiz do processo e não ao tribunal colectivo que cabe apreciar a questão do cumprimento ou incumprimento de uma condição imposta pelo tribunal colectivo para suspender a pena. (Ac. RC de 1 de Fevereiro de 1995; *CJ,* XX, tomo 1, 57).

ARTIGO 15.º

(Determinação da pena aplicável)

Para efeito do disposto nos artigos 13.º e 14.º, na determinação da pena abstractamente aplicável são levadas em conta todas as circunstâncias que possam elevar o máximo legal da pena a aplicar no processo.

---

1. Corresponde aos arts. 15.º do Proj. e ao n.º 5 do art. 256.º do Aproj., em relação a este, porém, com o acrescentamento de *no processo,* e inspirou-se no art. 69.º do CPP de 1929.

2. O art. 69.º do CPP de 1929 deu origem a questões relevantes (veja-se o nosso *Código de Processo Penal,* anots. a esse artigo) que, porém, agora se não suscitam, ou não têm o mesmo relevo. O art. 69.º aludido tinha em vista estabelecer a forma de processo aplicável, embora essa forma pudesse ter reflexo na competência do tribunal. Este art. 15.º diz-nos como se determina a pena abstractamente aplicável, pena esta através da qual se determina a competência do tribunal para o efeito de funcionar como tribunal do júri, tribunal colectivo ou tribunal singular.

Código de Processo Penal

3. Como se deduz claramente do texto, na determinação da pena abstractamente aplicável, para os efeitos aqui visados, são levadas em conta todas as circunstâncias, seja qual for a sua natureza, que possam elevar o máximo legal da pena aplicável no processo.

Não importa que as circunstâncias estejam previstas na parte geral ou na parte especial do CP, ou ainda em qualquer outro diploma. As circunstâncias da parte geral sempre aqui estariam previstas, pois aí têm elas a sua sede mais adequada; as da parte especial nem precisariam de ser referidas, pois pertencendo elas mais à tipicidade do que ao circunstancialismo a solução não poderia ser outra que não a deste artigo.

De notar, porém, que o termo *circunstâncias* não está qui usado no sentido técnico em que o usava o CP de 1886, sendo mais amplo e abrangendo todas as causas legais de elevação do máximo da pena.

4. Como se referiu, a expressão final *no processo* não tinha correspondente no CPP de 1929, nem no Aproj. A introdução desta expressão foi feita por causa dos casos em que há uma acumulação de infracções. Assim, se *no processo* o arguido responde por vários crimes, atende-se à pena abstractamente aplicável ao concurso de infracções pelas quais aí responde. Mas já não são atendíveis penas aplicadas em outros processos que entrem num eventual cúmulo a efectuar no caso de condenação, se esse cúmulo não for efectuado no processo.

Trata-se de uma disposição específica de matéria relativa à competência, e não à forma de processo, com ela se estabelecendo um limite acima do qual o tribunal singular não tem competência para a aplicação de quaisquer penas, ainda que em cúmulo jurídico. O preceito parece mesmo ter sido introduzido tendo em vista os casos de cúmulo jurídico, que suscitaram dificuldades e jurisprudência contraditória no regime anterior, mas é, evidentemente, aplicável a outros casos.

Assim, em face deste preceito, quem, no mesmo processo, responder por três ou mais crimes a que corresponda pena de prisão até dois anos (*v. g.* furto de uso de veículo, do art. 208.º do CP) terá que ser julgado em tribunal colectivo (ou eventualmente pelo júri), uma vez que perante o CP o cúmulo jurídico tem como limite máximo a soma material das penas parcelares (no caso 6 anos, se se tratar de três crimes).

Deverá ainda considerar-se, em favor da orientação que sustentamos, que no concurso de diversos crimes, como decorre do direito substantivo, a pluralidade de factos como que forma um facto global, a considerar juntamente com a personalidade do delinquente na fixação da medida concreta da pena.

A questão foi repensada pela CRCPP, na 19.ª sessão, em 11 de Fevereiro de 1992, tendo concordado com esta orientação todos os membros da Comissão, excepto o Dr. José António Barreiros. O Presidente da Comissão, Prof. Figueiredo Dias, adiantou mesmo um argumento de natureza dogmática: no concurso tudo se passa como se os diferentes factos constituíssem um *novo facto* (punível com a pena do concurso).

E tendo ainda em conta o projectado alargamento da competência do tribunal singular para penas de prisão não superiores a 5 anos, a solução que expendemos foi perfilhada pela CRCPP, que não viu necessidade de a consagrar expressamente.

Esta solução veio a ser firmada em jurisprudência obrigatória do STJ, ac. do Plenário das secções criminais de 17 de Maio de 1995, *DR*, I-A série,

Artigo 16.º

de 21 de Junho do mesmo ano, e seguidamente na nova redacção do art. 14.º deste Código, como aí foi referido na anot. 1. *Legem habemus*, portanto. O sumário daquele ac. do Plenário das secções criminais do STJ é o seguinte: No caso de concurso de infracções passíveis individualmente de pena máxima não superior a três anos de prisão, mas a que, em cúmulo jurídico, possa corresponder uma pena única superior àquele limite, é competente para o seu julgamento o tribunal colectivo.

Mutatis mutandis (elevação do limite de 3 para 5 anos da pena de prisão em virtude da alteração da competência do juiz singular), veio a ser consagrada legislativamente a solução que sempre defendemos e já anteriormente firmada em jurisprudência obrigatória.

ARTIGO 16.º

(Competência do tribunal singular)

1. Compete ao tribunal singular, em matéria penal, julgar os processos que por lei não couberem na competência dos tribunais de outra espécie.

2. Compete também ao tribunal singular, em matéria penal, julgar os processos que respeitarem a crimes:

   a) Previstos no Capítulo II do Título V do Livro II do Código Penal; ou

   b) Cuja pena máxima, abstractamente aplicável, for igual ou inferior a cinco anos de prisão.

3. Compete ainda ao tribunal singular julgar os processos por crimes previstos no artigo 14.º, n.º 2, alínea *b)*, mesmo em caso de concurso de infracções, quando o Ministério Público, na acusação, ou, em requerimento, quando seja superveniente o conhecimento do concurso, entender que não deve ser aplicada, em concreto, pena de prisão superior a cinco anos.

4. No caso previsto no número anterior, o tribunal não pode aplicar pena de prisão superior a cinco anos.

---

1. Corresponde ao art. 16.º do Proj., com alterações decorrentes da lei n.º 43/86. O texto actual foi, porém, introduzido pelos Decs.-Leis 387-E/87, de 29 de Dezembro; 48/95 de 15 de Março e 317/95, de 28 de Novembro e pela Lei n.º 59/98, de 25 de Agosto.

Os n.os 2, 3 e 4, que resultaram das revisões levadas a efeito no Código, foram introduzidos por relativamente às regras de competência do tribunal singular determinadas em função da moldura penal ou da pena em concreto proposta pelo MP ter sido elevado o limite máximo de 3 para 5 anos de prisão e de ter sido eliminada a possibilidade de determinação do tribunal competente em função de um juizo de prognose relativamente à medida de segurança aplicável.

101

Código de Processo Penal

A revisão do Código levada a efeito pela Lei supramencionada eliminou a alínea, onde se estabelecia a competência do tribunal singular para julgar os processos respeitantes a crimes de emissão de cheques sem provisão, sem prejuizo de uma disposição transitória quanto a crimes puníveis com pena de prisão superior a 5 anos, conforme se preceitua no art. 4.º da mesma Lei, que é do seguinte teor:

O tribunal singular mantém competência para julgar os processos respeitantes a crimes de emissão de cheque sem provisão puníveis com pena de prisão superior a cinco anos, nos termos do artigo 16.º, n.º 2, alínea *b)*, do Código de Processo Penal, na redacção introduzida pelo Decreto-Lei n.º 387-A/87, de 29 de Dezembro.

2. A competência e a composição do tribunal singular, em matéria penal, encontram-se ainda estabelecidas no art. 135 da LOFTJ, do seguinte teor:

Artigo 135.º

Composição e competência

1 — O tribunal singular é composto por um juiz.

2 — Compete ao tribunal singular julgar os processos que não devam ser julgados pelo tribunal colectivo ou do júri.

3. Para que o MP use da faculdade conferida pelo n.º 3 não é exigível prévio acordo do arguido ou do assistente, como melhor se anotará *infra,* anot. 4. E como também aí melhor se anota, também uma eventual discordância do tribunal singular não é obstáculo ao poder-dever do MP, que não é controlável judicialmente.

Mas este poder-dever do MP já é passível de controlo hierárquico e tanto o arguido como o assistente podem reclamar hierarquicamente para o superior hierárquico do magistrado do MP que proferiu o despacho no uso da faculdade conferida pelo n.º 3, sustentando a revogação desse despacho.

A este respeito convém anotar que o uso pelo MP da faculdade conferida pelo n.º 3 pode mesmo ser controlado oficiosamente e *a posteriori* pelo superior hierárquico, pois a este é enviada cópia do despacho em que o MP entendeu usar da faculdade referida, conforme a Directiva n.º 1/2002 anexa à Circular n.º 6/2002; *DR,* II série, de 4 de Abril do mesmo ano, que revogou o Despacho de 21 de Dezembro de 1987, anexo à Circular 8/87 e referido em anteriores edições desta obra.

A PGR tem uma base de dados sobre os processos em que o MP usou da faculdade conferida pelo n.º 3 deste artigo, a qual foi regulamentada pelo Dec.-Lei n.º 298/99, de 4 de Agosto.

4. As alterações verificadas relativamente ao Proj. resultam de a Lei de Autorização legislativa ter privilegiado a intervenção do tribunal singular.

O n.º 3, que corresponde ao n.º 2 do Proj., diz agora expressamente que o desvio de competência aqui previsto pode funcionar mesmo no caso de concurso de infracções.

Artigo 16.º

Uma eventual oposição do assistente não é obstáculo a que funcione o desvio de competência aqui previsto, pois desapareceu a norma do Proj. que lhe dava essa potencialidade.

Também uma eventual discordância do tribunal singular não é obstáculo a este desvio de competência, já que foi eliminada a norma do n.º 4 do Proj., por se entender que o MP é o titular da acção penal, e por não ser possível aplicação de pena de prisão ou medida de segurança superior a 5 anos (cfr. n.º 4). Trata-se de um poder-dever do MP, e não de uma faculdade arbitrária, pelo que o desvio de competência, cujos pressupostos estão definidos na lei, não é inconstitucional.

A expectativa de que a norma do n.º 3 viria a incutir simplificação e celeridade veio a ter confirmação, pois só no primeiro ano de vigência do Código, apesar da novidade da norma e de durante esse ano continuar ainda o processamento a ser efectuado na maioria dos processos pelo CPP de 1929, foram julgados pelo tribunal singular mais de 1000 processos que, sem esta norma, seriam julgados pelo tribunal colectivo (números extraídos do discurso proferido pelo Procurador-Geral da República na sessão inaugural dos trabalhos do ano judicial, em 11-1-1989, no STJ).

E a aplicação deste n.º 3 continuou nos anos posteriores a ter uma evolucão positiva. Segundo consta do relatório da PGR relativo ao ano de 1993 o número de processos de inquéritos findos por acusação com aplicação do art. 16.º, n.º 3 foi de 3370, o que representou 3,4% do total das acusações deduzidas em inquérito. Tendo em conta os elementos colhidos, estimou-se que o recurso ao instituto tenha contribuído para a diminuição de cerca de 15% dos processos da competência do tribunal colectivo e determinado um acréscimo de apenas 2% nos processos distribuídos ao tribunal singular.

5. O entendimento de que o n.º 3 não enferma de inconstitucionalidade, expresso *supra,* n.º 3, veio porém a ser contestado por alguns autores, designadamente por Costa Pimenta, *Código de Processo Penal Anotado,* 96-97, cremos que infundadamente, mas recebeu o apoio de doutrina autorizada, *maxime* do Prof. Figueiredo Dias, *in Jornadas de Direito Processual Penal,* ed. do Centro de Estudos Judiciários, 18-20. A exposição deste Mestre é concludente, e dela extraímos, com a devida vénia, as seguintes passagens: «...Não faltará porventura quem queira entrever a possibilidade de uma tal manipulação na circunstância de, nos termos do art. 16.º-3, pertencer ao juiz singular a competência para julgar crimes cuja pena aplicável é superior a três anos de prisão (e que seriam portanto, em princípio, da competência do colectivo) se o MP entender que, no caso concreto, a medida da pena a aplicar não deve ser superior a três anos. Pensar assim seria, com todo o respeito por opinião diversa, um erro, só explicável pela desabituação da nossa doutrina e jurisprudência, motivada pela tradição legislativa, ao chamado *método de determinação concreta da competência* que é corrente em boa parte dos países estrangeiros — e de países onde está simultaneamente consagrado o princípio do juiz natural. A verdade é que nenhuma das razões que explicam, histórica e substancialmente, o princípio do juiz natural — proibição de tribunais de excepção e especiais, vetos à *raison d'État* como determinante da competência e à violação do princípio da igualdade — estão presentes na regulamentação contida no art. 16.º-3 do Código; regulamentação

103

Código de Processo Penal

em si mesma geral, abstracta, materialmente justificada e estranha a discriminações — tanto mais quando é certo serem hoje os critérios de determinação concreta da pena critérios dogmaticamente objectivados e controláveis e de forma alguma dependentes da *arte* de aplicação do juiz. De resto: não há qualquer razão para supor que, em julgamento que tenha lugar por força do art. 16.º-3, perca aplicabilidade o disposto no art. 359.º...».

O Prof. Figueiredo Dias reafirmou esta posição no *Código de Processo Penal,* 1992, pág. 14, ed. *Aequitas,* Editorial Notícias.

Identicamente expendeu o Prof. Germano Marques Silva, *Do Processo Penal Preliminar,* 273 e segs.

Nem a Comissão que elaborou o Projecto de CPP nem a AR nem tão--pouco o Tribunal Constitucional, este em já longa série de acórdãos, detectaram na disposição qualquer inconstitucionalidade, apesar de a questão ter sido apreciada em todos os seus ângulos.

Sucede ainda que numerosas outras disposições condicionam a intervenção do tribunal, e limitam mesmo os seus poderes até em questões de dosimetria penal — *maxime* disposições sobre proibição de *reformatio in pejus,* sem que, ao que nos conste, tais disposições tenham sido assacadas de inconstitucionais.

Afiguram-se-nos pois destituídas de fundamento as críticas formuladas contra o sistema do art. 16.º, n.º 3, que aliás tem dado boas provas, pelo referido autor e por outros, como Brochado Brandão, em comunicação apresentada no Congresso dos Magistrados Judiciais, Lisboa, Junho de 1987.

A discussão do tema tem, aliás, mais interesse académico do que prático, em face da jurisprudência uniforme do Tribunal Constitucional.

6. Jurisprudência fixada:

— Compete ao Tribunal Judicial da Comarca a instrução e julgamento de processo crime em que o arguido à data dos factos fosse juiz de direito, e este haja sido, entretanto, condenado disciplinarmente em pena de aposentação compulsiva, cuja execução não tenha sido declarada suspensa em recurso contencioso, entretanto interposto, nos termos dos artigos 106.º e 170.º do Estatuto dos Magistrados Judiciais, aprovado pela Lei n.º 21/85, de 30 de Julho. (Ac. do Pleno das secções criminais do STJ n.º 2/03, de 19 de Fevereiro de 2003; *DR*, I-A série, de 23 de Abril do mesmo ano).

7. Jurisprudência:

— I — Sempre que o MP, ao acusar, invoque a prerrogativa processual do art. 16.º, n.º 3, do CPP, a competência fixa-se no tribunal singular. II — Assim, apesar da liberdade do juiz em qualificar distintamente os factos acusados, é ilegal, em tal caso, o reenvio da competência para o tribunal colectivo. III — Contudo, se apesar da ilegalidade o despacho judicial fixar a competência no tribunal colectivo com trânsito em julgado, *faz lei* dentro do processo, radicando nesse caso em definitivo a competência no tribunal colegial, que não pode reapreciá-la. (Ac. RP de 19 de Março de 1997; *CJ*, XXII, tomo 2, 226);

— I — É, em princípio, na acusação que o MP tem de usar do normativo do art. 16.º, n.º 3, do CPP, com vista a sujeitar o arguido a julgamento com intervenção apenas do tribunal singular. II — O juiz de instrução não tem

Artigo 16.º

competência para determinar a realização do julgamento com intervenção do tribunal singular por entender que ao caso se não mostra adequada uma pena de prisão superior a 5 anos. (Ac. RC de 25 de Novembro de 1998; *CJ, XXIII,* tomo 5, 57);

— Quando, em princípio, o julgamento deva ser efectuado pelo Tribunal Colectivo, a faculdade de o MP «escolher» o Tribunal singular não é arbitrária, nem discricionária, mas um poder-dever, cujo exercício está sujeito a critérios de estrita legalidade e objectividade, devendo explicitarem-se razões de facto e de direito que suportem o entendimento de que não deve ser aplicada pena superior a cinco anos, sob pena de não ser atendida a proposta alteração do tribunal competente para o julgamento. (Ac. RL de 12 de Novembro de 2002; *CJ,* XXVII, tomo 5, 123);

— Nos casos em que o MP, ao abrigo do disposto no n.º 3 do art. 16.º do CPP, manifeste o entendimento de que não deve ser aplicada ao arguido, mesmo em caso de concurso de infracções, pena superior a cinco anos, o juiz do tribunal singular, no despacho a que se refere o art. 311.º do CPP, não pode exprimir entendimento diferente e, consequentemente, atribuir ao tribunal colectivo competência para o julgamento. (Ac. RL de 12 de Maio de 2005; proc. n.º 2278/05; *CJ,* ano XXX, tomo 3, 127);

— I —Se o arguido for acusado de ter praticado infracções cuja pena máxima, mesmo tendo em conta o concurso, fica aquém dos 5 anos de prisão, devia ter sido julgado em tribunal singular, nos termos do art. 16.º, n.º 2, al. b), do CPP, pelo que, tendo sido julgado pelo tribunal colectivo, verifica--se a nulidade da al. e) do art. 119.º do CPP. II — Em face desta, o art. 122.º do CPP não permite outra solução que não seja voltar atrás a partir do despacho de recebimento da acusação, que se declara nulo na parte em que considerou o tribunal colectivo competente, bem como toda a tramitação que se lhe seguiu em primeira instância. (Ac. STJ de 11 de Janeiro de 2006, proc. n.º 3358-3.ª);

— I — O juiz de instrução não tem competência para sindicar o requerimento em que o MP pede a intervenção do juiz singular, ao abrigo do disposto no art. 16.º, 3.º, do CPP. II — O despacho do juiz que, contrariando esse requerimento, determina a intervenção do tribunal colectivo, é inexistente. (Ac. RP de 21 de Junho de 2006, proc. n.º 4179/04; *CJ,* ano XXXI, tomo 3, 217);

Tendo sido requerido o julgamento em tribunal singular, por força do artigo 16.º, n.º 3, do CPP, a diversa qualificação jurídica operada pelo juiz não altera a competência assim fixada. (Ac. RL de 21 de Novembro de 2007; *CJ,* ano XXXII, tomo 5, 127);

— I — Tendo o arguido requerido a instrução, no despacho de pronúncia, não pode ser ordenada a suspensão provisória do processo se ao crime imputado corresponde pena de prisão até 8 anos, mesmo que o MP tenha feito a declaração prevista no art. 16.º, n.º 3, do CPP. II — Aquela declaração do MP apenas condiciona a pena concreta, não alterando a moldura penal abstracta. (Ac. RG de 10 de Dezembro de 2007; *CJ,* ano XXXII, tomo 5, 292).

Código de Processo Penal

ARTIGO 17.º

(Competência do juiz de instrução)

Compete ao juiz de instrução proceder à instrução, decidir quanto à pronúncia e exercer todas as funções jurisdicionais até à remessa do processo para julgamento, nos termos prescritos neste Código.

---

1. O texto deste artigo foi introduzido pela Lei n.º 48/2007, de 29 de Agosto. Reproduz a versão anterior, que era a originária, com substituição de relativas ao inquérito por até à remessa do processo para julgamento. Esta substituição não implicou alteração significativa, mormente após a entrada em vigor do art. 79.º da Lei n.º 82/77, de 6 de Dezembro (LOFTJ).

A competência dos juízes de instrução criminal encontra-se ainda estabelecida nos arts. 11.º a 13.º da LOFTJ, do seguite teor:

Artigo 111.º

Competência

1 – Compete aos juízes de instrução criminal proceder à instrução criminal, decidir quanto à pronúncia e exercer as funções jurisdicionais relativas ao inquérito.

2 — Quando o interesse ou a urgência da investigação o justifique, os juízes em exercício de funções de instrução criminal podem intervir, em processos que lhes estejam afectos, fora da sua área territorial de competência.

Artigo 112.º

Casos especiais de competência

1 — A competência a que se refere o n.º 1 do artigo anterior, quanto aos crimes enunciados no n.º 1 do artigo 47.º da Lei n.º 60/98, de 27 de Agosto, cabe a um juízo central de instrução criminal quando a actividade criminosa ocorrer em comarcas pertencentes a diferentes distritos judiciais.

2 — A competência dos juízos de instrução criminal da sede dos distritos judiciais abrange a área do respectivo distrito relativamente aos crimes a que se refere o número anterior quando a actividade criminosa ocorrer em comarcas pertencentes diferentes do mesmo distrito.

3— Nas comarcas em que o movimento processual o justifique e sejam criados departamentos de investigação e acção penal (DIAP), serão também criados juízos de instrução criminal com competência circunscrita à área das comarcas abrangidas.

4 — A competência a que se refere o n.º 1 do artigo anterior, quanto aos crimes estritamente militares, cabe às secções de instrução criminal militar dos juízos de instrução criminal de Lisboa e do Porto, com jurisdição nas áreas indicadas no Código de Justiça Militar.

Artigo 17.º

5 — Poderado o movimento processual, podem ser criadas idênticas secções noutros tribunais, com jurisdição de âmbito igual, maior ou menor da correspondente à comarca.

6 — O disposto nos números anteriores não prejudica a competência do juiz de instrução da área onde os actos jurisdicionais, de carácter urgente, relativos ao inquérito, devam ser realizados.

Artigo 113.º

Juízes de instrução criminal

1 — Nas comarcas em que não haja juízo de instruções criminal, pode o Conselho Superior da Magistratura, sempre que o movimento processual o justifique, determinar a afectação de juízes de direito, em regime de exclusividade, à instrução criminal.

2 — O disposto no número anterior é aplicável à comarca ou comarcas em que não se encontre sediado o juízo de instrução criminal e se integrem na respectiva área de jurisdição

3 — Enquanto se mantiver a afectação referida nos números anteriores, o quadro de magistrados considera-se aumentado do número de unidades correspondente.

4 — Para apoio dos juízes afectos em regime de exclusividade à instrução criminal são destacados oficiais de justiça.

2. Este artigo, pelo menos a sua primeira proposição, representa um imperativo constitucional, pois que a CRP, no seu art. 32.º, n.º 4, preceitua que toda a instrução será da competência de um juiz, indicando a lei os casos em que ela deve assumir forma contraditória.

A Constituição não impõe, porém, que em todos os casos haja lugar à instrução; por isso, e como mais desenvolvidamente se expenderá em anot. ao art. 262.º, agora se retornou a um sistema que tem mais semelhanças com o Dec.-Lei n.º 35 007, de 13 de Outubro de 1945, do que com o que vigorava no regime imediatamente anterior. A instrução, nos termos em que agora é regulada, corresponde, *grosso modo,* à instrução contraditória do Dec.-Lei n.º 35 007, e o inquérito à instrução preparatória desse diploma; só se procederá agora a instrução quando for requerida, nos termos do art. 287.º, não havendo casos de obrigatoriedade legal de instrução.

Porém, durante a realização do inquérito, como aliás sucedia no domínio do Dec.-Lei n.º 35 007 durante a realização da instrução preparatória pelo MP, há funções jurisdicionais e quase jurisdicionais que são da competência do juiz; os actos de jurisdição ou quase jurisdição são, nesse caso, da competência do juiz de instrução. Estão esses actos, de um modo geral, enumerados nos arts. 268.º e 269.º, mas muitos outros se encontram dispersos pelo Código, tais como a admissão de assistente (art. 68.º, n.º 3), a condenação nos termos dos arts. 116.º, n.º 2 e 273.º, n.º 3; arquivamento nos termos do art. 280.º, n.º 1; concordância para a suspensão provisória do processo, nos termos do art. 281.º, n.º 1; etc.

Código de Processo Penal

3. Ao estabelecer que compete ao juiz de instrução decidir quanto à pronúncia, este artigo tomou posição expressa numa questão que existiu na fase final do CPP de 1929, até ser resolvida pelo art. 79.º da Lei Orgânica dos Tribunais Judiciais — Lei n.º 82/77, de 6 de Dezembro —, segundo o qual o despacho de pronúncia competia ao tribunal do julgamento.

Ao juiz de instrução, encerrada esta, compete agora proferir o despacho de pronúncia ou de não pronúncia (art. 307.º, n.º 1), isto nos processos em que há instrução. Nos processos em que não há instrução e em que houver acusação, aplicar-se-á o disposto no art. 311.º, n.º 2.

ARTIGO 18.º

(Tribunal da Execução das Penas)

A competência do Tribunal de Execução das Penas é regulada em lei especial.

---

1. Reproduz os arts. 18.º do Proj. e 15.º do Aproj.

2. Entendeu-se que a matéria relativa à competência do TEP e à forma e tramitação dos processos que perante esse tribunal correm, pela sua especialização e pela estabilidade que se procura dar às normas insertas no CPP, devia constar de lei especial; daí a razão deste preceito. Existem, contudo, no Código normas relativas ao funcionamento do TEP, como as dos arts. 483.º e 486.º.

Actualmente, a competência dos juízos de execução das penas e dos respectivos juízes encontra-se estabelecida nos arts. 124.º e 125.º da LOFTJ, do seguinte teor:

Artigo 124.º

Competência

1 — Compete aos tribunais de execução das penas exercer jurisdição em matéria de execução de pena de prisão, de pena relativamente indeterminada e de medida de segurança de internamento de inimputáveis.

2 — Compete especialmente aos juízos de execução das penas:

a) Conceder a liberdade condicional e decidir sobre a sua revogação:

b) Decidir o internamento ou a suspensão da execução da pena de prisão de imputáveis portadores de anomalia psíquica sobrevinda durante a execução da pena de prisão, bem como a respectiva revisão;

c) Decidir sobre a modificação da execução da pena de prisão relativamente aos condenados que padeçam de doença grave e irreversível em fase terminal;

Artigo 18.º

d) Rever, prorrogar e reexaminar a medida de segurança de internamento de inimputáveis;

e) Conceder a liberdade para prova e decidir sobre a sua revogação;

f) Homologar o plano individual de readaptação do condenado em pena relativamente indeterminada e respectivas modificações;

g) Proferir o despacho de declaração de contumácia e o decretamento do arresto relativamente a condenado que dolosamente se tiver eximido parcialmente à execução de uma pena de prisão, de uma pena relativamente indeterminada ou de uma medida de segurança de internamento;

h) Declarar a extinção da execução da pena de prisão, da pena relativamente indeterminada ou da medida de segurança de internamento;

i) Decidir sobre a prestação de trabalho a favor da comunidade ou sobre a sua revogação no caso de execução sucessiva de medida de segurança e pena privativas da liberdade;

j) Decidir sobre o cancelamento provisório no registo criminal de factos ou decisões nele inscritos;

l) Emitir parecer sobre a concessão e decidir sobre a revogação de indulto, bem como fazer a sua aplicação, e aplicar a amnistia e o perdão genérico sempre que os respectivos processos se encontrem na secretaria, ainda que transitoriamente.

m) Informar o ofendido da fuga ou libertação do recluso, nos casos previstos no n.º 3 do artigo 480.º, no n.º 2 do artigo 482.º e no artigo 506.º do Código de Processo Penal.

Artigo 125.º

Competência do juiz

Sem prejuizo das funções jurisdicionais previstas no artigo anterior, compete ao juiz de execução das penas:

a) Visitar regularmente e sempre que for necssário ou conveniente os estabelecimentos prisionais da respectiva área de competência territorial, a fim de tomar conhecimento da forma como estão a ser executadas as condenações;

b) Apreciar, por ocasião da visita, as pretensões dos reclusos que para o efeito se inscrevam em livro próprio, ouvindo o director do estabelecimento;

c) Conhecer dos recursos interpostos pelos reclusos de decisões disciplinares que apliquem sanção de internamento em cela disciplinar por tempo superior a oito dias;

d) Conceder e revogar saídas precárias prolongadas;

e) Convocar e presidir ao conselho técnico dos estabelecimentos, sempre que o entenda necessário ou a lei o preveja.

Código de Processo Penal

f) Ordenar a execução da pena acessória de explusão, declarando extinta a pena de prisão, e determinar a execução antecipada da pena acessória de expulsão.

g) Exercer as demais competências conferidas por lei.

SECÇÃO II

COMPETÊNCIA TERRITORIAL

ARTIGO 19.º

(Regras gerais)

1. É competente para conhecer de um crime o tribunal em cuja área se tiver verificado a consumação.

2. Tratando-se de crime que compreenda como elemento do tipo a morte de uma pessoa, é competente o tribunal em cuja área o agente actuou ou, em caso de omissão, deveria ter actuado.

3. Para conhecer de crime que se consuma por actos sucessivos ou retirados, ou por um só acto susceptível de se prolongar no tempo, é competente o tribunal em cuja área se tiver praticado o último acto ou tiver cessado a consumação.

4. Se o crime não tiver chegado a consumar-se, é competente para dele conhecer o tribunal em cuja área se tiver praticado o último acto de execução ou, em caso de punibilidade dos actos preparatórios, o último acto de preparação.

---

1. Os n.ºs 1, 3 e 4 reproduzem dispositivos do art. 19.º do Proj. e correspondem aos arts. 16.º do Aproj. e 45.º do CPP de 1929.

O n.º 2 foi introduzido pela Lei n.º 48/2007, de 29 de Agosto, passando então os n.ºs 2 e 3 para os actuais n.ºs 3 e 4.

2. O dispositivo do n.º 2, introduzido pelo supramencionada Lei, determinanda que o tribunal competente para o julgamento do crime de homicídio é o da área em que o agente actuou ou, em caso de omissão, deveria ter actuado, e não o do lugar da consumação, justificou-se porque pode haver uma dilação considerável entre os dois momentos e uma distância considerável entre os dois lugares.

De assinalar que há aqui uma notória divergência entre este dispositivo e o do 1.º do art. 119.º do CP, segundo o qual o prazo de prescrição do procedimento criminal corre desde o dia em que o facto se tiver consumado. Mas não poderia ser de outo modo, pois se o prazo corresse desde a acção ou omissão poder-se-ia dar o caso de o crime de homicídio estar prescrito no momento da morte, como sucederia na seguinte hipótese: A ... resolve matar B ..., e sabendo-o apreciador de uma bebida rara, mistura um veneno

Artigo 19.º

letal na garrafa que B guarda, para uso exclusivo, na sua garrafeira. Porém B ausenta-se para terra distante, sem abrir sequer a garrafa. A, persistindo no intento de matar B, aguarda, na expectativa de que ele um dia voltará. B volta passados 16 anos, bebe o líquido letal e morre.

O procedimento criminal estaria extinto, por prescrição, se esta corresse desde a acção ou emissão do agente, e não desde a consumação do crime.

3. Exceptuando o que já foi anotado *supra*, anot. 2, relativamente ao n.º 2, não existem outras alterações significativas, no domínio da competência territorial dos tribunais, ao regime do CPP de 1929.

4. Neste artigo fixa a lei a competência territorial dos tribunais ordinários em primeira instância.

A distribuição do trabalho entre os diversos tribunais da primeira instância não se fundamenta em diferentes garantias de uma decisão justa; a lei, neste aspecto, parte do pressuposto de que todos os tribunais dão iguais garantias. A preferência da lei pelo tribunal do *locus delicti* radica-se em que nesse local são mais facilmente recolhidas as provas, e menos perturbação causa aí a instrução e o julgamento a todos aqueles que são obrigados a deslo-car-se ao tribunal.

Para a lei, o *locus delicti* é, fundamentalmente, o local da consumação do crime. Para os casos em que não chega a haver consumação, e para outros duvidosos, formulam-se critérios subsidiários.

Para o caso de haver consumação, mas com eventos plúrimos, a lei não estabelece critério, parecendo dever aplicar-se por anologia o preceito do n.º 2, e atender-se assim ao tribunal que exerce jurisdição sobre o local onde se verifica o último acto ou a consumação cessou.

Nos casos de crimes permanentes, continuados e de hábito, devem também atender-se ao termo da execução (vejam-se Cavaleiro de Ferreira, *Curso,* I, pág. 199 e Eduardo Correia, *Código Penal Actualizado,* pág. 66).

Na determinação da competência territorial dos tribunais debatem-se, fundamentalmente, as doutrinas da actividade ou execução e do evento. Uma e outra têm aspectos válidos e aspectos criticáveis, os quais transparecem na fundamentação do assento de 21 de Fevereiro de 1941 e geralmente decorrem das facilidades actuais de deslocação e da concentração de serviços hospitalares nas grandes cidades. Isto determina frequentemente que o evento, *maxime* morte decorrente de homicídio, nas mesmas ocorra, muitas vezes em local distanciado da execução e onde se tornam mais difíceis as investigações.

Em relação a algumas infracções, nomeadamente aos crimes de burla e de abuso de confiança, há grande imprecisão, na doutrina e na jurisprudência, quando se trata de definir o momento da consumação.

Quanto ao crime de burla, as dificuldades acentuam-se nos casos de entrega indirecta, por mandatário, via postal, ou por outros meios semelhantes.

De um modo geral, deve entender-se que a consumação se verifica quando a coisa passa da esfera da disponibilidade do defraudado para a do burlão. Nos casos de entrega indirecta, o crime consuma-se quando o defraudado larga mão da coisa, de modo a perder o respectivo domínio, possibilitando que entre, necessariamente, na esfera de disponibilidade do agente. Assim,

Código de Processo Penal

nas entregas por mandatário ou por via postal o crime ficará consumado logo que o defraudado não tenha possibilidade de obstar a que a coisa entre na esfera de disponibilidade do burlão. É ainda certo que esta solução, para além de deixar larga margem para dúvidas (será, *v. g.*, necessário estudar a regulamentação dos Correios para ver até quando o emitente pode recuperar as coisas enviadas por via postal), não é inequívoca (ver Manzini, *Diritto Penale*, ed. de 1952, IX, págs. 657-659). Este autor sustenta que, por exemplo, no caso de o enganado ter expedido vale postal, o crime não se consuma enquanto o mesmo não chega ao poder do burlão, sendo porém indiferente que o consiga ou não receber. Parece-nos, no entanto, que a esta situação se devem equiparar todas aquelas em que o defraudado já largou mão da coisa, e se encontra em situação tal que não pode obstar a que chegue ao poder do agente, embora aí se não encontre ainda. São os casos de entrega por pombo correio e por mandatário, quando já não é possível revogar o mandato.

Quanto ao crime de abuso de confiança, também o momento da consumação suscita questões delicadas:

Por um lado, ensina-se que a consumação do crime há-de consistir na inversão do título da posse, ou seja, no passar o agente a dispor da coisa *animo domini*. Por outro lado, parece não ser lícito tirar efeito de puras atitudes subjectivas, sem reflexos exteriores, ou seja, da *nuda cogitatio*. Por isso, o Supremo tem decidido, em jurisprudência há muito uniforme, que o crime se consuma quando o agente, que recebera, por título lícito não translativo de propriedade, dinheiro ou coisa móvel, para lhes dar determinado destino, deles se apropria, passando a agir *animo domini,* devendo porém entender--se que a inversão do título carece de ser demonstrada por actos objectivos, reveladores de que o agente já está a dispor da coisa como se dono fosse. Neste sentido, dentre outros, os Acs. de 20 de Janeiro e 26 de Maio de 1965, e de 8 de Novembro de 1967; *BMJ,* respectivamente n.os 143, pág. 113; 147, pág. 123 e 171, pág. 215.

Sobre estes pontos, vejam-se Beleza dos Santos; *RLJ,* 68.º, pág. 253; Cavaleiro de Ferreira; *SJ,* XV, n.º 78, pág. 170; Eduardo Correia, *RLJ,* 92.º, pág. 245 e 93.º, pág. 35 e segs. e *RDES,* VII, n.º 1, pág. 62 e Figueiredo Dias, *Direito Processual Penal,* I, 340 e segs.

5. Quanto à competência para conhecer do crime de emissão de cheque sem provisão, o assento do STJ de 16 de Novembro de 1988, publicado no *DR,* I série, de 20 de Março de 1989, firmou a seguinte doutrina:

Nos termos do art. 9.º do Dec.-Lei n.º 14/84, o tribunal competente para conhecer do crime de emissão de cheque sem provisão é o da comarca onde se situa o estabelecimento de crédito em que o cheque foi inicialmente entregue para eventual pagamento, e não o do estabelecimento bancário sacado ou o da câmara de compensação.

Esta orientação foi posteriormente perfilhada pelo art. 13.º do Dec.-Lei n.º 454/91, de 28 de Dezembro (medidas administrativas e penais sobre o uso do cheque e revogação do Dec.-Lei n.º 14/84), cujo texto actualizado é o seguinte:

É competente para conhecer do crime previsto neste diploma o tribunal da comarca onde se situa o estabelecimento da instituição de crédito em que o cheque for inicialmente entregue para pagamento.

Artigo 19.º

6. Este artigo e os seguintes aplicam-se à determinação da competência do tribunal de instrução criminal, como se deduz da utilização da expressão *é competente para conhecer de um crime,* em vez de *é competente para julgar um crime.*

Ao definir as regras sobre competência territorial, o Código está também a equacionar regras para qualquer modalidade de jurisdição, quer na instrução quer no julgamento, sem embargo de quanto a certos actos processuais, como o do primeiro interrogatório judicial de arguido preso, haver necessidade de estabelecer normas específicas.

7. De notar, porém, que este artigo e os seguintes desta secção se não aplicam à competência internacional dos tribunais portugueses, ou seja à aplicação no espaço da lei penal portuguesa, a qual é regulada nos arts. 4.º a 6.º do CP.

8. *Jurisprudência:*
— Ver *supra,* anot. 3 (cheque sem provisão);
— É competente para conhecer do crime de tráfico de pessoas, do art. 217.º do CP, o tribunal da área onde a pessoa é aliciada, seduzida ou desviada para a prática da prostituição em outro país. (Ac. STJ de 13 de Março de 1990; *CJ,* XV, tomo 1, 31);
— No caso de entrega por via postal ou de entrega por via indirecta, *maxime* através de aves adestradas, o crime comsuma-se com a emissão da coisa que é objecto do crime de burla, sendo consequentemente competente para dele conhecer o tribunal do local da emissão. (Ac. STJ de 18 de Abril de 1990; *AJ,* n.º 8, 2);
— I — Tendo começado a correr um processo no tribunal então territorialmente competente, e havendo entretanto o local da consumação do crime passado a integrar-se em outra comarca, permanece a competência do primeiro tribunal para conhecer do crime. II — Trata-se de uma consequência do princípio do juiz natural, visando proibição do desaforamento de processos. (Ac. STJ de 9 de Maio de 1990; *AJ,* n.º 9, 6);
— A consumação no crime de furto verifica-se quando o agente retira a coisa da esfera de poder do seu detentor e a coloca na sua própria esfera de poder, não sendo porém necessário que a detenha em pleno sossego e tranquilidade. (Ac. STJ de 26 de Setembro de 1990, Proc. 41 102/3.ª). *Nota* — Traduz jurisprudência corrente e constante do STJ há três dezenas de anos. Veja-se o nosso *Código Penal Anotado,* anot. ao art. 203.º. Quanto à consumação do crime de abuso de confiança ver *supra,* anot. 2;
— O tribunal competente para conhecer do crime cometido por declaração enviada por carta é o da área da comarca onde a carta foi recebida. (Ac. STJ de 19 de Setembro de 1990; *CJ,* XV, tomo 4, 16);
— Mesmo um recém-nascido pode ser sequestrado, desde que a sua liberdade de locomoção para ele ir para junto dos pais ou para onde os seus pais desejam que ele vá seja coartada dolosamente pelo agente. Logo, o tribunal competente para conhecer da conduta de quem subtrai um recém-nascido de uma maternidade para o levar a viver consigo é o da área onde se consumou o sequestro. (Ac. STJ de 5 de Maio de 1993, proc. 43.450/3.ª);
— I — No caso de serem iguais os limites máximos das penas, para efeito de determinação de qual o crime mais grave atender-se-á ao limite mínimo.

Código de Processo Penal

II — Na determinação do lugar da prática das infracções, o legislador optou pela chamada doutrina do evento ou do resultado, considerando como lugar do crime aquele onde se produziu o seu resultado. Assim, será competente para conhecer do crime do Dec.-Lei n.º 28/84 o tribunal do lugar onde o subsídio fraudulentamente conseguido ficou à disposição do burlão. (Ac. RP de 5 de Maio de 1993; *CJ*, XVIII, tomo 3, 241);

— O tribunal competente para conhecer do crime de fraude na obtenção de subsídios é o do lugar onde foi expedida a ordem de pagamento a favor do arguido, independentemente de vir a ser efectivamente embolsada pelo destinatário. Isto porque o crime se consuma quando cessa a disponibilidade do dinheiro por parte da entidade que, através da ordem e prévia autorização de pagamento, o disponibilizou a favor do arguido. (Ac. STJ de 1 de Março de 1995, proc. 47.414/3.ª);

— A competência territorial afere-se pelos termos da acusação ou do despacho de pronúncia. (Ac. STJ de 24 de Janeiro de 2001, proc. n.º 3230/00-3.ª; *SASTJ*, n.º 47, 72).

ARTIGO 20.º

(Crime cometido a bordo de navio ou aeronave)

1. É competente para conhecer de crime cometido a bordo de navio o tribunal da área do porto português para onde o agente se dirigir ou onde ele desembarcar; e, não se dirigindo o agente para território português ou nele não desembarcando, ou fazendo parte da tripulação, o tribunal da área da matrícula.

2. O disposto no número anterior é correspondentemente aplicável a crime cometido a bordo de aeronave.

3. Para qualquer caso não previsto nos números anteriores é competente o tribunal da área onde primeiro tiver havido notícia do crime.

---

1. Reproduz o art. 20.º do Proj. e correspondente aos arts. 19.º do Aproj. e 48.º do CPP de 1929. A disposição do n.º 3 é nova.

2. O Dec.-Lei n.º 386/72, de 12 de Outubro, aprovou para ratificação a Convenção para a Repressão da Captura ilícita de Aeronaves. O Dec.-Lei n.º 451/72, de 14 de Novembro, aprovou para ratificação a Convenção para a Repressão de Actos ilícitos contra a Segurança da Aviação Civil, concluída em Montreal em 23 de Setembro de 1971.
Ambos estes diplomas contêm disposições quanto a jurisdição sobre infracções penais cometidas contra ou a bordo de aeronaves.

3. A aplicação da lei penal portuguesa a infracções praticadas o bordo de navio português fora definida no n.º 2 do art. 53.º do CP de 1886. Complementarmente, o art. 48.º do CPP de 1929 definira a competência quanto a infracções praticadas em aeronaves portuguesas. A significação de *aeronave* foi

Artigo 21.º

fixada no Regulamento da Navegação Aérea, aprovado pelo Dec. n.º 20 262, de 25 de Outubro de 1930, alterado pela Lei n.º 1938, de 26 de Março de 1936.

A competência para o conhecimento de crimes cometidos a bordo de navios e de aeronaves passa agora a ser regida por este artigo.

Sobre captura ilícita de aeronaves, vejam-se ainda os Decs.-Leis n.º 386/72, de 12 de Outubro e 451/72, de 14 de Novembro.

4. As normas dos n.ᵒˢ 1 e 2 são ainda afloramento do *princípio da territorialidade.* «O lugar da infracção situa-se em território nacional, na medida em que os navios ou aeronaves portuguesas são considerados território nacional, quando a infracção é cometida a bordo, fora das águas territoriais ou da zona aérea portuguesa» (Cavaleiro de Ferreira, *Curso,* I, 204).

5. A disposição do n.º 3 é nova; aplica-se a casos residuais, designadamente de navios ou aeronaves não matriculados, como os que se encontram afectos ao uso de companhias portuguesas mas não matriculados em Portugal.

ARTIGO 21.º

(Crime de localização duvidosa ou desconhecida)

1. Se o crime estiver relacionado com áreas diversas e houver dúvidas sobre aquela em que se localiza o elemento relevante para determinação da competência territorial, é competente para dele conhecer o tribunal de qualquer das áreas, preferindo o daquela onde primeiro tiver havido notícia do crime.

2. Se for desconhecida a localização do elemento relevante, é competente o tribunal da área onde primeiro tiver havido notícia do crime.

---

1. Reproduz o art. 21.º do Proj. e corresponde aos arts. 16.º, n.º 4 e 18.º do Aproj. e 45.º, § 3.º e 47.º do CPP de 1929.

2. A disposição do n.º 1 corresponde ao § 3.º do art. 45.º do CPP de 1929. Neste caso, não é desconhecido o lugar onde o crime foi cometido; simplesmente foi-o em diversas áreas, ou no limite de diversas comarcas, de modo que não se sabe exactamente qual delas é competente.

3. A disposição do n.º 2 corresponde ao art. 47.º do CPP de 1929, mas, como se intui comparando as duas normas, a actual é muito mais simples, pois deixou de funcionar o critério que atendia ao facto de haver réus presos e de se atender ao número deles.

Abrange-se aqui o caso de desconhecimento do local onde o crime foi cometido, de modo a não poderem funcionar os critérios de determinação da competência constantes dos artigos e do número anteriores.

Sobre o fundamento desta regra de determinação da competência, veja-se Cavaleiro de Ferreira, *Curso,* I, 204.

Código de Processo Penal

4. *Jurisprudência:*

I — O tribunal onde primeiro houve notícia do crime não é aquele que se limita a receber uma denúncia (embora a participação seja um título de competência) e a remetê-la para o de outra comarca, não bastando portanto a mera aquisição da notícia do crime. II — Mas já o é aquele que *invocou* a respectiva investigação quanto à prática do crime. III — Esse *início* constitui um elemento relevante de conexão que faz presumir de alguma sorte a ligação com o território e unifica o juizo. (Ac. STJ de 22 de Fevereiro de 1989, Proc. 39 743/3.ª);

— O tribunal onde primeiro houve notícia do crime não é aquele que se limita a receber uma denúncia e a remetê-la a outra comarca. Mas já o é aquele que avocou a respectiva investigação quanto à prática do crime. Esse início constitui o elemento relevante de conexão que faz presumir a ligação com o território e unifica o juizo. (Ac. STJ de 8 de Outubro de 2002, proc. n.º 2919/02-5.ª; *SASTJ*, n.º 64, 96).

ARTIGO 22.º

(Crime cometido no estrangeiro)

1. Se o crime for cometido no estrangeiro, é competente para dele conhecer o tribunal da área onde o agente tiver sido encontrado ou do seu domicílio. Quando ainda assim não for possível determinar a competência, esta pertence ao tribunal da área onde primeiro tiver havido notícia do crime.

2. Se o crime for cometido em parte no estrangeiro, é competente para dele conhecer o tribunal da área nacional onde tiver sido praticado o último acto relevante, nos termos das disposições anteriores.

1. Reproduz o art. 22.º do Proj. e corresponde aos arts. 20.º do Aproj. e 46.º e 50.º do CPP de 1929 embora, quanto a estes, com significativas alterações.

2. O n.º 1 estabelece qual o tribunal competente quando o crime é totalmente cometido no estrangeiro, mas deva ser julgado pelos tribunais portugueses, dando preferência ao tribunal do lugar onde o arguido for encontrado ou do seu domicílio. Se o arguido não for encontrado até à instauração do processo e não se souber qual o seu domicílio, ou o não tiver, será competente o tribunal que primeiro tiver notícia do cometimento do crime (cfr. 241.º). Instaurado o processo, fixou-se a competência, sendo por isso irrelevante que o arguido seja posteriormente encontrado.

O n.º 2 estabelece qual o tribunal competente quando o crime é cometido em parte no estrangeiro e em parte em território nacional. Para o efeito, não tem relevo o que se passou em território estrangeiro, e a competência é determinada pelo último acto praticado em território nacional que seja relevante nos termos das disposições anteriores dos arts. 19.º a 21.º.

116

3. Os crimes cometidos em espaço aéreo internacional ou em águas internacionais são considerados como cometidos em território nacional se a aeronave ou o navio forem portugueses (art. 20.º e anot. 4); se não forem, os tribunais portugueses não têm competência para o julgamento.

4. *Jurisprudência:*
— Compete aos tribunais portugueses julgar o arguido encontrado em Portugal que tenha combinado com outro o transporte de estupefaciente para território nacional, onde foi descoberto. (Ac. STJ de 20 de Junho de 1990; *BMJ*, 403, 276).

ARTIGO 23.º

(Processo respeitante a magistrado)

Se num processo for ofendido, pessoa com a faculdade de se constituir assistente ou parte civil um magistrado, e para o processo devesse ter competência, por força das disposições anteriores, o tribunal onde o magistrado exerce funções, é competente o tribunal da mesma hierarquia ou espécie com sede mais próxima, salvo tratando-se do Supremo Tribunal de Justiça.

---

1. Reproduz o art. 23.º do Proj. e corresponde aos arts. 21.º do Aproj. e 53.º e 54.º do CPP de 1929.
O texto actual é porém resultante da Lei n.º 59/98, de 25 de Agosto, a qual se limitou a eliminar *arguido,* que na versão anterior figurava antes de *ofendido.* Ver *infra.*

2. Fixada a competência, a cessação de funções do magistrado não altera a competência do tribunal, como se deduz do art. 63.º do CPC. O Ac. RC de 29 de Novembro de 1955, *Jurisprudência das Relações,* I, 1105 decidiu, porém, em sentido contrário.

3. Quanto ao que deve ser entendido por *tribunal com sede mais próxima,* competirá às leis de organização e funcionamento dos tribunais organizar um quadro apropriado, pois trata-se de questão aparentemente simples mas que em casos concretos pode suscitar dificuldades. O critério que suscita menos dificuldades é o da proximidade das sedes, mas outros podem ser usados e revelarem-se até mais convenientes em casos pontuais.
A referência ao tribunal com sede mais próxima é ainda feita em vários outros artigos do Código.
Veja-se ainda o dispositivo do art. 426.º-A, n.º 2.

4. Este artigo, na versão anterior à que foi introduzida pela Lei referida na anot. 1, correspondia *ipsis verbis* ao art. 23.º do Proj. e não tinha levado em conta alterações introduzidas nos arts. 11.º e 12.º, na fase final dos trabalhos da CRCPP, sobre a competência do STJ e das relações para o julgamento dos magistrados. Decidira-se então que devia ser mantido o foro

Código de Processo Penal

especial, e daí as alterações introduzidas nos arts. 11.º e 12.º, não se tendo a CRCPP dado conta, por mera inadvertência, de que, consequentemente, devia no art. 23.º ser eliminada a referência a *arguido* magistrado. Nas 7.ª e 8.ª edições desta obra chamámos a atenção para o lapso, que devia ser corrigido em futura revisão do Código, como efectivamente veio a ser na revisão levada a efeito pela Lei referida na anot. 1.

5. *Jurisprudência fixada:*
—À luz do preceito no artigo 23.º do Código de Processo Penal vigente, se num processo for ofendido pessoa com faculdade de se constituir assistente ou parte civil um magistrado, e para esse processo devesse ter competência territorial o tribunal onde o magistrado exerce funções, é competente o tribunal da mesma hierarquia ou espécie com sede na circunscrição mais próxima, ainda que na circunscrição judicial onde aquele magistrado exerce funções existam outros juízes ou juizos da mesma hierarquia ou espécie. (Ac. do Pleno das secções criminais do STJ de 12 de Maio de 2005; *DR*, I série, de 14 de Julho do mesmo ano).

6. *Jurisprudência:*
— Se num processo for ofendido um magistrado e para o processo devesse ter competência um tribunal situado na circunscrição territorial onde esse magistrado exerce funções, é competente, ainda que nessa comarca hajam outros tribunais de igual ou diferente espécie, o tribunal da mesma hierarquia ou espécie na circunscrição territorial mais próxima, salvo tratando-se do STJ. Ou seja: o art. 23.º do CPP deve ser interpretado no sentido de que o tribunal onde o magistrado exerce funções se refere a qualquer juízo, quer da mesma espécie quer de espécie diferente, que exista na comarca onde aquele exerce funções. (Ac. RL de 25 de Novembro de 1998; *BMJ,* 481, 527);
— I — O conceito de *proximidade* tem em vista, por um lado garantir, tanto quanto possível, respeito pelo princípio *locus regit actum,* definidor geral da regra de competência territorial, e por outro assegurar a boa realização da justiça, possibilitando a comparência de todos os intervenientes, pela criação de condições pessoais com menor onerosidade. II — deste modo, não pode ter competência um tribunal situdo na circunscrição territorial onde esse magistrado exerce funções, é competente, ainda que nessa comarca hajam outros tribunais de igual ou diferente espécie, o tribunal da mesma hierarquia ou espécie na circunscrição territorial mais próxima, salvo tratando-se do STJ. Ou seja: o art. 23.º do CPP deve ser interpretado no sentido de que o tribunal onde o magistrado exerce funções se refere a qualquer juizo, quer da mesma espécie quer de espécie diferente, que exista na comarca onde aquele exerce funções. (Ac. RL de 25 de Novembro de 1998; *BMJ,* 481, 527);
— Quando num tribunal funcionem dois ou mais juizos, deve considerar--se mais próximo daquele que sofrer a desafectação de jurisdição outro desses juizos, quer por simples atribuição quer por distribuição, conforme se verifique uma ou outra daquelas situações. (Ac. RL de 29 de Setembro de 1999; *CJ*, XXIV, tomo 4, 148);
— I — O conceito de *proximidade* tem em vista, por um lado garantir, tanto quanto possível, respeito pelo princípio *locus regit actum,* definidor

Artigo 24.º

geral da regra de competência territorial, e por outro assegurar a boa realização da justiça, possibilitando a comparência de todos os intervenientes, pela criação de condições pessoais com menor onerosidade. II — deste modo, não pode definir-se a *proximidade* em razão de distâncias medidas em linha recta – meramente abstracta – que podem ser as mais onerosas para os intervenientes, mas de distâncias medidas pelas estradas que acedem às respectivas comarcas. III — Tribunal *mais próximo* é, portanto, aquele cuja distância é a mais curta e acessível por estrada. (Ac. STJ de 19 de Fevereiro de 2003, proc. n.º 4184/02-3.º; *SASTJ,* n.º 68, 62.

SECÇÃO III

COMPETÊNCIA POR CONEXÃO

ARTIGO 24.º
(Casos de conexão)

1. Há conexão de processos quando:

a) O mesmo agente tiver cometido vários crimes através da mesma acção ou omissão;

b) O mesmo agente tiver cometido vários crimes, na mesma ocasião ou lugar, sendo uns causa ou efeito dos outros, ou destinando-se uns a continuar ou a ocultar os outros;

c) O mesmo crime tiver sido cometido por vários agentes em comparticipação;

d) Vários agentes tiverem cometido diversos crimes em comparticipação, na mesma ocasião ou lugar, sendo uns causa ou efeito dos outros, ou destinando-se uns a continuar ou a ocultar os outros; ou

e) Vários agentes tiverem cometido diversos crimes reciprocamente na mesma ocasião ou lugar.

2. A conexão só opera relativamente aos processos que se encontrarem simultaneamente na fase de inquérito, de instrução ou de julgamento.

---

1. O texto actual das alíneas do n.º 1 foi introduzido pela Lei n.º 59/ /98, de 25 de Agosto. A versão originária, assim como o n.º 2 que não foi alterado pela apontada Lei, reproduziam o art. 24.º do Proj. e correspondiam, com alterações, a dispositivos dos arts. 22.º, 24.º, 25.º e 26.º do Aproj. e 55.º, 56.º e 57.º do CPP de 1929.

2. O regime da conexão de processos perfilhado pela versão originária do Código veio a revelar-se algo rígido e gerador de dificuldades no

Código de Processo Penal

processamento e julgamento conjunto de crimes cometidos pelo mesmo arguido, pelo que sofreu alterações levadas a cabo pela Lei referida na anot. 1, procurando conciliar a protecção da regra do juiz natural com a economia processual visada pela competência por conexão.

A referida Lei manteve o núcleo essencial de regras vigentes nesta matéria mas rejeitou o alargamento irrestrito da conexão subjectiva em moldes idênticos aos previstos no CPP de 1929, geradores de situações de desaforamento, com graves dificuldades de deslocação das pessoas intervenientes no processo.

As alterações introduzidas pela apontada Lei, relativamente à versão originária, consistiram fundamentalmente no seguinte:

— Procedeu-se a um alargamento da conexão subjectiva independentemente da verificação dos pressupostos previstos neste art. 24.° quando a competência para o conhecimento dos diversos crimes pertença a tribunais com sede na mesma comarca. Assim se possibilita que neste caso se organize um único processo por todos os crimes da competência da mesma comarca onde existem vários tribunais, ou que se apensem os vários processos, quando instaurados separadamente.

3. Nas alíneas *a)* e *b)* do n.° 1 deste artigo e no art. 25.° prevêem-se casos da designada *conexão subjectiva,* que existe quando um arguido praticou vários crimes, ainda não julgados.

Nas *c), d)* e *e)* prevêem-se casos de *conexão objectiva,* que existe quando a prática do mesmo ou dos diversos crimes foi levada a cabo por vários agentes.

Trata-se de um sistema que permite mais maleabilidade no funcionamento da justiça, mormente quando concatenado com a possibilidade de separação de processos a que alude outro preceito, do que permitia o CPP de 1929, cujo sistema, além de complicado, era fonte de morosidade no andamento dos processos penais.

De notar que as als. *a)* e *b),* onde se prevêem casos de conexão subjectiva, são mais restritivas que o art. 55.° do CPP de 1929, onde eram abarcados pela conexão subjectiva todos os crimes praticados pelo mesmo agente que ainda não tivessem sido julgados. Aumentaram consequentemente os casos em que o mesmo agente pode, e deve, ser submetido a vários julgamentos; em contrapartida, deixaram de ser possíveis os frequentes adiamentos a que se assistia no domínio daquele Código, devido à existência de outros processos contra o mesmo arguido.

A al. *c)* do n.° 1, relativa à chamada *conexão objectiva* e estabelecendo que há conexão quando o mesmo crime tiver sido cometido por vários agentes, em comparticipação, não parece suscitar dúvidas de relevo. Sendo caso de comparticipação, exige-se uma concertação prévia dos agentes do crime, como resulta do direito penal substantivo. Não cabem aqui, deste modo, os casos de actuação paralela, os quais porém poderão ser abrangidos pela previsão da alínea seguinte (ver *infra*).

Quanto à al. *d),* há, antes do mais, que acentuar que as diversas hipóteses aí previstas se apresentam de forma alternativa, e não cumulativa. Isto resulta inequivocamente do emprego da conjunção disjuntiva ou alternativa *ou.* Qualquer dos pressupostos previstos nesta alínea basta para

Artigo 24.º

a existência de conexão. Assim esta existirá quando, por exemplo, em virtude do incêndio num estabelecimento, A, B e C, de forma autónoma (actuação paralela, excluindo-se pois a comparticipação) se entregam a actos de pilhagem. Pretende-se aqui o julgamento conjunto desses agentes, dado existirem elementos de motivação, de prova, etc., que são comuns. O mesmo se poderá dizer, *mutatis mutandis*, relativamente a arguidos que, autonomamente, após uma competição desportiva, se entregam à prática de actos constitutivos de ofensas à integridade física, danificações, injúrias ou desobediência.

4. O preceito do n.º 2, fortemente limitativo da incidência da conexão no andamento dos processos, destina-se a evitar que, em nome de eventual pretensão de apensar processos em fases distintas de tramitação, os tribunais possam deixar alguns dos processos numa situação de pendência, aguardando o desenrolar do processamento daqueles que se encontram numa fase mais atrasada, cessando assim a generalizada possibilidade, que o CPP de 1929 facilitava, de julgamento com base em culpas tocantes.

5. *Jurisprudência:*
— I — A competência de um tribunal determinada por conexão mantém-se ainda que tenha havido posteriormente separação de um dos processos e os factos criminosos imputados ao arguido tenham sido cometidos na área de outra comarca. II — Assim, separada a parte do processo referente à conduta de um dos arguidos, por não ter sido encontrado para ser julgado juntamente com os restantes,o tribunal continua a ser o competente, ainda que os factos imputados a esse arguido tenham sido todos praticados na área de outra comarca. (Ac. STJ de 11 de Janeiro de 1995; *CJ, Acs. do STJ*, III, tomo 1, 173);
— O tribunal da última condenação, competente para efectuar o cúmulo jurídico das penas em que o arguido seja condenado, é o do seu último julgamento. Por isso, o facto de o arguido ter sido julgado por crimes em quatro comarcas diferentes e ter sido efectuado o cúmulo jurídico em 3 delas, numa outra comarca, não impede que o tribunal competente para efectuar o cúmulo de todas as condenações seja o do último julgamento. (Ac. STJ de 22 de Junho de 1995, proc. 46.559/3.ª);
— I — As hipóteses de conexão de processos previstas na alínea *c)* do n.º 1 do art. 24.º do CPP apresentam-se em alternativa, e não cumulativamente. II — Por isso, qualquer dos pressupostos previstos nesta alínea basta para fundar conexão relevante. III — O crime de receptação enquadra-se na categoria de crimes destinados a continuar ou ocultar o de furto, e por isso está em conexão com ele. (Ac. RP de 22 de Janeiro de 1997; *CJ*, XXII, tomo 1, 244);
— Os crimes de furto e de receptação, mesmo quando praticados por agentes diferentes, devem por princípio ser julgados em conjunto, ao abrigo do art. 24.º, n.º 1, al. *c),* do CPP, por, pela sua natureza, o segundo ser efeito do crime de furto. (Ac. RP de 6 de Novembro de 1996; *BMJ*, 461, 522).

121

Código de Processo Penal

ARTIGO 25.º

**(Conexão de processos da competência de tribunais
com sede na mesma comarca)**

Para além dos casos previstos no artigo anterior, há ainda conexão de processos quando o mesmo agente tiver cometido vários crimes cujo conhecimento seja da competência de tribunais com sede na mesma comarca, nos termos dos artigos 19.º e seguintes.

1. O texto deste artigo foi introduzido pela Lei n.º 59/98, de 25 de Agosto. Não havia dispositivo correspondente na versão originária do Código.
O texto originário deste artigo era do seguinte teor:

Se algum ou alguns dos processos conexos forem da competência de tribunal de competência genérica e outro ou outros da competência de tribunal de competência especializada, é este último competente para de todos conhecer.

Este dispositivo tinha um fundamento de consistência duvidosa e operava como que um desaforamento. A CRCPP, na 3.ª sessão, em 12 de Março de 1991, deliberou propor a sua revogação, o que não mereceu na altura a concordância do Governo e da Assembleia da República, conforme apontámos nas 7.ª e 8.ª edições desta obra.

2. Como ficou apontado na anot. 2 ao art. 24.º, a Lei referida na anot. 1, *supra,* visando evitar as dificuldades surgidas no processamento e julgamento conjunto de crimes cometidos pelo mesmo arguido, sem deixar de conciliar a protecção da regra do juiz natural com a economia processual visada pela competência por conexão, introduziu este preceito no Código. Perante este dispositivo, para além dos casos previstos no artigo anterior, passa ainda a haver conexão subjectiva quando o arguido tiver cometido diversos crimes da competência de vários tribunais com sede na mesma comarca. Como, ao contrário do que sucedia em época não muito distante, muitas comarcas existem com vários tribunais com competência penal, este artigo tem vasto campo de aplicação e permite grande economia processual e até uma melhor realização da justiça, que são o escopo da conexão processual.

ARTIGO 26.º

(Limites à conexão)

A conexão não opera entre processos que sejam e processos que não sejam da competência de tribunais de menores.

1. O texto deste artigo é resultante da Lei n.º 59/98, de 25 de Agosto. O texto anterior, que era o originário, era do seguinte teor:

Artigo 27.º

A conexão não opera entre processos que sejam e processos que não sejam da competência:

a) De tribunais militares;
b) De tribunais de menores;
c) Do Supremo Tribunal de Justiça ou das relações, sempre que funcionarem em primeira instância e se tratar de hipótese cabida no artigo 24.º, n.º 1, alíneas b) e c).

O art. 5.º da apontada Lei estabeleceu que enquanto os tribunais militares permanecerem em funções, nos termos do artigo 197.º da Lei Constitucional n.º 1/97, de 20 de Setembro, mantêm-se em vigor os artigos 26.º, alínea a), e 72.º, n.º 1, alínea h), do Código de Processo Penal, na redacção aprovada pelo Decreto-Lei n.º 78/87, de 17 de Fevereiro.

2. As alterações introduzidas neste artigo pela Lei referida na anot. 1 resultaram de a Lei Constitucional n.º 1/97, de 20 de Setembro, ter extinguido os tribunais militares, que só provisoriamente se mantinham em funções, e de ter passado a ser permitida a conexão quanto a crimes cometidos por magistrados.

3. Para além de a conexão não operar nos casos previstos neste artigo, existem na legislação extravagante casos em que a conexão de processos também não opera. Sucede isso, designadamente:
— Nos processos relativos a crimes de responsabilidade de titulares de cargos políticos no exercício das suas funções. O art. 42.º da Lei n.º 34/87, de 16 de Julho, estabelece que a instrução e o julgamento desses processos se faz, por razões de celeridade, em separado dos relativos a outros co-responsáveis que não sejam também titulares de cargo político.
— Quanto a infracções fiscais não aduaneiras, o art. 49.º do Dec.--Lei n.º 20-A/90, de 15 de Janeiro, estabelece que as regras relativas à compe-tência por conexão valem exclusivamente para os processos fiscais entre si.

ARTIGO 27.º

(Competência material e funcional determinada pela conexão)

Se os processos conexos devessem ser da competência de tribunais de diferente hierarquia ou espécie, é competente para todos o tribunal de hierarquia ou espécie mais elevada.

1. Reproduz o art. 27.º do Proj. e correspondente aos arts. 24.º, n.º 1, do Aproj. e 56.º (corpo do artigo) do CPP de 1929.

2. Quanto à hierarquia, os tribunais podem ser de primeira instância, relações e Supremo Tribunal de Justiça.
Quanto à espécie, deve atender-se à ordem estabelecida nos arts. 13.º, 14.º e 15.º, podendo os tribunais classificar-se, por ordem decrescente de espécie, em tribunal do júri, tribunal colectivo e tribunal singular.

123

Código de Processo Penal

A norma sobre competência determinada pela conexão estabelecida neste artigo e relativa a tribunais de diferente hierarquia aplica-se tão-só no caso de esses tribunais funcionarem em primeira instância.

Assim, no caso de um mesmo arguido ter pendentes de julgamento, em primeira instância, processos no STJ, em uma Relação e num tribunal criminal, será competente para o julgamento de todos o STJ. Não funciona este normativo na fase de recurso, e assim no caso de o mesmo arguido ter pendente um processo num tribunal e outros em recurso, na Relação e no STJ, não há conexão.

3. *Jurisprudência:*
— I — Quanto à espécie de tribunais, referida no art. 27.º do CPP, deve atender-se à ordem estabelecida nos arts. 13.º, 14.º e 15.º do mesmo diploma, podendo os tribunais, por ordem decrescente de espécie, classificar-se em tribunal do júri, tribunal colectivo e tribunal singular. II — Enquanto que no CPP de 1929 se estabelecia que a conexão subjectiva se verificava desde que o arguido fosse acusado de várias infracções penais, o Código actual exige para a conexão subjectiva determinados pressupostos, destinados a restringir os casos de conexão. III — Para que esta exista, nos termos do art. 24.º, n.º 1, al. *a)*, é necessário: *a)* Que o mesmo agente tenha cometido vários crimes, através da mesma acção ou omissão, na mesma ocasião ou lugar; e *b)* Que uns sejam causa ou efeito dos outros ou destinando-se uns a continuar ou ocultar os outros. (Ac. STJ de 16 de Janeiro de 1990, proc. 40.537/3.ª).

ARTIGO 28.º

(Competência determinada pela conexão)

Se os processos devessem ser da competência de tribunais com jurisdição em diferentes áreas ou com sede na mesma comarca, é competente para conhecer de todos:

a) O tribunal competente para conhecer do crime a que couber pena mais grave;

b) Em caso de crimes de igual gravidade, o tribunal a cuja ordem o arguido estiver preso ou, havendo vários arguidos presos, aquele à ordem do qual estiver preso o maior número;

c) Se não houver arguidos presos ou o seu número for igual, o tribunal da área onde primeiro tiver havido notícia de qualquer dos crimes.

---

1. Reproduz o art. 28.º do Proj. e correspondente aos arts. 27.º do Aproj. e 60.º do CPP de 1929, com excepção da alternativa *ou com sede na mesma comarca*, que foi aditada pela Lei n.º 59/98, de 25 de Agosto, na sequência do dispositivo do art. 25.º introduzido pela mesma Lei, conforme foi oportunamente referido em anot. a esse artigo.

2. Quando as regras estabelecidas nos artigos anteriores para os casos de conexão objectiva e subjectiva entram em conflito, de modo a nos casos

Artigo 29.º

de conexão não ser possível através delas determinar a competência de tribunais com jurisdição em diferentes áreas ou com sede na mesma comarca, a competência territorial será então fixada por este artigo, semelhantemente ao que era estabelecido no corpo do art. 60.º do CPP de 1929 e nas disposições para que remetia.

3. A primeira norma a funcionar subsidiariamente, no caso de não serem aplicáveis as regras sobre conexão objectiva e conexão subjectiva estabelecidas nos artigos anteriores é a da determinação da competência através do crime a que couber pena mais grave (al. *a)*).

Trata-se, evidentemente, do crime da acusação ou da pronúncia, singularmente considerado em cada processo, atendendo-se ao limite máximo da pena. Não se pode aqui atender a uma eventual pena aplicável no caso de cúmulo jurídico, já que tal pena seria relativa a todos os crimes, e portanto a todos os processos conexos que correm em tribunais com jurisdição nas diferentes áreas ou com sede na mesma comarca. Sendo iguais os limites máximos das penas, atender-se-á ao limite mínimo.

As normas das alíneas *b)* e *c)* funcionarão, sucessivamente, para o caso de não poder ser aplicada a da al. *a)*. Trata-se de normas idênticas às do art. 60.º do CPP de 1929, que se não afiguram passíveis de dúvidas relevantes.

4. *Jurisprudência:*

— I — No caso de serem iguais os limites máximos das penas, para efeitos de determinação de qual o crime mais grave atender-se-á ao limite mínimo. II — Na determinação do lugar da prática das infracções, o legislador optou pela chamada doutrina do evento ou do resultado, considerando como lugar do crime aquele onde se produzir o seu resultado. (Ac. RP de 5 de Maio de 1993; *CJ,* XVIII, tomo 3, 241);

— I — Perante hipóteses de competência por conexão e de multiplicidade de crimes, com prática repartida por áreas de diversas comarcas, importa determinar previamente o local da consumação do crime a que corresponde pena mais grave, visto que é este que vai definir a competência do tribunal. II — Essa operação tem de ter em conta, quer a regra da al. *a)* do art. 28.º, quer os ditames constantes do art. 19.º, quer, em última análise, os critérios formulados ou fornecidos pelo art. 21.º, todos do CPP. III — Nos casos de localização incerta ou desconhecida do local da consumação desse crime mais grave, haverá que lançar mão do que se estipula no art. 21.º do CPP, atribuindo a competência territorial para o tribunal de qualquer das áreas por onde se diversificaram os crimes, mas preferindo o daquela em que primeiramente deles houve notícia (n.º 1) ou para o tribunal da área em que os crimes começaram por ser noticiados (n.º 2). (Ac. STJ de 10 de Maio de 2001; *CJ, Acs. do STJ*, IX, tomo 2, 198).

ARTIGO 29.º

(Unidade e apensação dos processos)

1. Para todos os crimes determinantes de uma conexão, nos termos das disposições anteriores, organiza-se um só processo.

Código de Processo Penal

2. Se tiverem já sido instaurados processos distintos, logo que a conexão for reconhecida procede-se à apensação de todos àquele que respeitar ao crime determinante da competência por conexão.

---

1. Reproduz o art. 29.º do Proj. e corresponde aos arts. 22.º, n.º 2 e 25.º, n.º 3 do Aproj. e 55.º, § 1.º; 57.º, § único e 58.º, § único, do CPP de 1929.

2. A organização de um só processo, ou a apensação dos processos já instaurados, como se estabelece neste artigo, só podem ser ordenadas relativamente a processos que se encontrem, simultaneamente, na fase de inquérito, na de instrução ou na de julgamento (art. 24.º, n.º 2).

3. Este artigo rege para o caso de os vários processos conexos não serem originariamente da competência do mesmo tribunal. Tratando-se de vários processos conexos, mas originariamente da competência do mesmo tribunal, *maxime* porque na sua área de jurisdição foram praticados pelo arguido todos os crimes, não há qualquer derrogação das regras gerais sobre a competência. Em tal caso dever-se-á organizar *ab initio* um só processo, e se tiverem sido instaurados vários dever-se-á proceder à incorporação ou à apensação. Isto resulta até do disposto no art. 52.º, que pressupõe o concurso de crimes em um só processo.

4. Jurisprudência:
— Ainda que o arguido seja contumaz, devem apensar-se todos os processos contra ele pendentes para efeitos de julgamento conjunto no tribunal competente, logo que cesse a contumácia pela sua apresentação. (Ac. RL de 2 de Dezembro de 2003; *CJ*, XXVIII, tomo 5, 143).

ARTIGO 30.º
(Separação dos processos)

1. Oficiosamente, ou a requerimento do Ministério Público, do arguido, do assistente ou do lesado, o tribunal faz cessar a conexão e ordena a separação de algum ou alguns dos processos sempre que:

a) Houver na separação um interesse ponderoso e atendível de qualquer arguido, nomeadamente no não prolongamento da prisão preventiva;

b) A conexão puder representar um grave risco para a pretensão punitiva do Estado, para o interesse do ofendido ou do lesado;

c) A conexão puder retardar excessivamente o julgamento de qualquer dos arguidos; ou

d) Houver declaração de contumácia, ou o julgamento decorrer na ausência de um ou alguns dos aguidos e o tribunal tiver como mais conveniente a separação de processos.

Artigo 30.º

2. A requerimento de algum ou alguns dos arguidos, o tribunal pode ainda tomar a providência referida no número anterior quando outro ou outros dos arguidos tiverem requerido a intervenção do júri.

3. O requerimento referido na primeira parte do número anterior tem lugar nos oito dias posteriores à notifição do despacho que tiver admitido a intervenção do júri.

---

1. Corresponde, com ligeiras alterações e com introdução da al. *d)* do n.º 1 na fase final da elaboração do Código, aos arts. 23.º do Aproj. e 56.º, § único e 60.º, § 2.º, do CPP de 1929.

O texto da al. *d)* do n.º 1 e o do n.º 3 foram introduzidos pela Lei n.º 59/98, de 25 de Agosto. As alterações introduzidas por esta Lei resultaram de esse diploma, em virtude de alteração do texto constitucional, ter passado a admitir o julgamento na ausência de algum ou alguns dos arguidos e de se ter passado a aplicar em processo penal a regra da continuidade dos prazos estabelecida no CPCivil; por esta razão tornou-se aqui necessário aumentar para 8 dias o prazo que anteriormente era de 5 dias.

2. No domínio do CPP de 1929, o juiz podia, oficiosamente ou a requerimento do MP, fazer cessar a conexão e ordenar o julgamento em separado, quando isso fosse necessário para não prolongar a prisão preventiva, ou por outro motivo atendível; não dava a lei, porém, qualquer critério sobre o que se devia entender por *motivo atendível,* deixando a questão para o prudente arbítrio do juiz.

Continua a lei actual a permitir a separação de processos sempre que houver um interesse ponderoso atendível de qualquer arguido, nomeadamente o não prongamento da sua prisão preventiva; e, para além disso, tipifica agora, nas als. *b)* a *d)* do n.º 1, e no n.º 2, outras situações susceptíveis de fundamentar a cessação de conexão, e consequente separação de processos. O caso da al. *d)* não oferece dificuldade ou margem de arbítrio ou de discricionaridade. Os das als. *b)* e *c),* tal como o da al. *a)* que, como se disse, vem do direito anterior, já comportam muita daquela margem, mas a lei dá o critério de orientação do julgador. A inclusão do ofendido e do Estado, na al. *b),* foi feita na última fase de elaboração do Código.

O fundamento da disposição do n.º 2 é óbvio. Se qualquer arguido tem o direito de requerer a intervenção do júri, também qualquer outro tem o direito de a não requerer, por a não desejar para si; em tais termos, só com esta disposição se acautela um justo equilíbrio de direitos.

Trata-se de afloramentos de princípios de economia processual, e de normas imperativas, tratando-se portanto de poderes-deveres, pelo que a apensação será ordenada logo que a conexão seja reconhecida.

Posteriormente à apensação, ou mesmo no caso de se ter organizado desde o início um só processo (isto no caso do n.º 1), pode ser ordenada separação, se se verificar o condicionalismo do art. 30.º.

3. Os fundamentos da separação dos processos encontram-se enumerados nas alíneas do n.º 1 e no n.º 2. Trata-se de uma enumeração taxativa, embora

Código de Processo Penal

a lei deixe ao julgador alguma latitude de apreciação, nomeadamente nas als. *a), b)* e *c)* do n.º 1. Trata-se ainda de um poder-dever do julgador, que se moverá discricionariamente tendo em vista o fim visado pela lei e até cuidadosamente apontado nos casos das als. *a), b)* e *c)* do n.º 1.

As considerações que acabam de ser feitas põem estas disposições ao abrigo de qualquer juizo de inconstitucionalidade. É que em consequência de uma separação de processos pode dar-se um desaforamento (arts. 31.º, al.*b)* e 30.º e ainda anot. ao art. 31.º). Mas o desaforamento aqui não é inconstitucional, porque é a própria lei anterior a fixar as suas condicionantes e o tribunal com competência para conhecer dos processos separados, visando, *v.g.*, evitar a prescrição do procedimento criminal.

4. A cessação da conexão, com a consequente separação de processos, pode ser ordenada também durante o inquérito, como se deduz claramente do n.º 5 do art. 264.º

Os arts. 24.º a 29.º pormonorizam os casos de conexão, especificando o art. 30.º o condicionalismo que a pode fazer cessar, procedendo-se à separação de processos. Este art. 30.º refere sempre, tanto no n.º 1 como no n.º 2, que é o *tribunal* a fazer cessar a conexão e ordenar a separação.

Assim, se o MP, durante o inquérito, entender que se deve proceder à separação, terá que formular requerimento nesse sentido ao juiz de instrução.

É certo que o já aludido n.º 5 do art. 264.º, relativo à competência para a realização do inquérito, manda aplicar correspondentemente o disposto nos arts. 24.º a 30.º. Mas aqui alude-se sempre a tribunal, e nunca ao MP. Por outro lado, nos casos em que o inquérito já foi submetido a alguma decisão do juiz de instrução não seria admissível que o MP pudesse ordenar a separação.

Nestes termos, não concordamos com a orientação sustentada por Pinto de Albuquerque, na anot. 10 ao art. 30.º, do *Comentário ao Código de Processo Penal*.

O MP pode, no entanto, durante o inquérito, ordenar a extracção de certidões para que, em processos autónomos, se proceda a outros inquéritos.

5. *Jurisprudência:*

— I — Durante o inquérito, é ao juiz de instrução, como titular das funções jurisdicionais nessa fase processual, que, quando for caso disso, compete ordenar a separação de processos, fazendo cessar a conexão objectiva, proveniente de o mesmo crime ter sido praticado por dois ou mais arguidos. II — Se tal separação for determinada por decisão do MP, constitui um acto praticado *a non judice,* de usurpação da função judicial, sendo portanto inexistente e, consequentemente, insusceptível de produzir efeitos jurídicos. (Ac. RL de 1 de Julho de 1997; *CJ,* XX, tomo 4, 134);

— Mesmo depois de ter decidido cessar a conexão de processos em relação a um dos arguidos e ordenado a separação dos mesmos, nos termos do art. 30.º do CPP, o tribunal pode ainda voltar a decidir no sentido da conexão dos mesmos processos e a ordenar a respectiva apensação, alterados que sejam os condicionalismos determinantes da primeira decisão. (Ac. RC de 2 de Junho de 1999; *CJ,* XXIV, tomo 3, 53);

Artigo 31.º

— A separação de processos por efeito da declaração de contumácia não implica a remessa do processo separado para distribuição. (Ac. RL de 16 de Março de 2000; *CJ*, XXV, tomo 2, 145);

— No caso de separação de processos, cessada a qualidade de arguido de um agente de um mesmo crime ou de um crime conexo, nada obsta a que ele, sem necessidade do seu consentimento expresso para depor, preste o respectivo depoimento, mesmo como testemunha. (Ac. RC de 26 de Junho de 2002; *CJ,* XXVII, tomo 4, 40);

— Não são inconstitucionais as normas das alíneas *a)* e *c)* do n.º 1 do art. 30.º do CPP, quando interpretadas no sentido de que a previsão não inclui a situação de um arguido sujeito a uma medida de suspensão de funções com manutenção de vencimento, com co-arguidos sujeitos a prisão preventiva, e sendo a separação de processos requerida poucos dias antes do debate instrutório e da decisão instrutória. (Ac. do Trib. Constitucional n.º 557/2004, proc. n.º 652/2004; *DR*, II série, de 12 de Novembro do mesmo ano).

ARTIGO 31.º

(Prorrogação da competência)

A competência determinada por conexão, nos termos dos artigos anteriores, mantém-se:

a) Mesmo que, relativamente ao crime ou aos crimes determinantes da competência por conexão, o tribunal profira uma absolvição ou a responsabilidade criminal se extinga antes do julgamento;

b) Para o conhecimento dos processos separados nos termos do artigo 30.º, n.º 1.

---

1. Reproduz o art. 31.º do Proj. e corresponde aos arts. 28.º do Aproj. e 61.º do CPP de 1929, com excepção do disposto na al. *b),* que contém inovação.

2. Este artigo inspirou-se no art. 61.º do CPP de 1929, cujo âmbito até ampliou.
Trata-se de um caso de prorrogação de competência, tanto material como territorial, seja conexão subjectiva ou objectiva.

3. A redacção deste artigo clarificou questões que se suscitaram no domínio do CPP de 1929. Assim, explicitou-se que mesmo no caso de a responsabilidade criminal pelo crime que determinou a competência por conexão se extinguir antes do julgamento, ainda assim a competência se mantém, e também ficou agora claro que a competência determinada por conexão se mantém tanto no caso de ser julgada improcedente a acusação

Código de Processo Penal

pela infracções que determinaram a competência, como no caso de ser julgada improcedente quanto ao arguido ou arguidos que determinaram a competência do tribunal.

4. A manutenção da competência por efeito da al. *b)* só se dá nos casos do n.º 1 do art. 30.º. Assim, se a separação de processos tiver sido ordenada por um dos arguidos ter requerido o júri, já os restantes arguidos serão julgados pelo tribunal colectivo ou pelo singular, conforme ao caso couber.

5. A violação das regras de competência do tribunal, sem prejuizo do disposto no art. 32.º, n.º 2, constitui nulidade insanável, de conhecimento oficioso em qualquer fase do procedimento, nos termos do art. 119.º, al. *e)*. As normas sobre competência, incluindo a competência por conexão, devem, em tais termos, merecer particular atenção, pelas gravosas consequências do seu não acatamento.

6. *Jurisprudência:*

— I — A competência do tribunal do júri é extensiva a todos os co--arguidos, desde que um deles a requeira e qualquer dos outros não requeira a separação do seu processo, por não querer ser julgado pelo tribunal do júri, no prazo de 5 dias a contar do despacho que admitiu a intervenção do júri, nos termos do art. 30.º, n.ᵒˢ 1, 2 e 3 do CPP. II — A competência do tribunal já fixada mantém-se para o conhecimento dos processos separados, nos termos dos arts. 30.º, n.ᵒˢ 1, 2 e 3 e 31.º, al. *b)*, do CPP. (Ac. STJ de 14 de Janeiro de 1993, proc. 43.000/3.ª);

— I — A competência de um tribunal determinada por conexão man- tém-se ainda que tenha posteriormente havido separação de um dos processos e os factos criminosos imputados ao arguido tenham sido come- tidos na área de outra comarca. II — Assim, separada a parte do processo referente à conduta de um dos arguidos, por não ter sido encontrado para ser julgado juntamente com os restantes, o tribunal continua a ser competente, ainda que os factos imputados a esse arguido tenham sido todos praticados na área de outra comarca. (Ac. STJ de 11 de Janeiro de 1995; *BMJ,* 443, 242).

CAPÍTULO III

DA DECLARAÇÃO DE INCOMPETÊNCIA

ARTIGO 32.º
(Conhecimento e dedução da incompetência)

1. A incompetência do tribunal é por este reconhecida e declarada oficiosamente e pode ser deduzida pelo Ministério Público, pelo arguido e pelo assistente até ao trânsito em julgado da decisão final.

Artigo 32.º

2. Tratando-se de incompetência territorial, ela somente pode ser deduzida e declarada:

    a) Até ao início do debate instrutório, tratando-se de juiz de instrução; ou

    b) Até ao início da audiência de julgamento, tratando-se de tribunal de julgamento.

---

1. Reproduz o art. 32.º do Proj. e corresponde aos arts. 135.º do Aproj. e 140.º, corpo do artigo e § 1.º, do CPP de 1929.

2. O disposto neste artigo quanto ao conhecimento e dedução da excepção de incompetência do tribunal reproduz o regime anterior, com ligeiro acrescentamento devido à introdução do debate instrutório.

Como regra geral, a incompetência do tribunal pode ser conhecida até ao trânsito em julgado da decisão final, isto é da decisão que ponha termo ao processo. Tratando-se, porém, de incompetência territorial, só pode ela ser declarada pelo tribunal ou deduzida pelas partes até ao início da audiência de julgamento ou, tratando-se de juiz de instrução, até ao início do debate instrutório.

A referência agora feita na lei ao *início do debate instrutório* e ao *início da audiência de julgamento* afasta dúvidas que, embora injustificadamente, surgiram no domínio do CPP de 1929, ficando bem clarificado que, após o início do debate ou da audiência, já não pode a incompetência territorial ser deduzida ou dela conhecer-se.

Para definir e fixar a competência do tribunal só podem ser considerados os factos descritos e imputados ao arguido na acusação, não podendo o tribunal levar em conta quaisquer outros factos.

3. Quanto a legitimidade para a dedução da incompetência, também se manteve o regime do CPP de 1929 (art. 139.º). Para além de poder-dever ser conhecida e declarada oficiosamente, têm legitimidade para a deduzir o MP, o arguido e o assistente. Os intervenientes no pedido civil deduzido conjuntamente e os lesados não têm legitimidade para deduzir a excepção; contudo, nada obsta a que exponham o seu entendimento sobre essa questão, pois ela é de conhecimento oficioso.

4. Nos termos do art. 119.º, al. *e),* a violação das regras de competência do tribunal constitui nulidade insanável que deve ser oficiosamente declarada em qualquer fase do procedimento, sem prejuizo do disposto neste art. 32.º, n.º 2. Já se acentuou, em anot. ao artigo anterior, a particular atenção que é devida ao acatamento das normas sobre competência, em vista do disposto nestes normativos e no art. 122.º.

5. *Jurisprudência:*
— Uma vez declarada aberta a audiência de julgamento, não pode mais o juiz deduzir a incompetência do tribunal, em razão do território. (Ac. STJ de 11 de Dezembro de 1997; *CJ, Acs. do STJ,* V, tomo 3, 254);

Código de Processo Penal

— I — A acusação deduzida em processo crime torna apenas relativamente estáveis os elementos significativos da causa, com inclusão da competência territorial. II — Esta pode, no entanto, ser declarada oficiosamente pelo juiz, até ao início do debate instrutório. III — Assim, pode o juiz de instrução, não obstante ser o da sua comarca o local da prática do crime indicado na acusação, concluir, através de outros elementos do inquérito, por local diferente pertencente a outra comarca e declarar a competência desta, rejeitando a sua. (Ac. STJ de 4 de Junho de 1998; *CJ, Acs. do STJ*, VI, tomo 2, 213);

— É inconstitucional, por ofensa do n.º 1 do art. 32.º, da Constituição, o complexo normativo constituído pelos arts. 33.º, n.º 1; 427.º; 428.º, n.º 2 e 432.º, alínea *d)*, todos do Código de Processo Penal, interpretado no sentido de que, em recurso interposto do acórdão final proferido pelo tribunal colectivo de 1.ª instância pelo arguido e para STJ, muito embora também nele se intente reapreciar a matéria de facto, aquele tribunal de recurso não pode determinar a remessa do processo ao tribunal da relação. (Ac. do Trib. Constitucional n.º 284/2000, de 17 de Maio, proc. n.º 305/2000; *DR*, II série, de 8 de Novembro de 2000);

— Uma audiência que se resume ao seu adiamento não releva para efeitos do art. 32.º, n.º 2, al. *b)*, do CPP. (Ac. STJ de 25 de Outubro de 2000, proc. n.º 2273/2000-3.ª; *SASTJ*, n.º 44, 80);

— I — É apenas os factos descritos e imputados ao arguido na acusação que pode atender-se para definir a competência do tribunal, não podendo o tribunal lançar mão de quaisquer outros factos. II — A partir do momento em que se declara aberta a audiência de julgamento, mesmo que a mesma seja adiada, fica cerceada a possibilidade de suscitar a incompetência territorial. (Ac. STJ de 9 de Maio de 2007; *CJ, Acs. do STJ*, ano XV, tomo 2, 178).

ARTIGO 33.º

(Efeitos da declaração de incompetência)

1. Declarada a incompetência do tribunal, o processo é remetido para o tribunal competente, o qual anula os actos que se não teriam praticado se perante ele tivesse corrido o processo e ordena a repetição dos actos necessários para conhecer da causa.

2. O tribunal declarado incompetente pratica os actos processuais urgentes.

3. As medidas de coacção ou de garantia patrimonial ordenadas pelo tribunal declarado incompetente conservam eficácia mesmo após a declaração de incompetência, mas devem, no mais breve prazo, ser convalidadas ou infirmadas pelo tribunal competente.

4. Se, para conhecer de um crime, não forem competentes os tribunais portugueses, o processo é arquivado.

---

1. Reproduz o art. 33.º do Proj., com excepção do n.º 4, que foi introduzido na última fase dos trabalhos preparatórios e corresponde aos arts. 140.º do Aproj. e 145.º do CPP de 1929.

132

Artigo 33.º

2. O disposto neste artigo quanto aos efeitos da declaração de incompetência não se afasta significativamente do regime anterior, constante do art. 145.º do CPP de 1929. Vejam-se as anotações a este artigo, no nosso *Código de Processo Penal,* 6.ª edição.

3. O tribunal para onde o processo é remetido após a declaração de incompetência, se a não aceitar, não procede de harmonia com o disposto no n.º 1. Em tal caso proferirá decisão, devidamente fundamentada, considerando-se também incompetente e abrindo assim um conflito negativo de competência, a resolver nos termos dos arts. 34.º e segs. Competir-lhe-á ainda, neste caso, praticar os actos processuais urgentes (n.º 2).
Se o tribunal para onde o processo é remetido pelo tribunal declarado incompetente entender que a competência pertence a um terceiro tribunal, assim decidirá fundamentadamente, para este último enviando o processo, mas praticando os actos urgentes.

4. O arquivamento a que se refere o n.º 4 no caso de os tribunais portugueses não serem competentes não corresponde a uma decisão judicial sobre o pleito, mas a um arquivamento em sentido material, resultante da verificação da impossibilidade de decidir. Veja-se, sobre este ponto, Cavaleiro de Ferreira, *Curso,* III, 17 e *SJ,* tomo VII, n.º 5, 201.
O dispositivo deste n.º 4 sofre porém hoje alguma restrição, pois deve ser interpretado levando-se em conta o preceituado na Lei n.º 144/99, de 31 de Agosto (Lei da Cooperação Judiciária Internacional em Matéria Penal), transcrita no final desta obra.

5. *Jurisprudência obrigatória:*
Ac. do Trib. Constitucional n.º 80/2001; *DR,* I-A série, de 16 de Março de 2001:
— Declara inconstitucional, com força obrigatória geral, a norma que resulta das disposições conjugadas constantes dos arts. 33.º, n.º 1; 427.º; 428.º, n.º 2 e 432.º, al. *d),* todos do Código de Processo Penal, quando interpretadas no sentido de que, em recurso interposto de acórdão final proferido pelo tribunal colectivo de primeira instância pelo arguido e para o Supremo Tribunal de Justiça, muito embora também nele se intente reapreciar a matéria de facto, aquele tribunal de recurso não pode determinar a remessa do processo ao Tribunal da Relação.

6. *Jurisprudência:*
— Só em sede de conflito, e não mediante recurso, é admissível reagir--se contra a decisão na qual um tribunal se declarou incompetente para a causa. (Ac. RL de 14 de Janeiro de 1998; *CJ,* XXIII, tomo 1, 140).

Código de Processo Penal

CAPÍTULO IV
DOS CONFLITOS DE COMPETÊNCIA

ARTIGO 34.º
(Casos de conflito e sua cessação)

1. Há conflito, positivo ou negativo, de competência quando, em qualquer estado do processo, dois ou mais tribunais, de diferente ou da mesma espécie, se considerarem competentes ou incompetentes para conhecer do mesmo crime imputado ao mesmo arguido.

2. O conflito cessa logo que um dos tribunais se declarar, mesmo oficiosamente, incompetente ou competente, segundo o caso.

---

1. Reproduz o art. 34.º do Proj Não havia normas correspondentes, quer no Aproj. quer no CPP de 1929.

2. O presente Código procurou estabelecer uma maior autonomia em relação ao processo civil do que aquela que existia na vigência do CPP de 1929. A regulamentação autónoma dos conflitos de competência é afloramento dessa ideia que presidiu à elaboração do Código. A tramitação, no entanto, foi nitidamente inspirada nos arts. 115.º do CPC.

De notar que agora o conflito pode ser suscitado oficiosamente pelo tribunal.

3. Deve continuar a entender-se que não são conflitos de competência as divergências que surgem entre os vários juizos do mesmo tribunal, sobre questões de distribuição entre esses juizos. Não é, então, a competência do tribunal que é objecto de divergência, pois todos os juizos a têm por igual segundo as regras do Código; o que está em causa são questões administrativas de distribuição do serviço entre vários juizos do mesmo tribunal.

Cremos que, para estes casos, continuará a funcionar o art. 210.º, n.º 2, do CPC, introduzido na Reforma de 1961 precisamente para resolver casos deste tipo.

Deve também entender-se que só pode haver conflito de competência entre tribunais da mesma ou de diferente espécie, conforme o texto do n.º 1 deste artigo, e não entre tribunais de diferente grau de hierarquia. Neste caso, havendo necessidade de intervenção de um tribunal de hierarquia superior à de outro que com ele entrou em conflito, não há conflito e prevalece a decisão do tribunal superior, estando ferida de nulidade insanável da al. *e)* do artigo 119.º a decisão do tribunal inferior.

4. Para o caso de o conflito surgir durante o inquérito, a competência para a realização deste será decidida pelo superior hierárquico que imediatamente superintende nos magistrados ou agentes em conflito — art. 266.º, n.º 3.

Artigo 34.º

5. A disposição do n.º 2, que é inteiramente nova, permite que o conflito cesse logo que algum dos tribunais reveja e altere a decisão que o pôs em conflito com outro tribunal. Ainda que a decisão tenha transitado em julgado, não fica aqui, perante as particularidades do caso, esgotado o poder jurisdicional do juiz. Em tal caso o conflito terá que cessar, por inutilidade superveniente.

6. Em vista do disposto no art. 210.º, n.º 2, da CRP e de o CPP não ter regulado os conflitos de jurisdição tem-se posto a questão de saber se subsistem os conflitos de jurisdição, designadamente entre os juízes de instrução e o MP. A jurisprudência do STJ encontra-se hesitante, estando a decidir, por escassa maioria, que tais conflitos entre o MP e o juiz de instrução, embora não configurem típicos conflitos de competência ou de jurisdição, no entanto constituem um conflito atípico e conduzem a um obstáculo ao andamento do processo, que importa arredar, o que deve ser feito por via de aplicação supletiva do art. 121.º do CPC, cuja enumeração não é taxativa. Vejam-se, neste sentido e dentre outros, os Acs. STJ de 5 de Julho e de 27 de Setembro de 1989; *BMJ*, 389, 480 e 526, respectivamente, o primeiro destes por nós relatado. Posteriormente, o STJ manteve-se, por escassa maioria, dentro da mesma orientação, após ter proferido um outro acórdão em sentido contrário, em 26 de Abril de 1989; *CJ*, XIV, tomo 3, 7.

Afigura-se-nos aliás que o Código, à semelhança do que sucede em leis paralelas do direito comparado, não faz distinção, nos conflitos entre tribunais, entre conflitos de competência e conflitos de jurisdição, a todos incluindo na designação vasta de conflitos de competência, autonomizando-se assim da distinção feita no CPC de 1939 sob a influência do Prof. José Alberto dos Reis. E em tais termos deverá, sem dúvida, ser resolvido pelo STJ o conflito surgido entre um tribunal militar territorial e um tribunal de comarca.

7. Conforme expende o Prof. Germano Marques da Silva, *Curso de Processo Penal*, I, 153 a letra do n.º 2 não corresponde inteiramente ao pensamento legislativo, pois no caso de conflito positivo pode haver mais de dois tribunais em conflito, podendo um deles vir a declarar-se incompetente e não obstante isso o conflito subsistir entre os demais.

Neste caso, como expende o insígne Mestre, o conflito só cessará quando só um dos tribunais em conflito positivo continuar a considerar-se competente, por todos os demais se terem declarado incompetentes.

No desenvolvimento da *mens legis* podemos mesmo aditar que também no que concerne aos conflitos negativos o texto legal pode não estar bem explícito: Se 4 tribunais se considerarem incompetentes para conhecer do mesmo crime imputado ao mesmo arguido e na resposta dois deles reconhecerem a sua própria competência, o conflito não cessará. *Scire leges non est verba earum tenere, sed vim ac potestatem...*

8. *Jurisprudência:*
— Ver *supra*, anot. 6;
Por acórdão com força obrigatória de 16 de Outubro de 1991; *DR*, I série, de 22 de Novembro do mesmo ano, do plenário das secções criminais, o STJ fixou a seguinte jurisprudência:

Código de Processo Penal

— Não configura conflito a resolver pelas relações ou pelo Supremo a recusa do tribunal deprecado em cumprir carta precatória expedida por outro tribunal para inquirição de testemunhas em processo por transgressão (sumaríssimo), com fundamento em que a lei não autoriza tal acto ou diligência;

— I — Nos casos em que o julgamento de um processo crime se inicia sob a presidência de determinado juiz, então colocado em certo tribunal, que posteriormente foi transferido para outro, tendo sido nomeado um novo juiz para o tribunal indicado em primeiro lugar, o *conflito* existente entre os juízes referidos, por ambos entenderem não disporem de competência para a continuação daquele, não é de jurisdição ou de competência, tratando--se apenas de mera divergência entre eles, para a qual não existe previsão normativa mas que, por apresentar algumas semelhanças com um conflito de competência, deverá ser resolvida nos termos do art. 34.º e segs. do CPP. II — Na situação descrita, mesmo que haja documentação escrita da prova produzida oralmente, o julgamento deve prosseguir com o magistrado que o iniciou, porquanto, a não ser assim, ficaria gravemente prejudicado o princípio da imediação. (Ac. STJ de 21 de Abril de 1999, proc. 304/3.ª; *SASTJ*, n.º 30, 78). *Nota* — Discordamos, pois entendemos que a divergência deveria ter sido resolvida pelo processo aludido na anot. 3, *supra;*

— I — Os arts. 34.º e segs. do CPP aplicam-se no pressuposto de que os tribunais em conflito estão no mesmo grau de hierarquia, só neste caso havendo necessidade de intervenção de outro órgão, logicamente superior àqueles, para aferir a quem assiste razão (art. 36.º, n.º 1, do referido diploma). II — Quando há hierarquia diferente entre os tribunais, apesar de um deles haver decidido em contrário do outro, já não é necessária a intervenção de um órgão diferente para aquele efeito, porque a resposta é dada pela própria natureza hirárquica dos pseudo-conflitu antes, prevalecendo a decisão do tribunal superior sobre a do inferior. III — É nulo o acórdão da Relação que, após prolação de um outro pelo STJ, no qual foi decidido que aquele é competente para conhecer de recurso interposto, decide no sentido de que a referida competência não lhe pertence, mas ao STJ. (Ac. STJ de 2 de Fevereiro de 2000, proc. n.º 632/99-3.ª; *SASTJ*, n.º 38, 67);

— I — Do mesmo modo que um Tribunal de Relação não pode fixar a competência ao STJ, não pode existir conflito de competência entre as Relações e o STJ, dado o plano hierárquico superior em que este se encontra. II — A decisão da Relação que nesse condicionalismo atribua competência ao STJ mostra-se ferida não só da nulidade prevista na al. *c)* do n.º 1 do art. 379.º do CPP, como da nulidade insanável constante do art. 119.º, al. *c)*, do mesmo Código. (Ac. STJ de 3 de Fevereiro de 2000, proc. n.º 1188/99-3.ª; *SASTJ*, n.º 38, 76);

— A recusa de cumprimento de uma carta precatória pelo tribunal deprecado (para inquirição de uma testemunha na fase de instrução), com fundamento de que se trata de um acto que a lei proibe absolutamente, de harmonia com o preceituado no art. 184.º, n.º 1, al. *b)*, do CPC, não configura a existência de um conflito negativo de competência, uma vez que aquele tribunal não atribui a outro a competência para a realização do acto em causa negando a própria,

136

Artigo 35.º

sendo aplicável ao caso a jurisprudência definida pelo assento de 16 de Outubro de 1991. (Ac. STJ de 6 de Dezembro de 2000, proc. n.º 203/2000-3.ª; *SASTJ*, n.º 46, 38);

— A noção de conflito de competência do art.º 34.º, n.º 1, do CP, não pode ser entendida na sua estrita literalidade, antes devendo ser integrada com a correspondente noção estatuída no art.º 115, n.º 2, do CP Civil. Assim, também em processo penal haverá conflito de competência sempre que dois ou mais tribunais da mesma ordem jurisdicional se considerem competentes ou incompetentes para conhecer da mesma questão, isto é, sempre que considerem ser eles próprios que devem conhecer de certa e determinada questão ou quando reconhecerem ser outro tribunal que deve conhecer certa e determinada questão. (Ac. RC de 1 de Outubro de 2003; *CJ*, XXVIII, tomo 4, 44);

— I — Não podem considerar-se como conflitos de competência as divergências entre vários juízes de um mesmo tribunal sobre questões de distribuição de processos aos respectivos juízos. II —Assim, a resolução de tais questões é da competência do presidente da respectiva Relação. (Ac. RL de 28 de Maio de 2004; *CJ*, XXIX, tomo 3, 137);

— I — No seio da União Europeia, em resultado do art. 50.º da Carta dos Direitos Fundamentais e entre os países subscritores da Convenção de Aplicação do Acordo de Schengen, existe hoje um princípio *ne bis in idem europeu*. II—Não está prevista qualquer figura de litispendência, nem de conflito de competência entre tribunais de diferentes países, razão por que a mera pendência de dois processos em diferentes países pela prática dos mesmos fctos não obsta ao processeguimento normal dos autos. (Ac. RL de 8 de Março de 2006; *CJ*, ano XXXI, tomo 2, 116).

ARTIGO 35.º

(Denúncia do conflito)

1. O tribunal logo que se aperceber do conflito, suscita-o junto do órgão competente para o decidir, nos termos dos artigos 11.º e 12.º, remetendo-lhe cópia dos actos e todos os elementos necessários à sua resolução, com indicação do Ministério Público, do arguido, do assistente e dos advogados respectivos.

2. O conflito pode ser suscitado também pelo Ministério Público, pelo arguido ou pelo assistente mediante requerimento dirigido ao órgão competente para a resolução, contendo a indicação das decisões e das posições em conflito, ao qual se juntam os elementos mencionados na parte final do número anterior.

3. A denúncia ou o requerimento previstos nos números anteriores não prejudicam a realização dos actos processuais urgentes.

---

1. Os n.ºs 1 e 2 reproduzem, com o aditamento e a alteração adiante referidos, disposições do art. 35.º do Proj. O n.º 3 resulta de transformação operada na disposição do Proj. na última fase de elaboração do Código.

Código de Processo Penal

O texto do n.º 2 foi introduzido pela Lei n.º 48/2007, de 29 de Agosto. É porém, o que fora introduzido pela Lei n.º 59/98, de 25 de Agosto, com a substituição de *presidente do tribunal* por *órgão*. Esta substituição foi provocada pela alterações introduzidas nos arts. 11.º e 12.º sobre as entidades às quais compete conhecer dos conflitos de competência. Nas anots. a esses artigos abordámos questões que se afiguraram pertinentes e oportunas sobre essas alterações.

2. De notar que, contrariamente ao que sucedia no regime do CPP de 1929, o conflito pode agora ser suscitado oficiosamente. Trata-se mesmo de um poder-dever, que o juiz deve exercer sem delongas, porque a existência do conflito é um obstáculo ao regular andamento do processo. A lei é até bem clara, através da expressão temporal usada no texto do n.º 1 — *logo que se aperceber do conflito.*

3. A disposição do n.º 3 do Proj., segundo a qual a denúncia do conflito não tinha efeito suspensivo salvo disposição em contrário do tribunal competente para o decidir, podia vir a causar dificuldades de execução, e inclusivamente o andamento simultâneo de dois processos. Foi por isso alterada, perfilhando-se definitivamente um regime que, na realidade, é idêntico ao anterior: instaurado o conflito, na pendência deste só se realizarão os actos urgentes. Aqui se incluem, dentre outros e em nosso entendimento, também os actos necessários para assegurar a continuidade da audiência (cfr. arts. 45.º, n.º 2 e 328.º, n.º 6).

4. *Jurisprudência:*
— O CPP de 1987 regulou a denúncia dos conflitos de competência de forma diferente da do CPP de 1929, determinando que o próprio juiz não só pode, como deve, suscitar oficiosamente a resolução do conflito, independentemente de requerimento, só exigível quando o requerente seja o MP, o arguido ou o assistente. (Ac. STJ de 14 de Fevereiro de 1990; *AJ,* n.º 6, 7);
— I — Quando o n.º 1 do art. 35.º do CPP prescreve que o conflito pode ser suscitado pelo tribunal junto do tribunal superior competente para o decidir, não se basta com a mera remessa da certidão das peças que se tiveram por relevantes para a solução. II — Na verdade, suscitar é, além do mais, fazer nascer ou aparecer, originar, o que supõe que se enuncia esse conflito nos seus traços essenciais; que se apresenta tal conflito para que a instância competente o resolva, tendo presentes os elementos que acompanham o documento em que é suscitado o conflito, o ilustram e documentam. III — Em sede de conflito negativo de competência, a questão de saber se é lícito ao juiz do julgamento efectuar diligências de prova, face a uma acusação, para estabelecer um elemento relevante para a determinação da competência territorial do respectivo tribunal, não deve ser encarada se se reconhecer que essas diligências em nada alteram a acusação. (Ac. STJ de 29 de Novembro de 2001, proc. n.º 2644/01-5.ª; *SASTJ,* n.º 55, 99). *Nota* — No mesmo sentido, ac. STJ de 13 de Dezembro de 2001, proc. n.º 365401-5.ª; *ibidem,* 56, 52, além de outros.

ARTIGO 36.º
(Resolução do conflito)

1. O órgão competente para dirimir o conflito envia os autos com vista ao Ministério Público e notifica os sujeitos processuais que não tiverem suscitado o conflito para, em todos os casos, alegarem no prazo de cinco dias, após o que, e depois de recolhidas as informações e as provas que reputar necessárias, resolve o conflito.

2. A decisão sobre o conflito é irrecorrível.

3. A decisão é imediatamente comunicada aos tribunais em conflito e ao Ministério Público junto deles e notificada ao arguido e ao assistente.

4. É correspondentemente aplicável o disposto no n.º 3 do artigo 33.º.

---

1. O texto deste artigo foi introduzido pela Lei n.º 48/2007, de 29 de Agosto.

O n.º 1 usa o vocábulo *órgão*, em substituição de *tribunal* usado na versão anterior, devido a alterações nos arts. 11.º e 12.º sobre entidades com competência para dirigir os conflitos de competência. Em anots. a esses artigos abordámos questões que nos pareceram pertinentes e oportunas sobre tais alterações.

O conteúdo deste n.º 1 reproduz, *mutatis mutandis*, a tramitação dos n.ºs 2, 3 e 4 da versão anterior.

O n.º 2 é um dispositivo novo, sem correspondente quer versão anterior quer no CPP de 1929. A este dispositivo adiante nos referiremos mais demoradamente.

Os n.ºs 3 e 4 reproduzem, *ipsis verbis*, os n.ºs 5 e 6 da versão anterior, que era a originária.

2. Pode suceder vir a entender-se que o tribunal competente não é um dos que estão em conflito, mas um terceiro. Este caso sucedeu várias vezes enquanto exercemos as funções de agente do MP na Secção Criminal do STJ. Em tal caso, emitimos parecer nesse sentido e promovíamos que essoutro tribunal fosse ouvido, enviando-se-lhe cópias do expediente necessário. Cremos que esta prática deve continuar a ser seguida, porque é a única que garante a audição de todos os tribunais que podem vir a ser declarados competentes.

3. O conflito de competência é decidido pelo órgão para tanto competente conforme os termos da acusação ou da pronúncia, os quais não podem ser alterados por esse tribunal, quer quanto aos factos quer quanto à qualificação jurídica destes. Tal alteração só pode ser efectuada em recurso para o efeito interposto, o que não é o caso num conflito de competência.

Código de Processo Penal

4. Em edições anteriores desta obra vínhamos sustentando que podia haver recurso da decisão sobre o conflito de competência, contrariamente ao que sustentava Costa Pereira, no *Código de Processo Penal Anotado*, de sua autoria.

Até onde alcançamos, a orientação deste autor não encontrou seguidores na doutrina autorizada, e a jurisprudência do STJ manteve predominantemente a possibilidade de recurso, tanto na vigência do Código actual como na vigência do código de 1929.

Mas agora, *legem habemus*. A supramencionada Lei que introduziu o n.º 2 veio consagrar expressamente a irrecorribilidade da decisão sobre o conflito.

Deste dispositivo pode extrair-se argumento corroborando os que foram explanados na anot. 2 ao art. 11.º, no sentido de que os órgãos que decidem conflitos de competências são tribunais que funcionam singularmente, por premência de celeridade processual. Não sendo assim, se actuassem como órgãos da Administração, a irrecorribilidade da decissão violaria, além de outros, o n.º 3 do art. 268.º da CRP. Na verdade, e como sustentam Gomes Canotilho e Vitsl Moreira, in *Constituição Anotada*, 2.ª ed., 2.º volume, págs. 434-435, sujeitos a rcurso estão os actos administrativos praticados por quaisquer entidades... PR, órgãos de Governo, da AR, tribunais, CS da Magistratura, etc.

Não seria, em nosso entendimento, sustentável perante a CRP a irrecorribilidade da decisão, demais sendo a única proferida, *v.g.* do presidente de uma secção criminal da Relação, dirimindo um conflito de competência entre tribunais de 1.ª instância do respectivo distrito judicial.

Quando ao mais, no sentido da constitucionalidade do n.º 2 deste art. 36.º, e contra a orientação de Pinto de Albuquerque, remetemos para a anot. 2 ao art. 11.º, aqui aplicável, *mutatis mutandis*.

5. O processo do conflito é arquivado no tribunal competente para o decidir, cumprindo-se, antes disso, as formalidades do n.º 3.

6. *Jurisprudência:*

— I— O tribunal que decide um conflito de competência não pode alterar a qualificação jurídica que consta da acusação e sobre a qual aparece controvertida a questão da competência. II — O conflito há-de ser resolvido segundo os termos da acusação, esteja ou não correcta a qualificação jurídica. (Ac. STJ de 15 de Maio de 2002, proc. n.º 1305/01 — 3.ª *SASTJ*, n.º 61, 78).

CAPÍTULO V

DA OBSTRUÇÃO AO EXERCÍCIO DA JURISDIÇÃO

ARTIGO 37.º

(Pressupostos e efeito)

Quando, em qualquer estado do processo posterior ao despacho que designar dia para a audiência, em virtude de graves situações locais idóneas a perturbar o desenvolvimento do processo:

Artigo 37.º

a) O exercício da jurisdição pelo tribunal competente se revelar impedido ou gravemente dificultado;

b) For de recear daquele exercício grave perigo para a segurança ou a tranquilidade públicas; ou

c) A liberdade de determinação dos participantes no processo se encontrar gravemente comprometida;

a competência é atribuída a outro tribunal da mesma espécie e hierarquia onde a obstrução previsivelmente se não verifique e que se encontre o mais próximo possível do obstruído.

---

1. Reproduz o art. 37.º do Proj. Não havia, na legislação imediatamente anterior, disposição correspondente. O art. 671.º do CPP de 1929, em vigor até ao Dec.-Lei n.º 377/77, de 6 de Setembro, permitia o desaforamento ou competência por remoção em termos muito arbitrários e discricionários *ex post facto,* incompatíveis com o princípio do juiz legal ou natural estabelecido no art. 32.º, n.º 7, da Constituição da República, e daí a revogação desse dispositivo pelo Dec.-Lei n.º 377/77.

2. A CRP estabelece, no art. 32.º, n.º 1, que nenhuma causa pode ser subtraída ao tribunal cuja competência esteja fixada em lei anterior.

Afirma-se aqui a exigência de *determinabilidade* do tribunal, a qual emana do princípio do juiz legal ou natural, e que implica, segundo Gomes Canotilho e Vital Moreira, *Constituição da República Portuguesa Anotada,* 2.ª ed., 1.º vol., 218, que o juiz ou juízes chamados a proferir decisões num caso concreto estejam previamente individualizados através de leis gerais, de uma forma o mais possível inequívoca.

O princípio do juiz legal ou natural, conforme a doutrina mais autori-   zada e que mais decisivamente influenciou a introdução e a formulação   deste art. 37.º, segundo o Prof. Figueiredo Dias, *in RLJ,* ano 111, pág. 83, esgota o seu conteúdo de sentido material na proibição da criação *ad hoc* de um juizo para apreciação de *uma certa* causa penal, e numa ideia de *anterioridade* da lei que fixa a competência, relativamente à prática do facto.

O princípio do juiz legal ou natural, como se encontra formulado na Constituição, não impede, portanto, a remoção por competência ou desaforamento, desde que o condicionalismo em que podem funcionar e o tribunal para que se remove a competência estejam fixados por lei anterior à prática do facto. Neste aspecto, são do maior interesse as seguintes considerações constantes do *Diário da Assembleia Constituinte,* n.º 38, de 28 de Agosto de 1975, pág. 1054, proferidas pelo deputado Costa Andrade, que depois veio a ser membro da Comissão de elaboração do Projecto de CPP: «É manifesto que a redacção do art. 7.º (hoje art. 32.º, n.º 9, da Constituição) não é perfeita, nem é clara... é manifesto que o artigo não reproduz a intenção fundamental do preceito, que é consagrar aquele velho princípio do juiz natural. Portanto, um princípio que tem duas virtudes fundamentais: por um lado, proibir toda e qualquer criação de tribunais *ad hoc,* e por outro lado, proibir os desaforamentos fora dos casos previstas na lei anterior...».

Código de Processo Penal

Veja-se ainda o Prof. Figueiredo Dias, *Direito Processual Penal*, 321 e segs. e *A Nova Constituição da República e o Processo Penal*, pág. 4.

3. Este artigo destina-se a possibilitar o andamento regular do processo, em qualquer fase desde que posterior ao despacho que designa dia para a audiência, sempre que se verifiquem os bloqueamentos ou o condicionalismo tipicamente descritos nas als. *a), b)* e *c)*. Então, a competência é atribuída ao tribunal que se encontre o mais próximo possível do obstruído.

A expressão legal — *o mais próximo possível do obstruído* — significa que a competência não será necessariamente atribuída ao tribunal que se encontre mais próximo do normalmente competente: é que esse pode, por sua vez, estar também obstruído. Se isto suceder, deve então atribuir-se a jurisdição a outro tribunal mais próximo do segundo escolhido, e assim sucessivamente. Neste sentido expendeu o Dr. José António Barreiros, *Sistema e Estrutura do Processo Penal Português*, II, 37.

Na estruturação do preceito respeitaram-se aqueles parâmetros do princípio do juiz natural, e portanto ao art. 32.°, n.° 9, da Constituição, pois não há qualquer tribunal criado para o efeito de julgamento de uma certa causa, e o critério de definição dos casos de obstrução e determinação do tribunal a que a competência é atribuída estão definidos por lei anterior ao facto.

4. *Jurisprudência:*

— I — A CRP pretende evitar a criação de tribunais *ad hoc* e a atribuição de competência a um tribunal que não a tinha por lei anterior, a-fim-de preservar a imparcialidade do julgamento e de corresponder à exigência da confiança na administração da justiça. II — Quando por acontecimentos anteriores e por informações idóneas for de recear que do exercício da jurisdição pelo tribunal natural resulte grave prejuizo para a segurança e tranquilidade públicas, deve a competência para o julgamento ser atribuída a outro tribunal da mesma espécie e hierarquia, onde essa obstrução possivelmente se não verifique e que se encontre o mais próximo possível. (Ac. STJ de 19 de Fevereiro de 1992; *CJ*, XVII, tomo 1, 39);

— Requerido o desaforamento de um processo com base em razões exclusivamente ligadas às condições de segurança do tribunal, e sem se invocarem quaisquer motivos que se traduzam em factores impeditivos da liberdade da decisão dos julgadores, deve o mesmo ser autorizado, mas de forma mitigada, de maneira que o julgamento seja feito pelos juízes do processo, mas a audiência se realize em local que ofereça adequadas condições de segurança ainda que se situe em comarca diversa. (Ac. STJ de 16 de Dezembro de 1993; *CJ, Acs. do STJ*, I, tomo 3, 256). No mesmo sentido, Ac. STJ de 7 de Julho de 1994; *BMJ*, 439, 422;

— I — As causas possíveis de remoção da competência fixadas nas diversas alíneas do art. 37.° do CPP são taxativas, nelas não cabendo a imparcialidade do juiz. II — Pretendendo-se contestar a imparcialidade do julgador, o caminho processualmente indicado é o requerimento de recusa do juiz previsto no art. 43.° do CPP, e não a via do desaforamento. (Ac. STJ de 4 de Junho de 1998; *CJ, Acs. do STJ*, VI, tomo 2, 210);

— I—O art. 37.° do CPP permite, em caso de obstrução de jurisdição, que a competência seja atribuída a outro tribunal da mesma espécie e hierarquia onde a obstrução previsivelmente se não verifique e que se encontre o mais próximo possível do obstruído. II — Procura-se, assim, salvaguardar a

Artigo 37.º

independência e a isenção dos tribunais no julgamento dos pleitos submetidos à sua jurisdição, julgamento que poderia sair prejudicado se ocorresse em situações graves de perturbação local. II — Nesses casos, e por intervenção de regras previamente estabelecidas e precisas, que afastam a possibilidade de recurso a tribunais *ad hoc* para o julagamento de uma determinada causa, pode estabelecer-se que a justiça que ao Estado incumbe pode ser seriamente ameaçada por causas locais de perturbação, pelo que há que possibilitar a isenção das decisões, ainda que seja através de desvios de competência, sem que possa falar de violação do princípio da proibição de desaforamento, mas antes de prevenir exactamente o perigo que esse princípio visa obstar — uma justiça viciada por factores estranhos e perversos. (Ac. STJ de 27 de Novembro de 2003, proc. n.º 2568/03-5.ª; *SASTJ,* n.º 75, 125);

— I —O art. 37.º do CPP, que prevê os casos designados de desaforamento, contém referências estritas e inteiramente ligadas a motivos ambientais e extraprocessuais, sérios e graves, que condicionem ou impeçam o exercício da jurisdição—questões de ordem pública ou de intolerável pressão externa que não permitam o exercício sereno da jurisdição. II—É manifestamente improcedente o pedido de desaforamento se os motivos invocados pelo requerente, para além de revelarem interpretações próprias sobre incidências estritamente processoais, não se referem nem indiciam qualquer mínima aparência de integração, ou sequer aproximação, aos pressupostos da lei. (Ac. STJ de 26 de Janeiro de 2005, proc. n.º 4325/04-3.ª: *SASTJ,* n.º 87, 99);

—O incidente previsto na al. h) do art. 36.º da LOFTJ, regulado no art. 37.º do CPP, sendo embora da competência das secções criminais do STJ, não é um recurso nem pode ser enxertado em recurso interposto. Tem de ser suscitado fora de qualquer recurso, a interpor ou julgado findo e cabe em espécie de distribuíção própria, diferente da do recurso penal. (Ac. STJ de 15 de Fevereiro de 2006, proc. n.º 263/04-3.ª).

ARTIGO 38.º

(Apreciação e decisão)

1. Cabe às secções criminais do Supremo Tribunal de Justiça decidir do pedido de atribuição de competência que lhe seja dirigido pelo tribunal obstruído, pelo Ministério Público, pelo arguido, pelo assistente ou pelas partes civis. O pedido é logo acompanhado dos elementos relevantes para a decisão.

2. É, com as necessárias adaptações, aplicável o disposto nos n.ºs 1 e 3 do artigo 36.º, bem como no n.º 3, do artigo 33.º.

3. O pedido de atribuição de competência não tem efeito suspensivo, mas este pode ser-lhe conferido, atentas as circunstâncias do caso, pelo tribunal competente para a decisão. Neste caso tribunal obstruído pratica os actos processuais urgentes.

4. Se o pedido for deferido, o tribunal designado declara se e em que medida os actos processuais já praticados conservam eficácia ou devem ser repetidos perante ele.

Código de Processo Penal

5. Se o pedido do arguido, do assistente ou das partes civis for considerado manifestamente infundado, o requerente é condenado ao pagamento de uma soma entre seis UC e vinte UCs.

1. Reproduz, com alteração introduzida na fase final da elaboração do Código quanto à competência, o art. 38.º do Proj. Não havia disposição correspondente na legislação imediatamente anterior, mas há alguma correspondência entre a tramitação aqui estabelecida e a do art. 671.º, do CPP de 1929, em vigor até ao Dec.-Lei n.º 377/77, de 6 de Setembro.

O n.º 1 foi alterado pela Lei n.º 59/98, de 25 de Agosto, a-fim-de o harmonizar com o art. 11.º, n.º 3, alínea *f)*.

O n.º 2 sofreu ligeira alteração introduzida pela Lei n.º 48/2007, de 29 de Agosto (36.º n.ᵒˢ 1 e 3 em substituição de 36.º n.ᵒˢ 4 e 5), devido a alterações no artigo 36.º.

2. O pedido de atribuição de competência é deduzido fundamentadamente, tendo em vista as condicionantes das als. *a), b)* e *c)* do artigo anterior, por alguma das entidades referidas no n.º 1; é documentado e acompanhado de todos os elementos considerados úteis para a decisão, e enviado ao Presidente do STJ, que o fará distribuir pelos juízes da secção criminal.

3. O pedido de atribuição de competência é decidido sem vistos pelas secções criminais do STJ mediante o formalismo do art. 36.º, n.ᵒˢ 4 e 5, e não tem efeito suspensivo sobre o andamento do processo, salvo verificando-se o caso previsto na 2.ª oração do n.º 3.

O STJ pode deferir ou indeferir o pedido (por razões formais ou por razões de fundo). Se o requerente tiver indicado, no pedido de atribuição de competência, qual o tribunal a que ela deve ser atribuída, pode ainda o Supremo atribuí-la a outro tribunal da mesma espécie e hierarquia do obstruído, desde que entenda que esse tribunal melhor se enquadra no pensamento legislativo que presidiu à elaboração do art. 37.º.

Da decisão das secções criminais pode haver lugar a recurso, a interpor para o pleno das secções, devendo então também atentar-se no disposto no n.º 3 quanto ao efeito do recurso.

Se o pedido não tiver sido formulado pelo MP e o STJ o considerar manifestamente infundado, será o seu autor condenado na soma referida no n.º 5.

4. Proferida a decisão, será ela comunicada ao tribunal onde o processo se encontra, para execução, e o processo para o efeito organizado fica arquivado no STJ.

5. À condenação em UCs decretada nos termos do n.º 5 acresce a condenação em custas que ao caso couberem, sempre que o requerente decair. São condenações com fundamentos diferentes e, mais do que isso, destinadas a penalizar ou tributar actividades diversas. Aqui penaliza-se a lide de má fé ou com negligência grave, ou seja a lide temerária. As custas fundamentam-se no decaimento e destinam-se a pagar ou compensar a actividade processual a que o processo ou o incidente deram causa. Para além disto, sucede ainda que as quantias têm destinos diferentes. Vejam-se os casos paralelos dos 110.º, n.º 2 e 223.º, n.ᵒ 6.

Quanto aos limites da condenação em UCs veja-se ainda a anot. 3 ao art. 110.º.

CAPÍTULO VI

DOS IMPEDIMENTOS, RECUSAS E ESCUSAS

ARTIGO 39.º

(Impedimentos)

1. Nenhum juiz pode exercer a sua função num processo penal:

a) Quando for, ou tiver sido, cônjuge ou representante legal do arguido, do ofendido ou de pessoa com a faculdade de se constituir assistente ou parte civil ou quando com qualquer dessas pessoas viver ou tiver vivido em condições análogas às dos cônjuges;

b) Quando ele, ou o seu cônjuge, ou a pessoa que com ele viver em condições análogas às dos cônjuges, for ascendente, descendente, parente até ao 3.º grau, tutor ou curador, adoptante ou adoptado do arguido, do ofendido ou de pessoa com a faculdade de se constituir assistente ou parte civil ou for afim destes até àquele grau;

c) Quando tiver intervindo no processo como representante do Ministério Público, órgão de polícia criminal, defensor, advogado do assistente ou da parte civil ou perito; ou

d) Quando, no processo, tiver sido ouvido ou dever sê-lo como testemunha.

2. Se o juiz tiver sido oferecido como testemunha, declara, sob compromisso de honra, por despacho nos autos, se tem conhecimento de factos que possam influir na decisão da causa. Em caso afirmativo verifica-se o impedimento; em caso negativo deixa de ser testemunha.

3. Não podem exercer funções, a qualquer título, no mesmo processo juízes que sejam entre si cônjuges, parentes ou afins até ao terceiro grau ou que vivam em condições análogas às dos cônjuges.

---

1. Reproduz o art. 39.º do Proj., com as alterações adiante apontadas e corresponde aos arts. 34.º do Aproj. e 104.º do CPP de 1929.

O texto das als. *a)* e *b)* do n.º 1 e o do n.º 3 foram introduzidos pela Lei n.º 59/98, de 25 de Agosto, que porém se limitou a incluir aqueles que vivem em condições análogas às dos cônjuges nesses dispositivos.

2. Neste capítulo do título primeiro, arts. 39.º a 47.º, sobre impedimentos, recusas e escusas, versam-se casos em que a imparcialidade do juiz pode ser posta em causa, em razão da sua ligação com o processo, ou porque nele já teve intervenção noutra qualidade que não a de juiz, ou porque tem ligação com os intervenientes no processo, de modo a poder duvidar-se da sua imparcialidade.

145

Código de Processo Penal

Os impedimentos verificam-se por força da própria lei, e os factos que os determinam encontram-se enumerados nos arts. 39.º e 40.º, cujos dispositivos devem ser completados com o art.º 23, onde se dispõe sobre o processo respeitante a magistrado e seus parentes.

A declaração de impedimento é feita pelo próprio magistrado impedido, ofisiosamente ou a requerimento do MP, do assistente, do arguido ou das partes civis.

De recusas e de escusas trata-o art. 43.º

Estes casos em que a imparcialidade do juiz pode ser posta em causa, contariamente ao que sucede com os impedimentos, não operam por força da própria lei.

As recusas podem ser requeridas pelo MP, pelo assistente, pelo arguido e pelas partes civis; as escusas podem ser pedidas ao tribunal competente pelo juiz, o qual não pode declarar-se voluntariamente suspeito.

3. Perante o texto anterior à Lei referida na anot. 1, expendemos nas 7.ª e 8.ª edições desta obra que não se incluíam nas alíneas do n.º 1 nem no n.º 3 os chamados *cônjuges de facto*. Por isso, embora não pudessem ser equiparados aos cônjuges legais para o efeito da existência de qualquer impedimento, podiam contudo fundamentar uma escusa ou uma recusa, nos termos do art. 43.º.

A equiparação foi estabelecida, para efeitos de impedimento, através da redacção introduzida pela apontada Lei nestes dispositivos e paralelamente à equiparação estabelecida em vários outros dispositivos legais.

4. Os impedimentos regulados neste artigo e nos seguintes destinam-se a garantir o direito a que o julgamento seja efectuado por um tribunal independente e imparcial, garantia que também é dada pelo art.º 6.º, n.º 1, da Convenção Europeia dos Direitos do Homem. Conforme têm entendido o Tribunal Europeu dos Direitos do Homem e o STJ, no ac. de 13 de Janeiro de 1998, proc. 877/97, a imparcialidade deve ser apreciada de um duplo ponto de vista; apreciação subjectiva, destinada à determinação da convicção pessoal do juiz na ocasião; e também numa apreciação objectiva, isto é, se o juiz oferece garatias bastantes que afastem qualquer dúvida razoável e legítima sobre a sua imparcialidade.

5. Sobre os fundamentos dos impedimentos do juiz e suas consequências, vejam-se Cavaleiro de Ferreira, *Curso,* I, págs. 236-237 e Figueiredo Dias, *Direito Processual Penal,* I, págs. 316 e segs.

No domínio do CPP de 1929, entendia-se geralmente que era taxativa a enumeração dos casos de impedimento, feita nesse diploma, Figueiredo Dias, *loc. cit.,* expendeu porém solução contrária, demonstrando que o Código tinha lacunas que deviam ser integradas pelas normas do CPC. Esta doutrina, escudada em argumentos convincentes, parecia-nos então a mais defensável, mas perdeu agora consistência porque o presente Código pretendeu estabelecer mais vincadamente que o anterior uma regulamentação autónoma do processo penal, diminuindo a dependência do processo civil. Deve, por isso, entender--se que não há outros casos de impedimento, além dos que estão previstos no CPP.

6. Verificando-se o impedimento do n.º 2, o juiz é obrigado a depor, não podendo escusar-se a prestar o depoimento depois de dizer que tem

Artigo 39.º

conhecimento de factos que possam influir na decisão, nem de qualquer modo fazer frustrar a expectativa de um depoimento de utilidade.

7. *Jurisprudência:*
— I — A independência dos tribunais pressupõe e exige a independência dos juízes. II — Apesar de a independência dos juízes ser, acima de tudo, um dever ético-social, uma responsabilidade que tem a dimensão ou a densidade da fortaleza de ânimo, do carácter e da personalidade moral de cada juiz, não pode porém esquecer-se a necessidade de existir um quadro legal que promova e facilite aquela independência vocacional. III — Assim é necessário, além do mais, que o desempenho do cargo de juiz seja rodeado de cautelas legais destinadas a garantir a sua imparcialidade e a assegurar a confiança geral na objectividade da jurisdição. IV — Viola a garantia constitucional da independência dos tribunais, consagrada no art. 208.º da Lei Fundamental, a norma do art. 116.º do CPP de 1929, na parte em que proíbe que o juiz se declare impedido em acções penais por virtude de ofensas que lhe tenham sido feitas na sua presença e no exercício das suas funções e em que impede que se lhe possa opor impedimento. (Ac. TC de 16 de Junho de 1988; *BMJ,* 378, 176. *Nota* — O CPP vigente não insere disposição similar à julgada inconstitucional no acórdão sumariado. Assim, o juiz ofendido, ainda que o tenha sido no exercício das suas funções e na sua presença, está sempre impedido, sendo competente para o julgamento o tribunal indicado no art. 23.º;

— I — Não são aplicáveis aos magistrados do MP, enquanto permaneçam nessa qualidade durante o decurso de um processo-crime, as disposições dos arts. 39.º, n.º 1, alínea *c)* e 40.º, ambas do CPP, pelo que não se verifica qualquer nulidade na sua intervenção processual. II — Tais preceitos não sofrem de inconstitucionalidade, por eventual violação do art. 32.º, n.º 1, da CRP (o processo criminal estabelecerá todas as garantias de defesa), porquanto, ao invés, constituem a repercussão na lei ordinária de injunções e princípios constitucionais. (Ac. do STJ de 11 de Janeiro de 1995; *BMJ,* 443, 54);

— I — Em abstracto, não se verifica impedimento para efectuar o julgamento, se o juiz interveio, apenas pontualmente, na fase do inquérito ou na da instrução, mas sem ter presidido ao debate instrutório. II — Esse impedimento apenas existirá se, em concreto, essa actividade pontual atingiu intensidade ou comportou circunstâncias que impliquem desconfiança quanto à imparcialidade desse juiz, em julgamento. (Ac. RL de 10 de Julho de 1997; *CJ,* XXII, tomo 4, 139);

— I — Enquanto o impedimento afecta sempre a imparcialidade e a independência do juíz, a suspeição pode não afectá-las. II — Daqui decorre que, no caso de impedimento, ao julgador está sempre vedada a sua intervenção no processo (arts. 39.º e 40.º do CPP) e que, no caso de suspeição, tudo dependerá das razões e fundamentos que lhe subjazem (art. 43.o do CPP). III — Por isso, no caso de impedimento, o juíz deve declará-lo imediatamente no processo, sendo irrecorrível o respectivo despacho; e no caso de suspeição, poderá e deverá aquele requerer ao tribunal competente que o escuse de intervir no processo (arts. 41.º, n.º 1 e 43.º, n.º 4, do CPP). (Ac. STJ de 17 de Maio de 2008, proc. n.º 1208/08 - 3.ª secção).

Código de Processo Penal

ARTIGO 40.º

(Impedimento por participação em processo)

Nenhum juiz pode intervir em julgamento, recurso ou pedido de revisão relativos a processo em que tiver:
a) Aplicado medida de coacção prevista nos artigos 200.º a 202.º;
b) Presidido a debate instrutório;
c) Participado em julgamento anterior;
d) Proferido ou participado em decisão de recurso ou pedido de revisão anteriores;
e) Recusado o arquivamento em caso e dispensa de pena, a suspensão provisória ou a forma sumaríssima por discordar da sanção proposta.

1. O texto deste artigo foi introduzido pela Lei n.º 48/2007, de 29 de Agosto.
O texto anterior ao actual não era o originário, mas o que fora introduzido pela Lei n.º 3/99, de 13 de Janeiro, que por sua vez substituíra o que tinha sido introduzido pela Lei n.º 59/98, de 25 de Agosto.

2. O regime de impedimentos estabelecido neste artigo sofreu relevantes modificações com a introdução do texto actual, levando em conta divergências e dúvidas surgidas no regime anterior e ainda a jurisprudência obrigatória do Tribunal Constitucional estabelecida pelo acórdão n.º 186/98, que declarou, com força obrigatória geral, inconstitucional a norma constante do art. 40.º do CPP, na parte em que permitia a intervenção no julgamento do juiz que, na fase de inquérito, decretara e posteriormente mantivera a prisão preventiva do arguido, por violação do art. 32.º, n.º 5, da CRP.
E assim, designadamente:
Ficou estabelecido que o juiz que tenha recusado aplicar o arquivamento em caso de dispensa de pena, a suspensão provisória do proceso ou o processo sumaríssimo por considerar insuficiente a sanção, ou haja aplicado uma medida de coacção assente na existência de fortes indícios da prática do crime está impedido de participar nas fases ulteriores de julgamento e recurso. Não se estendeu o impedimento ao juiz que tenha mantido tal medida de coacção, portanto só relativa ao juiz que a aplicou.
As medidas de coação determinantes de impedimento do juiz que as aplicou são as de proibição e imposição de condutas, obrigação de permanência na habitação e prisão preventiva, dos arts. 200.º a 202.º.

3. Além dos impedimentos previstos nas alíneas deste art. 40.º outros existem, dispersos por outros artigos do Código, como é o caso dos arts. 108.º, n.º 3; 288.º, n.º 3; 460, n.º 2, com referência aos fundamentos do art. 44, n.º 1, alíneas a) ou b); ou em leis extravagantes, *v.g.* na LOFTJ, onde se prevê um conjunto de impedimentos para o juíz que apreciou o pedido de não revelação da identidade de testemunha. Também o Estatuto dos Magistrados Judiciais, no art. 7.º, estabelece outros casos de impedimentos dos magistrados judiciais.

148

Artigo 40.º

4. *Jurisprudência:*
— O impedimento do juiz referido no art. 40.º do CPP refere-se a todo o pedido de revisão, ou seja à totalidade das fases do recurso extraordinário de revisão, e não apenas ao seu julgamento.

— A circunstância de um juiz ter presidido ao tribunal colectivo que julgou e condenou vários arguidos pela prática dos mesmos factos de que são também acusados outros não constitui motivo de suspeição impeditivo de proceder também ao julgamento destes por tais factos. (Ac. RL de 18 de Março de 1997; *CJ*, XXII, tomo 2, 141);

— I — Não existem razões sérias e concludentes para excluir do art. 40.º do CPP o recurso extraordinário regulado no art. 446.º do mesmo Código. II — Atento o disposto nos arts. 441.º e 442.º do CPP, é irrecorrível o despacho em que o juiz se considera impedido com fundamento no art. 40.º do mesmo diploma, contrariamente ao que sucede na hipótese em que o impedimento é requerido e o juiz o não reconhece. (Ac. STJ de 3 de Junho de 1998; *BMJ*, 478, 178);

— Não é inconstitucional a norma constante do artigo 40.º do Código de Processo Penal, na versão dada pelo Decreto-Lei n.º 78/87, de 17 de Fevereiro, quando interpretada no sentido de não prescrever sempre o impedimento de intervenção no julgamento do juiz que determinou, anteriormente, a manutenção da prisão preventiva aplicada ao arguido, ao abrigo do disposto no artigo 213.º do mesmo Código. (Ac. do Trib. Constitucional n.º 29/99, de 13 de Janeiro, proc. n.º 1056/98; *DR,* II série, de 12 de Março do mesmo ano);

— Não implica violação dos princípios da imparcialidade do juiz e do acusatório a interpretação da norma constante do art. 40.º do CPP, segundo a qual não fica impedido de proferir despacho de rejeição liminar do recurso interposto da decisão final o juiz que apenas presidiu ao debate instrutório e proferiu despacho de pronúncia do arguido. (Ac. do Trib. Constitucional n.º 75/99, de 3 de Fevereiro; *BMJ*, 484, 66);

— Não é inconstitucional a norma constante do art. 40.º do Código de Processo Penal, na versão introduzida pelo Dec.-Lei n.º 58/98, de 25 de Agosto, quando interpretada no sentido de permitir a intervenção no julgamento do juiz que, findo o primeiro interrogatório judicial do arguido detido, determinou a respectiva libertação, mediante adopção de medidas de coacção não privativas da liberdade, que posteriormente manteve no momento em que recebeu a acusação e marcou o dia para o julgamento. (Ac. do Trib. Constitucional n.º 423/2000, de 11 de Outubro de 2000, proc. n.º 357/99-3.ª; *DR*, II série, de 20 de Novembro de 2000);

— I — A declaração de impedimento de um juiz está sujeita ao princípio do contraditório, obrigando à notificação da mesma aos sujeitos processuais, que poderão eventualmente infirmá-la. II — Omitindo tal notificação e determinando a imediata remessa dos autos a nova distribuição, a decisão infringe o princípio do juiz natural ou legal, que compreende também a divisão funcional interna da distribuição de processos, sendo esta uma das vertentes desse princípio. (Ac. STJ de 21 de Fevereiro de 2001, proc. n.º 3921/00-3.ª; *SASTJ*, n.º 48, 54);

— Não está impedido de intervir em julgamento o juiz que ouviu o arguido no primeiro interrogatório a que se refere o art. 141.º do CPP, aplicando-lhe, na sequência desse interrogatório, a medida de prisão pre-

Código de Processo Penal

ventiva. (Ac. STJ de 13 de Dezembro de 2001, proc. n.º 3525/01-5.ª; *SASTJ*, n.º 56, 50);

— Não viola o art.º 32, n.ºˢ 1 e 5, nem qualquer outra norma ou princípio constitucional, a interpretação do art. 40.º do CPP que permite a intervenção no julgamento do juiz que na fase inicial do inquérito, e no mesmo dia, procedeu ao interrogatório inicial do arguido, decretou a prisão preventiva e autorizou a realização de buscas. (Ac. do Trib. Constitucional n.º 297/03, de 12 de Junho de 2003, proc. n.º 322/03; *DR*, II série, de 3 de Outubro do mesmo ano);

— A simples manutenção da prisão preventiva no reexame trimestral, que não está, enquanto tal e isoladamente, prevista como motivo de impedimento no art.º 40.º do CPP, não é susceptível de revelar a participação intensiva que crie risco de produção de pré-juizos desfavoráveis ao arguido, não afectando a garantia de imparcialidade (subjectiva) do tribunal do julgamento. (Ac. STJ de 3 de Dezembro de 2003, proc. n.º 3284/03-3.ª; *SASTJ*, n.º 76.67);

— As normas constantes dos arts. 40.º e 43.º, n.º 1, do CPP, interpretadas no sentido de permitirem que o arguido possa ser julgado por juízes que já antes haviam participado no primeiro julgamento e proferido decisão condenatória, anulada, porém, com fundamento em vício procedimental (o indevido desentranhamento da contestação e requerimento probatório, apresentados por defensor), não violam quaisquer preceitos constitucionais. (Ac. do Tribunal Constitucional n.º 393/2004, de 2 de Junho, proc. n.º 438/03-2.ª; *DR*, II série, de 8 de Julho de 2004);

— I — Não afecta os princípios do acusatório e do contraditório, associados constitucionalmente à função de garantia de imparcialidade do juiz, a intervenção pontual e não intensa no inquérito ou na instrução, do juiz que posteriormente venha a integrar a formação do julgamento. II —Não configura caso de impedimento a participação de um juiz na audiência de julgamento no Tribunal de Recurso que anteriormente tinha procedido a interrogatório do arguido e aí aplicado a medida de prisão preventiva. (Ac. STJ de 9 de Março de 2006; *CJ, Acs. STJ, XIV*, tomo 1, 210).

ARTIGO 41.º

(Declaração de impedimento e seu efeito)

1. O juiz que tiver qualquer impedimento nos termos dos artigos anteriores declara-o imediatamente por despacho nos autos.

2. A declaração de impedimento pode ser requerida pelo Ministério Público ou pelo arguido, pelo assistente ou pelas partes civis logo que sejam admitidos a intervir no processo, em qualquer estado deste; ao requerimento são juntos os elementos comprovativos. O juiz visado profere o despacho no prazo máximo de cinco dias.

3. Os actos praticados por juiz impedido são nulos, salvo se não puderem ser repetidos utilmente e se se verificar que deles não resulta prejuizo para a justiça da decisão do processo.

Artigo 42.º

1. Reproduz o art. 41.º do Proj. e corresponde ao arts. 35.º do Aproj. 104.º, §§ 2.º e 4.º e 110.º, § 3.º, do CPP de 1929.

2. Como se estabelece no n.º 3, os actos praticados pelo juiz impedido são em regra nulos, só o não sendo se se verificar a ressalva aí prevista, ressalva que tem confirmação no n.º 3 do art. 42.º. A nulidade não está incluída na enumeração taxativa do art.º 120.º, pelo que está dependente de arguição dos interessados, segundo o regime do art. 121.º.

3. *Jurisprudência:*
— I — O impedimento de um juiz para intervir no julgamento não é automático, isto é, não basta verificar-se a sua existência para funcionar. II — Esse impedimento tem de ser declarado, oficiosamente pelo próprio juiz ou a requerimento do MP, do arguido, do assistente ou das partes civis logo que sejam admitidos a intervir no processo, em qualquer estado deste. III — O tribunal superior só pode declarar o impedimento do juiz do tribunal inferior em sede de recurso do despacho do juiz visado que não tenha reconhecido o impedimento que lhe tenha sido oposto. (Ac. do STJ de 29 de Abril de 1998; *CJ, Acs do STJ,* VI, tomo 2, 187);
— I — Da decisão proferida em processo penal pelo desembargador relator que se declarou legalmente impedido de continuar a intervir no processo (por ter nele preferido duas decisões a manter a prisão preventiva do arguido) apenas podem reclamar para a conferência as pessoas ou entidades referidas no n.º 2 do art. 41.º do CP. II— Não havendo reclamação tal decisão fica a coberto do caso julgado, impondo-se ao juiz desembargador a quem os autos foram distribuídos em consequência de tal decisão, ficando-lhe vedado contestar aquela reclamação de impedimento. (Ac. STJ de 29 de Janeiro de 2003; *CJ, Acs. do STJ,* XXVIII, tomo 1, 173).

ARTIGO 42.º

(Recurso)

1. O despacho em que o juiz se considerar impedido é irrecorrível. Do despacho em que ele não conhecer o impedimento que lhe tenha sido oposto cabe recurso para o tribunal imediatamente superior.

2. Se o impedimento for oposto a juiz do Supremo Tribunal de Justiça, o recurso é decidido pela secção criminal deste mesmo tribunal sem a participação do visado.

3. O recurso tem efeito suspensivo, sem prejuizo de serem levados a cabo, mesmo pelo juiz visado, se tal for indispensável, os actos processuais urgentes.

---

1. Reproduz o art. 42.º do Proj. e corresponde ao art. 110.º, § 1.º, do CPP de 1929; constitui, porém, novidade a impossibilidade de recurso no caso de o juiz se declarar impedido.

Código de Processo Penal

2. O despacho em que o juiz se declara impedido, como resulta dos princípios gerais e do n.º 1 deste artigo, tem que ser fundamentado, com a invocação de algum dos fundamentos enumerados nos arts. 39.º e 40.º. A falta de fundamentação constitui aqui irregularidade, submetida ao regime do art. 123.º. Da conjugação do n.º 1 deste artigo com o n.º 1 do art. 41.º deduz--se que só é irrecorrível o despacho do juiz que se declare impedido mediante a invocação de algum dos fundamentos enumerados nos arts. 39.º e 40.º. Qualquer outro despacho de impedimento seguirá a regra geral da recorribilidade, se não houver outro obstáculo. Cremos ser este também o entendimento de Simas Santos/Leal-Henriques, *Código de Processo Penal Anotado*, 2.ª ed., I, 249.

3. Para a interposição de recurso do despacho em que o juiz não reconhece o impedimento que lhe foi oposto têm legitimidade o autor do pedido de declaração de impedimento e o MP.

O recurso sobe imediatamente, em separado, ao tribunal superior; tratando-se porém de recurso oposto a juiz do STJ, é decidido pela secção criminal do mesmo tribunal, sem a participação do visado (n.º 2). O efeito do recurso é o suspensivo, devendo porém o juiz visado praticar os actos urgentes indispensáveis ao bom andamento do processo.

4. *Jurisprudência*:

I — Do confronto do regime do incidente de recusa com o do impedimento de juiz resulta que, em caso de impedimento oposto a juiz, se não aceite, é admissível recurso, com efeiro suspensivo, nos termos do art. 42.º, n.º 3, do CP, norma para a qual remete o art. 45.º, n.º 4, do CPP, alusivo ao processo e decisão do incidente de recusa. II — Tal recorribilidade mostra--se ainda em inteira consonância com o art. 432.º, n.º 1, al. *a)*, do CPP, ao dispor que se recorre para o STJ de decisões proferidas por tribunal superior em primeira instância. (Ac. STJ de 26 de Novembro de 2003, proc. n.º 4128/03-3.ª; *SASTJ,* n.º 75, 98).

ARTIGO 43.º

(Recusas e escusas)

1. A intervenção de um juiz no processo pode ser recusada quando correr o risco de ser considerada suspeita, por existir motivo, sério e grave, adequado a gerar desconfiança sobre a sua imparcialidade.

2. Pode constituir fundamento de recusa, nos termos do n.º 1, a intervenção do juiz noutro processo ou em fases anteriores do mesmo processo fora dos casos do artigo 40.º.

3. A recusa pode ser requerida pelo Ministério Público, pelo arguido, pelo assistente ou pelas partes civis.

4. O juiz não pode declarar-se voluntariamente suspeito, mas pode pedir ao tribunal competente que o escuse de intervir quando se verificarem as condições dos n.ºˢ 1 e 2.

Artigo 43.º

5. Os actos processuais praticados por juiz recusado ou escusado até ao momento em que a recusa ou a escusa forem solicitadas só são anulados quando se verificar que deles resulta prejuizo para a justiça da decisão do processo; os praticados posteriormente só são válidos se não puderem ser repetidos utilmente e se se verificar que deles não resulta prejuizo para a justiça da decisão do processo.

1. Reproduz o art. 43.º do Proj. e corresponde aos arts. 44.º do Aproj. e 112.º do CPP de 1929, com excepção do n.º 2, que foi introduzido pela Lei n.º 59/98, de 25 de Agosto, que também introduziu ligeira alteração formal no n.º 4.

2. O dispositivo do n.º 2, como se apontou *supra,* anot. 1, foi introduzido pela Lei aí referida e com ele se solucionam dúvidas anteriormente suscitadas a propósito da intervenção do juiz de instrução no inquérito. Como se expendeu na exposição de motivos, «... esclareceu-se a questão no sentido, decorrente, aliás do regime vigente, de que a prática de actos isolados, como por exemplo os referidos nos artigos 268.º e 269.º, não deve constituir causa automática de impedimento — seguindo-se, nesta opção, o sentido da jurisprudência do Tribunal Europeu dos Direitos do Homem —, uma vez que só a decisão de pronunciar ou não pronunciar o arguido contende directamente com o objecto do processo, fixando-se, no caso de pronúncia, os limites do poder de cognição do tribunal de julgamento. A prática de tais actos, como tem vindo a ser reafirmado pela doutrina, poderá, eventualmente, constituir motivo de suspeição, havendo sempre que avaliar as circunstâncias concretas da intervenção do juiz de instrução, a sua natureza e extensão, em ordem a preservar-se a garantia da imparcialidade e objectividade da decisão final associadas às exigências da eficiência de um processo justo e equitativo».

3. As suspeições fundamentam a recusa do juiz pelas partes, mas não a declaração voluntária pelo próprio juiz, o qual pode porém pedir ao tribunal para tanto competente que o escuse. Radicam todas em relações de parentesco, de interesse ou de inimizade. Os motivos de suspeição são menos nítidos do que as causas de impedimento, podendo ser, por isso, fraudulentamente invocados para afastar o juiz.

Veja-se Cavaleiro de Ferreira, *Curso,* I, 237-239, considerando importar sobretudo que, em relação ao processo, o juiz possa ser reputado imparcial, em razão dos fundamentos da suspeição verificados, sendo este também o ponto de vista que o próprio juiz deve adoptar, para voluntariamente declarar a sua suspeição. «Não se trata de confessar uma fraqueza; a impossibilidade de vencer ou recalcar questões pessoais, ou de fazer justiça, contra eventuais interesses próprio; mas de admitir ou não admitir o risco do não reconhecimento público da sua imparcialidade pelos motivos que constituem fundamento da suspeição...».

Código de Processo Penal

4. Como no CPP de 1929, o juiz não pode declarar-se voluntariamente suspeito; pode porém pedir ao tribunal competente que o escuse, quando se verificarem as condições dos n.ᵒˢ 1 ou 2. Para o efeito, o tribunal competente encontra-se definido no art. 45.º.

Os lesados e os demais intervenientes no pedido civil que não sejam partes civis não têm legitimidade para formular o pedido de recusa, desde que se não tenham constituído assistentes;

— Só existe uma instância para o julgamento de um pedido de recusa formulado contra um magistrado judicial. (Ac. STJ de 23 de Outubro de 1997; *CJ, Acs. do STJ*, V, tomo 3, 211).

5. O n.º 5 preceitua sobre nulidade dos actos praticados pelo juiz recusado ou escusado, quer até ao momento em que a recusa ou a escusa forem solicitadas, quer praticados posteriormente a esse momento. Trata-se de nulidade *sui generis*, porque se desvia do regime geral, só se verificando excepcionalmente, verificado o condicionalismo descrito no aludido dispositivo do n.º 5.

6. *Jurisprudência:*

— Para o efeito de apresentação do pedido de escusa, o que importa é determinar se um cidadão médio, representativo da comunidade, pode, fundadamente, suspeitar que o juiz, influenciado pelo facto invocado, deixa de ser imparcial e injustamente o prejudique. (Ac. RE de 5 de Março de 1996, *CJ*, XXI, tomo 2, 281);

— A circunstância de um juiz ter integrado o colectivo de juízes que procedeu a um julgamento cuja repetição fora ordenada pelo STJ não é, só por si, susceptível de pôr em causa a sua imparcialidade e, consequentemente, de constituir fundamento válido para deferimento do seu pedido de escusa de participação no novo julgamento. (Ac. RE de 2 de Fevereiro de 1999; *CJ*, XXIV, tomo 1, 287);

— I — Importa usar de uma certa flexibilidade, ou de um menor rigorismo, sempre que se pondere sobre a razoabilidade de um pedido de escusa, uma vez que o juízo a respeito dessa flexibilidade — ao invés do que sucede na recusa — implica forçosa e fundamentalmente, com as inerentes dificuldades e delicadeza, a valorização de uma atitude subjectiva assumida pelo magistrado escusante, atitude essa cuja razão de ser é de custosa sindicância por parte de quem tenha de fazer aquela ponderação e emitir aquele juízo. II — Assim sendo, torna-se óbvio que os elementos objectivos probatórios da sentida necessidade do que se pede hajam apenas de conter ou possuir um mínimo de relevância, o mínimo que baste à concessão da escusa. II — O que nesta perspectiva se torna importante realçar é evitar-se que uma não concessão de escusa venha a gerar uma futura e eventual recusa, com todos os inconvenientes que daí possam advir, quer para a imagem da Justiça quer para o prestígio dos Tribunais. (Ac. STJ de 10 de Outubro de 2002, proc. n.º 1237/02-5.ª; *SASTJ*, n.º 64, 108);

— I —O princípio do juiz natural ou legal, do n.º 9 do art. 32.º da CRP, está inserido num preceito onde se consagram as garantias de defesa em processo criminal. II — Por isso, verifica-se que o princípio não foi estabelecido em função do poder de punir, mas apenas para protecção da liberdade e do direito de defesa do arguido. III — Com a regra do juiz

Artigo 43.º

natural ou legal procura-se sancionar, de forma expressa, o direito fundamental dos cidadãos a que uma causa seja julgada por um tribunal previsto como competente por lei anterior, e não *ad hoc* criado ou tido como competente. IV — Só deve ser deferida escusa ou recusado o juiz natural quando se verifiquem circunstâncias muito rígidas e bem definidas, tidas por sérias, graves e irrefutavelmente denunciadoras de que ele deixou de oferecer garantias de imparcialidade e isenção. V — A imparcialidade presume-se, e não bastará alegar a falta de garantias de imparcialidade, já que a mesma falta sempre terá que ser objectivamente demonstrada. VI- — O discordar de anteriores tomadas de posição jurídicas, enquanto fundamentadamente sustentadas, não constitui motivo de escusa ou recusa. VII — A circunstância de ter sido apresentada uma queixa crime contra o magistrado em causa pelo advogado do recorrente não pode, só por si, sem quaisquer novos desenvolvimentos, abalar as garantias de imparcialidade do juiz visado. (Ac. STJ de 19 de Fevereiro de 2004, proc. 496/04-5.ª);

— I —Se a recusa deve ser pedida perante o tribunal imediatamente superior (art.45.º, n.º 1, al. *a)* do CPP, a decisão pelo referido tribunal no âmbito do incidente, é a decisão recorrida, pelo que, estando assegurado em processo penal, hoje expressamente, o direito ao duplo grau de jurisdição — art. 32.º, n.º 1, da CRP — é inequívoco que o acórdão da Relação sobre tal ponto é passível de recurso. II — Se é certo que o incidente visa, em regra, uma figura singular — o juiz —, tal como emerge do art. 43.º, n.º 1, do CPP, também o é que, se se perfilarem motivos de suspeição em relação a todo o colectivo de juízes, eles não poderão deixar de poder ser invocados, justamente por se verificarem as mesmas razões que presidem à recusa do juiz singular. (Ac. STJ de 26 de Fevereiro de 2004, proc. n.º 4429/03-5.ª);

— I —Na ponderação dos motivos relevantes do pedido de escusa de magistrado judicial deve ser avaliado não só o aspecto da imparcialidade subjectiva, mas ainda, face à nova sensibilidade e à atenção redobrada dos cidadãos perante o modo de administração da justiça, o da imparcialidade objectiva. II—Esta impõe a averiguação, independentemente da conduta do juiz, se existem factos que permitem pôr em causa a imparcialidade; nesta matéria podem as aparências revestir importância, tendo em conta a confiança que numa sociedade democrática os tribunais devem inspirar. (Ac. STJ de 14 de Julho de 2004, proc. n.º 2837/04-3.ª);

— I — Para os efeitos do disposto no n.º1 do art. 43.º do CPP, a existência de motivo sério e grave, adequado a gerar desconfiança sobre a imparcialidade do julgador que importa aqui acutelar, mas antes assegurar para o exterior, para os destinatários da justiça, a comunidade, essa imagem de imparcialidade. II — A seriedade e gravidade do motivo, exigidas por lei, não são valoradas exclusivamente na perspectiva do requerente mas, fundamentalmente, pela impressão que concretamente possam causar na imagem de imparcialidade própria do homem médio suposto pela ordem jurídica. (Ac. STJ de 22 de Junho de 2005, proc. n.º 1929/05-3.ª; *SASTJ*, n.º 92, 97);

— As relações de amizade e intensa proximidade entre o arguido e o juiz podem ser consideradas como motivo sério para pôr em causa a rigorosa equidistância sobre o mérito da causa; e, como tal, constituir motivo de recusa do juiz. (Ac. STJ de 6 de julho de 2005, proc. n.º 2540/05; *CJ, Acs. do STJ*, ano XIII, tomo 2, 236);

155

Código de Processo Penal

— I — Existem dois motivos diverso mas complementares da compreenção da imparcialidade do juiz e do tribunal: objectiva e subjectiva. II—Para prevenir a extensão da exigência da imparcialidade objectiva impõe-se que o fundamento ou motivos invocados sejam, em cada caso, apreciados nas suas próprias circunstâncias e tendo em conta os valores em equação: a garantia externa de uma boa justiça que seja, mas também que pareça ser. III—O facto de o juiz ter preferido um despacho alegadamente "sem fundamento de facto e de direito" que além de "delegatório" visaria "prejudicar o requerente", sem quaisquer factos concretos que fundamentem a sua intervenção, não é motivo para recusa do juiz. (Ac. STJ de 29 de Março de 2006; *CJ, Acs. do STJ*, XIV, tomo 1, 220);

— I — A seriedade e gravidade do motivo causador do sentimento de desconfiança sobre a imparcialidade do juiz só são susceptíveis de conduzir à recusa ou escusa do juiz quando objectivamente consideradas, segundo um juizo de valoração com base no senso e na experiência comus. II—Não integra tal conceito de discordância quanto à qualificação técnico-jurídica dos factos, nem quanto ao modo de condução de índole meramente jurídica do processo. (Ac. RL de 5 de Abril de 2006; *CJ*, XXXI, tomo 2, 133);

— I — O art. 43.º, n.º 1, do CPP, estabelece que a intervenção de um juiz no processo pode ser recusada quando correr o risco de ser considerada suspeita, por existir motivo, sério e grave, adequado a gerar desconfiança sobre a sua imparcialidade. II — Face ao n.º 2 do referido art. 43.º, pode constituir motivo de recusa ou escusa a intervenção de um juiz em fase anterior do processo, tendo e mantendo o estatuto funcional de juiz; e assim por maioria de razão se colocará a questão relativamente a alguém que na fase anterior do processo actuou nas vestes de elemento de órgão de investigação criminal. (Ac. STJ de Abril de 2008, proc. n.º 591/08-3.ª secção).

ARTIGO 44.º

(Prazos)

O requerimento de recusa e o pedido de escusa são admissíveis até ao início da audiência, até ao início da conferência nos recursos, ou até ao início do dabate instrutório. Só o são posteriormente, até à sentença, ou até à decisão instrutória, quando os factos invocados como fundamento tiverem tido lugar, ou tiverem sido conhecidos pelo invocante, após o início da audiência ou do debate.

---

1. Com o aditamento da expressão *até ao início da conferência nos recursos,* que foi introduzida na fase final da elaboração ao Código, reproduz o art. 44.º do Proj. e corresponde aos arts. 47.º do Aproj e 114.º do CPP de 1929.

2. *Jurisprudência:*
— I — O requerimento de recusa do juiz é admissível até ao início da audiência. Depois de iniciada a audiência só poderão ser invocados como fundamento desse pedido factos posteriores ocorridos até à sentença, quando os actos invocados como fundamento tiverem tido lugar ou sido conhecidos pelo invocante após o início da audiência. II — Se a Relação entendeu que os factos invocados

Artigo 45.º

não estavam nessas condições, não pode o STJ censurar esse juizo, uma vez que os termos do art. 433.º do CPP só lhe compete a apreciação da matéria de direito. (Ac. STJ de 8 de Julho de 1993, proc. 44.453//3.ª);

— I — Factos novos são não apenas os ocorridos posteriormente à sentença revidenda como ainda os que, sendo conhecidos do arguido antes da condenação, só após da sua prolação se revelarem a hipotético remédio de uma injusta, e imprevista, punição. II — O recurso de revisão não se conforma à sindicância da convicção probatória dos factos provados, adquirida ao abrigo do art. 127.º do CPP, porque não se trata de recurso ordinário, mas de, por ele, detectar erros decisórios grosseiros, que suscitem graves dúvidas, não quaisquer dúvidas, sobre a justiça da condenação. (Ac. STJ de 26 de Novembro de 2003, proc. n.º 2714/03-3.º; *SASTJ*, n.º 75.98);

— Não é inconstitucional o art. 44.º do CPP na interpretação segundo a qual o pedido de recusa de juiz se deve formular até ao início da conferência ou da audiência mesmo quando os factos geradores de suspeita só cheguem ao conhecimento do invocante após a prolação do acórdão do qual se seguiu a nulidade e antes da sua apreciação e decisão em conferência. (Ac. do Trib. Constitucional n.º 143/2004, de 10 de Março de 2004, proc. n.º 559/2003; *DR,* II série, de 19 de Abril de 2004).

ARTIGO 45.º

(Processo e decisão)

1. O requerimento de recusa e o pedido de escusa devem ser apresentados, juntamente com os elementos em que se fundamentam, parente:

   a) O tribunal imediatamente superior;

   b) A secção criminal do Supremo Tribunal de Justiça, tratando-se de juiz a ele pertencente, decidindo aquela sem a participação do visado.

2. Depois de apresentados o requerimento ou o pedido previstos no número anterior, o juiz visado pratica apenas os actos processuais urgentes ou necessários para assegurar a continuidade da audiência.

3. O juiz visado pronuncia-se sobre o requerimento, por escrito, em cinco dias, juntando logo os elementos comprovativos.

4. O tribunal, se não recusar logo o requerimento ou o pedido por manifestamente infundados, ordena as diligências de prova necessárias à decisão.

5. O tribunal dispõe de um prazo de 30 dias, a contar da entrega do respectivo requerimento ou pedido, para decidir sobre a recusa ou a escusa.

6. A decisão prevista no número anterior é irrecorrível.

Código de Processo Penal

7. Se o tribunal recusar o requerimento do arguido, do assistente ou das partes civis por manifestamente infundado, condena o requerente ao pagamento de uma soma entre seis e vinte UCs.

---

1. O texto do corpo do n.º 1 foi introduzido pela Lei n.º 48/2007, de 29 de Agosto. Corresponde, porém, sem alteração significativa, ao da versão anterior.

O n.º 2 foi introduzido pela apontada Lei. Este dispositivo vem obstar à prática de expedientes processoais e dilatórios, evitando, designadamente, que a prova produzida no julgamento perca eficácia por força do art. 328.º, n.º 6.

Os n.ºs 5 e 6 contêm também dispositivos novos, introduzidos pela apontada Lei, em ordem a facilitar a celebridade processoal.

2. A sanção prevista no n.º 7 acresce à condenação em taxa de justiça que ao caso couber, sempre que o assistente ou as partes civis decaiam no pedido de recusa, talqualmente sucedia no domínio do CPP de 1929, com a correspondente disposição do seu art. 117.º. Esta condenação tem um fundamento diferente do da condenação em taxa de justiça: a primeira destina--se a penalizar a lide de má fé ou temerária; a segunda decorre do simples decaimento.

3. *Jurisprudência:*

— I — A petição de recusa, do art. 45.º do CPP, não consubstancia um recurso, donde que a decisão sobre ela proferida pelo tribunal imediatamente superior tem de considerar-se como a primeira que acerca dessa matéria se profere. II — Deste modo é de concluir que plenamente se permite o conhecimento do recurso que se interponha de tal decisão, isto ao abrigo do disposto no art. 432.º do CPP, sem prejuizo do que prescreve o subsequente art. 434.º do mesmo diploma. (Ac. do STJ de 27 de Maio de 1999, proc. 323/99-3.ª; *SASTJ*, n.º 31, 90);

— I — Por razões históricas, legais e de impossibilidade de reapreciação da prova, é irrecorrível a decisão de um tribunal que aprecie um pedido de recusa ou de escusa de um juiz num processo criminal. II — Não pode proceder um pedido de recusa de juiz, baseado na circunstância de que, com referência a expressões reputadas injuriosas para o tribunal e para as autoridades policiais, tomou parte na extracção de certidão para instauração de procedimento criminal contra o autor daquelas, se os factos trazidos à apreciação do tribunal superior não forem adequados a fazer suspeitar que o recusando não foi isento na sua apreciação e decisão das questões que lhe tenham sido colocadas no processo em que se pretende que deixe de intervir. (Ac. do STJ de 28 de Setembro de 2000, proc. n.º 2194/2000-5.ª; *Boletim Informativo do Supremo Tribunal de Justiça*, n.º 1, pág. 4);

— Não é inconstitucional o conjunto normativo decorrente dos arts. 399.º; 414.º n.º 2; 420.º, n.º 1; 432.º e 433.º do CPP, interpretado no sentido de se considerar irrecorrível em processo penal e decisão que tenha julgado o incidente de recusa de juiz. (Ac. do Trib. Constitucional n.º 549/2007; *DR*, II série, de 31 de Janeiro de 2008).

Artigo 47.º

ARTIGO 46.º

(Termos posteriores)

O juiz impedido, recusado ou escusado remete logo o processo ao juiz que, de harmonia com as leis de organização judiciária, deva substituí-lo.

1. Reproduz o art. 46.º do Proj. e corresponde aos arts. 47.º, n.º 1, do Aproj. e 114.º, §§ 6.º e 9.º do CPP de 1929.

2. Pode suceder que, como no domínio do CPP de 1929, as leis de organização judiciária em sentido estrito não definam qual o juiz que deve substituir o recusado. Funcionarão em tal caso as normas incluídas no CPC.

ARTIGO 47.º

(Extensão do regime de impedimentos, recusas e escusas)

1. As disposições do presente capítulo são aplicáveis, com as adaptações necessárias, nomeadamente as constantes dos números seguintes, aos peritos, intérpretes e funcionários de justiça.

2. A declaração de impedimento e o seu requerimento, bem como o requerimento de recusa e o pedido de escusa, são dirigidos ao tribunal ou ao juiz de instrução perante os quais correr o processo em que o incidente se suscitar e são por eles apreciados e imediata e definitivamente decididos, sem submissão a formalismo especial.

3. Se não houver quem legalmente substitua o impedido, recusado ou escusado, o tribunal ou o juiz de instrução designam o substituto.

1. Reproduz o art. 47.º do Proj. e corresponde aos arts. 34.º, n.ºs 2 e 3 do Aproj. e 113.º do CPP de 1929.

2. Quanto ao MP, os pedidos de escusa e os requerimentos de recusa são regulados pelo art. 54.º, sendo aplicáveis as disposições deste capítulo com as adaptações necessárias, em tudo o que se não encontrar regulado nesse art. 54.º.

3. As adaptações processuais dos n.ºs 2 e 3 relativamente ao regime de impedimentos, recusas e escusas de peritos, intérpretes e funcionários de justiça

159

Código de Processo Penal

resultam de o incidente ter que ser decidido pelo tribunal ou pelo juiz de instrução e da premência de celeridade processual. Daí a não submissão a formalidades especiais e a apreciação imediata e definitiva (portanto sem recurso).

4. Quanto a incompatibilidades, impedimentos, escusa e recusa de jurados vejam-se os arts. 4.º, 5.º 6.º e 7.º do Dec.-Lei n.º 387-A/87. O regime de arguição, processamento e decisão encon-tra-se no referido art. 7.º.

TÍTULO II

DO MINISTÉRIO PÚBLICO E DOS ÓRGÃOS DE POLÍCIA CRIMINAL

ARTIGO 48.º

(Legitimidade)

O Ministério Público tem legitimidade para promover o processo penal, com as restrições constantes dos artigos 49.º a 52.º.

---

1. Reproduz o art. 48.º do Proj. e corresponde aos arts. 55.º do Aproj. e 5.º do CPP de 1929, que fora substituído pelo art. 1.º do Dec.-Lei n.º 35 007, de 13 de Outubro de 1945.

2. Além das restrições à promoção do processo penal constantes dos arts. 49.º a 52.º, outras existem constantes da CRP e de leis ordinárias de natureza especial que se não encontram revogadas, nomeadamente respeitantes ao Presidente da República, deputados, membros do Governo, magistrados judiciais e do MP.

3. O Código reforçou a orientação já desenhada a partir do Dec.-Lei n.º 35 007, de 13 de Outubro de 1945, de que compete ao MP titularidade da acção penal, podendo agora dizer-se até que só ao MP compete essa titularidade, pois desapareceu qualquer enumeração paralela à que feita pelo art. 2.º daquele decreto-lei, de entidades que, além do MP, podem exercer a acção penal.

A orientação da doutrina moderna sobre a posição do MP no processo penal é a de participante na função e no poder judiciais, cabendo--lhe também a administração da justiça (Figueiredo Dias, *Direito Processual Penal,* vol. 1.º, 1974, págs. 365 e segs.), devendo qualificar-se algumas das suas decisões como actos jurisdicionais (J. A. Barreiros, *Processo Penal,* vol. 1.º, 1981, pág. 325). Ver ainda Figueiredo Dias, *Jornadas de Direito Processual Penal,* Centro de Estudos Judiciários, Almedina, pág. 31. Daí, com a devida vénia, extaímos as seguintes passagens:

«o M.º P.º não é interessado na condenação mas unicamente na obtenção de uma decisão justa: nesta medida, ele compartilha com o juiz num dever

Artigo 48.º

de intervenção estritamente *objectiva;* e isto, acentua-se, não apenas nas fases, contraditórias e presididas pelo juiz, do julgamento e da instrução, mas também e igual medida na fase de inquérito de que ele é o *dominus.* Do início até ao fim do processo a vocação do M.º P.º não é a de parte, mas a de entidade unicamente interessada na descoberta da verdade e na realização do direito. Logo a partir daqui, falar de um 'processo de partes' não tem qualquer sentido útil».

4. Ao princípio de que só ao MP compete a titularidade da acção penal, não tendo quaisquer outras entidades legitimidade para promover o procedi-mento criminal desacompanhadas do MP, acresce a regra de que o MP pode promover o procedimento criminal sem quaisquer restrições. Trata-se porém aqui de uma regra, que portanto tem as excepções taxativamente previstas na lei, *maxime* nos arts. 49.º a 52.º, como logo se explicita neste art. 48.º, *in fine.*

Subsistindo restrições ao exercício da acção penal por parte do MP, este carecerá de legitimidade, faltando uma condição de procedibilidade. Em tal caso, o MP deverá abster-se de continuar o procedimento criminal. Se acusar, o juiz, verificando a falta da condição de procedibilidade, abster-se-á de conhecer do mérito e absolverá da instância.

5. A magistratura do MP é uma magistratura hierarquizada, mas com autonomia em relação aos demais órgãos do Estado, como resulta dos arts. 20.º, n.os 1 e 5; 32.º, n.os 1 e 7 da CRP e 48.º a 52.º e 401.º n.º 1, a) do CPP.

Em tais termos, o MP não está vinculado a ordens concretas dadas por qualquer outro órgão, nomeadamente pelo juiz de instrução, pelo juiz de julgamento ou pelo Ministro da Justiça.

Mas como magistratura hierarquizada que é, os despachos são passíveis de reclamação hierárquica, estando sujeitos ao controlo do imediato superior hierárquico do magistrado do MP que os proferiu.

O processamento da reclamação hierárquica de decisões do MP encontra-se regulado nos dispositivos estatutários do MP e em algumas normas do CPP, *v. g.* arts. 278.º; 162.º, n.º 3 e 92.º n.º 8.

Em geral, para a reclamação hierárquica aplica-se o prazo-regra de 10 dias, estabelecido no art. 105.º, contados a partir do momento em que o interessado com legitimidade teve conhecimento da decisão do MP. Em alguns casos especiais, *v. g.* o do art. 278.º estão estabelecidos prazos diferentes.

6. *Jurisprudência fixada:*
— Em face das disposições combinadas dos arts. 48.º a 52.º e 401.º, n.º 1, al. *a),* do CPP e atentas a origem, natureza e estrutura, bem como o enquadramento constitucional e legal do MP, tem este legitimidade e inte-resse para recorrer de quaisquer decisões mesmo que lhe sejam favoráveis e assim concordantes com a sua posição anteriormente assumida no processo. (Ac. do Plenário das secções criminais do STJ de 27 de Outubro de 1994; *DR,* I-A série, de 16 de Dezembro do mesmo ano);

— Integra a nulidade insanável da alínea *b)* do artigo 119.º do Código de Processo Penal a adesão posterior do Ministério Público à acusação

Código de Processo Penal

deduzida pelo assistente relativa a crimes de natureza pública ou semipública e fora do caso previsto no artigo 284.º, n.º 1, do mesmo diploma legal. (Ac. do Pleno das secções criminais do STJ de 16 de Dezembro de 1999; *DR*, I-A série, de 6 de Janeiro de 2000).

7. *Jurisprudência:*
— Nos termos dos arts. 1.º e 2.º da Lei Orgânica do MP, este é um órgão do Estado com autonomia em relação aos demais órgãos, autonomia que se caracteriza pela vinculação a critérios de legalidade e de objectividade estrita; por isso a sua actividade processual não pode estar submetida e limitada pelo poder judicial. (Ac. STJ de 30 de Novembro de 1988; *BMJ*, 381, 551);
— O MP está constitucionalmente consagrado como órgão do Estado e da Justiça, parte integrante do Tribunal e do Poder Judiciário — art. 221.º, n.º 1, da CRP —, actuando num quadro institucional e funcional a que são inerentes os princípios da legalidade, da objectividade e da imparcialidade. (Ac. STJ de 25 de Outubro de 1989; *BMJ*, 390, 338).

ARTIGO 49.º

(Legitimidade em procedimento dependente de queixa)

1. Quando o procedimento criminal depender de queixa, do ofendido ou de outras pessoas, é necessário que essas pessoas dêem conhecimento do facto ao Ministério Público, para que este promova o processo.

2. Para efeito do número anterior, considera-se feita ao Ministério Público a queixa dirigida a qualquer outra entidade que tenha a obrigação legal de a transmitir àquele.

3. A queixa pode ser apresentada pelo titular do direito respectivo, por mandatário judicial ou por mandatário munido de poderes especiais.

4. O disposto nos números anteriores é correspondentemente aplicável aos casos em que o procedimento criminal depender da participação de qualquer autoridade.

---

1. Reproduz, com excepção do n.º 3, como adiante se anotará, o art. 49.º do Proj. Os n.ºˢ 1, 2 e 4 correspondem ao art. 6.º do CPP de 1929, que fora revogado e substituído pelo art. 3.º do Dec.-Lei n.º 35.007, de 13 de Outubro de 1945.

O n.º 3 da versão originária não incluía a expressão *por mandatário judicial,* resultando o texto actual da Lei n.º 59/98, de 25 de Agosto. A alteração foi feita por proposta da CRef.CPP, que discutiu este dispositivo na 3.ª sessão, em 14 de Fevereiro de 1996, e destinou-se a esclarecer que a exigência de que o mandatário esteja munido de poderes

Artigo 49.º

especiais para que possa apresentar a queixa se não aplica ao mandatário judicial.

O n.º 3 da versão originária fora implicitamente revogado pelo Dec.--Lei n.º 267/92, de 28 de Novembro.

2. Estabelece-se neste artigo uma primeira restrição à promoção do processo penal por parte do MP, em termos que se aproximam muito dos que vigoravam anteriormente.

Trata-se de restrições no caso dos crimes vulgarmente designados *semi--públicos,* e por vezes também *semi-particulares* e ainda *semi-privados* (cfr. J. A. Barreiros, *Processo Penal,* I, 460).

Nestes casos, que abundam no CP e na legislação penal extravagante, segundo a expressão do Prof. Eduardo Correia, *Processo Criminal,* 252, «o legislador fixou semelhante regime tendo em atenção a natureza especial das infracções, nas quais o interesse público a defender e a realizar pelo Direito Criminal não se pode identificar totalmente com o exclusivo interesse da punição, antes obterá o seu critério de equação deste último com interesses de outra espécie, sobretudo de ordem moral e de defesa da família, da honra do ofendido, do próprio infractor, etc.».

O crime assume esta natureza sempre que a lei condiciona a promoção do processo penal por parte do MP a prévia queixa do ofendido ou a participação de qualquer autoridade. Embora esta seja a terminologia actual, porque usada pelo CP e pelo CPP, subsiste a possibilidade de em leis extravagantes se usar o termo *denúncia,* que foi usado pelo CPP de 1929 e pelo Dec.-Lei n.º 35 007; em tal caso o crime deve ser considerado semi-público, e aplica-se o regime deste artigo.

Nestes artigos, em que a lei exige queixa ou denúncia do ofendido ou de outras pessoas, ou participação de qualquer autoridade, está-se perante condições de procedibilidade, pois que, sem que elas se verifiquem, o MP carece de legitimidade para promover o processo penal.

3. Quando o procedimento criminal depende de queixa, tem legitimidade para apresentá-la, salvo disposição legal em contrário, a pessoa ofendida, considerando-se como tal o titular dos interesses que a lei especialmente quis proteger com a incriminação, conforme se preceitua no art. 111.º, n.º 1, do CP. Os n.ºs 2 e 3 deste dispositivo legal regem para os casos de o ofendido morrer sem ter apresentado queixa ou ser incapaz.

O instituto do direito de queixa tem natureza processual, não obstante se encontrar regulado, em alguns aspectos, no CP. Por isso, as suas alterações são de aplicação imediata, salvo se da sua aplicabilidade resultar agravamento sensível e ainda evitável da situação processual do arguido, ou quebra de harmonia e unidade dos vários actos de processo, isto nos termos do art. 5.º.

Trata-se de pressuposto processual de natureza processual, como vem sendo sustentado pela doutrina autorizada (cfr. Figueiredo Dias, *Direito Processual Penal,* 117) e decidido predominantemente pela jurisprudência (ver *infra*).

A extensão dos efeitos da queixa encontra-se estabelecida no art. 114.º do CP, segundo o qual a apresentação da queixa contra um dos comparti-

Código de Processo Penal

cipantes no crime torna o procedimento criminal extensivo aos restantes. A extinção do direito de queixa verifica-se, segundo o art. 115.º do CP, no prazo de seis meses, a contar da data em que o titular teve conhecimento do facto e dos seus autores, ou a partir da morte do ofendido, ou da data em que ele se tornou incapaz. Sendo vários os titulares do direito de queixa, o prazo conta-se autonomamente para cada um deles.

4. Parecer da PGR n.º 132/2001, votado em 18 de Dezembro de 2002 e homologado por despacho de S. Ex.ª o Secretário de Estado dos Assuntos Fiscais de 20 de Janeiro de 2003; *DR*, 11 série, de 8 de Março seguinte:

— I — A desistência da queixa por crime de cheque sem provisão para pagamento de impostos devidos ao Estado é da competência do magistrado que assume a representação do MP no processo, carecendo a prática do acto de autorização do Procurador-Geral da República (artigo 11.º-A, n.º 4, do Dec.-Lei n.º 454/91, de 28 de Dezembro). II — Titular do direito de queixa pelo crime aludido na conclusão I é o Estado, competindo a formulação da mesma, no domínio, paradigmaticamente, dos impostos sobre o rendimento das pessoas singulares (IRS) e as pessoas colectivas (IRC), aos serviços centrais da Direcção-Geral dos Impostos e às direcções distritais de finanças (artigo 10.º, n.º 5, do Dec.-Lei n.º 492/88, de 30 de Dezembro, no redação do artigo único do Dec.-Lei n.º 172.º A/ 90, de 31 de Maio).

5. *Jurisprudência fixada:*
Os poderes especiais a que se refere o n.º 3 do art. 49.º do CPP são poderes especiais especificados, e não simples poderes para a prática de uma classe ou categoria de actos. (Ac. do Plenário da secções criminais do STJ de 13 de Maio de 1992; *DR*, I série-A, de 2 de Julho do mesmo ano). *Nota* — Ver *supra*, anot. 1 e ac. seg.;

— Com a entrada em vigor do Dec.-Lei n.º 267/92, de 28 de Novembro, caducou a jurisprudência fixada pelo acórdão obrigatório n.º 2/92, de 13 de Maio de 1992, por aquele diploma ter revogado implicitamente o n.º 3 do art. 49.º do CPP, motivo por que não existe qualquer necessidade de ratificação de queixa apresentada por mandatário judicial munido de simples procuração forense, dentro do prazo fixado pelo n.º 1 do art. 112.º do CP. (Ac. do Plenário das secções criminais do STJ de 27 de Setembro de 1994; *DR*, I-A série, de 4 de Novembro de 1994);

— Apresentada a queixa por crime semipúblico, por mandatário sem poderes especiais, o Ministério Público tem legitimidade para exercer a acção penal se a queixa for ratificada pelo titular do direito respectivo, mesmo que após o prazo previsto no artigo 112.º, n.º 1, do Código Penal de 1982. (Ac. do Plenário das secções criminais do STJ n.º 1/97, de 19 de Dezembro de 1996; *DR*, I-A série, de 10 de Janeiro de 1997).

6. *Jurisprudência:*
— Um auto de notícia lavrado por imposição legal não pode servir como exercício do direito de queixa. (Ac. RP de 4 de Dezembro de 1984; *CJ*, IX, tomo 5, 283);

Artigo 49.º

— A incapacidade do ofendido que confere legitimidade ao cônjuge deste para apresentar a queixa-crime pelos factos ilícitos a ele respeitantes (art. 111.º, n.º 2, do CP) pode ser a simples incapacidade natural, sem se tornar mecessária a declaração judicial da mesma incapacidade. (Ac. RL de 29 de Maio de 1985; *CJ,* X, tomo 3, 191);

— O instituto do direito de queixa, condição objectiva de procedibilidade, é de natureza processual, sendo as suas modificações de aplicação imediata. (Ac. STJ de 18 de Junho de 1985; *BMJ,* 348, 280);

— A simples admissão do queixoso como assistente não impede que venha a ser julgado parte ilegítima, tal como a declaração tabelar de legitimidade do MP não impede que a ilegitimidade do queixoso retire ao MP o direito de exercer a acção penal. (Ac. RC de 19 de Setembro de 1990; *CJ,* XV, tomo 4, 97);

— I — Para que a queixa, quando o procedimento depende da sua apresentação, seja válida, pouco importa o sentido meramente literal dos termos empregues ou que o queixoso refira ter sido vítima de tentativa de certo crime, desde que manifeste, de forma inequívoca, a sua vontade de que, sendo vítima de uma agressão, pretenda que em relação a ela a acção penal seja exercida. II — Por isso, apesar de os factos relatados na queixa serem insuficientes para integrar o crime, nada impede o exercício da acção penal, já que os factos a atender são os que forem objecto de averiguação e que forem qualificados pelo MP como integrando o crime. (Ac. STJ de 16 de Maio de 1996, proc. 136/94);

— Compete ao MP homologar a desistência da queixa se esta se verificar antes da abertura da instrução e antes de o processo ser recebido no tribunal para julgamento. (Ac. RC de 6 de Novembro de 1996; *BMJ,* 461, 533);

— À face do art. 49.º, n.º 1, do CPP, o que é necessário é que o titular do direito de queixa dê conhecimento do facto ao MP, pouco importando que esse facto venha a integrar o crime *x, y* ou *z.* Para conferir legitimidade ao MP o que é necessário é dar conhecimento das ocorrências da vida real, das realidades históricas, independentemente da qualificação jurídica que venham a ter. (Ac. RE de 17 de Novembro de 1998; *BMJ,* 481, 561);

— Se, quando entra em vigor uma lei que converte um crime de público em semi-público ou particular, o procedimento criminal já foi iniciado, não é necessária a queixa do ofendido, mas pode este extinguir o processo, desistindo. (Ac. STJ de 5 de Abril de 2001; *CJ, Acs. do STJ,* IX, tomo 2, 176);

— I — Ainda que o procedimento criminal dependa de queixa, não é necessário que da participação conste a identificação do agente. II — Manifes- tando-se o desejo de procedimento criminal, não está na disponibilidade do participante dirigir a acção penal contra quem quiser. III — A queixa vale mesmo contra pessoas não nomeadas. (Ac. RL de 6 de Junho de 2002; *CJ,* XXVII, tomo 3, 135);

— I — No instituto do direito de queixa ressaltam sempre duas componentes: A transmissão da notícia de um crime, o que sucede também em relação à denúncia e o desejo de instaurar contra o agente ou agentes, ainda que desconhecidos, o respectivo procedimento criminal. II — Esta manifestação de vontade, espontânea e inequívoca, de instaurar procedimento criminal perante a autoridade ligada à repressão da criminalidade, é que constitui a pedra cujo toque põe em movimento a máquina judicial. (Ac. STJ de 30 de Outubro de 2002, proc. n.º 1862/02-3.ª; *SASTJ,* n.º 64, 90).

Código de Processo Penal

ARTIGO 50.º

**(Legitimidade em procedimento dependente
de acusação particular)**

1. Quando o procedimento criminal depender de acusação particular, do ofendido ou de outras pessoas, é necessário que essas pessoas se queixem, se constituam assistentes e deduzam acusação particular.

2. O Ministério Público procede oficiosamente a quaisquer diligências que julgar indispensáveis à descoberta da verdade e couberem na sua competência, participa em todos os actos processuais em que intervier a acusação particular, acusa conjuntamente com esta e recorre autonomamente das decisões judiciais.

3. É correspondentemente aplicável o disposto no n.º 3 do artigo anterior.

---

1. Reproduz o art. 50.º do Proj.; os n.ᵒˢ 1 e 2 correspondem, com ligeiras alterações, ao art. 59.º do Aproj. Corresponde ainda aos arts. 7.º do CPP de 1929 e 3.º, n.º 2 e § único, do Dec.-Lei n.º 35 007, de 13 de Outubro de 1945, que revogaram aquele artigo do CPP de 1929.

2. Estabelece-se neste artigo uma segunda restrição à promoção do processo penal por parte do MP, em termos que se aproximam muito dos que foram estabelecidos pelo Dec.-Lei n.º 35 007, de 13 de Outubro de 1945, que por sua vez se distanciavam em alguns aspectos da regulamentação do CPP de 1929.

Trata-se dos crimes que é uso designar por *particulares* e que, contrariamente aos semi-públicos, escasseiam no CP. Para que o MP tenha legitimidade para a promoção do processo penal por algum desses crimes é necessário que o ofendido ou outras pessoas especificadas pela lei se queixem, se constituam assistentes e deduzam acusação particular. Não poderá haver inquérito sem prévia queixa e constituição de assistente, nem acusação do MP sem acusação do particular que se queixou e constituiu assistente. A queixa, constituição de assistente e acusação particular são, assim, condições de procedibilidade, pois que, sem elas, o MP não tem legitimidade.

Definido o estatuto do MP como titular exclusivo da promoção do processo penal, em termos que reforçam o regime do Dec.-Lei n.º 35 007, manteve-se contudo a categoria de assistente, auxiliar do MP e com papel de relevo no andamento dos processos por crimes particulares. O assistente, como colaborador e auxiliar do MP, subordina-lhe a sua actividade, com excepção do direito de acusar autonomamente no caso de crime particular, e em todos os casos o direito de recorrer autonomamente relativamente às decisões que o afectam.

3. Ficou agora reforçada a orientação que sustentámos na anot. 3 ao art. 7.º do CPP de 1929, no nosso *Código de Processo Penal Anotado,* em que, escudados no Prof. Eduardo Correia, *Processo Criminal,* liç. dact., 1953/

Artigo 51.º

/54 e no Dr. Campos Costa, *SJ,* tomo V, n.º 22, pág. 199, entendemos que não cabe ao titular da acção penal (MP) a possibilidade de um juizo de oportunidade, pois as queixas nos crimes particulares funcionam como simples condições objectivas de procedibilidade. Também se reforçou a orientação perfilhada pelo Dec.-Lei n.º 35 007 de que, mesmo nos crimes particulares, a titularidade da acção penal pertence ao Estado, tomando este a posição processual de parte principal e atribuindo-se ao assistente apenas a função de auxiliar, ou de parte acessória, assim de invertendo as posições do CPP de 1929, donde decorre que a promoção do andamento do processo compita ao MP, a quem o assistente terá de solicitar quaisquer diigências na fase do inquérito, isto sem prejuizo, no entanto, dos efeitos práticos que se pretendem alcançar, derivados da natureza específica dos crimes particulares e até dos semi-públicos, como a faculdade de o acusador particular e o queixoso poderem pôr termo ao processo mediante desistência da acusação particular ou da queixa (cfr. art. 51.º, n.º 1).

4. *Jurisprudência:*

— I — Se o ofendido em crime de natureza particular não declarar, na denúncia, que pretende intervir no processo como assistente, pode fazê-lo posteriormente, por si ou por mandatário, quer espontaneamente quer por sugestão do MP, desde que não tenha decorrido o prazo de caducidade do direito de queixa. II — A legitimidade do MP é de reconhecer se, havendo denúncia, o denunciante, mesmo que só depois de notificado para o efeito, vier declarar aquela intenção de se constituir assistente. (Ac. RP de 10 de Novembro de 1993; *CJ,* XVIII, tomo 5, 252).

ARTIGO 51.º

**(Homologação da desistência da queixa
ou da acusação particular)**

1. Nos casos previstos nos artigos 49.º e 50.º, a intervenção do Ministério Público no processo cessa com a homologação da desistência da queixa ou da acusação particular.

2. Se o conhecimento da desistência tiver lugar durante o inquérito, a homologação cabe ao Ministério Público; se tiver lugar durante a instrução ou o julgamento ela cabe, respectivamente, ao juiz de instrução ou ao presidente do tribunal.

3. Logo que tomar conhecimento da desistência, a autoridade judiciária competente para a homologação notifica o arguido para, em cinco dias, declarar, sem necessidade de fundamentação, se a ela se opõe. A falta de declaração equivale a não oposição.

4. Se o arguido não tiver defensor nomeado e for desconhecido o seu paradeiro, a notificação a que se refere o número anterior efectua-se editalmente.

Código de Processo Penal

1. Os n.ºˢ 1, 2 e 3 reproduzem o art. 51.º do Proj. e correspondem ao art. 125.º do CP de 1886; ao n.º 2 do art. 114.º do CP de 1982 e ao § 2.º do art. 7.º do CPP de 1929. O prazo de 5 dias estabelecido no n.º 3 resulta da Lei n.º 59/98, de 25 de Agosto (na versão originária 3 dias) e foi fixado em virtude de se ter passado a aplicar em processo penal a regra da continuidade dos prazos do CPC. O n.º 4 foi introduzido pela Lei supramencionada.

2. Este artigo regula a homologação da desistência da queixa e da acusação particular. A validade dela, segundo se estabelece nos arts. 116.º, n.º 2 e 117.º do CP, depende da não oposição do arguido, ficando assim esclarecida uma questão que se não afigurava isenta de dúvidas antes do CP de 1982.

Sem que a desistência seja aceite e homologada, o processo penal continuará, como se o crime fosse público. Quanto aos crimes particulares, o regime é, em princípio, o mesmo; sucede porém que o assistente tem meios indirectos ou ínvios de, mesmo sem homologação da desistência, obter idêntico resultado, como p. ex. a falta por duas vezes à audiência (art. 330.º, n.º 2).

3. O CP, nos arts. 114.º e 115.º, n.º2, estabelece o princípio da *indivisibilidade* da renúncia à queixa; e no n.º 3 do art. 116.º o da sua *unidade*. Esta disposição do n.º 3, exigindo a intervenção de todos os que tiverem exercido o direito de queixa para a renúncia ou desistência, pôs termo a dúvidas anteriormente surgidas, sendo bem explícita no sentido de que só é exigido o acordo daqueles que efectivamente exerceram o direito de queixa, não tendo portanto que intervir e dar acordo aqueles que eram titulares do direito e não o exerceram.

Quanto ao direito de queixa e desistência da queixa ou acusação perticular, vejam-se os arts. 113.º e segs. do CP e respectivas anots. no nosso *Código Penal Português Anotado*.

4. A desistência da queixa ou da acusação particular feita durante o inquérito é homologada pelo MP e, talqualmente como a que é feita em outras fases processuais, pode dar lugar a tributação. Por isso, homologada a desistência pelo MP, o processo deve ser concluso ao juiz a-fim-de ser proferida condenação do responsável em custas, pois que o MP é para tanto incompetente.

5. Parecer da PGR n.º 132/2001, votado em 18 de Dezembro de 2002 e homologado por despacho de S. Ex.ª o Secretário de Estado dos Assuntos Fiscais de 20 de Janeiro de 2003; *DR,* II série, de 8 de Março seguinte:

— I — A desistência da queixa por crime de cheque sem provisão para pagamento de impostos devidos ao Estado é da competência do magistrado que assume a representação do MP no processo, carecendo a prática do acto de autorização do Procurador-Geral da República (artigo 11.º-A, n.º 4, do Dec.-Lei n.º 4, do Dec.-Lei n.º 454/91, de 28 de Dezembro). II — Titular do direito de queixa pelo crime aludido na conclusão I é o Estado, competindo a formulação da mesma, no domínio, paradigmaticamente, dos impostos sobre o rendimento das pessoas singulares (IRS) e das pessoas colectivas (IRC), aos serviços centrais da Direcção-Geral dos Impostos e às direcções distritais

Artigo 52.º

de finanças (artigo 10.º, n.º 5, do Dec.-Lei n.º 492/88, de 30 de Dezembro, na redacção do artigo único do Dec.-Lei n.º 172.º-A/90, de 31 de Maio).

6. *Jurisprudência:*
— I — Em direito penal a capacidade atinge-se mais cedo do que em direito civil, e está geralmente associada à capacidade de discernimento das pessoas. II — Nenhuma disposição legal exige, se a parte for menor não emancipado ou interdito por causa que o iniba de reger a sua pessoa, que a renúncia apenas produza efeitos quando legalmente autorizada. (Ac. RP de 12 de Outubro de 1983; *CJ,* VIII, tomo, 4, 282);
— O perdão do ofendido ou a desistência da queixa não podem ser condicionais e produzem efeitos plenos, uma vez concedidos, mesmo que expressos sob condição. (Ac. RL de 17 de Julho de 1986; *CJ,* X, tomo 4, 166);
— A renúncia ao procedimento criminal é um negócio jurídico informal não receptício; declarada a renúncia a procedimento criminal pelo ofendido, não pode este vir mais tarde a requerer procedimento criminal pelo mesmo facto. (Ac. RC de 29 de Abril de 1986; *CJ,* XI, tomo 3, 77);
— Por *publicação da sentença da 1.ª instância,* a que se refere o n.º 2 do art. 114.º do CP, tem de entender-se a leitura pública dessa sentença. (Ac. STJ de 29 de Março de 1989, Proc. 39 906/3.ª);
— O art. 114.º, n.º 2 do CP não estabelece qualquer prazo judicial, mas simplesmente um termo, que é o da data até à qual a desistência da queixa pode ter lugar. (Ac. STJ de 12 de Julho de 1989; *CJ,* XIV, tomo 4, 6);
— A comparticipação a que alude o n.º 3 do art. 114.º do CP é a comparticipação criminosa, com o sentido que resulta da definição contida no art. 26.º do CP, pelo que tendo o artigo publicado integrado uma decisão judicial, proferida no exercício da administração da justiça, só no caso excepcional de grave abuso de função, que teria de ser invocado e provado, seria possível admitir que os seus subscritores haviam incorrido no crime de difamação. (Ac. STJ de 20 de Junho de 1990, Proc. n.º 40 850/3.ª);
— A homologação da desistência da queixa de que se toma conhecimento no processo depois de deduzida a acusação e antes de requerida a abertura da instrução compete ao magistrado do MP. (Ac. RC de 6 de Novembro de 1996; *CJ,* XXI, tomo 5, 46).

ARTIGO 52.º

(Legitimidade no caso de concurso de crimes)

1. No caso de concurso de crimes, o Ministério Público promove imediatamente o processo por aqueles para que tiver legitimidade, se o procedimento criminal pelo crime mais grave não depender de queixa ou de acusação particular, ou se os crimes forem de igual gravidade.

2. Se o crime pelo qual o Ministério Público pode promover o processo for de menor gravidade, as pessoas a quem a lei confere

Código de Processo Penal

o direito de queixa ou de acusação particular são notificadas para declararem, em cinco dias dias, se querem ou não usar desse direito. Se declararem:

a) Que não pretendem apresentar queixa, ou nada declararem, o Ministério Público promove o processo pelos crimes que puder promover;

b) Que pretendem apresentar queixa, considera-se esta apresentada.

---

1. Este artigo teve por fontes o art. 52.º do Proj. e corresponde aos arts. 60.º do Aproj. e 8.º do CPP de 1929, que em parte fora revogado pelo Dec.--Lei n.º 35 007, de 13 de Outubro de 1945.

O texto actual do n.º 2 e da al. a) deste número não é o originário, mas o que foi introduzido pela Lei n.º 59/98, de 25 de Agosto, diploma que ainda eliminou a al. c), também do n.º 2. A alteração introduzida no corpo do n.º 2 consistiu em elevar de 3 para 5 dias o prazo aí estabelecido, em virtude de se ter passado a aplicar em processo penal a regra da continuidade dos prazos do CPC. As restantes alterações, discutidas e propostas pela CRef.CPP na 3.ª sessão, em 14 de Fevereiro de 1996, e na sequência do que já fora proposto pela CRCPP, foram devidas à consideração de que da conjugação entre os arts. 50.º e 285.º resulta que a acusação particular deve ser deduzida, não no momento da apresentação da queixa, mas após a notificação nesse sentido efectuada após o termo do inquérito, e que não há justificação para alterar esse regime no caso de concurso de crimes.

2. Na vigência dos arts. 7.º e 8.º do CPP de 1929 a promoção e a continuidade do processo por crime particular cabiam principalmente à parte acusadora (assistente), mas o Dec.-Lei n.º 35 007 alterou esse sistema, por ter acentuado a natureza pública do processo, submetendo ao estatuto de assistentes os próprios acusadores particulares, que passaram a ser auxiliares do MP, ao qual subordinavam a sua actividade.

A orientação do Dec.Lei n.º 35 007 foi agora mantida.

3. Este artigo regula a legitimidade do MP e os seus efeitos no andamento do processo nos casos de concurso de infracções, com conexão de processos, em que há crimes públicos, semi-públicos e particulares em termos que se aproximam dos do CPP de 1929, arts. 7.º e 8.º, alterados pelo art. 3.º do Dec.-Lei n.º 35 007 e da ulterior possibilidade, perfilhada pelas leis substantivas, de desistência nos crimes semi-públicos.

Vejam-se as anots. ao art. 8.º do CPP de 1929, no nosso *Código de Processo Penal,* 6.ª ed.

O texto legal parece suficientemente explícito para resolver as várias situações que se podem verificar no tocante à legitimidade do MP nos casos de concurso de crimes com processos conexos.

O presente artigo aplica-se também nos casos em que o procedimento criminal depende de participação de autoridade pública — cfr. art. 49.º, n.º 4.

170

ARTIGO 53.º
(Posição e atribuições do Ministério Público no processo)

1. Compete ao Ministério Público, no processo penal, colaborar com o tribunal na descoberta da verdade e na realização do direito, obedecendo em todas as intervenções processuais a critérios de estrita objectividade.

2. Compete em especial ao Ministério Público:

a) Receber as denúncias, as queixas e as participações e apreciar o seguimento a dar-lhes;

b) Dirigir o inquérito;

c) Deduzir a acusação e sustentá-la efectivamente na instrução e no julgamento;

d) Interpor recursos, ainda que no exclusivo interesse da defesa;

e) Promover a execução das penas e das medidas de segurança.

---

1. Reproduz o art. 53.º do Proj.

2. Este artigo reforça a orientação que o Código seguiu, já aflorada nos artigos anteriores, de atribuir exclusivamente ao MP a titularidade da acção penal; nenhuma outra entidade, além do MP, pode promover e dar andamento ao processo penal; por isso não existe no Código qualquer enumeração de entidades paralela à que era feita no art. 2.º do Dec.-Lei n.º 35 007, de 13 de Outubro de 1945.

Dentro desta orientação, a Lei n.º 47/86, de 15 de Outubro (Lei Orgânica do Ministério Público), estabelece, no art. 3.º, n.º 1, al. *b)*, que compete ao MP exercer a acção penal; na al. *f)* que lhe compete dirigir a investigação criminal, ainda quando realizada por outras entidades; e na al. *l)* que lhe compete fiscalizar os órgãos de polícia criminal.

Note-se que o CPP, tanto aqui como em outras disposições, evitou tomar posição sobre a qualificação ou não do MP como parte processual ou como elemento do tribunal, limitando-se a apontar a sua competência e a enumerar as suas atribuições, deixando aquela questão para a doutrina e para a Lei Orgânica do Ministério Público.

3. Tendo o Código optado decididamente por converter o inquérito, realizado sob a titularidade e a direcção do MP, na fase geral e normal de preparar a decisão de acusação ou de não acusação, não pode contudo daqui extrair-se a ideia de que a investigação criminal deve ser directa e materialmente realizada pelo MP.

Como se pondera no Despacho do Procurador-Geral da República anexo à circular da PGR n.º 8/87, de 22 de Dezembro, a investigação criminal exige o domínio de técnicas, o conhecimento de variáveis estratégicas e a disponibilidade de recursos logísticos que são geralmente atributo dos órgãos de polícia criminal. E, como magistratura, o MP não é nem deve ser um corpo de polícia. Sendo assim, e conforme o mesmo Despacho, a titularidade do

Código de Processo Penal

inquérito deve ser entendida como o poder de dispor material e juridicamente da investigação, no sentido de:

    a) Emitir directivas, ordens e instruções quanto ao modo como deve ser realizada;
    b) Acompanhar e fiscalizar os vários actos;
    c) Delegar ou solicitar a realização de diligências;
    d) Presidir ou assistir a certos actos ou autorizar a sua realização;
    e) Avocar, a todo o tempo, o inquérito.

Para efectivação destes objectivos, os órgãos de polícia criminal actuam sob a directa orientação do MP e na sua dependência funcional (arts. 56.º e 263.º). Sobre estes pontos ver o Ac. RL de 4 de Maio de 1990, *infra*.

4. Faz-se aqui uma enumeração genérica e não taxativa dos poderes-deveres do MP em cada uma das fases processuais no exercício da titularidade da acção penal.

Aqui se contém também a formulação do dever de obediência por parte do MP aos critérios de *estrita objectividade,* em todos os casos, portanto também naqueles em que se admite o funcionamento do *princípio da oportunidade.*

Este posicionamento do MP foi explanado com vigor, a propósito das disposições dos arts. 53.º, por Laborinho Lúcio, *Jornadas de Direito Processual Penal,* 53: «Não cremos ser de descortinar aí razões para não continuar a afirmar, com todas as consequências, que a conduta do MP deve ser orientada unicamente pelos fins da descoberta da verdade e da realização da justiça e, portanto, pela observância estrita de um dever de objectividade. Que assim é resulta, aliás, claramente do n.º 1 do próprio art. 53.º, quando determina para o MP a obediência, em *todas* as intervenções processuais, exactamente a critérios de *estrita objectividade;* e decorre ainda logicamente da al. *d)* do n.º 2 também do mesmo preceito, ao incluir na sua competência a interposição de recursos, *ainda que no exclusivo interesse da defesa.*

Parece, pois, dever interpretar-se a disposição em causa no quadro da nova definição de poderes do MP por força dos quais se lhe reconhece hoje uma acção mais vincada de saneamento substancial na decisão de acusação ou não acusação e ainda maior objectividade e sentido de pré-julgamento, tudo conduzindo à ideia de que, deduzida a acusação, sobre ela se ergue a forte convicção, por parte do proprio acusador, do bem fundado da decisão a que ela conduziu, tornando, por isso, mais saliente a componente da sua não exigir a direcção real e efectiva e se contentar com uma direcção funcional da mesma. (Ac. RL de 4 Maio de 1990; *CJ,* XV, tomo 3, 158);

— O MP é um órgão de justiça com um estatuto muito diverso das vulgares partes processuais, pelo que os seus representantes com intervenção num dado processo não podem, manifestamente e sob pena de uma inadmissível perversão do sistema, serem indicados como testemunhas para deporem no respectivo julgamento. (Ac. STJ de 13 de Dezembro de 1995; *CJ, Acs. do STJ,* II, tomo 3, 255). defesa no acervo do dever tradicional da sua *representação* em juizo, ao qual, afinal, com o sentido agora proposto, parece dever reconduzir-se aquela al. *c)* do n.º 2 do art. 53.º do Código de Processo Penal».

Sobre este posicionamento do MP veja-se ainda Figueiredo Dias, *Direito Processual Penal,* I, 405.

Artigo 53.º

5. Quanto a posição e atribuições do MP no processo, e particularmente quanto a objectivos, prioridades e orientações de política criminal, são de maior interesse para o biénio 2007-2009 a Lei n.º 51/2007, de 31 de Agosto e a Directiva n.º 1/2008 da Procuradoria-Geral da República (Circular n.º 1/2008), publicada no *DR*, II série, de 18 de Fevereiro, adiante transcrita.

Como se especifica no art. 2.º da apontada Lei, durante o seu período de vigência constituem objectivos específicos da política criminal: a) Prevenir, reprimir e reduzir a criminalidade violenta, grave ou organizada, incluindo o homicídio, a ofensa à integridade física grave, a violência doméstica, os maus tratos, o sequestro, os crimes contra a liberdade e autodeterminação sexual, o roubo, o incêndio florestal, a corrupção, o tráfico de influência, o branqueamento, o terrorismo, as organizações terroristas e a associação criminosa dedicada ao tráfico de pessoas, de estupefacientes e substâncias psicotrópicas e de armas; b) Promover a protecção de vítimas especialmente indefesas, incluindo crianças e adolescentes, mulheres grávidas e pessoas idosas, doentes e deficientes; c) Garantir o acompanhamento e assistência a agentes acusados ou condenados pela prática de crimes, designadamente quando haja riscos de continuação da actividade criminosa.

PROCURADORIA-GERAL DA REPÚBLICA

Directiva n.º 1/2008

(Circular n.º 1/2008)

No uso da competência atribuída pelo artigo 12.º, n.º 2, alínea *b)* do Estatuto do Ministério Público (Lei n.º 60/98, de 28 de Agosto) e pelo artigo 13.º da Lei n.º 17/2006, de 23 de Maio, tornando-se necessário dar execução à Lei de Política Criminal (Lei n.º 51/2007, de 31 de Agosto), aprovo as «*Directivas e Instruções Genéricas*» para o biénio 2007-2009:

Directivas e instruções genéricas em matéria de execução da lei sobre política criminal

Através da Lei n.º 51/2007, de 31 de Agosto, foram definidos os objectivos, as prioridades e as orientações de política criminal para o biénio de 2007-2009, em cumprimento da Lei n.º 17/2006, de 23 de Maio, que aprovou a Lei Quadro de Política Criminal.

Nos termos da Constituição e da lei, compete ao Ministério Público participar na execução da política criminal definida pelos órgãos de soberania (artigo 219, n.º 1 da CRP e artigo 1.º do Estatuto do Ministério Público), assumindo os objectivos e adoptando as prioridades e orientações definidas pela Assembleia da República.

Cabe ao Procurador Geral da República emitir as directivas e instruções genéricas que se mostrem necessárias, em cada momento, para assegurar o efectivo cumprimento pelo Ministério Público dos deveres que lhe incumbem no âmbito da execução da política criminal.

Os indicadores existentes permitem identificar alguns fenómenos e tendências criminosas que merecem uma particular atenção, por serem susceptíveis de contribuir para o aumento de sentimentos de insegurança, pelo que a sua repressão eficaz e atempada é essencial para reforçar a confiança dos cidadãos no sistema de justiça e nos valores do Esatdo de direito.

Código de Processo Penal

É o caso de determinados crimes violentos contra bens jurídicos eminentemente pessoais, nomeadamente quando praticados contra pessoas mais vulneráveis da população, bem como de actividades criminosas cuja disseminação no tecido social é susceptível de pôr em causa os fundamentos de um pleno exercício da cidadania democrática, como acontece com o crime de corrupção.

Importa, assim, desde já, tendo em conta o disposto no artigo 20.º, n. 1, da lei sobre Política Criminal, definir prioridades e emitir orientações sobre a actividade do Ministério Público e dos órgãos de polícia criminal, que intervêm na investigação dos inquéritos.

Dado que, por imperativo constitucional, o exercício da acção penal está subordinado ao princípio da legalidade, a definição de prioridades e orientações de política criminal não pode isentar de procedimento qualquer crime, devendo assim, o Ministério Público promover a efectiva repressão de toda a factualidade criminosa de que tenha conhecimento, de forma a evitar que se instalem sentimentos de impunidade quanto a determinados tipos de actuação criminosa.

Por outro lado, a execução da política criminal não pode alhear-se da importância e da necessidade de um adequado tratamento da pequena criminalidade, quer na perspectiva da prevenção quer na perspectiva da ressocialização dos seus agentes.

Para que tais objectivos sejam alcançados, importa promover, neste âmbito, a aplicação de medidas de consenso e de sanções não privativas da liberdade, privilegiando a justiça restaurativa e a celeridade dos procedimentos.

Face ao exposto, formulam-se as seguintes directivas e instruções genéricas, tendo em vista a prossecução dos objectivos, prioridades e orientações de política criminal definidos pela lei 51/2007, de 31 de Agosto, para o biénio 2007-2009.

I — Crimes de investigação prioritária

1 — Os magistrados do Ministério Público procederão à identificação dos processos concretos nos quais deverá ser garantida a prioridade de investigação.

2 — Será dada prioridade absoluta aos processos com arguidos detidos e aos processos relativos a crimes cujo prazo de prescrição se mostre próximo do seu fim.

3 — Será concedida especial prioridade à investigação dos processos relativos:

3.1 — À criminalidade organizada e violenta contra as pessoas, designadamente homicídios, ofensas à integridade física graves, sequestro, rapto, tomada de reféns, tráfico de pessoas, crimes contra a liberdade e autodeterminção sexual, tráfico de drogas e roubo;

3.2 — Aos crimes de corrupção;

3.3 — Ao crimes praticados contra bens jurídicos individuais de pessoas, crianças e deficientes (artigo 5.º da lei 51/2007, de 31 de Agosto), tendo em conta a sua especial vulnerabilidade;

3.4 — Aos actos de violência praticados contra professores e outros membros da comunidade escolar ou contra médicos e outros profissionais da saúde (artigo 4.º da lei n.º 51/2007, de 31 de Agosto).

Artigo 53.º

4 — Os Senhores Procuradores-Gerais Distritais, prestando a propósito os esclarecimentos julgados necessários, deverão solicitar:

a) Aos Conselhos Directivos das Escolas ou entidades correspondentes, a comunicação ao Ministério Público ou às entidades policiais competentes de todos os factos susceptíveis de integrarem crimes de natureza pública praticados relativamente aos professores ou outros membros da comunidade escolar;

b) Às Administrações Hospitalares ou entidades correspondentes, a comunicação ao Ministério Público ou às entidades policiais competentes de todos os factos susceptíveis de integrarem crimes de natureza pública praticados contra médicos ou outros profissionais de saúde;

c) Aos órgãos competentes das Autarquias Locais e da Segurança Social, a comunicação ao Ministério Público ou às entidades policiais competentes de todos os factos susceptíveis de integrarem crimes de natureza pública praticados contra pessoas idosas, crianças e deficientes.

II — Orientações sobre a pequena criminalidade

1 — No que se refere ao tratamento dos crimes previstos no artigo 11.º da citada Lei, os magistrados do Ministério Público deverão adoptar as seguintes orientações:

1.1 — Na fase do inquérito, será seleccionada, de entre as medidas previstas no artigo 12.º, aquela que se afigure mais adequada a cada caso, de forma a assegurar a prossecução dos objectivos da política criminal (recepção da vítima, reintegração social e celeridade processual), devendo tal posição ser sustentada nas fases processuais subsequentes;

1.2 — Na fase de julgamento, deverá privilegiar-se a promoção de sanções não privativas da liberdade, designadamente as previstas no artigo 13.º, posição que deverá ser sustentada em todas as instâncias;

1.3 — A adopção destas orientações dependerá sempre da verificação, caso a caso, dos pressupostos legais de aplicação de cada medida ou sanção;

1.4 — Para além disso, as medidas e as sanções previstas nos artigos 12.º e 13.º só deverão ser aplicadas ou promovidas se da poderação das circunstâncias ligadas à prática dos factos e ao arguido, nos casos em que tal ponderação deva ter lugar, não resultar:

a) Perigo, em concreto, da prática pelo arguido de crimes contra bens jurídicos pessoais de terceiros;

b) Eventual necessidade de aplicação de sanções adequadas às exigências de prevenção geral que façam sentir no caso, tendo em conta o respectivo circunstancionalismo.

2 — No que se refere ao tratamento de arguidos e condenados em situação especial (gravidez, doença, deficiência, situação familiar... — artigo 14.º, da lei n.º 51/2007) serão adoptados procedimentos análogos aos expostos em 1., desde que:

a) Seja possível a comprovação efectiva da verificação e da relevância, para os fins visados pela lei, das circunstâncias previstas nas diversas alíneas do artigo 14.º;

b) Não se verifique, em concreto, perigo da prática pelo arguido de crimes contra bens jurídicos pessoais de terceiros.

III — Orientações gerais sobre a execução da política criminal

1 — Quando o arguido sujeito a prisão preventiva ou a obrigação de

Código de Processo Penal

permanência na habitação se mostrar seriamente interessado na frequência de programas de acesso ao ensino, à formação profissional e ao trabalho, desenvolvidos pelos serviços prisionais e pelos serviços de reinserção social, respectivamente, deverá providenciar-se no sentido de que, em associação com tais medidas de coacção, aquela frequência seja concretizada ao abrigo do disposto no n.º 2 do artigo 15.º da lei n.º 51/2007, de 31 de Agosto.

Assim, os magistrados do Ministério Público deverão:

a) Contactar os referidos serviços, solicitando-lhes informação sobre a existência e possibilidade de integração do arguido em programas adequados à aquisição de competências que contribuam para a respectiva reinserção social e para a prevenção da prática de futuros crimes;

b) Propor ao juiz, caso seja identificado programa adequado à prossecução daquelas finalidades, que a frequência do mesmo seja associada à execução das medidas de coacção.

2 — No que concerne à apensação de processos (artigo 16.º, n.º 1, da lei 51/2007), sem prejuízo das necessidades e exigências da prova que em concreto se façam sentir, deverá evitar-se a formação de processos de grande dimensão, os designados «mega-processos», cuja gestão e resolução final acarretam, necessariamente, dificuldades acrescidas.

Neste sentido, para além da adopção dos procedimentos previstos no referido artigo 16.º, recomenda-se que os pressupostos de conexão constantes do artigo 24.º do Código de Processo Penal sejam interpretados de uma forma restritiva — sem prejuízo de serem implementados os mecanismos de coordenação das investigações que se revelem necessários.

IV — Órgãos de polícia criminal

As presentes directivas e instruções genéricas vinculam também os órgãos de polícia criminal nos termos do artigo 9.º, n.º 2, da lei n.º 51/2007, de 31 de Agosto, e do artigo 11.º da Lei n.º 17/2006, de 23 de Maio.

Assim, os dirigentes dos órgãos de polícia criminal, que coadjuvam o Ministério Público no exercício da acção penal, nos termos do Código de Processo Penal e da lei de Organização da Investigação Criminal, deverão providenciar pela afectação dos recursos necessários à prossecução das prioridades e orientações fixadas em matéria de política criminal (arrtigo 19.º da citada Lei n.º 51/2007).

A concretização prática da participação dos órgãos de polícia criminal na execução das presentes instruções deverá ser coordenada pelos Senhores Procuradores-Gerais Distritais e pela Senhora Directora do Departamento Central de Investigação e Acção Penal, de acordo com as respectivas competências no âmbito da investigação criminal.

11 de Janeiro de 2008 — O Procurador-Geral da República, *Fernando José Matos Pinto Monteiro.*

6. *Jurisprudência:*

— São válidos, e não geradores de nulidade, os actos de instrução dos processos crimes efectuados pelas Polícias ao abrigo do Despacho do Procurador-Geral da República, de 21 de Dezembro de 1987, por o conceito de direcção da instrução conferida ao MP pelos arts. 53.º e 263.º do CPP

Artigo 54.º

não exigir a direcção real e efectiva e se contentar com uma direcção funcional da mesma. (Ac. RL de 4 Maio de 1990; *CJ*, XV, tomo 3, 158);

— O MP é um órgão de justiça com um estatuto muito diverso das vulgares partes processuais, pelo que os seus representantes com intervenção num dado processo não podem, manifestamente e sob pena de uma inadmissível perversão do sistema, serem indicados como testemunhas para deporem no respectivo julgamento. (Ac. STJ de 13 de Dezembro de 1995; *CJ, Acs. do STJ,* II, tomo 3, 255).

ARTIGO 54.º

(Impedimentos, recusas e escusas)

1. As disposições do Capítulo VI do Título I são correspondentemente aplicáveis, com as adaptações necessárias, nomeadamente as constantes dos números seguintes, aos magistrados do Ministério Público.

2. A declaração de impedimento e o seu requerimento, bem como o requerimento de recusa e o pedido de escusa, são dirigidos ao superior hierárquico do magistrado em causa e por aquele apreciados e definitivamente decididos, sem obediência a formalismo especial; sendo visado o procurador-geral da República, a competência cabe à secção criminal do Supremo Tribunal de Justiça.

3. A entidade competente para a decisão, nos termos do número anterior, designa o substituto do impedido, recusado ou escusado.

---

1. Reproduz o art. 54.º do Proj. e corresponde aos arts. 36.º e 44.º, n.º 2, do Aproj. e 49.º e 105.º e 113.º do CPP de 1929.

2. Vejam-se, com as respectivas anots., os arts. 39.º a 47.º, aqui aplicáveis, *mutatis mutandis,* em tudo o que se não encontra regulado neste art. 54.º.

3. Quanto a impedimentos, recusas e escusas de magistrados do MP, como resulta do n.º 1, aplicam-se correspondentemente as disposições do Capítulo VI do Título I, relativas a magistrados judiciais, com as adaptações necessárias, dos n.ºˢ 2 e 3 deste art. 54.º.

Dentre as adaptações ressalta a de a declaração de impedimento nunca poder ser decidida pelo magistrado do MP, contrariamente ao que sucede com o magistrado judicial que pode e deve ele próprio declarar e decidir o impedimento, por despacho nos autos (art. 41.º, n.º 1), devendo também decidi-lo quando a declaração de impedimento é requerida por quem para o efeito tem legitimidade (art. 41.º, n.º 2). A declarações de impedimento, bem como os requerimentos de recusa e os pedidos de escusa de magistrados do MP são sempre dirigidos as seu superior hierárquico, e por este apreciados e definitivamente decididos, portanto sem qualquer recurso. Há uma excepção, relativa ao Procurador-Geral da República. Como este magistrado está no topo da hierarquia, e portanto não tem superior hiarárquico, quando for visado

Código de Processo Penal

em declaração de impedimento, requerimento de recusa ou pedido de escusa, a competência cabe à secção criminal do STJ.

Por outro lado, e diferentemente do que sucede quanto a magistrados judiciais, aqui é a entidade que decide o pedido que designa o substituto do magistrado do MP impedido, recusado ou escusado (n.º 3). A lei não dá qualquer critério para a escolha de substituto. Trata-se de um poder discricionário, devendo portanto ser designado um magistrado da mesma categoria e apto a exercer as funções de substituído. Tratando-se do Procurador-Geral da República, como dentro da orgânica do MP não há magistrados da mesma categoria, deverá ser designado um juiz conselheiro.

4. *Jurisprudência:*

— I — Não são aplicáveis aos magistrados do MP, enquanto permaneçam nessa qualidade durante o decurso de um processo-crime, as disposições dos arts. 39.º, n.º 1, alínea *c)* e 40.º, ambas do CPP, pelo que não se verifica qualquer nulidade na sua intervenção processual. II — Tais preceitos não sofrem de insconstitucionalidade, por eventual violação do art. 32.º, n.º 1, da CRP (o processo criminal estabelecerá todas as garantias de defesa), porquanto, ao invés, constituem a repercussão na lei ordinária de injunções e princípios constitucionais. (Ac. do STJ de 11 de Janeiro de 1999; *BMJ,* 443, 54);

— I —O incidente de recusa de magistrado do MP que intervém num concreto processo só pode ter lugar na fase de inquérito, por só aí se justificar cautela e a garantia de imparcialidade e de objectividade de quem tem a condução de uma fase processual de que é *dominus.* II — É possível o incidente de recusa do Procurador-Geral da República quando dirija efectivamente um concreto inquérito ou quando intervenha nos termos da lei processual penal, como imediato superior hierárquico do magistrado que o conduz. III — A ordem do Procurador-Geral para a substituição de um procurador, não sendo dadas quaisquer outras instruções para condicionar o inquérito, não configura por si uma intervenção no inquérito passível de suscitar um incidente de recusa do Procurador-Geral de República. (Ac. STJ de 8 de Março de 2006; *CJ, Acs. do STJ,* XIV, tomo 1, 204).

ARTIGO 55.º
(Competência dos órgãos de polícia criminal)

1. Compete aos órgãos de polícia criminal coadjuvar as autoridades judiciárias com vista à realização das finalidades do processo.

2. Compete em especial aos órgãos de polícia criminal, mesmo por iniciativa própria, colher notícia dos crimes e impedir quanto possível as suas consequências, descobrir os seus agentes e levar a cabo os actos necessários e urgentes destinados a assegurar os meios de prova.

---

1. Reproduz o art. 55.º do Proj. e corresponde ao art. 8.º, n.º 2 do Aproj. e ao art. 159.º, § 1.º, do CPP de 1929 na redacção introduzida pela Lei n.º 25/81, de 21 de Agosto.

Artigo 55.º

2. Os órgãos de polícia criminal vêm enumerados no art. 1.º, al. c). Do disposto neste artigo e no art. 56.º extrai-se que os órgãos de polícia criminal não são sujeitos processuais autónomos, mas sim auxiliares dos sujeitos processuais, ou *sujeitos processuais acessórios,* na designação do Prof. Figueiredo Dias, *Jornadas de Direito Processual Penal,* 12, não obstante terem o poder-dever de, em casos pontuais, praticar actos processuais no uso de uma competência própria e não meramente delegada, designadamente quanto a medidas cautelares e de polícia e da detenção, nos temos dos arts. 248.º a 261.º. Trata-se porém aqui de competência para actos singulares, como pondera o Prof. Figueiredo Dias, e nunca de actos que sirvam para co-determinar o processo como um todo em vista da sua decisão final. Por isso, também não seria doutrinalmente correcta uma identificação da posição jurídico-processual dos órgãos de polícia criminal com a do assistente ou do defensor, nem portanto incluí-los de algum modo no círculo dos verdadeiros sujeitos processuais.

A estrutura dos participantes processuais seguiu de perto a doutrina de Beling, *Derecho Processual Penal,* 1943, 49 e segs. E assim, dentro do círculo de participantes foram autonomizados os *sujeitos processuais,* isto é aqueles participantes cujo papel é de tal modo relevante que *sem eles a representação da existência de um processo seria inexequível. Sujeitos processuais* são assim, sem dúvida e antes do mais, o tribunal, o MP e o arguido. Mas o conceito belinguiano sofreu no Código um ligeiro alargamento, sob o impulso do Prof. Figueiredo Dias e por este Mestre explicado nas *Jornadas de Direito Processual Penal,* págs. 7 e segs., alargamento que consistiu na inclusão do assistente (não do simples ofendido) e do defensor na categoria dos sujeitos processuais.

Quanto aos órgãos de polícia criminal não são tratados pelo Código como sujeitos processuais, nem mesmo acessórios ou secundários, mas tão-só coadjutores ou auxiliares das autoridades judiciárias, sob a orientação e na dependência funcional destas. Vejam-se os elucidativos arts. 56.º e 270.º.

Em resumo, os órgãos de polícia criminal exercem no processo penal uma actividade coadjuvante das autoridades judiciárias, a estas subordinada funcionalmente, e isto não obstante em casos pontuais, especificados na lei, poderem praticar actos processuais no uso de uma competência própria e não delegada.

A colaboração dos órgãos de polícia criminal, uma vez solicitada pelas autoridades judiciárias, não pode ser recusada, e prefere a qualquer outro serviço — art. 9.º, n.º 2.

Os órgãos de polícia criminal têm a competência genérica especificada no n.º 1 e a especial indicada no n.º 2. Esta competência especial, como a lei bem clarifica, pode ser exercida por iniciativa própria, portanto ainda não delegada, mesmo antes da abertura de inquérito. Apontam-se ainda outros casos pontuais de competência especial dos órgãos de polícia criminal, como se referiu *supra* — cfr. arts. 248.º a 261.º.

Pelo exposto, discordamos da conclusão a que chegou Costa Pimenta, *Código de Processo Penal Anotado,* anot. ao art. 56.º, de que os órgãos de polícia criminal são verdadeiros sujeitos processuais.

Código de Processo Penal

A Lei de Organização e de Investigação Criminal — n.º 21/2000, de 10 de Agosto —, que vai transcrita no final desta obra, no art. 3.º, estabelece que são órgãos de polícia criminal de competência genética a PJ, a GNR e a PSP, e órgãos de polícia criminal de competência específica todos aqueles a quem a lei confira esse estatuto, estabelecendo ainda no mesmo artigo qual a competência específica de cada um desses órgãos.

ARTIGO 56.º

(Orientação e dependência funcional dos órgãos de polícia criminal)

Nos limites do disposto no n.º 1 do artigo anterior, os órgãos de polícia criminal actuam, no processo, sob a orientação das autoridades judiciárias e na sua dependência funcional.

1. Reproduz o art. 56.º do Proj. Não havia disposição correspondente na legislação anterior.

2. O disposto neste artigo significa que os órgãos de polícia criminal actuam sob directa orientação e na dependência funcional das autoridades judiciárias tão-só com vista e no que concerne à realização das finalidades do processo penal. A dependência hiarárquica é definida pelos estatutos próprios de cada um dos órgãos.

O *sistema da dependência funcional,* por que o Código optou decididamente para resolver o relacionamento entre os órgãos de polícia criminal e as autoridades judiciárias, coloca aqueles órgãos na dependência funcional, dentro do processo, das autoridades judiciárias, persistindo porém a dependência organizatória, administrativa e disciplinar face ao Executivo. O sistema tem os seus riscos mas, supesando vantagens e inconvenientes, parece o preferível, sendo-o certamente quando existe correcto e desejável entendimento entre as autoridades judiciárias e as da hierarquia.

Outros sistemas configuráveis são o da *autonomia orgânica e funcional,* em que órgãos de polícia criminal e autoridades judiciárias trabalham separadamente e em campos diversos de competência; e o da *total dependência orgânica e funcional,* em que há unidade de direcção, e portanto grande facilidade de coordenação de todos os assuntos policiais de natureza judiciária ou relacionados com um processo criminal.

Sobre estes sistemas e respectivos méritos e deméritos, veja-se a exposição do Prof. Figueiredo Dias, *Jornadas de Direito Processual Penal,* 12-15 e bibliografia aí apontada.

Como já se referiu em anot. ao art. 55.º, segundo o sistema que o Código decididamente perfilhou, os órgãos de polícia criminal não são verdadeiros sujeitos processuais, mas sim auxiliares dos sujeitos processuais.

E este sistema — o da dependência funcional — coloca esses órgãos na dependência hierárquica e disciplinar da respectiva hierarquia, pelo que as autoridades judiciárias não têm competência para exercer o poder disciplinar, competindo-lhes tão-só comunicar à hierarquia tudo o que for necessário para o exercício da actividade disciplinar. Nele se integra o art. 2.º, n.º 4, da Lei de Organização e de Investigação Criminal, aludida em anot. ao artigo anterior, segundo o qual os órgãos de polícia criminal actuam no processo sob a direcção e na dependência funcional da autoridade judiciária competente, sem prejuizo da respectiva organização hierárquica.

3. Este artigo representa ainda uma norma emblemática do pensamento legislativo em matéria de processo penal:

Os órgãos de polícia criminal, segundo esse pensamento, não têm competência própria em matéria de processo penal; outra solução seria até inconstitucional no que se refere às relações com o juiz, e não receberia mesmo qualquer apoio do direito comparado mais próximo do nosso.

É certo que compete em especial aos órgãos de polícia criminal, mesmo por iniciativa própria, colher notícia dos crimes, impedir as suas consequências, descobrir os seus agentes e levar a cabo os actos necessários e urgentes destinados a assegurar os meios de prova (cfr. art. 55.º, n.º 2).

Logo que levada a cabo esta missão e praticados estes actos urgentes que se não compadecem com delongas, adquirida a suspeita consistente do cometimento do crime, os órgãos de polícia criminal devem dar notícia ao MP, que abrirá inquérito, ficando na sua dependência funcional. A realização pelos mesmos órgãos de inquérito sem delegação do MP seria usurpação de funções e as diligências realizadas não teriam valor.

De notar ainda que o Código não contém qualquer especialidade dentre os órgãos de polícia criminal, designadamente no que concerne à PJ. As especialidades, quando existem, constam das leis orgânicas de cada um dos órgãos, *maxime* do Dec.-Lei n.º 295-A/90 quanto à PJ (ver anot. ao art. 270.º) e do Dec.-Lei n.º 231/93, de 26 de Junho, quanto à GNR.

Sobre este ponto importa ainda referir que a alínea *n)* do art. 3.º da Lei n.º 47/86, de 15 de Outubro, com a redacção introduzida pela Lei n.º 60/98, de 27 de Agosto (Estatuto do MP), estabelece que *compete especialmente ao Ministério Público fiscalizar a actividade processual dos órgãos de polícia criminal*. Trata-se manifestamente de afloramento da orientação que o Código perfilhou.

TÍTULO III

DO ARGUIDO E DO SEU DEFENSOR

ARTIGO 57.º
(Qualidade de arguido)

1. Assume a qualidade de arguido todo aquele contra quem for deduzida acusação ou requerida instrução num processo penal.

2. A qualidade de arguido conserva-se durante o decurso do processo.

3. É correspondentemente aplicável o disposto nos n.os 2 a 6 do artigo seguinte.

Código de Processo Penal

1. Reproduz o art. 57.º do Proj., com excepção da expressão *ou requerida instrução*, que foi introduzida na fase final da elaboração do Código e do n.º 3, que foi aditado pela Lei n.º 59/98, de 25 de Agosto.

2. O Código estabelece um pormenorizado estatuto do arguido; o mesmo sucedia, embora em termos menos precisos, com o Aproj., nos arts. 65.º a 73.º; *BMJ,* 329, 58 e segs.

O que neste artigo e nos seguintes se estabelece situa-se, aliás, dentro dos parâmetros do art. 2.º, n.º 2, al. 8) da Lei n.º 43/86, de 26 de Setembro, que impôs a definição regorosa do momento e do modo de obtenção do estatuto de arguido, com carácter irreversível e concomitante estatuição da obrigatoriedade para as autoridades judiciárias e de polícia criminal de explicitarem os direitos e deveres inerentes a tal qualidade.

Pôs-se termo a uma perniciosa indefinição, que o direito anterior propiciava, relativamente ao verdadeiro estatuto processual das pessoas contra quem corre um processo crime, e pretende-se que a clarificação se concretize pelo reconhecimento de que, ao assumir-se como arguido, este, paralelamente com mais estritos deveres processuais, está defendido por um corpo de direitos fundamentais que a todas as autoridades incumbe acatar.

O Código especifica quais são esses deveres e direitos. Quanto a estes últimos, avultam o direito de presença relativamente aos actos processuais que lhe digam respeito; o direito de audiência pelo tribunal, sempre que este deva tomar qualquer decisão que pessoalmente o afecte; o direito ao silêncio relativamente aos actos imputados; o direito à livre escolha de defensor e à sua assistência plena durante o processo; o direito de intervenção durante o inquérito e a instrução, requerendo diligências e oferecendo provas; o direito de informação quanto aos direitos e deveres processuais, com entrega do documento referido no n.º 3 do art. 58.º, onde esses direitos e deveres vêm especificados, e o direito de recurso. Quanto aos deveres, apontam-se o de prestar termo de identidade e de residência logo que a qualidade de arguido seja assumida; o de comparência perante as autoridades judiciárias e os órgãos de polícia criminal; o de resposta verdadeira quanto à identidade e aos antecedentes criminais, excepto em audiência; e o de sujeitar-se às diligências de prova e a medidas de coacção e de garantia patrimonial previstas na lei.

Trata-se de desenvolvimento de uma tendência que já se verificou no CPP de 1929, a partir da reforma operada pelo Dec.-Lei n.º 185/72, de 31 de Maio, como se deduz dos arts. 250.º e segs. desse diploma, na redacção introduzida pela aludida reforma.

Alguns dos direitos incluídos no estatuto do arguido têm dignidade constitucional, assim sucedendo com o direito a garantias de defesa, com a presunção de inocência até ao trânsito em julgado de sentença condenatória e com o direito à escolha de defensor que lhe assista em todos os actos do processo (art. 32.º, n.ºs 1, 2 e 3 da CRP).

O direito a garantias de defesa tem conteúdo vago, tratando-se de uma norma da CRP destinada a eivar todo o processo penal, de modo a dotar os arguidos de todos os instrumentos processuais necessários para poderem contrariar a posição do MP, entidade em relação à qual existe normalmente à partida uma grande desigualdade de meios, já que o MP se encontra apoiado pelo poder institucionalizado do Estado.

Artigo 58.º

A presunção de inocência do arguido até ao trânsito em julgado da decisão condenatória, estabelecida no art. 32.º, n.º 2, da CRP tem sentido e alcance de limites imprecisos, debatidos fundamentalmente a propósito de casos de inversão do ónus da prova, como o da atribuição ao auto de notícia de fé em juizo (art. 169.º do CPP de 1929) e do valor em juizo de prova recolhida através de máquinas automáticas — *v. g.,* velocidade dos condutores de veículos automóveis e percentagem de alcoolemia no sangue. Esquematicamente, deve afirmar-se, em nosso entendimento, que as disposições são inconstitucionais dentro da interpretação de que não deixam aos arguidos suficiente margem para uma defesa eficaz, mas sobre estes pontos deve consultar-se a já abundante jurisprudência do Tribunal Constitucional. A presunção de inocência está na origem do tradicional princípio *in dubio pro reo,* um imperativo dirigido ao juiz no sentido de se pronunciar a favor do arguido quando não tiver a certeza de que ele cometeu os factos integradores de crime, lembrando-lhe que é preferível absolver um criminoso a condenar um inocente. Associado à presunção de inocência costuma também andar o direito ao julgamento no mais curto prazo compatível com as garantias da defesa, igualmente consagrado no art. 32.º, n.º 2, da CRP. É que uma demora excessiva do julgamento acabará por esvaziar o sentido e tirar alcance ao princípio da presunção de inocência, ficando até de algum modo o arguido injustamente penalizado.

A qualidade de arguido mantém-se em regra ao longo de todo o processo, desde que é assumida; o respectivo estatuto também se mantém inalterado, excepto quanto à presunção de inocência, que cessa com o trânsito em julgado da decisão condenatória. A qualidade de arguido pode ser reassumida nos casos dos arts. 279.º (reabertura do inquérito) e 457.º e segs. (autorização de revisão).

3. A qualidade de arguido é assumida não só nos casos do n.º 1 deste artigo, mas ainda nos arts. 58.º e 59.º, e conserva-se durante todo o decurso do processo.

De salientar, portanto, que a designação de *arguido* continua agora a ser usada, mesmo após a pronúncia ou o despacho que lhe é equivalente, deixando de ser usada, neste último caso, a designação tradicional de *réu.*

ARTIGO 58.º
(Constituição de arguido)

1. Sem prejuizo do disposto no artigo anterior, é obrigatória a constituição de arguido logo que:

a) Correndo inquérito contra pessoa determinada em relação à qual haja suspeita fundada da prática de crime, esta prestar declarações perante qualquer autoridade judiciária ou órgão de polícia criminal;

b) Tenha de ser aplicada a qualquer pessoa uma medida de coacção ou de garantia patrimonial;

c) Um suspeito foi detido, nos termos e para os efeitos previstos nos artigos 254.º a 261.º; ou

Código de Processo Penal

d) For levantado auto de notícia que dê uma pessoa como agente de um crime e aquele lhe for comunicado, salvo se a notícia for manifestamente infundada.

2. A constituição de arguido opera-se através da comunicação, oral ou por escrito, feita ao visado por uma autoridade judiciária ou um órgão de polícia criminal, de que a partir desse momento aquele deve considerar-se arguido num processo penal e da indicação e, se necessário, explicação dos direitos e deveres processuais referidos no artigo 61.º que por essa razão passam a caber-lhe.

3. A contituição de arguido feita por órgão de polícia criminal é comunicada à autoridade judiciária no prazo de 10 dias e por esta apreciada, em ordem à sua validação, no prazo de 10 dias.

4. A constituição de arguido implica a entrega, sempre que possível no próprio acto, de documento de que constem a identificação do processo e do defensor, se este tiver sido nomeado, e os direitos e deveres processuais referidos no artigo 61.º.

5. A omissão ou violação das formalidades previstas nos números anteriores implica que as declarações prestadas pela pessoa visada não podem ser utilizadas como prova.

6. A não validação da constituição de arguido pela autoridade judiciária não prejudica as provas anteriormente obtidas.

---

1. O texto actual deste artigo foi introduzido pela Lei n.º 48/2007, de 29 de Agosto. O texto imediatamente anterior não era o originário, pois que a Lei n.º 59/98, de 25 de Agosto, introduzira o n.º 3, posteriormente alterada pela supramencionada lei que introduziu a redacção actual. Ainda a mesma lei introduziu os dispositivos dos n.ºs 5 e 6, que não tinham correspondentes nas versões anteriores. Em relação à versão anterior à da Lei que introduziu o texto actual apontam-se, como mais relevantes alterações, a impossibilidade de constituição de arguido quando a notícia do crime for manifestamente infundada (al. d) do n.º 1); a obrigatoriedade de a constituição de arguido ser sujeita a validação da autoridade judiciária quando tiver sido promovida por órgão de polícia criminal, e ainda a apontada introdução dos dispositivos dos n.ºs 5 e 6, o primeiro dos quais se aproxima porém do anterior n.º4.

2. Neste artigo estabelecem-se algumas das formas que deve revestir a constituição da qualidade de arguido.

As outras formas de constituição dessa qualidade encontram-se enumeradas nos arts. 57.º (dedução de acusação e requerimento para instrução) e 59.º (comunicação em virtude de surgir suspeita de cometimento de crime e requerimento do suspeito).

A qualidade de arguido assume-se mediante a comunicação a que alude o n.º 2 deste art. 58.º, isto como regra geral, pois que esta comunicação

Artigo 58.º

só é feita relativamente aos casos especificados no mesmo art. 58.º e no art. 59.º (no tocante a este último artigo por exigência do seu n.º 1). Tratando-se de constituição através de alguma das formas especificadas no art. 57.º, a qualidade de arguido assume-se por mero efeito da acusação ou do requerimento para abertura de instrução; tratando-se de constituição a requerimento do suspeito, no caso previsto no art. 59.º, n.º 2, vale como comunicação a notificação de que o requerimento foi deferido, desde que acompanhada das demais indicações e explicações exigidas pelo n.º 2 deste art. 58.º.

A comunicação da constituição da qualidade de arguido pode ser feita oralmente ou por escrito, devendo em qualquer caso ficar documentada no processo. Trata-se de um acto fundamental para o exercício do direito de defesa, a fazer por alguma das entidades referidas no n.º 2 e com o preciso conteúdo aí exigido.

No que concerne a pessoas colectivas, a constituição como arguida tem lugar nos casos das alíneas *a)*, *b)* e *d)* do n.º 1, uma vez que não é aplicável o dispositivo da al. *c)*, por não haver lugar à detenção. A constituição como arguida faz-se na pessoa do legal representante e conserva-se durante toda a tramitação processual, independentemente das alterações que se verifiquem no representante legal.

3. O normativo do n.º 5 implica que as declarações prestadas num processo por alguma pessoa só podem ser utilizadas desde que prestadas após ter assumido a qualidade de arguido, mediante o cumprimento das formalidades para o efeito exigidas. Quaisquer declarações eventualmente prestadas antes desse momento não podem ser utilizadas como meio de prova, pois que a pessoa visada não possuía então o estatuto de arguido nem tinha o direito de ser assistida por defensor. O texto do n.º 5, *in fine,* e o pensamento legislativo permitem porém a interpretação de que as declarações prestadas antes da constituição da qualidade de arguido podem ser utilizadas como meio de prova, nos termos gerais, a favor da pessoa visada e contra ou a favor de terceiras pessoas.

4. *Jurisprudência:*
— As declarações, escritas ou não, prestadas por uma pessoa, informalmente, antes da sua constituição formal como arguida num processo que contra ela já esteja a correr, obrigam à sua imediata constituição como arguida, sob pena de nulidade da utilização da prova resultante de tais declarações e da impossibilidade de tal prova ser utilizada contra ela. (Ac. STJ de 29 de Janeiro de 1992; *CJ*, XVII, tomo 1, 20);
— I — A falta de constituição como arguido não equivale à falta de inquérito nem integra a nulidade insanável do art. 119.º, al. *d)*, do CPP. II — Tal omissão constitui mera irregularidade que tem como sanção que as declarações prestadas pelo arguido, antes de cumprida tal formalidade que foi omitida, não podem ser utilizadas contra ele. (Ac. RC de 11 de Maio de 1994; *CJ*, XIX, tomo 3, 48);
— As declarações do co-arguido só podem fundamentar a prova de um facto criminalmente relevante quando sejam confirmadas por outro autónomo contributo em abono daquele facto. (Ac. STJ de 12 de Junho de 2006; *CJ*, *Acs do STJ*, ano XIV, tomo 2, 241).

Código de Processo Penal

ARTIGO 59.º

(Outros casos de constituição de arguido)

1. Se, durante qualquer inquirição feita a pessoa que não é arguido, surgir fundada suspeita de crime por ela cometido, a entidade que proceda ao acto suspende-o imediatamente e procede à comunicação e à indicação referidas no n.º 2 do artigo anterior.

2. A pessoa sobre quem recair suspeita de ter cometido um crime tem direito a ser constituída, a seu pedido, como arguido sempre que estiverem a ser efectuadas diligências, destinadas a comprovar a imputação, que pessoalmente a afectem.

3. É correspondentemente aplicável o disposto no n.ºs 3 e 4 do artigo anterior.

---

1. Reproduz o art. 59.º do Proj. Corresponde ao art. 194.º, n.ºs 1 e 2 do Aproj. e 252.º do CPP de 1929, na redacção introduzida pelo Dec.-Lei n.º 185/72, de 31 de Maio. O n.º 3 sofreu porém ligeira alteração introduzida pela Lei n.º 59/98, de 25 de Agosto, decorrente de alteração introduzida no art. 58.º, que consistiu no aditamento da aplicação do n.º 4 desse artigo.

2. Ver anots. aos arts. 57.º e 58.º.

Neste artigo prevêem-se dois casos de constituição de arguido, que acrescem aos previstos nos arts. 57.º e 58.º.

O primeiro caso, previsto no n.º 1, é o de constituição oficiosa obrigatória, sempre que no processo surge suspeita fundamentada, no sentido de que tem consistência baseada em factos carreados para o processo, de que a pessoa que está a ser inquirida, e que ainda não é arguido, cometeu algum crime. Essa pessoa não pode continuar a ser inquirida sem que esteja dotada do estatuto de arguido, com os consequentes direitos e deveres.

O segundo caso, previsto no n.º 2, é o de surgir suspeita contra alguma pessoa de ela ter cometido algum crime. Essa pessoa pode ser constituída, a seu pedido, como arguido. Não se exige aqui que a suspeita seja fundamentada, e por isso a constituição só pode ser feita a requerimento da pessoa visada, sendo no entanto necessário que estejam a ser feitas diligências destinadas a comprovar a imputação do crime, que pessoalmente a afectem. Estas diligências que afectam pessoalmente a pessoa visada e que requer a constituição de arguido lançam de algum modo a suspeita, que tem portanto alguma consistência. Se as diligências realizadas não afectarem de algum modo o requerente, não existe suspeita, e o pedido deve ser indeferido. Mas a regra deve ser a do deferimento, sempre que se verifiquem os pressupostos formais e a suspeita tenha um mínimo de consistência; de outro modo ficará frustrado o direito de defesa, que tem garantia constitucional e neste Código.

Em qualquer caso, e como se deduz da aplicação do n.º 4 do art. 58.º, se houver constituição, não podem ser utilizadas como meio de prova contra o arguido as declarações por ele prestadas anteriormente à constituição.

Artigo 61.º

3. *Jurisprudência:*
— A eventual inobservância do procedimento previsto no n.º 1 do art. 59.º do CPP não implica qualquer nulidade, apenas determinando que as declarações prestadas não possam ser usadas como prova contra a pessoa visada, sendo indiferente quanto a terceiros que hajam sido prestadas a título de testemunho ou na qualidade de arguidos, se for o mesmo o seu conteúdo. (Ac. STJ de 11 de Outubro de 1995; *BMJ,* 450, 110).

ARTIGO 60.º

(Posição processual)

Desde o momento em que uma pessoa adquirir a qualidade de arguido é-lhe assegurado o exercício de direitos e de deveres processuais, sem prejuízo da aplicação de medidas de coacção e de garantia patrimonial e da efectivação de diligências probatórias, nos termos especificados na lei.

1. Reproduz o art. 60.º do Proj. e corresponde ao art. 66.º, n.º 1, do Aproj. Não havia disposição correspondente no CPP de 1929.

2. Ver anots. ao art. 57.º, onde se relacionaram os principais direitos e deveres processuais do arguido. Estes direitos e deveres, que na sua globalidade constituem um autêntico estatuto do arguido, encontram-se também enumerados nos artigos seguintes e em outros lugares referidos em anot. ao art. 57.º.
O estatuto de arguido só se aplica a partir do momento em que uma pessoa como tal é constituída, nos termos dos arts. 57.º, 58.º e 59.º.
O simplesmente suspeito deverá requerer a constituição como arguido, ou como tal ser constituído oficiosamente, tudo nos termos do art. 59.º, para que possa ficar ao abrigo do estatuto do arguido, após a referida constituição. Enquanto esta não tiver lugar, não poderá usufruir, designadamente, dos direitos conferidos pelas diversas alíneas do n.º 1 do art. 61.º.

ARTIGO 61.º

(Direitos e deveres processuais)

1. O arguido goza, em especial, em qualquer fase do processo e, salvas as excepções da lei, dos direitos de:

a) Estar presente aos actos processuais que directamente lhe disseram respeito;

b) Ser ouvido pelo tribunal ou pelo juiz de instrução sempre que eles devam tomar qualquer decisão que pessoalmente o afecte;

Código de Processo Penal

c) Ser informado dos factos que lhe são imputados antes de prestar declarações perante qualquer entidade;

d) Não responder a perguntas feitas, por qualquer entidade, sobre os factos que lhe forem imputados e sobre o conteúdo das declarações que acerca deles prestar;

e) Escolher defensor ou solicitar ao tribunal que lhe nomeie um;

f) Ser assistido por defensor em todos os actos processuais em que participar e, quando detido, comunicar, mesmo em privado, com ele;

g) Intervir no inquérito e na instrução, oferecendo provas e requerendo as diligências que se lhe afigurarem necessárias;

h) Ser informado, pela autoridade judiciária ou pelo órgão de polícia criminal perante os quais seja obrigado a comparecer, dos direitos que lhe assistem;

i) Recorrer, nos termos da lei, das decisões que lhe forem desfavoráveis.

2. A comunicação em privado referida na alínea *f)* do número anterior ocorre à vista quando assim o impuserem razões de segurança, mas em condições de não ser ouvida pelo encarregado da vigilância.

3. Recaem em especial sobre o arguido os deveres de:

a) Comparecer perante o juiz, o Ministério Público ou os órgãos de polícia criminal sempre que a lei o exigir e para tal tiver sido devidamente convocado;

b) Responder com verdade às perguntas feitas por entidade competente sobre a sua identidade e, quando a lei o impuser, sobre os seus antecedentes criminais;

c) Prestar termo de identidade e residência logo que assuma a qualidade de arguido;

d) Sujeitar-se a diligências de prova e a medidas de coacção e garantia patrimonial especificadas na lei e ordenadas e efectuadas por entidade competente.

---

1. Com excepção da al. c) do n.º 1, que foi introduzida pela Lei n.º 48/ 2007, de 29 de Agosto, reproduz o art. 61.º do Proj. com excepção da al. *e)* do n.º 1, que sofreu alterações finais determinadas por alterações, também finais, no n.º 4 do art. 143.º e pela Lei n.º 43/86, de 26 de Setembro (Lei de Autorização legislativa), art. 2.º, n.º 2, al. 9) e da al. *c)* do n.º 3, que foi aditada pela Lei n.º 59/98, de 25 de Agosto, passando a anterior al. *c)* para a actual al. *d)*. Corresponde, muito aproximadamente, ao art. 67.º do Aproj. Não havia, no CPP de 1929, disposição correspondente, estabelecendo o corpo de direitos e deveres fundamentais que constituem o estatuto do arguido.

Artigo 61.º

2. Quanto a direitos processuais, o estatuto do arguido consta, fundamentalmente, do seguinte:

a) Direito a todas as garantias de defesa, estabelecido no art. 32.º, n.º 1, da CRP. Este direito, como já se sublinhou em anot. ao art. 57.º, tem conteúdo vago, tratando-se de um normativo da lei fundamental destinado a eivar todo o processo penal, de modo a que o arguido esteja sempre dotado, ao longo de todo o processo, dos instrumentos processuais necessários para poder contrariar a posição do MP ou do assistente. As diversas alíneas do n.º 1 são afloramentos ou ilações do comando constitucional.

b) Presunção de inocência até ao trânsito em julgado da decisão de condenação, estabelecido no art. 32.º, n.º 2, da CRP. O sentido e o alcance desta presunção foram analisados em anot. ao art. 57.º, para onde remetemos.

c) Direito a julgamento no mais curto prazo compatível com as garantias de defesa, também estabelecido no art. 32.º, n.º 2, da CRP. Como se acentuou em anot. ao art. 57.º, este direito é ilação da presunção de inocência, pois que uma demora excessiva do julgamento acabará por esvaziar e tirar alcance ao princípio da presunção de inocência, acabando o arguido por ficar de algum modo injustamente penalizado, mesmo no caso de absolvição.

d) Direito à escolha de defensor, a ser por ele assistido em todos os actos do processo e a comunicar, mesmo em privado, com ele, estabelecido nos arts. 32.º, n.º 2, da CRP e 61.º, als. *e)* e *f)* do CPP.

O arguido tem o direito à *assistência* de defensor, e também o direito à *escolha* do defensor. Assim, o defensor oficioso só será designado no caso de o arguido não exercer o direito de escolha através da constituição de um defensor. Porém, enquanto o arguido pode constituir defensor em qualquer altura do processo, só é obrigatória a nomeação de oficioso nos casos em que a lei determina a obrigatoriedade de assistência de defensor. Estes casos são fundamentalmente, os que se encontram especificados no art. 64.º.

O direito de comunicação do arguido como o seu defensor, mesmo em privado, estende-se ao longo de todo o processo, sem qualquer restrição. Uma restrição a este direito, que o Proj. estabelecia, foi eliminada por ter sido considerada inconstitucional pelo ac. TC de 9 de Janeiro de 1987, Proc. 302/86. Veja-se, sobre este ponto, anot. 1 ao art. 143.º. Por tudo isto, deve entender-se que o normativo do n.º 2 é ditado tão-só por razões de segurança, não podendo o serviço de vigilância ter qualquer interferência na comunicação entre o arguido e o defensor.

Também os solicitadores têm direito de comunicar, pessoal e reservadamente, com os seus constituintes, mesmo quando estes se encontrem detidos ou presos em qualquer estabelecimento prisional ou policial (art. 78.º, n.º 3, do Estatuto dos Solicitadores aprovado pelo Dec-Lei n.º 8/99, de 8 de Janeiro).

e) Direito de estar presente aos actos processuais que directamente lhe disserem respeito, estabelecido na al. *a)* do n.º 1.

Os actos que directamente dizem respeito ao arguido, segundo o Prof. Figueiredo Dias, *Direito Processual Penal,* 1.º vol., 431-432, são todos aqueles relativamente aos quais vale em geral o princípio da contraditoriedade. Com este normativo sobre o direito de presença, segundo o mesmo Mestre, «quere-se dar ao arguido a mais ampla possibilidade de tomar posição, a todo o

Código de Processo Penal

momento, sobre o material que possa ser feito valer processualmente contra si, ao mesmo tempo que garantir-lhe uma relação de imediação com o juiz e com as provas».

f) Direiro a audiência pelo tribunal ou pelo juiz de instrução sempre que eles devam tomar qualquer decisão que pessoalmente o afecte, estabelecido no al. *b)* do n.º 1.

Trata-se de emanação do princípio do contraditório, que, em processo penal, tem assento constitucional — art. 32.º, n.º 5, da CRP.

g) Direito de não responder a perguntas feitas relativamente a factos que lhe são imputados.

Relativamente às perguntas que lhe são feitas sobre a questão da culpa, isto é sobre os factos que lhe são imputados e que podem configurar elementos constitutivos de infracção criminal, o arguido tem o direito ao silêncio, tanto podendo calar-se como responder afirmativa ou negativamente. E daqui deriva que ele não pode ver desfavorecida a sua posição por não ter exercido o direito ao silêncio, o qual não pode ser de modo algum valorado como indício ou presunção de culpa, nem tão pouco como circunstância influenciadora da dosimetria concreta da pena. Mas, como expende o Prof. Figueiredo Dias, *loc. cit.,* 449, «se o arguido não pode ser juridicamente desfavorecido por exercer o seu direito ao silêncio, já, naturalmente, o pode ser de um mero ponto de vista *fáctico,* quando do silêncio derive o definitivo desconhecimento ou desconsideração de circunstâncias que serviriam para justificar ou desculpar, total ou parcialmente, a infracção. Então, mas *só então,* representará o exercício de tal direito um *privilegium odiosum* para o arguido».

Questão que tem prendido a atenção dos autores é a de saber se o arguido tem um verdadeiro *direito de mentir* sobre os factos da culpa. A questão tem pouco alcance prático, uma vez que, em qualquer caso, sempre seria inexigível o cumprimento do dever de verdade relativamente a tais factos. Sobre o ponto veja-se ainda a exposição do Prof. Figueiredo Dias, *loc. cit.,* 450-451.

Quanto a nome, filiação, freguesia e concelho de naturalidade, data de nascimento, estado civil, profissão, residência, número de documento oficial que permita a identificação, se já esteve alguma vez preso, quando o porquê e se foi ou não condenado e por que crimes não existe o direito ao silêncio e existe o dever de obediência à verdade, sendo a falta de resposta e a falsidade da mesma sancionadas penalmente — arts. 61.º, n.º 3, al. *b);* 141.º, n.º 3 e 144.º. Aqui há porém que fazer uma excepção, pois na audiência o arguido não é perguntado sobre os seus antecedentes criminais, como em outro lugar será apontado mais desenvolvidamente.

h) Direito de intervir no inquérito e na instrução, oferecendo provas e requerendo diligências.

Trata-se aqui de afloramento do direito constitucional a todas as garantias de defesa, com incidência nas fases processuais de recolha de prova visando saber se o arguido deve ou não ser submetido a julgamento. Nestas fases — inquérito e instrução —o arguido pode ele próprio oferecer provas ou então requerer diligências de prova que se lhe afigurem úteis. Trata-se de afloramentos exemplificativos dos direitos da defesa. As diligências requeridas devem ser necessárias, significando isto que se devem afigurar de utilidade presumível para o esclarecimento da verdade, e devem consequentemente ser indeferidas quando não revelarem qualquer utilidade.

190

Artigo 61.º

Sucede porém que este direito, durante o inquérito, tem traduzido alcance prático pois que, tratando--se de uma fase submetida ao segredo de justiça, o arguido desconhece o estádio das investigações, bem como quais as provas já carreadas para o processo. O mesmo sucede quanto ao assistente.

i) Direito à informação dos direitos que lhe assistem.

Este direito, consagrado na al. *h)* do n.º 1, obriga a autoridade judiciária ou o órgão de polícia criminal a informar o arguido dos seus direitos consagrados no art. 61.º, n.º 1, explicando-lhos, tudo conforme se preceitua no art. 141.º, n.º 4, *ex vi,* quando caso disso, do art. 144.º. O arguido é um sujeito processual, com o seu estatuto próprio, composto de direitos e de deveres; condição essencial para que possa exercer eficazmente aqueles é conhecê-los, e daí a razão de ser destas disposições.

j) Direito de recorrer das decisões desfavoráveis.

Este direito, consagrado na al. *i* do n.º 1, só é, obviamente, extensivo a decisões desfavoráveis, o que seria até desnecessário explicar, porque consta das disposições sobre legitimidade e interesse em agir em matéria de recursos. Aliás, o que aqui se consagra é só o direito de o arguido recorrer de decisões desfavoráveis, e não dispensa a aplicação das normas relativas aos recursos.

k) Direito de ser informado dos factos que lhe são imputados antes de prestar declarações perante qualquer entidade.

Este direito, consagrado pela lei que introduziu o texto actual deste artigo, destina-se a possibilitar ao arguido uma defesa eficaz, pois que sem ter conhecimeno dos factos que lhe são imputados o arguido não poderá saber contra o que se defende.

3. No que concerne a deveres processuais, o estatuto do arguido tem, fundamentalmente, o conteúdo seguinte:

a) Dever de comparência perante o juiz, o MP ou os órgãos de polícia criminal, sempre que a lei o exija ou que tenha sido para isso devidamente convocado por alguma dessas entidades.

Este dever é imposto pelas premências de realização da justiça penal, e a violação, quando injustificada, acarreta consequências gravosas que a lei especifica, nomeadamente nos arts. 116.º, n.º 2; 208.º (quebra de caução); 336.º e 473.º (contumácia); etc.

b) Dever de responder com verdade às perguntas feitas sobre a identidade.

Este dever encontra-se estabelecido na al. *b)* do n.º 2 e no art. 141.º, n.º 3. Sobre ele, ver *supra,* 3, al. *g).*

A violação deste dever é passível de responsabilidade criminal; a recusa a responder faz o arguido incorrer no crime de desobediência e a falsidade das respostas fá-lo-á incorrer no crime de falsidade de declarações, do art. 359.º do CP. A parte final da al. *b)* do n.º 3 alude também ao dever de o arguido responder com verdade às perguntas sobre os seus antecedentes criminais. Este dispositivo, no que se refere a perguntas feitas durante a audiência, deixou de estar em vigor a partir da revisão do Código levada a efeito pelo Dec.-Lei n.º 317/95, de 28 de Novembro, devido à alteração por este diploma feita no art. 342.º, por se ter entendido que a indagação, em audiência pública, dos antecedentes criminais do arguido, sendo mesmo ele obrigado a revelá-los, atentava contra a sua dignidade e contra garantias constitucionais.

191

Código de Processo Penal

c) Sujeição a diligências de prova e a medidas de coacção e de garantia patrimonial especificadas na lei e ordenadas e efectuadas por entidade competente.

O arguido, para além de ser sujeito processual, pode também ser objecto de diligências de prova e de medidas de coacção processual. Umas e outras, porém, não podem ter por finalidade a extorsão de declarações ou de quaisquer actos processuais que não sejam expressão da vontade livre do arguido. As medidas de coacção têm que estar especificadas na lei, como expressamente se consagra na al. *c)* do n.º 3, obedecendo portanto ao *princípio da legalidade,* e só devem ser utilizadas quando absolutamente necessárias *(princípio da necessidade).* Estes princípios, a par do da *adequação e proporcionalidade,* encontram-se formulados e regulados nos arts. 191.º e segs. Outro princípio que regula a matéria das medidas de coacção e de garantia patrimonial é o da *subsidiariedade,* referido pelo Prof. Figueiredo Dias, *Direito Processual Penal,* 1.º, vol., 436.

4. Quanto a direitos e deveres processuais das pessoas colectivas arguidas, são aplicáveis as anteriores anotações, com as necessárias adaptações derivadas da sua própria natureza, devendo os direitos e os deveres serem exercidos pelo representante legal ou sobre ele incumbirem.

5. *Jurisprudência fixada:*
— Para efeitos de concessão de apoio judiciário, a condição de recluso não integra a base de presunção de insuficiência económica, a que se refere o artigo 20.º, n.º 1, alínea c), da Lei n.º 30-E/2000, de 29 de Dezembro. (Ac. do Pleno das secções criminais do STJ de 13 de Abril de 2005; *DR,* I série, de 7 de Junho do mesmo ano).

6. *Jurisprudência:*
— O conteúdo essencial do princípio do contraditório está em que nenhuma prova deve ser aceite na audiência nem nenhuma decisão, mesmo interlocutória, deve ser tomada pelo juiz sem que previamente tenha sido dada ampla e efectiva possibilidade ao sujeito processual contra o qual é dirigida de a discutir, de a contestar e de a valorar. Ao princípio do contraditório estão subordinados a audiência de julgamento e bem assim os actos instrutórios que a lei determinar (n.º 5 do art. 32.º da CRP); daqui não decorre, porém, que tenha que haver sempre uma instrução ou sequer que seja obrigatória a existência de uma fase de instrução. Na determinação dos actos instrutórios que hão-de ficar subordinados ao princípio do contraditório goza o legislador de grande liberdade; ele só tem que ter sempre presente que o processo criminal há-de ser *a due process of law, a fair process,* onde o arguido tenha efectiva possibilidade de ser ouvido e de se defender, em perfeita igualdade com o MP. (Ac. Trib. Constitucional de 4 de Novembro de 1987; *BMJ,* 371, 160);
— I — O processo penal de um Estado de direito há-de cumprir dois objectivos fundamentais: assegurar ao Estado a possibilidade de realização do seu *jus puniendi* e oferecer aos cidadãos as garantias necessárias para os proteger contra os abusos que possam cometer-se no exercício do poder punitivo, designadamente contra a possibilidade de uma sentença injusta.

Artigo 61.º

II — Um tal processo há-de, por conseguinte, ser um processo equitativo *(a due process, a fair process)*, que tenha por preocupação dominante a busca da verdade material, mas sempre com inteiro respeito pela pessoa do arguido, o que, entre o mais, exige que se assegurem a este todas as garantias de defesa e que se não admitam provas que não passem pelo crivo do contraditório e pela percepção directa e pessoal do juiz (princípios da oralidade e da imediação). III — O sentido essencial do princípio do contraditório está em que nenhuma prova deve ser aceite em audiência, nem nenhuma decisão (mesmo só interlocutória) deve aí ser tomada pelo juiz, sem que previamente tenha sido dada ampla e efectiva possibilidade, ao sujeito processual contra o qual é dirigida, de a discutir, de a contestar e de a valorar. (Ac. Trib. Constitucional n.º 172/92, de 6 de Maio de 1993; *BMJ,* 427, 57);

— Não são inconstitucionais as normas dos arts. 61.º, n.º 3, al. *b)* e 141.º, n.º 3, do CPP, na parte em que impõem ao arguido o dever de responder com verdade às perguntas feitas no primeiro interrogatório judicial sobre os seus antecedentes criminais. (Ac. do Trib. Constitucional de 13 de Maio de 1998; proc. 22/97; *DR,* II série, de 27 de Novembro de 1998);

— Não é inconstitucional, designadamente porque não viola o disposto no art. 32.º, n.º 5, da Constituição, o disposto no art. 61.º, n.º 1, alíneas *a)* e *f)* do CPP, quando interpretado em termos de considerar que não confere ao arguido e ao seu defensor o direito de estar presente e intervir nos actos de inquirição de testemunhas por si arroladas, a realizar na fase de instrução, que hajam sido delegados pelo juiz nos órgãos de polícia criminal. (Ac. do Trib. Constitucional n.º 372/2000, de 12 de Julho, proc. n.º 669/99; *DR,* II série, de 13 e Novemvro de 2000);

— Se o direito ao silêncio não pode prejudicar, também não beneficia o arguido que dele usa, desde logo porque não significa confissão, nem também traz ao de cima arrependimento. (Ac. STJ de 30 de Janeiro de 2002, proc. n.º 3063/01-3.ª; *SASTJ,* n.º 57, 70);

— São inconstitucionais, por violação do art. 32.º, n.º 1, da CRP, as normas constantes dos arts. 4.º da Lei n.º 29/99, de 12 de Maio, e 61.º, n.º 1, alínea b), do CPP, interpretadas no sentido de não ser obrigatória a audição do arguido antes de ser proferida decisão de revogação do perdão da pena de que beneficiara. (Ac. do Trib. Constitucional n.º 298/05, de 7 de Junho de 2005, proc. n.º 598/2004; *DR,* II série, de 28 de julho do mesmo ano);

— Não é inconstitucional a interpretação das normas dos arts. 61.º, n.º 1, al. b); 118.º, n.os 1 e 2; 119.º; 120.º; 123.º, n.º1 e 194.º, n.º 2, do CPP, no sentido de que constitui irregularidade, a arguir no próprio acto, a prolação de despacho judicial a determinar a aplicação da medida de coacção de prisão preventiva ao arguido, na sequência de promoção do MP formulada após termo do primeiro interrogatório judicial de arguido detido, sem que este, assistido por mandatário por ele constituído, presente ao acto, tenha sido ouvido sobre essa promoção, sem invocação fundamentada de impossibilidade ou inconveniência dessa audição. (Ac. Trib. Constitucional de 31 de Maio de 2006, proc. n.º 376/2006; *DR,* II série, de 12 de Julho de 2006);

— Não é inconstitucional a norma que resulta do art.º 359.º, n.º 2, do CP, e dos arts. 141.º, n.o 3; 144.º, n.os 1 e 2; e 61.º, n.º 3, alínea b), do CPP, segundo

Código de Processo Penal

a qual, no interrogatório feito por órgão de polícia criminal durante o inquérito, o arguido tem que responder com verdade à matéria dos seus antecedentes criminais, sob pena de cometer um crime de falsas declarações, pois que àquele interrogatório se aplicam as regras do primeiro interrogatório judicial de arguido detido. (Ac. do Trib. Constitucional n.º 127/2007, de 27 de Fevereiro; *Acórdãos do Trib. Constitucional,* n.º 67, pág. 571).

ARTIGO 62.º

(Defensor)

1. O arguido pode constituir advogado em qualquer altura do processo.

2. Tendo o arguido mais do que um defensor constituído, as notificações são feitas àquele que for indicado em primeiro lugar no acto de constituição.

---

1. Este artigo tem o texto introduzido pela Lei n.º 48/2007, de 29 de Agosto, que porém se limitou a eliminar os anteriores n.ºˢ 2 e 3. Estes dispositivos que foram eliminados respeitavam à nomeação de defensor quando o arguido o não tivesse constituído e a lei determinasse a obrigatoriedade de assistência por defensor.
Esta matéria é agora regulada nos arts. 39.º a 44.º da Lei n.º 34/2004, de 29 de Julho, com as alterações introduzidas pela Lei n.º 47/2007, de 28 de Agosto.

2. Os casos em que a lei determina a obrigatoriedade de o arguido ser assistido de defensor estão enumerados no art. 64.º e em outras disposições especiais.
Não estando a obrigatoriedade de assistência estabelecida em qualquer disposição, poderá o arguido deixar de ser assistido de defensor no acto.
A constituição de defensor por parte do arguido pode verificar-se em qualquer momento do processo, desde a sua instauração logo após a constituição de arguido, deverá recair em advogado e opera-se através de procuração, inclusivamente de procuração *apud acta.*
Nos casos em que a lei determina a obrigatoriedade de o arguido ser assistido de defensor e ele ainda o não tiver constituído, deve ser-lhe nomeado defensor oficioso. Esta nomeação é feita nos termos adiante indicados (anot. 3).
O defensor nomeado mantém as suas funções em todos os actos do processo subsequentes à nomeação, enquanto não for substituído (art. 66.º, n.º 4). Porém, e nos termos do art. 62.º, n.º 1, *in fine,* o defensor nomeado cessa funções logo que o arguido constitua advogado e junte a procuração. Embora esta última condição não esteja expressa na lei ela deve ser exigida, pois *quod non est in actis non est in mundo.*

Artigo 62.º

A falta de defensor nos casos em que a lei determina a obrigatoriedade de assistência constitui nulidade insanável — art. 119.º, al. *c)*. Esta nulidade abrange o caso de falta de nomeação de defensor nos casos em que ela é obrigatória, pois trata-se de caso compreendido na espécie mais ampla contemplada na referida alínea do art. 119.º.

3. Quanto à nomeação de defensor oficioso ao arguido deve obedecer ao estabelecido na Lei n.º 34/2004, de 29 de Julho, alterada pela Lei n.º 47/2007 de 28 de Agosto, que revogou a Lei n.º 30-E//2000, de 20 de Dezembro e transpôs para a ordem jurídica nacional a Direc-tiva n.º 2003/8/CE, do Conselho, de 27 de Janeiro, particularmente ao Capítulo IV, relativo a disposições especiais sobre processo penal — arts. 39.º a 44.º, do seguinte teor:

CAPÍTULO IV

Disposições especiais sobre processo penal

Artigo 39.º
Nomeação de defensor

1 — A nomeação do defensor ao arguido, a dispensa de patrocínio e a substituição são feitas nos termos do Código de Processo Penal, o presente capítulo e da portaria referida no n.º 2 do artigo 45.º.

2 — A nomeação é antecedida da advertência ao arguido do seu direito a constituir advogado.

3 — Caso não constitua advogado, o arguido deve proceder, no momento em que presta termo de identidade e residência, à emissão de uma declaração relativa ao rendimento, património e despesa permanente do seu agregado familiar.

4 — A secretaria do tribunal deve apreciar a insuficiência económica do arguido em função da declaração emitida e dos critérios estabelecidos na presente lei.

5 — Se a secretaria concluir pela insuficiência económica do arguido, deve ser-lhe nomeado defensor ou, no caso contrário, adverti-lo de que deve constituir advogado.

6 — A nomeação de defensor ao arguido, nos termos do número anterior, tem carácter provisório e depende de concessão de apoio judiciário pelos serviços da segurança social.

7 — Se o arguido não solicitar a concessão de apoio judiciário, é responsável pelo pagamento do triplo do valor estabelecido nos termos do n.º 2 do artigo 36.º.

8 — Se os serviços da segurança social decidirem não conceder o benefício de apoio judiciário ao arguido, este fica sujeito ao pagamento do valor estabelecido nos termos do n.º 2 do artigo 36.º, salvo se se demonstrar que a declaração proferida nos termos do n.º 3 foi mani-

Código de Processo Penal

festamente falsa, caso em que fica sujeito ao pagamento do quíntuplo do valor estabelecido no n.º 2 do artigo 36.º.

9 — Se, no caso previsto na parte final do n.º 5, o arguido não constituir advogado e for obrigatória ou considerda necessária ou conveniente a assistência de defensor, deve este ser nomeado, ficando o arguido responsável pelo pagamento do triplo do valor estabelecido nos termos do n.º 2 do artigo 36.º.

10 — O requerimento para a concessão de apoio judiciário não afecta a marcha do processo.

Artigo 40.º
Escolha de advogado

(Revogado.)

Artigo 41.º
Escalas de prevenção

1 — A nomeação de defensor para assistência ao primeiro interrogatório de arguido detido, para audiência em processo sumário ou para outras diligências urgentes previstas no Código de Processo Penal processa-se nos termos do artigo 39.º, devendo ser organizadas escalas de prevenção de advogados e advogados estagiários para esse efeito, em termos a definir na portaria referida no n.º 2 do artigo 45.º.

2 — A nomeação deve recair em defensor que, constando das escalas de prevenção, se apresente no local de realização da diligência após a sua chamada.

3 — O defensor nomeado para um acto pode manter-se para os actos subsequentes do processo, em termos a regulamentar na portaria referida no n.º 2 do artigo 45.º.

4 — *(Revogado.)*

Artigo 42.º
Dispensa de patrocínio

1 — O advogado nomeado defensor pode pedir dispensa de patrocínio, invocando fundamento que considere justo, em requerimento dirigido à Ordem dos Advogados.

2 — A Ordem dos Advogados aprecia e delibera sobre o pedido de dispensa de patrocínio no prazo de cinco dias.

3 — Enquanto não for substituído, o defensor nomeado para um acto mantém-se para os actos subsequentes do processo.

4 — Pode, em caso de urgência, ser nomeado outro defensor ao arguido, nos termos da portaria referida no n.º 2 do artigo 45.º.

5 — *(Revogado.)*

Artigo 43.º

Constituição de mandatário

1 — Cessam as funções do defensor nomeado sempre que o arguido constitua mandatário.

2 — O defensor nomeado não pode, no mesmo processo, aceitar mandato do mesmo arguido.

Artigo 44.º

Disposições aplicáveis

1 — Em tudo o que não esteja especialmente regulado no presente capítulo relativamente à concessão de protecção jurídica ao arguido em processo penal aplicam-se, com as necessárias adaptações, as disposições do capítulo anterior, com excepção do disposto nos n.ºs 2 e 3 do artigo 18.º, devendo o apoio judiciário ser requerido até ao termo do prazo de recurso da decisão em primeira instância.

2 — Ao pedido de protecção jurídica por quem pretenda constituir-se assistente ou formular ou contestar pedido de indemnização cível em processo penal aplica-se o disposto no capítulo anterior, com as necessárias adaptações.

A Portaria n.º 10/2008, de 3 de Janeiro, alterada pela Portaria n.º 210//2008, de 29 de Fevereiro, procedeu à regulamentação da Lei n.º 34/2004, nomeadamente quanto à fixação do valor da taxa devida pela prestação de consulta jurídica, à definição das estruturas de resolução alternativa de litígios às quais se aplica o regime de apoio judiciário, à definição do valor dos encargos para efeitos do disposto no n.º 2 do art. 36.º da mesma Lei, à regulamentação da admissão dos profissionais forenses no sistema de acesso ao direito, à nomeação de patrono e de defensor e ao pagapento da respectiva compensação. Esta portaria criou ainda a comissão de acompanhamento do acesso ao direito, para monitorizar o sistema implantado e apresentar proposta para o seu aperfeiçoamento.

4. Questão sobre a qual a versão originária do Código não tomou posição era a de saber se o arguido podia constituir mais do que um defensor. Na vigência do CPP de 1929 e do Dec.-Lei n.º 35 007, de 13 de Outubro de 1945, sustentámos, perante dispositivos desses diplomas, que cada arguido só podia constituir um advogado. A partir da entrada em vigor da versão originária do Código entendemos que a lei não contrariava a possibilidade de o arguido constituir mais do que um defensor. Esta possibilidade estava até certamente no pensamento do Prof. Figueiredo Dias, presidente da comissão que elaborou o projecto de que resultou o Código e que redigiu o articulado final.

De qualquer modo, agora *legem habemus*. Com a introdução do n.º 4 (actual n.º 2) pela Lei referida na anot. 1 a questão ficou clarificada e, para evitar confusão processual ou tomadas de posição antagónicas também clarificado ficou que havendo mais do que um constituído, as notificações são feitas àquele que for indicado em primeiro lugar no acto de constituição.

Código de Processo Penal

5. Em nosso entendimento os advogados, como os magistrados judiciais e do MP, não podem ser os defensores em processos em que são eles próprios arguidos, porque os poderes que a lei atribui aos defensores são inconciliáveis com a posição de arguido. Neste sentido Prof. Germano Marques da Silva, *Curso de Processo Penal*, I, 285; acs. do Trib. Constitucional de 4 de Novembro de 1987; BMJ., 371, 160 e n.º 578/2001, de 18 de Dezembro, e, entre outros, do STJ, de 19 de Março de 1998: *BMJ*, 475, 498, este aresto com extensa fundamentação e anotação. Em sentido contrário, de que discordamos, Pinto de Albuquerque, Comentário ao Código de Processo Penal, 192-194.

6. *Jurisprudencia fixada:*
— Para efeitos de correrssão de apoio judiciário, a condição de recluso não integra a base de presunção de insufeciência económica a que se refere o art. 20.º, n.º 1, alínea c), da Lei n.º 30-E/2000, de 29 de Dezembro. (Ac. do Pleno das secções criminais do STJ, de 13 de Abril de 2005; *DR*, I—A série, de 7 de Junho de mesmo ano).

7. *Jurisprudência:*
— A garantia de assistência de defensor, consagrada no n.º 3 do art. 32.º da CRP, comporta uma dupla vertente: por um lado, assegura aos arguidos o direito a serem assistidos por um defensor de sua escolha em todos os actos do processo; por outro lado, impõe essa assistência como obrigatória em certos casos ou certas fases do processo, a serem definidos pelo legislador. Numa e noutra vertente, porém, haverá de tratar-se de actos processuais que respeitem directamente ao arguido, e nomeadamente daqueles em que o mesmo intervenha — em suma, dos actos relativos à participação processual do arguido, pois que só faz sentido «assistir» ao arguido quando ele «participe» no processo. (Ac. Trib. Constitucional de 4 de Novembro de 1987; *BMJ*, 371, 160);
— Não se verifica qualquer irregularidade por ter sido nomeada para assistir ao arguido, no seu interrogatório, pessoa que não é advogado nem estagiário de advocacia. (Ac. STJ de 31 de Janeiro de 1990; *CJ*, XV, tomo 1, 23);
— O CPP não confere ao arguido o direito de se defender a si próprio, mesmo que seja advogado. Estando devidamente representado por defensor oficioso e sendo a aceitação de representação oficiosa obrigatória, não pode valer como motivação de recurso, devendo ser rejeitada, a apresentada pelo próprio arguido. (Ac. RP de 29 de Maio de 1991, proc. 55/91);
— O arguido só tem direito de escolha do defensor quando o constitui por procuração, e não quando ele é oficiosamente nomeado pelo tribunal, embora este deva atender, sempre que possível, à preferência do arguido. (Ac. RC de 28 de Fevereiro de 1996; *CJ*, XXI, tomo 1, 52);
— O direito, reconhecido aos advogados, de litigar em causa própria, decorrente do disposto nos arts. 54.º e 164.º do Estatuto da Ordem dos Advogados, não é válida em processo crime e tão pouco poderão assumir a defesa de um co-arguido. (Ac. RL de 17 de Junho de 1997; *CJ*, XXII, tomo 3, 158);

Artigo 63.º

— A regra segundo a qual os magistrados podem advogar em causa própria é inaplicável aos casos em que o magistrado é, ele próprio, arguido em processo penal, porque os poderes que por lei são atribuídos ao defensor não são conciliáveis com a sua posição de arguido. (Ac. STJ de 6 de Dezembro de 2001, proc. 3347/01-5.ª; *SASTJ*, n.º 56, 45);

— Em processo crime em que sejam arguidos, não é admissível aos advogados exercer o seu próprio patrocínio. (Ac. RL de 28 de Setembro de 2004; *CJ*, XXIX, tomo 4, 141).

ARTIGO 63.º

(Direitos do defensor)

1. O defensor exerce os direitos que a lei reconhece ao arguido, salvo os que ela reservar pessoalmente a este.

2. O arguido pode retirar eficácia ao acto realizado em seu nome pelo defensor, desde que o faça por declaração expressa anterior a decisão relativa àquele acto.

---

1. Reproduz o art. 63.º do Proj. Não havia disposição correspondente no CPP de 1929. Foi inspirado no art. 99.º do Projecto preliminar italiano.

2. O defensor, além de prestar assistência ao arguido, pode exercer no processo todos os direitos que a lei reconhece ao arguido, desde que a este não sejam pessoalmente reservados. Estas funções de representação encontram-se consagradas no n.º 1, e para exercê-las o defensor possui todas as faculdades e todos os direitos que ao arguido são reconhecidos, salvo disposição legal em contrário.

Mas o defensor não pode actuar contra a vontade do arguido, e por isso, no conflito interno entre ambos, a lei dá prevalência à vontade do arguido. Obviamente, no entanto, para que esta prevalência surta efeito é necessário que a discordância seja manifestada no processo pelo arguido antes de haver decisão relativa ao acto sobre que houve desacordo, e pela forma estabelecida no n.º 2. Na realidade, se o arguido pudesse, posteriormente à decisão sobre qualquer acto praticado pelo seu defensor, retirar eficácia ao mesmo acto, tal possibilidade representaria um meio fácil de frustar a aplicação de normas imperativas.

3. *Jurisprudência:*
— A assistência por defensor em todos os actos e termos do processo que o n.º 3 do art. 32.º da Constituição garante ao arguido abrange não apenas a simples presença física do defensor aos actos do processo, mas o direito do arguido comunicar livremente com o seu defensor, antes e depois do primeiro interrogatório, em termos de lhe ser possibilitada uma eficiente organização da sua defesa, em condições de inteira liberdade e de efectivo conhecimento de causa. (Ac. T. Constitucional de 1 de Junho de 1988; *BMJ*, 378, 135).

Código de Processo Penal

ARTIGO 64.º

(Obrigatoriedade de assistência)

1. É obrigatória a assistência do defensor:

a) Nos interrogatórios de arguido detido ou preso;

b) No debate instrutório e na audiência, salvo tratando-se de processo que não possa dar lugar à aplicação de pena de prisão ou de medida de segurança de internamento;

c) Em qualquer acto processual, à excepção da constituição de arguido, sempre que o arguido for cego, surdo, mudo, analfabeto, desconhecedor da língua portuguesa, menor de 21 anos, ou se suscitar a questão da sua inimputabilidade ou da sua imputabilidade diminuída;

d) Nos recursos ordinários ou extraordinários;

e) Nos casos a que se referem os artigos 271.º e 294.º;

f) Na audiência de julgamento realizada na ausência do arguido;

g) Nos demais casos que a lei determinar.

2. Fora dos casos previstos no número anterior pode ser nomeado defensor ao arguido, a pedido do tribunal ou do arguido, sempre que as circunstâncias do caso revelarem a necessidade ou a conveniência de o arguido ser assistido.

3. Sem prejuizo do disposto nos números anteriores, se o arguido não tiver advogado constituído nem defensor nomeado, é obrigatória a nomeação de defensor quando contra ele for deduzida a acusação, devendo a identificação do defensor constar do despacho de encerramento do inquérito.

4. No caso previsto no número anterior, o arguido é informado, no despacho de acusação, de que fica obrigado, caso seja condenado, a pagar os honorários do defensor oficioso, salvo se lhe for consedido apoio judiciário, e que pode proceder à substituição desse defensor mediante a constituição de advogado.

---

1. Com excepção do que adiante vai anotado, reproduz o art. 64.º do Proj. e corresponde ao art. 70.º do Aproj. O CPP de 1929 não tinha dispositivo correspondente, enumerando os casos de obrigatoriedade de assistência de defensor, os quais se encontravam dispersos por vários artigos desse Código.

A al. *a)* do n.º 1 tem a redacção introduzida pela Lei n.º 48/2007, de 29 de Agosto (anteriormente *No primeiro interrogatório judicial de arguido detido).*

A al. *c)* tem a redacção introduzida pela Lei que acaba de ser mencionada, que porém consistiu tão só do adiamento de *à excepção da constituição de arguido e de cego.*

200

Artigo 64.º

A al. *f)* do n.º 1 foi introduzida pela Lei n.º 59/98, de 25 de Agosto, passando a anterior al. *f)* para a actual al. *g)*. O n.º 3 foi introduzido pela mesma Lei.

O n.º 4 foi introduzido pela referida Lei n.º 48/2007. Não havia dispositivo correspondente em versões anteriores do CPP.

2. Este artigo contém a enumeração dos casos e que é obrigatório que o arguido seja assistido de defensor.

Não se trata de uma enumeração taxativa, mesmo perante o Código, como se deduz na alínea *g)* do n.º 1, pois outros casos existem, como o do art. 504.º, n.º 3.

A obrigatoriedade de assitência fundamenta-se na necessidade de garantir que o arguido tenha uma defesa eficaz e que dê toda a colaboração que por seu lado deva ser dada à administração da justiça.

Em todos os casos de obrigatoriedade de assistência, se o arguido não tiver constituído defensor, deve este ser-lhe nomeado, sendo a nomeação feita nos termos expostos na anot. 3 ao art. 62.º.

Como se deduz da al. *b)*, durante o inquérito não é obrigatória a assistência de defensor ao arguido, salvo para os actos em que a lei exige essa assistência. Já porém é obrigatória a assistência no debate instrutório e na audiência, salvo tratando-se de processo que não possa dar lugar à aplicação de pena de prisão ou de medida de segurança de internamento. Esta ressalva, embora possa parecer de algum modo controversa em face da orientação geral do Código de reforçar as garantias de defesa, escuda-se em que se trata de bagatelas penais, não estando de algum modo em jogo a liberdade dos arguidos.

A al. *c)* contempla casos de obrigatoriedade que têm como denominador comum a particularidade de o arguido não poder contribuir relevantemente para a sua defesa, por se encontrar de algum modo diminuído. O caso previsto na parte final da alínea, de se suscitar a inimputabilidade ou a imputabilidade diminuída, pode apresentar algumas dificuldades de aplicação prática. Dado o efeito com que a lei fulmina a falta de defensor nos casos de obrigatoriedade — art. 119.º, *c)*, é de elementar prudência a nomeação de defensor ao arguido, se ele o não tiver constituído, logo que surja qualquer suspeita de inimputabilidade ou de imputabilidade diminuída.

A al. *d)*, estabelecendo que é obrigatória a assistência de defensor ao arguido nos recursos, tanto ordinários como extraordinários, contém normativo que se fundamenta na necessidade ou na alta conveniência da assistência, porque nos recursos normalmente se debatem questões de natureza jurídica que em regra o próprio arguido se não encontra preparado para discutir com competência e eficiência.

Os casos de assistência obrigatória de defensor estabelecidos na al, *e)* são os de declarações para memória futura, previstos nos arts. 271.º (inquérito) e 294.º (instrução). Se necessário, tais declarações serão levadas em conta no julgamento, e daí o particular cuidado com que a lei as tratou, sujeitando-as ao princípio contraditório e à assistência de defensor.

Como se deduz da al. *g)*, a enumeração feita neste art. 64.º dos casos de obrigatoriedade de assistência de defensor ao arguido não é taxativa. Outros casos de obrigatoriedade existem, mesmo no Código, como os dos arts. 221.º, n.º 3; 223.º, n.º 2 e 504.º, n.º 3, já referido *supra*.

Código de Processo Penal

3. A disposição do n.º 2 reflecte o ensinamento e a recomendação da doutrina autorizada, praticularmente do Prof. Figueiredo Dias, *in Direito Processual Penal*, 1.º vol., 476, expendendo que, para além dos casos de obrigatoriedade expressamente previstos na lei, se impõe que em todos os casos considerados em geral como de mera admissibilidade de defesa se deve nomear defensor ao arguido sempre que as circunstâncias do caso revelem necessidade ou conveniência dessa nomeação.

Trata-se de uma disposição de reserva, afloramento da premência de uma defesa em todos os casos eficaz. A necessidade ou a conveniência devem ser apreciadas em cada caso concreto.

4. A falta de presença do defensor do arguido nos casos em que a lei exige a respectiva comparência é uma nulidade insanável, tipificada no art. 119.º, al. *c)*. O acto que enferma da nulidade deve ser declarado nulo, oficiosamente ou a requerimento do interessado. Para que compareça, o defensor deve ter sido constituído através de procuração, ou nomeado, e assim a falta de constituição ou de nomeação nos casos de obrigatoriedade de comparência arrastará necessariamente a apontada nulidade.

Sobre esta nulidade veja-se ainda Prof. Figueiredo Dias, *ibidem*, 477.

5. *Jurisprudência:*

— Em harmonia com o disposto no art. 64.º, n.º 1, al. *d)* do CPP é obrigatória a constituição de advogado na fase de recurso. (Ac. STJ de 19 de Dezembro de 1990; proc. n.º 41396/3.ª);

— O art. 64.º, n.º 1, al. *d)*, do CPP prescreve a obrigatoriedade de assistência do defensor nos recursos, e essa disposição é aplicável nos processos de transgressão. Não pode, pois, o arguido subscrever a motivação do recurso, e se o fizer sem a intervenção do defensor isso obstará ao conhecimento do recurso. (Ac. RP de 10 de Fevereiro de 1993; *CJ*, XVIII, tomo 1, 249);

— I — Tendo o recurso penal sido interposto directamente pelo arguido, sem intervenção obrigatória de defensor, a situação pode ser regularizada dentro do prazo estabelecido por lei para a interposição do recurso, através da intervenção do defensor. II — Esse prazo conta-se a partir do início do prazo para a interposição do recurso, e não da data do requerimento do arguido sem a intervenção do defensor. (Ac. STJ de 3 de Junho de 1993; proc. 44.452/3.ª);

— Embora, nos termos do Estatuto dos Magistrados Judiciais, da Lei Orgânica do MP e do Estatuto da Ordem dos Advogados, os magistrados e os advogados possam advogar em causa própria, essa regra é inaplicável aos casos em que o magistrado ou o advogado é, ele próprio, arguido em processo penal, porque os poderes que por lei são atribuídos ao defensor não são conciliáveis com a sua posição de arguido. (Ac. STJ de 19 de Março de 1998; *BMJ*, 475, 498). *Nota* — Veja-se a extensa anot. no *BMJ*; no mesmo sentido, Prof. Germano Marques da Silva, *Curso de Processo Penal*, I, 285);

— Como a produção da prova na instrução não está sujeita a contraditório, o advogado do arguido não tem que ser convocado para a inquirição de testemunhas e, por isso, não há nulidade na sua realização na ausência do mesmo. (Ac. RP de 28 de Março de 2001; *CJ*, XXVI, tomo II, 218). *Nota.* Concordamos com esta decisão. Na instrução só o debate é contraditório.

Artigo 65.º

Este acórdão tem porém anotação discordante de F. Pereira Coutinho, *in RPCC,* ano 12, n.º 2, 301 e segs;

— I — A imposição legal de que o arguido seja assistido por defensor impede que aquele, mesmo que advogado, possa assumir a posição de defensor de si próprio. II — Já o mesmo, porém, se não poderá dizer do assistente relativamente à entidade assistida (o MP), em que a conatural distinção pessoal e funcional entre assistente e assistido não se oporá, intrinsecamente, a que o assistente, sendo advogado, intervenha, como tal, por si, ou seja, em seu pró-prio patrocínio (Ac. STJ de 23 de Maio de 2002, proc. n.º 1382/02-5.ª; *SASTJ* n.º 61, 131);

— Não estando presente o arguido no debate instrutório e não tendo o defensor por ele constituído sido notificado da data marcada para a sua realização, não pode ser-lhe nomeado oficiosamente outro defensor sem do facto lhe ser dado conhecimento, sob pena de se cometer uma irregularidade. (Ac. RL de 2 de Outubro de 2002; *CJ,* XXVII, tomo 4, 132);

— Não é inconstitucional a norma do art. 64.º, n.º 1, alínea *a),* do CPP, interpretada no sentido e com a dimensão interpretativa de que é possível, na sequência de detenção não judicial do arguido, interrogá-lo sem a presença de defensor em instalações policiais de qualquer natureza (Ac. do Trib. Constitucional n.º 413/2004, de 7 de Junho de 2004, proc. n.º 406/2004; II série, de 23 de Julho do mesmo ano);

— O advogado assistente ou arguido não pode interferir em processo penal sem ser representado por mandatário ou assistido por defensor. (Ac. RL de 9 de Março de 2006; *CJ,* XXXI, tomo 2, 117).

ARTIGO 65.º
(Assistência a vários arguidos)

Sendo vários os arguidos no mesmo processo, podem eles ser assistidos por um único defensor, se isso não contrariar a função da defesa.

---

1. Reproduz o n.º 1 do art. 65.º do Proj. e também o n.º 1 do art. 71.º do Aproj. e corresponde ao corpo do art. 23.º e seu § 1.º do CPP de 1929. O n.º 2 foi revogado pela Lei n.º 48/2007, de 29 de Agosto.

2. Não existem disposições correspondentes às dos §§ 2.º e 3.º do CPP de 1929, segundo as quais, se nenhum dos réus houvesse constituído advogado o juiz nomearia um defensor oficioso para todos, e quando algum dos réus alegasse incompatibilidade entre a sua defesa e a dos outros o juiz lhe nomearia um diferente, se julgasse justificada essa incompatibilidade.

Perante tais disposições, sustentámos (ver o nosso *Código de Processo Penal,* 6.ª ed., pág. 69), que devia ser nomeado um só defensor oficioso para todos os réus, excepto se as defesas fossem incompatíveis, e que a incompa-tibilidade, embora pudesse ser invocada pelos réus, devia ser decidida pelo juiz, que também dela devia conhecer oficiosamente, quando entendesse que existia.

Cremos que estas orientações devem agora ser mantidas, apesar de não existirem disposições paralelas. O texto legal dá clara indicação de que, em regra, deve ser nomeado um só defensor para todos os arguidos, pois o poder

Código de Processo Penal

aí referido é um poder vinculado, ou poder-dever. Desses números se deduz que só quando a função da defesa fica prejudicada por incompatibilidade deve deixar de haver, no mesmo processo, um só defensor oficioso para todos os arguidos que não tenham constituído defensor.

3. O normativo legal aplica-se tanto ao caso de se tratar de defensor constituído como ao caso de se tratar de defensor nomeado oficiosamente. Porém, tratando-se de defensor constituído pode tratar-se de um só ou de vários defensores relativamente a cada arguido, como sustentámos em anot. ao art. 63.º. Assim, havendo num mesmo processo vários arguidos, pode um deles ter três defensores constituídos e outro os mesmos defensores constituídos ou só um ou dois desses defensores. Diferentemente, tratando-se de defensor que não seja constituído pelo arguido terá que ser um só, e havendo vários arguidos o mesmo para todos, se isso não contrariar a função da defesa. Nada obsta, por outro lado, a que o defensor nomeado oficiosamente para assistir a algum ou a alguns dos arguidos tenha sido constituído por outro ou outros dos arguidos, sempre que isso não contrarie a função da defesa.

4. O texto legal não dá, nem seria razoável que desse, qualquer critério para aferir do que se deve entender por *contrariar a função da defesa*. Trata--se de questão a decidir casuisticamente pelo critério do julgador depois de ouvir os arguidos; haverá incompatibilidade de defesas sempre que a defesa de um dos arguidos puder de algum modo afectar desfavoravelmente a defesa de outro. Para além desta asserção, que é quase uma redundância, só se poderá adiantar que em casos duvidosos ou de desenvolvimento futuro incerto é mais prudente a nomeação de defensores diferentes para os vários arguidos.

ARTIGO 66.º
(Defensor nomeado)

1. A nomeação de defensor é notificada ao arguido e ao defensor quando não estiverem presentes no acto.

2. O defensor nomeado pode ser dispensado do patrocínio se alegar causa que o tribunal julgue justa.

3. O tribunal pode sempre substituir o defensor nomeado, a requerimento do arguido, por causa justa.

4. Enquanto não for substituído, o defensor nomeado para um acto mantém-se para os actos subsequentes do processo.

5. O exercício da função de defensor nomeado é sempre remu-nerado, nos termos e no quantitativo a fixar pelo tribunal, dentro de limites constantes de tabelas aprovadas pelo Ministério da Justiça ou, na sua falta, tendo em atenção os honorários correntemente pagos por serviços do género e do relevo dos que foram prestados. Pela retribuição são responsáveis, conforme o caso, o arguido, o assistente, as partes civis ou os Cofres do Ministério da Justiça.

Artigo 66.º

1. Reproduz o art. 66.º do Proj. e corresponde, com excepção do n.º 5, ao art. 72.º do Aproj. e ao art. 24.º do CPP de 1929; o texto do n.º 1 foi porém aditado pela Lei n.º 59/98, de 25 de Agosto, aditamento que consistiu em notificar a nomeação do defensor também ao arguido, quando não estiver presente no acto.

2. A nomeação de defensor oficioso é notificada a este e ao arguido quando não estiverem presentes no acto em que é a nomeação é feita.

A aceitação da representação oficiosa é obrigatória, como no regime anterior, mas o defensor pode ser dispensado do patrocínio se alegar causa que o tribunal considera justa.

Também o arguido pode pedir a substituição do defensor nomeado, alegando causa que o tribunal considere justa.

A lei não dá qualquer definição de causa justa. Um bom critério de orientação foi expendido pelo Prof. Figueiredo Dias, *Direito Processual Penal,* I, 483: «...Não dá a lei definição do que se entenda, nesta hipótese, por causa justificativa; mas nem por isso será menos nítido o critério de orientação, entre o arguido e defensor (seja constituído ou nomeado) tem sempre de existir uma ampla relação de confiança; se esta se encontra em concreto prejudicada por diferença de opinião quanto à forma de condução da defesa, deverá o juiz determinar a substituição do defensor oficioso...». Este critério, embora formulado no domínio do CPP de 1929, continua inteiramente válido.

A verificação depende, pois, do prudente arbítrio do juiz; para além do critério enunciado, de quebra de uma ampla relação de confiança entre o defensor e o arguido, haverá justa causa sempre que esteja em crise a eficiência da defesa: caso típico é o de incompatibilidade de defesas.

Não existe agora qualquer disposição paralela à do art. 28.º do CPP de 1929, sancionando o abandono da defesa ou a falta injustificada por parte do defensor nomeado. Estas atitudes constituem faltas graves, não apenas aos deveres profissionais, mas também na actuação no processo, relativamente ao arguido e à actuação da justiça; devem ser comunicadas à Ordem respectiva, para serem punidas disciplinarmente, nos termos do Estatuto Judiciário, e conforme se estabelece no art. 85.º do Dec.-Lei n.º 84/84, em anot. ao art. 67.º.

3. Disposição nova relativamente ao CPP de 1929 é a do n.º 5, pelo menos com o desenvolvimento que se lhe dá, e que foi feito com o intuito de dignificar a função da defesa oficiosa, dando-lhe maiores garantias de eficiência.

Não dá o Código critério de distribuição da responsabilidade pela retribuição pelas entidades referidas na parte final do n.º 5, devendo portanto seguir-se os princípios gerais.

4. O exercício da função de defensor nomeado é sempre renumerado, como se estabelece no n.º 5.

A remuneração é fixada nos termos da Lei n.º 34/2004, de 29 de Julho, na redacção dada pela Lei n.º 47/2007, de 29 de Agosto e definida por protocolo entre o Ministério da Justiça e a Ordem dos Advogados.

Os honorários do defensor nomeado foram primeiramente fixados pela Portaria n.º 1200-C/2000, de 20 de Dezembro e posteriormente pelas Portarias

Código de Processo Penal

150/2002, de 19 de Fevereiro; 1386/2004, de 10 de Novembro; e 10/2008, de 3 de Janeiro, com as alterações introduzidas pela Portaria n.º 210/2008, de 29 de Fevereiro, em vigor à data desta anotação, que não transcrevemos pela sua extensão e porque deve ser periodicamente revista.

5. *Jurisprudência:*

— I — Os honorários devidos ao patrono oficioso são fixados pela Lei n.º 30-E/2000, de 20 de Dezembro, em função da natureza do processo e por cada processo, independentemente do número de representados por cada advogado. É, pois, irrelevante para aquele efeito que o advogado represente mais do que um assistente. II — A referida lei autonomiza as intervenções do patrono na acção crime e no enxerto cível. Assim, em acção crime em que aquele deduziu pedido cível, o tribunal deve fixar os respectivos honorários por cada uma das *acções*, tendo-se em conta, na acção cível, o valor global do pedido conjuntamente formulado pelos vários demandantes. (Ac. STJ de 6 de Dezembro de 2001, proc. n.º 3160/01-5.ª; *SASTJ*, n.º 56, 48);

— I — Os honorários a atribuir aos defensores do arguido no processo penal, mesmo que a nomeação se faça fora do âmbito do apoio judiciário em sentido estrito, tal como os honorários dos advogados, advogados estagiários e solicitadores pelos serviços que prestam no âmbito do apoio judiciário, são os constantes das tabelas aprovadas pelo Ministério da Justiça. II — Prevendo essas tabelas honorários pela actuação penal e pelo pedido civil, tal significa que o advogado nomeado no âmbito do apoio judiciário tem direito a receber honorários pelos serviços prestados na acção penal e pelos que prestar na acção civil. III — Os honorários pelo pedido civil são devidos tanto pela sua dedução, sustentação e prova pelo demandante, como pela sua contestação pelo demandado. IV — O defensor oficioso nomeado ao arguido fora do apoio judiciário tem apenas como função assisti-lo no âmbito da acção penal, e não também de o representar, enquanto demandado, na acção civil. V — Consequentemente, a este defensor apenas são devidos os honorários pelos serviços prestados como defensor ao arguido no tocante à acusação penal, e não também os honorários relativos ao pedido civil deduzido contra esse mesmo arguido. (Ac. RP de 22 de Maio de 2002; *CJ*, XXVII, tomo 3, 215);

— I — No sistema da Lei n.º 30-E/2000, de 20 de Dezembro, o juiz não tem margem para fixar os honorários devidos aos defensores oficiosos, antes tendo que se remeter para os valores constantes da tabela anexa à Portaria que os fixa. II — Não se incluem nas despesas a que esses defensores têm direito a ser reembolsados as que foram feitas com deslocações aos tribunais, entidades policiais ou estabelecimentos prisionais, nem com a obtenção de cópias do processo ou com gastos de material de escritório e telefonemas, pois, destinando-se todas elas à organização da defesa, incluem-se nos honorários. (Ac. RG de 24 de Março de 2003; *CJ*, XXVIII, tomo 2, 290);

— Se o processo penal for formulado pedido de indemnização civil, o juiz tem que fixar os honorários correspondentes, os quais nada têm a ver com os que são devidos pelo processo penal *stricto sensu,* nos termos da Tabela anexa à Portaria n.º 150/2002, de 19 de Fevereiro. (Ac. RP de 24 de Setembro de 2003; *CJ,* XXVIII, tomo 4, 208).

— Aquilo a que os advogados, estagiários e solicitadores têm direito, em caso de apoio judiciário, é apenas o que consta do art. 48.º da Lei n.º 30-E/2000,

Artigo 67.º

de 20 de Dezembro, respeitante, directamente, à defesa do patrocinado, e não também ao reembolso de despesas de deslocação ao tribunal, em viatura própria bem como ao do respectivo estacionamento em parque público. (Ac. RL de 20 de Novembro de 2003; *CJ,* XXVIII, tomo 5, 138);

— É inconstitucional, por violação do disposto nos arts. 20.º, n.º 1 e 32.º, n.º 1 da CRP a norma resultante da interpretação conjugada dos arts. 66.º, n.º 4 e 411.º, n.º 1 do CPP, segundo a qual o prazo para a interposição do recurso, de 15 dias, se conta ininterruptamente a partir da data do depósito da decisão na Secretaria, mesmo no caso de recusa de interposição do recurso por parte do defensor oficiosos nomeado, cuja substituição foi requerida, o que foi deferido por o tribunal *a que* considerar existir justa causa para essa substituição. (Ac. do Trib. Constitucional n.º 159/2004, de 17 de Março, proc. n.º 472/03-2.ª; *DR,* II série, de 22 de Abril de 2004);

— O defensor oficioso que foi nomeado ao arguido, e por este escolhido no âmbito do pedido de apoio judiciário que lhe foi concedido, não tem direito às deslocações entre a sede no seu escritório noutra comarca e o tribunal da comarca onde corre os seus termos o processo contra o arguido. (Ac. RC de 9 de Março de 2005; *CJ,* ano XXX, tomo 2, 39);

— I — No processo penal os honorários ao defensor oficioso são fixados tendo apenas em conta a natureza e a forma do processo em que ele intervém, a natureza do acto processual que pratica, a qualidade profissionl do defensor e o desfecho do processo de honorários que o defensor e o desfecho do processo. II —É, por isso, irrelevante para o efeito do montante de honorários que o defensor tenha patrocinado um ou mais arguidos, ou um ou mais assistentes. (Ac. RP de 13 de Abril de 2005; *CJ,* XXX, tomo 2, 219);

— Ainda que em fase de inquérito, é ao juiz, e não ao MP, que incumbe a fixação de honorários aos defensores oficiosos. (Ac. RL de 14 de Novembro de 2007; *CJ,* ano XXXII, tomo 5, 123);

— A decisão sobre o direito a honorários do patrono nomeado ao arguido é um acto jurisdicional que compete ao juiz de instrução, mesmo na fase de inquérito. (Ac. RL do 8 de Abril de 2008; *CJ,* ano XXXIII; tomo 1, 146).

ARTIGO 67.º

(Substituição de defensor)

1. Se o defensor, relativamente a um acto em que a assistência for necessária, não comparecer, se ausentar antes de terminado ou recusar ou abandonar a defesa, é imediatamente nomeado outro defensor; mas pode também, quando a nomeação imediata se revelar impossível ou inconveniente, ser decidido interromper a realização do acto.

2. Se o defensor for substituído durante o debate instrutório ou a audiência, pode o tribunal, oficiosamente ou a requerimento do novo defensor, conceder uma interrupção, para que aquele possa conferenciar com o arguido e examinar os autos.

3. Em vez da interrupção a que se referem os números anteriores, pode o tribunal decidir-se, se isso for absolutamente necessário,

Código de Processo Penal

por um adiamento do acto ou da audiência, que não pode, porém, ser superior a cinco dias.

1. Reproduz, com alterações introduzidas no n.º 1 pela Lei n.º 48/2007, de 29 de Agosto, o art. 67.º do Proj. e corresponde aos arts. 73.º do Aproj. e 25.º, 26.º e 27.º do CPP de 1929.

2. Sobre substituição, escusa e dispensa do patrocínio por parte do advogado ou do advogado estagiário em processo penal regula hoje o art. 42.º da Lei n.º 34/2004, de 29 de Julho, transcrito em anot. ao art. 62.º.

3. Como bem se explicita no n.º 1, e como afloramento do pensamento legislativo vincado ao longo do Código de realizar rapidamente a justiça penal sem prejuizo das garantias da defesa, quando falta o defensor a um acto em que a sua comparência é obrigatória, deve o tribunal nomear imediatamente outro defensor, só podendo optar pela interrupção da realização do acto se a nomeação imediata se revelar impossível ou inconveniente.

Verificando-se a falta de defensor a acto em que a sua comparência não é legalmente obrigatória, realizar-se-á esse acto sem a sua presença, e não enfermará ele de qualquer nulidade ou irregularidade.

A lei não dá qualquer indicação para avaliar quando é que a nomeação imediata do defensor, nos casos de obrigatoriedade de assistência, se revela impossível ou inconveniente. Cremos que a situação de impossibilidade só se verificará no caso de se tornar materialmente impossível encontrar pessoa, dentro do círculo de advogados ou de advogados estagiários. As situações de inconveniência de nomeação imediata de defensor são de conteúdo vago, pela multiplicidade de casos que podem enquadrar, ficando assim entregues ao prudente critério do julgador. Os casos mais claros e frequentes serão os de expectativa de próxima comparência do defensor constituído ou já nomeado, mormente tratando-se de processos complexos em que o novo defensor presumivelmente virá a pedir interrupção para conferenciar com o arguido ou examinar os autos.

Particularmente de notar a diferença estabelecida entre interrupção do acto e o seu adiamento. Enquanto que a interrupção não implica a perda de continuidade, não deixando o acto de se realizar no dia previsto, já o adiamento implica que a realização seja transferida para outro dia. A lei quer, a todo o custo, evitar o adiamento, pelo qual só se deve optar quando isso é absolutamente necessário, nos casos expressamente previstos — *v. g.,* n.º 3 deste art. 67.º.

4. *Jurisprudência:*

— Não é inconstitucional a norma constante da primeira parte do n.º 1 do artigo 67.º do Código de Processo Penal, em termos de a substituição do defensor aí consagrada poder recair, na audiência que tiver lugar no tribunal de recurso, sobre um funcionário de justiça. (Ac. do Trib. Constitucional n.º 59/99, de 2 de Fevereiro, proc. n.º 487/97; *DR,* II série, de 30 de Março do mesmo ano). *Nota.* Esta facultade, que já não consta do n.º 1, tinha sido suprimida pela Lei n.º 47/2007.

TÍTULO IV

DO ASSISTENTE

ARTIGO 68.º

(Assistente)

1. Podem constituir-se assistentes no processo penal, além das pessoas e entidades a quem leis especiais conferirem esse direito:

a) Os ofendidos, considerando-se como tais os titulares dos interesses que a lei especialmente quis proteger com a incriminação, desde que maiores de dezasseis anos;

b) As pessoas de cuja queixa ou acusação particular depender o procedimento;

c) No caso de o ofendido morrer sem ter renunciado à queixa, o cônjuge sobrevivo não separado judicialmente de pessoas e bens ou a pessoa, de outro ou do mesmo sexo, que com o ofendido vivesse em condições análogas às dos cônjuges, os descendentes e adoptados, ascendentes e adoptantes, ou, na falta deles, irmãos e seus descendentes, salvo se algumas destas pessoas houver comparticipado no crime;

d) No caso de o ofendido ser menor de 16 anos ou por outro motivo incapaz, o representante legal e, na sua falta, as pessoas indicadas na alínea anterior, segundo a ordem aí referida, salvo se alguma delas houver comparticipado no crime;

e) Qualquer pessoa nos crimes contra a paz e a humanidade, bem como nos crimes de tráfico de influência, favorecimento pessoal praticado por funcionário, denegação de justiça, prevaricação, corrupção, peculato, participação económica em negócio, abuso de poder e de fraude na obtenção ou desvio de subsídio ou subvenção.

2. Tratando-se de procedimento dependente de acusação particular, o requerimento tem lugar no prazo de dez dias a contar da advertência referida no n.º 4 do artigo 246.º.

3. Os assistentes podem intervir em qualquer altura do processo, aceitando-o no estado em que se encontrar, desde que o requeiram ao juiz:

a) Até cinco dias antes do início do debate instrutório ou da audiência de julgamento;

Código de Processo Penal

b) Nos casos dos artigos 284.º e 287.º, n.º 1, alínea *b),* no prazo estabelecido para a prática dos respectivos actos.

4. O juiz, depois de dar ao Ministério Público e ao arguido a possibilidade de se pronunciarem sobre o requerimento, decide por despacho, que é logo notificado àqueles.

5. Durante o inquérito, a constituição de assistente e os incidentes a ela respeitantes podem correr em separado, com junção dos elementos necessários à decisão.

---

1. A versão originária deste artigo reproduzia, com ligeira alteração, o art. 68.º do Proj. e correspondia aos arts. 62.º do Aproj. e 4.º do Dec.-Lei n.º 35 007, de 13 de Outubro de 1945, que substituíra os arts. 11.º e 19.º do CPP de 1929.

A Lei n.º 59/98, de 25 de Agosto, introduziu relevantes alterações neste artigo: novo texto nas alíneas *c), d)* e *e)* do n.º 1 e para os n.ºˢ 2, 3 e 5, contendo este último dispositivo completamente novo.

A Lei n.º 48/2007, de 29 de Agosto, introduziu nova redacção para as als. c) e e) do n.º 1 e para o n.º 2. E assim:

— Na al. c) foi aditada a alternativa *de outro ou do mesmo sexo, que com o ofensivo vivesse em condições análogas às dos conjuges;*

— Na al. e) foi aditado o *abuso de poder.*

No n.º 2 o prazo foi aumentado de 8 para 10 dias.

2. Os assistentes em processo penal continuam a ter, como no regime que precedeu o Código, a posição de auxiliares do MP (a lei chama-lhes agora *colaboradores — vide* art. 69.º), a cuja actividade subordinam a sua no processo, salvas as excepções que a lei prevê, sendo a sua intervenção subordinada e acessória.

Além dos outros titulares enumerados nas als. *b)* a *e)* do n.º 1, podem, em geral constituir-se assistentes os *ofendidos*, considerando-se como tais os titulares dos interesses que a lei especialmente visa proteger com a incriminação.

Aqui, o texto legal é idêntico ao que era usado pelo art. 4.º do Dec.--Lei n.º 35 007, vigente à data da entrada em vigor do Código, pelo que o sentido e o âmbito da lei também são idênticos. Não é *ofendido,* para este efeito, qualquer pessoa prejudicada com o prática do crime, mas somente o titular do interesse que constitui objecto jurídico imediato do crime. O objecto jurídico mediato é sempre de natureza pública; o imediato, que continua a servir de base à classificação dos crimes no CP de 1982, pode ter por titular um particular. Nem todos os crimes têm ofendido particular; só o têm aqueles cujo objecto imediato de tutela jurídica é um interesse ou direito de que é titular um particular. A questão é, por vezes, de indagação melindrosa, mas indispensável, porque só mediante ela é possível averiguar da viabilidade de constituição de assistente.

De acordo com a exposição do Prof. Figueiredo Dias, *Direito Processual Penal,* 1, 512-513, plenamente válida perante o Código actual, a nossa lei parte do conceito estrito de ofendido na determinação do círculo de pessoas legitimadas para intervir como assistentes em processo penal.

Artigo 68.º

Não podem, deste modo, intervir no processo como assistentes, *v. g.* o mero detentor ou possuidor da coisa furtada ou desencaminhada, uma vez que o interesse protegido pela incriminação do furto ou do abuso de confiança é só o proprietário; o enganado, se não for simultaneamente o lesado no seu património por um crime de burla; o processualmente lesado por um falso testemunho, por isso que a incriminação protege só o interesse da boa administração da justiça; o sócio de uma sociedade por quotas por crime cometido contra a sociedade como tal, etc. É ainda uma mera aplicação do princípio geral referido a conclusão de que crimes públicos existem relativamente aos quais ninguém se poderá constituir assistente, uma vez que o interesse protegido pela incriminação é, a qualquer luz, exclusivamente público, como sucede com os crimes contra o Estado.

3. Pela constituição de assistente é devida taxa de justiça, conforme se preceitua no art. 8.º, n.º 1, do Regulamento das Custas Processuais, do seguinte teor:

1. A taxa de justiça devida pela constituição como assistente é autoliquidada no montante de IUC, podendo ser corrigida, a final, pelo juiz, para um valor entre IUC e IOUC, tendo em consideração o desfecho do processo e a concreta actividade processual do assistente.

4. Quanto à al. *a)* do n.º 1 ver *supra,* n.º 2, e, dada a proximidade com o regime anterior, os elementos referidos *supra,* n.º 3.

As pessoas de cuja queixa ou acusação particular depende o procedimento criminal são aquelas que para tanto se encontram indicadas no CP ou em leis penais extravagantes, nos casos de crimes semipúblicos ou particulares, sendo de notar que esta última espécie escasseia no Código Penal. Sobre o regime de tais crimes vejam-se ainda os arts. 111.º e 116.º, também do Código Penal.

A al. *c)* do n.º 1 estabelece quem tem legitimidade para se constituir assistente no caso de o ofendido morrer sem se ter constituído assistente nem renunciado ao direito de queixa. Este normativo divide as pessoas com tal legitimidade em dois grupos; uma pessoa incluída no segundo grupo só se poderá constituir no caso de alguma pessoa incluída no primeiro grupo o não fazer.

Particularmente de notar aqui a inclusão do chamado cônjuge de facto, do mesmo ou de outro sexo, pela novidade que representa relativamente ao regime anterior.

Como no regime anterior, entendemos que só uma das pessoas chamadas a substituir o falecido, embora incluída do mesmo grupo, pode tomar a qualidade de assistente, preferindo a primeira que requerer a constituição. Veja-se, sobre este ponto, a anot. ao art. 13.º do CPP de 1929, no nosso *Código de Processo Penal Anotado.*

Quanto à al. *d)* são aplicáveis, *mutatis mutandis,* as considerações expendidas quanto à al. *c).* As pessoas a quem aqui se confere o direito de se constituírem assistentes agem em representação do ofendido. Cessando a incapacidade deste, cessa a legitimidade do substituto. Neste sentido, no domínio do direito anterior e perante idêntico condicionalismo, Luís Osório, *Comentário,* I, 220 e Ac. STJ de 3 de Janeiro de 1968; *BMJ,* 173, 222.

Código de Processo Penal

A disposição da al. *e)* do n.º 1, estabelecendo que qualquer pessoa tem legitimidade para se constituir assistente nos crimes aí mencionados e que foram notoriamente aumentados pela Lei referida na anot. 1 (a versão originária só referia os crimes de corrupção e de peculato), consagra os chamados *crimes de acção popular,* e inspirou-se manifestamente nos arts. 15.º do CPP de 1929 e 4.º, n.º 5, do Dec.-Lei n.º 35 007, de 13 de Outubro de 1945. Trata--se de disposição algo controversa em face da estrutura dada ao processo penal, com reforço dos poderes do MP, tanto mais que disposições paralelas têm desaparecido dos códigos de direito comparado afins do nosso. Sobre o ponto, veja-se a anot. ao art. 15.º do CPP de 1929, no nosso *Código de Processo Penal Anotado* e Cavaleiro de Ferreira, *Curso,* I, 130.

5. O processo a seguir para a constituição de assistente está estabelecido nos n.ºˢ 2 a 4, em moldes que se não afiguram passíveis de dúvidas. Não esquecer, no entanto, as formalidade de natureza fiscal, como se dispõe no art. 519.º. No n.º 3 se regula também o momento em que o assistente pode intervir e se estabelece que aceitará o processo no estado em que se encontrar. Trata-se de comandos idênticos aos do § 1.º do art. 19.º do CPP de 1929. O n.º 4 contém afloramento do princípio contraditório.

6. O Código não contém disposição paralela à do art 18.º do CPP de 1929, onde se estabelecia a regra geral de que ninguém podia renunciar à faculdade de promover a acção penal.

Na anot. 1 a esse artigo, no nosso *Código de Processo Penal Anotado,* historiámos o preceito e sustentámos, na sequência de doutrina autorizada, que o mesmo era afloramento do princípio da legalidade, e ainda do carácter público e indispensável do *jus puniendi.*

Assim, não obstante a falta de disposição expressa, deve continuar a entender-se do mesmo modo. Ressalvados os casos em que a lei dispõe de outro modo, não tem qualquer valor a renúncia ao direito de constituição de assistente. Em tais termos, a declaração feita no processo de que não deseja constituir-se assistente não obsta a que posteriormente o declarante se possa constituir em processo por crime público.

7. O n.º 5, introduzido pela Lei referida na anot. 1, contém dispositivo inovador, permitindo que durante o inquérito a constituição de assistente e os incidentes a ela respeitantes possam correr em separado. Visa este dispositivo obviar a delongas, designadamente quando se torna necessário remeter o inquérito a tribunal diferente.

8. *Jurisprudência fixada:*

— No procedimento criminal pelo crime de falsificação de documento, previsto e punido pela al. *a)* do n.º 1 do art. 256.º do CP, a pessoa cujo prejuizo seja visado pelo agente tem legitimidade para se constituir assistente. (Ac. do Pleno das secções criminais de STJ de 16 de Janeiro de 2003; *DR,* I-A série, de 27 de Fevereiro do mesmo ano);

— Em processo por abuso de confiança contra a segurança social, previsto e punido no artigo 107.º do Regime Geral das Infracções Tributárias, o Instituto de Gestão Financeira da Segurança Social tem legitimidade para se constituir assistente. (Ac. do Pleno das secções criminais do STJ de 16 de Fevereiro de 2005, proc. n.º 1579/04-3.ª; *DR,* I-A série, de 31 de Março de 2005);

Artigo 68.º

— No domínio da vigência do artigo 519.º, n.º 1, do Código de Processo Penal e do artigo 80.º, n.ºs 1 e 2, do Código das Custas Judiciais, na redacção anterior ao Decreto-Lei n.º 324/03, de 27 de Dezembro, no caso de não pagamento no prazo de dez dias, da taxa de justiça devida pela constituição de assistente, a secretaria deve notificar o requerente para, em cinco dias, efectuar o pagamento da taxa de justiça, acrescida de igual montante. (Ac. do Pleno das secções criminais do STJ de 16 de Fevereiro de 2005, proc. n.º 242/04; *DR*, I-A série, de 31 de Março de 2005);

— No crime de prenúncia caluniosa, previsto e punido pelo artigo 365.º do Código Penal, o caluniado tem legitimidade para se constituir assistente no procedimento criminal instaurado contra o caluniador. (Ac. do pleno das secções criminais do STJ de 12 de Outubro de 2006, proc. n.º 2859/2005 - 5.ª; *DR*, I série, de 28 de Novembro de 2006).

9. *Jurisprudência:*
— I — O n.º 3 do art. 68.º do CPP determina que o juiz, depois de dar ao MP e ao arguido a possibilidade de se pronunciarem sobre o requerimento para a constituição de assitente, decide por despacho, que é logo notificado àqueles. II — Decorre assim daquela norma que, tendo o juiz ordenado a notificação do arguido e/ou do MP para se pronunciarem, no processo que lhe foi remetido, este fica temporariamente afecto ao tribunal e, por isso, é aos respectivos serviços que cumpre dar execução ao despacho de notificação. (Ac. STJ de 26 de Abril de 1989; *BMJ,* 386, 432);

— Se, no caso previsto na al. *c)* do n.º 1 do art. 68.º do CPP, a pessoa designada para se constituir assistente estiver ferida de incapacidade legal, terá de se considerar excluída, cedendo o seu lugar à pessoa imediatamente a seguir, segundo a ordem aí estabelecida, com capacidade legal para intervir. (Ac. RP de 13 de Março de 1991; *CJ,* XVI, tomo 2, 291);

— O facto de não haver ainda arguido constituído não impede a admissão do ofendido a intervir como assistente. (Ac. RC de 2 de Dezembro de 1992; *CJ,* XVII, tomo 5, 92);

— Pode ser requerida a constituição de assistente após ter sido proferido pelo MP despacho de arquivamento do processo, desde que o requerimento seja apresentado dentro do prazo legal para ser formulado pedido de abertura da instrução. (Ac. RE de 15 de Dezembro de 1992; *CJ,* XVII, tomo 5, 281);

— O ofendido com a faculdade de se constituir assistente pode requerer a sua constituição como tal e simultaneamente a abertura de instrução dentro do prazo que a lei concede para requerer esta última. (Ac. RE de 12 de Abril de 1994; *CJ,* XIX, tomo 2, 276);

— O ofendido pode requerer a sua constituição como assistente até 5 dias antes do início da audiência de julgamento, mesmo que tenha havido instrução e a não tenha requerido até 5 dias antes do debate instrutório. (Ac. RP de 26 de Outubro de 1994; *CJ,* XIX, tomo 4, 239);

— I — A expressão *antes do início da audiência,* constante do n.º 2 do art. 68.º do CPP, deve ser interpretada no sentido de antes do início da produção da prova. II — A audiência iniciada apenas com actos instrutórios e logo adiada, sem realização de qualquer prova, não releva para efeitos daquele preceito. (Ac. RL de 5 de Julho de 1995; *CJ,* XX, tomo 4, 136);

Código de Processo Penal

— Nos casos em que há lugar a debate instrutório, o requerimento para a constituição do ofendido como assistente deve ser apresentado até 5 dias antes do início de tal debate, sendo irrelevante que não haja sido notificado para ele. (Ac. RL de 10 de Janeiro de 1996; *CJ*, XXI, tomo 1, 146);

— A decisão que admite o assistente tem o valor de caso julgado formal subordinado à condição *rebus sic stantibus;* ou seja, alterado o objecto da lide por efeito da acusação, se a relação processual de quem, até então, interviera como assistente for afectada, a sua posição processual deve ser reapreciada em conformidade com a nova situação. (Ac. RL de 1 de Outubro de 1997; *CJ*, XXII, tomo 4, 146);

— I — Para efeitos de constituição como assistente não pode ser considerado ofendido qualquer pessoa prejudicada com a comissão do crime, mas unicamente o titular do interesse que constitui o objecto imediato do crime. II — Nos crimes de denegação de justiça, prevaricação (não promoção), abuso de poder, falsificação e/ou descaminho é preponderante o interesse público. (Ac. STJ de 20 de Janeiro de 1998; *CJ, Acs. do STJ*, VI, tomo 1, 163);

— O crime de prevaricação é um crime contra a realização da justiça pelo que o denunciante, ainda que titular de um eventual direito a uma indemnização civil, não tem legitimidade para se constituir assistente. (Ac. STJ de 12 de Junho de 1998; *CJ, Acs. do STJ*, VI; tomo 2, 214);

— Sendo o pai o arguido, a mãe a vítima, que faleceu, e sendo menor o filho de ambos, é a mãe da vítima (avó do menor) quem tem legitimidade para ser assistente. (Ac. STJ de 9 de Dezembro de 1998; *CJ, Acs. do STJ*, VI, tomo 3, 234);

— É inconstitucional, por violação do disposto no artigo 20.º, n.º 1, conjugado com o artigo 67.º, n.º 1, da Constituição, a norma constante do artigo 68.º, n.º 1, alínea *c)*, do Código de Processo Penal, quando interpretada no sentido de não admitir a constituição como assistentes, em processo penal, aos ascendentes do ofendido falecido, quando lhes haja sobrevivido cônjuge separado de facto, embora não separado judicialmente de pessoas e bens, e não tenha descendentes. (Ac. do Trib. Constitucional de 15 de Dezembro de 1998, proc. n.º 73/98; *DR*, II série, de 8 de Março de 1999);

— A al. *a)* do n.º 1 do art. 68.º do CPP, conjugada com o art. 371.º do CP, não é inconstitucional, interpretada de forma a não permitir que o arguido num processo em que se indicia ter sido violado o segredo de justiça se constitua assistente nos autos que têm por objecto a apreciação da indiciada violação. (Ac. do Trib. Constitucional n.º 579/2001 de 15 de Dezembro de 2001, proc. n.º 543/2000; *DR*, II série, de 15 de Fevereiro de 2002);

— Não é inconstitucional o art. 68.º, n.º 1, al. *a)*, do CPP, interpretado em termos de não permitir a constituição de assistente no crime de desobediência e no crime de falsificação praticada por funcionário, previsto e punido pelo art. 257.º do CP. (Ac. do Trib. Constitucional n.º 76/2002, de 28 de Fevereiro, proc. n.º 647/98; *DR*, II série, de 5 de Abril de 2002).

— I — O despacho que admitiu a intervenção do assistente não faz caso julgado formal sobre a legitimidade do mesmo. II — O assento de 1 de Fevereiro de 1963, que sufragou entendimento contrário àquele, é inaplicável em pro-cesso penal. (Ac. STJ de 31 de Janeiro de 2002, proc. n.º 453/01-5.ª; *SASTJ*, n.º 57, 94);

Artigo 69.º

— No crime de denúncia caluniosa tem legitimidade para se constituir assistente a pessoa eventualmente atingida. (Ac. STJ de 23 de Maio de 2002, proc. n.º 976/02-5.ª; *SASTJ,* n.º 61, 128);

— O assistente não tem legitimidade para impugnar a decisão que se absteve de declarar perdidos a favor do Estado os objectos apreendidos, determinando, ao invés, a restituição aos legítimos proprietários. (Ac. STJ de 23 de Maio de 2002, proc. n.º 1230/02-5.ª; *SASTJ,* n.º 61, 130);

— Sendo o estatuto do assistente dinâmico e reversível, o despacho que admite a sua intervenção apenas faz caso julgado *rebus sic stantibus.* (Ac. STJ de 3 de Outubro de 2002, proc. n.º 2519/02-5.ª; SASTJ, n.º 64, 95);

— I — O despacho que admita a intervenção como assistente não faz caso julgado quanto à sua legitimidade. II — o assistente não tem legitimidade para, tratando-se de crime de natureza particular, requerer a instrução, devendo antes deduzir acusação. (Ac. RL de 6 de Julho de 2005; *CJ,* XXX, 130);

— I — Estando em causa o crime de infedelidade administrativa (art. 224.º do CP) relativo a certa sociedade comercial, é o património desta, e não o dos respectivos sócios, o bem juridicamente tutelado pela incriminação referida. II — Assim, só a sociedade ofendida, e não os seus sócios, pode constituir-se assistente no processo decorrente da alegada infidelidade. (Ac. RL de 22 de Setembro de 2005; *CJ,* XXX, 141);

— Não é inconstitucional a norma do art. 68.º, n.º 1, alínea a), do CPP, na dimensão interpretativa de harmonia com a qual não tem legibilidade para ser admitido como assistente um sócio de uma sociedade comercial por quotas em processo criminal em que se indicia o cometimento de um crime de infidelidade administrativa previsto no art. 224.º do Código Penal. (Ac. do Trib. Constitucional de 22 de Fevereiro de 2006, proc. n.º 145/2006; *DR,* II série, de 3 de Abril do mesmo ano);

I — O prazo previsto no art. 68.º, n.º 2, de CPP, não é um prazo peremptório. II — Por isso, sempre que, dentro do prazo do exercício de queixa, a pessoa com a faculdade de se constituir assistente apresente o respectivo requerimento, o MP mantém a legitimidade para prosseguir o inquérito. (Ac. RG de 16 de Abril de 2007; *CJ,* XXXII, tomo II, 291);

Não é admissível a constituição de assistente num crime de incêndio p. e p. pelo artigo 272.º n.º 1, alínea *a),* do Código Penal. (Ac. RG de 26 de Novembro de 2007; *CJ,* ano XXXII; tomo 5, 290).

ARTIGO 69.º

(Posição processual e atribuições dos assistentes)

1. Os assistentes têm a posição de colaboradores do Ministério Público, a cuja actividade subordinam a sua intervenção no processo, salvas as excepções da lei.

2. Compete em especial aos assistentes:

a) Intervir no inquérito e na instrução, oferecendo provas e requerendo as diligências que se afigurarem necessárias;

Código de Processo Penal

b) Deduzir acusação independente da do Ministério Público e, no caso de procedimento dependente da acusação particular, ainda que aquele a não deduza;

c) Interpor recurso das decisões que os afectem, mesmo que o Ministério Público o não tenha feito.

---

1. Reproduz, com alterações decorrentes da Lei n.º 43/86, de 26 de Setembro, art. 2.º, n.º 2, als. 7) e 11), o art. 69.º do Proj. e correspondente de perto ao art. 63.º do Aproj. e ao 4.º, §§ 1.º a 5.º do Dec.-Lei n.º 35 007, de 13 de Outubro de 1945, vigentes à data da entrada em vigor do Código, com excepção do § 3.º.

2. Este artigo contém a definição da posição processual do assistente e, de algum modo, o seu estudo processual.

Trata-se de um sujeito processual sobordinado ao MP, cessando porém a subordinação nos casos excepcionais que a lei prevê, *maxime* nos casos dos crimes particulares, na dedução de acusação e na interposição de recursos de decisões que o afectem.

Nas alíneas do n.º 2 regulam-se em especial os direitos do assistente no tocante à intervenção no inquérito e na instrução; à dedução de acusação e à interdição de recursos.

O que neste artigo se preceitua não prejudica, obviamente, a existência de outras disposições permissivas de actuação do assistente sem subordinação ao MP, *v. g.,* pedindo a intervenção do júri.

Particularmente de notar que só no caso dos chamados *crimes particulares,* ou seja daqueles em que o procedimento criminal depende de acusação particular, o assistente pode deduzir acusação sem que o MP o faça.

Assim se pôs termo a uma larga querela travada no domínio do Código de 1929 e do Dec.-Lei n.º 35 007, que conheceu alguma acalmia nos últimos tempos da vigência desses diplomas.

É, porém, lícito ao assistente requerer a abertura de instrução quando o MP, findo o inquérito, se abstém de acusar (art. 287.º, al. *b)*).

3. Ver *jurisprudência,* em anot. ao art. 68.º.

ARTIGO 70.º
(Representação judiciária dos assistentes)

1. Os assistentes são sempre representados por advogado. Havendo vários assistentes, são todos representados por um só advogado. Se divergirem quanto à escolha, decide o juiz.

2. Ressalva-se do disposto na segunda parte do número anterior o caso de haver entre os vários assistentes interesses incom-

Artigo 70.º

patíveis, bem como o de serem diferentes os crimes imputados ao arguido. Neste último caso, cada grupo de pessoas a quem a lei permitir a constituição como assistente por cada um dos crimes pode constituir um advogado, não sendo todavia lícito a cada pessoa ter mais de um representante.

3. Os assistentes podem ser acompanhados por advogado nas diligências em que intervierem.

---

1. Os n.ºs 1 e 2 reproduzem os arts. 70.º do Proj. e 64.º do Aproj. e correspondem os arts. 20.º e 21.º do CPP de 1929 e 5.º do Doc.-Lei n.º 35007, de 13 de Outubro de 1945.

O n.º 3 foi introduzido pela Lei n.º 48/2007, de 29 de Agosto, e não tinha correspondente anterior. Este dispositivo destina-se manifestamente a facilitar e reforçar a posição do assistente em processo penal.

2. Havendo um só assistente, só pode ele nomear um advogado, como bem se deduz do 2.º período do n.º 1 e da parte final do n.º 2. O n.º 2, em que se resolvem dúvidas que surgiram no domínio do § 1.º do art. 21.º do CPP de 1929 quanto à representação do assistente quando há uma pluralidade de infracções, seguiu a orientação expendida pelo Prof. Cavaleiro de Ferreira, *Curso de Processo Penal,* I, pág. 136.

3. Questão de solução duvidosa e sobre a qual há jurisprudência contraditória é a de saber se o ofendido, se pretender constituir-se assistente e for advogado, terá que constituir mandatário ou poderá deixar de o constituir, advogando em causa própria.

Esta questão põe-se em termos diferentes do caso em que o advogado é arguido, caso em que não poderá advogar em causa própria devido às restrições impostas pelo estatuto de arguido.

A exigência de os assistentes serem representados por advogado fundamenta-se em razões de ordem técnica, de que só um jurista está dotado. Não vemos, assim, obstáculo legal a que um advogado, que seja ofendido e pretenda constituir-se assistente, possa advogar em causa própria. Esta é também a solução implícita nos arts. 77.º e 78.º da Lei n.º 15/2005, de 26 de Janeiro (Estatuto da Ordem dos Advogados), dispositivos onde se não descortina qualquer impedimento de os advogados advogarem em causa própria. A jurisprudência é, porém, divergente sobre esta questão.

4. *Jurisprudência:*
— O n.º 1 do art. 70.º do CPP não é inconstitucional, se interpretado no sentido de que não impede que cada assistente seja patrocinado por um advogado e antes obrigando a que a pluralidade de asssistentes se concerte para que só um representante — necessariamente advogado — actue em juizo ou, em alternativa, não havendo acordo, se imponha ao juiz a escolha de um mandatário comum para intervir no processo penal, se os interesses entre os assistentes

Código de Processo Penal

não forem incompatíveis. (Ac. do Trib. Constitucional n.º 254/98, de 5 de Março, proc. n.º 91/97; *DR*, II série, de 6 de Novembro de 1998);

— O ofendido, sendo advogado, caso deseje constituir-se assistente, terá que se fazer representar por outro advogado, como resulta do preceituado no n.º 1 do art. 70.º do CPP. (Ac. RL de 20 de Maio de 1999; *BMJ*, 487, 351);

— Quando no momento de apreciação de requerimento para ser admitido como assistente a representação do requerente não esteja assegurada por advogado ou não se mostre paga a taxa de justiça devida, o interessado deve ser notificado para suprir aquelas omissões, antes de ser indeferido o pedido. (Ac. RL de 2 de Outubro de 2002; *CJ,* XXVII, tomo 4, 131);

— Sendo o queixoso advogado, se pretender intervir como assistente num processo tem que estar representado por outro advogado. (Ac. RL de 8 de Janeiro de 2003; *CJ*, XXVII, tomo 1, 123);

— O ofendido, se for advogado e pretender constituir-se assistente, não tem que constituir mandatário, podendo advogar em causa própria. (Acs. RP de 15 de Abril de 2005 e RC de 22 de Novembro do mesmo ano; *CJ*, ano XXX, tomo 2, 215 e 5, 44, respectivamente).

TÍTULO V

DAS PARTES CIVIS

ARTIGO 71.º

(Princípio de adesão)

O pedido de indemnização civil fundado na prática de um crime é deduzido no processo penal respectivo, só o podendo ser em separado, perante o tribunal civil, nos casos previstos na lei.

---

1. Reproduz o art. 71.º do Proj. e corresponde ao art. 74.º do Aproj. Vejam-se ainda os antecedentes arts. 30.º e segs. do CPP de 1929.

2. A Lei n.º 43/86 de 26 de Setembro (Lei de Autorização legislativa), no art. 2.º, n.º 2, al. 14) determinou a manutenção do princípio da adesão obrigatória da acção civil ao processo penal mas alargamento das hipóteses em que a acção civil pode ser proposta em separado, nomeadamente nos casos em que — dada a dificuldade, a complexidade ou a natureza das questões postas — o juiz penal entenda não estar em condições de decidir sobre o pedido civil, ou em que tal possa causar uma sensível demora à decisão da causa penal.

Na al. 15) dos mesmos artigos e número determinou a Lei n.º 43/86 a consagração da necessidade de pedido civil para que o juiz penal possa arbitrar uma indemnização, restringindo-se o patrocínio oficioso do MP aos carecidos de meios económicos; a obrigatoriedade de o tribunal informar o lesado de um crime dos direitos civis que lhe assistem e da forma por que pode fazê--los valer no processo penal e ainda a intervenção subsidiária do MP na dedução do pedido.

Artigo 71.º

Finalmente, neste aspecto, determinou a mesma Lei, na al. 16) dos mesmos artigo e número, a concessão ao juiz penal da possibilidade de, sempre que não possa ou não deva decidir sobre o pedido civil ou este deva ser liquidado só em execução de sentença, atribuir provisoriamente ao lesado uma soma adequada, nomeadamente em forma de pensão.

Dentro destes parâmetros da Lei de Autorização legislativa foi estabelecido o articulado originário deste título.

3. O regime do pedido de indemnização do pedido de indemnização civil em processo penal veio porém a ser objecto de alterações significativas introduzidas pela Lei n.º 59/98, de 25 de Agosto, visando em primeira linha melhorar a protecção do lesado no âmbito do processo penal.

Acompanhando de perto a exposição de motivos da Proposta de Lei, apontam-se as alterações mais significativas introduzidas neste Título:

— A omissão do dever de informação do lesado passou a constituir fundamento para a dedução do pedido em separado [art. 72.º, n.º 1, al. *i)*], sendo ainda esse dever alargado aos órgãos de polícia criminal, quando for caso disso (art. 75.º, n.º 1);

— Foi estabelecida a obrigação de as pessoas interessadas em deduzir o pedido de indemnização o declararem no processo até ao encerramento do inquérito, de modo a garantir mais eficazmente a constituição de partes civis e a sua intervenção no processo, através dos procedimentos de notificação próprios e obrigatórios para esse fim, prevendo-se ainda, em último caso, a possibilidade de intervenção espontânea do lesado que não tenha manifestado o propósito de deduzir o pedido ou que não tenha sido notificado para o fazer, assim se procurando maximizar o funcionamento do princípio da adesão;

— O regime de representação sofreu modificações substanciais, em conciliação com as regras do processo civil e com os poderes de intervenção do MP decorrentes do seu estatuto, sem fragilizar a protecção dos mais carenciados economicamente. Assim, afirmou-se o princípio da representação do lesado por advogado, de acordo com o regime do patrocínio judiciário, mas permitiu-se a intervenção directa do lesado, sem advogado, nos casos em que o pode fazer em processo civil. Deste modo possibilitou-se que na maior parte dos casos o lesado possa obter o ressarcimento dos danos através de um procedimento informal baseado numa simples declaração no processo, com indicação dos prejuizos e das provas que possa apresentar;

— O regime de intervenção do MP em representação do lesado, sem que fosse eliminado, foi harmonizado com o regime resultante do seu estatuto orgânico e com o processo civil, introduzindo-se, nesta conformidade, uma disposição (art. 76.º, n.º 3), prevendo a intervenção do MP em representação do Estado e de outras pessoas e interesses cuja representação lhe seja atribuída por lei. Aqui se abrangem, designadamente, os incapazes, os incertos e os ausentes;

— No art. 82.º-A, que é um dispositivo inovador, foi estabelecida a possibilidade de o tribunal, oficiosamente, poder arbitrar, como efeito penal da condenação, uma reparação pelos prejuizos sofridos, quando o imponham particulares exigências de protecção da vítima. Procurou manter-se a autonomia e a natureza civil do pedido de indemnização, sem que a protecção das vítimas carenciadas ficasse postergada, isto por via de um processo em que se

Código de Processo Penal

não exige qualquer formalidade, para além das estritamente necessárias em respeito pelo princípio do contraditório. Deste modo, foi em parte recuperada uma medida abandonada pela versão originária do Código em consonância com o art. 129.º do CP, onde se estabelece que a indemnização de perdas e danos emergentes de crime é regulada pela lei civil. A recuperação vinha sendo exigida por alguns sectores da doutrina, perante a premência de protecção de vítimas particularmente carenciadas.

4. Este artigo consagra um regime de adesão obrigatória como regra, o qual é confirmado pelos arts. 82.º e 377.º, este sobre a decisão a proferir na sentença, quanto ao pedido de indemnização civil.

Deixa, assim, de haver indemnizações atribuídas oficiosamente, excepto no caso do art. 82.º-A, posteriormente introduzido, como já se anotou, pelo que a adesão é mais vincada que perante o CPP de 1929.

O regime inspirou-se, manifestamente, na doutrina do Prof. Figueiredo Dias — cfr. *infra,* n.º 5.

5. A prática de uma infracção criminal é possível fundamento de duas pretensões dirigidas contra os seus agentes: uma *acção penal,* para julgamento, e, em caso de condenação, aplicação das reacções criminais adequadas, e uma *acção cível,* para ressarcimento dos danos patrimoniais e não patrimoniais a que a infracção tenha dado causa.

A unidade de causa impõe entre as duas acções uma estreita conexão. Mas é certo que se não confundem, e por isso mesmo se tem discutido se deverão ser objecto do mesmo processo, ou se deverão antes ser decididas em processos autónomos, e mesmo em jurisdições diferentes.

Assim, apareceram os sistemas *da identidade,* o da *absoluta independência* e o *da interdependência,* também designado por *sistema da adesão.*

a) O sistema da identidade só pode ter hoje um interesse histórico. Apelidando-o de sistema da *confusão total,* Figueiredo Dias; *Sobre a reparação de perdas e danos arbitrada em processo penal,* estudo *in momoriam* do Prof. Beleza dos Santos; *Bol. da Fac. de Dir. de Coimbra,* 1966, pág. 88 e separata, diz que corresponde a uma fase da evolução em que se confunde ainda o direito penal como o civil e a uma concepção do processo penal onde não está ainda presente o interesse da sociedade na punição do culpado, mas apenas o interesse da vítima em obter vingança e reparação, indicando um estádio primitivo das legislações, há séculos ultrapassado.

b) O sistema da absoluta independência arranca das diferentes finalidades que as acções penal e cível se propõem realizar. É o sistema perfilhado pelas legislações inglesa, americana e brasileira. Vejam-se, entre nós, sobre este sistema, Cavaleiro de Ferreira, *Curso,* I, págs. 16-17; Castanheira Neves, *Sumários,* pág. 74 e Figueiredo Dias, *loc. cit.,* pág. 89 e *Direito Processual Penal,* I, 540 e segs.

c) O sistema da interdependência ou da adesão é perfilhado pela maioria das legislações e comporta um sem número de cambiantes que têm como denominador comum a possibilidade ou obrigatoriedade de juntar a acção cível à penal, permitindo que o juiz penal decida também a acção cível.

6. Neste título, o Código estabelece o processamento do pedido de indemnização civil deduzido contra pessoas com responsabilidade civil, pessoas

Artigo 71.º

estas que podem intervir voluntariamente no processo penal, caso em que ficam impedidas de praticarem actos que o arguido tenha perdido o direito de praticar (art. 71.º).

Porém o art. 129.º do CP prevê a criação de um seguro social destinado a assegurar a indemnização do lesado, quando a mesma não possa ser satisfeita pelo arguido.

O Dec.-Lei n.º 423/91, de 30 de Outubro, que entrou em vigor com o decreto regulamentar e que pela sua importância em matéria de indemnização do lesado vai transcrito no final desta obra, deu um primeiro passo no sentido de concretizar esse objectivo, tendo em vista, em consonância com actos internacionais, nomeadamente do Conselho da Europa, indemnizar as vítimas da criminalidade violenta.

Apesar de previsto no art. 129.º do CP com carácter geral, o seguro social assim criado limitou a sua intervenção, nesta primeira fase, ao âmbito previsto na Resolução (77)27 do Conselho da Europa, bem como na Convenção Europeia Relativa ao Ressarcimento das Vítimas de Infracções Violentas (1993), considerando-se como tais as definidas no art. 1.º do referido Dec.-Lei n.º 423/91.

Na indemnização ao abrigo do diploma que acaba de ser referido não está em causa a efectivação por parte do Estado de uma sua responsabilidade pelo facto ilícito gerador de indemnização civil fundada na prática de um crime, mas sim de uma indemnização baseada na ideia de solidariedade social.

A atribuição desta indemnização é feita por via administrativa, sendo da competência do Ministro da Justiça, assistido por uma comissão à qual compete a instrução e cuja composição consta do art. 6.º, n.º 2, do referido Dec.-Lei n.º 423/91.

O decreto regulamentar do Dec.-Lei n.º 423/91 tem o n.º 4/93, de 22 de Fevereiro, sendo a Comissão constituída e empossada pouco depois.

7. *Jurisprudência fixada:*

— Extinto o procedimento criminal, por prescrição, depois de proferido o despacho a que se refere o artigo 311.º do Código de Processo Penal mas antes de realizado o julgamento, o processo em que tiver sido deduzido pedido de indemnização civil prossegue para julgamento deste. (Ac. do Pleno das secções criminais do STJ de 17 de Janeiro de 2002; *DR*, I-A série, de 5 de Março do mesmo ano).

8. *Jurisprudência:*

— I — No art. 71.º do CPP consagra-se um regime de adesão obrigatória, como regra, da acção cível de indemnização à acção penal. II — Desde que por opção do lesado o pedido de indemnização cível foi deduzido na acção penal, aquele sujeitou-se ao regime da acção penal, incluindo o dos recursos, em face da unidade da causa, não sendo aplicável o disposto quer no art. 432.º, al, *e)*, do CPP, quer o art. 678.º, n.º 1, do CPC. (Ac. STJ de 14 de Novembro de 1991; *BMJ*, 411, 453);

— I — A indemnização de perdas e danos emergentes de crime é regulada pela lei civil quantitativamente e nos seus pressupostos; porém, processualmente, é regulada pela lei processual penal. II — Em processo penal vigoram os princípios da investigação e da livre apreciação da prova, mesmo em relação ao pedido de indemnização por perdas e danos. III — Por isso, não há, mesmo

Código de Processo Penal

nesse aspecto, que considerar o princípio do ónus da prova, e não tem efeitos cominatórios a falta de contestação. (Ac. STJ de 12 de Janeiro de 1995; *CJ, Acs. do STJ*, III, tomo 1, 181);

— I — O pedido de indemnização civil deduzido em processo penal tem sempre de ser fundamentado na prática de um crime. II — Se o arguido for absolvido desse crime, haverá que considerar o pedido cível formulado se existir ilícito ou responsabilidade fundada no risco, ou seja responsabilidade civil extra-contratual. III — Por isso, se o arguido for absolvido, não há possibilidade de condenação em indemnização civil por outras causas, nomeadamente por incumprimento de uma obrigação. (Ac. STJ de 25 de Janeiro de 1996; *CJ, Acs. do STJ*, IV, tomo 1, 189). *Nota* — Constitui jurisprudência constante do STJ — cfr. *v. g.* ac. de 2 de Abril de 1998: *CJ, Acs. do STJ*, VI, tomo 2, 179;

— Sendo o arguido absolvido do crime de que vinha acusado, não pode haver condenação no pedido de indemnização civil com base na responsabilidade contratual. (Ac. STJ de 24 de Fevereiro de 1999; *CJ, Acs. do STJ*, VII, tomo 1, 224);

— I — A extinção do procedimento criminal por qualquer causa, nomeadamente por prescrição, não acarreta a extinção do direito à indemnização. II — Em acção cível conexa com a acção penal, a prescrição do direito à indemnização está sujeita à regra geral do art. 303.º do CC, ou seja, para ser eficaz tem de ser invocada por aquele a quem aproveita ou pelo seu representante. (Ac. STJ de 29 de Abril de 1999, proc. 109/99-3.ª; *SASTJ*, n.º 30, 86);

— Havendo absolvição penal, pode ainda assim conhecer-se do pedido cível e proferir condenação a esse nível, desde que esta tenha como fundamento os factos que haviam suportado a acção penal. (Ac. RL de 13 de Outubro de 1999; *CJ*, XXIV, tomo 4, 147);

— O pedido de indemnização civil deduzido em procsso penal terá sempre de ser fundado na prática de um crime (arts. 71.º e 74.º, n.º 1, do CPP) e, no caso de absolvição pelo crime, apenas pode haver lugar a condenação no pedido civil se houver ilícito civil (extracontratual, pois que — havendo apenas obrigação de natureza civil — não pode no processo criminal obter--se condenação civil). Ac. STJ de 25 de Novembro de 1999, proc. 1067//99-5.ª *SASTJ*, n.º 35, 93). *Nota* — No mesmo sentido, acs. STJ de 12 de Janeiro de 2000 (dois acs.), *SASTJ*, n.º 37, 60);

— Como resulta do art. 71.º do CPP, o pedido de indemnização que adere ao processo penal é apenas o que tem como causa um crime. Se este vem a desaparecer, designadamente por desistência da queixa, e o procedimento criminal é, em consequência declarado extinto, então o pedido de indemnização formulado morre também, a não ser que uma lei especial preveja a continuação da acção de indemnização. (Ac. STJ de 31 de Maio e 2000 proc. n.º 211//2000; *SASTJ*, n.º 41, 71);

— I — Segundo a filosofia que subjaz ao preceito do art. 71.º do CPP, o legislador processual penal privilegiou o princípio da adesão, no sentido de que, num mesmo processo, se possa conhecer de ambas as responsabilidades geradas pela prática de um crime: a criminal (que desencadeia uma sanção penal como resposta aos males infligidos à comunidade) e a civil (que leva à atribuição de uma indemnização pelos danos causados pelo cometimento da infracção). II — Independentemente da posição a tomar sobre a natureza

Artigo 72.º

da indemnização decorrente do crime, quis o legislador que essa indemnização fosse assumida pelo processo penal como «coisa» sua, a veicular pelas suas normas próprias, uma vez que o pedido assenta no facto ilícito criminoso. III — O que leva a concluir que em qualquer circunstância o pedido de ressarcimento de prejuizos havidos com o crime, porque alicerçado na sua prática, tem que seguir as regras inscritas no ordenamento processual penal. (Ac. STJ de 11 de Outubro de 2000, proc. n.º 327/2000-3.ª; *SASTJ*, n.º 44, 68);

— I — Só é possível a condenação em indemnização civil nos termos do art. 377.º, n.º 1, do CPP, se os factos integrantes do objecto do processo na sua vertente estritamente penal e simultaneamente constitutivos da causa de pedir do pedido de indemnização civil estão provados. II — Não pode a condenação ter por base factos diferentes dos imputados e, de entre estes, os factos provados — embora insuficientes para a condenação pelo crime, determinando a absolvição deste — têm de se mostrar suficientes ao preenchimento dos pressupostos da responsabilidade civil extracontratual, única que, por força do princípio da adesão, pode estar em causa no processo penal — art. 71.º do CPP. (Ac. STJ de 22 de Novembro de 2000, proc. n.º 1776/2000-3.ª; *SASTJ*, n.º 45, 63);

I — No âmbito do art. 71.º do CPP, o pedido de indemnização civil deduzido em processo penal tem sempre de ser fundamentado na prática de um crime; tem de ter na base uma conduta criminosa que determina o funcionamento do princípio da adesão. II — No plano do art. 377.º, n.º 1, do CPP, pedido fundado significa pedido que tem a mesma causa de pedir, ou seja, os mesmos factos que constituem também pressuposto da responsabilidade criminal. (Ac. STJ de 28 de Maio de 2008, proc. n.º 131/08-3.ª secção).

ARTIGO 72.º

(Pedido em separado)

1. O pedido de indemnização civil pode ser deduzido em separado, perante o tribunal civil, quando:

   a) O processo penal não tiver conduzido à acusação dentro de oito meses a contar da notícia do crime, ou estiver sem andamento durante esse lapso de tempo;

   b) O processo penal tiver sido arquivado ou suspenso provisoriamente, ou o procedimento se tiver extinguido antes do julgamento;

   c) O procedimento depender de queixa ou de acusação particular;

   d) Não houver ainda danos ao tempo da acusação, estes não forem conhecidos ou não forem conhecidos em toda a sua extensão;

   e) A sentença penal não se tiver pronunciado sobre o pedido de indemnização civil, nos termos do artigo 82.º, n.º 3;

Código de Processo Penal

f) For deduzido contra o arguido e outras pessoas com responsabilidade meramente civil, ou somente contra estas haja sido provocada, nessa acção, a intervenção principal do arguido;

g) O valor do pedido permitir a intervenção civil do tribunal colectivo, devendo o processo penal correr perante o tribunal singular;

h) O processo penal correr sob a forma sumária ou sumaríssima;

i) O lesado não tiver sido informado da possibilidade de deduzir o pedido civil no processo penal ou notificado para o fazer, nos termos dos artigos 75.º, n.º 1, e 77.º, n.º 2.

2. No caso de o procedimento depender de queixa ou de acusação particular, a prévia dedução do pedido perante o tribunal civil pelas pessoas com direito de queixa ou de acusação vale como renúncia a este direito.

---

1. Corresponde, salvo no que respeita às alterações introduzidas pela Lei n.º 59/98, de 25 de Agosto, que adiante vão indicadas, aos arts. 72.º do Proj. e 75.º do Aproj.

— O texto da al. *b)* do n.º 1 foi introduzido pela apontada Lei (na versão originária *antes de a sentença transitar em julgado*);

— O texto da al. *e)* do n.º 1 foi introduzido pela mesma Lei (na versão originária *artigo 82.º, n.º 2*);

— O texto da al. *f)* do n.º 1 foi introduzido pela mesma Lei (anteriormente, a seguir a *estas, e o arguido for chamado à demanda*);

— O texto da al. *h)* do n.º 1 foi introduzido pela Lei que vem sendo referida, a qual porém somente eliminou a expressão *correr perante tribunal militar ou,* por a revisão constitucional de 1997 só ter permitido a constituição de tribunais militares durante a vigência do estado de guerra, com competência para o julgamento de crimes de natureza estritamente militar — art. 213.º da CRP;

— A al. *i)* do n.º 1 foi introduzida pela mesma Lei. Não havia dispositivo correspondente na versão originária do Código.

2. Neste artigo prevêem-se os casos em que há lugar à excepção à adesão obrigatória, consagrada no artigo anterior.

A adesão obrigatória, que é regra, justifica-se inteiramente nos casos em que estejam em causa lesados de recursos modestos, nos quais há razões de política social a militar no sentido de fazer decidir no processo criminal, paralelamente à questão penal, a matéria cível. Mas relativamente a outro tipo de situações, nomeadamente acidentes de viação em que estejam envolvidas companhias seguradoras e em que as partes sejam assistidas por advogados, impõe-se antes que, desligadas da obrigação de recurso à jurisdição penal, procurem no foro civil a solução do litígio dos danos emergentes do crime.

Artigo 72.º

Os autores salientam porém que, quando o pedido de indemnização civil pode ser proposto em processo independente, na jurisdição civil, não deixa de estar presente uma certa dependência perante a acção penal, só por vicissitudes desta se podendo desligar, para ser proposto e apreciado em outra jurisdição. Assim, Eduardo Correia, *Processo Criminal,* pág. 214; Augusto Lopes Cardoso, *RT,* 95, n.º 1918, 3 e segs. e Castanheira Neves e Figueiredo Dias, *locs. cits.*

3. O disposto na al. *a)* do n.º 1 corresponde, *grosso modo,* à 1.ª parte do corpo do art. 30.º do CPP de 1929. Usa-se agora a expressão *notícia do crime,* por ser mais ampla e compreensiva do que *participação, denúncia* ou *auto de notícia.*

A al. *b)* do n.º 1 corresponde, aproximadamente, à parte final do corpo do art. 30.º do CPP de 1929, e aplica-se a todos os casos de extinção do procedimento criminal antes de a sentença transitar em julgado, quaisquer que sejam, e ainda ao caso de o processo ficar provisoriamente suspenso nos termos do art. 281.º.

Pode pôr-se a questão de saber se esta alínea se aplica extensivamente aos casos de absolvição criminal, mas com responsabilidade civil objectiva. A questão, porém, tem pouco interesse prático, pois, de qualquer modo, em face do disposto nos arts. 377.º e 82.º, ficou claro que o juiz deve proferir condenação em indemnização civil sempre que o pedido respecivo for fundado, continuando assim em vigor o regime implantado pelo art. 12.º do Dec.-Lei n.º 605/75, de 3 de Novembro.

Também a discussão deste ponto, na Comissão Revisora, é bem elucidativa. A ideia do Prof. Figueiredo Dias, ao redigir o articulado final, era a de que, havendo absolvição pelo crime, o tribunal pudesse condenar o arguido no que respeita à sua responsabilidade civil pelos danos emergentes do crime, no caso de ter elementos para concluir que essa responsabilidade existe, determinando tal regime uma não excepção em favor do pedido cível deduzido em separado, pois a absolvição pelo crime não exclui a adesão. Na discussão pôs-se em relevo que, em alguns casos, faz sentido admitir o pedido cível em separado, não forçando a adesão, pois que o juiz penal pode não ter elementos fácticos para decidir a condenação pelos danos de natureza cível, decisão a que estaria vinculado, conforme o espírito do Projecto, e que precludiria inclusivamente o recurso ulterior à jurisdição penal. Mas foi, por outro lado ventilado que, de acordo como sistema de política criminal à data vigente, e que se consubstanciava no Dec.-Lei n.º 605/75, mesmo no caso de absolvição pelo crime, o tribunal condenava civilmente pelos danos decorrentes do ilícito penal, o que tinha por si razões sociais de protecção dos economicamente desfavorecidos, que não poderiam socorrer-se do pedido cível em separado, por não poderem suportar os encargos judiciais e de patrocínio, além de fundamentos que se prendem com a economia processual, ao evitar a duplicação de processamento para averiguação de elementos materiais que o tribunal tem já ao seu dispor, em virtude da instrução feita para averiguar da responsabilidade criminal. Tudo ponderado, e nomeadamente a vantagem de não alterar aquilo que era o regime legal então vigente, deliberou-se clausular, no local sistematicamente mais adequado, uma norma pela qual se estabelecesse que, em caso de absolvição pelo crime, o tribunal, tendo elementos para conhecer da questão cível, possa condenar quem for civilmente responsável a ressarcir os danos.

Código de Processo Penal

O disposto na al. *c)* do n.º 1 tem como complemento o n.º 2. Estas disposições inspiraram-se manifestamente no § 1.º do art.. 30.º do CPP de 1929. A extensão do regime aos casos em que o procedimento criminal depende de queixa resultou da dliberação da Comissão Revisora, aproximando-se assim o regime do do CPP de 1929.

O disposto na al. *d)* do n.º 1 não tem antecedentes na nossa legislação.

A al. *e)* do n.º 1 não tinha paralelo na legislação anterior. A parte final desta alínea — *nos termos do disposto no art. 82.º, n.º 3,* foi introduzida por deliberação da Comissão Revisora. Foi aí ventilada a possibilidade de a jurisprudência vir a considerar como possível não haver no processo penal uma decisão sobre o pedido cível formulado, caso em que o legislador facultaria ao lesado o recurso à acção cível separadamente. Para que tal entendimento, contrário ao espírito da norma e àquilo que o direito vigente consignava, não vingasse, deliberou-se o aditamento da referida expressão final.

Ficou portanto bem clarificado que o pedido de indemnização só pode ser deduzido separadamente nos termos desta alínea quando o tribunal remete as partes para a jurisdição civil, nos termos do art. 82.º, n.º 3, já que nos demais casos o tribunal tem que conhecer do pedido.

A disposição da al. *f)* não tem antecedentes no nosso ordenamento jurídico. Abre-se aqui uma excepção ao princípio da adesão obrigatória, que pode implicar, sobretudo em matéria de acidentes de viação e de responsabilidade civil conexa com participação processual de companhias seguradoras, uma sistemática formulação do pedido cível em separado. Esta eventualidade, decorrente da circunstância de o pedido ser formulado contra o arguido e contra pessoas com responsabilidade meramente civil, pode parecer excessiva, relativamente à filosofia inspiradora na matéria, de conexão obrigatória, mas justifica-se pela morosidade inevitável dos processos em que tem aplicação, que se não coaduna com uma maior premência de celeridade nos processos penais.

A al. *g)* abrange não só os casos em que a intervenção do Colectivo é imposta pelo valor do pedido, como também aqueles em que essa intervenção deriva da vontade e iniciativa das partes. A susbtituição de *suporia,* que figurava na versão original do Projecto, por *permitir,* teve precisamente este alcance.

A al. *h),* na versão originária, não tinha correspondente no CPP de 1929; no entanto era já consagrada pelo nosso ordenamento jurídico, pois que os tribunais militares, que ainda não foram extintos, são tribunais especiais com competência penal, têm somente a competência que a Constituição e a lei lhes atribui e que não abrange a matéria de responsabilidade civil.

Ainda sobre esta alínea, importa referir que quando o processo corre sob forma sumária ou sumaríssima se deve atender não só ao que aqui se dispõe, mas também ao disposto a propósito dessas formas de processo, designadamente nos arts. 388.º; 389.º, n.ºs 4, 5 e 6; 390.º e 394.º, n.º 2. Assim, o formalismo do pedido civil, no processo sumário, é muito reduzido, sendo o pedido e a contestação apresentados em requerimento escrito ou verbalmente, para a acta. Se o julgamento do pedido se não compadecer com os trâmites do processo deverá ser decidida a tramitação sob forma

Artigo 72.º

comum. Para além disto, pode o pedido ser deduzido separadamente, *ab initio.*

Quanto ao processo sumaríssimo, não é lícita a intervenção, nesta forma de processo, de pessoas com responsabilidade meramente civil. Estas podem, no entanto, dirigir-se ao MP que proporá, se for caso disso, o pedido de indemnização. E independentemente disto, poderão elas próprias propor, separadamente, acção destinada ao ressarcimento dos danos provocados pelo crime.

4. Sobre a disposição do n.º 2, inspirada nos §§ 1.º e 2.º do art. 30.º do CPP de 1929, ver *supra*, n.º 3 a propósito da al. *c).*

Particularmente de notar que só vale como renúncia ao direito de queixa ou de acusação particular a dedução do pedido perante o tribunal civil por parte de pessoas com aquele direito, e não por parte de quaisquer outras pessoas lesadas. E também que, segundo a interpretação que se nos afigura mais correcta, importa distinguir, como faz o CP, entre renúncia e desistência da queixa. E assim, como expende o Prof. Germano Marques da Silva, *Curso de Processo Penal*, I, 110, se a instauração da acção civil preceder a queixa, valerá como renúncia, mas se depois de formulada a queixa se verificar alguma das condições previstas nas diversas alíneas do n.º 1 e que permitem a dedução do pedido de indemnização civil em separado já assim não sucederá.

5. Outros casos existem em leis especiais concedendo a possibilidade de foro alternativo. É o caso do art. 47.º da Lei n.º 34/87, de 16 de Julho, segundo o qual o pedido de indemnização por perdas e danos resultantes de crime de responsabilidade cometido por titular de cargo político no exercício das suas funções pode ser deduzido no processo em que correr a acção penal ou, separadamente, em acção intentada no tribunal civil.

6. *Jurisprudência fixada:*

— Quando, por aplicação da amnistia, se extingue a acção penal, e apesar de ainda não ter sido deduzida acusação, poderá o ofendido requerer o prosseguimento da acção penal para apreciação do pedido cível, nos termos do artigo 12.º, n.º 2, da Lei n.º 23/91, de 4 de Julho. (Ac. do Plenário das secções criminais do STJ de 16 de Outubro de 1997; *DR,* I-A série, de 3 de Janeiro de 1998);

— A dedução perante a jurisdição civil, do pedido de indemnização, fundado nos mesmos factos que constituem objecto da acusação, não determina a extinção do procedimento quando o referido pedido cível tiver sido apresentado depois de exercido o direito de queixa se o processo estiver sem andamento há mais de oito meses após a formulação da acusação. (Ac. do Pleno das secções criminais do STJ de 19 de Janeiro de 2000; *DR,* I-A série, de 2 de Março de 2000);

— Extinto o procedimento criminal por prescrição depois de proferido o despacho previsto no art. 311.º do CPP mas antes de realizado o julgamento, o processo em que tiver sido deduzido pedido de indemnização prossegue para conhecimento deste. (Ac. do Pleno das secções criminais do STJ n.º 3/2002, de 17 de Janeiro; *DR,* I série, de 3 de Março de 2002).

Código de Processo Penal

7. *Jurisprudência:*

— Dependendo o procedimento criminal de queixa ou de acusação particular, a dedução do pedido de indemnização perante o tribunal civil pelas pessoas com direito de queixa ou de acusação vale como renúncia a esse direito, ainda que a acção cível não prossiga por a petição inicial ter sido indeferida liminarmente. (Ac. RC de 16 de Setembro de 1992; *CJ*, XVII, tomo 4, 103);

— I — No processo penal, o lesado não pode formular pedido genérico de indemnização, ou seja pedido de que ela seja fixada em execução de sentença. II — Nos casos em que ainda não seja possível ao lesado determinar de modo definitivo as consequências do facto ilícito deve ele requerer, nos termos do art. 72.º, n.º 1, al. *d)*, do CPP, que o pedido de indemnização civil seja deduzido em separado, perante o tribunal civil. III — Tendo formulado pedido genérico, deve o juiz mandar corrigi-lo ou mandar que o pedido seja formulado perante o tribunal civil; não o tendo feito, pode o juiz, se tiver elementos para isso, condenar na indemnização que entender adequada, perante os factos alegados e provados. (Ac. STJ de 16 de Dezembro de 1992; *CJ*, XVII, tomo V, 234);

— I — O art. 72.º, n.º 2, do CPP estabelece uma presunção inilidível de renúncia tácita ao direito de queixa quando, dependendo o procedimento criminal de queixa ou de acusação particular, seja deduzido pedido de indemnização perante o tribunal cível, quer antes, quer depois do exercício da acção penal. II — Tal renúncia abrange todos os arguidos na acção penal, sejam ou não réus na acção proposta no tribunal cível, e se tiver sido formulado pedido cível na acção penal este não poderá prosseguir. (Ac. RL de 5 de Novembro de 1996; *CJ*, XXI, tomo 5, 140);

— O facto de se ter declarado extinto, por prescrição, o procedimento criminal contra o arguido, não acarreta a extinção do direito à indemnização, nem o tribunal pode oficiosamente conhecer da prescrição civil que, para ser eficaz, necessita de ser invocada. (Ac. STJ de 28 de Abril de 1999; *CJ, Acs. do STJ*, VII, tomo 2, 203);

— Extinto o procedimento criminal por prescrição, antes do julgamento, o pedido cível deduzido na acusação deixará de poder ser conhecido no processo penal. (Ac. RL de 18 de Outubro de 2000; *CJ*, XXV, tomo 4, 144);

— Extinto o procedimento criminal por falecimento do arguido antes do trânsito em julgado da sentença, o processo não pode prosseguir para apreciação do pedido cível que tenha sido formulado. (Ac. RL de 21 de Junho de 2001; *CJ*, XXVI, tomo 3, 156).

ARTIGO 73.º

(Pessoas com responsabilidade meramente civil)

1. O pedido de indemnização civil pode ser deduzido contra pessoas com responsabilidade meramente civil e estas podem intervir voluntariamente no processo penal.

2. A intervenção voluntária impede as pessoas com responsabilidade meramente civil de praticarem actos que o arguido tiver perdido o direito de praticar.

228

Artigo 73

1. Reproduz o art. 73.º do Proj.; o n.º 1 corresponde ao n.º 1 do art. 78.º do Aproj.

2. A faculdade de deduzir em processo penal o pedido de indemnização civil contra pessoas que não têm responsabilidade penal, mas só responsabilidade civil e de estas últimas pessoas poderem intervir voluntariamente no processo penal, que agora se generaliza, não era perfilhada pelo CPP de 1929. Foi, porém, perfilhada no Direito Estradal, pelo art. 67.º do Código da Estrada.

Por isso se entendia que o sistema de adesão que a nossa lei perfilhava era mais profundo no Direito Estradal e, por vezes, que de *lege ferenda* era preferível a doutrina do Código da Estrada. Veja-se, neste sentido, Cavaleiro de Ferreira, *Curso,* I, págs. 16-17, e o nosso *Código de Processo Penal,* anot. ao art. 29.º.

3. As pessoas com responsabilidade meramente civil podem intervir no processo, ou porque contra elas foi deduzido pedido ou por sua própria intervenção espontânea, através de incidente por elas provocado, nos termos estabelecidos pelo processo civil.

A intervenção no processo é acessória, tendo uma posição idêntica à do arguido, mas só quanto à sustentação e à prova das questões cíveis debatidas no processo para que tenham legitimidade.

A disposição do n.º 2, impeditiva de as pessoas com responsabilidade meramente civil praticarem actos que o arguido já tenha perdido o direito de praticar, tem uma finalidade óbvia, destinando-se a evitar que, por uma via tortuosa, renasçam direitos que o arguido tenha deixado caducar. Em tais termos, querendo o responsável meramente civil intervir espontaneamente, será de toda a conveniência que o faça tão cedo quanto possível, em qualquer momento, até ao julgamento do pedido cível.

4. Do Aproj. constava ainda uma disposição, que foi discutida na Comissão Revisora, segundo a qual quando a indemnização fosse pedida no tribunal penal e o arguido declarasse que pretendia chamar à demanda pessoas só civilmente responsáveis, não cessaria por esse facto a competência para apreciar o pedido de indemnização contra todos.

A eliminação desta disposição foi deliberada, por se entender dependente do que viesse a ser regulamentado no CPC, a cuja revisão se estava a proceder, e pela eventualidade de supressão deste tipo de matérias com o incidente de chamamento de pessoas.

5. *Jurisprudência:*
— I — Em acção cível deduzida em processo penal não é admissível a dedução de pedido subsidiário contra demandados eventuais. II — Assim, deduzida a acção cível contra a seguradora do proprietário do veículo, não é possível admitir pedido subsidiário contra o segurado e o Fundo de Garantia Automóvel, com a alegação de caducidade do contrato de seguro. (Ac. RC de 26 de Outubro de 1995; *CJ,* XX, tomo 4, 58);
— Em processo penal não é admissível a intervenção provocada de terceiros, pois o respectivo incidente é incompatível com as regras e os

Código de Processo Penal

princípios daquele processo e com os princípios que o mesmo prossegue. (Ac. RL de 24 de Setembro de 2002; *CJ*, XXVII, tomo 4, 128);
— No enxerto cívil deduzido em processo penal não é admissível a intervenção espontânea. (Ac. RP de 8 de Fevereiro de 2006; *CJ*, ano XXXI, tomo I, 207).

ARTIGO 74.º

(Legitimidade e poderes processuais)

1. O pedido de indemnização civil é deduzido pelo lesado, entendendo-se como tal a pessoa que sofreu danos ocasionados pelo crime, ainda que se não tenha constituído ou não possa constituir-se assistente.

2. A intervenção processual do lesado restringe-se à sustentação e à prova do pedido de indemnização civil, competindo-lhe, correspondentemente, os direitos que a lei confere aos assistentes.

3. Os demandados e os intervenientes têm posição processual idêntica à do arguido quanto à sustentação e à prova das questões civis julgadas no processo, sendo independentes cada uma das defesas.

---

1. Corresponde ao art. 74.º do Proj. e, com alterações, ao art. 76.º, n.ᵒˢ 1 e 2, do Aproj. Inspirou-se no corpo e no § 1.º do art. 32.º do CPP de 1929.

2. Como na vigência do CPP de 1929, têm legitimidade para formular o pedido de indemnização civil por perdas e danos resultantes da prática de um crime todos os lesados, isto é todos aqueles que sofreram esses danos. É uma questão que não pode ser confundida com a legitimidade para a constituição de assistente, pois a noção de lesado é mais ampla e compreensiva do que a de assistente.
Para desenvolvimento ver Luís Osório, *Comentário*, I, págs. 320 e 347; Cavaleiro de Ferreira, *Curso*, I, pág. 139 e Castanheira Neves, *Sumários*, pág. 198.
«Não traduz esta ampliação de legitimidade activa qualquer incoerência com a natureza penal atribuída à acção civil, pois se com esta natureza se quer significar a função repressiva e preventiva da indemnização, não deixa de ser esta, em si mesma, uma reparação que se inscreve no activo património da vítima do delito. Por isso, não só aquela função exige que a indemnização se imponha sempre, como não se vê também porque esse elemento activo do património da vítima não deva ser directamente exigido por quem tem direito a esse património. Não era aceitável a participação na acção penal dos simplesmente lesados, e não directamente ofendidos pelo delito, porque se não tratava aí de obter uma compensação que se viesse a traduzir num bene- fício particular, mas unicamente de colaborar, com legitimidade especificamente

230

Artigo 75.º

pessoal, na realização de um direito e de um interesse público (o *jus puniendi*), enquanto agora sempre (ou haveria também) um benefício patrimonial particular, e como tal transmissível». (Castanheira Neves, *Sumários,* 199).

Para o Prof. Figueiredo Dias, como lesado deve ser considerada toda a pessoa que, segundo as normas do Direito Civil, tenha sido prejudicada em interesses seus juridicamente protegidos, desta perspectiva se alcançando um *conceito lato ou extensivo de ofendido, que abrangerá todas as pessoas civilmente lesadas pela infracção penal* (*Direito Processual Penal,* vol. 1.º, 508-509).

Em suma, dever-se-á considerar lesado, para os efeitos deste artigo, todo aquele que, perante o Direito Processual Civil, tiver legitimidade para formular o pedido de indemnização.

3. Dada a inexistência de uma cláusula geral de equiparação do lesado ao assistente e do responsável civil ao arguido, para definição do respectivo estatuto processual, a qual seria inconveniente e inviável, ficou como alternativa a regulamentação casuística de todos e de cada um dos actos de intervenção pessoal daquelas figuras jurídicas, pois seria completamente despropositado determinar a configuração daqueles estatutos por mera aplicação subsidiária do processo civil. Esta regulamentação casuística é feita neste artigo e nos seguintes.

Não obstante esta regulamentação casuística, e para colmatar eventuais omissões, foram introduzidas as disposições dos n.ºs 2 e 3, a última das quais na fase final dos trabalhos preparatórios.

4. *Jurisprudência:*

— Constitui irregularidade de conhecimento oficioso a falta de indicação pelo MP, ao deduzir acusação em todas as acções penais por actos em que o ofendido apresente lesões determinativas de incapacidade para a actividade profissional ou de que resulte a morte, da sua qualidade de beneficiário dos Serviços Sociais e da identificação da instituição ou instituições que o abrangem. (Ac. RC de 20 de Dezembro de 1989; *CJ,* XIV, tomo 5, 86). *Nota* — Este acórdão resulta do disposto no art. 2.º do Dec.-Lei n.º 59/89, de 22 de Fevereiro, segundo o qual as instituições de segurança social, nas acções penais por actos que tenham determinado incapacidade para o exercício da actividade profissional ou a morte do ofendido são tidas como lesadas, nos termos do art. 74.º do CPP;

— Em acção cível enxertada no processo penal é admissível o incidente de intervenção principal provocada. (Ac. RC de 18 de Janeiro de 2008; *CJ,* ano XXXIII, tomo 1, 41).

ARTIGO 75.º

(Dever de informação)

1. Logo que, no decurso do inquérito, tomarem conhecimento da existência de eventuais lesados, as autoridades judiciárias e os órgãos de polícia criminal devem informá-los da possibilidade de deduzirem pedido de indemnização civil em processo penal e das formalidades a observar.

Código de Processo Penal

2. Quem tiver sido informado de que pode deduzir pedido de indemnização civil nos termos do número anterior, ou, não o tendo sido, se considere lesado, pode manifestar no processo, até ao encerramento do inquérito, o propósito de o fazer.

---

1. O texto deste artigo foi introduzido pela Lei n.º 48/2007, de 29 de Agosto, em substituição do que resultava da Lei n.º 59/98, de 25 de Agosto.
O texto originário tinha sido alterado pela Lei n.º 59/98 nos seguinte pontos:
—O dever de informação foi alargado aos órgãos de polícia criminal (na versão originária esse dever incumbia somente à autoridade judiciária). O regime manteve-se, sem alteração, no texto actual;
— Foi introduzido um n.º 2, que não tinha correspondente na versão originária. Este dispositivo sofreu alargamento com o texto actual, de modo a conferir legitimidade para deduzir o pedido de indemnização a quem não tiver sido informado nos termos do número anterior e se considere lesado.
— O dever de informação foi alargado aos órgãos de polícia criminal (na versão originária esse dever incumbia somente à autoridade judiciária);
— O dispositivo do n.º 2 foi introduzido pela apontada Lei, e não tinha correspondente na versão originária.

2. O dever de informação aqui estabelecido, que é novidade no nosso ordenamento jurídico, é muito relevante, pois, tendo-se optado por um sistema de adesão obrigatória, a satisfação da indemnização fica dependente de uma acção cível a deduzir no processo criminal; por isso as pessoas menos informadas têm toda a vantagem, se não mesmo a necessidade, de serem esclarecidas de que tal acção tem que ser deduzida como meio indispensável para virem a obter a indemnização.
Deve porém acrescentar-se que em resultado de introduções resultantes da Lei referida na anot. 1, *maxime* do n.º 3 do art. 77.º, o não cumprimento do dever estabelecido no n.º 2 pode não ter quaisquer consequências para o lesado, pois que ainda lhe será dado deduzir o pedido até vinte dias depois de o arguido ser notificado do despacho de acusação ou, se o não houver, do despacho de pronúncia.

3. O destinatário do dever de informação aqui estabelecido é toda a pessoa que no momento se apresente como um eventual lesado, ainda que como tal se não encontre formalmente constituído. Basta que, perante os factos que no momento de desenham, essa pessoa tenha legitimidade, segundo o processo civil, para deduzir um pedido de indemnização que radique nesses factos.

4. O conteúdo do dever de informação consiste em esclarecer os lesados da possibilidade que têm de, no processo penal, formularem o pedido de indemnização e das formalidades que, para o efeito, devem observar, designadamente as dos artigos seguintes.
A versão originária do Código não cominava qualquer nulidade para a omissão do dever de informação, a qual, em nosso entendimento, integrava tão só uma irregularidade processual, submetida ao regime do art. 123.º.

Artigo 76.º

A Lei referida na anot. 1, ao introduzir a al. *i)* no n.º 1 do art. 72.º, veio de algum modo colmatar a lacuna, ao estabelecer que o pedido de indemnização civil pode ser deduzido separadamente quando o lesado não tiver sido informado da possibilidade de o deduzir no processo penal ou notificado para o fazer.

5. *Jurisprudência:*
— I — A omissão da notificação nos termos e para os efeitos dos arts. 75.º e 77.º do CPP não está cominada com nulidade, constituindo por isso mera irregularidade, que só determina a invalidade do acto a que se refere e dos termos subsequentes que possa afectar quando tiver sido arguida pelos interessados no próprio acto, ou, se a este não tiverem assistido, nos três dias seguintes a contar daquele em que tiverem sido notificados para quaisquer termo do processo ou intervindo em algum acto nele praticado. II — Não o tenho feito, a irregularidade ficou sanada, pelo que, não tendo o lesado manifestado qualquer intenção de deduzir o pedido de indeminização civil, não tem que ser notificado da acusação proferida (Ac. STJ de 13 de Junho de 2005; *SASTJ*, n.º 93, 92).

ARTIGO 76.º

(Representação)

1. O lesado pode fazer-se representar por advogado, sendo obrigatória a representação sempre que, em razão do valor do pedido, se deduzido em separado, fosse obrigatória a constituição de advogado, nos termos da lei do processo civil.

2. Os demandados e os intervenientes devem fazer-se representar por advogado.

3. Compete ao Ministério Público formular o pedido de indemnização civil em representação do Estado e de outras pessoas e interesses cuja representação lhe seja atribuída por lei.

---

1. O texto actual deste artigo é resultante da Lei n.º 59/98, de 25 de Agosto. Aqui se apontam relevantes alterações em relação à versão originária as quais, para além do que adiante será anotado, ficaram assinaladas na anot. 2 ao art. 71.º, para onde remetemos.

2. O pedido de indemnização civil deduzido em processo penal pode ser formulado pelo lesado, que pode fazer-se representar por advogado, sendo esta representação necessária nos casos em que também o é nos termos da lei do processo civil.
Conforme se preceitua no art. 75.º, n.º 1, logo que no decurso do inquérito se tomar conhecimento da existência de eventuais lesados, devem estes ser informados pela autoridade judiciária ou pelos órgãos de polícia criminal da possibilidade de deduzirem pedido de indemnização no processo penal e das formalidades que terão de observar para deduzir tal pedido.

Código de Processo Penal

Quando, em razão do valor do pedido deduzido em separado, não é obrigatória a constituição de advogado, o lesado pode ainda socorrer-se do meio simplificado e informal estabelecido no n.º 4 do art. 77.º.

3. A revisão do Código levada a efeito pela Lei referida na anot. 1 tomou posição sobre uma relevante questão que se suscitou no domínio da versão originária do Código, à qual fizemos larga referência nas 7.ª e 8.ª edições desta obra, na anot. 3 ao art. 76.º.

Ficou agora esclarecido, perante a redacção do n.º 3, que só compete ao MP formular o pedido de indemnização civil em representação do Estado e de outras pessoas e interesses cuja representação lhe seja atribuída por lei, segundo o seu estatuto orgânico e as leis do processo, designadamente dos incapazes, incertos e ausentes.

Não ficou fragilizada a protecção dos mais carenciados economicamente, a qual é assegurada, para além do regime do patrocínio judiciário, por outros dispositivos, *maxime* os dos arts. 77.º, n.º 4, e o do inovador 82.º-A, e ainda, fora do âmbito deste Código, pelo regime do Dec.-Lei n.º 423/91, de 30 de Outubro e do Dec. Regulamentar n.º 4/93, de 22 de Fevereiro, transcritos em anot. ao art. 130.º do nosso Código Penal anotado.

ARTIGO 77.º

(Formulação do pedido)

1. Quando apresentado pelo Ministério Público ou pelo assistente, o pedido é deduzido na acusação ou, em requerimento articulado, no prazo em que esta deve ser formulada.

2. O lesado que tiver manifestado o propósito de deduzir pedido de indemnização civil, nos termos do artigo 75.º, n.º 2, é notificado do despacho de acusação, ou, não o havendo, do despacho de pronúncia, se a ele houver lugar, para, querendo, deduzir o pedido, em requerimento articulado, no prazo de vinte dias.

3. Se não tiver manifestado o propósito de deduzir pedido de indemnização ou se não tiver sido notificado nos termos do número anterior, o lesado pode deduzir o pedido até vinte dias depois de ao arguido ser notificado o despacho de acusação ou, se o não houver, o despacho de pronúncia.

4. Quando, em razão do valor do pedido, se deduzido em separado, não fosse obrigatória a constituição de advogado, o lesado, nos prazos estabelecidos nos números anteriores, pode requerer que lhe seja arbitrada a indemnização civil. O requerimento não está sujeito a formalidades especiais e pode consistir em declaração em auto, com indicação do prejuizo sofrido e das provas.

Artigo 77.º

5. Salvo nos casos previstos no número anterior, o pedido de indemnização civil é acompanhado de duplicados para os demandados e para a secretaria.

---

1. O texto actual deste artigo foi introduzido pela Lei n.º 59/98, de 25 de Agosto, sofrendo posteriormente alterações introduzidas pela Lei n.º 48/2007, de 29 de Agosto nos n.ᵒˢ 1 (aditamento de em requerimento articulado e 3, 20 dias; anteriormente 10 dias).

2. Quando o pedido de indemnização civil em processo penal é deduzido pelo MP ou pelo assistente, como tal já constituído, deve sê-lo na própria acusação ou separadamente mas no prazo em que a acusação deve ser deduzida. Se o pedido não for deduzido na acusação ou no prazo para que ela seja deduzida, caducará, em tal caso, o direito de exercer a acção cível conjuntamente.

Sendo o pedido formulado por qualquer lesado que não seja assistente nem tenha requerido ao MP que o formule, terá ele que o deduzir, em requerimento articulado, até vinte dias após ser notificado do despacho de acusação ou, não havendo este despacho, do despacho de pronúncia.

Este prazo poderá parecer excessivamente reduzido mas na realidade não o é, já que o lesado que deduz ele próprio o pedido pode fazê-lo em qualquer momento, até àquele que foi apontado, portanto mesmo durante o inquérito, e até logo quando da apresentação da queixa. Em tal caso o requerimento com o pedido de indemnização ficará logo no processo para, oportunamente, seguir seus termos e, se o processo não conduzir a acusação, seguirá separadamente.

3. O dispositivo do n.º 4, introduzido pela apontada lei, veio permitir que o lesado possa obter o ressarcimento dos danos que sofreu, frequentemente de baixo valor, através de um processo simplificado e informal, baseado num simples requerimento sem formalidades especiais, ou mesmo em declaração em auto, com indicação dos prejuizos que sofreu e das provas.

Em todo o caso, o pedido assim formulado deve ser feito nos prazos estabelecidos nos n.ᵒˢ 1 a 3, sendo porém dispensada a apresentação de duplicados (n.º 5).

São evidentes as relevantes consequências práticas deste dispositivo, já que veio permitir um fácil e pouco dispendioso ressarcimento de danos de reduzido valor, frequentemente sofridos por lesados de poucos recursos.

4. Por dar-se o caso de a acusação não ser recebida, e mesmo o de ser recebida mas depois o recebimento vir a ser anulado. Se, em tais casos, tiver havido dedução de pedido de indemnização civil, poderá o pedido seguir separadamente — art. 72.º, n.º 1, al. *b*).

5. A tramitação estabelecida neste título para a dedução do pedido de indemnização civil conjuntamente com o processo penal só tem inteira aplicação quanto ao processo comum.

Código de Processo Penal

Para os processos especiais, quando se opte pelo pedido de indemnização civil no próprio processo penal, há normas especiais nessas formas de processo, já resumidas em anot. ao art. 72.º.

6. A Portaria n.º 377/2008, de 28 de Maio, transpôs para o ordenamento jurídico português a Quinta Directiva Automóvel — Directiva n.º 2005/14-CE, do Parlamento Europeu e do Conselho de 11 de Maio, regulando inovadoramente diversos domínios da regularização de sinistros rodoviários, sobretudo no que respeita ao dano corporal.

Trata-se de um diploma do maior interesse para fixação de critérios e valores orientadores de apresentação aos lesados por acidente automóvel de proposta razoável para indemnização de dano corporal, nos termos do disposto no capítulo III *DR* título II do Dec.-Lei n.º 291/2007, de 21 de Agosto. Não afasta porém o direito a indemnização por outros danos, nos termos da lei, nem a fixação de valores superiores aos propostos.

7. *Jurisprudência:*
— É extemporâneo o pedido de indemnização civil feito pelo ofendido em processo penal depois de decorridos mais de 5 dias sobre a data da notificação ao arguido do dia do julgamento. (Ac. RE de 19 de Junho de 1990; *CJ,* XV, tomo 3, 290);

— I — O assistente que, por requerimento, adere à acusação pública e acrescenta no final desse requerimento: «relativamente ao pedido de indemnização civil a que justamente têm direito os aqui requerentes e ofendidos, porque tais danos não são conhecidos nesta data em toda a sua extensão, quer porque tanbém a complexidade do pedido geraria incidentes que retardariam seguramente o processo penal, vem requerer-se a favor dos ofendidos, aqui identificados, condenação em indemnização que se venha a fixar em execução de sentença» formula pedido de indemnização. II — A manifestação de vontade de ser indemnizado — necessária, pois o CPP não admite fixação oficiosa — não oferece dúvida, e o requerimento não tem de ser articulado, por apresentado nos termos do art. 77.º, n.º 1, do CPP. III — O pedido assim formulado padece de irregularidade ou deficiência, mas não é inepto. E como o tribunal não convidou o peticionante a completar ou corrigir a petição (que não foi notificada ao arguido para contestar, como impõe o art. 78.º, n.º 1, do CPP, tendo sido admitido), só resta apurar se o seu provimento foi legal. (Ac. STJ de 6 de Dezembro de 1989; Proc. n.º 40 158/3.ª);

— I — Porque no domínio do processo criminal o princípio da igualdade das partes não conduz necessariamente a um tratamento formalmente simétrico do ofendido e do arguido, bem pode suceder que a concretização das suas garantias de defesa conduza, por vezes, a um tratamento mais favorável do arguido, como sucede no caso da estatuição contida na norma do n.º 2 do art. 77.º do CPP. II — O lesado, para formular o pedido de indemnização, não dispõe apenas do prazo a que se reporta o art. 77.º, n.º 2, tendo ao seu alcance um dilatado espaço temporal, que se inicia logo com a apresentação da queixa e termina no quinto dia posterior àquele em que o arguido seja notificado do despacho de pronúncia. (Ac. do Trib.

236

Artigo 77.º

Constitucional n.º 611/94, de 24 de Novembro; *BMJ*, suplemento ao n.º 446, 27);

— I — Sendo o pedido de indemnização cível em processo penal uma autêntica petição inicial, deve sobre ele recair despacho liminar de admissão ou rejeição e, posteriormente, um despacho equivalente ao de pronúncia, um despacho definitivo de admissão. II — A omissão desse despacho constitui nulidade, que não é de conhecimento oficioso e que deve ser arguida pelos interessados no prazo de 5 dias, sob pena de ficar sanada. (Ac. STJ de 23 de Março de 1995, proc. 46.967/3.ª);

— I — Mesmo em processo penal, o pedido de indemnização civil pode ser ampliado até ao encerramento da discussão em 1.ª instância. II — No âmbito desse pedido, podem ser tomadas declarações em audiência de julgamento ao lesado. E o cônjuge do demandante não está impedido de depor como testemunha. III — A não advertência ao lesado e ao seu cônjuge de que ficam sujeitos ao dever de verdade e a responsabilização penal pela violação constitui mera irregularidade processual, a arguir na audiência em que se verificou. (Ac. RC de 21 de Novembro de 1996; *CJ*, XXI, tomo 5, 55);

— Em pedido de indemnização civil deduzido em processo penal não é possível o incidente de intervenção principal provocada. (Ac. RC de 9 de Abril de 1997; *CJ*, XXII, tomo 2, 54);

— I — O processo penal inicia-se com a notícia de um crime, que pode ser adquirida mediante denúncia. II — Deste modo, é tempestivo o pedido de indemnização civil deduzido na própria participação, na qual o denunciante requer a sua constituição como assistente e faz juntar procuração forense. (Ac. RL de 23 de Setembro de 1998; *CJ*, XXIII, tomo 4.º, 142);

— I — O pedido de indemnização civil fundado na prática de um crime pode ser deduzido ainda na fase do inquérito. II — Se vier a ser deduzida acusação, cabe ao juiz do julgamento decidir em que medida o pedido formulado antes da acusação ou da pronúncia ultrapassa o objecto destas. (Ac. RG de 17 de Junho de 2002; *CJ*, XXVII, tomo 3, 295);

— Os prazos fixados no art. 77.º do CPP para as diversas situações aí estatuídas, com vista à dedução do pedido de indemnização civil em processo penal, são peremptórios, sendo que o seu esgotamento extingue, assim, o direito a praticar o acto. (Ac. STJ de 5 de Junho de 2003, proc. n.º 2019/ /03-5.ª; *CJ, Acs. do STJ*, ano XI, tomo 2, 211);

— Nada na lei processoal penal impede o uso, no pedido de indemnização civil, dos incidentes de intervenção de terceiros. (Ac. RC de 29 de Outubro de 2003; *CJ*, XXVIII, tomo 4, 50);

— I — A omissão da natificação nos termos e para os efeitos dos arts. 75.º e 77.º do CPP não está cominada com nulidade, constituindo por isso mera irregularidade, que só determina a invalidade do acto a que se refere e dos termos subsequentes que possa afectar quando tiver sido arguida pelos interessados no próprio acto, ou, se a este não tiverem assistido, nos três dias seguintes a contar daquele em que tiverem sido notificados para qualquer termo do processo ou intervindo em algum acto nele praticado. II — Não o

Código de Processo Penal

tendo feito, a irregularidade ficou sanada, pelo que, não tendo o lesado manifestado qualquer intenção de deduzir o pedido de indeminização civil, não tem que ser notificado da acusação proferida (Ac. STJ de 13 de Julho de 2005; *SASTJ*, n.º 93, 92).

ARTIGO 78.º

(Contestação)

1. A pessoa contra quem for deduzido pedido de indemnização civil é notificada para, querendo, contestar no prazo de vinte dias.

2. A contestação é deduzida por artigos.

3. A falta de contestação não implica confissão dos factos.

---

1. Corresponde ao art. 78.º do Proj. O texto do nº 1 é resultante da Lei n.º 59/98, de 25 de Agosto, que porém somente elevou para 20 o prazo que na versão originária era de 10 dias. Esta elevação foi devida a que a contagem de prazos em processo penal passou a correr continuamente, como em processo civil; no entanto afigura-se excessiva, demais quando confrontada com o prazo de 10 dias, concedidos pelo n.º 2 do art. 77.º, para a dedução do pedido de indemnização.

2. Deduzindo o pedido de indemnização civil, o juiz pode rejeitá-lo liminarmente ou mandá-lo corrigir, nos termos gerais e nos do art. 311.º. Se o não fizer e admitir o pedido, mandará notificar a pessoa ou as pessoas contra quem é deduzido para, querendo, contestarem no prazo de vinte dias, como se estabelece no n.º 1.

A contestação deve ser articulada, tal como sucede para a petição quando formulada pelos próprios lesados no caso do art. 77.º, n.º 2. Quer num caso quer noutro, se a formulação não tiver sido articulada, deve o juiz mandar corrigi-la; se o não fizer, subsistirá em qualquer caso uma mera irregularidade, sujeita ao regime dos arts. 118.º, n.º 2 e 123.º.

3. A disposição do n.º 3, estabelecendo que a falta de contestação não implica a confissão dos factos, que é excepcional em relação às normas do processo civil sobre os efeitos da falta de contestação, é geral, pelo que beneficia tanto o arguido como qualquer outra pessoa contra quem for deduzido o pedido de indemnização civil. Assim, a falta de impugnação do pedido pelo responsável meramente civil não implica a condenação irremediável do arguido.

4. De notar que, em face da regulamentação estabelecida, esgotam-se com os trâmites previstos as faculdades de que o arguido e as pessoas demandadas se podem socorrer. Deve, assim, entender-se que não são aqui admissíveis pedidos reconvencionais.

Também não é aqui admissível o incidente de liquidação de pedido genérico, previsto no art. 378.º do CPC. Já é porém admissível o incidente de liquidação em execução de sentença (para fixar o *quantum* da indemni-

Artigo 79.º

zação), por especialmente previsto e regulado no art. 82.º, nos casos em que o tribunal não dispõe de elementos que lhe possibilitem a fixação do quantitativo.

5. *Jurisprudência:*
— I — A indemnização de perdas e danos emergentes de crime é regulada pela lei civil quantitativamente e nos seus pressupostos; porém, processualmente, é regulada pela lei processual penal. II — Em processo penal vigoram os princípios da investigação e da livre apreciação da prova, mesmo em relação ao pedido de indemnização por perdas e danos. III — Por isso, não há, mesmo neste aspecto, que considerar o princípio do ónus da prova e não tem efeitos cominatórios a falta de contestação. (Ac. STJ de 12 de Janeiro de 1995; *CJ*, *Acs. do ST*J, III, tomo 1, 181);
— I — A indemnização de perdas e danos emergentes de crime é regulada quantitativamente e nos seus pressupostos pela lei civil, mas no aspecto processual é regulada pelo CPP. II — Como o processamento na acção cível enxertada se encontra devidamente regulado no CPP, especialmente no que respeita a articulados, onde apenas é referida a existência de dois, segue-se que está excluída a possibilidade de um terceiro, de resposta à contestação. (Ac. STJ de 9 de Junho de 1996, proc. 6/95);
— É inadmissível a dedução de reconvenção em acção civil enxertada na acção penal. (Ac. RL de 21 de Dezembro de 2000; *CJ*, XXV, tomo 5, 153).

ARTIGO 79.º

(Provas)

1. As provas são requeridas com os articulados.

2. Cada requerente, demandado ou interveniente pode arrolar testemunhas em número não superior a dez ou a cinco, consoante o valor do pedido exceda ou não a alçada da relação em matéria cível.

---

1. Corresponde ao art. 79.º do Proj. O texto do n.º 2 é, porém, resultante da Lei n.º 59/98, de 25 de Agosto. O texto originário limitava-se a preceituar que cada requerente, demandado ou interveniente podia arrolar até 5 testemunhas, sem estabelecer qualquer distinção.

2. Segundo o regime do CPP de 1929, art. 32.º, § 3.º, as provas relativas ao pedido de indemnização eram oferecidas nos mesmos prazos de oferecimento das provas relativas à acção penal, não podendo ser dadas, além das da causa, mais de três testemunhas pelos requerentes nem pelos réus.

O regime do presente código é diferente: as provas são necessariamente oferecidas com a dedução do pedido ou com a contestação, e cada requerente, demandado ou simplesmente interveniente pode testemunhas em número não superior a dez ou a cinco, consoante o valor do pedido exceda ou não a alçada da relação em matéria cível.

Código de Processo Penal

3. Para além das diferenças já assinaladas *supra,* outras existem ainda relativamente ao direito anterior:

Assim, e quanto ao número de testemunhas que podem ser arroladas, cada interveniente no pedido de indemnização pode arrolar 5 ou 10, conforme se preceitua no n.º 2, isto independentemente e para além das testemunhas arroladas no processo penal. Trata-se, por outro lado, de um número total de testemunhas que cada interveniente pode arrolar, sem discriminação por factos probandos. Como se trata de testemunhas a arrolar por cada interveniente, esse número desdobrar--se-á pelo número de intervenientes, ainda que com a mesma posição processual.

O rol de testemunhas, ainda que das partes civis, pode ser adicionado ou alterado nos termos estabelecidos no art. 316.º.

4. *Jurisprudência:*

— O vício decorrente da inobservância do prazo para a indicação da prova no pedido de indemnização civil (art. 79.º, n.º 1, do CPP) não se traduz numa nulidade essencial, por não se encontrar abrangido pela previsão do art. 119.º do CPP, devendo tal vício ser arguido no curto prazo de 3 dias sobre a primeira intervenção posterior dos acusados no processo, de acordo com o preceituado no art. 123.º daquele Código, sob pena de o mesmo ficar sanado. (Ac. STJ de 6 de Outubro de 1993; *BMJ,* 430, 226);

— No pedido de indemnização civil formulado em processo penal não é aplicável o art. 631.º do CPC, mas sim o art. 316.º, n.º 1, do CPP. O requerente pode, por isso, vir adicionar testemunhas ao rol inicialmente apresentado, desde que não exceda o limite previsto no n.º 2 do art. 79.º do CPP. (Ac. RP de 24 de Janeiro de 1994; *CJ,* XIX, tomo 1, 253).

ARTIGO 80.º

(Julgamento)

O lesado, os demandados e os intervenientes são obrigados a comparecer no julgamento apenas quando tiverem de prestar declarações a que não puderem recusar-se.

1. Reproduz o art. 80.º do Proj.

2. A audiência de julgamento do pedido indemnização civil baseado na prática de um crime rege-se pelas regras gerais e pelas especiais constantes deste título.

Neste artigo estabelece-se a regra de que o lesado, os demandos e os intervenientes não são obrigados a comparecer na audiência, excepto se tiverem de prestar declarações a que não puderem recusar-se.

É no art. 145.º que se regula em pormenor o regime de declarações do assistente e das partes civis, colmatando-se assim uma lacuna do direito anterior. Aí ficou consagrado, para uns e para outros, o dever de obediência à verdade nos casos em que prestam declarações, com a consequente

Artigo 81.º

responsabilidade criminal pela violação desse dever. É um regime que se aproxima do processo civil.

Conforme se extrai do art. 145.º, n.º 1, as partes civis são obrigadas a comparecer na audiência, para declarações, a requerimento seu ou do arguido, ou sempre que o presidente do tribunal o entenda conveniente.

A prestação de declarações não é precedida de juramento e está sujeita ao regime da prova testemunhal, salvo no que lhe for manifestamente inaplicável e no que a lei dispuser diferentemente — art. 145.º, n.ᵒˢ 3 e 4.

Quanto às consequências das faltas regem os arts. 331.º e 116.º.

3. *Jurisprudência fixada:*

— Extinto o procedimento criminal por prescrição depois de proferido o despacho previsto no art. 311.º do CPP mas antes de realizado o julgamento, o processo em que tiver sido deduzido pedido de indemnização prossegue para conhecimento deste. (Ac. do Pleno das secções criminais do STJ n.º 3/2002, de 17 de Janeiro; *DR*; I série, de 3 de Março de 2002).

ARTIGO 81.º
(Renúncia, desistência e conversão do pedido)

O lesado pode, em qualquer altura do processo:

a) Renunciar ao direito de indemnização civil e desistir do pedido formulado;

b) Requerer que o objecto da prestação indemnizatória seja convertido em diferente atribuição patrimonial, desde que prevista na lei.

---

1. Corresponde ao art. 81.º do Proj.

2. As disposições deste artigo constituem afloramentos do art. 128.º do CP, onde se estabelece que a indemnização de perdas e danos emergentes da prática de um crime é regulada pela lei civil.

Embora enxertado no processo penal, o pedido de indemnização civil emergente da prática de um crime conserva, para todos os efeitos, a sua especificidade de verdadeira acção civil. Por isso, sendo embora as partes civis sujeitos processuais em sentido formal, já de um ponto de vista material são sujeitos da acção civil que aderem ao processo penal mas que como acção civil permanece até ao fim.

Veja-se, sobre este ponto, a exposição do Prof. Figueiredo Dias, *Jornadas de Direito Processual Penal,* 15.

Esta especificidade de verdadeira acção civil, embora formalmente integrada no processo penal, tem como consequência a disponibilidade, como regra, do pedido de indemnização civil.

Código de Processo Penal

Daí que, como se preceitua na al. *a)*, o lesado possa renunciar ao seu direito de pedir a indemnização ou desistir do pedido que já formulou.

Tanto a renúncia como a desistência estão submetidas ao regime da lei civil. Porque a desistência é feita nos casos em que existe pedido já formulado, está sujeita a decisão judicial de homologação e eventualmente a custas.

Tanto no caso de renúncia como na desistência verifica-se a extinção, total ou parcial consoante os casos, do direito à indemnização. A acção penal não fica porém afectada pela renúncia ou pela desistência do pedido de indemnização civil, isto mesmo nos casos de crimes particulares, pois não vemos que da renúncia à indemnização se deduza necessariamente que também se renunciou à acção penal. Em sentido contrário a esta última proposição expendeu porém Costa Pimenta, *Código de Processo Penal Anotado,* anot. ao art. 81.º.

3. A disposição da al. *b)*, estabelecendo que o lesado pode requerer que o objecto da prestação indemnizatória seja convertido em diferente atribuição patrimonial, desde que prevista na lei, deve ser conjugada com disposições do art. 129.º do CP, *maxime* com os seus n.ᵒˢ 2 e 3.

Ainda não foi criado o seguro social, previsto no art. 129.º, n.º 1, do CP, para assegurar aos lesados o pagamento de indemnizações que não possam ser satisfeitas pelos reponsáveis, com excepção de um primeiro passo dado pelo Dec.-Lei n.º 423/91, de 30 de Outubro.

Daí a possibilidade de atribuições patrimoniais previstas nos referidos n.ᵒˢ 2 e 3 do art. 129.º do CP, e aqui referidas na al. *b)* do art. 81.º do CPP.

Assim, para o bom entendimento desta alínea são do maior interesse as anots. ao art. 129.º do CP, no nosso *Código Penal Anotado.*

4. *Jurisprudência:*

— A indemnização civil é regulada, quantitativamente e nos seus pressupostos, pela lei civil substantiva, mas as questões processuais são reguladas pela lei adjectiva civil. (Ac. STJ de 13 de Fevereiro de 1985, Proc. 38 028/3.ª);

ARTIGO 82.º

**(Liquidação em execução de sentença e reenvio
para os tribunais civis)**

1. Se não dispuser de elementos bastantes para fixar a indemnização, o tribunal condena no que se liquidar em execução de sentença. Neste caso, a execução corre perante o tribunal civil, servindo de título executivo a sentença penal.

2. Pode, no entanto, o tribunal, oficiosamente ou mediante requerimento, estabelecer uma indemnização provisória por conta da indemnização a fixar posteriormente, se dispuser de elementos bastantes, e conferir-lhe o efeito previsto no artigo seguinte.

Artigo 82.º

3. O tribunal pode, oficiosamente ou a requerimento, remeter as partes para os tribunais civis quando as questões suscitadas pelo pedido de indemnização civil inviabilizarem uma decisão rigorosa ou forem susceptíveis de gerar incidentes que retardem intoleravelmente o processo penal.

1. Os n.ᵒˢ 1 e 3 reproduzem os n.ᵒˢ 1 e 2 do art. 82.º do Proj. e correspondem ao art. 77.º, n.º 3, do Aproj.
O n.º 2 foi introduzido pelo Dec.-Lei n.º 423/91, de 30 de Outubro, diploma transcrito no final desta obra que entrou em vigor com o decreto regulamentar n.º 4/93, de 22 de Fevereiro.

2. O n.º 1, ao estabelecer o poder-dever de o tribunal condenar no que se apurar em execução de sentença sempre que não dispuser de elementos que lhe permitam fixar o *quantum* indemnizatório, introduziu alteração significativa ao direito anterior — § 3.º do art. 34.º do CPP de 1929.
Esta providência é agora adoptada oficiosamente pelo tribunal, não dependendo portanto de requerimento do lesado, e deve-o ser sempre que o apuramento do quantitativo da indemnização possa retardar excessivamente o andamento da acção penal. Pressupostos desta providência são, portanto, que o tribunal não disponha de elementos que lhe permitam fixar a indem-nização e que a recolha desses elementos retarde o andamento da acção penal. Este último pressuposto não está claramente expresso, mas resulta dos princí-pios gerais sobre economia e concentração processual.
Assim, no caso do n.º 1, o tribunal, verificando que há lugar a indemnização mas que lhe não será possível apurar o respectivo quantitativo sem excessivo retardamento da acção penal, limitar-se-á a proferir condenação na indemnização que vier a ser liquidada em execução de sentença. Tudo o mais correrá perante o tribunal civil, servindo de título executivo a sentença penal, e usando-se o formalismo do processo civil.

3. O caso do n.º 3 é diferente do que se prevê no n.º 1. Por um lado, a medida do n.º 3 pode ser tomada oficiosamente ou por requerimento de qualquer interessado; por outro lado, no caso do n.º 3 toda a apreciação do pedido de indemnização civil é remetida para os tribunais civis, enquanto que no caso do n.º 1 só é remetida a liquidação do quantitativo da indemnização, e já foi decidido que existe direito à indemnização.
A remessa para os tribunais civis prevista no n.º 3 deve ser ordenada sempre que uma decisão rigorosa ou a necessária celeridade do processo penal sejam postas em perigo pelo processamento da questão civil conjuntamente. Como fundamento da remessa podem apontar-se quaisquer questões, designadamente incidentes de instância, desde que causadores daquele perigo.

Código de Processo Penal

Trata-se de uma disposição cautelar, destinada a evitar que através do sistema de adesão, que em princípio se consagra, se possa entravar a rápida administração da justiça penal.

A remessa para os tribunais civis prevista no n.º 3 deve ser ordenada sempre que uma decisão rigorosa ou a necessária celeridade do processo penal sejam postas em perigo pelo processamento da questão civil conjuntamente. Como fundamento da remessa podem apontar-se quaisquer questões, designadamente incidentes de instância, desde que causadoras daquele perigo.

4. Como já se anotou, o n.º 2 foi introduzido pelo Dec.-Lei n.º 423/91, de 30 de Outubro. Esse diploma, transcrito no final desta obra, deu um primeiro passo no sentido da criação de um seguro social, conforme se prevê no art. 129.º do CP, destinado a assegurar a indemnização do lesado, quando ela não possa ser satisfeita pelo delinquente, limitando-se por ora a prever a indemnização das vítimas de criminalidade violenta, em consonância com actos internacionais, nomeadamente do Conselho da Europa.

5. *Jurisprudência:*
— Inexistindo elementos fácticos que permitam fixar o *quantum* da indemnização, há que decretar a condenação em indemnização a liquidar em execução de sentença. A execução só neste caso correrá pelo tribunal civil, servindo de título executivo a sentença condenatória penal, nos termos do n.º 1 do art. 82.º de CPP. (Ac. STJ de 6 de Dezembro de 1989, proc. 40.158/3.ª);
— A execução por indemnização fixada em quantia certa e resultante da condenação penal corre perante o tribunal criminal e por apenso ao processo de condenação. (Ac. RL de 24 de Novembro de 1993; *CJ,* XVIII, tomo 5, 169);
— I — No processo penal, mesmo quando, depois de extinto o procedimento criminal, o excerto civil prossegue apenas contra o responsável civil, o lesado só pode pedir reparação provisória dos danos sofridos pela prática do crime nos casos especialmente previstos nos arts. 82.º e 83.º do CPP. II — Assim, não é inadmissível o arbitramento de reparação provisória ao lesado, ao abrigo do art. 403.º do CPC. (Ac. RP de 2 de Fevereiro de 2005; *CJ,* XXX, tomo I, 210).

ARTIGO 82.º-A

(Reparação da vítima em casos especiais)

1. Não tendo sido deduzido pedido de indemnização civil no processo penal ou em separado, nos termos dos artigos 72.º e 77.º, o tribunal, em caso de condenação, pode arbitrar uma quantia a título de reparação pelos prejuizos sofridos quando particulares exigências de protecção da vítima o imponham.

2. No caso previsto no número anterior, é assegurado o respeito pelo contraditório.

Artigo 82.º-A

3. A quantia arbitrada a título de reparação é tida em conta em acção que venha a conhecer de pedido civil de indemnização.

1. Este artigo foi introduzido pela Lei n.º 59/98, de 25 de Agosto. Não havia dispositivo correspondente na versão originária do Código nem mesmo em alterações posteriormente introduzidas.

2. Este artigo veio estabelecer a possibilidade de o tribunal, oficiosamente, poder arbitrar, como efeito penal da condenação, uma reparação pelos prejuizos sofridos, quando isso seja imposto pelas particulares exigências de protecção da vítima. Deste modo, foi em parte recuperada uma medida que o CPP de 1929 estabelecia e que fora abandonada com a entrada em vigor do CPP de 1982. Alguns sectores da doutrina, tanto nacional como estrangeira,vinham insistindo em fazer da reparação como que um terceiro degrau do sistema sancionatório. Por outro lado, também a premência da protecção de vítimas particularmente carecidas pesou na reintrodução desta medida certamente de algum modo destonante do art. 129.º do CP, onde se estabelece que a indemnização de perdas e danos emergentes de crime é regulada pela lei civil.

3. A quantia a título de reparação pelos prejuizos sofridos é atribuída oficiosamente a vítimas particularmente carecidas de protecção. Aqui fica muito para o critério do julgador, que porém deve ser exigente quanto à indagação da necessidade de protecção da vítima e módico na quantia que arbitra, a qual não é a indemnização e virá a ser descontada nesta, se for pedida e concedida.
O pagamento da quantia arbitrada a título de reparação é suportado pelo responsável civil, o que implica o respeito pelo princípio contraditório. Sempre assim teria que suceder, mesmo que o legislador, cautelosamente, o não tivesse estabelecido expressamente no n.º 2.
O responsável civil será normalmente o penal. Não tendo sido formulado pedido de indemnização civil, a parte civil não pode ser condenada, pois não está no processo como sujeito processual. Se, porém, houver acção que conheça do pedido civil de indemnização, a quantia arbitrada a título de reparação nos termos deste artigo será levada em conta nessa acção.
A observância do contraditório pode aqui causar atraso processual, já que a quantia a título de reparação é arbitrada na sentença. Aqui, em nosso entendimento, para que o contraditório seja minimamente assegurado, há que observar o seguinte:
Se o responsável pela quantia arbitrada já tiver sido ouvido sobre os prejuizos sofridos pela vítima e por si causados, constando estes da acusação ou da pronúncia, a quantia pode ser arbitrada, sem mais formalidades, pois que o contraditório já está assegurado. Caso contrário, haverá que comunicar ao responsável a possibilidade de, em caso de condenação, ser arbitrada quantia a título de reparação pelos prejuizos que a vítima sofreu, concedendo-lhe o tempo estritamente necessário para

245

Código de Processo Penal

organizar a sua defesa. Assim se estabelece em casos paralelos, *v.g.* art. 358.º, n.º 1.

ARTIGO 83.º

(Exequibilidade provisória)

A requerimento do lesado, o tribunal pode declarar a condenação em indemnização civil, no todo ou em parte, provisoriamente executiva, nomeadamente sob a forma de pensão.

---

1. Reproduz o art. 83.º do Proj. Não tem antecedentes na legislação processual penal.

2. Este artigo destina-se a dar execução prática à indemnização aos lesados mais carecidos, de uma forma rápida e expedida e de harmonia com os princípios estabelecidos nos arts. 128.º e 129.º do CP.

A faculdade aqui conferida tem campo de aplicação privilegiado nos casos de interposição de recurso. A exequibilidade imediata da indemnização pode trazer dificuldades, principalmente no que concerne à garantia de restituição no caso de a decisão vir a ser revogada ou alterada. Neste caso, o lesado pode vir a ter que restituir aquilo que entretanto recebeu mas, na prática, pode não se encontrar em condições adequadas para o fazer, nomeadamente por já ter gasto aquilo que lhe foi prestado ao abrigo deste preceito para satisfazer necessidades imediatas. A situação poderia ser evitada pela exigência de uma caução para garantir a recuperabilidade das somas prestadas, mas então estar-se-ia certamente na maioria dos casos confrontado com a impossibilidade de os lesados a prestarem, precisamente porque se trata aqui de lesados carecidos. Tudo isto conduz à conclusão de que a faculdade concedida por este artigo deve ser usada com prudência e moderação, a-fim-de que sejam evitadas situações do tipo da descrita. Aliás, a introdução da possibilidade de execução provisória sob a forma de pensão, constante da parte final do artigo, visou precisamente minimizar os apontados inconvenientes: ela resolve as situações mais prementes de lesados carecidos e, em caso de revogação, será menor o quantitativo a reembolsar.

3. Quanto o processamento, há, antes do mais, a assinar que só o lesado tem legitimidade para pedir que a condenação em indemnização civil seja declarada provisoriamente executiva.

O pedido pode ser formulado em qualquer momento, e deve ser fundamentado (ver *supra*, 2). O lesado deve ainda habilitar o tribunal a decidir se a indemnização é provisoriamente executiva em parte ou na totalidade e se é sob forma de pensão.

Se houver recurso da decisão, afigura-se-nos que, tratando-se embora de decisão condenatória, deve o recurso, no que a ela concerne, ter efeito meramente devolutivo. De outro modo ficaria frustrado o efeito que se pretende obter como dispositivo deste art. 83.º.

ARTIGO 84.º

(Caso julgado)

A decisão penal, ainda que absolutória, que conhecer do pedido civil constitui caso julgado nos termos em que a lei atribui eficácia de caso julgado às sentenças civis.

---

1. Reproduz os arts. 84.º do Proj. e 79.º, n.º 3, do Aproj.

2. Trata-se de uma solução que não foi pacífica na doutrina, mas agora imposta pelo art. 128.º do CP, que tomou partido numa conhecida querela doutrinária, muito debatida desde que a culpa penetrou na determinação da responsabilidade civil, mesmo contratual.

Vejam-se as anots. ao art. 128.º do CP, no nosso *Código Penal Português*.

Trata-se, aliás, de solução que fora consagrada, antes da vigência do CP, pelos assentos de 28 de Janeiro de 1977; *DG*, 1.ª série, de 11 de Março desse ano, e de 9 de Novembro do mesmo ano; *BMJ*, 271, 87.

Neste termos, o artigo dissipa eventuais dúvidas mas não estabelece soluções novas, a não ser no que respeita à eliminação da distinção entre decisões penais condenatórias e absolutórias. A decisão penal que conhecer do pedido civil fica a constituir caso julgado nos mesmos termos em que a lei atribui eficácia de caso julgado às sentenças civis, quer essa decisão penal seja condenatória, quer seja absolutória. Aplicam-se aqui portanto as normas da lei civil, substantiva e adjectiva.

3. *Jurisprudência:*

O efeito negativo do caso julgado em processo penal consiste em impedir qualquer novo julgamento da mesma questão. (Ac. STJ de 2 de Março de 2006; *CJ, Acs. do STJ*, XIV, tomo 1);

— I — O caso julgado material em processo penal apenas existe quando a decisão se torna firme, impedindo a renovação da instância em qualquer processo que tenha por objecto a apreciação dos mesmos factos ilícitos. II — O caso julgado formal, em processo penal, atinge, no essencial, as decisões que visam a prossecução de uma finalidade instrumental — um efeito de vinculação intraprocessual e de preclusão. III — A prescrição do procedimento criminal é um instituto de natureza substantiva. (Ac. STJ de 24 de Maio de 2006, proc. n.º 1041/06; *CJ, Acs. do STJ*, ano XIV, tomo 2, 188).

LIVRO II

DOS ACTOS PROCESSUAIS

TÍTULO I

DISPOSIÇÕES GERAIS

ARTIGO 85.º

(Manutenção da ordem nos actos processuais)

1. Compete às autoridades judiciárias, às autoridades de polícia criminal e aos funcionários de justiça regular os trabalhos e manter a ordem nos actos processuais a que presidirem ou que dirigirem, tomando as providências necessárias contra quem perturbar o decurso dos actos respectivos.

2. Se o prevaricador dever ainda intervir ou estar presente no próprio dia, em acto presidido pelo juiz, este ordena, se necessário, que aquele seja detido até à altura da sua intervenção, ou durante o tempo em que a sua presença for indispensável.

3. Verificando-se, no decurso de um acto processual, a prática de qualquer infracção, a entidade competente, nos termos do n.º 1, levanta ou manda levantar auto e, se for caso disso, detém ou manda deter o agente, para efeito de procedimento.

4. Para manutenção da ordem nos actos processuais requisita-se, sempre que necessário, o auxílio da força pública, a qual fica submetida, para o efeito, ao poder de direcção da autoridade judiciária que presidir ao acto.

---

1. Reproduz o art. 85.º do Proj. e corresponde aos arts. 83.º do Aproj. e 93.º do CPP de 1929.

248

Artigo 85.º

2. Em matéria de manutenção da ordem nos actos processuais, consagra-se neste artigo um sistema que é simultaneamente disciplinador, pois vai até ao ponto de facultar a detenção dos prevaricadores até à altura da sua intervenção ou enquanto a sua presença for indispensável, e salvaguardador dos direitos fundamentais.

A detenção aqui prevista não tem a natureza de prisão, tratando-se antes e tão-só de uma medida coercitiva ou de mera ordenação. Estas medidas são necessárias e mesmo imprescindíveis como meios ao serviço das funções do Estado. Pressupõem justiça intrínseca na sua aplicação, proporcionalidade com os fins visados e determinabilidade. Os autores admitem-nas sem as confundir com medidas detentivas ou de prisão, que pressupõem privação de liberdade e certa duração, pelo que não há obstáculo constitucional a que delas se faça uso.

A medida de detenção deve ser aplicada pelo juiz, contrariamente às restantes providências necessárias para a ordem e regularidade dos actos processuais, que são da competência das entidades enumeradas no n.º 1.

O sistema aproxima-se do do art. 93.º do CPP de 1929, com a redacção introduzida pelo Dec.-Lei n.º 377/77, de 6 de Setembro; de salientar porém que foi alargado o leque das entidades que podem aplicar as providências aqui previstas, com excepção da de detenção, e que este artigo sobre a manutenção da ordem dos actos processuais passou agora para o início do Livro II com opção assumida de propósito disciplinador e objectivo de pôr em evidência a necessidade de restaurar a dignidade dos actos de processo penal.

3. A detenção a que alude o n.º 2 só pode ser ordenada pelo juiz, seja de instrução ou do julgamento, em despacho fundamentado, como é exigido pelo art. 97.º, n.º 5. O despacho admite recurso, com efeito meramente devolutivo, porque não incluído na enumeração taxativa do art. 408.º e porque de outro modo o efeito suspensivo retiraria toda a utilidade que a lei visa dar ao acto de detenção. Mas se o recurso obtiver provimento considerando a detenção ilegal, o Estado pode incorrer em responsabilidade civil, nos termos do art. 225.º

4. O auto a levantar nos termos do n.º 3 pode ser referente a qualquer infracção, seja criminal, disciplinar ou de outra natureza. A lei não distingue, não há razão plausível para faver qualquer distinção, e esta orientação tem afloramento no art. 326.º, referente à conduta de advogados e defensores. De resto, é isso mesmo que resulta dos princípios gerais sobre os deveres de qualquer autoridade.

O destino do auto dependerá da natureza da infracção constatada: deverá ser entregue ao MP tratando-se de infracção criminal e ao superior hierárquico no caso de se tratar de infracção disciplinar.

5. O dispositivo do n.º 4 permite a requisição da força pública, sempre que necessária, para garantir a ordem nos actos processuais, quando os meios próprios se revelarem insuficientes. Trata-se de afloramento dos preceitos do art. 209.º da Constituição e 9.º, n.º 2, deste Código. A requisição, deve

Código de Processo Penal

ser feita pela autoridade judiciária, portanto por juiz ou por MP, devendo qualquer órgão ou autoridade de polícia criminal ou funcionário judicial solicitar-lhes a requisição, quando necessária, salvo se a respectiva lei orgânica dispuser de outro modo.

6. Este artigo contém disposições gerais sobre manutenção da ordem nos actos processuais. Como disposições gerais que são, devem ser complementadas pelas disposições especiais, mormente pelas do art. 301.º, n.º 1, quanto ao debate instrutório e do art. 322.º, quanto à audiência.

7. Quanto à PJ, designadamente quanto aos seus funcionários que são considerados autoridades de polícia criminal nos termos do art. 11.º, n.º 1, da Lei n.º 37/2008, de 6 de Agosto, e competência dos mesmos para a manutenção da ordem nos actos processuais, incluindo a detenção dos prevaricadores, vigora o art. 4.º da referida Lei.

ARTIGO 86.º

(Publicidade do processo e segredo de justiça)

1. O processo penal é, sob pena de nulidade, público, ressalvadas as excepções previstas na lei.

2. O juiz de instrução pode, mediante requerimento do arguido, do assistente ou do ofendido e ouvido o Ministério Público, determinar, por despacho irrecorrível, a sujeição do processo, durante a fase de inquérito, a segredo de justiça, quando entenda que a publicidade prejudica os direitos daqueles sujeitos processuais.

3. Sempre que o Ministério Público entender que os interesses da investigação ou os direitos dos sujeitos processuais o justifiquem, pode determinar a aplicação ao processo, durante a fase de inquérito, do segredo de justiça, ficando essa decisão sujeita a validação pelo juiz de instrução no prazo máximo de 72 horas.

4. No caso de o processo ter sido sujeito, nos termos do número anterior, a segredo de justiça, o Ministério Público, oficiosamente ou mediante requerimento do arguido, do assistente ou do ofendido, pode determinar o seu levantamento em qualquer momento do inquérito.

5. No caso de o arguido, do assistente ou o ofendido requererem o levantamento do segredo de justiça, mas o Ministério Público não o determinar, os autos são remetidos ao juiz de instrução para decisão, por despacho irrecorrível.

Artigo 86.º

6. A publicidade do processo implica, nos termos definidos pela lei e, em especial, pelos artigos seguintes, os direitos de:

a) Assistência, pelo público em geral, à realização dos actos processuais;

b) Narração dos actos processuais, ou reprodução dos seus termos, pelos meios de comunicação social;

c) Consulta do auto e obtenção de cópias, extractos e certidões de quaisquer partes dele.

7. A publicidade não abrange os dados relativos à reserva da vida privada que não constituam meios de prova. A autoridade judiciária especifica, por despacho, oficialmente ou a requerimento, os elementos relativamente aos quais se mantém o segredo de justiça, ordenando, se for caso disso, a sua destruição ou que sejam entregues à pessoa a quem disserem respeito.

8. O segredo de justiça vincula todos os sujeitos e participantes processuais, bem como as pessoas que, por qualquer título, tiverem tomado contacto com o processo ou conhecimento de elementos a ele pertencentes, e implica as proibições de:

a) Assistência à prática ou tomada de conhecimento do conteúdo de acto processual a que não tenham o direito ou o dever de assistir;

b) Divulgação da ocorrência de acto processual ou dos seus termos, independentemente do motivo que presidir a tal divulgação.

9. A autoridade judiciária pode, fundamentadamente, dar ou ordenar ou permitir que seja dado conhecimento a determinadas pessoas do conteúdo de acto ou de documento em segredo de justiça, se tal não puser em causa a investigação e se afigurar:

a) Conveniente ao esclarecimento da verdade; ou

b) Indispensável ao exercício de direitos pelos interessados.

10. As pessoas referidas no número anterior ficam, em todo o caso, vinculadas pelo segredo de justiça.

11. A autoridade judiciária pode autorizar a passagem de certidão em que seja dado conhecimento do conteúdo de acto ou de documento em segredo de justiça, desde que necessária a processo de natureza criminal ou à instrução de processo disciplinar de natureza pública, bem como à dedução do pedido de indemnização civil.

12. Se o processo respeitar a acidente causado por veículo de circulação terrestre, a autoridade judiciária autoriza a passagem de certidão:

Código de Processo Penal

a) Em que seja dado conhecimento de acto ou documento em segredo de justiça, para os fins previstos na última parte do número anterior e perante requerimento fundamentado no disposto na alínea a) do n.º 1 do artigo 72.º;

b) Do auto de notícia do acidente levantado por entidade policial, para efeitos de composição extrajudicial de litígio em que seja interessada entidade seguradora para a qual esteja transferida a responsabilidade civil.

13. O segredo de justiça não impede a prestação de esclarecimentos públicos pela autoridade judiciária, quando forem necessários ao restabelecimento da verdade e não prejudicarem a investigação:

a) A pedido de pessoas publicamente postas em causa; ou

b) Para garantir a segurança de pessoas e bens ou tranquilidade pública.

---

1. O texto originário deste artigo era fruto de demorada e atenta reflexão da Comissão que o elaborou sob proposta do Prof. Costa Andrade e de posterior aprovação pelo Governo e pela Assembleia da República. Até à versão actual sofreu vicissitudes várias provocadas, em nosso entendimento, não só por premências de actualização, mas também pela ocorrência de casos da vida real muito mediáticos.

Revisto pela CRCPP e pela CR e CPP e com o texto introduzido pela Lei n.º 59/98, de 25 de Agosto, o artigo, em nosso entendimento, não necessitava de profundas alterações, normente se provocadas por ocorrências muito recentes e muito mediáticas. Quando assim sucede, bem se sabe que geralmente fica aberto caminho para novas dúvidas e incertezas de interpretação.

Porém, se o artigo não nos parecia mal estruturado nem necessitava de profundas alterações, já a aplicação dos seus dispositivos por vezes se vinha mostrando inadequada ou produto de deficiente interpretação.

O texto actual, introduzido pela Lei n.º 48/2007, de 29 de Agosto, não nos alimenta a expectiva de que os dispositivos que encerra comportem algo de melhor em relação aos do texto originário e resistam a críticas que de vários quadrantes já vão surgindo.

2. Neste artigo, sobre a publicidade do processo e segredo de justiça, o Código inverteu a posição tradicional em matéria do segredo de justiça, pois formulou como regra e sob cominação de nulidade a publicidade do processo.

Na Exposição de motivos do Anteprojecto da UMRP estão justificadas as alterações introduzidas na publicidade do processo e segredo de justiça nos seguintes termos:

"Consagra-se com maior amplitude o princípio da publicidade. Assim, no decurso do inquérito, o Ministério público pode determinar a publicidade

Artigo 86.º

— "externa" — mediante requerimento ou com a concordância do arguido, se a cessação do segredo não prejudicar a investigação e os direitos de jugeitos e vítimas. No entanto, se o arguido requerer a publicidade e o Ministério Público a não conceder, cabe ao juiz decidir, por despacho irrecorrível, sobre a continuação ou a cessação do segredo. Durante a instrução, já só o arguido se pode opor à publicidade (artigo 86.º). Mas também o "segredo interno" é restringido. No âmbito do inquérito é facultado o acesso aos autos ao arguido, ao assistente e ao ofendido, ressalvadas as hipóteses de prejuizo para a investigação ou para os direitos dos partecipantes ou das vítimas. Também nesta hipótese, cabe ao juiz de instrução criminal a última palavra no caso de o Ministério não facultar o acesso aos autos. Findos os prazos do inquérito, o arguido, o assistente e o ofendido podem consultar todos os elementos do processo, a não ser que o juiz de instrução determine, no interesse da investigação, um adiamento pelo período máximo e improrrogável de 3 meses (artigo 89.º). Após o decurso dos prazos máximos de inquérito ou de prorrogação por 3 meses do período de vigência do segredo de justiça, o magistrado titular do processo comunica ao superior hierárquico imediato a violação do prazo, as razões que a explicam e o periodo necesário para concluir o inquérito".

De notar porém que em relação à Proposta governamental, que era idêntica à elaborada pela UMRP, este artigo denota significativas alterações, mormente quanto à exigência de intervenção do juiz de instrução nos casos dos n.ºs 2, 3 e 5.

Com o texto actual deste artigo ficou ampliada a extensão do princípio da publicidade, pois que na versão anterior à actual a instrução, incluindo a própria audiência instrutória, eram, em regra secretas.

Na fase em que o processo é, em regra, público, pode excepcionalmente ser decretada a sujeição a segredo de justiça, por despacho irrecorrível do juiz de instrução, como se estabelece nos n.ºs 2 e 3. E na fase em que o processo voltou a ser público pode excepcionalmente ser decidido que continue sujeito a segredo de justiça, como se estabelece nos n.ºs 4 e 5.

3. Estabelecendo o art. 20.º, n.º 3, da CRP que a lei define e assegura a adequada protecção do segredo de justiça, pode questionar-se se os dispositivos deste art. 86.º acatam os limites da lei fundamental, por formularem, em regra e sob cominação de nulidade, a publicidade do processo mesmo durante o inquérito, e invertendo a posição anterior da lei em matéria de processo penal.

A questão põe-se igualmente relativamente a outros preceitos, nomeadamente ao do n.º 1 do art.º 89.º, e na sua análise outros preceitos constitucionais devem ser levados em conta, particularmente os dos n.ºs 1, 5 e 7 do art. 32.º da CRP, para que, em equilibrado supesamento de todos os valores com protecção constitucional, se encontre a solução de melhor enquadramento no pensamento legislativo.

A conjugação entre a protecção do segredo de justiça e o acesso directo a uma tutela jurídica efectiva não é facilmente definível nem tem contornos bem demarcados, mormente em processo penal, perante os normativos dos n.ºs 1 e 7 do art. 32.º da CRP. Disso nos dão conta Gomes Canotilho e Vital Moreira, *Constituição da República Portuguesa Anotada*, 4.ª ed., vol. I, págs. 413-414. Considerando não ser facilmente inteligível a inserção em sede do

Código de Processo Penal

direito ao acesso directo e à tutela jurídica efectiva do segredo de justiça, aí se conclui que ao constitucionalizar o segredo de justiça, a Constituição ergue-o à qualidade de bem constitucional, o qual poderá justificar o balanceamento com outros bens ou direitos, ou, até, a restrição dos mesmos, mas não deve servir para contradizer direitos da defesa. Jorge Miranda e Rui Medeiros, na *Constituição Anotada,* Tomo I, págs. 204-205, são ainda mais incisivos, sustentando que a Constituição remete para a lei a concreta conformação de uma adequada protecção do segredo da justiça, que sem dúvida o art.º 20.º, n.º 3, constitui credencial constitucional suficiente para introduzir limitações ou restrições a outros direitos ou interesses constitucionais, cabendo porém ao legislador concretizar o âmbito e os limites do segredo de justiça; e que, concretamente no âmbito particularmente sensível do processo penal, não pode a lei ignorar as garantias da defesa do arguido e a efectividade do direito de recorrer das medidas privativas da liberdade.

A revisão levada a efeito pela Lei n.º 48/2007 inverteu a ordem do regime anterior e tradicional, que era a do segredo de justiça durante o inquérito, com aberturas necessárias para assegurar os direitos da defesa, mesmo durante a fase secreta. Essa revisão formulou, em regra e sob cominação de nulidade, a publicidade de todo o processo, mesmo durante o inquérito.

Nas investigações levadas a cabo em processo penal demanda-se a verdade material necessária para a realização da justiça, e é consabido que o segredo de justiça é um meio muitas vezes necessário para obtenção desse desiderato. Por isso mesmo a CRP determina que se assegure a protecção do secretismo, sem deixar de assegurar também que ao arguido se facultem os meios necessários para se defender.

O regime implantado pela Lei n.º 48/2007, mormente através dos dispositivos dos n.ºs 1, 2 e 3 deste art. 86.º, contrariamente ao pensamento legislativo-constitucional, não dá adequada protecção ao segredo de justiça, designadamente nos momentos da fase inicial do inquérito, em que mais frequentemente se impõe. E mais, permite e impõe que haja sempre, e precisamente em tais momentos, algum tempo de publicidade — precisamente o tempo decorrido até que o juiz determine o secretismo, nos termos do n.º 2, ou que o MP profira despacho, nos termos do n.º 3.

Neste balanceamento de interesses e consequente vasamento nos textos legais, afigura-se-nos que o legislador não estabeleceu adequada protecção constitucional do segredo de justiça.

O que na realidade se encontra no pensamento legislativo constitucional é a ideia de que uma adequada protecção do segredo de justiça só fica assegurada se for esse o regime-regra durante o inquérito, portanto numa fase por natureza de inquisitório. Não existe segredo, e muito menos com adequada protecção, num regime em que, como no que ficou estabelecido, haverá sempre um momento em que o segredo ainda não foi estabelecido, funcionando portanto o regime-regra, ou seja o da publicidade.

A estas considerações de ordem constitucional acrescem razões de política criminal, relacionadas com perda de eficácia nas investigações e com recusa de colaboração de entidades estrangeiras em fornecer informações a processos já em regime de publicidade, quando nos seus países se encontram em segredo de justiça. Sobre este último ponto veja-se, *v. g.* a nota da Procuradoria Geral da República inserta no *Diário de Notícias* de 16 de Julho de 2008.

Artigo 86.º

E como existem dispositivos, *maxime* os dos n.ᵒˢ 4 e 5 deste art. 86.º, assegurando a efectivação dos direitos da defesa mesmo durante a fase secreta, entendemos que, neste balanceamento de interesses, a CRP impõe, como regra, o segredo de justiça, pelo menos durante certo tempo enquanto o inquérito dura, com as aberturas necessárias para efectivação dos direitos da defesa. E, porque assim entendemos, consideramos serem inconstitucionais, dentre outros, os n.ᵒˢ 1 a 2 deste art. 86.º

4. A nulidade cominada no n.º 1, porque não incluída na enumeração taxativa do art. 119.º, está submetida ao regime do art. 120.º, sendo portanto dependente de arguição e sanável. Mas respeitando à publicidade da audiência está submetida ao regime especial do art.º 321.º, n.º 1, pelo que, neste caso, será insanável.

5. *Segredo de justiça no processo contra-ordenacional*

Na fase administrativa do processo contra-ordenacional não há qualquer intervenção de magistrados judiciais ou do MP, mas os interesses da investigação e a protecção da imagem social do arguido podem justificar a aplicação do segredo de justiça nessa fase do processo. Caberá então à autoridade adminsitrativa que dirige o processo proferir a decisão de sujeitar o mesmo ao regime de segredo, oficiosamente ou a requerimento do arguido, isto conforme o disposto no art. 41.º, n.º 2, do Decreto-Lei n.º 433/82, de 27 de Outubro. Quanto ao mais, aplicar-se-á o disposto no CPP, *ex vi* do n.º 1 do mencionado art. 41.º.

Sobre o regime do segreedo de justiça no processo contra-ordenacional a PRG emitiu o Parecer de 28 de Fevereiro de 2008 (proc. n.º 84/2007), com as seguintes conclusões:

1.ª — Os interesses da investigação e a protecção da imagem social do arguido podem justificar aaplicação no processo contra-ordenacional do regime do segredo de justiça, resultante dos n.ᵒˢ 2 e 3 do artigo 86.º do Código de Processo Penal, nos termos do n.º 1 do artigo 41.º do Decreto-Lei n.º 433/82, de 27 de Outubro, que «institui o ilícito de mera ordenação social e o respectivo processo».

2.ª — Nos termos do n.º 2 do artigo 41.º do Decreto-Lei n.º 433//82, de 27 de Outubro, incumbe à autoridade administrativa que dirige o processo proferir a decisão de sujeição do mesmo ao regime de segredo, oficiosamente, ou a requerimento do arguido;

3.ª — Imposto o regime de segredo, nos termos das conclusões anteriores, a autoridade administrativa pode permitir ou indeferir, conforme o caso, o acesso por parte do arguido ao processo, nos termos da parte final do n.º 1 do artigo 89.º do Código de Processo Penal, aplicável também por força do disposto no n.º 1 do artigo 41.º do Decreto--Lei n.º 433/82, de 27 de Outubro;

4.ª — As decisões administrativas proferidas nos termos das conclusões anteriores que decretem ou indefiram a sujeição a segredo, ou impeçam o acesso ao processo com fundamento no segredo, são susceptíveis de recurso de impugnação, para o tribunal, nos termos do 55.º do Decreto-Lei n. 433/82, de 27 de Outubro;

5.ª — Sujeito o processo ao regime de segredo de justiça, essa situação mantém-se, na sua dimensão externa, até à decisão proferida nos termos

Código de Processo Penal

do artigo 59.º do Decreto-Lei n.º 433/82, de 27 de Outubro, se antes não cessar por se ter esgotado o seu fundamento, a requerimento, ou oficiosamente;

6.ª — As restrições de acesso ao processo em segredo de justiça por parte do arguido, cessam com o cumprimento do disposto no artigo 50.o do referido Decreto-Lei n.º 433/82, de 27 de Outubro;

7.ª — O Ministério Público, no quadro actual, não tem qualquer intervenção no processo das contra-ordenações na sua fase administrativa, não lhe cabendo ali quaisquer tarefas de impulso processual ou de fiscalização da acção da autoridade administrativa;

8.ª — Nas situações em que a lei preveja a existência de intervenções judiciais relativamente a actos instrutórios do processo das contra-ordenações é aplicável relativamente a esses actos o disposto no n.º 1 do artigo 53.º do Código de Processo Penal.

6. Jurisprudência:

— Se o arguido, após dedução de acusação pelo MP, requereu no prazo legal específico a abertura de instrução, pode posteriormente, no decurso ainda do mesmo prazo legal, solicitar a consulta e o exame do processo, não só para, em complemento do requerimento já apresentado requerer as diligências que entender necessárias, mas também para orientar a estratégia da sua defesa e para contribuir para a descoberta da verdade material. (Ac. RP de 11 de Setembro de 1995; *CJ*, XX, tomo 4, 228);

— O arguido que pretenda recorrer da decisão que lhe aplicou medida de coacção de prisão preventiva tem direito a que lhe seja facultada cópia das declarações das testemunhas que esse despacho referiu como tendo sido determinantes para afastar a alegação de legítima defesa e para impor tal medida ao arguido. (Ac. RP de 24 de Janeiro de 2001; *CJ*, XXVI, tomo 1, 226);

— I —Se o artigo, ao requerer a instrução, não declarar que se opõe à publicidade da mesma, o processo passa a ser público a partir do recebimento pela secretaria do requerimento de abertura de instrução. II— Tal publicidade verifica-se, mesmo quando, havendo vários arguidos, só um deles requeira a instrução e não declare opor-se a ela. III— Por via da publicidade do processo, os arguidos podem assistir, como público geral, aos actos de instrução, pois, na qualidade de arguido, só podem estar presentes se tiverem sido convocados para qualquer diligência. IV— Os defensores dos arguidos podem também estar presentes nas diligências de instrução, mas não podem aí intervir nas suas vestes forenses, salvo se os seus constituintes forem objecto da respectiva diligência instrutória. (Ac. RE de 4 de Julho de 2005, proc. n.º 1015/2005; *CJ*, ano XXX, tomo 3, 305);

— É inconstitucional a não autorização pelo juiz de instrução, fora dos casos de consulta do processo pelo advogado do arguido na fase de inquérito, para poder impugnar a medida de coacção de prisão preventiva. (Ac. do Tribunal Constitucional n.º 121/97, de 19 de Fevereiro; *DR*, II série, de 30 de Abril de 1997);

— É inconstitucional, por violação do art. 20.º, n.º 3, da CRP, a interpretação do art. 89, n.º 6, do CRP, na redacção dada pela Lei n.º 48/ 2007, de 29 de Agosto, segundo a qual é permitida e não pode ser recusada ao arguido, antes do encerramento do inquérito a que foi aplicado o segredo

Artigo 87.º

de justiça, a consulta irrestrita de todos os elementos do processo, neles incluindo dados relativos à reserva da vida privada de outras pessoas, abrangendo elementos bancários e fiscais sujeitos a segredo profissional, sem que tenha sido concluída a sua análise em termos de poder ser apreciado o seu relevo a utilização como prova, ou, pelo contrário, a sua destruição ou devolução, nos termos do n.º 7 do art. 86.º do CPP. (Ac. do Trib. Constitucional de 12 de Agosto de 2008, proc. n.º 520/08, 2.ª secção); *DR*, II série, de 30 de Setembro de 2008).

ARTIGO 87.º
(Assistência do público a actos processuais)

1. Aos actos processuais declarados públicos pela lei, nomeadamente às audiências, pode assistir qualquer pessoa. Oficiosamente ou a requerimento do Ministério Público, do arguido ou do assistente pode, porém, o juiz decidir, por despacho, restringir a livre assistência do público ou que o acto, ou parte dele, decorra com exclusão da publicidade.

2. O despacho referido na segunda parte do número anterior deve fundar-se em factos ou circunstâncias concretas que façam presumir que a publicidade causaria grave dano à dignidade das pessoas, à moral pública ou ao normal decurso do acto e deve ser revogado logo que cessarem os motivos que lhe deram causa.

3. Em caso de processo por crime de tráfico de pessoas ou contra a liberdade e autodeterminação sexual, os actos processuais decorrem, em regra, com exclusão da publicidade.

4. Decorrendo o acto com exclusão da publicidade, apenas podem assistir as pessoas que nele tiverem de intervir, bem como outras que o juz admitir por razões atendíveis, nomeadamente de origem profissional ou científica.

5. A exclusão da publicidade não abrange, em caso algum, a leitura da sentença.

6. Não implica restrição ou exclusão da publicidade, para efeito do disposto nos números anteriores, a proibição, pelo juiz, da assistência de menor de dezoito anos ou de quem, pelo seu comportamento, puser em causa a dignidade ou a disciplina do acto.

---

1. Os n.ºs 1, 2, 4, 5 e 6 reproduzem, com ligeiras alterações, dispositivos do art. 87.º do Proj.

O texto do n.º 3 foi introduzido pela Lei n.º 48/2007, de 29 de Agosto. O texto anterior, que era o do Proj., era do seguinte teor: *Em caso de processo por crime sexual que tenha por ofendido um menor de dezasseis anos, os actos processuais decorrem em regra com exclusão da publicidade.*

Código de Processo Penal

2. Neste artigo regulamenta-se, em termos actuais e de uma pormenorização desconhecida das leis anteriores, o direito de assistência pelo publico em geral à realização dos actos processuais, que é uma emanação da publicidade do processo penal.

Trata-se de uma regulamentação do que se preceitua no n.º 9 do art. 86.º.

3. A regra da publicidade dos actos processuais tem assento constutucional no art. 206.º da CRP quanto às audiências dos tribunais, considerando geralmente os autores que se trata de emanação do Estado de Direito democrático, como reforço da garantia dos cidadãos e da legitimidade pública dos próprios tribunais.

Por isso se justifica que o CPP faça uma referência particular à audiência. E como a CRP não fixa o conceito de audiência, deixando-o para a lei ordinária, o seu paradigma é aqui o do CPP, tratando-se seguramente da audiência de discussão e julgamento, pelo que a regra da publicidade não se extende às sessões em que o tribunal se reúne para deliberar, como as reuniões do júri, do colectivo, etc. Veja-se, sobre estes pontos, *Constituição da República Portuguesa Anotada,* de Gomes Canotilho-Vital Moreira.

A publicidade dos actos processuais implica que os lugares onde se realizam devem estar abertos ao público e que podem ser relatados publicamente, inclusivamente através dos órgãos de comunicação social, isto como regra, pois tanto a CRP como o art. 87.º do CPP permitem restrições.

4. À regra da publicidade dos actos processuais estabelece o n.º 1, 2.ª parte, limitações, ao estabelecer que o juiz pode decidir restringir a livre assistência do público ou que o acto, ou parte dele, decorra com exclusão da publicidade. Também a CRP dispõe, quanto à audiência, que o tribunal, pode decidir, em despacho fundamentado, que decorra com exclusão da publicidade, se isso for necessário para salvaguarda da dignidade das pessoas e da moral pública ou para garantir o seu normal funcionamento.

Não pode a lei, sob pena de inconstitucionalidade, ela mesma, excluir a publicidade da audiência, seja em que circunstância for. Por isso mesmo, no caso particular previsto no n.º 3, embora dando a lei uma indicação ao tribunal, a exclusão da publicidade terá que ser decidida fundamentadamente, não operando por força da própria lei. E por esta razão, quanto à audiência, discordamos da doutrina expendida por Costa Pimenta no *Código de Processo Penal Anotado,* anot. ao art. 87.º, de que a exclusão da publicidade no caso do art. 87.º, n.º 3 do CPP é *ope legis.*

5. A exclusão da publicidade tem o alcance definido no n.º 4, implicando que só possam assistir aos actos abrangidos pela exclusão as pessoas que têm de intervir no acto e outras que o juiz admita. A autorização judicial para assistência pode basear-se em quaisquer razões que ao juiz pareçam atendíveis, indicando a lei, a título exemplificativo, razões de natureza profissional ou científica. Podem aqui incluir-se os estagiários de advocacia, alunos das faculdades de direito, técnicos sociais, etc.

6. A publicidade dos actos processuais, particularmente da audiência, não é violada nem mesmo restringida pela existência de casos pontuais de proibição de assistência de determinadas pessoas, nomeadamente nos previstos

258

Artigo 88.º

nos arts. 87.º, n.º 6.º e 324.º, n.º 1, nos quais importa ponderar a imaturação dos jovens ao acautelar a dignidade de que se devem revestir os actos processuais. Por esta última razão pode mesmo impedir-se o uso de aparelhos que perturbem significativamente a realização dos actos processuais, como microfones, câmaras de televisão, etc.

7. O despacho decidindo que o acto processual decorra com exlusão de publicidade, ou restringindo a livre assistência do público, é susceptível de recurso.

Como este recurso não tem efeito suspensivo, não colide com a celeridade processual. Se, porém, o tribunal superior vier a decidir que a exclusão da publicidade se não justificava, e consequentemente revogar a decisão, verificar-se-á uma nulidade insanável tratando-se da audiência de julgamento (arts. 119.º e 321.º, n.º 1), ficando inválida a audiência e os actos posteriores; não se tratando de audiência, na falta de lei que disponha diferentemente, verificar-se-á uma irregularidade, submetida ao regime do art. 123.º.

8. *Jurisprudência:*

— A publicidade da audiência e a segurança do tribunal são coisas diferentes; daí que, restringido o acesso à audiência a certas pessoas, por razões de segurança, a audiência é pública, não se violando os arts. 87.º e 321.º do CPP. (Ac. STJ de 6 de Fevereiro de 1991, Proc. 41 285/3.ª);

— Não implica qualquer violação da CRP, nomeadamente do seu art. 206.º, uma interpretação normativa extraída da conjugação dos arts. 321.º, n.º 2, e 87.º, n.º 5, ambos do CPP, no sentido de que em caso de reformulação do acórdão condenatório declarado nulo por insufuciência da fundamentação e em que o acórdão a proferir em nada se afastou da matéria de facto dada como provada é dispensada a leitura da decisão reformulada, sendo a mesma notificada às partes e estando acessível a qualquer um que esteja legitimado por um interesse no seu conhecimento. (Ac. do Trib. Constitucional n.º 698//2004, de 15 de Dezembro, proc. n.º 991/2004; *DR,* II série, de 25 de Fevereiro de 2005).

ARTIGO 88.º
(Meios de comunicação social)

1. É permitida aos órgãos de comunicação social, dentro dos limites da lei, a narração circunstanciada do teor de actos processuais que se não encontrem cobertos por segredo de justiça ou a cujo decurso for permitida a assistência do público em geral.

2. Não é, porém, autorizada, sob pena de desobediência simples:

a) A reprodução de peças processuais ou de documentos incorporados no processo, até à sentença de 1.ª instância, salvo se tiverem sido obtidos mediante certidão solicitada com menção do fim a que se destina, ou se para tal tiver havido autorização expressa da autoridade judiciária que presidir à fase do processo no momento da publicação;

b) A transmissão ou registo de imagens ou de tomadas de som relativas à prática de qualquer acto processual, nomeadamente

Código de Processo Penal

da audiência, salvo se a autoridade judiciária referida na alínea anterior, por despacho, a autorizar; não pode, porém, ser autorizada a transmissão ou registo de imagens ou tomada de som relativas a pessoa que a tal se opuser;

c) A publicação, por qualquer meio, da identidade de vítimas de crimes de tráfico de pessoas, contra a liberdade e autodeterminação sexual, a honra ou a reserva da vida privada, excepto se a vítima consentir expressamente na revelação da sua identidade ou se o crime for praticado através de órgão de comunicação social.

3. Até à decisão sobre a publicidade da audiência não é ainda autorizada, sob pena de desobediência simples, a narração de actos processuais anteriores àquela quando o juiz, oficiosamente ou a requerimento, a tiver proibido com fundamento nos factos ou circunstâncias referidos no n.º 2 do artigo anterior.

4. Não é permitida, sob pena de desobediência simples, a publicação, por qualquer meio, de conversações ou comunicações interceptadas no âmbito de um processo, salvo se não estiverem sujeitas a segredo de justiça e os intervenientes expressamente consentirem na publicação.

---

1. Este artigo reproduz o art. 88.º do Proj., com as seguintes excepções:
— As alíneas a) e b) do n.º 2 sofreram alterações introduzidas pela Lei n.º 59/98, de 25 de Agosto;
— O texto da alínea c) do mesmo n.º 2 foi introduzido pela Lei n.º 48/2007, de 29 de Agosto. O texto anterior era o seguinte teor: *A publicação, por qualquer meio, da identidade de vítimas de crimes sexuais, contra a honra ou contra a reserva da vida privada, antes da audiência, ou mesmo depois, se for menor de dezasseis anos.*

A mesma Lei introduziu o n.º4, que não tinha correspondente anterior. Trata-se de um dispositivo que veio dissipar dúvidas, mas suscitar outras bem enigmáticas sobre o âmbito do segredo de justiça, mormente nas relações com os meios de comunicação social. Este dispositivo foi justificado na *Exposição de Motivos* do Anteprojecto da UMRP nos seguintes termos.

"Por fim, para dissipar dúvidas sobre o âmbito subjectivo do segredo de justiça, introduz-se uma alteração pontual para esclarcer que estão sujeitas a segredo quer as pessoas que tenham contacto com o processo quer as pessoas que tenham conhecimento de elementos a ele pertencentes.

No elenco de elementos e actos processoais que os órgãos de comunicação social não podem publicar, sob pena de desobediência simples, inclui-se agora a publicação da identidade de vítimas de crimes de tráfico de pessoas, contra a liberdade e autodeterminação sexual, a honra ou a reserva da vida privada, excepto se a vítima consentir expressamente na relação da sua identidade ou se o crime for praticado através de órgão social. Trata-se de um regime destinado a proteger a vítima em situações em que a publicidade pode ter um efeito estigmatizante.

Artigo 88.º

Por outro lado, em homenagem ao direito à palavra e para impedir a devassa, comina-se também a punição com pena de desobediência simples da publicação de conversações ou comunicações interceptadas no processo penal (artigo 88.º)".

2. O n.º 4 deste artigo, apesar de ter dissipado algumas dúvidas que se vinham suscitando no caso particular de os meios de comunicação social publicarem escutas telefónicas divulgadas em tribunal, *v. g.* em julgamento público, não as dissipou completamente. Antes se trata de um dispositivo algo enigmático que vem suscitando novas dúvidas e sendo objecto de críticas, algumas bem contudentes, *maxime* as que lhe dirigiu o Prof. Costa Andrade na *RLJ,* ano 137, n.º 3949, págs. 147 e segs. Este insigne Mestre, na sua esgotante lição, expende mesmo que o n.º 4 consagra *um crime do outro mundo.*

Conforme o texto literal, as conversações ou comunicações interceptadas no âmbito de um processo são punidas quando publicadas por qualquer meio, excepto no caso de se verificarem cumulativamente (cumulativamente porque é usada a copulativa *e* e não aalternativa *ou*) duas condições: não estarem sujeitas a segredo de justiça e os intervenientes expressamente consentirem na publicação. Exceptua-se, assim a relevância do consentimento presumido ou conjectural.

Portanto, mesmo em caso de publicidade do processo, é proibida e punida a publicação, por qualquer meio, de conversações ou comunicações, designadamente de escutas telefónicas, interceptadas no âmbito do processo.

Esta proibição, estabelecida segundo a Exposição de Motivos em homenagem ao direito à palavra e para impedir a devassa, afigura-se-nos manifestamente desproporcional e excessiva até porque na realidade nada impede e supera a proibição da violação do segredo de justiça. Em tais termos, o dispositivo do n.º 4 violará o art. 38.º, n.º 2, al. *a)*, conjugado com o n.º 2 do art. 18.º da CRP.

3. O relato das audiências e de quaisquer ocorrências durante a sua realização é permitido; qualquer restrição nesta fase seria inutilizada pela liberdade de assistência; seria contraditório que qualquer pessoa, nomeadamente qualquer jornalista, pudesse assistir à audiência mas não pudesse relatar o que nela ocor-resse. Teve-se, porém, em conta a existência de casos ponderosos, como os das transmissões de imagens, tomadas de som e dos menores ofendidos, e daí as disposições das als. *b)* e *c)* do n.º 2.

4. Formulada no n.º 1 a regra geral da narração pelos órgãos de comunicação social, dentro dos limites da lei, do teor dos actos processuais que se não encontram cobertos por segredo de justiça ou a cujo decurso for permitida a assistência do público em geral, seguem-se, no n.º 2, as excepções a essa regra geral:

Na al. *a)* estabelece-se que, até à sentença de 1.ª instância (na versão originária *em processos pendentes*, não é permitida a reprodução de peças processuais ou de documentos incorporados. Trata-se de disposição destinada a precaver a serenidade da administração da justiça, para evitar alarido, especulações e conjecturas sobre decisões a proferir. Mas porque pode haver interesses legítimos justificativos da reprodução de peças processuais ou de documentos incorporados em processos pendentes pode, excepcionalmente e mediante autorização, que terá de ser expressa, da autoridade judiciária, obter-se certidão das peças processuais ou dos documentos,

Código de Processo Penal

certidão que deverá mencionar o fim a que se destina. Obviamente que o requerente da certidão terá que justificar, no requerimento, a sua legitimidade através do interesse que lhe advém, e que indicar o fim a que se destina a certidão.

Na al. *b)* estabelece-se que aos órgãos de comunicação social não é permitida, salvo autorização expressa da autoridade judiciária, a transmissão de imagens ou de som relativos à prática de qualquer acto processual, nomeadamente audiência. Às razões já aduzidas relativamente à alínea anterior, acresce que uma reprodução geralmente se apresentaria truncada e portanto distante da realidade total, criando-se uma imagem distorcida da administração da justiça.

A Lei referida na anot. 1 veio estabelecer a ressalva constante da parte final desta alínea: *não pode, porém, ser autorizada a transmissão ou registo de imagens ou tomada de som relativas a pessoa que a tal se opuser,* assim tutelando o direito que as pessoas têm à sua própria imagem, que tem garantia constitucional (art. 26.º da CRP).

Na al. *c)* estabelece-se a proibição de publicação, por qualquer meio, da identidade das vítimas de crimes de tráfico de pessoas, contra a liberdade e auto-determinação sexual, a honra ou a reserva da vida privada, excepto se a vítima consentir expressamente na revelação da sua identidade ou se o crime for praticado através de órgão de comunicação social.

Estes crimes são os que assim vêm definidos no CP.

5. Nos casos em que é proibida a narração de actos processuais anteriores à audiência ao abrigo do preceituado no n.º 2 do art. 87.º, a proibição mantém-se até à decisão sobre a publicidade da audiência, como se preceitua no n.º 3. Este normativo tem um fundamento óbvio: é que ficaria frustrada a finalidade que se pretende obter com a exclusão da publicidade da audiência se entretanto fosse permitida a narração dos actos processuais anteriores.

6. A difusão ou divulgação do conteúdo de processos que se encontram em segredo de justiça pelos meios de comunicação social, designadamente através da imprensa, da rádio e da televisão, tem ultimamente agitado a doutrina e a jurisprudência.

Vejam-se, a este propósito, as anots. ao art. 371.º do CP, no nosso *Código Penal Português* anotado.

A Lei da Imprensa, no art. 11.º, n.º 1, concede o direito ao segredo das fontes de informação. Em tais termos, o autor da difusão ou divulgação não poderá em regra ser incriminado, desde que as informações não tenham sido obtidas por meio que em si mesmo é ilícito. Assim, se um jornalista divulga partes de um processo que se encontra em segredo de justiça e que lhe foram voluntariamente facultadas por um funcionário judicial, só este, e não o jornalista, pode ser incriminado. Mas se o funcionário judicial foi solicitado ou induzido em erro causal pelo jornalista, *v.g.* convencendo-o que era magistrado encarregado do processo, ou se fraudulentamente se introduziu na secretaria judicial e aí conseguiu ter acesso aos autos, já o mesmo jornalista, ao proceder a difusão ou divulgação, cometerá o crime de violação do segredo de justiça, previsto no art. 371.º do CP.

Para maior desenvolvimento deste ponto da difusão ou divulgação de infor-mação obtidas de fontes não acessíveis aos meios de comunicação veja-se a exposição do Prof. Costa Andrade, *Liberdade de Imprensa e Inviolabilidade Pessoal,* 313-314.

Artigo 88.º

No que concerne à divulgação pelos meios de comunicação social de matéria versada em processos de natureza penal, veja-se a comunicação do presidente da Alta Autoridade para a Comunicação Social, conselheiro Pedro Marçal; *CJ,* XVI, tomo 2, 31, sumariada em anot. ao art. 86.º.

7. Sobre a liberdade de expressão e informação e liberdade de imprensa conserva ainda interesse o Parecer da PGR de 6 de Novembro de 2003, homologado por Despacho do Ministro da Administração Interna de 2 de Janeiro de 2004; *DR,* II série de 4 de Março de 2004, onde se formularam as seguintes conclusões:

1.ª Os artigos 37.º e 38.º da Constituição da República Portuguesa consagram a liberdade de expressão e informação e a liberdade de imprensa como direitos fundamentais, não podendo o exercício destes direitos ser impedido ou limitado por qualquer tipo ou forma de censura, no caso de o falado exercício observar os limites autorizados pela própria lei fundamental.

2.ª Ao prescrever no n.º 3 do artigo 37.º que as infracções cometidas no exercício destes direitos ficam submetidas aos princípios gerais de direito criminal ou do ilícito de mera ordenação social, a lei fundamental está a admitir a existência de limites constitucionalmente autorizados ao respectivo exercício, cuja infracção pode ser punida através da instituição de tipos penais ou contra-ordenacionais.

3.ª Nos termos do respectivo Estatuto, os jornalistas têm o direito de acesso a locais abertos ao público desde que para fins de cobertura informativa, não podendo ser impedidos de entar ou permanecer nos locais referidos quando a sua presença for exigida pelo exercício da respectiva actividade profissional, sem outras limitações além das decorrentes da lei.

4.ª O direito à reserva da intimidade da vida privada e o direito à imagem encontram-se protegidos constitucionalmente, a par de outros direitos de personalidade, no n.º 1 do artigo 26.º da Constituição.

5.ª A extensão do âmbito de tutela do direito à reserva da intimidade da vida privada varia em função da natureza do caso e da condição das pessoas (notoriedade, exercício de cargo público, etc.), conforme o disposto no artigo 80.º do Código Civil.

6.ª A violação da reserva da vida privada constitui infracção penal, nos termos do artigo 192.º do Código Penal, dependendo o respectivo procedimento criminal da apresentação de queixa, nos termos do artigo 198.º do Código Penal.

7.ª O retrato de uma pessoa não pode ser exposto, reproduzido ou lançado no comércio sem consentimento dela, não carecendo desse consentimento quando assim o justifique a sua notoriedade, o cargo que desempenhe, exigências de polícia ou de justiça, finalidades científicas, didácticas ou culturais, ou quando a reprodução da imagem vier enquadrada na de lugares públicos, ou na de factos de interesse público ou que hajam decorrido publicamente, salvo se do facto resultar prejuizo para a honra, reputação ou simples decoro da pessoa retratada (artigo 79.º do Código Civil).

8.ª O cargo público exercido é incluído pela lei entre os casos de

Código de Processo Penal

limitação legal do direito à imagem, já que o interesse público em conhecer a imagem dos respectivos titulares sobreleva, nessas hipóteses, o interesse individual.

9.ª A protecção de forma autónoma e individualizada do direito à imagem está penalmente tutelada pelo artigo 199.º do Código Penal, dependendo o respectivo procedimento criminal de queixa, por força das disposições combinadas do n.º 3 do artigo 199.º e do artigo 198.º, ambos do Código Penal, sendo titular da queixa a pessoa cuja imagem foi captada ou utilizada.

10.º Os direitos e liberdades e garantias só podem ser restringidos nos casos expressamente admitidos pela Constituição, sendo que qualquer intervenção restritiva nesse domínio, mesmo que constitucionalmente autorizada, apenas será legítima se justificada pela salvaguarda de outro direito fundamental ou de outro interesse constitucionalmente protegido, devendo respeitar as exigências do princípio da proporcionalidade e não podendo afectar o conteúdo essencial dos direitos.

11.ª Ocorrendo a concentração de jornalistas, repórteres fotográficos e operadores de imagem junto às portas de acesso aos tribunais fotografando e filmando a imagem das pessoas que entram e saem do edifício, no contexto da cobertura informativa de eventos relacionados com processos criminais, as forças de segurança devem, em regra: *a)* assumir a adequada vigilância do local, garantindo a ordem pública e a segurança de pessoas e dos seus bens; *b)* impor as restrições necessárias para garantir a livre entrada e saída de pessoas e viaturas no edifício; *c)* proceder à recolha de informação destinada a habilitar as autoridades de polícia e prevenir quaisquer possíveis perturbações e a adoptar as necessárias providências para atalhá-las quando se produzam ou para identificar os seus autores.

12.ª Nas situações de facto assinaladas na conclusão anterior, o exercício do direito de informação pode ser restringido para: *a)* garantir a livre entrada e saída de pessoas e viaturas no tribunal: *b)* salvaguardar a vida, a integridade física, a liberdade e a segurança de intervenientes processuais, em particular dos que beneficiem de específicas medidas de protecção policial, devendo essas restrições respeitar as exigências do princípio da proporcionalidade e o conteúdo essencial do direito de informação.

13.ª As forças de segurança não podem impor outras medidas de limitação ao exercício do direito de informação, para além das restrições enunciadas na conclusão 12.ª.

ARTIGO 89.º
**(Consulta de auto e obtenção de certidão e informação
por sujeitos processuais)**

1. Durante o inquérito, o arguido, o assistente, o ofendido, o lesado e o responsável civil podem consultar, mediante requerimento, o processo ou elementos dele constantes, bem como obter os correspondentes extractos, cópias ou certidões, salvo quando o Ministério público a isso

Artigo 89.º

se opuser por considerar, fundamentadamente, que pode prejudicar a investigação ou os direitos dos participantes processuais ou das vítimas.

2. Se o Ministério Público se opuser à consulta ou à obtenção dos elementos previstos no número anterior, o requerimento é presente ao Juiz, que decide por despacho irrecorrível.

3. Para efeitos do disposto nos números anteriores, os autos ou as partes dos autos a que o arguido, o assistente, o ofendido, o lesado e o responsável civil devam ter acesso são depositados na secretaria, por fotocópia e em avulso, sem prejuízo do andamento do processo, e persistindo para todos o dever de guardar segredo de justiça.

4. Quando, nos termos dos n.ᵒˢ 1 a 3 do artigo 86.º, o processo se tornar público, as pessoas mencionadas no n.º 1 podem requerer à autoridade judiciária competente o exame gratuito dos autos fora da secretária, devendo o despacho que o autorizar fixar o prazo para o efeito.

5. São correspondentemente aplicáveis à hipótese prevista no número anterior as disposições da lei do processo civil respeitante à falta de restituição do processo dentro do prazo; sendo a falta da responsabilidade do Ministério Público, a ocorrência é comunicada ao superior hierárquico.

6. Findos os prazos previstos no artigo 276.º, o arguido, o assistente e o ofendido podem consultar todos os elementos do processo, salvo se o juiz de instrução determinar, a requerimento do Ministério Público, que o acesso aos autos seja adiado por um período máximo de 3 meses o qual pode ser prorrogado, por uma só vez, quando estiver em causa a criminalidade a que se referem as alíneas i) a m) do artigo 1.º e por um prazo objectivamente indispensável à conclusão da investigação.

---

1. Os n.ᵒˢ 1, 2, 3 e 4 deste artigo foram introduzidos pela Lei n.º 48/2007, de 29 de Agosto.

O n.º 5 (anterior n.º 4) mantém a redacção originária.

O n.º 6 contém dispositivo que não tinha correspondente anterior.

2. Regulamenta-se neste artigo o que se estabelece nos n.ᵒˢ 12 e segs. do art. 86.º sobre o direito de os intervenientes processuais consultarem os autos e obterem cópias, extractos e certidões de quaisquer partes do processo. Trata-se de uma regulamentação mais pormenorizada que a do regime do CPP de 1929 e mesmo que a da anterior versão do presente Código. De notar que o vocábulo *auto*, aqui usado, tem o sentido amplo de processo, abrangendo todo o processado.

Estabelecendo-se aqui como regra, a publicidade interna do processo, contrariamente à versão anterior à Lei n.º 48/2007, e de algum modo contrariamente também os dispositivos dos art. 20.º, n.º 3 e 32., n.º 5, da

Código de Processo Penal

CRP, deve questionar-se a constitucionalidade do n.º 1 deste artigo, bem como de outros dispositivos que desse número são sequelas.

Em nosso entendimento, o que aqui se preceitua deve ser equacionado com outros dispositivos constitucionais, além dos que já foram referidos, designadamente com o art. 32.º, n.º 1, da CRP, determinando que o processo assegure todas as garantias da defesa. E, num equilibrado balanceamento de todos os valores dignos de protecção contitucional, entendemos que o disposto neste art. 89.º, n.º 1, sofre de inconstitucionalidade, por violação dos mencionados dispositivos da CRP. Para maior desenvolvimento sobre este ponto, remetemos para a anot. 3 ao art. 86.º, aqui aplicável, *mutatis mutandis.*

Particularmente quanto ao n.º 6 deste art. 89.º, em nosso entendimento sofre de inconstitucionalidade, por violar o art. 20.º, n.º 3, da CRP, na medida em que não assegura adequada protecção do segredo de justiça. Veja-se, neste sentido, a lauta fundamentação do ac. do Tribunal Constitucional n.º 428/2008, de 12 de Agosto, adiante sumariado.

3. Como se aludiu supra, anot. 1, o n.º 6 é um dispositivo novo, introduzido pela apontada Lei, que não tinha correspondente em anteriores versões do Código.

Não dá o dispositivo indicações sobre o critério orientador do adiamento por período máximo de 3 meses do acesso aos autos. Em nosso entendimento terá de ser obviamente o do interesse na continuação do secretismo das investigações. De notar porém que o prazo se conta a partir do momento em que o inquérito tiver passado a correr contra pessoa determinada ou em que se tiver verificado a constituição de arguido.

4. No n.º 3 estabelece-se o regime do exame de processos fora da secretaria do tribunal, vulgarmente designado de *confiança do processo.*

Só os sujeitos e intervenientes processuais mencionados no n.º 1 podem pedir o exame fora da secretaria de processos que se encontrem na situação definida no n.º 3. O exame terá que ser requerido por um desses sujeitos ou intervenientes e que ser autorizado pela autoridade judiciária: Ministério Público ou juiz, consoante a fase em que o processo se encontrar, precisando ainda a lei que é gratuito. Algumas destas particularidades de regulamentação seriam dispensáveis: a última que foi referida resulta até de a confiança do processo não ser objecto de tributação no Livro II. Esteve certamente no pensamento legislativo a finalidade de acabar com práticas tão rotineiras como viciosas.

Findo o prazo concedido para exame de processos fora da secretaria sem que haja restituição, proceder-se-á conforme se regula no n.º 5: comunicação ao superior hierárquico do magistrado do MP se a falta for deste ou procedimento consoante as normas do processo civil se a falta não for de magistrado do MP. Estas normas do processo civil constam do art. 170.º do CPP.

5. *Jurisprudência:*
— O art. 89.º do CPP só permite o acesso a auto, para consulta na secretaria ou em local onde estiver a ser realizada qualquer diligência, e não a a confiança do processo. (Ac. STJ de 7 de Junho de 1989, Proc. 40 007/3.ª);

— O disposto no art. 89.º, n.º 4, do CPP não é aplicável em processo pendente numa comarca em que exercem funções mais de um juiz e em que um desses juizes se julga ofendido. (Ac. RC de 17 de Novembro de 1992; *CJ,* XVII, 5, 86);

Artigo 89.º

— O art. 89.º do CPP, ao não permitir a confiança do processo ao defensor constituído do arguido no decurso do prazo para ser requerida a abertura da instrução, não viola qualquer preceito constitucional de garantia dos direitos de defesa do arguido. (Ac. RE de 18 de Outubro de 1994; *CJ,* XIX, tomo 4, 287);

— A norma constante dos n.ºˢ 1 e 3 do art. 89.º do CPP, na parte em que, para efeitos de preparação da defesa, nega ao arguido o direito de examinar o processo fora da secretaria, inviabilizando a consulta dos autos pelo respectivo defensor, em regime de confiança, no decurso do prazo previsto no n.º 1 do art. 287.º, para requerer a abertura de instrução, não afecta as garantias necessárias e adequadas para uma eficaz organização e exercício do direito de defesa, nem viola o princípio da igualdade de armas. (Ac. do T. Constitucional n.º 117/96, de 6 de Fevereiro; *BMJ,* 454, 228);

— I — O direito à consulta do processo pelo arguido fora da secretaria configura-se como um direito instrumental das garantias de defesa, as quais não são temporalmente limitadas pelo trânsito em julgado da sentença. II — A norma resultante da congregação dos arts. 89.º, n.º 3 e 400.º, n.º 1, al. *b),* do CPP, na interpretação segundo a qual não é admissível recurso do despacho da autoridade judiciária que indefere o pedido do arguido para examinar o processo fora da secretaria, por se tratar de acto que depende da livre circulação do tribunal, configura-se como restrição inconstitucional àquele direito de defesa III — Na verdade — e embora a autoridade judiciária não esteja obrigada a autorizar a confiança do processo —, o despacho de recusa deverá ser fundamentado, dele cabendo recurso, nos termos gerais. (Ac. do T. Constitucional n.º 247/96, de 29 de Fevereiro; *BMJ,* 454, 344);

— O arguido que pretenda recorrer da decisão que lhe aplicou medida de coacção de prisão preventiva tem direito a que lhe seja facultada cópia das declarações das testemunhas que esse despacho referiu como tendo sido determinantes para afastar a alegação de legítima defesa e para impor tal medida ao arguido. (Ac. RP de 24 de Janeiro de 2001; *CJ,* XXVI, tomo 1, 226);

— I — O arguido tem direito de consultar o processo na secretaria e, bem assim, quando se trate de processo que não admita (ou não admita já) instução ou em que tenha já sido proferida decisão instrutória, o direito de obter a confiança do mesmo para consulta fora da secretaria. II — O despacho que recusar a confiança do processo tem que ser devidamente fundamentado, é recorrível. III — O facto de o arguido poder consultar o processo na secretaria, e, bem assim, a circunstância de se tratar de um processo volumoso, não são fundamento para recusar o pedido de confiança do processo, feito pelo arguido. (Ac. RP de 9 de Novembro de 2005; *CJ,* ano XXX, tomo 5, 240);

É inconstituional, por violação do art. 20, n.º 3, da CRP, a interpretação do art. 89.º n.º 6, do CRP, na redacção dada pela Lei n.º 48/2007, de 29 de Agosto, segundo a qual é permitida e não pode ser recusada ao arguido, antes do encerramento do inquérito a que foi aplicado o segredo de justiça, a consulta irrestrita de todos os elementos do processo, neles incluindo dados relativos à reserva da vida privada de outras pessoas, abrangendo elementos bancários e fiscais sujeitos a segredo profissional, sem que tenha sido concluída a sua análise em termos de poder ser apreciado o seu relevo e utilização como prova, ou, pelo contrário, sua destruição ou devolução, nos termos do n.º 7 do art. 86.º do CPP. (Ac. do Trib. Constitucional de 12 de Agosto de 2008, proc. n.º 520/08, 2.ª secção; *DR,* II série, de 30 de Setembro de 2008).

Código de Processo Penal

ARTIGO 90.º

(Consulta de auto e obtenção de certidão por outras pessoas)

1. Qualquer pessoa que nisso revelar interesse legítimo pode pedir que seja admitida a consultar auto de um processo que se não encontre em segredo de justiça e que lhe seja fornecida, à sua custa, cópia, extracto ou certidão de auto ou de parte dele. Sobre o pedido decide, por despacho, a autoridade judiciária que presidir à fase em que se encontra o processo ou que nele tiver proferido a última decisão.

2. A permissão de consulta de auto e de obtenção de cópia, extracto ou certidão realiza-se sem prejuízo da proibição, que no caso se verificar, de narração dos actos processuais ou de reprodução dos seus termos através dos meios de comunicação social.

---

1. Reproduz o art. 90.º do Proj. e corresponde aos arts. 88.º do Aproj. e 72.º do CPP de 1929.

2. Fazendo depender a consulta do processo e o fornecimento de cópias, extractos ou certidões da existência de um *interesse legítimo* por parte das pessoas interessadas, a lei impõe uma condicionante que a aproxima do art. 72.º do CPP de 1929. À jurisprudência incumbirá definir os contornos do *interesse legítimo,* o que nunca foi feito no domínio do CPP de 1929, certamente porque isso comporta uma elevada dose tanto de casuísmo como de subjectivismo. Importará, porém, ressalvar sempre a vida privada das pessoas, de modo a evitar abusivas intromissões nesse domínio.

A lei não considera aqui que seja interesse legítimo de alguém a divulgação do conteúdo dos autos através dos meios de comunicação social; o mesmo satisfaz-se com a consulta, obtenção de cópia, extracto ou certidão.

3. Para os meios de comunicação social existem as restrições constantes do n.º 2 do art. 88.º, que poderiam ficar frustrados se não existissem os dispositivos deste art. 90.º, designadamente o n.º 2. Para esses meios deve ainda atender-se ao disposto no n.º 8 do art. 86.º, conforme as anots. a este artigo.

Particularmente no que concerne aos jornalistas afigura-se-nos que podem ter acesso aos autos quando vigore a publicidade objectiva ou externa, e mesmo obter cópias, extractos ou certidões, mas isto sem prejuízo das restrições contidas no n.º 4 do art. 88.º e na parte final do n.º 2 deste art. 90.º.

4. *Jurisprudência:*
— I — Não existe incompatibilidade entre o disposto no art. 90.º do CPP, que permite a qualquer pessoa solicitar as providências aí referidas, desde que demonstre um interesse legítimo, e o art. 63.º, n.º 1, do Estatuto da Ordem

Artigo 91.º

dos Advogados, o qual apenas dispensa o advogado de exibir procuração. II — Não basta invocar a qualidade de advogado para requerer uma certidão ao abrigo do disposto no art. 90.º, n.º 1, do CPP, tornando-se necessário alegar interesse legítimo nessa pretensão. (Ac. RP de 4 de Novembro de 1992; *CJ,* XVII, tomo 5, 244);

— Não é inconstitucional a norma do art. 90.º, n.º 1 do CPP, quando exige que o requerente alegue interesse legítimo no pedido de uma certidão, ainda que esse requerente seja advogado e invoque essa qualidade. (Ac. do Trib. Constitucional n.º 661/94; *DR,* II série, de 20 de Fevereiro de 1995);

— Para obter uma certidão de processo em fase de instrução, não basta ao requerente invocar a sua qualidade de advogado, e dizer que a certidão se destina a fins judiciais; tem de invocar e concretizar o fundamento do seu interesse legítimo. (Ac. RL de 6 de Março de 2001; *CJ,* XXVI, tomo 2, 123).

ARTIGO 91.º
(Juramento e compromisso)

1. As testemunhas prestam o seguinte juramento: «Juro, por minha honra, dizer toda a verdade e só a verdade».

2. Os peritos e os intérpretes prestam, em qualquer fase do processo, o seguinte compromisso: «Comprometo-me por minha honra, a desempenhar fielmente as funções que me são confiadas».

3. O juramento referido no n.º 1 é prestado perante a autoridade judiciária competente e o compromisso referido no número anterior é prestado perante a autoridade judiciária ou a autoridade de polícia criminal competente, as quais advertem previamente quem os dever prestar das sanções em que incorre se os recusar ou a eles faltar.

4. A recusa a prestar o juramento ou o compromisso equivale à recusa a depor ou a exercer as funções.

5. O juramento e o compromisso, uma vez prestados, não necessitam de ser renovados na mesma fase de um mesmo processo.

6. Não prestam o juramento e o compromisso referidos nos números anteriores:

a) Os menores de dezasseis anos;

b) Os peritos e os intérpretes que forem funcionários públicos e intervierem no exercício das suas funções.

---

1. Os n.ᵒˢ 1 e 2 reproduzem os mesmos números do Proj. e correspondem a dispositivos dos arts. 93.º do Aproj. e 96.º e 97.º do CPP de 1929.

O texto do n.º 3 foi introduzido pela Lei n.º 48/2007, de 29 de Agosto. Em relação à versão anterior deste n.º 3 nota-se que foi introduzida a possibilidade de o compromisso referido n.º 2 ser prestado também perante a autoridade de polícia criminal.

Código de Processo Penal

2. O juramento e o compromisso de honra distinguem-se formalmente, através de fórmulas diferentes e das pessoas que os prestam. Para além disto, não há diferenças de relevo, tendo ambos a mesma finalidade de responsabilizar acrescidamente quem os presta.

De notar que este preceito do n.º 1, no que concerne ao juramento, se aplica a todas as testemunhas, abrangendo portanto também a categoria que o CPP de 1929 designava por *declarantes*. Desapareceu, com o Código actual, a distinção entre as duas figuras, pelo que todos estão sujeitos ao juramento.

Os peritos e os intérpretes, conforme se estabelece no n.º 2, prestam compromisso, porém, se forem funcionários públicos e intervierem no exercício das suas funções, não prestam compromisso, nem mesmo juramento (n.º 6, al. *b)*, o que bem se compreende, pois já o prestaram aquando da posse.

3. Não tem agora razão de ser a querela que se travou no domínio do CP de 1886 e do CPP de 1929, sobre se para a incriminação por falso testemunho era ou não necessário o julgamento prévio. Veja-se, sobre esta questão, o nosso *Código de Processo Penal,* anot. ao art. 97.º.

Na verdade, o art. 360.º do CP incrimina e pune o falso depoimento, com ou sem ajuramentação; porém a sanção é mais severa quando prestado depois do juramento.

4. Particularmente de notar que só nos depoimentos prestados perante autoridades judiciárias há lugar a juramento ou compromisso e que o juramento e o compromisso, uma vez prestados, não têm que ser repetidos na mesma fase do mesmo processo.

Só, portanto, em acto processual praticado sob a direcção do MP, do juiz de instrução ou do juiz do julgamento há que prestar juramento ou compromisso, por serem essas as autoridades judiciárias (art. 1.º, n.º 1, al. *b)*.

Tanto o juramento como o compromisso são precedidos de advertência, feita pela autoridade judiciária, do dever de os prestar e das sanções em que incorre quem se recusar a prestá-los ou a eles faltar (n.º 3).

As fórmulas do juramento e do compromisso são estabelecidas nos n.os 1 e 2, respectivamente.

O não acatamento exacto destas fórmulas e a falta de advertência prévia constituem irregularidades processuais, com o regime do art. 123.º. O mesmo sucede no que respeita à omissão de juramento ou de compromisso (por não ser exigido). Porém aqui pode haver consequências quanto à punição do falso testemunho, já que, em virtude do disposto no art. 360.º do CP, a sanção é mais severa quando o falso depoimento é prestado com prévia ajuramentação ou advertência (ver *supra,* anot. 3).

5. *Jurisprudência:*
— Não é inconstitucional o art. 91, n.os 2 e 3 do CPP, na interpretação segundo a qual a omissão da prestação de compromisso de honra por parte de intérprete de comunicações telefónicas em língua estrangeira constitui mera irregularidade, que se considera sanada se não tiver sido arguida nos termos e dentro do prazo do art. 123.º do CPP. (Ac. do Trib. Constitucional n.º 197/2007, de 14 de Março de 2007; *DR,* II série, de 18 de Maio do mesmo ano).

TÍTULO II

DA FORMA DOS ACTOS E DA SUA DOCUMENTAÇÃO

ARTIGO 92.º

(Língua dos actos e nomeação de intérprete)

1. Nos actos processuais, tanto escritos como orais, utiliza-se a língua portuguesa, sob pena de nulidade.

2. Quando houver de intervir no processo pessoa que não conhecer ou não dominar a língua portuguesa, é nomeado, sem encargo para ela, intérprete idóneo, ainda que a entidade que preside ao acto ou qualquer dos participantes processuais conheçam a língua por aquela utilizada.

3. O arguido pode escolher, sem encargo para ele, intérprete diferente do previsto no número anterior para traduzir as conversações com o seu defensor.

4. O intérprete está sujeito a segredo de justiça, nos termos gerais, e não pode revelar as conversações entre o arguido e o seu defensor, seja qual for a fase do processo em que ocorrerem, sob pena de violação do segredo profissional.

5. Não podem ser utilizadas as provas obtidas mediante violação do disposto nos n.os 3 e 4.

6. É igualmente nomeado intérprete quando se tornar necessário traduzir documento em língua estrangeira e desacompanhado de tradução autenticada.

7. O intérprete é nomeado por autoridade judiciária ou autoridade de polícia criminal

8. Ao desempenho da função de intérprete é correspondentemente aplicável o disposto nos artigos 153.º e 162.º.

---

1. Os n.os 3, 4, 5 e 7 foram introduzidos pela Lei n.º 48/2007, de 29 de Agosto. Os restantes números contêm dispositivos anteriores que reproduziam o art. 92.º do Proj..

2. O preceito do n.º 1, determinando o uso obrigatório da língua portuguesa nos actos processuais, tanto escritos como orais, deve ser objecto de interpretação restritiva, pois o legislador *magis dixit quam voluit*. E isto, em primeiro lugar, porque não está interdito o uso de palavras ou até de expressões em língua estrangeira que a prática ou a divulgação ecuménica dessa língua tenham consagrado: ex. o condutor não parou no sinal *stop,* nem não-pouco o uso de expressões eruditas, particularmente em latim, que

Código de Processo Penal

é prática corrente na linguagem técnica do Direito. E sucede ainda que quem não domina a língua portuguesa pode utilizar aquela em que se exprime, que será traduzida para a língua portuguesa através de intérprete idóneo. O que está no pensamento legislativo é que quando alguém se exprimir em língua estrangeira, por não dominar a portuguesa, as suas declarações terão que ser traduzidas para a língua portuguesa, sendo a versão nesta língua que fica a constar do processo.

A não utilização da língua portuguesa nos actos processuais produz nulidade, como se comina no n.º 1. Trata-se porém de uma nulidade dependente de arguição, a incluir no regime geral do art. 120.º.

3. Do disposto nos n.ᵒˢ 2 e 6 decorre que todo o interveniente no processo que não dominar a língua portuguesa, *maxime* o arguido, tem direito à assistência gratuita de um intérprete ou tradutor de todos os actos processuais que ele necessitar compreender para beneficiar de um processo equitativo.

Neste sentido, e no que concerne ao arguido, foi proferido o Despacho do Procurador-geral da República de 13 de Julho de 1990, determinando que passasse a ser seguido e sustentado pelo MP o seguinte: «O acusado tem direito a assistência gratuita da interpretação ou tradução de todos os actos do processo que ele necessitar compreender para beneficiar de um processo equitativo».

A proibição de utilização de provas estabelecida no n.º 5 deve ser interpretada cautelosamente, atentos os termos amplos desse número e dos n.ᵒˢ 3 e 4, e porque pode haver violações insignificantes e inócuas, *v.g.* o arguido ter pago o táxi que transportou o inquérito

4. *Jurisprudência:*

— A nomeação de intérprete para o primeiro interrogatório judicial de arguido detido é da competência do juiz de instrução que efectua o interrogatório. (Ac. RL de 14 de Fevereiro de 1990; *CJ,* XV, tomo 1.º, 187). *Nota —* Concordamos, pois trata-se de acto processual a realizar pelo juiz de instrução. Tratando-se de interrogatório, durante o inquérito, a efectuar pelo MP, a este competeria a nomeação do intérprete — cfr. art. 153.º, n.º 3;

— Não há necessidadede tradução de cartas rogatórias penais expedidas pela justiça francesa, mas deverá ser nomeado intérprete ao arguido ou à pessoa que deve ser ouvida, nos termos do art. 92.º do CPP. (Ac. RE de 20 de Março de 1990; *CJ,* XV, tomo 2, 298);

— O art. 92.º, n.º 2, do CPP, em conjugação com o disposto no art. 111.º, n.º 1, alínea *c),* do mesmo Código, interpretado no sentido de que a notifica-ção da acusação deduzida contra o arguido que desconhece a língua portuguesa não carece de tradução escrita pelo intérprete nomeado, não lesa as suas garan-tias de defesa, constitucionalmente estabelecidas nos arts. 32.º, n.º 1; 116.º, n.º 1 e 6.º, n.º 3, alínea *a),* da Convenção Europeia dos Direitos do Homem. (Ac. do Trib. Constitucional n.º 547/98, de 23 de Setembro, proc. n.º 834/98; *BMJ,* 479, 212);

— Não é inconstitucional a prestação de compromisso de honra por parte de intérprete de comunicações telefónicas em língua estrangeira ser considerada mera irregularidade que se considera sanada se não tiver sido arguida nos termos e no prazo fixado no art. 123.º do CPP. (Ac. do Trib. Constitucional n.º 197/2007, de 14 de Março; *DR,* II série, de 18 de Maio de 2007).

ARTIGO 93.º

(Participação de surdo, de deficiente auditivo ou de mudo)

1. Quando um surdo, deficiente auditivo ou um mudo devam prestar declarações, observam-se as seguintes regras:

a) Ao surdo ou deficiente auditivo é nomeado intérprete idóneo de língua gestual, leitura labial ou expressão escrita, conforme mais adequado à situação do interessado;

b) Ao mudo, se souber escrever, formulam-se as perguntas oralmente, respondendo por escrito. Em caso contrário e sempre que requerido nomeia-se intérprete idóneo.

2. A falta de intérprete implica o adiamento da diligência.

3. O disposto nos números anteriores é aplicável em todas as fases do processo e independentemente da posição do interessado na causa.

4. É correspondentemente aplicável o disposto nos n.ºs 3 a 5 do artigo anterior.

---

1. O texto dos n.ºs 1, 2 e 3 deste artigo foi introduzido pela Lei n.º 59//98, de 25 de Agosto, em substituição do texto originário, que reproduzia o artigo 93.º do Proj. e correspondia aos arts. 82.º do Aproj. e 253.º, § 2.º, do CPP de 1929. O texto actual foi introduzido pela Assembleia da República, na votação final. Na Proposta de Lei governamental o artigo mantinha a formulação originária.

O n.º 4 foi introduzido pela Lei n.º 48/2007, de 29 de Agosto, em virtude de alterações introduzidas pela mesma Lei no artigo anterior.

2. O CPP de 1929 mostrava-se muito sucinto e até omisso em aspectos relacionados com a participação de surdo, surdo-mudo (*rectius* deficiente auditivo) e de mudo.

As omissões foram colmatadas através de uma regulamentação pormenorizada que se inspirou na formulação do art. 113.º do Projecto preliminar italiano.

3. Em relação ao texto originário, apontam-se as seguintes alterações introduzidas pelas Leis referida na anot. 1:

— A designação de *surdo-mudo* foi substituída pela de *deficiente auditivo*, considerada mais actual e apropriada;

— Os dispositivos dos n.ºs 2 e 3 são novos, afigurando-se-nos no entanto que o do n.º 3 não contém inovação, já que, em nosso parecer, já assim devia ser entendido;

— O dispositivo do n.º 4 também é novo e foi provocado por alterações introduzidas no art. 92.º.

Código de Processo Penal

ARTIGO 94.º

(Forma escrita dos actos)

1. Os actos processuais que tiverem de praticar-se sob a forma escrita são redigidos de modo perfeitamente legível, não contendo espaços em branco que não sejam inutilizados, nem entrelinhas, rasuras ou emendas que não sejam ressalvadas.

2. Podem utilizar-se máquinas de escrever ou processadores de texto, caso em que se certifica, antes da assinatura, que o documento foi integralmente revisto e se identifica a entidade que o elaborou.

3. Podem igualmente utilizar-se fórmulas pré-impressas, formulários em suporte electrónico ou carimbos, a completar com o texto respectivo, podendo recorrer-se a assinatura electrónica certificada.

4. Em caso de manifesta ilegibilidade do documento, qualquer participante processual interessado pode solicitar, sem encargos, a respectiva transcrição dactilográfica.

5. As abreviaturas a que houver de recorrer-se devem possuir significado inequívoco. As datas e os números podem ser escritos por algarismos, ressalvada a indicação por extenso das penas, montantes indemnizatórios e outros elementos cuja certeza importe acautelar.

6. É obrigatória a menção do dia, mês e ano da prática do acto, bem como, tratando-se de acto que afecte liberdades fundamentais das pessoas, da hora da sua ocorrência, com referência ao momento do respectivo início e conclusão. O lugar da prática do acto deve ser indicado.

---

1. Reproduz, com alterações nos n.ᵒˢ 2 e 5 decorrentes da Lei n.º 43/86, de 26 de Setembro, e no n.º 3 decorrentes da Lei n.º 59/98, de 25 de Agosto, o art. 94.º do Proj. e corresponde aos arts. 91.º e 92.º do Aproj. e 79.º a 82.º do CPP de 1929. A parte final do n.º 3 foi aditada pela Lei n.º 48/2007, de 29 de Agosto.

2. Como se deduz do confronto entre o Proj. e a redacção definitiva, o dispositivo de despacho, sentença ou acórdão pode ser dactilografado, pois o período final do n.º 2 do Proj., que impunha que fosse manuscrito, foi eliminado. Também a parte final do n.º 5 foi remodelada, na última revisão, permitindo-lhe um maior uso de algarismos do que o Proj. consentia. Estas alterações decorreram da aludida al. 77) do n.º 2 do art. 2.º da Lei n.º 43/86.

Em tais termos, discordamos da orientação perfilhada por Costa Pimenta, *Código de Processo Penal Anotado,* 1.ª ed., 417, de que a parte dispositiva dos despachos, sentenças ou acórdãos terá que ser manuscrita pelos magistrados, com o seu próprio punho. Na fase final de elaboração do texto do Código foram introduzidas alterações que eliminaram inequivocamente essa obrigatoriedade e facilitaram o trabalho dos magistrados e dos funcionários de justiça (ver *supra*).

Também entendemos que o n.º 2 possibilita uso de fotocópias, posto que o magistrado ou o funcionário, antes da assinatura ou da rubrica, as confira e assuma o conteúdo como seu. Veja-se, neste sentido e com a respectiva fundamentação, o ac. STJ de 25 de Outubro de 1989, por nós relatado, no *BMJ*, 390, 347.

3. O n.º 5 permite, como regra geral, o uso de abreviaturas. Estas, porém, devem ter um significado inequívoco; se o não tiverem proceder-se-á à aclaração, nos termos gerais. Este uso é até vulgar nos processos de natureza penal, civil ou outra e é do conhecimento generalizado entre todos os que contactam com esses processos.

As penas, montantes indemnizatórios e outros elementos cuja certeza importe acautelar (*v. g.* medidas de segurança) devem ser indicados por extenso. Se o não forem, verifica-se uma irregularidade processual, sujeita ao regime do art. 123.º.

4. No n.º 6 estabelece-se a obrigatoriedade de menção, nos actos processuais que tiverem de revestir forma escrita, do dia, mês e ano da prática de acto, bem como, tratando-se de acto que afecte liberdades fundamentais das pessoas, da hora da sua ocorrência, com referência aos momentos do início e da conclusão; mais se estabelece a obrigatoriedade de menção do lugar da prática do acto. Estas exigências justificam-se, pois em processo penal há prazos de horas relacionados com as liberdades fundamentais (*v. g.* prazo máximo de 48 horas para a entrega de detidos); há actos que não podem ser praticados durante a noite e há locais onde só se pode entrar mediante determinado condicionalismo.

Também a omissão destas menções constitui irregularidade processual, com o regime do art. 123.º; isto não significa, porém, que o acto praticado não possa, por outra razão, ser nulo.

5. Não se comina qualquer nulidade para a falta de observância do formalismo prescrito neste artigo, pelo que a violação dos normativos aqui estabelecidos originam uma simples irregularidade — art. 118.º, n.ºs 1 e 2 —, com o regime do art. 123.º.

Tratando-se porém de manifesta ilegibilidade de algum documento usar-se-á a providência prevista no n.º 4.

E tratando-se de abreviaturas ou expressões como significado equívoco pedir-se-á a respectiva aclaração, nos termos gerais.

6. *Jurisprudência:*

— Não enferma de qualquer nulidade o acto de magistrado em que este utiliza uma fotocópia, posto que a verifique e assuma como sua. (Ac. STJ de 25 de Outubro de 1989; *BMJ*, 390, 347);

— Se não conseguir ler, convenientemente e com facilidade, qualquer manuscrito, designadamente do magistrado do MP, o juiz do processo pode e deve ordenar aos seus serviços de apoio, ou à entidade que juntou o

Código de Processo Penal

manuscrito, a sua transcrição dactilografada, sem necessidade de discutir, com quem quer que seja, se a letra é boa ou má, legível ou não. (Ac. RE de 17 de Outubro de 1995; *CJ,* XX, tomo 4, 288).

ARTIGO 95.º

(**Assinatura**)

1. O escrito a que houver de reduzir-se um acto processual é no final, e ainda que este deva continuar-se em momento posterior, assinado por quem a ele presidir, por aquelas pessoas que nele tiverem participado e pelo funcionário de justiça que tiver feito a redacção, sendo as folhas que não contiverem assinatura rubricadas pelos que tiverem assinado.

2. As assinaturas e as rubricas são feitas pelo próprio punho, sendo, para o efeito, proibido o uso de quaisquer meios de reprodução.

3. No caso de qualquer das pessoas cuja assinatura for obrigatória não puder ou se recusar a prestá-la, a autoridade ou o funcionário presentes declaram no auto essa impossibilidade ou recusa e os motivos que para elas tenham sido dados.

---

1. Reproduz, com ligeira alteração formal, o art. 95.º do Proj. e corresponde aos arts. 90.º do Aproj. e 78.º do CPP de 1929.

2. As assinaturas dos juizes ou das entidades que presidirem ao acto processual podem ser feitas com o nome abreviado, talqualmente sucede em processo civil — art. 157.º, n.º 2, do CPC —, devendo conter, pelo menos, o nome e um dos apelidos. A rubrica, que deve ser aposta nas folhas que não contiverem assinatura, consta somente de um dos apelidos, escrito por forma abreviada. As assinaturas e as rubricas destinam-se a garantir a fidelidade e a autenticidade do auto.

As assinaturas obrigatórias são as das entidades especificadas no n.º 1. As rubricas, todas obrigatórias, constarão das folhas que não tiverem a assinatura das mesmas entidades no escrito onde se reduziu o acto processual de assinatura obrigatória.

3. Não se comina, neste artigo nem nos arts. 118.º e segs., qualquer nulidade para a omissão de assinaturas ou de rubricas. Trata-se, portanto, de uma irregularidade que pode ser reparada pela aposição das assinaturas ou das rubricas, como se permite no art. 123.º, n.º 3, talqualmente sucede no processo civil (cfr. art. 668.º, n.º 2, do CPC).

Tratando-se porém de impossibilidade ou de recusa de assinatura nos casos em que esta é obrigatória, que são os do n.º 1, o tratamento especificado será o do n.º 3.

Artigo 96.º

4. *Jurisprudência:*
— O momento em que deve ficar a constar do auto o motivo por que alguém se recusou a assiná-lo, apesar de documentar acto processual em que participou, é anterior ao encerramento do escrito. (Ac. RC de 6 de Março de 1991; *CJ,* XVI, tomo 2, 109).

ARTIGO 96.º

(Oralidade dos actos)

1. Salvo quando a lei dispuser de modo diferente, a prestação de quaisquer declarações processa-se por forma oral, não sendo autorizada a leitura de documentos escritos previamente elaborados para aquele efeito.
2. A entidade que presidir ao acto pode autorizar que o declarante se socorra de apontamentos escritos como adjuvantes da memória, fazendo consignar no auto tal circunstância.
3. No caso a que se refere o número anterior devem ser tomadas providências para defesa da espontaneidade das declarações feitas, ordenando-se, se for caso disso, a exibição dos apontamentos escritos, sobre cuja origem o declarante será detalhadamente perguntado.
4. Os despachos e sentenças proferidos oralmente são consignados no auto.
5. O disposto no presente artigo não prejudica as normas relativas às leituras permitidas e proibidas em audiência.

---

1. Reproduz o art. 96.º do Proj.; não havia disposição geral expressa, quer no Aproj. quer no CPP de 1929.

2. O disposto deste artigo significa que, salvo quando a lei dispõe de outro modo — *v. g.,* o caso do mudo que sabe escrever —, as declarações são prestadas oralmente, não podendo o declarante produzi-las por escrito nem ler documentos escritos previamente elaborados para o efeito de servirem como declarações. As declarações prestadas oralmente serão porém consignadas em auto sempre que a lei o exigir.
Quanto a sentenças e despachos, nos casos em que a lei autoriza que sejam proferidos oralmente, serão sempre depois consignados em auto, com as formalidade legais, sob pena de inexequibilidade (art. 468.º, al. *b).*

3. A regra da oralidade dos actos processuais que aqui se estabelece destina-se a garantir a imediação da prova e a espontaneidade das declarações, estando também de algum modo relacionada com a regra da livre apreciação da prova, formulada no art. 127.º.

Código de Processo Penal

ARTIGO 97.º

(Actos decisórios)

1. Os actos decisórios dos juízes tomam a forma de:

a) Sentenças, quando conhecerem a final do objecto do processo;

b) Despachos, quando conhecerem de qualquer questão inter-locutória ou quando puserem termo ao processo fora do caso previsto na alínea anterior;

2. Os actos decisórios previstos no númeo anterior tomam a forma de acórdãos quando forem proferidos por um tribunal colegial.

3. Os actos decisórios do Ministério Público tomam a forma de despachos.

4. Os actos decisórios referidos nos números anteriores revestem os requisitos formais dos actos escritos ou orais, consoante o caso.

5. Os actos decisórios são sempre fundamentados, devendo ser especificados os motivos de facto e de direito da decisão.

---

1. O texto actual deste artigo foi introduzido pela Lei n.º 48/2007, de 29 de Agosto. Reproduz porém a versão anterior, sem alteração significativa, tenho a alínea c) do n.º1 sido autonomizada, para passar a constituir o actual n.º 2.

Reproduz o art. 97.º do Proj., com excepção da parte final do n.º 15: *devendo ser especificados os motivos de facto e de direito da decisão,* que foi aditada pela Lei n.º 59/98, de 25 de Agosto. Não havia, no Aproj. e no CPP de 1929, disposições correspondentes, entendendo-se aplicáveis suple-tivamente as disposições do CPC.

2. O Código procura evitar a aplicação supletiva do CPC, e daí conter normas, como a deste artigo, em matérias comuns ao processo civil, e que o CPP de 1929 não continha.

Como já se deixou anotado, *supra,* anot. 1, a parte final do n.º 5 foi aditada pela Lei aí referida e destinou-se a especificar o conteúdo do dever de fundamentação dos actos decisórios, o que foi feito de harmonia com o que vínhamos sustentando em anteriores edições desta obra.

3. Este artigo refere tão-só a forma que os *actos decisórios* devem tomar, quer provenham de juizes, quer provenham do Ministério Público; além disso exige sempre fundamentação para os actos decisórios.

Os despachos de mero expediente, ou seja os que se destinam a regu-lar, de harmonia com a lei, os termos e o andamento do processo, continuarão a ser assim dedignados, pois este normativo não nos diz que só os actos decisórios nele enumerados podem ter a designação de despachos.

E porque tais despachos (de mero expediente) não são actos decisórios, não terão, consequentemente, que ser fundamentados.

Artigo 97.º

4. A obrigatoriedade de fundamentação dos actos decisórios é um princípio geral extensivo a todos os ramos de direito, pois que tem assento constitucional, no art. 205.º, n.º 1, da CRP.

Mas, como se considera na *Constituição da República Portuguesa Anotada* de Gomes Canotilho-Vital Moreira, a *fundamentação* das decisões judiciais está sob reserva da lei, à qual compete definir o âmbito do dever de fundamentação, podendo a lei garanti-lo com maior ou menor latitude. Todavia, a discricionaridade da lei nesta matéria não é total, visto que há-de entender--se que o dever de fundamentação é uma garantia integrante do próprio Estado de Direito democrático, ao menos quanto às decisões judiciais que tenham por objecto a solução da causa em juízo. E não se compreenderia, de resto, que a garantia da fundamentação seja menos exigente quanto às decisões judiciais do que quanto aos actos administrativos.

Só em casos pontuais, *maxime* quanto à sentença, que é o acto decisório por excelência, a lei especifica pormenorizadamente os requisitos da fundamentação (art. 374.º, n.º 3). Para os demais casos em que a lei não estabelece quaisquer requisitos devem seguir-se os apontados pela doutrina e pela jurisprudência, fundamentando-se a decisão com os elementos de facto e as razões de direito justificativos da decisão proferida.

5. É muito discutível se o dever de fundamentação das decisões judiciais imposto por este artigo e pelo art. 205.º, n.º 1, da CRP, proscreve em absoluto a possibilidade de o juiz fundamentar a decisão mediante remissão para outros actos processoais, que não de sua autoria, e a cujo conteúdo dá a sua adesão, designadamente remetendo para promoções do MP. As decisões judiciais são da autoria pessoal do juiz, que julga com imparcialidade e independência. Por isso, existirá proibição de fundamentar por remissão quando daí resultar dúvida sobre se trata de uma decisão pessoal do juiz. Uma adesão sem mais, sem que repercuta inequivocamente que é uma decisão do próprio juiz, embora em concordância com fundamentação alheia, não preencherá os requisitos legais de uma fundamentação. Nada obsta porém, em nosso entendimento, a que a fundamentação seja efectuada por simples remissão para anteriores actos processuais do mesmo juiz ou do mesmo tribunal, constantes do mesmo processo.

6. A falta de fundamentação dos actos decisórios, quando não tenha tratamento específico previsto na lei, constitui irregularidade, submetida ao regime do art. 123.º. Caso de tratamento específico é o de falta de fundamentação da sentença, que importa nulidade (art. 379.º, al. *a*)).

7. Quando o acto decisório revestir a forma oral, *v. g.*, sentença verbal em processo sumário, terá que ficar exarado nos autos sob pena de inexistência, pois que a oralidade circunscreve-se à forma de emissão do acto decisório (cfr. art. 99.º, n.º 1). Porém, se, no caso de sentença, só faltar a fundamentação, o vício não será o da inexistência, mas o de nulidade, conforme os arts. 379.º, al. *a*) e 374.º, n.º 2. Tratar-se-á de nulidade dependente de arguição, com o regime do art. 120.º;

Código de Processo Penal

8. *Jurisprudência:*

— Não é inconstitucional a norma do artigo 97.º, n.º 4, do Código de Processo Penal, se interpretada por forma a consentir que, no despacho que determina a prisão preventiva do arguido, que, no final do debate instrutório, é pronunciado como autor de crime que permite a aplicação de uma tal medida de coacção, o juiz fundamente a aplicação dessa medida, reenviando para os motivos de facto invocados pelo Ministério Público no seu parecer. (Ac. do Trib. Constitucional n.º 189/99, proc. 116/99, de 23 de Março de 1999; *DR*, II série, de 17 de Fevereiro de 2000);

— I — Não constitui sentença o rascunho que o juiz lê, contendo a decisão sobre os factos que na acusação se imputam ao arguido. II — A sentença escrita posteriormente pelo juizo e incorporada no processo sem prévia leitura pública é nula. III — Tal nulidade da sentença não pode ser colmatada com a leitura da mesma se entre o encerramento da discussão e essa leitura decorrerem mais de 30 dias. IV — Num tal caso, impõe-se a repetição do julgamento, pois que a prova antes reproduzida perdeu eficácia. (Ac. RP de 5 de Fevereiro de 2003; *CJ*, XXVII, tomo 1, 215);

— O dever de fundamentação das decisões judiciais imposto pelo art. 205.º n.º 1, da CRP, não proscreve em absoluto a possibilidade de o juiz fundamentar a sua decisão mediante remissão para a promoção do MP, a cujo conteúdo dá a sua adesão. A proibição de tal modo de fundamentar existe quando for susceptível de criar a dúvida sobre se se trata de uma decisão pessoal do juiz ou apenas um *ir atrás* do MP, pois só então o juiz deixa de desempenhar uma função que é a sua. Quando a decisão surge inequivocamente como uma decisão pessoal de juiz, os arts. 97.º, n.º 4; 141.º, n.º 6 e 194.º, n.º 1 do CPP não sofrem de inconstitucionalidade. (Ac. do Trib. Constitucional n.º 396/2003, de 30 de Julho de 2003, proc. n.º 485/2003; *DR*, II série, de 4 de Fevereiro de 2004);

— A fundamentação de uma decisão judicial pode ser feita por mera remissão para os fundamentos invocados noutra decisão judicial. (Ac. RC de 13 de Dezembro de 2007; *CJ*, ano XXXII, tomo 5, 49).

ARTIGO 98.º

(Exposições, memoriais e requerimentos)

1. O arguido, ainda que em liberdade, pode apresentar exposições, memoriais e requerimentos em qualquer fase do processo, embora não assinados pelo defensor, desde que se contenham dentro do objecto do processo ou tenham por finalidade a salvaguarda dos seus direitos fundamentais. As exposições, memoriais e requerimentos do arguido são sempre integrados nos autos.

2. Os requerimentos dos outros participantes processuais que se encontrem representados por advogados são assinados por estes, salvo se se verificar impossibilidade de eles o fazerem e o requerimento visar a prática de acto sujeito a prazo de caducidade.

Artigo 98.º

3. Quando for legalmente admissível a formulação oral de requerimentos, estes são consignados no auto pela entidade que dirigir o processo ou pelo funcionário de justiça que o tiver a seu cargo.

1. Reproduz o art. 98.º do Proj. O n.º 1 inspirou-se no § único do art. 13.º do Dec.-Lei n.º 35 007, de 13 de Outubro de 1945. Não havia disposição correspondente no CPP de 1929.

2. O n.º 1 consagra uma prática que já era legalmente admissível e até corrente no domínio do CPP de 1929, e que o § único do art. 13.º do Dec.-Lei n.º 35 007 veio consagrar expressamente. Este último diploma aludia aos assistentes e ao arguido; a lei actual só alude ao arguido, mas isso não significa que o assistente não possa também apresentar exposições, memoriais e requerimentos, no âmbito que o artigo define, pois que se trata de afloramentos de comandos gerais.

As exposições (termo que não constava do Dec.-Lei n.º 35 007) têm um conteúdo mais genérico que os memoriais, incidindo estes mais concretamente sobre os factos do processo. Os requerimentos destinam-se a formular uma pretensão e devem ser objecto de decisão da entidade à qual se destinam. As exposições e os memoriais devem ser apresentados em documento avulso que se integrará nos autos; os requerimentos podem ser formulados em documento avulso, também a integrar nos autos, ou, nos casos do n.º 3 consignados em auto, conforme aí se regula.

3. O texto deste artigo, através do confronto entre os n.ºs 1 e 2, parece inculcar que só ao arguido é dado apresentar exposições e memoriais, estando essa apresentação vedada aos outros participantes processuais. Esta orientação foi seguida por Costa Pimenta, *Código de Processo Penal Anotado,* anot. ao art. 98.º.

Afigura-se-nos porém que não é este o melhor entendimento:

A apresentação de exposições e memoriais integra-se no direito de petição, que tem até assento constitucional — art. 52.º, n.º 1, da CRP — sendo aqui uma incidência no processo penal quanto aos intervenientes processuais. O n.º 2 não visou de modo algum restringir esse direito, mas tão-só estabelecer a forma que deve revestir a apresentação dos requerimentos dos intervenientes processuais que não sejam arguidos.

Era assim no anterior regime do Dec.-Lei n.º 35 007, de 13 de Outubro de 1945, e não se compreenderia que o Código, atenta a orientação geral que seguiu, restringisse os direitos dos intervenientes processuais. Sucede ainda que dentro da orientação que seguimos expendia o Prof. Figueiredo Dias, *Direito Processual Penal,* 1.º vol., 160 e 520, e que este Mestre teve consabida e primordial intervenção na elaboração do Código.

4. O n.º 4 contém afloramento da obrigatoriedade de documentação de actos que revistam a forma oral — *quod non est in actis non est in mundo.* Caso típico é o de requerimento interpondo recurso logo a seguir à publicação da sentença, através de requerimento oral ditado para a acta.

Código de Processo Penal

ARTIGO 99.º

(Auto)

1. O auto é o instrumento destinado a fazer fé quanto aos termos em que se desenrolaram os actos processuais a cuja documentação a lei obrigar e aos quais tiver assistido quem o redige, bem como a recolher as declarações, requerimentos, promoções e actos decisórios orais que tiverem ocorrido perante aquele.

2. O auto respeitante ao debate instrutório e à audiência denomina-se acta e rege-se complementarmente pelas disposições legais que este Código lhe manda aplicar.

3. O auto contém, além dos requisitos previstos para os actos escritos, menção dos elementos seguintes:

a) Identificação das pessoas que intervieram no acto;

b) Causas, se conhecidas, da ausência das pessoas cuja intervenção no acto estava prevista;

c) Descrição especificada das operações praticadas, da intervenção de cada um dos participantes processuais, das declarações prestadas, do modo como o foram e das circunstâncias em que o foram, dos documentos apresentados ou recebidos e dos resultados alcançados, de modo a garantir a genuína expressão da ocorrência;

d) Qualquer ocorrência relevante para apreciação da prova ou da regularidade do acto.

4. É correspondentemente aplicável o disposto no artigo 169.º.

---

1. Reproduz com ligeira alteração formal, o art. 99.º do Proj. Inspirou-se nos arts. 457.º e 458.º do CPP de 1929 e nos arts. 134.º e 135.º do Projecto preliminar italiano.

2. O CPP de 1929 era muito sucinto sobre os meios destinados a fazer fé quanto aos termos em que se desenrolaram os actos processuais que devem ficar documentados, embora na prática se lavrasse um auto. O próprio CPC denota a mesma carência. Só quanto à acta da audiência de julgamento o CPP de 1929 era explícito, nos arts. 457.º e 458.º.

A omissão ficou colmatada com a exigência de um auto cujo conteúdo vem especificado no n.º 3, o qual deve ser lavrado sempre que haja lugar à prática de actos processuais que devam ficar documentados no processo.

Artigo 100.º

O auto respeitante ao debate instrutório e à audiência denomina-se *acta*, como no regime anterior.

3. Os autos são documentos autênticos, cuja força probatória está definida no art. 169.º. Como se explicita no n.º 1, são instrumentos destinados a fazer fé quanto aos termos em que se desenrolaram os actos processuais a cuja documentação a lei obriga e aos quais tiver assistido quem os redige e ainda a recolher as desclarações, requerimentos, promoções e actos decisórios orais que tiverem ocorrido perante aquele.

Os requisitos gerais dos autos constam dos arts. 94.º e 95.º (por imposição do n.º 3) e das alíneas do n.º 3. Para além destes requisitos gerais há requisitos especiais, dispersos pelo Código, designadamente no que concerne a processos especiais e às actas (debate instrutório e audiência).

4. Quais as consequências da omissão do auto, nos casos em que a lei exige que seja exarado e fique a constar do processo?

Afigura-se-nos que se deve aqui seguir o princípio *quod non est in actis non est in mundo*. Assim, a falta de auto, em tal caso, traduz-se na não existência do acto que devia ser documentado. As consequências serão, portanto, as da omissão do acto: inexistência, nulidade ou irregularidade, consoante os casos.

ARTIGO 100.º

(Redacção do auto)

1. A redacção do auto é efectuada pelo funcionário de justiça, ou pelo funcionário de polícia criminal durante o inquérito, sob a direcção da entidade que presidir ao acto.

2. Sempre que o auto dever ser redigido por súmula, compete à entidade que presidir ao acto velar por que a súmula corresponda ao essencial do que se tiver passado ou das declarações prestadas, podendo para o efeito ditar o conteúdo do auto ou delegar, oficiosamente ou a requerimento, nos participantes processuais ou nos seus representantes.

3. Em caso de alegada desconformidade entre o teor do que for ditado e o ocorrido, são feitas consignar as declarações relativas à discrepância, com indicação das rectificações a efectuar, após o que a entidade que presidir ao acto profere, ouvidos os participantes processuais interessados que estiverem presentes, decisão definitiva sustentando ou modificando a redacção inicial.

---

1. Reproduz o art. 100.º do Proj. Não havia disposição correspondente no CPP de 1929, e inspirou-se no art. 135.º, n.º 1, do Projecto preliminar italiano.

Ver anot. ao artigo anterior.

Código de Processo Penal

2. Como se dispõe-se no n.º 1, os autos são redigidos pelos funcionários de justiça, ou, tratando-se de inquérito, pelos funcionários de polícia criminal, mas sempre sob a direcção da entidade que preside ao acto a documentar pelos autos. Dentro deste condicionalismo, entendemos que, como sucedia na vigência do CPP de 1929, as testemunhas podem ser autorizadas pela entidade que preside ao acto a ditar os seus depoimentos; em tal caso, sendo os depoimentos ditados e redigidos por súmula, atender-se-á também ao disposto no n.º 2.

Quando aos autos são redigidos por súmula, a entidade que presidir ao acto deve tomar os cuidados apontados no n.º 2.

Os autos são documentos autênticos, com força probatória plena nos termos do art. 169.º, e destinam-se geralmente a documentar actos processuais de muito relevo. Daí as especiais precauções da lei quanto à feitura dos autos.

3. Sendo a redacção dos autos efectuada por funcionários, e por vezes por súmula, pode facilmente dar origem a erros, por divergência entre a realidade e o que ficou registado, e torna-se campo fácil de abusos. Para obstar a isso foi formulada a norma do n.º 3, que veio dar cobertura legal a uma prática já seguida no anterior regime do CPP de 1929.

O interveniente processual com legitimidade para tanto alegará a divergência e indicará as rectificações a efectuar, as quais serão ordenadas pela entidade que presidir se as considerar justificadas, mediante prévia audição dos outros participantes processuais interessados que estiverem presentes. A desconformidade também pode ser mandada rectificar oficiosamente pela entidade que preside (n.º 2).

4. *Jurisprudência:*
— A gravação magnetofónica ou audiovisual das declarações e depoimentos produzidos em audiência não dispensa a sua transcrição em escrita comum para o processo, no mais curto prazo que for possível e com as formalidades prescritas no n.º 2 do art. 101.ª do CPP. (Ac. RP de 14 de Abril de 1993, proc. 10988).

ARTIGO 101.º

(Registo e transcrição)

1. O funcionário referido no n.º 1 do artigo anterior pode redigir o auto utilizando meios estenográficos, estenotípicos ou outros diferentes da escrita comum, bem como socorrer-se de gravação magnetofónica ou audiovisual.

2. Quando forem utilizados meios estenográficos, estenotípicos ou outros diferentes da escrita comum, o funcionário que deles se tiver socorrido faz a transcrição no prazo mais curto possível, devendo a entidade que presidiu ao acto certificar-se da conformidade da transcrição antes da assinatura.

Artigo 101.º

3. Sempre que for realizada gravação, o funcionário entrega no prazo de 48 horas uma cópia a qualquer sujeito processual que a requeira e fornece ao tribunal o suporte técnico necessário.

4. As folhas estenografadas e as fitas estenotipadas ou gravadas são conservadas em envelope lacrado à ordem do tribunal, sendo feita menção no auto, de toda a abertura e encerramento dos registos guardados pela entidade que proceder à operação.

---

1. O texto dos n.ᵒˢ 2, 3 e 4 foi introduzido pela Lei n.º 48/2007, de 29 de Agosto, ficando inalterado o do n.º1. O n.º 3 contem dispositivo que não tinha correspondentes nas versões anteriores deste artigo; no n.º 2 aponta-se a eliminação da referência a encargos suportados nos termos fixados no Código das Custas Judiciais, certamente porque se trata de matéria a regular nesse Código.

O texto anterior deste artigo, com excepção do que já foi anotado, reproduzia com alterações formais, o art. 101.º do Proj. Não havia disposições correspondentes no CPP de 1929. Foi inspirado no art. 135.º, n.ᵒˢ 1 e 2 do Projecto preliminar italiano. O n.º 2 sofreu alteração introduzida pelo Dec.-Lei n.º 324/2003, de 27 de Dezembro, consistente na introdução das expressões *sendo os respectivos encargos suportados nos termos fixados no Código das Custas Judiciais* e *antes da assinatura*. Como resulta do Relatório do apontado Dec.-Lei, através dos n.ᵒˢ 4 e 5, sendo a administração da justiça um bem escasso e de primeira necessidade que comporta custos extremamente elevados para a comunidade, ficou estabelecido haver lugar à contagem de encargos no caso de serem utilizadas meios diferentes da escrita comum, o que porém foi eliminado pela redacção actual do n.º 2.

2. Este artigo foi introduzido para aproveitar as potencialidades dos modernos meios de gravação. Quando se utilizam meios diferentes da escrita comum para redigir o auto, ou se faz uso de gravação magnetofónica ou audio-visual, terá que ser feita a respectiva transcrição, fitas estenotipadas para o processo, no mais curto prazo que for possível, e com as formalidades prescritas no n.º 2. As folhas contendo os meios diferentes da escrita comum, designadamente as folhas estenografadas, bem como as ficarão conservadas em envelopes lacrado à ordem do tribunal, sendo feita menção, no auto, de toda a abertura e encerramento dos registos guardados pela entidade que procedeu à operação. Os suportes técnicos são guardados durante dois anos, a partir da decisão final, podendo depois ser destruídos por ordem do tribunal, tudo como se estabelece nos n,ᵒˢ 6 e 7.

3. A transcrição, como fica exarada no auto, é documento autêntico, que faz prova plena nos termos do art. 169.º. Por tal razão toma a lei especial precaução para garantir que ela reproduza com verdade o que ocorreu, fazendo impender sobre a entidade que presidiu ao acto o dever

Código de Processo Penal

de se certificar, antes da assinatura, de que está conforme. Como a entidade presidiu ao acto e a transcrição é feita em curto prazo, não necessitará de possuir conhecimentos especializados de estenografia ou de outros meios utilizados para que lhe seja possível assegurar-se da conformidade da transcrição.

4. *Jurisprudência:*
— Ver art. 100.º, anot. 4;
— A exigência feita no n.º 2 deste artigo, no sentido de a transcrição se realizar *no prazo mais curto possível,* deve ser interpretada em termos hábeis, de modo a serem levadas em conta as dificuldades próprias da tarefa e as disponibilidades dos meios técnicos e humanos existentes para o efeito. (Ac. STJ de 29 de Outubro de 1998; *BMJ,* 480, 292);
— Não é inconstitucional, por violação dos arts. 20.º, n.º 5 e 32.º, n.ºs 1 e 2 da Constituição da República, a interpretação da norma do n.º 2 do art.º 101.º do CPP que exige a transcrição para o auto, em escrita comum, das declarações e depoimento produzidos em audiência, constantes de gravação magnetofónica ou audiovisual. (Acs. do Trib. Constitucional n.ºs 159/2000, de 22 de Março, proc. n.º 507/99; *DR*, II série, de 10 de Outubro de 2000; 212//2000, de 5 de de Abril de 2000, proc. n.º 596/99; *ibidem*, de 12 e mesmo mês e 236/2000, proc. n.º 530/99, *ibidem*, de 2 de Novembro e 2000);
— I — Quando no recurso seja impugnada a decisão sobre a matéria de facto e a prova produzida tenha sido gravada, a transcrição a que se refere o n.º 4 do art. 412.º do CPP deve circunscrever-se às concretas provas que, no entender do recorrente, imponham decisão diversa da recorrida. II — Essa transcrição incumbe ao tribunal, nos termos do n.º 2 do art. 101.º do CPP. III — O art. 101.º do CPP não exige a transcrição sistemática do conteúdo das gravações, pois, quanto a elas e diferentemente do que sucede com os restantes meios em que se torna indispensável para apreensão do seu conteúdo a respectiva transcrição, esta não se torna necessária. (Ac. STJ de 11 de Janeiro de 2001, proc. n.º 3419/00-5.ª; *SASTJ*, n.º 47, 76);
— O art. 101.º do CPP não impõe, quer numa interpretação literal quer teleológica, que a transcrição, no caso de gravação magnetofónica, se efectuar de imediato, e antes de ser preferida a sentença. (Ac. RC de 30 de Janeiro de 2002: *CJ,* XXVII, tomo 1, 44).

ARTIGO 102.º

(Reforma de auto perdido, extraviado ou destruído)

1. Quando se perder, extraviar ou destruir auto ou parte dele procede-se à sua reforma no tribunal em que o processo tiver corrido ou dever correr termos em primeira instância, ainda mesmo quando nele tiver havido algum recurso.

Artigo 102.º

2. A reforma é ordenada pelo juiz, oficiosamente ou a requerimento do Ministério Público, do arguido, do assistente ou das partes civis.

3. Na reforma seguem-se os trâmites previstos na lei do processo civil em tudo quanto se não especifica nas alíneas seguintes:

a) Na conferência intervêm o Ministério Público, o arguido, o assistente e as partes civis;

b) O acordo dos intervenientes, transcrito no auto, só supre o processo em matéria civil, sendo meramente informativo em matéria penal.

---

1. Reproduz o art. 102.º do Proj. e corresponde aos arts. 447.º a 449.º do Aproj.; *BMJ*, 329, 209 e 617.º a 624.º do CPP de 1929.

2. A disposição do n.º 1 aproxima-se muito do dispositivo do art. 617.º do CPP de 1929, e tem um alcance idêntico ao desse dispositivo. O comando final deste n.º 1 só rege quando o tribunal superior funciona como tribunal de recurso. Quando o STJ ou a Relação funcionam como primeira ou como única instância, aí se deve proceder à reforma.

A reforma é sempre ordenada pelo juiz, e a este pertence a competência para o processo. Por isso, encontrando-se o processo na fase de inquérito, a competência pertence ao juiz de instrução, e não ao MP. É ainda o mesmo juiz o competente no caso de se tratar de reforma de processo que se encontra na fase de instrução.

3. As disposições das als. *a)* e *b)* do n.º 3 traduzem especificidades do processo penal em relação ao civil, pois naquele se aplicam em regra normas imperativas, que não estão dentro da disponibilidade das partes. Por isso, o acordo dos intervenientes na reforma de autos de processo penal perdidos só supre o processo em matéria civil, *v. g.* no que toca a responsabilidade civil conexa, e ainda assim só quando o próprio processo civil não estabelecer a proibição de o acordo das partes suprir a decisão sobre a reforma.

4. Não existem agora normativos correspondentes aos dos arts. 622.º (valor da reforma em caso de aparecimento do processo original) e 623.º (execução da sentença mediante documento autêntico) por se ter entendido que bastam as disposições do CPC (arts. 1079.º e 1075.º, n.ᵒˢ 1 e 3), de alcance idêntico ao daqueles dispositivos do CPP de 1929.

Também não existe disposição correspondente à do art. 624.º do CPP de 1929, porque seria desnecessária: a responsabilidade por taxa de justiça e custas por parte de quem tiver dado causa ao incidente está definida no Livro XI, art. 520.º, al. *b)* e a responsabilidade pelo descaminho ou des-truição é questão de que curam o Direito Criminal substantivo e o Direito Disciplinar.

Código de Processo Penal

TÍTULO III

DO TEMPO DOS ACTOS E DA ACELERAÇÃO DO PROCESSO

ARTIGO 103.º
(Quando se praticam os actos)

1. Os actos processuais praticam-se nos dias úteis, às horas de expediente dos serviços de justiça e fora do período de férias judiciais.

2. Exceptuam-se do disposto no número anterior:

a) Os actos processuais relativos a arguidos detidos ou presos, ou indispensáveis à garantia da liberdade das pessoas;

b) Os actos de inquérito e de instrução, bem como os debates instrutórios e audiências relativamente aos quais for reconhecida, por despacho de quem a elas presidir, vantagem em que o seu início, prosseguimento ou conclusão ocorra sem aquelas limitações;

c) Os actos relativos a processos sumários e abreviados;

d) Os actos processuais relativos aos conflitos de competência, requerimentos de recusa e pedidos de escusa;

e) Os actos relativos à concessão da liberdade condicional, quando se encontrar cumprida a parte de pena necessária à sua aplicação;

f) Os actos de mero expediente, bem como as decisões das autoridades judiciárias, sempre que necessário;

3. O interrogatório do arguido não pode ser efectuado entre as 0 e as 7 horas, salvo em acto seguido à detenção:

a) Nos casos da alínea *a)* do n.º 5 do artigo 174.º; ou

b) Quando o próprio arguido o solicite.

4. O interrogatório do arguido tem a duração máxima de 4 horas, podendo ser retomado, em cada dia, por uma só vez e idêntico prazo máximo, após um intervalo mínimo de 60 minutos.

5. São nulas, não podendo ser utilizadas como prova, as declarações prestadas para além dos limites previstos nos n.ºs 3 e 4.

Artigo 103.º

1. O texto actual deste artigo foi introduzido pela Lei n.º 48/2007, de 29 de Agosto. O texto anterior reproduzia o art. 103.º do Proj. e correspondia aos arts. 89.º do Aproj. e 75.º e 76.º do CPP de 1929, com excepção da al. *c)* do n.º 2, que fora aditada pela Lei n.º 59/98, de 25 de Agosto.

Relativamente ao texto anterior, a versão actual deste artigo apresenta as seguintes alterações mais relevantes:

— As alíneas *c)*, *d)* e *e)* do n.º 2 são dispositivos novos, sem correspondentes anteriores;

— O período de interdição do interrogatório do arguido foi aumentado em uma hora (anteriormente entre as zero e as seis horas);

— A ressalva estabelecida na parte final do n.º 3 é dispositivo inovador;

— O n.º 4 é também um dispositivo novo, sem correspondente anterior; e

— A 2.ª oração do n.º 5 não constava da versão anterior, a qual se limitava a cominar com nulidade o interrogatório efectuado entre as zero e as seis horas, salvo em acto seguido à detenção. Note-se que o texto do n.º 5, designadamente na final — *para além dos limites previstos nos n.ºs 4 e 5*, inculca que as declarações prestadas dentro dos limites desses números podem ser utilizadas. Assim, se um interrogatório tiver durado 5 horas só são nulas e não poderão ser utilizadas as declarações prestadas entre a 4.ª e a 5.ª hora.

A nulidade verdadeiramente, tem a natureza de um método proibido de prova, porque radica e se baseia na provável capacidade de memória ou de avaliação do arguido se encontrarem diminuidas, o mesmo sucedendo com a integridade física ou moral. Por isso, e como resulta do art. 126, n.ºs 1 e 2, as declarações prestadas para além dos limites previstos nos n.ºs 3 e 4 não podem ser utilizadas, ainda que prestadas com consentimento do arguido.

2. O período de férias judiciais é estabelecido pela Lei de Organização e Funcionamento dos Tribunais Judiciais e, actualmente, decorre de 22 de Dezembro a 3 de Janeiro, de Domingo de Ramos a Segunda-Feira de Páscoa e de 1 a 31 de Agosto.

O horário e o funcionamento das secretarias judiciais é fixado pelo art. 3.º do Dec.-Lei n.º 376/87, de 11 de Dezembro, na redacção introduzida pela Lei n.º 44/96, de 3 de Dezembro, do seguinte teor:

1. Sem prejuizo da instituição, por despacho do Ministro da Justiça, de horário contínuo e do encerramento ao público uma hora antes do termo do horário diário, as secretarias funcionam das 9 às 12 horas e das 14 às 18 horas.

2. As secretarias funcionam nos dias úteis.

3. As secretarias funcionam igualmente aos sábados, domingos e feriados quando seja necessário assegurar o serviço urgente previsto no Código de Processo Penal e na Organização Tutelar de Menores.

4. O serviço urgente que deva ser executado para além do horário de funcionamento das secretarias é assegurado, sob a superior orientação dos magistrados, pela forma acordada entre os funcionários que chefiem os respectivos serviços judiciais e do Ministério Público.

Código de Processo Penal

Estes dispositivos foram estabelecidos certamente tendo em vista a exigência constitucional e também formulada no art. 254.º deste Código, de os detidos serem entregues ao Poder Judicial no prazo máximo de 48 horas após a captura. Para adequada satisfação desta exigência constitucional e da lei ordinária, a já referida Lei n.º 44/96 alterou o art. 90.º da Lei n.º 38/87 (LOTJ), determinando a organização por turnos durante as férias judiciais e criou 50 tribunais de turno, tomando ainda outras providências legislativas.

O regime jurídico dos feriados da função pública encontra-se estabelecido no Dec.-Lei n.º 333/77, de 13 de Agosto.

Segundo o n.º 1 do artigo único deste diploma são feriados obrigatórios:

1 de Janeiro;
Sexta-Feira Santa;
25 de Abril;
1 de Maio;
Corpo de Deus (festa móvel);
10 de Junho;
15 de Agosto;
5 de Outubro;
1 de Novembro;
1 de Dezembro;
8 de Dezembro; e
25 de Dezembro.

Segundo o n.º 2 do mesmo artigo, além dos feriados obrigatórios, apenas poderão ser observados o feriado municipal da localidade, ou, quando este não existir, o feriado distrital, e ainda a Terça-Feira de Carnaval.

3. A excepção do n.º 2 não significa, evidentemente, que os actos enumerados nas suas alíneas se não podem praticar nos dias úteis, às horas de expediente e fora do pedido de férias judiciais, mas antes que se podem e devem praticar (trata-se de um poder vinculativo) em qualquer momento, sem tais limitações, desde que isso seja indispensável para a realização dos fins visados pela lei, *v. g.* para a garantia da liberdade das pessoas.

De notar porém que durante o período de férias judiciais correm os prazos relativos a arguidos detidos ou presos e indispensáveis à garantia da liberdade das pessoas, pelo que, por exemplo, corre durante esse período o prazo de interposição de recurso por parte de arguido nessas condições, bem como para apresentação de motivação dos respectivos recursos.

Isto resulta também do art. 104.º, n.º 2.

Como já anotou, a al. *f)* deste número foi aditada pela Lei mencionada *supra,* anot. 1, destinando-se o normativo aí consignado a impor a prática em quaisquer dias, sejam ou não úteis, de qualquer acto processual urgente, ainda que não abrangido pela expressa previsão das alíneas anteriores. A riqueza dos casos da vida real pode fornecer casos destes, *v.g.* relacionados com provas que se podem perder, objectos que se podem deteriorar, etc. Trata-se de uma alínea residual que deixa muito para o prudente critério das autoridades judiciárias e de polícia criminal e para os órgãos de polícia criminal.

Artigo 103.º

4. *Jurisprudência fixada:*
— O disposto nos arts. 103.º, n.º 2, alínea *a)*, e 104.º, n.º 2, do CPP não é aplicável ao recurso interposto em processo à ordem do qual inexistem arguidos presos, ainda que o recorrente esteja preso à ordem de outro processo. (Ac. do Plenário das secções criminais do STJ n.º 5/95, de 27 de Setembro de 1995; *DR*, I-A série, de 14 de Dezembro de 1995);
— A tolerância de ponto não se integra no conceito de feriado. A tolerância de ponto não reúne, pois, os pressupostos para, por integração analógica, poder ser subsumida na previsão do artigo 144.º, n.ºs 1 e 3, do Código de Processo Civil. Porém, se o dia de tolerância de ponto coincidir com o último dia do prazo para a prática do acto, considera-se existir justo impedimento, nos termos do artigo 146.º, n.º 2, do Código de Processo Civil, para que o acto possa ser praticado no dia imediato. (Ac. do Plenário das secções criminais do STJ n.º 8/96, de 10 de Outubro de 1996; *DR*, I-A série, de 2 de Novembro do mesmo ano);
— O n.º 1 do artigo 150.º do Código de Processo Civil é aplicável em processo penal por força do artigo 4.º do Código de Processo Penal. (Ac. do Pleno das secções criminais do STJ de 9 de Dezembro de 1999 — assento n.º 2/2000 —; *DR*, I-A série, de 7 de Fevereiro de 2000).

5. *Jurisprudência:*
— I — A regra de que correm em férias os prazos de todos os intervenientes processuais em processos com arguidos presos, resultante da conjugação dos arts. 103.º, n.º 2, al. *a)* e 104.º, do CPP, não viola o princípio constitucional da igualdade, entendido como limite objectivo à discricionaridade legislativa, vedando ao legislador a adopção de medidas que estabeleçam desigualdades ou discriminações de tratamento materialmente infundadas. II — Na verdade, ao estabelecer um regime diferenciado no que respeita aos prazos de actos processuais referentes a processos com arguidos presos, o legislador teve em vista a defesa de valores constitucionalmente relevantes, tais como a celeridade e eficiência da justiça criminal, da liberdade do arguido e da defesa do sistema penal. (Ac. T. Constitucional n.º 213/93, de 16 de Março de 1993; *BMJ*, 425, 184);
— I — À contagem dos prazos para a prática de actos precessuais não se aplicam as disposições da lei de processo civil na parte em que determinam a sua suspensão durante as férias judiciais, sendo clara, nesse sentido, a lei de processo penal, como se vê do disposto nos arts. 103.º e 104.º do CPP. II — O legislador do CPP restringiu o regime geral da lei de processo civil à situação das férias judiciais, não se descortinando razões decisivas para equiparar o regime da não suspensão do processo durante as férias judiciais à situação dos dias intercalares — sábados, domingos e feriados. III — Consequentemente, o prazo para o recurso, havendo arguidos presos, corre em férias, mas sem prejuizo do disposto no art. 144.º do CPC, ou seja, com desconto de sábados, domingos e feriados. (Ac. STJ de 11 de Janeiro de 1995; *BMJ*, 443, 85);
— Embora o dia de Carnaval não constitua feriado obrigatório, é de considerar como feriado quando nele é concedida tolerância de ponto aos

Código de Processo Penal

funcionários e agentes do Estado. (Ac. RC de 13 de Março de 1996; *CJ,* XXI, tomo 2, 51). *Nota* — Sobre este ponto foi firmada jurisprudência pelo Plenário das secções criminais do STJ através do ac. de 10 de Outubro de 1996, sumariado *supra;*
— O despacho que determina que os autos sejam tramitados com urgência, nos termos do art. 103.º, N.º 2, al. *b),* do CPP, é de mero expediente, e consequentemente, irrecorrível. (Ac. RL de 2 de Maio de 2002; *CJ,* XXVII, tomo 3, 126);
— Nos processos com arguidos presos, os prazos processuais, estabelecidos para eles, são também aplicáveis aos que, no mesmo processo, não se encontrem nessa situação e aos demais intervenientes nos autos, bem como aos actos do tribunal e da sentença. (Ac. RE de 27 de Junho de 2005, proc. n.º 845/05; *CJ,* ano XXX, tomo 3, 265).

ARTIGO 104.º

(Contagem dos prazos de actos processuais)

1. Aplicam-se à contagem dos prazos para a prática de actos processuais as disposições da lei do processo civil.

2. Correm em férias os prazos relativos a processos nos quais devam praticar-se os actos referidos nas alíneas *a)* a *e)* do n.º 2 do artigo anterior.

---

1. A versão originária deste artigo reproduzia o art. 104.º do Proj. O n.º 1 não tinha correspondente no direito anterior, nem no Aproj., sendo então dispensável porque o CPC era subsidiário do CPP. O mesmo entendimento deve agora ser entendido face à formulação actual deste artigo introduzida pela Lei n.º 59/98, de 25 de Agosto, a que posteriormente a Lei n.º 48/2007, de 29 de Agosto aditou, no n.º 2, a referência às als. *a)* a *e)* do n.º 2 do art. 103.º.

2. O art. 6.º, n.º 3, do Dec.-Lei n.º 329-A/95 estabeleceu que se mantinham em vigor, para efeito da remissão operada pelo n.º 1 do art. 104.º do Código de Processo Penal, o disposto no n.º 3 do artigo 144.º do Código de Processo Civil, na redacção anterior à do Decreto-Lei n.º 329-A/95.
No mesmo sentido preceituou o art. 2.º da Lei n.º 28/96, de 2 Agosto (Lei de autorização para a revisão do Código de Processo Civil).
Conforme consta do relatório do Dec.-Lei n.º 180/96, de 25 de Setembro, que procedeu à revisão do CPC autorizada pela Lei que acaba de ser referida, ante a adopção da contagem de continuidade dos prazos (novo art. 144.º, n.º 1, do CPC) e a aplicação das disposições da lei de processo civil à contagem dos prazos de actos processuais no processo penal (remissão operada pelo art. 104.º, n.º 1, do CPP), adviria um encurtamento destes últimos. Assim, e até futura revisão do CPP mantiveram-se em vigor, para o processo

Artigo 104.º

penal, o preceituado no n.º 3 do art. 144.º do CPC, na redacção anterior à do Dec.-Lei n.º 329-A/95.

Portanto, em processo penal aplicavam-se provisoriamente à contagem de prazos para a prática de actos processuais as disposições da lei do processo civil anteriores à revisão do Código de Processo Civil levada a efeito pelo Dec.-Lei n.º 180/96, de 25 de Setembro, tudo se passando, neste domínio, como se a revisão não tivesse sido efectuada.

A Lei n.º 59/98, de 25 de Agosto, que procedeu à revisão do CPP, no art. 8.º, revogou o art. 6.º, n.º 3, do Dec.-Lei n.º 329-A/95, de 12 de Dezembro, com a redacção decorrente do art. 4.º do Dec.-Lei n.º 180/96, de 25 de Setembro, fazendo-se assim aplicar, em consequência, no processo penal, a regra da continuidade dos prazos estabelecida em processo civil. Esta medida obrigou à revisão de numerosos prazos para a prática de actos processuais em processo penal, adaptando-os às novas regras da contagem.

3. Existem regras especiais de contagem, neste Código, que devem ser acatadas. É este o caso da contagem do tempo de prisão, em que se aplicam as regras estabelecidas no art. 475.º. Só quando o CPP é omisso se aplicam as disposições do processo civil.

4. Particularmente quanto ao decurso de prazos durante as férias judiciais e a arguidos detidos ou presos, ver anot. 3 ao art. 103.º.

Correndo em férias judiciais os prazos relativos a processos nos quais devam praticar-se os actos emunerados nas als. do n.º 2 do art. 103.º, daí se segue que o prazo para a interposição de recurso em processo com arguido preso ou detido, ainda que em prisão domiciliária, corre mesmo durante essas férias, isto em princípio — ver anot. 3 ao art. 103.º.

5. A autonomia, que se procurou estabelecer até onde foi possível, do processo penal em relação ao processo civil, conjugada com o texto do n.º 1, onde se alude tão-só à contagem de prazos, e não já à sua natureza, significa que em processo penal não há prazos dilatórios. Não existe pois qualquer dilação para o início da contagem de prazos em processo penal, os quais, salvo disposição em contrário, começam a correr a partir da notificação. Sucede até que, residindo o arguido fora da comarca onde o processo corre, deve indicar pessoa que, residindo nessa comarca, tome o encargo de receber as notificações que lhe devam ser feitas. Este normativo, constante do art. 196.º, n.º 2, contém implícita a ideia de que não há prazos dilatórios, e não faria sentido com a coexistência desses prazos. Acresce que a rigidez deste sistema se encontra temperada no Código pelos dispositivos dos n.ºs 2, 3 e 4 do art. 107.º, mais favoráveis que os correspondentes do CPC, precisamente para de algum modo compensar a inexistência de prazos dilatórios.

Este entendimento não era uniforme na jurisprudência até ser proferido pelo Plenário das secções criminais do STJ o acórdão com força obrigatória n.º 2/96, de 6 de Dezembro de 1995, adiante sumariado e publicado no *DR*, I-A série, de 10 de Janeiro de 1996, o qual fixou a jurisprudência no sentido que sempre sustentámos.

Código de Processo Penal

6. *Jurisprudência fixada:*
— A disciplina autónoma do processo penal em matéria de prazos prescinde da figura da dilação, pelo que a abertura da instrução tem de ser requerida no prazo, peremptório, de cinco dias, previsto no n.º 1 do artigo 287.º do Código de Processo Penal. (Ac. do Plenário das secções criminais do STJ n.º 2/96, de 6 de Dezembro de 1995; *DR*, I-A série, de 10 de Janeiro de 1996).

7. *Jurisprudência:*
— I — No regime vigente em processo penal, é de aplicação subsidiária integral o actual regime de CPC, quer quanto à continuidade dos prazos, nos termos do art. 144.º, n.º 1, quer quanto à possibilidade de, independentemente de justo impedimento, o acto ser praticado nos três primeiros dias úteis subsequentes ao termo do prazo, conforme o disposto no art. 145.º n.º 5. II — Resulta da letra e do espírito desta disposição do n.º 5 do art. 145.º do CPC que esse prazo de três dias não constitui um prazo contínuo, mas implica antes a possibilidade de o acto ser praticado, com o pagamento imediato da multa variável conforme o dia em que o é, em algum dos três dias posteriores, que, por isso, tem necessariamente de ser dia útil. (Ac. STJ de 20 de Março de 2002, proc. n.º 230/02-3.ª; *SASTJ,* n.º 59, 56);
— I — São aplicáveis aos arguidos sob a obrigação de permanência na habitação as normas constantes dos arts. 104.º, n.º 2, al, *a)* e 106, n.º 2, do CPP. II — E sendo aplicável aquela primeira norma, inquestionável se torna a aplicação do disposto no art. 104.º, n.º 2, do mesmo diploma, obrigando a que corram em férias os prazos relativos a processos nos quais devam praticar-se actos — mormente a interposição de recursos — relativos a arguidos sujeitos à medida de obrigação de permanência na habitação. (Ac. STJ de 3 de Outubro de 2002, proc. n.º 2371/02-5.ª; *SASTJ,* n.º 64, 96);
— I — Em processo penal, independentemente de justo impedimento, pode o acto ser praticado no prazo, nos termos e com as mesmas consequências que em processo civil, com as necessárias adaptações, ou seja, dentro dos três primeiros dias úteis seguintes subsequentes ao termo de prazo art. 145.º, n.º 5, do CPC. Só que, nesse caso, a validade do acto ficará dependente do pagamento de uma multa. II — Uma vez porém que o MP, atento o seu específico estatuto, a não deve, é de perguntar qual adaptação que, em razão disso, será necessário impor ao preceito para que a justificação da isenção da multa não implique um privilégio do MP relativamente ao não cumprimento dos prazos processuais. II — Nesse sentido, o Trib. Constitucional vem exigindo — para afeiçoamento constitucional da norma — que o MP, não pagando a multa, emita uma declaração no sentido de pretender praticar o acto nos três dias posteriores ao termo do prazo. Essa exigência equivalerá, num plano simbólico, ao pagamento da multa, e será um modo suficiente e adequado de controlo institucional do cumprimento dos deveres relativos a prazos processoais pelo MP, conforme ac. do Trib. Constitucional de 11 de Julho de 2001, *DR,* II série, n.º 238. (Ac. STJ de 2 de Outubro de 2003, proc. n.º 2849/03-5.ª; *SASTJ,* n.º 74, 160);
— I — O MP está isento da multa prevista no art. 145.º, n.ºˢ 5 e 6, do CPC, devendo contudo exigir-se-lhe que emita uma declaração no sentido

Artigo 105.º

de que pretende praticar o acto nos três dias posteriores ao termo do prazo.

II — Nada dizendo o MP quanto à prática do acto fora do prazo, e comportando-se o mesmo como se tivesse interposto recurso dentro do prazo legal, cumpre entender como intempestiva a interposição de tal recurso e, por isso, importa rejeitá-lo. (Ac. STJ de 19 de Maio de 2005, proc. n.º 1438/05-5.ª; *SASTJ*, n.º 91, 148);

— Ante a urgência e a conveniência de os arguidos presos verem definida toda a sua responsabilidade criminal, deve interpretar-se o art. 104.º, n.º 2, do CPP como incluindo não só os processos à ordem dos quais haja um qualquer arguido preso, como os demais em que qualquer deles, como arguido, aguarde acusação, pronuncia, julgamento ou decisão de recurso. (Ac. STJ de Novembro de 2005; *SASTJ*, n.º 95, 134).

ARTIGO 105.º

(Prazo e seu excesso)

1. Salvo disposição legal em contrário, é de 10 dias o prazo para a prática de qualquer acto processual.

2. As secretarias organizam mensalmente rol dos casos em que os prazos se mostrarem excedidos e entregam-no ao presidente do tribunal e ao Ministério Público. Estes, no prazo de dez dias, contado da data da recepção, enviam o rol à entidade com competência disciplinar, acompanhado da exposição das razões que determinaram os atrasos, ainda que o acto haja sido entretanto praticado.

---

1. Reproduz, com alterações no n.º 2, o art. 105.º do Proj. O n.º 1 corresponde aos arts. 95.º, n.º 1, do Aproj. e 94.º do CPP de 1929. O prazo de 10 dias estabelecido no n.º 1 foi porém fixado pela Lei n.º 59/98, de 25 de Agosto (anteriormente 5 dias).

2. A disposição do n.º 2 não tinha antecedentes na legislação processual penal.

Trata-se, certamente, de uma providência salutar, inserida no propósito de aceleração processual que presidiu à elaboração do Código. No entanto, apesar da aparente simplicidade, a norma pode vir a revelar-se de realização difícil e de eficácia duvidosa. É, por vezes, difícil saber se os prazos se encontram ou não excedidos, e até quais os prazos que vigoram; todos os que andam pelos tribunais se dão conta da frequência com que, neste domínio, as dificuldades surgem. Os excessos de prazos nunca foram deixados ao critério das secretarias, quer porque implicam questões que podem ser de melindrosa análise, quer pelas consequências que daí resultam. Também a determinação da entidade faltosa pode suscitar questões delicadas, como no caso de sucessão de magistrados ou de funcionários que não deram andamento a um processo.

Código de Processo Penal

Nestes termos, a responsabilidade sobre a organização do rol de atrasos pertence à secretaria, mas a decisão sobre a existência ou não de atrasos pertence aos magistrados.

3. *Jurisprudência:*
— Não é inconstitucional a aplicação do art. 153.º do CPC no processo penal para esclarecimento de alguma obscuridade da sentença penal. (Ac. do Trib. Constitucional n.º 574/2001, de 12 de Dezembro; *DR,* II série, de 4 de Fevereiro de 2002);
— É inconstitucional a interpretação nos termos da qual o prazo referido abrange a arguição de nulidade respeitante a escutas telefónicas ocorrida durante o inquérito. (Ac. do Trib. Constitucional n.º 411/2002, de 10 de Outubro de 2002; *DR,* II série, de 16 de Dezembro do mesmo ano).
— I — Se é certo que o art. 215.º, n.º 4, do CPP não determina um prazo certo para serem ouvidos os arguidos, também é verdade que o prazo suplectivo estabelecido no art. 105.º, n.º 1, tem quer ser compatibilizado com o, prazo máximo legalmente previsto para prisão preventiva. II — É o que se verifica quando o tribunal dá ao arguido o prazo de 24 horas para se pronunciar nos termos e para os efeitos do art. 215.º, n.º 4, do CPP. (Ac. STJ de 11 de Outubro de 2007; *CJ, Acs. do STJ,* ano XV, tomo 3, 214).

ARTIGO 106.º

(Prazo para termos e mandados)

1. Os funcionários de justiça lavram os termos do processo e passam os mandados no prazo de dois dias.
2. O disposto no número anterior não se aplica quando neste Código se estabelecer prazo diferente, nem quando houver arguidos detidos ou presos e o prazo ali fixado afectar o tempo de privação da liberdade; neste último caso os actos são praticados imediatamente e com preferência sobre qualquer outro serviço.

---

1. Reproduz o art. 106.º do Proj. e corresponde muito proximamente aos arts. 96.º do Aproj. e 95.º do CPP de 1929.

2. No n.º 1 estabelece-se o prazo geral ou prazo-regra em que os funcionários de justiça devem lavrar os termos do processo e passar os mandados. Esse prazo geral para os actos de expediente da secretaria é de dois dias.
No n.º 2 enumeram-se as excepções àquele prazo geral de dois dias.
Esse prazo não se aplica quando a lei estabelecer prazo diferente *(lex specialis derogat generali).* E também não se aplica quando houver arguidos

Artigo 107.º

detidos ou presos e o prazo de dois dias afectar o tempo de privação de liberdade. Neste último caso os actos são praticados e os mandados são expedidos imediatamente e com preferência sobre qualquer outro serviço. Cremos que esta preferência deve funcionar com prevalência sobre todas as outras que a lei estabelece, desde que estas últimas se não destinem também a salvaguardar a liberdade das pessoas, pois que se trata aqui de um direito fundamental, com assento constitucional.

3. *Jurisprudência:*
— É inconstitucional, por violação do disposto no art. 32, n.º 1, da Constituição, a norma constante do art. 105.º do CPP, na interpretação segundo a qual abrange a arguição de nulidade respeitante a escutas telefónicas ocorrida durante o inquérito. (Ac. do Trib. Constitucional n.º 411/2002, de 10 de Outubro, proc. n.º 749/2001; *DR*, II série, de 16 de Dezembro de 2002).

ARTIGO 107.º
(Renúncia ao decurso e prática de acto fora do prazo)

1. A pessoa em benefício da qual um prazo for estabelecido pode renunciar ao seu decurso, mediante requerimento endereçado à autoridade judiciária que dirigir a fase do processo a que o acto respeitar, a qual o despacha em vinte e quatro horas.
2. Os actos processuais só podem ser praticados fora dos prazos estabelecidos por lei, por despacho da autoridade referida no número anterior, a requerimento do interessado e ouvidos os outros sujeitos processuais a quem o caso respeitar, desde que se prove justo impedimento.
3. O requerimento referido no número anterior é apresentado no prazo de três dias, contado do termo do prazo legalmente fixado ou da cessação do impedimento.
4. A autoridade que defira a prática de acto fora do prazo procede, na medida do possível, à renovação dos actos aos quais o interessado teria o direito de assistir.
5. Independentemente do justo impedimento, pode o acto ser praticado no prazo, nos termos e com as mesmas consequências que em processo civil, com as necessárias adaptações.
6. Quando o procedimento se revelar de excepcional complexidade, nos termos da parte final do n.º 3 do artigo 215.º, o juiz, a requerimento do MInistério Público, do assistente, do arguido ou das partes civis, pode prorrogar os prazos previstos nos artigos

Código de Processo Penal

78.º, 287.º e 315.º e nos n.ᵒˢ 1 e 3 do artigo 411.º, até ao limite máximo de 30 dias.

1. Os n.ᵒˢ 1 a 5 reproduzem o art. 107.º do Proj., não havendo antecedentes na legislação processual penal.

O n.º 6 tem a redacção introduzida pela Lei n.º 59/98, de 25 de Agosto, com alteração da parte final pela Lei n.º 48/2007, de 29 de Agosto, consistente na inclusão dos n.ᵒˢ 1 e 3 do art. 411.º e na elevação do limite máximo para 30 dias (anteriormente 20 dias).

2. A regra, em processo penal, continua a ser a da improrrogabilidade dos prazos e a da impossibilidade de renúncia ao seu decurso. Trata-se geralmente de leis de interesse e ordem pública, que se não encontram na disponibilidade das partes.

Fazem-se no entanto, neste artigo, três excepções:

a) Renúncia ao decurso do prazo pela pessoa a favor do qual ele é estabelecido, mediante requerimento e despacho, nos termos do n.º 1;

b) Prática do acto fora do prazo legal, para além do decurso deste prazo, no caso de justo impedimento. A lei não dá aqui qualquer critério para definição de *justo impedimento,* sendo também muito sucinta sobre a tramitação do incidente, pelo que teremos de nos socorrer das disposições do Processo Civil; e

c) Prorrogação dos prazos previstos nos arts. 78.º, 287.º, 315.º e n.ᵒˢ 1 e 3 do art. 411.º, até ao limite máximo de 30 dias, mediante requerimento do assistente, do arguido ou das partes civis, quando o procedimento se revelar de excepcional complexidade, nos termos do art. 215.º, n.º 3, parte final, como se preceitua no texto actual do n.º 6.

3. A renúncia ao decurso de um prazo é um acto unilateral, para cuja prática têm legitimidade os sujeitos processuais ou as pessoas a favor das quais o prazo foi estabelecido, incluindo portanto o MP.

Como acto unilateral que é, a renúncia não precisa de ser motivada, pelo que o processamento é aqui muito sucinto, sem necessidade mesmo de obediência ao princípio do contraditório. No despacho que a autorizar, a proferir em 24 horas, a autoridade judiciária só tem que verificar a legitimidade do renunciante e a legalidade da renúncia.

4. Contrariamente ao que sucede com a renúncia, a verificação de justo impedimento para o efeito de possibilitar a prática de acto processual fora do prazo estabelecido na lei está sujeita a processo em que se terá que respeitar o princípio do contraditório, pois que a prática fora do prazo legal pode afectar outros sujeitos processuais. O caso está regulado no n.º 2, regendo as normas do processo civil no que o CPP é omisso, *v. g.,* apresentação de provas.

5. *Jurisprudência:*

— O n.º 5 do art. 107.º do CPP, acrescentado pelo Dec.-Lei n.º 317//95, de 28 de Novembro, que veio prescrever que, independentemente de justo impedimento, os actos processuais podem ser praticados no prazo,

Artigo 107.º-A

nos termos e com as consequências que, em processo civil, com as necessárias adaptações... apenas regula para os actos praticados na sua vigência. (Ac. RP de 17 de Abril de 1996; *CJ*, XXI, tomo 2, 244);

— São inconstitucionais, por violação do art. 32.º, n.º 1, da Constituição, os arts. 107.º, n.º 2, do CPP e 146.º, n.º 1, do CPC (quando aplicado subsidiariamente em processo penal), quando interpretados no sentido de que a impossibilidade de consulta das actas de julgamento (quando tenha sido requerida a documentação em acta das declarações orais prestadas em audiência nos termos do art. 364.º, n.º 1, do CPP), por as mesmas não estarem ainda disponíveis, não constitui justo impedimento para a interposição de recurso da decisão final condenatória em processo penal. (Ac. do Trib. Constitucional n.º 363/2000, de 5 de Julho, proc. n.º 838/98; *DR*, II série, de 13 de Novembro de 2000);

— Não é inconstitucional a norma do art. 107.º n.º 2, do CPP, na interpretação segundo a qual, havendo possibilidade de acesso ao suporte material da prova gravada, a impossibilidade de acesso às transcrições das declarações orais prestadas em audiência (quando tenha sido requerida a respectiva gravação), por as mesmas ainda não estarem disponíveis, não constitui um justo impedimento para a interposição do recurso da decisão final condenatória em processo penal. (Ac. do Trib. Constitucional n.º 433/2002, de 20 de Outubro, proc. n.º 566/2002; *DR*, II série, de 7 de Janeiro de 2003);

— I — A referência feita pelo art. 113.º, n.º 2, do CPP, ao 3.º dia útil posterior ao envio, não comporta uma interpretação no sentido de todos os três dias serem úteis, mas sim que o último dia dos 3 tem de ser útil, ou seja tem de ser dia em que normalmente haja distribuição de correio. II — A referência aos 3 dias, devendo no entanto o último ser útil, não expressa uma certeza de distribuição, assumindo, no próprio dizer da lei, a natureza de uma presunção ilidível. III — Realidade diferente é aquela que resulta do n.º 5 do art. 145.º do CPC, mandado aplicar ao processo penal pelo n.º 5 do art. 107.º do CPP. Aqui, os 3 dias são úteis, tanto assim que a taxa de justiça varia, no segundo ou no terceiro dia. (Ac. STJ de 21 de Maio de 2003, proc. n.º 4403/02-3.ª; *SASTJ*, n.º 71, 96).

ARTIGO 107.º-A

(Sanção pela prática extemporânea de actos processuais)

Sem prejuízo do disposto no artigo anterior, à prática extemporânea de actos processuais penais aplica-se o disposto nos n.ºs 5 a 7 do artigo 145.º do Código de Processo Civil, com as seguintes alterações:

a) Se o acto for praticado no 1.º dia, a multa é equivalente a 0,5 UC;

b) Se o acto for praticado no 2.º dia, a multa é equivalente a 1 UC;

c) Se o acto for praticado no 3.º dia, a multa é equivalente a 2 UC.

Código de Processo Penal

1. Este artigo foi aditado pelo Dec.-Lei n.º 34/2008, de 26 de Fevereiro, diploma que aprovou o Regulamento das Custas Processuais e substituiu o Código das Custas Processuais.

2. A prática extemporânea de actos processuais pelo MP, conforme se dispõe no corpo deste artigo, rege-se pelo disposto nos n.ºˢ 5 a 7 do art. 145.º do CPC, estando porém o MP isento das multas estabelecidas nas alíneas *a), b),* e *c),* em virtude do disposto no art. 522.º, n.º 1. Tal prática deve ser comunicada ao superior hierárquico do MP, para apuramento de eventual responsabilidade disciplinar.

ARTIGO 108.º

(Aceleração de processo atrasado)

1. Quando tiverem sido excedidos os prazos previstos na lei para a duração de cada fase do processo, podem o Ministério Público, o arguido, o assistente ou as partes civis requerer a aceleração processual.

2. O pedido é decidido:

   a) Pelo procurador-geral da República, se o processo estiver sob a direcção do Ministério Público;
   b) Pelo Conselho Superior da Magistratura, se o processo decorrer perante o tribunal ou o juiz.

3. Encontram-se impedidos de intervir na deliberação os juizes que, por qualquer forma, tiverem participado no processo.

1. Corresponde ao art. 108.º do Proj., porém com alteração no que concerne à entidade com competência para decidir o pedido nos casos em que o processo decorre perante o tribunal ou o juiz.

2. A Lei n.º 43/86, de 26 de Setembro (Lei de Autorização legislativa, art. 2.º, n.º 2, al. 21)) determinou que se consagrasse um incidente destinado a competir à aceleração do processo ou à realização do julgamento, tendo em vista os prazos máximos previstos na lei, sendo o pedido decidido pelo procurador- -geral da República se o processo estiver sob a direcção do MP e pelo Conselho Superior da Magistratura nos demais casos.
   A Lei de Autorização legislativa, em disposição de duvidosa constitucionalidade, afastou-se sensivelmente do Proj., no que concerne à competência para a decisão nos casos em que o processo corre perante o tribunal ou o juiz. A competência segundo o Proj., pertencia ao tribunal de hierarquia imediatamente superior, e à Comissão encarregada de elaborar o Proj. pareceu ser esta a melhor solução, pois que o CSM é um órgão administrativo, que

Artigo 108.º

em matérias judiciais não pode dar ordens aos juizes, já que estes só estão sujeitos ao dever de obediência a decisões dos tribunais superiores, proferidas em recurso interposto no processo. A Lei n.º 43/86 determinou a remodelação dos arts. 108.º, 109.º e 110.º do Proj., e mesmo restrições do leque de medidas a tomar, já que o CSM não pode decidir matérias judiciais nem consequentemente proferir condenações. Por outro lado, ficou muito restringida a eficácia deste incidente que, como acabou por ficar regulado, mais adequada sede teria no Estatuto Judiciário como matéria administrativa.

3. A introdução, no CPP, de um incidente de aceleração processual esteve desde o primeiro momento na intenção da Comissão encarregada de elaborar o Proj. de CPP, e obteve a concordâncias do Ministro da Justiça, ao aprovar a inclusão desse incidente nas linhas gerais de orientação do diploma.

Pensou-se que, assim, poderia vir a obter-se a necessária aceleração, nos casos de chocante e injustificada morosidade.

A celeridade é reclamada no interesse de todos, particularmente do próprio arguido, e não é por acaso que a CRP, sob a influência da Convenção Europeia dos Direitos do Homem, lhe conferiu o estatuto de autêntico direito fundamental. Importa reduzir ao mínimo a duração de um processo que implica sempre a compressão da esfera jurídica de uma pessoa que pode até estar inocente, e se presume mesmo que o está, enquanto não for condenada. A isto acrescem os perigos de uma estigmatização e adulteração irreversível da identidade do arguido, que pode culminar em carreira de delinquente.

Este incidente é um dos afloramentos do propósito de alcançar celeridade processual. Outros afloramentos desse propósito são, a título exemplificativo, a irrecorribilidade de decisão instrutória que pronunciar o arguido; a nova disciplina em matéria de prazos, com cominações que se espera sejam eficazes; o poder de disciplina e direcção conferida às autoridades judiciárias, *maxime* ao juiz na fase de audiência de julgamento; a estruturação desta audiência e o seu desenvolvimento em termos de continuidade e concentração reforçadas; a simplificação e desburocratização de numerosos actos processuais, nomeadamente notificações; a existência de uma só forma de processo comum; a quase supressão do processo de ausentes; o relevo significativo atribuído à confissão integral e sem reservas; a introdução do processo especial sumaríssimo; a existência, em regra, de um só grau de recurso; etc.

4. No n.º 1 enunciam-se os fundamentos do pedido de aceleração processual: excesso de duração de cada fase do processo — *v. g.* encontrarem-se excedidos os prazos que a lei prevê para o inquérito ou para a instrução. Aí se indicam também quais as pessoas dotadas de legitimidade para requerer a aceleração processual.

Tratando-se da demora respeitante à soltura de detidos ou de presos, o processo mais adequado é o de *habeas corpus,* julgado em prazo muito reduzido e pelo tribunal do topo da hierarquia.

5. No n.º 2 estabelece-se a competência para a decisão sobre o pedido de aceleração.

301

Código de Processo Penal

Sobre a competência, ver *supra* n.º 2.

A competência atribuída ao CSM deixa de fora os casos em que o processo corre perante tribunal cujos membros não estão sujeitos administrativamente ao CSM, como é o caso do Tribunal Constitucional.

6. *Jurisprudência:*

— O art. 108.º, n.º 2, al. *b),* do CPP não viola o princípio da independência dos tribunais consagrado no art. 207.º da CRP, pois, como se vê do disposto no art. 109.º, n.º 5, al. *a), c)* e *d),* ao CSM não é facultado emitir injunções à prática de actos jurisdicionais. (Ac. 7/87 do TC, de 9 de Janeiro de 1987; *DR,* I, série, de 9 de Fevereiro de 1987).

ARTIGO 109.º

(Tramitação do pedido de aceleração)

1. O pedido de aceleração processual é dirigido ao presidente do Conselho Superior da Magistratura, ou ao procurador-geral da República, conforme os casos, e entregue no tribunal ou entidade a que o processo estiver afecto.

2. O juiz ou o Ministério Público instruem o pedido com os elementos disponíveis e relevantes para a decisão e remetem o processo assim organizado, em três dias, ao Conselho Superior da Magistratura ou à Procuradoria-Geral da República.

3. O procurador-geral da República profere despacho no prazo de cinco dias.

4. Se a decisão competir ao Conselho Superior da Magistratura, uma vez distribuído o processo vai à primeira sessão ordinária ou a sessão extraordinária se nisso houver conveniência, e nela o relator faz uma breve exposição, em que conclui por proposta de deliberação. Não há lugar a vistos, mas a deliberação pode ser adiada até dois dias para análide do processo.

5. A decisão é tomada, sem outras formalidades especiais, no sentido de:

a) Indeferir o pedido por falta de fundamento bastante ou por os atrasos verificados se encontrarem justificados;

b) Requisitar informações complementares, a serem fornecidas no prazo máximo de cinco dias;

c) Mandar proceder a inquérito, em prazo que não pode exceder quinze dias, sobre os atrasos e as condições em que se verificaram, suspendendo a decisão até à realização do inquérito; ou

Artigo 109.º

d) Propor ou determinar as medidas disciplinares, de gestão, de organização ou de racionalização de métodos que a situação justificar.

6. A decisão é notificada ao requerente e imediatamente comunicada ao tribunal ou à entidade que tiverem o processo a seu cargo. É-o igualmente às entidades com jurisdição disciplinar sobre os responsáveis por atrasos que se tenham verificado.

---

1. Corresponde ao art. 109.º do Proj., com as alterações impostas pela Lei de Autorização legislativa e ainda com o aditamento, no n.º 6, da obrigatoriedade de notificação da decisão ao requerente, introduzido pela Lei n.º 59/98, de 25 de Agosto. Ver anots. 1 e 2 ao artigo anterior.

2. Encontrando-se o processo na fase do inquérito, o pedido de aceleração é dirigido ao procurador-geral da República, por ser a entidade competente para a decisão — art. 108.º, n.º 2, al. *a)*).

Encontrando-se o processo em fase ulterior ao inquérito, o pedido é dirigido ao presidente do CSM, por ser a este Conselho que compete decidir — art. 108.º, n.º 2, al. *b)*.

A entrega do pedido é, porém, feita no tribunal ou na entidade (MP) a que o processo está afecto. O juiz, ou o MP no caso de inquérito, instruem o pedido com os elementos disponíveis e relevantes para a decisão, se não tiverem sido juntos pelo requerente, e remetem o processo assim organizado ao CSM ou à PGR, conforme os casos, no prazo de 3 dias.

Embora a lei o não refira — seria desnecessário fazê-lo — o juiz ou o MP podem lavrar informação sobre a solução a dar ao pedido e tudo o mais que se lhes afigurar de interesse, sendo até recomendável que o façam, talqualmente nos processos de *habeas corpus* e de revisão.

3. Sendo o procurador-geral da República competente para decidir o pedido, proferirá despacho no prazo de 5 dias, podendo despachar em algum dos sentidos enunciados nas alíneas do n.º 5. No caso de entender que o pedido é manifestamente infundado, assim exporá, a-fim-de o processo do incidente, quando baixar, ser concluso ao juiz de instrução, para que o peticionante seja condenado na soma referida no art. 110.º. De notar que esta soma acresce ao pagamento custas, a aplicar sempre que o pedido seja indeferido. Trata-se de sanções de diferente alcance, a primeira só para os casos em que a lide é de má fé ou temerária.

Sendo a decisão da competência do CSM seguem-se os mesmos trâmites em tudo o que se não encontra regulado no n.º 4. Aqui é de salientar que o CSM, porque não tem funções judiciais mas só administrativas, não pode proferir condenação em UCs nem tão-pouco em custas. Terá que ser o juiz ou o tribunal a fazê-lo, mediante parecer do

Código de Processo Penal

CSM, talqualmente se expôs *supra,* a propósito dos pedidos decididos pelo procurador-geral da República.

ARTIGO 110.º

(Pedido manifestamente infundado)

Se o pedido de aceleração processual do arguido, do assistente ou das partes civis for julgado manifestamente infundado, o tribunal, ou o juiz de instrução, no caso do n.º 2, alínea a), do artigo 108.º, condena o peticionante no pagamento de uma soma entre seis e vinte UCs.

---

1. Reproduz o n.º 2 do art. 110.º do Proj. Ver anots. 1 e 2 ao art. 108.º.

2. De notar que o dispositivo deste artigo se não aplica aos pedidos formulados pelo MP. Neste caso, a formulação de pedidos temerários ou manifestamente infundados cai somente na alçada disciplinar.
3. Como já se referiu em anot. ao artigo anterior, esta condenação numa soma em UCs tem um fundamento diferente, e até um destino diferente, da condenação em custas, pelo que as duas condenações se cumulam. Assim, quem simplesmente decair no incidente será somente condenado em custas que ao caso couberem; para além disto, quem tiver formulado pedido manifestamente infundado será condenado na soma em UCs, conforme se estabelece na parte final deste artigo.
Em anotação a este artigo na 8.ª edição desta obra, elaborada em Setembro de 1997, expendemos as seguintes considerações:
«De notar porém que as somas aplicadas a quem litiga de má fé ou de modo manifestamente infundado, não só no caso deste artigo mas também no de vários outros, *v.g.* nos dos arts. 38.º, n.º 5; 116.º, n.º 1; 221.º, n.º 4; 223.º, n.º 6; 420.º, n.º 4 e 456.º têm agora os limites estabelecidos no art. 102.º do Cód. das Custas Judiciais aprovado pelo Dec.-Lei n.º 224.º-A/96, de 28 de Novembro, que harmonizou os limites dos processos cíveis e criminais.
Estes limites são os seguintes:

a) Para os litigantes de má fé, de 2 a 100 UCs;
b) Para quaisquer outros casos não especialmente regulados na lei, de metade de 1 UC a 10 UCs.
Esta orientação, que resulta expressamente do texto do aludido artigo do Cód. das Custas Judiciais ao referir *processos criminais* e vem sendo seguida pelos anotadores ao Cód. das Custas Judiciais, afigura-se-nos pouco curial, dada a especificidade dos processos criminais e a tendência que se vem manifestando de autonomizar o processo criminal. A questão deve, em nosso entendimento, ser repensada e clarificada em futura revisão do CPP.»

Artigo 111.º

Ora a revisão do Código levada a efeito pela Lei n.º 59/98, de 25 de Agosto, não resolveu *expressis verbis* a questão. Resolveu-a porém, em nosso entendimento, de modo indirecto, pois em artigos cujo texto alterou, *v.g.* no art. 456.º, fixou os limites das somas em UCs a aplicar nos casos de litigância de má fé ou de modo manifestamente infundado, dando assim clara indicação de que os limites são os fixados pelo CPP e não os do Cód. das Custas Judiciais, tanto no que respeita aos artigos alterados como relativamente a todos os outros, por coerência do pensamento legislativo. Assim se nos afigura que a solução mais curial será a de, após a apontada revisão do CPP, considerar que é neste diploma que se fixam os apontados limites das somas em UCs a aplicar em processo penal.

As condenações são proferidas pelo juiz ou pelo tribunal, após a baixa do processo, que lhes será concluso. Para o efeito, no caso de pedidos manifestamente infundados, o procurador-geral da República ou o CSM exporão a sua posição, mas isto só quanto aos pedidos manifestamente infundados que determinam condenação em UCs, já que a condenação ou não em custas dependerá da própria decisão.

4. Jurisprudência:

Não sendo o processo penal um processo de partes, o seu uso indevido, mormente pelo queixoso, não é passível de determinar a sua condenação como litigante de má fé, tanto mais que há normas no CPP que especialmente sancionam o seu mau uso. (Ac. RE de 7 de Fevereiro de 2006; *CJ*, ano XXXI, tomo I, 262).

TÍTULO IV

DA COMUNICAÇÃO DOS ACTOS E DA CONVOCAÇÃO PARA ELES

ARTIGO 111.º

(Comunicação dos actos processuais)

1. A comunicação dos actos processuais destina-se a transmitir:

   a) Uma ordem de comparência perante os serviços de justiça;
   b) Uma convocação para participar em diligência processual;
   c) O conteúdo de acto realizado ou de despacho proferido no processo.

2. A comunicação é feita pela secretaria, oficiosamente ou precedendo despacho da autoridade judiciária ou de polícia criminal competente, e é executada pelo funcionário de justiça que tiver o processo a seu cargo, ou por agente policial, administrativo ou pertencente ao serviço postal que for designado para o efeito e se encontrar devidamente credenciado.

Código de Processo Penal

3. A comunicação entre serviços de justiça e entre as autoridades judiciárias e os órgãos de polícia criminal efectua-se mediante:

a) Mandado: quando se determinar a prática de acto processual a entidade com um âmbito de funções situado dentro dos limites da competência territorial da entidade que proferir a ordem;

b) Carta: quando se tratar de acto a praticar fora daqueles limites, denominando-se precatória quando a prática do acto em causa se contiver dentro dos limites do território nacional e rogatória havendo que concretizar-se no estrangeiro;

c) Ofício, aviso, carta, telegrama, telex, telecópia, comunicação telefónica, correio electrónico ou qualquer outro meio de telecomunicações: quando estiver em causa um pedido de notificação ou qualquer outro tipo de transmissão de mensagens.

4. A comunicação telefónica é sempre seguida de confirmação por qualquer meio escrito.

---

1. Reproduz o art. 111.º do Proj., excepto quanto ao texto do n.º 3 e ao da sua al. *c)*, que resultam da Lei n.º 59/98, de 25 de Agosto, a qual porém introduziu alterações de pouco relevo à versão originária.
Corresponde aos arts. 98.º e 104.º do Aproj. e 73.º e 83.º do CPP de 1929.

2. A Lei n.º 43/86, de 6 de Setembro (Lei de Autorização legislativa), art. 2.º, n.º 2, als. 17) e 18), determinou que o Código perfilhasse um sistema simplificado de notificações, com possibilidade de adoptar meios modernos de comunicação ou obtenção do concurso dos serviços postais, garantindo-se a efectiva comunicação com o notificando; mais determinou a eliminação do sistema de requisição de funcionários públicos, cuja comparência em juizo devia passar a ser obrigatória, independentemente de autorização do superior hierárquico.
O sistema de comunicação dos actos e de convocação das pessoas, estabelecido neste artigo e nos seguintes, foi organizado dentro destes parâmetros da Lei de Autorização legislativa.
As ligeiras alterações posteriormente introduzidas pela Lei referida *supra,* anot. 1, introduzindo na al. *c)* do n.º 3 a comunicação por meio de ofício e de telecópia, colmataram uma lacuna e actualizaram os meios de comunicação, mantendo-se dentro dos parâmetros aludidos.

3. Relativamente ao regime anterior, o Código estabelece uma maior simplificação da comunicação dos actos processuais, nomeadamente das notificações, facilitando a sua realização através de meios modernos, como o telefone e o telex, ou através dos serviços postais, tomando embora as necessárias cautelas para garantia da autenticidade do acto e subsequente prova da sua ocorrência.

Artigo 111.º

O Código adoptou disposições no sentido de se obter maior eficácia, nomeadamente quanto aos mandados para comparência, cuja dilação era fonte de atrasos dos processos criminais no domínio do CPP de 1929.

No caso de o notificando ser funcionário público, aligeira-se sensivelmente o regime anterior, pondo-se termo à obrigatoriedade de requisições ao abrigo das quais se conferia ao superior hierárquico o poder de impedir a comparência em acto processual de funcionário para tal notificado. Tratando-se agora de funcionário que, dependendo de superior hierárquico, tiver sido notificado para comparecer em acto processual, não carece de autorização, mas se a notificação não tiver sido feita por requisição deve informar imediatamente da notificação o superior, e apresentar-lhe documento comprovativo da comparência.

Veja-se a anot. 3 ao art. 114.º.

4. Desenvolvendo as orientações gerais explanadas nas anots. 2 e 3, explicita-se no n.º 1 que a comunicação dos actos processuais se destina a transmitir uma ordem de comparência, uma convocação para participar em diligência processual ou o conteúdo de acto realizado ou de despacho proferido no processo.

No n.º 2 preceitua-se sobre a entidade que toma a iniciativa da comunicação e sobre a execução desta. Particularmente de notar aqui a consagração expressa de que a comunicação pode ser feita por agente policial, administrativo ou do serviço postal. Sobre este ponto, vejam-se o art. 115.º e respectivas anots.

O caso particular de comunicações entre os vários serviços de justiça e entre as autoridades judiciárias e os órgãos de polícia crimial encontra-se regulado no n.º 3. Neste caso, semelhantemente ao regime anterior e ao processo civil, a comunicação reveste as formas tradicionais de mandato, carta, ofício, aviso, carta, telegrama, ou ainda telex, telecópia, comunicação telefónica ou qualquer outro meio de telecomunicações, tudo como se encontra pormenorizadamente regulado no n.º 3.

5. A disposição do n.º 4 destina-se, obviamente, a garantir a autenticidade do acto e a subsequente prova da ocorrência. A confirmação, por qualquer meio escrito, de comunicação por uma via de telecomunicações substitutiva do ofício ficará por este meio documentada nos autos, a par da garantia de que foi recebida pelo destinatário.

6. *Jurisprudência:*
— I — A expressão *comunicação*, no CPP de 1987, refere-se aos meios materiais de levar ao conhecimento das partes a prática de actos processuais, a quem compete determiná-la, executá-la e seu conteúdo; com a expressão *notificação* quer-se significar o modo e formalidades a observar. II — A notificação da acusação não pode ter lugar editalmente. (Ac. RC de 21 de Fevereiro de 1990; *CJ*, XV, tomo 1, 111);

— Com a autorização da prática de actos processuais através de telecópia pretendeu-se, além do mais, evitar às partes e aos intervenientes processos judiciais de qualquer natureza o custo e as demoras resultantes de deslocações a secretarias judiciais. II — O acto é praticado através de telecópia, servindo

Código de Processo Penal

o original apenas para o confirmar. (Ac. STJ de 11 de Janeiro de 2001, proc. n.º 2719/00-5.ª; *SASTJ*, n.º 47, 78);

— A lei processual penal não especifica o modo como devem ser cumpridas as cartas precatórias no tribunal deprecado, pelo que para a solução de eventuais questões suscitadas a esse nível se terá de recorrer, *ex vi* do art. 4.º do CPP, ao que se encontra disposto na lei processual civil. (Ac. STJ de 22 de Janeiro de 2001, proc. n.º 3421/00; *SASTJ*, n.º 48, 76).

ARTIGO 112.º

(Convocação para acto processual)

1. A convocação de uma pessoa para comparecer a acto processual pode ser feita por qualquer meio destinado a dar-lhe conhecimento do facto, inclusivamente por via telefónica, lavrando-se cota no auto quanto ao meio utilizado.

2. Quando for utilizada a via telefónica a entidade que efectuar a convocação identifica se e dá conta do cargo que desempenha, bem como dos elementos que permitam ao chamado inteirar-se do acto para que é convocado e efectuar, caso queira, a contraprova de que se trata de telefonema oficial e verdadeiro.

3. Revestem a forma de notificação, que indique a finalidade da convocação ou comunicação, por transcrição, cópia ou resumo do despacho ou mandado que a tiver ordenado, para além de outros casos que a lei determinar:

   a) A comunicação do termo inicial ou final de um prazo legalmente estipulado sob pena de caducidade;
   b) A convocação para interrogatório ou para declarações ou para participar em debate instrutório ou em audiência;
   c) A convocação de pessoa que haja já sido chamada, sem efeito cominatório, e tenha faltado;
   d) A convocação para aplicação de uma medida de coacção ou de garantia patrimonial.

---

1. Reproduz o art. 112.º do Proj. e corresponde aos arts. 98.º do Aproj. e 83.º do CPP de 1929.

2. Relativamente ao direito anterior, este artigo é inovador, na medida em que faculta a convocação por qualquer meio, inclusivamente pela via telefónica. Veja-se a anotação ao artigo anterior.

Em todo o caso, devem ser tomadas as necessárias cautelas para garantir a autenticidade do acto, e daí as providências que a lei aqui toma quanto ao uso da via telefónica, as quais não prejudicam, obviamente, outras possíveis garantias que devam ser utilizadas para garantia da autenticidade, a-fim-de

Artigo 113.º

que os convocados não fiquem sujeitos a incómodos ou mesmo a vexames por abusos dos meios que a lei agora faculta, ou até por intromissões de estranhos ao processo.

3. No n.º 3 indicam-se os actos que terão de ser comunicados mediante a forma de notificação. São actos que exigem um conhecimento pormenorizado do notificando; por isso terá que ser indicada a finalidade da convocação ou comunicação, por transcrição, cópia ou resumo do despacho a notificar.

A comunicação dos actos processuais e a convocação para eles, como regra geral, podem ser feitas por qualquer meio legalmente admissível, como se referiu *supra*, anot. 2, e também em anot. ao artigo anterior. Porém, e pelas razões já aduzidas, quanto a determinados actos a lei exige que a comunicação revista a forma de notificação. Esses actos, em que a comunicação terá que ser feita através de notificação, porque fogem à regra geral e são excepcionais, terão que estar especificados na lei e são os constantes das als. do n.º 3 e de outras disposições legais que imponham a notificação, e de que existem numerosos exemplos ao longo do Código.

A convocação para acto processual feita pela via telefónica e referida no n.º 2 deve obedecer ao estreito formalismo aí exigido, o qual se destina, como o do n.º 4 do artigo anterior, a garantir a autenticidade da convocação, bem como a que o convocado se inteire da finalidade do acto.

4. Não é admissível, em face da disciplina legal estabelecida nos arts. 112.º e segs. do CPP, a convocação de uma pessoa com a finalidade de, na secretaria do tribunal, lhe ser comunicada a determinação para posterior comparência a acto processual. (Parecer da PGR de 23 de Novembro de 1989, publicado no *DR*, II série, de 7 de Fevereiro de 1990 e anot. 3 ao art. 114.º).

ARTIGO 113.º

(Regras gerais sobre notificações)

1. As notificações efectuam-se mediante:

a) Contacto pessoal com o notificando e no lugar em que este for encontrado;
b) Via postal registada, por meio de carta ou aviso registados;
c) Via postal simples, por meio de carta ou aviso, nos casos expressamente previstos; ou
d) Editais e anúncios, nos casos em que a lei expressamente o admitir.

2. Quando efectuadas por via postal registada, as notificações presumem-se feitas no 3.º dia útil posterior ao do envio, devendo a cominação aplicável constar do acto de notificação.

3. Quando efectuadas por via postal simples, o funcionário judicial lavra uma cota no processo com a indicação da data da

Código de Processo Penal

expedição da carta e do domicílio para o qual foi enviada e o distribuidor do serviço postal deposita a carta na caixa de correio do notificando, lavra uma declaração indicando a data e confirmando o local exacto do depósito, e envia-a de imediato ao serviço ou ao tribunal remetente, considerando-se a notificação efectuada no 5.º dia posterior à data indicada na declaração lavrada pelo distribuidor do serviço postal, cominação esta que deverá constar do acto de notificação.

4. Se for impossível proceder ao depósito da carta na caixa de correio, o distribuidor do serviço postal lavra nota do incidente, apõe-lhe a data e envia-a de imediato ao serviço ou ao tribunal remetente.

5. Quando a notificação for efectuada por via postal registada, o rosto do sobrescrito ou do aviso deve indicar, com precisão, a natureza da correspondência, a identificação do tribunal ou do serviço remetente e as normas de procedimento referidas no número seguinte.

6. Se:

a) O destinatário se recusar a assinar, o agente dos serviços postais entrega a carta ou o aviso e lavra nota do incidente, valendo o acto como notificação;

b) O destinatário se recusar a receber a carta ou o aviso, o agente dos serviços postais lavra nota do incidente, valendo o acto como notificação;

c) O destinatário não for encontrado, a carta ou o aviso são entregues a pessoa que com ele habite ou a pessoa indicada pelo destinatário que com ele trabalhe, fazendo os serviços postais menção do facto com identificação da pessoa que recebeu a carta ou o aviso;

d) Não for possível, pela ausência de pessoa ou por outro qualquer motivo, proceder nos termos das alíneas anteriores, os serviços postais cumprem o disposto nos respectivos regulamentos, mas sempre que deixem aviso indicarão expressamente a natureza da correspondência e a identificação do tribunal ou do serviço remetente.

7. Valem como notificação, salvo nos casos em que a lei exigir forma diferente, as convocações e comunicações feitas:

a) Por autoridade judiciária ou de polícia criminal aos interessados presentes em acto processual por ela presidida, desde que documentadas no auto;

Artigo 113.º

b) Por via telefónica em caso de urgência, se respeitarem os requisitos constantes do n.º 2 do artigo anterior e se, além disso, no telefonema se avisar o notificando de que a convocação ou comunicação vale como notificação e ao telefonema se seguir confirmação telegráfica, por telex ou por telecópia.

8. O notificando pode indicar pessoa, com residência ou domicílio profissional situados na área de competência territorial do tribunal, para o efeito de receber notificações. Neste caso, as notificações, levadas a cabo com observância do formalismo previsto nos números anteriores, consideram-se como tendo sido feitas ao próprio notificando.

9. As notificações do arguido, do assistente e das partes civis podem ser feitas ao respectivo defensor ou advogado. Ressalvam-se as notificações respeitantes à acusação, à decisão instrutória, à designação de dia para julgamento e à sentença, bem como as relativas à aplicação de medidas de coacção e de garantia patrimonial e à dedução do pedido de indemnização civil, as quais, porém, devem igualmente ser notificadas ao advogado ou defensor nomeado; neste caso, o prazo para a prática de acto processual subsequente conta-se a partir da data da notificação efectuada em último lugar.

10. As notificações ao advogado ou ao defensor nomeado, quando outra forma não resultar da lei, são feitas nos termos do n.º 1, alíneas *a)*, *b)* e *c)*, ou por telecópia.

11. A notificação edital é feita mediante a afixação de um edital na porta do tribunal, outro na porta da última residência do arguido e outro nos lugares para o efeito destinados pela respectiva junta de freguesia. Sempre que tal for conveniente, é ordenada a publicação de anúncios em dois números seguidos de um dos jornais de maior circulação na localidade da última residência do arguido ou de maior circulação nacional.

12. Nos casos expressamente previstos, havendo vários arguidos ou assistentes, quando o prazo para a prática de actos subsequentes à notificação termine em dias diferentes, o acto pode ser praticado por todos ou por cada um deles até ao termo do prazo que começou a correr em último lugar.

---

1. O texto actual deste artigo é resultante da Lei n.º 59/98, de 25 de Agosto e do Dec.-Lei n.º 320-C/2000, de 15 de Dezembro.

Código de Processo Penal

A Lei n.º 59/98 introduziu relevantes alterações à verão originária; desta versão foi reproduzida a actual al. *a)* do n.º 7, que era a originária al. *a)* do n.º 3. O Dec.-Lei n.º 320-C/2000 introduziu os n.ºˢ 2, 3 e 4. De notar que em relação à inicial Proposta e lei governamental (n.º 41/VIII) a Assembleia da República, em votação na especialidade, conforme consta do *Diário da AR,* II série-A, de 23 de Outubro de 2000, aditou o dispositivo do n.º 4 e, no n.º 3, aditou o dever de o funcionário judicial lavrar cota no processo e que, no caso aí previsto, a notificação se considera efectuada no 5.º dia posterior à data indicada na declaração lavrada pelo distribuidor do serviço postal. Estes aditamentos levaram certamente em conta a prévia discussão na generalidade (veja-se o *Diário da AR* de 13 de Outubro de 2000); a crítica surgida de vários quadrantes a propósito de dispositivos paralelos introduzidos no processo civil, e ainda o intuito de garantir reforçadamente a autenticidade do conhecimento das notificações em processo penal, particularmente por parte dos arguidos.

As alterações introduzidas neste artigo desde a versão originária visaram portanto facilitar e aperfeiçoar o regime das notificações, cuja dificuldade de execução é reconhecidamente muitas vezes um entrave ao regular andamento dos processos.

2. Em face dos normativos legais estabelecidos com bastante soma de pormenores neste e em outros artigos, é possível distinguir as seguintes modalidades de notificações:

a) Notificação pessoal, que é levada a efeito mediante contacto pessoal com o notificando e no lugar em que este for encontrado ou com as pessoas indicadas nos n.ºˢ 7, al. *a),* 8 e 9.

A notificação pessoal é em regra feita por funcionário de justiça, mas pode ser feita por autoridade judiciária ou de polícia criminal no caso do n.º 7, al. *a)* ou por funcionário para o efeito designado, no caso do art. 114, n.º 1.

Trata-se de uma modalidade de notificação que pode ser efectuada em qualquer lugar onde o notificando se encontre, com excepção evidentemente do caso do art. 114.º, n.º 1, e em qualquer momento, pois o CPP não perfilha, neste aspecto, normas restritivas do processo civil, só acatando, obviamente, os ditames constitucionais.

b) Notificação por via postal registada, que é feita nos termos estabelecidos nos n.ºˢ 1, alínea *b),* 2 e 5.

Particularmente de notar que terá que ser o próprio agente dos serviços postais a proceder como pormenorizadamente se preceitua nas alíneas do n.º 6 e que o rosto do sobrescrito deve conter as indicações especificadas no n.º 5.

c) Notificação por via postal simples, que é feita nos termos dos n.ºˢ 1, alínea *c)*; 3 e 4. O regime das notificações por via postal simples, mormente com os dispositivos introduzidos pela AR em discussão e votação na especialidade e a que já aludimos na anot. 1, responde a premências no que respeita a andamento processual e supomos ter afastado viabilização de inconstitucionalidade através de mitigação dos direitos da defesa. Veja-se a discussão na AR, referida na anot. 1, particularmente a exposição do Ministro da Justiça, bem como a exposição de motivos da Proposta de lei n.º 41/VIII, onde se acentua a consideração de que o arguido tem, obvia-

312

Artigo 113.º

mente, o direito à defesa, mas não tem o direito de se furtar à acusação nem o de impedir o julgamento.

d) Notificação por via telefónica, que em caso de urgência pode ser efectuada por essa via, respeitando-se o condicionalismo estabelecido no n.º 7, alínea *b).*

e) Notificação por telecópia, que pode ser feita por esta via ao advogado ou ao defensor nomeado, conforme o dispositivo do n.º 10, *in fine.*

f) Notificações especiais. Em algumas disposições especiais são estabelecidas formas particulares de notificação, *rectius* são admitidos actos processuais que equivalem à notificação de pessoas presentes. São disto exemplos a leitura do despacho de pronúncia ou de não pronúncia findo o debate instrutório (art. 307.º, n.º 1) e a leitura da sentença (art. 372.º, n.º 4).

g) Notificação edital, que é feita mediante a afixação de editais e eventualmente da publicação de anúncios em dois números seguidos de um jornal, como se estabelece no n.º 11.

3. A notificação de uma pessoa colectiva é efectuada de harmonia com o disposto neste e em outros dispositivos do CPP, e segundo as normas do CPC na medida em que complementem os dispositivos do CPP.

Nestes termos, a notificação de pessoa colectiva ou entidade equiparada efectua-se mediante contacto pessoal com o seu representante legal ou qualquer empregado que se encontre na sede ou local onde funciona normalmente a administração, conforme o disposto no art. 231.º, n.º 3, do CPC, aplicável suplectivamente.

4. *Jurisprudência:*

— O ac. do STJ de 25 de Março de 1992, publicado no *DR* de 10 de Julho do mesmo ano, com força obrigatória, só pode ser interpretado no sentido de que, em situações em que o arguido está ausente em parte incerta, a notificação que lhe deve ser feita, nos termos do art. 113.º do CPP, é ordenada pelo juiz do processo, e não pelo MP. (Ac. STJ de 14 de Abril de 1993, proc. 43.880/3.ª);

— Quando haja lugar a notificação edital do arguido ausente em parte incerta da acusação contra ele deduzida, ao abrigo da ac. do STJ com força obrigatória de 25 de Março de 1992, compete ao MP e não ao juiz a determinação de ser ou não necessária ou conveniente a publicação de anúncios, para além da afixação de editais. (Ac. RE de 8 de Fevereiro de 1994; *CJ,* XIX, tomo 1, 298). *Nota* — Em sentido contrário o ac. STJ de 14 de Abril de 1993, *supra;*

— A acusação tem de ser obrigatoriamente notificada não só ao assistente como também ao seu advogado. (Ac. RC de 25 de Junho de 1997; *CJ,* XXII, tomo 3, 52);

— É inconstitucional, por violação do n.º 1 do artigo 32.º da lei fundamental, a norma constante do n.º 5 do artigo 113.º do Código de Processo Penal, quando interpretada no sentido de que a decisão condenatória proferida por um tribunal de recurso pode ser notificada apenas ao defensor que ali foi nomeado para substituir o primeiro defensor, que, embora convocado,

Código de Processo Penal

faltou à audiência, na qual também não esteve presente o arguido em virtude de não ter sido, nem dever ser, para ela convocado. (Ac. do Trib. Constitucional n.º 59/99, de 2 de Fevereiro, proc. n.º 487/97; *DR,* II série, de 30 de Março do mesmo ano);

— Não é inconstitucional a norma que se extrai dos arts. 411.º, n.º 1, e 113.º, n.º 5, do CPP, interpretados por forma a entender que, com o depósito da sentença na secretaria do tribunal, o arguido que, justificadamente, não esteve presente na audiência em que se procedeu à leitura pública da mesma, deve considerar-se notificado do seu teor, para o efeito de, a partir desse momento, se contar o prazo para recorrer da sentença, se, nessa audiência, esteve presente o seu mandatário. (Ac. do Trib. Constitucional n.º 109/99, de 10 de Fevereiro, proc. 747/98; *DR,* II série, de 15 de Junho de 1999);

— I — A referência feita pelo art. 113.º, n.º 2, do CPP, ao 3.º dia útil posterior ao envio, não comporta uma interpretação no sentido de todos os três dias serem úteis, mas sim que o último dia dos três tem de ser útil, ou seja, tem de ser dia em que normalmente haja distribuição de correio. II — A referência aos 3 dias, devendo no entanto o último ser útil, não expressa uma certeza de distribuição, assumindo, no próprio dizer da lei, a natureza de uma presunção ilidível. III — Realidade diferente é aquela que resulta do n.º 5 do art.º 145.º do CPC, mandado aplicar ao processo penal pelo n.º 5 do art.º 107 do CPP. Aqui, os 3 dias são úteis, tanto assim que a taxa de justiça varia, no segundo ou no terceiro dia. (Ac. STJ de 21 de Maio de 2003, proc. n.º 4403/02-3.ª; *SASTJ,* n.º 71,96);

— Não são inconstitucionais as normas dos artigos 334.º, n.º 8 e 113.º, n.º 7 do CPP, conjugados com a do artigo 373.º, n.º 3, do mesmo diploma, quando interpretadas no sentido de que consagram a necessidade de a decisão condenatória ser pessoalmente notificada ao arguido ausente, não podendo, enquanto essa notificação não ocorrer, contar o prazo para ser interposto recurso ou requerido novo julgamento. (Ac. do Tribunal Constitucional n.º 464/2003, de 23 de Outubro, proc. n.º 619/2002; *DR,* II série, de 5 de Janeiro de 2004);

— São inconstitucionais os arts. 113.º, n.º 9, e 411.º, n.º 1, do CPP, interpretados no sentido de que a notificação de uma decisão condenatória relevante para a contagem do prazo de interposição de recurso seria a notificação ao defensor, independentemente, em qualquer caso, da notificação pessoal ao arguido, sem exceptuar os casos em que este não tenha obtido conhecimento pessoal da decisão condenatórias. (Ac. do Trib. Constitucional n.º 476/2004, de 2 de Julho de 2004, proc. n.º 151/04; *DR,* II série, de 13 de Agosto de 2004);

— Contrariamente ao que sucede em processo civil, em que a notificação por via postal se presume feita no terceiro dia posterior ao do registo, ou no primeiro dia útil seguinte a este, quando ele o não seja, no processo penal a notificação só se presume feita no terceiro dia posterior ao do registo, ou seja, no terceiro dos três dias úteis posterior ao registo. (Ac. RG de 4 de Abril de 2005; *CJ,* XXX, tomo 2, 306);

— Não é inconstitucional a norma do art. 113.º, n.º 1, alínea c), e 3, do CPP, interpretada no sentido de que a omissão, no verso do sobrescrito contendo a carta de notificação do despacho de designação de dia para julgamento,

Artigo 114.º

depositado no receptáculo postal do arguido, da declaração da data desse depósito pelo distribuidor do serviço postal, constitui mera irregularidade, que se considera sanada se o arguido pôde vir a apresentar atempadamente a sua contestação e a comparecer na audiência de julgamento. (Ac. do Trib. Constitucional n.º 143/2006, de 21 de Fevereiro de 2006, proc. n.º 274/2005; *DR*, II série, de 3 de Abril de 2006);

— Não é incontitucional a norma derivada dos arts. 113.º n.º 9; 334.º, n.º 6 e 373.º, n.º 3, do CPP, interpretada no sentido de que pode ser efectuada por via postal simples, com prova de depósito, para a morada indicada no termo de identidade e residência prestado pelo arguido, a notificação de sentença condenatória proferida na sequência de audiência de julgamento a que o arguido, ciente da data da sua realização, requerera ser dispensado de comparecer, por residir no estrangeiro, sentença que foi notificada ao defensor do arguido, que esteve presente na audiência de julgamento e na audiência para leitura da sentença. (Ac. do Trib. Constitucional n.º 111/2007, de 15 de Fevereiro; *Acórdãos do Trib. Constitucional,* n.º 67, pág. 537);

— Não são inconstitucionais as normas dos arts. 373.º, n.º 3, e 113.º, n.º 9, do CPP, quando interpretadas no sentido de que tendo estado o arguido presente na primeira audiência de julgamento, onde tomou conhecimento da data da realização da segunda, na qual, na sua ausência e na presença do primitivo defensor, foi designado dia para a leitura da sentença, deve considerar-se que a sentença foi notificada ao arguido no dia da sua leitura, na pessoa do defensor então nomeado. (Ac. do Trib. Constitucional n.º 489/2008; *DR,* II série, de 11 de Novembro de 2008).

ARTIGO 114.º

(Casos especiais)

1. A notificação de pessoa que se encontrar presa é requisitada ao director do estabelecimento prisional respectivo e efectuada na pessoa do notificando por funcionário para o efeito designado.

2. A notificação de funcionário ou agente administrativo pode fazer-se mediante requisição ao respectivo serviço, mas a comparência do notificado não carece de autorização do superior hierárquico; quando, porém, a notificação seja feita por outro modo, o notificado deve informar imediatamente da notificação o seu superior e apresentar-lhe documento comprovativo da comparência.

---

1. O dispositivo do n.º 1 reproduz a dos mesmos artigo e número do Proj. e corresponde ao art. 98.º, n.º 4, do Aproj. e ao § 11.º do art. 83.º do CPP de 1929, introduzido pelo Dec.-Lei n.º 352/76, de 13 de Maio.

O dispositivo do n.º 2, na versão actual, foi introduzido pela Lei n.º 59/98, de 25 de Agosto, e representou inovação relativamente ao regime que vigorava antes da entrada em vigor do Código.

315

Código de Processo Penal

2. Como se referiu *supra*, a disposição do n.º 1, sobre notificação das pessoas que se encontram presas, tem tradição, embora recente, e insere-se na simplificação da comunicação dos actos processuais, que o Código decididamente perfilhou. De notar que a notificação de pessoa presa é sempre feita por este processo, ainda que o estabelecimento prisional não dependa do MJ, cessando assim a exigência de o estabelecimento depender deste Ministério, que existia na vigência do § 11.º do art. 83.º do CPP de 1929.

3. O dispositivo do n.º 2, mesmo na versão originária, representou profunda inovação relativamente ao regime do CPP de 1929, em cuja vigência os funcionários públicos eram requisitados.

Na versão originária deste número, os funcionários deixaram de ser requisitados, sendo notificados para comparecer aos actos processuais nos termos gerais.

Na versão actual, introduzida pela Lei mencionada na anot. 1, os funcionários e os agentes administrativos podem ser notificados nos termos gerais ou, em alternativa, requisitados ao respectivo serviço. Em qualquer dos casos observar-se-á o formalismo prescrito no apontado n.º 2. No regime do CPP de 1929 a comparência do notificando que fosse funcionário carecia de autorização do superior hierárquico, a qual deixou de ser necessária após a revogação desse diploma.

Em face desta disposição e de outras do Código e da Lei de Autorização legislativa, *maxime* dos seus arts. 2.º, n.º 2, alínea 17) e 18.º, ficaram revogados todos os normativos de natureza estatutária, nomeadamente da PSP, estabelecendo sobre o modo de requisição para actos processuais.

Ouvida sobre o ponto, a PGR emitiu o Parecer de 23 de Novembro de 1989, Proc. 268/89, publicado no *DR*, II série, de 7 de Fevereiro de 1990, de cujo sumário destacamos o seguinte:

— Os arts. 111.º e segs. do CPP de 1987, na sequência da injunção contida no art. 2.º, n.º 1, al. 18), da Lei n.º 43/86, de 26 de Setembro, generalizaram o regime de convocação (por qualquer meio, ou através de notificação, nos casos previstos no art. 112.º) a todas as pessoas, incluindo os funcionários ou agentes administrativos.

— Consequentemente, deve considerar-se tacitamente revogado o art. 108.º do Estatuto da PSP, aprovado pelo Dec.-Lei n.º 151/85, de 9 de Maio, que determinava sobre o modo de requisição, para actos processuais, dos agentes da PSP com funções policiais, concretizando para esta categoria o regime de requisição de funcionários e agentes previsto no art. 85.º do CPP de 1929, ao tempo vigente.

— Não é admissível, em face da disciplina legal estabelecida nos arts. 11.º e segs. do CPP de 1987, a convocação de uma pessoa com a finalidade de, na secretaria do Tribunal, lhe ser comunicada a determinação para posterior comparência a acto processual.

— A participação de agentes da PSP em actos processuais, em razão do exercício das respectivas funções, deve ser considerada como acto de serviço.

— A concretização do direito a férias dos agentes da PSP, como dos funcionários e agentes da Administração em geral, deve ter em consideração as exigências do serviço.

— Deve ser considerada como exigência de serviço, nos termos da

Artigo 115.º

conclusão anterior, a participação de agentes da PSP em acto processual para que tenham sido antecipadamente convocados.

— Revestindo as convocação do agente da PSP natureza imprevista, nos termos do art. 10.º, n.º 4, do Dec.-Lei n.º 497/88, de 30 de Dezembro, e podendo ocorrer, nessas circunstâncias, interrupção das férias nos limites necessários à participação no acto processual objecto da finalidade da convocação, tem o agente direito ao pagamento de transporte e à atribuição de uma importância compensatória, definidos nos termos do art. 10.º, n.º 7, als. *a)* e *b)*, deste diploma.

4. *Jurisprudência:*

— As notificações a arguidos presos são feitas mediante requisições aos meios prisionais, não havendo lugar a dilação. Ao caso não é aplicável o prazo do n.º 3 do art. 1.º do Dec.-Lei n.º 121/76, de 11 de Fevereiro, uma vez que se não utilizou a notificação postal. (Ac. STJ de 14 de Junho de 1989; *AJ*, n.º 0, 5).

ARTIGO 115.º
(Dificuldades em efectuar notificação ou cumprir mandato)

1. O funcionário de justiça encarregado de efectuar uma notificação ou de cumprir um mandado pode, quando tal se revelar necessário, recorrer à colaboração da força pública, a qual é requisitada à autoridade mais próxima do local onde dever intervir.

2. Todos os agentes de manutenção da ordem pública devem prestar auxílio e colaboração ao funcionário mencionado no número anterior e para os fins nele referidos, quando for pedida a sua intervenção e exibida a notificação ou o mandado respectivos.

3. Se, apesar do auxílio e da colaboração prestados nos termos dos números anteriores, o funcionário de justiça não tiver conseguido efectuar a notificação ou cumprir o mandado, redige auto da ocorrência, no qual indica especificamente as diligências a que procedeu, e transmite-o sem demora à entidade notificante ou mandante.

---

1. Reproduz o art. 115.º do Proj. Não havia disposições correspondentes no Aproj. nem no CPP de 1929, contendo porém este último diploma, no seu art. 87.º, disposições sobre o cumprimento de mandados pelas autoridades policiais.

2. O disposto neste artigo é afloramento da regra geral, estabelecida no art. 9.º, n.º 2, de que no exercício da sua função os tribunais e demais autoridades judiciárias têm direito a ser coadjuvados por todas as outras autoridades, e de que a colaboração solicitada prefere a qualquer outro serviço.

Código de Processo Penal

Para além do dever de colaboração, aqui estabelecido, poderão os tribunais e as demais autoridades judiciárias encarregar as autoridades policiais de fazer as notificações ou de cumprir os mandados, tal como se estabelecia no CPP de 1929? Cremos que esta possibilidade subsiste, apesar de a redacção do n.º 3 parecer que, de algum modo, a arreda. Seria incoerência manifesta que as notificações e comunicações pudessem ser feitas pela via telefónica e por funcionários postais (cfr. art. 113.º) e não o pudessem ser em caso algum pelas autoridades policiais. Por outro lado, como se acentuou em anot. ao art. 111.º, houve aqui o intuito de estabelecer uma maior simplificação e facilidade de comunicação do que aquela que o regime anterior perfilhava.

Aquela faculdade de ser cometida às autoridades policiais a realização das notificações e das comunicações deve porém ser usada moderadamente e reservada para casos extremos, tal como já era recomendável no regime anterior, pois trata-se de tarefa que, em princípio, caberá aos funcionários judiciais (ver anot. ao art. 87.º do CPP de 1929, no nosso Código de Processo Penal anotado).

ARTIGO 116.º
(Falta injustificada de comparecimento)

1. Em caso de falta injustificada de comparecimento de pessoa regularmente convocada ou notificada, no dia, hora e local designados, o juiz condena o faltoso ao pagamento de uma soma entre duas e dez UCs.

2. Sem prejuizo do disposto no número anterior, o juiz pode ordenar, oficiosamente ou a requerimento, a detenção de quem tiver faltado injustificadamente pelo tempo indispensável à realização da diligência e, bem assim, condenar o faltoso ao pagamento das despesas ocasionadas pela sua não comparência, nomeadamente das relacionadas com notificações, expediente e deslocação de pessoas. Tratando-se do arguido, pode ainda ser-lhe aplicada medida de prisão preventiva, se esta for legalmente admissível.

3. Se a falta for cometida pelo Ministério Público ou por advogado constituído ou nomeado no processo, dela é dado conhecimento, respectivamente, ao superior hierárquico ou à Ordem dos Advogados.

4. É correspondentemente aplicável o disposto no artigo 68.º, n.º 5.

---

1. O n.º 1 reproduz igual número do art. 116.º do Proj. O n.º 2 reproduz o n.º 3 do art. 116.º do Proj., porém com o aditamento do último período. Na última fase dos trabalhos de elaboração do Código foi suprimida a disposição constante do n.º 2 do Proj. Corresponde a disposições dos arts. 103.º do Aproj. e 91.º do CPP de 1929.

O n.º 4 foi introduzido pela Lei n.º 59/98, de 25 de Agosto.

Artigo 116.º

Quanto aos limites da soma em UCs, a aplicar no caso do n.º 1, veja--se a anot. 3 ao art. 110.º.

2. No regime do CPP de 1929 o art. 91.º desse diploma, que continha disposições correspondentes sobre a punição de faltosos, levantou várias e melindrosas questões, a algumas das quais foi dada resposta pelo Parecer da PGR n.º 98/78, publicado no BMJ, 284, 30 e segs. e, em sumário, no nosso *Código de Processo Penal*, 6.ª edição. Esse parecer, e as nossas anots., continuam a ter actualidade, em alguns aspectos.

A disposição que constava do n.º 2 deste artigo do Proj., e que foi eliminada, resolvia, pela via legislativa, a concorrência das faltas de que trata este artigo com o crime de desobediência, do art. 388.º do CP. A omissão entrega à doutrina e aos princípios gerais a solução do caso. Trata-se de normas especiais, que afastam as gerais, ainda que se trate do crime de desobediência, tanto mais que houve o intuito, bem patente através das medidas perfilhadas e que podem ser bem drásticas no caso do n.º 2, de dar aqui tratamento integral ao caso das faltas injustificadas.

3. A disposição do primeiro período do n.º 2 tem como antecedente o § 3.º do art. 91.º do CPP de 1929, introduzido pelo Dec.-Lei n.º 377/77, de 6 de Setembro. A detenção permitida por esta disposição é uma medida perfeitamente constitucional, porque abrangida pelo art. 27.º, n.º 3, al. *f)* da CRP.

A detenção permitida pelo último período do n.º 2, como se deduz da parte final, só pode ser ordenada quando no caso concreto, para além de haver fortes indícios da prática de crime doloso punível com pena de prisão de máximo superior a três anos e de se considerarem inadequadas ou insuficientes as restantes medidas de coacção, a falta injustificada for índice de alguma das situações no art. 204.º, e ainda a prisão preventiva se mostre proporcionada à gravidade do crime e às sanções que previsivelmente venham a ser aplicadas. Sobre estes pontos veja-se Odete Maria de Oliveira, *As Medidas de Coacção no novo Código de Processo Penal, Jornadas de Direito Processual Penal,* 183.

4. A disposição do n.º 3 não contém qualquer inovação significativa relativamente ao direito anterior. Trata-se de disposição especial, pelo que se não aplicam aqui as gerais.

A disposição do n.º 4 foi aditada pela Lei referida *supra,* anot. 1, e veio permitir que o processamento do incidente provocado pela falta de comparecimento corra em separado, com junção dos elementos necessários à decisão, nos casos em que isso se torne necessário para não prejudicar o regular andamento do processo.

5. O art. 1.º do Dec.-Lei n.º 330/91, de 5 de Setembro, estabeleceu que a falta de advogado a um acto judicial não carece de ser justificada nem pode dar lugar à sua condenação em custas. Trata-se de disposição privativa do processo civil, como bem se deduz do relatório do diploma e da circunstância de este emanar do Governo, sem autorização legislativa exigível em processo penal. No entanto, em processo penal a solução pouco diverge, aplicando-se aqui o disposto no n.º 3 do art. 116.º do CPP.

Código de Processo Penal

6. As sanções aqui previstas podem ser aplicadas por faltas injustificadas cometidas durante o inquérito a diligências para que os faltosos tenham sido convocados por mandado emitido pelo MP ou por autoridade de polícia criminal em que tenha sido delegada a diligência. O ponto, que deu origem a alguma controvérsia no regime dos Decs.-Leis n.ºs 605/75 e 377/77, foi resolvido pela via legislativa através do art. 273.º, n.º 3.

7. A competência para aplicação das sanções aqui previstas, mesmo quando a falta injustificada ocorra durante o inquérito, pertencente ao juiz. De notar porém que no n.º 3 não se comina qualquer sanção, mas um acto de expediente que, portanto, durante o inquérito será praticado pelo MP.

8. Quanto a pessoas colectivas faltosas, aplicam-se os dispositivos deste artigo. Assim, faltando o seu legal representante, notificado nessa qualidade, e não justificando a falta de comparecimento, haverá condenação em multa e eventual detenção para comparecimento.

9. *Jurisprudência fixada:*
— O atestado médico, para justificar a falta de comparência perante os serviços de justiça de pessoa regularmente convocada ou notificada, referido no art. 117.º, n.º 3, do CPP, não tem que indicar o motivo concreto que impossibilita essa comparência ou a torna gravemente inconveniente, mas apenas atestar que o faltoso se encontra doente e impossibilitado ou em situação de grave inconveniência, por doença, de comparacer. (Ac. do Plenário das secções criminais do STJ de 3 de Abril de 1991, Proc. 41 308/3.ª; *DR*, I série, de 25 de Maio de 1991). *Nota*. Esta jurisprudência fixada continua inteiramente válida, em nosso entendimento. No entanto, sendo alegada doença e apresentado atestado médico, dever-se-á ainda atender ao superveniente dispositivo do art. 117.º, n.º 4.

10. *Jurisprudência:*
— A soma em que o faltoso é condenado nos termos do art. 116.º do CPP não tem a natureza de multa criminal e, por isso, não é susceptível de ser paga em prestações, uma vez que este tipo de pagamento só é possível em relação às multas criminais e, quanto a custas, unicamente em relação a situações específicas do foro laboral e do foro cível. (Ac. RC de 4 de Maio de 1992; *CJ*, XVII, tomo 3, 220);
— A falta de advogado, sem justificação, a julgamento não é sancionável com pena de multa no âmbito do art. 116.º, n.º 1 do CPP, mas apenas com comunicação à Ordem dos Advogados. (Ac. RC de 24 de Novembro de 1993; *CJ*, XVIII, tomo 5, 60);
— O dever de uma testemunha notificada para comparecer em juizo não se esgota com a sua resposta à chamada, abarcando também o dever de se manter à ordem do tribunal até por este ser desobrigada. Assim, deve ser condenada nos termos do art. 116.º, n.º 1, do CPP a testemunha que responde à chamada e depois, injustificadamente e sem autorização, se ausenta do edifício do tribunal. (Ac. RC de 15 de Dezembro de 1993; *CJ,* XVIII, tomo 5, 72);
— É de julgar injustificada, não obstante a apresentação de atestado médico, a falta da arguida que, não tendo comparecido ao julgamento, não

Artigo 116.º

foi encontrada em casa, onde a polícia a procurou para a deter por ordem do juiz. (Ac. RP de 26 de Fevereiro de 1997; *CJ*, XXII, tomo 1, 265);

— Quando a falta de comparência de testemunha não tenha determinado o adiamento da audiência, por ter sido prescindida, não necessita de ser justificada. (Ac. RL de 26 de Outubro de 1999; *CJ*, XXIV, tomo 4, 161);

— I — A detenção para comparência, embora requerida pelo MP, não é acto da competência deste, mas um acto jurisdicional não delegável. II — Tratando-se da privação da liberdade duma pessoa, o acto está sujeito a controlo pela autoridade judiciária. III — Por isso, não podem ser emitidos mandados de detenção de uma pessoa para condução perante autoridade policial, a-fim-de ser interrogada como arguido. (Ac. RL de 13 de Janeiro de 2000; *CJ*, XXV, tomo 1, 136);

— A circunstância de a entidade policial actuar com delegação de poderes conferida pelo MP não possibilita que se lhe torne extensível o referido regime, designadamente o poder de detenção para comparência. (Ac. RL e 10 de Fevereiro de 2000; *CJ*, XXV, tomo 1, 156);

— É inconstitucional, por violação dos arts. 18.º, n.º 2, e 27.º da Constituição, a interpretação normativa do disposto no art. 116.º, n.º 2, do CPP, na redacção anterior à Lei n.º 59/98, de 25 de Agosto, que permitia que fosse ordenada a detenção, para comparência em julgamento, do arguido que tivesse faltado, pela primeira vez, à audiência de julgamento, antes de ter decorrido o prazo de que legalmente dispunha para justificação da falta. (Ac. do Trib. Constitucional n.º 363/2000, de 5 de Julho, proc. n.º 838/98; *DR*, II série, de 13 de Novembro de 2000);

— Quem não compareça a um acto judicial para que tenha sido regularmente convocado deve ser sancionado, ainda que esse acto se não realize, designadamente por impossibilidade do tribunal. (Ac. RE de 4 de Setembro de 2000; *CJ*, XXV, tomo 4, 277);

— I — A privação da liberdade na forma de detenção apenas e só pode ter lugar para assegurar a comparência perante uma autoridade judiciária ou seja, perante o magistrado do MP, o juiz de instrução ou o juiz julgador, consoante a fase em que o processo se encontrar. II — Nunca para comparência em diligência a realizar na secção de inquéritos da PSP. (Ac. RL de 3 de Outubro de 2000; *CJ*, XXV, tomo 4, 143);

— A falta de comparência do arguido, ou de outra pessoa, regularmente convocados para um acto processual, só pode ser provada e eventualmente sancionada se constar de auto certificativo. (Ac. RL de 3 de Julho de 2002; *CJ*, XXVII, tomo 4, 121);

— É inconstitucional o art. 116.º, n.º 1, do CPP, por violação do princípio da proporcionalidade resultante dos arts. 2.º e 18.º da Constituição, interpretado no sentido de determinar a aplicação obrigatória de uma sanção processual à testemunha faltosa da qual o sujeito processual que a apresentou veio a prescindir. (Ac. do Tribunal Constitucional de 8 de Março de 2006, proc. n.º 559/2005; *DR*, II série, de 17 de Abril de 2006);

— Impôr ao arguido uma comparência forçada, mediante detenção, sem que lhe tenha sido dada possibilidade efectiva de previamente e por sua livre vontade comparecer livremente, ou sem que tenha sido advertido dessa possibilidade, no caso de mudar de residência sem a comunicar, é uma medida desproporcionada e inadequada, portanto fora da previsão do art. 116.º, n.º 2, do CPP. (Ac. RP de 13 de Fevereiro de 2008, proc. n.º 713469);

Código de Processo Penal

— Não é inconstitucional a norma do n.º 1 do art. 116.º do CPP, quando interpretada no sentido de que a testemunha que não justifique a falta tem de ser sancionada, mesmo que o sujeito processual que a arrolou precinda do respectivo depoiamento e o juiz não determine oficiosamente a inquirição. (Ac. do Trib. Constitucional n.º 458/2007: *DR*, II série, de 11 de Agosto de 2008).

ARTIGO 117.º
(Justificação da falta de comparecimento)

1. Considera-se justificada a falta motivada por facto não imputável ao faltoso que o impeça de comparecer no acto processual para que foi convocado ou notificado.

2. A impossibilidade de comparecimento deve ser comunicada com cinco dias de antecedência, se for previsível, e no dia e hora designados para a prática do acto, se for imprevisível. Da comunicação consta, sob pena de não justificação da falta, a indicação do respectivo motivo, do local onde o faltoso pode ser encontrado e da duração previsível do impedimento.

3. Os elementos de prova da impossibilidade de comparecimento devem ser apresentados com a comunicação referida no número anterior, salvo tratando-se de impedimento imprevisível comunicado no próprio dia e hora, caso em que, por motivo justificado, podem ser apresentados até ao terceiro dia útil seguinte. Não podem ser indicadas mais de três testemunhas.

4. Se for alegada doença, o faltoso apresenta atestado médico especificando a impossibilidade ou grave inconveniência no comparecimento e o tempo provável de duração do impedimento. A autoridade judiciária pode ordenar o comparecimento do médico que subscreveu o atestado e fazer verificar por outro médico a veracidade da alegação da doença.

5. Se for impossível obter atestado médico, é admissível qualquer outro meio de prova.

6. Havendo impossibilidade de comparecimento, mas não de prestação de declarações ou de depoimento, esta realizar-se-á no dia, hora e local que a autoridade judiciária designar, ouvido o médico assistente, se necessário.

7. A falsidade da justificação é punida, consoante os casos, nos termos dos artigos 260.º e 360.º do Código Penal.

8. O disposto nos números anteriores no que se refere aos elementos exigíveis de prova não se aplica aos advogados, podendo a autoridade judiciária comunicar as faltas injustificadas ao organismo disciplinar da respectiva Ordem.

Artigo 117.º

1. O texto deste artigo foi introduzido pela Lei n.º 59/98, de 25 de Agosto, com, com excepção do n.º 8, que foi introduzido pela Lei n.º 48/2007, de 29 de Agosto.

2. O texto do n.º 1 é diferente do que constava da versão originária: *Considera-se justificada a falta quando se tiver verificado, no caso, situação análoga à de qualquer causa que, nos termos da lei penal, excluiria a ilicitude do facto ou a culpa do agente.* A versão originária remetia para a lei penal (substantiva) a justificação da falta, através das cláusulas de exclusão da ilicitude e da culpa. A versão actual resultou de proposta da CRef.CPP, discutida e aprovada na 9.ª sessão, em 16 de Maio de 1996, onde a originária foi considerada algo enigmática e deliberado que a justificação das faltas deveria aproximar-se, não da exclusão da ilicitude penal do facto, mas do regime vigente no domínio do Direito do Trabalho.

Em nosso entendimento, era preferível a formulação originária. Ela nada tinha de enigmática, por remeter para as cláusulas de exclusão da culpa e da ilicitude perfilhadas pelo CP, já suficientemente estabelecidas e esclarecidas pela doutrina. Por outro lado, a fórmula originária foi adoptada tendo em conta que existe uma estreita conexão entre o Direito Penal substantivo e o adjectivo, havendo entre eles, segundo a lição dos Professores Germano Marques da Silva, *Curso de Processo Penal,* I, 16 e Castanheira Neves, *Sumários de Processo Criminal* (1967-1968), 10, *uma verdadeira unidade no mesmo pensamento fundamental.* Neste sentido é também a lição do Prof. Figueiredo Dias, *Direito Processual Penal,* I, (1974), pág. 36.

A fórmula actual afigura-se algo vaga e imprecisa, deixando larga margem de apreciação para o critério do julgador. De qualquer modo, atento o pensamento legislativo bem expresso quer aquando da elaboração da versão originária quer aquando da revisão, devem os julgadores, em obediência aos comandos legais, ser exigentes quanto à justificação das faltas que, como é consabido, têm constituído um dos maiores entraves ao regular andamento dos processos.

De qualquer modo, e voltando à fórmula originária, quem falta sem que a sua conduta seja ilícita, ou faltando mas sem que lhe possa ser imputado juizo de culpa, mesmo através de um caso de não exigibilidade, deve ver a sua falta justificada. É o que resulta dos princípios gerais e irrenunciáveis, esteja ou não o caso abrangido pela fórmula actual — e afigura-se-nos que está. Assim, quem falta porque teve de socorrer um familiar a quem devia assistência que outrem não estava em condições de prestar, a-fim-de o conduzir ao hospital imediatamente pois de outro modo correria perigo de vida ou de grave lesão na integridade física, deve ver a sua conduta justificada, por se tratar de exclusão de culpa, por via de não exigibilidade. O mesmo sucederá quanto ao bombeiro que falta porque foi necessária a sua imediata intervenção para debelar um incêndio que estava a pôr em risco a vida de pessoas e bens patrimoniais de elevado valor.

3. Os dispositivos dos n.ºˢ 2 e 3 foram introduzidos pela Lei mencionada na anot. 1. Não tinham correspondente na versão originária do Código, tratando-se aqui de atacar um dos pontos de estrangulamento que têm

Código de Processo Penal

contribuído para a morosidade da justiça penal, através de um estreito controlo dos elementos de prova da impossibilidade de comparecimento.

4. O dispositivo do n.º 4 corresponde ao do n.º 3 da versão originária. Aí se exige agora que o atestado médico *descreva sumariamente o estado que impossibilita o faltoso de comparecer.* A versão originária exigia atestado médico *especificando a impossibilidade ou grave inconveniência no comparecimento,* isto para além de outras exigências comuns.

A versão actual exige uma maior concretização, que deve ser feita, até onde é possível, do estado em que o faltoso doente se encontra.

Aqui afigura-se-nos pertinente adiantar mais alguns apontamentos para esclarecer que, em nosso entendimento, continua válida a doutrina que emana do ac. de jurisprudência fixada de 3 de Abril de 1991, sumariado na anot. 8 ao art. 116.º, segundo a qual o atestado médico, para justificar a falta de comparência perante os serviços de justiça de pessoa regularmente notificada, não tem que indicar o motivo concreto que impossibilita essa comparência, mas apenas atestar que o faltoso se encontra doente e impossibilitado de comparecer. Esta doutrina deve porém agora ser adaptada aos novos textos, *maxime* ao do n.º 4 deste artigo. Significa isto que o atestado médico deve descrever, mesmo sumariamente, o estado em que o doente se encontra e que o impede de comparecer. Mas não se exige em caso algum que o atestado diga qual é, concretamente, a doença de que o faltoso padece. Isso afectaria ou poderia afectar a privacidade, violando comandos constitucionais, normas da deontologia médica e até relativas ao segredo profissional. A este respeito remetemos para a fundamentação do aludido acórdão, cuja actualidade se mantém no que concerne à não exigência de indicação concreta da doença que afecta o faltoso.

5. Sendo a falta cometida durante o inquérito, pode o MP considerá-la justificada, abstendo-se de promover a sanção correspondente, se assim o entender; não pode porém, se a considerar injustificada, aplicar a sanção respectiva. Terá que ser o juiz de instrução a fazê-lo (arts. 273.º, n.º 3 e 116.º), mediante promoção do MP.

6. *Jurisprudência:*

— É de admitir que a falta de comparência a acto judicial seja justificada com base em atestado médico enviado por *fax,* ainda que este não conste da lista oficial, conjuntamente com um requerimento para esse efeito. (Ac. RE de 16 de Janeiro de 1996; *CJ,* XXI, tomo 1, 284): *Nota* — No mesmo sentido, Despacho do Presidente da RL, *ibidem,* XVII, tomo 5, 111);

— I — Nos termos do art. 117.º do CPP, as faltas a diligências para as quais as pessoas se encontrarem regularmente notificadas têm que ser justificadas, tratando-se de motivo imprevisível, no dia e hora designados para a prática do acto e, caso a falta se deva a motivo de saúde, para além da comunicação referida supra, deverá o respectivo comprovativo ser junto aos autos até ao 3.º dia útil seguinte. II — Não tem virtualidade de justificar a falta do arguido a audiência de julgamento marcada para determinado dia o atestado que apenas refere que o faltoso se encontrava doente nesse dia, sem especificar que tal doença impossibilitou ou tornou gravemente inconveniente a comparência. (Ac. RL de 17 de Abril de 2008, proc. n.º 2771/08).

TÍTULO V
DAS NULIDADES

ARTIGO 118.º
(Princípio da legalidade)

1. A violação ou a inobservância das disposições da lei do processo penal só determina a nulidade do acto quando esta for expressamente cominada na lei.

2. Nos casos em que a lei não cominar a nulidade, o acto ilegal é irregular.

3. As disposições do presente título não prejudicam as normas deste Código relativas a proibições de prova.

---

1. Reproduz o art. 118.º do Proj. e corresponde ao art. 111.º do Aproj. Não havia disposição correspondente no CPP de 1929.

2. Em matéria de nulidades o Código apresentou inovações de relevo relativamente ao direito anterior, estabelecendo, antes do mais, através do princípio da legalidade que neste artigo encabeça o título das nulidades, que só há nulidade dos actos quando for expressamente cominada por lei. O Código assumiu ainda a insanabilidade total de certas nulidades, tidas como absolutas, circunscrevendo porém o seu número àquilo que considerou a estrutura essencial do processo criminal, mas teve por bem não só admitir prudentemente a não incidência de vícios puramente formais dos actos na validade do processo, como permitir a convalidação de actos anuláveis que pudessem ser aproveitáveis ou que, tendo que ser integralmente afectados, não implicassem a perda absoluta do processado ulteriormente.

Nesta matéria o Código consagrou ainda as denominadas proibições de prova como sanção adequada para os casos em que, tendo havido violação dos critérios legalmente estipulados para a produção e aferição dos meios de prova, se entendesse estar fora de causa a aplicabilidade automática do regime das nulidades, com a consequente destruição de todo o processado.

3. Neste Título, o Código distingue as nulidades, que podem ser insanáveis ou sanáveis, das irregularidades.

Na esteira do CPP de 1929 e do CPC, não toma o Código posição expressa sobre a existência ou não de um vício ainda mais grave, que a doutrina tem detectado, ou seja sobre o vício da inexistência.

De algum modo, este vício é implicitamente admitido pelo art. 468.º, embora rotulado de inexequibilidade, talqualmente o era pelo art. 626.º do CPP de 1929, na redacção introduzida pelo Dec.-Lei n.º 185/72, de 31 de Maio. Cremos que a questão se põe agora exactamente nos mesmos moldes, e por isso

Código de Processo Penal

continuam válidas as seguintes considerações, que expendemos em anot. ao art. 98.° do CPP de 1929, no nosso *Código de Processo Penal Anotado:*

Verifica-se o vício da inexistência quando ao acto faltam elementos que são essenciais à sua própria substância, de modo que em caso algum pode produzir efeitos jurídicos. Se na doutrina existe geralmente acordo quanto à existência deste vício, notam-se muitas hesitações quanto à sua definição.

A nossa lei, como a generalidade das estrangeiras, não faz alusão expressa à inexistência. No entanto, a doutrina não deixa de considerar esta espécie. Podem ver-se, em processo civil, a minuciosa exposição de J. A. dos Reis, no *Código de Processo Civil Anotado*, vol. V, págs. 113-122, e os autores aí citados, e, em processo penal, Cavaleiro de Ferreira, *Curso de Processo Penal*, I, 266 e segs. e Germano Marques da Silva, *Curso de Processo Penal*, II, 75-76.

O art. 626.°, cuja redacção foi introduzida pelo Dec.-Lei n.° 185/72, consagra os casos mais típicos de inexistência de decisões judiciais, rotulando-os embora de inexequibilidade.

O acto inexistente não carece de ser anulado, pois não tem virtualidade para produzir efeitos jurídicos nem pode originar caso julgado. Mas os actos inexistentes não determinam, só por si e necessariamente, a anulação do processo. Expende, quanto a este aspecto, Cavaleiro de Ferreira: «...Todos os actos processuais se integram, fortemente conexos, na marcha do processo para o seu objectivo. A apreciação judicial do processo, em razão do seu fim, desdenha do que para esse fim foi acidental ou desnecessário, embora em si mesmo ilegal. E é por isso que os actos em si mesmos inexistentes não determinam necessariamente a nulidade do próprio processo. A questão de inexistência colocar-se-á com maior acuidade quanto à decisão final, à sentença, pois que todos os demais actos para ela se encaminham e a preparam. Certo é, porém, que além dos actos judiciais, também outros actos processuais, quando juridicamente inexistentes, podem impedir o caso julgado. Deverão ser, porém, vícios dos actos processuais que se traduzem na inexistência da própria relação jurídica processual...» (*Curso*, I, 269).

O STJ, no acórdão de 1 de Abril de 1964; *BMJ*, 136, 232 e segs., debruçou-se sobre um caso de inexistência de sentença ou acórdão em processo penal, decidindo que existe, como espécie autónoma, o vício da inexistência de sentença ou acórdão, enquadrando-se em tal vício o caso de a decisão ter sido proferida por quem não está investido de poder jurisdicional. É um caso de acto praticado *a non judice*, de usurpação do poder jurisdicional, tipicamente apontado pela doutrina como de inexistência. Outros casos de inexistência são os de falta de jurisdição (v. g. sentença de tribunal estrangeiro, sem confirmação); de usurpação da função judicial dentro do processo (*v. g.* sentença proferida pelo MP ou por um funcionário da secretaria); de falta, no processo, dos respectivos sujeitos — titulares da acusação ou réu; etc. Ver J. A. Reis, *Código de Processo Civil Anotado*, V, 118 e segs. e Cavaleiro de Ferreira, *Curso*, I, 271-273.

E sendo os métodos proibidos de prova de conhecimento oficioso, até ao trânsito em julgado, não compreendemos como possa haver métodos proibidos de prova, *v. g.* intromissões na vida privada ou nas comunicações, sanáveis mediante consentimento *ex post facto,* que aliás seria um «consentimento» espúrio, porque consentimento pressupõe anterioridade. Na

Artigo 118.º

realidade, logo que a autoridade judiciária se apercebe da existência de qualquer método proibido de prova, que é sempre de conhecimento oficioso, é seu dever anulá-lo, não podendo ser utilizadas provas obtidas por esse meio. Isto não prejudica, porém, a relevância das declarações do visado, mas obtidas por outro meio. Assim, discordamos de Pinto de Albuquerque, *Comentário ao Código de Processo Penal,* 326.

Embora as decisões inexistentes não produzam efeitos jurídicos nem possam estabelecer caso julgado, não necessitando, por isso, de ser declarada a inexistência, considera-se, porém, que frequentemente é útil fazer declarar tal vício, devendo então a declaração de inexistência ser pedida ao juiz que detém o exercício da jurisdição.

4. Consagra-se neste artigo o *princípio da legalidade* no domínio das nulidades dos actos processuais. Assim, para que algum acto processual relativamente ao qual tenha havido violação ou inobservância das disposições legais do processo penal padeça do vício da nulidade é necessário que a lei o diga expressamente; de outro modo o acto viciado sofrerá do vício menor da irregularidade, submetido ao regime do art. 123.º, mas não será nulo.

As nulidades podem ser *sanáveis* e *insanáveis.* Estas — as nulidades insanaveis —, são taxativas. Estão enumeradas no art. 119.º, acrescendo-lhes as que assim são cominadas em outras disposições legais. Desde que não cominadas como insanáveis, as nulidades consagradas na lei serão sanáveis, segundo o regime dos arts. 120.º e 121.º.

5. Caso particular é o das *proibições de prova,* referido no n.º 3, onde se estabelece a ressalva das disposições do Código relativamente às proibições de prova.

As proibições de prova têm um relevante efeito dissuasor da violação dos direitos dos cidadãos, pois que as provas obtidas mediante a violação desses direitos não podem ser levadas em conta no processo, mesmo que assim seja sacrificada a obtenção da verdade material. Como salienta o Prof. Germano Marques da Silva, *Curso de Processo Penal,* II, 102, o Código não considera a busca da verdade como um valor absoluto, e por isso não admite que a verdade seja procurada através de quaisquer meios, mas só através de meios justos, ou seja, de meios legalmente admissíveis. A verdade não é um valor absoluto e, por isso, não tem de ser investigada a qualquer preço, mormente quando esse preço é o sacrifício dos direitos das pessoas.

Daqui os dispositivos do art. 126.º, sobre métodos proibidos de prova.

As nulidades resultantes da produção de prova proibida são sempre de conhecimento oficioso até ao trânsito da decisão final, sem prejuízo de eventual aproveitamento das provas consequenciais (cfr. *infra*).

Embora em alguns quadrantes se conteste que as proibições de prova possam ser enquadradas nas nulidades, e o ponto não tenha grande interesse prático, afigura-se-nos que a dúvida não tem fundamento, pois tanto a CRP — art. 32.º, n.º 8, como este Código — art. 126.º —, consideram *nulas* as provas obtidas por tais meios, acrescentando o CPP que as provas assim obtidas não podem ser utilizadas.

Código de Processo Penal

A referência às *proibições de prova* representa novidade na legislação processual penal, tendo porém paralelo nos Estados Unidos e na Alemanha. De qualquer modo, ao referir aqui às *proibições de prova*, o Código dá-lhes um tratamento ainda mais radical que o das nulidades propriamente ditas: as provas obtidas ilegalmente não podem ser utilizadas como prova, sendo o recurso a elas um erro de direito.

Não obstante isto coloca-se uma outra questão, que é do valor das provas consequenciais das proibições de prova, no que concerne à legitimidade do seu uso e valoração. Nos EUA prevalece a doutrina da *árvore envenenada*, radical, que conduz a que o processo fique todo ele viciado, só se podendo concluir pela absolvição. Na Alemanha o efeito à distância das proibições de prova não é tão radical, sendo objecto de ponderação casuística da jurisprudência, solução esta que consideramos preferível e que foi perfilhada pelo ac. do Trib. Constitucional de 24 de Março de 2004; *DR*, II série, de 2 de Junho do mesmo ano, sumariado *infra*, anot. 7 e pelos mais recentes acs. do STJ, nomeadamente os acs. de 31 de Janeiro e de 20 de Fevereiro de 2008, sumariados *infra* e em anot. ao art. 126.º. Estes arestos contêm na fundamentação, esgotante e convicente argumentação.

Pelo seu notório interesse, a seguir transcrevemos as primeiras oito alíneas do sumério do ac. STJ de 20 de Fevereiro de 2008, tal qualmente constam dos *SASTJ*, Fevereiro de 2008:

I – Em nome de uma exigência de superioridade ética, do Estado, das suas «mãos limpas» na veste de promotor da justiça penal, a violação da proibição de provas — que significaria o «encurtamento da diferença ética que deve existir entre a perseguição do crime e o próprio crime» — é hoje uma questão de actual e premente abordagem, uma vez que, sob a égide de uma justiça penal eficaz, se vem mobilizando a doutrina e a jurisprudência para um «clima de moral panic», um «estado de necessidade de investigação», de que fala Hassemer, assistindo-se, segundo este autor; a uma«dramatização da violência» que «encosta a sociedade à parede» e induz a «colonização da política criminal por lastros de irracionalidade», escreve o Prof. Costa Andrade (Sobre as Proibições de Prova em Processo Penal, págs. 68 e 73).

II — As proibições de prova são autênticos limites à descoberta da verdade material, «barreiras colocadas à determinação do objecto do processo», no dizer de Gössel; as regras sobre a produção das provas configuram, diversamente, meras prescrições ordenativas da produção de prova, cuja violação não poderia acarretar a proibição de valorar como prova, no ensinamento do Prof. Figueiredo Dias (Processo Penal, pág. 446).

III — As provas obtidas, além do mais, mediante o recurso à intromissão na correspondência são nulas, nos termos do art. 32.º da CRP, com a consequência da invalidade do acto em que se verificarem, bem como dos que dele dependerem e aquelas puderem afectar — art. 122.º, n.º 1, do CPP. A declaração de nulidade determina quais os actos que passam a considerar-se inválidos ou ordena, sempre que possível e necessário, a sua repetição (n.º 2), e ao declará-la o juiz aproveita todos os actos que ainda possam ser alvos, de acordo com o princípio *utile per inutile non vitiatur* — n.º 3 daquele preceito.

Artigo 118.º

IV — O art. 122.º do CPP é um afloramento denominado de «efeito à distância», ou seja, quando se trata de indagar da comunicabilidade ou não da valoração aos meios secundários da prova tornados possíveis à custa de meios ou métodos proibidos de prova.

V — Uma longa evolução jurisprudencial, de que dá nota o ac. do TC n.º 198/04, de 24-03-2004 (*DR*, II Série, de 02-06-2004), exemplificou os casos em que aquele efeito à distância se não projecta, os casos em que a indissolubilidade entre as provas é de repudiar, por não verificação da árvore venenosa, reconduzindo-os a três hipóteses que o limitam: a chamada limitação da fonte independente, a limitação da decoberta inevitável e a limitação da mácula «nódoa) dissipada» —cf. *Criminal Procedure*, Jerold H. Israel e Wayne R. Lafave, 6.ª Ed., St. Paul, Minnesota, 2001, págs. 291-301.

VI — A fonte independente respeita a um recurso probatório destacado do inválido, usualmente com recurso a meio de prova anterior que permite induzir, probatoriamente, aquele a que o originário tendia, mas foi impedido, ou seja, quando a ilegalidade não foi *conditio sine qua* da descoberta de novos factos.

VII — O segundo obstáculo ao funcionamento da dooutrina da «árvore envenenada» tem lugar quando se demonstre que uma outra actividade investigatória, não levada a cabo, seguramente iria ocorrer na concreta situação, não fora a descoberta através da prova proibida, conducente inevitavelmente ao mesmo resultado, ou seja, quando inevitavelmente, apesar da proibição, o resultado seria inexoravelmente alcançado.

VIII — A terceira limitação da «mácula dissipada» *(purged taint limitation)* leva a que uma prova, não obstante derivada de outra prova ilegal, seja aceite sempre que os meios de alcançar aquela representem uma forte autonomia relativamente a esta, em termos tais que produzam uma decisiva atenuação da ilegalidade precedente.

Para maior desenvolvimento no que concerne às proibições de prova podem ver-se a monografia do Prof. Manuel Costa Andrade *Sobre Proibições de Prova em Processo Penal,* Coimbra, 1992; o *Curso de Processo Penal* do Prof. Germano Marques da Silva, Editorial Verbo, 1993; II, 101 e segs. e trabalho de Karl-Heinz Grossel, na *RPCC*, ano 2, 3.º, págs. 397 e segs.

6. As nulidades e irregularidades verificadas durante o inquérito ou a instrução são arguidas perante o juiz, nos termos e no prazo do art. 120.º, n.º 3, al. *c)*. Mas independentemente disto, o MP tem o poder-dever de pôr cobro a toda a nulidade ou irregularidade, mesmo sem intervenção do juiz, desde que ocorridas durante o inquérito, o mesmo sucedendo quanto a todas as autoridades de polícia criminal (autocorrecção do MP e dessas autoridades mas declaração formal, da competência do juiz, só posteriormente ao inquérito).

Quanto a nulidades da sentença, que têm regime específico, ver arts. 379.º e 410.º e respectivas anots.

7. *Jurisprudência:*
— É inexistente a condenação proferida contra pessoa que não tenha sido acusada do crime nem a quem não tenham sido imputados factos que o podiamintegrar. (Ac. STJ de 24 de Junho de 1992; *CJ*, XVII, tomo 3, 49);

Código de Processo Penal

— Em sede de inquérito, a reparação oficiosa de irregularidades processuais, como actividade preventiva, compete unicamente ao MP. (Ac. RC de 7 de Fevereiro de 1996; *CJ,* XXI, tomo 1, 51);

— As nulidades e irregularidades que ocorram no decurso do inquérito devem ser arguidas perante o juiz. (Ac. RE de 2 de Julho de 1996; *CJ,* XXI, tomo 4, 296);

— Não é inconstitucional o n.º 1 do art. 122.º do CPP, no entendimento de que abre a possibilidade de ponderação do sentido das provas subsequentes, não declarando a invalidade destas. (Ac. do Trib. Constitucional n.º 198/2004, de 24 de Março, proc. n.º 39/2004; *DR,* II série, de 2 de Junho do mesmo ano);

— I — Na distinção e caracterização da proibição de um meio de prova pessoal é pertinente o respeito ou desrespeito da liberdade de determinação da vontade ou da decisão da capacidade de memorizar ou de avaliar: II — Desde que esses limites sejam respeitados, não será abalado o equilíbrio e a equidade entre os direitos das pessoas, enquanto fonte ou detentoras da prova, e as exigências públicas do inquérito ou investigação. III — Caindo a actuação do agente provocador nos limites das proibições de prova, importa, assim, distinguir os casos em que a actuação do agente policial (agente encoberto) cria naquele uma intenção criminosa, até então inexistente, dos casos em que o sujeito já está implícito ou potencialmente inclinado a delinquir, sendo que a actuação do agente policial apenas põe em marcha aquela decisão. IV — Nestes termos, a provocação, em matéria de proibição de prova, só releva se essas actuações visam incitar uma pessoa a cometer uma infracção que, sem essa intervenção, não teria lugar, e com vista a obter, desse modo, a prova de uma infracção que sem tal conduta não existiria. (Ac. STJ de 6 de Maio de 2004; *CJ, Acs. do STJ,* ano XII, tomo 2, 188);

— I — O princípio dos efeitos à distância ou da comunicabilidade ou não da proibição da valoração aos meios secundários de prova tornados possíveis à custa dos meios ou métodos proibidos de prova, não é de aplicação automática. II — Anuladas, em processo diverso, as escutas telefónicas nas quais se fundou a emissão de mandados de busca destinados à efectiva apreensão de produtos, objectos e documentos, será de afastar o efeito à distância, quando tal seja imposto por razões atinentes ao nexo de causalidade ou de imputação objectiva entre a violação da proibição da produção de prova e a prova secundária. (Ac. RL de 17 de Abril de 2007; *CJ,* ano XXXII, TOMO II, 132);

— I — No âmbito do efeito à distância dos métodos proibidos de prova deve distinguir-se entre os previstos no art. 126.º, n.ᵒˢ 1 e 3 do CPP. No primeiro caso, do art. 126.º, n.º 1, trata-se de meios radicalmente proibidos, pelo que todas as provas por eles directa ou indirectamente obtidas ficam inutilizadas; no segundo, do n.º 3, o efeio obtido à distância de inutilização das provas imediatamente obtidas fica mais limitado, em função dos interesses conflituantes. II — Isto porque no segundo caso não está em causa o valor absoluto da dignidade do homem, mas interesses individuais que não contendem directamente com a garantia da dignidade da pessoa, como a intromissão sem consentimento do respectivo titular na vida privada, no domicílio, na correspondência ou nas telecomunicações. III — Assim, a nulidade das escutas, quando radique nos requisitos formais das operações, porque menos agressiva do conteúdo essencial da garantia constitucional da

Artigo 119.º

inviolabilidade das telecomunicações, poderá reclamar a limitação dos seus efeitos consequenciais. (Ac. STJ de 31 de Janeiro de 2008; *CJ, Acs. do STJ,* ano XVI, tomo I 209;

— I — As probições de prova são autênticos limites à descoberta da verdade material, enquanto as regras sobre a produção da prova apenas cofiguram meras prescrições ordenativas da produção da prova, cuja violação não acarreta a proibição de valorar essa mesma prova. II — Tratando-se de uma prova proibida (busca e apreensão), tudo se passa como se a mesma não existisse, pelo que importa determinar em que medida a mesma inquina e se estende aos factos ou provas ulteriores, o que só sucederá quando estes se encontrem abrangidos por um nexo de antijuridicidade. III — Não haverá esse nexo de antijuricidade quando os factos ulteriormente apurados se fundamentarem em fontes de prova independentes e, por isso, destacados da prova inválida anterior. IV — Também não haverá nexo de antijuricidade quando a descoberta desses novos e posteriores factos se mostre inevitável, mediante o decurso de outras diligências de prova, que já decorriam anteriormente ou em simultâneo. V — O mesmo sucederá se a prova subsequente, não obstante derivar de prova ilegal, for alcançada através de meios de prova autónomos e distintos desta última, em termos tais que produzam uma decisiva atenuação da ilegalidade precedente. (Ac. STJ de 20 de Fevereiro de 2008; *CJ, Acs STJ,* ano XVI, tomo 1, 229).

ARTIGO 119.º

(Nulidades insanáveis)

Constituem nulidades insanáveis, que devem ser oficiosamente declaradas em qualquer fase do procedimento, além das que como tal forem cominadas em outras disposições legais:

a) A falta do número de juizes ou de jurados que devam constituir o tribunal, ou a violação das regras legais relativas ao modo de determinar a respectiva composição;

b) A falta de promoção do processo pelo Ministério Público, nos termos do artigo 48.º, bem como a sua ausência a actos relativamente aos quais a lei exigir a respectiva comparência;

c) A ausência do arguido ou do seu defensor, no casos em que a lei exigir a respectiva comparência;

d) A falta de inquérito ou de instrução, nos casos em que a lei determinar a sua obrigatoriedade;

e) A violação das regras de competência do tribunal, sem prejuizo do disposto no artigo 32.º, n.º 2;

f) O emprego de forma de processo especial fora dos casos previstos na lei.

331

Código de Processo Penal

1. Reproduz o art. 119.º do Proj. Corresponde aos arts. 112.º do Aproj. e 98.º, n.ᵒˢ 4 (em parte), 7 e 8 do CPP de 1929.

2. Como se deduz deste artigo e do anterior, além de taxativas, são reduzidas ao mínimo as nulidades insanáveis.

Outras nulidades insanáveis existem ainda, espalhadas ao longo do Código ou em outras leis do processo penal, como se prevê no próprio texto deste art. 119.º. Podem mencionar-se, a este propósito, as que se prevêem nos arts. 321.º, n.º 1 e 30.º, n.º 1.

Embora insanáveis, as nulidades aqui enumeradas precisam de ser declaradas, mas podem e devem sê-lo oficiosamente. O acto que enferma de nulidade tem existência jurídica, e por isso subsiste enquanto não for declarado nulo. A decisão judicial com trânsito em julgado, se não for ela própria nula, cobre a nulidade dos actos processuais até então praticados.

3. Como maiores divergências relativamente ao regime anterior, apontam-se a falta de inquérito ou de instrução, bem como a insuficiência dos mesmos por omissão de diligências essenciais à descoberta da verdade, que anteriormente eram nulidades relativas (sanáveis) e que agora passaram a ter regimes diferentes, pois a primeira é insanável.

4. A disposição da al. d) tem sido objecto de críticas, por aludir a *obrigatoriedade* de instrução, quando é certo que a instrução, mesmo quando a ela pode haver lugar, nunca é obrigatória, mas facultativa (cfr. Costa Pimenta, *Código de Processo Penal Anotado*, anot. ao art. 119.º).

Cremos no entanto que, embora o texto legal não seja feliz, é de meridiana clareza que quer aludir aos casos em que, podendo haver lugar à instrução, ela foi requerida por quem para isso tem legitimidade, em tempo, revestindo a partir daí a natureza de obrigatória. Este entendimento foi explanado por Souto de Moura, *Jornadas de Direito Processual Penal*, 118, nestes termos: «...Daí que aquela al. d) do art. 119.º, no que respeita à instrução, falará da respectiva obrigatoriedade supondo que ela foi convenientemente requerida e inexistindo motivo de rejeição do requerimento... qualquer outro entendimento arrastaria consequências que por certo o legislador não quis. Se só a falta de instrução determinada por lei arrastasse nulidade insuprível, ter-se-ia previsto um vício para uma situação inexequível, já que em nenhum lado a lei determina a instrução...».

5. *Jurisprudência fixada:*
— Não é insanável a nulidade da al. *a)* do art. 379.º do CPP de 1987, consistente na falta de indicação na sentença penal das provas que serviram para formar a convicção do tribunal, ordenada pelo art. 374.º, n.º 2, parte final, do mesmo Código, por isso não lhe sendo aplicável a disciplina do corpo do art. 119.º daquele diploma legal. (Ac. do Plenário das secções criminais do STJ de 6 de Maio de 1992; *DR*, I-A série, de 6 de Agosto do mesmo ano);
— Integra a nulidade insanável da alínea *b)* do artigo 119.º do Código de Processo Penal a adesão posterior do Ministério Público à acusação deduzida pelo assistente relativa a crimes de natureza pública ou semipública e fora do caso previsto no artigo 284.º, n.º 1, do mesmo diploma legal.

Artigo 119.º

(Ac. do Pleno das secções criminais do STJ de 16 de Dezembro de 1999; *DR*, I-A série, de 6 de Janeiro de 2000).

6. Jurisprudência:

— As nulidades, qualquer que seja a sua natureza, ficam sanadas logo que se forme caso julgado, não podendo mais ser arguidas ou conhecidas oficiosamente. (Ac. STJ de 7 de Junho de 1989, Proc. 40 045/3.ª);

— As nulidades da sentença são nulidades dependentes de arguição, que podem ser arguidas na motivação dos recursos, e portanto dentro do prazo da motivação. (Ac. STJ de 21 de Junho de 1989, Proc. 40 023/3.ª);

— O despacho que manda seguir a forma de processo sumaríssimo, em vez do comum, está ferido de nulidade insanável, de conhecimento oficioso, nos termos do art. 119.º, al. *f)*, do CPP. (Ac. RC de 11 de Outubro de 1989; *CJ*, XIV, tomo 4, 87);

— Constitui nulidade insanável, prevista no art. 119.º, al. a), do CPP, a substituição de um juiz faltoso, com violação do disposto no art. 88.º da Lei n.º 38/87, de 23 de Dezembro. (Ac. STJ de 16 de Janeiro de 1990, Proc. 40 365/3.ª);

— Verifica-se a nulidade insanável do art. 119.º, als. *b)* e *c)* do CPP, quando se procede ao cúmulo jurídico das penas parcelares por simples despacho, sem se proceder à realização de audiência a que deveriam estar presentes o MP, o arguido e o defensor. (Ac. RP de 21 de Fevereiro de 1990; *CJ*, XV, tomo 1, 264);

— A nulidade resultante da violação de proibições de prova é insanável. (Ac. STJ de 5 de Junho de 1991; *BMJ*, 408, 405);

— I — A nulidade da al. *c)* do art. 119.º do CPP só se verifica quanto às situações em que a lei exige a comparência do arguido ou do seu defensor. II — Nos julgamentos dos recursos efectuados no STJ, porque não há lugar à renovação da prova, não há a exigência legal da comparência do arguido. III — Relativamente aos seus patronos, já a comparência é obrigatória; porém, a sua falta na audiência só é causa de adiamento se o tribunal considerar a sua presença indispensável à realização da justiça. Se tal presença não for considerada indispensável, será nomeado um defensor oficioso. (Ac. STJ de 16 de Setembro de 1992, proc. 40.411/3.ª);

— O art. 119.º, al. *d)*, do CPP, ao considerar nulidade a falta de instrução, quer referir-se aos casos em que, podendo haver instrução, ela foi requerida em tempo, por quem tem legitimidade. (Ac. STJ de 2 de Fevereiro de 1994; *BMJ*, 434, 423);

— A insuficiência do inquérito, como nulidade, só pode respeitar à omissão de actos que a lei prescreva como obrigatórios, se para essa omissão a lei não dispuser de forma diversa, o mesmo acontecendo com os actos de instrução. Ac. STJ de 3 de Maio de 2000, proc. n.º 1314/98-3.ª; *SASTJ*, n.º 41, 61);

— Não é inconstitucional o art. 119.º do CPP, quando interpretado no sentido de que as nulidades, qualquer que seja a sua natureza, ficam sanadas logo que se forme caso julgado, não mais podendo ser arguidas ou conhecidas oficiodamente. (Ac. do Trib. Constitucional n.º 146/2001, de 28 de Março de 2001, proc. n.º 757/00; *DR*, II série, de 22 de Maio do mesmo ano);

Código de Processo Penal

— Detendo o tribunal singular competência para o julgamento de determinado processo, a realização daquele pelo tribunal colectivo integra a nulidade insanável prevista na al. *e)* do art. 119.º do CPP. (Ac. STJ de 3 de Outubro de 2001, proc. n.º 2355/01-3.ª; *SASTJ*, n.º 54, 74).

— I — Não existe lei que permita à Relação atribuir competência ao STJ — órgão superior da hierarquia dos tribunais judiciais — para julgar um recurso. II — Caso a Relação não seja competente para conhecer de um recurso, assim o deve declarar, como resulta dos arts. 417.º, n.º 3, al. *a)* e n.º 4, al. *a)* e 419.º, n.º 3, do CPP, sendo que de tal declaração cabe, então, recurso para o STJ. III — Quando a Relação atribui competência ao STJ para julgar certo recurso, o respectivo acórdão padece da nulidade prevista no art. 379.º, n.º 1, al. *c)*, do CPP, aplicável *ex vi* do art. 425.º, n.º 4, do mesmo diploma, pois conheceu de uma questão de que não podia tomar conhecimento, infringindo ainda as regras de competência em razão da hierarquia, o que só por si constitui a nulidade insanável do art.º 119.º, al. *e)*, do CPP. (Ac. STJ de 28 de Novembro de 2002, proc. n.º 4192/02-5.ª; *SASTJ*, n.º 65, 90);

— A omissão da concessão ao arguido da faculdade prevista no n.º 2 do art. 495.º do CPP, de se pronunciar sobre o incumprimento das condições a que estava subordinada a suspensão da pena a que fora condenado, configura a nulidade insanável estabelecida na alínea c) do art. 119.º do CPP. (Ac. RL de 1 de Março de 2005; *CJ*, XXX, tomo 2, 123.);

— É inconstitucional a interpretação dos arts. 425.º do CPP e 716.º, n.ºs 1 e 2 e 670.º do CPC, no sentido de impedir a arguição de nulidades de uma decisão judicial que conhece o objecto do recurso. (Ac. do trib. Constitucional n.º 112/2007; *DR*, II série, de 20 de Março de 2007);

— A realização de audiência de julgamento sem a presença do arguido, devidamente notificado para tanto, sem que o juiz tenha tomado as medidas necessárias e legalmente admissíveis para obter a sua comparência, consubstancia uma nulidade insanável. (Ac. STJ de 24 de Outubro de 2007; *CJ, Acs. do STJ,* ano XV, tomo 3, 224).

ARTIGO 120.º

(Nulidades dependentes de arguição)

1. Qualquer nulidade diversa das referidas no artigo anterior deve ser arguida pelos interessados e fica sujeita à disciplina prevista neste artigo e no artigo seguinte.

2. Constituem nulidades dependentes de arguição, além das que forem cominadas noutras disposições legais:

   a) O emprego de uma forma de processo quando a lei determinar a utilização de outra, sem prejuizo do disposto na alínea *f)* do artigo anterior;

   b) A ausência, por falta de notificação, do assistente e das

Artigo 120.º

partes civis, nos casos em que a lei exigir a respectiva comparência;

c) A falta de nomeação de intérprete, nos casos em que a lei a considerar obrigatória;

d) A insuficiência do inquérito ou da instrução, por não terem sido praticados actos legalmente obrigatórios, e a omissão posterior de diligências que pudessem reputar-se essenciais para a descoberta da verdade.

3. As nulidades referidas nos números anteriores devem ser arguidas:

a) Tratando-se de nulidade de acto a que o interessado assista, antes que o acto esteja terminado;

b) Tratando-se da nulidade referida na alínea *b)* do número anterior, até cinco dias após a notificação do despacho que designar dia para a audiência;

c) Tratando-se de nulidade respeitante ao inquérito ou à instrução, até ao encerramento do debate instrutório ou, não havendo lugar a instrução, até cinco dias após a notificação do despacho que tiver encerrado o inquérito;

d) Logo no início da audiência nas formas de processo especiais.

---

1. Reproduz o art. 120.º do Proj., com aditamento, na alínea d) do n.º 2, da expressão causal por não terem sido praticados actos legalmente obrigatórios, pela Lei n.º 48/2007, de 29 de Agosto. Corresponde aos arts. 113.º do Aproj. e 98.º, n.os 1, 2, 3, 4 (em parte), 5 e 6 do CPP de 1929.

De notar que na al. *b)* do n.º 3 há um manifesto lapso, pois a referência aí feita à alínea *b)* do número anterior deve entender-se como feita à alínea *a)* do mesmo número.

2. No n.º 1 estabelece-se o regime a que estão submetidas as nulidades sanáveis, ou dependentes de arguição.

Em primeiro lugar estas nulidades, para que o tribunal delas possa conhecer, terão que ser arguidas pelos interessados na anulação, nos termos deste artigo e do art. 121.º; se o não forem verificar-se-á a sanação, ficando o acto válido.

Em segundo lugar, salienta-se que, conforme o ditamento introduzido pela Lei referida na anot. 1, só a falta de actos legalmente obrigatórios gera a insuficiência do inquérito ou da instrução. Este aditamento veio obstar à proliferação de recursos interlocutórios inúteis e promover a aceleração das fases preliminares do processo.

Não é, assim, permitido o conhecimento oficioso destas nulidades, conhecimento que é específico das nulidades insanáveis.

Interessados na anulação, aos quais a lei confere legitimidade para arguir a nulidade do acto, são todos os participantes processuais que possam legitimamente tirar proveito da prática do acto sem que ele enferme da nulidade.

Código de Processo Penal

Por outro lado, a arguição da nulidade sanável pelo participante processual dotado da necessária legitimidade terá que ser feita no prazo que a lei estabelece, nas diversas alíneas do n.º 3 ou em numerosas disposições especiais. No caso da alínea *a)*, isto é assistindo o interessado ao acto, não há qualquer prazo, devendo ele arguir a nulidade antes que a realização do acto seja dada como finda.

3. As nulidades, quer as insanáveis quer as sanáveis, são taxativas, devendo portanto estar enumeradas no n.º 2 ou em quaisquer disposições especiais da lei processual penal. O Código é fértil na enumeração de outras nulidades, por vezes inquinando só parcialmente o acto, como sucede no caso do art. 309.º.

Quanto à nulidade especificada na al. *a)*, do n.o 2 deve atentar-se em que se o erro na forma de processo consistir em usar processo especial fora dos casos previstos na lei a nulidade será insanável, porque como tal prevista no art. 119.º, al. *f)*. Assim, o campo de aplicação da al. *a)* referida é o de se aplicar forma de processo comum em vez de processo especial.

Quanto à nulidade prevista na al. *d)*, deve acentuar-se que se o vício não for o da insuficiência do inquérito ou da instrução, por omissão de diligências que se impunham para a descoberta da verdade, mas o da (total) falta de inquérito ou da instrução nos casos de obrigatoriedade, a nulidade será insanável (art. 119.º, al. *d)*).

4. *Jurisprudência fixada:*
— Para os fins dos arts. 1.º, al. *f)*; 120.º; 284.º, n.º 1; 303.º, n.º 3; 309.º, n.º 2; 359.º, n.ᵒˢ 1 e 2 e 379.º, al. *b)*, do CPP, não constitui alteração substancial dos factos descritos na acusação ou na pronúncia a simples alteração da respectiva qualificação jurídica (ou convolação), ainda que se traduza na submissão de tais factos a uma figura criminal mais grave. (Ac. do Plenário das secções criminais do STJ de 27 de Janeiro de 1993; *DR*, I série-A, de 10 de Março do mesmo ano);

— A falta de interrogatório como arguido, no inquérito, de pessoa determinada contra quem o mesmo corre, sendo possível abnotificação, constitui a nulidade prevista no artigo 120.º, n.º 2, alínea *d)*, do Código de Processo Penal. (Ac. do Pleno das secções criminais do STJ de 23 de Novembro de 2005, proc. n.º 2517/ 02-3.ª; *DR*, I série-A, de 2 de Janeiro de 2006.)

5. *Jurisprudência:*
— I — É aplicável, mesmo em processo sumaríssimo por contravenção ou transgressão, o disposto no art. 318.º do CPP, inserido nas disposições preliminares do julgamento, pelo que pode expedir-se deprecada para inquirição de testemunhas residentes fora do círculo judicial. II — A omissão dessa diligência destinada à audição do autuante constitui a nulidade prevista no art. 120.º, n.º 2, al. *d)*, do CPP, tornando inválido o julgamento. (Ac. RC de 2 de Novembro de 1989; *CJ*, XIV, tomo 5, 69);

— As nulidades da sentença podem ser arguidas não só pela via do art. 120.º, n.º 3, do CPP, mas também pela via e no prazo do recurso. (Ac. STJ de 5 de Junho de 1991; *CJ,* XVI, tomo 3, 29);

— I — A falta de um acto de inquérito, ordenado pela entidade que o dirige, integra a nulidade de insuficiência de inquérito, prevista no art. 120.º, n.ᵒˢ 1

Artigo 120.º

e 2, al. *d)*, do CPP, e não nulidade do acto, porque este não existiu. II — É o que sucede com a substituição de auto de exame ginecológico deprecado por documento passado por médico especialista em papel tim- brado do hospital, em que refere ter procedido a esse exame, com a colaboração de uma enfermeira, e descreve o que observou, emitindo o seu parecer. III — Trata-se de nulidade sanável, que deve ser arguida até ao encerramento do debate instrutório. III — Não é obrigatória a pre- sença do MP a exame ginecológico, atendo o disposto nos arts. 156.º, n.º 2 e 172.º, n.º 2, do CPP. (Ac. STJ de 19 de Outubro de 1994, proc. 46.305/3.ª);

— Decidindo o juiz de instrução as questões suscitadas pelo arguido sem praticar quaisquer actos de instrução e sem proceder ao debate instrutório, apoiando-se apenas nos factos da acusação, verifica-se a nulidade prevista na al. *d)* do art. 119.º do CPP — falta de instrução. II — Impõe-se ao juiz de instrução, sob pena de nulidade prevista no art. 120.º, n.º 2, al. *d)*, do CPP, conceder o prazo solicitado pelo arguido para este completar o seu requerimento de abertura da instrução. (Ac. STJ de 7 de Abril de 1994; *CJ, Acs. do STJ,* II, tomo 2, 187);

— I — Se o MP optar por acusar sem estar devidamente apoiado na prova que recolheu durante o inquérito, a consequência não é a nulidade da acusação e do processado subsequente, mas sim a não pronúncia ou a absolvição do arguido, conforme os autos sigam para instrução ou, directamente, para julgamento. II — A insuficiência de inquérito é nulidade genérica que só se verifica quando se tiver omitido um acto que a lei prescreve como obrigatório e desde que para essa omissão a lei não disponha de forma diversa. (Ac. RL de 21 de Outubro de 1999; *CJ*, XXIV, tomo 4, 155);

— O vício da falta de inquérito, gerador de nulidade insanável, só ocorre quando haja ausência absoluta, ou total de inquérito. (Ac. RL de 21 de Outubro de 1999; *CJ*, XXIV, tomo 4, 158);

— Integra a nulidade prevista no art. 120.º, n.º 2, al. *d)*, do CPP (omissão de diligências na fase de julgamento que eram de reputar como essenciais à descoberta da verdade) omitir a inquirição de testemunhas faltosas, que eram todas as indicadas pela acusação, sendo uma delas a própria vítima do crime de furto e as outras as pessoas que compraram os objectos furtados. (Ac. STJ de 2 de Fevereiro de 2000; *CJ, Acs. do STJ*, VIII, tomo 1, 197);

— A insuficiência de inquérito prevista no art. 120.º, n.º 2, al. *d)*, do CPP apenas se verifica se for omitida a prática de acto que a lei prescreve como obrigatório. (Ac. RP de 27 de Junho de 2007, proc. n.º 741076);

— Decretada a invalidade do acto anulado, é ordenada a sua repetição e aproveitados todos os acto que ainda puderem ser salvos do efeito daquela, regressando o processo ao estádio em que o acto nulo foi praticado. (Ac. STJ de 14 de Maio de 2008, proc. n.º 1672/08-3.ª);

— O vício da nulidade não se confunde com o da inexistência jurídica. Nesta estão em causa vícios mais graves do que os que a lei prevê como constituindo nulidades. A função da inexistência — categoria que foge a toda a previsão normativa — é precisamente a de ultrapassar a barreira da tipicidade das nulidades e da sua sanação pelo caso julgado. A inexistência, ao contrário das nulidades, é insanável. (Ac. STJ de 14 de Maio de 2008; proc. n.º 1672/08-3.ª).

Código de Processo Penal

ARTIGO 121.º

(Sanação de nulidades)

1. Salvo nos casos em que a lei dispuser de modo diferente, as nulidades ficam sanadas se os participantes processuais interessados:

a) Renunciarem expressamente a argui-las;
b) Tiverem aceite expressamente os efeitos do acto anulável; ou
c) Se tiverem prevalecido de faculdade a cujo exercício o acto anulável se dirigia.

2. As nulidades respeitantes a falta ou a vício de notificação ou de convocação para acto processual ficam sanadas se a pessoa interessada comparecer ou renunciar a comparecer ao acto.

3. Ressalvam-se do disposto no número anterior os casos em que o interessado comparecer apenas com a intenção de arguir a nulidade.

---

1. Reproduz o art. 121.º do Proj. e corresponde aos arts. 114.º do Aproj. e 98.º, §§ 2.º a 7.º do CPP de 1929.

2. Como já se referiu em anot. aos artigos anteriores, a enumeração das nulidades é taxativa.

Quando a lei comina a existência de uma nulidade, esta só será insanável se a lei assim o determinar; perante o silêncio da lei quanto à natureza da nulidade, esta considera-se sanável, sendo a sanação feita pelo modo estabelecido neste artigo ou pelo decurso do tempo fixado no artigo anterior.

3. A renúncia à arguição das nulidades sanáveis, bem como a aceitação dos efeitos do acto afectado por tais nulidades por quem para tanto está dotado da necessária legitimidade, para que possam sanar a nulidade, terão que ser feitas expressamente, como resulta do texto das als. *a)* e *b)* do n.º 1. Não produzem pois tal efeito renúncias ou aceitações tácitas, ou seja as que são deduzidas da prática de actos que inculquem renúncia ou aceitação.

Tanto a renúncia à arguição de nulidade sanável como a aceitação dos efeitos do acto afectado de nulidade sanável são actos unilaterais. Podem revestir a forma escrita ou a forma oral; neste caso, porém, terão que ficar documentados nos autos, através de termo lavrado para o efeito.

Qualquer destas formas de sanação deve ser feita antes de decorrido o prazo fixado no art. 120.º, n.º 3. Logo que decorrido tal prazo, a sanação por renúncia ou por aceitação dos efeitos do acto será acto inútil, porque a sanação já se verificou por outra via.

A sanação através de prevalência pelo interessado da faculdade a cujo exercício o acto anulável se dirigia, prevista na al. *c)* do n.º 1, respeita a actos processuais que se destinam a assegurar faculdades ou exercicios de

Artigo 122.º

direitos. Se o arguido foi notificado de que tinha determinado prazo para deduzir a sua defesa ou para interpor recurso, e se nesse prazo efectivamente deduziu a sua defesa ou recorreu, ficará *ipso facto* sanada qualquer eventual nulidade dependente de arguição que tenha afectado o acto de notificação.

4. A forma de sanação prevista no n.º 2 é especifica das nulidades que podem afectar as notificações. Se numa notificação se não usou a língua portuguesa (arts. 92.º, n.º 1 e 120.º, n.º 2, al. *c*)), sendo a notificação para comparência, a nulidade ficará *ipso facto* sanada com a comparência do notificado ao acto a que foi mandado comparecer, isto é, obviamente, com a ressalva do n.º 3.

ARTIGO 122.º
(Efeitos da declaração de nulidade)

1. As nulidades tornam inválido o acto em que se verificarem, bem como os que dele dependerem e aquelas puderem afectar.

2. A declaração de nulidade determina quais os actos que passam a considerar-se inválidos e ordena, sempre que necessário e possível, a sua repetição, pondo as despesas respectivas a cargo do arguido, do assistente ou das partes civis que tenham dado causa, culposamente, à nulidade.

3. Ao declarar uma nulidade o juiz aproveita todos os actos que ainda puderem ser salvos do efeito daquela.

---

1. Reproduz, com ligeira alleração formal, o art. 122.º do Proj. e corresponde ao art. 115.º do Aproj. Não havia disposições correspondentes no CPP de 1929. Este artigo, agora introduzido, inspirou-se em disposições paralelas do CPC, e a introdução deve-se ao proposito de estabelecer uma maior autonomia do CPP relativamentc ao CPP.

2. O comando do n.º 3 insere-se no princípio de economia processual que presidiu a feitura do Código. Como no regime anterior, os documentos juntos não são afectados pela declaração de nulidade; seria desnecessário repetir esta asserção, em face deste comando do n.º 3.

3. Afigura-se-nos que a declaração de uma nulidade que afecte acto processual durante o inquérito deve ser feita pelo MP, excepto, evidentemente, se o acto afectado for da competência do juiz de instrução. O MP nessa fase é o *dominus* do processo, e compete-lhe praticar todos os actos que não forem de jurisdição, especificados no Código. Neste sentido também Costa Pimenta, *Código de Processo Penal Anotado*, anot. ao art. 122.º. O n.º 3 deve pois ser interpretado extensivamente, no sentido de abranger a autoridade judiciária, portanto também o MP.

A condenação em custas é porém da competência exclusiva do juiz, para o efeito lhe devendo ser concluso o processo quando a declaração de nulidade tiver sido feita pelo MP durante o inquérito.

Código de Processo Penal

4. Jurisprudência:

— I — A falta de indicação, na sentença, dos meios de prova que serviram para formar a convicção do tribunal constitui nulidade dependente de arguição, prevista nos arts. 374.°, n.° 2 e 379.°, al. *a)*, do CPP. II — Tal nulidade pode ser arguida na motivação do recurso interposto da sentença arguida de nula, e tem como efeito a invalidade da sentença anulada, que deve ser repetida, mas não necessariamente a invalidade da audiência de julgamento. (Ac. STJ de 5 de Julho de 1989, Proc. 40 094/3.ª);

— Anulada uma sentença por não indicação dos meios de prova que serviram para formar a convicção do julgador, este apenas pode colmatar o vício apontado pela Relação, e não proceder a novo julgamento, com alteração da matéria de facto e da decisão. (Ac. RC de 21 de Março de 1990; *CJ*, XV, tomo 2, 82);

— Não é inconstitucional o n.° 1 do art. 122.° do CPP, no entendimento de que abre a possibilidade de ponderação do sentido das provas subsequentes, não declarando a invalidade destas. (Ac. do Trib. Constitucional n.° 198/2004, de 24 de Março, proc. n.° 39/2004; *DR*, II série, de 2 Junho do mesmo ano).

ARTIGO 123.°

(Irregularidades)

1. Qualquer irregularidade do processo só determina a invalidade do acto a que se refere e dos termos subsequentes que possa afectar quando tiver sido arguida pelos interessados no próprio acto ou, se a este não tiverem assistido, nos três dias seguintes a contar daquele em que tiverem sido notificados para qualquer termo do processo ou intervindo em algum acto nele praticado.

2. Pode ordenar-se oficiosamente a reparação de qualquer irregularidade, no momento em que da mesma se tomar conhecimento, quando ela puder afectar o valor do acto praticado.

---

1. Reproduz o art. 123.° do Proj., porém com aditamento, no n.° 1, da expressão *se a este não tiverem assistido*. Corresponde aos arts. 117.° do Aproj. e 100.° do CPP de 1929.

2. As irregularidades, de que trata este artigo, constituem os vícios de menor gravidade de que podem enfermar os actos processuais — ver anot. ao art. 118.°.

Trata-se de uma categoria atípica e genérica. Para que o acto viciado de irregularidade seja válido e produza efeitos não é necessária confirmação ou aquiescência. A sua invalidade é que depende de prévia arguição, no prazo estabelecido neste artigo, e de declaração por parte do juiz, o qual pode até ordenar a reparação do vício nos termos do n.° 2.

Nesta categoria das irregularidades cabem quaisquer vícios de que enfermem os actos processuais, e que a lei não taxe de nulidade. Quanto às irregularidades não funciona, portanto, o princípio da legalidade, estabelecido no art. 120.°, que é específico das nulidades.

Artigo 123.º

3. Apesar de as irregularidades serem consideradas em geral vícios de menor gravidade do que as nulidades, a grande variedade de casos que na vida real se podem deparar impõe que se não exclua *a priori* a possibilidade de ao julgador se apresentarem irregularidades de muita gravidade, mesmo susceptíveis de afectar direitos fundamentais dos sujeitos processuais. Daí a grande margem de apreciação que se dá ao julgador, nos n.os 1 e 2, que vai desde o considerar a irregularidade inócua e inoperante até à invalidade do acto inquinado pela irregularidade e dos subsequentes que possa afectar, passando-se pela reparação oficiosa da irregularidade. Trata-se de questões a decidir pontualmente pelo julgador, com muita ponderação pelos interesses em equação, *maxime* as premências de celeridade e de economia processual e os direitos dos interessados.

Quando a irregularidade não pode afectar o valor do acto praticado é sempre inócua; quando o pode afectar fica sujeita ao regime indicado. Em qualquer caso a arguição pelos interessados está sujeita ao apertado regime de tempestividade estabelecido no n.º 1.

4. Da decisão sobre irregularidades cabe recurso, nos termos gerais. Não existe qualquer preceito excluindo recurso neste caso, funcionando portanto o princípio geral enunciado no art. 399.º, de que é permitido recorrer dos acórdãos, das sentenças e dos despachos cuja irrecorribilidade não estiver prevista na lei. E sucede ainda que as decisões sobre irregularidades processuais e seus efeitos podem afectar gravemente o processado subsequente e os interesses dos sujeitos processuais, como sucedeu *v. g.* no caso tratado pelo ac. RC de 6 de Junho de 1990, adiante sumariado. Em tais termos entendemos que as decisões sobre irregularidades processuais são passíveis de recurso, podendo até fundamentar recurso para o STJ (art. 410.º, n.º 3 interpretado extensivamente). Sucede ainda que os tribunais superiores têm admitido os recursos neste caso, como sucedeu no referido ac. RC. Contrariamente, Costa Pimenta sustenta que não cabe recurso das decisões sobre irregularidades processuais, no *Código de Processo Penal Anotado*, anot. ao art. 123.º.

5. *Jurisprudência:*

— Constitui irregularidade, que deve levar à anulação da audiência de julgamento e subsequente sentença, a omissão da chamada de testemunhas na hora e que devia realizar-se a audiência e a omissão de nova chamada das que faltaram na anterior. (Ac. RC de 6 de Junho de 1990; *CJ*, XV, tomo 3.º, 80);

— A falta de relatório social, mesmo quando a sua solicitação seja obrigatória, não constitui nulidade, mas irregularidade, com o regime do art. 123.º do CPP. (Ac. STJ de 6 de Maio de 1993, proc. 44.118/3.ª);

— I — Ao arguido preso deve ser dada a possibilidade de, através do seu defensor, se manifestar sobre a medida de coacção que está em vias de lhe ser aplicada. II — A inobservância deste procedimento constitui mera irregularidade que só pode ser arguida no próprio acto. III — O defensor do arguido deve assinar os actos processuais a que esteve presente. Não o fazendo, ocorre também uma irregularidade. (Ac. RC de 17 de Novembro de 1993; *CJ,* XVIII, tomo 5, 56);

Código de Processo Penal

— Quando se entender que uma diligência probatória é útil, mas não essencial para a descoberta da verdade, a omissão dessa diligência constitui irregularidade, sujeita ao regime do art. 123.º do CPP. (Ac. STJ de 2 de Fevereiro de 1994; *BMJ, 434,* 458);

— Em sede de inquérito, a reparação oficiosa de irregularidades processuais, como actividade preventiva, compete unicamente ao MP. (Ac. RC de 7 de Fevereiro de 1996, *CJ,* XXI, tomo 1, 51);

— É inconstitucional, por violação do art. 32.º, n.º 1, da CRP, a norma constante do art.º 123.º, n.º 1 do CPP, interpretada no sentido de impor a arguição no próprio acto da irregularidade cometida em audiência de julgamento, perante tribunal singular, independentemente de se apurar da cognoscibilidade do vício pelo arguido, agindo com a diligência devida. (Ac. do Trib. Constitucional n.º 203/2004, de 24 de Março, proc. n.º 694/2003; *DR,* II série, de 3 de Junho do mesmo ano);

— Não é inconstitucional a interpretação das normas dos arts. 61.º, n.º 1, al. b); 118.º, n.os 1 e 2; 119.º; 120.º, 123.º, n.º 1 e 194.º, n.º 2, do CPP, no sentido de que constitui irregulridade, a arguir no próprio acto, a prolação de despacho judicial a determinar a aplicação da medida de coacção de prisão preventiva ao arguido, na sequência de promoção do MP formulada após termo do primeiro interrogatório judicial de arguido detido, sem que este, assistido por mandatário por ele contituído, presente ao acto, tenha sido ouvido sobre essa promoção, sem invocação fundamentada de impossibilidade ou inconveniência dessa audição. (Ac. Trib. Constitucional de 31 de Maio de 2006, proc. n.º 376/2006; *DR,* II série, de 12 de Julho de 2006);

— Inexistindo qualquer efeito de arrastamento anulatório resultante de gravação sobre audiência, tal situação configura uma mera irregularidade, a arguir nos termos do artigo 123.º do CPP. (Ac. STJ de 13 de Setembro de 2006; *CJ, Acs. do STJ,* ano XIV, tomo 3, 185);

— É inconstitucional a norma do art. 123.º do CPP interpretada no sentido de consagrar o prazo de três dias para arguir irregularidades contados da notificação da acusação em processos de especial complexidade e grande dimensão, sem atender à natureza da irregularidade e à objectiva inexigibilidade da respectiva arguição. (AC. do Trib. Constitucional n.º 42/2007, de 23 de Janeiro; *DR,* II série, de 11 de Maio de 2007);

— Não é inconstitucional a prestação de compromisso de honra por parte de intérprete de comunicações telefónicas em língua estrangeira ser considerada mera irregularidade que se considera sanada se não tiver sido arguida nos termos e no prazo fixado no art. 123.º do CPP. (Ac. do Trib. Constitucional n.º 197/2007, de 14 de Março; *DR,* II série, de 18 de Maio de 2007).

LIVRO III

DA PROVA

TÍTULO I

DISPOSIÇÕES GERAIS

ARTIGO 124.°

(Objecto da prova)

1. Constituem objecto da prova todos os factos juridicamente relevantes para a existência ou inexistência do crime, a punibilidade ou não punibildade do arguido e a determinação da pena ou da medida de segurança aplicáveis.

2. Se tiver lugar pedido civil, constituem igualmente objecto da prova os factos relevantes para a determinação da responsabilidade civil.

---

1. Reproduz o art. 124.° do Proj. e corresponde aos arts. 260.° e 276.° do Aproj.; 147.° e 158.° do CPP de 1929 e 10.° do Dec.-Lei n.° 35 007, de 13 de Outubro de 1945.

2. Neste artigo, onde se define qual o tema da prova, estabelece-se que o podem ser todos os factos juridicamente relevantes para a existência ou para a inexistência de qualquer crime, para a punibilidade ou não punibilidade do arguido, ou que tenham relevo para a determinação da responsabilidade civil conexa.

A ausência de quaisquer limitações aos factos probandos ou aos meios de prova a usar, com excepção dos expressamente previstos nos artigos seguintes ou em outras disposições legais, é afloramento do princípio da demanda da verdade material, que continua a dominar o processo penal. Se

Código de Processo Penal

este processo se destina à aplicação do Direito Penal substantivo, este último tem por objecto realidades que têm de ser indagadas. É possível distinguir, dentro do processo penal, duas partes distintas: o apuramento dos factos que condicionam a aplicação da lei e a aplicação da lei.

As normas do processo civil sobre delimitação dos factos que podem ser objecto de prova, pela alegação dos mesmos nos articulados, não têm aplicação em processo penal; neste vigora o princípio do conhecimento amplo dos factos, só a partir da pronúncia existindo limitações formais, que radicam no princípio contraditório e nos direitos da defesa. Na fase do inquérito não existem estas últimas limitações, pelo que, nesta fase, todos os factos juridicamente relevantes constituem o tema da prova.

ARTIGO 125.º

(Legalidade da prova)

São admissíveis as provas que não forem proibidas por lei.

---

1. Reproduz o art. 125.º do Proj. e corresponde aos arts. 148.º do Aproj. e 173.º do CPP de 1929.

2. Formula-se neste artigo a regra geral da admissibiidade de qualquer meio de prova, em moldes que se não afastam dos do direito anterior. Para que um meio de prova não possa ser usado, terá que a proibição ser estabelecida por disposição legal, como sucede no artigo seguinte.

3. Após formular a regra geral da admissibilidade de quaisquer provas em processo penal, exceptua este artigo, na 2.ª parte, as provas que são proibidas por lei. A este respeito, das provas proibidas por lei, há em primeiro lugar que apontar as que foram obtidas pelos métodos enumerados ao artigo seguinte. Outras disposições legais enumeram ainda métodos proibidos de prova e fulminam com nulidade as que são obtidas com o uso de tais métodos, *maxime* os normativos dos arts. 32.º, n.º 8 e 34.º, n.º 4, da CRP.

4. *Jurisprudência:*
— Pode ser utilizada como meio de prova de um crime de ameaças a cassete que contém a gravação da mensagem ditada pelo arguido para o telemóvel do ofendido, para aí ficar gravada. (Ac. RP de 17 de Dezembro de 1997; *CJ*, XXII, tomo 5, 240);
— Em processo penal não existe um verdadeiro ónus da prova em sentido formal; nele vigora o princípio da aquisição da prova ligado ao princípio da investigação, donde resulta que são boas as provas validamente trazidas ao processo, sem importar a sua origem, devendo o tribunal, em último caso, investigar e esclarecer os factos na procura da verdade material. (Ac. STJ de 23 de Junho de 1999, proc. n.º 650/98-3.ª; *SASTJ*, n.º 32, 87);
— I Em geral e em princípio é permitido o aproveitamento em determinado processo de material probatório recolhido noutro, desde que neste a respectiva recolha tenha obedecido às prescrições legais. II — No caso específico de dados obtidos por meio de escutas telefónicas importa distinguir

Artigo 126.º

dois níveis de situações: o dos meros conhecimentos de investigação e o dos conhecimentos fortuitos. II — Na primeira situação os dados legalmente obtidos através de escutas telefónicas para determinados factos são extensíveis à prova dos demais factos e é lícito o aproveitamento de resultados de uma actividade que teve como escopo descobrir uma rede de criminalidade interligada. III — Na segunda situação são admissíveis os dados obtidos fortuitamente por via de escutas telefónicas, desde que a recolha tenha obedecido aos requisitos legais escritos no art. 187 do CPP. (Ac. STJ de 23 de Outubro de 2002, proc. n.º 2133/02-3.ª; *SASTJ*, n.º 64, 85);

— I — O agente provocador cria o próprio crime e o criminoso, na medida em que o induz à prática de ilícitos criminais; torna-se um verdadeiro instigador dos mesmos e, como tal, deverá ser punido e não ser aceite a prova dele obtida. II — O agente infiltrado limita-se a obter a confiança do suspeito, tornando-se aparentemente um deles, mas no cumprimento de um dever, e pode ser aceite a prova por meio dele obtida. (Ac. RL de 30 de Outubro de 2002; *CJ*, XXVII, tomo 4, 139);

— Não é incontitucional a norma do art. 125.º do CPP, na interpretação segundo a qual é permitida a admissão e valoração de provas documentais relativas a listagem de passagens de um veículo automóvel nas portagens das auto-estradas, que foram registadas pelo sistema de identificador de *Via Verde,* armazenadas numa base de dados informatizada e ulteriormente juntas ao processo criminal, sem o conhecimento do arguido e por mera determinação do MP. (Ac. do Tribunal Constitucional n.º 213/2008; *DR,* II série, de 5 de Maio de 2008).

ARTIGO 126.º

(Métodos proibidos de prova)

1. São nulas, não podendo ser utilizadas, as provas obtidas mediante tortura, coacção ou, em geral, ofensa da integridade física ou moral das pessoas.

2. São ofensivas da integridade física ou moral das pessoas as provas obtidas, mesmo que com consentimento delas, mediante:

   a) Perturbação da liberdade de vontade ou de decisão através de maus tratos, ofensas corporais, administração de meios de qualquer natureza, hipnose ou utilização de meios cruéis ou enganosos;

   b) Perturbação, por qualquer meio, da capacidade de memória ou de avaliação;

   c) Utilização da força, fora do casos e dos limites permitidos pela lei;

   d) Ameaça com medida legalmente inadmissível e, bem assim, com denegação ou condicionamento da obtenção de benefício legalmente previsto;

Código de Processo Penal

e) Promessa de vantagem legalmente inadmissível.

3. Ressalvados os casos previstos na lei, são igualmente nulas, não podendo ser utilizadas, as provas obtidas mediante intromissão na vida privada, no domicílio, na correspondência ou nas telecomunicações sem o consentimento do respectivo titular.

4. Se o uso dos métodos de obtenção de provas previstos neste artigo constituir crime, podem aquelas ser utilizadas com o fim exclusivo de proceder contra os agentes do mesmo.

---

1. Reproduz o art. 126.° do Proj., com posterior aditamento, no n.° 3, pela Lei n.° 48/2007, de 29 de Agosto, *não podendo ser utilizadas*. Corresponde aos arts. 149.° do Aproj. e 173.° e 261.° do CPP de 1929, este último artigo segundo a redacção introduzida pelo Dec.-Lei n.° 377/77, de 6 de Setembro; e 32.°, n.° 8 e 34.°, n.° 4, da CRP.

Estes artigos da CRP, nitidamente aflorados, *maxime* nos n.ºs 1 e 3, estabelecem o seguinte:

Art. 32.°.........
8. São nulas todas as provas obtidas mediante tortura, coacção, ofensa da integridade física ou moral da pessoa, abusiva intromissão na vida privada, no domicílio, na correspondência ou nas telecomunicações.
Art. 34.°.........
4. É proibida toda a ingerência das autoridades públicas na correspondência e nas telecomunicações e nos demais meios de comunicação, salvos os casos previstos na lei em matéria de processo criminal.

A intromissão no domicílio, na correspondência e nas telecomunicações encontram-se pormenorizadamente regulamentadas nos arts. 177.°, 179.º e 187.°.

2. Sobre este artigo escreveu Costa Andrade, *in Consenso e Oportunidade, Jornadas de Direito Processual Penal*, 337: «...O art. 126.º (*Métodos proibidos de prova*) estabelece um regime significativamente diferenciado: a par de métodos apenas proibidos quando obtidos *sem o consentimento* do titular (n.º 2), a lei leva a prescrição de outros a ponto de impor a sua invalidade mesmo quando obtidos *com o consentimento* do titular. Será assim sempre que estejam em causa métodos que contendam com a *integridade física ou moral das pessoas*. Uma solução a que não será naturalmente estranha a intenção de prevenir *manifestações não livres de consentimento*, hipótese sempre em aberto dada a desigualdade de facto entre os diferentes intervenientes. Mas o que verdadeiramente define a essência do regime é o duplo propósito de: por um lado, estabelecer um limite intransponível à redução da dissonância e da conflitualmente, e, por outro lado e reflexamente, salvaguardar a identidade e a imagem de um processo penal com as credenciais de um Estado de Direito».

346

Artigo 126.º

Sobre métodos proibidos de prova e provas consequenciais remetemos para a anot. 5 ao art. 118.º.

Em nosso entendimento, a proibição de utilização de provas aditada pela supramencionada lei no dispositivo do n.º 3 não superou quaisquer dúvidas interpretativas suscitadas pela anterior redacção desse dispositivo. Designadamente nada esclareceu sobre as melindrosas questões que se suscitam a propósito dos métodos proibidos de prova a que aludimos na anot. 5 ao art. 118.º, *v.g.* sobre utilização de provas consequenciais. Um arguido, mediante promessa de vantagem legalmente inadmissível (método proibido de prova - n.º 2, al. e)) confessa ser autor de um furto e indica onde escondeu os objectos furtados, de valor consideravelmente elevado. Seguidamente, os objectos nesse local são encontrados e apreendidos. *Quid juris?* A prova consequencial pode ou não ser utilizada? E se não pode, que destino dar aos objectos apreendidos? Não se deve efectuar a apreensão porque a confissão não pode ser utilizada? E se se tratar de arguido que confessa ser autor do homicídio e indica onde escondeu o cadáver?

Apesar do aditamento, continuamos a perfilhar como solução preferível a que sustentamos na aludida anot. 5 ao art. 118.º, também já adoptada pelo Trib. Constitucional no ac. de 24 de Março de 2004, proc. n.º 39/2004, e a rejeitar a doutrina da *árvore envenenada*, que prevalece nos EUA e que, numa interpretação meramente literal, parece ter sido perfilhada pelo dispositivo do n.º 3.

3. Quanto a meios de prova proibidos, valem hoje as disposições gerais deste artigo.

Ao estudarem os meios de prova admissíveis em processo penal, costumam os autores acentuar a proibição de serem usados meios irregulares para obter declarações comprometedoras, e encarar especialmente alguns meios irregulares e frequentes e outros que o progresso técnico pôs à disposição dos investigadores:

a) Actos ofensivos da integridade física ou moral:

Estes são meios absolutamente proibidos pela CR e pela lei ordinária, que os fulmina com nulidade insanável, podendo quem deles faça uso incorrer em responsabilidade criminal e disciplinar.

Os actos ofensivos da integridade física ou moral das pessoas vêm agora descritos taxativamente nas diversas alíneas do n.º 2.

b) Intromissão no domicílio e nas telecomunicacões:

A ingerência, para obtenção de provas, no domicílio e nas telecomunicações, só é admissível em processo criminal e mediante cautelas de vária ordem, que se estabelecem no n.º 3 deste artigo e nos arts. 177.º, 179.º e 187.º.

c) Conselhos sobre as consequências de declarações ou respostas falsas:

Estes conselhos, mesmo quando as consequências sejam danosas, são admitidos, desde que tais consequências sejam verídicas. Veja-se Cavaleiro de Ferreira, *Curso*, II, 324, onde ainda se expende que é admissível coacção moral a suscitar um movimento emocional do arguido, em presença dos efeitos do

Código de Processo Penal

crime, como mostrar-lhe o cadáver da vítima, indicar-lhe a situação infeliz dos ofendidos, etc. O caso pode agora considerar-se previsto no n.° 2, al. *d)*.

d) Narcoanálise:

A narcoanálise consiste na administração de narcótico mediante uma técnica especial, para produzir um estado crepuscular ou de subnarcose que impede o dominio voluntário.

Já antes da redacção introduzida no art. 261.° do CPP de 1929 se devia entender que, em face da ordem jurídica portuguesa, a narcoanálise não era um meio de prova admissível, mesmo com consentimento de quem a ela se submetia. Havia acordo desse ponto, na doutrina e na jurisprudência, e ele foi mesmo objecto do Parecer da PGR n.° 12/66, de 13 de Maio; *BMJ*, 163, 135 e segs.

A proibição deste meio consta agora da al. *a)* do n.° 2 deste artigo.

e) Microfones e registos de voz não autorizados:

Estes meios não são legais, na medida em que registam conversações privadas sem autorização. Razões de ordem ética e perigo de deturpações são geralmente considerados pelos autores como determinantes da interdição total destes meios. Vejam-se as considerações do Prof. Eduardo Correia, *SJ*, tomo XIV, n.os 1-2, pág. 35.

A proibição consta do n.° 3 desse artigo e no art. 32.°, n.° 6, da CR.

f) Detector de mentiras:

Este meio não é admissível. Apontam-se inconvenientes semelhantes aos da narcoanálise, e os resultados são precários.

g) Ciência privada do juiz:

Não é admissível, em face da exclusão da ciência privada e do princípio *quod non est in actis non est in mundo*.

h) Ameaças:

Aplicam-se aqui, *mutatis mutandis*, as considerações da al. *c)*. O caso está previsto na al. *d)* do n.° 2, pelo que as ameaças com medida legalmente prevista são admissíveis.

i) Promessas:

Têm regime idêntico ao dos conselhos e ameaças, e encontram-se agora previstas no n.° 2, al. *d)*.

j) Factos notórios e do conhecimento geral:

Estes factos não carecem de prova, identicamente ao que sucede no processo civil, e assim é considerado correntemente pela jurisprudência. Aponta-se, porém, que, embora não seja necessária a produção de prova, os factos devem ser alegados. Neste sentido Cavaleiro de Ferreira, *Curso*, II, págs. 296; Eduardo Correia, *RDES* tomo XIV, n.os 1-2, pág. 18 e Castanheira Neves, *Sumários*, pág. 45.

348

Artigo 126.º

k) Conversas informais:

As conversas informais, mormente com o arguido, só só podem ser valoradas em sede probatória quando inseridas no processo em forma de auto e com respeito pelas normas legais sobre recolha de prova, pois estão sujeitas ao princípio da legalidade, ínsito no art. 2.º do CPP e no comando constitucional do art. 29.º da CRP.

l) In dubio pro reo:

O princípio *in dubio pro reo* estabelece que, na decisão de factos incertos, a dúvida favorece o réu. É um princípio de prova que vigora em geral, isto é quando a lei, através de uma presunção, não estabelece o contrário. Dada esta natureza, ele é estranho à competência do STJ, quando funciona como Tribunal de Revista. Este princípio identifica-se com o da presunção de inocência do arguido, e impõe que o julgador valore sempre em favor dele (arguido) um *non liquet,* e ainda que em processo penal não seja admitida a inversão do ónus da prova em seu detrimento. Trata-se de uma orientação dominante na jurisprudência do Supremo, como se deduz, dentre outros, dos acs. de 1 de Novembro de 1966 e de 17 de Dezembro de 1980; *BMJ*, respectivamente 161, 399 e 302, 229, até ao ac. de 6 de Abril de 1994; *BMJ*, 436, 248.

O Código Penal Bávaro de 1813 continha uma disposição permitindo a condenação pelo crime menos grave, quando se não provava qualquer dos crimes que em alternativa se pudesse assegurar que o réu cometera, embora não tivesse sido obtida prova de todos os elementos constitutivos essenciais de qualquer desses crimes. Tal disposição foi revogada pela legislação alemã, e já antes disso fora objecto de fortes críticas, inclusivamente entre nós, por Silva Ferrão.

Não obstante, Figueiredo Dias, *Direito Processual Penal*, vol 1.º, 217, defendeu vigorosamente que tal orientação é menos exacta e justificável e que se trata de um princípio geral do processo penal, pelo que a sua violação conforma uma autêntica questão de direito, que portanto cabe na cognição do STJ.

Esta orientação não tem tido o apoio de outros autores, sendo a doutrina, em geral, mais conforme com a orientação que o Supremo predominantemente tem seguido. Na sua obra *Direito Penal Português*, I, pág. 111, reafirmando posição antes assumida nas *Lições de Direito Penal*, I, 86, Cavaleiro de Ferreira expende que o princípio respeita ao direito probatório, implicando a presunção de inocência do arguido que, sendo incerta a prova, se não use um critério formal como resultante de ónus legal da prova para decidir da condenação do réu, a qual terá sempre que assentar na certeza dos factos probandos. Mas, diz este Professor, não há que interpretar as leis em sentido favorável ao réu; trata-se de mero equívoco estender um princípio relativo à prova a matéria de interpretação. Só a prova de todos os elementos constitutivos essenciais de uma infracção permite a punição, mas este é um problema de direito probatório em processo penal, e não uma regra de interpretação da lei penal.

Veja-se ainda sobre esta matéria, na literatura jurídica nacional, Beleza dos Santos, RLJ, ano 65 pág. 322 e *Boletim da Faeuldade de Direito de Coimbra*, vol. Xl, pág. 102, Eduardo Correia, *Direito Criminal*, vol. 1.°, pág. 150 e Germano Marques da Silva, *Processo Penal,* II, pág. 92.

Código de Processo Penal

m) Presunções:

As presunções constituem, em processo penal, excepções ao princípio *in dubio pro reo*. Como excepções, devem ser interpretadas nos precisos termos textuais da lei, não podendo ser aplicadas analogicamente.

As presunções legais absolutas são normas de direito substantivo, que se não relacionam com a produção de prova. A doutrina considera-as um meio técnico para estender a esfera de aplicação de uma norma (Cavaleiro de Ferreira, *Curso*, II, 313).

As presunções legais relativas fazem inverter o ónus da prova. Em obediência a presunção, o julgador terá de dar o facto como provado, no caso de incerteza. «A presunção legal relativa tem natureza processual e actua, precisamente, quando, incerto o facto probando (mas somente quando incerto), o legislador permite, perante essa incerteza, a equiparação dum facto indiciante ao facto presumido incerto, da prova do primeiro fazendo derivar então as mesmas consequências que teriam lugar com a prova do segundo. E assim, as presunções simples ou naturais são meios lógicos de apreciação das provas; são meios de convicção. Cedem perante a simples dúvida sobre a sua exactidão no caso concreto» (Cavaleiro de Ferreira, *Curso*, II).

No entanto, as presunções de culpa, em largo domínio, têm sido consideradas banidas do processo penal, por força do art. 32.º, n.º 2, da Constituição. Ver *A Constituição e o Processo Penal*, de Rui Pinheiro e Artur Maurício, 79 e segs., onde o alcance do preceito constitucional é analisado.

4. Jurisprudência:

— I — Não pode condenar-se um arguido com base em simples presunções, que não são meios de prova, mas simples meios lógicos ou mentais. II — As presunções de culpa têm de haver-se como banidas em processo penal, face ao disposto no art. 32.º, n.º 2, da CRP. (Ac. STJ de 7 de Novembro de 1990; Proc. 41 294/3.ª);

— A nulidade resultante da violação de proibições de prova é insanável. (Ac. STJ de 5 de Junho de 1991; *BMJ, 408*, 405);

— I — O art. 126.º, n.º 1, do CPP preceitua que não são válidas as provas obtidas com ofensa da integridade física ou moral das pessoas. II — Por isso, na medida em que a contradita não é um ataque ao depoimento em si, ao seu conteúdo, mas um ataque à própria pessoa da testemunha e suas qualidades, não pode ser utilizada em processo penal. (Ac. STJ de 28 de Fevereiro de 1996; *CJ, Acs. do STJ*, IV, tomo 1, 213);

— Não é nula a prova obtida por autoridades policiais que, sob disfarce, ou ocultas perante o suspeito, o surpreendam ou encaminhem para espaços ou tempos em que a sua actividade criminosa pudesse ser revelada. (Ac. STJ de 8 de Janeiro de 1998; *CJ, Acs. do STJ*, VI, tomo 1, 155);

— Não é contrária à regra constitucional inscrita no art. 32.º, n.º 8, da CRP, a interpretação feita do art. 126.º, n.º 2, al. *a*), no sentido de que não é meio enganoso a intervenção de um agente policial que, já depois de consumado o crime, se limitou a colocar-se em pontos estratégicos para observar a conduta do arguido, em face de comunicação que lhe fora feita. (Ac. do Trib. Constitucional de 14 de Fevereiro de 2001, proc. n.º 508/99; *DR*, II série, de 8 de Outubro de 2001);

Artigo 126.º

— O STJ só pode sindicar a violação do princípio *in dubio pro reo* se da própria decisão recorrida resultar que o tribunal *a quo* teve dúvidas sobre a veracidade dos factos imputados ao arguido e mesmo assim atribuiu ao mesmo a sua autoria. (Ac. STJ de 11 de Julho de 2001, proc. n.º 1784/01-3.ª; *SASTJ*, n.º 53, 63);

— As conversas informais, mormente do arguido, não podem ser valorizadas em sede probatória. II — Tais conversas, a propósito dos factos em averiguação, estão sujeitas ao princípio da legalidade, ínsito no art. 2.º do CPP e proveniente do art. 29.º da CRP. III — O processo organizado na dependência do MP tem de obedecer aos ditames dos arts. 262.º e 267.º do CPP. Por isso as ditas conversas informais só podem ter valor probatório se transpostas para o processo em forma de auto e com respeito pelas regras legais da recolha de prova. (Ac. STJ de 3 de Outubro de 2002, proc. n.º 2804/02-5.ª; *SASTJ*, n.º 64, 101);

— A impugnação que o tribunal de primeira instância faz do princípio *in dubio pro reo* constitui uma impugnação da matéria de facto, pelo que a apreciação e decisão de tal questão é da competência do Tribunal da Relação. (Ac. STJ de 24 de Outubro de 2002, proc. n.º 3507/02-5.ª; *SASTJ*, n.º 64, 125);

— Os meios enganosos usados eventualmente pela Polícia sé devem considerar-se proibidos, nos termos do art. 126.º, n.os 1 e 2, al. *a)*, do CPP, quando causarem perturbação da liberdade de vontade ou decisão. (Ac. STJ de 30 de Outubro de 2002, proc. n.º 2118/02-3.ª; *SASTJ*, n.º 64, 92);

— I — O princípio *in dubio pro reo* constitui um princípio probatório segundo o qual a dúvida em relação à prova da matéria de facto tem sempre de ser valorada favoravelmente ao arguido, e traduz o correspectivo do princípio da culpa em direito penal, sendo a dimensão jurídico-processual do princípio jurídico-material da culpa concreta como suporte axiológico--normativo da pena. II — Este princípio não tem quaisquer reflexos ao nível da interpretação das normas penais. Em caso de dúvida sobre o contúdo e o alcance das normas penais o problema deve ser solucionado com o recurso às regras de interpretação entre as quais o princípio *in dubio pro reo* se não inclui, uma vez que tem reflexos exclusivamente ao nível da matéria de facto. (Ac. STJ de 14 de Novembro de 2002, proc. n.º 3316/02-5.ª; *SASTJ*, n.º 65, 82);

— É inconstitucional, por violação das disposições conjugadas dos arts. 1.º; 26.º, n.º 1 e 32.º n.º 8, da CRP, a norma extraída do art. 126, n.os 1 e 3 do CPP, na interpretação segundo a qual não é ilícita a valoração como meio de prova da existência de indícios dos factos integrantes dos crimes de abuso sexual de crianças imputados ao arguido e dos pressupostos estabelecidos nos arts. 202.º e 204.º, al. *c)* do CPP, para aplicação da medida de coacção de prisão preventiva, dos *diários* apreendidos, em busca domiciliária judicialmente decretada, na ausência de uma ponderação efectuada à luz dos princípios da necessidade e da proporcionalidade sobre o conteúdo em concreto, desses *diários*. (Ac. do Trib. Constitucional n.º 607/2003, de 5 de Dezembro, proc. n.º 594/03-2.ª; *DR*, II série, de 8 de Abril de 2004);

— I — Na distinção e caracterização da proibição de um meio de prova pessoal é pertinente o respeito ou desrespeito da liberdade de determinação da vontade ou da decisão da capacidade de memorizar ou de avaliar. II — Desde que esses limites sejam respeitados, não será abalado o equilíbrio e a equidade

Código de Processo Penal

entre os direitos das pessoas, enquanto fonte ou detentoras da prova, e as exigências públicas do inquérito ou investigação. III — Caindo a actuação do agente provocador nos limites das proibições de prova, importa, assim, distinguir os casos em que a actuação do agente policial (agente encoberto) cria naquele uma intenção criminosa, até então inexistente, dos casos em que o sujeito já está implícito ou potencialmente inclinado a delinquir, sendo que a actuação do agente policial apenas põe em marcha aquela decisão. IV — Nestes termos, a provocação, em matéria de proibição de prova, só revela se essas actuações visam incitar uma pessoa a cometer uma infracção que, sem essa intervenção, não teria lugar, e com vista a obter, desse modo, a prova de uma infracção que sem tal conduta não existiria. (Ac. STJ de 6 de Maio de 2004; *CJ. Acs. do STJ*, ano XII, tomo 2, 188);

— I — Os parâmetros legais da aplicação do princípio *in dubio pro reo*, assim como os da livre convicção do juiz, são sindicáveis, até certo ponto, em recurso cingido à matéria de direito. II — Contudo, a sindicância está limitada aos aspectos externos da formação da convicção das instâncias: há-de ficar-se pela exigência de que tal convicção seja objectiva e motivada na análise das provas, sendo de exigir a expressão de um processo racional convincente que suporte a conclusão final do tribunal recorrido pela valoração feita deste ou daquele meio de prova. (Ac. STJ de 20 de Outubro de 2005, proc. n.º 2431/05-5.ª; *SASTJ* n.º 94, 107);

— I — Tratando-se de uma decisão final do tribunal do júri, o STJ só conhece em revista alargada, e daí que em sede de reexame de matéria de facto, só possa pronunciar-se se ocorrer algum dos vícios previstos no n.º 2 do art. 410.º do CPP. II — O STJ apenas pode pronunciar-se sobre a violação do princípio *in dubio pro reo* se do texto do acórdão constar que os julgadores tiveram dúvidas sobre a culpabilidade do arguido, mas, mesmo assim, entenderam condená-lo. (Acs. STJ de 7 de Dezembro de 2005; *SASTJ*, n.º96, 61 e de 1 de Fevereiro de 2006 proc. n.º 3749/05/3.ª);

— I — O princípio *in dubio pro reo* tem apenas incidência na apreciação da prova, não sendo de aplicar na qualificação jurídica das condutas. II — Tendo o tribunal apurado que o arguido cometeu uma infracção, mas não conseguindo precisar se os factos apurados integram um ou outro crime, é admissível, dentro de certos limites, a condenação por um deles, mediante uma comprovação alternativa dos factos. (Ac. STJ de 25 de Maio de 2006, proc. n.º 1389/06; *CJ, Acs. do STJ*, ano XIV, tomo 2, 198);

— É inconstitucional, por violação do disposto nos arts. 25.º, 26.º, 32.º, n.º 4, da Constituição, a norma constante do art. 172.º, n.º 1, do CPP, quando interpretada do sentido de possibilitar, sem autorização do juiz, a colheita coactiva de vestígios biológicos de um arguido para determinação do seu perfil genético, quando este último tenha manifestado a sua expressa recusa em colaborar ou permitir tal colheita, e, consequentemente, é inconstitucional, por violação do disposto no art. 32.º, n.º 4, da Constituição, a norma constante do art. 126.º, n.ºs 1 e 2, alínea *a)* e *c)* e 3, do CPP, quando interpretada em termos de considerar válida e, por conseguinte, susceptível de utilização e valoração a prova obtida através da colheita realizada nos moldes descritivos. (Ac. do Trib. Constitucional de 2 de Março de 2007; *DR*, II série, de 10 de Abril do mesmo ano);

352

Artigo 127.º

— A prova obtida por agente provocador é nula, por inadmissível, visto para isso ter sido utilizado meio enganoso, proibido por lei. (Ac. STJ de 29 de Novembro de 2006; *CJ, Acs. do STJ,* ano XIV, tomo 3, 240);

— I — O princípio dos efeitos à distância ou da comunicabilidade ou não da proibição da valoração aos meios secundários de prova tornados possíveis à custa dos meios ou métodos proibidos de prova não é de aplicação automática. II — Anuladas, em processo diverso, as escutas telefónicas nas quais se fundou a emissão de mandados de busca à efectiva apreensão de produtos, objectos e documentos, será de afastar o efeito à distância, quando tal seja imposto por razões atinentes ao nexo de causalidade ou de imputação objectiva entre a violação da proibição da produção de prova e a prova secundária. (Ac. RL de 17 de Abril de 2007; *CJ* ano XXXII, tomo II, 132);

— A utilização de radares de controlo de velocidade aprovados pela DGV, sem comunicação à Comissão Nacional de Protecção de Dadas Pessoais, não consubstancia a utilização de método proibido de prova. (Ac. RC de 19 de Setembro de 2007; *CJ,* ano XXXII, tomo IV, 53);

— I — No âmbito do efeito à distância dos métodos proibidos de prova deve distinguir-se entre os revistos no art. 126.º, n.ºs 1 e 3 do CPP. No primeiro caso, do art. 126.º, n.º 1, trata-se de meios radicalmente proibidos, pelo que todas as provas por eles directa ou indirectamente obtidas ficam inutilizadas; no segundo, do n.º 3, o efeito obtido à distância de inutilização das provas imediatamente obtidas fica mais limitado, em função dos interesses conlituantes. II — Isto porque no segundo caso não está em causa o valor absoluto da dignidade do homem, mas interesses individuais que não contendem directamente com a garantia da dignidade da pessoa, como a intromissão sem consentimento do respectivo titular na vida privada, no domicílio, na correspondência nas telecomunicações. III — Assim, a nulidade das escutas, quando radique nos requisitos formais das operações, porque menos agressiva do conteúdo essencial da garantiaa constitucional da inviolabilidade das telecomunicações, poderá reclamar a limitação dos seus efeitos consequenciais. (Ac. STJ de 31 de Janeiro de 2008; *CJ, Acs. do STJ,* ano XVI, tomo I 2009);

— I — As proibições de prova são autênticos limites à descoberta da verdade material, enquanto as regras sobre a produção da prova apenas configuram meras prescrições ordenativas da produção da prova, cuja violação não acarreta a proibição de valorar essa mesma prova. II — Tratando-se de uma prova proibida (busca e apreensão), tudo se passa como se a mesma não existisse, pelo que importa determinar em que medida a mesma inquina e se estende aos actos ou provas ulteriores, o que só sucederá quando estes se encontrarem abrangidos por um nexo de antijuridicidade. III — Não haverá nesse nexo de antijuridicidade quando os factos ulteriormente apurados se fundamentarem em fontes de prova independentes e, por isso, destacados da prova inválida anterior. IV — Também não haverá nexo de antijuridicidade quando a descoberta desses novos e posteriores factos se mostre inevitável, mediante o decurso de outras diligências de prova, que já decorriam anteriormente ou em simultâneo. V — O mesmo sucederá se a prova subsequente, não obstante derivar de prova ilegal, for alcançada através de meios de prova autónomos e distintos desta última, em termos tais que produzam uma

353

Código de Processo Penal

decisiva atenuação da ilegalidaade precedente. (Ac. STJ de 20 de Fevereiro de 2008; *CJ, Acs STJ,* ano XVI, tomo 1, 229).

ARTIGO 127.º

(Livre apreciação da prova)

Salvo quando a lei dispuser diferentemente, a prova é apreciada segundo as regras da experiência e a livre convicção da entidade competente.

---

1. Reproduz o art. 127.º do Proj. Corresponde ao art. 150.º, n.º 1, do Aproj. Não havia disposição correspondente no CPP de 1929.

2. Como foi referido *supra*, não havia disposição correspondente no CPP de 1929, aplicando-se subsidiariamente as disposições do CPC, nomeadamente o seu art. 655.º. A introdução de uma norma sobre livre apreciação da prova não vinculativa no CPP obedeceu mais ao intuito de autonomizar o CPP em relação ao CPC do que ao de introduzir qualquer alteração significativa — que não existe —, em relação ao regime de livre apreciação da prova não vinculativa, do art. 655.º do CPC.

3. A regra da livre apreciação da prova em processo penal tem sido unanimemente aceite a partir da primeira metade do século XIX com as reformas judiciárias saídas da revolução liberal, encontrando-se de algum modo ligada ao modo de apreciação das provas pelo júri.

Porém, e como uniformemente expendem os autores, livre apreciação da prova não se confunde de modo algum com apreciação arbitrária da prova nem com a mera impressão gerada no espírito do julgador pelos diversos meios de prova; a prova livre tem como pressupostos valorativos a obediência a critérios da experiência comum e da lógica do homem médio suposto pela ordem jurídica. Dentro destes pressupostos se deve portanto colocar o julgador ao apreciar livremente a prova. Vejam-se, nesta orientação, Alberto dos Reis, *Código de Processo Civil Anotado e Comentado*, III, 246; Cavaleiro de Ferreira, *Curso de Processo Penal*, II, 288; Eduardo Correia, *Les Preuves en Droit Penal portugais*, RDES, XIV; Germano Marques da Silva, *Curso de Processo Penal*, II, 107 e segs. e Marques Ferreira, *Jornadas de Direito Processual Penal*, 228.

Disto resulta, como salienta Marques Ferreira, loc. cit., que o CPP tenha instituído sistemas de motivação e controle em sede de apreciação da prova, salientando o carácter racional desta, com realce para a consagração de um sistema que obriga a uma correcta fundamentação fáctica das decisões que conheçam a final do objecto do processo, de modo a permitir-se um efectivo controle da sua motivação. Veja-se, a este respeito, o art. 374.º, n.º 2.

4. A regra da livre apreciação da prova tem algumas excepções, designadamente as respeitantes ao valor probatório dos documentos autênticos e

Artigo 127.º

autenticados (art. 169.º); ao caso julgado, não obstante este apenas se encontrar indirectamente regulado no CPP, a propósito do pedido cível (art. 84.º); à confissão integral e sem reservas no julgamento (art. 344.º) e à prova pericial (art. 163.º). Estas excepções integram-se no princípio da prova legal ou tarifada, que é usualmente baseado na segurança e certeza das decisões, consagração de regras da experiência comum e facilidade e celeridade das decisões.

Tem grande importância a distinção a nível processual, pois que o desrespeito pelas regras próprias da valoração legal ou tarifada implica a violação de normas de direito, com as consequentes implicações, *maxime* em matéria de recursos.

5. Jurisprudência:

— Se o arguido presta declarações em julgamento, essas declarações, no que se refere ao objecto do processo, são livremente apreciados pelo tribunal, ainda que favoreçam o arguido ou qualquer dos coarguidos no processo. (Ac. STJ de 9 de Maio de 1996, proc. 48690/3.ª);

— A regra da livre apreciação da prova em processo penal não se confunde com apreciação arbitrária, discricionária ou caprichosa da prova, de todo em todo imotivável. O julgador, ao apreciar livremente a prova, ao procurar através dela atingir a verdade material, deve observância a regras de experiência comum utilizando como método de avaliação a aquisição do conhecimento critérios objectivos, genericamente susceptíveis de motivação e controlo. (Ac. do Trib. Constitucional n.º 1165/96, de 19 de Novembro; *BMJ,* 461, 93);

— I — As reproduções fonográficas, se não forem ilícitas, constituem documentos e valem como prova, como resulta do disposto nos arts. 164.º, n.º 1 e 167.º, n.º 1, do CPP. II — Nada impede o tribunal de, nos termos do art. 127.º do CPP, utilizar como meio de prova a gravação da conversa mantida por uma testemunha que se recusou a depor na audiência de julgamento. (Ac. STJ de 2 de Julho de 1998; *BMJ,* 479, 233);

— I — A livre apreciação da prova não é livre arbítrio ou valoração puramente subjectiva, mas apreciação que, liberta do jugo de um rígido sistema de prova legal, se realiza de acordo com critérios lógicos e objectivos; dessa forma, determina uma convicção racional, logo, também ela objectivável e motivável. II — Uma dúvida que, em rigor, não ultrapassa o limite da subjectividade, e que por isso se não deixa objectivar, não tem a virtualidade de, racionalmente, convencer quem quer que seja da bondade da sua justificação. (Ac. STJ de 4 de Novembro de 1998; *CJ, Acs. do STJ,* VI, tomo 3, 201);

— Não há que confundir o grau de discricionaridade implícito na formação do juizo de valoração do julgador com o mero arbítrio: a livre ou íntima convicção do juiz não poderá ser nunca puramente subjectiva ou emotiva e, por isso, há-de ser fundamentada, racionalmente objectivada e logicamente motivada, de forma a susceptibilizar controlo. (Ac. STJ de 21 de Janeiro de 1999, proc. 1191/98-3.ª; *SASTJ,* n.º 27, 78);

— I — O art. 127.º do CPP estabelece três tipos de critérios para avaliação da prova, com características e natureza completamente diferentes: uma avaliação da prova inteiramente objectiva quando a lei assim o determinar; outra, também objectiva, quando for imposta pelas regras da experiência; finalmente uma outra, eminentemente subjectiva, que resulta da livre convicção de julgador. II — A prova resultante da livre convicção do julgador pode ser motivada e

Código de Processo Penal

fundamentada mas, neste caso, a motivação tem de se alicerçar em critérios subjectivos, embora explicitados para serem objecto de compreensão. (Ac. STJ de 18 de Janeiro de 2001, proc. n.º 3105/00-5.ª; *SASTJ*, n.º 47, 88);

— É inconstitucional, por violação das garantias de defesa do arguido, consagradas no n.º 1 do art. 32.º da Constituição, a norma constante do art. 127.º do CPP, quando interpretada no sentido de admitir que o princípio da livre apreciação da prova permite a valoração, em julgamento, de um reconhecimento do arguido realizado sem a observância de nenhuma das regras definidas pelo art. 147.º do CPP. (Ac. do Trib. Constitucional n.º 137/2001, de 28 de Março de 2001, proc. n.º 778/2000; *DR*, II série, de 29 de Junho de 2001);

— Não há obstáculo legal à valoração das declarações do co-arguido, em harmonia com os critérios que devem presidir à livre apreciação da prova, nos termos do art. 127.º do CPP, desde que garantido o necessário contraditório. (Ac. STJ de 12 de Fevereiro de 2003, proc. n.º 4524/02-3.ª; *SASTJ*, n.º 68, 60);

— A livre apreciação da prova não se confunda com a apreciação arbitrária da mesma, nem com a mera impressão gerada no espírito do julgador pelos diversos meios de prova, devendo antes ser fundamentada e objectiva. (Ac. STJ de 8 de Novembro de 2006; *CJ, Acs. do STJ*; ano XIV, tomo 3, 222).

TÍTULO II

DOS MEIOS DE PROVA

CAPÍTULO I

DA PROVA TESTEMUNHAL

ARTIGO 128.º

(Objecto e limites do depoimento)

1. A testemunha é inquirida sobre factos de que possua conhecimento directo e que constituam objecto da prova.

2. Salvo quando a lei dispuser diferentemente, antes do momento de o tribunal proceder à determinação da pena ou da medida de segurança aplicáveis, a inquirição sobre factos relativos à personalidade e ao carácter do arguido, bem como às suas condições pessoais e à sua conduta anterior, só é permitida na medida estritamente indispensável para a prova de elementos constitutivos do crime, nomeadamente da culpa do agente, ou para a aplicação de medida de coacção ou de garantia patrimonial.

---

1. Reproduz o art. 128.º do Proj. O n.º 1 corresponde aos arts. 159.º, n.º 1, do Aproj. e 231.º do CPP de 1929. A disposição do n.º 2 não tem

Artigo 129.º

antecedentes no direito anterior e é reflexo do sistema de *césure* timidamente perfilhado.

2. Os arts. 231.º e 233.º do CPP de 1929 desciam a pormenores escusados e até inconvenientes sobre o objecto da inquirição de testemunhas.

No n.º1 sintetiza-se agora, por forma notável e clara, o objecto da inquirição. Dentro desta síntese, os inquiridores saberão distinguir quais os factos que devem ou que não devem ser inquiridos.

Tratar-se-á, em qualquer caso, de factos de que a testemunha tem conhecimento directo; quanto àqueles de que tem conhecimento indirecto rege o art. 129.º.

Uma antiga fórmula condensa o objecto dos depoimentos em processo penal: *Quis? Quid? Ubi? Quibus auxiliis? Quomodo? Quando?* A fórmula latina corresponde a alemã: *Wer? Was? Wo? Womit? Warum? Wie? Wann?*, expressivamente designada pelos sete W dourados da criminalística (Karl Zbinden, *Criminalística*, 115).

Considera este autor mostrar a experiência que o depoimento em forma de relato fornece elementos mais seguros para se analisar posteriormente se a testemunha é digna de fé do que o interrogatório propriamente dito, com perguntas determinadas pelo caso especial.

3. De notar que foi suprimida a distinção entre testemunhas e declarantes, que já se não justificava no CPP de 1929 perante a livre apreciação da prova fornecida por uns ou outros.

4. Como já se referiu *supra*, n.º 1, a disposição do n.º 2 não tem precedente no direito anterior e é reflexo do sistema de césure timidamente perfilhado pelo Código.

Tal disposição é correspondentemente aplicável às declarações do arguido (art. 140.º, n.º 2), do assistente e da parte civil (145.º, n.º 3). Como salienta Marques Ferreira, *Jornadas de Direito Processual Penal*, 238, não se trata aqui de uma proibição de uso de meios de prova, pelo que nada impede a valoração do factualismo que porventura venha a ser apurado com violação deste preceito, atento que se pretende apenas evitar que antes da fase de determinação da sanção se investigue àcerca da vida do arguido através de meios de prova declaratórios sem salvaguarda da publicidade que de tais actos deve andar afastada. Assim, e demais tratando-se de disposição inserta na prova testemunhal, nada impede que desde o início do processo se recolha prova relativamente à personalidade, ao carácter, condições de vida e conduta anterior do arguido, pelo recurso a outros meios de prova que não a testemunhal, nomeadamente através de prova documental ou pericial.

ARTIGO 129.º

(Depoimento indirecto)

1. Se o depoimento resultar do que se ouviu dizer a pessoas determinadas, o juiz pode chamar estas a depor. Se o não fizer, o

Código de Processo Penal

depoimento produzido não pode, naquela parte, servir como meio de prova, salvo se a inquirição das pessoas indicadas não for possível por morte, anomalia psíquica superveniente ou impossibilidade de serem encontradas.

2. O disposto no número anterior aplica-se ao caso em que o depoimento resultar da leitura de documento da autoria de pessoa diversa da testemunha.

3. Não pode, em caso algum, servir como meio de prova o depoimento de quem recusar ou não estiver em condições de indicar a pessoa ou a fonte através das quais tomou conhecimento dos factos.

---

1. Reproduz o art. 129.° do Proj. e corresponde aos arts. 161.° do Aproj. e 233.° do CPP de 1929.

2. Os depoimentos valem conforme a razão de ciência das testemunhas; por isso depoimentos sem razão de ciência não merecem crédito e não há que levá-los em conta ou escrevê-los.

Os depoimentos sobre factos relevantes são sempre acompanhados da razão de ciência (Cavaleiro de Ferreira, *Curso*, II, 338).

Estes ensinamentos da doutrina encontram se aflorados neste artigo e no seguinte.

Conforme expendeu o mesmo autor (*loc. cit.*, 338-339), «O sistema mais lógico da inquirição consiste em permitir primeiramente a exposição sobre todos os factos relevantes que a testemunha conhece, impedindo cautelosamente as considerações estranhas a tais factos, pois que se a testemunha tem o direito de redigir o seu depoimento, também deve ter o direito de depor em idênticas condições. O interrogatório seria sobretudo um exame do próprio depoimento, a realizar fundamentalmente pelo juiz, com a colaborasão das partes...».

3. O depoimento de testemunhas que, como razão de ciência, se limitam a referir que ouviram dizer não tem qualquer valor, nem há que escrevê-lo, como resulta do n.° 1 deste artigo e do art. 130.°, n.° 1.

Já assim devia ser entendido no domínio do CPP de 1939, mormente a partir da entrada em vigor da CRP, art. 32.°, n.° 5.

Seguiu-se aqui e na Lei n.° 43/86, art. 2, n.° 2, al. 23), de perto a doutrina expendida pelo Prof. Costa Andrade, *CJ,* ano Vl, tomo I, págs. 6 e segs., onde se formularam as seguintes conclusões, no domínio do CPP de 1929 mas inteiramente válidas perante o Código actual:

a) A utilização e valoração dos testemunhos de ouvir dizer é incompatível com um processo de estrutura acusatória, por ser contrária aos princípios da imediação e de contra interrogatório na fase de julgamento;

b) Ora a CRP (art. 32.°, n.° 5) dispõe que o processo penal terá estrutura acusatória. Devem, assim, considerar se incompatíveis com a Constituição e, por isso, inderrogavelmente excluídos, os testemunhos de ouvir dizer.

4. A impossibilidade de inquirição por as pessoas a inquirir não serem encontradas pode ser relativa, funcionando em cada caso o critério do juiz.

Artigo 129.º

Já quanto aos casos de morte e de anomalia psíquica superveniente, também previstos na parte final do n.º 1, a impossibilidade é absoluta.

A norma deste n.º 1, parte final, enquanto interpretada no sentido de admitir que possa servir como meio de prova o depoimento que resultar do que se ouviu dizer a pessoa determinada quanto a inquirição desta pessoa não for possível por impossibilidade de ser encontrada, mesmo que seja um co-arguido e depoente um agente da polícia judiciária que com ela contactou quando, na situação de detida, aguardava o primeiro interrogatório judicial, foi julgada constitucional pelo ac. do Trib. Constitucional n.º 213/94; *DR*, II série, de 23 de Agosto de 1994.

5. *Jurisprudência:*

— A prova por *ouvir dizer*, quando reportada a afirmações produzidas extraprocessualmente pelo arguido, é passível de livre apreciação por parte do tribunal. (Ac. RC de 6 de Outubro de 1988; *BMJ*, 380, 552). *Nota* — Discordamos, em fase do que se dispõe do segundo período do n.º 1, formulado na sequência do que vem sendo expendido pela doutrina mais autorizada;

— I — As testemunhas-eco, reproduzindo o que ouviram a outras pessoas, produzem depoimentos que não têm qualquer valor, por força do art. 129.º do CP. II — Esses depoimentos não têm que ser escritos, como resulta do art. 129.º, n.º 1, do CPP e do art. 130.º, n.º 1, do mesmo Código. III — Já assim devia ser entendido no domínio do CPP de 1929, mormente a partir da CRP, art. 32.º, n.º 5. IV — A utilização e valoração dos testemunhos de ouvir dizer é incompatível com a estrutura acusatória do processo, por contrária aos princípios da imediação e de contra-interrogatório na fase de julgamento. V — Dado o teor do art. 32.º, n.º 5, da CRP, devem considerar-se incompatíveis com a Constituição, e por isso inderrogavelmente excluídos, os testemunhos de ouvir dizer. (Ac. STJ de 21 de Junho de 1989, Proc. 40 009/3.ª). *Nota* — Traduz jurisprudência corrente do STJ;

— I — Quando o arguido exerce o seu direito de prestar declarações em audiência, não podem ser lidas as que anteriormente prestou no processo. II — Os agentes da PJ não ficam impedidos de depor sobre factos de que tiveram conhecimento directo por meios diferentes das declarações do arguido no decurso do processo, ainda que também as possam ter ouvido e que elas não possam ser lidas em audiência. III — As regras da experiência comum ensinam que ultrapassa qualquer dúvida razoável concluir-se, depois de inquirição do ofendido e de uma testemunha que compareceu no local do furto e da inquirição de 3 agentes da PJ que procederam a busca em caso do pai do arguido onde foram encontrados objectos furtados, de que foi o arguido o autor desse furto. (Ac. STJ de 24 de Fevereiro de 1993; *CJ. Acs. do STJ,* I, 202);

— I — Recusando-se o arguido a prestar declarações em julgamento, não podem aí ser inquiridos órgãos da Polícia criminal sobre factos que apuraram e de que tiverem tido conhecimento por anteriores declarações do arguido que não foram lidas no julgamento. II — Se forem inquiridos, verifica-se irregularidade que fica sanada se não for arguida tempestivamente. (Ac. STJ de 29 de Junho de 1995, proc. 47.919/3.ª);

— I — O art. 129.º do CPP só permite o depoimento que resulta do que foi ouvido dizer a pessoas determinadas, se estas não forem chamadas

Código de Processo Penal

a depor, pretendendo a lei que seja determinada a razão de ciência que possa ser sujeita ao contraditório. II — O depoimento indirecto (de ouvir dizer) pode valer como meio de prova livremente apreciado, se não puder ser ouvida a pessoa que disse (por morte, anomalia psíquica ou impossibilidade de ser encontrada). (Ac. STJ de 9 de Janeiro de 1997; *BMJ*, 463, 416);

— O art. 129.º, n.º 1 (conjugado com o art. 128.º, n.º 1), do CPP, interpretado no sentido de que o tribunal pode valorar livremente os depoimentos indirectos de testemunhas que relatem conversas tidas com um co-arguido que, chamado a depor, se recusa a fazê-lo no exercício do seu direito ao silêncio, não atinge, de forma intolerável, desproporcionada ou manifestamente opressiva, o direito de defesa do arguido. Por isso, não havendo um encurtamento inadmissível do direito de defesa do arguido, tal forma não é inconstitucional. (Ac. do Trib. Constitucional n.º 440/99, de 8 de Julho, proc. n.º 268/99, *DR*, II série, de 9 de de Novembro de 1999);

— I — Se no decurso da audiência de julgamento o arguido não prestou declarações e se a testemunha (agente da PSP) deu a conhecer ter feito diligências para descobrir quem furtou determinados bens e ainda que, na sequência das mesmas, o próprio arguido lhe confessou ser ele o autor do ilícito, então o depoimento desta não se configura como indirecto, nos termos e para os efeitos do art. 129.º do CPP. II — Acontecendo também que aquela testemunha não teve qualquer intervenção do processo, ou seja, não foi instrutora dele e não recebeu do arguido declarações prestadas no inquérito, pelo que o referido depoimento não ofende o disposto no art. 356.º, n.º 7, do CPP. (Ac. STJ de 15 de Novembro de 2000, proc. n.º 2551/2000-3.ª; *SASTJ*, n.º 45, 60);

— I — A prova por ouvir dizer, quando reportada a afirmações produzidas extraprocessualmente pelo arguido é passível de livre apreciação pelo tribunal quando o arguido se encontra presente em audiência e, por isso, com plena possibilidade de a contraditar, ou seja, de se defender. II — A proibição de depoimentos dos órgãos de polícia criminal ou das pessoas a que se refere o art. 356.º, n.º 7 do CPP, apenas incide sobre o conteúdo das declarações prestadas pelo arguido em inquérito ou em instrução. (Ac. RC de 18 de Junho de 2003; *CJ*, XXVIII, tomo 3, 51);

— A produção da prova correctora ou confirmativa dos depoimentos de ouvir dizer que se obtenha pelo funcionamento do art. 129.º n.º 1, do CPP, sempre resultará daquilo que o tribunal livremente decida a tal respeito, o que, inequivocamente, decorre da expressão *pode chamar estas a depor,* donde não se impor ao juiz a obrigatoriedade de envidar pela obtenção desses depoimentos. (Ac. STJ de 9 de Outubro de 2003, proc. n.º 166/03-5.ª; *SASTJ*, n.º 74, 169);

— Os depoimentos de testemunhas que ouviram o relato dos factos da boca do ofendido, quase de seguida à ocorrência dos mesmos, podem ser valorados pelo tribunal, não constituindo prova proibida. (Ac. RC de 2 de Fevereiro de 2005; *CJ*, XXX, tomo 1, 42);

— I — No nosso ordenamento processual penal, a regra é a da invalidade do depoimento por ciência indirecta, que só depois de confirmado se torna válido como meio de prova. II — Não corresponde a depoimento indirecto o depoimento das testemunhas que se limitam a constatar actos e reacções que presenciaram em outrem. (Ac. RC de 27 de Junho de 2007; *CJ*, ano XXXII, tomo 3, 55).

360

ARTIGO 130.º
(Vozes públicas e convicções pessoais)

1. Não é admissível como depoimento a reprodução de vozes ou rumores públicos.

2. A manifestação de meras convicções pessoais sobre factos ou a sua interpretação só é admissível nos casos seguintes e na estrita medida neles indicada:

a) Quando for impossível cindi-la do depoimento sobre factos concretos;

b) Quando tiver lugar em função de qualquer ciência, técnica ou arte;

c) Quando ocorrer no estádio de determinação da sanção.

---

1. Reproduz o art. 130.º do Proj. e corresponde ao n.º 2 do art. 161.º do Aproj. Não havia disposições correspondentes no direito anterior.

2. Ver anot. ao artigo anterior.

Embora não houvesse disposições correspondentes no CPP de 1929, já assim devia ser entendido em face do disposto no art. 233.º desse diploma.

Trata se de mais um afloramento da proibição, em princípio, do testemunho que não verse sobre factos concretos e do conhecimento directo, em particular do testemunho de ouvir dizer (cfr. art. 2.º, n.º 2, al. 23) da Lei n.º 43/86).

O n.º 1, estabelecendo a inadmissibilidade, como depoimento, da reprodução de vozes ou rumores públicos, é afloramento do que se dispõe no n.º 1 do art. 128.º quanto à exigência de a testemunha ser ouvida sobre factos de que possa ter conhecimento directo e que contituam objecto da prova. A reprodução de boatos, sem que a testemunha tenha conhecimento directo do seu objecto, não é admissível e não pode ser levada em conta como meio de prova.

Há aqui uma proibição absoluta de meio de prova.

Já há, porém, uma probição relativa de meio de prova no que concerne à manifestação de meras convicções pessoais sobre os factos ou a sua interpretação. As convicções pessoais, como se estabelece no n.º 2, em regra não valem como meio de prova; são no entanto admissíveis, na estrita medida aí indicada, quando se verificar algum dos casos enumerados nas alíneas desse n.º 2.

ARTIGO 131.º
(Capacidade e dever de testemunhar)

1. Qualquer pessoa que se não encontrar interdita por anomalia psíquica tem capacidade para ser testemunha e só pode recusar-se nos casos previstos na lei.

Código de Processo Penal

2. A autoridade judiciária verifica a aptidão física ou mental de qualquer pessoa para prestar testemunho, quando isso for necessário para avaliar da sua credibilidade e puder ser feito sem retardamento da marcha normal do processo.

3. Tratando-se de depoimento de menor de dezoito anos em crimes contra a liberdade e autodeterminação sexual de menores, pode ter lugar perícia sobre a personalidade.

4. As indagações, referidas nos números anteriores, ordenadas anteriormente ao depoimento não impedem que este se produza.

---

1. Reproduz o art. 131.° do Proj., porém com alterações nos n.ºs 2 e 3, e corresponde aos arts. 153.° do Aproj. e 216.° do CPP de 1929, sendo porém novas as disposições dos n.ºs 2, 3 e 4.

O n.° 3 tem a radacção introduzida pela Lei n.° 48/2007, de 29 de Agosto.
O texto anterior era o seguinte:
Tratando-se de depoimento de menor de 16 anos em crime sexual, pode ter lugar a perícia sobre a personalidade.

2. «Em processo penal não há prova preconstituída. A prova tem de buscar-se onde ocasionalmente se encontre. Os delinquentes procuram normalmente evitar a existência de qualquer prova; donde a impossibilidade de excluir da instrução qualquer meio probatório. Podem, por isso, ser ouvidas no processo todas as pessoas, até os anormais não interditos. A apreciação da prova é que terá em linha de conta a maior ou menor credibilidade das várias declarações. Inábeis ou incapazes para depor *(testes inhabiles)* são apenas as pessoas indicadas no ... Código de Processo Penal...» (Cavaleiro de Ferreira, *Curso*, II, 327).

3. Quanto a impedimentos no caso de processo contra pessoa colectiva, não poderá depor como testemunha o seu representante legal em exercício, podendo porém depor quem já tenha exercido essas funções, se os factos tiverem sido praticados enquanto as não exerceu. Qualquer membro de órgão de pessoa colectiva que não seja seu legal representante pode depor em processo contra pessoa colectiva.

4. A recusa, sem justa causa, de prestar depoimento é punida nos termos do n.° 2 do art. 360.° do CP, disposição que foi introduzida na fase final dos trabalhos preparatórios do CP precisamente para incriminar essa conduta censurável.

5. O Código distingue entre incapacidade para testemunhar, de que trata este artigo e que é geral, e impedimento para testemunhar em determinado processo, de que trata o art. 133.°.

6. *Jurisprudência:*
— Podem ser inquiridas como testemunhas pessoas que, consentindo na sua inquirição, embora tenham sido objecto de processo autónomo e arguidas nele

Artigo 132.º

como co-autoras de violação, crime de que o arguido é acusado, não estejam constituídas como tal no processo em que o arguido está a ser julgado, nem nele foram acusadas. (Ac. STJ de 14 de Outubro de 1992, *BMJ,* 420, 379); — Não há violação do art. 131.º, n.º 2, do CPP, quando o tribunal, depois de ouvir a ofendida, menor de 15 anos, constata que a mesma é portadora de algum atraso mental, mas, apesar disso, não tem dúvidas sobre a credibilidade do seu depoimento em julgamento. (Ac. STJ de 25 de Setembro de 1996, proc. 48328/95-3.ª);

— Com a perícia mencionada no art. 131.º, n.º 3, do CPP, visa-se determinar o estado de desenvolvimento do menor, especialmente no plano psíquico, o grau de maturidade, em ordem a detectar se possui ou não capacidade para compreender, avaliar e relatar factos que digam respeito a si ou a outrem; elementos esses coadjuvantes do tribunal, que lhe permitam avaliar da credibilidade que deve ser atribuída ao testemunho prestado ou a prestar. Ac. STJ de 7 de Dezembro de 1999, proc. 530/99-5.ª; *SASTJ,* n.º 36, 58);

— As testemunhas não podem recusar-se a depor, com o argumento de que só o farão acompanhadas de adovogado. (Ac. RG de 16 de Fevereiro de 2004; *CJ,* XXIX, tomo 1, 300).

ARTIGO 132.º

(Direitos e deveres das testemunhas)

1. Salvo quando a lei dispuser de forma diferente, incumbem à testemunha os deveres de:

a) Se apresentar, no tempo e no lugar devidos, à autoridade por quem tiver sido legitimamente convocada ou notificada, mantendo-se à sua disposição até ser por ela desobrigada;

b) Prestar juramento, quando ouvida por autoridade judiciária;

c) Obedecer às indicações que legitimamente lhe forem dadas quanto à forma de prestar depoimento;

d) Responder com verdade às perguntas que lhe forem dirigidas.

2. A testemunha não é obrigada a responder a perguntas quando alegar que das respostas resulta a sua responsabilização penal.

3. Para o efeito de ser notificada, a testemunha pode indicar a sua residência, o local de trabalho ou outro domicílio à sua escolha.

4. Sempre que deva prestar depoimento, ainda que no decurso de acto vedado ao público, a testemunha pode fazer-se acompanhar de advogado, que a informa, quando entender necessário, dos direitos que lhe assistem, sem intervir na inquirição.

5. Não pode acompanhar testemunha, nos termos do número anterior, o advogado que seja defensor de arguido no processo.

Código de Processo Penal

1. Os n.ᵒˢ 1 e 2 reproduzem o art. 132.º do Proj., salvo quanto à parte final da al. *b)* do n.º 1, desde *quando*, que foi introduzida na parte final dos trabalhos preparatórios, e corresponde a diversas disposições do CPP de 1929, designadamente aos arts. 215.º e 241.º desse diploma.
Os n.ᵒˢ 3, 4 e 5 foram introduzidos pela Lei n.º 48/2007, de 29 de Agosto.

2. As testemunhas estão sujeitas aos deveres de apresentação, de prestação de juramento e depoimento e de responder com verdade às perguntas que lhes forem dirigidas.
A falta injustificada de apresentação é punida nos termos do art. 116.º.
A recusa injustificada equivale à recusa de depor, sendo portanto punida nos termos do art. 360.º, n.º 2, do CP.
A recusa injustificada de prestação de depoimento é punida nos termos do art. 360.º, n.º 2, do CP (ver art. 91.º, n.º 4).
O depoimento falso é punido nos termos do art. 360.º, n.º 1, do CP.

3. O dever de as testemunhas responderem com verdade às perguntas que lhes forem dirigidas é excluído quando alegarem que das respostas resulta a sua responsabilização penal. O afastamento desse dever mediante a simples alegação, nos moldes referidos, abre certamente a porta a abusos, aos quais o MP pode obstar seguindo a prática de abrir inquérito, ou de dirigir o que está em curso, contra quem assim assume a qualidade de suspeito.

4. Os n.ᵒˢ 3, 4 e 5, como se aludiu supra, anot. 1, foram introduzidos pela Lei aí referida. Encerraram dispositivos para preservar certas testemunhas, por exemplo membros de serviços e forças de segurança, de eventuais constrangimentos e retaliações. E, tendo em conta o disposto no art. 20.º, n.º 2, da CRP e considerando que uma testemunha pode, a qualquer momento, constituir-se arguido, aí se admite que ela se possa acompanhar de advogado que a informe dos direitos que lhe assistem, sem intervir na inquirição. Porém, por óbvias razões, o advogado que acompanhe a testemunha não pode ser o defensor do arguido no processo.

5. *Jurisprudência:*
— I — O dever de uma testemunha notificada para comparecer em juizo não se esgota com a sua resposta à chamada, abarcando também a obrigação de se manter à ordem do tribunal até por este ser desobrigada. II — Assim, é de condenar em multa a testemunha que responde à chamada e, depois, injustificadamente e sem autorização, se ausenta do edifício do tribunal. (Ac. RC de 15 de Dezembro de 1993; *CJ*, XVIII, tomo 5, 72).

ARTIGO 133.º

(Impedimentos)

1. Estão impedidos de depor como testemunhas:

a) O arguido e os co-arguidos no mesmo processo ou em processos conexos, enquanto mantiverem aquela qualidade;

Artigo 133.º

b) As pessoas que se tiverem constituído assistentes, a partir do momento da constituição;
c) As partes civis;
d) Os peritos, em relação às perícias que tiverem realizado.

2. Em caso de separação de processos, os arguidos de um mesmo crime ou de um crime conexo, mesmo que já condenados por sentença transitada em julgado, só podem depor como testemunhas, se nisso expressamente consentirem.

1. Exceptuando as alterações adiante referidas, reproduz o art. 133.º do Proj. e corresponde aos arts. 153.º do Aproj. e 216.º do CPP de 1929. O dispositivo do n.º 2 não tinha, porém, correspondente no direito anterior.
A alínea d) do n.º 1 foi introduzida pela Lei n.º 48/2207, de 29 de Agosto, diploma que também introduziu, no n.º 2, a expressão *mesmo que já condenados por sentença transitada em julgado, só.*

2. O Código distingue entre incapacidade para testemunhar, de que trata o art. 131.º e que é geral, inibindo portanto o seu portador de testemunhar em qualquer processo, e impedimento, de que trata este art. 133.º, e que impede o testemunho somente no processo em que se verifica. A distinção não aparecia tão nítida no CPP de 1929, já que aí os institutos se misturavam nos mesmos artigos.

3. Não há agora distinção entre testemunhas e declarantes; daí a disposição do n.º 2.

4. A alteração introduzida no n.º 2 pela supramacionada lei veio resolver uma questão de solução duvidosa, ao abranger no dispositivo os arguidos já condenados por decisão transitada em julgado. Havia jurisprudência contraditória, incluindo a do Trib. Constitucional; porém, em nosso enetndimento, já assim devia ser interpretado o dispositivo.

5. *Jurisprudência:*
— Tendo havido separação de culpas, o arguido já julgado no processo inicial tem capacidade para ser testemunha no julgamento de outro co-arguido, podendo o depoimento ser utilizado como meio de prova na formação da convicção do tribunal. (Ac. STJ de 6 de Março de 1996; *CJ, Acs. do STJ,* IV, tomo 1, 221);
— É inconstitucional, por violação do art. 32.º, n.º 5, da CRP, a norma extraída com referência aos arts. 133.º, 343.º e 345.º do CPP, no sentido em que confere valor de prova às declarações proferidas por um co-arguido em prejuizo do outro co-arguido quando, a instâncias destoutro co-arguido, o primeiro se recusa a responder, no exercício do direito ao silêncio. (Ac. do Trib. Constitucional n.º 524/97, de 14 de Julho, Proc. n.º 222/97; *DR,* II série, de 27 de Novembro de 1997);

Código de Processo Penal

— O consentimento a que alude o n.º 2 do art. 133.º do CPP não pode ser tácito; tem que constar expressamente de acto avulso ou da própria acta de audiência de julgamento. (Ac. RC de 7 de Outubro de 1998; *BMJ*, 480, 552);

— A expressão *no mesmo processo*, referida no art. 133.º, n.º 1, al. *a)*, do CPP, não pode ser desligada da palavra *arguido*, que lhe é antecedente e que lhe confere o sentido normativo de um direito de defesa associado a essa qualidade, que como tal apenas subsistirá enquanto aquela posição contratual for mantida. (Ac. STJ de 8 de Abril de 1999, proc. 1166/98-3.ª; *SASTJ*, n.º 30, 70);

— Quem deixe de ser arguido num processo pode intervir noutro como testemunha, ainda que tal processo respeite a um crime que lhe era atribuído, mas imputado a outra pessoa. (Ac. RL de 18 de Maio de 1999; *CJ*, XXIV, tomo 3, 140);

— O art. 133.º do CPP apenas proibe que os arguidos sejam ouvidos como testemunhas uns dos outros, ou seja que lhes seja tomado depoimento sob juramento, mas não impede que os arguidos de uma mesma infracção possam prestar declarações no direito que lhes assiste de o fazerem em qualquer momento do processo, nada impedindo que um arguido preste declarações sobre factos de que possua conhecimento e que constituam objecto de prova, ou seja, tanto sobre factos que só a ele digam directamente respeito, como sobre factos que respeitem a outros arguidos. (Ac. STJ de 28 de Junho de 2001, proc. n.º 1552/01-5.ª; *SASTJ*, n.º 52, 71);

— A proibição prevista na al. *c)* do n.º 1 do art. 133.º do CPP só pode ser entendida com o alcance de se limitar às situações em que as partes civis se apresentam a deduzir pedido contra os próprios arguidos a que os factos respeitam, ou seja, as partes civis, só porque o são, não estão impedidas de testemunhar, mas apenas o estão relativamente aos factos que tenham a ver com o arguido ou arguidos visados. (Ac. STJ de 10 de Outubro de 2001, proc. n.º 1949/01-3.ª; *SASTJ*, n.º 54, 79);

— I — É a posição de interessado do arguido, a par de outros intervenientes citados no art. 133.º do CPP, que dita o seu impedimento para depor como testemunha, o que significa que nada obsta a que preste declarações, nomeadamente para se desonerar ou atenuar a sua responsabilidade, o que acarreta que, não sendo meio proibido de prova, as declarações de co-arguido podem e devem ser valorizadas no processo, não esquecendo o tribunal a posição que ocupa quem as prestou e as razões que ditaram o impedimento deste artigo. II — O art. 133.º apenas proibe que os arguidos sejam ouvidos como testemunhas uns dos outros, mas não impede que os arguidos de uma mesma infracção possam prestar declarações no exercício desse direito que lhes assiste, e de o fazerem em qualquer momento do processo. III — O art. 344.º, n.º 3, do CPP, não prevê qualquer limitação ao exercício do direito de livre apreciação da prova resultante das declarações do arguido. (Ac. STJ de 5 de Junho de 2003, proc. n.º 976/03-5.ª; *SASTJ*, n.º 72, 66);

— I — Os arguidos estão reciprocamente impedidos de ser testemunhas, adentro do mesmo processo, em caso de co-arguição e nos limites desta, como decorre do disposto na al. *a)* do n.º 1 do art. 133.º do CPP. II — Não estão todavia, impedidos de produzir prova — a chamada *prova por declarações do arguido* mesmo no decurso da audiência de julgamento, nos termos dos arts. 140.º e seguintes, como decorre, entre outros, dos arts. 343.º e 345.º do CPP.

Artigo 133.º

III — Porém, as declarações assim prestadas, *maxime* as que o forem em audiência de julgamento, por um ou mais dos co-arguidos, não podem validamente ser assumidas como meio de prova relativamente aos outros co--arguidos, servindo única e exclusivamente como meio de defesa pessoal do arguido ou dos co-arguidos que as tiverem prestado. (Ac. STJ de 9 de Julho de 2003, proc. n.º 3100/02-3.ª; *SASTJ*, n.º 73, 125);

— I — O impedimento de depor como testemunha configurado no art. 133.º, n.º 1, al. *a)*, do CPP, tem como pressuposto a arguição, ou co-arguição de crime; é o que claramente se patenteia no n.º 2, ao explicitar-se que, em caso de separação de processos, os arguidos de um mesmo crime, ou de um crime conexo, podem depor, se nisso expressamente consentirem. II — Se, no caso, nenhuma imputação de crime foi dirigida a cada uma das pessoas cujos depoimentos foram tomados para memória futura (e, depois, lidos em audiência), nada de processualmente relevante teria impedido tais pessoas de, perante a autoridade judiciária, cumprirem o dever legal de prestar juramento, antes da inquirição; e a omissão de juramento, por se tratar de vício não tabelado nem ter sido arguido, não invalida a prova, que, por isso, há-de ser valorada de acordo com os critérios fixados no art. 127.º do CPP. (Ac. STJ de 31 de Março de 2004, proc. n.º 3860/03-3.ª);

— I — O art. 133.º do CPP apenas impede que o arguido e os co-arguidos no mesmo processo deponham como testemunhas sobre os factos dos autos e, portanto, que os mesmos fiquem submetidos aos deveres gerais que impendem sobre as testemunhas, nomeadamente a prestação de juramento e a vinculação ao dever de responder com verdade às perguntas que lhes são feitas. II — Todavia, o arguido pode prestar voluntariamene declarações, constituindo estas, neste caso, um meio de prova, quer essas declarações se refiram a factos exclusivamente praticados por si, quer a factos praticados em comparticipação com outros arguidos, podendo, neste caso, incriminar outros participantes nos factos em discussão). (Ac. STJ de 8 de Julho de 2004, proc. n.º 1628/04-5.ª);

— A norma constante do art. 133.º, n.º 2, do CPP, interpretada no sentido de ser válido o depoimento prestado por co-arguido de um mesmo crime ou crime conexo em processo separado, sem afirmação do seu consentimento expresso, limitando-se a proibição de valoração do depoimento apenas em relação ao depoente, não é inconstitucional. (Ac. do Trib. Constitucional n.º 304//2004, de 5 de Maio de 2004, proc. n.º 957/2003-1.ª; *DR*, II série, de 20 de Julho do mesmo ano);

— Não é inconstitucional o art. 133.º, n.º 2, do CPP, interpretado no sentido de não exigir consentimento para o depoimento como testemunha de anterior co-arguido cujo processo, tendo sido separado, foi já objecto de decisão transitada em julgado. (Ac. do Trib. Constitucional n.º 181/2005, de 5 de Abril de 2005, proc. n.º 923/04; *DR*, II série, de 12 de Maio de 2005).

Nota: A nova redacção do texto do n.º 2, introduzida pela Lei referida no n.º 1, veio exigir, neste caso, consentimento expresso do condenado, assim acabando com dúvidas de constitucionalidade, e mesmo de legalidade, já que serão ilegais todas as declarações do arguido do mesmo crime ou de um crime conexo, desde que não dêem consentimento expresso;

Código de Processo Penal

— Não há qualquer impedimento legal em que as declarações dos co-
-arguidos sejam valoradas, segundo o prudente critério do tribunal, em conjunto
com os outros meios de prova. O art. 133.º do CPP apenas proíbe que os
arguidos sejam ouvidos como testemunhas uns dos outros, ou seja, que lhes seja
tomado depoimento sob juramento, mas não impede que os arguidos de uma
mesma infração possam prestar declarações no exercício de direito, que lhes
assiste, de o fazerem em qualquer momento do processo, nada impedindo que
o arguido preste declarações sobre actos de que possua conhecimento directo e
que constituam objecto da prova, ou seja, tanto sobre actos que só ele digam
directamente respeito, como sobre factos que respeitem a outros arguidos (Ac.
STJ de 27 de Novembro de 2007, proc. n.º 3872-3.ª secção).

ARTIGO 134.º

(Recusa de parentes e afins)

1. Podem recusar se a depor como testemunhas:

   a) Os descendentes, os ascendentes, os irmãos, os afins até ao
   segundo grau, os adoptantes, os adoptados e o cônjuge do
   arguido;

   b) Quem tiver sido cônjuge do arguido ou quem, sendo de outro
   ou do mesmo sexo, com ele conviver ou tiver convivido em
   condições análogas às dos cônjuges, relativamente a factos
   ocorridos durante o casamento ou a coabitação.

2. A entidade competente para receber o depoimento adverte,
sob pena de nulidade, as pessoas referidas no número anterior da
faculdade que lhes assiste de recusarem o depoimento.

---

1. Reproduz o art. 134.º do Proj., com aditamento, na alínea b), da
expressão *sendo do mesmo ou de outro sexo*, introduzida pela Lei n.º 48/2007,
de 29 de Agosto.

2. Não havia disposição correspondente na legislação processual penal
anterior; a introdução do preceito ficou a dever-se à cessação da distinção entre
testemunhas e declarantes e a uma maior autonomia do CPP relativamente ao
CPC.

3. Tem sido posta a questão de saber se os familiares do arguido mencionados na al. *a)* do n.º 1 podem recusar-se a depor como testemunhas mesmo
em relação a outros co-arguidos no mesmo processo com quem não tenham
qualquer relação de parentesco ou de afinidade relevante.
Afigura-se-nos que esta questão deve ser resolvida no sentido de só se
admitir a recusa quando a responsabilidade do co-arguido (não familiar ou afim)
for extensiva ao familiar ou afim da testemunha arrolada. Só neste caso subsistem
as razões determinantes do privilégio do n.º 1, al. *a)*, como sucede, *v.g.,* no caso

Artigo 134.º

de comparticipação. Trata-se de uma situação algo semelhante à do âmbito dos recursos — art. 402.º. No caso de se tratar de infracções autónomas mas julgadas no mesmo processo não tem fundamento o privilégio.

O STJ, no ac. de 17 de Janeiro de 1996, sumariado *infra,* admitiu a possibilidade de recusa em relação à totalidade dos arguidos, ainda que os factos sejam alheios à imputação feita ao arguido parente ou afim; cremos porém que não terá sido seguida a melhor orientação. O aludido ac. foi objecto de anotação discordante de A. Medina de Seiça, na *RPCC,* ano 6, fac. 3.º, 480 e segs.

4. A situação descrita na 2.ª parte da al. *b)* do n.º 1 é a do designado *cônjuge de facto,* que apareceu no nosso ordenamento jurídico a partir da reforma do CC operada em 1977.

O aditamento introduzido na al. b) pela Lei referida na anot. 1 veio abranger no dispositivo o caso dos denominados casais de homossexuais,de harmonia com o consenso de parte substancial da comunidade, que sofreu notória evolução desde que o código entrou em vigor, há duas décadas.

5. Particular atenção merece o preceito do n.º 2. A nulidade é sanável e deve ser arguida antes que o depoimento esteja terminado (art. 120.º, n.º 3, *a)*).

6. *Jurisprudência:*

— I — No art. 134.º do CPP faz-se referência às pessoas que estão numa relação familiar com o arguido, e não com a pessoa ofendida. Só àquelas, portanto, há que fazer a advertência pressuposta no artigo. O legislador pronunciou-se em termos precisos, adequados, não sendo por isso curial interpretar a norma em análise como abrangendo também os familiares dos ofendidos. II — Mas, a haver nulidade, ficará ela sanada quando não arguida antes de o depoimento estar terminado. (Ac. STJ de 19 de Abril de 1991, Proc. 41 623/3.ª);

— Os descendentes, ascendentes, irmãos, afins até ao 2.º grau, adoptantes, adoptados e o cônjuge de um arguido podem recusar-se a depor, com fundamento no art. 134.º do CPP, mesmo em relação a outros arguidos de uma mesma infracção. (Ac. STJ de 17 de Janeiro de 1996; *CJ, Acs. do STJ,* IV, tomo 1, 177);

— I — A advertência a que alude o n.º 2 do art. 134.º do CPP deve constar da acta, sob pena de nulidade do depoimento prestado. II — Essa nulidade é cominada nos termos do art. 120.º do CPP, ficando sanada se não tiver sido arguida no momento próprio. (Ac. STJ de 20 de Novembro de 1996, proc. n.º 47171-3.ª);

— A partir do momento em que os parentes e afins de um arguido se não recusam a depor, passam a funcionar como qualquer testemunha, isto é, sem quaisquer reservas, excepções ou limitações, tendo de responder com verdade à matéria que lhes for perguntada. (Ac. RP de 3 de Março de 1999; *BMJ,* 485, 488);

— I Ao não prever que os descendentes da vítima possam recusar-se a depor, prevendo porém a possibilidade de tal recusa para os descendentes do arguido, o art. 134.º, n.º 1, al. *a),* do CPP, não consubstancia violação do princípio da igualdade, não sofrendo de inconstitucionalidade. II — A possibilidade de recusa em prestar depoimento por parte dos familiares do arguido

Código de Processo Penal

indicados naquele normativo destina-se a evitar situações em que tais pessoas, na intenção de favorecerem o arguido, sejam levadas a mentir perante o tribunal, ou se vejam constrangidas a, dizendo a verdade, contribuirem para a condenação do seu familiar. III — Aliás, nada impede que tais familiares do arguido deponham; basta que o requeiram. (Ac. STJ de 20 de Novembro de 2002; *SASTJ*, n.º 65, 64);

— Não comete o crime de depoimento falso o pai do arguido que, embora sob juramento, preste depoimento sem que lhe tenha sido feita advertência constante do art. 134.º n.º 2, do CPP. (Ac. RP de 15 de Outubro de 2003, proc. n.º 313324).

ARTIGO 135.º

(Segredo profissional)

1. Os ministros de religião ou confissão religiosa, e os advogados, médicos, jornalistas, membros de instituições de crédito e as demais pessoas a quem a lei permitir ou impuser que guardem segredo podem escusar-se a depor sobre os factos por ele abrangidos.

2. Havendo dúvidas fundadas sobre a legitimidade da escusa, a autoridade judiciária perante a qual o incidente se tiver suscitado procede às averiguações necessárias. Se, após estas, concluir pela ilegitimidade da escusa, ordena, ou requer ao tribunal que ordene, a prestação do depoimento.

3. O tribunal imediatamente superior àquele onde o incidente se tiver suscitado, ou, no caso de o incidente se ter suscitado perante o Supremo Tribunal de Justiça, o pleno das secções criminais, pode decidir da prestação de testemunho com quebra do segredo profissional sempre que esta se mostre justificada, segundo o princípio da prevalência do interesse preponderante, nomeadamente tendo em conta a imprescindibilidade do depoimento para a descoberta da verdade, a gravidade do crime e a necessidade de protecção de bens jurídicos. A intervenção é suscitada pelo juiz, oficiosamente ou a requerimento.

4. Nos casos previstos nos n.ᵒˢ 2 e 3, a decisão da autoridade judiciária ou do tribunal é tomada ouvido o organismo representativo da profissão relacionada com o segredo profissional em causa, nos termos e com os efeitos previstos na legislação que a esse organismo seja aplicável.

5. O disposto nos n.ᵒˢ 3 e 4 não se aplica ao segredo religioso.

---

1. Reproduz dispositivo do art. 135.º do Proj., com alterações no n.º 3 introduzidas pelo Dec.-Lei n.º 317/95, de 28 de Novembro e pela Lei n.º 48//2007, de 29 de Agosto, que estabeleceu a redacção actual deste número.

Artigo 135.º

2. Generaliza-se neste artigo a quebra do segredo profissional, com a consequente obrigatoriedade de depoimento quando, apesar da invocação do segredo profissional, o tribunal superior ordene a prestação do depoimento, como se prevê nos n.ºˢ 2 a 4.

Este regime só não se aplica, por razões óbvias, ao segredo religioso (n.º 5), sobre o qual vigora não só este número mas ainda a Lei n.º 4/71, de 21 de Agosto, Base XIX, e ao segredo de Estado (em relação a este regula o art. 137.º).

O sistema inspirou-se manifestamente naquele que o Dec.-Lei n.º 47 749, de 6 de Junho de 1967, estabeleceu para a decisão sobre revelação do segredo profissional médico e no que foi estabelecido pelo Dec.-Lei n.º 48 587, de 27 de Agosto de 1968, para revelação do segredo profissional dos farmacêuticos.

3. O sistema agora estabelecido é simples: as entidades referidas no n.º 1 podem escusar-se a depor sobre factos cobertos pelo segredo profissional, mediante a invocação deste segredo. A autoridade judiciária perante a qual o depoimento deve ser prestado procede a averiguações sumárias. Se após estas, concluir pela manifesta inviabilidade da escusa, ordena o depoimento, que não pode ser recusado. Se concluir pela viabilidade da escusa, prescinde do depoimento ou requer ao tribunal superior que o ordene, usando para isso do processo aqui regulado. O tribunal superior decidirá, e, evidentemente, na decisão a tomar terá que usar de muito critério e moderação, atentos os interesses muito ponderosos que nestes casos estão em jogo, de um lado e de outro (exigências da administração da justiça, do segredo médico, bancario, etc.). Estes interesses foram até aflorados na Lei de Autorização legislativa, a qual, no art. 2.º, al. 33) determinou que se acautelassem especialmente as condições restritivas em que a quebra pode ter lugar.

De salientar que embora o MP, como autoridade judiciária que é, possa proceder às averiguações necessárias para se decidir o incidente, a decisão deste cabe sempre ao tribunal ou ao juiz, sendo o juiz de instrução a decidi-lo na fase do inquérito.

O dispositivo da parte final do n.º 4 — *nos termos e com os efeitos previstos na legislação que a esse organismo seja aplicável* — foi introduzido na parte final dos trabalhos preparatórios, não constando mesmo da proposta elaborada pela CRCPP. Significa, em nosso entendimento, que se deve dar prevalência ao disposto na legislação especial relativa aos organismos representativos das profissões, a qual se aplicará, e não os dispositivos gerais do CPP. O ponto, porém, suscita algumas reservas, e esta interpretação não se compagina com a Lei de Autorização legislativa, que apenas mandava ouvir o organismo profissional. Veja-se a exposição do Prof. Germano Marques da Silva, *Curso de Processo Penal*, II, 129.

A lei sumpramencionada na anot. 1, que introduziu a redacção actual do n.º 3, explicitou o conceito de interesse preponderante, referindo-se a *imprescindibilidade do depoimento, a gravidade do crime e a necessidade de protecção de bens jurídicos*. O conceito é, assim, mais restritivo que o do texto anterior.

4. Quanto a quebra do segredo profissional são hoje de crucial importância os dispositivos da Lei n.º 5/2002, de 5 de Janeiro, sobre recolha

Código de Processo Penal

de prova, quebra de segredo profissional e perda de bens a favor do Estado no âmbito da criminalidade organizada e económico-financeira. Esta Lei vai transcrita no final desta obra. Para além do que neste art. 135.º e na referida Lei se dispõe, há numerosa e inabarcável legislação especial sobre segredo profissional de diversas entidades, que deve sempre ser consultada.

Menciona-se alguma dessa legislação, de maior interesse:

Segredo dos jornalistas, ou segredo de imprensa — Leis n.ºˢ 1/99 (Estatuto do Jornalista) e 2/99 (Lei de Imprensa), ambas de 13 de Janeiro.

Segredo bancário — Dec.-Lei n.º 298/92, de 31 de Dezembro;

Segredo de Estado — Lei n.º 6/94, de 7 de Abril;

Segredo estatístico — Lei n.º 6/89, de 15 de Abril;

Segredo de justiça — Lei n.º 21/85 (magistrados judiciais); Lei n.º 47/ /86 (magistrados do MP) e Dec.-Lei n.º 367/87, de 11 de Dezembro (funcionários judiciais);

Gestores públicos — Dec.-Lei n.º 464/82, de 9 de Dezembro;

Revisores oficiais de contas — Dec.-Lei n.º 519/79, de 29 de Dezembro;

Corretores das bolsas — Dec.-Lei n.º 8/74, de 14 de Janeiro;

Actividade seguradora — Dec.-Lei n.º 72/76, de 27 de Janeiro e Dec.- -Lei n.º 336/85, de 21 de Agosto;

Funcionários e agentes da administração central, regional e local — Dec.-Lei n.º 24/84, de 16 de Janeiro;

Segredo de indústria — Código da Propriedade Industrial, aprovado pelo Dec.-Lei n.º 16/95, de 24 de Janeiro;

Advogados — Estatuto da Ordem dos Advogados aprovado pela Lei n.º 15/2005, de 26 de Janeiro, art. 87.º e Regulamento 94/06, da O. A.;

Médicos — Estatuto da Ordem dos Médicos e Estatuto Disciplinar dos Médicos aprovado pelo Dec.-Lei n.º 217/94, de 20 de Agosto;

Segurança privada — Dec.-Lei n.º 35/2004, de 21 de Fevereiro;

Provedoria de Justiça — Dec.-Lei n.º 279/93, de 11 de Agosto;

Solicitadores — Estatuto da Câmara dos Solicitadores aprovado pelo Dec.- -Lei n.º 88/2003, de 20 de Abril, art. 110.º e Lei n.º 11/2004, de 27 de Março, *maxime* art. 30.º;

Notários — Arts. 23.º al. *d)* do Estatuto do Notariado aprovado pelo Dec.- -Lei n.º 26/2004, de 4 de Fevereiro e 37.º do Estatuto da Ordem dos Notários aprovado pelo Dec.-Lei n.º 27/2004, de 4 de Fevereiro.

5. Só o advogado detentor do sigilo profissional tem legitimidade para requerer autorização para a sua dispensa, salvo o caso excepcional do actual art. 135.º do CPP. O advogado que sudeceu no patrocínio a um colega, deste tendo recebido em *dossier* a correspondência trocada com o advogado da parte contrária ou directamente com a parte contrária, correspondência essa a coberto do segredo profissional, tem legitimidade para requerer autorização da sua dispensa, para junção desses documentos aos autos. (Des. Pres. da Ord. Advs. de 24 de Outubro de 1988; *ROAdv.*, 48, 1062).

6. Nos termos do art. 182.º, as pessoas indicadas nos arts. 135.º e 136.º apresentam à autoridade judiciária, quando esta o ordenar, os documentos ou quaisquer objectos que tiverem na sua posse e devam ser apreendidos, salvo se invocarem, por escrito, segredo profissional ou segredo de Estado,

Artigo 135.º

caso em que é correspondentemente aplicável o disposto no art. 135.º, n.º 2 ou no art. 137.º, n.º 2.

7. *Segredo profissional jornalístico.* Veja-se, com a abundante doutrina jurisprudência citada no texto, o estudo do Dr. João Zenha Martins, na *RMP*, ano 27, n.º 106, 83 e segs., cujo sumário é o seguinte:
- Enquadramento.
- O segredo profissional dos jornalistas; razão de ser.
- Coordenadas processuais.
- Juizo de ponderação.
- Lacunas processuais.

8. *Jurisprudência fixada:*
— Requisitada a instituição bancária, no âmbito de inquérito criminal, informação referente a conta de depósito, a instituição interpelada só poderá legitimamente escusar-se a prestá-la com fundamento em segredo bancário. Sendo ilegítima a escusa, por a informação não estar abrangida pelo segredo, ou por existir consentimento do titular da conta, o próprio tribunal em que a escusa for invocada, depois de ultrapassadas eventuais dúvidas sobre a ilegitimidade da escusa, ordena a prestação da informação, nos termos do n.º 2 do artigo 135.º do Código de Processo Penal. Caso a escusa seja ilegítima, cabe ao tribunal imediatamente superior àquele em que o incidente se tiver suscitado ou, no caso de o incidente sr suscitar perante o Supremo Tribunal de Justiça, ao Pleno das secções criminais, decidir sobre a quebra do segredo, nos termos do n.º 3 do mesmo artigo. (Ac. do Pleno das secções criminais do STJ n.º 1/2008; *DR,* I série, de 31 de Março de 2008).

9. *Jurisprudência:*
— Os n.ºs 2 e 3 deste artigo não violam qualquer preceito da CRP, designadamente o seu art. 38.º, n.º 2, al. *b).* (Ac. Tribunal Constitucional de 9 de Janeiro de 1987; *DR,* I série, de 9 de Fevereiro de 1978);
— I — É de autorizar, com quebra do segredo bancário, a prestação de informação, pelo banco, sobre a identidade da pessoa a quem foi pago um vale postal furtado. II — Neste caso, podia ter sido usada a faculdade do art. 181.º, n.º 1, do CPP. (Ac. RC de 31 de Janeiro de 1990; *CJ,* XV, tomo 1, 109);
— I — O advogado é obrigado a segredo profissional no que respeita a factos referentes a assuntos profissionais que tenham sido revelados pelo cliente ou por sua ordem ou conhecidos no exercício da sua profissão, bem como no que respeita a factos de que a parte contrária do cliente ou respectivos representantes lhe tenham dado conhecimento durante negociações para acordo amigável e que sejam relativos à pendência. II — Esse segredo pode ser quebrado quando for absolutamente necessário para a defesa da dignidade, direitos e interesses legítimos do próprio advogado ou do cliente ou seus representantes. (Ac. RC de 20 de Janeiro de 1993; *CJ,* XVIII, tomo 1, 64);
— I — A autoridade judiciária, mediante despacho fundamentado, pode ordenar a um membro de uma instituição de crédito que deponha sobre factos ou faculte elementos abrangidos pelo segredo bancário. II — Se o membro da instituição de crédito, *v.g.* o gerente da agência, se recusar a depor sobre os factos ou a facultar elementos abrangidos pelo segredo, invocando o que

373

Código de Processo Penal

dispõe o art. 78.º do Dec.-Lei n.º 298/92, de 31 de Dezembro, e a autoridade judiciária perante a qual se suscitou esse incidente tiver fundadas dúvidas sobre a legalidade formal e substancial da escusa, então procederá às averiguações necessárias e ouvirá o organismo representativo da profissão relacionada com o segredo profissional em causa, nos termos e com os efeitos previstos na legislação que a esse organismo seja aplicável (art. 135.º, n.ᵒˢ 2 e 5 do CPP. III — Depois dessas averiguações, concluindo-se pela ilegalidade da escusa, se a autoridade judiciária em causa for o juiz este ordena a prestação de depoimento; se for o MP este requer ao Tribunal que ordene a prestação do depoimento. IV — Se o Tribunal, em despacho fundamentado, decidir que escusa é ilegítima e expressamente ordenar que o depoimento seja prestado, o membro da instituição de crédito destinatário dessa decisão tem de respeitar o princípio constitucional de que as decisões dos tribunais são obrigatórias para todas as entidades públicas e privadas e prevalecem sobre as de quaisquer outras autoridades, cabendo-lhe adoptar um dos seguintes comportamentos: aceita a decisão, não interpõe recurso e presta o depoimento ou interpõe recurso. V — Finalmente, se o Tribunal considerar que a escusa é legítima mas, mesmo assim, entender que, no caso concreto, a quebra do segredo profissional se mostra justificada face às normas e princípios aplicáveis da lei penal, nomeadamente face ao princípio da prevalência do interesse preponderante, então e só então, tem de solicitar a intervenção do tribunal imediatamente superior, nos termos do que dispõe o art. 135.º, n.º 3, do CPP. VI — A reserva de competência para um tribunal superior no que tange à matéria da quebra do segredo profissional não está explicitada em qualquer dispositivo legal e necessitaria de o ser de forma inequívoca, conforme sucede, por exemplo, nos arts. 11.º, n.ᵒˢ 1, d) e 3, d) e 12.º, n.ᵒˢ 1, b) e 2, g), do CPP. VII — Mantém-se a competência natural do Tribunal de 1.ª instância para ordenar a prestação do depoimento, ou a prática de um acto que quebre o segredo profissional quando através de despacho fundamentado decidir que a escusa é formal e substancialmente ilegítima e expressamente ordenar a prestação do depoimento ou a prática do acto. (Ac. RL de 4 de Dezembro de 1996; CJ, XXI, tomo 5, 152);

— O n.º 3 do art. 135.º do CPP visa tão só assegurar uma segunda instância, residual, para as hipóteses em que o tribunal de primeira instância, embora pendendo para o reconhecimento da legitimidade formal e substancial da recusa, continue, quanto a ela, a ter fundadas dúvidas. (Ac. RL de 9 de Janeiro de 2002; CJ, XXVII, tomo 1, 132;

— I — Quando seja invocado o direito de escusa de dispensa de sigilo profissinal, a autoridade judiciária poderá tomar uma das seguintes atitudes: Ou aceita como legítima a escusa e aí o respondente deve silenciar sobre os factos sigiliosos de que tiver conhecimento, sob pena de se sujeitar às penas correspondentes ao crime de violação de segredo, do art. 195.º do CP; ou entende que a escusa é ilegítima, e então ordena, após as necessárias averiguações, que o respondente deponha sobre o que lhe é perguntado (art. 135.º, n.ᵒˢ 2 e 5, do CPP), cometendo o crime de recusa de depoimento se o não fizer (art.º 360.º, n.º 2, do CP); ou suscita ao tribunal competente que ordene a prestação do depoimento, se tiver que ser quebrado o segredo profissional (art. 135.º, n.ᵒˢ 2 e 5, do CPP). II — Daí passa-se para o n.º 3 do preceito citado, que se debruça sobre uma segunda fase

374

Artigo 136.º

do incidente de prestação de depoimento em casos de segredo profissional e que surge no momento posterior, ou seja quando a autoridade judiciária, aceitando que a escusa de depor é legítima, pretende, contudo, que, dado o interesse da investigação, se quebre o segredo profissional, obrigando o escusante a depor. III — A decisão sobre o rompimento do segredo é da exclusiva competência de um tribunal superior, ou do plenário do STJ, se o incidente se tiver suscitado perante este tribunal. (Ac. STJ de 6 de Fevereiro de 2003, proc. n.º 159/03-5.ª; *SASTJ,* n.º 68, 70);

— A dispensa de depor concedida pela Ordem respectiva a um solicitador seu filiado, podendo, eventualmente, e em face do respectivo Estatuto, ter valor vinculativo nas relações internas, isto é nas relações Ordem-filiado, não tem eficácia *enga omnes,* não se impondo, nomeadamente, aos tribunais, a quem cabe decidir, caso a caso, com supremacia sobre o parecer dado, e face à ponderadação dos concretos interesses em presença, se se justifica ou não a dispensa de sigilo profissional. (Ac. STJ de 21 de Abril de 2005, proc. n.º 1300/05-5.ª; *SASTJ,* n.º 90, 141);

— I — A decisão sobre quebra do segredo profissional não obedece a critérios de estrita legalidade, ou só a esses, assentando, sobretudo, numa ponderação equilibrada sobre os interesses em conflito, em ordem a dar prevalência ao interesse preponderante, o que inculca alguma margem de discricionaridade técnica. II — Sendo o incidente decidido pelo tribunal imediatamente superior, isto já é garantia suficiente de que os interesses em jogo foram devidamente acautelados. (Ac. STJ de 4 de Maio de 2005, proc. n.º 3966/04-3.ª; *SASTJ,* n.º 91, 121);

— I — A identificação completa do titular de determinada conta bancária está coberta pelo segredo bancário. II — Tal identificação só pode se fornecida por determinadação do tribunal da Relação, e não por ordem do juiz de 1.ª instância. (Ac. RP de 5 de Julho de 2006, proc. n.º 6972/04; *CJ,* ano XXXI, tomo 3, 224);

— Os psicólogos não beneficiam de sigilo profissional que justifique a aplicação do regime do art. 135.º do CPP, não vigorando na ordem jurídica portuguesa o sigilo dessa natureza reconhecido no Meta Código Europeu de Ética da Federação Europeia de Associação de Psicólogos. (Ac. RC de 5 de Novembro de 2007; *CJ,* ano XXXII, tomo 5, 37).

ARTIGO 136.º

(Segredo de funcionários)

1. Os funcionários não podem ser inquiridos sobre factos que constituam segredo e de que tiverem tido conhecimento no exercício das suas funções.

2. É correspondentemente aplicável o disposto nos n.ᵒˢ 2 e 3 do artigo anterior.

---

1. Reproduz o art. 136.º do Proj.

2. Este artigo regula o segredo dos funcionários sobre factos que constituem segredo e de que tiverem tido conhecimento no exercício das suas funções e constitui afloramento do que se estabelece no artigo anterior e no seguinte.

Código de Processo Penal

O conceito de funcionário é o que se estabelece na lei penal substantiva, ou seja no art. 386.º do CP. Este entendimento é-nos dado tanto pelo texto legal do referido art. 386.º — *Para efeitos da lei penal a expressão funcionário abrange* —, como pelo entendimento de que o Direito Penal constitui um todo, versando o CPP o seu lado adjectivo. Sucede ainda que na realidade o CP contém esporadicamente normas adjectivas ou processuais, sucedendo a inversa com o CPP. Seria, finalmente, de intolerável incoerência que alguém pudesse ser considerado *funcionário* e como tal condenado e acusado, e não o pudesse ser durante o inquérito ou a instrução, designadamente para o efeito de inquirição sobre factos que constituem segredo de justiça.

Veja-se as anots. ao art. 386.º do CP, no nosso *Código Penal Anotado*.

ARTIGO 137.º

(Segredo de Estado)

1. As testemunhas não podem ser inquiridas sobre factos que constituam segredo de Estado.

2. O segredo de Estado a que se refere o presente artigo abrange, nomeadamente, os factos cuja revelação, ainda que não constitua crime, possa causar dano à segurança, interna ou externa, do Estado Português ou à defesa da ordem constitucional.

3. Se a testemunha invocar segredo de Estado, deve este ser confirmado, no prazo de trinta dias, por intermédio do Ministro da Justiça. Decorrido este prazo sem a confirmação ter sido obtida, o testemunho deve ser prestado.

---

1. Reproduz, com excepção do n.º 2, que foi introduzido na fase final dos trabalhos preparatórios, o art. 137.º do Proj. e corresponde ao art. 154.º, *in fine*, do Aproj. e ao art. 217.º, n.º 2.º, do CPP de 1929.

2. Regula-se no n.º 3, mais pormenorizadamente do que no direito anterior, a tramitação a seguir no caso de invocação de segredo de Estado. Por outro lado, ficou agora esclarecido, por via legislativa, que a não confirmação faz cessar o dever de sigilo, devendo neste caso o testemunho ser prestado.

A Lei n.º 6/94, de 7 de Abril, aprovou o regime do Segredo de Estado mas não revogou disposições penais.

A Lei n.º 30/84, de 5 de Setembro, alterada pelas Leis n.os 4/95, de 21 de Fevereiro; 15/96, de 30 de Abril; 75-A/97, de 22 de Julho; e 4/2004, de 6 de Novembro, estabelece quais os dados e informações cuja difusão seja susceptível de causar dano à unidade e integridade do Estado, à defesa das instituições democráticas estabelecidas na CRP, ao livre exercício das respectivas funções pelos órgãos de soberania, à segurança interna, à independência nacional e à preparação da defesa nacional.

3. A simples invocação, por parte da testemunha, da existência de segredo de Estado, faz suspender o depoimento e desencadear a tramitação do n.º 3,

Artigo 138.º

não sendo aqui aplicável o n.º 2 do art. 135.º, já que o segredo de Estado é um caso particular e especialmente regulado dentro do segredo profissional. Apesar de a simples invocação do segredo de Estado e consequente suspensão do depoimento poder constituir uma porta aberta a abusos e delongas processuais, o legislador entendeu assumir aqui esses riscos, considerando que importava, acima de tudo, salvaguardar a segurança interna e externa do Estado e a defesa da ordem constitucional.

Se o segredo de Estado não for confirmado, ou decorridos 30 dias sem que a confirmação tenha sido obtida, o testemunho deve ser prestado, sob pena de a testemunha incorrer no crime do art. 360.º, n.º 2, do CP.

Tratando-se da apresentação e apreensão de documentos ou quaisquer objectos, a invocação por escrito de segredo profissional ou de segredo de Estado, conforme o estabelecido no art. 182.º e seu n.º 3, faz desencadear, correspondentemente, as disposições deste art. 137.º.

4. Verificando-se que a testemunha invocou, infundamente, segredo de Estado, tratar-se-á de um incidente por ela provocado. Por isso, quando a falta de fundamento for manifesta, deve o incidente ser tributado, nos termos do art.º 520.º, al. *b)*.

5. *Jurisprudência:*
— I — São aplicáveis as disposições do CPP de 1987 a todas as situações de dispensa de segredo profissional, como o segredo de Estado, mesmo em relação a processos que continuem a reger-se pelo CPP de 1929. II — A recusa de prestação de informações por parte dos serviços do Ministério das Finanças sobre a titularidade dos números de contribuintes é enquadrável na previsão de recusa com fundamento em segredo de Estado, do art. 137.º do CPP. (Ac. RL de 29 de Junho de 1988, *CJ*, XIII, tomo 3, 185).

ARTIGO 138.º

(Regras da inquirição)

1. O depoimento é um acto pessoal que não pode, em caso algum, ser feito por intermédio de procurador.

2. Às testemunhas não devem ser feitas perguntas sugestivas ou impertinentes, nem quaisquer outras que possam prejudicar a espontaneidade e a sinceridade das respostas.

3. A inquirição deve incidir, primeiramente, sobre os elementos necessários à identificação da testemunha, sobre as suas relações de parentesco e de interesse com o arguido, o ofendido, o assistente, as partes civis e com outras testemunhas, bem como sobre quaisquer circunstâncias relevantes para avaliação da credibilidade do depoimento. Seguidamente, se for obrigada a juramento, deve prestá-lo, após o que depõe nos termos e dentro dos limites legais.

Código de Processo Penal

4. Quando for conveniente, podem ser mostradas às testemunhas quaisquer peças do processo, documentos que a ele respeitem, instrumentos com que o crime foi cometido ou quaisquer outros objectos apreendidos.

5. Se a testemunha apresentar algum objecto ou documento que puder servir a prova, faz-se menção da sua apresentação e junta-se ao processo ou guarda-se devidamente.

---

1. Reproduz o art. 138.° do Proj. e corresponde aos arts. 159.° a 162.° do Aproj. e 229.° a 234.° e 437.° do CPP de 1929.

2. O n.° 1 corresponde ao art. 229.° do CPP de 1929. Os depoimentos são actos pessoais, não podendo consequentemente ser prestados por procurador nem perante entidade diferente da que deve recebê-los.

Segundo Luís Osório, *Comentário*, III, 370, a regra nem precisaria de ser formulada, e tem um fundamento evidente. A pessoa é chamada a trazer ao processo a sua ciência sobre os factos que interessam à instrução; não pode transmitir a sua ciência através de outra pessoa e, quando o pudesse, opor--se-ia a isso o princípio da imediação.

No entanto, segundo informa José Mourisca, *Código de Processo Penal Anotado*, II, 186, no regime anterior ao CPP de 1929 admitiu-se que as declarações fossem prestadas por procurador, dizendo Dias Ferreira que a lel não proibia, mas que a prática era em contrário.

Ver ainda Cavaleiro de Ferreira, *Curso*, II, 337-338 e Eduardo Correia, *RDES*, XIV, n.os 1-2, 47.

3. A revisão da Constituição da República Portuguesa de 1997 introduziu no art. 20.° um aditamento de muito relevo no processo penal. Neste dispositivo se estabelece agora que todos têm direito, nos termos da lei, à informação e consulta jurídicas e ao patrocínio judiciário, e a fazer-se acompanhar por advogado perante qualquer autoridade. O aditamento do direito ao acompanhamento por advogado perante qualquer autoridade foi introduzido pela apontada revisão.

Os preceitos constitucionais respeitantes aos direitos, liberdades e garantias são directamente aplicáveis, como se estabelece no art. 18.°, n.° 1, da CRP. Sendo assim, afigura-se-nos inequívoco que embora os depoimentos não possam ser feitos por intermédio de procurador, as testemunhas podem fazer-se acompanhar de advogado, o que representará até uma garantia de que a inquirição obedeceu a todas as regras prescritas, designadamente neste art. 138.°.

Sobre esta questão, e neste sentido, é de todo o interesse o estudo do Prof. Germano Marques da Silva, *O Direito a não estar só ou o Direito a acompanhamento por advogado*, editado pela Associação Académica da Faculdade de Direito de Lisboa.

4. O n.° 2 inspirou-se manifestamente no art. 437.° do CPP de 1929, que determinava que o presidente do tribunal obstasse a que se fizessem às

Artigo 138.º

testemunhas *perguntas sugestivas, capciosas, impertinentes* ou *vexatórias*. *Perguntas sugestivas* são aquelas que podem induzir a dar, precipitadamente, uma resposta.

Perguntas impertinentes são as que não vêm a propósito, por nada terem a ver com o tema da prova, e que portanto só servem para lançar a confusão.

Nas perguntas que podem prejudicar a espontaneidade e a sinceridade das respostas devem compreender-se, além de outras, as dolosas (incutindo uma ideia, que é falsa, visando obter determinada resposta), as que contêm promessas falsas (por não poderem ser cumpridas) e as que contêm ameaças (significando a representação de um mal ilegítimo).

5. O n.º 3 corresponde, *grosso modo*, ao art. 231.º do CPP de 1929, não sendo porém tão pormenorizador como era esta última disposição, que por isso foi objecto de críticas.

A fórmula agora usada — *dentro dos limites legais* — significa que o tema da prova, e portanto o objecto da inquirição, abrange todos os factos relevantes para a aplicação do direito. O inquiridor deve atentar em todos os factos a que o direito substantivo manda atender para total enquadramento jurídico dos factos.

Uma antiga fórmula condensa o objecto dos depoimentos em processo penal: *Quis? Quid? Ubi? Quibus auxiliis? Cur? Quomodo? Quando?* À fórmula latina corresponde à alemã: *Wer? Was? Wo? Womit? Warum? Wie? Wann?*, expressivamente designada pelos sete W dourados da criminalística (Karl Zbinden, *Criminalística*, 115).

6. O n.º 4 corresponde ao art. 232.º do CPP de 1929.

Como no regime anterior, entendemos que o principio da imediação da prova impõe que as peças do processo e os documentos aqui referidos só sejam, em regra, mostrados às testemunhas após os seus depoimentos, para que os completem ou esclareçam. Trata-se, porém, de questão que fica ao critério do inquiridor, segundo as conveniências de cada caso.

7. O n.º 5 corresponde, *grosso modo*, ao primeiro periodo do art. 234.º do CPP de 1929. Como no dominio do CPP de 1929, entendemos que se deve fazer uma aplicação prudente deste dispositivo, de modo a causar o menor transtorno possível a quem apresenta o documento ou o objecto. Assim, se a testemunha apresenta certidão de uma escritura, não deve a mesma em regra ser junta ao processo, porque pode ser obtida de outro modo.

8. *Jurisprudência:*

— No CPP vigente não é admissível o instituto da contradita. (Ac. RL de 18 de Outubro de 1994; *CJ,* XIX, 4, 153);

— O incidente da contradita previsto nos arts. 640.º e 641.º do CPC pode ter lugar, por identidade de razão, no processo penal, mas, não se observando as regras do art. 641.º citado, não pode ser admitido. (Ac. STJ de 1 de Julho de 1993; *BMJ,* 429, 627);

— I — O art. 126.º, n.º 1, do CPP preceitua que não são válidas as provas obtidas com ofensa da integridade física ou moral das pessoas. II — Por isso,

379

Código de Processo Penal

na medida em que a contradita não é um ataque ao depoimento em si, ao seu conteúdo, mas um ataque à própria pessoa da testemunha e suas qualidades, não pode ser utilizada em processo penal. (Ac. STJ de 28 de Fevereiro de 1996; *CJ, Acs. do STJ,* IV, tomo 1, 213).

ARTIGO 139.º
(Imunidades prerrogativas e medidas especiais de protecção)

1. Têm aplicação em processo penal todas as imunidades e prerrogativas estabelecidas na lei quanto ao dever de testemunhar e ao modo e local de prestação dos depoimentos.

2. A protecção das testemunhas e de outros intervenientes no processo contra formas de ameaça, pressão ou intimidação, nomeadamente nos casos de terrorismo, criminalidade violenta ou altamente organizada, é regulada em lei especial.

3. Fica assegurada a possibilidade de realização do contraditório legalmente admissível no caso.

---

1. Os n.ºs 1 e 3 reproduzem o art. 139.º do Proj. O n.º 1 reproduz o art. 156.º do Aproj.

O n.º 2 foi introduzido pela Lei n.º 59/98, de 25 de Agosto e não tinha correspondente na versão originária. Trata-se de um dispositivo que vem dar expressão à previsão legal da protecção de testemunhas e de outros intervenientes no processo contra ameaças, pressões e intimidações, nomeadamente nos casos de terrorismo, criminalidade violenta ou altamente organizada. Remete-se a regulamentação para lei especial, a adoptar em conformidade com recomendações das instâncias internacionais.

Na sequência deste dispositivo, a Lei n.º 263/99, de 14 de Julho, veio regular a aplicação de medidas para protecção de testemunhas em processo penal quando a sua vida, integridade física ou psíquica, liberdade ou bens patrimoniais de valor consideravelmente elevado sejam postos em perigo por causa do seu contributo para a prova dos factos que constituem objecto do processo.

2. São hoje reduzidos os casos de imunidades e prerrogativas estabelecidas na lei quanto ao dever de testemunhar e ao modo e local de prestação dos depoimentos.

A Lei n.º 93/99, de 14 de Julho, regulamentada pelo Dec.-Lei n.º 190/ /2003, de 22 de Agosto, regulou a protecção em processo penal de testemunhas vulneráveis, nesses diplomas se estabelecendo prerrogativas para protecção dessas testemunhas.

Todas as imunidades e prerrogativas são acatadas pelo Código, desde que estabelecidas na lei (Constituição e lei ordinária, ainda que seja estatutária), e quer digam respeito ao dever de testemunhar quer ao modo ou local de prestação dos depoimentos.

Artigo 139.º

As principais imunidades e prerrogativas encontram-se enumeradas nos arts. 624.º a 626.º do CPC.

3. As imunidades e prerrogativas estabelecidas na lei quanto ao dever de testemunhar e ao modo e local de prestação dos depoimentos não podem contrariar normativos constitucionais nem princípios fundamentais do pro-cesso penal. Daí a disposição do n.º 3, que é afloramento na lei ordinária do que no art. 32.º, n.º 5 da CRP se dispõe sobre o contraditório na audiência de julgamento e nos actos instrutórios que a lei determinar. Assim, se uma testemunha com essa faculdade usar da prerrogativa de ser ouvida na sua residência, o arguido e o seu defensor, para além do MP e do assistente, devem também deslocar-se aí e podem formular as perguntas que reputarem oportunas para assegurar o seu direito. Tratando-se de audiência, a diligência deve até ser pública (art. 206.º da CRP), mas o tribunal pode, fundamen-tadamente decidir a privacidade, se entender verificado o circunstancialismo da 2.ª parte do referido art. 206.º.

4. Parecer da PGR n.º 53/98, de 29 de Abril de 1999; *DR,* II série, de 13 de Maio de 1999:
— I — A nova redacção dada ao n.º 2 do artigo 157.º da Constituição da República pela Lei Constitucional n.º 1/97, de 20 de Setembro, ao consagrar a necessidade de autorização da Assembleia da República para um deputado seu ser ouvido como declarante ou como arguido, elevou à categoria de imunidade parlamentar o que já antes se configurava na legislação ordinária como um direito dos deputados. II — A disciplina do preceito referido na conclusão anterior aplica-se directamente aos deputados da Assembleia da República e, por remissão, aos deputados portugueses ao Parlamento Europeu e aos deputados à Assembleia Legislativa Regional dos Açores. III — A matéria das imunidades, direitos e prerrogativas, apanágio dos deputados à Assembleia Legislativa Regional da Madeira, rege-se pelo disposto na Lei n.º 13/91, de 5 de Junho, que aprovou o Estatuto Político-Administrativo da Região Autónoma da Madeira, e pela Resolução da Assembleia Legislativa Regional da Madeira n.º 1/93/M, de 19 de Fevereiro, que aprovou o respectivo Regimento.... V — A autoridade judiciária ou os órgãos de polícia criminal competentes não carecem de obter autorização da Assembleia Regional da Madeira para interrogar um deputado seu como arguido em processo que contra ele corra por crime punível com pena superior a 3 anos de prisão no seu limite máximo.
Nota — Conforme a Directiva da PGR n.º 1/2000 publicada no *DR,* II série, de 12 e Junho de 2000 e o Despacho do conselheiro Procurador--Geral da República de 6 de Novembro de 1998 na mesma transcrito, foi determinado que a doutrina deste Parecer seja seguida e sustentada pelos magistrados do MP.
Se notar porém que os supramencionados Parecer e Directiva devem ser aplicados, *mutatis mutandis,* pois que há nova versão do Estatuto Político--Administrativo da Região Autónoma da Madeira, constante das alterações introduzidas pelas Leis n.ºs 130/99, de 21 de Agosto e 12/2000, de 21 de Junho.

Código de Processo Penal

CAPÍTULO II

DAS DECLARAÇÕES DO ARGUIDO, DO ASSISTENTE E DAS PARTES CIVIS

ARTIGO 140.º

(Declarações do arguido: regras gerais)

1. Sempre que o arguido prestar declarações, e ainda que se encontre detido ou preso, deve encontrar-se livre na sua pessoa, salvo se forem necessárias cautelas para prevenir o perigo de fuga ou actos de violência.

2. Às declarações do arguido é correspondentemente aplicável o disposto nos artigos 128.º e 138.º, salvo quando a lei dispuser de forma diferente.

3. O arguido não presta juramento em caso algum.

---

1. Reproduz o art. 140.º do Proj. Não havia disposições correspondentes no direito anterior.

2. Trata-se de regras gerais sobre declarações do arguido, que são por sua vez afloramento de princípios gerais sobre liberdade dos depoimentos e da não obrigação de o arguido prestar declarações que o inculpem.

A disposição do n.º 1 impede que, salvo no caso previsto na sua parte final, durante o interrogatório do arguido se faça uso de algemas, talas ou quaisquer tratos cruéis, desumanos ou degradantes.

Sobre o alcance desta disposição, vejam-se Gonçalves da Costa. *Jornadas de Processo Penal*, Cadernos da RMP, 280 e Marques Ferreiras, *Jornadas de Direito Processual Penal*, 245.

3. As declarações do arguido sobre que aqui se preceitua, e que podem ser utilizadas contra ele como meio de prova, são prestadas após a constituição como arguido, com as formalidades dos arts. 58.º e 59.º. Sem tais formalidades, quaisquer declarações não podem ser utilizadas contra o próprio arguido (art. 58.º, n.º 3).

4. *Jurisprudência:*

— I — Nada impede que um arguido preste declarações sobre factos de que possua conhecimento directo e que constituam objecto de prova, ou seja, tanto sobre factos que só a ele digam directamente respeito, como sobre factos que também respeitem a outros arguidos. II — As declarações de um co-arguido são meios de prova, e como tal o Tribunal pode valorá--las para fundar a sua convicção acerca dos factos que deu como provados. III — O interrogatório visa o esclarecimento da verdade, e sendo dever do Tribunal perseguir a verdade material, não lhe pode ser coartada a

Artigo 141.º

possibilidade de apreciar e valorar essas declarações de acordo com as regras da experiência comum e da lógica do homem médio suposto pela ordem jurídica. (Ac. STJ de 19 Dezembro de 1996; *CJ, Acs. do STJ,* IV, tomo 3, 214);

— Viola-se o princípio das garantias de defesa, quando se atribui valor probatório às declarações prestadas na audiência de julgamento por um arguido em desfavor do outro, se este está impossibilitado de efectuar, mesmo através do próprio tribunal, um contra-interrogatório. (Ac. STJ de 25 de Fevereiro de 1999; *CJ, Acs. do STJ,* VII, tomo 1, 229);

— I — As declarações de um co-arguido em desfavor de outro podem constituir meio de prova a usar pelo tribunal, se bem que merecedoras de especial atenção, já que podem estar subjacentes interesses de descarga ou alívio de responsabilidade e/ou de imputação a outrem animosidades ou outras circunstâncias que afectem a sua isenção. II — O advogado do co-arguido desfavorecido pelas declarações de outro arguido, no uso dos poderes do contraditório, pode fazer-lhe perguntas e pedir esclarecimentos, nos termos do art. 345.º, n.ᵒˢ 1 e 2, do CPP, sem prejuizo da faculdade de recusa de resposta aí prevista. (Ac. STJ de 26 de Setembro de 2001, proc. n.º 1287/01-3.ª; *SASTJ,* n.º 53, 66).

ARTIGO 141.º

(Primeiro interrogatório judicial de arguido detido)

1. O arguido detido que não deva ser de imediato julgado é interrogado pelo juiz de instrução, no prazo máximo de quarenta e oito horas após a detenção, logo que lhe for presente com a indicação circunstânciada dos motivos da detenção e das provas que a fundamentam.

2. O interrogatório é feito exclusivamente pelo juiz, com assistência do Ministério Público e do defensor e estando presente o funcionário de justiça. Não é admitida a presença de qualquer outra pessoa, a não ser que, por motivo de segurança, o detido deva ser guardado à vista.

3. O arguido é perguntado pelo seu nome, filiação, freguesia e concelho de naturalidade, data de nascimento, estado civil, profissão, residência, local de trabalho, se já esteve alguma vez preso, quando e porquê e se foi ou não condenado e por que crimes, sendo-lhe exigida, se necessário, a exibição de documento oficial bastante de identificação. Deve ser advertido de que a falta de resposta a estas perguntas ou a falsidade das mesmas o pode fazer incorrer em responsabilidade penal.

4. Seguidamente, o juiz informa o arguido:

a) Dos direitos referidos no n.º 1 do artigo 61.º, explicando-lhos se isso for necessário;

Código de Processo Penal

b) Dos motivos da detenção;

c) Dos factos que lhe são concretamente imputados, sempre que forem conhecidas as circunstâncias de tempo, lugar e modo; e

d) Dos elementos do processo que indiciam os factos imputados, sempre que a sua comunicação não puser em causa a investigação, não dificultar a descoberta da verdade nem criar perigo para a vida, a integridade física ou psíquica ou a liberdade dos participantes processuais ou das vítimas do crime, ficando todas as informações, à excepção das previstas na alínea a), a constar do auto de interrogatório.

5. Prestando declarações, o arguido pode confessar ou negar os factos ou a sua participação neles e indicar as causas que possam excluir a ilicitude ou a culpa, bem como quaisquer circunstâncias que possam relevar para a determinação da sua responsabilidade ou da medida da sanção.

6. Durante o interrogatório, o Ministério Público e o defensor, sem prejuizo do direito de arguir nulidades, abstêm-se de qualquer interferência, podendo o juiz permitir que suscitem pedidos de esclarecimento das respostas dadas pelo arguido. Findo o interrogatório, podem requerer ao juiz que formule àquele as perguntas que entenderem relevantes para a descoberta da verdade. O juiz decide, por despacho irrecorrível, se o requerimento há-de ser feito na presença do arguido e sobre a relevância das perguntas.

---

1. A redacção dos n.ºs 3 e 6 resulta da Lei n.º 59/98, de 25 de Agosto, que porém introduziu alterações de pouco relevo na redacção originária.

Os outros n. 1, 3 e 5 reproduzem os do art. 141.º do Proj. e 253.º do CPP de 1929, na redacção introduzida pelo Dec.-Lei n.º 185/72, de 11 de Maio. Porém a Lei n.º 48/2007, de 29 de Agosto, aditou no n.º 1 o adjectivo *circunstânciada*, qualificando *indicação*.

A mesma Lei que acaba de ser referida introduziu o texto actual do n.º 4, que trata do desenvolvimento do conteúdo do dever de informação do arguido, conforme consta do art. 61.º e já constava deste n.º 4, em ordem a dar ao arguido do ampla possibilidade de defesa, logo desde o início do processo.

2. Este artigo refere-se ao primeiro interrogatório judicial de arguido detido e destina-se, fundamentalmente, a verificar se existem os requisitos legais justificativos da detenção, da prisão preventiva ou da substituição desta por outra medida; e ainda a informar o arguido dos direitos que lhe assistem e dos factos imputados.

O primeiro interrogatório judicial do detido apresenta-se como fortemente protector do arguido e como seu meio de defesa: ele tem direito ao silêncio

Artigo 141.º

sobre tudo o que o possa inculpar e como único interlocutor o juiz de instrução. De salientar porém que agora, e contrariamente ao que sucedia no regime anterior, se consagra, no art. 143.º, a possibilidade de um primeiro interrogatório não judicial de arguido detido, logo em acto seguido à detenção. A diferença de regimes explica-se porque no regime imediatamente anterior havia obrigatoriamente lugar a instrução, a efectuar pelo juiz, se o arguido se encontrasse preso; isso não sucede agora, já que mesmo em caso de detenção seguida de prisão preventiva há lugar a inquérito, a efectuar pelo MP. Em tais termos, os dois interrogatórios podem agora coexistir, mas só o judicial é obrigatório.

De salientar que na redacção actual do n.º 3, introduzida pela Lei mencionada *supra,* anot. 1, foi mantida a exigência de o arguido, nesta fase processual, responder com verdade sobre os seus antecedentes criminais.

A constitucionalidade desta exigência tem sido posta em causa, mais acentuadamente desde o ac. do Trib. Constitucional n.º 695/95, de 5 de Dezembro; *BMJ,* 452, 112, afigura-se-nos porém que sem razão. O ac. do Trib. Constitucional incidiu tão só sobre o interrogatório feito no início da audiência de julgamento; por isso mesmo a exigência foi eliminada no art. 342.º. Por outro lado os antecedentes criminais do arguido não são facto que esteja a ser apurado no processo, mas em outro processo já julgado, acrescendo ainda que, como se pondera no ac. do Trib Constitucional, no julgamento já estão em princípio juntos aos autos elementos documentais oficiais relativos aos antecedentes criminais, o que tornaria a exigência, na época feita pelo art. 342.º, excessiva e irrazoável perante as garantias de defesa. Ora isto não é, evidentemente, aplicável ao primeiro interrogatório.

Bem mantida foi pois a exigência no art. 141.º, em nosso entendimento.

Sobre esta questão vejam-se ainda as anots. aos arts. 61.º e 342.º e Fernanda Palma, *in A constitucionalidade do artigo 342.º do Código de Processo Penal — O Direito ao silêncio do arguido; RMP,* ano 15, n.º 60, 101 e segs.

3. Este artigo não distingue, e por isso o primeiro interrogatório judicial a que se refere é obrigatório tanto nos casos de detenção realizada por iniciativa do MP ou de órgãos da polícia criminal como no caso de cumprimento de despacho do juiz de instrução. Esta orientação, que resulta também muito claramente do art. 28.º n.º 1 da Constituição da República e do n.º 2 do art. 254.º, introduzido pela Lei n.º 59/98, abrange portanto todos os casos de prisão preventiva em que o arguido não tenha já sido submetido a interrogatório judicial é obrigatória para o MP através da Circular 12/90 da PGR, Proc. 779/90, de 16/11.

Como se salientou supra, anot. 2, neste artigo visa-se assegurar as garantias de defesa do arguido, dando-lhe conhecimento dos factos que lhe são imputados e da sua relevância jurídico-criminal. Se ele for preso preventivamente quando já está com culpa formada com possibilidades de se defender da imputação fáctica e jurídica que constitui o fundamento da prisão, já não há lugar à validação da prisão preventiva pelo juiz de instrução. Em tal caso, aplicar-se-ão os dispositivos do art. 213.º.

4. O prazo máximo de 48 horas após a detenção do arguido para que este seja interrogado pelo juiz de instrução, aludido neste artigo e no art. 28.º,

Código de Processo Penal

n.º 1, da CRP conta-se até ao momento da apresentação ao juiz, e não até ao momento da decisão sobre a validade da detenção. Necessário é porém que o interrogatório do arguido e a decisão judicial sobre a legalidade da detenção ocorram no mais curto espaço de tempo possível, dentro de um critério de razoabilidade e em atenção a que estão em causa direitos fundamentais. Mas aqui deve atender-se a que outros factores relevantes podem condicionar a actividade do juiz, como por exemplo o interrogatório de outros arguidos detidos, o tipo e a gravidade do crime, o estado físico e psíquico do arguido, a compexidade do caso e as opções do arguido quanto à exposição em sua defesa.

Uma demora excessiva dentro de um critério de razoabilidade, no interrogatório do arguido e na decisão judicial sobre a validação da sua detenção, violará não só o comando deste art. 141.º mas também o art.º 28.º, n.º 1, da CRP. Estes comandos não serão violados se as 48 horas forem respeitadas até à apresentação em juízo mas exercidas no tempo estritamente necessário sempre muito curto, atendendo a outras prioridades com cobertura legal, até ao fim do interrogatório e decisão sobre a validade da captura. Dentro desta orientação se tem mantido uniformemente a jurisprudência do Tribunal Constitucional, adiante se apontando vários acórdãos neste sentido. Discordamos, portanto, da orientação sustentada por Pinto de Albuquerque, no *Comentário ao Código de Processo Penal*, pág. 399, que, em nosso entendimento, seria até impraticável no caso de apresentação simultânea no mesmo tribunal de um elevado número de detidos.

5. Conforme se dispõe no n.º 4 e no art. 61.º, n.º 1, o arguido deve também ser expressamente advertido do direito que lhe assiste de não prestar declarações e de que, prestando-as, não lhe é exigível que diga a verdade.

A omissão desta advertência configura uma proibição de prova, cuja consequência é a de não permitir ao tribunal valorar as declarações assim prestadas. Neste sentido Figueiredo Dias, *Direito Processual Penal*, vol. I, 447 e Marques Ferreira, *Jornadas de Direito Processual Penal,* 247.

6. *Jurisprudência:*
— Não há lugar a interrogatório do arguido, em obediência ao comando do art. 141.º do CPP, se a prisão preventiva for ordenada já depois de finda a fase do inquérito. (Ac. da RL de 8 de Julho de 1997; *CJ*, XXII, tomo 4, 137);
— Não são inconstitucionais as normas dos arts. 61.º, n.º 3, al. *b)* e 141.º, n.º 3, do CPP, na parte em que impõem ao arguido o dever de responder com verdade às perguntas feitas no primeiro interrogatório judicial sobre os seus antecedentes criminais. (Ac. do Trib. Constitucional de 19 de Maio de 1998, proc. 22/97; *DR*, II série, de 27 de Novembro de 1998);
— Face ao disposto no art. 28.º, n.º 1, da CRP, o art. 141.º, n.º 1, do CPP, não pode deixar de ser interpretado como abrangendo, além dos detidos nele expressamente referidos, os presos preventivamente ainda não sujeitos a interrogatório. (Ac. STJ de 18 de Novembro de 1998, proc. n.º 1343/98-5.ª);
— I — Da conjugação do art. 254.º do CPP com o art. 28.º, n.º 1, da CRP, resulta que o art. 141.º do primeiro diploma citado não pode ser interpretado no sentido de que, não sendo possível a realização do primeiro interrogatório judicial de arguido detido no prazo de 48 horas, esse interrogatório já não

Artigo 141.º

pode ter lugar. Com efeito, o juiz de instrução está obrigado a realizá-lo, ainda que, por motivo justificado, o mesmo não possa ser realizado nesse prazo. II — A consequência da não efectivação do interrogatório no prazo de 48 horas não tem, porém, a natureza de nulidade, mas obriga a que a sua realização se faça no mais curto espaço de tempo. III — A circunstância de um arguido não ter sido presente ao juiz no prazo de 48 horas, na sequência de prisão em cumprimento de mandados de captura para prisão preventiva não é fundamento do pedido de *habeas corpus* previsto nas alíneas do n.º 2 do art. 222.º do CPP. (Ac. STJ de 3 de Fevereiro de 2000, proc. n.º 47/00-5.ª; *SASTJ*, n.º 38, 77);

— Não são inconstitucionais as normas dos arts. 141.º, n.º 1 e 254.º, al. *a)*, do CPP, interpretadas no sentido de o prazo de 48 horas nelas aludido se conta até ao momento da apresentação ao juiz, e não até à decisão sobre validade da detenção, desde que tal decisão seja proferida no mais curto espaço de tempo, com a celeridade possível no caso concreto e com limites apertados por estarem em causa direitos fundamentais. (Ac. do Trib. Constitucional n.º 565/ /2003, de 15 de Novembro, proc. n.º 573/2003; *DR*, II série, de 30 de Janeiro de 2004). *Nota.* No mesmo sentido, com lauta fundamentação e decidindo também quanto ao início do interrogatório judicial para além das 48 horas, ac. do mesmo tribunal n.º 136/2005, de 15 de Março, proc. n.º 1035/2004; *DR*, II série, de 27 de Abril de 2005. Trata-se de uma orientação que temos vindo a sustentar, como se deduz supra, anot. 4;

É inconstitucional, por violação dos arts. 28.º n.º 1 e 32.º n.º 1, da CRP, a norma do n.º 4.º do art. 141.º do CPP, interpretada no sentido de que, no decurso do interrogarório do arguido detido, a exposição dos factos que lhe são imputados pode consistir na formulação de perguntas gerais e abstractas, sem concretização das circunstâncias de tempo, modo e lugar em que ocorreram os factos que integram a prática desses crimes nem comunicação ao arguido dos elementos de prova que sustentam aquelas imputações e na ausência de apreciação em concreto da existência de inconveniente grave naquela concretização e na comunicação dos específicos elementos probatórios em causa. (Ac. do Trib. Constitucional n.º 416/2003, de 24 de Setembro proc. n.º 580/ /2003-2.ª; *DR,* II série, de 6 de Abril de 2004);

— O dever de fundamentação das decisões judiciais imposto pelo art. 205.º, n.º 1, da CRP, não proscreve em absoluto a possibilidade de o juiz fundamentar a sua decisão mediante remissão para a promoção do MP, a cujo conteúdo dá a sua decisão. A proibição de tal modo de fundamentar existe quando for susceptível de criar a dúvida sobre se se trata de uma decisão pessoal do juiz ou apenas um *ir atrás* do MP, pois só então o juiz deixa de desempenhar uma função que é a sua. Quando a decisão surge inequivocamente como uma decisão pessoal do juiz, os arts. 97.º, n.º 4; 141.º, n.º 6 e 194.º, n.º 1, do CPP não sofrem de inconstitucionalidade. (Ac. do Trib. Constitucional n.º 396/2003, de 30 de Julho de 2003, proc. n.º 485/2003; *DR*, II série, de 4 de Fevereiro de 2004);

— Não é inconstitucional a interpretação conjugada dos arts. 141.º, n.º 1, e 254, alínea *a)*, do CPP, nos termos da qual o limite máximo da detenção não judicial de 48 horas se conta até à apresentação do detido no tribunal e sua entrega à custódia judicial. (Ac. do Trib. Constitucional n.º 565/2003; *DR,* II série, de 30 de Janeiro de 2004);

Código de Processo Penal

— É inconstitucional, por violação do disposto nos art.s 28.º, n.º 1, da CRP, a norma extraída da conjugação dos arts. 141.º, n.º 4 e 194, n.º 3, do CPP, segundo a qual, no decurso de interrogatório de arguido detido, a exposição dos factos que lhe são imputados e dos motivos da detenção se basta com a indicação genérica ao arguido das infracções penais de que é acusado, da identidade das vítimas como alunos, à data da Casa Pia de Lisboa, e outras pessoas, mas todas elas menores de 16 anos, estando o tribunal dispensado, por inutilidade, de proceder a maior pormenorização além da que resulta da indicação feita em tais termos, quando o arguido, confrontado com ela, tome a posição de negar frontalmente os factos, e na ausência da apreciação em concreto da existência de inconveniente grave naquela concretização. (Ac. do Trib. Constitucional n.º 607/2003, de 5 de Dezembro, proc. n.º 594/03-2.ª; *DR,* II série, de 8 de Abril de 2004);

— I — O preceituado nos arts. 141.º, n.º 1, do CPP e 28.º, n.º1, da CRP, visa, fundamentalmente, assegurar as garantidas de defesa aos arguidos, dando-lhes conhecimento dos factos que lhes são imputados e da sua relevância jurídico-penal. Trata-se de uma apresentação ao juiz de instrução, em fase processual anterior à formação da culpa. II — Se o arguido for preso preventivamente quando já quando já está com culpa formada, encontrando-se o processo na fase de marcação de julgamento ou com este realizado sem trânsito em julgado da condenação tendo-lhe sido dadas possibilidades de se defender da imputação fáctica e jurídica que constitui o pressuposto da ordem de prisão, já não faz sentido a validação da prisão preventiva, designadamente se esta é ordenada aquando da prolação da decisão condenatória, pelo que a não prolação de um despacho de validação da prisão não viola aqueles preceitos legais. (Ac. do STJ de 13 de Abril de 2005, proc. n.º 1368/05-3.ª; *SASTJ,* n.º 90, 114);

— O n.º 4 do art. 141.º do CPP não sofre de inconstitucionalidade, na interpretação segundo a qual o arguido já julgado e condenado em 1.ª e 2.ª instâncias não tem de ser presente a interrogatório em que se observem a formalidades desse dispositivo. (Ac. do Trib. Constitucional de 4 de Outubro de 2005, proc. n.º 579/2005; *DR,* II série, de 23 de Novembro do mesmo ano);

— O arguido detido na sequência de despacho judicial que ordena a sua prisão preventiva no seguimento de condenação não transitada em julgado por crime a que corresponde pena de prisão no máximo superior a três anos não tem que ser presente a interrogatório judicial. (Ac. STJ de 28 de Setembro de 2006; *CJ, Acs. do STJ,* ano XIV, tomo 3, 202);

— I — Só o arguido detido sujeito a primeiro interrogatório, seja este feito pelo juiz ou pelo MP, tem o dever de prestar declarações sobre os seus antecedentes criminais. II — Por isso, só o arguido que é interrogado achando--se detido, e não também o que é interrogado estando em liberdade, comete o crime de falsidade de declaração se mentir sobre os seus antecedentes criminais. (Ac. RP de 22 de Novembro de 2006; *CJ,* ano XXXI, 206);

— Não é inconstitucional a norma que resulta do art. 359, n.º 2, do CP, e dos arts. 141.º, n.º 3: 144.º, n.ºs 1 e 2; e 61.º, n.º 3, alínea *b),* do CPP, segundo a qual, no interrogatório feito por órgão de polícia criminal durante o inquérito, o arguido tem que responder com verdade à matéria dos seus antecedentes criminais, sob pena de cometer um crime de falsas declarações, pois que àquele interrogatório se aplicam as regras do primeiro interrogatório judicial de arguido

Artigo 142.º

detido (Ac. do Trib. Constitucional n.º 127/2007, de 27 de Fevereiro; *Acórdãos do Trib. Constitucional,* n.º 67, pág. 571);
— I — No caso de primeiro interrogatório de arguido detido, do art. 141.º do CPP, o juiz de instrução não está sujeito a limites, podendo aplicar a medida de coacção que entender mais adequada, nomeadamente a prisão preventiva, mesmo quando o MP tenha promovido aplicação de medida menos gravosa. II — A expressão a *requerimento do MP,* constante do n.º 1 do art. 194.º do CPP, deve ser interpretada no sentido de o juiz, durante o inquérito, não poder, oficiosamente, aplicar medidas de coação sem impulso, ou seja, a requerimento do MP. III — Em fase de inquérito, ao MP caberá, apenas, impulsionar a apresentação do arguido detido ao juiz de instrução para primeiro interrogatório judicial e aplicação de medida de coacção que entenda por mais adequada, não ficando o juiz vinculado pela posição assumida pelo MP no que tange à medida eventualmente requerida. (Ac. RL de 21 de Fevereiro de 2007, proc. n.º 852/06-3.ª).

ARTIGO 142.º

(Juiz de instrução competente)

1. Havendo fundado receio de que o prazo máximo referido no n.º 1 do artigo anterior não seja suficiente para apresentar o detido ao juiz de instrução competente para o processo, ou não sendo possível apresentá-lo dentro desse prazo com segurança, o primeiro interrogatório judicial é feito pelo juiz de instrução competente na área em que a detenção se tiver operado.

2. Se do interrogatório, feito nos termos da parte final do número anterior, resultar a necessidade de medidas de coacção ou de garantia patrimonial, são estas imediatamente aplicadas.

---

1. Reproduz o art. 142.º do Proj.

2. O Código impõe que o prazo de 48 horas para apresentação do arguido detido ao juiz de instrução seja improrrogavelmente cumprido. Para isso, e admitindo a hipótese de tal prazo ser de difícil cumprimento, *v. g.* porque a captura foi efectuada em local muito distante da comarca competente, admite--se aqui a possibilidade de, mediante os pressupostos enunciados na primeira parte do n.º 1, o primeiro interrogatório judicial ser efectuado pelo juiz de instrução do local da detenção, e de este juiz aplicar as medidas de coacção que ao caso couberem.

3. *Jurisprudência:*
— As exigências dos arts. 141.º e 142.º do CPP — interrogatório judicial de arguido detido — apenas são de observar até à formação da culpa. Consequentemente, detido arguido contumaz pronunciado, com ordem para a sua prisão preventiva, não é obrigatório que seja interrogado. (Ac. STJ de 1 de Outubro de 1992; *CJ*, XVII, tomo 4, 22);

Código de Processo Penal

— O interrogatório do arguido a que se referem os arts. 141.º e 142.º do CPP não tem lugar quando o arguido é preso já com culpa formada. (Ac. RE de 28 de Março de 1995; *CJ*, II, tomo 2, 278).

ARTIGO 143.º

(Primeiro interrogatório não judicial de arguido detido)

1. O arguido detido que não for interrogado pelo juiz de instrução em acto seguido à detenção é apresentado ao Ministério Público competente na área em que a detenção se tiver operado, podendo este ouvi-lo sumariamente.

2. O interrogatório obedece, na parte aplicável, às disposições relativas ao primeiro interrogatório judicial de arguido detido.

3. Após o interrogatório sumário, o Ministério Público, se não libertar o detido, providencia para que ele seja presente ao juiz de instrução nos termos dos artigos 141.º e 142.º.

4. Nos casos de terrorismo, criminalidade violenta ou altamente organizada, o Ministério Público pode determinar que o detido não comunique com pessoa alguma, salvo o defensor, antes do primeiro interrogatório judicial.

---

1. Os n.ºs 1, 2 e 3 reproduzem iguais números do art. 143.º do Proj. o n.º 2, na versão originária, reproduzia igual número do mesmo artigo; porém a Lei n.º 48/2007, de 29 de Agosto, que introduziu a redacção actual, em consonância com a obrigatoriedade de assistência do defensor nos interrogatórios de arguido detido ou preso que estabeleceu nos arts. 64.º, n.º 1, al. a) e 144.º, n.º 3, eliminou a excepção constante deste número, a partir de *detido: excepto pelo que respeita à assistência de defensor, a qual só tem lugar se o arguido, deinformado sobre os direitos que lhe assistem, a solicitar. Nesse caso, ao defensor é correspondentemente aplicável o disposto no n.º 6 do artigo 141.º.* Assim, passou a ser obrigatória a assistência de defensor em todos os casos em que o arguido se encontra detido ou preso.

O n.º 4, embora inspirado em igual número do art. 143.º do Proj., contém importante inovação, imposta pela Lei n.º 43/86, de 26 de Setembro (Lei de Autorização legislativa), art. 2.º, n.º 2, al. 9). Este número foi ainda revisto em virtude do Ac. Tribunal Constitucional de 9 de Janeiro de 1987, Proc. 302/86, que considerou inconstitucional a possibilidade de proibição de comunicação com o defensor. Daí a inclusão da expressão exclusiva *salvo o defensor.*

2. Como perante o Código há lugar a inquérito ainda que o arguido se encontre preso, faculta-se neste artigo ao MP que proceda a imediato inter-rogatório do arguido detido, isto é antes de o interrogatório judicial ser levado a cabo.

O interrogatório é feito nos termos deste artigo, e se o MP não libertar o detido apresentá-lo-á então ao juiz de instrução, para o primeiro interrogatório judicial nos termos do art. 141.º.

Artigo 143.º

Se a detenção for validada e mantida por despacho judicial, passará então a ter lugar a prisão preventiva.

3. A Lei de Autorização legislativa (ver *supra,* n.º 1) estipulou a garantia efectiva da liberdade de actuação do defensor em todos os actos do processo, sem prejuizo do carácter não contraditório da fase do inquérito; em especial, garantia do direito de estar presente a todo e qualquer interrogatório do arguido, bem como o de conferenciar com este em qualquer momento do processo, salvo quando se trate de caso de terrorismo, criminalidade violenta ou altamente organizada, hipótese em que só poderia fazê-lo a seguir ao primeiro interrogatório feito pelo juiz de instrução.

A redacção dada ao n.º 4, logo a seguir à Lei n.º 43/86 e que foi aprovada em Conselho de Ministros, estava formulada precisamente dentro destes parâmetros. O Presidente da República, antes da promulgação do diploma, enviou-o ao Tribunal Constitucional, para apreciação preventiva deste e de outros dispositivos, tendo o TC entendido que o n.º 4 era inconstitucional, na parte em que abrangia o defensor, por violação do art. 32.º, n.º 3, da CRP. Daí a redacção dada definitivamente a este número, com a introdução da expressão exclusiva *salvo o defensor.*

Assim, e nos casos taxativos do n.º 4, o MP pode determinar que o detido não comunique com pessoa alguma, salvo tratando-se do defensor, antes do primeiro interrogatório judicial, e portanto anteriormente ou durante o interrogatório não judicial aqui regulado. Trata-se, evidentemente, de um regime de excepção, aplicável nos casos aqui taxativamente previstos e determinado por acontecimentos recentes de grande repercussão, indispensável mediante graves riscos de perturbação do inquérito.

4. *Jurisprudência:*

— Apresentado em tribunal um arguido detido, na fase do inquérito, deve o mesmo, antes de ser presente ao juiz para primeiro interrogatório, ser ouvido sumariamente pelo MP, a-fim-de determinar se há ou não lugar a uma libertação imediata ou à efectivação daquela apresentação. (Ac. RE de 22 de Junho de 1994; *CJ,* XIX, tomo 3, 296);

— O arguido que, nos interrogatórios referidos nos arts. 143.º e 144.º do CPP falta dolosamente à verdade sobre os seus antecedentes criminais, comete o crime previsto e punido pelo art. 359.º, n.º 2, do CP. (Ac. RP de 18 de Janeiro de 2006, proc. n.º 5433953;

— I — Só o arguido detido sujeito a primeiro interrogatório, seja este feito pelo juiz ou pelo MP, tem o dever de prestar declarações sobre os seus antecedentes criminais. II — Por isso, só o arguido que é interrogado achando--se detido, e não também o que é interrogado estando em liberdade, comete o crime de falsidade de declaração se mentir sobre os seus antecedentes criminais. (Ac. RP de 22 de Novembro de 2006; *CJ,* ano XXXI, tomo 5, 206);

— O arguido só está obrigado a responder com verdade às perguntas feitas sobre os seus antecedentes criminais quando a lei o impuser, isto é nos primeiros interrogatórios judicial e não judicial de arguido detido (arts. 141.º, n.º 3 e 143.º, n.º 2, do CPP. (Ac. RP de 20 de Dezembro de 2006, proc. n.º 514469).

Código de Processo Penal

ARTIGO 144.º

(Outros interrogatórios)

1. Os subsequentes interrogatórios de arguido preso e os interrogatórios de arguido em liberdade são feitos no inquérito pelo Ministério Público e na instrução e em julgamento pelo respectivo juiz, obedecendo, em tudo quanto for aplicável, às disposições deste capítulo.

2. No inquérito, os interrogatórios referidos no número anterior podem ser feitos por órgão de polícia criminal no qual o Ministério Público tenha delegado a sua realização.

3. Os interrogatórios de arguido preso são sempre feitos com assistência do defensor.

4. A entidade que proceder ao interrogatório de arguido em liberdade informa-o previamente de que tem o direito de ser assistido por advogado.

---

1. O n.º 1 reproduz o mesmo n.º também do art. 144.º do Proj. O texto actual do n.º 2 foi introduzido pela Lei n.º 59/98, de 25 de Agosto. O texto originário deste número era o seguinte: «No inquérito e em actos de instrução, os interrogatórios referidos no número anterior podem ser feitos por órgão de polícia criminal no qual o Ministério Público ou o juiz de instrução tenham delegado a sua realização». Nestes termos, a partir da entrada em vigor do novo texto, deixou de poder efectuar-se a delegação para a prática de actos de instrução, só podendo portanto ser efectuada no inquérito.
Os n.ºs 3 e 4 foram introduzidos pela Lei n.º 48/2007, de 29 de Agosto. O n.º 3 tornava-se até desnecessário, por ser repetição da al. a) do n.1 do art. 64.º, introduzida pela mesma lei.

2. Generalizou-se no Código a possibilidade de realização de inquérito, com a consequente eliminação de casos de instrução obrigatória, regressando-se a um sistema que se aproxima do que em 1945 foi introduzido pelo Dec.-Lei n.º 35 007. Paralelamente, aumentaram os casos de possibilidade de delegação da realização de diligências de prova nos órgãos de policia criminal, na fase de inquérito.
Dai, a razão de ser dos preceitos deste artigo.
Trata se aqui de interrogatórios de arguidos em liberdade, ou de arguido preso mas subsequentes ao interrogatório judicial, pelo que não pode funcionar a restrição a que alude o n.º 4 do art. 143.º.

3. *Jurisprudência fixada:*
— O arguido em liberdade, que, em inquérito, ao ser interrogado nos termos do artigo 144.º, do Código de Processo Penal, se legalmente advertido, presta falsas declarações a respeito dos seus antecedentes criminais, incorre na prática do crime de falsidade de declaração, previsto e punível pelo artigo

Artigo 145.º

359.º, n.ᵒˢ 1 e 2, do Código Penal. (Ac. do Pleno das secções criminais do STJ de 14 de Março de 2007, proc. n.º 2925/2006; *DR* de 6 de Julho de 2007.

4. *Jurisprudência:*

— Não é inconstitucional o art. 144.º do CPP, quando interpretado no sentido de que, no interrogatório feito pelo órgão de polícia criminal durante o inquérito, o arguido tem que responder com verdade sobre os seus antecedentes criminais, sob pena de cometer um crime de falsas declarações. (Ac. do Tribunal Constitucional n.º 127/2007, de 27 de Fevereiro; *DR*, II série, de 23 de Abril do mesmo ano).

ARTIGO 145.º

(Declarações do assistente e das partes civis)

1. Ao assistente e às partes civis podem ser tomadas declarações a requerimento seu ou do arguido ou sempre que a autoridade judiciária o entender conveniente.

2. O assistente e as partes civis ficam sujeitos ao dever de verdade e a responsabilidade penal pela sua violação.

3. A prestação de declarações pelo assistente e pelas partes civis fica sujeita ao regime de prestação da prova testemunhal, salvo no que lhe for manifestamente inaplicável e no que a lei dispuser diferentemente.

4. A prestação de declarações pelo assistente e pelas partes civis não é precedida de juramento.

5. Para o efeito de serem notificados, o assistente ou as partes civis indicarão a sua residência, o local de trabalho ou outro domicílio à sua escolha.

6. A indicação de local para efeitos de notificação, nos termos do número anterior, é acompanhada da advertência ao assistente ou às partes civis de que a mudança da morada indicada deve ser comunicada através da entrega de requerimento ou a sua remessa por via postal registada à secretaria onde os autos se encontrarem a correr nesse momento.

---

1. Os n.ᵒˢ 1 a 4 reproduzem o art. 145.º do Proj. Os n.ᵒˢ 5 e 6 foram introduzidos pelo Dec.-Lei n.º 320-C/2000, de 15 de Dezembro e relacio-

Código de Processo Penal

nam-se com alterações introduzidas em outros artigos, particularmente nos arts. 113.º, para cujas anotações remetemos, e 196.º.

2. Regula-se, neste artigo, em pormenor, o regime de declarações do assistente e das partes civis em processo penal, assim se colmatando uma lacuna do direito anterior. Ficou expressamente consagrado, para uns e para outros, o dever de verdade, com a consequente responsabilidade criminal pela violação desse dever. É um regime que se aproxima do do processo civil, porque aqui são questões de responsabilidade civil conexa que geralmente se debatem.

Com excepção da prestação de juramento, a que não há lugar, o regime é o da prestação da prova testemunhal.

CAPÍTULO III

DA PROVA POR ACAREAÇÃO

ARTIGO 146.º

(Pressupostos e procedimento)

1. É admissível acareação entre co-arguidos, entre o arguido e o assistente, entre testemunhas ou entre estas, o arguido e o assistente sempre que houver contradição entre as suas declarações e a diligência se afigurar útil à descoberta da verdade.

2. O disposto no número anterior é correspondentemente aplicável às partes civis.

3. A acareação tem lugar oficiosamente ou a requerimento.

4. A entidade que presidir à diligência, após reproduzir as declarações, pede às pessoas acareadas que as confirmem ou modifiquem e, quando necessário, que contestem as das outras pessoas, formulando-lhes em seguida as perguntas que entender convenientes para o esclarecimento da verdade.

---

1. Reproduz o art. 146.º do Proj. e corresponde aos arts. 166.º do Aproj. e 239.º e 244.º do CPP de 1929.

2. Em relação ao direito anterior, nota-se agora uma maior autonomia da prova por acareação, a par de uma regulamentação mais pormenorizada.

O âmbito deste meio de prova estende-se agora aos casos de contradição entre as declarações dos arguidos e dos assistentes, entre testemunhas ou entre estas, o arguido e o assistente e, correspondentemente, as partes civis.

394

Artigo 147.º

3. *Jurisprudência:*
— O CPP, admitindo a acareação nos termos do art. 146.º, não admite porém a contradita, porque se não trata de um caso omisso, não sendo legítimo recorrer-se aos arts. 640.º e 641.º do CPC. (Ac. RL de 22 de Janeiro de 2004, proc. n.º 8183/03).

CAPÍTULO IV

DA PROVA POR RECONHECIMENTO

ARTIGO 147.º
(Reconhecimento de pessoas)

1. Quando houver necessidade de proceder ao reconhecimento de qualquer pessoa, solicita-se à pessoa que deva fazer a identificação que a descreva, com indicação de todos os pormenores de que se recorda. Em seguida, é-lhe perguntado se já a tinha visto antes e em que condições. Por último, é interrogada sobre outras circunstâncias que possam influir na credibilidade da identificação.

2. Se a identificação não for cabal, afasta-se quem dever proceder a ela e chamam-se pelo menos duas pessoas que apresentem as maiores semelhanças possíveis, inclusive de vestuário, com a pessoa a identificar. Esta última é colocada ao lado delas, devendo, se possível, apresentar-se nas mesmas condições em que poderia ter sido vista pela pessoa que procede ao reconhecimento. Esta é então chamada e perguntada sobre se reconhece algum dos presentes e, em caso afirmativo, qual.

3. Se houver razão para crer que a pessoa chamada a fazer a identificação pode ser intimidada ou perturbada pela efectivação do reconhecimento e este não tiver lugar em audiência, deve o mesmo efectuar-se, se possível, sem que aquela pessoa seja vista pelo identificando.

4. As pessoas que intervierem no processo de reconhecimento previsto no n.º 2 são, se nisso consentirem, fotografadas, sendo as fotografias juntas ao auto.

5. O reconhecimento por fotografia, filme ou gravação realizado no âmbito da investigação criminal só pode valer como meio de prova quando for seguido de reconhecimento efectuado nos termos do n.º 2.

6. As fotografias, filmes ou gravações que se refiram apenas a pessoas que não tiverem sido reconhecidas podem ser juntas ao auto, mediante o respectivo consentimento.

7. O reconhecimento que não obedecer ao disposto neste artigo não tem valor como meio de prova, seja qual for a fase do processo em que ocorrer.

Código de Processo Penal

1. Os n.ᵒˢ 1, 2, 3 e 7 reproduzem o art. 147.º do Proj. e correspondem aos arts. 168.º do Aproj. e 243 do CPP de 1929, sendo porém no n.º 7 (anterior n.º 4), aditado *seja qual for a fase do processo em que ocorrer.* Os n. 4 e 5 foram introduzidos pela Lei n.º 48/2007, de 29 de Agosto, em sequência com o que se dispõe nos arts. 192.º e 199.º do CP sobre devassa da vida privada e fotografias ilícitas.

2. Identicamente ao que sucede com a prova por acareação, estabelece agora o Código uma maior autonomização, relativamente ao direito anterior, da prova por reconhecimento de pessoa.

Para além disto, consagra-se a prova por reconhecimento de objectos (art. 148.º), que no regime do CPP de 1929 só era admitida por aplicação analógica dos preceitos sobre reconhecimento de pessoas (veja-se o nosso *Código de Processo Penal,* anot. ao art. 243.º e Luís Osório, *Comentário,* II, 431).

3. Os autores recomendam geralmente que, antes de as pessoas que devem fazer a identificação verem a pessoa a identificar, façam uma descrição minuciosa da mesma. Também recomendam que essas pessoas o façam separadamente umas das outras, para evitar que a identificação feita por uma influencie a que as outras venham a fazer. Estes ensinamentos, de um modo geral, obtiveram agora consagração legislativa, no art. 149.º.

4. *Jurisprudência:*

— O reconhecimento do arguido, feito por uma testemunha no decurso da audiência de julgamento, não tem de obedecer ao formalismo prescrito pelo art. 147.º do CPP, pois este preceito legal só se aplica nas fases de inquérito e de instrução. (Acs. STJ de 1 de Fevereiro de 1996; *CJ, Acs. do STJ,* IV, tomo 1, 198 e de 11 de Maio de 2000, proc. n.º 75/2000-5.ª, *SASTJ,* n.º 41, 76);

— I — A circunstância de ser declarado a inexistência do reconhecimento do recorrente realizada durante o inquérito inquina esse acto e aqueles que dele dependerem, mas não pode impedir a eficácia de outros meios de prova, designadamente produzidos em audiência de julgamento, relativamente à prática dos factos pelo recorrente, sob pena de se ter de concluir que jamais ele poderia ser considerado autor dos factos com base nos depoimentos das testemunhas presenciais, o que é indefensável. II — O facto de o n.ᵒ 4 do art. 147.º do CPP estatuir que o reconhecimento que não obedecer ao disposto nesse artigo não tem valor como meio de prova só significa que o respectivo acto processual não vale como tal, não impedindo que se proceda a um outro reconhecimento efectuado com observância das formalidades legais. (Ac. STJ de 5 de Novembro de 2003, proc. n.ᵒ 3258/03-3.ª; *SASTJ,* n.º 75, 85);

— No reconhecimento efectuado em audiência de discussão e julgamento não tem que observar-se o formalismo prescrito no art. 147.º do CPP. (Ac. RL de 26 de Novembro de 2003; *CJ,* XXVIII, tomo 5, 139);

— A norma do art. 147.º, n.º 6, do CPP, não é inconstitucional, mesmo quando interpretada no sentido de que a cominação legal desse preceito não se aplica só ao respectivo acto processual em que se verificou a violação das regras daquele preceito. (Ac. do Trib. Constitucional n.º 199/2004, de

Artigo 148.º

24 de Março, proc. n.º 900/2003; *DR,* II série, de 7 de Dezembro do mesmo ano);

— I — As regras de reconhecimento pessoal prescritas pelo art. 147.º do CPP não se aplicam em julgamento, mas antes à fase de inquérito e de instrução. II — O *reconhecimento* feito em audiência integra-se num conjunto probatório que lhe retira não só autonomia como meio de prova especificamente previsto no art. 147.º, como lhe dá sobretudo um cariz de instrumento, entre outros, para avaliar a credibilidade de determinado depoimento, inserindo-se assim numa estrutura de verificação do discurso produzido pela testemunha. Nesta perspectiva, tal *reconhecimento* feito em audiência, a avaliar segundo as regras próprias do art. 127.º do CPP, não carece, para ser válido, de ser precedido do reconhecimento formalizado — o reconhecimento propriamente dito — realizado na fase de investigação — o inquérito e a instrução. (Ac. STJ de 16 de Junho de 2005, proc. n.º 553/05-5.ª; *SASTJ,* n.º 92, 114);

— Não é inconstitucional a norma do art.147.º do CPP, enquanto interpretada no sentido de que não impõe a presença obrigatória de defensor no reconhecimento nele disciplinado, realizado perante o órgão de polícia criminal e com observância de todas as formalidades legais previstas no mesmo preceito. (Ac. do Trib. Constitucional n.º 532/2006, de 27 de Setembro de 2006; *DR,* II série, de 10 de Novembro do mesmo ano);

— É inconstitucional a valoração em julgamento de um reconhecimento do arguido realizado sem observância das regras definidas no art. 147.º do CPP. (Ac. do Trib. Constitucional n.º 137/2001, de 14 de Março; *DR,* II série, de 26 de Junho do mesmo ano);

— Não é inconstitucional o art. 147.º do CPP, na interpretação segundo a qual pode ser mantida nos autos, por exigências de polícia ou de justiça, a imagem de terceiro, não indicado como suspeito, que foi, conjuntamente com outras fotografias de figuras públicas, utilizada sem seu consentimento, durante o inquérito, para identificação pelas vítimas de suspeitos que são arguidos em processo penal ainda sem decisão transitada em julgado. (Ac. do Trib. Constitucional n.º 81/2007, de 6 de Fevereiro; *DR,* II série, de 23 de Março do mesmo ano).

ARTIGO 148.º

(Reconhecimento de objectos)

1. Quando houver necessidade de proceder ao reconhecimento de qualquer objecto relacionado com o crime, procede-se de harmonia como disposto no n.º 1 do artigo anterior, em tudo quanto for correspondentemente aplicável.

2. Se o reconhecimento deixar dúvidas, junta-se o objecto a reconhecer com pelo menos dois outros semelhantes e pergunta-se à pessoa se reconhece algum de entre eles e, em caso afirmativo, qual.

397

Código de Processo Penal

3. É correspondentemente aplicável o disposto no n.º 7 do artigo anterior.

1. Reproduz o art. 148.º do Proj. Não havia disposição correspondente no direito anterior. Em resultado de alterações introduzidas pela Lei n.º 48/2007, de 29 de Agosto, no artigo anterior, a mesma Lei alterou, no n.º 3, n.º 4 para n.º 7.

2. Ver anots. ao art. 147.º, aqui aplicáveis, *mutatis mutandis*.

Embora este artigo aluda a *reconhecimento de objectos,* portanto com sentido algo vago, deve ser interpretado mediante interpretação declarativa ampla, abrangendo portanto o reconhecimento de percepções sensoriais, tais como ondas sonoras ou eléctricas e odores.

ARTIGO 149.º

(Pluralidade de reconhecimento)

1. Quando houver necessidade de proceder ao reconhecimento da mesma pessoa ou do mesmo objecto por mais de uma pessoa, cada uma delas fá-lo separadamente, impedindo-se a comunicação entre elas.

2. Quando houver necessidade de a mesma pessoa reconhecer várias pessoas ou vários objectos, o reconhecimento é feito separadamente para cada pessoa ou cada objecto.

3. É correspondentemente aplicável o disposto nos artigos 147.º e 148.º.

1. Reproduz o art. 149.º do Proj. Não havia disposição correspondente no direito anterior.

2. Ver anots. ao art. 147.º, aqui aplicáveis, *mutatis mutandis*.

CAPÍTULO V

DA RECONSTITUIÇÃO DO FACTO

ARTIGO 150.º

(Pressupostos e procedimento)

1. Quando houver necessidade de determinar se um facto poderia ter ocorrido de certa forma, é admissível a sua reconstituição.

Artigo 150.º

Esta consiste na reprodução, tão fiel quanto possível, das condições em que se afirma ou se supõe ter ocorrido o facto e na repetição do modo de realização do mesmo.

2. O despacho que ordenar a reconstituição do facto deve conter uma indicação sucinta do seu objecto, do dia, hora e local em que ocorrerão as diligências e da forma da sua efectivação, eventualmente com recurso a meios audiovisuais. No mesmo despacho pode ser designado perito para execução de operações determinadas.

3. A publicidade da diligência deve, na medida do possível, ser evitada.

---

1. Reproduz o art. 150.º do Proj. Não havia disposição correspondente no direito anterior.

2. A reconstituição do facto, que pode ter lugar quando houver necessidade de determinar se um facto relevante poderia ter ocorrido de certa forma, não se encontrava especificamente regulada no CPP de 1929, embora fosse largamente praticada, por ser permitida dentro dos poderes processuais do juiz e do MP.
Este meio de prova é aqui autonomizado e regulado em pormenor, destacando se a possibilidade de designação de perito para a execução de operações determinadas e a exclusão da publicidade, na medida do possível.
Trata-se de um meio de prova a utilizar na estrita medida em que neste artigo se prevê, portanto somente *quando houver necessidade de determinar se um facto poderia ter ocorrido de certa forma é admissível*.
Quanto ao valor probatório segue a regra geral, pelo que é apreciado livremente pelo tribunal.

3. Marques Ferreira, *Jornadas de Direito Processual Penal*. 252-253, expendeu sobre a reconstituição do facto as seguintes considerações, com que concordamos e que com a devida vénia se transcrevem:
«No CPP de 1929 não encontramos qualquer meio de prova correspondente à reconstituição do facto prevista no art. 150.º do novo Código.
O meio de prova, em processo civil, que mais semelhanças apresenta com este é o da inspecção judicial regulada no art. 612.º do CPC na redacção introduzida pelo Dec.-Lei n.º 47 690 de 15/7/67 que alterou o correspondente art. 616.º do CPC de 1939, passando a referir expressamente a possibilidade de o tribunal *mandar proceder à reconstituição dos factos quando a entender necessária* e não apenas inspeccionar coisas ou pessoas no local, o que configuraria uma situação de exame no figurino do novo CPP.
Afigura-se-nos que o novo Código estatui no sentido de restringir este meio de prova a situações em que o simples exame ou inspecção dos vestígios

Código de Processo Penal

deixados pelo crime e demais indícios não sejam suficientes ou oportunamente recolhidos — ao abrigo do disposto no art. 171.°, n.° 1 — de forma a permitirem inferir a forma como terá ocorrido o facto e o tribunal, para dissipar dúvidas acerca da possibilidade de este ter ocorrido de certa maneira, sentir necessidade da sua reconstituição.

De salientar que o art. 150.°, n.° 3, aconselha a não publicidade da diligência, e que esta revestirá sempre grandes dificuldades interpretativas na e da sua realização.

Este meio de prova é apreciado livremente».

4. Jurisprudência:

— O CPP restringe a reconstituição do facto prevista no n.° 1 do art. 150.° a situações em que o simples exame ou inspecção dos vestígios deixados pelo crime e demais indícios sejam insuficientes ou não tenham sido tempestivamente recolhidos. (Ac. RE de 23 de Abril de 1996; *CJ*, XXI, tomo 2, 293);

— A reconstituição constitui prova autónoma que contém contributos do arguido e que não se confunde com a prova por declarações, podendo ser feita em audiência de julgamento, mesmo que o arguido opte pelo direito ao silêncio, sem que tal configure violação do art. 357.° do CPP. (ac. STJ de 20 de Abril de 2006, proc. n.° 363/06);

— A circunstância de o arguido ter participado na reconstituição dos factos não tem o efeito de fazer corresponder esse acto a declarações suas para se concluir pela impossibilidade de valoração daquele meio de prova; ponto é que só sejam valorados como provas os depoimentos das testemunhas sobre o que observaram, e não as revelações feitas durante a realização dessas diligências. (Ac. STJ de 14 de Junho de 2006, proc. n.° 1574/06);

— I — À prova por reconstituição não se aplicam as limitações impostas às declarações do arguido. II — A reconstituição pode, pois, contar com contributos do arguido, consistentes em declarações e gestos seus. III — Pode depor como testemunha o agente da PJ que procedeu à reconstituição do crime. (Ac. RP de 12 de Dezembro de 2007; *CJ,* ano XXXII, tomo 5, 215).

CAPÍTULO VI

DA PROVA PERICIAL

ARTIGO 151.°

(Quando tem lugar)

A prova pericial tem lugar quando a percepção ou a apreciação dos factos exigirem especiais conhecimentos técnicos, científicos ou artísticos.

---

1. Reproduz o art. 151.° do Proj. e corresponde aos arts. 169.° do Aproj. e 175.° do CPP de 1929.

Artigo 151.º

2. O CPP de 1929 não esclarecia quando era obrigatória a intervenção de peritos. A lacuna foi colmatada com o presente artigo. No entanto, a lei deixa ainda alguma margem de discricionaridade a quem presidir ao inquérito ou à instrução.

Também no domínio do mesmo diploma reinava grande confusão sobre a distinção entre exames e perícias, confusão que de algum modo subsiste, tanto mais que alguns casos se apresentam de duvidosa classificação.

Os exames são meios de obtenção da prova. Incidem sobre pessoas, lugares e coisas e limitam-se à mera observação, no sentido de verificar se existem vestígios que possa ter deixado a prática do crime e todos os indícios relativos ao modo como e ao lugar onde foi praticado, às pessoas que o cometeram ou sobre as quais foi cometido. Veja-se o art. 171.º, n.º 1.

As perícias adquiriram, com o Código, um formalismo acrescido, mas viram o seu âmbito tradicional reduzido, pois muito do que era matéria de perícia passou a ser de exame.

As perícias são meios de prova em que a percepção ou a apreciação de factos recolhidos exigem conhecimentos técnicos, científicos ou artísticos de especialidade.

Assim, a recolha ou a verificação de uma mancha de sangue é um exame. Mas já é perícia o determinar se esse sangue, após confronto, pertence a A, B. ou C. Uma autópsia é normalmente uma perícia; é no entanto um exame se se limitar à verificação de que o cadáver ficou carbonizado. Se, para além disto, for necessário analisar as cinzas para pesquisa de vestígios de matérias explosivas usadas em atentados, tratar-se-á de perícia.

3. Como no domínio do direito anterior, deve entender-se que os peritos são auxiliares do juiz; formulam um parecer sobre o valor ou o significado dos meios de prova que examinarem, mas não podem substituir-se ao juiz na apreciação da prova. Eles intervêm na apreciação da prova real, mas não são prova real. As coisas, vestígios, documentos ou mesmo pessoas podem ser valorados como prova, e a apreciação da prova pressupor conhecimentos fora do alcance directo do julgador. É em tal caso que intervém a perícia, a qual se resolve na formulação de juizos de valor sobre a prova.

Vejam-se, sobre estes pontos, Cavaleiro de Ferreira, *Curso*, II, 345 e o nosso *Código de Processo Penal*, 6.ª ed., anot. ao art. 175.º. Ali expendeu Cavaleiro de Ferreira: «...A apreciação dos factos é função judicial. Para essa apreciação carece o julgador de conhecimentos jurídicos e da experiência comum, técnicos ou científicos. Como nem sempre todos estes conhecimentos fazem parte da cultura geral do julgador e eles se mostram indispensáveis à apreciação da prova, permite a lei o auxílio de terceiros no esclarecimento dos pressupostos da apreciação da prova. É este auxílio que constitui a perícia... a perícia não é verdadeiramente um meio de prova, nem pessoal nem real. Destina-se a auxiliar o julgador ou instrutor do processo na função que lhe é peculiar de desvendar o significado de provas pré-existentes ou de apreciar o seu valor».

Estas considerações devem agora ser actualizadas pelas disposições do art. 163.º e da Lei de Autorização legislativa, art. 2.º, n.º 2, al. 31), segundo as quais o juizo técnico, científico ou artístico inerente à prova pericial se pre-

Código de Processo Penal

sume subtraído à livre apreciação do julgador e, quando este divergir do juizo contido no parecer dos peritos, deve fundamentar a divergência.

4. Sempre que a percepção ou a apreciação dos factos exigirem especiais conhecimentos técnicos, científicos ou artísticos, deve ter lugar a prova pericial, como resulta deste artigo, em afloramento do príncipio geral consagrado no art. 125.º. Existe no entanto alguma margem de discricionaridade pois, mesmo quando a apreciação dos factos exige especiais conhecimentos técnicos, científicos ou artísticos, a perícia só deve ser ordenada quando se revelar essencial para a descoberta da verdade, tanto mais que se trata de diligência que por vezes tem custos elevados de vária ordem.

Este critério ficou expressamente consagrado no n.º 2 do art. 154.º introduzido pela Lei n.º 48/2007, de 29 de Agosto, ao estabelecer o princípio da *necessidade* para a realização de perícia sobre características físicas ou psíquicas da pessoa que não haja prestado consentimento. Tratou-se porém, em nosso entendimento, de afloramento de um princípio geral, como atrás expusemos.

Em tais termos, a omissão da realização da prova pericial nos casos em que deve ser realizada integrará a nulidade dependente de arguição do art. 120.º, n.º 2, al. *d),* quando se entender que a diligência é essencial para a descoberta da verdade; e integrará uma irregularidade, sujeita ao regime do art. 123.º, nos demais casos, isto é de diligência útil mas não essencial para a descoberta da verdade.

5. *Jurisprudência:*
— A prova pericial não é facultativa, mas obrigatória, como resulta do art. 151.º do CPP. (Ac. STJ de 9 de Maio de 1990; *AJ,* n.º 9, 5);
— I — O art. 151.º do CPP não impõe, em termos de obrigatoriedade absoluta, o deferimento da realização de perícias. Existe para o efeito uma margem de discricionariedade legal, em ordem a permitir uma recusa que se mostre justificada, o que sucederá, nomeadamente, quando a realização da diligência não se mostra essencial para a descoberta da verdade. II — Compete em exclusivo ao tribunal de instância ajuizar da necessidade da realização de determinada perícia, sendo que tal tipo de decisão, por extravasar os seus poderes de cognição, não é sindicável pelo STJ. (Ac. STJ de 10 de Julho de 1997, proc. n.º 315/97.º-5.ª).

ARTIGO 152.º

(Quem a realiza)

1. A perícia é realizada em estabelecimento, laboratório ou serviço oficial apropriado ou, quando tal não for possível ou conveniente, por perito nomeado de entre pessoas constantes de listas de peritos existentes em cada comarca, ou, na sua falta ou impossibilidade de resposta em tempo útil, por pessoa de honorabilidade e de reconhecida competência na matéria em causa.

Artigo 153.º

2. Quando a perícia se revelar de especial complexidade ou exigir conhecimentos de matérias distintas, pode ela ser deferida a vários peritos funcionando em moldes colegiais ou interdisciplinares.

---

1. Reproduz o art. 152.º do Proj. e corresponde a disposições dos arts. 173.º e 175.º do Aproj. e 179.º a 182.º do CPP de 1929. A disposição do n.º 2 não tem antecedente legislativo.

2. Como importante diploma regulador de perícias legais salienta-se o Dec.-Lei n.º 11/98, de 24 de Janeiro.
Este diploma procedeu à reorganização dos institutos de medicina legal; eliminou a competência inerente à revisão dos relatórios periciais, que fora afastada pelo CPP, ficando assim reduzida a competência dos conselhos médico-legais; alterou o sistema de nomeação dos peritos médicos das comarcas e, em particular, da indicação dos especialistas que apoiam a justiça e tornou dúctil o regime de recolha de prova pericial, na sequência da liberalização que o CPP perfilhara.
Este diploma institucionalizou claramente e sem as ambiguidades anteriormente existentes a possibilidade e os requisitos necessários à dispensa de autópsia médico-legal.

3. Tratando-se de perícias médico-legais e forenses, o respectivo regime jurídico encontra-se estabelecido na Lei n.º 45/2004, de 19 de Agosto, diploma que revogou os arts. 40.º a 49.º do Dec.-Lei n.º 11/98, onde esse regime era anteriormente estabelecido.

4. O n.º 2 regula dois casos distintos: o de a perícia se revelar de especial complexidade e o de exigir conhecimentos de matérias distintas. No primeiro caso funcionará em moldes colegiais, havendo portanto um só relatório; no segundo, a perícia como que se desdobrará em três distintas e três distintos relatórios, cada um relativo a distintas matérias.

ARTIGO 153.º

(Desempenho da função de perito)

1. O perito é obrigado a desempenhar a função para que tiver sido competentemente nomeado, sem prejuizo do disposto no artigo 47.º e no número seguinte.
2. O perito nomeado pode pedir escusa com base na falta de condições indispensáveis para realização da perícia e pode ser recusado, pelos mesmos fundamentos, pelo Ministério Público, pelo arguido, pelo assistente ou pelas partes civis, sem prejuizo, porém, da realização da perícia se for urgente ou houver perigo na demora.

Código de Processo Penal

3. O perito pode ser substituído pela autoridade judiciária que o tiver nomeado quando não apresentar o relatório no prazo fixado ou quando desempenhar de forma negligente o encargo que lhe foi cometido. A decisão de substituição do perito é irrecorrível.

4. Operada a substituição, o substituído é notificado para comparecer perante a autoridade judiciária competente e expor as razões por que não cumpriu o encargo. Se aquela considerar existente grosseira violação dos deveres que ao substituído incumbiam, o juiz, oficiosamente ou a requerimento, condena-o ao pagamento de uma soma entre uma e seis UCs.

---

1. Reproduz o art. 153.° do Proj. e corresponde a disposições dos arts. 176.° e 177.° do Proj. e dos arts. 183.°, 184.° e 185.° do CPP de 1929.

2. *Jurisprudência:*
— I — O despacho de recusa de perito é proferido imediatamente, e dele não é admissível recurso. II — A perícia é impugnável mediante nova perícia, mas esta só será efectuada de depois de o juiz do processo apreciar a apreciar a idoneidade e a necessidade desse meio da prova. (Ac. RL de 28 de Junho de 2006, proc. n.° 3502/06; *CJ*, ano XXXI, tomo 3, 151).

ARTIGO 154.°

(Despacho que ordena a perícia)

1. A perícia é ordenada, oficiosamente ou a requerimento, por despacho da autoridade judiciária, contendo o nome dos peritos e a indicação sumária do objecto da perícia, bem como, precedendo audição dos peritos, se possível, a indicação do dia, hora e local em que se efectivará.

2. Quando se tratar de pericia sobre características físicas ou psíquicas de pessoa que não haja prestado consentimento, o despacho previsto no número anterior é da competência do juiz, que pondera a necessidade da sua realização, tendo em conta o direito à integridade pessoal e à reserva da intimidade do visado.

3. O despacho é notificado ao Ministério Público, quando este não for o seu autor, ao arguido, ao assistente e as partes civis, com a antecedência mínima de três dias sobre a data indicada para a realização da perícia.

Artigo 155.º

4. Ressalvam-se do disposto no número anterior os casos:

a) Em que a perícia tiver lugar no decurso do inquérito e a autoridade judiciária que a ordenar tiver razões para crer que o conhecimento dela ou dos seus resultados, pelo arguido, pelo assistente ou pelas partes civis poderia prejudicar as finalidades do inquérito;

b) De urgência ou de perigo na demora.

---

1. Os n.ºˢ 1, 3 e 4 reproduzem, com ligeira alteração, o art. 154.º do Proj. e aos arts. 173.º do Aproj. e 179.º do CPP de 1929. O n.º 2 foi introduzido pela Lei n.º 48/2007, de 29 de Agosto.

2. Em relação ao Proj. nota-se que, em geral foi, eliminada a obrigatoriedade de fundamentação do despacho da autoridade judiciária nomeando os peritos; era uma exigência descabida quanto a um despacho de expediente corrente.

3. Tendo a perícia que ser ordenada por despacho da autoridade judiciária, portanto por juiz, juiz de instrução ou MP, nos termos do art. 1.º, n.º 1, al. b), deverá sê-lo pelo MP durante o inquérito, excepto no caso do n.º 2; por juiz de instrução durante esta fase ou pelo juiz do julgamento nas fases subsequentes. Quando ordenada a requerimento de quem tiver para tanto legitimidade deverá o requerimento ser dirigido à autoridade judiciária que no momento tiver a direcção do processo.

A supramencionada Lei que introduziu o n.º 2 estabeleceu regime diferente para as perícias sobre características físicas ou psíquicas de pessoa que não haja prestado consentimento. Terão que ser ordenadas pelo juiz e fundamentadas na necessidade de realização, tendo em conta o direito à integridade pessoal e à reserva da intimidade da pessoa visada.

Quando o Procurador-Geral da República tiver delegado a investigação a outras entidades, deverão estas solicitar ao MP competente que ordene a perícia, no caso de a considerarem necessária para a investigação. Neste caso, também os peritos prestarão compromisso perante o MP, tudo nos termos deste artigo e do art. 156.º.

ARTIGO 155.º
(Consultores técnicos)

1. Ordenada a perícia, o Ministério Público, o arguido, o assistente e as partes civis podem designar para assistir à realização da mesma, se isso ainda for possível, um consultor técnico da sua confiança.

2. O consultor técnico pode propor a efectivação de determinadas diligências e formular observações e objecções que ficam a constar do auto.

Código de Processo Penal

3. Se o consultor técnico for designado após a realização da pericia, pode, salvo no caso previsto na alinea *a)* do n.º 4 do artigo anterior, tomar conhecimento do relatório.

4. A designação de consultor técnico e o desempenho da sua função não podem atrasar a realização da pericia e o andamento normal do processo.

---

1. Reproduz o art. 155.º do Proj. Não havia disposição correspondente no direito anterior. O n.º 3 sofreu ligeira alteração (anteriormente n.º 3), que não alterou o sentido, provocada por alteração introduzida no artigo anterior, pela Lei n.º 48/2007, de 29 de Agosto.

2. A designação de consultores técnicos para assistirem à realização de diligências periciais, propor a realização de diligências e formular observações e objecções é uma faculdade agora introduzida, cuja falta se vinha fazendo sentir devido ao espectacular avanço da técnica nos últimos decénios.
Este artigo rege só para a prova pericial, mas os consultores técnicos, como os peritos, prestam declarações em julgamento (art. 330.º).

3. A designação de consultores é uma faculdade do MP, do arguido, do assistente e das partes civis. Trata-se de um direito conferido pela lei a cada uma dessas entidades, de que usarão ou não consoante entenderem, pelo que não pode haver oposição ou indeferimento da designação.
A intervenção do consultor não pode, porém, atrasar a marcha do processo.
Os consultores técnicos não prestam juramento nem têm qualquer remuneração atribuída no processo pelo exercício da sua função. A remuneração dos seus serviços depende de entendimento com a entidade que os designou.

4. As perícias são ordenadas por autoridade judiciária, oficiosamente ou a requerimento, como se dispõe no art. 154.º, n.º1.
Porém, como se preceitua no art. 154.º, n.º2, as perícias sobre características físicas ou psíquicas de pessoas que não consintam na sua realização terão que ser ordenadas pelo juiz, uma vez que estão em causa actos relativos a direitos fundamentais que só ele pode praticar, por força do n.º 4 do art. 32.º da CPP. E o juiz deve ponderar a necessidade de realização de tais perícias tendo em conta o direito à intedridade pessoal e à reserva na intimidade do visado (art. 154.º, n.º 2).

ARTIGO 156.º

(Procedimento)

1. Os peritos prestam compromisso, podendo a autoridade judiciaria competente, oficiosamente ou a requerimento dos peritos ou dos consultores técnicos, formular quesitos quando a sua existência se revelar conveniente.

Artigo 156.º

2. A autoridade judiciária assiste, sempre que possível e conveniente, à realização da perícia, podendo a autoridade que a tiver ordenado permitir também a presença do arguido e do assistente, salvo se a perícia for susceptível de ofender o pudor.

3. Se os peritos carecerem de quaisquer diligências ou esclarecimentos, requerem que essas diligências se pratiquem ou esses esclarecimentos lhes sejam fornecidos, para tanto lhes podendo ser mostrados quaisquer actos ou documentos do processo.

4. Os elementos de que o perito tome conhecimento no exercício das suas funções só podem ser utilizados dentro do objecto e das finalidades da perícia.

5. As perícias referidas no n.º 2 do artigo 154.º são realizadas por médico ou outra pessoa legalmente autorizada e não podem criar perigo para a saúde do visado.

6. Quando se tratar de análises de sangue ou de outras células corporais, os exames efectuados e as amostras recolhidas só podem ser utilizados no processo em curso ou em outro já instaurado, devendo ser destruídos, mediante despacho do juiz, logo que não sejam necessários.

---

1. Os n.ºs 1, 2 e 3 deste artigo reproduzem disposições do art. 156.º do Proj..

O n.º 4 não tem o texto originário, mas o que foi introduzido pela Lei n.º 59/98, de 25 de Agosto.

Os n.ºs 5 e 6 foram aditados pela Lei n.º 48/2007, de 29 de Agosto.

2. Se os peritos forem funcionários públicos e intervierem no exercício das suas funções não prestam compromisso (art. 91.º, n.º 6, al. b).

3. Quanto a algumas modalidades de perícias, nomeadamente as relativas a questões médico-legais e psiquiátricas, há especialidades a aditar aos normativos deste artigo. Em relação às referidas perícias vejam-se o art. 159.º e legislação transcrita em anot. a esse artigo. Em relação a perícia sobre a personalidade do arguido vejam-se os arts. 160.º e 131.º, n.º 3.

O texto do n.º 4 não é originário, mas o que foi introduzido pela Lei n.º 59/98, de 25 de Agosto. Aquele texto era do seguinte teor: «Os elementos que ao perito forem comunicados para cabal exercício da sua função não podem ser utilizados para prova do facto ou de quem foi o seu agente».

4. O disposto no n.º 2 quando à permissão de assistência à realização da perícia pelo arguido e pelo assistente deve aplicar-se também às partes civis, porque também elas podem requerer a realização de perícias e a assistência de consultores técnicos.

Código de Processo Penal

5. O disposto no n.° 4, sobre a proibição de utilização para prova dos factos ou de quem foi o seu agente, dos elementos de que os peritos tomem conhecimento no exercício da sua função tem uma explicação óbvia. Os peritos têm por função apreciar dados objectivamente recolhidos e, com os seus especiais conhecimentos técnicos, científicos ou artísticos tirar, a partir deles, conclusões. No exercício das suas funções podem tomar conhecimento de factos que não devam ser divulgados, *maxime* nos casos de crimes sexuais. Por outro lado, a recolha da prova do facto ou de quem foi o seu agente é missão que, para além das circunscritas e apontadas funções dos peritos, não compete a estes, mas às autoridades judiciárias, aos órgãos de polícia criminal e às autoridades de polícia criminal.

6. O disposto nos n.ºs 5 e 6, introduzidos pela Lei supramencionada na anot. 1, não tinham antecedentes. Trata-se de normas impondo uma prática que manifestamente se impõe, destinadas a salvaguardar sempre a saúde das pessoas examinadas e a dar o destino adequado aos tecidos humanos que deixaram de ser necessários.

7. *Jurisprudência:*
— Em processo penal só os consultores técnicos designados pelos sujeitos processuais para assistir à realização da perícia e os próprios peritos, e não também os sujeitos processuais, podem requerer a formulação de quesitos. (Ac. RC de 9 de Junho de 1992; *CJ*, XVII, tomo 3, 148).

ARTIGO 157.°

(Relatório pericial)

1. Finda a perícia, os peritos procedem à elaboração de um relatório, no qual mencionam e descrevem a suas respostas e conclusões devidamente fundamentadas. Aos peritos podem porém ser pedidos esclarecimentos pela autoridade judiciária, pelo arguido, pelo assistente, pelas partes civis e pelos consultores técnicos.

2. O relatório, elaborado logo em seguida à realização da perícia, pode ser ditado para o auto.

3. Se o relatório não puder ser elaborado logo em seguida à realização da perícia, é marcado um prazo, não superior a sessenta dias, para a sua apresentação. Em casos de especial complexidade, o prazo pode ser prorrogado, a requerimento fundamentado dos peritos, por mais trinta dias.

4. Se o conhecimento dos resultados da perícia não for indispensável para o juizo sobre a acusação ou sobre a pronúncia, pode

Artigo 158

a autoridade judiciária competente autorizar que o relatório seja apresentado até à abertura da audiência.

5. Se a perícia for realizada por mais de um perito e houver discordância entre eles, apresenta cada um o seu relatório, o mesmo sucedendo na perícia interdisciplinar. Tratando-se de perícia colegial, pode haver lugar a opinião vencedora e opinião vencida.

1. Reproduz o art. 157.° do Proj., com alteração do n.° 1 pela Lei n.° 48//2007, de 29 de Agosto, consistente na eliminação de *e que não podem ser contraditadas* no final do primeiro período. e corresponde aos arts. 181.° e 182.° do Aproj. e 189 ° e 190.° do CPP de 1929.

2. Os peritos podem incluir no seu relatório uma informação dos dados que colheram no processo ou que resultem de esclarecimentos ou diligências que tenham requerido ou obtido no próprio acto de exame, desde que tais dados sejam úteis a este. Devem mesmo mencionar estes informes se, de qualquer modo, neles fundamentarem alguma das suas conclusões. E não podem ser obrigados a eliminar do relatório aquela informação. Vejam-se, neste sentido, *RLJ* 6.°, 394, cujas considerações continuam actuais, mas com a restrição do art. 156.°, n.° 4.

A supressão operada pela Lei n.° 48/2007, referida na anot. 1, alargou o âmbito dos pedidos de esclarecimentos, tanto pedidos pela autoridade judiciária, como pedidos pelo arguido, pelo assistente, pelas partes civis ou pelos consultores técnicos.

3. Sobre exames sexuais, continuam de interesse as *Instruções Normativas sobre Perícias Médico-Legais de Natureza Sexual,* da autoria do Prof. Duarte Santos, propostas pelo Conselho Médico-Legal de Coimbra e transmitidas pela Circular da PGR n.° 1/56.

ARTIGO 158.°

(Esclarecimentos e nova perícia)

1. Em qualquer altura do processo pode a autoridade judiciária competente determinar, oficiosamente ou a requerimento, quando isso se revelar de interesse para a descoberta da verdade, que:

a) Os peritos sejam convocados para prestarem esclarecimentos complementares, devendo ser-lhes comunicado o dia, a hora e o local em que se efectivará a diligência; ou

b) Seja realizada nova perícia ou renovada a perícia anterior a cargo de outro ou outros peritos.

2. Os peritos dos estabelecimentos, laboratórios ou serviços oficiais são ouvidos por teleconferência a partir do seu local de

Código de Processo Penal

trabalho, sempre que tal seja tecnicamente possível, sendo tão-só necessária a notificação do dia e da hora a que se procederá à sua audição.

1. O n.º 1 reproduz o art. 158.º do Proj. e corresponde aos arts. 182.º, *in fine* e 187.º do Aproj. e 196.º e 197.º do CPP de 1929.
O n.º 2 foi introduzido pelo Dec.-Lei n.º 320-C/2000, de 15 de Dezembro, e resulta da progressiva introdução nos tribunais de equipamentos técnicos que permitem o recurso a meios de telecomunicações em tempo real, como se pondera no ponto 6 da exposição de motivos da Proposta de lei n.º 41/VIII.

2. A Lei n.º 43/86, de 26 de Setembro (Lei de Autorização legislativa), art. 2.º, n.º 2, al. 31), impôs a garantia de que em qualquer altura do processo a autoridade judiciária competente possa determinar, oficiosamente ou a requerimento, a prestação de esclarecimentos complementares e a realização de novas perícias ou a renovação das anteriores. Daqui a formulação dos preceitos deste artigo, que já constavam do Proj. tal como foi presente à Assembleia da República com o pedido de autorização legislativa.

3. A redacção deste artigo eliminou dúvidas que surgiram na vigência do CPP de 1929. Assim, ficou agora claro que os peritos podem ser convocados para prestar esclarecimentos complementares *em qualquer altura do processo*. Ficaram agora também dissipadas dúvidas que surgiram a propósito da deficiente redacção do art. 197.º do CPP de 1929, ao clarificar--se que pode ser realizada nova perícia ou renovada a anterior, podendo portanto realizar-se uma perícia sobre o mesmo objecto, mas visando um aspecto distinto da perícia anterior (nova perícia), ou o mesmo aspecto (renovação da anterior).
Se a perícia incidir sobre objecto diverso do anterior, não se tratará de nova perícia, nem de renovação da anterior; tratar-se-á de perícia diferente.
Na alínea *b)* ficou esclarecido que a perícia renovada tem que ser feita por outro ou outros peritos diferentes dos que realizaram a anterior. Já a nova perícia pode ser efectuada pelo mesmo ou pelos mesmos peritos que procederam à primeira ou por outros.

4. Marques Ferreira, *Jornadas de Direito Processual Penal*, 256-257, expendeu sobre este artigo as considerações seguintes, com as quais concordamos:
«Afigura-se-nos que o sistema instituído pelo art. 158.º do novo Código, permitindo esclarecimentos complementares à perícia, a realização de nova perícia pelos mesmos peritos ou a renovação da perícia inicial por outros peritos, sem enveredar pela *peritagem contraditória ou contraperícia* com todos os inconvenientes que lhes subjazem, veio insuflar na prova pericial um *coeficiente de avaliação contínua* capaz de provocar um contínuo aperfeiçoamento do perito e de conduzir à colocação de um maior cuidado e zelo na execução da peritagem, que se reflectirá positivamente na força probatória deste meio de prova».

ARTIGO 159.º
(Perícias médico-legais e forenses)

1. As perícias médico-legais e forenses que se insiram nas atribuições do Instituto Nacional de Medicina Legal são realizadas pelas delegações deste e pelos gabinetes médico-legais.

2. Excepcionalmente, perante manifesta impossibilidade dos serviços, as perícias referidas no número anterior podem ser relizadas por entidades terceiras, públicas ou privadas, contratadas ou indicadas para o efeito pelo Instituto.

3. Nas comarcas não compreendidas na área de actuação das delegações e dos gabinetes médico-legais em funcionamento, as perícias médico-legais e forenses podem ser realizadas por médicos a contratar pelo Instituto.

4. As perícias médico-legais e forenses solicitadas ao Instituto em que se verifique a necessidade de formação médica especializada noutros domínios e que não possam ser realizadas pelas delegações do Instituto ou pelos gabinetes médico-legais, por aí não existem peritos com a formação requerida ou condições materiais para a sua realização, podem ser efectuadas, por indicação do Instituto, por serviço universitário ou de saúde público ou privado.

5. Sempre que necessário, as perícias médico-legais e forenses da natureza laboratorial podem ser realizadas por entidades terceiras, públicas ou privadas, contratadas ou indicadas pelo Instituto.

6. O disposto nos números anteriores é correspondentemente aplicável à perícia relativa a questões psiquiátricas, na qual podem perticipar também especialistas em psicologia e criminologia.

7. A perícia psiquiátrica pode ser efectuada a requerimento do representante legal do arguido, do cônjuge não separado judicialmente de pessoas e bens ou da pessoa, de outro ou do mesmo sexo, que com o arguido viva em condições análogas às dos cônjuges, dos descendentes e adoptados, ascendentes e adoptantes, ou, na falta deles, dos irmãos e seus descendentes.

---

1. O texto deste artigo foi introduzido pela Lei n.º 48/2007, de 29 de Agosto. Embora não se afaste substancialmente das soluções do texto anterior, que não era o originário mas o que fora introduzido pela Lei n.º 59/98, de 25 de Agosto, o texto actual procura resolver dúvidas surgidas a propósito de realização de perícias médico-legais e psiquiátricas e, no n.º 4, actualiza a legitimidade para requerer perícias psiquiátricas, em correspondência com outros dispositivos de recente introdução.

Código de Processo Penal

2. O regime jurídico das perícias médico-legais e forenses encontra-se ainda estabelecido na Lei n.º 45/2004, de 19 de Agosto, diploma que revogou os arts. 40.º a 49.º do Dec.-Lei n.º 11/98 onde esse regime era anteriormente estabelecido, e que não transcrevemos apesar do seu interesse para o processo penal, devido à sua extensão, e por ser facilmente acessível.

O custo dos exames e das perícias e as respectivas remunerações são fixados de harmonia com os dispositivos dos arts. 8.º e 33.º, al. *c)* e 34.º, n.º 2, da aludida Lei n.º 45/2004.

3. *Jurisprudência:*

— A existência ou inexistência de dúvidas quanto à integridade mental do arguido, bem como à necessidade de submissão dele a perícia médico--legal e psiquiátrica constitui matéria de facto excluída dos poderes do STJ — art. 433.º do CPP. (Ac. STJ de 28 de Janeiro de 1993, proc. 43.539);

Num caso em que o juízo de prognose formulado pelas instâncias teve por suporte perícia psiquiátrica cujo relatório e conclusões apontam no sentido de que o arguido sofre de perturbação delirante crónica e demência, perturbação paranóica que se caracteriza pela crença de ser objecto de conspiração, fraude e perseguição, a qual, atenta a génese e dinâmica do ilícito típico perpetrado, o torna portador de uma perigosidade acima da média da população em geral, perícia complementada pelos esclarecimentos prestados em audiência pelo perito subscritor, segundo os quais a actividade alucinatória do arguido poderá dirigir-se a novos alvos, sobretudo no seio da família, criando relativamente aos mesmos novos sentimentos de perseguição e de traição, nada há a censurar ao juízo de prognose formulado pelas instâncias, bem como à aplicação da medida de segurança de internamento, que se mostra indispensável, adequada e proporcional. (Ac. STJ de 28 de Maio de 2008, proc. n.º 1402/08-3.ª).

ARTIGO 160.º

(Perícia sobre a personalidade)

1. Para efeito de avaliação da personalidade e da perigosidade do arguido pode haver lugar a perícia sobre as suas características psíquicas independentes de causas patológicas, bem como sobre o seu grau de socialização. A perícia pode relevar, nomeadamente, para a decisão sobre a revogação da prisão preventiva, a culpa do agente e a determinação da sanção.

2. A perícia deve ser deferida a serviços especializados, incluindo os serviços de reinserção social, ou, quando isso não for possível ou conveniente, a especialistas em criminologia, em psicologia, em sociologia ou em psiquiatria.

3. Os peritos podem requerer informações sobre os antecedentes criminais do arguido, se delas tiverem necessidade.

---

1. Reproduz o art. 160.º do Proj., com excepção do n.º 2, cujo texto foi introduzido pela Lei n.º 59/98, de 25 de Agosto e estabeleceu uma dife-

Artigo 160.º

rente ordem de prioridades das entidades às quais deve ser deferida a perícia sobre a personalidade. O texto originário deste número era do seguinte teor: «A perícia deve ser deferida a serviços de reinserção social, a institutos de criminologia ou outros institutos especializados, ou, quando isso não for possível ou conveniente, a especialistas em criminologia, em psicologia, em sociologia ou em psiquiatria».

A Lei n.º 48/2007, de 29 de Agosto, introduziu no n.º 2 um aditamento que não alterou o sentido, por ser meramente esclarecedor, a seguir a *especializadas*, do seguinte teor: *incluindo os serviços de reinserção social*.

Não havia disposições correspondentes no direito anterior, tratando-se de normas que foram impostas pelo CP de 1982, em virtude do relevo dado por esse diploma à personalidade do delinquente, tanto para efeito de medida da pena como do cumprimento desta.

2. A perícia sobre a personalidade do arguido, aqui prevista e regulada, tem por finalidade a avaliação da personalidade e da perigosidade, incidindo sobre características psíquicas não patológicas e sobre o grau de socialização. Releva nomeadamente para a decisão sobre a revogação da prisão preventiva e para a determinação do grau de culpa e da sanção.

Esta perícia não se confunde com a perícia psiquiátrica (art. 159.º, n.º 2) ou sobre o estado psíquico do arguido (art. 351.º), já que esta última visa exclusivamente causas patológicas tendo em vista a determinação da inimputabilidade ou do grau de imputabilidade.

Como bem se patenteia no n.º 2, a perícia sobre a personalidade do arguido é normalmente deferida a entidades diferentes das que realizam a perícia psiquiátrica.

O art. 131.º, n.º 3, a propósito da capacidade e do dever de testemunhar, estabelece que tratando-se de depoimento de menor de 16 anos em crime sexual pode ter lugar perícia sobre a personalidade. Trata-se, manifestamente, de uma perícia com finalidade diferente da que é feita para avaliação de personalidade e da perigosidade do arguido, portanto obedecendo aos moldes gerais, e não aos deste artigo.

3. A omissão de perícia sobre as características psíquicas do arguido, para o efeito de avaliação da sua personalidade e da sua perigosidade, em casos em que se imponha a realização dessa diligência, constitui, em geral, irregularidade processual, sujeita ao regime do art. 123.º. Se, porém, se reputar a diligência essencial para a descoberta da verdade, a omissão constituirá nulidade dependente de arguição, nos termos do art. 120.º, n.º 2, al. *d)*, a qual deve ser arguida no prazo estabelecido na al. *c)* do n.º 3 do mesmo artigo.

4. *Jurisprudência:*
— A perícia sobre a personalidade do arguido tem interesse para a apreciação da sua situação de prisão preventiva ou para a determinação de uma eventual punição, mas é irrelevante e deve ser indeferida quando requerida como mera diligência de instrução, sem qualquer justificação. (Ac. RL de 9 de Março de 1994; *CJ*, XIX, tomo 2, 141).

Código de Processo Penal

ARTIGO 160.º-A
(Realização de perícias)

1. As perícias referidas nos artigos 152.º e 160.º podem ser realizadas por entidades terceiras que para tanto tenham sido contratadas por quem as tivesse de realizar, desde que aquelas não tenham qualquer interesse na decisão a proferir ou ligação com o assistente ou com o arguido.

2. Quando, por razões técnicas ou de serviço, quem tiver de realizar a perícia não conseguir, por si ou através de entidades terceiras para tanto contratadas, observar o prazo determinado pela autoridade judiciária, deve imediatamente comunicar-lhe tal facto, para que esta possa determinar a eventual designação de novo perito.

---

1. Este artigo foi introduzido pelo Dec.-Lei n.º 320-C/2000, de 15 de Dezembro. Não havia anteriormente dispositivo que lhe correspondesse.

A Lei n.º 48/2007, de 29 de Agosto, eliminou no 1.º período do n.º 1 a referência ao art. 159.º, por se ter tornado desnecessária em face da nova redacção dada a esse artigo.

2. Justificando a introdução deste artigo, pondera-se na exposição de motivos da Proposta de Lei de autorização legislativa 41/VIII, que o tempo despendido na realização das perícias tem sido um dos grandes factores de entorpecimento do processo penal, situação que se verifica em virtude do grande número de pedidos que congestionam as entidades às quais a autoridade judiciária requer essas perícias, devido aos inúmeros pedidos que têm de atender, e que, assim sendo, se impõe a previsão da possibilidade de essas entidades poderem contratar terceiros para realizar as perícias que lhes são cometidas, de modo a cumprir os prazos estipulados pelo tribunal.

ARTIGO 161.º
(Destruição de objectos)

Se os peritos, para procederem à perícia, precisarem de destruir, alterar ou comprometer gravemente a integridade de qualquer objecto, pedem autorização para tal à entidade que tiver ordenado a perícia. Concedida a autorização, fica nos autos a descrição exacta do objecto e, sempre que possível, a sua fotografia; tratando-se de documento, fica a sua fotocópia, devidamente conferida.

---

1. Reproduz o art. 161.º do Proj. e corresponde aos arts. 180.º do Aproj. e 188.º do CPP de 1929.

Artigo 162.º

2. Não há alteração de relevo relativamente ao direito anterior. Sobre os fundamentos do art. 188.º do CPP de 1929, cujas disposições eram análogas, ver *RLJ,* 55.º, 169.º e segs.

3. Se, na perícia, qualquer objecto for destruído ou alterada ou comprometida gravemente a sua integridade, o proprietário terá direito a indemnização, na medida do valor económico sofrido, exceptuando-se os casos em que o objecto deva ser perdido para o Estado ou lei imponha a destruição.

ARTIGO 162.º
(Remuneração do perito)

1. Sempre que a perícia for feita em estabelecimento ou por perito não oficial, a entidade que a tiver ordenado fixa a remuneração do perito em função de tabelas aprovadas pelo Ministério da Justiça ou, na sua falta, tendo em atenção os honorários correntemente pagos por serviços do género e do relevo dos que foram prestados.

2. Em caso de substituição do perito, nos termos do artigo 153.º, n.º 3, pode a entidade competente determinar que não há lugar a remuneração para o substituído.

3. Das decisões sobre a remuneração cabe, conforme os casos, recurso ou reclamação hierárquica.

---

1. Reproduz o art. 162.º do Proj. e corresponde a disposições do art. 157.º do CPP de 1929, há muito substituídas por disposições do CCJ vigentes à data da entrada em vigor do Código.

2. As remunerações de peritos, tradutores, intérpretes e consultores técnicos encontram-se estabelecidas no art. 17.º do Regulamento das Custas Processuais e na Tabela IV a que se referem os n.os 2 e 5 do mesmo art. 17.º.

São do seguinte teor os referidos art. 17.º e Tabela IV:

Artigo 17.º
Renumerações fixas

1 — As entidades que intervenham nos processos ou que coadjuvem em quaisquer diligências, salvo os técnicos que assistem os advogados, têm direito às remunerações previstas no presente Regulamento.

2 — A remuneração de peritos, tradutores, intérpretes e consultores técnicos, em qualquer processo é efectuada nos termos do disposto na tabela IV, que faz parte integrante do presente Regulamento.

3 — Quando a taxa seja variável, a remuneração é fixada numa das seguintes modalidades, tendo em consideração o tipo de serviço, os usos do mercado e a indicação dos interessados:

a) Remuneração em função do serviço ou deslocação;

b) Remuneração em função da fracção ou do número de páginas de parecer, peritagem ou tradução.

Código de Processo Penal

4 — A taxa é fixada em função do valor indicado pelo prestador do serviço, desde que se contenha dentro dos limites impostos pela tabela IV.

5 — Salvo disposição especial, a quantia devida às testemunhas em qualquer processo é fixada nos termos da tabela IV.

6 — Nas perícias médicas, os médicos e respectivos auxiliares são remunerados por cada exame nos termos fixados em diploma próprio.

7 — As remunerações dos serviços prestados por instituições de acordo com o disposto no art. 861.º-A do Código de Processo Civil obedecem ao seguinte:

a) Um quinto de UC quando sejam apreendidos saldos de conta bancária ou valores mobiliários existentes em nome do executado;

b) Um décimo de UC quando não haja saldos ou valores em nome do executado.

8 — A remuneração prevista no número anterior é reduzida a metade quando não sejam utilizados meios electrónicos entre o agente de execução e a instituição.

TABELA IV

Categoria	Remuneração por serviço/ deslocação (A)	Remuneração por fracção/ deslocação (B)
Peritos e peritagens	1 UC a 10 UC (serviço)	1/10 de UC (página)
Traduções	—	1/15 de UC (página)
Intérpretes	1 UC a 2 UC (serviço)	—
Testemunhas	1/12 de UC (deslocação)	—
Consultores técnicos	1 UC a 10 UC (serviço)	1/15 de UC (página)

Quanto a remuneração por exames forenses efectuados por peritos médicos, especialistas ou em estabelecimentos médicos especializados regula o n.º 6 do aluido art. 17.º, sendo a remuneração por cada exame, nos termos fixados em diploma próprio. Este diploma é o Dec.-Lei n.º 11/98, de 24 de Janeiro, cujo art. 81.º é do seguinte teor:

As remunerações devidas aos médicos contratados para o exercício de funções periciais são definidas por portaria do Ministro da Justiça, ouvido o Conselho Superior de Medicina Legal.

Quanto a estas remunerações vigora a Portaria n.º 1178-C/2000, de 15 de Dezembro.

3. A remuneração é fixada pela entidade que tiver ordenado a perícia, podendo portanto sê-lo pelo MP (na fase do inquérito) ou pelo juiz (art. 154.º, n.º 1).

No caso de discordância do montante da indemnização, do despacho que a tiver ordenado cabe recurso se tiver sido fixada pelo juiz e reclamação hierárquica se tiver sido fixada pelo MP.

Artigo 163.º

ARTIGO 163.º
(Valor da prova pericial)

1. O juizo técnico, científico ou artístico inerente à prova pericial presume-se subtraído à livre apreciação do julgador.

2. Sempre que a convicção do julgador divergir do juizo contido no parecer dos peritos, deve aquele fundamentar a divergência.

---

1. Reproduz o art. 163.º do Proj. Não havia disposição correspondente no direito anterior, onde a prova pericial era, em regra, livremente apreciada pelo julgador.

2. A Lei n.º 43/86, de 26 de Setembro (Lei de Autorização legislativa), no art. 2.º, n.º 2, al. 31) determinou a definição, em matéria do valor probatório das perícias, de uma regra pela qual se presume subtraído à livre convicção do magistrado o juizo técnico, científico e artístico inerente às perícias, com obrigação de fundamentação de eventual divergência.
Daqui a formulação deste artigo, tal como já constava do Proj..

3. O que neste artigo se preceitua corresponde à prática corrente na vigência do direito anterior, que agora obtém consagração legislativa. No entanto, no domínio do CPP de 1929, nas perícias da psiquiatria forense, sendo unânimes os peritos, o juiz não podia divergir do respectivo juizo técnico. Mesmo em tal caso o magistrado pode agora divergir, fundamentando a sua divergência.
No regime agora perfilhado legislativamente, se o julgador acatar o juizo técnico, científico ou artístico dos peritos inerentes à prova pericial, nada terá que dizer. Se não acatar tal juizo, e dele divergir, terá que fundamentar a sua divergência. Este regime fundamenta-se, é evidente, na especial capacidade técnica dos peritos quanto às matérias sobre que incide o respectivo juizo.
Quando o julgador divergir do juizo contido no parecer dos peritos deve fundamentar a sua divergência. Mas atendendo à especial capacidade dos peritos, terá obviamente que fundamentar com argumentos técnicos ou científicos equiparados aos dos peritos e não com argumentos vagos ou gerais. E como o julgador em regra não possui a mesma capacidade dos peritos nesse domínio, impor-se-á que em regra, antes de divergir dos peritos, se socorra de recurso a esclarecimentos complementares ou a renovação de perícias, usando da faculdade conferida pelo art. 158.º.
Pode suceder que duas peritagens com o mesmo objecto cheguem a resultados contraditórios. Então pode o julgador optar por um dos resultados, fundamentando a divergência com o resultado da outra usando argumentação técnico-científica adequada. Pode ainda, se entender necessário para uma correcta avaliação, pedir esclarecimentos complementares ou ordenar uma terceira peritagem.
O regime foi certamente inspirado na doutrina do Prof. Figueiredo Dias, *Direito Processual Penal,* vol. 1.º, 209, onde este Mestre expendeu: «...Se os dados de facto que servem de base ao parecer estão sujeitos à livre

417

Código de Processo Penal

apreciação do juiz — que, contrariando-os, pode furtar validade ao parecer —, já o juizo científico ou parecer propriamente dito só é passível de uma crítica igualmente material e científica. Quer dizer: perante um certo juizo cientificamente provado, de acordo com as exigências legais, o tribunal guarda a sua inteira liberdade no que toca à apreciação da base de facto pressuposta; quanto, porém, ao juizo científico, a apreciação há-de ser científica também, e estará, por conseguinte, subtraída em princípio à competência do tribunal...».

Considerações idênticas expende o Prof. Germano Marques da Silva, *Curso de Processo Penal*, II, 178: «A presunção que o art. 163.º, n.º 1, consagra não é uma verdadeira presunção, no sentido de *ilação, o que a lei tira de um facto conhecido para firmar um facto desconhecido*; o que a lei verdadeiramente dispõe é que salvo com fundamento numa crítica material da mesma natureza, isto é, científica, técnica ou artística, o relatório pericial se impõe ao julgador. Não é necessária uma contraprova, basta a valoração diversa dos argumentos invocados pelos peritos e que são fundamento do juizo pericial. Compreende-se que assim seja. Com efeito, se a lei prevê a intervenção de pessoas dotadas de conhecimentos especiais para valoração da prova, seria de todo incompreensível que depois admitisse que o pressuposto da prova pericial não tivesse qualquer relevância, mas já é razoável que o juizo técnico, científico ou artístico possa ser apreciado na base de argumentos da mesma natureza».

4. Quando o julgador divergir do juízo contido no parecer dos peritos e não fundamentar a divergência, como é imposto pelo n.º 2 deste artigo, haverá nulidade, por falta de fundamentação. Tratar-se-á de nulidade dependente de arguição, sujeita ao regime do art. 120.º, ou do art. 379.º, n.º 2, tratando-se de nulidade cometida na sentença.

5. *Jurisprudência:*

— I — Aos peritos não compete pronunciarem-se sobre a intenção de matar, mas apenas sobre se tal intenção é de presumir ou não, dada a região atingida e o instrumento usado. II — O juizo sobre a intenção de matar não é um juizo técnico, científico ou artístico, e nem é tão-pouco um juizo da técnica médica. III — Os julgadores, baseando-se embora também no relatório da autópsia, para não darem como provada a intenção de matar não contrariam o referido relatório, tendo apreciado o conjunto das provas livremente, como lhes permite o art. 127.º do CPP. (Ac. STJ de 12 de Dezembro de 1990; Proc. 41 283/3.ª);

— A conclusão constante do relatório da autópsia *sendo de presumir a intenção de matar* não constitui um juizo técnico-científico abrangido pelo art. 163.º do CPP, mas tão-só um juizo de probabilidade sobre aquela intenção pelo que se lhe não aplica o art. 163.º do CPP. (Ac. STJ de 20 de Março de 1991; Proc. n.º 41 394/3.ª);

— No julgamento da matéria de facto, o tribunal pode afastar-se do laudo dos peritos, ainda que unânime, por mais qualificados que eles sejam, por não ser inacessível aos juizes o controlo do raciocínio que conduziu os peritos à formulação do seu laudo. (Ac. RP de 29 de Março de 1993; *BMJ, 425, 627*);

— Face ao disposto no art. 163.º do CPP, o juizo técnico, científico ou artístico inerente à prova pericial impõe-se, em princípio, ao julgador, que o

Artigo 163.º

tem de acatar; se dele divergir — e é lícita a divergência —, o julgador tem de fundamentar a sua divergência. (Ac. STJ de 5 de Maio de 1993; *BMJ*, 427, 441);

— A formação, pelo tribunal, de um juizo que consubstancia uma divergência em relação ao parecer dos peritos, se não for devidamente fundamentada, viola o disposto no n.º 2 do art. 163.º do CPP e constitui uma irregularidade cuja arguição deve ser feita nos termos do art. 123.º do mesmo diploma. (Ac. STJ de 15 de Junho de 1993; *BMJ*, 428, 448);

— A presunção a que alude o n.º 1 do art. 163.º do CPP apenas se refere ao juizo técnico-científico, e não propriamente aos factos em que o mesmo se apoia. Assim, a necessidade de fundamentar a divergência só se dará quando esta incide sobre o juizo pericial. (Ac. STJ de 9 de Maio de 1995; *CJ, Acs. STJ*, III, tomo 2, 189);

— I — Não é o perito médico que diz sobre a intenção com que os ferimentos foram produzidos, mas sim as próprias ofensas é que indicam a intenção com que foram feitas, sendo o perito apenas o observador e relator das circunstâncias. II — Por isso, a conclusão constante do relatório médico de que se deve presumir a intenção de matar não constitui um juizo técnico--científico abrangido pelo art. 163.º do CPP, mas apenas um juizo de probabilidade sobre essa intenção. (Ac. STJ de 2 de Setembro de 1995; *CJ, Acs. do STJ*, III, tomo 3, 191);

— Aceitando o tribunal colectivo o juizo científico quanto à inimputabilidade do arguido, tem todavia o poder de livre apreciação quanto aos elementos de facto que revelem a sua perigosidade. (Ac. STJ de 25 de Outubro de 1995; *CJ, Acs. do STJ*, III, tomo 3, 211);

— I — O juizo médico-legal sobre a intenção de matar não é um juizo técnico, científico ou artístico, nem um juizo de técnica médica, mas apenas um juizo de probabilidade sobre essa intenção. II — Por isso, não lhe é aplicável o disposto no art. 163.º do CPP. (Ac. STJ de 3 de Julho de 1996; *CJ, Acs. do STJ*, IV, tomo 2, 214);

— I — O valor da prova pericial vincula o julgador, o qual só a pode rejeitar com fundamento numa crítica material da mesma natureza. II — A prova pericial é a única prova admissível quando a percepção ou apreciação dos factos exige especiais conhecimentos técnicos — como na causa da morte, científicos ou artísticos. III — Divergindo a conclusão do tribunal do juizo contido nos pareceres dos peritos, e não se encontrando fundamentada nos termos do art. 163.º, n.º 2, do CPP, por os depoimentos dos médicos inquiridos na audiência de julgamento não terem sido reduzidos a escrito, a-fim-de poderem ser cotejados com o relatório da autópsia, uma vez que se está no domínio da prova vinculada, deve o julgamento ser anulado para que, em novo julgamento, se tenha em consideração o disposto nos arts. 158.º e 163.º do CPP. (Ac. STJ de 20 de Maio de 1998; *BMJ*, 477, 297);

— Para que o julgador, ao divergir do juizo contido no parecer dos peritos, tenha de fundamentar a divergência, é necessário que o relatório do exame psiquiátrico feito contenha um juizo técnico-científico sobre uma situação de inimputabilidade do arguido no momento da prática do crime. (Ac. STJ de 5 de Novembro de 1998; *CJ, Acs. do STJ*, VI, tomo 3, 210);

— O juizo técnico-científico que, nos termos do art. 163.º do CPP, é subtraído à apreciação do julgador, é o que foi recolhido segundo as regras

Código de Processo Penal

dos arts. 151.º e segs. daquele diploma, não se encontrando o tribunal vinculado aos pareceres médicos emitidos fora do âmbito daquele normativo. (Ac. RP de 11 de Novembro de 1998; *BMJ*, 481, 543);

— Quando o tribunal não fundamenta a sua divergência relativamente ao veredicto contido no exame pericial psiquiátrico, não respeitando o que determina o art. 163.º, n.º 2, do CPP, verifica-se uma irregularidade processual, a arguir nos termos do art. 123.º daquele diploma. (Ac. STJ de 19 de Janeiro de 1999, proc. 1141/98-3.ª; *SASTJ*, n.º 27, 77);

— O relatório social é definido como uma informação, e não é uma prova pericial, não lhe sendo assim aplicável o disposto no art. 163.º do CPP. Não é um juizo técnico, científico ou artístico, mas apenas uma narrativa de factos que foram pesquisados por uma pessoa, e que são levados ao conhecimento do tribunal para que este os julgue como provados ou não. A expressão *informação* que é dada ao relatório social acentua que o conteúdo do documento se limita essencialmente a dar *testemunho de factos* que interessam para caracterizar a personalidade do arguido e fixar a pena concreta. Consequentemente, os juizos de valor eventualmente formulados no relatório social não vinculam o juiz, que os deve apreciar segundo a sua livre convicção, nos termos do art. 127.º do CPP, não estando obrigado a fundamentar a divergência, como seria seu dever se se tratasse de juizo técnico, científico ou artístico — art. 163.º do CPP. (Ac. STJ de 14 de Abril de 1999; *BMJ*, 486, 111);

— I — O perito que realizou a perícia médico-legal pode ser admitido como testemunha do pedido cível, e nessa qualidade ser ouvido. II — Os relatórios médicos emitidos fora do âmbito dos arts. 151.º e segs. do CPP não consubstanciam prova pericial, mas apenas documental, podendo ser valorados livremente pelo tribunal. (Ac. RE de 19 de Setembro de 2000; *CJ*, XXV, tomo 4, 279).

— I — Os esclarecimentos prestados por peritos só estão subtraídos à livre apreciação do julgador se disserem respeito a juizos técnicos, científicos ou artísticos inerentes à prova testemunhal. II — Estão sujeitos, no entanto, ao regime geral da livre apreciação da prova a apreciação ou percepção de factos que, muito embora veiculados por um perito, não traduzem nenhum conhecimento especializado. (Ac. STJ de 13 de Outubro de 2005; *CJ, Acs. do STJ*, ano XIII, tomo 3, 189);

— O art. 163.º, n.º 1, do CPP estabelece uma excepção ao princípio da livre apreciação da prova consgrado no art. 127.º do mesmo diploma, atribuindo um valor presuntivamente pleno aos juizos técnicos, científicos e artísticos inerentes à prova pericial, do que decorre que o julgador, face à prova pericial, terá de aceitar o juizo técnico, científico ou artístico a ela inerente, a menos que fundamente a sua divergência relativamente ao mesmo n.º 2 do mesmo art. 163.º (*Ac. STJ* de 11 de Janeiro de 2006, proc. n.º 4299/05-3.ª);

— I — Efectuados dos exames periciais acerca das faculdades mentais do agente, o regime jurídico das perícias médico-legais e forense não estabelece prioridade para qualquer deles. II — Não sendo os seus resultados coincidentes, o tribunal ou qualquer dos sujeitos com legitimidade para tal pode solicitar esclarecimentos a quem realizou as perícias, ficando o juiz legitimado a fundar a sua convicção naquela que se lhe apresentar mais sólida. (Ac. RC de 10 de Maio de 2006; *CJ*, ano XXXI, tomo 3, 43).

Artigo 164.º

CAPÍTULO VII
DA PROVA DOCUMENTAL

ARTIGO 164.º
(Admissibilidade)

1. É admissível prova por documento, entendendo se por tal a declaração, sinal ou notação corporizada em escrito ou qualquer outro meio técnico, nos termos da lei penal.

2. A junção da prova documental é feita oficiosamente ou a requerimento, não podendo juntar-se documento que contiver declaração anónima, salvo se for, ele mesmo, objecto ou elemento do crime.

---

1. Reproduz o art. 164.º do Proj. e corresponde aos arts. 190.º do Aproj. e 245.º do CPP de 1929.

2. Trata-se de uma disposição geral sobre admissibilidade de prova documental. Outras disposições especiais e relativas a determinados documentos se inserem no Código, como é o caso do art. 274.º, relativo a certidões e certificados de registo, nomeadamente o certificado de registo criminal.

3. Particularmente de notar a proibição de junção de documento que contenha declaração anónima, salvo no caso de ele próprio ser objecto ou elemento do crime. Desta proibição decorre lógica e necessariamente que o documento contendo tal declaração não pode de qualquer modo ser levado em conta como meio de prova. Documento que contém declaração anónima é todo aquele em que o autor da declaração não pode ser identificado, seja porque o não contém seja porque contém uma identificação falsa. Se o autor vier a ser identificado, o documento não deve continuar a considerar-se anónimo.

Segundo a lição do Prof. Germano Marques da Silva, *Curso de Processo Penal*, II, 180, «Não se trata apenas de escrito anónimo, mas de qualquer declaração em que não seja identificado o declarante. Por outro lado, só os documentos que contenham declarações é que não podem servir de meio de prova, nada impedindo que sejam juntos e por consequência sirvam de meio de prova outros documentos que não contenham declarações (por ex. uma fotografia pode servir de meio de prova de um dado facto, ainda que se desconheça o autor dela).

4. O caso da carta anónima, usada com alguma frequência, deve ter o tratamento apontado no n.º 2 deste artigo. O destino normal de tal carta deve ser a destruição imediata, sem que dela se faça qualquer uso, logo após exame sobre a sua credibilidade. Mas excepcionalmente convirá conservá-la, *v. g.* para indagar da sua autoria através de exame pericial da da caligrafia, pois pode conter elementos de algum crime, *maxime* de difamação. A ressalva final do n.º 2 permite esta prática.

Código de Processo Penal

5. *Jurisprudência:*

— I — Em processo penal a prova documental nunca é obrigatória, como se deduz do confronto dos arts. 151.º e 164.º do CPP. II — Por isso, a idade ou o estado de casado podem ser provados por testemunhas, em homenagem ao princípio da livre indagação, tributário do princípio da verdade material, porque são apreensíveis por qualquer pessoa e a sua percepção não exige especiais conhecimentos técnicos, científicos ou artísticos. (Ac. STJ de 21 de Maio de 1997; *CJ, Acs. do STJ,* V, tomo 2, 214);

— I — As escutas telefónicas regularmente efectuadas durante o inquérito, uma vez transcritas em auto, passam a constituir prova documental, que o tribunal do julgamento pode valorar de acordo com as regras da experiência. II — Prova documental essa que não carece de ser lida em audiência e, no caso de o tribunal dela se socorrer, não é necessário que tal fique a constar da acta. (Ac. STJ de 20 de Novembro de 2002, proc. n.º 3173/02-3.ª; *SASTJ* n.º 65, 63).

ARTIGO 165.º

(Quando podem juntar-se documentos)

1. O documento deve ser junto no decurso do inquérito ou da instrução e, não sendo isso possível, deve sê-lo até ao encerramento da audiência.

2. Fica assegurada, em qualquer caso, a possibilidade de contraditório, para realização do qual o tribunal pode conceder um prazo não superior a oito dias.

3. O disposto nos números anteriores é correspondentemente aplicável a pareceres de advogados, de jurisconsulto ou de técnicos, os quais podem sempre ser juntos até ao encerramento da audiência.

---

1. Reproduz o art. 165.º do Proj. e corresponde aos arts. 192.º do Aproj. e 404.º do CPP de 1929.

2. No direito anterior os documentos podiam ser juntos até 10 dias antes da audiência de julgamento nos processos de querela e 3 dias antes nas outras formas de processo (art. 404.º do CPP de 1929).

Embora já tenhamos sustentado orientação contrária devido à introdução por este Código de audiência nos tribunais de recurso, uma mais aturada reflexão levou-nos a concluir que a audiência a que se refere o n.º 1 deste art. 165.º é a de discussão e julgamento em 1.ª instância, o que não obsta à junção de pareceres a que alude o n.º 3 do mesmo artigo para além daquele momento, por apenas poderem influenciar questões de direito.

3. O apresentante de documento em momento posterior ao inquérito ou à instrução tem o ónus de alegar e provar que lhe não foi possível apresentá-lo dentro do prazo legal.

Artigo 165.º

Mas *quid juris* se o apresentante não alegar ou não provar aquela impossibilidade? Sobre esta questão Marques Ferreira, *Jornadas de Direito Processual Penal,* 260, expendeu que em tal caso ou o tribunal indefere a junção do documento por se não mostrar preenchido o requisito relativo à impossibilidade de apresentação atempada ou, aplicando-se subsidiariamente o disposto no CPC, o tribunal admite a junção tardia injustificada, mediante condenação do apresentante numa soma em UCs, acabando por propender para a última solução por ser a que melhor se adequa ao princípio da investigação ou da verdade material.

É algo diferente o regime temporal da apresentação de pareceres de advogados, jurisconsultos ou técnicos, os quais podem sempre ser juntos até ao encerramento da audiência. A diferença de regimes é compreensível, já que se trata de pareceres, e a oportunidade destes pode surgir em qualquer momento, até ao fim da audiência, enquanto que os documentos respeitarão normalmente à prova de factos cujo âmbito ficou definido no fim do inquérito ou da instrução.

Particularmente de assinalar que, quer relativamente a documentos quer relativamente a pareceres, a lei assegura a possibilidade de contraditório, o que, em casos extremos, se os outros sujeitos afectados não renunciarem ao prazo, pode dar origem a adiamentos.

4. *Jurisprudência:*

— A violação do n.º 1 do art. 165.º do CPP só constitui a nulidade prevista no art. 120.º, n.º 2, al. *d),* do mesmo Código, se for de considerar omissão de diligência essencial para a descoberta da verdade. (Ac. STJ de 7 de Outubro de 1992; *BMJ,* 420, 366);

— Em processo penal a prova documental deve ser produzida no decurso do inquérito ou da instrução e só excepcionalmente os documentos podem ser juntos até ao encerramento da audiência (n.os 1 e 2 do art. 165.º do CPP), tendo a acusação e a defesa possibilidade de os examinar aquando da sua junção e ainda nos termos do n.º 3 do art. 345.º; n.º 2 do art. 346.º e n.º 2 do art. 347.º, todos do CPP, e em alegações orais (n.º 1 do art. 360.º do mesmo diploma). (Ac. STJ de 25 de Fevereiro de 1993; *BMJ,* 424, 545);

— I — Quando o art. 165.º, n.º 1, do CPP prescreve que os documentos podem ser juntos até ao encerramento da audiência, não está a contemplar a audiência oral no STJ, já que este apenas pode conhecer das questões de facto nos precisos termos referidos no art. 410.º, desde que o vício alegado conste da decisão recorrida, e nele não é consentida a renovação da prova. II — Por isso, os documentos apenas podem ser juntos até ao encerramento da audiência que é disciplinada pelos arts. 311.º e segs., salvo o caso de revsão. (Ac. STJ de 30 de Novembro de 1994; *CJ, Acs. do STJ,* II, tomo 3, 262);

— O tribunal pode ordenar que se juntem ao processo documentos que lhe sejam apresentados depois do encerramento da audiência, mas antes da leitura da sentença, desde que os julgue com interesse para a boa decisão da causa e os submeta a contraditório. (Ac. RP de 8 de Outubro de 1997; *CJ,* XXII, tomo 4, 243);

— A audiência a que se reporta o art. 165.º, n.º 1, do CPP, até cujo encerramento os documentos devem ser juntos, é a de discussão e julgamento

Código de Processo Penal

em 1.ª instância, o que não obsta à junção dos pareceres a que se refere o n.º 3 do mesmo preceito, para além daquele momento, por apenas poderem influenciar a decisão das questões de direito. (Ac. STJ de 30 de Outubro de 2001, proc. n.º 1645/01-3.ª; *SASTJ*, n.º 54, 96);

— I — O momento oportuno, e conforme à lei, para junção de documentos está previsto no art. 165.º do CPP, ou seja, o decurso do inquérito ou da instrução e, não sendo possível, até ao encerramento da audiência na 1.ª instância, ficando, no entanto, assegurada a sua junção oficiosa. Não contempla a lei a junção de documentos em audiência oral em julgamento no STJ, já que este conhece da matéria de facto em termos muito restritos e sempre que necessário à decisão de direito, como é o caso dos vícios previstos no art. 410.º, n.º 2, do CPP, sendo vedada e à revelia do formalismo legal a apresentação daqueles com a motivação ou depois dela – cf., neste sentido, os Acs. do STJ de 30-11-2004, CJSTJ, ano II, tomo 3, pág. 262, e de 06-02-2008, Proc. n.º 08P101. II — Com efeito, destinando-se os documentos a provar factos, não valendo para fins de formação da convicção probatória aqueles elementos probatórios que não sejam produzidos ou examinados em audiência, nos termos do art. 355.º, n.º 1, do CPP, salvo se constarem dos autos, a junção em plena fase de recurso de documento em que o arguido intenta demonstrar que teve uma colaboração essencial no combate ao tráfico, no âmbito de outro processo, além de introduzir alguma perturbação na matéria de facto, já sedimentada, em termos de pertinência, é ali, naquele outro processo, que releva e aproveita ao apresentante, não podendo aqui ser considerada a respectiva apresentação. (Ac. STJ de 22 de Outubro de 2008, proc. n.º 2832/08-3.ª; *SASTJ* relativos a esse mês).

ARTIGO 166.º
(Tradução, decifração e transcrição de documentos)

1. Se o documento for escrito em língua estrangeira, é ordenada, sempre que necessário, a sua tradução, nos termos do n.º 6 do artigo 92.º.

2. Se o documento for dificilmente legível, é feito acompanhar de transcrição que o esclareça, e se for cifrado, é submetido a perícia destinada a obter a sua decifração.

3. Se o documento consistir em registo fonográfico, é, sempre que necessário, transcrito nos autos nos termos do artigo 101.º, n.º 2, podendo o Ministério Público, o arguido, o assistente e as partes civis requererem a conferência, na sua presença, da transcrição.

---

1. Reproduz o art. 166.º do Proj., porém com alteração da parte final do n.º 1 pela Lei n.º 48/2007, de 29 de Agosto (anteriormente artigo 92.º n.º 3) em virtude de alterações introduzidas pels mesma Lei nesse artigo, e corresponde aos arts. 191.º do Aproj. e 247.º, 248.º e 249.º do CPP de 1929.

2. O Procurador-Geral da República, por despacho comunicado pela Circular da PGR n.º 6/90, de 13 de Julho, estabeleceu a seguinte orientação, que passou a ser obrigatória para o MP:

Artigo 167.º

«O acusado tem direito a assistência gratuita da interpretação ou tradução de todos os actos do processo que ele necessitar compreender para beneficiar de um processo equitativo».

3. *Jurisprudência:*
— Não compreendendo nem falando a língua portuguesa, o arguido tem direito à assistência gratuita de um intérprete, competindo ao Estado suportar os respectivos encargos. (Ac. STJ de 8 de Janeiro de 1986; *BMJ*, 353, 201).

ARTIGO 167.º
(Valor probatório das reproduções mecânicas)

1. As reproduções fotográficas, cinematográficas, fonográficas ou por meio de processo electrónico e, de um modo geral, quaisquer reproduções mecânicas só valem como prova dos factos ou coisas reproduzidas se não forem ilícitas, nos termos da lei penal.

2. Não se consideram, nomeadamente, ilícitas para os efeitos previstos no número anterior as reproduções mecânicas que obedecerem ao disposto no Título III deste Livro.

---

1. Reproduz o art. 167.º do Proj. Não havia disposições correspondentes no direito anterior.

2. O disposto no n.º 1 deste artigo significa que as reproduções fotográficas, etc., só podem ser usadas em processo penal, como meio de prova, se na sua obtenção não tiver sido violada qualquer disposição da lei penal substantiva, *maxime os* arts. 179.º e 180.º do CP. Assim, quem gravar palavras proferidas por outrem e não destinadas ao público não pode usar a gravação em processo penal. E quem fotografar às ocultas pessoa que se encontre em lugar privado não poderá usar a fotografia assim captada como meio de prova em processo penal.

Esta regra poderia, porém, conduzir demasiadamente longe, se não fosse entendido, como deve ser, que o próprio Direito Penal substantivo se tem que harmonizar e compatibilizar com o adjectivo. Aqui as pessoas podem mesmo ser compelidas a sujeitar-se a exames, fotografias, etc., tudo como se regula no título seguinte. Então, dever-se-á até entender que não há qualquer tipo de ilicitude penal, porque a conduta é autorizada por um dos ramos da ordem jurídica (cfr. art. 31.º, n.º 1, do CP). Assim, se as reproduções tiverem sido obtidas de harmonia com as disposições deste Código, podem ser usadas como meio de prova e não há qualquer ilicitude penal por parte de quem as obteve.

3. *Jurisprudência:*
— Pode ser utilizada como meio de prova de um crime de ameaças a cassete que contém a gravação da mensagem ditada pelo arguido para o telemóvel do ofendido para aí ficar gravada. (Ac. RP de 17 de Dezembro de 1997; *CJ,* XXII, tomo 5, 240);

Código de Processo Penal

— I — A proibição de gravações ou imagens, na medida em que o legislador constitucional e o ordinário pretendem defender a vida privada, pressupõe que foram obtidas em algum local privado, total ou parcialmente restrito, no qual, segundo as concepções morais vigentes, uma pessoa não deve ser retratada, abrindo-se uma excepção sempre que as exigências da polícia ou dos tribunais determinarem a necessidade de tais gravações ou imagens para protecção dos direitos ou das garantias fundamentais, tais como a vida ou a integridade física. II — A vídeo-gravação dos arguidos, por um sistema mecânico colocado num posto de abastecimento de combustíveis e num outro local público, visando a protecção da vida, da integridade física e do património dos donos dos veículos e dos referidos locais, não viola os arts. 18.º, 26.º e 32.º, n.º 8, da CRP, nem os arts. 126.º e 167.º do CPP. (Ac. STJ de 20 de Junho de 2001, proc. n.º 244/00-3.ª; *SASTJ*, n.º 52, 46);

— I — A danosidade social que as escutas telefónicas acarretam, que justifica o regime estabelecido nos arts. 187.º e 190.º do CPP, não existe numa gravação voluntária de voz num telemóvel, promovida pelo titular dos bens jurídicos que com ela podem ser postos em causa. II — Não sendo a gravação ilícita, nomeadamente nos termos do art. 199.º do CP, nada obsta portanto à sua valoração como meio de prova, nos termos do art. 167.º do CPP. (Ac. RL de 5 de Fevereiro de 2003; *CJ*, XXVII, tomo 1, 134).

ARTIGO 168.º

(Reprodução mecânica de documentos)

Sem prejuizo do disposto no artigo anterior, quando não se puder juntar ao auto ou nele conservar o original de qualquer documento, mas unicamente a sua reprodução mecânica, esta tem o mesmo valor probatório do original, se com ele tiver sido identificada nesse ou noutro processo.

---

1. Reproduz o art. 168.º do Proj. e corresponde ao art. 249.º do CPP de 1929.

2. Este artigo reproduz, a partir de *quando não se puder juntar ao auto,* o art. 249.º do CPP de 1929.
Sobre cópias do original de documentos veja-se ainda o art. 387.º do Código Civil.
Sobre o regime jurídico dos documentos electrónicos e de assinatura digital rege o art. 4.º do Dec.-Lei n.º 290-D/99, de 2 de Agosto.

ARTIGO 169.º

(Valor probatório dos documentos autênticos e autenticados)

Consideram-se provados os factos materiais constantes de documento autêntico ou autenticado enquanto a autenticidade do documento ou a veracidade do seu conteúdo não forem fundamentadamente postas em causa.

Artigo 170.º

1. Reproduz o art. 169.º e corresponde aos arts. 468.º, § único e 493.º, § único do CPP de 1929.

2. Com excepção do processo de declaração da falsidade do documento, pois desapareceu o processo incidental de falsidade que no CPP de 1929 constava dos arts. 118.º e segs. e a falsidade pode agora ser averiguada no processo principal com o formalismo reduzido do art. 170.º, não há divergência de relevo relativamente ao direito anterior.

3. O Código não contém a definição de documento autêntico, o qual é dado pelo art. 363.º, n.º 2, do CC.
O valor probatório dos documentos autênticos ou autenticados, como consta deste artigo do CP, é idêntico ao do direito probatório material condensado no CC.

4. Tratando-se de documento não autêntico nem autenticado, o respectivo valor probatório é apreciado livremente pelo tribunal, conforme se dispõe no art. 127.º.

5. Havendo divergência entre o conteúdo de documento autêntico ou autenticado enquanto a autenticidade ou a veracidade do seu conteúdo não forem fundadamente postas em causa verificar-se-á, em nosso entendimento, um erro notório na apreciação da prova, submetido ao regime do art. 410.º, n.º 2. Assim vem sendo decidido pelo STJ, designadamente nos acórdãos de 27 de Novembro de 1991; *CJ,* ano XVI, tomo 5, 12 e de 4 de Outubro de 1995; *BMJ,* 450, 305. Vejam-se as anotações ao art. 410.º. Não existe, porém unanimidade quanto a esta questão. Pinto de Albuquerque, *in Comentário ao Código de Processo Penal* sustenta que o caso é de nulidade de sentença derivada de uma omissão de pronúncia, com o tratamento do art. 379.º n.º 1, al. *c)*.

6. *Jurisprudência:*
— Ver *supra,* anotação anterior e art. 410.º.
— As receitas para estupefacientes passadas em impressos especiais pelos médicos e autenticadas com o carimbo dos respectivos serviços não são documentos autênticos ou com igual força, para efeitos do disposto no n.º 2 do art. 228.º do CP. (Ac. STJ de 21 de Outubro de 1987; *TJ,* n.º 35, 25);
— A lei penal não nos diz o que seja documento autêntico, pelo que temos de nos socorre da lei civil. O bloco dos motores de veículos automóveis e o seu número não são exarados pela autoridade pública, notário ou oficial público, mas pelo construtor, daí que não sejam documento autêntico. O que é documento autêntico é o livrete passado pela Direcção de Viação. (Ac. STJ de 20 de Junho de 1990; *AJ,* n.ºs 10-11, 5).

ARTIGO 170.º

(Documento falso)

1. O tribunal pode, oficiosamente ou a requerimento, declarar no dispositivo da sentença, mesmo que esta seja absolutória, um

Código de Processo Penal

documento junto aos autos como falso, devendo, para tal fim, quando o julgar necessário e sem retardamento sensível do processo, mandar proceder às diligências e admitir a produção da prova necessárias.

2. Do dispositivo relativo à falsidade de um documento pode recorrer-se autonomamente, nos mesmos termos em que poderia recorrer-se da parte restante da sentença.

3. No caso previsto no n.° 1 e ainda sempre que o tribunal tiver ficado com a fundada suspeita da falsidade de um documento, transmite cópia deste ao Ministério Público, para os efeitos da lei.

---

1. Os n.ᵒˢ 1 e 2 reproduzem disposições no art. 170.° do Proj. O n.° 3 tem a formulação que lhe foi dada na fase final de elaboração do articulado do Código.

2. Este artigo traduz significativa alteração relativamente ao direito anterior. No regime do CPP de 1929, a falsidade dos documentos relevantes, em processo penal, era apurada em processo incidental, regulado nos arts. 118.° a 224.° desse diploma.
A falsidade dos documentos relevantes, quando dela haja suspeitas fundadas, é agora apurada no próprio processo principal, mediante o reduzido formalismo regulado no n.° 1.
A decisão relativa à falsidade só vale para o próprio processo. Não vale, designadamente, para efeito criminal contra o autor da falsidade: para esse efeito instaura-se processo autónomo, nos termos do n.° 3.
Aqui se manifesta, como em muitos outros aspectos, o intuito de eliminar entraves a uma célere administração da justiça penal, aliás expresso no texto do n.° 1, pois que o apuramento da falsidade terá que decorrer *sem retardamento sensível do processo.*

3. O poder-dever de declarar um documento junto aos autos como falso compete também ao tribunal de recurso, enquanto a decisão não transita em julgado. Se a decisão já tiver transitado em julgado e o documento for declarado falso, poderá haver recurso extraordinário de revisão, nos termos do art. 449.°, n.° 1, al. *a)*, verificados que sejam os demais pressupostos.

4. *Jurisprudência:*
— O CPP não permite o incidente de falsidade, pelo que não é lícito recorrer às disposições do CPCivil para pretender utilizá-lo. (Ac. STJ de 24 de Maio de 1995; *CJ; Acs. do STJ,* III, tomo 3, 174).

Artigo 171.º

TÍTULO III

DOS MEIOS DE OBTENÇÃO DA PROVA

CAPÍTULO I

DOS EXAMES

ARTIGO 171.º
(Pressupostos)

1. Por meio de exames das pessoas, dos lugares e das coisas, inspeccionam-se os vestígios que possa ter deixado o crime e todos os indícios relativos ao modo como e ao lugar onde foi praticado, às pessoas que o cometeram ou sobre as quais foi cometido.

2. Logo que houver notícia da prática de crime, providencia-se para evitar, quando possível, que os seus vestígios se apaguem ou alterem antes de serem examinados, proibindo-se, se necessário, a entrada ou o trânsito de pessoas estranhas no local do crime ou quaisquer outros actos que possam prejudicar a descoberta da verdade.

3. Se os vestígios deixados pelo crime se encontrarem alterados ou tiverem desaparecido, descreve-se o estado em que se encontram as pessoas, os lugares e as coisas em que possam ter existido, procurando-se, quanto possível, reconstituí-los e descrevendo-se o modo, o tempo e as causas da alteração ou do desaparecimento.

4. Enquanto não estiver presente no local a autoridade judiciária ou o órgão de polícia criminal competentes, cabe a qualquer agente da autoridade tomar provisoriamente as providências referidas no n.º 2, se de outro modo houver perigo iminente para a obtenção da prova.

---

1. Reproduz o art. 171.º do Proj. e corresponde aos arts. 169.º a 171.º do Aproj. e 175.º a 177.º do CPP de 1929.

2. Não existe alteração de relevo relativamente ao direito anterior.
Cavaleiro de Ferreira, *Curso,* II, pág. 359, salienta como é impossível dar, mesmo resumidamente, notícia da técnica própria da descoberta e recolha dos vestígios e modo da sua interpretação, fazendo o seu estudo hoje parte da criminalística. Assinala que em grande número de crimes a investigação deve começar por uma inspecção cuidadosa do local, destinada à descoberta dos vestígios ou

Código de Processo Penal

provas reais da infracção. Esta inspecção facilita desde logo a orientação dos interrogatórios, pela possibilidade que dá aos investigadores de controlar a veracidade da prova pessoal. Ainda segundo Cavaleiro de Ferreira, a inspecção ao local deve em regra iniciar-se por uma observação cuidadosa, efectuada somente com o sentido da vista, sem alterar coisa alguma no local, o que poderia acarretar confusão ulterior. O investigador, antes de iniciar a recolha dos vestígios, e a fim de os descobrir, deve colocar-se mentalmente o problema em equação, procurando resposta às perguntas essenciais sobre qual a infracção praticada, quem a cometeu, como foi cometida, onde e quando, porquê e com que meios.

3. *Exame* é um meio de obtenção de prova através do qual se captam indícios relativos ao modo como e ao lugar onde o crime foi praticado. Pode ser realizado, como se deduz do n.º 1, em pessoas, em lugares e em coisas.

Trata-se de um meio de obtenção de prova de muito relevo, em relação ao qual a lei toma particulares medidas cautelares, nos n.ºˢ 2, 3 e 4.

Em anot. ao art. 151.º ficaram assinaladas as diferenças entre exames e perícias.

O n.º 1 deste artigo considera os exames um meio de inspeccionar os vestígios que o crime pode ter deixado e todos os indícios relativos ao modo como e ao lugar onde foi praticado, às pessoas que o cometeram ou sobre as quais foi cometido. Não foi assim introduzido um novo conceito (o de inspecção). São fases sequentes da mesma operação: uma primeira apreciação e uma observação mais atenta e aprofundada.

Compete às autoridades judiciárias ou aos órgãos de polícia criminal ordenar a realização de exames, mas incumbe a qualquer agente da autoridade tomar providências cautelares para evitar que os vestígios da prática do crime se apaguem ou alterem, como se estabelece nos n.ºˢ 2 e 4. A desobediência a estas ordens, com a cominação prevista no art. 348.º, n.º 1, al. *b)*, do CP, integra o crime deste mesmo artigo do CP.

ARTIGO 172.º
(Sujeição a exame)

1. Se alguém pretender eximir-se ou obstar a qualquer exame devido ou a facultar coisa que deva ser examinada, pode ser compelido por decisão da autoridade judiciária competente.

2. É correspondentemente aplicável o disposto no n.º 2 do artigo 154.º e nos n.ºˢ 5 e 6 do artigo 156.º.

3. Os exames susceptíveis de ofender o pudor das pessoas devem respeitar a dignidade e, na medida do possível, o pudor de quem a eles se submeter. Ao exame só assistem quem a ele proceder e a autoridade judiciária competente, podendo o examinando fazer-se acompanhar de pessoa da sua confiança, se não houver

Artigo 172.º

perigo na demora, e devendo ser informado de que possui essa faculdade.

---

1. Os n.ᵒˢ 1 e 3 reproduz o art. 172.º do Proj. e correspondem aos arts. 172.º do Aproj. e 178.º do CPP de 1929.
O n.º 2 foi introduzido pela Lei n.º 48/2007, de 29 de Agosto, passando então o anterior n.º 2 para o actual n.º 3.

2. Não existe alteração de relevo relativamente ao regime anterior. No entanto, o texto actual revela-se mais perfeito que o da lei anterior, nomeadamente que o do § único do art. 172.º do CPP de 1929. Veja-se anot. a este artigo, no nosso *Código de Processo Penal Anotado*, 6.ª ed.

Como na lei anterior, os exames que possam ofender o pudor da pessoa examinada, e bem assim todos os outros, só devem ser ordenados quando necessários para assegurar as finalidades do processo penal. Isso resulta dos princípios gerais, *maxime* do art. 267.º, e não tem que ser aqui repetido.

Quanto ao dispositivo do n.º 2, introduzido pela Lei referida *supra*, anot. 1, remetemos para as anots. aos arts. 154.º e 156.º.

3. Quanto a exames de clínica médico-legal, exames de clínica médico--legal de especial complexidade, exames de psiquiatria forense e exames de sexologia forenses existem particularidades de regulamentação, constantes dos arts. 154.º a 160.º - A deste Código e 40.º a 49.º do Dec.-Lei n.º 45/2004, de 19 de Agosto.

Muitos outros exames têm particularidades de tramitação, contidas neste Código ou em leis especiais, impostas pelo pudor, pela dignidade ou pela inviolabilidade das pessoas; pela inviolabilidade do domicílio; pelo sigilio bancário ou profissional, pelo segredo de Estado ou por outras razões atendíveis.

4. O que neste artigo se dispõe sobre a possibilidade de a autoridade judiciária compelir alguém a sujeitar-se a qualquer exame ou a facultar coisa que deva ser examinada é um dispositivo geral, podendo portanto ser afastado pela aplicação de algum regime especial consagrado na lei. É este, por ex., o caso do condutor que recusa submeter-se à prova para detecção do estado de influenciado pelo álcool ou por substâncias estupefacientes ou psicotrópicas. Como resulta dos n.ᵒˢ 2 e 3 do art. 158.º do Código da Estrada, para sujeição à prova é necessário o consentimento do condutor, sendo a recusa punida como crime de desobediência.

O exame compelido pela autoridade judiciária competente, nos termos do n.º 1, não pode violar a integridade moral ou física da pessoal compelida; de outro modo colidiria com o art. 25.º da Constituição. Em nosso entendimento, o simples facto de o exame ser ordenado contra a vontade do examinando não é, de per si e respeitadas as cautelas do n.º 2, atentório da integridade física ou moral. Em tais termos, afiguram-se-nos de algum modo

Código de Processo Penal

exageradas as críticas que ao dispositivo dirigiram Figueiredo Dias e Sinde Monteiro, *in A Responsabilidade Médica em Portugal,* 70 e nota 133, e ainda Augusto Silva Dias, *A Relevância Jurídico-Penal das Decisões de Consciência, 136.*

Sobre estes pontos vejam-se agora, com as respectivas anots., o n.º 2 deste artigo e o n.º 2 do art. 154.º.

5. *Jurisprudência:*

— É inconstitucional, por violação do disposto nos arts. 25.º, 26.º e 32.º, n.º 4, da Constituição, a norma constante do art. 172.º, n.º 1, do CPP, quando interpretada no sentido de possibilitar, sem autorização do juiz, a colheita coactiva de vestígios biológicos de um arguido para determinação do seu perfil genético. quando este último tenha manifestado a sua expressa recusa em colaborar ou permitir tal colheita, e, consequentemente, é inconstitucional, por violação do disposto no art. 32.º, n.º 4, da Constituição, a norma constante do art. 126.º, n.º 1, 2 alínea *a)* e *c)* e 3, de CPP, quando interpretada em termos de considerar válida e, por conseguinte, susceptível de ulterior utilização e valoração a prova obtida através da colheita realizada nos moldes descritos. (Ac. do Trib. Constitucional de 2 de Março de 2007; *DR,* II série, de 10 de Abril do mesmo ano).

ARTIGO 173.º

(Pessoas no local do exame)

1. A autoridade judiciária ou o órgão de polícia criminal competentes podem determinar que alguma ou algumas pessoas se não afastem do local do exame e obrigar, com o auxílio da força pública, se necessário, as que pretenderem afastar-se a que nele se conservem enquanto o exame não terminar e a sua presença for indispensável.

2. É correspondentemente aplicável o disposto no artigo 171.º, n.º 4.

---

1. Reproduz o art. 173.º do Proj. e corresponde aos arts. 171.º do Aproj. e 177.º do CPP de 1929.

2. Não existe alteração de relevo relativamente ao direito anterior.

O texto actual não comina expressamente o crime de desobediência para quem não acatar a ordem da autoridade judiciária ou do órgão de polícia criminal. Seria desnecessário fazê-lo, e mesmo pouco curial, porque o CPP é uma lei adjectiva. A existência do crime resulta tão só de o comportamento de quem desacata as ordens ser subsumível à previsão do CP, não sendo por isso pertinente tomar aqui, no CPP, posição sobre o ponto, que se afigura até inequívoco. Se a ordem não for acatada imediatamente e a recusa persistir, dever-se-á proceder à detenção de quem a não acata, para que seja julgado em processo sumário.

Artigo 174.º

CAPÍTULO II

DAS REVISTAS E BUSCAS

ARTIGO 174.º
(Pressupostos)

1. Quando houver indícios de que alguém oculta na sua pessoa quaisquer objectos relacionados com um crime ou que possam servir de prova, é ordenada revista.

2. Quando houver indícios de que os objectos referidos no número anterior, ou o arguido ou outra pessoa que deva ser detida, se encontram em lugar reservado ou não livremente acessível ao público, é ordenada busca.

3. As revistas e as buscas são autorizadas ou ordenadas por despacho pela autoridade judiciária competente, devendo esta, sempre que possível, presidir à diligência.

4. O despacho previsto no número anterior tem um prazo de validade máxima de 30 dias, sob pena de nulidade.

5. Ressalvam-se das exigências contidas no n.º 3 as revistas e as buscas efectuadas por órgão de polícia criminal nos casos:

a) De terrorismo, criminalidade violenta ou altamente organizada, quando haja fundados indícios da prática iminente de crime que ponha em grave risco a vida ou a integridade de qualquer pessoa;

b) Em que os visados consintam, desde que o consentimento prestado fique, por qualquer forma, documentado; ou

c) Aquando de detenção em flagrante por crime a que corresponda pena de prisão.

6. Nos casos referidos na alínea *a)* do número anterior, a realização da diligência é, sob pena de nulidade, imediatamente comunicada ao juiz de instrução e por este apreciada em ordem à sua validação.

---

1. Os n.ᵒˢ 1, 2, 3 e 5 reproduzem disposições do Proj..

O n.º 6 (anterior n.º 5) foi introduzido na fase final de elaboração do Código, por determinação da Lei n.º 43/86.

O n.º 4 foi introduzido pela Lei n.º 48/2007, de 29 de Agosto. Não havia anteriormente dispositivo que lhe correspondesse.

2. A Lei n.º 43/86, de 26 de Setembro (Lei de Autorização legislativa), no art. 2.º, n.º 2, al. 29), determinou a definição de um regime especial de dispensa

Código de Processo Penal

de autorização judicial prévia para as buscas domésticas, revistas, apreensões e detenções fora de flagrante delito nos casos de terrorismo, criminalidade violenta ou altamente organizada, quando haja fundados indícios da prática iminente de crime que ponha em grave risco a vida ou a integridade de qualquer pessoa, devendo nesse caso a realização da diligência ser imediatamente comunicada ao juiz instrutor e por este validada, sob pena de nulidade.

Daí as alterações introduzidas na parte final dos trabalhos de elaboração do Código, na al. *c)* do n.º 5, e a introdução do n.º 6.

Quanto ao que se deve entender por terrorismo e criminalidade violenta ou altamente organizada, ver art. 1.º, als. *i), j), l)* e *m)*.

3. No n.º 1 define-se o âmbito da revista, que é passada às pessoas quando há indícios de que elas ocultam na sua pessoa objectos relacionados com um crime ou que possam servir de prova deste.

No n.º 2 define-se o âmbito da busca, que é passada em lugares reservados ou não livremente acessíveis ao público quando há indícios de que o arguido, qualquer outra pessoa que deva ser detida, ou objectos que se relacionam com um crime ou que possam servir de prova deste, se encontram nesses lugares.

4. No n.º 3 define-se o regime geral das buscas e das revistas, estabelecendo-se aqui as garantias clássicas das necessárias ordem ou autorização pela autoridade judiciária, estatuindo-se complementarmente que esta autoridade deverá, sempre que possível, presidir à diligência.

5. Nos n.ºs 5 e 6 estabelece-se um regime excepcional, que se desvia do regime geral estabelecido no n.º 3.

Admite-se, em nome de uma certa proporção racional de eficácia, do princípio *volenti non fit injuria,* ou das particulares premências dos casos de terrorismo, criminalidade violenta ou altamente organizada, que os órgãos de polícia criminal possam efectuar buscas e revistas fora do sistema geral de autorização ou ordem descrito no n.º 3.

Mas nos casos em que o êxito da diligência se não compadece com qualquer demora, a lei não deixou de tomar cautelas quanto à validação pela autoridade judiciária. Daí o normativo do n.º 6, exigindo, em tais casos e sob pena de nulidade, a comunicação da diligência ao juiz de instrução e consequente validação.

Este n.º 6, que corresponde ao n.º 5 anterior à revisão operada pela Lei n.º 48/2007, não sofre, em nosso entendimento, de inconstitucionalidade, desde que a comunicação ao juiz de instrução seja efectuada imediatamente — leia-se no mais curto espaço de tempo possível.

6. Como se referiu *supra*, anot. 1, o dispositivo do n.º 4 foi introduzido pela lei aí mencionada.

As revistas são ordenadas em pessoas suspeitas de ocupar objectos relacionados com um crime; as buscas são ordenadas em lugar reservado ou não livremente acessível, nomeadamente em domicílio. Portanto a nulidade aqui cominada é a do n.º 3 do art. 126.º, introduzido pela mesma Lei, para cuja anotação remetemos, designadamente no que concerne a dúvidas que se suscitam.

Artigo 174.º

Uma outra dúvida ainda aqui se suscita, qual é a de saber se a nulidade, no caso do ser ultrapassado o prazo fixado ou o máximo, atinge toda a revista ou busca, ou se só enfermam de nulidade as efectuadas para além do prazo. O texto legal não esclarece este ponto e, interpretado à letra, parece inculcar que, ultrapassado o prazo, todas as diligências, efectadas antes ou após o seu termo, ficam eivadas de nulidade. Não é este, porém, o nosso entendimento, pois que a lei aqui *magis dixit quam voluit*. O pensamento legislativo, reconstituido a partir de outros textos, *v. g.* n.os 5 e 6 deste artigo, conduz-nos ao entendimento de que só as revistas e as buscas efectuadas para além do prazo enfermam de nulidade.

Refira-se ainda que o texto deste n.º 4 não parece estruturado dentro das boas regras gramaticais e da semântica. Sujeito da oração é *o despacho previsto no número anterior* e até à cominação final — *sob pena de nulidade* — não há qualquer alusão a revistas ou buscas. Interpretado à letra conduzir-nos-ia a concluir que a nulidade afectaria o despacho, e não as diligências. Obviamente, não é assim.

O despacho da autoridade judiciária autorizando ou a busca, normalmente, não fixada prazo de validade, porque este está fixado na lei. Em tal caso, ficarão eivadas de nulidade as diligências efectuadas para além do prazo de 30 dias, e não o próprio despacho.

7. *Jurisprudência:*

— I — É nula a busca domiciliária levada a cabo por agentes policiais sem autorização da competente autoridade judiciária e sem que se verifique qualquer das situações previstas nas alíneas do n.º 4 do art. 174.º do CPP, designadamente o consentimento do visado. II — Esse consentimento tem que ser dado por quem seja visado pela diligência e seja titular do direito à inviolabilidade do domicílio, não bastando a mera disponibilidade do lugar da habitação. III — A provas obtidas por métodos absolutamente proibidos não podem nunca ser utilizadas no processo, mesmo com o consentimento do visado; as provas obtidas por métodos apenas relativamente proibidos, por susceptíveis de consentimento relevante do respectivo titular, são da mesma forma nulas, mas essa nulidade, por ser sanável, depende da arguição do interessado. IV — Por isso, não pode ser arguida em recurso a nulidade das provas obtidas no inquérito durante busca domiciliária sem autorização da autoridade judiciária ou do visado. (Ac. STJ de 8 de Fevereiro de 1995; *CJ, Acs. do STJ*, III, tomo 1, 194);

— Os arts. 174.º, n.º 4, alínea *b)*; 177.º, n.º 2 e 178.º, n.º 3, na interpretação segundo a qual a busca domiciliária em casa habitada e as subsequentes apreensões efectuadas durante aquela diligência podem ser realizadas por órgãos de polícia criminal, desde que se verifique o consentimento de quem, não sendo visado por tais diligências, tiver a disponibilidade do lugar de habitação em que a busca seja efectuada, são inconstitucionais, por violação do art. 34.º, n.º 2, da CRP. (Ac. do Trib. Constitucional n.º 507/94; *DR,* II série, n.º 285, de 12 de Dezembro de 1994);

— A nulidade decorrente da falta de comunicação a que alude o n.º 4 do art. 174.º do CPP não é insanável; logo, deve ser arguida nos termos do

Código de Processo Penal

art. 123.º, n.º 3, al. *c)*, do mesmo diploma legal. (Ac. STJ de 27 de Janeiro de 1998; *BMJ*, 473, 166);

Não é inconstitucional a apreciação ulterior em ordem à sua validação em caso de busca efectuada de acordo com o art. 174.º, n.º 5, do CPP e imediatamente comunicada ao juiz de instrução. (Ac. do Trib. Constitucional n.º 192/2001; *DR*, II série, de 17 de Julho de 2001);

— I — Não se afigura desrazoável, arbitrária ou desproporcionada, e não é por isso inconstitucional, uma interpretção dos arts. 174.º, n.º 5, e 177.º, n.º 2, do CPP, no sentido de admitir a tempestividade da comunicação de uma busca realizada a coberto do disposto no art. 174.º, n.º 5, alínea *a)* dentro do prazo de 48 horas, que é o da apresentação do detido para primeiro interrogatório judicial. II — Não é inconstitucional, por não violar o disposto nos arts. 32.º, n.º 8 e 34.º, n.ºˢ 1 e 2 do CRP, a norma resultante dos arts. 174.º, n.º 4, alínea *a)* e 177.º, n.º 2, da CRP, interpretada no sentido de que para efeitos de apreciação e validação da busca domiciliária realizada é suficiente que o juiz de instrução valide as detenções dos arguidos e aprecie os indícios existentes nos autos em ordem à fixação de uma medida de coacção, sem expressa ou inequivocamente declarar que valida a busca realizada. (Ac. do Trib. Constitucional n.º 274/2007, de 2 de Maio, proc. n.º 360/2007; *DR*, II série, de 18 de Junho de 2007).

ARTIGO 175.º

(Formalidades da revista)

1. Antes de se proceder a revista é entregue ao visado, salvo nos casos do n.º 5 do artigo anterior, cópia do despacho que a determinou, no qual se faz menção de que aquele pode indicar, para presenciar a diligência, pessoa de sua confiança e que se apresente sem delonga.

2. A revista deve respeitar a dignidade pessoal e, na medida do possível, o pudor do visado.

---

1. Reproduz o art. 175.º do Proj. Não havia disposições correspondentes no CPP de 1929, diploma em que as revistas caíram no âmbito geral das buscas, arts. 202.º e segs. A fonte próxima deste artigo foi o art. 241.º do Projecto preliminar italiano, sendo as redacções muito próximas.

A Lei n.º 48/2007, de 29 de Agosto, no n.º 1, substituiu n.º 4 por n.º 5, em virtude de alterações que introduziu no art. 174.º.

2. A omissão de alguma das formalidades legais para a realização da revista constitui irregularidade processual, submetida ao regime do art. 123.º. Se, porém, tiver havido coacção ou ofensa à integridade física ou moral da pessoa revistada (cfr. n.º 2), a diligência será nula (arts. 32.º, n.º 6 da CRP e 126.º deste Código).

436

Artigo 176.º

ARTIGO 176.º

(Formalidades da busca)

1. Antes de se proceder a busca é entregue, salvo nos casos do n.º 5 do artigo 174.º, a quem tiver a disponibilidade do lugar em que a diligência se realiza, cópia do despacho que a determinou, na qual se faz menção de que pode assistir à diligência e fazer-se acompanhar ou substituir por pessoa da sua confiança e que se apresente sem delonga.

2. Faltando as pessoas referidas no número anterior, a cópia é, sempre que possível, entregue a um parente, a um vizinho, ao porteiro ou a alguém que o substitua.

3. Juntamente com a busca ou durante ela pode proceder-se a revista de pessoas que se encontrem no lugar, se quem ordenar ou efectuar a busca tiver razões para presumir que se verificam os pressupostos do artigo 174.º, n.º 1. Pode igualmente proceder-se como se dispõe no artigo 173.º.

---

1. Reproduz o art. 176.º do Proj. Corresponde ao art. 203.º do CPP de 1929 e foi inspirado no art. 242.º do Projecto preliminar italiano.

A Lei n.º 48/2007, de 29 de Agosto, no n.º 1, substitui *artigo 174.º, n.º 4*, por *n.º 5 do artigo 174.º*, em virtude de alterações introduzidas nesse art. 174.º.

2. Numerosas disposições especiais impõem o cumprimento de outras formalidades para a efectivação de buscas efectuadas em consultórios médicos, escritórios de advogados, repartições dos Correios e Telecomunicações, etc.

Quanto a buscas em escritório de advogado, consultório médico ou estabelecimento de saúde será necessário atentar, antes do mais, nas disposições especiais dos n.ºs 3 e 4 do art. 177.º. Como as disposições especiais relativas a determinados locais estão em constante mutação, é recomendável que os respectivos estatutos sejam consultados antes de as buscas serem ordenadas.

3. A omissão de alguma das formalidades exigidas para a realização da busca constitui irregularidade, submetida ao regime do art. 123.º. Porém, se tiver havido coacção, ofensa à integridade física ou moral da pessoa o abusiva intromissão no domicílio, na correspondência ou nas comunicações, a diligência será nula (arts. 32.º, n.º 6 da CRP e 126.º deste Código).

4. Veja-se o estudo da Dra. Ana Luísa Pinto intitulado *As buscas não domiciliárias do Direito Processual Penal Português*, na *Revista do Ministério Público*, 109, ano 28, 23 e segs. cujo sumário é o seguinte:

1. Introdução.
2. As buscas *preventivas* previstas em legislação extrvagante.
3. As *cautelares* previstas no artigo 251.º do Código de Processo Penal.

Código de Processo Penal

3.1. Admissibilidade.
3.2. O controlo a *posteriori*.
3.3. A validação imediata.
4. As buscas realizadas durante o processo, com autorização prévia de autoridade judiciária (regime-regra).
4.1. Admissibilidade.
4.2. Locais onde podem ser realizadas.
4.3. Entidade competente para ordenar ou autorizar a busca.
4.4. Prazo para a realização, após a autorização.
4.5. Formalidades.
5. As buscas realizadas durante o processo, sem autorização prévia de autoridade judiciária.
5.1. Admissibilidade.
5.2. O controlo a *posteriori* da busca, em caso de torrorismo e criminabilidade violente e altamente organizada.
5.3. O consentimento do visado. 5.4. Formalidades.
6. As buscas em consultórios médicos, escritórios de advogados e estabelecimentos de saúde.
7. Limites das buscas.
8. Consequências da violação desses limites.

5. *Jurisprudência:*
— A busca só pode ter lugar nos casos previstos na lei ou com consentimento de quem tiver a livre disponibilidade em relação ao lugar onde é efectuada, que pode não ser a pessoa visada com a diligência. (Ac. STJ de 5 de Julho de 1991; *CJ*, XVI, tomo 3, 26);
— I — Nas buscas dimiciliárias só se verifica nulidade em dois casos: busca em casa habitada ou numa sua dependência fechada sem ter sido ordenada pelo juiz fora do período entre as 7 e as 21 horas; e busca em escritório de advogado ou consultório de médico sem ser presidida pessoalmente pelo juiz. II — A inobservância das formalidades enunciadas no art. 176.º do CPP não dá lugar a qualquer nulidade, pelo que constitui mera irregularidade. (Ac. STJ de 15 de Julho de 1992, proc. 42.974/3.ª);
— Sendo a busca efectuada por órgão da polícia criminal, é dispensada a autorização ou ordem da autoridade judiciária competente se o visado consentir, desde que o consentimento fique documentado. O consentimento tanto pode ser dado antes como depois da diligência. (Ac. RC de 2 de Dezembro de 1992; *CJ*, XVII, tomo 4, 90);
— Desde que o juiz que autorizou a busca não fixou prazo para a sua realização, pode ela ser realizada dentro do prazo legal para a conclusão do inquérito. (Ac. STJ de 16 de Fevereiro de 1994, proc. 44.368/3.ª);
— A falta da entrega da cópia do despacho que determinou a busca à pessoa que a esta assistiu, inobservando o disposto no art. 176.º do CPP, constitui, quando muito, nulidade suprível, sanável por falta da respectiva arguição em tempo útil. (Ac. STJ de 8 de Novembro de 1995; *BMJ*, 451, 238);
— É incontroverso, face ao disposto no art. 176.º, n.º 1, do CPP, não ser a presença do arguido obrigatória aquando da realização da busca, sem embargo de, em obediência ao preceituado no mesmo normativo, dever ser-

Artigo 177.º

-lhe comunicado que pode assistir à diligência e fazer-se acompanhar ou substituir por pessoa da sua confiança. A omissão desta formalidade não é fulminada com a nulidade, consistindo mera irregularidade. (Ac. STJ de 15 de Dezembro de 1998, proc. 1081/98; *SASTJ*, n.º 26, 81).

ARTIGO 177.º
(Busca domiciliária)

1. A busca em casa habitada ou numa sua dependência fechada só pode ser ordenada ou autorizada pelo juiz e efectuada entre as sete e as vinte e uma horas, sob pena de nulidade.

2. Entre as 21 e as 7 horas, a busca domiciliária só pode ser realizada nos casos de:

a) Terrorismo ou criminalidade especialmente violenta ou altamente organizada;

b) Consentimento do visado, documentado por qualquer forma;

c) Flagrante delito pela prática de crime punível com pena de prisão superior, no seu máximo, a 3 anos.

3. As buscas domiciliárias podem também ser ordenadas pelo Ministério Público ou ser efectuadas por órgão de polícia criminal:

a) Nos casos referidos no n.º 5 do artigo 174.º, entre as 7 e as 21 horas;

b) Nos casos referidos nas alíneas *b)* e *c)* do número anterior, entre as 21 e as 7 horas.

4. É correspondentemente aplicável o disposto n.º 6 do artigo 174.º nos casos em que a busca domiciliária for efectuada por órgão de polícia criminal sem consentimento do visado e fora de flagrante delito.

5. Tratando-se de busca em escritório de advogado ou em consultório médico, ela é, sob pena de nulidade, presidida pessoalmente pelo juiz, o qual avisa previamente o presidente do conselho local da Ordem dos Advogados ou da Ordem dos Médicos, para que o mesmo, ou um seu delegado, possa estar presente.

6. Tratando-se de busca em estabelecimento oficial de saúde, o aviso a que se refere o número anterior é feito ao presidente do conselho directivo ou de gestão do estabelecimento, ou a quem legalmente o substituir.

Código de Processo Penal

1. O n.° 1 deste artigo reproduz disposições do artigo do Proj., com a mesma numeração.
Os n.ᵒˢ 2, 3 e 4 foram introduzidos pela Lei n.° 48/2007, de 29 de Agosto. O número 5 (anteriormente n.° 3) e o n.° 6 (anteriormente n.° 4) reproduzem disposições de artigos do Proj. com a mesma numeração.

2. A CRP, no art. 34.°, estabelece a inviolabilidade do domicílio; que a entrada neste contra vontade dos cidadãos só pode ser ordenada pela autoridade judiciária competente nos casos e segundo as formas previstas na lei; e ainda que ninguém pode entrar do domicílio de alguém durante a noite, sem o seu consentimento.
A Lei n.° 43/86 determinou, no art. 2.°, n.° 2, al. 27), que o CPP concretizasse o horário em que são admitidas as buscas domiciliárias, assegurando-se a sua não realização durante a noite e a restrição da competência para a respectiva autorização ao juiz instrutor, salvo consentimento do visado. Mais determinou essa Lei, na al. 29) dos referidos artigos e número, a definição de um regime especial de dispensa de autorização judicial prévia para as buscas domiciliárias nos casos de terrorismo, criminalidade violenta ou altamente organizada, quando haja fundados indícios da prática iminente de crime que ponha em grave risco a vida ou a integridade de qualquer pessoa, devendo nesse caso a realização da diligência ser imediatamente comunicada ao juiz instrutor e por este validada, sob pena de nulidade.

3. O regime próprio estabelecido para as buscas domiciliárias foi determinado pela existência de normas constitucionais que lhes impõem limitações e também por se entender que, em casos específicos muito ponderosos apontados em anotação ao art. 174.°, a demora na realização poderia traduzir-se em grave risco para bens jurídicos de grande valor e constitucionalmente protegidos. Neste domínio, as normas constitucionais podem mesmo entrar em conflito: o respeito pela inviolabilidade do domicílio durante a noite (objecto de protecção constitucional) pode provocar o sacrifício de muitas vidas (também objecto de protecção constitucional) ou de outros bens jurídicos de grande valor, igualmente objecto de protecção constitucional. Haverá, então, que optar pelo mal menor, por ser esse o pensamento legislativo que a Constituição insere. Assim, se for necessário entrar em casa de alguém durante a noite e sem seu consentimento, para despoletar um engenho com que se prepara para destruir uma povoação e sacrificar vidas humanas, essa prática será constitucional e legal, porque assim se sacrifica um bem (inviolabilidade do domicílio) que tem menor valoração que o outro (vida humana).
Para além do que acaba de ser sumariamente enumerado, as buscas domiciliárias suscitam muitas outras questões, cujo estudo excede o âmbito desta obra. Algumas destas questões encontram-se abordadas no estudo doutrinário da Ana Luísa Pinto, na *RPCC*, ano 15, n.° 3, 415 e segs., intitulado *Aspectos problemáticos do regime das buscas domiciliárias*.

4. Quanto ao n.° 2, o Ac. 7/87 do Tribunal Constitucional, já várias vezes referido, manifestou-se pela constitucionalidade das buscas domiciliárias efectuadas sem prévia despacho judicial por, nas situações previstos na al. *a)* do n.° 4

Artigo 177.º

do art. 174.º, o direito à inviolabilidade do domicílio enunciado nos n.ºs 1, 2 e 3 do art. 34.º da CRP dever compatibilizar-se com o direito à vida e com o direito à integridade pessoal consignados respectivamente nos arts. 24.º e 25.º da Lei fundamental.

5. Sobre o n.º 6, ver anot. 5 ao art. 174.º, aqui aplicável, *mutatis mutandis.*

6. *Jurisprudência:*

— As buscas domiciliárias efectuadas mediante consentimento do visado devidamente documentado respeitam o condicionalismo do art. 174.º do CPP e não estão sujeitas ao limite temporal do art. 177.º, n.º 1. (Ac. RL de 6 de Outubro de 1993; *CJ;* XVII, tomo 4, 163). *Nota* — Trata-se de jurisprudência corrente. No mesmo sentido acs. STJ de 5 de Junho de 1991; *CJ,* XVI, tomo 3, 26 e de 11 de Março de 1993, proc. 43.512/3.ª);

— I — Apesar de ter residência fixa noutro local, deve ser havida como sua residência a tenda de um cigano na qual esteja a viver com a companheira e os filhos e onde tenha pertences domésticos e roupas. II — Assim, a busca de que essa tenda seja objecto não pode ser efectuada fora dos pressupostos e condições estabelecidas no art. 174.º do CPP, designadamente nos seus n.os 3 e 4, alínea *c).* (Ac. RE de 4 de Julho de 1995; *CJ,* XX, tomo 4, 283);

— I — A disciplina dos arts. 176.º e 177.º do CPP autoriza a realização de busca em casa habitada sem a presença ou a autorização do dono, não estando aquele art. 176.º ferido de inconstitucionalidade, no cotejo com o art. 34.ª da CRP. II — A falta de entrega de cópia do despacho que determinou a busca à pessoa que a esta assistiu, inobservando o disposto no art. 176.º do CPP, constitui, quando muito, nulidade suprível, sanada por falta da respectiva arguição em tempo útil. III — A busca realizada na casa do arguido sem o seu consentimento constitui procedimento ressalvado no n.º 3 do art. 126.º do CPP, quanto à regra da nulidade das provas obtidas mediante intromissão no domicílio sem o consentimento do respectivo titular. (Ac. STJ de 8 de Novembro de 1995; *BMJ,* 451, 238);

— I — A busca domiciliária não é um acto processual em sentido estrito, mas sim um acto de inquérito ou de instrução, consoante a fase em que seja realizada. II — Não está, portanto, sujeita ao prazo estabelecido no n.º 1 do art. 105.º do CPP. (Ac. RL de 16 de Abril de 1996; *CJ,* XXI, tomo 2, 152);

— I — O conceito constitucional de domicílio deve ser dimensionado e moldado a partir da observância do respeito pela dignidade da pessoa humana, na sua vertente de reserva da intimidade da vida familiar, de modo a acautelar um núcleo íntimo onde ninguém deverá penetrar sem consentimento do próprio titular do direito — e sem necessariamente pressupor uma plena e exclusiva disponibilidade do espaço físico que consubstancia o domicílio. II — Destinando-se o espaço domiciliário, constitucionalmente protegido, a resguardar a liberdade e a segurança pessoal e a proteger a vida privada, é duvidoso que uma dependência não habitacional — garagem fechada, embora colectiva, do condomínio —, fisicamente descontínua em relação à zona de habitação, integrada em área que outros usufruem igualmente, constitua espaço dependente do domicílio do arguido. (Ac. do Trib. Constitucional n.º 67/97, de 4 de Fevereiro; *BMJ,* 464, 75);

Código de Processo Penal

— O Código de Processo Penal não exige que nos mandados de busca — no caso em residência — conste o nome de quem desfruta da moradia, pelo que a omissão dessa indicação não configura qualquer nulidade ou irregularidade. (Ac. STJ de 21 de Outubro de 1998; *BMJ,* 480, 276);

— Não é inconstitucional a apreciação ulterior em ordem à sua validação em caso de busca efectuada de acordo com o art. 174.º do CPP e imediatamente comunicada ao juiz de instrução. (Ac. do Trib. Constitucional n.º 192/2001; *DR,* II série, de 17 de Julho de 2001);

— I — A busca realizada com «autorização» de quem não seja titular do direito à inviolabilidade do domicílio fere a CRP, designadamente o seu art. 34.º, n.ᵒˢ 1 e 2. II — Porém, tem de considerar-se que as provas com ela obtidas o foram, não por meios absolutamente proibidos, mas antes com meios relativamente proibidos; na realidade não é absolutamente proibida a entrada em casa alheia (art. 174.º, n.º 2, do CPP). III — Como não se trata de um meio de prova absolutamente proibido — a intromissão no domicílio é legítima se consentida, mesmo sem autorização judicial — embora as provas obtidas sejam nulas, é a nulidade sanável, mostrando-se sanada se não for arguida pelo interessado. (Ac. STJ de 18 de Outubro de 2001, proc. n.º 2371/2001-5.ª; *SASTJ,* n.º 54, 119);

— I — A autorização judicial para a realização de uma busca, delimitando a residência do arguido num certo local (lote 120/120-C) de uma determinada rua de uma localidade bem individualizada — no qual o acto afinal se veio a concretizar (no anexo A) — é claramente precisa, rigorosa mesmo, não configurando de modo algum uma autorização em branco à autoridade policial que enforme um método proibido de prova. II — As vicissitudes havidas com a busca — inicialmente a ser feita no anexo B, por informação do arguido de que aí era a sua residência —, que não se ficaram a dever à alegada imprecisão do mandado mas sim a todo um circunstancialismo fortuito em que a «cooperação» habilidosa do arguido deu as mãos a uma menor diligência, atenção e cuidado dos executantes, que confiaram nas indicações daquele, de modo nenhum infirmam a realidade e a legalidade da diligência posteriormente concretizada no anexo A. (Ac. STJ de 23 de Janeiro de 2002; *SASTJ,* n.º 57, 68);

—UMa garagem comum de um prédio não goza da protecção constitucional do domicílio; é, por iso, válida a busca que nela levou a cabo PJ, apesar de não ter sido autorizada por um juiz. (Ac. RP de 22 de Março de 2006; *CJ,* XXXI, tomo 2, 201);

— Conjuntamente, casa e garagem, enquanto espaço fechado dela dependente, merecem a tutela cominada na lei processual, penal e constitucional, para a busca domiciliária. (Ac. STJ de 20 de Setembro de 2006; *CJ, Acs. STJ,* ano XIV, tomo 3, 189);

— I — Não se afigura desrazoável, arbitrária ou desproporcionada, e não é por isso inconstitucional, uma interpretção dos arts. 174.º, n.º 5, e 177.º, n.º 2, do CPP, no sentido de admitir a tempestividade da comunicação de uma busca realizada a coberto do disposto no art. 174.º, n.º 5, alínea *a)* dentro do prazo de 48 horas, que é o da apresentação do detido para primeiro interrogatório judicial. II — Não é inconstitucional, por não violar o disposto nos arts. 32.º, n.º 8 e 34.º, n.ᵒˢ 1 e 2 do CRP, a norma resultante dos arts. 174.º, n.º 4, alínea *a)* e 177.º, n.º 2, da CRP, interpretada no sentido de que

442

Artigo 178.º

para efeitos de apreciação e validação da busca domiciliária realizada é suficiente que o juiz de instrução valide as detenções dos arguidos e aprecie os indícios existentes nos autos em ordem à fixação de uma medida de coacção, sem expressa ou inequivocamente declarar que valida a busca realizada. (Ac. do Trib. Constitucional n.º 274/2007, de 2 de Maio, proc. n.º 360/2007; *DR*, II série, de 18 de Junho de 2007).

CAPÍTULO III

DAS APREENSÕES

ARTIGO 178.º

(Objectos susceptíveis de apreensão e pressupostos desta)

1. São apreendidos os objectos que tiverem servido ou estivessem destinados a servir a prática de um crime, os que constituírem o seu produto, lucro, preço ou recompensa, e bem assim todos os objectos que tiverem sido deixados pelo agente no local do crime ou quaisquer outros susceptíveis de servir a prova.

2. Os objectos apreendidos são juntos ao processo, quando possível, e, quando não, confiados à guarda do funcionário de justiça adstrito ao processo ou de um depositário, de tudo se fazendo menção no auto.

3. As apreensões são autorizadas, ordenadas ou validadas por despacho da autoridade judiciária.

4. Os órgãos de polícia criminal podem efectuar apreensões no decurso de revistas ou de buscas ou quando haja urgência ou perigo na demora, nos termos previstos no artigo 249.º, n.º 2, alínea *c)*.

5. As apreensões efectuadas por órgão de polícia criminal são sujeitas a validação pela autoridade judiciária, no prazo máximo de 72 horas.

6. Os titulares de bens ou direitos objecto de apreensão podem requerer ao juiz de instrução a modificação ou revogação da medida. É correspondentemente aplicável o disposto no artigo 68.º, n.º 5.

7. Se os objectos apreendidos forem susceptíveis de ser declarados perdidos a favor do Estado e não pertencerem ao arguido, a autoridade judiciária ordena a presença do interessado e ouve-o. A autoridade judiciária prescinde da presença do interessado quando esta não for possível.

---

1. Os n.ºs 1, 2 e 3 reproduzem, com alteração sem significado no n.º 3, o art. 178.º do Proj. e correspondem ao art. 202.º do CPP de 1929. O n.º 3 sofreu porém alteração introduzida pela Lei adiante referida.

Código de Processo Penal

Os n.ᵒˢ 4, 5, 6 e 7 foram introduzidos pela Lei n.º 59/98, de 25 de Agosto e não tinham correspondentes na versão originária do Código.

2. A CRCPP, nas 8.ª, 9.ª e 20.ª sessões, em 23 e 24 de Abril de 1991 e 17 de Fevereiro de 1992, ponderou que os poderes para efectuar apreensões estavam surgindo cada vez em mais diplomas, até mesmo ao nível de contra-ordenações, e que dentre os bens apreendidos podia haver alguns perecíveis ou de fácil deterioração, sem os quais quem deles fica desapossado dificilmente se pode governar.

A medida de apreensão, com o frequente arrastamento dos processos, podia na realidade converter-se em definitiva se, por exemplo, se tratasse de um bem perecível ou de rápida deterioração — *v.g.*, um veículo automóvel apreendido durante anos, parado e guardado em más condições.

Tratando-se de apreensões autorizadas, ordenadas ou validades pelo MP não estava previsto qualquer meio de impugnação por parte de quem se considerasse ilegitimamente lesado. Era uma omissão de certa gravidade, que importava colmatar.

Por isso a CRCPP propôs aditamento de novos n.ᵒˢ 4, 5 e 6 a este artigo, com providências idênticas às que vieram a ser introduzidas pela Lei supramencionada no anot. anterior.

Por razões conjunturais, o artigo ficou então inalterado. A CRefCPP retomou a questão, perfilhando no essencial e actualizando a proposta da CRCPP, e daí as alterações e os aditamentos que vieram a ser introduzidos, designadamente permitindo a impugnação judicial, perante o juiz de instrução, das apreensões autorizadas, ordenadas ou validadas pelo MP e garantindo, até onde for exequível, o princípio do contraditório.

3. Em relação a numerosos objectos apreendidos em processo penal estabelece a lei um regime especial de conservação ou de guarda. Assim:

a) Quantias monetárias e objectos não reclamados:

Segundo o art. 14.º do Dec. n.º 12 487, de 14 de Outubro de 1926, as quantias em dinheiro apreendidas em processo penal eram depositadas na Caixa Geral de Depósitos, à ordem do juiz, a fim de serem entregues a final e gratuitamente a quem a elas tivesse direito. Os objectos e quantias não reclamados pelas partes no prazo de três meses depois do trânsito em julgado da decisão prescreviam a favor da Fazenda Nacional.

O dinheiro declarado perdido a favor do Estado, nos termos do CP, reverte para o Fundo de Fomento e Trabalho Prisional (Parecer da PGR 24/66; *BMJ*, 164, 163 e segs.).

Este art. 14.º, em nosso entendimento, já não se encontra em vigor, vigorando agora o regime estabelecido no art. 186.º deste Código.

d) Armas e munições:

Sobre a apreensão de armas e respectivas munições rege o art. 80.º n.ᵒˢ 1 a 4 da Lei n.º 5/2006, de 23 de Fevereiro, do seguinte teor:

444

Artigo 178.º

1. Todas as armas apreendidas à ordem de processos criminais ficam na disponibilidade da autoridade judiciária até decisão definitiva que sobre a mesma recair.

2. As armas são depositadas nas instalações da PSP, da GNR, ou da unidade militar que melhor garanta a sua segurança e disponibilidade em todas as fazes do processo, sem prejuízo do disposto em legislação especial aplicável aos órgãos de polícia criminal.

3. Somente serão depositadas armas em instalações da GNR se na área do tribunal que ordenou a apreensão não operar a PSP.

4. Excepcionalmene, atenta a natureza da arma e a sua perigosidade, pode o juiz ordenar o seu depósito em unidade militar, com condições de segurança para o efeito, após indicação do Ministério da Defesa Nacional.

Quanto a *material de guerra,* ver Dec.-Lei n.º 674-A/75, de 20 de Novembro.

c) Objectos ou formas de comunicação audiovisual de conteúdo pornográfico ou obsceno:

Estão sujeitos ao regime do Dec.-Lei n.º 254/76, de 7 de Abril, e têm o destino estabelecido no art. 7.º, n.º 3, do mesmo diploma. Vejam-se ainda o Dec.-Lei n.º 647/76, de 31 de Julho e o Parecer da PGR n.º 36/75, de 10 de Julho de 1975; *BMJ,* 254, 77.

d) Instalações, equipamentos, substâncias e produtos nucleares:

Dec.-Lei n.º 49 398, de 24 de Novembro de 1969:

Art. 3.º — 1. O exercício de qualquer das actividades previstas no n.º 1 do art. 1.º sem licença nele exigida é punido com as penas aplicáveis ao crime de desobediência e a perda, a favor do Estado, das instalações e equipamentos utilizados e das substâncias ou produtos extraídos ou produzidos que ainda não tenham sido alienados.

2. O presidente da Junta de Energia Nuclear, mediante autorização do Governo e independentemente de procedimento criminal, poderá adoptar as providências convenientes para impedir a continuação do exercício da actividade e evitar quaisquer perigos, incluindo o encerramento das instalações e a imposição de selos nas mesmas.

3. Em caso de perigo grave ou especial urgência, o presidente da Junta poderá ordenar directamene as providências convenientes, submetendo depois a sua decisão à confirmação do Governo.

e) Direito estradal:

Arts. 162.º e segs. do Código da Estrada sobre apreensão de veículos e Dec.-Lei n.º 31/85, de 25 de Janeiro, alterado pelo Dec.-Lei n.º 26/97, de 23 de Janeiro.

Código de Processo Penal

f) Objectos de interesse para o estudo do crime ou do delinquente:

Dec.-Lei n.º 27 306, de 8 de Dezembro de 1936:
Art. 16.º Os Institutos de Criminologia organizarão um museu criminal com todos os dados estatísticos e objectos que possam elucidar o estudo do crime, dos delinquentes e da execução das penas.
§ único. Para os fins indicados neste artigo, os delegados do procurador da República enviarão ao Instituto de Criminologia do respectivo distrito judicial, no prazo de oito dias, uma relação dos instrumentos do crime, relativos a processos que transitaram em julgado no trimestre anterior, com indicação do crime que foi cometido com o auxílio de cada um destes instrumentos e o nome do criminoso. Os institutos requisitarão os instrumentos que entenderem, e o delegado do procurador da República enviá-los-á no prazo de oito dias, com a indicação do crime a que respeitam.

g) Jogo ilícito de fortuna ou azar:

Dec.-Lei n.º 48 912, de 18 de Março de 1969:
Art. 56.º ....
§ 1.º O dinheiro destinado ao jogo obtido através da sua exploração será apreendido, revertendo para o Fundo de Socorro Social.
§ 2.º Serão igualmente apreendidos todos os utensílios relacionados com a prática de jogos de fortuna ou azar, procedendo a entidade apreensora, imediatamente em seguida, à sua destruição, à venda da respectiva sucata e entrega do seu produto ao Fundo de Socorro Social.
....
Art. 59.º Os que, sem a necessária autorização ou em desconformidade com o condicionamento estabelecido, promoverem qualquer das modalidades a que se refere o art. 43.º, bem como os que as facilitarem ou nelas cooperarem, serão punidos com multa de 1000$ a 50 000$, elevada ao dobro em caso de reincidência.
§ 1.º As importâncias angariadas através das operações a que alude este artigo serão apreendidas e perdidas a favor do Fundo de Socorro Social.

h) Instrumentos perdidos a favor do Estado pelos infractores às leis da caça:

Além do disposto na Lei n.º 2132, de 26 de Maio de 1967, e no Dec. n.º 47 847, de 14 de Agosto do mesmo ano, são de interesse as disposições da Portaria n.º 24 046, de 26 de Abril de 1969, com as alterações introduzidas pela Portaria n.º 457/71, de 26 de Agosto, que regulou a venda dos instrumentos perdidos a favor do Estado pelos infractores às leis da caça.

i) Pesca ilícita — Ver art. 83.º, § 3 º, 3.º do Dec.-Lei n.º 44 623, de 10 de Outubro de 1962, com a redacção introduzida pelo Dec.-Lei n.º 312/70, de 6 de Julho.

j) Estupefacientes, drogas:

Quanto a apreensão de drogas regula hoje o Dec.-Lei n.º 15/93, de 22 de Janeiro, que revogou a regulamentação anterior, estabelecida pelo Dec.-Lei

Artigo 178.º

n.º 430/83, de 13 de Dezembro. Aquele diploma preceitua nos arts. 35.º a 39.º sobre perda de substâncias e objectos, bens transformados, convertidos ou misturados, lucros ou benefícios, e respectivo destino.

l) Moedas falsas e instrumentos e objectos utilizados na sua fabricação:

A sua apreensão e o seu destino têm o regime do art. 11.º da Convenção Internacional para a Repressão da Moeda Falsa, concluída em Genebra em 23 de Abril de 1929 e ratificada em 30 de Junho de 1930, conforme *DG* de 20 de Outubro do mesmo ano.

m) Crimes de imprensa:

As apreensões são regidas pela lei geral e pelo art. 35.º, n.º 3, da Lei n.º 2/99, de 13 de Janeiro.

n) Objectos apreendidos pela Polícia Judiciária que venham a ser declarados perdidos a favor do Estado:

Conforme o art. 19.º da Lei n.º 37/2008, de 6 de Agosto (Lei Orgânica da PJ), os objectos apreendidos pela PJ que venham a ser declarados perdidos a favor do Estado, são-lhe afectos nos termos do Decreto-Lei n.º 11/2007, de 19 de Janeiro. Ver *infra*, al. *n).*

o) Bens apreendidos pelos órgãos de polícia criminal que venham a ser declarados perdidos a favor do Estado:

Estes bens e objectos têm o destino estabelecido no art. 2.o do Dec.-Lei n.o 11/2007, de 19 de Janeiro, do seguinte teor:

1 – Os bens apreendidos pelos órgãos de polícia criminal, no âmbito de processos crimes e contra-ordenacionais, que venham a ser declarados perdidos a favor do Estado são-lhes afectos quando:
    a) Possuam interesse criminalístico, histórico, documental ou museológico;
    b) Se trate de armas, munições, veículos, aeronaves, embarcações, equipamentos de telecomunicações e de informática ou outros bens fungíveis com interesse para o exercício das respectivas competências legais
2 – Os objectos referidos no n.º 1 podem ser utilizados provisoriamente pelos órgãos de polícia criminal, através de declaração de utilidade operacional, desde a sua apreensão e até à declaração de perda ou de restituição, mediante despacho fundamentado do responsável máximo da respectiva instituição quando sejam susceptíveis de, a final, virem a ser declarados perdidos a favor do Estado.
3 – A utilização provisória nos termos do presente diploma só pode iniciar--se uma vez notificados os interessados nos termos do artigo 4.º e cumpridas as disposições aplicáveis do Código de Processo Penal e do regime das contra--ordenações, designadamente as respeitantes ao exercício dos direitos dos titulares dos bens e demais interessados.

3. Todos os objectos e todas as quantias que, embora não tenham sido declarados perdidos a favor do Estado, não sejam reclamados por quem de

Código de Processo Penal

direito no prazo de 3 meses a partir da dedisão final, prescrevem para a Fazenda Nacional, conforme o art. 14.º do Dec.-Lei n.º 12.487, de 14 de Outubro de 1926, mecionado *supra*, 2 *a)*, que ainda se encontra em vigor.

p) Criminalidade organizada e económico-financeira (crimes enumerados nas alíneas do n.º 1 do art. 1.º da Lei n.º 5/2002, de 11 de Janeiro). A perda de bens a favor do Estado tem, nestes crimes, o regime especial dos arts. 7.º a 12.º da apontada Lei.

4. O Dec.-Lei n.º 11/2007, de 19 de Janeiro, definiu *o regime jurídico da avaliação, utilização e alienação de bens apreendidos pelos órgãos de polícia criminal.*

5. Os valores e o produto de venda de objectos apreendidos em processo penal e declarados perdidos a favor do Estado devem ser divididos em partes iguais (50%) para a Direcção-Geral dos Serviços Prisionais (Fundo de Fomento e Assistência Prisional) e para o Instituto de Reinserção Social, devendo a divisão ser feita pelos próprios tribunais que, posteriormente, farão a entrega das respectivas importâncias nas contas que, tanto o Fundo de Fomento e Assistência Prisional como o Instituto de Reinserção Social, possuem na Caixa Geral de Depósitos, e que têm os seguintes números:
— 0697800530926 (Balcão Rua Áurea) — Fundo de Fomento e Assistência Prisional;
— 0100009376630 (Balcão Anjos) — Instituto de Reinserção Social.
(Ofício-circular n.º 21 166 do Gabinete de Gestão Financeira, dirigido aos Tribunais em 20 de Julho de 1988).

6. *Jurisprudência:*
— I — As quantias depositadas pelo arguido em processo penal, a título de caução de boa conduta, prescrevem no prazo ordinário do art. 309.º do CC (20 anos), e não no prazo especial do art. 14.º do Dec. n.º 12.487, de 14 de Outubro de 1926. II — Este prazo especial de prescrição aplica-se apenas aos objectos e quantias apreendidas em processo penal que não forem reclamados pelos donos. (Ac. RP de 12 de Janeiro de 2000; *CJ,* XXV, tomo 1, 231);
— I — Com a declaração de prescrição a favor da Fazenda Púbica, decorridos que sejam três meses após o trânsito em julgado da decisão final, apenas se presume legalmente o abandono do respectivo direito de propriedade. II — Presunção essa que pode ser ilidida por prova em contrário. (Ac. RL de 2 de Março de 2000; *CJ,* XXV, tomo 2, 137);
— Exceptuada a situação prevista no art. 178.º, n.º 6, do CPP, não é da competência do juiz de instrução decidir sobre a manutenção ou levantamento das apreensões durante o inquérito. (Ac. RP de 5 de Dezembro de 2005; *CJ,* ano XXX, tomo 5, 143);
— O prazo de 72 horas previsto no art. 178.º, n.º 5, do CPP, não é para a validação das apreensões efectuadas pelos órgãos de polícia criminal sem prévia autorização da autoridade judiciária, mas para a apresentação dos objectos apreendidos a tal autoridade, com vista a posterior validação por esta da apreensão efectuada. (Ac., RP de 7 de Novembro de 2007; *CJ,* ano XXXII, tomo 5, 202).

ARTIGO 179.º
(Apreensão de correspondência)

1. Sob pena de nulidade, o juiz pode autorizar ou ordenar, por despacho, a apreensão, mesmo nas estações de correios e de telecomunicações, de cartas, encomendas, valores, telegramas ou qualquer outra correspondência, quando tiver fundadas razões para crer que:

a) A correspondência foi expedida pelo suspeito ou lhe é dirigida, mesmo que sob nome diverso ou através de pessoa diversa;

b) Está em causa crime punível com pena de prisão superior, no seu máximo, a três anos; e

c) A diligência se revelará de grande interesse para a descoberta da verdade ou para a prova.

2. É proibida, sob pena de nulidade, a apreensão e qualquer outra forma de controlo da correspondência entre o arguido e o seu defensor, salvo se o juiz tiver fundadas razões para crer que aquela constitui objecto ou elemento de um crime.

3. O juiz que tiver autorizado ou ordenado a diligência é a primeira pessoa a tomar conhecimento do conteúdo da correspondência apreendida. Se a considerar relevante para a prova, fá-la juntar ao processo; caso contrário, restitui-a a quem de direito, não podendo ela ser utilizada como meio de prova, e fica ligado por dever de segredo relativamente àquilo de que tiver tomado conhecimento e não tiver interesse para a prova.

---

1. Reproduz, com ligeiras alterações formais nas als. *a)* e *b)* do n.º 1, o art. 179.º do Proj. e corresponde ao art. 210.º do CPP de 1929.

2. A Lei n.º 43/86, de 26 de Setembro, no art. 2.º, n.º 2, al. 28), estabeleceu a restrição absoluta em favor do juiz instrutor da competência para ordenar a apreensão ou qualquer outro meio de controle de correspondência e a proibição de intercepção, no caso de correspondência entre o arguido e o seu defensor.

3. A apreensão de correspondência depende da existência simultânea de uma ordem ou autorização judicial e do preenchimento dos requisitos enunciados na lei: ter a correspondência sido expedida pelo suspeito ou ser a este dirigida — ainda que sob nome diverso ou por interposta pessoa; estar em causa crime punível com pena de prisão superior, no seu máximo, a três anos; e a diligência se revelar de grande interesse para a descoberta da verdade ou para a prova.

Código de Processo Penal

Estabelece-se uma proibição de apreensão ou qualquer outra forma de controle de correspondência entre o arguido e o seu defensor, salvo quando houver fundadas razões para crer que ela constitui objecto ou elemento de um crime.

Nesta matéria de apreensão de correspondência, o Código reforçou o sistema de garantias com a introdução do n.º 3, segundo o qual o juiz que tiver ordenado ou autorizado a diligência é a primeira pessoa a tomar conhecimento do conteúdo da correspondência, que será restituída a quem de direito se não tiver interesse para o processo, com o consequente dever de sigilo.

4. A apreensão de correspondência sem ordem ou autorização judicial, bem como a apreensão e o controlo da correspondência entre o arguido e o seu defensor fora do circunstancialismo da parte final do n.º 2 são cominados com nulidade.

Trata-se de uma intromissão ilegal na correspondência, fulminada com nulidade pelo art. 32.º, n.º 8, da CRP. Nos termos do art. 126.º, n.ºs 1 e 3, não podem de modo algum ser utilizadas as provas obtidas mediante tal intromissão. Não se trata portanto de nulidade sanável, submetida ao regime dos arts. 120.º e 121.º, mas verdadeiramente de nulidade insanável cominada em outras disposições legais, que não as do art. 119.º. Aliás, tratando-se de acto judicial, da exclusiva competência do juiz, na alternativa da mencionada nulidade, só poderia estar ferido de inexistência jurídica (acto praticado *a non judice*), podendo ainda constituir infracção criminal.

Em tais termos, discordamos da orientação de Costa Pimenta, *Código de Processo Penal Anotado,* anot. ao art. 179.º, de que se trata de nulidades relativas ou sanáveis, regidas pelos arts. 120.º e 121.º. E também discordamos da doutrina sustentada por Pinto de Albuquerque, *in Comentário do Código de Processo Penal,* pág. 489, que é contrária ao próprio texto constitucional – Art. 32.º, n.º 8, da CRP.

Quanto ao mais, ou seja à falta de observância de outras formalidades não relacionadas com os aspectos focados, trata-se de irregularidades submetidas ao regime do art. 123.º.

5. Sobre a apreensão de correio electrónico em processo penal pode ver-se o estudo de Pedro Verdelho, *in RMP*, ano 25 (Out./Dez.), cujo sumário é o seguinte:

1. Novos tempos, novas questões.
2. Um novo meio de prova.
3. A intercepção em tempo real.
4. Correio electrónico já recebido. Enquadramento.
5. Apreensão de correio electrónico já recebido
6. Apreensão e crime de violação de telecomunicações.
7. Apreensão e crime de violação de correspondência.

ARTIGO 180.º

(Apreensão em escritório de advogado ou em consultório médico)

1. À apreensão operada em escritório de advogado ou em consultório médico é correspondentemente aplicável o disposto nos n.ºs 5 e 6 do artigo 177.º.

Artigo 181.º

2. Nos casos referidos no número anterior não é permitida, sob pena de nulidade, a apreensão de documentos abrangidos pelo segredo profissional, ou abrangidos pelo segredo profissional médico, salvo se eles mesmos constituírem objecto ou elemento de um crime.

3. É correspondentemente aplicável o disposto no n.º 3 do artigo anterior.

---

1. Reproduz o art. 180.º do Proj. e corresponde ao que no direito anterior se estabeleceu no art. 583.º do Estatuto da act., revogado pelo art. 2.º do Dec.-Lei n.º 84/84, de 16 de Março, e no Dec.-Lei n.º 32 171, de 29 de Julho de 1942.

A Lei n.º 48/2007, de 29 de Agosto, no n.º 1, substituiu no *artigo 177.º, n.ᵒˢ 3 e 5*, por *n.ᵒˢ 5 e 6 do artigo 177.º*, em virtude de alterações que introduziu nesse artigo.

2. O disposto neste artigo corresponde ao tradicional mecanismo de protecção de que beneficiam os consultórios médicos e os escritórios dos advogados, o mesmo se aplicando às buscas que tiverem lugar em tais locais. Exige-se a presença do representante da Ordem respectiva, para que fiquem acautelados os princípios éticos por que se norteia o exercício das profissões.

3. A apreensão operada em escritório de advogado ou em consultório médico sem autorização judicial, ou de documentos abrangidos pelo segredo profissional, salvo se eles mesmos constituírem objecto ou elemento de um crime, é nula. Trata-se de uma nulidade dependente de arguição (arts. 177.º, n.º 5 e 180.º, n.º 3). Tratando-se porém de apreensão de correspondência ou de telecomunicações sem consentimento de quem de direito ou sem autorização judicial, o caso será de método proibido de prova, como se estabelece nos arts. 32.º, n.º 8, da CRP e 126.º, n.º 3, deste Código, com o tratamento a que aludimos na anot. 5 ao art. 118.º. Padecendo a diligência de qualquer outro vício, tratar-se-á de irregularidade, submetida ao regime do art. 123.º.

ARTIGO 181.º
(Apreensão em estabelecimento bancário)

1. O juiz procede à apreensão em bancos ou outras instituições de crédito de documentos, títulos, valores, quantias e quaisquer outros objectos, mesmo que em cofres individuais, quando tiver fundadas razões para crer que eles estão relacionados com um crime e se revelarão de grande interesse para a descoberta da verdade ou para a prova, mesmo que não pertençam ao arguido ou não estejam depositados em seu nome.

2. O juiz pode examinar a correspondência e qualquer documentação bancárias para descoberta dos objectos a apreender nos termos do número anterior. O exame é feito pessoalmente pelo juiz, coadjuvado, quando necessário, por órgãos de polícia criminal e por técnicos

Código de Processo Penal

qualificados, ficando ligados por dever de segredo relativamente a tudo aquilo de que tiverem tomado conhecimento e não tiver interesse para a prova.

---

1. Com alterações formais no n.º 1 e introdução do vocábulo *documentos* nesse número pela Lei n.º 59/98, de 25 de Agosto, reproduz o art. 181.º do Proj. Não havia disposições correspondentes no CPP de 1929, sendo o segredo bancário, à data da entrada em vigor do presente Código, regulado pelo Dec.-Lei n.º 25/81, de 21 de Agosto (nos casos de cheque sem cobertura) e pelo art. 7.º da Lei n.º 45/86, de 1 de Outubro (Alta Autoridade contra a Corrupção).

2. O regime vigente à data da entrada do Código sobre sigilo bancário privilegiava excessivamente esse sigilo, em prejuizo das premências da investigação criminal. Incompreensivelmente, não se permitia aos tribunais, que são os órgãos de soberania aos quais incumbe exclusivamente a administração da justiça penal, a requisição de informações sobre contas bancárias, que então era permitida à Alta Autoridade contra a Corrupção.

O Código procurou estabelecer um sistema de ponderado equilíbrio dos interesses em jogo, fazendo rodear esse sistema das necessárias cautelas: trata--se da exigência de que as apreensões ou exames em estabelecimentos bancários só possam ser ordenados pelo juiz em casos extremos bem definidos na lei, devendo ele presidir às diligências, e mantendo-se o dever de sigilo sobre tudo o que não tiver interesse para a prova.

Em idênticas circunstâncias, é permitida a colheita de informações sobre contas bancárias.

As normas gerais sobre sigilo bancário, designadamente os arts. 78.º a 80.º do Regime Geral das Instituições de Crédito e Sociedades Financeiras aprovado pelo Dec.-Lei n.º 298/92, de 31 de Dezembro, não colidem de qualquer modo com os dispositivos do CPP, designadamente com os deste art. 181.º nem com quaisquer outros dispositivos de leis penais, pois estes dispositivos, além de terem cobertura constitucional, foram até ressalvadas pelo art. 79.º, al. *b)*, do referido Regime Geral.

3. A apreensão referida no n.º 1 é da competência exclusiva do juiz, bem como o exame da correspondência e de qualquer documentação bancárias que tenham sido apreendidas, tudo nos termos e com as restrições do n.º 2.

A não observância da regulamentação aqui estabelecida constitui irregularidade processual, com o regime dos arts. 118.º, n.º 2 e 123.º. Na verdade, não se comina aqui qualquer nulidade, contrariamente ao que se estabelece no art. 179.º, n.º 1, a propósito de apreensão de correspondência. E nestes termos consideramos descabida a contradição que nos aponta *Pinto de Albuquerque no Comentário do Código de Processo Penal,* págs. 494-495. A quebra do dever de segredo estabelecido no n.º 2 *in fine* pode ainda constituir o crime de violação do segredo de justiça, do art. 371.º, do CP.

452

Artigo 182.º

4. *Jurisprudência:*

— I — É de autorizar com quebra do segredo bancário, a prestação de informação pelo banco sobre a identidade da pessoa a quem foi pago um vale postal furtado. II — Neste caso podia ter sido usada a faculdade do art. 181.º, n.º 1, do CPP, de apreensão do título. (Ac. RC de 31 de Janeiro de 1990; *CJ,* XV, tomo 1.º, 109);

— O sigilo bancário deve ser quebrado quando se revele com interesse e decesiva utilidade para a instrução do processo destinado a investigar a prática de crimes de burla qualificada, insolvência dolosa e fraude fiscal. (Ac. RL de 17 de Janeiro de 2006; *CJ,* XXXI, tomo 1, 117);

— Não é inconstitucional a norma do n.º 1 do art. 181.º do CPP, quando interpretada no sentido de poder ser mantida a apreensão de depósitos bancários, ainda que não tenha sido proferida acusação no prazo estabelecido no art. 276.º do mesmo diploma. (Ac. do Trib. Constitucional n.º 294/2008; *DR,* II série, de 1 de Julho de 2008).

ARTIGO 182.º

(Segredo profissional ou de funcionário e segredo de Estado)

1. As pessoas indicadas nos artigos 135.º a 137.º apresentam à autoridade judiciária, quando esta o ordenar, os documentos ou quaisquer objectos que tiverem na sua posse e devam ser apreendidos, salvo se invocarem, por escrito, segredo profissional ou de funcionário ou segredo de Estado.

2. Se a recusa se fundar em segredo profissional ou de funcionário, é correspondentemente aplicável o disposto nos artigos 135.º, n.ºs 2 e 3, e 136.º, n.º 2.

3. Se a recusa se fundar em segredo de Estado, é correspondentemente aplicável o disposto no artigo 137.º, n.º 3.

---

1. Com alterações introduzidas pela Lei n.º 59/98, de 25 de Agosto que corrigiram lapsos e colmataram omissões da versão originária para os quais chamámos a atenção nas 7.ª e 8.ª edições desta obra, reproduz o art. 182.º do Proj. Não havia disposições correspondentes no CPP de 1929.

2. Só o segredo religioso — ver art. 135.º, n.º 4 e Lei n.º 4/71, de 21 de Agosto, bem como anot. 2 ao art. 135.º —, este em termos absolutos, o segredo profissional ou de funcionário e o segredo de Estado, estes mediante o condicionalismo estabelecido neste artigo, podem obstar à apresentação à autoridade judiciária de documentos ou quaisquer objectos que tenham em seu poder e devem ser apreendidos em processo penal.

A recusa com qualquer outro fundamento é ilegítima, podendo fazer incorrer o recusante no crime de desobediência.

Sobre segredo de Estado veja-se ainda a Lei n.º 6/94, de 7 de Abril.

453

Código de Processo Penal

ARTIGO 183.º

(Cópias e certidões)

1. Aos autos pode ser junta cópia dos documentos apreendidos, restituindo-se nesse caso o original. Tornando-se necessário conservar o original, dele pode ser feita cópia ou extraída certidão e entregue a quem legitimamente o detinha. Na cópia e na certidão é feita menção expressa da apreensão.

2. Do auto de apreensão é entregue cópia, sempre que solicitada, a quem legitimamente detinha o documento ou o objecto apreendidos.

---

1. Reproduz o art. 183.º do Proj. Não havia disposições correspondentes no CPP de 1929; veja-se, no entanto, o art. 249.º desse diploma. Foi inspirado no art. 250.º do Projecto preliminar italiano.

2. Este artigo destina-se a possibilitar a conservação dos documentos originais, sem prejuizos das finalidades específicas do processo penal. Permite ainda um razoável equilíbrio de interesses, pois que os documentos ou suas cópias podem ser necessários às pessoas a quem são apreendidos.

ARTIGO 184.º

(Aposição e levantamento de selos)

Sempre que possível, os objectos apreendidos são selados. Ao levantamento dos selos assistem, sendo possível, as mesmas pessoas que tiverem estado presentes na sua aposição, as quais verificam se os selos não foram violados nem foi feita qualquer alteração nos objectos apreendidos.

---

1. Reproduz o art. 184.º do Proj. e corresponde aos arts. 207.º e 203.º, § 2.º, do CPP de 1929.

2. Não existe alteração de relevo relativamente ao direito anterior.

ARTIGO 185.º

(Apreensão de coisas sem valor perecíveis, perigosas ou deterioráveis)

1. Se a apreensão respeitar a coisas sem valor, perecíveis, perigosas ou deterioráveis ou cuja a utilização implique perda de valor ou qualidades, a autoridade judiciária pode ordenar, conforme os casos, a sua venda ou afectação a finalidade pública

454

Artigo 186.º

ou socialmente útil, as medidas de conservação ou manutenção necessárias ou a sua destruição imediata.

2. Salvo disposição legal em contrário, a autoridade judiciária determina qual a forma a que deve obedecer a venda, de entre as previstas na lei processual civil.

3. O produto apurado nos termos do número anterior reverte para o Estado após a dedução das despesas resultantes da guarda, conservação e venda.

---

1. O texto deste artigo foi introduzido pela Lei n.º 48/2007, de 29 de Agosto. O n.º 1 corresponde, aproximadamente, ao art. 185.º da versão anterior, cujo texto fora introduzido pela Lei n.º 59/98, de 25 de Agosto. Os n.os 2 e 3 não tinham correspondentes anteriores.

2. Numerosa legislação especial, referida em anot. ao art. 178.º estabelece determinados destinos ou afectações quanto a coisas apreendidas em processo penal, ainda que perecíveis ou perigosas (armas, veículos automóveis, droga, caça, etc.).

Na falta de legislação que lhes dê outro destino ou afectação, aplicar-se-ão os dispositivos dos n.os 3 e 4 do art. 186.º.

ARTIGO 186.º

(Restituição dos objectos apreendidos)

1. Logo que se tornar desnecessário manter a apreensão para efeito de prova, os objectos apreendidos são restituídos a quem de direito.

2. Logo que transitar em julgado a sentença, os objectos apreendidos são restituídos a quem de direito, salvo se tiverem sido declarados perdidos a favor do Estado.

3. As pessoas a quem devam ser restituídos os objectos são notificadas para procederem ao seu levantamento no prazo máximo de 90 dias, findo o qual passam a suportar os custos resultantes do seu depósito.

4. Se as pessoas referidas no número anterior não procederem ao levantamento no prazo de um ano a contar da notificação referida no número anterior, os objectos consideram-se perdidos a favor do Estado.

5. Ressalva-se do disposto nos números anteriores o caso em que a apreensão de objectos pertencentes ao arguido ou ao responsável civil deva ser mantida a título de arresto preventivo, nos termos do artigo 228.º.

Código de Processo Penal

1. Os n.ᵒˢ 1, 2 e 5 deste artigo reproduzem o art. 186.º do Proj. e correspondem ao art. 450.º, § 2.º, do CPP de 1929.

Os n.ᵒˢ 3 e 4 foram introduzidos pela Lei n.º 48/2007, de 29 de Agosto e não tinham dispositivos correspondentes no CPP.

2. Os dispositivos dos n.ᵒˢ 3 e 4 introduzidos pela mencionada lei vinham--se tornando necessários a-fim-de dar destino a objectos apreendidos que se acumulavam longamente nos tribunais.

Como sustentámos em anot. ao art. 178.º, foram revogados dispositivos do Decreto n.º 12.487, de 14 de Outubro de 1926 sobre quantias apreendidas e não levantadas, o que consta também do art. 5.º da apontada Lei n.º 48/2007, de 29 de Agosto.

Trata-se de dispositivos da lei geral, que portanto não revogam os das especiais, segundo o princípio de interpretação de que a lei geral posterior não revoga a lei especial anterior, salvo declaração expressa, que no caso não existe.

Em anot. ao art. 178.º se indicam alguns casos mais correntes em que as coisas apreendidas têm um destino especial.

3. *Jurisprudência:*

— I —No regime do art. 14.º do Decreto n.º 12487, de 14 de Outubro de 1926, o fundamento da perda a favor do Estado do objecto apreendido encontrava-se na inércia do proprietário ou seu legítimo detentor durante tempo suficiente para prever o seu desinteresse relativamente ao seu destino. II — Porém, revogado esse regime pela Lei n.º 48/07, de 28 de Agosto, a nova redacção do art. 186.º do CPP exige, para a restituição do bem apreendido, a demonstração pelo seu detentor da proveniência lícita do bem. (Ac. RC de 20 de Fevereiro de 2008; *CJ,* ano XXXIII, tomo 1, 50);

Os objectos depositados a título de caução, bem como os arrestados preventivamente nos termos do art. 228.º não são objectos apreendidos, não estando portanto submetidos ao regime deste art. 186.º, sendo-lhes aplicável o art. 309.º do Código Civil.

CAPÍTULO IV

DAS ESCUTAS TELEFÓNICAS

ARTIGO 187.º

(Admissibilidade)

1. A intercepção e a gravação de conversações ou comunicações telefónicas só podem ser autorizadas durante o inquérito, se houver razões para crer que a diligência é indispensável para a descoberta da verdade ou que a prova seria, de outra forma, impossível ou muito

Artigo 187.º

difícil de obter, por despacho fundamentado do juiz de instrução e mediante requerimento do Ministério Público, quanto a crimes.

a) Puníveis com pena de prisão superior, no seu máximo, a três anos;
b) Relativos ao tráfico de estupefacientes;
c) De detenção de arma proibida e de tráfico de armas;
d) De contrabando;
e) De injúria, de ameaça, de coacção, de devassa da vida privada e perturbação da paz e sossego, quando cometidos através de telefone;
f) De ameaça com prática de crime ou de abuso e simulação de sinais de perigo; ou
g) De evasão, quando o arguido haja sido condenado por algum dos crimes previstos nas alíneas anteriores.

2. A autorização a que alude o número anterior pode ser solicitada ao juiz dos lugares onde eventualmente se puder efectivar a conversação ou comunicação telefónica ou da sede da entidade competente para a investigação criminal, tratando-se dos seguintes crimes:

a) Terrorismo, criminalidade violenta ou altamente organizada;
b) Sequestro, rapto e tomada de reféns;
c) Contra a identidade cultural e integridade pessoal, previsto no Título III do Livro II do Código Penal e previsto na Lei Penal relativa às Violações do Direito Internacional Humanitário;
d) Contra a segurança do Estado previsto no Capítulo I do Título V do Livro II do Código Penal;
e) Falsificação de moeda ou títulos equiparados a moeda prevista nos artigos 262.º, 264.º, na parte em que remete para o artigo 262.º, e 267.º, na parte em que remete para os artigos 262.º e 264.º, do Código Penal;
f) Abrangidos por convenção sobre segurança da navegação aérea ou marítima.

3. Nos casos previstos no número anterior, a autorização é levada, no prazo máximo de 72 horas, ao conhecimento do juiz do processo, a quem cabe praticar os actos jurisdicionais subsequentes.

4. A intercepção e a gravação previstas nos números anteriores só podem ser autorizadas, independentemente da titularidade do meio de comunicação utilizado, contra:

a) Suspeito ou arguido;

Código de Processo Penal

b) Pessoa que sirva de intermediário, relativamente à qual haja fundadas razões para crer que recebe ou transmite mensagens destinadas ou provenientes de suspeito ou arguido; ou

c) Vítima de crime, mediante o respectivo consentimento, efectivo ou presumido.

5. É proibida a intercepção e a gravação de conversações ou comunicações entre o arguido e o seu defensor, salvo se o juiz tiver fundadas razões para crer que elas constituem objecto ou elemento de crime.

6. A intercepção e a gravação de conversações ou comunicações são autorizadas pelo prazo máximo de três meses, renovável por períodos sujeitos ao mesmo limite, desde que se verifiquem os respectivos requisitos de admissibilidade.

7. Sem prejuízo do disposto no artigo 248.º, a gravação de conversações ou comunicações só pode ser utilizada em outro processo, em curso ou a instaurar, se tiver resultado de intercepção de meio de comunicação utilizado por pessoa referida no n.º 4 e na medida em que for indispensável à prova de crime previsto no n.º 1.

8. Nos casos previstos no número anterior, os suportes técnicos das conversações ou comunicações e os despachos que fundamentaram as respectivas intercepções são juntos, mediante despacho do juiz, ao processo em que devam ser usados como meio de prova, sendo extraídas, se necessário, cópias para o efeito.

---

1. O texto deste artigo foi introduzido pela Lei n.º 48/2007, de 29 de Agosto.
O texto anterior reproduzia o art. 187.º do Proj. com posteriores alterações introduzidas nas alíneas e) do n.º 1 e b), c) e f) do n.º 2 pelo Dec.-Lei n.º 317/ 95, de 28 de Novembro. Confrontado com o regime constante da versão anterior sobre intercepção e gravação de conservações ou comunicações denota as seguintes alterações mais relevantes:
— Confina-se este meio de prova à fase de inquérito;
— Exige-se expressamente requerimento do MP e despacho fundamentado do juiz;
— Ao elenco de crimes contido no n.º 1 do art. 187.º acrescentam-se a ameaça com prática de crime, o abuso e simulação de sinais de perigo e a evasão quando o arguido tiver sido condenado por algum dos crimes desse elenco;
— O âmbito de pessoas que podem ser sujeitas a escutas é circunscrito a suspeitos, arguidos, intermediários e vítimas, neste caso mediante o consentimento efectivo ou presumido;
— A autorização judicial vale por um prazo máximo e razoável de três meses, renovável por períodos sujeitos ao mesmo limite, desde que se verifiquem os respectivos requisitos de admissibilidade.

Artigo 187.º

— O conhecimento fortuito só pode valer como prova quando tiver resultado de intercepção dirigida a pessoa e respeitante a crime constante do elenco legal.

2. A CRP, art. 34.º, n.ºs 1 e 4, estabelece a inviolabilidade do domicílio e do sigilo da correspondência e dos outros meios de comunicação privada e a proibição de toda a ingerência das autoridades públicas na correspondência e nas telecomunicações, salvos os casos previstos na lei em matéria de processo criminal.

A Lei n.º 43/86, de 26 de Setembro (Lei de Autorização legislativa), art. 2.º, n.º 2, al. 25) determinou a regulamentação rigorosa da admissibilidade de gravações, intercepção de correspondência e escutas telefónicas, mediante a salvaguarda de autorização judicial prévia e a enumeração restritiva dos casos de admissibilidade, limitados quanto aos funcionários e condições, não podendo em qualquer caso abranger os defensores, excepto se tiverem participação na actividade criminosa.

Dentro destes parâmetros foram estruturados os arts. 187.º a 190.º, que denotam inspiração nos arts. 258.º a 261.º do Projecto preliminar italiano. Mas diferentemente do que sucede no direito italiano (art. 267.º, n.º 1, do CPP italiano) e em outras legislações, exige-se expressamente que haja razões para crer que a diligência *é indispensável para a descoberta da verdade ou que a prova seria, de outra forma, impossível ou muito difícil de obter* não se exigindo no entanto que existam já indícios do crime.

Salienta porém o Prof. Germano Marques da Silva, *Curso de Processo Penal*, II, 174, ser pelo menos necessário que um processo esteja já em curso, ainda que contra incertos, não podendo a diligência ser, por isso, mero instrumento de investigação extraprocessual, pois que a pendência de um *procedimento criminal* é uma exigência constitucional (art. 34.º, n.º 4, da CRP).

3. O sistema perfilhado permite as escutas telefónicas e de conversações ou comunicações transmitidas por outro meio técnico diferente do telefone em termos meticulosamente regulamentados, quando se trate de algum dos crimes referidos nas diversas alíneas do n.º 1 do art. 187.º, desde que haja razões para crer que a diligência e indispensável para a descoberta da verdade ou que a prova seria, de outra forma, impossível ou muito difícil de obter. É, no entanto, proibida a intercepção e a gravação de conversações ou comunicações entre o arguido e o seu defensor, excepto se o juiz tiver razões fundadas para crer que o defensor participou na actividade criminosa.

A intercepção e a gravação das conversações ou comunicações terão que ser ordenadas ou autorizadas por despacho do juiz durante o inquérito, portanto num inquérito já em curso.

4. Como se referiu supra. anot. 3, a intercepção e a gravação de conversações ou comunicações telefónicas só podem ser ordenadas ou autorizadas por despacho judicial. Em nenhuma circunstância se admite que o juiz delegue a competência para ordenar ou autorizar estas diligências — arts. 187.º, n.º 1 e 269.º, n.º 1, *c)*. Mas por razões óbvias permite-se que a ordem ou a autorização para as escutas telefónicas possa, em alternativa, ser dada ou concedida pelo juiz do lugar em que eventualmente se puder efectivar.

Código de Processo Penal

5. Tendo-se suscitado a inconstitucionalidade dos arts. 187.º, n.º 1, e 190.º perante uma eventual violação da intimidade da vida privada e familiar em que se traduzem as intercepções e as gravações de conversações telefónicas ou transmitidas por qualquer outro meio técnico, O Tribunal Constitucional, no já várias vezes referido ac. 7/87, emitiu parecer no sentido da inexistência de violação do preceituado nos arts. 26.º, n.º 1 e 18.º, n.ᵒˢ 2 e 3 da CRP, porquanto o n.º 4 do art. 34.º da Lei fundamental previu a ingerência das autoridades públicas nas telecomunicações nos casos previstos na lei em matéria de processo penal. Acresce, segundo o TC, que a natureza e a gravidade dos crimes a que se aplicam os referidos arts. 187.º e 190.º justificam o recurso a tal meio de obtenção de prova, sem se infringirem os limites da necessidade e da proporcionalidade consagrados no art. 18.º da CRP.

Nestes termos discordamos da orientação sustentada por Pinto de Albuquerque, *in Comentário do Código de Processo Penal* págs. 503-504, de que a inclusão do crime de evasão no catálogo fechado de crimes em relação aos quais é admissível como meio de obtenção de prova a escuta telefónica é inconstitucional, por ter como fim a localização do arguido, e não a obtenção de prova. A evasão é um crime, previsto pelo art. 352.º do CP, frequentemente associado à prática de outros crimes, como danos no estabelecimento prisional e ofensas à integridade física dos guardas. A finalidade da escuta será então, mais do que a localização, a obtenção de prova; prova que pode ser obtida *v. g.* através de marcas deixadas no corpo do evadido.

6. A intercepção e gravação de conversações telefónicas ou transmitidas por qualquer meio técnico diferente do telefone, sem ordem ou autorização judicial, é cominada com nulidade insanável, pelas razões aduzidas em anot. ao art. 179.º, aqui aplicáveis, *mutatis mutandis,* sem prejuizo de outras eventuais sanções. A inobservância de quaisquer outros requisitos constitui nulidade relativa ou sanável — arts. 189.º, 120.º e 121.º.

7. Veja-se o estudo do Prof. Costa Andrade, intitulado *Sobre o Regime Processual Penal das Escutas Telefónicas,* na *Revista Portuguesa de Ciência Criminal,* I, 3, 396 e 397.

Abordando a questão dos conhecimentos fortuitos obtidos por via telefónica, expendeu este Mestre: «À semelhança da Alemanha, também entre nós, à vista do silêncio da lei processual penal positiva, só do labor da jurisprudência e da doutrina pode esperar-se a necessária e ajustada resposta ao problema do *conhecimento fortuito.* Como início de resposta, temos por bem fundado o entendimento da doutrina e jurisprudência alemãs na parte em que reclamam como *exigência mínima* que os conhecimentos fortuitos se reportem a um crime de catálogo, s.c., a uma das infracções previstas no art. 177.º do CPP. Para além disto, cremos, em segundo lugar, ser mais consistente a posição dos autores que, a par do crime de catálogo, fazem intervir exigências complementares tendentes a reproduzir aquele *estado de necessidade investigatório* que o legislador terá arquetipicamente representado como fundamento da legitimição (excepcional) das escutas telefónicas».

Também o Prof. Germano Marques da Silva propende para a mesma orientação, no *Curso de Processo Penal,* II, 177, ao admitir apenas a utilização dos conhecimentos fortuitos quando eles se reportem a um dos crimes relativamente aos quais a escuta é legalmente admissível.

460

Artigo 187.º

Dentro desta orientação foi estruturado e introduzido pela supramencionada lei o dispositivo do n.º 7.

Já levando em conta as alterações introduzidas pela Lei n.º 48 2007, veja--se o extenso estudo de André Lamas Leite, na apontada *Revista,* ano 17, n.º 4, págs. 613 e segs.

8. Embora o dispositivo do n.º 5 aluda somente ao *defensor* do arguido, deve entender-se que o fundamento da proibição da intercepção e gravação das conversas ou comunicações vale também em relação às demais pessoas legitimadas pela lei (art. 135.º) a recusar depoimento em nome do segredo profissional. Assim também os Professores Costa Andrade, *loc. cit.,* 300 e Germano Marques da Silva, *Curso de Processo Penal,* II, 175.

A gravação de conversações ou comunicações entre o arguido e quaisquer outras pessoas é lícita, desde que seja respeitado o condicionalismo legal. Assim, as declarações dos próprios arguidos registadas por esse processo são válidas e servem como meio de prova sobre os actos criminosos que lhes venham a ser imputados, podendo eles depois, em obediência ao princípio contraditório, vir a esclarecê-las ou a tomar qualquer outra posição, se resolverem responder sobre os factos.

9. *Jurisprudência:*

— I — A autoridade policial que suspeitar da prática de um crime pode proceder a averiguações sumárias antes de o participar ao MP. II — Em tal caso, se houver necessidade de proceder a escutas telefónicas, deve aquela autoridade dirigir-se ao MP, a-fim-de ser apresentado o respectivo pedido ao juiz. III — Sendo-lhe apresentado o pedido e verificando-se os pressupostos legais, o juiz não deve denegar a autorização com o fundamento em que o MP, contrariamente ao que devia ter feito, não abrira inquérito. IV — É que, iniciando-se o processo criminal com a denúncia ou queixa de crime, a não abertura de inquérito constitui, no caso, mera irregularidade, susceptível apenas de importar responsabilidade disciplinar para o MP. (Ac. RP de 19 de Junho de 1991; *CJ,* XVI, tomo 3, 277);

— I — A danosidade social indissociavelmente ligada à utilização das escutas telefónicas como meio de prova impõe uma leitura restritiva das normas que fixam os pressupostos da sua admissibilidade. II — Nesta ordem de ideias, é de considerar como preceito de observância obrigatória o da proibição, em princípio, da valoração dos conhecimentos fortuitos obtidos através das escutas. III — Consequentemente, ao arguido tem de ser concedido o direito de controlar os conhecimentos adquiridos por essa via e o modo como o foram e, se para tal for imprescindível, o acesso directo aos próprios meis técnicos utilizados na escuta. IV — Tal direito, porém, tem de ser exercido nos limites consentidos pela actual estrutura do processo penal não se contemplando aí, designadamente, a cobertura de uma reclamada *fase pré-instrutória* com vista a instruir o requerimento de abertura de instrução propriamente dita. (Ac. RP de 11 de Janeiro de 1995; *CJ,* XX, tomo 1, 232);

— I — Para além de a intercepção e gravação da comunicação telefónica estar sujeita a ordem ou autorização judicial, sob pena de nulidade insanável, as restantes operações de audição, eventual transcrição e destruição de elementos desnecessários correm igualmente sob estrito controlo do magistrado judicial.

Código de Processo Penal

II — Por razões de eficiência e dos necessários meios humanos e técnicos disponíveis, as operações materiais de intercepção e gravação correrão normalmente a cargo da PJ, mas é da competência exclusiva do magistrado judicial a selecção dos elementos a juntar aos autos. III — Não há transcrições que não sejam ordenadas pelo magistrado judicial, ainda que por solicitação do órgão de polícia criminal; porém a nulidade decorrente da violação do preceituado nas alíneas dos arts. 188.º e 189.º do CPP é sanável e sujeita ao regime de arguição dos arts. 120.º e 121.º do CPP. (Ac. STJ de 17 de Janeiro de 2001, proc. n.º 104/00-3.ª; *SASTJ*, n.º 47, 67);

— Mostrando-se as escutas telefónicas devidamente autorizadas e tendo o juiz, no despacho que as ordenou, determinado previamente o tempo durante o qual elas deveriam ocorrer, não é necessário que a PJ apresente ao juiz de instrução, imediatamente após cada realização, auto contendo a transcrição integral ou sumária das conversas interceptadas e gravadas, mas somente quando finde o prazo concedido. (Ac. RL de 20 de Março de 2001; *CJ*, XXVI, tomo 2, 128);

— I — Em geral e em princípio é permitido o aproveitamaneto em determinado processo de material probatório recolhido noutro, desde que neste a respectiva recolha tenha obdecido às prescrições legais. II — No caso específico de dados obtidos por meio de escutas telefónicas importa distinguir dois níveis de situações: o dos meros conhecimentos de investigação e o dos conhecimentos fortuitos. II — Na primeira situação os dados legalmente obtidos através de escutas telefónicas para determinados factos são extensíveis à prova dos demais factos e é lícito o aproveitamento de resultados de uma actividade que teve como escopo cobrir uma rede de criminalidade interligada. III — Na segunda situação são admissíveis os dados obtidos fortuitamente por via de escutas telefónicas desde que a recolha tenha obedecido aos requesitos legais inscritos no art. 187.º do CPP. (Ac. STJ de 23 de Outubro de 2002, proc. n.º 2133/02-3.ª; *SASTJ*, n.º 64, 85);

— I — As escutas telefónicas regularmente efectuadas durante o inquérito, uma vez transcritas em auto, passam a constituir prova documental, que o tribunal do julgamento pode valorar de acordo com as regras da experiência. II — Prova documental essa que não carece de ser lida em audiência e, no caso de o tribunal dela se socorrer, não é necessário que tal fique a constar da acta. (Ac. STJ de 20 de Novembro de 2002, proc. n.º 3173/02-3.ª; *SASTJ*, n.º 65, 63);

— I — A danosidade social que as escutas telefónicas acarretam, que justifica o regime estabelecido nos arts. 187.º e 190.º do CPP, não existe numa gravação voluntária de voz num telemóvel, promovida pelo titular dos bens jurídicos que com ela podem ser postos em causa. II — Não sendo a gravação ilícita, nomeadamente nos termos do art. 199.º do CP, nada obsta portanto à sua valoração como meio de prova, nos termos do art. 167.º do CPP. (Ac. RL de 5 de Fevereiro de 2003; *CJ*, XXVII, tomo 1, 134);

— Se, em resultado de escutas realizadas e autorizadas para obtenção de para obtenção de prova de crime de catálogo, se colherem informações marginais que denunciem o conhecimento de outro crime não constante do elenco enunciado no art. 187.º do CPP, não poderão tais informações fortuitas ser usadas para instruir crimes de gravidade inferior aos aí elencados. (Ac. RL de 6 de Maio de 2003; *CJ*, XXVIII, tome 3, 124);

462

Artigo 187.º

— I — As gravações de conversas telefónicas entre o arguido e uma testemunha, tendo-se a escuta processado legalmente, são livremente apreciadas e valorizadas pelo tribunal, mesmo que o arguido se remeta ao silêncio. II — Tal não colide com o direito ao silêncio do arguido, uma vez que os registos fonográficos são um meio de prova distinto das declarações do arguido. (Ac. RG de 19 de Maio de 2003; *CJ*, XXVIII, tomo 3, 299);

— É legalmente admissível a intercepção de todos os números telefónicos utilizados pelo mesmo IMEI, (Ac. RL de 10 de Dezembro de 2003; *CJ*, XXVIII, tomo 5, 147);

— A listagem das chamadas telefónicas efectuadas, a solicitação do MP, sem consentimento do titular do aparelho utilizado, só é válida como meio de prova quando previamente autorizada pelo juiz de instrução, sob pena de nulidade. (Ac. RL de 10 de Dezembro de 2003; *CJ*, XXVIII, tomo 5, 148);

— Quando as escutas tenham sido autorizadas pela autoridade competente, e respeitados os requisitos legalmente prescritos, é admissível a sua utilização noutros processos, quando tal se considere necessário. (Ac. RL de 7 de Julho de 2004; *CJ*, ano XXIX, tomo 4, 123);

— I — Constitui nulidade absoluta a inobservância dos pressupostos substantivos da admissão das escutas telefónicas enunciados no art. 187.º do CPP. II — A infracção das regras procedimentais fixadas no art. 188.º do CPP constitui nulidade relativa sanável, dependente, por isso, da arguição por parte do interessaso na sua observância, a qual tem que ser feita até ao momento temporal previsto no art. 120.º, n.º 3, al. c), do CPP. III — As regras procedimentais hão--de observar-se de tal modo que o juiz mantenha um controlo apertado e efectivo das escutas telefónicas, o que passa pela sua autorização, pela elaboração de autos da sua efectivação, pela imediata audição, transcrição e validação das escutas que considere relevantes para a prova, pela destruição das que considere irrelevantes, por fazer cessar as escutas logo que elas deixem de justificar-se, e por não passarem largos períodos de tempo sem que sejam controladas pelo juiz e documentadas nos autos. (Ac. RP de 21 de Julho de 2005; CJ XXX, 228);

— I — As escutas telefónicas constituem prova de conteúdo gravado, e, por isso, se qualificam como prova documental, na modalidade de documento sonoro. II — Daí que os suportes que contêm as gravações tenham de estar disponíveis no processo para que os sujeitos processuais possam atestar a veracidade das passagens transcritas. III — Exigência que não invalida que essa prova possa ser utilizada num outro processo em que se investiguem factos ou sujeitos conectados com o processo em que ela foi alcançada, desde que obtida legitimamente e de acordo com os requisitos da proporcionalidade. (Ac. RC de 29 de Março de 2006; *CJ*, XXXI, tomo 2, 44);

— I — Os conhecimentos fortuitos obtidos por via de escutas telefónicas aapenas poderão ser considerados como prova válida desde que haja autorização judicial, digam respeito, tanto no processo originário, como no subsequente, a um crime dito de catálogo, e se apresentem como indispensáveis à investigação em curso. II — Não será de considerar como meio de prova a notícia de um crime, que se obtem casualmente numa escuta telefónica interceptada no âmbito de um processo e que veio a originar a abertura de um outro, o qual passa a ser investigado com total autonomia em relação aquele outro. (Ac. STJ de 4 de Maio de 2006, proc. n.º 4406/05; *CJ, Acs. do STJ*, ano XIV, tomo 2, 175).

Código de Processo Penal

ARTIGO 188.º

(Formalidades das operações)

1. O órgão de polícia criminal que efectuar a intercepção e a gravação a que se refere o artigo anterior lavra o correspondente auto e elabora relatório no qual indica as passagens relevantes para a prova, descreve de modo sucinto o respectivo conteúdo e explica o seu alcance para a descoberta da verdade.

2. O disposto no número anterior não impede que o órgão de polícia criminal que proceder à investigação tome previamente conhecimento do conteúdo da comunicação interceptada a fim de poder praticar os actos cautelares necessários e urgentes para assegurar os meios de prova.

3. O órgão de polícia criminal referido no n.º 1 leva ao conhecimento do Ministério Público, de 15 em 15 dias a partir do início da primeira intercepção efectuada no processo, os correspondentes suportes técnicos, bem como os respectivos autos e relatórios.

4. O Ministério Público leva ao conhecimento do juiz os elementos referidos no número anterior no prazo máximo de 48 horas.

5. Para se inteirar do conteúdo das conversações ou comunicações, o juiz é coadjuvado, quando entender conveniente, por órgão de polícia criminal e nomeia, se necessário, intérprete.

6. Sem prejuízo do disposto no n.º 7 do artigo anterior, o juiz determina a destruição imediata dos suportes técnicos e relatórios manifestamente estranhos ao processo:

a) Que disserem respeito a conversações em que não intervenham pessoas referidas no n.º 4 do artigo anterior;

b) Que abranjam matérias cobertas pelo segredo profissional, de funcionário ou de Estado; ou

c) Cuja divulgação possa afectar gravemente direitos, liberdades e garantias; ficando todos os intervenientes vinculados ao dever de segredo relativamente às conversações de que tenham tomado conhecimento.

7. Durante o inquérito, o juiz determina, a requerimento do Ministério Público, a transcrição e junção aos autos das conversações e comunicações indispensáveis para fundamentar a aplicação de medidas de coacção ou de garantia patrimonial, à excepção do termo de identidade e residência.

8. A partir do encerramento do inquérito, o assistente e o arguido podem examinar os suportes técnicos das conversações ou comunicações e obter, à sua custa, cópia das partes que pretendam transcrever para juntar ao processo, bem como dos relatórios previstos no

Artigo 188.º

n.º 1, até ao termo dos prazos previstos para requerer a abertura da instrução ou apresentar a contestação, respectivamente.

9. Só podem valer como prova as conversações ou comunicações que:

a) O Ministério Público mandar transcrever ao órgão de polícia criminal que tiver efectuado a intercepção e a gravação e indicar como meio de prova na acusação;

b) O arguido transcrever a partir das cópias previstas no número anterior e juntar ao requerimento de abertura da instrução ou à contestação; ou

c) O assistente transcrever a partir das cópias previstas no número anterior e juntar ao processo no prazo previsto para requerer a abertura da instrução, ainda que não a requeira ou não tenha legitimidade para o efeito.

10. O tribunal pode proceder à audição das gravações para determinar a correcção das transcrições já efectuadas ou a junção aos autos de novas transcrições, sempre que o entender necessário à descoberta da verdade e à boa decisão da causa.

11. As pessoas cujas conversações ou comunicações tiverem sido escutadas e transcritas podem examinar os respectivos suportes técnicos até ao encerramento da audiência de julgamento.

12. Os suportes técnicos referentes a conversações ou comunicações que não forem transcritas para servirem como meio de prova são guardados em envelope lacrado, à ordem do tribunal, e destruídos após o trânsito em julgado da decisão que puser termo ao processo.

13. Após o trânsito em julgado previsto no número anterior, os suportes técnicos que não forem destruídos são guardados em envelope lacrado, junto ao processo, e só podem ser utilizados em caso de interposição de recurso extraordinário.

---

1. O texto deste artigo, com excepção do n.º 2 que manteve a redacção anterior, foi introduzido pela Lei n.º 48/2007, de 29 de Agosto.

O texto anterior era o do Proj. com alterações introduzidas pela Lei n.º 59//98, de 25 de Agosto e pelo Dec. - Lei n.º 320 - C/2000, de 13 de Dezembro.

2. Quanto a formalidades a que devem obedecer as escutas telefónicas, os dispositivo introduzidos pela Lei n.º 48/07 são significativamente mais pormenorizadores e exigentes que os da versão anterior. Levaram em conta o conteúdo do Parecer da PGR n.º 91/92, transmitido pela circular n.º 14/92, de 19 de Novembro e ocorrências recentes da vida real, muito mediáticas e

Código de Processo Penal

reveladores de premência de introdução de alguns destes dispositivos e de melhor acatamento dos que já estavam estabelecidos.

A assim:

— O órgão de polícia criminal que efectuar a intercepção e a gravação elabora, para além do auto, um relatório sobre o conteúdo da conversação e o seu alcance para a descoberta da verdade;

— Esse órgão entrega os materiais ao MP de 15 em 15 dias e este apresenta-os ao juiz no prazo máximo de 48 horas;

— O juiz determina a destruição imediata dos suportes manifestamente estranhos ao processo que, em alternativa, respeitarem a conversações em que não intervenham pessoas constantes de elenco legal, a matérias sujeitas a segredo profissional, de funcionário ou de Estado, ou cuja revelação possa afectar gravemente direitos, liberdades e garantias;

— O juiz determina, mediante requerimento do MP, a transcrição e junção aos autos das conversações e comunicações indispensáveis para fundamentar a aplicação de medidas de coacção ou garantia patrimonial;

— A partir do encerramento do inquérito, o assistente e o arguido podem examinar e obter cópia das partes que pretendam transcrever para juntar ao processo;

— Em alguns julgamentos valem como prova as conversações que o MP, o assistente e o arguido juntarem, podendo o tribunal, em obediência ao princípio da investigação, proceder à audição das gravações para determinar a correcção das transcrição;

— As pessoas cujas conversações ou comunicações tiverem sido escutadas e transcritas podem examinar os suportes técnicos até ao encerramento da audiência;

— Os suportes técnicos referentes a conversações que não forem transcritas são guardados em envelope lacrado e destruídos após o trânsito em julgado da decisão que puser termo ao processo;

— Os suportes que não forem destruídos são guardados após o trânsito em julgado em envelope lacrado, e só podem ser utilizados na hipótese de interposição de recurso extraordinário;

— Ficou expressamente estabelecido (art. 180.º) que este regime é aplicável a quaisquer outras formas de comunicação, abrangendo o correio electrónico e outras formas de transmissão de dados por via telemática, mesmo que se encontrem guardados em suporte digital;

— Exige-se de forma expressa que haja despacho do juiz para obter e juntar aos antos dados sobre a localização celular ou o tráfego de comunicações, restringindo-se tal meio de prova aos crimes e pessoas referidos no âmbito do regime das escutas (art. 189.º).

3. A introdução do pormenorizado formalismo estabelecido neste artigo ponderou e levou em consideração o parecer da PGR n.º 91/92, transmitido pela Circular n.º 14/92, de 19 de Novembro. Nessa Circular pormenorizam-se as formalidades e especificam-se os deveres a que os participantes nas operações ficam vinculados e os direitos do arguido e do assistente.

Foram também notoriamente consideradas ocorrências da vida real, muito mediáticas e denotando premência de alguns destes dispositivos, algumas recentes e causadoras de inquietação e alarme social.

Artigo 188.º

4. Sobre alguns dos dispositivos deste artigo, particularmente sobre os n.ºs 3, 6 e 7, versou o ac. STJ de 2 de Abril de 2008, sumariado nos *SASTJ* relativos a esse mês, cujas conclusões IX a XIV são do seguinte teor:

IX – Admitindo que a circunstância de não ter sido determinada a destruição das intercepções telefónicas não transcritas, conforme determina o art. 188.º n.º 3, do CPP, constitua uma nulidade processual, é manifesto que, pelo facto de não ter sido, oportunamente, suscitada a arguição de nulidade, se produziu a convalidação do acto processual imperfeito.

X – É que, para além da teleologia do processo penal, é o próprio dever de lealdade processual de todos os intervenientes no processo que impõe que a imperfeição seja suscitada por forma a causar o menor dano na tramitação processual e não como último argumento que se mantém resguardado para se utilizar como último recurso caso o resultado final não agrade.

XI – Aliás, e em última análise, se a intercepção utilizada consubstanciava virtualidades probatórias não concebidas em sede de inquérito pelo juiz de instrução, mas escrutinadas em audiência, então o vício praticado não foi a não destruição das intercepções, mas sim o facto de as mesmas não terem sido decididamente valoradas e consideradas como relevantes pelo mesmo juiz instrutório.

XII – O art. 8.º da CEDH permite a ingerência de uma autoridade pública, com finalidade preventiva ou repressiva, na área dos direitos fundamentais, desde que devidamente respeitadas duas condições essenciais: a legalidade, e a sua necessidade face a interesses particularmente protegidos. Assim, se forem observadas as regras de produção de prova legalmente consignadas nada impede que as intercepções telefónicas constituam o único meio de prova a fundamentar a convicção do tribunal.

XIII – Conforme referem Gomes Canotilho e Vital Moreira (*in* CRP Anotada), para além dos pressupostos de previsão contitucional expressa e salvaguarda de direito ou interesse constitucionalmente protegido, o terceiro pressuposto material para a restrição legítima de direitos, liberdades e garantias consiste naquilo que se designa por princípio da proporcionalidade, que se desdobra em três subprincípios: o da adequação, o da necessidade ou indispensabilidade e o da proporcionalidade. O denominador comum aos três é exactamente o de equacionar a restrição que contituem em termos de direitos fundamentais com os interesses que se pretende prosseguir. Porém, tal adequação de perfil superior em termos de admissibilidade e ponderação constitucional nada tem a ver com um inusitado pressuposto processual penal de que um determinado meio de prova, desacompanhado de outro, não tem relevância para fundamentar a convicção do Tribunal.

XIV – A afirmação da recorrente de que o seu direito ao silêncio é violado pela utilização das intercepções telefónicas tem subjacentes uma deturpação da teleologia do processo penal, quando não uma visão alheia a princípios fundamentais – entre os quais se encontra o da procura da verdade, seguindo pelos caminhos delimitados pelo respeito dos direitos e garantias dos intervenientes processuais, que, diga-se de passagem, não se resumem aos direitos do arguido e que, em última análise, é o direito da própria comunidade à exigência de um processo justo.

Código de Processo Penal

5. *Jurisprudência:*
Ver *supra*, anot. 4;
— I — Para a fundamentação do despacho que autoriza escutas telefónicas, na falta de preceito legal específico, é suficiente qualquer fórmula, resumida ou sumária, da qual, em conjugação lógica e cronológica com outros actos processuais anteriores, se possa concluir que: *a)* O julgador ponderou os motivos de facto e de direito da sua decisão, isto é não agiu discricionariamente; *b)* A decisão tem virtualidade para os interessados e os cidadãos em geral da sua correcção e justiça; e *c)* O controlo da legalidade não é prejudicado pela forma como foi proferida. II — É legalmente admissível a incorporação nos autos ou a apensação a estes das cassetes com gravações de escutas telefónicas devidamente autorizadas, bem como da respectiva transcrição. (Ac. RL de 22 de Março de 1994; *CJ,* XIX, tomo 2, 144);
— A exigência, estabelecida no n.º 1 do art. 188.º do CPP, de que o auto e as fitas gravadas, ou elementos análogos, devem ser *imediatamente* levadas ao conhecimento do juiz que tiver ordenado ou autorizado as operações, deve ser entendida no sentido de *no tempo mais rápido possível,* e o seu desrespeito poderá, eventualmente, dar lugar a um pedido de aceleração ou a procedimento disciplinar, mas nunca a uma nulidade. (Ac. RL de 16 de Agosto de 1996; *CJ,* XXI, tomo 4, 155);
— I — A norma constante do n.º 1 do art. 188.º do CPP, quando interpretada em termos de não impor que o auto de intercepção e gravação de conversações ou comunicações telefónicas seja, de imediato, lavrado e levado ao conhecimento do juiz, de modo a este poder decidir atempadamente sobre a junção ao processo ou a destruição dos elementos recolhidos, ou de algum deles, e, bem assim, também atempadamente, a decidir, antes da junção ao processo de novo auto da mesma espécie, sobre a manutenção ou alteração da decisão que ordenou as escutas, é inconstitucional, por violação do disposto no n.º 6 do artigo 32.º da Constituição (na versão anterior à revisão constitucional de 1987). II — Na verdade, ao fixar a interpretação constitucionalmente conforme daquele artigo 188.º, n.º 1, no segmento em que se insere a expressão *imediatamente,* este não poderá reportar-se apenas ao momento em que as transcrições se mostrarem feitas, pressupondo um efectivo acompanhamento e controlo da escuta pelo juiz que a tiver ordenado, enquanto durarem as operações em que esta se materializa — sem que decorram largos períodos de tempo em que essa actividade do juiz se não mostre documentada nos autos. (Ac. do Trib. Constitucional n.º 407/97, de 21 de Maio; *BMJ,* 467, 199);
— I — O auto a que se refere o n.º 1 do art. 188.º do CPP tem como único objectivo documentar a própria diligência em si, indicando o respectivo tempo, o lugar e o modo da intercepção, a indicação do telefone a que se dirigiu a identificação de quem a ela procedeu, e não a transcrição do conteúdo das gravações, regulada no art. 101.º do mesmo diploma. II — A exigência feita no n.º 2 deste último normativo, no sentido de a transcrição se realizar no mais curto prazo possível, deve ser interpretada em termos hábeis, de modo a serem levadas em conta as dificuldades próprias da tarefa e as disponibilidades dos meios técnicos e humanos existentes para o efeito. (Ac. STJ de 29 de Outubro de 1998; *BMJ,* 480, 292);

Artigo 188.º

— I — O auto a que se refere o n.º 1 do art. 188.º do CPP destina-se tão somente a dar fé à operação de intercepção, enquanto tal. Significa isso que deverá mencionar, *inter alia*, o despacho judicial que ordenou ou autorizou a intercepção, a identidade da pessoa que a ela procedeu, a identidade do telefone interceptado e o circunstancialismo de tempo, modo e lugar da intercepção, mas não a transcrição das gravações. II — Não são as transcrições, mas as próprias fitas gravadas, tal como corre *apertis verbis* do art. 188.º, n.º 1, do CPP, que com o auto de intercepção e gravação devem ser entregues ao juiz de instrução. (Ac. STJ de 30 de Março de 2000, proc. n.º 1145/98--5.ª; *SASTJ*, n.º 39, 73);

— É inconstitucional, por violação das disposições conjugadas dos arts. 32.º, n.º 8; 34.º, n.ᵒˢ 1 e 4 e 18.º, n.º 2, da Constituição, a norma constante do art. 188.º, n.º 1, do CPP, na redacção anterior à que foi dada pela Lei n.º 59//98, de 25 de Agosto, quando interpretada no sentido de não impor que o auto de intercepção e gravação das conversações e comunicações telefónicas seja, de imediato, lavrado e levado ao conhecimento do juiz e que, autorizada a intercepção e gravação por determinado período, seja concedida autorização para a sua continuação sem que o juiz tome conhecimento do resultado da anterior. (Ac. do Trib. Constitucional n.º 347/2001, de 10 de Julho, proc. n.º 299/01; *DR*, II série, de 9 de Novembro de 2001);

— É inconstitucional, por violação das disposições conjugadas dos art. 32.º, n.º 8; 34.º, n.ᵒˢ 1 e 4; e 18.º, n.º 2, da Constituição, a norma constante do art. 188.º, n.º 1, do CPP, na redacção anterior à que foi dado pelo Dec.-Lei n.º 320--C/200, de 15 de Dezembro, quando interpretada no sentido de não impor que o auto de intercepção e gravação de conservações e comunicações telefónicas seja, de imediato, lavrado e levado ao conhecimento do juiz. (Ac. do Trib. Constitucional n.º 528/03, de 31 de Outubro, proc. n.º 597/03; *DR,* II série, de 17 de dezembro de 2003);

— I — O tribunal tem de examinar os documentos em sede de deliberação se neles basear a sua convicção, não sendo nunca obrigado a ordenar a sua leitura em audiência de julgamento, embora possa consenti-la. II — Os autos de transcrição de escutas telefónicas são documentos autenticados pelo juiz, valendo em julgamento, nomeadamente para o efeito e formação da convicção do tribunal, independentemente de serem ou não lidos em audiência. (Ac. STJ de 2 de Julho de 2003, proc. n.º 1802/03-3.ª; *SASTJ*, n.º 73, 119);

— I — O edifício substantivo e processual em que assenta o regime juridico das escutas telefónicas é vinculativo, apertado, e procura prevenir os gravosos inconvenientes em que o seu atropelo é fecundo. II — O pressuposto de grande interesse para a descoberta da verdade materializa o princípio da proporcionalidade com tradução no art. 18.º da CRP, com o alcance de menor compressão aos direitos dos cidadãos, com o sentido de menor lesão ao direito à palavra falada sempre que uma mais benigna, ainda assim, permita atingir os objectivos da indagação criminal. III — As formalidades concentram-se no art. 188.º do CPP, devendo o juiz seleccionar, previamente, o que repute necessário, reafirmando que a transcrição lhe incumbe, embora o contacto primário com o material escutado caiba aos órgão de polícia criminal. IV — O juiz não pode abstrair--se de ouvir as gravações e seleccionar, vertendo, *ex post,* com inteira liberdade a autonomia, em auto, o que relevar da prova, sendo prática marginal à lei a

Código de Processo Penal

de limitar-se a aceitar o material escutado, inválida como o auto de transcrição, a ele não equivalente. V — A transcrição funciona como garantia, tanto do escutado como de terceiros, pois assegura a essencialidade do teor do auto à descoberta da verdade, limitando a intervenção no direito à palavra falada a moldes proporcionados, impedindo uma excessiva devassa, desprezando factos inúteis, sobretudo de terceiros, a menos que revelem à descoberta da verdade. VI — Quaisquer que sejam os eventuais vícios de que possam enfermar as escutas não constituindo meio de prova proibido, absolutamente nulo, seja por contacto judicial longamente deferido sobre o seu termo, seja por aproveitamento de outras provas por elas proporcionadas e consequentes, como buscas, exames, apreensões, declarações, inquirições, vigilâncias, etc., não tendo sido arguidos pelos interessados, em tempo, está o tribunal impedido de as declarar nulas, bem como às suas consequências (Ac. STJ de 26 de Novembro de 2003, proc. n.º 3164/03-3.ª; *SASTJ*, n.º 75, 99);

— I — É inconstitucional, por violação das disposições conjugadas dos arts. 32.º, n.º 8; 43.º, n.ºs 1 e 4 e 18.º, n.º 2, da CRP, a norma constante do art. 188.º, n.º 1, do CPP, quando interpretada no sentido de uma intercepção telefónica, inicialmente autorizada por 60 dias, poder continuar a processar-se, sendo prorrogada por novos períodos, ainda que de menor duração, sem que previamente o juiz de instrução tome conhecimento do conteúdo das conversações. II — É inconstitucional, por violação dos mesmos preceitos da CRP, a citada norma, na interpretação segundo a qual a primeira audição, pelo juiz de instrução criminal, das gravações efectuadas pode ocorrer mais de três meses após o início da intercepção e gravação das comunicações telefónicas. (Ac. do Trib. Constitucional n.º 379/2004, de 1 de Junho de 2004, proc. n.º 181/2004; *DR*, II série, de 21 de Julho do mesmo ano);

— I — Iniciada a intercepção e gravação das escutas telefónicas, deve logo lavrar-se auto, o qual se deve levar, de imediato, ao conhecimento do juiz de instrução, para lhe possibilitar um acompanhamento contínuo e próximo, temporal e materialmente. II — Se não houver, por parte do juiz de instrução, uma companhamento contínuo e próximo, temporal e materialmente, as escutas são nulas. III — A nulidade das escutas é uma nulidade absoluta e portanto insanável; não se transmite, porém, às provas obtidas através da revista, da busca e da apreensão, realizadas legalmente na sequência das ditas escutas. I V— A nulidade das escutas afecta, no entanto, a prova obtida que se baseia exclusivamente nessas escutas. (Ac. RE de 9 de Junho de 2005, proc. n.º 715/2005; *CJ*, ano XXX, tomo 3, 297);

— A preterição de algumas formalidades legais relativamnete às operações de intercepção e gravação de escutas telefónicas, designadamente por não terem sido imediatamente levadas ao conhecimento do juiz o auto e os suportes e por não se ter lavrado um auto de onde constem todas as operações referidas no n.º 3 do art. 188.º do CPP, consubstancia nulidade sanável, a arguir até ao encerramento do debate instrutório. (Ac. STJ de 15 de Junho de 2005, proc. n.º 1556/2005-3.ª; *SASTJ*, n.º 92, 93);

— I — Constitui nulidade absoluta a inobservância dos pressupostos substantivos da admissão das escutas telefónicas enunciados no art. 187.º do CPP. II — A infracção das regras procedimentais fixadas no art. 188.º do CPP constitui nulidade relativa sanável, dependente, por isso, da arguição por parte

Artigo 188.º

do interessado na sua observância, a qual tem que ser feita até ao momento temporal previsto no art. 120.º, n.º 3, al. c), do CPP. III — As regras procedimentais hão-de observar-se de tal modo que o juiz mantenha um controlo apertado e efectivo das escutas telefónicas, o que passa pela sua autorização, pela elaboração de autos da sua efectivação, pela imediata audição, transcrição e validação das escutas que considere relevantes para a prova, pela destruição das que considere irrelevantes, por fazer cessar as escutas logo que elas deixem de justificar-se, e por não passarem largos períodos de tempo sem que sejam controladas pelo juiz e documentadas nos autos. (Ac. RP de 21 de Julho de 2005; *CJ*, XXX, 228);

— As eventuais nulidades pelo não cumprimento do disposto no art. 188.º do CPP devem ser arguidas no prazo de cinco dias após a notificação do despacho que encerra o inquérito, nos terms do art. 120.º, n.º 3, al. c), do CPP. Não o sendo, devem considerar-se sanadas. (Ac. STJ de 7 de Dezembro de 2005; *SASTJ*, n.º 96, 64);

— I — O auto de transcrição de escutas telefónicas destinado a fazer fé (art. 99.º, n.º 1, do CPP), constitui documento inconfundível com a prestação de declarações do arguido em inquérito, e que, portanto, não carece de ser lido em julgamento para formar a convicção probatória. II — A sua incorporação no processo desde momentos cruciais não surpreenderá os sujeitos processuais, assistidos do poder de examiná-lo e contraditá-lo, exercitando com toda a largueza o contraditório e a imediação com ele, inclusivé na própria audiência, não sendo imprescindível a leitura dessa prova pré-constituída, salvaguardado que se mostra o núcleo essencial do direito de defesa dos arguidos. (Ac. STJ de 8 de Fevereiro de 2006, proc. n.º 2892/05-3.ª);

— É inconstitucional, por violação do art. 32.º, n.º 1, da CRP, a norma do art. 188.º, n.º 3, do CPP, na interpretação segundo a qual permite a destruição de elementos de prova obtidos mediante intercepção de telecomunicações que o órgão de polícia criminal e o MP conheceram e que são considerados irrelevantes pelo juiz de instrução, sem que o arguido deles tenha conhecimento e sem que se possa pronunciar sobre a sua relevância. (Ac. do Trib. Constitucional n.º 660/2006, de 28 de Novembro; *DR*, II série, de 10 de Janeiro de 2007);

— Não é inconstitucional a norma do art. 188.º, n.º 6, alínea a), do CPP, na redacção dada pela Lei n.º 48/2007, de 29 de Agosto, quando interpretada no sentido de que o juiz de intrução determina a destruição imediata dos suportes técnicos e relatórios manifestamente estranhos ao processo, que digam respeito a conversações em que não intervenham pessoas referidas no n.º 4 do artigo 187.º do mesmo diploma, sem que antes o arguido deles tenha conhecimento. (Ac. do Trib. Constitucional n.º 293/2008; *DR*, II série, de 1 de Julho de 2008). No mesmo sentido o ac. n.º 340/2008; *DR*, II série, de 21 de Julho de 2008);

— Não é inconstitucional a norma do art. 188.º, n.º 3, do CPP, na redacção anterior à Lei n.º 48/2007, de 29 de Agosto, quando interpretada no sentido de que o juiz de instrução pode destruir o material coligido através de escutas telefónicas, se considerado não relevante, sem que antes o arguido dele tenha conhecimento e sobre ele possa pronunciar-se. (Ac. do Trib. Constitucional n.º 70/2008; *DR*, II série, de 7 de Julho de 2008;

Código de Processo Penal

Não é inconstitucional a interpretação da norma da n.º 1 do art. 188.º do CPP, no sentido de que o incisivo "imediatamente" deve ser interpretado dentro das contingências inerentes à complexidade e dimensão do processo. (Ac. do Trib. Constitucional n.º 446/2008; *DR,* II série, de 28 de Outubro de 2008).

ARTIGO 189.º

(Extensão)

1. O disposto nos artigos 187.º e 188.º é correspondentemente aplicável às conversações ou comunicações transmitidas por qualquer meio técnico diferente do telefone, designadamente correio electrónico ou outras formas de transmissão de dados por via telemática, mesmo que se encontrem guardadas em suporte digital, e à intercepção das comunicações entre presentes.

2. A obtenção e junção aos autos de dados sobre a localização celular ou de registos da realização de conversações ou comuni-cações só podem ser ordenadas ou autorizadas, em qualquer fase do processo, por despacho do juiz, quanto a crimes previstos no n.º 1 do artigo 187.º e em relação às pessoas referidas no n.º 4 do mesmo artigo.

---

1. Este artigo foi introduzido pela Lei n.º 48/2007, de 29 de Agosto.

O n.º 1 reproduz o art. 190.º da versão anterior, excepto na parte final, onde foi aditada a inclusão das formas de transmissão de dados por via telemática guardados em suporte digital.

O n.º 2 não tinha correspondente na versão anterior.

Ficou consagrada a doutrina do Directiva n.º 5/2001 da PGR, *in DR,* II série, de 28 de Agosto.

2. As imagens obtidas por sistema de vigilância, ultimamente muito divulgado, podem, em nosso entendimento, servir como meio de prova. Não visam ninguém em especial, mas o sistema de vídeo-vigilância deve encontrar--se devidamente autorizado.

3. *Jurisprudência:*

— O regime previsto nos arts. 187.º, 188.º e 190.º (actual 189.º) do CPP não é aplicável às filmagens. (Ac. STJ de 3 de Dezembro de 1977, proc. n.º 1204/97-5.ª);

— A nulidade resultante de as autoridades policiais terem lido as mensagens existentes no cartão de telemóvel do arguido não é absoluta, mas relativa; logo deveria ter sido invocada até cinco dias sobre o encerramento do inquérito. (Ac. STJ de 20 de Setembro de 2006; *CJ, Acs do STJ,* ano XIV, tomo 3, 189).

Artigo 190.º

ARTIGO 190.º

(Nulidade)

Todos os requisitos e condições referidos nos artigos 187.º e 188.º e 189.º são estabelecidos sob pena de nulidade.

1. Este artigo foi introduzido pela Lei n.º 48/2007, de 29 de Agosto. Reproduz, com aditamento da inclusão do art. 189.º, o art. 190.º da versão anterior, que por sua vez reproduzia o art. 189.º do Proj..

2. Sobre a nulidade aqui cominada, e resultante de inobservância dos requisitos e condições referidos nos arts. 187.º, 188.º e 189.º, vejam-se as anots. aos arts. 187.º a 189.º. Salvo o caso de falta de ordem ou de autorização judicial, em que se nos afigura que a nulidade é insanável, tratar-se-á de nulidades sanáveis, com o regime dos arts. 120.º e 121.º. Assim entendem também Simas Santos e Leal-Henriques, *Código de Processo Penal Anotado*, 1.º vol., 721. E sendo caso da apreensão ou de intromissão na correspondência postal ou nas telecomunicações tratar-se-á de método proibido de prova sempre que forem efectuadas sem consentimento de quem de direito ou sem ordem da autoridade judiciária, com o tratamento ainda mais radical do que o das nulidades propriamente ditas, como se apontou na anot. 5 ao art. 118.º e como se deduz dos arts. 32.º, n.º 8, da CRP e 126.º, n.º 3, deste Código.

Costa Pimenta, *Código de Processo Penal,* em anot. a este artigo, entende que mesmo no caso de falta de ordem ou de autorização do juiz se trata de nulidade sanável, mas cremos que infundadamente, demais considerando-se o disposto no n.º 3 do art. 126.º.

3. *Jurisprudência:*

— I — Há que distinguir na cominação estabelecida no art. 189.º do CPP, que fala genericamente em nulidade para as infracções às regras dos arts. 187.º e 188.º, entre pressupostos substancias de admissão das escutas (art. 187.º) e condições processuais da sua aquisição (art. 188.º) para o efeito de assinalar o vício que atinja os primeiros a nulidade absoluta, e à infracção dos segundos a nulidade relativa, sanável. II — Apesar de o art. 189.º do CPP se referir genericamente a nulidade, não assume a mesma gravidade a utilização de um meio proibido de prova, por ilegal intromissão nas comunicações - pelo que o vício não pode deixar de ser cominado com nulidade absoluta, e a preterição de formalidades legais na recolha de escutas telefónicas validamente autorizadas, destinadas a documentar a operação e a salvaguardar o sigilo, tratando-se aqui de uma nulidade sanável, a arguir nos termos do art.120.º, n.º 3, al. c), do CPP. (Ac. STJ de 18 de Maio de 2005, proc. n.º 4189/02-3.ª; *SASTJ*, n.º 91, 129).;

— A nulidade resultante de as autoridades policiais terem lido as mensagens existentes no cartão de telemóvel do arguido não é absoluta, mas sim relativa; logo deveria ter sido invocada até cinco dias sobre o encerramento do inquérito. (Ac. STJ de 20 de Setembro de 2006; *CJ, Acs. do STJ,* ano XIV, tomo 3, 189).

473

LIVRO IV

DAS MEDIDAS DE COACÇÃO E DE GARANTIA PATRIMONIAL

TÍTULO I

DISPOSIÇÕES GERAIS

ARTIGO 191.°

(Princípio da legalidade)

1. A liberdade das pessoas só pode ser limitada, total ou parcialmente, em função de exigências processuais de natureza cautelar, pelas medidas de coacção e de garantia patrimonial previstas na lei.

2. Para efeitos do disposto no presente Livro, não se considera medida de coacção a obrigação de identificação perante a autoridade competente, nos termos e com os efeitos previstos no artigo 250.°.

---

1. Reproduz o art. 191.° do Proj. Não havia disposição correspondente no CPP de 1929. O n.° 1 foi inspirado no art. 262.° do Projecto preliminar italiano.

2. A Lei n.° 43/86, de 26 de Setembro (Lei de Autorização legislativa), no art. 2.°, n.° 2, al. 36), determinou a definição de limites às medidas de coacção e de garantia patrimonial, cuja aplicação deveria ficar dependente da prévia constituição como arguido, e a introdução de figuras menos lesivas dos direitos fundamentais mas igualmente persecutoras da intencionalidade do processo penal, como o confinamento em residência e o arresto preventivo.

Código de Processo Penal

Neste título estabelecem-se disposições gerais sobre a aplicação das medidas de coacção e de garantia patrimonial; no seguinte enumeram-se as medidas de coacção (termo de identidade e residência, caução, obrigação de apresentação periódica, proibição de permanência, de ausência ou de contactos, suspensão do exercício de funções, de profissão e de direitos, obrigação de permanência na habitação e prisão preventiva); estabelecem-se as condições de que depende a aplicação das medidas enumeradas; preceitua-se sobre revogação, alteração e extinção das mesmas; regula-se o modo de as impugnar e ainda a indemnização por privação da liberdade ilegal ou injustificada. No título III enumeram-se as medidas de garantia patrimonial (caução económica e arresto preventivo).

3. Neste artigo estabelece-se no n.º 1 o *princípio da legalidade* das medidas de coacção e de garantia patrimonial, visando aqui a lei significar, em lugar de relevo, que estas medidas são só aquelas que na lei estão enumeradas taxativamente, não podendo pois, por qualquer outro modo, privar-se total ou parcialmente a liberdade das pessoas.

Outros princípios que regem a aplicação das medidas de coacção e de garantia patrimonial são os da *adequação,* da *proporcionalidade,* da *precariedade, da necessidade* e, quanto à prisão preventiva, o da *subsidiariedade.*

Os princípios da necessidade, adequação e da proporcionalidade encontram--se estabelecidos no art. 193.º, n.º 1, e, para dar satisfação às exigências destes princípios pôs o Código à disposição do julgador várias medidas de coacção, graduando-as em função da sua gravidade crescente, desde o termo de identidade e residência até à prisão preventiva.

O princípio da precariedade, segundo o qual as medidas de coacção, porque impostas a arguido que se presume inocente, não devem ultrapassar o *comunitariamente suportável* (Figueiredo Dias, *apud* Odete Maria de Oliveira, *Jornadas de Direito Processual Penal,* 188) ganha particular expressão quando essas medidas se protelam no tempo para além do que é razoável (cfr. arts. 215.º e 218.º). O princípio da subsidiariedade da prisão preventiva resulta de várias disposições do Código, nomeadamente dos arts. 202.º e 209.º.

Sobre estes princípios, vejam-se Castro e Sousa, *Jornadas de Direito Processual Penal,* 150 e segs.; Odete Maria de Oliveira, *ibidem,* 187; e José António Barreiros, *As Medidas de Coacção e de Garantia Patrimonial no Novo Código de Processo Penal,* Separata do *Boletim do Ministério da Justiça,* n.º 371, 6 e segs. e Prof. Germano Marques da Silva, *Curso de Processo Penal,* II, 231 e segs.

4. Quanto a medidas de coacção e de garantia patrimonial o Código procurou soluções imaginativas, dentro do quadro constitucionalmente admissível. Retomando institutos já admitidos pelo direito anterior, como o termo de identidade e de residência, a caução, a obrigação de apresentação periódica, a proibição de permanência, ausência ou contactos e a suspensão do exercício de funções, profissões ou direitos, aditou figuras novas, não só maleabilizando o elenco antigo, como introduzindo modalidades ainda não experimentadas, como a obrigação de permanência na habitação, com a concomitante obrigação para o arguido de não se ausentar, ou de se não ausentar sem autorização da habitação própria ou de outra em que de momento resida.

Artigo 192.º

5. Quanto a pessoas colectivas são-lhes aplicáveis medidas de garantia patrimonial e também medidas de coacção, mas, quanto a estas, com as limitações decorrentes da sua natureza específica. Não lhes são, assim, aplicáveis caução carcerária, prisão preventiva, prisão domiciliária, apresentação periódica, e outras.

ARTIGO 192.º
(Condições gerais de aplicação)

1. A aplicação de medidas de coacção e de garantia patrimonial depende da prévia constituição como arguido, nos termos do artigo 58.º, da pessoa que delas for objecto.

2. Nenhuma medida de coacção ou de garantia patrimonial é aplicada quando houver fundados motivos para crer na existência de causas de isenção da responsabilidade ou de extinção do procedimento criminal.

---

1. Reproduz o art. 191.º do Proj. Não havia disposições correspondentes no CPP de 1929. Foi inspirado no art. 263.º do Projecto preliminar italiano.

2. Como claramente se deduz deste artigo e do art. 194.º, são condições gerais de aplicação de uma medida de coacção e de garantia patrimonial:
   a) Existência de um processo criminal já instaurado;
   b) Prévia constituição como arguido da pessoa que vai ser submetida à medida;
   c) Uma certa medida de pena aplicável ao crime em causa; e
   d) Inexistência de fundados motivos para crer na existência de causas de isenção da responsabilidade ou de extinção do procedimento criminal.

3. Ver anot. ao art. 191.º.
Para além de garantias gerais quanto à aplicação das medidas de coacção ou de garantia patrimonial, estabelecem-se ainda neste artigo garantias acrescidas, ao estipular-se, por um lado, que a aplicação das medidas em apreço depende sempre da prévia constituição como arguido, possibilitando assim a este os adequados meios de defesa; e, por outro lado, que nenhuma medida deve ser aplicada quando houver fundados motivos para crer na existência de causa de isenção da responsabilidade ou de extinção do procedimento criminal. Com esta última exigência estabelece-se um obstáculo à aplicação de medidas de coacção quando não há elementos para a punição do arguido. Outras garantias se estabelecem ainda no art. 193.º.

4. O obstáculo à aplicação de qualquer medida de coacção ou de garantia patrimonial estabelecido no n.º 2 – fundados motivos para crer na existência de causas de isenção da responsabilidade ou da extinção de procedimento criminal-deixa larga margem de apreciação para o prudente arbítrio do julgador no que concerne a avaliar, numa fase atrasada do processo, se há fundados motivos conducentes a essa conclusão. Trata-se de um dispositivo que, até onde

Código de Processo Penal

alcançamos, tem merecido pouca atenção e sido aplicado muito parcimoniosamente.

As causas de isenção da responsabilidade e as de extinção do procedimento criminal são as que vêm estabelecidas no Código Penal – Título V do Livro I, arts. 118.º a 128.º, e eventualmente em outras leis penais extravagantes, abrangendo portanto o dispositivo qualquer situação em que o arguido, por fundados motivos já existentes, deverá ficar isento de responsabilidade criminal ou verá o procedimento criminal extinto.

ARTIGO 193.º

(Princípios da necessidade, adequação e proporcionalidade)

1. As medidas de coacção e de garantia patrimonial a aplicar em concreto devem ser necessárias e adequadas às exigências cautelares que o caso requerer e proporcionais à gravidade do crime e às sanções que previsivelmente venham a ser aplicadas.

2. A prisão preventiva e a obrigação de permanência na habitação só podem ser aplicadas quando se revelarem inadequadas ou insuficientes as outras medidas de coacção.

3. Quando couber ao caso medida de coacção privativa da liberdade nos termos do número anterior, deve ser dada preferência à obrigação de permanência na habitação sempre que ela se revele suficiente para satisfazer as exigências cautelares.

4. A execução das medidas de coacção e de garantia patrimonial não deve prejudicar o exercício de direitos fundamentais que não forem incompatíveis com as exigências cautelares que o caso requerer.

---

1. O texto deste artigo foi introduzido pela Lei n.º 48/2007, de 29 de Agosto. Não existem, porém, divergências substanciais com o texto anterior, que reproduzia o art. 193.º do Proj. e fora inspirado no art. 264.º do Projecto preliminar italiano. E assim:

— No n.º 1 foi somente aditado o adjectivo *necessárias*;
— No n.º 2 foi somente aditada *a obrigação de permanência na habitação;*
— O n.º 3 não tinha correspondente anterior mas é afloramento do princípio da adequação;
— O n.º 4 reproduz o n.º 3 da versão anterior.

2. Estabelece-se neste artigo o *princípio da necessidade, adequação e proporcionalidade das medidas de coação e de garantia patrimonial,* que funciona como garantia na aplicação destas medidas, e que é uma directiva para a escolha e graduação da medida a aplicar, segundo as exigências de cada caso concreto. Ver anot. ao art. 191.º.

Artigo 194.º

3. Ver anots. aos arts. 191.º e 192.º.

A Lei n.º 43/86, art. 2.º, al. 38) também impôs o carácter subsidiário da prisão preventiva, aqui estabelecido no n.º 2. Esta natureza significa que a aplicabilidade da prisão preventiva se restringe aos casos em que, além dos parâmetros fixados em outras disposições, as restantes medidas de coacção se mostram inadequadas ou insuficientes. Trata-se da *extrema ratio* dentre as exigências cautelares do processo penal, e não da medida coerciva que deve ser normalmente aplicada, mesmo quando se verificam todos os pressupostos formais da sua aplicação. Como resulta deste e de outros dispositivos legais, incluindo comandos constitucionais, e vem sendo expendido por toda a doutrina autorizada, a prisão preventiva só deve ser aplicada quando, em face das concretas circunstâncias, se mostrarem inadequadas e insuficientes as outras medidas de coacção.

4. *Jurisprudência:*

— Em obediência aos princípios da adequação e da proporcionalidade – art. 193.º do CPP – e atenta a eliminação das categorias de crimes incaucionáveis, só é possível aplicar a medida de coacção de prisão preventiva depois de se percorrer o respectivo catálogo, por ordem de crescente gravidade, e de julgar, em face das concretas circunstâncias do caso, inadequadas ou insuficientes as outras medias de coacção (princípio da subsidiariedade da prisão preventiva). (Ac. RE de 13 de Março de 1990; *BMJ*, n.º 395, 693);

— I — As decisões judiciais que aplicam medidas de coacção, como quaisquer outras, transitam em julgado. Porém, dadas a peculiar natureza das exigências que as justificam e a presunção de inocência do arguido, a eficácia do caso julgado, neste domínio, não é absoluta, dependendo da rigorosa manutenção dos pressupostos da respectiva decisão *(rebus sic stantibus)*. II — A decisão que aplica medidas de coacção, uma vez transitada em julgado, é irrevogável enquanto (e só enquanto) se mantiverem inalteráveis os pressupostos que a determinaram. Logo, se se produzir alteração desses pressupostos, é lícita, no mesmo processo, nova decisão de conteúdo diferente da que, anterior de conteúdo diferente da que, anteriormente, transitada em julgado, aplicou diferente medida de coacção. (Ac. STJ de 21 de Janeiro de 1998, proc. n.º 1166/97.

ARTIGO 194.º

(Despacho de aplicação e sua notificação)

1. À excepção do termo de identidade e residência, as medidas de coacção e de garantia patrimonial são aplicadas por despacho do juiz, durante o inquérito a requerimento do Ministério Público e depois do inquérito mesmo oficiosamente, ouvido o Ministério Público.

2. Durante o inquérito, o juiz não pode aplicar medida de coacção ou de garantia patrimonial mais grave do que a requerida pelo Ministério Público, sob pena de nulidade.

Código de Processo Penal

3. A aplicação referida no n.º 1 é precedida de audição do arguido, ressalvados os casos de impossibilidade devidamente fundamentada, e pode ter lugar no acto de primeiro interrogatório judicial, aplicando-se sempre à audição o disposto no n.º 4 do artigo 141.º.

4. A fundamentação do despacho que aplicar qualquer medida de coacção ou de garantia patrimonial, à excepção do termo de identidade e residência, contém, sob pena de nulidade:

a) A descrição dos factos concretamente imputados ao arguido, incluindo, sempre que forem conhecidas, as circunstâncias de tempo, lugar e modo;

b) A enunciação dos elementos do processo que indiciam os factos imputados, sempre que a sua comunicação não puser gravemente em causa a investigação, impossibilitar a descoberta da verdade ou criar perigo para a vida, a integridade física ou psíquica ou a liberdade dos participantes processuais ou das vítimas do crime;

c) A qualificação jurídica dos factos imputados;

d) A referência aos factos concretos que preenchem os pressupostos de aplicação da medida, incluindo os previstos 193.º e 204.º.

5. Sem prejuízo do disposto na alínea *b)* do número anterior, não podem ser considerados para fundamentar a aplicação ao arguido de medida de coacção ou de garantia patrimonial, à excepção do termo de identidade e residência, quaisquer factos ou elementos do processo que lhe não tenham sido comunicados durante a audição a que se refere o n.º 3.

6. Sem prejuízo do disposto na alínea *b)* do n.º 4, o arguido e o seu defensor podem consultar os elementos do processo determinantes da aplicação da medida de coacção ou de garantia patrimonial, à excepção do termo de identidade e residência, durante o interrogatório judicial e no prazo previsto para a interposição de recurso.

7. O despacho referido no n.º 1, com a advertência das consequências do incumprimento das obrigações impostas, é notificado ao arguido.

8. No caso de prisão preventiva, o despacho é comunicado de imediato ao defensor e, sempre que o arguido o pretenda, a parente ou a pessoa da sua confiança.

---

1. Com excepção do n.º 1, que manteve a redacção introduzida pela Lei n.º 59/98, de 25 de Agosto, o texto deste artigo foi introduzido pela Lei n.º 48/2007, de 29 de Agosto.

Artigo 194.º

2. Com o texto do n.º 1, introduzido pela supra mencionada Lei n.º 58/98, ficou bem explícito que durante o inquérito o termo de identidade e residência pode ser aplicado pelo do MP. Já assim devia ser entendido no domínio da versão originária, em face do dispositivo do n.º 1 do art. 196.º.

Todas as outras medidas de coacção e de garantias patriminial são aplicadas pelo juiz, durante o inquérito a requerimento do MP e depois do inquérito mesmo oficiosamente.

Pinto de Albuquerque, *in Comentário do Código de Processo Penal,* pág. 529 considera inconstitucional o n.º 1 deste art. 194.º, na medida em que não reconhece ao assistente, tal como reconhece ao MP, o direito de requerer a aplicação de medidas de coacção durante a fase do inquérito. Discordamos deste entendimento, pois que o assistente não tem as funções de execução da política criminal e de exercício da acção penal conferidas ao MP pelo art. 219.º, n.º 1, do CRP. E dentro dos parâmetros constitucionais estão bem diferenciadas, na lei ordinária, as funções do MP e do assistente durante o inquérito.

O n.º 2 veio resolver expressamente dúvidas que surgiram na versão anterior, seguindo a orientação que vínhamos sustentando nas precedentes edições desta obra.

O n.º 3 corresponde, com maior exigência quanto à fundamentação, ao n.º 2 da versão anterior.

Como outros significativos desenvolvimentos ou alterações ao regime anterior podem ainda apontar-se os segentes:

— O despacho que aplique a medida de coacção ou de garantia patrimonial com excepção do termo de identidade e residência, deve indicar, sob pena de nulidade, todos os elementos constantes das alíneas a), b), c) e d) do n.º 4, aqui se destacando a qualificação jurídica dos factos imputados, a que adiante nos referiremos mais demoradamente;

— A comunicação ao arguido dos meios de prova só é recusada quando puser gravemente em causa a investigação, impossibilitar a descoberta da verdade ou criar perigo para a vida, a integridade física ou psíquica ou a liberdade dos participantes processuais ou das vítimas do crime.

A exigência de que a fundamentaçãodo despacho que aplique qualquer medida de coacção ou de garantia patrimonial, com excepção do termo de identidade e residência, contenha, sob pena da nulidade, a qualificação jurídica dos factos imputados suscita-nos algumas reservas:

Uma exigência como esta, ou outra de semelhante amplitude, não constava de qualquer dispositivo anterior, e não vinha sendo consistentemente sugerida, quer pela doutrina quer pela jurisprudência.

As medidas de coacção e de garantia patrimonial são em regra aplicadas no início do inquérito, num momento em que a qualificação jurídica dos factos, e mesmo estes, estão envoltos em alguma nebulosidade: furto simples ou furto qualificado? Roubo com ofensa à integridade física consumida, ou com acumulação de ambos estes crimes? Coautoria, actuação paralela o associação de mulfeitores? Pluralidade de crimes, unidade ou unificação em crime continuado? Tentativa de violação, tentativa de roubo ou ofensiva à integridade física?...etc.

Quais as consequências se os factos imputados no início do inquérito vierem a ter qualificação diversa na acusação, na pronúncia ou no julgamento? Se vierem a ter qualificação diversa da que lhes foi dada no despacho que aplicou

Código de Processo Penal

a medida de coacção ou de garantia patrimonial poder-se-á sustentar que a gravidade supera a da omissão, por induzir em erro, e que, por isso, o tratamneto deve, po maioria de razão, ser, pelo menos, o que é dado à omissão de indicação da qualificação jurídica dos factos - nulidade do despacho que aplicou a medida de coacção e de garantia patrimonial.

Germano Marques da Silva, *in Curso de Processo Penal*, II, 4.ª edição, pág. 313 sustenta que o caso de errada qualificação dos factos no despacho de aplicação de medida de coacção é de erro, susceptível de correcção por via de recurso. Mas a doutrina deste insigne professor não nos convence, nem é, em nosso entendimento, viável, pois que, no momento da aplicação da medida a factualidade, ainda nebulosamente configurável, pode justificar a medida decretada e a qualificação jurídica dessa factualidade, tudo se alterando pouco depois. Para que recorrer, então?

Quid juris se o arguido, com a alegação de que aos factos veio a ser dada qualificação jurídica diversa da que lhes foi dada no despacho que no início do inquérito aplicou a medida de coacção de prisão preventiva? Nulidade da medida, e, em consequência, ilegalidade da prisão preventiva e direito a indemnização? Se, em casos como este não há nulidade - e afigura-se-nos que há, como já sustentámos, ficará então aberto o caminho para o juiz poder indicar uma qualquer qualificação jurídica, dentro o nebuloso leque de todas as que no início do inquérito se podem vir a configurar.

A omissão, na fundamentação do despacho que aplicar qualquer medida de coação ou de garantia patrimonial, de algum dos elementos constantes das alíneas do n.º 4, é cominada com nulidade. Trata-se, em nosso entendimento, de nulidade dependente de arguição, nos termos do art. 120.º, devendo portanto ser arguida no prazo estabelecido na alínea *c)* do n.º 3 desse art.120.º. Se, porém, houver reexame dos pressupostos da medida de coacção de prisão preventiva ou da obrigação de permanência na habitação, nos termos do art. 213.º, com alteração dos elementos constantes das alíneas deste art. 194.º, designadamente da qualificação jurídica, aplicar-se-á o regime constante desse art. 213.º.

3. *Jurisprudência:*

— I — Ao arguido detido deve ser dada a possibilidade de, através do seu defensor, se manifestar sobre a medida de coacção que está em vias de lhe ser aplicada. II — A inobservância deste procedimento constitui mera irregularidade que só pode ser arguida no acto. III — O defensor do arguido deve também assinar os actos processuais a que esteve presente; não o fazendo, ocorre também uma simples irregularidade. (Ac. RC de 17 de Novembro de 1993; *CJ*, XVIII, tomo 5, 56);

— O arguido tem que ser notificado para estar presente na diligência em que se decida a prestação de caução económica, devendo aí ser ouvido sobre o respectivo pedido. (Ac. RP de 1 de Outubro de 1997; *CJ*, XXII, tomo 4, 240);

— O dever de fundamentação das decisões judiciais imposto pelo art. 205, n.º 1 da CRP, não proscreve em absoluto a possibilidade de o juiz fundamentar a sua decisão mediante remissão para a promoção do MP, a cujo conteúdo dá a sua adesão. A proibição de tal modo de fundamentar existe quando for susceptível de criar a dúvida sobre se se trata de uma decisão pessoal do juiz ou apenas um *ir atrás* do MP, pois só então o juiz deixa de desempenhar uma

Artigo 195.º

função que é sua. Quando a decisão surge inequivocamente como uma decisão pessoal do juiz, os arts. 97, n.º 4; 141, n.º 6 e 194, n.º 1 do CPP não sofrem de inconstitucionalidade. (Ac. do Trib. Constitucional n.º 396/2003, de 30 de Julho de 2003, proc. n.º 485/2003; *DR,* II série, de 4 de Fevereiro de 2004);

— É inconstitucional, por violação do disposto nos arts. 28.º n.º 1, e 32.º, n.º 1, da CRP, a norma extraída da conjugação dos arts. 141.º, n.º 4 e 194, n.º 3, do CPP, segundo a qual, no decurso de interrogatório de arguido detido, a exposição dos factos que lhe são imputados e dos motivos da detenção se basta com a indicação genérica ao arguido das infracções penais de que é acusado, da identidade das vítimas como alunos, à data da Casa Pia de Lisboa, e outras pessoas, mas todas elas menores de 16 anos estando o tribunal dispensado, por unutilidade, de proceder a maior pormenorização além da que resulta da indicação feita em tais termos, quando o arguido, confrontado com ela tome a posição de negar frontalmente os factos, e na ausência da apreciação em concreto da existência de inconveniente grave naquela concretização. (Ac. do Trib. Constitucional n.º 607/2003, de 5 de Dezembro proc. n.º 594/03 – 2.ª; *DR,* II série, de 8 de Abril de 2004);

— Se o arguido for preso preventivamente quando já estiver com culpa formada, encontrando-se o processo na fase de marcação do julgamento ou com este realizado sem trânsito em julgado da condenação, tendo-lhe sido dada a possibilidade de se defender da imputação fáctica e jurídica que constitui o pressuposto da ordem de prisão, já não faz sentido a validação da prisão preventiva após interrogatório judicial. (Acs. STJ de 1 de Junho de 2005, proc. n.º 1368/05-3.ª ; *SASTJ,* n.º 92, 89 e de 8 do mesmo mês, proc. n.º 751/05-3.ª; *ibidem,* n.º 92, 91);

— Na fase de inquérito, o juiz de instrução não pode aplicar medida mais grave do que a promovida pelo MP, nem determinar uma forma mais penosa do respectivo cumprimento. (Ac. RE de 5 de julho de 2005; *CJ,* XXX, tomo 4, 275);

— Não é constitucional a interpretação das normas dos arts. 61.º, n.º 1, al. b); 118.º, n. 1 e 2; 119.º; 120.º; 123.º, n.º 1 e 194.º, n.º 2, do CPP, no sentido de que constitui irregularidade, a arguir no próprio acto, a prolação de despacho judicial a determinar a aplicação da medida de coacção de prisão preventiva ao arguido, na sequência de promoção do MP formulada após termo do primeiro interrogatório judicial de arguido detido, sem que este, assistido por mandatário por ele constituído, presente ao acto, tenha sido ouvido sobre essa promoção, sem invocação fundamentada de impossibilidade ou inconveniência dessa audição. (Ac. Trib. Constitucional de 31 de Maio de 2006, proc. n.º 376/2006; *DR*, II série, de 12 de Julho de 2006).

ARTIGO 195.º

(Determinação da pena)

Se a aplicação de uma medida de coacção depender da pena aplicável, atende-se, na sua determinação, ao máximo da pena correspondente ao crime que justifica a medida.

Código de Processo Penal

1. Reproduz o art. 195.° do Proj. Não havia disposição expressa correspondente no CPP de 1929, mas não há alteração ao regime desse diploma, que mandava atender à pena aplicável. Foi inspirado no art. 268.° do Projecto preliminar italiano.

2. Cremos que se deve aqui atender às circunstâncias previstas na lei como modificativas, quer qualifiquem quer privilegiem o crime. É sempre ao limite máximo da pena correspondente ao crime apontado ao arguido que se há-de atender, para efeitos de aplicação de uma medida de coacção. Porém, e contrariamente ao que sucede com o art. 15.°, que é restrito ao caso de determinação da competência e que alude à *pena a aplicar no processo* enquanto que aqui se alude à *pena correspondente ao crime,* deve, para o efeito deste art. 195.°, atender-se tão só ao máximo da pena correspondente a um dos crimes objecto do processo em que a medida é aplicada (independentemente, portanto, da pena correspondente a um eventual concurso de infracções).

Dentro desta orientação expenderam Prof. Germano Marques da Silva, *Curso de Processo Penal,* 2.ª ed., II, 251; J. A. Barreiros, *Manual,* 578 e Simas Santos/Leal Henriques, *Código de Processo Penal,* 2.ª ed., 1.° vol., 969. Em sentido contrário, Carmona da Mota; *RMP, Cadernos,* 4, 56.

Sobre a questão veja-se ainda Odete Maria de Oliveira, *Jornadas de Direito Processual Penal,* 173.

— I — No caso de primeiro interrogatório de arguido detido, do art. 141.º do CPP, o juiz de instrução não está sujeito a limites, podendo aplicar a medida de coacção que entender mais adequada, nomeadamente a prisão preventiva, mesmo quando o MP tenha promovido a aplicação de medida menos gravosa. II — A expressão *a requerimento do MP,* constante do n.º 1 do art. 194.º do CPP, deverá ser interpretada no sentido de o juiz, durante o inquérito, não poder, oficiosamente, aplicar medidas de coacção sem impulso, ou seja, a requerimento do MP. III — Em fase de inquérito, ao MP caberá, apenas, impulsionar a apresentação do arguido detido ao juiz de instrução para primeiro interrogatório judicial e aplicação de medida de coacção que entenda por mais adequada, não ficando o juiz vinculado pela posição assumida pelo MP no que tange à medida eventualmente requerida. (Ac. RL de 21 de Fevereiro de 2007, proc. n.º 852/06-3.ª).

3. *Jurisprudência:*

— I — As medidas de coacção, designadamente a de prisão preventiva, são aplicadas no âmbito de um processo, e os limites das mesmas são referidos a esse processo, sem qualquer correlação com as que possam ser impostas em outro ou outros processos que se encontrem também pendentes, salvo se houver lugar a conexão e a julgamento final unitário. II — Assim, desde que o arguido, atingido o prazo máximo de prisão preventiva no processo à ordem do qual estava preso, tenha ficado à ordem de outro processo onde tinha sido julgado e condenado e não tenha sido atingido o termo da prisão aí aplicada, mesmo que da respectiva decisão tenha sido interposto recurso, continua legalmente preso. III — Isto porque num processo não foi atingido o máximo da prisão preventiva permitida por lei e no outro a prisão foi determinada por decisão judicial de que cabe recurso ordinário. (Ac. STJ de 23 de Novembro de 1994, proc. 57/94).

TÍTULO II
DAS MEDIDAS DE COACÇÃO

CAPÍTULO I
DAS MEDIDAS ADMISSÍVEIS

ARTIGO 196.º
(Termo de identidade e residência)

1. A autoridade judiciária ou o órgão de polícia criminal sujeitam a termo de identidade e residência lavrado no processo todo aquele que for constituído arguido, ainda que já tenha sido identificado nos termos do artigo 250.º.

2. Para o efeito de ser notificado mediante via postal simples, nos termos da alínea *c)* do n.º 1 do artigo 113.º, o arguido indica a sua residência, o local de trabalho ou outro domicílio à sua escolha.

3. Do termo deve constar que àquele foi dado conhecimento:

a) Da obrigação de comparecer perante a autoridade competente ou de se manter à disposição dela sempre que a lei o obrigar ou para tal for devidamente notificado;

b) Da obrigação de não mudar de residência nem dela se ausentar por mais de cinco dias sem comunicar a nova residência ou o lugar onde possa ser encontrado;

c) De que as posteriores notificações serão feitas por via postal simples para a morada indicada no n.º 2, excepto se o arguido comunicar uma outra, através de requerimento entregue ou remetido por via postal registada à secretaria onde os autos se encontrarem a correr nesse momento;

d) De que o incumprimento de disposto nas alíneas anteriores legitima a sua representação por defensor em todos os actos processuais nos quais tenha o direito ou o dever de estar presente e bem assim a realização da audiência na sua ausência, nos termos do artigo 333.º.

4. A aplicação da medida referida neste artigo é sempre cumulável com qualquer outra das previstas no presente livro.

---

1. Os n.ºˢ 1 e 3 têm o texto introduzido pela Lei n.º 59/98, de 25 de Agosto, com excepção das alíneas *c)* e *d)* do n.º 3, que foram introduzidas pelo Dec.-Lei n.º 320-C/2000, de 15 de Dezembro.

Código de Processo Penal

O n.º 2 em o texto introduzido pelo Dec.-Lei atrás referido.
O n.º 4 conserva o texto originário.

2. O texto actual do n.º 1, introduzido pela Lei mencionada *supra*, anot. 1, veio permitir que também os órgãos de polícia criminal sujeitem a termo de identidade e residência todo aquele que for constituído arguido. Na versão originária só tinham poderes para esse efeito as autoridades judiciárias.

O n.º 2 corresponde, com actualizações e aditamentos no primeiro período, ao n.º 3 da versão originária.

O n.º 3 introduziu relevantes alterações ao termo de identidade e residência, especificando e pormenorizando o seu conteúdo. Do termo deve mesmo constar que ao arguido foi dado conhecimento de que o incumprimento das obrigações constantes das alíneas *a)* e *b)* legitima a realização da audiência de julgamento, nos termos definidos na alínea *c), in fine.*

Estas alterações tornaram-se necessárias atendendo às suas especiais incidências no regime do julgamento na ausência do arguido, conforme ficou estabelecido na revisão do CPP levada a efeito pela Lei referida na anot. 1, na sequência das alterações introduzidas na Constituição da República Portuguesa na revisão de 1997 e ainda no regime das notificações estabelecido no art. 113.º.

3. Pertencendo a competência para sujeição do arguido a termo de identidade e residência tanto ao juiz como ao MP ou órgão de polícia criminal, põe-se a questão de saber como funciona o dispositivo do art. 219.º sobre a admissibilidade de recurso da decisão que aplicar a medida, quando esta é imposta pelo MP ou por aquele.

A solução não é líquida. Cremos, no entanto, que aquela que melhor se coaduna com a orientação do Código é a de admitir impugnação perante o juiz de instrução, e recurso da decisão deste. Outras soluções possíveis serão a do recurso hierárquico, em paralelismo com a solução do art. 162.º, n.º 3, e a de uma interpretação restritiva, não funcionando o art. 219.º para este caso pois que o termo de identidade e residência é uma medida imposta directamente pela lei em todos os casos em que, findo primeiro interrogatório do arguido, o processo continua, e não contém imposições gravosas para o arguido. Na verdade, não se descortinam questões que possam, com razoabilidade ou com utilidade, discutir no recurso interposto.

4. A não sujeição do arguido a termo de indentidade e residência, quando o processo continua após o primeiro interrogatório, constitui irregularidade processual, sujeita ao regime do art. 123.º. Nos termos do n.º 2 deste artigo, a reparação da irregularidade deve ser ordenada mesmo oficiosamente, logo que dela se tome conhecimento, determinando-se que o arguido preste o termo.

5. *Jurisprudência:*
— A norma do art. 196.º, n.º 3, do CPP não é inconstitucional, pois não implica violação dos arts. 2.º; 13.º; 20.º, n.º 2; 32.º, n.º 1 e 44.º, n.º 1, em conjugação com o art. 18.º, n.º 2, da Constituição da República Portuguesa. (Ac. do Trib. Constitucional de 15 de Junho de 1999, proc. 685/98; *DR*, II série, de 2 de Março de 2000);

Artigo 197.º

— É válido o termo de identidade e residência aplicado por autoridade judiciária portuguesa e notificado ao arguido através de carta rogatória emitida para o estrangeiro. (Ac. RG de 20 de Março de 2006; CJ, XXXI, tomo 2, 278);

— É válido e eficaz na ordem jurídica portuguesa o TIR lavrado num país terceiro, com recurso à cooperação jurídica internacional, observando-se o formalismo enunciado na lei daquele país, mesmo que seja diferente do que é exigido pela lei portuguesa. (Ac. RC de 12 de Setembro de 2007; *CJ*, ano XXXII, tomo IV, 50).

ARTIGO 197.º
(Caução)

1. Se o crime imputado for punível com pena de prisão, o juiz pode impor ao arguido a obrigação de prestar caução.

2. Se o arguido estiver impossibilitado de prestar caução ou tiver graves dificuldades ou inconvenientes em prestá-la, pode o juiz, oficiosamente ou a requerimento, substituí-la por qualquer ou quaisquer outras medidas de coacção, à excepção da prisão preventiva ou de obrigação de permanência na habitação, legalmente cabidas ao caso, as quais acrescerão a outras que já não tenham sido impostas.

3. Na fixação do montante da caução tomam-se em conta os fins de natureza cautelar a que se destina, a gravidade do crime imputado, o dano por este causado e a condição sócio-económica do arguido.

---

1. Reproduz o art. 197.º do Proj. e corresponde aos arts. 208.º a 214.º do Aproj. e 271.º, 272.º e 274.º do CPP de 1929, na redacção vigente à data da entrada em vigor do Código.

2. Não há relevantes alterações de fundo relativamente ao regime anterior.
Sobre cumulação de caução com outras medidas, prestação, reforço e quebra da caução dispõem os arts. 205.º a 208.º. Sobre substituição, reexame e extinção dispõem os arts. 212.º a 214.º.

3. Para além da exigência de o crime imputado ao arguido ser punível com pena de prisão, não dá aqui a lei qualquer outra orientação ao juiz para se decidir quanto ao seu poder-dever de determinar ou não a obrigação de prestar caução. Terá assim que funcionar o prudente critério do julgador, dentro das finalidades da medida e atendendo ao princípio da adequação e da proporcionalidade.
Já quanto ao montante da caução há as determinantes fixadas no n.º 3.

4. Como resulta do n.º 1 e de outras disposições, esta medida de coacção tem de ser aplicada pelo juiz, como todas as outras, com excepção da do termo de identidade e residência. A aplicação pelo MP ou por qualquer outra entidade constitui decisão *a non judice,* ferida do vício de inexistência.
Porém, em obediência ao princípio contraditório, o juiz deve decidir precedendo parecer do MP e audição do arguido, conforme também se dispõe no n.º 2 do art. 194.º.

Código de Processo Penal

5. A disposição do n.° 2 tem um sentido idêntico à do art. 272.° do CPP de 1929, na redacção introduzida pelos Decs.-Leis n.ºˢ 185/72, de 31 de Maio, e 377/77, de 6 de Setembro. Já o anterior art. 298.° do mesmo diploma, introduzido pelo Dec.-Lei n.° 41 075, de 17 de Abril de 1957, tinha um alcance idêntico, explicado no relatório nestes termos:

«Em matéria de cauções, é sempre indispensável tomar providências urgentes que, sendo de per si equitativas, poderão repercutir-se utilmente em certos dos nossos problemas prisionais. O Dec.-Lei n.° 34 564, de 2 de Maio de 1945, inspirando-se no art. 284.° do Código de Processo Penal Italiano, permitiu que, no caso de o arguido ter absoluta impossibilidade de prestar caução, o juiz a pudesse substituir pela obrigação de o arguido se apresentar ao tribunal ou às autoridades policiais, em dias e horas preestabelecidos. Além disso, prescreveu as sanções do não cumprimento da obrigação assim imposta e excluiu certos arguidos da concessão deste benefício.

É indiscutivelmente justa e útil a ideia fundamental de um preceito de lei que evita a *prisão* de pessoas impossibilitadas de prestar caução e que, no entanto, dão garantias de não se esquivarem à obrigação de comparecerem em juizo. É supérfluo, na verdade, insistir nas vantagem de poupar a detenção preventiva muitos arguidos, quando o mesmo fim que ela visa — assegurar o comparecimento destes nos actos judiciais — se pode obter por outros meios.

Parece, todavia, equitativo ampliar a medida facultada e moderar a exigência dos requisitos que condicionam a aplicação dela».

6. O caso de o arguido não prestar a caução que lhe foi arbitrada, apesar de ter possibilidade de a prestar, não se encontra regulado no n.° 2 deste artigo.

Neste caso pode ser aplicado o arresto preventivo, como se estabelece no art. 228.° n.º 1, e também no art. 206.°, n.º 4. E pode ainda ser estabelecida outra medida de coacção, desde que não privativa da liberdade.

O caso não é subsumível ao crime de desobediência, pois existem normas processuais específicas que o sancionam.

O incumprimento das obrigações derivadas do estabelecimento da caução também não é subsumível ao crime de desobediência, dadas as normas processuais sancionatórias específicas constantes do art. 208.°.

7. *Jurisprudência:*
— I — O facto de um arguido caucionado ter sido julgado e condenado por sentença ainda não transitada não é, só por si, motivo suficiente para decretar a sua prisão preventiva, a menos que tenham sobrevindo razões que o justifiquem. II — Tal condenação, porque indicia mais fortemente a responsabilidade do arguido, pode determinar o esforço da caução. (Ac. RP de 6 de Julho de 1988; *CJ,* XIII, tomo 4, 206);
— I — O facto de o arguido, sem justificação, não ter prestado a caução que lhe foi arbitrada, não constitui fundamento para se ordenar o reforço da mesma. II — O que tal facto legitima é que com a caução a prestar se cumule a obrigação de apresentação periódica. (Ac. RP de 17 de Setembro de 1997; *CJ*, XXII, tomo 4, 236).

Artigo 199.º

ARTIGO 198.º
(Obrigação de apresentação periódica)

1. Se o crime imputado for punível com pena de prisão de máximo superior a seis meses, o juiz pode impor ao arguido a obrigação de se apresentar a uma entidade judiciária ou a um certo órgão de polícia criminal em dias e horas preestabelecidos, tomando em conta as exigências profissionais do arguido e o local em que habita.

2. A obrigação de apresentação periódica pode ser cumulada com qualquer outra medida de coacção, com a excepção da obrigação de permanência na habitação e da prisão preventiva.

---

1. O n.º 1 reproduz o art. 198.º do Proj. e corresponde aos arts. 208.º, n.º 2, do Proj. e 272.º do CPP de 1929, na redacção vigente à data da entrada em vigor do Código. Foi, ainda, inspirado no art. 270.º do Projecto preliminar italiano.

O n.º 2 foi introduzido pela Lei n.º 48/2007, de 29 de Agosto. Introduz expressamente a orientação que vínhamos sustentando em edições anteriores desta obra.

2. Como no artigo anterior, para além de alusão à exigência de o crime imputado ser punível com pena de prisão de máximo superior a seis meses, não dá aqui a lei qualquer outro critério para o julgador se orientar no seu poder-dever de impor ou não a obrigação de apresentação periódica. Decidirá, assim, o prudente arbítrio do julgador, dentro das finalidades das medidas e dos princípios da necessidade, adequação e da proporcionalidade.

3. Como todas as outras medidas de coacção, excepto o termo de identidade e residência que também pode ser aplicado pelo MP e por órgão de polícia criminal, a obrigação de apresentação periódica é necessariamente aplicada pelo juiz, que deve porém ouvir o MP e o arguido, em obediência ao princípio contraditório. A aplicação por qualquer outra entidade torna a medida inexistente, por aplicação *a non judice*.

4. A medida de coacção de obrigação de apresentação periódica extingue-se nos termos gerais do art. 214.º, n.º 1; quando desde o início da sua execução tiverem decorrido os prazos referidos no art. 215.º, n.º 1, elevados ao dobro (art. 218.º, n.º 1) e ainda quando for revogada ou substituída por outra, nos termos do art. 212.º.

ARTIGO 199.º
(Suspensão do exercício de profissão, de função, de actividade e de direitos)

1. Se o crime imputado for punível com pena de prisão de máximo superior a dois anos, o juiz pode impor ao arguido, cumulati-

Código de Processo Penal

vamente, se disso for caso, com qualquer outra medida de coacção, a suspensão do exercício:

    a) De profissão, função ou actividade, públicas ou privadas;

    b) Do poder paternal, da tutela, da curatela, da administração de bens ou da emissão de títulos de crédito;

sempre que a interdição do exercício respectivo possa vir a ser decretada como efeito do crime imputado.

2. Quando se referir a função pública, a profissão ou actividade cujo exercício dependa de um título público ou de uma autorização ou homologação da autoridade pública, ou ao exercício dos direitos previstos na alínea *b)* do número anterior, a suspensão é comunicada à autoridade administrativa, civil ou judiciária normalmente competente para decretar a suspensão ou a interdição respectivas.

---

1. O texto deste artigo foi introduzidopela Lei n.º 48/2007, de 29 de Agosto. Não existem, porém, relevantes alterações reltivamente à versão anterior, que reproduzia o art. 200.º do Proj. e fora inspirado nos arts. 273.º, 274.º e 275.º do Projecto preliminar italiano.

2. O disposto neste artigo quanto à suspensão preventiva do exercício de funções, profissões e de direitos relaciona-se com o disposto nos arts. 66.º, 67.º e 69.º do CP, pois as medidas de coacção podem ser aplicadas no processo penal nos casos em que o CP as prevê como penas acessórias (cfr. n.º 1, *in fine).*

3. A aplicação desta medida de coacção é da competência exclusiva do juiz, estando por isso ferida de inexistência se aplicada em processo penal por qualquer outra entidade, e, como consta expressamente do n.º 1, trata-se de medida cumulável com qualquer outra legalmente cabida.

Para além de fixar os pressupostos da aplicação da medida, a lei não oferece ao juiz qualquer critério para o exercício do seu poder-dever de aplicação da suspensão do exercício de funções, profissão ou direitos. Terá assim que funcionar, também aqui, o prudente critério do julgador, equacionando as finalidades da medida e os princípios da adequação e da proporcionalidade.

4. Também esta medida se extingue nos termos gerais do art. 214.º, n.º 1; quando deste o início da sua execução tiverem decorrido os prazos referidos no art. 215.º, n.º 1, elevados ao dobro (art. 218.º, n.º 1) e ainda quando for revogada ou substituída por outra, nos termos do art. 212.º. A extinção, tal-qualmente a aplicação, deve ser comunicada às autoridades referidas no n.º 2.

5. Sobre esta medida de coacção a PGR emitiu parecer publicado ao *DR,* II série, de 14 de Maio de 2004, do seguinte sumário:
Parecer n.º 79/2003. — *Presidente de câmara municipal — Crime de responsabilidade — Suspensão do exercício de funções — Medida de coacção — Prisão preventiva — Dever de assiduidade — Faltas injustificadas — perda de vencimento.*

Artigo 200.º

1.ª A suspensão do exercício de funções de titular de órgão representativo de autarquia local em regime de permanência (máxime presidente de câmara municipal), quando decretada como medida de coacção em procedimento penal nos termos do artigo 199.º do Código de Processo Penal, *determina a suspensão do correspondente vencimento de exercício,* ou seja, de uma sexta parte da sua remuneração base.

2.ª A execução de prisão preventiva na pessoa de eleito local, quando decretada como medida de coacção em procedimento penal nos termos dos artigos 202.º do Código de Processo Penal, implica que as respectivas *faltas* dadas por aquele devam considerar-se *faltas justificadas,* com a consequência remuneratória de *perda do vencimento de exercício* (por aplicação analógica do artigo 64.º, n.º 1, do Decreto-Lei n.º 100/99, de 31 de Março).

3.ª Quando não seja possível executar a medida de prisão preventiva referida na conclusão anterior por ausência do eleito local, as suas *faltas* devem ser consideradas *faltas injustificadas,* com a consequência remuneratória de *perda total do vencimento* [por aplicação analógica do artigo 71.º, n.ᵒˢ 1, alínea *a),* e 2, do Decreto-Lei n.º 100/99].

6. *Jurisprudência:*
— O exercício da advocacia é subsumível à previsão do art. 199.º, n.º 1, al. *b),* do CPP. (Ac. RP de 9 de Outubro de 1996; *CJ,* XXI, tomo 4, 242);
— A norma da al. *a)* do n.º 1 do art. 199.º do CPP não abrange os titulares de cargos políticos. (Ac. do Trib. Constitucional n.º 41/2000, de 26 de Janeiro, proc. n.º 481/97; *DR,* II série, de 20 de Outubro de 2000);
— O período de tempo durante o qual o arguido tenha estado submetido à medida de coacção de suspensão provisória do direito de conduzir, nos termos do art. 199.º do CPP, deve ser tido em conta no cumprimento da pena acessória de inibição de conduzir a que tenha sido condenado. (Ac. RL de 25 de Janeiro de 2005; *CJ,* XXX, tomo I, 131).

ARTIGO 200.º

(Proibição e imposição de contactos)

1. Se houver fortes indícios de prática de crime doloso punível com pena de prisão de máximo superior a três anos, o juiz pode impor ao arguido, cumulativa ou separadamente, as obrigações de:

a) Não permanecer, ou não permanecer sem autorização, na área de uma determinada povoação, freguesia ou concelho ou na residência onde o crime tenha sido cometido ou onde habitem os ofendidos, seus familiares ou outras pessoas sobre as quais possam ser cometidos novos crimes;

b) Não se ausentar para o estrangeiro, ou não se ausentar sem autorização;

c) Não se ausentar da povoação, freguesia ou concelho do seu domicílio, ou não se ausentar sem autorização, salvo para lugares predeterminados, nomeadamente para o lugar do trabalho;

Código de Processo Penal

d) Não contactar, por qualquer meio, com determinadas pessoas ou não frequentar certos lugares ou certos meios;

e) Não adquirir, não usar ou, no prazo que lhe for fixado, entregar armas ou outros objectos e utensílios que detiver, capazes de facilitar a prática de outro crime;

f) Se sujeitar, mediante prévio consentimento, a tratamento de dependência de que padeça e haja favorecido a prática do crime, em instituição adequada.

2. As autorizações referidas no número anterior podem, em caso de urgência, ser requeridas e concedidas verbalmente, lavrando-se cota no processo.

3. A proibição de o arguido se ausentar para o estrangeiro implica a entrega à guarda do tribunal do passaporte que possuir e a comunicação às autoridades competentes, com vista à não concessão ou não renovação de passaporte e ao controlo das fronteiras.

---

1. O texto originário deste art. reproduzia o art. 199.º do Proj. e fora inspirado no art. 272.º do Projecto preliminar italiano. Não incluía a alínea *a)* do n.º 1, que veio a ser introduzida pela Lei n.º 59/98, de 25 de Agosto, passando a incluir também a obrigação de não permanecer na residência onde tenha sido cometido o crime ou cabitem o ofendido ou as pessoas sobre quem possam ser cometidos novos crimes.

O texto actual foi introduzido pela Lei n.º 48/2007, de 29 de Agosto, que introduziu na versão anterior as seguintes alterações:

Na alínea *d)* do n.º 1 aditou a expressão *por qualquer meio*;

Ao n.º 1 aditou as alíneas *e)* e *f)*;

Foi eliminado no n.º 4, dispositivo que se tornou desnecessário, em vista do disposto no n.º 2 do art. 198.º.

2. O n.º 1 do art. 199.º do Proj. previa a aplicação da medida aqui prevista se o crime imputado fosse punível com pena de prisão de máximo superior a um ano. O Tribunal Constitucional, por solicitação do Presidente da República, no Parecer de 9 de Janeiro de 1987, Proc. 302/86, pronunciou-se pela inconstitucionalidade do referido art. 199.º, n.º 1, na medida em que a norma era aplicável aos casos em que, nos termos do art. 27.º, n.º 3, da CRP, não é permitida a privação da liberdade. O n.º 2 do mesmo artigo previa a possibilidade de o juiz poder dispor que as autorizações referidas no número anterior fossem dadas pelo MP ou por determinado órgão de polícia criminal. Também aqui o TC, no mesmo acórdão, se pronunciou pela inconstitucionalidade da norma, por violação do art. 32.º, n.º 4, da CRP.

Daí a remodelação que o artigo sofreu imediatamente antes da promulgação.

Sucede, portanto, que a proibição prevista neste artigo só poderá ser decretada nos casos em que o pode ser a prisão preventiva, sendo como que uma medida dela substitutiva, e que as autorizações para ausência terão que ser concedidas pelo juiz.

Artigo 201.º

3. Como já se referiu, *supra,* n.º 2, e resulta do parecer do Tribunal Constitucional aí referido, e expressamente do texto definitivo, trata-se de medida da competência exclusiva do juiz, o mesmo sucedendo com as autorizações para ausência; de outro modo estarão as decisões feridas de inexistência (decisões *a non judice*).

4. Se o arguido violar alguma das imposições decretadas pelo juiz ao abrigo do disposto neste artigo, o caso deve ter o tratamento previsto nos arts. 203.º e 202.º (ver anots. a esses artigos). Trata se de tratamento específico, pelo não poderá responder, além disso, pelo crime de desobediência *(lex specialis derogat generali)*.

ARTIGO 201.º
(Obrigação de permanência na habitação)

1. Se considerar inadequadas ou insuficientes, no caso, as medidas referidas nos artigos anteriores, o juiz pode impor ao arguido a obrigação de não se ausentar ou de não se ausentar sem autorização, da habitação própria ou de outra em que de momento resida, ou, nomeadaente, quando tal se justifique, em instituição adequada a prestar-lhe apoio social e de saúde, se houver fortes indícios de prática de crime doloso punível com pena de prisão de máximo superior a 3 anos.

2. A obrigação de permanência na habitação é cumulável com a obrigação de não contactar, por qualquer meio, com determinadas pessoas.

3. Para fiscalização do cumprimento das obrigações referidas nos números anteriores podem ser utilizados meios técnicos de controlo à distância, nos termos previstos na lei.

---

1. O texto deste artigo foi introduzido pela Lei n.º 48/2007, de 29 de Agosto. Não existem, porém, relevantes alterações relativamente à versão anterior, pois que:
— O n.º 1 tem pressupostos e medida de coacção idênticos;
— O n.º 2 não constava da versão anterior mas é afloramento de solução consagrada em outros dispositivos de carácter geral;
— O n.º 3 reproduz o n.º 2 do anterior texto do artigo.
Foi inspirado no art. 272.º do Projecto preliminar italiano.
O n.º 3 foi introduzido pela Lei n.º 59/98, de 25 de Agosto. Neste dispositivo prevê-se a possibilidade de utilização de meios técnicos de controlo à distância para fiscalização do cumprimento da obrigação de permanência na habitação prevista no n.º 1. Estes modernos meios de controlo à distância consistem geralmente em colocar nos arguidos pulseiras deles inseparáveis e que permitem, através de emissão de ondas electrónicas, detectar permanentemente a localização.
A Lei n.º 122/99, de 20 de Agosto, regulou a vigilância electrónica prevista no n.º 3 deste artigo.
A Portaria n.º 1462-B/2001; *DR*, I-B série, de 28 de Dezembro (4.º suplemento), estabeleceu normas relativas à utilização de meios de vigilância

Código de Processo Penal

electrónica referidos no n.º 2 deste artigo. A Portaria n.º 109/2005, de 27 de Janeiro estabeleceu que podem ser mandados utilizar pelos tribunais competentes com jurisdição em todas as comarcas do território nacional os meios de vigilância electrónica de cumprimento da obrigação de permanência na habitação previstos neste artigo e revogou a Portaria n.º 189/2004, de 26 de Fevereiro, que anteriormente estabelecia as comarcas onde esses meios podiam ser utilizados.

2. A medida de obrigação de permanência na habitação, prevista neste artigo, é uma medida afim da prisão preventiva, mas menos gravosa do que esta, sendo plausível configurá-la como uma prisão preventiva domiciliária, estando assim sujeita aos prazos de duração da prisão preventiva (art. 218.º, n.º 3).

Conforme se estabelece no texto do artigo, a medida pode revestir dois graus: obrigação (absoluta) de o arguido se não ausentar e obrigação de o arguido se não ausentar sem sem autorização judicial da habitação própria ou de outra em que de momento resida. Estes dois graus de proibição dificilmente se justificam: sabendo-se que as medidas de coacção, pelas contínuas variações do seu condicionalismo, estão sempre sujeitas à condição *rebus sic stantibus,* consagrada no art. 212.º, sempre poderá vir a ser concedida autorização para o arguido se ausentar, mesmo no caso de proibição absoluta; bastará, para isso, que surjam circunstâncias ponderosas que justifiquem a autorização.

Esta medida é cumulável com qualquer outra, desde que não haja incompatibilidade, natural ou legal, como sucede com a prisão preventiva, a obrigação de apresentação periódica (art. 198.º) e a caução (art. 205.º).

Como todas as outras medidas de coacção, com excepção do termo de identidade e residência, a competência para a aplicação pertence exclusivamente ao juiz; quando aplicada por outra entidade a decisão é inexistente.

A medida não poderá ser decretada quando a obrigação de permanência impeça o arguido de prover à sua própria sobrevivência, impossibilitando-o nomeadamente de adquirir meios de alimentação ou outros que só poderia achar deslocando-se ao exterior (J. A. Barreiros, *As Medidas de Coacção e de Garantia Patrimonial no Novo Código de Processo Penal,* 31).

3. Se o arguido violar as obrigações de permanência na habitação poder-lhe-á ser aplicada a prisão preventiva, mesmo que ao crime caiba pena de prisão de máximo igual ou inferior a 5 e superior a 3 anos, como se estabelece no art. 203.º, n.º 2.

E ainda, perante o texto do art. 352.º do CP introduzido pela Lei n.º 48/95, de 15 de Março e atendendo a que a obrigação de permanência na habitação é uma privação da liberdade, a fuga efectiva da habitação integra o crime de evasão, previsto naquele artigo do CP. Qualquer outra violação de menor gravidade terá somente o tratamento previsto no mencionado art. 203.º, n.º 2.

4. Sobre o confronto desta medida de coacção com as outras medidas do género, particularmente sobre as suas afinidades com a prisão preventiva, vejam-se as considerações de Odete Maria de Oliveira, As *Medidas de Coacção no*

Artigo 201.º

Novo Código de Processo Penal, Jornadas de Direito Processual Penal, 177-182.

5. Sobre o dispositivo do n.º 3, e em geral sobre o controlo electrónico de delinquentes, no direito comparado e entre nós e sobre perspectivas quanto ao futuro desta medida, pode ver-se o estudo do Dr. Luís de Miranda Pereira intitulado *Controlo electrónico de delinquentes: Orwell ou o futuro das penas,* na *RPCC,* ano 9, fasc. 2.º, 245 e segs.

6. *Jurisprudência:*
— I — A obrigação de permanência na habitação é uma espécie de prisão preventiva domiciliária, sujeita aos mesmos prazos da prisão preventiva, quer quanto à duração máxima, quer quanto à suspensão do prazo de duração máxima. II — Por isso, o arguido, que esteve preso preventivamente, sendo essa prisão suspensa por 3 meses, findos os quais lhe foi imposta a obrigação de permanecer na habitação, não pode, no âmbito do mesmo processo, ver depois suspenso o decurso do prazo da medida de permanência na habitação. (Ac. RP de 24 de Maio de 2000; *CJ,* XXV, tomo 3, 226);
— I — São aplicáveis aos arguidos sob a obrigação de permanência na habitação as normas constantes nos arts. 104.º n.º 2, al. *a)* e 106.º n.º 2, do CPP. II — E sendo aplicável aquela primeira norma, inquestionável se torna a aplicação do disposto no art. 104, n.º 2, do mesmo diploma, obrigando a que corram em férias os prazos relativos a processos nos quais devam praticar-se actos – mormente a interposição de recursos — relativos a arguidos sujeitos à medida de obrigação de permanência na habitação. (Ac. STJ de 3 de Outubro de 2002, proc. n.º 2371/02-5.ª; *SASTJ,* n.º 64, 86);
— I — A obrigação de permanência em habitação prevista no art. 201.º do CPP e a prisão preventiva são medidas afins, sendo esta a subsequentemente regulamentada no CPP, e por ordem imediatamente crescente no plano da gravidade. Em ambas estas medidas se aplicam os mesmos prazos e também em ambas se identifica uma comum consequência — a limitação da liberdade do indivíduo, na manifestação do seu *jus ambulandi.* II — É, pois, de deferir, nos termos do art. 222.º, n.º 2, al. c), do CPP, a providência de *habeas corpus,* declarando-se (art. 223.º, n.º 4, al. d), do CPP), ilegal a obrigação de permanência do arguido na sua residência, e restituindo-se de imediato à liberdade, se estiverem excedidos os prazos legais que se estabelecem quanto à afim medida de coacção de prisão preventiva. (Ac. STJ de 25 de Maio de 2005, proc. n.º 1959/05-3.ª; *SASTJ,* n.º 91, 135);
— I — Encarando-se a medida de coacção de obrigação de permanência na habitação com vigilância electrónica como privação de liberdade, muito embora com grau muito diferente e menos elevado da prisão preventiva, serão de tornar extensivas a tal medida as garantias conferidas à prisão preventiva. II — Por isso, poderá a manutenção ilegal da medida de coacção de obrigação de permanência na habitação constituir fundamento da providência de *habeas corpus.* (Ac. STJ de 13 de Fevereiro de 2008; *SASTJ* relativos a esse mês, pág. 23).

Código de Processo Penal

ARTIGO 202.°

(Prisão preventiva)

1. Se considerar inadequadas ou insuficientes, no caso, as medidas referidas nos artigos anteriores, o juiz pode impor ao arguido a prisão preventiva quando:

a) Houver fortes indícios de prática de crime doloso punível com pena de prisão de máximo superior a cinco anos;

b) Houver fortes indícios de prática de crime doloso de terrorismo, criminalidade violenta ou altamente organizada punível com pena de prisão de máximo superior a 3 anos; ou

c) Se tratar de pessoa que tiver penetrado ou permaneça irregularmente em território nacional, ou contra a qual estiver em curso processo de extradição ou de expulsão.

2. Mostrando-se que o arguido a sujeitar a prisão preventiva sofre de anomalia psíquica, o juiz pode impor, ouvido o defensor e, sempre que possível, um familiar, que, enquanto a anomalia persistir, em vez da prisão tenha lugar internamento preventivo em hospital psiquiátrico ou outro estabelecimento análogo adequado, adoptando as cautelas necessárias para prevenir os perigos de fuga e de cometimento de novos crimes.

---

1. O texto originário deste artigo reproduzia o art. 202.° do Proj. e correspondia aos arts. 221.° do Aproj. e 286.° do CPP de 1929, na redacção em vigor à data da entrada do Código.

A Lei n.° 48/2007, de 29 de Agosto, que introduziu o texto actual, procedeu às seguintes alterações:

— Na alínea *a)* do n.° 1 elevou para prisão de máximo superior a 5 anos (anteriormente 3 anos) a pena aplicável; e

— Foi introduzida a alínea *b)*, passando a anterior *b)* para *c)*.

Outros normativos constantes da CRP ou de leis especiais estabelecem regimes ou prazos de prisão preventiva diferentes dos que constam deste art. 202.°, como se anotará *infra,* anot. 5. A este respeito afigura-se-nos oportuno chamar desde já a atenção para a Proposta de Lei n.° 222/X, pendente na Assembleia da República no momento em que alinhamos esta anotação (Dezembro de 2008), contendo alterações à Lei n.° 5/2006, de 23 de Fevereiro, sobre o regime de armas e suas munições e introduzindo o art. 95.°-A, intitulado *Detenção e prisão preventiva* e transcrito adiante, na anot. 5. É um ponto a que deve ser prestada atenção, perante a expectativa de provável entrada em vigor proximamente.

2. A Lei n.° 43/86, de 26 de Setembro (Lei de Autorização legislativa), art. 2.°, n.° 2, al. 38) determinou a acentuação do carácter provisório e

Artigo 202.º

subsidiário da prisão preventiva e a especificação do catálogo das medidas de liberdade provisória e das formas de sancionamento da sua violação, com especial atenção às regras preconizadas a este propósito pelo Conselho da Europa; e ainda a eliminação da categoria dos crimes incaucionáveis, deferindo-se ao juiz a competência para aferir da aplicabilidade ao caso da prisão preventiva em vez de liberdade provisória, indicando sempre os fundamentos da decisão, a qual respeitará, relativamente aos crimes mais graves, um quadro de valores legalmente estabelecido.

Dentro destas coordenadas está regulamentado no Código o instituto da prisão preventiva. Não existem agora casos de crimes incaucionáveis ou de prisão preventiva legalmente obrigatória, como já se sustentou (cfr. *Boletim Informativo* da Delegação Regional do Sul da Associação Sindical dos Magistrados Judiciais referente a Julho de 1986, pág. 9), o que poderia bulir com o art. 28.º, n.º 2, da CRP. O que existe são casos de crimes de tal gravidade, perante o quadro de valores criminalmente protegidos, o alarme social que provocam e a perigosidade dos seus autores, que a lei, nos casos taxativamente enumerados nas alíneas do n.º 1 deste artigo, dada a inadequação ou a insuficiência das outras medidas de coacção, permite que seja imposta a prisão preventiva.

Sobre esta medida de coacção afigura-se-nos pertinente aditar alguns apontamentos ao que já foi considerado em anotação ao art. 193.º, sobre a sua natureza de subsidiariedade e de *extrema ratio*.

O CPP, particularmente o regime das medidas de coacção e dentre estas o da prisão preventiva, foi estruturado levando em conta o direito e a experiência dos países comunitários com os quais Portugal mantém um mais extenso património jurídico e cultural comum. Não há divergências acentuadas de grande significado entre estes regimes e o que o CPP adoptou.

E os resultados aí estão:

A percentagem de presos preventivos segundo os dados estatísticos recolhidos pela Comissão de Estudo e Debate da Reforma do Sistema Prisional a que presidiu o Prof. Freitas do Amaral, publicados no *Diário de Notícias* de 16 de Fevereiro de 2004, é de 30,6 por cento da população prisional, bastante inferior à de outros países, como o Luxemburgo, a Bélgica, a França, a Holanda e a Itália. E a percentagem por cem mil habitantes é idêntica à da Inglaterra e da França.

Só as obras não significativas são incontroversas. O CPP é uma obra muito significativa, portanto controversa. Aqui haverá sempre algo de controverso e susceptível de aperfeiçoamento. Não muito na regulamentação legal; porventura algo mais na mentalidade de alguns dos protagonistas do sistema e daqueles que o divulgam sem que bem o conheçam.

Na sequência das considerações que acabamos de explanar, anotamos que as alterações introduzidas neste artigo foram muito módicas e equilibradas. Designadamente tratando-se de crime doloso de terrorismo, criminalidade violenta ou altamente organizada foi mantido o anterior pressuposto de o crime ser punível com pena de prisão de máximo superior a 3 anos. Confrontando este regime com as definições dadas nas alíneas i), j), l) e m), mormente na que é dada na alínea j), todas do art. 1.º, logo se constata que, contra a expectativa de algumas vozes mal avisadas ou desconhecedoras da lei que vinham exigindo mais profundas alterações, se trata antes de aperfeiçoamento que o rodar do tempo e ocorrências da vida real vão tornando prementes.

Código de Processo Penal

Parece-nos aqui oportuno anotar que a noção de criminalidade violenta dada na alínea f) do n.º 1 possibilita a aplicação da medida de coacção de prisão preventiva tratando-se, além de outros, do crime de violência doméstica do art. 153.º do CP, onde se incluem também os maus tratos entre casais homossexuais.

3. Contrariamente ao que sucedia no regime anterior, em que a confusão de terminologia era notória e frequente, há agora uma clara diferenciação entre a *detenção* e a *prisão preventiva*.

O Código reserva o termo *prisão preventiva* para a privação total da liberdade individual emergente de decisão judicial interlocutória, isto é, entre a validação judicial da detenção e a decisão condenatória. O conceito de *detenção* é reservado para os casos restantes, de privação de liberdade entre o momento da captura e a validação judicial subsequente. E isto foi feito para acentuar o carácter precário e condicional da detenção, sujeita a condição resolutiva da validação judicial.

4. O presente artigo estabelece o quadro legal de casos de admissibilidade da prisão preventiva e da sua substituição por internamento preventivo.

Dentro da Filosofia do Código, a prisão preventiva é uma medida de coacção subsidiária, reservada para casos de imputação de crimes de acentuada gravidade (pena de máximo superior a 5 anos, em regra) e que mesmo assim só deve ser decretada quando os restantes meios de coacção sejam inadequados ou insuficientes. Trata-se, aliás, de afloramentos de preceitos da CRP e da Lei n.º 43/86.

A este respeito, e com a devida vénia, transcrevem-se as seguintes considerações de J. A. Barreiros, *obra citada,* 33:

«O carácter excepcional e não obrigatório da prisão preventiva resulta hoje claramente enunciado no n.º 2 do art. 193.º, nos termos do qual a prisão preventiva só pode ser aplicada quando se revelarem inadequadas ou insuficientes as outras medidas de coacção.

Não estipulou a lei quando e em que circunstâncias é que se podem considerar insuficientes as restantes medidas de coacção, pois quis deixar ao intérprete o encargo de proceder a uma valoração casuística da situação.

Prevalece hoje a determinação concreta e casuística dos fundamentos da determinação da prisão preventiva sobre a fixação abstracta por juizo legal sobre os seus pressupostos. E tanto assim é que o legislador decretou a eliminação da categoria dos crimes incaucionáveis, ao ter revogado na al. *j)* do n.º 2 do art. 2.º do Dec.-Lei n.º 78/87, de 17 de Fevereiro, o Dec.-Lei n.º 477/82, de 22 de Dezembro, onde se previa tal categoria de crimes relativamente aos quais a prisão preventiva deveria ser obrigatoriamente decretada.

Fica certo que o mencionado circunstancialismo, face ao qual as restantes medidas de coacção se deverão ter por inadequadas ou insuficientes, deverá ser algo mais que a tríplice hipótese enunciada no art. 204.º: fuga ou perigo de fuga; perigo de perturbação do decurso do inquérito ou da instrução do processo e, nomeadamente, perigo para a aquisição, conservação ou veracidade da prova; ou perigo, em razão da natureza e das circunstâncias do crime ou da perso-

Artigo 202.º

nalidade do arguido, de perturbação da ordem e da tranquilidade públicas ou da continuação da actividade criminosa.

E esse algo mais deverá ocorrer porque as circunstâncias que acabámos de elencar são aquelas ocorrências sem as quais nenhuma medida coactiva por mais benigna que se configure — poderá ser decretada; para a prisão preventiva mais exigente, muito mais exigente, deverá ser o intérprete».

Sobre o condicionalismo determinante da prisão preventiva veja-se ainda Odete Maria de Oliveira, *Jornadas de Direito Processual Penal,* 182-183.

5. Em casos especiais, previstos pela CRP ou pela lei ordinária, o regime ou os prazos de prisão preventiva podem ser diferentes dos estabelecidos neste artigo.

Assim:

a) Quanto ao Presidente da República, membros do Governo, deputados e Provedor de Justiça vigoram disposições especiais da CRP e dos respectivos Estatutos, que seria ocioso transcrever e que devem ser pontualmente consultadas;

b) Quanto a magistrados vigora o respectivo estatuto;

c) Quanto a militares, vigora o art. 24.º do Estatuto dos Militares das Forças Armadas (EMFAR), aprovado pelo Dec.-Lei n.º 236/99, de 25 de Junho, republicado em 30 de Agosto de 2003 após alterações introduzidas pelo Dec.--Lei n.º 197-A/2003.

d) Quanto a diplomatas, respeita-se a prática internacional, na falta de convenção reguladora.

A Convenção de Viena, de 18 de Abril de 1961, aprovada pelo Dec.-Lei n.º 48 275, de 27 de Março de 1968, sobre relações diplomáticas, opõe-se a que se adopte qualquer procedimento criminal contra um agente diplomático.

O art. 29.º da Convenção estabelece que a pessoa do agente diplomático é inviolável, não podendo ser objecto de nenhuma forma de detenção ou prisão. O Estado aceitador tratá-lo-á com o devido respeito e adoptará todas as medidas adequadas para impedir qualquer ofensa à sua pessoa, liberdade e dignidade. O art. 31.º preceitua que o agente diplomático não é obrigado a prestar depoimento como testemunha e que a imunidade não o isenta de jurisdição no Estado acreditante;

e) Quanto a detenção de extraditandos regulam os arts. 27.º, n.º 3, al. *c)* da CRP e 38.º, 51.º, 52.º e 53.º da Lei n.º 144/99, de 31 de Agosto, diploma que estabeleceu normas relativas à cooperação judiciária internacional em matéria penal e que vai transcrito no final desta obra.

f) A este respeito afigura-se-nos oportuno desde já chamar atenção para a Proposta de Lei n.º 222/X, pendente na Assembleia da República no momento em que alinhamos esta anotação (Dezembro de 2008), contendo alterações à Lei n.º 5//2006, de 23 de Fevereiro, sobre o regime de armas e suas munições, e introduzindo o art. 95.º-A, intitulado *Detenção e prisão preventiva,* cujo teor é o seguinte:

1. Há lugar à detenção em flagrante delito pelos crimes previstos nos artigos 86.º, 87.º e 89.º da presente lei e pelos crimes cometidos com arma, a qual se deve manter até o detido ser apresentado a audiência de julgamento sob a forma sumária ou a primeiro interrogatório judicial para eventual aplicação de medida de coacção ou de garantia patrimonial.

Código de Processo Penal

2. Fora de flagrante delito, a detenção pelos crimes previstos no número anterior pode ser efectuada por mandado do juiz ou do Ministério Público.
3. As autoridades de polícia criminal podem também ordenar a detenção fora de flagrante delito, por iniciativa própria, nos casos previstos na lei, e devem fazê-lo se houver perigo de continuação da actividade criminosa.
4. É aplicável ao arguido a prisão preventiva quando houver fortes indícios da prática de crime doloso previsto no n.º 1, punível com pena de prisão de máximo superior a três anos, veriicadas as demais condições de aplicação da medida.

Os crimes dos artigos 86.º, 87.º e 89.º da Lei n.º 5/2006 são os de Detenção de arma proibida e crime cometido com arma; de Tráfico e mediação de armas; e de Detenção de armas e outros dispositivos, produtos ou substâncias em locais proibidos.

É um ponto a que deve ser prestada atenção, em face da provável entrada em vigor em futuro próximo dos aludidos dispositivos.

Parecer da PGR n.º 60/2003; *DR,* II série, de 16/10/2003:
Parecer n.º 60/2003. *— Prisão preventiva — Estatuto do recluso — Liberdade de expressão — Violação de correspondência — Entrevista — Autorização — Administração prisional — Conflitos de direitos — Princípios da concordância prática — Princípio da proporcionalidade — Relações especiais de poder.*
1.ª os reclusos encontram-se sujeitos a um estatuto especial, juridico--constitucionalmente credenciado, que lhes assegura a titularidade de direitos fundamentais, à excepção daqueles que seja indispensável limitar ou sacrificar para a realização dos objectivos e finalidades institucionais inerentes a este estatuto.
2.ª Os direitos, liberdades e garantias dos reclusos podem ser objecto de restrições, desde que obedeçam aos princípios e regras gerais da limitação de direitos, liberdades e garantias: apenas são admissíveis as restrições que, previstas na lei, se mostrem necessárias para salvaguardar bens ou interesses constitucionalmente protegidos, não podendo afectar o conteúdo essencial dos direitos e devendo subordinar-se às exigências do princípio da proporcionalidade nas suas três dimensões.
3.ª O exercício do direito à liberdade de expressão do detido em prisão preventiva pode ser restringido para salvaguardar interesses processuais ligados à garantia das finalidades da prisão preventiva, à manutenção da disciplina, segurança e ordem do estabelecimento ou, ainda, a outros valores constitucionalmente relevantes, tais como o segredo de justiça.
4.ª Na ausência de lei densificadora das restrições, o eventual conflito entre o direito à liberdade de expressão do preso preventivamente e os valores ou bens jurídicos mencionados na conclusão anterior terá de ser resolvido através de um processo de ponderação norteado pela procura de soluções de harmonização e concordância práticas e limitado pelo princípio da proporcionalidade.
5.ª Em caso de inultrapassável conflito entre os direitos dos reclusos e a necessidade de acautelar os valores jurídico-constitucionais

Artigo 202.º

referenciados, devem prevalecer, em última instância, estes valores, ainda que sempre dentro dos limites do princípio da proporcionalidade e do respeito pelo reduto último intransponível constituído pela dignidade humana.

6.ª A decisão que em concreto determine qualquer restrição ao exercício do direito à liberdade de expressão, seja judicial seja administrativa, deverá estar devidamente fundamentada, com explicitação dos motivos de facto e de direito que condicionam o sentido da decisão (artigos 97.º, n.º 4, do Código de Processo Penal e 125.º do Código do procedimento Administrativo).

7.ª Nos contactos do recluso preventivo com a comunicação social, em especial quando se trate de entrevistas escritas, aplica-se, por analogia e com as devidas adaptações, o regime que disciplina o exercício de direito à correspondência (artigos 42.º 43.º e 46.º do Decreto-Lei n.º 265/79).

8.º No caso de recluso definitivamente condenado, além da observância dos pressupostos orgânicos, formais e materiais mencionados nas conclusões 2.ª, 4.ª, 5.ª e 6.ª, o direito à liberdade de expressão apenas pode ser restringido para salvaguardar a disciplina, segurança e ordem do estabelecimento e a finalidade de execução da pena.

9.ª O recluso em prisão preventiva pode ver mais limitado o exercício do direito à liberdade de expressão, mormente no seu relacionamento com os órgãos de comunicação social, por razões que se prendem com a necessidade de acautelar as finalidades da medida de coacção e o segredo de justiça.

10.º Nos contactos pessoais dos reclusos com os órgãos de comunicação social, cabe à administração prisional, em qualquer caso, decidir em matéria de disciplina, ordem e segurança do estabelecimento.

11.ª Tratando-se de recluso em prisão preventiva, ao estatuído na conclusão 10.ª acresce que a fiscalização e controlo dos interesses ligados à salvaguarda das finalidades da prisão preventiva e ao segredo de justiça (artigos 204.º do Código de Processo Penal e 20.º, n.º 1 da Constituição) cabe ao Ministério Público ou ao juiz de instrução ou do julgamento, conforme a questão se coloque na fase do inquérito, da instrução ou do julgamento, respectivamente, sendo que havendo restrições aos direitos, liberdades e garantias elas devem ser objecto de decisão jurisdicional, se suscitadas por quem para tanto tiver legitimidade.

7. *Jurisprudência:*

— I — É inconstitucional, por violação das disposições conjugadas dos arts. 1.º; 26.º, n.º 1 e 32.º, n.º 8, da CRP, a norma extraída do art. 126.º n.os 1 e 3, do CPP, na interpretação segundo a qual não é ilícita a valoração como meio de prova da existência de indícios dos factos integrantes dos crimes de abuso sexual de crianças imputados ao arguido e dos pressupostos estabelecidos nos arts. 202.º e 204.º, al. *c)* do CPP, para aplicação da medida de coacção de prisão preventiva, dos *diários* apreendidos, em busca domiciliária judicialmente decretada, na ausência de uma ponderação efectuada à luz dos princípios da necessidade e da proporcionalidade sobre o conteúdo, em concreto, desses

Código de Processo Penal

diários. (Ac. do Trib. Constitucional n.º 607/2003, de 5 de Dezembro, proc. n.º 594/03-2.ª; *DR*, II série, de 8 de Abril de 2004);

— I — A prisão preventiva do arguido só pode ser imposta se os pressupostos de que depende se verificarem no momento em que é decretada. II — Não pode, por isso, decretar-se para data futura a prisão preventiva de um artigo que se encontra preso preventivamente à ordem de outro processo. (Ac. RP de 19 de Abril de 2006; *CJ*, XXXI, tomo 2, 206).

ARTIGO 203.º
(Violação das obrigações impostas)

1. Em caso de violação das obrigações impostas por aplicação de uma medida de coacção, o juiz, tendo em conta a gravidade do crime imputado e os motivos da violação, pode impor outra ou outras medidas de coacção previstas neste Código e admissíveis no caso.

2. O juiz pode impor a prisão preventiva nos termos do número anterior, quando o arguido não cumpra a obrigação de permanência na habitação, mesmo que ao crime caiba pena de prisão de máximo igual ou inferior a 5 e superior a 3 anos.

---

1. O n.º 1 reproduz o art. 203.º do Proj. e corresponde aos arts. 206.º, n.º 3, do Aproj. e 273.º-A e 285.º-A do CPP de 1929, introduzidos pelo Dec.-Lei n.º 377/77, de 6 de Setembro.

O n.º 2 foi introduzido pela Lei n.º 48/2007, de 29 de Agosto, passando então para n.º 1 o corpo do artigo, na versão anterior. Não havia correspondente anterior deste dispositivo.

2. A sanção para a violação das obrigações impostas por aplicação de uma medida de coacção é agora menos severa e mais maleável do que no regime vigente à data da entrada do Código, segundo o qual essa violação podia até ser criminalmente punida, como se estabelecia no controverso art. 285.º-A do CPP de 1929.

A violação das obrigações impostas é agora apreciada caso a caso, atendendo-se fundamentalmente à gravidade do crime imputado e aos motivos da violação. A violação pode ser desculpável e pode dar origem à aplicação de outra ou outras medidas de coacção que se revelem adequadas, mas dentro do quadro legal das correspondentes ao crime. Há, porém, medidas cuja aplicação conjunta não é possível, como é o caso da caução conjuntamente com a prisão preventiva ou com a obrigação de permanência na habitação (cfr. art. 205.º); em tal caso ter-se-á que optar por uma delas.

Não se trata, em caso algum, de sanções, no sentido técnico do termo, e muito menos de sanções de natureza penal, mas antes de afloramento do princípio da adequação, que rege esta matéria das medidas de coacção. Está assim fora de questão, em nosso entendimento, a verificação do crime de

Artigo 203.°

desobediência, já que a lei prevê tratamento específico para a violação das obrigações decorrentes da aplicação das medidas de coacção. A este respeito existem porém vozes discordantes (ver infra).

Em continuação das considerações que acabam de ser exploradas, deve ainda atentar-se no dispositivo do n.° 2, introduzido pela Lei supramencionada. Nesse dispositivo atribui-se ao juiz o poder-dever de sancionar o não cumprimento da obrigação de permanência na habitação com a aplicação de prisão preventiva, ainda que ao crime caiba prisão de máximo igual ou inferior a 5 anos, mas superior a 3 anos, baixando-se assim, neste caso específico, o limite geral.

3. Sobre este artigo expendeu Odete Maria de Oliveira as seguintes considerações, *in Jornadas de Direito Processual Penal,* 184-185:

«...Questão que este artigo pode levantar é a de saber se a sua estatuição configura uma sanção por violação das obrigações impostas.

Parece-me que não deve ser esse o entendimento.

O legislador apenas quis afirmar a possibilidade de imposição de novas medidas de coacção em caso de violação das obrigações impostas por anterior medida.

Estamos, uma vez mais, perante uma manifestação do princípio da adequação.

Tenha-se presente que o incumprimento das obrigações impostas pode ser índice de adequação de medida mais gravosa mas nada releva quanto à sua proporcionalidade.

Pode ainda perguntar-se se a violação das obrigações pode integrar um crime de desobediência.

A questão assume particular relevo face a uma recusa injustificada de prestação de caução.

O legislador do novo Código não tomou posição expressa, certamente por ter em conta a natureza substantiva da questão, ao contrário do Código de 1929, que regulou expressamente a situação pela forma prevista no artigo 285.°-A. Contudo, sempre se poderá concluir que, se verificados os elementos típicos do art. 388.° do Código Penal, aquele comportamento poderá integrar crime de desobediência.

Não se ignora quanto pode ser prejudicial a criminalização destes comportamento. Não pode, porém, esquecer-se que, a não se entender assim, situações destas ficam praticamente desacauteladas; pense-se, por exemplo, na hipótese de um crime punível com pena de prisão de máximo não superior a seis meses em que, face a uma recusa injustificada a prestar caução, nenhuma outra medida de coacção (para além do termo de identidade e residência) poderá ser imposta.»

Como consta da anot. 2, discordamos desta conclusão final, que supomos não ter tido acolhimento na doutrina nem na jurisprudência. A criminalização violaria até, segundo se nos afigura, o texto constitucional.

Código de Processo Penal

CAPÍTULO II
DAS CONDIÇÕES DE APLICAÇÃO DAS MEDIDAS

ARTIGO 204.º
(Requisições gerais)

Nenhuma medida de coacção, à excepção da prevista no artigo 196.º, pode ser aplicada se em concreto se não verificar, no momento da aplicação da medida:

a) Fuga ou perigo de fuga;
b) Perigo de perturbação do decurso do inquérito ou da instrução do processo e, nomeadamente, perigo para a aquisição, conservação ou veracidade da prova; ou
c) Perigo, em razão da natureza e das circunstâncias do crime ou da personalidade do arguido, de que este continue a actividade criminosa ou perturbe gravemente a ordem e a tranquilidade públicas.

---

1. A versão originária deste artigo reproduzia o art. 204.º do Proj. e não tinha correspondente no direito anterior.
A Lei n.º 48/2007, de 29 de Agosto, introduziu no corpo do artigo e na alínea *c)* alterações destinadas mais a explicitar a interpretação do que a modificar o seu alcance, e que consistiram no seguinte:
— No final do corpo do artigo foi aditado no *momento da aplicação da medida;* e
— Na alínea *c)* foi aditado o advérbio *gravemente.* Ainda nesta alínea, com a introdução do pronome *este* referido ao arguido, ficou consagrado que a perturbação grave da ordem e da tranquilidade pública não tem carácter objectivo, e antes deve ser imputável ao arguido.

2. Fixam-se neste artigo os requisitos ou condições gerais que, além dos especiais previstos no capítulo anterior, devem coexistir para as medidas de coacção, com excepção do termo de identidade e de residência.
Tais requisitos ou condições gerais, taxativamente enumerados nas als. *a)*, *b)* e *e),* são alternativos: consequentemente, basta que exista algum deles para que, conjuntamente com os especiais previstos no capítulo anterior, a medida possa ser aplicada.

3. *Jurisprudência:*
— I — O art. 204.º, alíneas *a)* e *c),* do CPP, isoladamente analisado, não ofende as normas constitucionais. De facto, o art. 27.º, n.º 3, da CRP admite a privação da liberdade, pelo tempo e nas condições que a lei determinar, no caso de detenção ou prisão preventiva por fortes indícios da prática de crime doloso a que corresponda pena de prisão cujo limite máximo seja superior a 3 anos.

Artigo 206.º

II — Não viola a CRP o disposto nas alíneas *a)* e *c)* do art. 204.º do CPP, quando estatuem que nenhuma medida de coacção, à excepção da prevista o art. 196.º (termo de identidade e residência), pode ser aplicada se em concreto se não verificar fuga ou perigo de fuga ou perigo em razão da natureza e das circunstâncias do crime ou da personalidade do arguido, de perturbação da ordem e da tranquilidade pública ou de continuação da actividade criminosa. Por outro lado, não se vê que haja impedimento constitucional a que possa haver revisão da aplicação das medidas de coacção durante o processo. (Ac. do Trib. Constitucional n.º 720/97, de 23 de Dezembro, proc. n.º 390/97; *BMJ*, 472, 102).

ARTIGO 205.º

(Cumulação com a caução)

A aplicação de qualquer medida de coacção, à excepção da prisão preventiva ou da obrigação de permanência na habitação, pode sempre ser cumulada com a obrigação de prestar caução.

1. Reproduz o art. 205.º do Proj. Não havia disposição correspondente no direito anterior, embora a solução estivesse implícita no art. 274.º do CPP de 1929, na redacção introduzida pelo Dec.-Lei n.º 185/72, de 31 de Maio.

2. Estabelece-se neste artigo a possibilidade de, além da caução, ser aplicada qualquer outra medida de coacção, com excepção da prisão preventiva e da obrigação de permanência na habitação, cuja aplicabilidade não faria sentido conjuntamente com a caução.

A aplicação de qualquer medida de coacção conjuntamente com a de caução obedecerá sempre aos princípios gerais, nomeadamente aos princípios da legalidade (art. 191.º) e da adequação e proporcionalidade (art. 193.º). Depende ainda da prévia constituição como arguido (art. 192.º).

ARTIGO 206.º

(Prestação da caução)

1. A caução é prestada por meio de depósito, penhor, hipoteca, fiança bancária ou fiança, nos concretos termos em que o juiz o admitir.

2. Precedendo autorização do juiz, pode o arguido que tiver prestado caução por qualquer um dos meios referidos no número anterior substituí-lo por outro.

3. A prestação de caução é processada por apenso.

4. Ao arguido que não preste caução é correspondentemente aplicável o disposto no artigo 228.º.

1. Os n.ºs 1, 2 e 3 reproduzem o art. 206.º do Proj. e correspondem aos arts. 212.º do Aproj. e 277.º e 278.º do CPP de 1929, na redacção introduzida pelo Dec.-Lei n.º 185/72, de 31 de Maio.

Código de Processo Penal

O n.º 4 foi introduzido pela Lei n.º 59/98, de 25 de Agosto a-fim-de colmatar uma lacuna da versão originária, que já vinha do regime anterior.

2. Não há diferenças de relevo relativamente ao direito anterior. Como sustentámos em anot. ao art. 278.º do CPP de 1929, a caução pode não ser substituída por outro meio, mas pelo mesmo meio, embora com objecto diferente (outro depósito, outro penhor, outra hipoteca, etc.), desde que legalmente admissível.

3. Esta caução tem uma finalidade distinta da da caução económica, medida de garantia patrimonial regulada no art. 227.º que visa acautelar o pagamento da pena pecuniária (multa), da taxa de justiça, das custas do processo, de qualquer outra dívida ao Estado relacionada com a prática do crime e ainda eventualmente de indemnização ao Estado.

A caução medida de coacção regulada neste art. 206.º destina-se a assegurar a comparência do arguido aos actos processuais a que deva comparecer e o cumprimento dos outros deveres processuais que lhe são impostos.

4. Como ficou anotado *supra,* anot. 1, o dispositivo do n.º 4 foi aditado pela Lei aí mencionada. Ficou colmatada uma lacuna da versão originária, pois que não estabelecia qual a sanção a aplicar ao arguido que não prestava a caução que lhe era exigida. Este dispositivo veio tornar possível o arresto preventivo, em tal caso.

ARTIGO 207.º

(Reforço da caução)

1. Se, posteriormente a ter sido prestada caução, forem conhecidas circunstâncias que a tornem insuficiente ou impliquem a mo dificação da modalidade de prestação, pode o juiz impor o seu reforço ou modificação.

2. É correspondentemente aplicável o disposto no artigo 197.º, n.º 2, e no artigo 203.º.

---

1. Reproduz o art. 207.º do Proj. e corresponde aos arts. 216.º do Aproj. e 282.º do CPP de 1929, na redacção introduzida pelo Dec.-Lei n.º 185/72, de 31 de Maio.

2. Não há alterações significativas relativamente ao direito anterior. Vejam-se as anots. ao art. 282.º do CPP de 1929, no nosso *Código de Processo Penal,* 6.ª edição.

3. Sobre este artigo expendeu J. A. Barreiros as seguintes considerações, *in As Medidas de Coacção,* obra já citada, 29: «O juiz pode impor o reforço ou a modificação da caução se, posteriormente a esta ter sido prestada, forem conhecidas circunstâncias que a tornem insuficiente ou impliquem modificações da modalidade da prestação.

No primeiro caso o juiz deve ordenar a elevação do montante caucionado; no segundo a substituição de um modo de prestar caução por outro.

506

Artigo 209.º

A primeira alternativa vale para a eventualidade de se tornar necessário agravar o esforço garantístico do arguido, obrigando-o a uma prestação que signifique um despêndio mais elevado da sua parte.

A segunda hipótese rege para as circunstâncias em que pode tornar-se inclusivamente necessário aliviar o arguido do seu encargo. Contra esta constatação milita aparentemente a epígrafe do artigo *(reforço de caução)*; mas a aplicação remissiva do n.º 2 do art. 197.º e do art. 203.º, determinada pelo n.º 2 deste art. 207.º, e a consequente substituição da caução por outra medida de coacção não permitem outra interpretação».

4. *Jurisprudência:*

— I — O facto de o arguido, sem justificação, não ter prestado a caução que lhe foi arbitrada, não constitui fundamento para se ordenar o reforço da mesma. II — O que tal facto legitima é que, com a caução a prestar, se cumule a obrigação de apresentação periódica. (Ac. RP de 17 de Setembro de 1997; *CJ,* XXII, tomo 4, 236).

ARTIGO 208.º

(Quebra da caução)

1. A caução considera-se quebrada quando se verificar falta injustificada do arguido a acto processual a que deva comparecer ou incumprimento de obrigações derivadas de medida de coacção que lhe tiver sido imposta.

2. Quebrada a caução, o seu valor reverte para o Estado.

---

1. Reproduz o art. 208.º do Proj. e corresponde aos arts. 217.º do Aproj. e a disposições do art. 274.º do CPP de 1929.

2. Tipificam-se aqui, no n.º 1, os fundamentos da quebra da caução. Trata-se de faltas culposas do arguido, que serão apreciadas pelo juiz, com audição do MP e do próprio arguido, em obediência ao princípio contraditório.

Em caso de quebra, o valor da caução reverterá sempre para o Estado. Não há agora casos de quebra de caução que não dêem origem à perda para o Estado dos respectivos quantitativos.

ARTIGO 209.º

(Dificuldades de aplicação ou de execução de uma medida de coacção)

Para efeito de aplicação ou de execução de uma medida de coacção é correspondentemente aplicável o disposto no artigo 115.º.

---

1. O texto deste artigo foi introduzido pela Lei n.º 59/98, de 25 de Agosto e reproduz o originário n.º 1 do art. 210.º. Na versão anterior estabelecia que sempre que o crime imputado fosse punível com pena de

Código de Processo Penal

prisão de máximo superior a 8 anos o juiz devia, no despacho sobre medidas de coacção, indicar os motivos que o tivessem levado a não aplicar ao arguido a medida de prisão preventiva. No n.º 2 enumerava outros crimes sujeitos ao mesmo regime.

Este artigo da versão anterior foi objecto de vivas críticas, que chegaram a ver nele uma enumeração de crimes quase incaucionáveis. Segundo supomos, aos seus dispositivos se devia também atribuir a causa de um excessivo número de presos preventivos existentes nas cadeias portuguesas, pelo que bem eliminados foram esses dispositivos pela apontada Lei.

2. Na versão actual, introduzida pela lei referida na anot. anterior, o artigo revela-se desnecessário, pois o regime para efeito de aplicação ou de execução de uma medida de coacção já resultava da aplicação do dispositivo geral do art. 115.º, independentemente de essa aplicação aqui ser expressamente consagrada.

ARTIGO 210.º
(Inêxito das diligências para aplicação da prisão preventiva)

Se o juiz tiver elementos para supor que uma pessoa pretende subtrair-se à aplicação ou execução da prisão preventiva, pode aplicar-lhe imediatamente, até que a execução da medida se efective, as medidas previstas nos artigos 198.º a 201.º, inclusive, ou alguma ou algumas delas.

---

1. Reproduz o n.º 2 do art. 210.º do Proj. Não havia disposições correspondentes no direito anterior. O n.º 1 da versão originária passou a constituir o art. 209.º, introduzido pela Lei n.º 59/98, de 25 de Agosto.

2. O disposto neste artigo, que constituiu inovação, pode ter um vasto campo de aplicação, aplicando-se em todos os casos em que haja razões para supor que o arguido se pretende eximir à prisão preventiva, *v. g.* doenças simuladas, evasivas, dificuldades de captura, etc.

Trata-se de disposição especial, só aplicável à prisão preventiva. Se o funcionário de justiça ou o agente de manutenção da ordem pública não tiverem conseguido cumprir o mandato de captura devem lavrar auto de ocorrência, nos termos do art. 115.º, n.º 3, onde informarão, se for caso disso, se há elementos para supor que o capturando se pretende subtrair à prisão preventiva.

As medidas de coacção que podem ser aplicadas imediatamente, isolada ou cumulativamente, são as de obrigação de apresentação periódica; suspensão do exercício de funções, de profissão e de direitos; proibição de permanência, de ausência e de contactos; e obrigação de permanência na habitação. Estas medidas, quando aplicadas nos termos deste n.º 2, cessam logo que a prisão se efective.

Artigo 211.º

ARTIGO 211.º
(Suspensão da execução da prisão preventiva)

1. No despacho que aplicar a prisão preventiva ou durante a execução desta o juiz pode estabelecer a suspensão da execução da medida, se tal for exigido por razão de doença grave do arguido, de gravidez ou de puerpério. A suspensão cessa logo que deixarem de verificar-se as circunstâncias que a determinaram e de todo o modo, no caso de puerpério, quando se esgotar o terceiro mês posterior ao parto.

2. Durante o período de suspensão da execução da prisão preventiva o arguido fica sujeito à medida prevista no artigo 201.º e a quaisquer outras que se revelarem adequadas ao seu estado e compatíveis com ele, nomeadamente a de internamento hospitalar.

---

1. Reproduz o art. 211.º do Proj. e corresponde aos arts. 225.º, n.os 2 e 3 do Aproj.; 291.º-B do CPP de 1929, na redacção introduzida pelo Dec.-Lei n.º 377/77, de 6 de Setembro; e 2.º do Dec.-Lei n.º 477/82, de 22 de Dezembro.

2. Embora a suspensão da execução da prisão preventiva já estivesse prevista na fase final do regime anterior (ver *supra*), a regulamentação desta medida foi pormenorizada e aperfeiçoada, designadamente quanto aos seguintes pontos:

— A suspensão pode ser concedida logo no despacho que decreta a prisão preventiva;

— A suspensão só pode ser concedida por razões de doença grave, de gravidez ou de paupério. Neste ponto, o Código é agora mais restritivo do que o regime do Dec.-Lei n.º 377/77, aproximando-se porém do que posteriormente foi estabelecido pelo Dec.-Lei n.º 477/82;

— O arguido cuja prisão preventiva ficou suspensa, durante a suspensão, fica submetido a outras medidas de coacção, especificadas no n.º 2.

Da leitura do n.º 2 parece deduzir-se que a medida prevista no art. 201.º (obrigação de permanência na habitação) deve sempre ser imposta no caso de suspensão da prisão preventiva, e, além dela, outras que se revelarem adequadas. Cremos que não deve assim ser entendido, pois que essa medida de coacção prevista no art. 201.º pode ser incompatível com outra que se revele adequada e que tenha de ser prementemente imposta. Pense-se no caso de doença grave que exija internamento hospitalar.

3. Cessando o fundamento da suspensão da prisão preventiva, cessará essa situação transitória, regressando o arguido à situação de preso preventivamente; no caso de puerpério a suspensão não poderá exceder o terceiro mês posterior ao parto. Neste caso, nem será necessário despacho judicial declarando terem cessado as circunstâncias que determinaram a suspensão e consequentemente esta extinta.

Código de Processo Penal

4. *Jurisprudência:*

— A toxicodependência, sendo embora uma doença grave, não determina a suspensão da execução preventiva, uma vez que, nos termos do art. 42.° do Dec.-Lei n.° 430/83, de 12 de Dezembro, o recluso pode ser transferido para estabelecimento prisional e aí assistido, sem prejuizo de medidas urgentes no caso de intoxicação aguda, a levar a cabo pelo Centro de Profilaxia da Droga, por médico ou em qualquer unidade hospitalar. (Ac. RC de 2 de Novembro de 1989: *CJ,* XIV, tomo 5, 71);

— Só é de suspender a prisão preventiva com fundamento em doença grave do arguido se este não puder ser tratado em estabelecimento hospitalar. (Ac. RC de 9 de Dezembro de 1993; *CJ,* XVIII, tomo 5, 70).

CAPÍTULO III

DA REVOGAÇÃO, ALTERAÇÃO E EXTINÇÃO DAS MEDIDAS

ARTIGO 212.°
(Revogação e substituição das medidas)

1. As medidas de coacção são imediatamente revogadas, por despacho do juiz, sempre que se verificar:

a) Terem sido aplicadas fora das hipóteses ou das condições previstas na lei; ou

b) Terem deixado de subsistir as circunstâncias que justificaram a sua aplicação.

2. As medidas revogadas podem de novo ser aplicadas, sem prejuizo da unidade dos prazos que a lei estabelecer, se sobrevierem motivos que legalmente justifiquem a sua aplicação.

3. Quando se verificar uma atenuação das exigências cautelares que determinaram a aplicação de uma medida de coacção, o juiz substitui-a por outra menos grave ou determina uma forma menos gravosa da sua execução.

4. A revogação e a substituição previstas neste artigo têm lugar oficiosamente ou a requerimento do Ministério Público ou do arguido, devendo estes ser ouvidos, salvo nos casos de impossibilidade devidamente fundamentada. Se, porém, o juiz julgar o requerimento do arguido manifestamente infundado, condena-o ao pagamento de uma soma entre seis UC e vinte UC.

---

1. Com alteração introduzida no n.° 4 pela Lei n.° 48/2007, de 29 de Agosto, reproduz o art. 212.° do Proj. e corresponde aos arts. 216.° do Aproj. e 273.°

Artigo 212.º

do CPP de 1929, na redacção introduzida pelo Dec.-Lei n.º 377/77, de 6 de Setembro.

A alteração introduzida pela supramencionada Lei consistiu na substituição, no final do primeiro período, a seguir a *estes*, de *sempre que necessário, ser ouvidos*, por *salvo nos casos de impossibilidade devidamente fundamentada*. Tratou-se manifestamente de vincar a necessidade de respeitar, sempre que possível, o princípio do contraditório.

2. Não há alteração significativa relativamente ao direito anterior. Trata-se de afloramento do princípio de que as medidas de coacção, pelas contínuas variações do seu condicionalismo, estão sujeitas à condição *rebus sic stantibus*.

Para o caso particular da medida de coacção de prisão preventiva deve ainda atender-se ao normativo do artigo seguinte, onde se determina o reexame obrigatório, de três em três meses, dos pressupostos dessa medida, decidindo o juiz se ela é de manter ou deve ser substituída ou revogada.

O facto de terem deixado de subsistir as circunstâncias que justificaram a aplicação de uma medida de coacção não obsta, como é óbvio, a que sobrevenham motivos que voltem a justificar aplicação dessa medida, *maxime* da prisão preventiva. Daí o normativo constante do n.º 2. Não havia no CPP de 1929 preceito paralelo, mas já assim devia ser entendido em face dos princípios gerais, como afloramento do princípio *rebus sic stantibus*.

Havendo lugar a nova aplicação de uma medida de coacção dentro do mesmo processo, respeitar-se-á sempre a unidade dos prazos que a lei estabelece, talqualmente sucederia se a medida fosse executada continuamente.

Apesar de se nos afigurar muito clara a orientação de que as medidas de coacção podem ser alteradas ou revogadas a todo o momento, e não só aquando da revisão trimestral a que alude o art. 213.º, sendo portanto as decisões judiciais a elas respeitantes decisões *rebus sic stantibus*, sucedeu no entanto que houve jurisprudência em sentido contrário, até que o Plenário das secções criminais do STJ — ver *infra*, anot. 5, — firmou jurisprudência conforme a orientação que sempre sustentámos.

3. A previsão deste artigo abrange os casos de revogação das medidas de coacção a da sua substituição por outras menos gravosas. Daqui não deve tirar-se a ilação de que a lei rejeita a possibilidade de aplicação de medida de coacção mais gravosa, em substituição da que já foi aplicada. Para tanto bastará que surja novo circunstancialismo que dê fundamento legal à aplicação dessa medida mais gravosa. Sucede isso *v. g.* no caso de violação das obrigações impostas aquando da aplicação de uma medida de coacção, como resulta do art. 203.º. É mais um afloramento princípio *rebus sic stantibus,* que domina esta matéria.

4. O processamento da revogação ou substituição das medidas de coacção faz parte da tramitação corrente, pelo que não pode ser considerado incidente anómalo, nem dá, consequentemente, lugar a tributação em custas.

Tratando-se porém de processamentos a requerimento do arguido que seja considerado manifestamente infundado haverá lugar a condenação do mesmo numa soma entre seis e vinte UCs. Tributa-se aqui tão só a lide temerária, ou seja o requerimento feito de má fé ou com grave negligência, em suma aquele cujo indeferimento o requerente não podia desconhecer.

511

Código de Processo Penal

5. Pinto de Albuquerque, *in Comentário do Código de Processo Penal* pág. 563, considera inconstitucional o n.º 4 deste art. 212.º, na medida em que não prevê o direito de o assistente se pronunciar sobre a revogação ou substituição da medida de caução, violando assim os arts. 20.º, n.º 1 e 32.º, n.º 2, da CRP. Não entendemos assim, pois que, como já salientámos em anot. ao art. 194.º, o assistente não tem as funções de execução da política criminal e de exercício da accão penal conferidas ao MP pelo art. 219.º, n.º 1, da CRP e, dentro dos parâmetros constitucionais, estão bem diferenciadas, na lei ordinária, as funções do MP e do assistente durante o inquérito.

6. *Jurisprudência fixada:*
— A prisão preventiva deve ser revogada ou substituída por outra medida de coacção logo que se verifiquem circunstâncias que tal justifiquem, nos termos do artigo 212.º do Código de Processo Penal, independentemente do reexame trimestral dos seus pressupostos imposto pelo artigo 213.º do mesmo diploma. (Ac. do Plenário das secções criminais do STJ de 24 de Janeiro de 1996; *DR,* I-A série de 14 de Março de 1996).

7. *Jurisprudência:*
— O indeferimento do requerimento em que se solicita, sem prejuizo da ponderação do recuro interposto, a revogação do regime de prisão preventiva e a sua substituição pela liberdade provisória, é tributável — art. 212.º, n.º 4, do CPP. (Ac. STJ de 2 Outubro de 1996, proc. n.º 47.295-3.ª);
— Não há impedimento constitucional a que possa haver revisão da aplicação das medidas de coacção durante o processo. (Ac. do Trib. Constitucional n.º 720/97, de 23 de Dezembro, proc. n.º 390/97; *BMJ,* 472, 102);
— Nos casos referidos nos arts. 212.º e 213.º do CPP a audição do arguido e do MP não é obrigatória, dependendo apenas da resolução do tribunal sobre a sua necessidade ou desnecessidade. (Ac. RL de 29 de Setembro de 1998; *CJ,* XXIII, tomo 4.º, 146);
— Não é inconstitucional o art. 212.º do CPP, na interpretação segundo a qual o arguido, cuja libertação foi determinada na sequência de um pedido de *habeas corpus,* poder continuar detido à ordem de outro processo. (Ac. do Trib. Constitucional n.º 584/2001, de 19 de Dezembro; *DR,* II série, de 4 de Fevereiro de 2002).

ARTIGO 213.º

(Reexame dos pressupostos da prisão preventiva e da obrigação de permanência na habitação)

1. O juiz procede oficiosamente ao reexame dos pressupostos da prisão preventiva ou da obrigação de permanência na habitação, decidindo se elas são de manter ou devem ser substituídas ou revogadas:

a) No prazo máximo de 3 meses, a contar da data da sua aplicação ou do último reexame; e

Artigo 213.º

b) Quando no processo forem proferidos despacho de acusação ou de pronúncia ou decisão que conheça, a final, do objecto do processo e não determine a extinção da medida aplicada.

2. Na decisão a que se refere o número anterior, ou sempre que necessário, o juiz verifica os fundamentos da elevação dos prazos de prisão preventiva ou da obrigação de permanência na habitação, nos termos e para os efeitos do disposto nos n.ºs 2, 3 e 5 do artigo 215.º, e no n.º 3 do artigo 218.º.

3. Sempre que necessário, o juiz ouve o Ministério Público e o arguido.

4. A fim de fundamentar as decisões sobre a manutenção, substituição ou revogação da prisão preventiva ou da obrigação de permanência na habitação, o juiz, oficiosamente ou a requerimento do Ministério Público ou do arguido, pode solicitar a elaboração de perícia sobre a personalidade e de relatório social ou de informação dos serviços de reinserção social, desde que o arguido consinta na sua realização.

5. A decisão que mantenha a prisão preventiva ou a obrigação de permanência na habitação é susceptível de recurso nos termos gerais, mas não determina a inutilidade superveniente de recurso interposto de decisão prévia que haja aplicado ou mantido a medida em causa.

---

1. O texto actual deste artigo foi introduzido pela Lei n.º 48/2007, de 29 de Agosto. Só o n.º 3 conservou a versão anterior, que era a do n.º 2 da versão originária.

O texto anterior, com excepção do n.º 3, não era o originário, pois sofrera alterações introduzidas pela Lei n.º 59/98, de 25 de Agosto.

2. Relativamente à versão anterior à do texto actual deste artigo apontam-se as seguintes alterações:

— Ficou estabelecido que o reexame oficioso tenha lugar não apenas de 3 em 3 meses mas também quando no processo forem proferidos despacho de acusação ou de pronúncia ou decisão que conheça do objecto do processo e não implique a extinção da própria medida de coacção;

— Ficou expressamente estabelecido o mesmo regime de reexame oficioso para a medida de coacção de obrigação de permanência na habitação. Vínhamos sustentando este regime em edições anteriores desta obra; e

— Ficou ainda estabelecido que a decisão que mantenha a prisão preventiva ou a obrigação de permanência na habitação é susceptível de recurso nos termos gerais, mas não determina a inutilidade superveniente de recurso de decisão prévia que haja aplicado ou mantido a medida em causa, assim consagrando orientação contrária à da jurisprudência dominante no que concerne à inulidade superveniente do recuso.

Código de Processo Penal

Este reexame, que é feito oficiosa e obrigatoriamente de três em três meses, acresce a qualquer outro reexame, que deve ser feito sempre que se verifiquem circunstâncias que o imponham. A lei não teve necessidade de o dizer aqui porque esses exames são impostos por outros normativos, *maxime* pelo art. 212.°.

Dada a similitude entre a prisão preventiva e a obrigação de permanência na habitação, do art. 200.° com expressão na lei — cfr. 218.°, n.° 3 e acentuada pelo ac. TC de 9 de Janeiro de 1987, já várias vezes referido, impõe-se a aplicação deste artigo a essa medida de coacção, que na realidade é uma prisão preventiva domiciliária.

Se, no reexame, o juiz mantiver ou substituir por outra a medida de coacção haverá lugar a recurso. Veja-se o art. 219.°, com as respectivas anots.

3. *Jurisprudência fixada:*

— A prisão preventiva deve ser revogada ou substituída por outra medida de coacção logo que se verifiquem circunstâncias que tal justifiquem, nos termos do artigo 212.° do Código de Processo Penal, independentemente do reexame trimestral dos seus pressupostos, imposto pelo artigo 213.° do mesmo diploma. (Ac. do Plenário das secções criminais do STJ n.° 3/96, de 24 de Janeiro de 1996; *DR*, I-A série, de 14 de Março de 1996).

— Quando o procedimento se reporte a um dos crimes referidos no n.° 1 do artigo 54.° do Decreto-Lei n.° 15/93, de 22 de Janeiro, a elevação dos prazos de duração máxima da prisão preventiva nos termos do n.° 3 do artigo 215.° do Código de Processo Penal decorre directamente do disposto no n.° 3 daquele artigo 54.°, sem necessidade de verificação e declaração judicial da excepcional complexidade do procedimento. (Ac. do Pleno das secções criminais do STJ de 11 de Fevereiro de 2004; *DR*, I – A série, de 2 Abril de 2004). *Nota.* Sobre esta questão veja-se na na *RPCC*, ano 12, n.° 4, anotação, em sentido contrário ao da jurisprudência fixada, ao ac. STJ de 7 de Março de 2002, proc. n.° 894/02-5.ª, pela procuradora-geral adjunta, Isabel São Marcos.

4. *Jurisprudência:*

— I — Durante a execução da prisão preventiva é obrigatório o reexame dos seus pressupostos, decidindo se se deve ser mantida, substituída ou revogada. Esse reexame é obrigatoriamente feito de três em três meses, decidindo-se se a prisão preventiva deve ser mantida, substituída ou revogada. II — Em tais termos, decorridos três meses após uma decisão sobre prisão preventiva, perde interesse e deve ser declarado extinto por inutilidade superveniente (art. 287.°, alínea *e)* do CPC), o recurso interposto dessa decisão, suposto que a única questão posta é a da suspensão da prisão preventiva. (Ac. STJ de 31 de Maio de 1989; Proc. 39947/3.ª);

— O art. 213.° do CPP, ao impor a obrigatoriedade de reapreciação de 3 em 3 meses dos pressupostos da prisão preventiva, não significa que tal respreciação tenha de ser feita em períodos certos de 3 meses, mas sim que entre cada apreciação (que pode ter acontecido em consequência de algum requerimento do arguido) e a seguinte, não medeiem mais de 3 meses. (Ac. STJ de 27 de Outubro de 1994, proc. 51/94);

— A exigência de reapreciação trimestral oficiosa dos fundamentos da manutenção da prisão preventiva, constante do art. 213.° do CPP, só se verifica

Artigo 213.º

até ser proferida decisão condenatória em pena de prisão na primeira instância, razão pela qual se não pode falar em ilegalidade de prisão com base nesse fundamento nem seria viável um pedido da providência de *habeas corpus*. (Ac. STJ de 27 de Junho de 1996; *BMJ,* 458, 204);

— Verifica-se nulidade insanável quando o juiz, no reexame trimestral, se decide oficiosamente pela manutenção de prisão preventiva, sem prévia audição do arguido. (Ac. RL de 17 de Março de 1998; *CJ*, XXIII, tomo 2, 145);

— Não é inconstitucional a norma constante do artigo 40.º do Código de Processo Penal, na versão dada pelo Decreto-Lei n.º 78/87, de 17 de Fevereiro, quando interpretada no sentido de não prescrever sempre o impedimento de intervenção no julgamento do juiz que determinou, anteriormente, a manutenção da prisão preventiva aplicada ao arguido, ao abrigo do disposto no artigo 213.º do mesmo Código. (Ac. do Trib. Constitucional n.º 29/99, de 13 de Janeiro, proc. n.º 1056/98; *DR,* II série, de 12 de Março do mesmo ano);

— Não é inconstitucional a norma do n.º 2 do art. 213.º do CPP, na medida em que prescinde da audiência do arguido quando não há alteração do condicionalismo fáctico que determinou a imposição da medida de coacção do arguido que, na reapreciação, se mantém. (Ac. do Trib. Constitucional n.º 96/99, de 10 de Fevereiro; *DR,* II série, de 31 de Março do mesmo ano);

— O juiz, antes de proferir despacho a determinar que o arguido continua preso preventivamente, deve ouvi-lo, designadamente mandando-o notificar para que ele possa pronunciar-se. (Ac. RP de 16 de Junho de 1999; *CJ*, XXIV, tomo 3, 241);

— I — Quando haja de proceder-se ao reexame dos pressupostos da prisão preventiva e o juiz considere desnecessária a audição prévia do MP ou do arguido, deverá fundamentar devidamente essa desnecessidade. II — A falta dessa fundamentação constitui nulidade insanável. (Ac. RL de 29 de Setembro de 1999; *CJ*, XXIV, tomo 4, 145);

— Enferma de nulidade insanável o despacho que determina a continuação do arguido na situação de prisão preventiva, sem previamente o ouvir. (Ac. RP de 29 de Setembro de 1999; *CJ*, XXIV, tomo 4 241);

— O juiz, quando proceda ao reexame dos pressupostos da prisão preventiva, mesmo quando mantenha tal medida de coacção, só tem que ouvir o arguido se o considerar necessário. (Ac. RP de 2 de Maio de 2001; *CJ*, XXVI, tomo 3, 224);

— A falta de reexame da subsistência dos pressupostos da prisão preventiva (art. 213.º do CPP) não é determinante da extinção daquela medida coactiva (art. 214.º do mesmo Código) nem, por si só, integra fundamento de *habeas corpus*. (Ac. STJ de 25 de Outubro de 2001, proc. n.º 3544/2001-5.ª; *SASTJ*, n.º 54, 129);

— I — O juiz pode, oficiosamente, decretar a revogação da medida de coacção a que o arguido esteja sujeito, bem como a sua substituição por outra mais gravosa, sem previamente o ouvir, bem como ao MP, desde que especifique as razões de facto e de direito justificativas da desnecessidade dessa audição. II — Se o não fizer, verifica-se uma irregularidade que pode e deve ser conhecida oficiosamente pelo tribunal *ad quem*. (Ac. RL de 17 de Outubro de 2001; *CJ*, XXVI, tomo 4, 150);

Código de Processo Penal

— É inconstitucional, por violação do art. 32.º, n.º 1, da CRP, a norma segundo a qual em caso de manutenção superveniente da prisão preventiva por nova decisão do juiz de instrução antes de decorrido o prazo a que se refere o art. 213.º, n.º 1, do CPP, na pendência de recurso da primeira decisão, se torna inútil o conhecimento deste recurso. (Ac. do Trib. Constitucional n.º 418/2003, de 24 de Setembro, proc. n.º 585/2003-2.ª; *DR,* II série, de 7 de Abril de 2004);

— Fica extinto, por inutilidade superveniente, o recurso interposto de decisão judicial que decretou a prisão preventiva, quando uma decisão judicial posterior proferida nos termos do art. 213.º do CPP, reapreciando os pressupostos da prisão preventiva perante o evoluir do inquérito, decidiu mantê-la. (Ac. do Trib. Constitucional n.º 309/2003; *DR,* II série, de 15 de Abril de 2004);

— I — Cumpre o dever de fundamentação o despacho em que se procede ao reexame da prisão preventiva e se limita a consignar que não se alteram os pressupostos decisórios que anteditaram a aplicação daquela medida de coacção, remetendo para os fundamentos antes acolhidos, que refere mantêm-se inalterados. II — O art. 313.º do CPP, ao impor a obrigatoriedade de reapreciação de 3 em 3 meses dos pressupostos da prisão preventiva, não significa que tal apreciação tenha de ser feita em períodos de 3 meses, mas sim que entre cada apreciação (que pode acontecido em consequência de algum requerimento do arguido) e a seguinte, não medeiem mais de 3 meses. III — A não audição prévia do arguido sobre os pressupostos da sua prisão preventiva pode, quando muito, e dado o disposto no art. 213.º do CPP, consubstanciar uma irregularidade, que fica sanada se não for por ele arguida no próprio acto, ou seja se a este não tiver assistido, nos 3 dias subsequentes, a contar daquele em que tiver sido notificado para qualquer termo do processo ou intervindo em algum acto nele praticado. (Ac. RC de 24 de Setembro de 2003; *CJ,* XXVIII, tomo 4, 42);

— A simples manutenção da prisão preventiva no reexame trimestral, que não está, enquanto tal e isoladamente, prevista como motivo de impedimento no art.º 40.º do CPP, não é susceptível de revelar a participação intensiva que crie risco de produção de pré-juizos desfavoráveis ao arguido, não afectando a garantia de imparcialidade (subjectiva) do tribunal do julgamento. (Ac. STJ de 3 de Dezembro de 2003, proc. n.º 3284/03-3.ª; *SASTJ,* n.º 76, 67);

— I — O juiz ao qual compete pronunciar-se sobre a manutenção dos pressupostos da prisão preventiva, oficiosamente ou sob requerimento do arguido, é necessariamente o juiz do tribunal em que o processo se encontre, de acordo com a respectiva competência funcional, e onde caiba praticar os actos processuais determinados ou permitidos por lei. II — Deste modo, é competente para decidir sobre o requerimento do arguido para reapreciação dos pressupostos da prisão preventiva o tribunal da Relação, se o processo aí se encontrar no momento da apreciação do requerimento. (Ac. STJ de 6 de Julho de 2005; *SASTJ,* n.º 93, 88);

— A exigência de reapreciação trimestral oficiosa dos pressupostos da prisão preventiva, constante do art. 213.º do CPP, só se verifica até ser proferida decisão condenatória em pena de prisão na primeira instância, pelo que não pode falar-se em ilegalidade da prisão, com base nesse fundamento. (Ac. STJ, de 4 de Agosto de 2005; *SASTJ,* n.º 93, 119);

— O incumprimento do dever de, trimestralmente, se proceder ao reexame dos pressupostos da prisão preventiva constitui mera irregularidade, mas não a ilegalidade da prisão, pelo que não é admissível a utilização da providência de *habeas corpus.* (Ac. STJ de 17 de Maio de 2007; *CJ, Acs. do STJ,* ano XV, tomo 2, 190).

516

Artigo 214.º

ARTIGO 214.º

(Extinção das medidas)

1. As medidas de coacção extinguem-se de imediato:

a) Com o arquivamento do inquérito;

b) Com a prolação do despacho de não pronúncia;

c) Com a prolação do despacho que rejeitar a acusação, nos termos da alínea *a)* do n.º 2 do artigo 311.º;

d) Com a sentença absolutória, mesmo que dela tenha sido interposto recurso; ou

e) Com o trânsito em julgado da sentença condenatória.

2. As medidas de prisão preventiva e de obrigação de permanência na habitação extinguem-se igualmente de imediato quando for preferida sentença condenatória, ainda que dela tenha sido interposto recurso, se a pena aplicada não for superior à prisão ou à obrigação de permanência já sofridas.

3. Se, no caso da alínea *d)* do n.º 1, o arguido vier a ser posteriormente condenado no mesmo processo, pode, enquanto a sentença condenatória não transitar em julgado, ser sujeito a medidas de coacção previstas neste Código e admissíveis no caso.

4. Se a medida de coacção for a de caução e o arguido vier a ser condenado em prisão, aquela só se extingue com o início da execução da pena.

1. O texto dos n.ºs 1, alínea a), b) e c), e 2 deste artigo foi introduzido pela Lei n.º 48/2007, de 29 de Agosto; o do n.º 3 conserva a versão originária e o do n.º 4 foi introduzido pela Lei n.º59/98 de 25 de Agosto, assim reintroduzindo um dispositivo que constara do art. 274.º do CPP de 1929 e que não tinha correspondente na versão originária do Código.

Esta relação ao texto imediatamente anterior, as alterações introduzidas nos n.ºs 1 e 2 pela supramencionada Lei consistiram em a extinção das medidas de coacção passar a ser consequência imediata do arquivamento do processo e da prolação do despacho de não pronúncia ou do despacho que regeitar a acusação e na equiparação, no n.º 2, da obrigação de permanência na habitação à prisão preventiva, como em nosso entendimento, já devia suceder.

2. Este Código estabelece um regime da extinção das medidas de coacção mais completo e simples do que o do CPP de 1929.

Convém, no entanto, atentar no seguinte:

Não há agora distinção entre os casos em que os processos ficam arquivados e aqueles em que ficam aguardando a produção de melhor prova; trata-se sempre de caso de arquivamento, embora com possível reabertura. Por isso, o arquiva-

Código de Processo Penal

mento do inquérito, dá sempre lugar à extinção das medidas de coacção, ainda que o arquivamento tenha radicado em insuficiência de prova.

Ficou agora bem esclarecido que a condenação condicional, ou seja em pena cuja execução ficou suspensa, dá lugar à extinção das medidas de coacção.

Esclarecida ficou também uma outra questão que deu lugar a larga controvérsia na vigência do CPP de 1929. Clarificou-se que a sentença absolutória, mesmo quando dela se interpôs recurso, dá lugar à extinção das medidas de coacção, sem prejuizo de, em tal caso, se poder usar da faculdade do n.º 3, no caso e o arguido vir a ser posteriormente condenado no recurso, mas só até ao trânsito em julgado da decisão do tribunal superior.

Como já se deixou anotado, o n.º 4 deste artigo não constava da versão originária, apesar de dispositivo idêntico constar do art. 274.º do CPP de 1929. Assim, e no domínio dessa versão, o caso dos arguidos condenados em pena de prisão, que se encontravam caucionados e que se furtavam ao cumprimento da pena, só podia ser resolvido através do instituto da contumácia, do art. 476.º e das normas para onde remetia.

Com o dispositivo do n.º 4, como a caução passou a subsistir até ao início do cumprimento da pena de prisão, pode decretar-se a quebra, nos termos gerais do art. 208.º, sempre que até esse momento o condenado falte injustificadamente a acto processual a que deva comparecer ou deixe de cumprir qualquer dever a que esteja sujeito.

3. O disposto no n.º 2 é a consagração legislativa de uma prática corrente. Existiu disposição idêntica no CPP de 1929 na redacção anterior à que a esse artigo foi introduzida pelo Dec.-Lei n.º 185/72, de 31 de Maio.

4. *Jurisprudência:*

— Com a condenação do arguido no STJ deixa ele de estar no regime de prisão preventiva para iniciar o cumprimento da pena, ainda que tenha sido interposto recurso para o Tribunal Constitucional. (Acs. do STJ de 23 de Fevereiro de 1995 e de 6 de Fevereiro de 1997; *CJ, Acs. do STJ*, III, tomo 1, 224 e V, tomo 1, 217);

— É inconstitucional, por violação dos arts. 223.º; 225.º, n.º 1 e 280.º, n.os 1 e 6, conjugados com a parte final do n.º 1 do art. 212.º e com os arts. 28.º, n.º 4 e 32.º, n.º 2, da CRP, a norma do art. 214.º, n.º 1, al. *e)*, do CPP, interpretada no sentido de que ocorre o trânsito em julgado, embora sujeito a condição resolutiva, logo que é proferida decisão condenatória pelo STJ, ao conhecer do mérito do recurso interposto pelo tribunal colectivo ou do júri, quando dessa decisão haja sido interposto recurso para o Trib. Constitucional, admitido com efeito suspensivo. (Acs. do Trib. Constitucional n.º 524/97, de 14 de Julho, Proc. n.º 222/97; *DR,* II série, de 27 de Novembro de 1997 e n.º 1166/96, de 20 de Novembro, Proc. n.º 249/95; *DR,* II série, de 6 de Fevereiro de 1977 e *BMJ,* 461, 100);

— I — As quantias depositadas pelo arguido em processo penal, a título de caução de boa conduta, prescrevem no prazo ordinário do art. 309.º do CC (20 anos). II — Este pazo especial de prescrição aplica-se apenas aos objectos e quantias apreendidas em processo penal que não forem reclamados pelos donos. (Ac. RP de 12 de Janeiro de 2000; *CJ,* XXV, tomo 1, 231).

Artigo 215.º

ARTIGO 215.º
(Prazos de duração máxima da prisão preventiva)

1. A prisão preventiva extingue-se quando, desde o seu início, tiverem decorrido:

a) Quatro meses sem que tenha sido deduzida acusação;

b) Oito meses sem que, havendo lugar a instrução, tenha sido proferida decisão instrutória;

c) Um ano e dois meses sem que tenha havido condenação em primeira instância;

d) Um ano e seis meses sem que tenha havido condenação com trânsito em julgado.

2. Os prazos referidos no número anterior são elevados, respectivamente, para seis meses, dez meses, um ano e seis meses e dois anos, em casos de terrorismo, criminalidade violenta ou altamente organizada, ou quando se proceder por crime punível com pena de prisão de máximo superior a oito anos, ou por crime:

a) Previsto nos artigos 299.º, no n.º 1 do artigo 318.º, nos artigos 319.º, 326.º, 331.º ou no n.º 1 do artigo 333.º do Código Penal e nos artigos 30.º, 79.º e 80.º do Código de Justiça Militar, aprovado pela Lei n.º 100/2003, de 15 de Novembro;

b) De furto de veículos ou de falsificação de documentos a eles respeitantes ou de elementos identificadores de veículos;

c) De falsificação de moeda, títulos de crédito, valores selados, selos e equiparados ou da respectiva passagem;

d) De burla, insolvência dolosa, administração danosa do sector público ou cooperativo, falsificação, corrupção, peculato ou de participação económica em negócio;

e) De branqueamento de vantagens de proveniência ilícita;

f) De fraude na obtenção ou desvio de subsídio, subvenção ou crédito;

g) Abrangido por convenção sobre segurança da navegação aérea ou marítima.

3. Os prazos referidos no n.º 1 são elevados, respectivamente, para um ano, um ano e quatro meses, dois anos e seis meses, e três anos e quatro meses, quando o procedimento for por um dos crimes referidos no número anterior e se revelar de excepcional complexidade, devido, nomeadamente, ao número de arguidos ou de ofendidos ou ao carácter altamente organizado do crime.

Código de Processo Penal

4. A excepcional complexidade a que se refere o presente artigo apenas pode ser declarada durante a primeira instância, por despacho fundamentado, oficiosamente ou a requerimento do Ministério público, ouvidos o arguido e o assistente.

5. Os prazos referidos nas alíneas *c)* e *d)* do n.º 1, bem como os correspondentemente referidos nos n.ᵒˢ 2 e 3, são acrescentados de seis meses se tiver havido recurso para o Tribunal Constitucional ou se o processo penal tiver sido suspenso para julgamento em outro tribunal de questão prejudicial.

6. No caso de o arguido ter sido condenado a pena de prisão em primeira instância e a sentença condenatória ter sido confirmada em sede de recurso ordinário, o prazo máximo da prisão preventiva eleva-se para metade da pena que tiver sido fixada.

7. A existência de vários processos contra o arguido por crimes praticados antes de lhe ter sido aplicada a prisão preventiva não permite exceder os prazos previstos nos números anteriores.

8. Na contagem dos prazos de duração máxima da prisão preventiva são incluídos os períodos em que o arguido tiver estado sujeito a obrigação de permanência na habitação.

---

1. O texto deste artigo foi introduzido pela Lei n.º 48/2007, de 29 de Agosto. O texto imediatamente anterior não era o originário, pois que sofrera várias alterações designadamente as introduzidas pelas Leis m.º 43/86, de 26 de Setembro e 59/98, de 25 de Agosto.

Em confronto com o regime do texto imediatamente anterior, as alterações introduzidas pela supramencionada Lei consistiram no seguinte:

— Os prazos de prisão preventiva foram moderadamente reduzidos, atento o carácter de *extrema ratio* desta medida e de modo a não prejudicar os seus fins cautelares;

— No caso de um arguido já ter sido condenado em duas instâncias sucessivas, o prazo máximo eleva-se para metade da pena que tiver sido fixada;

— Quando existir pluralidade de processos contra o arguido por crimes praticados antes de lhe ter sido aplicada prisão preventiva não é possível exceder os prazos previstos neste art. 215.º;

— A excepcional complexidade do processo a que se refere este artigo para efeito de elevação do prazo de prisão preventiva apenas pode ser declarada na primeira instância, com a tramitação estabelecida no n.º 4.

2. A Lei n.º 43/86, de 26 de Setembro, art. 2.º, n.º 2, al. 39), estabeleceu que o Código determinasse o tempo máximo de prisão preventiva, em função da gravidade do crime imputado, salvaguardando-se adequadamente os casos de extraordinária complexidade processual em curso à data da entrada em vigor da

Artigo 215.º

lei; a impossibilidade de, em qualquer caso, serem excedidos prazos razoáveis a fixar pela lei, entre o início do julgamento em primeira instância e bem assim entre aquele início e o trânsito em julgado da sentença; e ainda a colocação em imediata liberdade de todo o arguido relativamente ao qual aqueles prazos se mostrarem excedidos, sem prejuizo de lhe poderem ser aplicadas medidas de liberdade provisória.

O articulado do Proj. respeitava estes parâmetros, mas o texto da lei permitiu ainda que, posteriormente a ela, fosse introduzido o n.º 3, que deu maior maleabilidade e permitiu solução adequada para o caso dos chamados *processos monstruosos.*

3. O regime de prazos de duração máxima da prisão preventiva que aqui se estabelece é simples:

Em regra, não se permite que a prisão preventiva exceda um ano e seis meses sem que tenha havido condenação com trânsito em julgado. Seria até desnecessário que a lei referisse a condenação com trânsito em julgado, pois que a partir dessa condenação já não há prisão preventiva, mas execução da pena. Abrangem-se aqui todas as fases processuais.

Os prazos máximos de duração da prisão preventiva não se podem, porém, esgotar numa só fase processual; por isso estão divididos em parcelas. Assim, e nos casos-regra, a prisão preventiva não pode exceder quatro meses sem que tenha sido deduzida acusação; oito meses sem que tenha sido proferida decisão instrutória, no caso de se ter procedido a instrução; um ano e dois meses sem que tenha havido condenação em primeira instância; e um ano e seis meses sem que tenha havido condenação com trânsito em julgado.

O regime-regra não é, porém, sempre seguido, admitindo a lei algumas compreensíveis excepções, em razão da natureza do crime, da natureza do processo (processos monstruosos) ou ainda de recurso para o Tribunal Constitucional ou de suspensão, para julgamento em outro tribunal, de questão prejudicial.

Em tais termos, e como se estabelece no n.º 2, tratando-se de processo por algum dos crimes enumerados nesse número, todos os prazos referidos nas alíneas do n.º 1 sofrem um aditamento.

Tratando-se de crime enumerado no n.º 2 e, além disso, revelando-se o processo de excepcional complexidade, devido nomeadamente ao número de arguidos ou de ofendidos ou ao carácter altamente organizado do crime, o aumento é, logicamente, maior, como se estabelece no n.º 3. Em tal caso, tratando-se, *v. g.,* de um processo monstruoso, praticado por diversos arguidos que, organizadamente, se dedicam ao furto automobilístico, será fixado no n.º 3 o prazo de duração máxima da prisão preventiva.

De notar que os casos em que o procedimento se revela de excepcional complexidade ficam dependentes do prudente critério do julgador, pois a alusão feita ao número de arguidos ou de ofendidos e ao carácter altamente organizado do crime é meramente indicativa. Trata-se, certamente, dos casos mais flagrantes de processos monstruosos, mas não está afastada a possibilidade de existirem outros casos.

Estes prazos podem ainda sofrer um aditamento de seis meses, como se estabelece no n.º 5, se tiver havido recurso para o Tribunal Constitucional, ou

Código de Processo Penal

se o processo tiver sido suspenso para julgamento, em qualquer outro tribunal, de questão prejudicial.

4. Particular atenção para os n.ºs 6 e 7, introduzidos pela supramencionada Lei, que não tinham correspondentes em anteriores dispositivos.

No n.º 6 estabelece-se que no caso de o arguido ter sido condenado a pena de prisão em primeira instância e a sentença condenatória ter sido confirmada em recurso ordinário, o prazo máximo da prisão preventiva eleva-se para metade da que tiver sido fixada.

Trata-se certamente de uma alteração cuja premência se fazia sentir e que evitará expedientes meramente dilatórios para provocar a extinção da medida de coacção, por esgotamento do prazo.

A redação do texto legal pode, porém, suscitar dúvidas e exige interpretação declarativa clarificadora. O texto exige *confirmação da sentença condenatória* e aqui, em nosso entendimento, a lei *magis dixit quam voluit*. Pode não haver confirmação da sentença; pode mesmo haver provimento de recurso interposto pelo arguido condenado e, no entanto, segundo o pensamento legislativo, o prazo de prisão preventiva elevar-se para metade da pena da condenação. Se A.... condenado em primeira instância por homicídio qualificado, em 20 anos de prisão, recorrer motivando o recurso na invocação de que se não verifica uma circunstância qualificativa, obtiver provimento no recurso e vir a pena de prisão reduzida para 16 anos de prisão, interpondo ainda novo recurso, agora para o STJ ou para o Trib. Constitucional, qual o prazo de prisão preventiva, apesar de a sentença condenatória não ter sido confirmada? Se bem alcançamos o pensamento legislativo, e mesmo a *mens legislatoris*, neste caso o prazo máximo será 8 anos (metade da pena que foi fixada pelo tribunal de recurso, apesar de não ter havido confirmação da sentença, e antes provimento do recurso). E sempre dentro do mesmo pensamento, se a pena de prisão aplicada em primeira instância for 16 anos de prisão e, mediante recurso do MP ou do assistente, for fixada pelo tribunal superior em 20 anos de prisão, o prazo máximo de prisão preventiva, por maioria da razão, será dez anos.

Em resumo e segundo o nosso entendimento:

No caso de condenação em pena de prisão em primeira instância e, em recurso ordinário pelo tribunal superior, o prazo de prisão preventiva eleva-se, se for caso disso, para metade da pena de prisão aplicada pelo tribunal superior.

No n.º 7 estabelece-se que a existência de vários processos contra o arguido por crimes praticados antes de lhe ter sido aplicada a prisão preventiva não permite exceder os prazos previstos nos números anteriores. Este dispositivo foi certamente introduzido para evitar que a prisão preventiva se possa perpetuar, transferindo-se agora os prazos de prisão preventiva de uns processos para os outros, como se de um só processo se tratasse.

Não era assim anteriormente à introdução deste preceito; vigorava então solução contrária que, até onde alcançamos, tinha sido maduramente ponderada pelas comissões que elaboraram o Proj. e as revisões do Código.

A orientação agora consagrada pode, porém, apresentar graves inconvenientes, em casos de imperiosa necessidade, perante o juízo comum da comunidade, de manutenção de exigências cautelares, e mesmo de defesa da próprio arguido. Suponha-se que o arguido está pronunciado em dois processos, pelo crime de incêndio de relevo praticado em floresta, em dois anos sucessivos, tendo neles esgotado o prazo de prisão preventiva. No seguinte é detido quando

Artigo 215.º

ateava fogo em outra floresta, sendo-lhe apreendida elevada quantidade de material destinado a provocar incêndios. Psicopata pirómano, qual novo Nero, é presente ao juiz de instrução. Este magistrado, no rigoroso cumprimento da lei, não lhe aplica medida privativa da liberdade. A comunidade poderá suportar este procedimento? E o arguido poderá ficar à mercê de uma multidão que, no exterior do tribunal, justamente indignada e descontrolada, está ansiosa por fazer justiça pelas próprias mãos, quiçá através de linchamento na praça pública? Esperamos que casos como este e outros semelhantes que já sucederam entre nós, não venham a revelar premência de medidas excepcionais para solucionar casos extremos, como por exemplo a necessidade de privação da liberdade para pirómanos em época mais propícia a incêndios.

5. *Jurisprudência:*
— Os prazos de prisão preventiva referidos no art. 215.º, n.º 1, al. *b),* do CPP contam-se até ao momento em que é proferida a decisão instrutória, e não até ao momento em que ela é notificada. (Ac. STJ de 28 de Junho de 1989, Proc. 18/89, 3.ª);
— I — Para a qualificação de um processo como de excepcional complexidade é necessária a prolação de um despacho fundamentado nesse sentido, por forma a definir com precisão os prazos de subsistência da prisão preventiva a que o arguido pode estar sujeito. II — Por não haver prazo para a prolação desse despacho, pode ele surgir a qualquer momento do processo e produzir os efeitos adequados a partir desse momento, nomeadamente a validação da prisão preventiva. III — Desse despacho deve ser dado conhecimento ao arguido, podendo ele impugná-lo, querendo. IV — Qualificado por despacho o processo como se excepcional complexidade, são de aplicar os prazos de duração da prisão preventiva alargada, não se podendo então falar de prisão ilegal justificativa da providência de *habeas corpus.* (Ac. STJ de 11 de Abril de 1991; *CJ,* XVI, tomo 2, 20);
— Os prazos de prisão preventiva previstos no art. 215.º do CPP são válidos para as diversas fases processuais nele consideradas, pelo que, libertado um arguido apenas em virtude de, numa dessas fases, ter atingido o correspondente limite da prisão, pode o mesmo voltar a ser preso se se passar a outra fase e se mantiverem as razões para determinar a sua prisão, desde que se não tenha ainda atingido o máximo global referido nesse artigo. (Ac. RP de 8 de Maio de 1991; *CJ,* XVI, tomo 3, 179);
— O poder jurisdicional do juiz, proferida que seja a sentença, fica imediatamente esgotado — é certo — mas só quanto à matéria da causa, para não correr o risco de se repetir desnecessariamente ou proferir duas decisões contraditórias. O poder de julgar mantém-se intacto, porém, no tocante a matérias ainda não apreciadas, pelo que o juiz pode validamente declarar o processo de especial complexidade já depois de proferida a sentença condenatória. (Ac. STJ de 1 de Julho de 1993; *BMJ,* 429, 627).
— Os arguidos já condenados no STJ mas de cujo acórdão foi interposto recurso para o Tribunal Constitucional não devem ser considerados em situação de prisão preventiva, para os efeitos do art. 215.º do CPP, por se encontrarem já numa outra situação, próxima da do cumprimento da respectiva pena. (Ac. STJ de 16 de Dezembro de 1993; *CJ, Acs. do STJ,* I, tomo 3, 254);

Código de Processo Penal

— A classificação de um processo como de excepcional complexidade, para efeitos do disposto no n.º 3 do art. 215.º do CPP, deve ser objecto de despacho que pode ser proferido no decurso do prazo da prisão preventiva alargada, pois é meramente enunciativo ou declarativo, já que a excepção da complexidade funciona *ope legis*. (Ac. RE de 8 de Abril de 1997; *CJ*, XXII, tomo 2, 277);

— Não são inconstitucionais as normas dos arts. 3.º, 215.º e 229.º do CPP, na interpretação segundo a qual na contagem dos prazos máximos de duração da prisão preventiva não é de considerar o tempo de detenção provisória para extradição sofrida no estrangeiro pelo arguido que foi extraditado para Portugal. (Ac. do Trib. Constitucional n.º 298/99, de 12 de Maio, proc. 199/99; *DR*, II série, de 16 de Julho de 1999);

— As normas dos arts. 3.º, 215.º e 229.º do CPP, na interpretação segundo a qual na contagem dos prazo máximos de duração da prisão preventiva não é de considerar o tempo de detenção provisória sofrida no estrangeiro pelo arguido que foi extraditado para Portugal, não violam nem o art. 13.º, nem o art. 28.º, n.º 4, nem o art. 32.º, n.º 1, da Constituição. (Ac. do Trib. Constitucional n.º 298/99, de 12 de Maio; *BMJ*, 487, 111);

— O tempo de prisão preventiva sofrida pelos arguidos no processo de que, por se ter verificado uma situação de alteração substancial dos factos, foi extraída certidão para instauração de inquérito, deve ser computado para o efeito de saber se o prazo máximo da duração da prisão foi excedido. (Ac. RP de 30 de Agosto de 1999; *CJ*, XXIV, tomo 4, 237);

— Para efeitos do art. 215.º, n.º 1, al. *a*), do CPP, o que releva é a data em que a acusação é formulada, e não a data da notificação da acusação. (Acs. STJ de 14 e de 22 de Março de 2001, procs. n.ºs 969/01-3.ª e 1094/01-5.ª; *SASTJ*, n.º 49, págs. 62 e 81);

— Os arts. 215.º e 217.º, n.º 1, do CPP, não são inconstitucionais, quando interpretados no sentido de que, atingido o terminus da prisão preventiva em um processo, o arguido pode ficar sujeito a igual medida em outro processo, desde que esta última obedeça aos ditames legais. (Ac. do Trib. Constitucional n.º 584/2001, de 19 de Dezembro de 2001, proc. n.º 746/2001; *DR*, II série, de 4 de Fevereiro de 2002);

— I — O art. 54.º, n.º 3, do Dec.-lei n.º 15/93, de 22 de Janeiro, veio qualificar *ope legis* como de excepcional complexidade os processos relativos aos crimes que cataloga, não havendo, pois, necessidade de declaração judicial expressa nesse sentido relativamente a tais crimes, mas sempre sem prejuizo de os sujeitos processuais interessados mormente o arguido, poderem fazer prova do contrário. II — Nestes termos, não necessita ser declarada a excepcional complexidade dentro do prazo aludido no n.º 1 do art. 215 do CPP para ser eficaz tal declaração. (Ac. STJ de 7 de Março de 2002; *RPCC*, ano 12, n.º 4, 651 e segs.) *Nota*. Votou vencido o Ex.mo Conselheiro Simas Santos. Tem extensa anotação da Procuradora-Geral adjunta Isabel São Marcos. Esta distinta magistrada concluiu, *ibidem*, 668 que «O n.º 3 do art. 54 do DL. 15/93, de 22-01, ao mandar aplicar o disposto no n.º 3 do art. 215.º do Código de Processo Penal, remete também para o pressuposto, de verificação concreta, de o procedimento se revelar de excepcional complexidade, que há-de ser declarada expressa e fundamente por despacho judicial». Sobre esta questão o Pleno das

524

Artigo 215.º

secções criminais do STJ fixou jurisprudência por ac. de 11 de Fevereiro de 2004, sumariado em anot. ao art. 213.º;

— I — A detecção e a prisão preventiva são medidas distintas, que não se confundem, quer no que diz respeito à sua natureza quer no que se refere às suas finalidades. II — Detido o requerente de *habeas corpus* e sendo-lhe aplicada dois dias depois a medida de coacção de prisão preventiva, é a partir do dia de aplicação desta última medida que se conta o prazo do art. 215.º do CPP. (Ac. STJ de 8 de Maio de 2002, proc. n.º 1698/02-3.ª; *SASTJ,* n.º 61, 74);

— Nos termos do art. 215.º, n.º 1, al *a*), do CPP, é a data da dedução da acusação (e não a da sua notificação) que delimita e fixa o momento temporal a equacionar e a ter em atenção na contagem dos prazos da prisão preventiva. (Ac. STJ de 11 de Junho de 2002, proc. n.º 2352/02-5.ª; *SASTJ,* n.º 62, 81);

— São inconstitucionais, por violação do n.º 4 do art. 28.º da lei fundamental, as normas constantes dos arts. 215.º, n.ºs 1 a 3, e 217.º, ambos do CPP, numa dimensão interpretativa de acordo com a qual a prolação do despacho judicial a declarar de excepcional complexidade do procedimento por um dos crimes referidos no n.º 2 daquele art. 215.º, prolação essa efectuada após ter decorrido o prazo máximo de duração da prisão preventiva previsto nos termos n.ºs 1 e 2 do mesmo artigo, não implica a extinção daquela medida de coacção. (Ac. do Trib. Constitucional n.º 13/2004, de 8 de Janeiro, proc. n.º 925/2003; *DR,* II série, de 10 de Fevereiro de 2004);

— I — A noção de especial complexidade, do art. 215.º, n.º 3, do CPP, está em larga medida referida a espaços de indeterminação, pressupondo uma integração densificada pela análise e ponderação de todos os elementos do respectivo procedimento: a integração da noção exige uma exclusiva ponderação sobre todos os elementos da configuração processual concreta, que se traduz no essencial, na avaliação prudencial sobre factos. II — A especial complexidade constitui, no rigor, uma noção que apenas nas assume sentido quando avaliada na perspectiva do processo, considerado não nas incidências estritamente jurídico-processuais, mas na dimensão factual do procedimento, enquanto conjunto e sequência de actos e revelação interna e externa de acrescidas dificuldades de investigação, com refracção nos termos e nos tempos de procedimento. III — O juízo sobre a especial complexidade constitui um juízo de razoabilidade e sobre a justa medida na apreciação das dificuldades do procedimento, tendo em conta nomeadamente as dificuldades de investigação, e número de intervenientes processuais, a deslocalização de actos, as contingências procedimentais provenientes das intervenções dos sujeitos processuais, ou a intensidade de utilização dos meios. IV — O juízo sobre a excepcional complexidade depende do prudente critério do juiz na ponderação de elementos de factos; as questões de interpretação e aplicação da Lei, por mais intensas e complexas, não podem integrar a noção, com o sentido que assume no art. 215.º, n.º 2, do CPP. (Ac. STJ de 26 de Janeiro de 2005, proc. n.º 3114/04-3.ª; *SASTJ,* n.º 87, 100);

— I — Não se encontra em prisão preventiva, mas em cumprimento de pena, o condenado que não interpôs recurso da decisão condenatória, tendo-o, no entanto, interposto algum ou todos os restantes coarguidos, em crime em que

525

Código de Processo Penal

houve comparticipação de todos eles. II— É que a decisão transita em julgado em relação aos não recorrentes, mas estando esse caso julgado sujeito a uma condição resolutiva, que se traduz em estender aos não recorrentes a reforma *in melior* do decidido, em consequência do recurso interposto por algum dos outros ou por todos os outros arguidos. Só nesta medida é que a decisão pode ser alterada em relação aos não recorrentes. (Ac. STJ de 27 de Janeiro de 2005, proc. n.º 247/05-5.ª; *SASTJ*, n.º 87, 123);

— Tendo o arguido, no decurso do processo, recorrido para o Tribunal Constitucional, e tendo o recurso, que se processou imediatamente, nos próprios autos, com efeito suspensivo, sido decidido mais de oito meses depois, ao prazo máximo de prisão preventiva acrescem seis meses nos termos do n.º 4 do art. 215.º do CPP. (Ac. STJ de 14 de Abril de 2005, proc. n.º 1369/05-3ª; *SASTJ*, n.º 90, 139);

— I — A anulação de julgamento não tem como efeito a inexistência processual do acto anulado, mas tão-somente a não produção dos efeitos para que foi criado. II — Tendo sido proferida condenação por tribunal de 1.ª instância, muito embora ela não possa produzir os efeitos que lhe são próprios, por via da anulação decretada por tribunal superior, não se pode afirmar que existiu essa condenação. III — A fase processual em causa, para efeitos da contagem da duração máxima da prisão preventiva, é a prevista na al. d) do n.º 1 do art. 215.º do CPP. (Acs. STJ (dois) de 1 de Junho de 2005 e do mesmo mês, procs. n.ᵒˢ 2050, 2026/05-3.ª e 2054/05-5.ª; *SASTJ* n.º 92, 89 e 104);

— Nos termos do art. 215.º, n.º 1, al. a), do CPP, a prisão preventiva extingue-se quando, desde o seu início, tiverem decorrido 6 meses sem que tenha sido deduzida acusação, e não quando decorre aquele período de tempo sem que a acusação tenha sido notificada. (Acs. STJ de 8 de Junho de 2005, proc. n.º 2126/05-3.ª; *SASTJ*, n.º 92, 93 e de 19 de Junho do mesmo ano, proc. n.º 2743/05-3.ª, *ibidem*, n.º 93, 96);

— Não é inconstitucional a norma constante do art. 215.º, n.º 1, alínea c), com referência ao n.º 3, CPP, na interpretação que considera relevante, para efeitos de estabelecimento do prazo máximo de duração da prisão preventiva, a sentença condenatória proferida em primeira instância, mesmo que, em fase de recurso, venha a ser anulada por decisão do Tribunal da Relação. (Ac. do Trib. Constitucional n.º 404/2005, de 22 de Julho de 2005, proc. n.º 546/2005; *DR*, II série, de 31 de Março de 2006);

— I — A validade do despacho que declarou, no processo onde foi feita a separação a excepcional complexidade do mesmo, mantém todos os efeitos no processo separado que proveio desse. II — Deste modo, tendo sido ordenada e validada a prisão preventiva no processo originário, tal medida de coacção mantém-se no processo separado. (Ac. RG de 23 de Janeiro de 2006; *CJ*, ano XXXI, tomo I, 290);

— Tendo sido anulada uma condenação proferida em 1.ª instância, muito embora ela não possa produzir os efeitos que lhe são próprios, não se pode afirmar que inexistiu essa decisão. A fase processual em causa, para efeitos de contagem da duração máxima da prisão preventiva é a prevista na al. d) do n.º 1 do art. 215.º do CPP. (Ac. STJ de 1 de Fevereiro de 2006, proc. n.º 1834//05-3.ª);

— I — Não estabelecendo a lei prazo para a prolação do despacho a qualificar o processo como de excepcional complexidade, pode o mesmo ter lugar a qualquer momento, de forma a produzir os efeitos adequados a partir

Artigo 216.º

desse momento, nomeadamente na validação da prisão preventiva. II — E a excepcional complexidade pode ser declarada pelo próprio STJ, sem que por isso signifique que a mesma só se verificou em recurso, não existindo antes. (Ac. STJ de 9 de Fevereiro de 2006, proc. n.º 95/06-5.ª);

— I — Se é certo que o art. 215.º, n.º 4, do CPP não determina um prazo certo para serem ouvidos os arguidos, também é verdade que o prazo suplectivo estabelecido no art. 105.º, n.º 1, tem que ser compatibilizado com o prazo máximo legalmente previsto para prisão preventiva. II — É o que se verifica quando o tribunal dá ao arguido o prazo de 24 horas para se pronunciar nos termos e para os efeitos do art. 215.º, n.º 4, do CPP. (Ac. STJ de 11 de Outubro de 2007; *CJ, Acs. do STJ,* ano XV, tomo 3, 214);

— Com a alteração introduzida pela Lei n.º 48/2007, a especial complexidade do processo apenas pode ser declarada na primeira instância, tendo-se impedido os tribunais superiores de efectuarem essa declaração (Ac. STJ de 24 de Outubro de 2007; CJ, *Acs. do STJ,* ano XV, tomo 3, 229);

— Não é inconstitucional a norma do n.º 5 do art. 215.º do CPP na redacção da Lei n.º 48/2007, de 29 de Agosto. (Ac. do Trib. Constitucional n.º 2/2008; *DR,* II série, de 14 de Fevereiro de 2008);

— Não é inconstitucional a norma constante da alínea *a)* do n.º 1 do art. 215.º do CPP, segundo a qual o prazo máximo da prisão preventiva, na fase de inquérito, afere-se em função da data da prolação da acusação e não a data da notificação da mesma. (Ac. do Trib. Constitucional n.º 280/2008; *DR,* II série, de 23 de Julho de 2008);

— Não é inconstitucional a norma do art. 215.º, n.º 4, do CPP, na versão dada pela Lei n.º 48/2007, de 29 de Agosto, quando interpretada no sentido de permitir que, durante o inquérito, a excepcional complexidade, a que alude o n.º 3 do mesmo artigo, possa ser declarada oficiosamente, sem requerimento do MP. É inconstitucional a mesma norma, quando interpretada no sentido de permitir que, em caso de declaração oficiosa de excepcional complexidade, esta não tenha de ser precedida de audição do arguido. (Ac. do Trib. Constitucional n.º 555/2008; *DR,* II série, de 29 de Dezembro de 2008).

ARTIGO 216.º

**(Suspensão do decurso dos prazos de duração máxima
da prisão preventiva)**

O decurso dos prazos previstos no artigo anterior suspende-se em caso de doença do arguido que imponha internamento hospitalar, se a sua presença for indispensável à continuação das investigações.

---

1. O texto deste artigo foi introduzido pela Lei n.º 48/2007, de 29 de Agosto. Reproduz a alínea b) da versão anterior do mesmo artigo, tendo sido eleminada a alínea a) relativa à suspensão dos prazos previstos no artigo anterior quando tivesse sido ordenada perícia cujo resultado pudesse ser determinante para a acusação, a pronúncia ou o resultado final.

2. Permite este artigo que quaisquer prazos legalmente fixados para a prisão preventiva fiquem suspensos verificando-se doença do arguido preso que

Código de Processo Penal

imponha internamento hospitalar, se a presença daquele for indispensável à continuação das investigações.

A suspensão é decretada pelo juiz, ouvido o MP, por despacho de que cabe recurso, nos termos do art. 219.° e nos gerais.

3. Terminada a suspensão, o decurso do prazo da prisão preventiva volta de novo a correr, acrescendo ao já decorrido até à suspensão.

ARTIGO 217.°

(Libertação do arguido sujeito a prisão preventiva)

1. O arguido sujeito a prisão preventiva é posto em liberdade logo que a medida se extinguir, salvo se a prisão dever manter-se por outro processo.

2. Se a libertação tiver lugar por se terem esgotado os prazos de duração máxima da prisão preventiva, o juiz pode sujeitar o arguido a alguma ou algumas das medidas previstas nos artigos 197.° a 200.°, inclusive.

3. Quando considerar que a libertação do arguido pode criar perigo para o ofendido, o tribunal informa-o da data em que a libertação terá lugar.

---

1. Os n.os 1 e 2 reproduzem o art. 217.° do Proj. e correspondem ao art. 309 (corpo do artigo e 1.°) do CPP de 1929.

O n.° 3 foi introduzido pela Lei n.° 48/2007, de 29 de Agosto. Trata-se de um dispositivo inovador, já existente no direito comparado, atribuindo-se aqui, e em outros artigos do código (480.° e 482.°) o direito de o ofendido ser informado da data em que cessa a prisão preventiva, o cumprimento da pena ou a fuga do detido, quando a restituição deste à liberdade possa causar perigo.

2. A Lei n.° 43/86, de 26 de Setembro (Lei de Autorização legislativa), art. 2.°, n.° 2, al. 39) determinou a colocação em imediata liberdade de todo o arguido relativamente ao qual os prazos de prisão preventiva se mostrem esgotados, sem prejuizo de lhe poderem ser aplicadas medidas de liberdade provisória.

Dentro destes parâmetros, que se não afastam acentuadamente dos do direito anterior, foi elaborado este artigo.

3. Quando a libertação tem lugar por se terem esgotado os prazos máximos da prisão preventiva, o juiz pode sujeitar o arguido a alguma das medidas de coacção previstas nos arts. 197.° a 200.°, como se prevê no n.° 2. Se, então, o arguido violar alguma das obrigações impostas, pode-lhe ser aplicada outra medida de coacção mais gravosa, que esteja indicada, como se estabelece no art. 203.°. Há porém que fazer aqui uma restrição, já que no leque das novas medidas de coacção não se pode incluir, neste caso, a prisão preventiva, preci-

Artigo 218.º

samente porque esta medida está esgotada no processo. E também não pode ser aplicada a medida da obrigação da permanência na habitação, que seria inconstitucional em face da posição assumida quanto a esta medida no Parecer do Tribunal Constitucional já várias vezes referido.

4. *Jurisprudência:*

— I — O arguido que for libertado por haver decorrido o prazo de prisão preventiva em determinada fase processual pode vir a ser detido uma vez ultrapassada essa fase. II — Questão é que se verifiquem os pressupostos do seu decretamento. (Ac. RP de 23 de Setembro de 1998; *CJ,* XXIII, tomo 4.º, 229);

— Os arts. 215.º e 217.º, n.º 1, do CPP, não são inconstitucionais, quando interpretados no sentido de que, atingido o terminus da prisão preventiva em um processo, o arguido pode ficar sujeito a igual medida em outro processo, desde que esta última obedeça aos ditames legais. (Ac. do Trib. Constitucional n.º 584/2001, de 19 de Dezembro de 2001, proc. n.º 746/2001; *DR*, II série, de 4 de Fevereiro de 2002);

— São inconstitucionais, por violação do n.º 4 do art. 28.º da lei fundamental, as normas constantes dos arts. 215, n.ºs 1 a 3, e 217.º, ambos do CPP, numa dimensão interpretativa de acordo com a qual a prolação do despacho judicial a declarar de excepcional complexidade do procedimento por um dos crimes referidos no n.º 2 daquele art. 215.º, prolação essa efectuada após ter decorrido o prazo máximo de duração da prisão preventiva previsto nos n.ºs 1 e 2 do mesmo artigo, não implica a extinção daquela medida de coacção. (Ac. do Trib. Constitucional n.º 13/2004, de 8 de Janeiro, proc. n.º 925/2003: *DR,* II série, de 10 de Fevereiro de 2004).

ARTIGO 218.º
(Prazos de duração máxima de outras medidas de coacção)

1. As medidas de coacção previstas nos artigos 198.º e 199.º extinguem-se quando, desde o início da sua execução, tiverem decorrido os prazos referidos no n.º 1 do artigo 215.º, elevados ao dobro.

2. À medida de coacção prevista no artigo 200.º é correspondentemente aplicável o disposto nos artigos 215.º e 216.º.

3. À medida de coacção prevista no artigo 201.º é correspondentemente aplicável o disposto nos artigos 215.º, 216.º e 217.º.

---

1. Reproduz dispositivos do art. 218.º do Proj. Não havia disposições correspondentes no direito anterior. O n.º 2 sofreu ligeira alteração introduzida pela Lei n.º 48/2007, de 29 de Agosto, unicamente provocada pela alteração introduzida no art. 216.º pela mesma Lei.

2. Regulam-se neste artigo os prazos de duração máxima das medidas de coacção de obrigação de apresentação periódica; proibição de permanência, de ausência e de contactos; suspensão do exercício de funções, de profissão e de direitos; e de obrigação de permanência na habitação.

Código de Processo Penal

Os prazos são fixados com referência aos de duração máxima da prisão preventiva, em termos que parecem não suscitar quaisquer dificuldades.

3. De notar que quanto a outras medidas de coacção aqui não especificadas, como é o caso do termo de identidade e residência e de caução, se não fixam prazos máximos de duração. Estas medidas vigoram até que se opere a respectiva extinção, nos termos do art. 214.°.

CAPÍTULO IV
DOS MODOS DE IMPUGNAÇÃO

ARTIGO 219.°
(Recurso)

1. Só o arguido e o Ministério Público em benefício do arguido podem interpor recurso da decisão que aplicar, mantiver ou substituir medidas previstas no presente título.
2. Não existe relação de litispendência ou de caso julgado entre o recurso previsto no número anterior e a providência de *habeas corpus*, independentemente dos respectivos fundamentos.
3. A decisão que indeferir a aplicação, revogar ou declarar extintas as medidas previstas no presente título é irrecorrível.
4. O recurso é julgado no prazo máximo de 30 dias a partir do momento em que os autos forem recebidos.

---

1. O texto deste artigo foi introduzido pela Lei n.° 48/2007, de 29 de Agosto, e estabelece significativas alterações ao regime anterior inserto no artigo com o mesmo número e consagrado pela generalidade da doutrina e da jurisprudência.

2. O n.° 1 atribui somente ao arguido e ao MP legitimidade para interpor recurso da decisão que aplicar, mantiver ou substituir medidas de coacção previstas neste título do Código, e, quanto ao MP, só quando interpuser recurso em benefício do arguido. Trata-se de relevante restrição, pois que no regime antecedente aplicavam-se as regras gerais sobre legitimidade.

O n.° 2 estabelece não existir relação de litispendência ou de caso julgado entre o recurso de decisão que aplicar, mantiver ou substituir medida de coacção e a providência de *habeas corpus*, independentemente dos respectivos fundamentos.

A litispendência e o caso julgado são excepções dilatórias que, como tais, obstam a que o tribunal conheça do mérito da causa. Nada obsta, portanto, em face do dispositivo do n.° 2, a que, num processo em que se requer a providência da *habeas corpus*, se conheça do mérito da decisão que aplicou uma medida de coacção prevista neste capítulo do Código, embora tenha transitado em

530

Artigo 219.º

julgado ou esteja pendente de recurso ordinário ou decisão judicial que a aplicou, já que aqui não existe relação de litispendência ou de caso julgado.

Este regime, específico de medidas de coacção previstas de liberdade, contraria de algum modo a orientação que vinha sendo seguida maioritariamente pela doutrina e pela jurisprudência e, conforme ficou estabelecido, se houver decisão que, no processo de *habeas corpus*, contrarie a que foi aplicada, cumprir-se-á, haja ou não caso julgado ou litispendência, aquela decisão. E se houver litispendência, por estar a correr termos recurso interposto, será caso de inulidade superveniente da lide logo que haja decisão no processo de *habeas corpus*.

Nestes termos, as decisões que apliquem, mantenham ou substituam a medida de prisão preventiva ou de prisão domiciliária são impugnáveis por via de recurso ou pela providência de *habeas corpus*, sem que haja entre estes dois modos de impugnação relação de litispendência ou de caso julgado. Mas a providência de *habeas corpus* não é meio adequado para pôr termo a todas as situações de ilegalidade de medidas privativas da liberdade, ficando reservada para casos de ilegalidade grosseira, manifesta e sem margem para dúvidas, ajuizáveis perante o texto da decisão, sem recurso a elementos externos, como será o caso de uma decisão aplicando prisão preventiva sem indicação de quaisquer factos que permitam a aplicação de tal medida de coacção.

Deve porém aqui atentar-se em que as decisões sobre medidas de coacção estão sujeitas à condição *rebus sic stantibus*, claramente aflorada, dentre outros, nos dispositivos dos arts. 212.º e 213.º. E, assim, se num processo de *habeas corpus* o STJ dicidir a libertação imediata de um arguido em prisão preventiva por entender que, contra os indícios de que se trata de um homicídio doloso em que o juiz de instrução se baseou, há tão só indícios suficientes de um homicídio por negligência e posteriormente forem recolhidas provas inequívocas de que o arguido não só quís matar a vítima como ainda se preparava para destruir provas, nada obsta à aplicação da prisão preventiva. O que não pode é ser aplicada mediante fundamentos já apreciados no processo de *habeas corpus*.

Deve salientar-se que este regime é específico das medidas de coacção. Tratando-se, *v. g.* de pena de prisão, portanto de prisão aplicada por decisão do tribunal e transitada em julgado, já o regime é diferente e encontra-se estabelecido no art. 222.º, para cujas anotações remetemos.

E sendo o regime estabelecido neste artigo específico de impugnação das medidas de coacção, mal se compreende que se estabeleça no n.º 2 a não existência de relação de caso julgado, pois que estas medidas, estando como estão sujeitas à condição *rebus sic standibus*, podem sempre e a cada momento, ser alteradas mediante novo condicionalismo, só havendo verdadeiramente caso julgado dentro do mesmo condicionalismo e do mesmo momento, o que é dificilmente configurável.

O n.º 3 consagra expressamente a irrecorribilidade da decisão que indeferir a aplicação, revogar ou declarar extintas as medidas de coacção previstas neste título do Código. Trata-se de orientação contrária a que vinha sendo seguida por alguma doutrina e uniformemente pela jurisprudência.

No n.º 4 não há alteração ao regime anterior. O prazo de 30 dias conta-se, evidentemente, a partir do momento em que os autos forem recebidos no tribunal superior.

Código de Processo Penal

3. *Jurisprudência:*
Não é inconstitucional o art. 212.º do CPP, na interpretação segundo a qual o arguido, cuja libertação foi determinada na sequência de um pedido de *habeas corpus,* poder continuar detido à ordem de outro processo. (Ac. do Trib. Constitucional n.º 584/2001, de 19 de Dezembro; *DR,* II série, de 4 de Fevereiro de 2002);
— Não é inconstitucional a interpretação do art. 222.º do CPP segundo a qual a providência de habeas corpus não pode ter como fundamento a insuficiência de meios de prova. (Ac. do Trib. Constitucional n.º 423/2003, de 24 de Setembro; *Acórdãos do Tribunal Constitucional* 57.º vol. pág. 343);
— I — A partir da reforma da lei processual operada pela Lei n.º 48/2007, de 29 de Agosto, as decisões que apliquem, mantenham ou substituam a medida de prisão preventiva são impugnáveis por via de recurso ou atrvés da providência de *habeas corpus,* não havendo entre os dois modos de impugnação relação de litispendência ou de caso julgado. II — A providência de *habeas corpus* não é, porém, meio adequado de pôr termo a todas as situações de ilegalidade de prisão antes deve ser reservada para os casos de ilegalidade grosseira, porque manifesta, indiscutível, sem margem para dúvidas. III — Para tal ajuizar, o STJ deve ater-se ao texto da decisão, sem recurso a elementos externos. IV — Verifica-se uma situação de ilegalidade grosseira de prisão, a impor o decretamento da providência de *habeas corpus,* no caso em que o juiz decreta a prisão preventiva do arguido de um crime de homicídio sem uma indicação precisa dos factos concretos que a permitam, pois, em tal caso, o juiz agiu com abuso de poder, na medida em que desrespeitou, grosseira e flagrantemente, as normas que prevêem as restrições ao direito de liberdade. (Ac. STJ de 27 de Novembro de 2007; *CJ, Acs. do STJ,* ano XV, tomo 3, 251);
— I — No *habeas corpus* o STJ não pode substituir-se ao juiz que ordenou a prisão, em termos de sindicar os seus motivos, com o que estaria a criar um novo grau de jurisdição. II — E a afirmação de inexistência de relação de litispendência ou de caso julgado entre o recurso sobre medidas de coacção e a providência de *habeas corpus*, independentemente dos seus fundamentos, em face do estipulado no art. 219.º, n.º 2, do CPP, na redacção introduzida pela Lei n.º 48/2007, reforça aquela proibição de sindicância, reservando-as às instâncias em processo ordinário de impugnação das decisões judiciais. (Ac. STJ de 21 de Maio de 2008, proc. n.º 1795/08-3.ª; *SASTJ* relativos a esse mês, pág. 17);

ARTIGO 220.º
(*Habeas corpus* em virtude de detenção ilegal)

1. Os detidos à ordem de qualquer autoridade podem requerer ao juiz de instrução da área onde se encontrarem que ordene a sua imediata apresentação judicial, com algum dos seguintes fundamentos:

   a) Estar excedido o prazo para entrega ao poder judicial;
   b) Manter-se a detenção fora dos locais legalmente permitidos;

532

Artigo 220.º

c) Ter sido a detenção efectuada ou ordenada por entidade incompetente;

d) Ser a detenção motivada por facto pelo qual a lei a não permite.

2. O requerimento pode ser subscrito pelo detido ou por qualquer cidadão no gozo dos seus direitos políticos.

3. É punível com a pena prevista no artigo 382.º do Código Penal qualquer autoridade que levantar obstáculo ilegítimo à apresentação do requerimento referido nos números anteriores, ou à sua remessa ao juiz competente.

---

1. Reproduz o art. 220.º do Proj. A referência feita no n.º 3 ao art. 382.º do CP resulta do Dec.-Lei n.º 317/95, de 28 de Novembro, e da revisão do CP levada a efeito pelo Dec.-Lei n.º 48/95, de 15 de Março. A providência extraordinária de *habeas corpus* encontrava-se regulada, no direito anterior, nos arts. 312.º a 325.º do CPP de 1929, na redacção introduzida pelo Dec.-Lei n.º 185/72, de 31 de Maio, com excepção do art. 325.º, cuja redacção fora introduzida pelo Dec.-Lei n.º 320/76, de 4 de Maio. O presente artigo corresponde ao art. 312.º.

2. A providência de *habeas corpus* é um modo de impugnação de detenções ou de prisões ilegais que funciona quando por virtude do afastamento de qualquer autoridade da ordem jurídica os meios legais ordinários deixam de poder garantir eficazmente a liberdade dos cidadãos; não substitui porém os meios ordinários de apreciação da legalidade.

Este meio foi entre nós perfilhado pela Constituição de 1933, e depois, ao nível de lei ordinária, pelo Dec. Lei n.º 35 043, de 20 de Outubro de 1945, em moldes que se aproximam dos que agora foram perfilhados. Do relatório do Dec.-Lei n.º 35 043 constam considerações que continuam de muito interesse para compreensão da história, da estrutura e do alcance desta medida.

Com a cessação da ofensa, fica realizado o fim da providência, no qual, portanto, se não inclui a reacção disciplinar ou criminal contra o responsável pela ilegalidade cometida.

A Constituição Política de 1933 art. 8.º, § 4.º, estabeleceu que contra o abuso de poder podia usar se da providência excepcional de *habeas corpus*.

A providência foi instituída pelo Dec.-Lei n.º 35 043, de 20 de Outubro de 1945, cujas disposições foram integradas no CPP pelo Dec.-Lei n.º 185/72.

Do relatório do Dec.-Lei n.º 35 043 constam as seguintes considerações:

«Nenhum aspecto da organização jurídica revela tão claramente o grau de perfeição e estabilidade de estrutura e civilização de um país como as suas instituições penais. Da sua modelar relacionação e do seu equilibrado funcionamento dependem simultaneamente os dois pilares em que assenta a vida

Código de Processo Penal

social: a autoridade e a liberdade. Nelas se reflecte a intrínseca unidade destes dois princípios, cujo antagonismo tão frequente como erroneamente se assevera.

Autoridade e liberdade só se contrapõem se ilimitadas ou mal limitadas. Verdadeiramente, porém, são elementos imprescindíveis da Ordem, na acepção elevada do termo, e a Ordem tem por último fundamento a Justiça.

Sem Ordem não há autoridade, mas tirania, sem Ordem não há liberdade, mas licença anárquica.

Por isso que emanam de um mesmo princípio e conduzem a idêntico fim, a autoridade e a liberdade não se digladiam, nem carecem de conciliar-se em transigências recíprocas. São necessariamente coexistentes.

Ora afirma-se comummente que o poder judicial constitui a mais sólida salvaguarda dos direitos individuais. A afirmação é exacta, mas a sua aplicação encontra-se precisamente no facto de ser o poder judicial a garantia da segurança da própria ordem Jurídica.

O órgão do Estado a quem couber, primacialmente, defender a segurança jurídica garantirá, melhor ou pior, a própria liberdade. E, efectivamente, se a repressão e prevenção das ofensas graves à disciplina social é entregue, como em estádios mais atrasados da evolução política, ou por deficiência lamentável das instituições judiciárias, a autoridades de natureza administrativa, não há possibilidade de subtrair à mesma tutela a liberdade individual.

Este modo de ver traduz apenas uma realidade; não esconde qualquer paradoxo. Os cidadãos fruirão tanto mais seguros os seus direitos quanto mais improvável for a perturbação da ordem jurídica. Pressuposto da maior extensão da liberdade é a enérgica repressão das violações da lei.

A Ordem tem a primazia, porque é condição indispensável da existência social; nenhuma sociedade, por mais primitiva, pode dispensar-se de a instaurar e garantir. O progresso manifesta-se no *como* dessa garantia isto é, pela sua atribuição ao poder judicial. Esta função é tanto mais exclusiva do poder judicial quanto este maior consciência tiver do alto fim político que realiza.

Mas só num estádio já não apenas de maturidade política, mas de excepcional perfeição da própria organização judiciária, se consegue ir mais longe, até à garantia, não apenas indirecta, mas directa, da liberdade individual, pelo desbaste dos vícios de actuação do sistema repressivo ou de segurança.

A liberdade que se desgarra da Ordem é crime, a autoridade que se desprende da Ordem é arbítrio. O primeiro desvio, porque individual, pode ser combatido com eficácia pela força do Estado. O segundo, porque praticado por quem detém a autoridade, só pela força do mesmo Estado, entregue a um órgão de jurisdição imparcial e independente, pode ser corrigido.

É na solução deste problema que se insere a providência do *habeas corpus,* a qual, precisamente, consiste na intervenção do poder judicial para fazer cessar as ofensas do direito de liberdade pelos abusos da autoridade.

Providência de carácter extraordinário, só encontra oportunidade de aplicação quando, por virtude do afastamento da autoridade da ordem jurídica, o jogo normal dos meios legais ordinários deixa de poder garantir eficazmente a liberdade dos cidadãos.

O habeas corpus não é um processo de reparação dos direitos individuais ofendidos, nem de repressão das infracções cometidas por quem exerce o poder

534

Artigo 221.º

público, pois que uma e outra são realizadas pelos meios civis e penais ordiná-rios. É antes um *remédio* excepcional para proteger a liberdade individual nos casos em que não haja qualquer outro meio legal de fazer cessar a ofensa ilegítima dessa liberdade. Com a cessação da ilegalidade de ofensa fica realizado o fim próprio do *habeas corpus*. De outro modo, tratar-se-ia de simples dupli-cação dos meios legais de recurso.

Do que fica dito se depreende qual o grau de perfeição e de fortaleza que as instituições judiciais devem possuir para exercerem uma função de tanto melindre e responsabilidade. E que assim é revela-o a circunstância de o *habeas corpus*, originário da Inglaterra, onde evolucionou com a própria organização jurídica, não ter conseguido implantar-se em nenhum outro país europeu, não obstante o reconhecimento dos seus benéficos efeitos e as rei-vindicações da doutrina.

A Constituição de 1911 prometia a sua regulamentação em lei. Porém as estéreis convulsões políticas que durante tantos anos caracterizaram a nossa vida pública não tornavam fácil a efectivação da promessa. Na própria Inglaterra, quando das revoluções frequentes da Irlanda, suspendia-se a sua aplicação. Trata-se, realmente, de um processo de defesa dos direitos da pessoa que só pode funcionar com segurança em situações de estabilidade política e de justo equilíbrio dos poderes do Estado».

3. Distinguem-se agora, mais nitidamente que no regime anterior, os casos de *habeas corpus* virtude de detenção ilegal e os casos de *habeas corpus* em virtude de prisão ilegal.

A detenção verifica-se entre os momentos da captura e o do despacho judi-cial sobre a sua validação; a prisão (preventiva) verifica-se entre este último momento e o da libertação ou da condenação com transito em julgado.

A medida de *habeas corpus* em virtude de detenção ilegal encontra-se regulada nos arts. 220.º e 221.º.

A medida de *habeas corpus* em virtude de prisão ilegal encontra-se regulada nos arts. 222.º a 224.º.

4. De salientar que a providência de *habeas corpus* se destina a dar remédio imediato a situações de detenção ilegal ou de prisão ilegal, e não a quaisquer outras irregularidades processuais. Tem-se verificado acentuada tendência para, através dessa medida, pretender atacar outras irregularidades, nomeadamente a que constituirá o facto de os arguidos não serem presentes ao juiz em 48 horas após a sua detenção. O STJ, através de numerosos acórdãos, tem rejeitado tais pretensões pois que, perante a CRP e o CPP, o âmbito da providência é tão só o que ficou definido; nem poderia ser outro dentro da hermenêutica processual, sob pena de se cair em indesejável confusão processual.

ARTIGO 221.º
(Procedimento)

1. Recebido o requerimento, o juiz, se o não considerar mani-fes-tamente infundado, ordena, por via telefónica, se necessário, a apre-sentação imediata do detido, sob pena de desobediência qualificada.

Código de Processo Penal

2. Conjuntamente com a ordem referida no número anterior, o juiz manda notificar a entidade que tiver o detido à sua guarda, ou quem puder representá-la, para se apresentar no mesmo acto munida das informações e esclarecimentos necessários à decisão sobre o requerimento.

3. O juiz decide, ouvidos o Ministério Público e o defensor constituído ou nomeado para o efeito.

4. Se o juiz recusar o requerimento por manifestamente infundado, condena o requerente ao pagamento de uma soma entre seis UC e vinte UC.

---

1. Reproduz o art. 221.º do Proj. e corresponde ao art. 313.º do CPP de 1929, na redacção introduzida pelo Dec.-Lei n.º 185/72, de 31 de Maio, que por sua vez reproduzia o art. 3.º do Dec.-Lei n.º 35 043, de 20 de Outubro de 1945.

Quanto aos limites da soma ou que alude o n.º 4. Veja-se a anot. 3 ao art. 110.º.

2. A condenação em UCs efectuada nos termos do n.º 4 acresce à condenação nas custas que forem devidas. Trata-se de tributação de actividades diferentes, e com fundamentos diversos. A condenação em UCs tributa a lide de má fé ou com negligência grave, ou seja a lide temerária. A condenação em custas funda-se no decaimento, e destina-se a pagar ou compensar a actividade processual a que o processo deu causa.

Vejam-se os casos paralelos, *v. g.* dos arts. 38.º, n.º 5 e 45.º, n.º 5.

ARTIGO 222.º
(*Habeas corpus* em virtude de prisão ilegal)

1. A qualquer pessoa que se encontrar ilegalmente presa o Supremo Tribunal de Justiça concede, sob petição, a providência de *habeas corpus*.

2. A petição é formulada pelo preso ou por qualquer cidadão no gozo dos seus direitos políticos, é dirigida, em duplicado, ao presidente do Supremo Tribunal de Justiça, apresentada à autoridade à ordem da qual aquele se mantenha preso e deve fundar-se em ilegalidade da prisão proveniente de:

   a) Ter sido efectuada ou ordenada por entidade incompetente;
   b) Ser motivada por facto pelo qual a lei a não permite; ou
   c) Manter-se para além dos prazos fixados pela lei ou por decisão judicial.

Artigo 222.º

1. Reproduz o art. 222.º do Proj., com excepção da expressão *apresentada à autoridade à ordem da qual se mantenha preso,* que foi introduzida na fase final da elaboração do Código. Corresponde aos arts. 315.º a 317.º do CPP de 1929, na redacção introduzida pelo Dec.-Lei n.º 185/72, de 31 de Maio, que por sua vez reproduziam disposições idênticas do Dec.-Lei n.º 35 043, de 20 de Outubro de 1945.

2. Em relação ao direito anterior nota-se uma simplificação de algum relevo. A petição é agora apresentada directamente à autoridade a cuja ordem o preso se encontra, e por esta imediatamente informada e enviada ao presidente do STJ. No direito anterior a petição era entregue na Relação respectiva, que a instruia e seguidamente enviava ao STJ.

A Lei n.º 48/2007, de 29 de Agosto não introduziu qualquer alteração no texto deste artigo. Porém, tendo estabelecido no n.º 2 do art. 219.º a não existência de relação de litispendência ou de caso julgado entre o recurso previsto no n.º 1 desse artigo e a providência de *habeas corpus,* independentemente dos respectivos fundamentos, veio de algum modo alterar o sistema de alternidade entre o recurso a esta providência, que anteriormente era seguido pela generalidade da doutrina e da jurisprudência do STJ. A esta questão aludimos em anotação ao art. 219.º, para onde remetemos.

Mas o regime consagrado no art. 219.º, n.º 2, e que anteriormente era minoritariamente seguido, pode suscitar questões de melindrosa solução e mesmo contradições dentro do mesmo processo, como salientámos em considerações exarados na anot. 3 a este artigo, na 16.ª edição desta obra.

Quanto aos fundamentos. não há alteração significativa relativamente ao regime anterior.

3. Relativamente à época em que foi instituída, em 1945 (ver anot. 3 ao art. 220.º), esta providência tem hoje menor campo de aplicação, porque posteriormente foram na quase totalidade eliminados os casos de prisão que escapam a uma verificação judicial eficaz, enquanto que naquela época esses casos proliferavam (prisões administrativas ou policiais prorrogáveis por via ministerial quase indefinidamente, prisões disfarçadas em medidas de segurança ou de fixação de residência, etc.).

Certamente que mesmo havendo decisão judicial condenatória em pena de prisão ou aplicando a medida de prisão preventiva, os arguidos podem socorrer--se da providência de *habeas corpus.* Isto extrai-se até de forma inequívoca do texto do art. 219.º. O que não podem, em nosso entendimento, é socorrer-se simultaneamente da providência de *habeas corpus* e interpor recurso da decisão judicial que lhes validou a prisão. Terão que optar por uma das medidas, após atentar que são bem mais estreitos os fundamentos da medida de *habeas corpus* (os das alíneas do n.º 2 deste artigo) do que aqueles em que se pode basear a interposição do recurso. Concordamos, pelo exposto, neste aspecto, com a anotação ao ac. STJ de 20 de Fevereiro de 1997, adiante sumariado, inserta na *RPCC,* ano 10.º, fas. 2.º, 303 e segs., da autoria da Dr.ª Cláudia Cruz Santos.

Porém, no processo de *habeas corpus* o Supremo não pode substituir-se ao tribunal ou ao juiz que detêm a jurisdição sobre o processo, consistindo as suas funções em controlar se a prisão se situa e está a ser cumprida dentro dos limites

Código de Processo Penal

da decisão judicial que a aplicou. Assim, se um arguido foi condenado pelo tribunal colectivo em 8 anos de prisão pela prática de um crime de homicídio voluntário, sendo-lhe mantida a prisão preventiva e, simultaneamente, recorreu da decisão e se socorreu da providência de *habeas corpus,* sustentando no recurso e na providência que o tribunal errou, porque os factos só permitem formulação de juizo de censura através de negligência, sendo o homicídio involuntário e consequentemente a prisão preventiva ilegal, deve, neste caso, o pedido ser indeferido por falta de fundamento bastante (n.º 4, al. *a))* porque o tribunal para tanto competente considerou o homicídio voluntário e o STJ não pode, no pedido de *habeas corpus,* julgá-lo involuntário, o que só pode ser feito em recurso.

Neste preciso sentido, a numerosa e dominante orientação do STJ, adiante sumariada.

Por maioria de razão, assim se deve entender nos casos de penas de prisão aplicadas por sentença, em que o Supremo, nos pedidos de *habeas corpus,* não pode apreciar da legalidade ou ilegalidade das prisões, função que é reservada aos recursos, ordinários ou de revisão.

Se assim não fosse e se admitisse, como alguns autores, que as medidas de recurso e de *habeas corpus* podem coexistir com o mesmo objectivo, poderíamos chegar a situações intoleráveis perante a ordem jurídica: criação de uma nova instância de recurso; possibilidade de o arguido preso poder socorrer-se simultaneamente de dois tribunais para decidir o seu caso; exigência de o STJ decidir, em 8 dias, questões que, com os prazos, as garantias da defesa e as pessoas a ouvir (pense-se nos processos de grande complexidade) podem levar meses a julgar criteriosamente. E poderíamos chegar até à situação, impensável perante o pensamento legislativo, de a secção criminal do STJ, em pedido de *habeas corpus,* poder revogar uma decisão do Pleno das Secções Criminais. Bastaria, para tanto, que este Pleno, em recurso de decisão proferida nos termos do art. 11.º, n.º 2, al. *b),* mantivesse uma prisão preventiva e que a decisão fosse impugnada através de pedido de *habeas corpus.*

Outra situação impensável perante o pensamento legislativo seria, *v.g.,* a de uma pluralidade de arguidos no mesmo processo e na mesma situação jurídica, em que só um se socorre do *habeas corpus* mas em que todos interpõem recurso da decisão condenatória. Figure-se o caso de cinco arguidos terem sido condenados pelo crime do art. 300.º do CP por terem fundado uma organização, de características definidas, e que o tribunal *a quo* considerou uma organização terrorista. Todos os arguidos recorreram sustentando que a organização se não enquadrava no n.º 2 do art. 300.º do CP. Um deles socorreu-se do *habeas corpus,* tendo o STJ, no oitavo dia, indeferindo a providência, por considerar a organização terrorista. Qual a sorte do recurso interposto? Solução do *habeas corpus,* mantendo-se a condenação, com violação até do contraditório, pois arguidos houve que não foram ouvidos? Prosseguimento do recurso, com risco da coerência da sorte de cada um dos arguidos? É que o tribunal do recurso pode vir a considerar que a organização não é terrorista. Chamar todos os arguidos ao *habeas corpus?* Mas isso implicaria coarctar o direito ao recurso e a impossibilidade de o *habeas corpus* ser decidido no prazo que a lei exige, mais valendo então a providência do art. 219.º, que tão maltratada tem sido por alguns intérpretes.

538

Artigo 222.º

É ainda pertinente aditar que a orientação, que sempre sustentámos como agente do MP no STJ e como juiz deste Tribunal, é a que se extrai do notável relatório do Dec.-Lei n.º 35.043, parcialmente transcrito em anot. ao art. 220.º: «Providência de carácter extraordinário, só encontra oportunidade de aplicação quando, por virtude do afastamento da autoridade da ordem jurídica, o jogo normal dos meios legais ordinários deixa de poder garantir eficazmente a lieberdade dos cidadãos... remédio excepcional para proteger a liberdade individual nos casos em que não haja qualquer outro meio legal de fazer cessar a ofensa ilegítima da liberdade... de outro modo, tratar-se-ia de simples duplicação dos meios legais de recurso».

Considere-se, finalmente, que o encurtamento do prazo para o julgamento de recurso de decisão que aplique prisão preventiva ou outra medida de coacção — 30 dias, nos termos do art. 219.º — foi estabelecido precisamente no pressuposto de que, por não haver lugar a *habeas corpus*, o recurso neste caso deve ser julgado rapidamente e que a expressão *sem prejuizo do disposto nos artigos seguintes,* no início do art.º 219.º, não significa a possibilidade de coexistência de recurso e da providência de *habeas corpus,* mas precisamente o contrário, ou seja, que não sendo possível utilizar a via do recurso, haverá então possibilidade de utilizar a via do *habeas corpus.* Deste modo, presidiu ao pensamento legislativo a intenção de colmatar eventuais lacunas nas garantias da lei quanto à legitimidade de toda e qualquer detenção ou prisão. Neste sentido expendem também Simas Santos – Leal Henriques, *Código de Processo Penal anotado,* anot. ao art. 219.º.

Convictamente pensamos, portanto, que a orientação que sempre sustentámos e que tem sido predominantemente seguida pelo STJ e já o foi no ac. do Trib. Constitucional n.o 423/2003, de 24 de Setembro, adiante sumariado é a mais correcta, não nos impressionando argumentos expendidos por alguma doutrina discordante, *v. g.* Prof. Germano Marques da Silva, *Curso de Processo Penal,* 2.ª ed., II, 301-301, onde este Mestre sustenta a possibilidade de coexistência entre recurso e *habeas corpus.*

4. Em nosso entendimento, podem socorrer-se desta providência os cidadãos estrangeiros não obstante a limitação dos seus direitos políticos, a que aludem o n.º 2 deste artigo e o n.º 2 do art. 220.º. Aliás, qualquer outro cidadão no pleno gozo dos seus direitos políticos pode, por eles, formular a petição.

Como vem sendo entendido pelo STJ, da medida de *habeas corpus* podem beneficiar todos aqueles que se encontram privados da liberdade, *v. g.* em fixação de residência, medida de segurança de internamento, guarda de menor em centro educativo.

Não faz porém sentido estender esta medida às pessoas colectivas, pois trata-se de uma garantia contra a privação arbitrária de liberdade e as pessoas colectivas, por natureza, não podem ser presas nem sofrer outra limitação de liberdade.

Em nosso entendimento, não há *habeas corpus* preventivo, formulado contra uma limitação de liberdade ainda não executada e que se alega estar iminente. Além de não se encontrar inequivocamente consagrado na lei, faltar-lhe-ia o requisito da actualidade. Neste sentido Pinto de Albuquerque, *Comentário do*

Código de Processo Penal

Código de Processo Penal, anot. ao art. 222.º. O *habeas corpus preventivo,* que foi admitido pela Constituição de 1911 no art. 3.º, n.º 31, é porém sustentado por Gomes Canotilho- Vital Moreira, *in Constitução Anotada,* 4.ª ed., pág. 510.

5. *Jurisprudência:*

— A providência de *habeas corpus* em virtude de prisão ilegal, do art. 222.º do CPP, destina-se a apreciar a legalidade da prisão a que as pessoas estão submetidas, declarando-se ilegal se for caso disso, com a consequente libertação do preso. Nessa providência não tem lugar a apreciação de eventuais prisões ilegais já ocorridas, para o que os interessados dispõem de outros meios processuais; a prisão a apreciar na providência de *habeas corpus* deve revestir o requisito da actualidade. (Ac. STJ de 28 de Junho de 1989, Proc. 18/89/3.ª secção);

— I — A providência de *habeas corpus* tem a natureza de remédio excepcional para proteger a liberdade individual, de medida com a finalidade de resolver de imediato situações de prisão ilegal, e não de meio de reapreciação dos motivos da decisão proferida pela entidade competente. II — Essa função, de meio de obter a reforma da decisão injusta, de decisão inquinada de vício substancial ou de erro de julgamento, compete aos recursos. III — O STJ não pode substituir-se ao tribunal ou ao juiz que detém a jurisdição sobre o processo e não pode intrometer-se numa função reservada aos mesmos, consistindo as suas funções em controlar se a prisão se situa e se está a ser cumprida dentro dos limites da decisão judicial que a aplicou. IV — Existindo uma decisão judicial, ela permanece válida até ser revogada em recurso. Por isso, a providência de *habeas corpus* apenas pode ser utilizada em situações diferentes. De contrário, estava a criar-se um novo grau de jurisdição, não contemplada. V — Daí que, quando o despacho de um juiz decreta a prisão baseado em fundamentos que a lei permite, o único meio de impugnação, por se pretender entender que tal fundamento se não encontra preenchido face aos elementos constantes do processo, é o recurso. II — Pode ao mesmo tempo requerer-se a providência, mas com base em outras razões que não as que foram objecto do recurso. VII — A pretensa irregularidade de o arguido não ter sido presente ao juiz no prazo de 48 horas, no caso de prisão em cumprimento de mandados de captura para prisão preventiva, ordenados pelo juiz, não pode enquadrar-se no fundamento do art. 222.º, n.º 2, al. *c),* do CPP. VIII — Estamos perante prisão ordenada por despacho do juiz e que, por isso, apenas pode ficar excedida se ultrapassados os prazos referidos nesse despacho ou nos dos arts. 215.º e segs do CPP. (Ac. STJ de 10 de Outubro de 1990, Proc. 29/90, 3.ª secção);

— Qualificado por despacho processo como de excepcional complexidade, são de aplicar os prazos de prisão preventiva alargada, não se podendo então falar de prisão ilegal, justificativa da providência de *habeas corpus.* (Ac. STJ de 11 de Abril de 1991; *CJ,* XVI, tomo 2, 20);

— Não é admissível o pedido de *habeas corpus* quando haja ainda a possibilidade de interposição de recurso ordinário ou quando este se encontre já interposto, para se evitar que possam vir a surgir duas decisões judiciais sobre o mesmo assunto e se possa estar, assim, perante uma possibilidade de casos julgados contraditórios ou da existência de litispendência. (Ac. STJ de 12 de Fevereiro de 1992; *BMJ,* 414, 379);

Artigo 222.º

— Está em cumprimento de pena, e não de prisão preventiva, o arguido cuja condenação foi confirmada por ac. STJ e dele foi interposto recurso para o Tribunal Constitucional. (Ac. STJ de 30 de Junho de 1993; *CJ, Acs. do STJ*, I, tomo 3, 194). *Nota* — No mesmo sentido o ac. STJ de 16 de Dezembro do mesmo ano, *ibidem*, 254. A solução não é, porém, pacífica, tendo o último destes acórdãos declaração de voto do Ex.mo Conselheiro Armando Pinto Bastos;

— I — Não é de deferir o pedido de *habeas corpus* fundado na circunstância de o requerente ter estado preso para além do prazo, quando o tribunal veio a declarar, mesmo depois disso, o processo de especial complexidade, e os limites da prisão preventiva, nesse caso, não estão excedidos. II — Isto porque a prisão a apreciar na providência de *habeas corpus* deve revestir o requisito da actualidade e, nesse caso, ele não se verifica. (Ac. STJ de 23 de Novembro de 1995; *CJ, Acs. do STJ,* III, tomo 3, 241);

— I — A prisão de um arguido não pode considerar-se preventiva, ainda que tenha havido recurso para o Tribunal Constitucional, se o acórdão proferido no STJ confirmou, mesmo só parcialmente, a decisão recorrida ou aplicou sanção privativa da liberdade. II — Desta forma, não se pode neste caso ter como preenchida a situação prevista na alínea *c)* do n.º 2 do art. 222.º do CPP, pelo que não pode ser concedida a providência extraordinária do *habeas corpus*. (Ac. STJ de 1 de Setembro de 1995; *BMJ,* 449, 225);

— I — Um pedido de *habeas corpus* respeitante a uma prisão determinada por decisão judicial só poderá ter provimento em casos extremos de abuso de poder ou erro grosseiro de aplicação do direito (manutenção da prisão para além dos prazos legais ou fixados por decisão judicial), prisão por facto pelo qual a lei a não admita ou, eventualmente, prisão ordenada por autoridade judicial incompetente para a ordenar, nos termos do art. 222.º do CPP. II — As hipóteses de o juiz alegadamente não ter presidido ao primeiro interrogatório do arguido ou de este não lhe ter sido presente no prazo de 48 horas não cabem na previsão do n.º 2 do art. 222.º do CPP. (Ac. STJ de 6 de Fevereiro de 1997; *BMJ,* 464, 338);

— I — Um pedido de *habeas corpus* respeitante a uma prisão determinada por decisão judicial só pode ter provimento em casos extremos de abuso de poder ou erro grosseiro de aplicação do direito. II — A providência de *habeas corpus* reveste carácter excepcional, não podendo recorrer-se a ela se houver outro meio de reacção ou se a decisão causadora da prisão ilegal for passível de recurso ordinário. IV — Não integra qualquer dos fundamentos de *habeas corpus*, designadamente o previsto no art. 222.º, n.º 2, al. *c)*, do CPP, a não realização do reexame da subsistência dos pressupostos que motivaram a prisão preventiva, imposta pelo art. 213.º do mesmo diploma. (Ac. STJ de 20 de Fevereiro de 1997; *BMJ,* 464, 420);

— A al. *c)* do n.º 2 do art. 222.º do CPP, quando se refere à ilegalidade da prisão para além dos prazos fixados pela lei ou por despacho judicial, apenas contempla os casos em que a prisão preventiva fica excedida, se ultrapassados os prazos referidos no despacho do juiz, ou os referidos nos arts. 215.º e segs. daquele diploma. (Ac. STJ de 13 de Janeiro de 1999, proc. 54/99-3.ª; *SASTJ,* n.º 27, 72);

— Desde que haja a simples possibilidade de recurso de uma decisão judicial que tenha imposto a entrada de alguém em estabelecimento prisional,

Código de Processo Penal

não é admissível um processo de *habeas corpus*, na medida em que, se o fosse, se verificaria uma situação em que a mesma matéria poderia ser apreciada, simultaneamente, por dois tribunais, colocados em níveis hierárquicos diferentes (o STJ e a Relação). (Ac. STJ de 8 de Abril de 1999, proc. 444/99-3.ª; *SASTJ*, n.º 30, 68);

— Tendo o arguido interposto recurso ordinário da decisão que lhe recusou a efectivação de um cúmulo jurídico de penas, está-lhe vedado pedir, com o mesmo fundamento, a providência de *habeas corpus*. (Ac. STJ de 8 de Abril de 1999, proc. 447/99-3.ª; *SASTJ*, n.º 30, 70);

— I — A providência de *habeas corpus* reveste a natureza de remédio excepcional em sede de protecção e salvaguarda da liberdade individual e destina-se a superar, de imediato, situações de prisão arbitrária ou ilegal ou de privação ilegítima daquela liberdade; só que, por virtude da sua excepcionalidade, não pode, nem deve, ser utilizada como meio de reapreciar, questionar ou revogar decisões judiciais devidamente proferidas, a não ser, como é óbvio, em hipóteses extremas de abuso de direito ou erro grosseiro na aplicação do direito. II — Deve pois exigir-se parcimónia no seu uso, rigor da sua formulação e oportunidade no seu desencadeamento, para que se não pervertam a essência e as finalidades do instituto, não o transformando num instrumento optativo, alternativo ou concomitante de outras formas de reacção processual, assim potenciando julgados contraditórios ou situações de litispendência. III — Consequentemente, não é admissível o pedido de *habeas corpus* quando haja a possibilidade de interposição de recurso ordinário ou quando este tenha sido já interposto. (Ac. STJ de 14 de Outubro de 1999, proc. 1084/99-5.ª; *SASTJ*, n.º 34, 81);

— I — A providência de *habeas corpus* só pode ter como fundamento a ilegalidade da prisão originada por qualquer das situações previstas nas als. *a)* e *c)* do n.º 2 do art. 222.º do CPP. II — A *ilegalidade da prisão* alegada pelo arguido, decorrente do facto de um despacho judicial que reexaminou e manteve a medida de coação de prisão preventiva ao mesmo ter sido proferido sem a sua prévia audição, não integra a previsão de nenhuma das alíneas do n.º 2 do art. 222.º do CPP e, assim, é manifestamente infundado o pedido de *habeas corpus* por aquele formulado. (Ac. STJ de 12 de Janeiro de 2000, proc. 2/2000-3.ª; *SASTJ*, n.º 37, 62);

— I — Da conjugação do art. 254.º do CPP com o art. 28.º, n.º 1, da CRP, resulta que o art. 141.º do primeiro diploma citado não pode ser interpretado no sentido de que, não sendo possível a realização do primeiro interrogatório judicial de arguido detido no prazo de 48 horas, esse interrogatório já não pode ter lugar. Com efeito, o juiz de instrução está obrigado a realizá-lo, ainda que, por motivo justificado, o mesmo não possa ser realizado nesse prazo. II — A consequência da não efectivação do interrogatório no prazo de 48 horas não tem, porém, a natureza de nulidade, mas obriga a que a sua realização se faça no mais curto espaço de tempo. III — A ilegalidade da prisão preventiva que pode fundamentar a providência de *habeas corpus* tem de basear-se em alguma das alíneas do n.º 2 do art. 222.º do CPP. IV — A circunstância de um arguido não ter sido presente ao juiz do prazo de 48 horas, na sequência de prisão em cumprimento de mandados de captura para prisão preventiva, uma vez que a prisão ordenada

Artigo 222.º

por despacho de juiz apenas pode ficar excedida se forem ultrapassados os prazos referidos nesse despacho ou no art. 215.º do CPP, não se enquadra em nenhuma dessas situações. (Acs. STJ de 3 de Fevereiro de 2000, proc. n.º 47/00-5.ª; *SASTJ*, n.º 38, 77 e de 4 de Março de 2000; *CJ, Acs. do STJ*, VIII, tomo 1, 225);

— Não integra qualquer dos fundamentos de *habeas corpus*, nomeadamente o da al. *c)* do n.º 2 do art. 222.º do CPP, a não realização atempada ou a não realização do exame de subsistência dos pressupostos motivadores da prisão preventiva imposto pelo art. 213.º do CPP. (Ac. STJ de 30 de Março de 2000, proc. n.º 149/2000-5.ª; *SASTJ*, n.º 39, 74);

— I — A providência de *habeas corpus* assume a natureza de remédio excepcional destinado a proteger a liberdade individual, configurando-se como um meio expedito de pôr cobro a uma situação de prisão ilegal. II — Colocados, todavia, perante decisões judiciais, essa providência não pode visar a reforma de uma decisão injusta, inquinada de vício substancial ou erro de julgamento, pois que tal função se inscreve na órbita dos recursos ordinários. (Ac. STJ de 3 de Maio de 2000, proc. n.º 290/2000-3.ª; *SASTJ*, n.º 41, 61);

— É inconstitucional, por violação do disposto no n.º 1 do art. 31.º da Constituição da República, a interpretação da norma do art. 222.º, n.ºs 1 e 2, al. *c)*, do Código de Processo Penal, conjugada com a do art. 61.º, n.º 5, do Código Penal, no sentido de que a não interposição de recurso da decisão proferida sobre a questão fundamento da providência de *habeas corpus*, a que alude esta última norma, implica necessariamente a preclusão da possibilidade do recurso à referida providência. (Ac. do Trib. Constitucional n.º 370/200, de 12 de Julho de 2000; proc. n.º 334/2000; *DR*, II série, de 18 de Outubro de 2000). *Nota* — Atentando na fundamentação deste ac. do Trib. Constitucional, afigura-se-nos que não existe contradição com a doutrina que sempre sustentámos e que tem sido seguida pelo STJ. Na verdade, o sumário, consoante vem publicado no *DR*, omite que se tratava de uma decisão irrecorrível, em que portanto o arguido, sem a providência de *habeas corpus*, ficaria sem qualquer outro meio de reagir contra a ilegalidade da prisão. Da fundamentação consta que o requerente *de facto, não pode recorrer da decisão que lhe recusa a liberdade condicional porque a mesma é irrecorrível;*

— I — A liberdade condicional prevista no art. 61.º, n.º 5, do CP (cumprimento de 5/6 nas penas superiores a 6 anos de prisão), pese embora o carácter obrigatório de que se reveste, depende do consentimento do condenado, para além de não dispensar a prévia intervenção do Tribunal de Execução das Penas. II — Logo, não pode o STJ, através da providência excepcional de *habeas corpus* (em que se solicita a colocação em liberdade por alegadamente já se ter atingido esse tempo de cumprimento da pena), interferir na competência daquele tribunal, pelo que a mesma, com esse fundamento, não é de conceder. (Ac. STJ de 9 de Novembro de 2000, proc. n.º 3494/2000-5.ª; *SASTJ*, n.º 45, 70);

— Não cabe ao STJ, nem isso se encaixa em qualquer dos fundamentos arrolados no art. 222.º, n.º 2, uma prisão preventiva através da apreciação da prova indiciária que aconselhou essa medida de coacção. (Ac. STJ de 14 de Fevereiro de 2001, proc. n.º 511/01-3.ª; *SASTJ*, n.º 48, 51);

— I — A providência excepcional de *habeas corpus* não pode servir de remédio para impugnar uma decisão condenatória, até porque a lei processual

Código de Processo Penal

contém mecanismos para desenvolver essa impugnação, pela via de recurso ordinário e, em determinadas situações bem definidas no dispositivo legal respectivo, em recurso extraordinário de revisão. II — Deste modo, o despacho judicial que determina a revogação da suspensão da execução da pena de prisão tem de ser atacado pela via do recurso ordinário, por forma que o seu conteúdo seja sindicado pelo tribunal superior. III — Tendo transitado em julgado o despacho judicial que determinou a revogação da suspensão da execução da pena de prisão, apenas em caso de erro grosseiro de aplicação do direito se poderá recorrer à providência excepcional de *habeas corpus*. (Ac. STJ de 28 de Fevereiro de 2001, proc. n.º 784/01-3.ª; *SASTJ*, n.º 48, 56);

— I — O instituto do *habeas corpus* é uma providência expedita para fazer cessar a violação, grave e com sinais de evidência, do direito fundamental à liberdade, nas hipóteses taxativamente previstas nas alíneas do art. 222.º, n.º 2, do CPP. II — Não é aquela providência adequada a reagir e a pôr termo à ilegalidade da prisão por violação dos requisitos e condições impostos pela lei para que possa ser decretada a prisão preventiva, nomeadamente os prescritos no art. 204.º e na 1.ª parte da al. *a)* do n.º 1 do art. 202.º do CPP. III — Para além da providência de *habeas corpus*, prevê a lei expressamente, no art. 219.º, outro modo de impugnação: a possibilidade de recurso ordinário de todas as decisões que apliquem ou mantenham medidas de coacção (portanto também a de prisão preventiva), a julgar no prazo máximo de 30 dias. IV — A admissibilidade de recurso ordinário da decisão judicial que determinou prisão não impossibilita a petição e o decretamento da providência de *habeas corpus*. A pendência daquele recurso também não é impeditivo desta providência (Ac. STJ de 3 de Julho de 2001, proc. n.º 2521-3.ª; *SASTJ*, n.º 53, 61). *Nota* — Tem voto de vencido do Cons. Brito da Câmara);

— Se bem que os arts. 220.º e 222.º do CPP só a favor de *detidos* e de *presos* prevejam que possam requerer ao juiz de instrução, em dadas circunstâncias, a sua imediata apresentação, e que peçam ao STJ, em certos casos de *ilegalidade da prisão*, a sua libertação imediata, também em caso de medida de segurança de internamento (pretensamente) ilegal, se mostra adequado — sob pena de situações análogas gozarem de tratamento injustificadamente dissemelhante — que aquelas disposições relativas à prisão se apliquem por analogia ao internamento. (Ac. STJ de 27 de Setembro de 2001, proc. n.º 3254/01-5.ª; *SASTJ*, n.º 53, 70);

— I — O *habeas corpus*, como providência excepcional que é, tem como única finalidade pôr termo a uma prisão ou a uma detenção ilegal, estando completamente excluído do seu âmbito o reexame de uma decisão judicial, reexame que terá de ser feito através dos recursos ordinários cabíveis ao caso. II — Acresce que a referida providência não se compatibiliza com a sua cumulação com outros expedientes, nomeadamente com os recursos ordinários que possam ser interpostos da decisão que ordenou ou manteve a prisão preventiva, sob pena de se criar uma instância paralela de recurso, à margem da lei, e em conflito com as suas linhas mestras nesta matéria. III — O oposto não pode ser induzido pela expressão *sem prejuizo do disposto nos artigos seguintes*, constante do art. 219.º do CPP. Na verdade, tal expressão não prejudica a possibilidade de cumulação do recurso nela previsto com o *habeas corpus*, mas precisamente o contrário, ou seja que não sendo possível utilizar a via do recurso

Artigo 222.º

haverá sempre a hipótese de se lançar mão da referida providência, preenchidos que esteja, como é óbvio, os respectivos pressupostos. IV — É admissível a providência de *habeas corpus* nos casos em que a privação ilegal de liberdade decorre não da detenção ou prisão ilegais, mas de internamento ilegal, no âmbito da medida de segurança. (Ac. STJ de 3 de Outubro de 2001, proc. n.º 3270/01--3.ª; *SASTJ*, n.º 54, 74);

— A providência de *habeas corpus* é aplicável, por analogia fundada pelo menos na identidade de razão, aos casos de privação de liberdade resultante de aplicação de medida de internamento em estabelecimento psiquiátrico. Só assim se compatibilizam os mecanismos processuais penais com o espírito de segurança e ao instituto do *habeas corpus* (arts. 20.º, 20.º e 31.º da CRP). (Ac. STJ de 10 de Outubro de 2001, proc. n.º 3370/01-3.ª; *SASTJ*, n.º 54, 79);

— A falta de reexame da subsistência dos pressupostos da prisão preventiva (art. 213.º do CPP) não é determinante da extinção daquela medida (art. 214.º do mesmo Código) nem, por si só, integra fundamento de *habeas corpus*. (Ac. STJ de 25 de Outubro de 2001, proc. n.º 3544/2001-5.ª; *SASTJ*, n.º 54, 129);

— I — O *habeas corpus* é uma providência extraordinária e expedita destinada a assegurar de forma especial o direito à liberdade constitucionalmente garantido, que não um recurso; é um remédio excepcional, a ser usado quando falham as demais garantias defensivas do direito de liberdade, para estancar casos de detenção ou de prisão ilegais. II — Por isso não pode ser usado para impugnar outras irregularidades ou para conhecer da bondade de decisões judiciais, que têm o recurso como sede própria para a sua reapreciação. Tem como fundamentos, que se reconduzem todos à ilegalidade da prisão, actual à data da apreciação do respectivo pedido: Incompetência da entidade donde partiu a prisão; motivação imprópria e excesso de prazo. III — Mas a entender-se que não obsta à apreciação do pedido de *habeas corpus* a circunstância de poder ser, ou mesmo ter sido, interposto recurso da decisão que aplicou a medida de prisão preventiva, deve ser-se especialmente exigente na análise do pedido. IV — Nesta posição, o assento tónico do *habeas corpus* é posto na previsão constitucional, que vale por dizer na ocorrência de abuso de poder, por virtude de prisão ou detenção ilegal, na protecção do direito à liberdade, reconhecido constitucionalmente, uma providência a decretar apenas nos casos de atentado ilegítimo à liberdade individual — grave e em princípio grosseiro e rapidamente verificável — que integram as hipóteses de causas de ilegalidade da detenção ou da prisão taxativamente indicadas nas disposições legais que desenvolvem o preceito constitucional. (Ac. STJ de 10 de Janeiro de 2002, proc. n.º 2/02--5.ª; *SASTJ*, n.º 57, 77);

— I — Ainda que se mostre excedido o prazo legal de reexame da subsistência dos pressupostos da prisão preventiva (art. 213.º do CPP), a manutenção desta não é ilegal, pois de tal irregularidade não resulta a extinção da medida, nem o excesso do prazo máximo da prisão preventiva, que é fixado em função apenas das circunstâncias fixadas no art. 215.º, também do CPP. II — O ter sido excedido o aludido prazo para o reexame da prisão preventiva não integra algum dos fundamentos da providência de *habeas corpus* previstos no art. 222.º, n.º 2, do CPP. (Ac. STJ de 6 de Fevereiro de 2002, proc. n.º 492/ /02-3.ª; *SASTJ*, n.º 58, 48);

Código de Processo Penal

— I — Por ser uma providência excepcional, o *habeas corpus* só pode ser utilizado quando falham os demais instrumentos defensivos do direito de liberdade ou à liberdade. II — Não pode ser usado como expediente ínvio para impugnar irregularidades processuais ou para conhecer do mérito ou do demérito de decisões judiciais. (Ac. STJ de 7 de Fevereiro de 2002, proc. n.º 491/02; *SASTJ*, n.º 58, 60);

— I — O *habeas corpus* tem, em sede de direitos ordinário, como fundamentos que se reconduzem todos à ilegalidade da prisão: a incompetência da entidade donde partiu a prisão; a motivação imprópria e o excesso de prazos, sendo ainda necessário que a ilegalidade da prisão seja actual, actualidade reportada ao momento em que é apreciado o pedido. II — Em sede de previsão constitucional, o acento tónico do *habeas corpus* é posto na ocorrência de abuso de poder por virtude de prisão ou detenção ilegal, na protecção do direito à liberdade, constituindo uma providência a decretar apenas nos casos de atentado ilegítimo à liberdade individual grave e em princípio grosseiro e rapidamente verificável – que integrem as hipóteses de causas de ilegalidade da detenção ou da prisão taxativamente indicadas nas disposições legais que desenvolvem o preceito constitucional. III — Mas neste caso é necessário a invocação do abuso do poder, por virtude de prisão ou detenção ilegal, do atentado ilegítimo à liberdade individual grave e em princípio grosseiro e rapidamente verificável, invocação que obrigatoriamente aponte os factos em que se apoia, incluindo os referentes à componente subjectiva imputada à autoridade ou magistrado envolvido. (Ac. STJ de 23 de Maio de 2002, proc. n.º 2023/02-5.ª; *SASTJ*, n.º 61, 129);

— I — O *habeas corpus* só pode proceder nos limites apertados das alíneas do n.º 2 do art. 222.º do CPP, estando fora do seu campo a apreciação dos pressupostos de facto, no seu conteúdo, bem como a reapreciação de juízos discricionários dentro dos parâmetros legais e bem assim da tempestividade de um pedido cível. II — Assim, não cabe no âmbito de *habeas corpus* a discricionaridade que compõe a previsão da alínea *a)* do n.º 1 do art. 216.º do CPP, sendo apenas por via de recurso que pode ser censurado o uso que os tribunais façam da cláusula cujo resultado possa ser determinante para a decisão de acusação, de pronúncia ou final. III — E também no âmbito de *habeas corpus* a reapreciação dos pressupostos que, dentro da autorização normativa do n.º 3 do art. 215.º do CPP, permitem a declaração do processo como de excepcional complexidade. (Ac. STJ de 3 de Julho de 2002, proc. n.º 2684/02--3.ª; *SASTJ*, n.º 63, 61);

— A providência de *habeas corpus* não aproveita a quem se encontra em cumprimento de pena, o que sucede quando em processo com dois ou mais arguidos o arguido requerente daquela providência não interpõe recurso e este funda-se em motivos estritamente pessoais do recorrente. (Ac. STJ de 4 de Julho de 2002; proc. n.º 2689/02-5.ª; *SASTJ*, n.º 63, 75);

— I — Em sede de previsão constitucional, o acento tónico do *habeas corpus* é posto na ocorrência de abuso do poder, por virtude de prisão ou detenção ilegal, na protecção do direito à liberdade, constituindo uma providência a decretar apenas nos casos de atentado ilegítimo à liberdade individual – grave e em princípio grosseiro e rapidamente verificável – que integrem hipóteses de causas de ilegalidade da prisão ou da detenção taxativamente indicadas nas disposições legais que desenvolvem o preceito constitucional.

546

Artigo 222.º

II — Mas nesse caso é necessária a invocação do abuso do poder, por virtude de prisão ou detenção ilegal, do atentado ilegítimo à liberdade individual – grave e em princípio grosseiro e rapidamente verificável, invocação que obrigatoriamente aponte os factos em que se apoia, incluindo os referentes à componente subjectiva imputada à autoridade ou magistrado envolvido. (Ac. STJ de 26 de Setembro de 2002, proc. n.º 3236/02-5.ª; *SASTJ,* n.º 63, 86);

— I — Interposta a providência de *habeas corpus* na pendência de recurso do despacho que haja decretado a prisão preventiva, e tendo este o mesmo fundamento daquela providência, não pode o STJ pronunciar-se relativamente a tal providência devendo a mesma ser indeferida por manifestante infundada. II — O fundamento da apontada providência na al. *a)* do n.º 2 do art. 222.º do CPP – ilegalidade de a providência ter sido efectuada ou ordenada por entidade incompetente – nada tem a ver com a incompetência territorial do tribunal, ocorrendo antes quando o mandado de prisão tenha sido assinado por quem não seja juiz ou a prisão não resulte de uma decisão condenatória. (Ac. STJ de 10 de Outubro de 2002, proc. n.º 3420/02-5.ª *SASTJ,* n.º 64, 106);

— No âmbito da extradição e no que respeita a *habeas corpus* fundado em excesso de detenção do extraditando, haverá que ter em conta as regras especiais do processo de extradição em caso de detenção antecipada (arts. 62.º e segs da Lei n.º 144/99, de 31/08), designadamente a de que a detenção do extraditando deve cessar se a apresentação do pedido em juizo não ocorrer dentro dos 60 dias posteriores à data em que foi efectivada, e sobretudo a de que o prazo referido no n.º 1 do art. 52.º se conta a partir da data da apresentação do pedido em juizo. (Ac. STJ de 24 de Outubro de 2002, proc. n.º 3619/02-5.ª; *SASTJ,* n.º 64, 128);

— I — Ainda que o despacho judicial que declarou a excepcional complexidade do processo tenha sido proferido depois de ultrapassado o prazo máximo normal da prisão preventiva, isso não pode servir de fundamento válido para deferimento do pedido de *habeas corpus,* isto porque a prisão a avaliar neste tipo de providência deve revestir o requisito da actualidade. II — É que o segmento de excesso do prazo máximo da prisão passou a ser coberto por aquele despacho, que vale como ratificação da validade temporal da medida detentiva. (Ac. STJ de 13 de Fevereiro de 2003, proc. n.º 593/03-5.ª; *SASTJ,* n.º 68, 76);

— O *habeas corpus,* como expediente processual expedito que é, não é um recurso, mas antes uma providência excepcional destinada a pôr fim, independentemente de ter sido, ou não, interposto recurso ordinário da respectiva decisão, a situações de prisão ferida de ilegalidade grosseira ou manifesta, e só a estas. O mais que importa discutir, só por via ordinária pode ser decidido. (Ac. STJ de 20 de Fevereiro de 2003, proc. n.º 378/03-5.ª; *SASTJ,* n.º 68, 87);

— I — Não é fundamento de *habeas corpus* a conformidade factual e jurídica do despacho que prorrogou a prisão preventiva, pois essa questão há--de ser julgada e apreciada em sede própria e, portanto, o STJ, que não tem jurisdição sobre o processo, não pode sobrepor-se a essa futura decisão. II — Ao STJ, na providência de *habeas corpus,* cabe apenas verificar se há cobertura legal para a prisão preventiva do requerente, no momento actual. (Ac. STJ de 17 de Março de 2003, proc. n.º 959/03-5.ª; *SASTJ,* n.º 69, 55);

— Concedida a liberdade ao arguido na sequência de um pedido de *habeas corpus,* nada impede que posteriormente, no mesmo processo, após dedução de acusação, se declare aquele de excepcional complexidade e se decrete de novo

Código de Processo Penal

a prisão preventiva do mesmo arguido, tendo em conta os prazos dilatados estabelecidos no n.º 3 do art. 215.º do CPP. (Ac. STJ de 23 de Abril de 2003, proc. n.º 1647/03-3.ª; *SASTJ*, n.º 70, 54);

— Tendo o peticionante alegado que lhe foi imposta a medida de prisão preventiva sem que previamente tenha sido sujeito a interrogatório judicial, é patente que a invocação escolhida para fundamentar a pretensão não é minimamente compatível com o que se textua na al. *c)* do n.º 2 do art. 222.º do CPP. Assim, impõe-se negar a providência, por manifestamente infundada. (Ac. STJ de 1 de Abril de 2003, proc. n.º 1199/03-5.ª; *SASTJ*, n.º 70, 58);

— I —Perante o estauído no n.º 2 do art. 254.º do CPP, não há dúvidas de que se impõe sempre a apresentação do arguido detido perante o juiz, ainda que aquele tenha sido preso para execução de prisão preventiva decretada pelo juiz de julgamento no despacho que recebeu a acusação e designou dia para julgamento. II — A não apresentação do arguido detido ao juiz no prazo de 48 horas, para o respectivo interrogatório, implica violação da citada norma legal, o que justifica o deferimento do pedido de *habeas corpus*. (Ac. STJ de 7 de Maio de 2003, proc. n.º 1865/03-3.ª; *SASTJ*, n.º 71, 90);

— I — O abuso de poder em que se funda a prisão ilegal não tem que ser intencional, bastando-se com um erro grosseiro na aplicação do direito, de modo que se possa dizer que existe uma ilegalidade clara. II — Verifica-se um erro grosseiro quando se fundamenta uma prisão com base na alusão a uma situação factual que manifestamente não ocorreu, e partindo-se da suposição de que, realizado o cúmulo jurídico, a pena única deixará de ser suspensa. (Ac. STJ de 7 de Maio de 2003, proc. n.º 1859/03; CJ, Acs. STJ de 7 de Maio de 2003, proc. n.º 1859/03; *CJ, Acs. STJ,* ano XI, tomo 2, 168);

— I — Cumpridos cinco sextos da pena, o recluso condenado em pena de prisão superior a seis anos tem obrigatoriamente de ser colocado em liberdade condicional. II — A não colocação do recluso em liberdade condicional após o cumprimento dos cinco sextos da pena superior a seis anos de prisão gera uma situação de ilegalidade da prisão, que assim se mantém para além do prazo fixado na lei, o que constitui fundamento de *habeas corpus*, previsto na al. *c)* do n.º 2 do art. 222.º do CPP. (Ac. STJ de 23 de Maio de 2003, proc. n.º 2042/03-3.ª; *SASTJ*, n.º 71, 100);

— I — O art. 52.º, n.º 4, da Lei n.º 144/99, de 31 de Agosto (Cooperação Judiciária Internacional) prevê que a detenção do extraditando não pode ultrapassar 3 meses a contar da interposição de recurso para o Tribunal Constitucional e até à decisão deste mesmo tribunal. II — Esse prazo só tem validade para a fase de recurso para o Tribunal Constitucional, podendo o extraditando continuar preso para além dele sem violação da lei. III — É que a partir daí passa-se para outra fase, em que se diligencia pela transferência do extraditando para o país que pede a extradição, e, nessa fase, há outros prazos a observar (arts. 60.º e 61.º n.ᵒˢ 2 e 3, da apontada Lei). (Ac. STJ de 29 de Maio de 2003, proc. n.º 2162/03-5.ª; *SASTJ*, n.º 71, 133);

— I — O reexame da prisão preventiva após o decurso do prazo previsto no art. 213.º, n.º 1, do CPP, constitui uma irregularidade. II — Tal vício não constitui fundamento de concessão da providência de *habeas corpus*, pois não se enquadra em qualquer das três situações previstas taxativamente no n.º 2 do art. 222.º do CPP. III — Do mesmo modo, a falta de fundamentação da

548

Artigo 222.º

renovação da prisão preventiva constitui uma irregularidade que não se enquadra nos fundamentos da providência de *habeas corpus* enumerados no art. 222.º, n.º 2, do CPP. (Ac. STJ de 23 de Junho de 2003, proc. n.º 2543/03-5.ª; *SASTJ*, n.º 72, 79);

— O STJ, no âmbito da providência de *habeas corpus,* não pode substituir-se ao TEP e decretar a liberdade condicional do requerente. (Ac. STJ de 15 de Julho de 2003, proc. n.º 2863/03-3.ª; *SASTJ,* n.º 73, 127);

— I — A alegada falta de reexame dos pressupostos da prisão preventiva, de acordo com o art. 213.º do CPP, não determina, por si, base de sustentação de um pedido de *habeas corpus,* designadamente quando os prazos de prisão preventiva se não mostram excedidos, pois mesmo que esse reexame se não proceda no prazo legalmente estabelecido, sempre o sujeito afectado pode requerê-lo, certo que é passível de recurso a decisão que incida sobre tal requerimento – cfr. art. 219.º do CPP. (Ac. STJ de 17 de Julho de 2003, proc. n.º 2868/03-3.ª; *SASTJ,* n.º 73, 129);

— A função do STJ ao conhecer dos pedidos de *habeas corpus* consiste, no domínio da legalidade em verificar se a prisão tem a sua legalidade assegurada por quem de direito e está a ser cumprida dentro dos limites dessa decisão. (Ac. STJ de 3 de Julho de 2003, proc. n.º 2702/03-5.ª; *SASTJ,* n.º 73, 138);

— Não é inconstitucional a interpretação do art. 222.º do CPP segundo a qual a providência de *habeas corpus* não pode ter como fundamento a insuficiência de meios de prova. (Ac. do Trib. Constitucional n.º 423/2003, de 24 de Setembro; *Acórdãos do Trib. Constitucional,* 57.º vol pág. 343);

— É de deferir a providência de *habeas corpus,* determinando-se a libertação imediata do arguido com fundamento na prisão ilegal por excesso de de prazo, se ele se encontra preso preventivamente há mais de 30 meses – prazo máximo permitido pelo art. 215.º, n.ºs 1, al. *d)* e 2, do CPP – e o despacho proferido na Relação que declara a excepcional complexidade do processo, implicando a prorrogação daquele prazo, foi anulado por acórdão do STJ. (Ac. STJ de 29 de Outubro de 2003, proc. n.º 3753/03-3.ª; *SASTJ,* n.º 74, 156);

— I — O processo de *habeas corpus* traduz uma providência célere contra a prisão e vale, em primeira linha, contra o abuso de poder por parte das autoridades policiais, mas não é possível conceber a sua utilização contra o abuso de poder do próprio juiz, apresentando-se tal medida como privilegiada contra o atentado do direito à liberdade. II — A medida tem como pressuposto de facto a prisão efectiva e actual e como fundamento de direito a sua ilegalidade, sendo que a prisão efectiva e actual compreende toda a privação de liberdade, quer se trate de prisão sem culpa formada, quer com culpa formada ou em execução de condenação penal, ou seja aquela que se mantém na data da instauração da medida. III — E tem natureza residual, excepcional, e de via reduzida: o seu âmbito restringe-se à apreciação da ilegalidade da prisão, por constatação e só dos fundamentos taxativamente enumerados no art. 222.º, n.º 2, do CPP. (Ac. STJ de 26 de Novembro de 2003, proc. n.º 4128/03-3.ª; *SASTJ,* n.º 75, 98);

— I — O procedimento excepcional de *habeas corpus,* como providência célere e simplificada que é, pressupõe a existência de factos já tidos

Código de Processo Penal

por indiscutíveis, isto é, factos já provados, aos quais importe apenas aplicar o direito. II — Está fora de causa a realização de diligências probatórias no âmago e perante o próprio tribunal de revista, nos confins deste procedimento excepcional. III — Mesmo o recurso ao expediente processual previsto na al. *b)* do n.º 4 e no n.º 5 do art. 223.º do CPP só será de aplicar pelo STJ caso seja de esperar, com assento na realidade das coisas, que o resultado de tal diligência se revele fiável e concludente, decisivo e de contributo imprescindível em termos de fixação definitiva da matéria de facto. (Ac. STJ de 16 de Dezembro de 2003, proc. n.º 4393/03-5.ª; *SASTJ,* n.º 76, 86);

— A excepcionalidade da providência de *habeas corpus* não se refere à subsidiariedade em relação aos meios de impugnação ordinários das decisões judiciais, mas antes e apenas à circunstância de se tratar de providência vocacionada a responder a situações de gravidade extrema e excepcionais, com uma celeridade incompatível com a prévia exaustão dos recursos ordinários e com a sua própria tramitação. Por isso, porque visa remediar situações daquela gravidade, é que a petição de *habeas corpus*, em caso de prisão ilegal, tem fundamentos taxativos — os elencados no n.º 2 do art. 222.º do CPP —, diferentes dos que servem de fundamento aos dos recursos ordinários, designadamente os previstos no art. 219.º do mesmo Código. (Ac. STJ de 29 de Julho de 2004, proc. n.º 3120/04-3.ª);

— I — A violação do princípio da especialidade consagrado no art. 16.º da Lei n.º 144/99, de 31 de Agosto (Lei da Cooperação Jurídica Internacional em Matéria Penal) não é susceptível, em termos abstractos de constituir fundamento da providência de *habeas corpus*, por não ser subsumível a nenhuma das hipóteses do n.º 2 do art. 222.º do CPP. II — Todavia, na medida em que nele se prevê que a pessoa que comparecer em Portugal como condenado, em consequência de um acto de cooperação, não pode ser detida ou sujeita a qualquer outra restrição da liberdade por facto anterior à sua presença em território nacional, diferente do que originou o pedido de cooperação formulado por autoridade portuguesa (n.º 1 do referido art. 16.º), a prisão, em consequência do estatuído, poderá constituir prisão ilegal, para efeitos da al. *b)* do n.º 2 do mesmo art. 222.º. (Ac. STJ de 29 de Julho de 2004, proc. n.º 3124//04-3.ª);

— Dada a simulitude entre a medida cautelar de obrigação de permanência na habitação em que o arguido se encontra, em substância, privado da liberdade e a de prisão preventiva, é extensível àquela o regime de *habeas corpus*. (Ac. STJ de 15 de Fevereiro de 2004, proc. n.º 4617/04-3.ª; *SASTJ*, n.º86, 74);

— I — A providência de habeas corpus funciona como remédio excepcional para situações em si também excepcionais, na medida em que se traduzem em verdadeiros atentados iligítimosà liberdade individual das pessoas, só sendo por isso de utilizar em casos de evidente ilegalidade da prisão. II — Os fundamentos enunciados no CPP revelam que a iligalidade da prisão que lhes está pressuposta se deve configurar como violaçãodirecta e substancial e em contrariedade imediata e patente da lei; quer seja a incompetência para ordenar a prisão, a inadmissibilidade substantiva (facto que não admita a privação da liberdade), ou a directa, manifesta e auto-determinável insubsistência de pressupostos, produto de simples e clara verificação meterial (excesso de prazo). III — Deste controlo estão afastadas todas as condicionantes, procedimentos, avaliação sobre

Artigo 222.º

juízos de facto e verificação de pressupostos, condições, intensidade e disponibilidade de utilização *in concreto* dos maios de impugnação judicial, condições que, podendo ser objecto de recursos ordinários, estão inteiramente fora dos pressupostos, nominados e sem *numerus clausus*, da providência. (Ac. STJ de 6 de Janeiro de 2005, proc. n.º 4832/04-5.ª; *SASTJ*, n.º 87, 112);

— I — A liberdade condicional prevista no art. 61.º, n.º 5.º, do CP, opera *ex vi legis*, dependendo, tão só da verificação dos requisitos formais estabelecidos na referida norma. A liberdade condicional depende, em tais casos, unicamente da verificação objectiva, qual acto de *accertamento*, do decurso de um determinado tempo de cumprimento da pena. II — Trata-se de um direito do arguido, cujo respeito não depende de qualquer margem de discricionaridade do tribunal, sendo que, por outro lado, é do interesse da própria comunidade que seja facilitada ao condenado a sua reinserção na vida em liberdade plena, através de medidas que acompanham a concessão da liberdade condicional. III — O condenado que, com os requisitos formais referidos, cumpriu os 5/6 da pena, deve, assim, ser obrigatoriamente colocado em liberdade condicional. IV — Não tendo assim ocorrido, verifica-se uma situação de ilegalidade da prisão, que se manteve para além do prazo fixado na lei, o que constitui fundamento de *habeas corpus*, previsto na al. c) do n.º 2 do art. 222.º do CPP. (Ac. STJ de 22 de Março de 2005; *SASTJ*, n.º 89, 91);

— I — O processo de habeas corpus é uma providência célere contra a prisão e vale, em primeira linha, contra o abuso de poder por parte das autoridades policiais ou outras, designadamente as autoridades de policiais ou outras, designadamente as autoridades de polícia judiciária, ma não é impossível conceber a sua utilização contra abuso de poder do próprio juiz, apresentando-se tal medida como privilegiada contra o atentado do direito à liberdade. II — Prisão efectiva e actual compreende toda a privação de liberdade, quer se trate de prisão sem culpa formada, com culpa formada ou em execução de condnação penal, ou seja aquela que se mantém na data da instauração medida, e não a que perdeu tal requisito. III — A prisão disciplinar agravada, enquanto sanção disciplinar passível de aplicação às classes oficiais, sargentos, cabos e praças dos três ramos das Forças Armadas, está prevista, quanto a sargentos, no art. 34.º, n.º 5, do Regulamento de Disciplina Militar (RDM), aprovado pelo Dec. -Lei n.º 142/77, de 9 de Abril, com as alterações introduzidas pelo Dec.-Lei n.º 434-I/82, de 29 de Outubro. (Ac. STJ de 20 de Abril de 2005, proc. n.º 1450/05-3.ª; *SASTJ*, n.º 90, 121);

— I — A providência de *habeas corpus*, enquanto medida excepcional que é, visa reagir, de modo imediato e urgente, contra a produção arbitrária da liberdade ou contra a manutenção de uma situação de ofensa à liberdade manifestamente ilegal, numa situação consubstanciadora de um verdadeiro abuso de poder esse que se basta com decisões das quais resulte um erro grosseiro na aplicação do direito. III — Enquadra-se em tal situação a decisão que revogou a suspensão da execução da pena de prisão ao arguido, partindo do pressuposto de que o mesmo terá praticado um outro crime doloso durante o período daquela suspensão, quando se veio a verificar que esse segundo crime havia sido, na realidade, penetrando ainda antes daquela sentença condenatória suspensiva da pena. (Ac. STJ de 20 de Abril de 2005, proc. n.º 1451/05; *CJ*, acs. STJ, XIII, tomo 2, 182);

Código de Processo Penal

— I — A obrigação de permanência em habitação prevista no art. 201.º do CPP e a prisão preventiva são afins, sendo esta a subsequentemente regulamentada no CPP, e por ordem imediatamente crescente no plano da gravidade. Em ambas estas medidas se aplicam os mesmos prazos e também em ambas se identifica uma comum consequência — a limitação da liberdade do indivíduo na manifestação do seu *jus ambulandi*. II — É, pois, de deferir, nos termos do art. 222.º, n.º 2, al. c), do CPP, a providência de habeas corpus, declarando-se (art.223.º, n.º 4, al. d), do CPP) ilegal a obrigação de permanência do arguido na sua residência, e restituindo-se de imediato à liberdade, se estiverem excedidos os prazos legais que se estabelecem quanto à afim medida de coacção de prisão preventiva. (Ac. STJ de 25 de Maio de 2005, proc. n.º 1959/05-3.ª; *SASTJ*, n.º 91, 135);

— Se o arguido, podendo, não fez uso dos meios de recurso ordinários que tinha à sua disposição, para impugnar uma decisão de execução da pena de prisão, permitindo que esta se tornasse definitiva e eficaz, é de indeferir a providência de habeas corpus onde, em substituição daqueles meios, vem apresentar as razões que seriam o funcionamento da impugnação. (Ac. STJ de 22 de Julho de 2005, proc. 2783/05-3,ª; *SASTJ*, n.º 93, 96);

— I — Como sanção privativa da liberdade, à prisão disciplinar militar é aplicável a providência de *habeas corpus*, pelos fundamentos taxativamente previstos no art. 222.º do CPP. II — A providência deve ser rejeitada sempre que tenha sido aplicada por entidade competente, por factos pelos quais a lei o permita e se encontre dentro do prazo legalmente fixado por essa entidade. (Ac. STJ de 24 de Novembro de 2005, proc. n.º 3906/05-5.ª; *STJSTJ*, I vol., 168);

— A providência de *habeas corpus* é de cariz marcadamente excepcional, com fundamentos taxativos, ficando fora da sua alcançada todas as condicionantes, procedimentos, avaliação prudencial segundo juízos de facto sobre a verificação de pressupostos, condições, intensidade e disponibilidade de utilização *in concreto* dos meios de impugnação judicial, a esgrimir em sede de recurso ordinário (Ac. STJ de 5 de Janeiro de 2006, proc. n.º 4428/05-5.ª);

— I — Os fundamentos de *habeas corpus* elencados no art. 222.º, n.º 2, do CPP, são taxativos. II — Improcede a providência se o seu requerente se funda em que a pena de prisão que expia já se encontrava prescrita aquando do início do seu cumprimento. III — Tal questão deve ser dirimida na 1.ª instância, com eventual recurso para a Relação. (Ac. STJ de 26 de Janeiro de 2006, proc. n.º 283/06-5.ª);

— A pretenção de formalidades estabelecidas legalmente quanto a um meio de obtenção de prova ou que indiciem a denegação de direitos do arguido ou, ainda, o não cumprimento eficiente e de acordo com as normas deontológicas do dever de patrocínio, não configuram fundamentos de *habeas corpus*; antes ilegalidades ou mesmo nulidades, a arguir pelos meios competentes e eventualmente por maio de recurso ordinário. (Ac. STJ de 16 de Fevereiro de 2006, proc. n.º 566/06-5.ª);

— Encontrando-se o arguido sujeito à obrigação de permanência na habitação de permanência na habitação, com sujeição a fiscalização electrónica e, pois, não se encontrando preso, jamais pode beneficiar da providência de *habeas corpus*. (Ac. STJ de 21 de Fevereiro de 2006, proc. n.º 690/06-5.ª).
Nota: Não concordamos com o decidido neste acórdão, que se encontra em

Artigo 222.º

flagrante oposição com o de 25 de Maio de 2005, proc. n.º 1959/05-3.ª, sumariado nosSASTJ, n.º 91, pág. 135. A obrigação de permanência na habitação é uma verdadeira prisão, porque o arguido a ela sujeito está privado do seu *jus ambulandi*; somente que em vez de se encontrar intra muros num estabelecimento prisional, está intra muros na sua habitação. Por isso, é aplicável a esta medida o disposto quanto a prisão preventiva, como se estabelece no art. 218.º, n.º 3, do CPP. Assim o entendeu o Tribunal Constitucional no ac. de 9 de Janeiro de 1987, proc. n.º 302/86, acórdão que provocou alterações no texto proposto para o art. 201.º e para outros dispositivos do CPP;

— O regime de *habeas corpus* previsto no CPP abrange os casos de privação de liberdade de menores por decretamento da medida tutelar de internamento. (Ac. STJ de 8 de Março de 2006; *CJ, Acs. STJ*, ano XIV, tomo 1, 208);

— I — O regime de *habeas corpus* previsto no CPP abrange os casos de privação de liberdade de menores por decretamento de medida tutelar. II — O decretamento de medida de internamento, por juiz competente para tal, através de decisão motivada em factos integradores de um crime de homicídio e omissão de auxílio, dentro dos prazos legais, não configura nenhuma das situações referidas no art. 222.º, n.º 2, do CPP, que possibilita o deferimento do *habeas corpus*. (Ac. STJ de 8 de Março de 2006; *CJ, Acs. do STJ*, XIV, tomo 1, 208);

— I — O *habeas corpus* não é um recurso, mas uma providência excepcional destinada a pôr um fim expedito a situações de ilegalidade grosseira, aparente, ostensiva, indiscutível, fora de toda a dúvida, da prisão. II — A natureza sumária e expedita deste procedimento não permite que, quando o aspecto jurídico da questão se apresente altamente problemático, o Supremo se substitua de ânimo leve às instâncias, ou mesmo à sua própria eventual futura intervenção no caso, por via de recurso ordinário. III — E, sumariamente, ainda que, de modo implícito, possa censurar aquelas por haverem levado a cabo alguma ilegalidade que importa seja grosseira. IV — Permanecendo discutível e não consensual a solução jurídica a dar à questão, e estando a mesma sustentada em factualidade indiciária que serviu, inclusive, de base a um despacho de pronúncia (e podendo o despacho que ordenou a prisão preventiva ser sindicado pela via de recurso), não é de atender o pedido de *habeas corpus*. (Ac. STJ de 1 de Fevereiro de 2007; *CJ, Acs. do STJ,* ano XV, tomo I, 180);

— O internamento decretado como medida de segurança a inimputáveis constitui uma situação de privação da liberdade susceptível de ser objecto de *habeas corpus*. (Ac. STJ de 16 de Agosto de 2007; *CJ, Acs. do STJ,* ano XV, tomo 3, 180);

— O não cumprimento rigoroso das prazos atinentes ao processo gracioso de concessão de liberdade condicional ou a sua não apreciação tempestiva não é fundamento legal de *habeas corpus,* porquanto a sua não observância tempestiva não extingue o cumprimento da pena. (Ac. STJ de 22 de Outubro de 2007; *CJ, Acs. do STJ,* ano XV, tomo 3, 227);

— I — A partir da reforma da lei processual operada pela Lei n.º 48/2007, de 29 de Agosto, as decisões que apliquem, mantenham ou substituam a medida de prisão preventiva são impugnáveis por via de recurso ou através da providência de *habeas corpus,* não havendo entre os dois modos de impugnação relação de litispendência ou de caso julgado: II — A providência de *habeas*

Código de Processo Penal

corpus não é, porém, meio adequado de pôr termo a todas as situações de ilegalidade de prisão, antes deve ser reservada para os casos de ilegalidade grosseira, porque maniesta, indiscutível, sem margem para dúvidas. III — Para tal ajuizar, o STJ deve ater-se ao texto da decisão, sem recurso a elementos externos. IV — Verfica-se uma situação de ilegalidade grosseira de prisão, a impor o decretamento da providência de *habeas corpus,* no caso em que o juiz decreta a prisão preventiva do arguido de um crime de homicídio, sem uma indicação precisa dos factos concretos que a permitam, pois, em tal caso, o juiz agiu com abuso de poder, na medida em que desrespeitou, grosseira e flagrantemente, as normas que prevêem as restrições ao direito de liberdade. (Ac. STJ de 27 de Novembro de 2007; *CJ, Acs. do STJ,* ano XV, tomo 3, 251);

— I — Encarando-se a medida de coacção de obrigação de permanência na habitação com vigilância electrónica como privação de liberdade, muito embora com grau muito diferente e menos elevado da prisão preventiva, serão de tornar extensivas a tal medida as garantias conferidas à prisão preventiva. II — Por isso, poderá a manutenção ilegal da medida de coação de obrigação de permanência na habitação constituir fundamento da providência de *habeas corpus.* /Ac. STJ de 13 de Fevereiro de 2008; *SASTJ* relativos a esse mês, pág. 23);

— I — A previsão da garantia de *habeas corpus* como garantia constitucional não afasta o seu carácter excepcional, sendo sua finalidade reagir com a máxima celeridade a situações de abuso de poder, concretizado em atentado ilegítimo à liberdade individual grave, grosseira e rapidamente verificável, por serem ofensas sem lei ou por serem grosseiramente contra a lei, integrando uma das hipóteses previstas no art. 222.º, n.º 2, do CPP. II — No nosso sistema jurídico, o *habeas corpus* não constitui um recurso dos recursos, nem um recurso contra os recursos; não exclui os recursos, mas não lhes é subsidiário. (Ac. STJ de 18 de Março de 2008; *SASTJ* relativos a esse mês, pág. 23);

— Não há que procurar eventuais diferenças de regime para justificar a não aplicação pelo STJ da providência de *habeas corpus* à situação de detenção para expulsão de cidadão estrangeiro, devendo considerar-se que qualquer restrição à liberdade individual que dimane de uma autoridade pública é fundamento bastante para a providência de *habeas corpus.* (Ac. STJ de 13 de Março de 2008; *SASTJ* relativos a esse mês, pág. 45);

— A medida de *habeas corpus* não pode ser utilizada para impugnar outras irregularidades ou para conhecer da bondade de decisões judiciais, que têm o recurso como sede própria para sua reapreciação, tendo como fundamentos, que se reconduzem todos à ilegalidade da prisão, actual à data de apreciação do respectivo pedido: incompetência da entidade donde partiu a prisão; motivação imprópria, e excesso do prazo. (Ac. STJ de 3 de Abril de 2008; *SASTJ* relativos a esse mês, pág. 77);

— I — No *habeas corpus* o STJ não pode substituir-se ao juiz que ordenou a prisão, em termos de sindicar os seus motivos, com o que estaria a criar um novo grau de jurisdição. II — E a afirmação de inexistência de relação de litispendência ou de caso julgado entre o recurso sobre medidas de coacção e a providência de *habeas corpus,* independentemente dos seus fundamentos, em face do estipulado no art. 219.º, n.º 2, do CPP, na redacção introduzida pela Lei n.º 48/2007, reforça aquela proibição de sindicância, reservando-a às instâncias em

Artigo 223.º

processo ordinário de impugnação das decisões judiciais. (Ac. STJ de 21 de Maio de 2008, proc. n.º 1795/08-3.ª; *SASTJ* relativos a esse mês, pág. 17); — I — A questão da forma de contagem da pena, para efeitos de eventual concessão de liberdade condicional, não pode ser decidida em sede de *habeas corpus*. II — O mecanismo adequado para reagir contra decisões judiciais é o recurso *ordinário*, não podendo este ser substituído por outros meios processuais que têm objectivos específicos. III — O *habeas corpus* destina-se exclusivamente a remediar situações evidentes de prisão ilegal, *directamente verificáveis a partir dos factos recolhidos*, nas circunstâncias indicadas no n.º 2 do art. 222.º do CPP, e desde que a ilegalidade da prisão se verifique no momento da decisão. Não pode este mecanismo ser utilizado como sucedâneo do recurso ordinário, ainda que com o objectivo de *acelerar* a marcha do processo. IV — Mesmo que o meio da pena estivesse ultrapassado, não sendo automática a libertação com o seu decurso, antes estando a liberdade condicional dependente de decisão judicial, nunca se verificaria ilegalidade da prisão, por excesso de prazo. (Ac. STJ de 8 de Outubro de 2008; *SASTJ* relativos a esse mês, proc. n.º 3253/08-3.ª).

ARTIGO 223.º

(Procedimento)

1. A petição é enviada imediatamente ao presidente do Supremo Tribunal de Justiça, com a informação sobre as condições em que foi efectuada ou se mantém a prisão.

2. Se da informação constar que a prisão se mantém, o presidente do Supremo Tribunal de Justiça convoca a secção criminal, que delibera nos oito dias subsequentes, notificando o Ministério Público e o defensor e nomeando este, se não estiver já constituído. São correspondentemente aplicáveis os artigos 424.º e 435.º.

3. O relator faz uma exposição da petição e da resposta, após o que é concedida a palavra, por quinze minutos, ao Ministério Público e ao defensor; seguidamente, a secção reúne para deliberação, a qual é imediatamente tornada pública.

4. A deliberação pode ser tomada no sentido de:

a) Indeferir o pedido por falta de fundamento bastante;
b) Mandar colocar imediatamente o preso à ordem do Supremo Tribunal de Justiça e no local por este indicado, nomeando um juiz para proceder a averiguações, dentro do prazo que lhe for fixado, sobre as condições de legalidade da prisão;
c) Mandar apresentar o preso no tribunal competente e no prazo de vinte e quatro horas, sob pena de desobediência qualificada; ou
d) Declarar ilegal a prisão e, se for caso disso, ordenar a libertação imediata.

Código de Processo Penal

5. Tendo sido ordenadas averiguações, nos termos da alínea *b)* do número anterior, é o relatório apresentado à secção criminal, a fim de ser tomada a decisão que ao caso couber dentro do prazo de oito dias.

6. Se o Supremo Tribunal de Justiça julgar a petição de *habeas corpus* manifestamente infundada, condena o peticionante ao pagamento de uma soma entre seis UC e trinta UC.

---

1. Os n.os 1 e 2 têm redacção introduzida na fase final da elaboração do Código. As alterações introduzidas relativamente ao Proj. consistiram, fundamentalmente, na eliminação da remessa do duplicado da petição à autoridade responsável pela prisão, a-fim-de elaborar a sua resposta. Essa eliminação ficou a dever-se à correspondente introdução, também aqui feita, do dever de essa autoridade, quando envia a petição ao presidente do STJ, enviar também, e desde logo, a sua informação. O n.º 2 sofreu ligeira alteração introduzida pela Lei n.º 59/98, de 25 de Agosto, resultante da alteração no art. 435.º.

Os n.os 3 e 4 reproduzem disposições do Proj.

Corresponde ao art. 318.º do CPP de 1929, na redacção introduzida pelos Decs.-Leis n.os 185/72, de 31 de Maio e 320/76, de 4 de Maio, que porém em parte já se não encontrava em vigor, por a CRP ter imposto o julgamento em audiência contraditória.

Quanto aos limites da soma em UCs, a aplicar no caso do n.º 6, veja-se a anot. 3 ao art. 110.º

2. Quanto a deliberações que podem ser tomadas pelo STJ há coincidência com o regime anterior.

3. A condenação efectuada nos termos do n.º 6 acresce à condenação em custas que forem devidas, pelas razões já explanadas a propósito do art. 221.º, n.º 4 e de outras disposições similares.

4. *Jurisprudência:*

— I — No *habeas corpus*, o julgamento começa com a exposição feita pelo relator da petição e da resposta, incidindo depois a deliberação do tribunal sobre essas mesmas peças, sem embargo das alegações orais que também devem ser referidas, expondo as conclusões de facto e de direito que se hajam extraído da prova produzida. II — Estando assim o âmbito das alegações orais fixado pelo requerimento ou petição a que alude o n.º 2 do art. 222.º do CPP, e não se aludindo nesta a qualquer questão de inconstitucionalidade, não se verifica omissão de pronúncia se o acórdão que vier a decidir tal providência não conhecer dessa temática, apenas suscitada em sede de alegações. (Ac. STJ de 21 de Outubro de 1999, proc. n.º 731/99-5.ª; *SASTJ*, n.º 34, 82);

— A condenação do requerente da providência de *habeas corpus* nos termos do art. 223.º, n.º 6, do CPP, por se considerar a sua pretensão manifestamente infundada, nada tem a ver com a condenação em custas, tratando-se antes de uma sanção que acresce a esta última condenação. (Ac. STJ de 28 de Novembro de 2002, proc. n.º 3420/02-5.ª; *SASTJ,* n.º 65, 92);

556

Artigo 225.º

— I — Detido o arguido em qualquer fase do processo, é obrigatório o respectivo interrogatório judicial para, em conformidade com o art. 28.º, n.º 1, da CRP, se operar a restituição à liberdade ou a imposição de medida de coacção adequada, devendo juiz conhecer das causas que a determinaram e comunicá-las ao detido, interrogá-lo e dar-lhe oportunidades de defesa. II — A falta de observância desta disposição inquina de ilegibilidade a detenção, por violar o direito à liberdade, constitucionalmente reconhecido. III — Em tal stuação, não havendo prisão legal, interposto *habeas corpus,* a medida mais adequada que o STJ deve ordenar é a prevista no art. 223.º, n.º 4, al. c) do CPP. (Ac. STJ de 10 de Novembro de 2005; *SASTJ,* n.º 95, 135).

ARTIGO 224.º

(Incumprimento da decisão)

É punível com as penas previstas no artigo 369.º, n.ᵒˢ 4 e 5, do Código Penal, conforme o caso, o incumprimento da decisão do Supremo Tribunal de Justiça sobre a petição de *habeas corpus,* relativa ao destino a dar à pessoa presa.

---

1. Reproduz o art. 224.º do Proj. e corresponde ao art. 323.º do CPP de 1929, na redacção introduzida pelo Dec.-Lei n.º 185/72, de 31 de Maio, e pelo Dec.-Lei n.º 320/76, de 7 de Maio. O Dec.-Lei n.º 317/95, de 28 de Novembro, alterou porém o referência ao artigo do CP, em virtude da revisão desse diploma levada a efeito pelo Dec.-Lei n.º 48/95, de 15 de Março.

2. Ver anots. ao art. 220.º.

CAPÍTULO V

DA INDEMNIZAÇÃO POR PRIVAÇÃO DA LIBERDADE ILEGAL OU INJUSTIFICADA

ARTIGO 225.º

(Modalidades)

1. Quem tiver sofrido detenção, prisão preventiva ou obrigação de permanência na habitação pode requerer, perante o tribunal competente, indemnização dos danos sofridos quando:

a) A privação da liberdade for ilegal, nos termos do n.º 1 do artigo 220.º, ou do n.º 2 do artigo 222.º;

b) A privação da liberdade se tiver devido a erro grosseiro na apreciação dos pressupostos de facto de que dependia; ou

c) Se comprovar que o arguido não foi agente do crime ou actuou justificadamente.

Código de Processo Penal

2. Nos casos das alíneas *b)* e *c)* do número anterior o dever de indemnizar cessa se o arguido tiver concorrido, por dolo ou negligência, para a privação da sua liberdade.

1. O texto deste artigo foi introduzido pela Lei n.º 48/2007, de 29 de Agosto. O texto anterior reproduzia, com ligeiras alterações introduzidas pela Lei n.º 59/98, de 25 de Agosto, o art. 225.º do Proj. Não havia disposições correspondentes no CPP de 1929.

2. O disposto neste capítulo sobre indemnização por privação da liberdade ilegal ou injustificada resulta de Convenções a que Portugal aderiu. designadamente da Convenção Europeia dos Direitos do Homem, aprovada pela Lei n.º 65/78, de 13 de Outubro, que no art. 5.º, n.º 5 dá direito a indemnização a qualquer pessoa vítima de prisão ou de detenção em condições contrárias às que nesse artigo se estabelecem, e que a nossa lei interna perfilhou. Resulta ainda do disposto o art. 2.º, n.º 2, al. 38), da Lei n.º 43/86, de 26 de Setembro (Lei de Autorização legislativa).

— Foram ainda particularmente levados em conta os dispositivos do CRP, arts. 22.º, 27.º e 28.º e os do Dec-Lei n.º 48.051, de 21 de Novembro de 1967, que regulou a matéria de responsabilidade extra-contratual da Administração Pública, que não tinha sido regulada pelo Código Civil.

Em relação ao regime estabelecido no texto deste artigo anteriormente à supramencionada Lei que introduziu o actual apontam-se as seguintes alterações:

— Foi incluída a obrigação de permanência na habitação como fonte de direito a indemnização pelos danos sofridos, identicamente à detenção e à prisão preventiva;

— Atribuiu-se o direito a indemnização a quem for absolvido por estar comprovadamente inocente, bem como a quem tiver actuado justificadamente.

Estas alterações ampliaram notoriamente o leque de titulares do direito de indemnização, atendendo a que a obrigação de permanência na habitação é também uma privação de liberdade que pode causar prejuízos e a que, apesar de a privação de liberdade ter sido aplicada numa visão correcta do circunstancialimo no momento da aplicação, e que depois se não confirmou, é justo que o Estado de direito assuma a responsabilidade pelos prejuízos sofridos por arguidos comprovadamente inocentes.

No que concerne a estes dispositivos, afigura-se-nos pertinente salientar que os tribunais, em caso de absolvição por carência de prova, só em casos extremos e sem margem para dúvidas declaram que o arguido está inocente, por estar provado que não praticou os factos que integram o crime. Declaram antes, em atenção ao princípio *in dubio pro reo*, não se provar que os praticou; o que não significa que os não tenha praticado. E assim, em tais casos, não estará provado que o arguido não foi agente do crime; simplesmente não se fez prova bastante de que o tivesse sido, sem que no entanto se tivesse feito prova de que o não tivesse sido. Restará ao arguido, em casos como este, intentar acção declarativa contra o Estado, visando obter declaração de inocência e consequente indemnização.

Artigo 225.º

Quanto ao direito a indemnização por o arguido ter actuado justificadamente:

Trata-se aqui de uma significativa ampliação do direito a indemnização, pois que o arguido actua justificadamente sempre que existe alguma causa de exclusão da ilicitude ou da culpa, quer seja prevista no Código Penal quer o seja em lei especial, incluindo o direito de necessidade, instituto de definição sempre imprecisa, apesar da meticulosidade do art. 34.º do CP, e passível de criteriosa apreciação por parte do arbítrio do julgador. A este propósito veja-se por exemplo o caso apreciado pelo acórdão da Relação de Coimbra de 11 de Julho de 2002, inserto na *Colectânea de Jurisprudência*, ano XXVII, tomo 4, pág. 42, em que um arguido foi absolvido, por não exigibilidade, apesar de conduzir um veículo automóvel sem estar legalmente habilitado. Embora detido legalmente, poderia ter direito a indemnização, já que tinha actuado justificadamente.

Casos de solução duvidosa são aqueles em que a prisão preventiva ou a obrigação de permanência na habitação se mostram justificadas aquando da aplicação, mas depois, no julgamento, é feito convolação para crime menos grave, que não justificaria tal medida de coacção. Será, *v. g.*, o que pode suceder quando um crime de homicídio doloso é convolado para homicídio por negligência, ou quando há condenação com pena especialmente atenuada, por o arguido ter actuado com excesso de legítima defesa.

Em nosso entendimento, em atenção à letra e ao espírito da lei, também aqui poderá haver indemnização, que terá de ser moderada, já que o arguido cometeu um crime que não justificaria medida de coacção de prisão preventiva ou de obrigação de permanência na habitação, medidas que, no entanto, foram correctamente aplicadas no momento em que o foram.

Em suma, abre-se aqui como que uma caixa de Pandora, dada a infinidade de casos que a vida real pode revelar total ou parcialmente justificados perante dispositivos insertos no sistema penal, e cuja apreciação, em mais desenvolvidas anotações, excede o âmbito desta obra.

3. Trata-se da responsabilidade do Estado por actos de gestão pública, mas integrados na função judicial do Estado, daí que a competência pertença ao foro comum, e não ao administrativo, pois que a expressão *actos de gestão pública* da al. *b)* do n.º 1 do E.T.A.F. e da al. *b)* do § 1.º do art. 815.º do Cód. Administrativo abrange apenas e em princípio os actos integrados na função administrativa do Estado. Neste sentido o ac. STJ de 26 de Janeiro de 1993, sumariado *infra* e o Parecer da PGR n.º 12/92. Trata-se aliás de jurisprudência corrente e uniforme do STA.

O direito à indemnização baseia-se em detenção, prisão preventiva ou obrigação de permanência na habitação que sofram de *ilegalidade manifesta* aplicadas, por *erro grosseiro* na apreciação dos seus pressupostos. Os órgãos de polícia criminal e as autoridades judiciárias, por mais zelosos que procurem ser no cumprimento dos seus deveres, estão sempre sujeitos a alguma margem de erro. Por isso mesmo a lei aqui só leva em conta, para fundamentar a respon-

Código de Processo Penal

sabilidade do Estado e consequente direito à indemnização, o erro grosseiro, isto é aquele em que um agente minimamente cuidadoso não incorreria e a ilegalidade manifesta, isto é aquela que se torna evidente mesmo numa apreciação superficial.

Para além disto, pode mesmo não haver erro na aplicação de uma medida de coacção, *maxime* prisão preventiva, como será o caso de uma posterior amnistia ou mesmo de absolvição por aplicação do princípio *in dubio pro reo;* de no momento da aplicação haver perigo de perturbação do decurso do inquérito ou da instrução (o arguido procurou ocultar os valores furtados mas estes entretanto foram encontrados), etc.

Por estas e outras considerações que podem ser expedidas mas que se encontram fora do âmbito desta obra, contra o que tem sido defendido por alguma doutrina, entendemos que não devia ser nem foi para além do já anotado, significativamente invertida a tendência vertida neste artigo do CPP, o qual não sofre de inconstitucionalidade, como bem resulta da esgotante fundamentação do ac. do Trib. Constitucional de 13 de Abril de 2004; *DR,* II série, de 4 de Junho de 2004, a propósito de regulamentação paralela do Dec.--Lei n.º 48.051, de 21 de Novembro de 1967.

4. Sobre este capítulo, particularmente sobre este artigo, expendeu Castro e Sousa as seguintes considerações, *in Jornadas de Direito Processual Penal.* 162-163:

«...No Capítulo V do mesmo Título regula o Código a indemnização por privação da liberdade, distinguindo os pressupostos do respectivo arbitramento consoante esta seja ilegal ou injustificada. O n.º 1 do art. 225.º respeita à reparação devida quando a privação da liberdade tiver sido *manifestamente ilegal,* dando assim cumprimento à injunção constante do n.º 5 do art. 27.º da Constituição e ao disposto no n.º 5 do Pacto Internacional de Direitos Civis e Políticos de 1966 e no n.º 5 do art. 5.º da Convenção Europeia.

Por sua vez, o n.º 2 do mesmo art. 225.º estabelece que a reparação a arbitrar é extensiva aos casos de prisão preventiva formalmente legal mas que se vem a revelar *injustificada* por erro grosseiro na apreciação dos pressupostos de facto de que dependia».

Sobre este capítulo veja-se ainda *RMP,* anos 2.º, n.º 8, 141 e segs. e 25.º n.º 27, 31 e segs., bem como a bibliografia aí mencionada.

Sobre este artigo veja-se o estudo de Desembargador Américo Marcelino intitulado *A indeminização por prisão indevida,* no *Boletim da Associação Sindical dos Juízes Portugueses,* V série, n.º 4, Julho de 2007, já levando em conta o texto actual, e de um modo geral de harmonia com as considerações expendidas nas antecedentes anotações.

5. A Lei n.º 67/2007, de 31 de Dezembro, alterada pela Lei n.º 31/2008, de 17 de Julho sobre responsabilidade civil extracontratual do Estado e demais entidades públicas e o respectivo anexo que dela faz parte integrante, contêm dispositivos que, fundamentalmente, não alteram o que deste art. 225.º consta. De particular interesse é o Capítulo III do anexo, intitulado *Responsabilidade*

Artigo 225.º

civil por danos decorrentes do exercício da função jurisdicional e composto pelos artigos 12.º, 13.º e 14.º, cujo texto é o seguinte:

Artigo 12.º

(Regime geral)

Salvo o disposto nos artigos seguintes, é aplicável aos danos ilicitamente causados pela administração da justiça, designdamente por violação do direito a uma decisão judicial em prazo razoável, o regime da responsabilidade por factos ilícitos cometidos no exercício da função administrativa.

Artigo 13.º

(Responsablidade por erro judiciário)

1. Sem prejuízo do regime especial aplicável aos casos de sentença penal condenatória injusta e de privação injustificada da liberdade, o Estado é civilmente responsável pelos danos decorrentes de decisões jurisdicionais manifestamente inconstitucionais ou ilegais ou injustificadas por erro grosseiro na apreciação dos respectivos pressupostos de facto.
2. O pedido de indemnização deve ser fundado na prévia revogação da decisão danosa pela jurisdição competente.

Artigo 14.º

(Responsabilidade dos magistrados)

1. Sem prejuízo da responsabilidade criminal em que possam incorrer, os magistrados judiciais e do Ministério Público não podem ser directamente responsabilizados pelos danos decorrentes dos actos que pratiquem no exercício das respectivas funções, mas, quando tenham agido com dolo ou culpa grave, o Estado goza de direito de regresso contra eles.
2. A decisão de exercer o direito de regresso sobre os magistrados cabe ao órgão competente para o exercício do poder disciplinar, a título oficioso ou por iniciativa do Ministro da Justiça.

Ainda a revista *Julgar* (Edição da Associação Sindical dos Juízes Portugueses), n.º 05, contém um estudo do Dr. Guilherme da Fonseca, intitulado *A responsabilidade civil por danos decorrentes do exercício da função jurisdicional (em especial erro judiciário),* já levando em conta as alterações introduzidas pela Lei n.º 67/2007, de 31 de Dezembro.

6. *Jurisprudência:*
— I — A expressão *actos de gestão pública,* na al. *h)* do n.º 1 do E.T.A.F. abrange apenas e em princípio actos integrados na chamada *função administrativa,* não englobando por isso os actos integrados na função

Código de Processo Penal

judicial. II — O texto da al. *d)* do n.º 1 do art. 4.º do E.T.A.F. é perfeitamente claro ao excluir do âmbito da jurisdição administrativa quer os recursos quer as acções que tenham por objecto actos relativos ao inquérito e instrução criminais e ao exercício da acção penal, nada autorizando pois o intérprete a restringir tal exclusão aos recursos contenciosos. (Ac. STJ de 26 de Janeiro de 1993; *CJ,* XVIII, tomo 2, 5);

— O pedido de indemnização por prisão ilegal não pode ser formulado no processo crime onde foi ordenada a prisão. (Ac. RL de 13 de Abril de 1994; *CJ,* XIX, tomo 2, 146);

— I — Se a prisão preventiva resulta de acto jurisdicional, o pedido de indemnização por danos dela decorrentes não respeita a litígio emergente de relação jurídica administrativa. II — O conhecimento da acção em que tal pedido se formula está assim excluído do âmbito da jurisdição administrativa, e cabe aos tribunais comuns. (Ac. do Trib. dos Conflitos de 18 de Janeiro de 1996; *BMJ,* 453, 152);

— Não são inconstitucionais as normas dos arts. 2.º e 3.º, n.ºs 1 e 2, do Dec.-Lei n.º 48.051, enquanto eximem de responsabilidade, no plano das relações externas, os ttitulares de órgãos, funcionários e agentes do Estado e as demais entidades públicas por danos causados pela prática de actos ilícitos culposos (culpa leve ou grave) no exercício das suas funções e por causas delas. (Ac. do Trib. Constitucional n.º 236/2004, de 13 de Abril, proc. n.º 92/2003; *DR,* II série, de 4 de Junho de 2004);

— I — A prisão preventiva de alguém só gera responsabilidade civil para o Estado quando se prova que mesma foi manifestamente ilegal ou que , apesar de ilegal, se verifique um erro grosseiro na valoração dos pressupostos que a fundamentaram. II— A prisão preventiva não é injustificada, e muito menos por erro grosseiro, só porque o detido vem a ser absolvido. (Ac. STJ de 1 de Junho de 2004; *CJ, Acs. STJ*, ano XII, tomo 2, 213);

— I — A acção judicial para indeminização por prisão preventiva baseada em erro grosseiro na apreciação dos pressupostos de facto e no quadro previsto no art. 225.º do CPP só pode ser intentada contra o Estado. II — O denunciante no processo em que aquela prisão teve lugar não tem legitimidade passiva para tal acção de indemnização, uma vez que, no quadro de erro grosseiro, e qualquer que tenha sido a sua actuação, ela não é causa adequada do despacho errado. (Ac. STJ de 8 de Março de 2005; *CJ, Acs. STJ,* ano XIII, tomo 1, 123);

— I — A responsabilidade civil extracontratual do Estado por factos ilícitos praticados pelos seus órgãos ou agentes assenta nos pressupostos da idêntica responsabilidade prevista na lei civil, que são o facto, a ilicitude, a imputação do facto ao lesante, o prejuízo ou dano, e o nexo de causalidade entre este e o facto. II — O atraso na decisão de processos judiciais quando puser em causa o direito de uma decisão em prazo razoável, garantido pelo artigo 20.º, n.º 4, da CRP, e pelo artigo 6.º, § 1.º, da Convenção Europeia dos Direitos do Homem, pode gerar uma obrigação de indemnizar. III — O artigo 563.º, do Código Civil, consagra a teoria da causalidade adequada, devendo adoptar-se a sua formulação negativa correspondente aos ensinamentos de Ennecerus-Lehmann, segundo a qual uma condição do dano deixará de ser considerada causa dele sempre que

Artigo 226.º

seja de todo indiferente para a produção do dano e só se tenha tomado condição dele, em virtude de outras circunstâncias extraordinárias. IV — A violação de um direito fundamental não gera só por si, independentemente dos pressupostos da responsabilidade civil extracontratual, obrigação de indemnizar, designadamente sem a existência de danos que estejam numa relação de causalidade adequada com o facto consubstancia tal violação. V — As presunções naturais podem ser ilididas por mera contrapova, suscitando dúvidas sobre a ocorrência do facto presumido. VI — Na falta de presunção legal, é sobre o lesado que recai o ónus da prova da verificação dos pressupostos da obrigação de indemnizar por responsabilidade civil extracontratual. (Ac. S.T. Administrativo de 17 de Janeiro de 2007; *Acórdãos Doutrinais do S.T A.*, ano XLVI, 547, 1217).

ARTIGO 226.º

(Prazo e legitimidade)

1. O pedido de indemnização não pode, em caso algum, ser proposto depois de decorrido um ano sobre o momento em que o detido ou preso foi libertado ou foi definitivamente decidido o processo penal respectivo.

2. Em caso de morte do injustificadamente privado da liberdade e desde que não tenha havido renúncia da sua parte, pode a indemnização ser requerida pelo cônjuge não separado de pessoas e bens, pelos descendentes e pelos ascendentes. A indemnização arbitrada às pessoas que a houverem requerido não pode, porém, no seu conjunto, ultrapassar a que seria arbitrada ao detido ou preso.

---

1. Reproduz o art. 226.º do Proj. Não havia disposições correspondentes no CPP de 1929.

Ver anot. ao art. 225.º.

2. *Jurisprudência:*
— O prazo de caducidade para propositura da acção previsto no art. 226.º do CPP não padece de inconstitucionalidade, designadamente por violação do princípio da igualdade em razão de um protenso tratamento de favor do Estado. (Ac. STJ de 8 de Março de 2005; *CJ, Acs. do STJ*, ano XIII, tomo 1, 122);

— O prazo de um ano previsto no art. 226.º do CPP conta-se: a) Desde a libertação, no caso de prisão manifestamente ilegal; b) Desde a decisão definitiva do processo, no caso de prisão preventiva injustificável por erro grosseiro, pois que só findo o processo é que verdadeiramente se pode concluir pela existência de erro grosseiro. (Ac. RL de 30 de Junho de 2005; proc. n.º 3804/05).

Código de Processo Penal

TÍTULO III

DAS MEDIDAS DE GARANTIA PATRIMONIAL

ARTIGO 227.º
(Caução económica)

1. Havendo fundado receio de que faltem ou diminuam substancialmente as garantias de pagamento da pena pecuniária, das custas do processo ou de qualquer outra dívida para com o Estado relacionada com o crime, o Ministério Público requer que o arguido preste caução económica. O requerimento indica os termos e modalidades em que deve ser prestada.

2. Havendo fundado receio de que faltem ou diminuam substancialmente as garantias de pagamento da indemnização ou de outras obrigações civis derivadas do crime, o lesado pode requerer que o arguido ou o civilmente responsável prestem caução económica, nos termos do número anterior.

3. A caução económica prestada a requerimento do Ministério Público aproveita também ao lesado.

4. A caução económica mantém-se distinta e autónoma relativamente à caução referida no artigo 197.º e subsiste até à decisão final absolutória ou até à extinção das obrigações. Em caso de condenação são pagos pelo seu valor, sucessivamente, a multa, o imposto de justiça, as custas do processo e a indemnização e outras obrigações civis.

---

1. Reproduz o art. 227.º do Proj. e corresponde aos arts. 209.º, n.ºs 2 e 5 do Aproj. e 274.º, §§ 2.º, 3.º e 4.º do CPP de 1929, na redacção introduzida pelo Dec.-Lei n.º 185/72, de 31 de Maio, a qual reproduzia, com ligeiras alterações, a redacção originária. O n.º 1 sofreu alterações introduzidas pela Lei n.º 59/98, de 25 de Agosto, consistentes na eliminação de *do imposto de justiça,* que nesse número constava antes de *das custas do processo,* o que ficou a dever-se à terminologia adoptada pelo Código das Custas Judiciais aprovado pelo Dec.-Lei n.º 224-A/96, de 26 de Novembro, em que as custas abrangem a taxa de justiça, *ex* imposto de justiça, e ainda na introdução do período final, determinando que o requerimento do MP indique os termos e a modalidade em que a caução económica deve ser prestada. Certamente por inadvertência do legislador, a Lei n.º 59/98 não alterou também o n.º 4, que continua a aludir ao imposto de justiça. Em futura revisão a alusão deverá ser eliminada,

terminando o texto do n.º 4 em *a multa, as custas do processo e a indemnização e outras obrigações civis.*

2. Tal como no direito anterior, a caução a prestar em processo criminal pode revestir duas modalidades: caução (medida de coacção) e caução económica. Esta última não é uma medida de coacção, mas uma medida de garantia patrimonial.

A caução como medida de coacção destina-se a assegurar a comparência do arguido aos actos processuais a que deva comparecer e a assegurar o cumprimento das obrigações que lhe são impostas.

A caução como medida de garantia patrimonial, ou seja a caução económica, de que trata este artigo, destina-se a assegurar o pagamento da pena pecuniária (multa), das custas do processo ou de qualquer outra dívida ao Estado relacionada com a prática do crime, e ainda eventualmente de indemnização ao lesado.

3. Não se notam diferenças significativas relativamente ao regime anterior quanto ao regime da caução económica.

De notar que, contrariamente ao que agora sucede com a caução como medida de coacção, que se extingue com o início do cumprimento da pena de prisão a caução económica só se extingue com o cumprimento das obrigações que assegura. Por isso, pode ela subsistir muito para além da caução coactiva.

Compreende-se o regime. Visando a caução económica uma função garantística relativamente ao pagamento de certas imposições pecuniárias (pena pecuniária, custas do processo ou qualquer outra dívida para com o Estado relacionada com o crime), a sua duração deve ficar dependente da plena prossecução dessa função, não fazendo sentido limitá-la a uma duração pré-determinada. O mesmo vale quanto ao arresto, com a agravante de que esta medida só tem plena justificação para o período durante o qual o arguido não prestar caução económica».

4. *Jurisprudência:*

— I — O arguido tem que ser notificado para estar presente na diligência onde deva decidir-se o pedido de prestação de caução económica e ouvido, a-fim-de se pronunciar sobre o objecto da diligência. II — O despacho que, com omissão de tais formalidades, impôs ao arguido a obrigação de prestar caução económica, é nulo, como nula é a diligência em que o mesmo foi proferido. (Ac. RP de 10 de Fevereiro de 1999; *CJ, XXIV, tomo 1, 240);

— I — A caução económica é uma medida de garantia patrimonial, e não de coacção, que deve obedecer a critérios de legalidade, adequação e proporcionalidade, e ser decretada apenas quando se verifiquem os pressupostos enunciados no art. 227.º, n.º 2, do CPP. II — A caução económica não está sujeita aos requisitos fixados no art. 204.º do CPP para as medidas de coacção. III — A caução económica pode ser fixada sem prévia audição do arguido, desde que esta seja impraticável ou inoportuna e o juiz justifique porque não procede a ela. (Ac. RP de 13 de Fevereiro de 2008; *CJ,* XXXIII, tomo 1, 218).

Código de Processo Penal

ARTIGO 228.º

(Arresto preventivo)

1. A requerimento do Ministério Público ou do lesado, pode o juiz decretar o arresto, nos termos da lei do processo civil; se tiver sido previamente fixada e não prestada caução económica, fica o requerente dispensado da prova do fundado receio de perda da garantia patrimonial.

2. O arresto preventivo referido no número anterior pode ser decretado mesmo em relação a comerciante.

3. A oposição ao despacho que tiver decretado arresto não possui efeito suspensivo.

4. Em caso de controvérsia sobre a propriedade dos bens arrestados, pode o juiz remeter a decisão para o tribunal civil, mantendo-se entretanto o arresto decretado.

5. O arresto é revogado a todo o tempo em que o arguido ou o civilmente responsável prestem a caução económica imposta.

---

1. Com excepção do n.º 1, cujo texto resulta da Lei n.º 59/98, de 25 de Agosto, reproduz o art. 228.º do Proj. Não havia disposições correspondentes no CPP de 1929.

2. O arresto preventivo, regulado neste artigo, é uma medida que o CPP de 1929 desconhecia, e que só em alguns casos podia ser decretada em processo penal ao abrigo de disposições do CPP. Esta medida é perfilhada por códigos do direito comparado e encontra-se pormenorizadamente regulada em alguns desses códigos.
Trata-se de uma medida substitutiva da caução económica, que portanto só pode ser decretada quando esta caução não for prestada.
Embora a lei o não preceitue expressamente, a medida subsiste até decisão final absolutória ou até à extinção das obrigações que assegura, que são as mesmas da caução económica (art. 227.º, n.º 4, por analogia).

3. *Jurisprudência:*
— O requerente de arresto preventivo previsto no art. 228.º do CPP não tem de alegar factos que justifiquem o receio de perda de garantia patrimonial, mas apenas que o requerido não prestou a caução económica fixada. (Ac. RC de 13 de Julho de 1994; *CJ,* XIX, tomo 4, 50);
— I — O arresto preventivo, tal como resulta do disposto no art. 228.º, n.º 5, do CPP, tem natureza subsidiária relativamente à caução económica

e, por isso, só pode ser decretado quando não tenha sido prestada aquela caução anteriormente imposta e extingue-se logo que ela seja prestada. II — Decretando-se o arresto sem observância dessa formalidade prévia, comete-se irregularidade processual, de conhecimento oficioso, no momento em que o tribunal dela tomar conhecimento. (Ac. RP de 20 de Novembro de 1996; *CJ,* XXI, tomo 5, 237);

— Embora o arresto seja um instituto de natureza civil, desde que decretado por apenso a processo crime, o respectivo recurso tem de observar o preceituado nos arts. 399.º e segs. do CPP, pelo que, uma vez interposto, deve ser logo motivado — sob pena da sua não admissão —, não havendo lugar a alegações, em sentido processual civil. (Ac. STJ de 4 de Maio de 2000, proc. n.º 155/2000-5.ª; *SASTJ,* n.º 41, 74);

— Em processo penal, o requerente do arresto preventivo não tem que alegar factos justificativos do receio de perda da garantia patrimonial por parte do arguido; basta que este não tenha prestado a caução económica que lhe haja sido arbitrada. (Ac. RL de 19 de Outubro de 2000; *CJ,* XXV, tomo 4, 150);

— Carece de base legal o indeferimento liminar de um procedimento cautelar de arresto preventivo, com o fundamento cautelar de arresto preventivo, com o fundamento de que os bens ou valores a arrestar já se encontram apreendidos no processo. (Ac. RC de 18 de Maio de 2005; *CJ,* ano XXX, tomo 3, 39);

— I — O arresto preventivo, como medida de garantia patrimonial em processo penal, está sujeito aos pressupostos do arresto em processo civil, mas, não tendo sido prestada a caução económica fixada, prescinde-se da alegação e prova do fundado receio da perda de garantia petrimonial. II — Arresto que pode incidir sobre bens de terceiro quando se verifiquem actos de que resultem a diminuição de garantia patrimonial, ao abrigo do preceituado no art. 407.º, n.º 2, do CPC. (Ac. RC de 2 de Novembro de 2005; *CJ,* ano XXX, tomo 5, 43);

— I — São pressupostos do decretamento do arresto preventivo: a) A existência de um crédito do requerente sobre o requerido; b) haver fundado receio, por parte do credor, de perda da garantia patrimonial do seu crédito. II — Quando o arresto é requerido no âmbito de um processo penal, se tiver sido fixada caução económica e esta não tiver sido prestada, o requerente fica dispensado da prova do fundado receio de perda da garantia patrimonial do crédito. III — Não fazendo o requerente prova do fundo receio de perda da garantia patrimonial do crédito, não pode ser decretado o arresto preventivo, nem arbitrada caução económica. IV — Não há lugar a convite ao requerente do arresto preventivo para que complete a petição, quando nesta se omite a indicação da prova. (Ac. RP de 28 de Junho de 2006, proc. n.º 1500/06; *CJ,* ano XXXI, tomo 3, 221).

LIVRO V
RELAÇÕES COM AUTORIDADES ESTRANGEIRAS E ENTIDADES JUDICIÁRIAS INTERNACIONAIS

TÍTULO I
DISPOSIÇÕES GERAIS

ARTIGO 229.º
(Prevalência dos acordos e convenções internacionais)

As rogatórias, a extradição, a delegação do procedimento penal, os efeitos das sentenças penais estrangeiras e as restantes relações com as autoridades estrangeiras relativas à administração da justiça penal são reguladas pelos tratados e convenções internacionais e, na sua falta ou insuficiência, pelo disposto em lei especial e ainda pelas disposições deste livro.

---

1. O texto deste artigo foi introduzido pela Lei n.º 59/98, de 25 de Agosto, que procedeu à actualização do originário. Não havia disposição correspondente no CPP de 1929, porque esse diploma dependia, em larga medida, do CPC. A matéria deste Livro, sobre relações com autoridades estrangeiras, foi incluída no CPP precisamente porque se quis dar a este diploma maior autonomia relativamente ao CPC.

2. De assinalar que as disposições deste Livro, ou seja dos arts. 229.º a 240.º, quanto a rogatórias, extradição, efeitos das sentenças estrangeiras e relações com autoridades estrangeiras relativamente à administração da justiça penal, só são aplicadas no caso de omissão de tratados ou convenções internacionais a que Portugal tenha aderido.

Portugal aprovou e ratificou recentemente a Convenção Europeia de extradição e seus protocolos adicionais e assinou as seguintes convenções europeias relativas a outras formas de cooperação:

— Convenção Europeia de Auxílio Judiciário Mútuo em Matéria Penal e respectivo Protocolo Adicional, respectivamente em 10 de Maio de 1979 e em 12 de Agosto de 1980;

Código de Processo Penal

— Convenção para a Vigilância de Pessoas Condenadas ou Libertadas Condicionalmente, em 23 de Fevereiro de 1979;
— Convenção sobre o Valor Internacional de Sentenças Penais, em 10 de Maio de 1979;
— Convenção para a Transmissão de Processo Penais, também em 10 de Maio de 1979;
— Convenção para a Transferência de Pessoas Condenadas, em 1983;
— Convenção relativa ao auxílio judiciário mútuo em matéria penal entre os Estados Membros da União Europeia, aprovada pela resolução da Assembleia da República n.º 63/2001, de 16 de Outubro e ratificada por Decreto do Presidente da República n.º 53/2001, de 16 de Outubro;
— Convenção entre os Estados Membros da Comunidade Europeia sobre a aplicação do Princípio *ne bis in idem,* aprovada pela resolução da Assembleia da República n.º 22/95, de 11 de Abril, e ratificada pelo Decreto do Presidente da República n.º 47/96, de 11 de Abril;
— Convenção das Nações Unidas contra a criminalidade organizada transnacional, aprovada pela resolução da Assembleia da República n.º 32/2004, de 2 de Abril, e ratificada pelo Decreto do Presidente da República n.º 19/2004, de 2 de Abril.
O Dec.-Lei n.º 43/91, de 22 de Janeiro, na sequência de alguns desses instrumentos, abrangeu diversas formas de cooperação internacional em matéria penal, partindo dos postulados da moderna política criminal, que se dirige tanto a uma eficaz aplicação da lei penal como a facilitar a reinserção social da lei penal como a facilitar e reinserção social do delinquente.
Este diploma veio porém a ser revogado e substituído pela Lei n.º 144/99, de 31 de Agosto, que aprovou a lei da cooperação judiciária internacional em matéria penal, diploma que, pela sua importância, vai transcrito no final desta obra. Aplica-se às seguintes formas de cooperação:

a) Extradição;
b) Transmissão de processos penais;
c) Execução de sentenças penais;
d) Transferência de pessoas condenadas a penas e medidas de segurança privativas da liberdade;
e) Vigilância de pessoas condenadas ou libertadas condicionalmente; e
f) Auxílio judiciário mútuo em matéria penal.

3. Segundo a Convenção de Haia, de 17 de Julho de 1905; *DG* n.º 96, de 3 de Maio de 1909, salvo acordo em contrário, as cartas rogatórias para países signatários devem ser redigidas na língua do país onde são cumpridas, ou ser acompanhadas de tradução autenticada pelo agente consular português ou por tradutor ajuramentado do Estado requerido (art. 10.º).
As cartas rogatórias para serem cumpridas no Reino Unido obedecem, quanto a tradução, ao disposto na Convenção de 9 de Julho de 1931; *DG* n.º 175, de 28 de Julho de 1932.
As cartas rogatórias dirigidas às justiças de New Iork, Estados Unidos da América, não devem ser enviadas por via diplomática. O cumprimento de tais cartas pode ser pedido directamente por um solicitador ou advogado português a um advogado estabelecido no Estado de New Iork. Os pedidos devem ser dirigidos à «Supreme Court of the State in New Iork» e ordinariamente

570

Artigo 229.º

deverão indicar o nome do advogado que naquela cidade actuará como «Comission» para formular as perguntas e receber a prova. A indicação do advogado nas cartas não é essencial, mas ajudará a tornar mais rápida a devolução desta (circular da procuradoria da República junto da RL de 7 de Fevereiro de 1958).

As cartas rogatórias enviadas à Venezuela devem ser traduzidas na língua deste país (despacho do Ministro da Justiça de 7 de Setembro de 1955).

Entre Portugal e a França foi estabelecido acordo, pelo qual as cartas precatórias relativas a matéria penal não necessitam de ser traduzidas (despacho do Ministro da Justiça, de 30 de Setembro de 1955, circular de Procuradoria da República junto da Relação de Coimbra, n.º 515, de 13 de Outubro e *Diário do Governo* de 5 de Novembro do mesmo ano).

Sempre que surjam dúvidas sobre a aplicação do princípio geral consignado no art. 182.º do Cód. de Proc. Civil, que determina a expedição directa de cartas rogatórias pelos tribunais portugueses às autoridades ou tribunais estrangeiros, deva essa expedição ser feita por intermédio do Ministro da Justiça. Assim, deverão as secretarias dirigir-se directamente ao Ministério da Justiça que, pelos serviços competentes, se encarregará de enviar as rogatórias ao Ministério dos Negócios Estrangeiros (despacho do Ministro da Justiça, de 2 de Abril de 1949 e circular da Procuradoria da República junto da Relação de Coimbra, 457, de 28 de Abril de 1949).

4. Circulares e pareceres da PGR:

Circular n.º 4/50, de 23 de Maio de 1950:

I — Nos termos do art. 10.º da Convenção de Haia, de 17 de Julho de 1905, publicada no *DG* n.º 96, de 3 de Maio de 1909, salvo acordo em contrário, as cartas rogatórias para cumprimento em países signatários da mesma Convenção, devem ser redigidas na língua do Estado onde se pretende o seu cumprimento ou ser acompanhadas de tradução a autenticar pelo agente consular português competente ou por um tradutor ajuramentado do Estado requerido.

II — Para evitar delongas e grandes despesas ocasionadas pela tradução por perito ajuramentado, convém fazer acompanhar a carta rogatória de tradução a autenticar pelo agente consular português competente.

III — Na hipótese de não ser a carta rogatória acompanhada de tradução a autenticar deverá indicar-se, em documento anexo, qual a entidade que se responsabiliza pelo custo da tradução a efectivar por tradutor ajuramentado, no Estado requerido ou pelo consulado português competente.

IV — Igualmente em documento anexo deverá indicar-se qual a entidade que se responsabiliza pelo pagamento dos reembolsos previstos nos arts. 7.º e 16.º da mesma Convenção, se for caso disso.

V — As cartas rogatórias a cumprir em país não signatário da Convenção de Haia deverão ser sempre acompanhadas da declaração da entidade responsável por todas as despesas que a diligência requerida venha a ocasionar.

VI — As cartas rogatórias para cumprimento na Grã-Bretanha obedecem, quanto à tradução, ao disposto nos arts. 3.º e 7.º da Convenção, assinada em 9 de Julho de 1931 e publicada no *Diário do Governo* n.º 175, de 28 de Julho de 1932.

Assim, a carta rogatória deve ser redigida em inglês ou acompanhada da tradução nessa língua, a autenticar pelo agente consular português competente

Código de Processo Penal

e dirigida, em duplicado, por esta entidade ao «Senior Master» do Supremo Tribunal da Judicatura.

A acompanhar a carta rogatória enviar-se-á, conjuntamente, em duplicado, o acto de notificação, lavrado em documento separado e redigido em inglês ou junto com a tradução a autenticar pelo agente consular português competente.

Parecer n.º 558/2000; *DR,* II série, de 23 de Julho de 2003 (conclusões):

1.ª – Entre as formas de cooperação judiciária internacional em matéria penal, prevê-se a execução de sentenças penais e, especificamente, a *transferência de pessoas condenadas,* regulada pela Convenção Relativa à Transferência de Pessoas Condenadas, de 21 de Março de 1983, e pela Lei n.º 144/99, de 31 de Agosto;

2.ª – No caso de transferência para o estrangeiro de pessoa condenada em Portugal (Estado da condenação), a execução da condenação rege-se pela lei do Estado para onde a pessoa condenada é transferida (Estado da execução) artigo 9.º, n.º 3, da Convenção Relativa à Transferência de Pessoas Condenadas);

3.ª – No caso de aplicação cumulativa de pena de prisão e de pena de expulsão do território nacional inicia-se no dia em que o condenado – mediante a concessão de liberdade definitiva ou condicional, (ou instituto equivalente) – se encontrar livre na sua pessoa, por se considerar ter terminado o efectivo cumprimento da pena privativa de liberdade;

4.ª – Compete ao Estado da execução fornecer a informação sobre a data referida na parte final da conclusão anterior ou os elementos indispensáveis à sua determinação [artigos 15.º, alínea a), da Convenção Relativa à Transferência de Pessoas Condenadas e 124.º, n.º 1, da Lei n.º 144/99, de 31 de Agosto].

Parecer n.º 7/2002; *DR,* II érie, de 26 de Junho de 2002 (conclusões):

1.ª – O Decreto-Lei n.º 244/98, de 8 de Agosto, que regula as condições de entrada, permamência e saída de estrangeiros do território português, constitui lei geral relativamente ao Decreto-Lei n.º 60/93, de 3 de Março, que regula as condições especiais de entrada e permanência em território português de nacionais de Estados-membros da União Europeia;

2.ª – Nos termos das disposições combinadas dos artigos 99.º, n.º 1, alínea *a),* 119.º, n.ºs 1 e 8, 121.º e 136.º, n.º 2, do Decreto-Lei n.º 244/98,o estrangeiro que permaneça irregularmente em território português será objecto de expulsão determinada por autoridade administrativa;

3.ª – Porém, os nacionais de Estados-membros da União Europeia, enquanto titulares do direito de livre circulação no espaço comunitário, apenas poderão ser objecto de expulsão, nos termos referidos na conclusão anterior, quando ocorram razões de ordem pública, segurança pública ou saúde pública que a justifiquem, em conformidade com o disposto na Directiva n.º 64/221/CEE, de 25 de Fevereiro de 1964, e nos artigos 12.º e 13.º do Decreto-Lei n.º 60/93;

4.ª – A situação de *permanência irregular* em que se encontra um estrangeiro comunitário em território nacional, devido a não possuir bilhete de identidade ou passaporte válidos, nem qualquer título de residência, não é por si bastante para integrar as cláusulas de ordem pública ou de segurança pública que fundamentam a derrogação do princípio da livre circulação de pessoas, o que inviabiliza a sua *expulsão administrativa:*

Artigo 230.º

5.ª – A referida *situação irregular* desse estrangeiro comunitário em território nacional não está sujeita a qualquer sanção na legislação portuguesa;

6.ª – Enquanto essa *situação irregular* não for sanada, apenas se impõe ao cidadão comunitário em causa um *dever de identificação* perante *órgãos de polícia criminal,* nos termos do artigo 250.º, n.º 1 do Código de Processo Penal, o que implica, dada a falta de documento de identificação válido na posse do visado, a sua sujeição ao *procedimento de identificação* previsto nos n.ºs 5 a 9 daquela disposição legal;

7.ª – A exigência do cumprimento de tal *dever de identificação,* nos termos referidos na conclusão anterior, tem de ser objectivamente justificada, nunca podendo traduzir-se numa restrição intolerável ao princípio da livre circulação de pessoas, consagrado no Tratado da Comunidade Europeia.

5. *Jurisprudência:*
— As normas dos arts. 3.º, 215.º e 229.º do CPP, na interpretação segundo a qual na contagem dos prazos máximos de duração da prisão preventiva não é de considerar o tempo de detenção provisória sofrida no estrangeiro pelo arguido que foi extraditado para Portugal, não violam nem o art. 13.º, nem o art. 28.º, n.º 4, nem o art. 32.º, n.º 1, da Constituição. (Ac. do Trib. Constitucional n.º 298/99, de 12 de Maio; *BMJ*, 487, 111).

<h1 style="text-align:center">ARTIGO 230.º</h1>

(Rogatórias ao estrangeiro)

1. Sem prejuízo do disposto no artigo anterior, as rogatórias às autoridades estrangeiras são entregues ao Ministério Público para expedição.

2. As rogatórias às autoridades estrangeiras só são passadas quando a autoridade judiciária competente entender que são necessárias à prova de algum facto essencial para a acusação ou para a defesa.

---

1. O texto deste artigo é resultante da Lei n.º 59/98, de 25 de Agosto, que procedeu à actulização do originário. Não havia disposições correspondentes no CPP de 1929.

2. De assinalar a disposição duplamente limitativa da passagem de cartas rogatórias contida no n.º 2: elas só podem ser passadas por determinação de autoridade judiciária, e só quando se revelarem necessárias à prova de algum facto essencial para a acusação ou para a defesa.

3. *Jurisprudência:*
— I — O art. 230.º, do CPP, que regula a expedição de cartas rogatórias, rege também para a fase da instrução. II — Nesta fase, só deve expedir-se carta rogatória se tal se mostrar necessário à prova de qualquer facto essencial para a defesa. (Ac. RP de 24 de Setembro de 1997; *CJ*, XXII, tomo 4, 238).

Código de Processo Penal

ARTIGO 231.º
(Recepção e cumprimento de rogatórias)

1. As rogatórias são recebidas por qualquer via, competindo ao Ministério Público promover o seu cumprimento.

2. A decisão de cumprimento das rogatórias dirigidas a autoridades judiciárias portuguesas cabe ao juiz ou ao Ministério Público, no âmbito das respectivas competências.

3. Recebida a rogatória que não deva ser cumprida pelo Ministério Público, é-lhe dada vista para opor ao cumprimento o que julgar conveniente.

---

1. O texto deste artigo é resultante da Lei n.º 59/98, de 25 de Agosto, que procedeu à actulização do originário. Não havia disposições correspondentes no CPP de 1929.

2. Sobre recebimento e cumprimento de rogatórias consultem-se ainda a Lei n.º 144/99, de 31 de Agosto (cooperação internacional em matéria penal), referida na anot. 2 ao art. 229.º e transcrita no final desta obra.

3. Os fundamentos da recusa de cumprimento da rogatória estão enumerados no art. 232.º

ARTIGO 232.º
(Recusa do cumprimento de rogatórias)

1. O cumprimento de rogatórias é recusado nos casos seguintes:

a) Quando a autoridade judiciária rogada não tiver competência para a prática do acto;

b) Quando a solicitação se dirigir a acto que a lei proíba ou que seja contrário a ordem pública portuguesa;

c) Quando a execução da rogatória for atentatória da soberania ou da segurança do Estado;

d) Quando o acto implicar execução de decisão de tribunal estrangeiro sujeita a revisão e confirmação e a decisão se não mostrar revista e confirmada.

2. No caso a que se refere a alínea *a)* do número anterior, a autoridade judiciária rogada envia a rogatória à autoridade judiciária competente, se esta for portuguesa.

---

1. Reproduz o art. 232.º do Proj. Não havia disposições correspondentes no CPP de 1929.

Artigo 233.º

2. Este artigo contém disposições que são as correspondentes de disposições paralelas contidas nos arts. 184.º e 185.º do CPC. Foram introduzidas no CPP porque este diploma tem agora uma maior autonomia relativamente ao CPC do que tinha o CPP de 1929. O sentido e o alcance das disposições são idênticos aos das correspondentes do CPC.

3. Quanto à recusa de cumprimento do mandato de detenção europeu, ver anot. 5 ao art. 258.º e *jurisprudência* sumariada em anotação ao mesmo artigo.

ARTIGO 233.º
(Cooperação com entidades judiciárias internacionais)

O disposto no artigo 229.º aplica-se, com as devidas adaptações, à cooperação com entidades judiciárias internacionais estabelecidas no âmbito de tratados ou convenções que vinculem o Estado Português.

---

1. O texto deste artigo foi introduzido pela Lei n.º 59/98, de 25 de Agosto, em substituição do originário, que era do seguinte teor: «A extradição é regulada em lei especial».

2. A Lei n.º 43/86, de 26 de Setembro (Lei de Autorização legislativa), art. 2.º, n.º 2, al. 44), determinou que a regulamentação do processo de extradição se mantivesse em legislação especial.

3. A extradição passiva é geralmente orientada nos tratados e convenções internacionais, de harmonia com as seguintes regras:
a) Os Estados não extraditam os seus nacionais. Só a Inglaterra, a Itália e os Estados Unidos parecem fazer excepção a esta regra, fazendo-o, no entanto, em regime de reciprocidade. Quando os nacionais não são extraditados, devem ser punidos pelo seu país, de harmonia com a alternativa *aut punire aut dedere*;
b) Não se extraditam os criminosos a punir pelo país onde se encontram;
c) As infracções devem ser punidas também pela lei do Estado onde os criminosos se encontram;
d) Não se extraditam criminosos arguidos de infracções puramente militares, políticas ou leves.
De notar que, em matéria de extradição, os Estados frequentemente se orientam mais por considerações de oportunidade do que por considerações de legalidade.

4. A extradição é regulada pela Lei n.º 144/99, de 31 de Agosto, aludida na anot. 2 ao art. 229.º e transcrita no final desta obra. Porém, com a adopção do mandado de detenção europeu, cujo regime jurídico foi aprovado pela Lei n.º 65/2003 em cumprimento do Decisão Quadro n.º 2002/584/JAI, do Conselho, de 13 de Junho, foi substituído o recurso à extradição entre os Estados membros da União Europeia por um sistema simplificado de entrega de pessoas, em que apenas têm intervenção autoridades judiciárias. As regras de extradição previstas na referida Lei n.º 144/99 deixaram de ser aplicáveis quando países da emissão e da execução do mandado são Estados membros da União Europeia, aplicando--se antes os dispositivos da Lei n.º 65/2003.

Código de Processo Penal

5. Quanto a cooperação com autoridades judiciárias internacionais deve atentar-se em que o mandato de detenção europeu, estabelecido com base no princípio do reconhecimento mútuo e em conformidade com o disposto na Lei n.º 65/03, de 28 de Agosto, e na Decisão-Quadro 2002/584/JAI, de 13 de Junho, veio substituir o processo de extradição, que se mostrava incapaz de, por forma rápida e expedita, devido à abertura de fronteiras e à livre circulação de pessoas, responder aos problemas da cooperação judiciária entre os Estados da União Europeia.

Veja-se a anot. 5 ao art. 258.º e *jurisprudência* em anot. a esse artigo.

6. Portugal tem tratados de extradição com os seguintes países:

Alemanha Ocidental—Tratado aprovado pelo Dec.-Lei n.º 46 267, de 8 de Abril de 1965, rectificado em 8 de Setembro de 1967 e ratificado em 29 de Fevereiro de 1968; DG de 29 de Abril do mesmo ano;

Argélia — Convenção de Extradição entre a República Portuguesa e a República Popular da Argélia, aprovada por resolução da Assembleia da República n.º 58/08 e ratificada por Decreto do Presidente da República n.º 124/ /08; *DR*, I série, de 14 de Outubro de 2008;

Argentina — Leis de 5 de Julho e de 20 de Dezembro de 1888;

Austrália — Convenção de 20 de Janeiro de 1932, aprovada e ratificada pelo Dec. n.º 20 945, de 27 de Fevereiro de 1932 e por carta de 26 de Janeiro de 1933;

Bélgica — Convenções de 8 de Março de 1875 e 16 de Dezembro de 1881 e Convenção adicional de 9 de Agosto de 1961; DG de 17 de Novembro de 1961, aprovada pelo Dec.-Lei n.º 44 037, de 17 de Novembro de 1961;

Bolívia — Convenção de 21 de Dezembro de 1882 e Lei de 20 de Março de 1883;

Botwana — Acordo de 16 de Fevereiro de 1970, publicado por avisos no DG de 1 de Abril e de 19 de Agosto de 1970;

Brasil — Decreto do Presidente da República n.º 3/94, de 3 de Fevereiro e Resolução da AR n.º 5/94; *DR* n.º 28-A, de 3 de Fevereiro de 1994, ratificando e aprovando o Tratado de Extradição com o Brasil, de 7 de Maio de 1991;

Checoslováquia — Convenção de 23 de Novembro de 1927, aprovada pelo Dec. n.º 15 470, de 15 de Maio de 1928 e ratificada pela carta de 29 de Junho de 1932;

Chile — Lei de 30 de Setembro de 1897;

China — Tratado de 1 de Dezembro de 1887, ratificado por carta de 1 de Fevereiro de 1888 e Dec. de 31 de Dezembro de 1888;

Congo (Zaire) — Convenção de 27 de Abril de 1888, aprovada por Lei de 5 de Julho e ratificada por carta de 20 de Dezembro do mesmo ano;

Espanha — Convenção de 25 de Junho de 1867, ratificada com artigos adicionais de 25 de Maio de 1868 pela carta de 13 de Janeiro de 1869, artigos adicionais de 7 de Fevereiro de 1873, aprovados pela Lei de 30 de Abril de 1873 e ratificados pela carta de 14 de Abril de 1875 e acordo de 10 de Maio de 1884;

Estados Membros da Comunidade dos Países de Língua Portuguesa – Convenção de Extradição assinada na Cidade da Praia em 23 de Novembro de 2005, aprovada por Resolução da Assembleia da República n.º 49/2008; *DR,* I série, de 15 de Novembro de 2008; e ratificada por Decreto do Presidente da República n.º 67/2008, mesmo *DR*;

Estados Unidos da América — Instrumento entre a República Portuguesa e os Estados Unidos da América, feito em Washington em 14 de Julho de 2005, aprovado pela Assembleia da República n.º 46/2007, de 12 de Julho, e ratificado

Artigo 233.º

pelo Dec. do Presidente da República n.º 96/2007, de 10 de Setembro; *DR*, I série, de 10 de Setembro de 2007;

França — Convenção de 13 de Julho de 1854, aprovada por Lei de 5 de Agosto e ratificada por carta de 22 de Agosto do mesmo ano; declarações de 24 de Outubro de 1854 e 30 de Dezembro de 1872, aprovadas pela Lei de 18 de Março de 1873 e ratificadas por carta de 26 de Março do mesmo ano; Notas de 17 e 18 de Março de 1926;

Holanda — Convenções de 3 de Abril de 1878 e de 19 de Maio de 1894;

India — Convenção de Extradição entre a República Portuguesa e a República da Índia, aprovada por Resolução da Assembleia da República n.º 59/08 e ratificada por Decreto do Presidente da República n.º 125/08; *DR*, I série, de 14 de Outubro de 2008;

Inglaterra — Tratado de 17 de Outubro de 1892; Protocolo adicional de 30 de Novembro de 1892; Lei de 6 de Julho de 1893, carta de 6 de Novembro de 1893; Tratados de 10 de Janeiro de 1921 e Lei de 24 de Agosto, ratificados pelas cartas de 16 de Setembro desse ano; Convenção de 20 de Janeiro de 1932, modificando o artigo 3.º do tratado de 17 de Outubro de 1892, aprovada pelo Dec. n.º 20 945 de 27 de Fevereiro de 1932 e ratificada e confirmada por carta de 26 de Janeiro de 1933;

Itália — Convenção de 18 de Março de 1878, aprovada por Lei de 11 de Maio de 1878 e ratificada por carta de I5 de Maio do mesmo ano e Declaração de 6 de Fevereiro de 1885;

Luxemburgo — Convenção de 1 de Novembro de 1879, aprovada por Lei de 31 de Março de 1880 e ratificada por carta de 20 de Maio do mesmo ano e Protocolo de 1 de Novembro de 1897;

Malaca — Convenção de 27 de Agosto de 1921;

México — Tratado de extradição entre a República Portuguesa e os Estados Unidos Mexicanos, aprovado pela Resolução da Assembleia da República n.º 63/99, publicada no *DR*, I série-A, de 7 de Agosto de 1999 e ratificado pelo Decreto do Presidente da República n.º 179/99, de 7 de Agosto;

Nova Zelândia — Convenção de 20 de Janeiro de 1932, aprovada pelo Dec. n.º 20 945, de 27 de Fevereiro de 1932, confirmada e ratificada por carta de 26 de Janeiro de 1933;

Rússia — Convenção de 10 de Maio de 1887, aprovada por Lei de 30 de Junho e ratificada por carta de 13 de Julho do mesmo ano;

Suécia — Convenção de 17 de Dezembro de 1863, aprovada por Lei de 23 de Abril de 1864 e ratificada por carta de 11 de Maio do mesmo ano;

Suíça — Convenções de 17 de Dezembro de 1863 e de 30 de Outubro de 1873, aprovadas por Lei de 11 de Abril de 1874 e ratificadas por carta de 11 de Maio do mesmo ano; tratado aprovado pelo Dec.-Lei n.º 25 531, de 17 de Maio de 1935, confirmado e ratificado por carta de 12 de Junho de 1935;

Tunísia — Tratado de Extradição entre a República Portuguesa e a República Tunisina, assinado em Tunes em 11 de Maio de 1998 e ratificado por Decreto do Presidente da República n.º 11/2000, de 30 de Março; *DR*, I série n.º 76-A, de 30 de Março de 2000;

União Sul-Africana — Convenção de 20 de Janeiro de 1932, aprovada pelo Dec. n.º 20 945 de 27 de Fevereiro de 1932, confirmada e ratificada por carta de 26 de Janeiro de 1933;

Uruguai — Convenção de 27 de Setembro de 1878.

Código de Processo Penal

A extradição entre Portugal e os dezanove países que assinaram a Convenção Europeia de Extradição é ainda regulada por esta Convenção.

7. *Jurisprudência:*
— I — O processo de extradição, não sendo um processo penal típico, inscreve-se na área criminal, sendo a sua fase judicial, tanto formal como substancialmente, processo penal, pelo que lhe são aplicáveis as garantias do processo criminal consagradas no art. 32.° da CRP. II — A mesma conclusão sempre se chegaria pela consideração de que esses princípios jurídico-constitucionais, para além de aplicáveis ao processo penal comum, valem também para todo o processo judicial sancionatório, sempre que nele esteja em causa uma directa consequência do pensamento do Estado de direito democrático e, de modo particular, a dignidade da pessoa humana, como acontece no processo de extradição. III — Uma dimensão do princípio da defesa é o princípio contraditório, cujo conteúdo essencial consiste em que nenhuma prova deve ser aceite em audiência, nem nenhuma decisão (mesmo só interlocutória) deve ser aí tomada pelo juiz sem que previamente tenha sido dada ampla e efectiva possibilidade, ao sujeito processual contra o qual ela é dirigida, de a discutir, de a contestar e de a valorar. IV — O princípio do contraditório, quando aplicado ao processo de extradição, onde há lugar a audiência de discussão e julgamento, reclama que o extraditando seja colocado em condições de poder contradizer e de se defender, ou seja de poder contrapor à valoração da prova feita pelo MP, aos argumentos e opiniões deste, a sua própria valoração, os seus argumentos e as suas opiniões. V — O princípio do contraditório exige, assim, que, no processo de extradição, o extraditando possa alegar em último lugar, pois de contrário haverá um inadmissível e injustificado encurtamento das garantias de defesa, vendo-se o extraditando colocado numa posição de sensível desigualdade em face do MP. VI — É pois inconstitucional, por violação dos princípios da defesa e do contraditório, consagrados nos n.ºs 1 e 5 do art. 32.° da CRP, a norma constante do n.° 2 do art. 33.° do Dec.-Lei n.° 437/75, de 16 de Agosto na parte em que define a ordem por que devem ser produzidas as alegações, conferindo ao MP o direito de as produzir depois do extraditando. (Ac. do Trib. Constitucional de 30 de Outubro de 1985, Proc. 27/85 da 2.a Sec., *BMJ,* 360 (Suplemento), 787);
— Não podendo o Estado requerente prestar garantia, em termos definitivos e irrevogáveis, relativamente à pena que venha a ser aplicada ao extraditando, de que lhe não será imposta pena de prisão perpétua, não poderá ser deferido o pedido de extradição que formula. (Ac. STJ de 18 de Janeiro de 1996; *BMJ,* 453, 302);
— Constando do pedido de extradição todos o requisitos legais, e não resultando directa ou indirectamente dos autos que a extradição tenha por fim perseguir o arguido por quaisquer outros crimes, não se torna necessário que o Estado requerente apresente uma garantia formal no sentido de que só perseguirá o extraditando pelo crime constante do pedido, tanto mais que já a prestou, ao assinar ou ratificar a Convenção Europeia de Extradição de 24 de Julho de 1977, de cujo art. 19.°, n.° 1, consta a regra da especialidade. (Ac. STJ de 23 de Outubro de 1997, proc. n.° 1058//97-5.ª);
— I — Prescreve o n.° 5 do art. 33.° da CRP, na versão que lhe foi dada pela Lei Constitucional n.° 1/97, de 20 de Setembro, que só é admitida

Artigo 233.º

a extradição por crimes a que corresponda, segundo o direito do Estado requisitante, pena ou medida de segurança privativa ou restritiva da liberdade com carácter perpétuo, ou de duração indefinida, em condições de reciprocidade estabelecidas em convenção internacional e desde que o Estado requisitante ofereça garantias de que tal pena ou medida de segurança não será aplicada ao executado. II — Não é necessário que o Estado requisitante se comprometa a amnistiar o crime, a indultar o extraditando ou a comutar-lhe a pena. III — Satisfaz em absoluto as exigências da ordem pública internacional do Estado Português, sendo conforme ao n.º 5 do art. 33.º da CRP e estando igualmente de acordo com os compromissos internacionais de Portugal em matéria de extradição no âmbito do Conselho da Europa, da União Europeia e do espaço Schengen, a garantia prestada pelo Estado requisitante de que promoverá, em conformidade com o seu direito interno e a sua prática nacional de execução de penas, todos os benefícios de execução que puderem ser concedidos a favor do extraditando. (Ac. STJ de 18 de Março de 1999; *BMJ*, 485, 132);

— I — Para assegurar a cooperação judiciária internacional na luta contra o crime, o poder judicial do Estado requisitado deve bastar-se com uma garantia do Estado requisitante de que a pena ou medida de segurança a que alude o art. 6.º, al. *f)* e n.º 2, da Lei n.º 144/99, de 31 de Agosto, como sendo a correspondente à infracção, significa a punibilidade concreta, efectiva, e não a punibilidade abstracta. II — Por força do art. 12.º da Convenção estabelecida com base do art. K-3 do Tratado da União Europeia (*DR,* série I-A, de 5 de Setembro de 1998), que afasta a aplicação do art. 15.º da Convenção Europeia de Extradição aos pedidos de reextradição de um Estado membro para outro Estado membro, deixou de ser proibida a reextradição entre Portugal e a França. III — O art. 444.º, n.º 1, al. *c)*, da Lei n.º 144/99, ao estabelecer a exigência de que o Estado requisitante terá de dar a garantia formal de que a pessoa reclama não será extraditada para terceiro Estado, logicamente só pode estar a referir-se a um Estado requisitante que não seja membro da União Europeia. IV — É bastante a prestação de uma garantia de carácter político e diplomático de não aplicação de uma pena de prisão perpétua ou de pena de morte, porque se reputa impossível e impraticável uma garantia de carácter jurisdicional, designadamente porque esta última implicaria uma antecipação do próprio julgamento. (Ac. STJ de 24 de Maio de 2000, proc. n.º 246/2000; *SASTJ*, n.º 41, 71);

— Não é inconstitucional a norma constante do art. 6.º, n.º 2, al. *a)*, da Lei n.º 144/99, de 31 de Agosto, na parte em que permite a extradição na hipótese prevista na al. *e)* do mesmo artigo, se o Estado que formula o pedido, por acto irrevogável e vinculativo para os seus tribunais ou outras entidades competentes para a execução da pena, tiver previamente comutado a pena de morte ou outra de que possa resultar lesão irreversível da integridade da pessoa. (Ac. do Trib. Constitucional n.º 1/2001, de 10 de Janeiro de 2001, proc. n.º 742/99; *DR*, II série, de 8 de Fevereiro de 2001);

— I — Tendo a República Portuguesa e o Reino da Bélgica ratificado a Convenção Europeia de Extradição, e sendo a extradição pedida ao abrigo

Código de Processo Penal

de tal instrumento internacional, em face do disposto no art. 14.º e no art. 15.º — Reextradição para um terceiro Estado — não é necessário que o Estado requerente declare formalmente que observará os dois referidos princípios. II — A Convenção prevalece sobre o diploma interno de Cooperação Judiciária referido na Lei n.º 144/99, de 31 de Agosto (art. 3.º, n.º 1). (Ac. STJ de 26 de Setembro de 2001, proc. n.º 2808/01-3.ª; *SASTJ*, n.º 53, 68);

— I — Em matéria de extradição, os art. 14.º da Convenção Europeia de extradição, de 13 de Dezembro de 1957, e 16.º, n.º 2, da Lei n.º 44/99 de 31 de Agosto, consagram o princípio da especialidade, com excepções. II — Tal princípio visa prioritariamente limitar a soberania de estado requerente, restringindo o seu *jus puniendi*, limitando as suas competências em matéria de reextradição e impedindo-o de recorrer a qualquer outra medida restritiva da liberdade pessoal. III — Isso para evitar que, conseguida a extradição por um crime que a admitisse, se sujeitasse o extraditado, sem razão aceite pelos princípios jurídicos do estado requerido, porventura a sanções penais não consentidas, nomeadamente pena de morte ou pena de prisão perpétua. IV — O princípio da especialidade comporta excepções previstas nas próprias convenções, excepções essas afinal configurantes de hipóteses autónomas de extradição, que, como tal, têm de seguir trâmites idênticos. (Ac. STJ de 9 de Maio de 2002, proc. n.º 1697/ /02-5.ª; *SASTJ*, n.º 61, 105);

— Em matéria de extradição, na medida em que o pedido de detenção provisória da pessoa a extraditar constitui acto prévio de um pedido formal de extradição (art. 38.º, n.º 1, da Lei n.º 144/99, de 31 de Agosto, aplicar-se-lhe--á também o disposto no art. 49, n.º 3, daquela Lei, e daí que só cabendo recurso da decisão final, não seja recorrível o despacho que, como seu acto prévio, haja decretado a detenção provisória da pessoa a extraditar. (Ac. STJ de 6 de Junho de 2002, proc. n.º 1858/02-5.ª; *SASTJ*, n.º 62, 77);

— I — Não obsta ao deferimento do pedido de extradição a pendência, em tribunais portugueses, de processo penal contra a pessoa reclamada, ou a circunstância de se encontrar a cumprir pena privativa de liberdade, por infracções diversas das que fundamentaram aquele pedido. II — Quando, ao extraditando, tenha sido concedida a liberdade condicional, deve, no mesmo despacho, ser colocado à ordem do processo onde tenha sido decretada a extradição efectuando-se as comunicações pertinentes. III — O prazo para remoção do extraditando conta-se do trânsito em julgado do despacho que tenha concebido a liberdade condicional. (Ac. STJ de 6 de Junho de 2002; *CJ, Acs. do STJ,* X, tomo 2, 219);

— I — Nem o art. 23.º, nem o art. 45.º, nem o art. 51.º, todos da Lei n.º 144/99, de 31/08, nem qualquer outra disposição legal, cominam com nulidade a falta de qualquer dos requisitos do pedido de extradição ou de elementos necessários para a decisão. II — Não é viável nesta matéria o recurso à aplicação subsidiária das normas do CPP, em primeiro lugar porque não existe qualquer lacuna que haja de ser suprida (os preceitos acima referidos definem expressamente as consequências da inobservância dos requisitos ou da falta de elementos que prevêem), e, em segundo lugar, porque a aplicação subsidiária do art. 233.º do CPP sempre esbarraria com a absoluta ausência de analogia entre a acusação em processo penal e o pedido de extradição, dada a diferente natureza e os diferentes regimes legais

Artigo 234.º

que disciplinam uma e outra. (Ac. STJ de 11 de Agosto de 2005, proc. n.º 2794/05-3.ª; *SASTJ*, n.º 93, 98);

— I — Extrai-se do art. 49.º, n.º 3, da Lei n.º 144/99, de 31 de Agosto, que no processo judicial de extradição só cabe recurso da decisão final, competindo o seu julgamento à secção criminal do STJ. II — Tal entendimento compreende-se, uma vez que os procedimentos de cooperação, incluindo a extradição, têm carácter urgente. (Ac. STJ de 22 de Julho de 2005, proc. n.º 2645/05-5.ª; *SASTJ*, n.º 93, 119);

— I — Com a adopção do mandado de detenção europeu substituiu-se o recurso à extradição entre os estados membros da União Europeia por um sistema simplificado de entrega das pessoas em que apenas têm intervenção autoridades judiciárias. II — Consequentemente, as regras relativas à extradição previstas na Lei n.º 144/99, de 31 de Dezembro, deixaram de ser aplicáveis aos pedidos de entrega de pessoas com origem nos Estados membros da União. III — Não há, assim, qualquer fase administrativa no procedimento do pedido de entrega ao abrigo do regime do mandato de detenção europeu, quando os países da emissão e de execução do mandato são Estados membros da União Europeia. (Ac. STJ de 29 de Novembro de 2005; *SASTJ*, n.º 95, 145);

— I — A extradição, como um dos instrumentos de cooperação internacional, está, por força do disposto no art. 16.º, n.º 1, da Lei 144/99, de 31-08, sujeita ao princípio da especialidade segundo o qual a pessoa «não pode ser perseguida, julgada, detida ou sujeita a qualquer outra restrição da liberdade por facto [...] diferente do que origina o pedido de cooperação formulado por autoridade portuguesa», ou «por facto ou condenação anteriores à sua saída do território português diferentes dos determinados no pedido de cooperação» – art. 16.º, n.º 2. II — A mesma regra vale nas específicas relações bilaterais entre Portugal e o Brasil no que respeita à extradição: o art. 6.º n.º 1, do Tratado de Extradição entre Portugal e o Brasil (aprovado, para ratificação, pela Resolução da AR 5/94, de 04-11-1993, e ratificado por Decreto do PR 3/94, de 3 de Fevereiro) dispõe que «Uma pessoa extraditada ao abrigo do presente Tratado não pode ser detida ou julgada, nem sujeita a qualquer outra restrição da sua liberdade pessoal no território da Parte requerente, por qualquer facto distinto do que motivou a extradição e lhe seja anterior ou contemporâneo». (Ac. STJ de 29 de Outubro de 2008, proc. n.º 3556/08; *SASTJ* relativos a esse mês).

TÍTULO II

DA REVISÃO E CONFIRMAÇÃO DE SENTENÇA PENAL ESTRANGEIRA

ARTIGO 234.º
(Necessidade de revisão e confirmação)

1. Quando, por força da lei ou de tratado ou convenção, uma sentença penal estrangeira dever ter eficácia em Portugal, a sua força executiva depende de prévia revisão e confirmação.

Código de Processo Penal

2. A pedido do interessado pode ser confirmada, no mesmo processo de revisão e confirmação de sentença penal estrangeira, a condenação em indemnização civil constante da mesma.

3. O disposto no n.° 1 não tem aplicação quando a sentença penal estrangeira for invocada nos tribunais portugueses como meio de prova.

---

1. Reproduz o art. 234.° do Proj. Os n.ᵒˢ 1 e 3 reproduzem também o art. 437.° do Aproj. Não havia disposições correspondentes no CPP de 1929.

2. A revisão e confirmação de sentença penal estrangeira, regulada neste título, arts. 234.° a 240.° contém matéria nova em processo penal. A introdução do articulado sobre esta matéria tornou-se imperiosa pela próxima aplicação, em Portugal, de sentenças penais estrangeiras, para o que há que lhes dar a necessária força executiva, isto em virtude de tratados ou convenções vinculativos para Portugal, particularmente em virtude da Convenção Europeia sobre o Valor Internacional das Sentenças Criminais, celebrada em Haia em 28 de Maio de 1970. As disposições dos arts. 234.° a 240.° inspiraram-se nas correspondentes do CPC e na Lei Suíça de 20 de Março de 1981, Parte 5 a (Sobre execução de sentenças penais estrangeiras), que entrou em vigor em Janeiro de 1983.

3. Contrariamente ao que sucede em processo civil, em que a regra é a eficácia da sentença estrangeira, desde que revista e confirmada, em processo penal a regra é a contrária, pois que a sentença penal estrangeira só terá eficácia desde que a lei, tratado ou convenção, assim o estipulem, sendo ainda, e para além disso, necessárias a revisão e confirmação.

4. Vejam-se as disposições correspondentes, no art. 1094.° do CPC. O assento do STJ de 16 de Dezembro de 1988; *DR,* I série, de 1 de Março de 1989, firmou para o processo civil a jurisprudência no sentido de que a sentença estrangeira não revista nem confirmada pode ser invocada em tribunal português como simples meio de prova, cujo valor é livremente apreciado pelo julgador. Isto mesmo se consagrou no art. 234.°, n.° 3, do CPP.

5. *Jurisprudência:*
— I — Rogando um tribunal estrangeiro o cumprimento de uma decisão penal — colocação em *arresto domiciliário* —, há necessidade de proceder previamente a uma revisão da aludida decisão, de harmonia com o disposto nos arts. 234.° e 235.° do CPP. II — O Tribunal da Relação é o competente para proceder a esta revisão. (Ac. STJ de 24 de Outubro de 1996; *BMJ,* 460, 598).

ARTIGO 235.°

(Tribunal competente)

1. É competente para a revisão e confirmação a relação do distrito judicial em que o arguido tiver o último domicílio ou, na sua

Artigo 237.º

falta, for encontrado, ou em que tiver o último domicilio ou for encontrado o maior número de arguidos.

2. Se não for possível determinar o tribunal competente segundo as disposições do número anterior, é competente o Tribunal da Relação de Lisboa.

3. Se a revisão e confirmação for pedida apenas relativamente à parte civil da sentença penal, é competente para ela a relação do distrito judicial onde os respectivos efeitos devam valer.

1. Reproduz o art. 235.º do Proj. e corresponde ao art. 438.º do Aproj.

2. Vejam-se as anots. ao art. 234.º e o correspondente art. 1095.º do CPC.

ARTIGO 236.º

(Legitimidade)

Têm legitimidade para pedir a revisão e confirmação de sentença penal estrangeira o Ministério Público, o arguido, o assistente e as partes civis.

1. Reproduz o art. 236.º do Proj. e corresponde ao art. 439.º do Aproj.

2. Vejam-se as anots. ao art. 234.º.
Não há disposição correspondente, sobre legitimidade activa, no CPC, porque no Direito Processual Civil a legitimidade para o pedido de revisão e confirmação de sentença estrangeira se afere pelas regras gerais.
De notar a extensão às partes civis (cfr. art. 74.º) da legitimidade para a dedução do pedido de revisão e confirmação de sentença penal estrangeira.

ARTIGO 237.º

(Requisitos da confirmação)

1. Para confirmação de sentença penal estrangeira é necessário que se verifiquem as condições seguintes:

   a) Que, por lei, tratado ou convenção, a sentença possa ter força executiva em território português;

   b) Que o facto que motivou a condenação seja também punível pela lei portuguesa;

   c) Que a sentença não tenha aplicado pena ou medida de segurança proibida pela lei portuguesa;

   d) Que o arguido tenha sido assistido por defensor e, quando ignorasse a língua usada no processo, por intérprete;

583

Código de Processo Penal

e) Que, salvo tratado ou convenção em contrário, a sentença não respeite a crime qualificável, segundo a lei portuguesa ou a do país em que foi proferida a sentença, de crime contra a segurança do Estado.

2. Valem correspondentemente para confirmação de sentença penal estrangeira, na parte aplicável, os requisitos de que a lei do processo civil faz depender a confirmação de sentença civil estrangeira.

3. Se a sentença penal estrangeira tiver aplicado pena que a lei portuguesa não prevê ou pena que a lei portuguesa prevê, mas em medida superior ao máximo legal admissível, a sentença é confirmada, mas a pena aplicada converte-se naquela que ao caso coubesse segundo a lei portuguesa ou reduz-se até ao limite adequado. Não obsta, porém, à confirmação a aplicação pela sentença estrangeira de pena em limite inferior ao mínimo admissível pela lei portuguesa.

---

1. Reproduz o art. 237.º do Proj. e corresponde ao art. 440.º do Aproj.

2. Vejam-se as anots. ao art. 234.º e o correspondente art. 1096.º do CPC.
Como se estabelece no n.º 2, aos requisitos para a confirmação especificados nas alíneas do n.º 1 acrescem, na parte aplicável, os da lei do processo civil, e que são os das alíneas do art. 1096.º do CPC.

3. As disposições do n.º 3 são afloramentos de normas da CRP, da natureza pública e imperativa das normas do Direito Penal e de princípios da ordem pública portuguesa.

4 . *Jurisprudência:*
— I — Os pressupostos adjectivos de revisão ou confirmação de sentença penal estrangeira são apenas os previstos no art. 237.º, n.º 1, al. *d)*, do CPP e, por reenvio daquele, também os do art. 1096: al. *e)*, do CPC, II — Desde que no processo de condenação tenham sido verificados os requisitos adjectivos mínimos previstos na lei portuguesa para o êxito da revisão, não há que curar de uma qualquer pretensa coincidência normativa entre os sistemas processuais em causa, evidenciando-se, no mais, a soberania da lei processual do Estado requerente. (Ac. STJ de 6 de Dezembro de 2002, proc. n.º 4086/02-5.ª; *SASTJ,* n.º 66, 54).

ARTIGO 238.º
(Exclusão da exequibilidade)

Verificando se todos os requisitos necessários para a confirmação, mas encontrando-se extintos, segundo a lei portuguesa, o proce-

Artigo 240.º

dimento criminal ou a pena, por prescrição, amnistia ou qualquer outra causa, a confirmação é concedida, mas a força executiva das penas ou medidas de segurança aplicadas é denegada.

1. Reproduz o art. 238.º do Proj. e corresponde de perto ao art. 41.º do Aproj.

2. O que neste artigo se dispõe, sobre denegação da força executiva de sentença penal estrangeira no tocante a penas ou medidas de segurança tem um fundamento manifesto. Não se compreenderia que as sentenças penais portuguesas, nos casos aqui previstos, não tivessem força executiva e a tivessem as sentenças estrangeiras; isso seria chocante violação de equidade que à ordem pública portuguesa repugnaria.

No entanto, e como aqui se preceitua, a confirmação é concedida e a força executiva da sentença estrangeira subsiste em tudo o que não seja execução da pena ou de medida de segurança.

O sentido que se quis dar às disposições deste artigo é o de que a força executiva da sentença estrangeira se mantém ou não nos mesmos termos em que se manteria ou não se tivesse sido aplicada por tribunais portugueses.

ARTIGO 239.º
(Início da execução)

A execução de sentença penal estrangeira confirmada não se inicia enquanto o condenado não cumprir as penas ou medidas de segurança da mesma natureza em que tiver sido condenado pelos tribunais portugueses.

1. Reproduz os arts. 239.º do Proj. e 443.º do Aproj.

2. O que neste artigo se dispõe sobre o início da execução de sentença penal estrangeira tem um fundamento evidente: na ordem do cumprimento das penas ou das medidas de segurança há que dar a prioridade às que foram aplicadas pelos tribunais portugueses, por ser de presumir que assim melhor se defendem os valores protegidos pela nossa ordem jurídica.

ARTIGO 240.º
(Procedimento)

No procedimento de revisão e confirmação de sentença penal estrangeira seguem-se os trâmites da lei do processo civil em tudo quanto se não prevê na lei especial, bem como nos artigos anteriores e ainda nas alíneas seguintes:

a) Da decisão da relação cabe recurso, interposto e processado

Código de Processo Penal

como os recursos penais, para a secção criminal do Supremo Tribunal de Justiça;

b) O Ministério Público tem sempre legitimidade para recorrer.

---

1. Reproduz o art. 240.º do Proj. e corresponde ao art. 449.º do Aproj. com excepção da expressão *prevê na lei especial, bem como*, que foi aditada pela Lei n.º 59/98, de 25 de Agosto.

2. Vejam-se as anots. ao art. 234.º e os correspondentes arts. 1099.º a 1102.º do CPC.

3. Embora a remissão para os trâmites da lei do processo civil o não inculque, cremos que a decisão deve ser proferida em sessão de julgamento, observando-se o contraditório. Nem se compreenderia que no recurso assim sucedesse em regra (art. 419.º, n.º 3, por exclusão) e no julgamento se observassem formalidades menos solenes.

PARTE SEGUNDA

LIVRO VI

DAS FASES PRELIMINARES

TÍTULO I

DISPOSIÇÕES GERAIS

CAPÍTULO I

DA NOTÍCIA DO CRIME

ARTIGO 241.°

(Aquisição da notícia do crime)

O Ministério Público adquire notícia do crime por conhecimento próprio, por intermédio dos órgãos de polícia criminal ou mediante denúncia, nos termos dos artigos seguintes.

---

1. Reproduz o art. 241.° do Proj. Corresponde aos arts. 258.° do Aproj.; 160.° do CPP de 1929 e 8.° do Dec.-Lei n.° 35 007, de 13 de Outubro de 1945.

2. Este artigo explicita, em termos mais pormenorizados que os do direito anterior, as formas por que a notícia ou a informação da prática de um crime pode chegar ao conhecimento do titular do exercício da acção penal, ou seja ao MP.

Código de Processo Penal

Essas formas são as seguintes:

a) Conhecimento próprio. Conhecimento próprio é aquele que é adquirido directamente, por percepção sensorial dos factos, e ainda aquele que é recolhido directamente pelo MP por quaisquer meios, designadamente meios de comunicação social ou rumores públicos. Sempre que o MP, por esta via, tenha conhecimento da existência de um crime, deve, antes do mais, fazer uma primeira e imediata apreciação, no sentido de saber se se trata de crime que depende ou não de queixa ou acusação particular.

Tratando-se de crime que não depende de queixa ou de acusação particular, isto é tratando-se de crime público, deve mandar lavrar auto de notícia, nos termos exigidos pelo art. 243.° para tais autos.

Tratando se de crime que depende de queixa ou de acusação particular (crime semipúblico ou crime particular), a iniciativa deverá pertencer àqueles a quem a lei reconhece o direito de queixa ou o de acusação. Sucede porém que, frequentemente, as autoridades judiciárias ou quaisquer outras se vêem confrontadas, numa primeira apreciação que as circunstâncias de momento impõem que seja superficial, sobre a natureza do crime. Impor-se-á então, perante a dúvida, e como regra, pois que os casos que a vida real apresenta são muito diferenciados, que o MP e todas as autoridades judiciárias procedam como se o crime fosse público e, consequentemente, a denúncia obrigatória. O processo que se abre com o auto de notícia ficará então dependente das contingências posteriores: se o crime for público, prosseguirá sem mais entraves; se for semipúblico ou particular o seu andamento ficará dependente da queixa ou da intervenção do assistente e sua acusação.

b) Conhecimento através de órgão de polícia criminal. Quando qualquer autoridade de polícia criminal, como tal definida no art. 1.°, n.° 1, al. *d),* presenciar a prática de algum crime, deve fazer uma primeira e necessariamente superficial apreciação sobre a sua natureza, tal como se descreveu na alínea anterior. Seguidamente, se concluir, ainda que somente por razoáveis probabilidades, pela possibilidade de se tratar de crime público, e consequentemente de denúncia obrigatória, deve lavrar ou mandar lavrar auto de notícia, nos termos do art. 243.°, e remeter esse auto ao Ministério Público.

c) Conhecimento através de denúncia. Aqui se inclui em primeiro lugar a denúncia obrigatória de que trata o art. 242.°, e que deve ser feita por todas as autoridades policiais quanto a crimes públicos de que tomem conhecimento e por todos os funcionários, na acepção do art. 386.° do CP e demais agentes do Estado e gestores públicos quanto aos crimes (também públicos) de que tomarem conhecimento no exercício das suas funções e por causa delas. E aqui se inclui também a denúncia facultativa, que pode ser feita por qualquer pessoa que tenha conhecimento da prática de um crime público, nos termos do art. 244.°.

3. Quando a notícia do crime é comunicada ao MP por forma estabelecida na lei é obrigatória a abertura de inquérito. Mas quando é comunicada de modo informal, *v.g.* por carta anónima, pode tornar-se necessário proceder a investigações preliminares, a-fim-de ajuizar sobre a credibilidade da própria notícia. O destino da carta anónima deve normalmente ser a destruição imediata

Artigo 242.º

sem que dela se faça qualquer uso, e logo após exame preliminar sobre a credibilidade. Mas convirá, embora excepcionalmente, conservá-la, *v.g.* para indagar da autoria através de exame pericial da caligrafia, pois pode conter elementos de algum crime, *maxime* de difamação. O n.º 2 do art. 164.º na ressalva final, permite esta prática. Tratar-se-á então de actividade pré-processual.

Actividade pré-processual de grande importância é a das medidas cautelares e de polícia, reguladas nos arts. 248.º a 253.º, a cargo dos órgãos de polícia criminal antes de se iniciar qualquer procedimento.

4. *Jurisprudência:*

— A estrutura acusatória do processo criminal não significa de modo algum que a acção penal apenas se inicie com a acusação. Com esta, o que começa é a fase acusatória, mas, no processo criminal, a acção penal desencadeia-se logo com a entrada em juízo da denúncia do crime ou com a sua instauração, por dever de ofício, pelo MP, e não se circunscreve àquela fase — art. 48.º do CPP. (Ac. STJ de 14 de Março de 1990, Proc. 40 679/3.ª);

— I — Quando um magistrado do MP participa a prática de um crime fá-lo no exercício de funções atribuídas expressamente por lei no prosseguimento dos seus fins, nos termos dos arts. 241.º do CPP e 3.º, n.º 1, al. *n)* da LOMP, e não em representação do Estado, função atribuída pelo citado art. 3.º, n.º 1, al. *a)*. II — Nada impede que o referido magistrado deponha quanto aos factos da aludida participação, no processo a que esta forneceu base, sem que agisse como representação do Estado. (Ac. STJ de 9 de Maio de 1991; *AJ,* n.º 1, proc. 41463/3.ª);

— Para que haja denúncia válida, mormente quanto à sua extensão, não é necessária declaração expressa, sendo suficiente que os factos relatados revelem concludentemente a manifestação de vontade no sentido de procedimento criminal. (Ac. STJ de 16 de Ourubro de 2002, proc. n.º 2532/02-3.ª; *SASTJ,* n.º 64, 83).

ARTIGO 242.º

(Denúncia obrigatória)

1. A denúncia é obrigatória, ainda que os agentes do crime não sejam conhecidos:

   a) Para as entidades policiais, quanto a todos os crimes de que tomarem conhecimento;

   b) Para os funcionários, na acepção do artigo 386.º do Código Penal, quanto aos crimes de que tomarem conhecimento no exercício das suas funções e por causa delas.

2. Quando várias pessoas forem obrigadas à denúncia do mesmo crime, a sua apresentação por uma delas dispensa as restantes.

Código de Processo Penal

3. Quando se referir a crime cujo procedimento dependa de queixa ou de acusação particular, a denúncia só dá lugar a instauração de inquérito se a queixa for apresentada no prazo legalmente previsto.

---

1. Os n.ºˢ 1 e 2 reproduzem os mesmos números do art. 242.º do Proj. e correspondem a dispositivos dos arts. 56.º do Aproj.; 164.º do CPP de 1929 e 7.º do Dec.-Lei n.º 35 007, de 13 de Outubro de 1945, que substituiu aquele artigo do CPP de 1929. O texto da al. *b)* do n.º 1 é o que foi introduzido pelo Dec.-Lei n.º 317/95, de 28 de Novembro, em virtude da revisão do CP levada a efeito pelo Dec.-Lei n.º 48/95, de 13 de Março.

O texto n.º 3 foi introduzido pela Lei pela Lei n.º 48/2007, de 29 de Agosto. O texto antecedente era do seguinte teor: *O disposto nos números anteriores não prejudica o regime dos crimes cujo procedimento depende de queixa ou de acusação particular.*

2. Quando a denúncia, por parte dos agentes do Estado, importa desde logo violação de segredo profissional, cessa a obrigatoriedade estabelecida neste artigo. Cremos que deve continuar a aplicar-se a doutrina que emana do Parecer da PGR de 11 de Junho de 1959; *BMJ,* 91, 381. Este parecer foi emitido a propósito do segredo profissional dos médicos, mas a sua doutrina é extensível a outros casos de sigilo profissional, que deve ser guardado enquanto pelos meios adequados não for mandado quebrar. Necessário é porém que o segredo profissional seja imposto por lei, já que só então a lei especial se sobrepõe à geral. E sempre será necessário que os agentes do Estado procedam de harmonia com os seus próprios estatutos, os quais frequentemente contêm dispositivos sobre segredo profissional que, quando constantes de lei, serão prioritariamente cumpridos.

3. O disposto na al. *a)* do n.º 1 deve interpretar-se no sentido de que a obrigatoriedade de denúncia para as entidades policiais quanto a todos os crimes de que tomem conhecimento é só relativamente a crimes públicos.

Também o disposto na al. b) do mesmo n.º 1 respeita a crimes públicos, mas desde que os funcionários deles tomem conhecimento no exercício das suas funções e por causa delas.

ARTIGO 243.º

(Auto de notícia)

1. Sempre que uma autoridade judiciária, um órgão de polícia criminal ou outra entidade policial presenciarem qualquer crime de denúncia obrigatória, levantam ou mandam levantar auto de notícia, onde se mencionem:

a) Os factos que constituem o crime;

b) O dia, a hora, o local e as circunstâncias em que o crime foi cometido; e

Artigo 244.º

c) Tudo o que puderem averiguar acerca da identificação dos agentes e dos ofendidos, bem como os meios de prova conhecidos, nomeadamente as testemunhas que puderem depor sobre os factos.

2. O auto de notícia é assinado pela entidade que o levantou e pela que o mandou levantar.

3. O auto de notícia é obrigatoriamente remetido ao Ministério Público no mais curto prazo, que não pode exceder 10 dias e vale como denúncia.

4. Nos casos de conexão, nos termos dos artigos 24.º e seguintes, pode levantar-se um único auto de notícia.

---

1. Reproduz o art. 243.º do Proj., porém com eliminação da expressão *salvo se o procedimento respectivo depender de queixa ou de acusação particular,* que no Proj. constava no final do n.º 3, seguidamente a *denúncia.* Corresponde aos arts. 56.º. n.º 4, do Aproj.; 166.º do CPP de 1929 e 9.º do Dec.-Lei n.º 35 007, de 13 de Outubro de 1945. A Lei n.º 48/2007, de 29 de Agosto, aditou, no n.º 3, a locução *que não pode exceder 10 dias.*

2. O dever de levantar ou de mandar levantar auto de notícia relativamente a qualquer crime de denúncia obrigatória de que tomem conhecimento restringe-se às autoridades judiciárias, aos órgãos de polícia criminal e às entidades policiais. No regime anterior, do CPP de 1929, o dever era extensivo a outros agentes do Estado e a gestores públicos, que agora só devem denunciar os factos que presenciarem.

3. *Jurisprudência:*
— Não tem força probatória e, por isso, não faz fé em juízo o auto de notícia elaborado por agente da autoridade que não tenha presenciado a transgressão e que tenha tido necessidade de proceder a inquérito prévio sobre a matéria relatada no referido auto. (Ac. RL de 13 de Outubro de 1999; *CJ,* XVIII, tomo 4, 168);
— O termo presenciar, do art. 243.º, n.º 1, de CP, deve ser interpretado de forma a nele se incluir toda a comprovação pessoal e directa, se bem que não imediata, podendo nele incluir-se o imediatamente anterior como integrando o momento da prática dos factos. (Ac. RC de 2 de Novembro de 2005, proc. n.º 2842/05).

ARTIGO 244.º

(Denúncia facultativa)

Qualquer pessoa que tiver notícia de um crime pode denunciá-lo ao Ministério Público, a outra autoridade judiciária ou aos órgãos

Código de Processo Penal

de polícia criminal, salvo se o procedimento respectivo depender de queixa ou de acusação particular.

1. Reproduz o art. 244.º do Proj. e corresponde aos arts. 56.º, n.º 2 do Aproj.; 160.º do CPP de 1929 e 8.º (corpo do artigo) do Dec.-Lei n.º 35 007, de 13 de Outubro de 1945.

2. Não há alteração significativa relativamente ao direito anterior. Vejam-se as anots. ao art. 241.º.

3. A ressalva da parte final deste artigo não se aplica no caso de o denunciante ser, ele próprio, o titular do direito de queixa ou de acusação particular. Neste caso, a queixa considera-se desde logo formulada se se tratar de crime semipúblico; tratando-se de crime particular, será ainda necessário que o denunciante se constitua assistente, para que o processo prossiga.
Perante a lei actual, consideramos que continua válida a conclusão do Parecer da PGR de 4 de Março de 1963; *BMJ,* 125, 263, também transcrito no nosso *Código de Processo Penal.* em anot. ao art. 6.º do CPP de 1929.
Necessário será, para tanto, que o denunciante manifeste vontade inequívoca de que seja instaurado procedimento criminal, como se explicita e fundamenta no referido Parecer da PGR, que foi por nós relatado.

ARTIGO 245.º
(Denúncia a entidade incompetente para o procedimento)

A denúncia feita a entidade diversa do Ministério Público é transmitida a este no mais curto prazo, que não pode exceder 10 dias.

1. Reproduz o art. 245.º do Proj., com aditamento, na parte final, da locução *que não pode exceder 10 dias*, introduzida pela Lei n.º 48/2007, de 29 de Agosto. Corresponde aos arts. 56.º, n.º 3, do Aproj.; 160.º do CPP de 1929 e 8.º, § único, do Dec.-Lei n.º 35 007, de 13 de Outubro de 1945.

2. Não existe alteração relativamente ao direito anterior.
Trata-se de uma disposição de algum modo repetitiva da do art. 243.º, n.º 3.

ARTIGO 246.º
(Forma, conteúdo e espécies de denúncia)

1. A denúncia pode ser feita verbalmente ou por escrito e não está sujeita a formalidades especiais.
2. A denúncia verbal é reduzida a escrito e assinada pela entidade que a receber e pelo denunciante, devidamente identificado. É correspondentemente aplicável o disposto no artigo 95.º, n.º 3.

Artigo 246.º

3. A denúncia contém, na medida do possível, a indicação dos elementos referidos nas alíneas do n.º 1 do artigo 243.º.

4. O denunciante pode declarar, na denúncia, que deseja constituir-se assistente. Tratando-se de crime cujo procedimento depende de acusação particular, a declaração é obrigatória, devendo, neste caso, a autoridade judiciária ou o órgão de polícia criminal a quem a denúncia for feita verbalmente advertir o denunciante da obrigatoriedade de constituição de assistente e dos procedimentos a observar.

5. A denúncia anónima só pode determinar a abertura de inquérito se:

a) Dela se retirarem indícios da prática de crime; ou

b) Constituir crime.

6. Nos casos previstos no número anterior, a autoridade judiciária ou órgão de polícia criminal competentes informam o titular do direito de queixa ou participação da existência da denúncia.

7. Quando a denúncia anónima não determin não determinar a abertura de inquérito, a autoridade judiciária competente promove a sua destruição.

---

1. Os n.ᵒˢ 1 a 4, com excepção da parte final deste último número,, a partir de *é obrigatória,* que foi introduzida pela Lei n.º 59/98, de 25 de Agosto, reproduz o art. 246.º do Proj. e corresponde aos arts. 56.º, n.ᵒˢ 4 e 5 do Aproj.; 166.º do CPP de 1929 e 9.º do Dec.-Lei n.º 35 007, de 13 de Outubro de 1945.

Os n.ᵒˢ 5, 6 e 7 foram introduzidos pela Lei n.º 48/2007, de 29 de Agosto. Não tinham correspondentes anteriores e estabelecem para a denúncia anónima regime idêntico ao que vínhamos sustentando em edições precedentes desta obra, em anotações ao art. 241.º, baseando-nos em que se tratava de uma prática que o bom senso impunha e que a lei permitia.

2. Não existe alteração de relevo relativamente ao direito anterior. De notar, porém, que se não exige agora reconhecimento notarial da assinatura do denunciante, mas só a sua identificação pelos meios normais. No caso de o denunciante não poder assinar, aplica-se a disposição do art. 95.º, n.º 3.

O aditamento ao n.º 4, referido *supra,* anot. 1 veio impor uma prática que já anteriormente era recomendável.

3. Como no texto se explicita, a denúncia pode ser feita verbalmente ou por escrito, mas no primeiro caso terá que ser reduzida a escrito e assinada pela entidade que a receber e pelo denunciante, devidamente identificado. Não está sujeita a formalidades especiais mas deve conter, na medida do possível, os elementos da notícia do crime, referidos nas alíneas do n.º 1 do art. 243.º. Se o denunciante se recusar a assinar, ou estiver impossibilitado de o fazer, aplicar-se-á a dispositivo do n.º 3 do art. 95.º.

Código de Processo Penal

4. Em face da obrigatoriedade de declaração, por parte do denunciante, de que deseja constituir-se assistente no caso de se tratar de crime particular, deve entender-se, como no regime anterior, que a falta dessa declaração implica que o processo não prossiga, em tal caso, embora a denúncia tenha sido recebida. Veja-se a anot. 3 ao art. 9.º do CPP de 1929, no nosso *Código de Processo Penal*. 6.ª edição.

5. O disposto no n.º 5 quanto a denúncia anónima reproduz a orientação que vínhamos seguindo em edições anteriores desta obra e agora constante da anot. 3 ao art. 241.º.

6. *Jurisprudência:*
— I — A lei é omissa quanto à forma da denúncia, devendo entender-se que pode ser feita por toda e qualquer forma que revele a intenção inequívoca do titular do direito de queixa de que tenha lugar o procedimento criminal por certo facto, sendo irrelevante que, como tal, seja designada ou qualificada de outra forma pelo seu autor. II — O levantamento por um agente da PSP de um auto de notícia em que descreve a conduta subsumível à tipicidade do crime de injúria à autoridade de que é ofendido e a detenção da arguida, a revelar a sua intenção inequívoca para que fosse exercida a acção penal, é de aceitar como exercício do direito de queixa. (Ac. RC de 18 de Janeiro de 1996; *CJ,* XXI, tomo 1, 42);
— Se no momento em que apresenta queixa por crime de injúrias o ofendido não é advertido pelo órgão de polícia criminal da necessidade de constituir assistente, o respectivo requerimento pode ser apresentado até ao termo do prazo efectivação da queixa, que é, em regra, de 6 meses, contados da prática dos factos. (Ac. RP de 15 de Março de 2006; *CJ,* ano XXXI, tomo 2, 195).

ARTIGO 247.º
(Comunicação, registo e certificado da denúncia)

1. O Ministério Público informa o ofendido da noticia do crime, sempre que tenha razões para crer que ele não a conhece.
2. O Ministério Público procede ou manda proceder ao registo de todas as denúncias que lhe forem transmitidas.
3. O denunciante pode, a todo o tempo, requerer ao Ministério Público certificado do registo da denúncia.

Os n.ºs 2 e 3 reproduzem o art. 247.º do Proj. Não havia disposições correspondentes no CPP de 1929, mas só em leis complementares (Estatuto Judiciário). Como o texo do n.º 3 bem explicita, o que o denunciante pode requerer ao MP é o certificado do registo da denúncia, e não do teor desta, pois só o registo pode interessar para provar que a participação deu entrada nos serviços do MP.

O n.º 1 foi introduzido pela Lei n.º 48/2007, de 29 de Agosto.

Artigo 248.º

CAPÍTULO II

DAS MEDIDAS CAUTELARES E DE POLÍCIA

ARTIGO 248.º
(Comunicação da notícia do crime)

1. Os órgãos de polícia criminal que tiverem notícia de um crime, por conhecimento próprio ou mediante denúncia, transmitem-na ao Ministério Público no mais curto prazo, que não pode exceder 10 dias.

2. Aplica-se o disposto no número anterior a notícias de crime manifestamente infundadas que hajam sido transmitidas aos órgãos de polícia criminal.

3. Em caso de urgência, a transmissão a que se refere o número anterior pode ser feita por qualquer meio de comunicação para o efeito disponível. A comunicação oral deve, porém, ser seguida de comunicação escrita.

---

1. Os n.ºˢ 1 e 3 reproduzem dispositivos do art.248 do Proj. e correspondem aos arts. 258.º e 56.º do Aproj.; 54.º e 166.º do CPP de 1929 e 7.º do Dec.-Lei n.º 35 007, de 13 de Outubro de 1945, porém com o aditamento da locução *que não pode exceder 10 dias*, introduzido pela Lei n.º 48/2007, de 29 de Agosto.

O n.º 2 foi introduzido pela supramencionada Lei e não tinha correspondente anterior.

2. As medidas cautelares e de polícia, reguladas neste capítulo, destinam--se a acautelar a obtenção de meios de prova, que sem elas poderiam perder-se, mediante uma tomada imediata de providências pelos órgãos de polícia criminal, mesmo sem prévia autorização da autoridade judiciária competente, e isto pelo carácter urgente das diligências a praticar ou pela natureza perecível dos meios de prova a recolher.

Trata-se de uma categoria nova no nosso direito processual penal embora já praticada um tanto disfarçadamente no regime anterior, mas já existente no direito comparado, nomeadamente no alemão.

Sobre estas medidas expendeu Anabela Rodrigues, *in Jornadas de Direito Processual Penal,* 71: «...O que se observa é, pois, que através da sua consagração se prefere a eficácia da acção conseguida ao rigor dos princípios. Esta opção representa, entretanto, por parte do legislador, a consciência clara de que a realização de uma investigação criminal necessita, para ser eficaz, de ter ao seu dispor certos meios que são afinal, na prática, os meios *normais* de actuação naquelas fases em que a prova se estrutura. Assim respeita-se, por um lado, a nova filosofia assente na legalização dos meios de actuação que até aqui se encontravam numa zona de semi-clandestinidade; por outro lado, a consciência muito nítida de que a sua consagração representa um risco, assumido pelo Código, de utilização abusiva dessas medidas, levou a apertar os *critérios* que

Código de Processo Penal

legitimam a intervenção das polícias nesses casos — restringe-se a utilização das medidas a *actos urgentes* (arts. 251.º, n.º 1 e 252.º, n.º 2) — e a introduzir o *limite da intervenção homologadora da autoridade judiciária (arts. 251.º, n.º 2 e 252.º, n.º 3)*.

O que interessa fazer ressaltar é que a consagração destas medidas cautelares e de polícia só se justifica à luz de uma ideia de *concordância prática reguladora das finalidades em conflito nos concretos problemas do processo penal. Sendo particularmente chocante qualquer soluçã*o que absolutizasse ou a finalidade de realização da justiça e descoberta da verdade material, ou a protecção dos direitos fundamentais das pessoas, a solução encontrada representa, sem dúvida, na situação concreta, a salvaguarda do máximo de conteúdo de cada uma das finalidades».

3. O art. 4.º, n.º 4, do Dec.-Lei n.º 295-A/90, de 21 de Setembro (Lei Orgânica da Polícia Judiciária) estabelecia que os restantes órgãos de polícia criminal devem, sem prejuízo do disposto no CPP, comunicar de imediato à PJ os factos de que tenham conhecimento relativos à preparação e execução dos crimes referidos no n.º 1 (os de investigação deferida à PJ — ver anot. ao art. 270.º) e praticar até à sua intervenção os actos cautelares e urgentes para assegurar os meios de prova. Identicamente estabelecem os princípios gerais e estabeleceram as posteriores leis orgânicas da PJ – 275-A/2000, de 9 de Novembro e 37/2008, de 6 de Agosto.

Porém o dever de comunicação e de cooperação, extensivo a todos os órgãos de polícia criminal, está estabelecido no art. 10.º da Lei de Organização da Investigação Criminal – Lei n.º 48/2008, de 27 de Agosto, cujo texto é o seguinte:

1 — Os órgãos de polícia criminal cooperam mutuamente no exercício das suas atribuições.

2 — Sem prejuízo do disposto no artigo 5.º, os órgãos de polícia criminal devem comunicar à entidade competente, no mais curto prazo, que não pode exceder vinte e quatro horas, os factos de que tenham conhecimento relativos à preparação e execução de crimes para cuja investigação não sejam competentes, apenas podendo praticar, até à sua intervenção, os actos cautelares e urgentes para obstar à sua consumação e assegurar os meios de prova.

3 — O número único de identificação do processo é atribuído pelo órgão de polícia criminal competente para a investigação.

4. *Jurisprudência obrigatória:*
— São inconstitucionais as disposições conjugadas dos arts. 1.º, n.os 2 na parte relativa à iniciativa própria da PJ e 3, alínea a); e 3.º, n.os 1 e 2, todos com referência ao n.º 1 do art. 1.º do Decreto n.º 126/VI, da Assembleia da República, relativo a medidas de combate à corrupção e criminalidade económica e financeira, por violação do disposto, conjuntamente, no art. 26.º, n.º 1, e do princípio da proporcionalidade da lei, decorrente nas disposições dos arts. 2.º; 18.º, n.º 2 e 272.º, n.º 3, todos da CRP. (Ac. do Trib. Constitucional n.º 456/93; *DR*, I série, de 9 de Setembro de 1993).

Artigo 249.º

5. *Jurisprudência:*

— A não comunicação pelos órgãos de polícia criminal, no mais curto prazo possível, do crime que lhes tenha sido denunciado, com violação do disposto no art. 248.º do CPP, constitui mera irregularidade, que deve considerar-se sanada com a intervenção directa do MP no processo. (Ac. RP de 12 de Fevereiro de 1997; *CJ,* XXII, tomo 1, 256);

— I — As medidas cautelares ou de polícia visam, através da tomada imediata de providências cautelares pelo órgão de polícia criminal sem a prévia autorização da autoridade judiciária competente, acautelar a obtenção de meios de prova que, de outra forma, poderiam irremediavelmente perder-se, provocando danos irreparáveis na prossecução das finalidades do processo. II — As buscas realizadas antes da instauração de um processo de inquérito têm de ser validadas pelo juiz de instrução criminal. (Ac. RC de 31 de Maio de 2000; *CJ,* XXV, tomo 3, 47);

— Não é inconstitucional o art. 248.º do CPP, interpretado no sentido de que são admissíveis acções de prevenção da PJ comunicadas ao MP durante o inquérito. (Ac. do Trib. Constitucional n.º 334/94; *DR,* II série, de 30 de Agosto de 1994);

ARTIGO 249.º

(Providências cautelares quanto aos meios de prova)

1. Compete aos órgãos de polícia criminal, mesmo antes de receberem ordem da autoridade judiciária competente para procederem a investigações, praticar os actos cautelares necessários e urgentes para assegurar os meios de prova.

2. Compete-lhes, nomeadamente, nos termos do número anterior:

a) Proceder a exames dos vestígios do crime, em especial às diligências previstas no artigo 171.º, n.º 2, e no artigo 173.º, assegurando a manutenção do estado das coisas e dos lugares;

b) Colher informações das pessoas que facilitem a descoberta dos agentes do crime e a sua reconstituição;

c) Proceder a apreensões no decurso de revistas ou buscas ou em caso de urgência ou perigo na demora, bem como adoptar as medidas cautelares necessárias à conservação ou manutenção dos objectos apreendidos.

3. Mesmo após a intervenção da autoridade judiciária, cabe aos órgãos de polícia criminal assegurar novos meios de prova de que tiverem conhecimento, sem prejuízo de deverem dar deles notícia imediata àquela autoridade.

---

1. Reproduz o art. 249.º do Proj., salvo quanto à al. *c)* do n.º 2, que foi aditada na última fase de elaboração do Código, posteriormente alterada pela

Código de Processo Penal

Lei n.º 59/98, de 25 de Agosto, que introduziu o texto actual, e corresponde aos arts. 170.º do Aproj. e 176.º do CPP de 1929.

2. Neste artigo regulam-se mais pormenorizadamente que no domínio da lei anterior as providências cautelares a tomar, em processo penal, para assegurar a conservação dos meios de prova e a conservação ou manutenção dos objectos apreendidos. De destacar o n.º 3, dando aos órgãos de polícia criminal a incumbência de assegurar a produção dos novos meios de prova que cheguem ao seu conhecimento, mesmo após a intervenção da autoridade judiciária.

Os actos cautelares necessários e urgentes para assegurar os meios de prova não são actos processuais, só vindo a ser integrados no processo se forem aceites e confirmados pela autoridade judiciária competente.

3. *Jurisprudência:*

— O acto de buscar quaisquer indícios de crime no interior de um veículo apreendido, por ter sido abandonado pelo seu proprietário ao ser interpelado por agentes da PSP, constitui uma diligência válida, *ex vi* dos arts. 171.º, n.os 1, 2 e 4; 178.º, n.º 1 e 249.º, n.º 2, al. *c)*, do CPP. (Ac. STJ de 23 de Setembro de 1993, proc. n.º 45.178-3.ª);

— O auto de retenção de objectos furtados, como medida cautelar prevista no art. 249.º, n.º 2, al. *c)*, do CPP, constitui uma verdadeira apreensão. (Ac. STJ de 6 de Novembro de 1996, proc. n.º 47.268-3.ª).

ARTIGO 250.º
(Identificação de suspeito e pedido de informações)

1. Os órgãos de polícia criminal podem proceder à identificação de qualquer pessoa encontrada em lugar público, aberto ao público ou sujeito a vigilância policial, sempre que sobre ela recaiam fundadas suspeitas da prática de crimes, da pendência de processo de extradição ou de expulsão, de que tenha penetrado ou permaneça irregularmente no território nacional ou de haver contra si mandado de detenção.

2. Antes de procederem à identificação, os órgãos de polícia criminal devem provar a sua qualidade, comunicar ao suspeito as circunstâncias que fundamentam a obrigação de identificação e indicar os meios por que este se pode identificar.

3. O suspeito pode identificar-se mediante a apresentação de um dos seguintes documentos:

a) Bilhete de identidade ou passaporte, no caso de ser cidadão português;

Artigo 250.º

b) Título de residência, bilhete de identidade, passaporte ou documento que substitua o passaporte, no caso de ser cidadão estrangeiro.

4. Na impossibilidade de apresentação de um dos documentos referidos no número anterior, o suspeito pode identificar-se mediante a apresentação de documento original, ou cópia autenticada, que contenha o seu nome completo, a sua assinatura e a sua fotografia.

5. Se não for portador de nenhum documento de identificação, o suspeito pode identificar-se por um dos seguintes meios:

a) Comunicação com uma pessoa que apresente os seus documentos de identificação;

b) Deslocação, acompanhado pelos órgãos de polícia criminal, ao lugar onde se encontram os seus documentos de identificação;

c) Reconhecimento da sua identidade por uma pessoa identificada nos termos do n.º 3 ou do n.º 4 que garanta a veracidade dos dados pessoais indicados pelo identificando.

6. Na impossibilidade de identificação nos termos dos n.os 3, 4 e 5, os órgãos de polícia criminal podem conduzir o suspeito ao posto policial mais próximo e compeli-lo a permanecer ali pelo tempo estritamente indispensável à identificação, em caso algum superior a seis horas, realizando, em caso de necessidade, provas dactiloscópicas, fotográficas ou de natureza análoga e convidando o identificando a indicar residência onde possa ser encontrado e receber comunicações.

7. Os actos de identificação levados a cabo nos termos do número anterior são sempre reduzidos a auto e as provas de identificação dele constantes são destruídas na presença do identificando, a seu pedido, se a suspeita não se confirmar.

8. Os órgãos de polícia criminal podem pedir ao suspeito, bem como a quaisquer pessoas susceptíveis de fornecerem informações úteis, e deles receber, sem prejuízo, quanto ao suspeito, do disposto no artigo 59.º, informações relativas a um crime e, nomeadamente, à descoberta e à conservação de meios de prova que poderiam perder-se antes da intervenção da autoridade judiciária.

9. Será sempre facultada ao identificando a possibilidade de contactar com pessoa da sua confiança.

Código de Processo Penal

1. O texto deste artigo foi introduzido pela Lei n.º 59/98, de 25 de Agosto, com excepção do do n.º 8, que reproduz o texto do n.º 5 da versão originária. Foi reformulado pela mencionada Lei tendo por fontes a versão originária e dispositivos da Lei n.º 5/95, de 21 de Fevereiro, visando resolver dificuldades de conjugação entre esta Lei e a versão originária e eliminar incertezas e ambiguidades numa matéria que se prende directamente com direitos fundamentais.

Não havia dispositivos correspondentes no CPP de 1929.

Com o novo texto deste artigo ficaram revogados dispositivos da Lei n.º 5/95, de 21 de Fevereiro.

2. Como se referiu, não havia disposições correspondentes no CPP de 1929, e só nos regulamentos das polícias havia disposições com alguma afinidade.

Este artigo, com a pormenorização que revela, foi elaborado numa fase adiantada dos trabalhos de preparação do Código, sob a premência de realidades quotidianas reveladoras da impossibilidade de as autoridades, em face da lei vigente, procederem à identificação de pessoas sem qualquer documentação e que se encontravam em lugares de reputação duvidosa, por habitualmente frequentados por delinquentes.

Perante estes dispositivos, todo o órgão de polícia criminal, como tal definido no art. 1.º, al. *c)*, pode exigir a identificação de qualquer pessoa, desde que esta se encontre sob o condicionalismo previsto no n.º 1. A identificação far-se-á através dos meios sucessivos previstos nos n.ºs 3, 4, 5 e 6 e após o órgão de polícia criminal comunicar ao suspeito as circunstâncias que fundamentam o dever de identificação e os meios pelos quais esta pode ser feita, como se prevê no n.º 2.

Não sendo possível proceder à identificação no local onde o identificando se encontra, pode este ser compelido ao processo de identificação descrito no n.º 6.

Se no local se proceder à identificação, e resultar a suspeita fundada de que o identificado é delinquente com processo pendente, deve do mesmo modo ele ser conduzido ao posto policial mais próximo, para os efeitos do n.º 8 e para os demais esclarecimentos que forem necessários.

Havendo fundada suspeita do cometimento de um crime, o órgão de polícia criminal procederá aos trâmites necessários para a instauração do processo, ou à entrega do suspeito à entidade competente, se já houver processo instaurado.

3. A elaboração deste artigo relacionou-se estreitamente com a do art. 254.º. A Comissão encarregada da elaboração do Código chegou a estudar a possibilidade de introdução, no art. 254.º, de uma alínea possibilitando a detenção para fins exclusivos de identificação. Reconheceu-se que essa alínea seria de constitucionalidade duvidosa, pelo que foi suprimida; também se reconheceu, porém, a premência de dotar os órgãos de polícia criminal de instrumentos legais que lhes dessem os meios adequados para proceder à identificação das pessoas suspeitas, e daí a redacção que acabou por ser dada a este art. 254.º, onde se procurou conciliar a constitucionalidade dos normativos com a dotação dos órgãos de polícia criminal de meios que lhes possibilitam a identificação de suspeitos antes de os deixar escaparem-se.

Artigo 251.º

Daqui se conclui que as medidas previstas neste artigo são simples medidas cautelares de polícia, que não revestem a natureza de detenção, de que trata o capítulo III, arts. 254.º e segs.

4. A premência das realidades quotidianas e das demais considerações já expendidas nas anots. 2 e 3 continuaram a fazer-se sentir após a entrada em vigor do Código, tornando necessária a elaboração da Lei n.º 5/95, de 21 de Fevereiro, que ficou revogada com os novos dispositivos deste art. 250.º. Essa Lei estabeleceu a obrigatoriedade de porte de documento de identificação e possibilitou, nos casos de impossibilidade ou de recusa, um procedimento de identificação consistente em conduzir o identificando ao posto policial mais próximo, onde permaneceria pelo tempo estritamente necessário à identificação que não poderia, em caso algum, exceder duas horas.

5. A disposição do n.º 7, explicita que os actos de identificação, sem qualquer outras formalidades, não têm que ser reduzidas a auto; só o devem ser quando houver lugar às formalidades especificadas no n.º 6. Por isso, os actos de identificação levados a cabo nos termos dos n.ºs 3, 4 e 5, em que as pessoas se identifiquem mediante documento idóneo ou nos termos do n.º 5 e sem que resultem suspeitas de que estejam relacionadas com qualquer crime, não têm que ser reduzidos a auto. Em tal caso, o órgão de polícia criminal só terá que fazer o relatório, nos termos do art. 253.º onde bastará referir que se procedeu à identificação das pessoas que se encontravam no local, não havendo necessidade de referir as respectivas identidades.

6. Sobre este artigo, e de modo geral dentro das orientações que expendemos, vejam-se Anabela Rodrigues, *Jornadas de Direito Processual Penal.* 70-71; Castro e Sousa, *ibidem,* 162 e ac. do Trib. Constitucional n.º 7/87, n.º 13.

7. *Jurisprudência:*
— É inconstitucional o art. 250.º do CPP, interpretado no sentido de poder sujeitar a identificação policial uma pessoa insuspeita da prática de qualquer crime e em local não frequentado habitualmente por delinquentes, com base na invocação de razões de segurança interna, através de procedimento susceptível de a vir a privar da liberdade por um período até seis horas. (Ac. do Trib. Constitucional n.º 479/94, de 7 de Julho; *DR,* II série, de 24 de Agosto de 1994).

ARTIGO 251.º

(Revistas e buscas)

1. Para além dos casos previstos no n.º 5 do artigo 174.º, os órgãos de polícia criminal podem proceder, sem prévia autorização da autoridade judiciária:

a) À revista de suspeitos em caso de fuga iminente ou de detenção e a buscas no lugar em que se encontrarem, salvo tratando-se de busca domiciliária, sempre que tiverem fundada razão para crer que neles se ocultam objectos rela-

Código de Processo Penal

cionados com o crime, susceptíveis de servirem a prova e que de outra forma poderiam perder-se;

b) À revista de pessoas que tenham de participar ou pretendam assistir a qualquer acto processual, ou que, na qualidade de suspeitos, devam ser conduzidas a posto policial, sempre que houver razões para crer que ocultam armas ou outros objectos com os quais possam praticar actos de violência.

2. É correspondentemente aplicável o disposto no n.º 6 do art. 174.º.

---

1. O texto do corpo do n.º 1 e da alínea *b)* e o do n.º 2 foi introduzido pela Lei n.º 48/2007, de 29 de Agosto e, em relação ao anterior, consistiu tão-só na substituição do n.º 4 pelo n.º 5 do art. 174.º, provocada por alterações neste último artigo e na inttrodução, na referida alínea *b)*, da locução *ou que, na qualidade de suspeitos devam ser conduzidos a posto policial.*
Não havia dispositivos correspondentes no CPP de 1929.

2. As revistas e as buscas autorizadas por este artigo são medidas cautelares de polícia urgentes, cuja utilidade se perderá se não forem realizadas imediatamente, e que por isso o podem ser excepcionalmente sem autorização da autoridade judiciária, que normalmente se exige quando não é essa autoridade a ordená-las (art. 174.º, n.º 3). Por esta razão a lei limita aqui estreitamente o condicionalismo em que tais diligências se podem realizar, fixando pressupostos bem definidos, e não permite, em caso algum, a realização de buscas domiciliárias, que terão sempre que ser ordenadas ou autorizadas pelo juiz (art. 177.º).
Trata-se, em suma, de casos em que os órgãos de polícia criminal podem ir além dos poderes já conferidos por outras disposições, realizando revistas e buscas não domiciliárias mesmo sem prévia autorização judiciária, desde que a demora na obtenção dessa autorização faça perder a utilidade da diligência ou a ponha em grave risco de perder-se ou proceder à revista de pessoas que tenham de participar ou pretendam assistir a qualquer acto processual, sempre que houver razões para crer que ocultam armas ou outros objectos com os quais possam praticar actos de violência.

3. Há algum paralelismo entre o que se preceitua neste artigo e a al. *c)* do n.º 5 do art. 174.º. No entanto, cada uma das normas tem o seu campo de aplicação específico: o *periculum in moram,* pressuposto da regulamentação daquela alínea, é apenas aceitável no caso de haver lugar a detenção em flagrante delito, enquanto que como pressuposto do art. 251.º basta a fuga iminente de um suspeito, o que não é recondutível ao conceito de flagrante delito (pode nem haver delito), ou que haja razões para crer que os revistados ocultam armas ou outros objectos com os quais possam praticar actos de violência.
No caso deste art. 251.º trata-se de uma nítida medida cautelar, de uma actividade típica de polícia, visando evitar a perda de um meio de prova que poderá desaparecer se não forem tomadas cautelas imediatas, por parecer

602

iminente a fuga de um suspeito ou por existir fundada razão de que o lugar onde ele se encontra oculta objectos relacionados com o crime, susceptíveis de servir a prova, e que de outra forma poderiam perder-se.

Em resumo: a al. *c)* do n.º 5 do art. 174.º aplica-se no caso de flagrante delito, por isso mesmo com pressupostos menos rígidos; este art. 251.º aplica-se fora do flagrante delito, bastando uma fuga iminente daquele que vai ser revistado ou que este, tendo que participar ou pretendendo assistir a qualquer acto processual, seja suspeito de ocultar armas ou outros objectos com os quais possa praticar actos de violência.

4. Veja-se o estudo da Dra. Ana Luísa Pinto intitulado As buscas não domiciliárias no Direito Processual Penal Português, na Revista do Miniistério Público, ano 28, 109, págs. 23 e segs, com o seguinte sumário:

1. Introdução.
2. As buscas *preventivas* prevists em legislação extravagante
3. As buscas *cautelares* previstas no artigo 251.º do Código de Processo Penal.
3.1 Admissibilidade.
3.2. O controlo a *posteriori.*
3.3. A validação imediata.
4. As buscas realizadas durante o processo, com autorização prévia de autoridade judiciária (regime-regra).
4.1. Admissibilidade.
4.2. Locais onde podem ser realizadas.
4.3. Entidade competente para ordenar ou autorizar a busca.
4.4. Prazo para a realização, após a autorização.
4.5. Formalidades.
5. As buscas realizadas durante o processo, sem autorização prévia de autoridade judiciária.
5.1 Admissibilidade.
5.2. O controlo a *posteriori* da busca, em caso de terrorismo e criminalidade violenta e altamente organizada.
5.3. O consentimento do visado.
5.4. Formalidades.
6. As buscas em consultórios médicos, escritórios de advogados e estabelecimentos de saúde.
7. Limites das buscas.
8. Consequências da violação desses limites.

5. *Jurisprudência:*

— I — Uma revista efectuada sem autorização judicial prévia mas após a detenção do arguido não é legal. II — A nulidade prevista no art. 126.º, n.º 3 do CPP, das provas obtidas mediante intromissão na vida privada, no domicílio, na correspondência ou nas telecomunicações sem consentimento do respectivo titular depende de arguição dos interessados. (Ac. RC de 20 de Fevereiro de 1991; *CJ,* XVI, tomo 1.º, 102);

— I — O art. 251.º do CPP admite, como medida cautelar, que, em caso de urgência, os órgãos de polícia criminal procedam à revista de suspeitos e a

Código de Processo Penal

buscas nos lugares onde eles se encontrem, salvo tratando-se de busca domiciliária, sempre que tiverem fundada razão para crer que neles se ocultam objectos relacionados com o crime, susceptíveis de prova e que, de outra forma, poderiam perder-se. II — A urgência da medida e alguma e alguma preocupação com a salvaguarda de eficácia da investigação justificam a atribuição de competência às polícias para a sua prática, ainda antes de lhes serem ordenadas ou autorizadas pelo juiz de instrução. (Ac. STJ de 7 de Abril de 2005, proc. n.º 767/05-5.ª; *SASTJ*, n.º 90, 135 e *CJ, Acs. STJ,* ano XIII, tomo 2, 169).

ARTIGO 252.º
(Apreensão de correspondência)

1. Nos casos em que deva proceder-se à apreensão de correspondência, os órgãos de polícia criminal transmitem-na intacta ao juiz que tiver autorizado ou ordenado a diligência.

2. Tratando-se de encomendas ou valores fechados susceptíveis de serem apreendidos, e sempre que tiverem fundadas razões para crer que eles podem conter informações úteis à investigação de um crime ou conduzir à sua descoberta, e que podem perder-se em caso de demora, os órgãos de polícia criminal informam do facto, pelo meio mais rápido, o juiz, o qual pode autorizar a sua abertura imediata.

3. Verificadas as razões referidas no número anterior, os órgãos de polícia criminal podem ordenar a suspensão da remessa de qualquer correspondência nas estações de correios e de telecomunicações. Se, no prazo de quarenta e oito horas, a ordem não for convalidada por despacho fundamentado do juiz, a correspondência é remetida ao destinatário.

---

1. Reproduz o art. 252.º do Proj. Não havia disposições correspondentes quer no Aproj. quer no CPP de 1929.

2. A apreensão de correspondência, designadamente cartas, encomendas, valores ou telegramas é feita conforme o que se estabelece no art. 179.º.
A CRP, no art. 34.º estabelece o sigilo da correspondência e de outros meios de comunicação privada, e que é proibida toda a ingerência das autoridades públicas na correspondência, salvo os casos previstos em matéria de processo penal, pelo que este artigo não é inconstitucional.
Este artigo visa garantir, até onde é possível, o sigilo da correspondência, mesmo dentro do próprio processo penal; para isso aqui se estabelece uma intervenção atempada das entidades de polícia criminal, numa fase em que não existe sequer ainda um processo criminal no sentido técnico do termo, com os mecanismos de controlo do juiz de instrução que tiver ordenado ou autorizado a diligência. Para as fases ulteriores — ver art. 179.º

Artigo 252.º-A

ARTIGO 252.º-A
(Localização celular)

1. As autoridades judiciárias e as autoridades de polícia criminal podem obter dados sobre a localização celular quando eles forem necessários para afastar perigo para a vida ou de ofensa à integridade física grave.

2. Se os dados sobre a localização celular previstos no número anterior se referirem a um processo em curso, a sua obtenção deve ser comunicada ao juiz no prazo máximo de 48 horas.

3. Se os dados sobre a localização celular previstos no n.º 1 não se referirem a nenhum processo em curso, a comunicação deve ser dirigida ao juiz da sede de entidade competente para a investigação criminal.

4. É nula a obtenção de dados sobre a localização celular com violação do disposto nos números anteriores.

---

1. Este artigo foi introduzido pela Lei n.º 48/2007, de 29 de Agosto. Não havia dispositivos correspondentes anteriores.

2. Esta nova medida cautelar e de polícia foi introduzida em virtude da recente divulgação de processos de localização celular, podendo assim as autoridades judiciárias e as autoridades de polícia criminal localizar suspeitos de criar perigo para a vida ou de ofender gravemente a integridade física de outra pessoa.

A localização através de telemóvel, com uma reduzida margem de erro, é já praticada em empresas para localização dos seus funcionários, em ligação com um computador ligado à Internet.

Deve porém salientar-se que se trata de uma medida de que as autoridades judiciárias ou de polícia criminal só podem fazer uso para localizar quem seja suspeito de pôr em perigo a vida de outra pessoa ou de lhe ofender gravemente a integridade física, sem autorização prévia do juiz de instrução. Tudo o que vai além da localização do suspeito não é abrangido pela previsão deste artigo; designadamente as escutas estão sujeitas a outros normativos. Tudo o que vá além da simples localização do suspeito está submetido ao regime do art. 189.º, n.º 2. E mesmo a localização celular de suspeitos quando não há ainda processo em curso não será, em nosso entendimento, inconstitucional porque a vida e a integridade física das pessoas são bens com protecção constitucional prioritária relativamente a qualquer outra.

3. A nulidade a que alude o n.º 4, como se deduz do art. 189, n.ºs 1 e 2, é regida, por extensão, conforme o disposto no art. 179.º, para cuja anot. 4 remetemos, *mutatis mutandis.*

Código de Processo Penal

ARTIGO 253.º
(Relatório)

1. Os órgãos de polícia criminal que procederem a diligências referidas nos artigos anteriores elaboram um relatório onde mencionam, de forma resumida, as investigações levadas a cabo, os resultados das mesmas, a descrição dos factos apurados e as provas recolhidas.

2. O relatório é remetido ao Ministério Público ou ao juiz de instrução, conforme os casos.

---

1. Reproduz o art. 253 o do Proj. Não havia disposições correspondentes no Aproj. nem tão-pouco no CPP de 1929.

2. Este capítulo trata de medidas cautelares e de polícia, que têm de ser levadas a cabo imediatamente, sem a existência de processo no sentido técnico do termo, pois caso contrário perder-se-á a respectiva utilidade e não se recolherão as provas.

São medidas cautelares, tipicamente de prevenção criminal, anteriormente à existência de um processo em sentido técnico ou formal; podem porém ser medidas bem gravosas, como logo se intui da própria enumeração feita aos artigos anteriores e das cautelas que a lei põe nos pressupostos da sua realização.

Por isso, nos termos deste artigo, a realização das diligências e o resultado do labor dos órgãos de polícia criminal que as tiverem levado a cabo é sempre e obrigatoriamente objecto de um relatório, a enviar ao MP (no caso de se destinar à abertura de inquérito ou a ser incorporado em inquérito já em curso, excepto tratando-se de diligências que apenas podem ser ordenadas ou autorizadas pelo juiz de instrução, caso em que o relatório a este deve ser enviado), ou ao juiz de instrução (no caso de se destinar a ser incorporado em instrução em curso).

3. Como se referiu em anot. ao art. 250.º, além do relatório referido neste art. 253.º, pode ser necessário reduzir as diligências a um auto, isto nos casos referidos no art. 250.º, n.ᵒˢ 3 a 5.

CAPÍTULO III

DA DETENÇÃO

ARTIGO 254.º
(Finalidades)

1. A detenção a que se referem os artigos seguintes é efectuada:

a) Para, no prazo máximo de 48 horas, o detido ser apresentado a julgamento sob forma sumária ou ser presente ao juiz competente para primeiro interrogatório judicial ou para aplicação ou execução de uma medida de coacção; ou

Artigo 254.º

b) Para assegurar a presença imediata ou, não sendo possível, no mais curto prazo, mas sem nunca exceder 24 horas, do detido perante a autoridade judiciária em acto processual.

2. O arguido detido fora de flagrante delito para aplicação ou execução da medida de prisão preventiva é sempre apresentado ao juiz, sendo correspondentemente aplicável o disposto no artigo 141.º.

---

1. O texto deste artigo foi introduzido pela Lei n.º 59/98, de 25 de Agosto.

O n.º 1 corresponde ao artigo com o mesmo número da versão originária do Código. Na alínea *b)* deste número foi fixado o prazo máximo de 24 horas de detenção no caso aí previsto. Este limite não constava da versão originária e foi fixado por razões de proporcionalidade, entendendo-se dever ser diverso do previsto na al. *a)*.

O n.º 2 contém dispositivo que não constava da versão originária do Código nem nesta tinha correspondente; não contém no entanto inovação, pois que já assim devia ser entendido no domínio daquela versão.

2. Na terminologia e na filosofia básica do Código são diferentes os conceitos de *detenção* e de *prisão preventiva,* esta enunciada no art. 202.º. *Prisão preventiva* é a que existe antes do trânsito em julgado da decisão condenatória mas que foi levada a cabo em virtude de mandado judicial ou já se encontra validada por despacho judicial. *Detenção* é a privação de liberdade levada a cabo nos termos deste capítulo, que se integra nas disposições gerais das fases preliminares do processo. O Código reserva, assim, o termo *prisão preventiva* para a privação da liberdade individual emergente de decisão judicial interlocutória, e o termo *detenção* para todos os casos restantes, em que a privação de liberdade haja que ser confirmada por subsequente intervenção judicial, isto para acentuar o carácter precário e condicional da detenção, sujeita à condição resolutiva de homologação judicial.

A detenção é permitida, quer para assegurar a presença imediata do detido perante o juiz em acto processual, quer para o sujeitar a julgamento sumário, quer ainda para o apresentar ao magistrado competente para o primeiro interrogatório judicial ou para a aplicação de uma medida de coacção, impondo-se, em qualquer caso, a intervenção do magistrado no prazo máximo de 48 horas.

O prazo de 48 horas após a detenção do arguido para este ser apresentado ao juiz para julgamento em processo sumário ou para primeiro interrogatório judicial conta-se desde a detenção até à apresentação ao juiz, e não até ao início do julgamento ou à realização do interrogatório e decisão sobre a validade da detenção. Este art. 254.º, bem como o art. 141.º e art. 28, n.º 1, da CRP exigem porém que, estando em causa o direito fundamental à liberdade de uma pessoa a tramitação decorra com a celeridade possível e sempre dentro de apertados limites. Remetemos aqui para a anot. 3 ao art. 141.º.

Código de Processo Penal

3. Chegou a ser discutida, na Comissão encarregada da elaboração do Código, a introdução neste artigo de uma outra alínea, para permitir a detenção para fins exclusivos de identificação de pessoas não portadoras de documento de identificação ou que se não identificassem por meio idóneo e aceitável.

Reconheceu se que esse preceito seria de constitucionalidade duvidosa, pelo que a alínea não foi introduzida, apesar de se considerar indispensável dotar os órgãos de polícia criminal de meios que lhes possibilitassem a identificação de pessoas suspeitas, antes de as deixar escapar. Daí a formulação final do art. 250.°, onde se procurou conciliar a constitucionalidade destes normativos com a dotação dos órgãos de polícia criminal de instrumentos legais que lhes permitam identificar pessoas suspeitas.

Ver anot. ao art. 250.°.

4. A detenção efectuada nos termos da al. *b)* destina-se a assegurar a presença imediata perante autoridade judiciária ou de polícia criminal em acto processual, e tem cobertura constitucional no art. 27.°, n.° 3, al. *f)* da CRP.

A presença de pessoas a actos realizados pelo MP, designadamente durante o inquérito, é assegurada através dos instrumentos legais dos arts. 273.°, n.° 3 e 116.°. Ainda neste caso, se houver lugar a detenção, terá ela que ser ordenada pelo juiz.

5. O Parecer da Procuradoria-Geral da República n.° 35/99, de 13 de Julho de 2000, homologado por Despachos dos Ministros da Justiça e da Administração Interna de 10 e de 26 de Novembro do mesmo ano, emitido por recomendação do Provedor de Justiça e publicado no *DR*, II série, de 24 de Janeiro de 2001, formulou as seguintes conclusões sobre a medida cautelar de detenção:

1.ª A detenção, prevista no artigo 254.° do Código de Processo Penal, constitui uma medida cautelar e precária, directamente vinculada a servir as finalidades expressamente fixadas na lei;

2.ª A detenção deve ser efectivada nas condições previstas nos artigos 259.° e 260.° do Código de Processo Penal, respeitando o direito da pessoa a deter a comunicar com familiar ou pessoa da sua confiança, e no respeito pelas exigências decorrentes dos princípios da adequação e proporcionalidade;

3.ª As condições de execução da detenção, previstas na lei, contêm a flexibilidade bastante para permitir a compatibilização da efectivação da detenção com imediatas exigências da pessoa a deter, avaliadas segundo critérios de razoabilidade e proporcionalidade;

4.ª Não se verifica, assim, uma lacuna ou carência normativa relativamente à previsão directa de situações em que o indivíduo a deter tenha de prestar assistência a pessoas que dela estritamente necessitem, como sejam, menores, deficientes ou idosos;

5.ª As dúvidas manifestadas na recomendação aconselham, no entanto, que sejam emitidas instruções de actuação aos agentes de autoridade encarregados da efectivação da detenção, susceptíveis de guiar numa adequada concretização dos princípios gerais enunciados na lei.

Artigo 254.º

6. *Jurisprudência:*

— Só é obrigatório o interrogatório do preso nas 48 horas após a captura quando esta tem lugar sem que resulte de culpa formada. (Ac. RL de 8 de Maio de 1991; *BMJ*, 407, 614);

— I — Não pode considerar-se prisão preventiva o período de detenção para interrogatório pelo juiz. Esse período de tempo não pode, por isso, ser descontado para efeitos de cumprimento da pena que ao arguido venha a ser imposta. (Ac. RP de 7 de Fevereiro de 1990; *CJ*, XV, tomo 1, 254). *Nota* — Não concordamos com esta orientação; trata-se sempre de uma privação de liberdade e é a própria lei que, no art. 260.º, al. *b)*, equipara a detenção à prisão preventiva;

— O prazo previsto nos arts. 28.º, n.º 1, da CRP e 141.º e 254.º do CPP é o prazo de apresentação ao juiz, e não de prisão preventiva. Os prazos de prisão preventiva são os previstos no art. 215.º do CPP. (Ac. STJ de 20 de Março de 1991; *AJ*, n.º 17, proc. 13/91);

— I — A privação da liberdade na forma de detenção apenas e só pode ter lugar para assegurar a comparência perante uma autoridade judiciária ou seja, perante o magistrado do MP, o juiz de instrução ou o juiz julgador, consoante a fase em que o processo se encontrar. II — Nunca para comparência em diligência a realizar na secção de inquéritos da PSP. (Ac. RL de 3 de Outubro de 2000; *CJ*, XXV, tomo 4, 143);

— I — Perante o estatuído no n.º 2 do art.º 254.º do CPP, não há dúvidas de que se impõe sempre a apresentação do arguido detido perante o juiz, ainda que aquele tenha sido preso para execução de prisão preventiva decretada pelo juiz de julgamento no despacho que recebeu a acusação e designou data para julgamento. II — A não apresentação do arguido detido ao juiz no prazo de 48 horas, para o respectivo interrogatório, implica violação da citada norma legal, o que justifica o deferimento do pedido de *habeas corpus.* (Ac. STJ de 7 de Maio de 2003, proc. n.º 1865/03-3.ª; *SASTJ*, n.º 71, 90);

— Não são inconstitucionais as normas dos arts. 141.º, n.º 1 e 254.º al. *a)*, do CPP, interpretadas no sentido de o prazo de 48 horas nelas aludido se conta até ao momento da apresentação ao juiz, e não até à decisão sobre a validade da detenção, desde que tal decisão seja proferida no mais curto espaço de tempo, com a celeridade possível no caso concreto e com limites apertados por estarem em causa direitos fundamentais. (Ac. do Trib. Constitucional n.º 565/2003, de 15 de Novembro, proc. n.º 573/2003; *DR,* II série, de 30 de Janeiro de 2004):

— Se o arguido for preso preventivamente quando já estiver com culpa formada, encontra-se o processo na fase de marcação do julgamento ou com este realizado sem trânsito em julgado da condenação, tendo-lhe sido dada a possibilidade de se defender da imputação fáctica e jurídica que constitui o pressuposto da ordem de prisão, já não faz sentido a validação preventiva após interrogatório judicial. (Acs. STJ de 1 de Junho de 2005, proc. n.º 1368/05-3.ª; *SASTJ*, n.º 92, 89 e de 8 do mesmo mês, proc. n.º 751/05-3.ª; *ibidem*, n.º 92, 91);

— I — Detido o arguido em qualquer fase do processo, é obrigatório o respectivo interrogatório judicial para, em conformidade com o art. 28.º, n.º 1, da CRP, se operar a restituição à liberdade ou a imposição de medida de coacção adequada, devendo o juiz conhecer das causas que a determinaram e comunicá-las ao detido, interrogá-lo e dar-lhe oportunidades de defesa. II — A falta de

Código de Processo Penal

observância desta disposição inquina de ilegalidade a detenção, por violar o direito à liberdade, constitucionalmente reconhecimento. III — Em tal situação, não havendo prisão ilegal, intreposto *habeas corpus*, a medida mais adequada que o STJ deve ordenar é a prevista no art. 223.°, n.° 4, al. c) do CPP. (Ac. STJ do 10 de Novembro de 2005; *SASTJ*, n.° 95, 135).

ARTIGO 255.°

(Detenção em flagrante delito)

1. Em caso de flagrante delito, por crime punível com pena de prisão:

   a) Qualquer autoridade judiciária ou entidade policial procede à detenção;

   b) Qualquer pessoa pode proceder à detenção, se uma das entidades referidas na alínea anterior não estiver presente nem puder ser chamada em tempo útil.

2. No caso previsto na alínea *b)* do número anterior, a pessoa que tiver procedido à detenção entrega imediatamente o detido a uma das entidades referidas na alínea *a),* a qual redige auto sumário da entrega e procede de acordo com o estabelecido no artigo 259.°.

3. Tratando-se de crime cujo procedimento dependa de queixa, a detenção só se mantém quando, em acto a ela seguido, o titular do direito respectivo o exercer. Neste caso, a autoridade judiciária ou a entidade policial levantam ou mandam levantar auto em que a queixa fique registada.

4. Tratando-se de crime cujo procedimento dependa de acusação particular, não há lugar a detenção em flagrante delito, mas apenas à identificação do infractor.

---

1. Reproduz o art. 255.° do Proj. e corresponde aos arts. 222.° e 223.°, n.° 2, do Aproj. e 287.° do CPP de 1929, na redacção introduzida pelo Dec.--Lei n.° 185/72, de 31 de Maio.

2. No essencial, este artigo reproduz o direito vigente à data da entrada em vigor do Código.

De notar, porém, que agora as pessoas só podem proceder à detenção, no caso de se verificarem os pressupostos desta, se ela não puder ser levada a cabo por autoridade judiciária ou por entidade policial.

Também de assinalar que as detenções efectuadas pelas autoridades judiciárias ou pelas entidades policiais, nos termos da al. *a)* do n.° 1, são imperativas, enquanto que são facultativas as detenções efectuadas por qu<alquer pessoa, nos

Artigo 255.º

termos da al. *b)*. O tratar-se de detenção obrigatória ou de detenção facultativa pode ter reflexos processuais de relevo, pois que, nos termos do art. 381.º, n.º 1, só os detidos por autoridade judiciária ou por entidade policial podem ser julgados em processo sumário. Aliás, a detenção em flagrante delito relaciona-se estreitamente com a existência do processo sumário, pelo que não deve ser dada às autoridades judiciárias ou policiais a discricionaridade quanto à detenção, pois que isso poderia suscitar dúvidas quanto à sua actuação e possibilitaria que fossem essas entidades a decidir sobre a forma de processo a seguir.

3. O que se dispõe no n.º 3 é reflexo do carácter semipúblico do crime. No caso de se tratar de crime semipúblico e de se verificarem os pressupostos da detenção, esta é levada a cabo, mas só se mantém se, logo em acto seguido, houver queixa por parte de quem para isso tem legitimidade. Cumpre, para o efeito, às autoridades ou às entidades policiais às quais o detido é entregue ouvir imediatamente os titulares do direito de queixa. Se estes o exercerem, mandam levantar auto, em que fique registada; se a não exercerem, soltam o detido sem qualquer procedimento.

Costa Pimenta e Simas Santos — Leal Henriques, em anotação a este artigo, entendem que a detenção facultativa, ou seja a que é levada a cabo por pessoa nos termos da al. *b)* do n.º 1, só é admissível tratando-se de crime público, cujo procedimento é livremente iniciado pelo MP. Não é esse o nosso entendimento, como se deduz do que acaba de ser exposto. Conforme a orientação que perfilhamos, sustentou também Raquel Barradas de Freitas, *in RPCC,* ano 12, n.º 3, 510-511, em anot. ao ac. RP de 7 de Março de 2001.

4. O que se dispõe no n.º 4 é reflexo do carácter particular do crime. Aqui não haverá, em qualquer caso, lugar a detenção, mas apenas à identificação do infractor, sem qualquer outro procedimento, pois haverá que aguardar uma eventual iniciativa do titular do direito de acusação.

5. O Conselho Consultivo da PRG emitiu o Parecer n.º 111/90, de 6 de Dezembro, que sintetizou formulando as seguintes conclusões:

«1.ª O processo penal constitui uma estrutura legal de equilíbrio entre o direito de punir do Estado e o direito dos indivíduos à liberdade e à segurança;

2.ª A regra constitucionalmente consagrada é no sentido de que a privação da liberdade individual só é admitida se derivar de decisão judicial de condenação pela prática de acto punido por lei com pena de prisão ou de aplicação judicial de medida de segurança (artigo 27.º, n.º 2, da Constituição da República Portuguesa);

3.ª A privação de liberdade individual que não derive de decisão judicial descrita na conclusão anterior é de natureza excepcional (artigo 27.º, n.º 3, da Constituição);

4.ª A detenção é uma medida cautelar de privação da liberdade pessoal, não necessariamente dependente de mandato judicial, de natureza precária e excepcional, dirigida à prossecução de finalidades taxativamente enumeradas na lei, de duração não superior a 48 horas;

5.ª A detenção só pode ocorrer para, em 48 horas, submeter o detido a julgamento sob a forma sumária, ou apresentá-lo ao juiz competente para

Código de Processo Penal

primeiro interrogatório judicial ou aplicação de uma medida de coacção, ou para assegurar a sua presença imediata perante o juiz em acto processual (artigo 254.º do Código de Processo Penal);

6.ª Qualquer entidade policial deve, em caso de flagrante delito por crime a que corresponda pena de prisão cujo procedimento não dependa de acusação particular, proceder à detenção do infractor (artigo 255.º, n.º 1, alínea *a)*, e n.º 4 do Código de Processo Penal);

7.ª Tratando-se, porém, de crime cujo procedimento criminal dependa de queixa, só se mantém a detenção quando, em acto a ela seguido, o titular do direito de queixa o exercer (artigo 255.º, n.º 3, do Código de Processo Penal)...».

ARTIGO 256.º

(Flagrante delito)

1. É flagrante delito todo o crime que se está cometendo ou se acabou de cometer.

2. Reputa-se também flagrante delito o caso em que o agente for, logo após o crime, perseguido por qualquer pessoa ou encontrado com objectos ou sinais que mostrem claramente que acabou de o cometer ou de nele participar.

3. Em caso de crime permanente, o estado de flagrante delito só persiste enquanto se mantiverem sinais que mostrem claramente que o crime está a ser cometido e o agente está nele a participar.

---

1. Reproduz o art. 256.º do Proj. Os n.ºs 1 e 2 correspondem ao art. 221.º, n.º 3, do Aproj. e ao art. 288.º do CPP de 1929, na redacção introduzida pelo Dec.-Lei n.º 185/72, de 31 de Maio. O n.º 3 contém disposição inovadora relativamente ao direito anterior.

2. As disposições dos n.ºs 1 e 2 que, como se referiu, provêm do direito anterior, têm por fonte remota o art. 1020.º da Novíssima Reforma Judiciária. Em relação a este dispositivo, foi eliminada a expressão *sem intervalo algum,* que aí se encontrava a seguir a *que se acabou de cometer,* e foi acrescentada a parte final, desde *ou foi encontrado.* As modificações, em tempo introduzidas, serviram para esclarecer o âmbito do conceito de flagrante delito.

3. Da análise do texto legal resulta que a lei distingue entre flagrante delito, quase flagrante delito e presunção legal de flagrante delito.

Flagrante delito, em sentido estrito, verifica-se quando o crime é surpreendido durante a sua execução, e a esta modalidade se refere o n.º 1. Mas, como salientou Cavaleiro de Ferreira, *Curso,* II, 389, não é inteiramente exacta a noção de flagrante delito que o confunde com a prova directa do crime; trata-se de actualidade, e não de visibilidade da infracção.

Quase flagrante delito verifica-se quando o infractor é surpreendido no local da infracção, no momento em que acabou de a cometer, evidenciando a surpresa a existência e a autoria da infracção; refere-se a esta modalidade a 2.ª parte do n.º 1.

612

Artigo 257.º

Presunção legal de flagrante delito existe quando se verifica o condicionalismo do n.º 2. O infractor não é detido no local da infracção, nem tão pouco durante a execução ou logo que ela findou, mas é perseguido *logo após* a prática do crime, ou encontrado com objectos ou sinais que mostram claramente que ele acabou de cometer o crime ou de nele participar.

4. A disposição do n.º 3, como se referiu, não tinha correspondente na legislação anterior, e destina se a resolver questões suscitadas a propósito da definição do flagrante delito nos crimes permanentes. Assim, no crime de sequestro do art. 160.º do CP, o encontrar-se uma pessoa manietada há dias num esconderijo em casa do autor do crime constitui flagrante delito; no crime de introdução em casa alheia, do art. 176.º do CP, constitui flagrante delito o encontrar-se o autor da introdução dentro da casa de habitação de quem o intimara a nela não permanecer; não constitui porém flagrante delito do crime de deserção o simples facto de o militar que desertara ser encontrado antes de, por detenção ou apresentação voluntária, ter terminado o estado de deserção. Veja-se, no entanto, o Parecer n.º 54/98 da PGR, sumariado *infra*.

5. Parecer da PGR n.º 54/98, de 14 de Abril de 1999; *DR,* II série, de 28 de Abril de 1999:

— I — O crime de deserção, previsto nos arts. 142.º e segs. do Código de Justiça Militar, é um crime permanente, cuja consumação se prolonga no tempo e apenas termina com a cessação da situação de deserção pela detenção ou apresentação voluntária do agente. II — Nos crimes permanentes, o flagrante delito só persiste enquanto houver sinais evidentes de que o crime está a ser cometido e o agente nele a participar — art. 256.º, n.º 3, do CPP. III — As comunicações de deserção enviadas pelas autoridades militares às autoridades policiais constituem elementos objectivos que permitem verificar a evidência da situação de deserção de um agente sujeito a um controlo policial, designadamente nas fronteiras. IV — Neste caso, verifica-se uma situação de flagrante delito, devendo a autoridade policial proceder à detenção do desertor.

ARTIGO 257.º

(Detenção fora de flagrante delito)

1. Fora de flagrante delito, a detenção só pode ser efectuada, por mandado ao juiz ou, nos casos em que for admissível prisão preventiva, do Ministério Público, quando houver fundadas razões para considerar que o visado se não apresentaria espontaneamente perante autoridade judiciária no prazo que lhe fosse fixado.

2. As autoridades de polícia criminal podem também ordenar a detenção fora de flagrante delito, por iniciativa própria, quando:

a) Se tratar de caso em que é admissível a prisão preventiva;

b) Existirem elementos que tornem fundado o receio de fuga; e

Código de Processo Penal

c) Não for possível, dada a situação de urgência e de perigo na demora, esperar pela intervenção da autoridade judiciária.

---

1. Com excepção da parte final do n.º 1, a partir de *Ministério Público*, que foi introduzida pela Lei n.º 48/2007, de 29 de Agosto reproduz o art. 257.º do Proj. e corresponde, aproximadamente, aos arts. 221.º, n.º 1, als. *b)*, *c)* e *d)* do Aproj. e 291.º do CPP de 1929, na redacção introduzida pelo Dec.-Lei n.º 377/77, de 6 de Setembro.

O aditamento introduzido pela supramencionada Lei teve presente que a detenção só deve ser efectuada em caso de estrita necessidade; por isso estabelece-se que, fora de flagrante delito, só tem lugar quando houver razões para crer que o visado se não apresentaria espontaneamente para a realização do acto processual. Este princípio vale também para a detenção em flagrante delito (art. 385.º), hipótese em que o arguido que não for imediatamente apresentado ao juiz só continuará detido se houver razões para crer que não comparecerá espontaneamente perante autoridade judiciária, e isto sem prejuízo de ser libertado, de qualquer forma, no prazo máximo de 48.º horas, por força do artigo. 28.º, n.º 1, da CRP.

2. Regula-se neste artigo a detenção fora de flagrante delito, por mandado do juiz, do MP ou das autoridades de polícia criminal (ver art. 1.º, *d)*).

Em qualquer caso, os mandados de detenção são passados nos termos do art. 258.º.

Após a detenção, terá que se proceder de harmonia com o disposto nos arts. 254.º e 259.º.

3. As condições enumeradas nas alíneas do n.º 2 para que a detenção possa ser ordenada pelas autoridades de policia criminal são cumulativas; isto resulta manifestamente de cada uma das disposições e também de, no final da penúltima alínea, se ulilizar a copulativa *e,* e não a disjuntiva ou, que se utiliza quando as condições são alternativas. No final da al. *c)* usa-se a expressão autoridade judiciária para abranger o juiz e o MP (cfr. art. 1.º, *b)*).

Ficou assim clarificado pela lei aquilo que já constituía entendimento maioritário no domínio da legislação anterior.

ARTIGO 258.º
(Mandados de detenção)

1. Os mandados de detenção são passados em triplicado e contêm, sob pena de nulidade:

a) A data da emissão e a assinatura da autoridade judiciária ou de polícia criminal competentes;

b) A identificação da pessoa a deter; e

c) A indicação do facto que motivou a detenção e das circunstâncias que legalmente a fundamentam.

Artigo 258.º

2. Em caso de urgência e de perigo na demora é admissível a requisição da detenção por qualquer meio de telecomunicação, seguindo-se-lhe imediatamente confirmação por mandado, nos termos do número anterior.

3. Ao detido é exibido o mandado de detenção e entregue uma das cópias. No caso do número anterior, é-lhe exibida a ordem de detenção donde conste a requisição, a indicação da autoridade judiciária ou de polícia criminal que a fez e os demais requisitos referidos no n.º 1 e entregue a respectiva cópia.

---

1. Reproduz com aditamento na alínea a) do n.º 1 de *data da emissão*, introduzida pela Lei n.º 48/2007, de 29 de Agosto, o art. 258.º do Proj. e corresponde aos arts. 227.º do Aproj. e 259.º do CPP de 1929, na redacção introduzida pelo Dec.-Lei n.º 185/72, de 31 de Maio.

2. O regime estabelecido para os mandados de detenção não se afasta muito do que vigorava anteriormente.

De salientar que a designação de *mandados de detenção* se aplica quer emanem do juiz, do MP, ou de autoridade de polícia criminal. Anteriormente, a designação de *mandados* aplicava-se somente quando emitidos pelo juiz; para o caso de serem emitidos pelo MP ou por outra autoridade usava-se a designação de *ordens*.

Estabelece-se que constitui nulidade a não inclusão, nos mandados de detenção, dos requisitos das alíneas do n.º 1. A nulidade depende de arguição, ficando sanada se não for arguida.

Dos dispositivos deste artigo se evidencia como é ilegal a passagem de mandados de detenção em branco, prática que já as Ordenações Filipinas puniam severamente (L. V, tit. CXIX, 1). Como expende o Prof. Germano Marques da Silva, *Curso de Processo Penal,* II, 191, na sequência do que ensinara o Prof. Cavaleiro de Ferreira, «Um mandado de detenção em branco é afinal uma delegação do poder de ordenar detenções, e por isso mesmo ilegal na sua execução; não contém um imperativo dirigido à pessoa identificada e a que este deva obediência».

Um mandado de captura em branco legitima, assim, o direito de resistência à sua execução.

A indicação do facto que motivou a detenção e das circunstâncias que legalmente a fundamentam, que deve ser contida nos mandados de detenção conforme a al. c) do n.º 1 cujo texto é idêntico ao do art. 295.º do CPP de 1929 segundo a redacção do Dec.-Lei n.º 185/72, exige a indicação do crime e de que há fortes suspeitas de que foi cometido pela pessoa a deter, mas não uma descrição pormenorizada dos factos, os quais podem ainda apresentar-se por forma muito nebulosa; essa descrição é reservada para a acusação. Assim se entendia na vigência daquele art. 295.º e na referida redacção final — *v.g.* no ac. RL de 18 de Outubro de 1974; *BMJ*, 240, 266, e não vemos razões para alterar este entendimento.

O Prof. Germano Marques da Silva, *obra citada,* II, 192, na sequência do que ensinava o Prof. Cavaleiro de Ferreira, entende ser necessária a indicação

Código de Processo Penal

do facto concreto correspondente ao preceito incriminador; pelo que expusemos atrás entendemos no entanto que nesta fase a lei não exige pormenorização dos factos, bastando que dos mandados conste, além do mais, que a pessoa a deter e devidamente indicada é detida por fortes suspeitas de ter cometido factos que integram o crime de... (a indicar nos mandados).

3. Quanto aos requisitos dos mandados de detenção para cumprimento de prisão subsidiária de multa, deve atender-se ao disposto no art. 100.º do Cód. das Custas Judiciais que, semelhantemente ao que já antes fora estabelecido pelo Dec.-Lei n.º 212/89, de 30 de Junho, dispõe o seguinte:

1. Sempre que, no momento de detenção para cumprimento da pena de prisão subsidiária, o arguido pretenda pagar a multa, mas não possa, sem grave inconveniente, efectuar o pagamento no tribunal, pode realizá--lo à entidade policial, contra a entrega de recibo, aposto no triplicado do mandado.
2. Nos 15 dias imediatos, a entidade policial remete ou entrega a quantia recebida no tribunal de que proveio a ordem de detenção.
3. Para o efeito previsto nos números anteriores, os mandados devem conter a indicação do montante da multa.

4. Já anteriormente, a partir da Reforma Prisional de 1936 operada pelo Dec.--Lei n.º 26 643, os mandados de captura eram passados em triplicado, a-fim-de ser entregue um dos exemplares ao funcionário prisional, para documentar o livro de entrada e saída de presos, aludido no art. 217.º do mesmo diploma.

Nos termos da circular da PGR n.º 1/58, em casos em que a captura se apresentasse de difícil realização, devia passar-se mais um exemplar dos mandados, para enviar à PJ, para a organização, no Arquivo de Registo e Informações, de um ficheiro de pedidos de capturas, e, quando a captura tivesse sido pedida e deixasse posteriormente de interessar, devia imediatamente ser feita a competente comunicação. A circular caducou, mas a prática nela estabelecida impõe-se por ser acto necessário à realização dos fins do processo penal.

E sucede ainda que esta prática veio a ser imposta pelo art. 9.º, n.º 2, do Dec.-Lei n.º 295-A/90, de 21 de Setembro (Lei Orgânica da PJ), que impôs a emissão de um quarto exemplar dos mandados de detenção.

Este número de exemplares de mandados de condução é porém número mínimo, pois nada impede que outros exemplares sejam emitidos, com os mesmos requisitos, se tanto se revelar necessário para levar a cabo a captura.

5. Mandado de detenção europeu:
A Lei n.º 65/2003, de 23 de Agosto aprovou o regime jurídico do mandado de detenção europeu, em cumprimento da Decisão Quadro n.º 2002/584/JAI, de 13 de Junho.

Como se estabelece no n.º 1 do art. 1.º da supramencionada Lei, o mandado de detenção europeu é uma decisão judiciária emitida por um Estado membro, com vista à detenção e entrega por um outro Estado membro de uma pessoa procurada para efeitos de procedimentos criminal ou para cumprimento de uma pena ou medida de segurança privativa da liberdade.

Artigo 258.º

O mandado é executado com base no princípio do reconhecimento mútuo e em conformidade com os dispositivos das aludidas Lei e Decisão Quadro. Este princípio significa que uma decisão tomada por uma autoridade judiciária de um Estado membro segundo a sua legislação interna é reconhecida e executada por autoridade judiciária de outro Estado membro, com efeitos equivalentes a uma decisão tomada por autoridade judiciária daquele Estado.

Como se expende em estudo doutrinário de Ricardo Bragança de Matos intitulado *O princípio do reconhecimento mútuo e o mandado de detenção europeu, RPCC,* ano 14, n.º 14, n.º 3, 325 e segs., à abertura de fronteiras dos Estados membros da União Europeia não se seguiu todavia uma agilização institucional e operacional das diversas formas de cooperação em matéria penal, que se mantiveram confinadas aos espaços físicos delimitados pela soberania territorial de cada Estado membro, e, assim, inaptos para, por si só, perseguir criminalmente. Daí a premência de modernizar e actualizar os mecanismos disponíveis e de dar resposta eficaz às novas realidades.

Como se preceitua na aludida Lei n.º 65/2003, o processo de execução do mandado de detenção europeu é célere e simplificado, compreendendo três momentos essenciais: Apreciação da suficiência das informações e da regularidade do mandado, quanto a conteúdo e forma (art. 16.º); detenção e audição da pessoa procuradora (arts. 17.º e 18.º) e decisão sobre a execução (art. 22.º). A decisão sobre a execução é o acto final sobre a execução do mandado; os actos posteriores são actos executivos que pressupõem anterior decisão positiva sobre a execução do mandado.

Como se aludiu em anot. ao art. 233.º, com a adopção do mandado de detenção europeu substitui-se o recurso à extradição entre os Estados membros da União Europeia por um sistema simplificado de entrega de pessoas, em que apenas têm intervenção autoridades judiciárias. Este sistema substituiu o de extradição da Lei n.º 144/99 quando os países da emissão e da execução do mandado pertencerem ambos à União Europeia e foi estabelecido com base no princípio do rerconhecimento mútuo e em conformidade com o disposto na Lei n.º 65/03, de 28 de Agosto e na Decisão-Quadro 2002/584/JAI, de 13 de Junho, do Conselho da União Europeia.

Há já numerosa jurisprudência do STJ sobre o mandato de detenção europeu, parecendo-nos oportuno destacar, dentre outros, o extenso e elucidativo ac. de 18 de Junho de 2008, proc. n.º 2159/08-3.ª, cujas conclusões, constantes do sumário incerto nos *SASTJ* relativos a esse mês, são as seguintes:

I – O mandado de detenção europeu, executado com base no princípio do reconhecimento mútuo e em conformidade com o disposto na Lei 65/03, de 23-08, e na decisão-Quadro 2002/584/JAI, de 13-06, do Conselho da União Europeia, veio substituir o processo de extradição, que se mostrou incapaz de, por forma agilizada, mercê da abertura de fronteiras e da livre circulação de pessoas, responder aos problemas de cooperação judiciária entre Estados.

II – Tendo como antecedente o programa de execução do reconhecimento mútuo de decisões penais do Conselho Europeu de Tampere, aprovado em 30-11-2000, constituiu a primeira concretização no âmbito do direito penal do princípio do reconhecimento mútuo, havido como pedra angular da cooperação judiciária.

Código de Processo Penal

III – Desde que uma decisão seja tomada por uma autoridade competente à luz do direito interno do Estado membro de onde procede, em conformidade com o direito desse Estado, essa decisão deve ter um efeito pleno e directo sobre o conjunto do território da União, o que significa que as autoridades do Estado onde a decisão deve ser executada devem causar-lhe o mínimo de embaraço, isto porque subjaz uma ideia de mútua confiança, sem embargo do respeito pelos direitos fundamentais e princípios de direito de validade perene e afirmação universal.

IV – A sindicância judicial a exercer no Estado receptor é muito limitada, restrita ao controle daqueles direitos fundamentais, produzindo a decisão judiciária do Estado emitente efeitos pelo menos equivalentes a uma decisão tomada pela autoridade judiciária nacional (cf. Ricardo Jorge Bragança de Matos, *in* RPCC, Ano XIV, n.º 3, págs. 327-328, e Anabela Miranda Rodrigues, *in* O Mandato de Detenção Europeu, RPCC, ano 13.º, n.º 1, págs. 32-33).

V – O MDE rege-se por um critério de suficiência, ou seja, o Estado da execução não deve precisar de mais informações do que aquelas que figuram no formulário pré-estabelecido, e também por eficiência de teor quase automático, na medida em que só em casos taxativamente limitados se possam erguer barreiras de inexecução.

VI – Do MDE devem constar as informações enumeradas no art.º 3.º da Lei 65/03, de 23-08, além da identidade e nacionalidade da pessoa procurada, os actos penalmente relevantes, entre os quais a descrição das circunstâncias em que a infracção foi cometida, incluindo o momento, o lugar e o grau de participação da pessoa procurada, devendo ser traduzido numa das línguas oficiais do Estado membro da execução. A exigência é óbvia: para um cabal exercício dos direitos de defesa do arguido, aquela boa prática judiciária, de cunho quase automático, em que se traduz o mandado, não pode sobrepor-se às garantias de defesa dos direitos humanos do procurado pré-estabelecidas em convenções internacionais, de âmbito estadual mais alargado, recuado temporalmente e vinculante, que não pode derrogar.

VII – A enunciação dos actos é fundamental ao exercício do direito de recusa, seja ela obrigatória seja facultativa – arts. 11.º e 12.º da Lei 65/03 – relevando essencialmente para fins de verificação de amnistia, do princípio *ne bis in idem,* do decurso dos prazos de prescrição, da renúncia ao princípio da especialidade, do princípio da territorialidade, etc.. A descrição dos factos no formulário deve ser tão sucinta quanto possível e consignar apenas dados indispensáveis para apreensão do MDE pela autoridade judiciária de execução, sendo de evitar a transcrição completa de peças processuais em ordem à sua movimentação, neste sentido se pronunciando a PGR, Gabinete de Documentação e Direito Comparado, *in* Manual de Procedimentos Relativos à Emissão de Mandado de Detenção Europeu.

VIII – Numa situação que:

– no formulário do mandato refere-se «Nos primeiros meses do ano 2005, o acusado *EPP*, de comum acordo com os outros quatro processados transportaram uma importante quantidade de cocaína, superior a cem quilogramas, de Portugal para Inglaterra, a fim de que fosse ali finalmente entregue a terceiros para posterior distibuição e consumo» seguindo-se a descrição do tipo legal de crime de «Delito contra a saúde pública, na modalidade de transporte e posse

Artigo 258.º

para tráfico de substâncias que causam dano à saúde, previsto nos artigos 368.º e 369.º, 1.º, circunstâncias assinaladas nos números 2 (pertença a organização), 6 (quantidade de notória importância) e 10 (introduzir ou retirar substâncias de território nacional), do Códifo Penal, sendo aplicável a agravação de extrema gravidade estabelecida no artigo 370.º, 3.º, pela concorrência de três das circunstâncias previstas no artigo 369.1 do mesmo Código Legal»;

– o formulário é acompanhado de acusação ampla e factualmente detalhada deduzida pelo «Fiscal», cingindo-se, pelo enunciado nele inscrito, o pedido de cooperação à entrega temporária «a fim de julgar esta pessoa no dia 10.7.2008, comprometendo-se esta Sala à sua posterior entrega uma vez concluído o julgamento oral», na conformidade do art. 31.º, n.º 3, da Lei 65/03;

– o Tribunal da Relação notificou pessoalmente EPP, em 30-04-2008, «de todo o conteúdo da tradução dos documentos recebidos do reino de Espanha»;

não se verifica qualquer nulidade por falta do descritivo factual imputado ao arguido.

IX – O princípio que significa a proibição de alguém ser condenado duas vezes pelo mesmo facto, princípio de feição milenar, acatado pela generosidade dos países, com tradução no art. 29.º, n.º 5, da nossa Constituição, comporta o alcance segundo o qual se alguns dos factos que fazem parte de uma actividade continuamente criminosa já foram objecto de uma decisão, o direito de promover a acção penal por outros englobados nessa continuação mostra-se consumido, funcionando o princípio *ne bis in idem*. O juiz, em tal situação, ao apurar e fixar essa realidade, investiga sobre limites da identidade do objecto processual e o que faz é integrar o conteúdo de tal sentença e perguntar até que ponto se devia ter alargado a cognição do tribunal ao primeiro processo, com vista a determinar em que limites se devem entender as coisas como julgadas.

X – Não se descortina a violação daquele princípio quando, numa análise meramente perfunctória – porque mais profunda não o consente a tramitação formal do mandato –, as condutas do recorrente são diferentes atendendo às circunstâncias de tempo, lugar e modo de comparticipação, não coincidentes factualmente e dispersas no tempo, mediando entre elas um visível hiato temporal, compatível com uma renovação da vontade criminosa, com uma pluralidade de infracções.

XI – De todo o modo, essa tarefa de verificação sobre se a prática dos factos por que foi condenado em Portugal obedece a uma única resolução criminosa, englobante da conduta a que respeita o processo pendente em Espanha, ou antes a uma pluralidade de resoluções, a distintos crimes, cabe ao tribunal no julgamento declará-la.

XII – Da conjugação dos arts. 12.º, n.º 1, al. d), e 11.º, al. b), da Lei 65/03, resulta que o princípio *ne bis in idem,* numa particular exigência de rigor, só funciona como causa de recusa de entrega quando puder concluir-se, com segurança, que o procurado foi definitivamente julgado pelos mesmos factos e em condições que impeçam o posterior exercício da acção penal, só assim se violando o caso julgado penal.

XIII – Pela expressão «por acto que motiva a emissão» e pelo termo «infracção», em uso no aludido preceito dos asts. 11.o, al. a), e 12.o, n.o 1, al. a), da Lei 65/03, entende-se o facto complexo, formado pelo tipo de ilícito e de culpa, enquanto pressupostos categoriais mínimos, expressões de dignidade

Código de Processo Penal

penal tipicizada, o que reforça a ideia de que condutas parcelares integrantes do conjunto não fundamentam óbice à entrega nem traduzem uma violência à condição pessoal do recorrente.

XIV – Um desvio a essa teleologia seria transformar o tribunal da execução do mandado em tribunal de julgamento, sobrepondo-se a este, dissociando-se da função do mandato de detenção, enquanto instrumento simplificado de entrega de pessoas, de combate célere e eficaz contra a criminalidade internacional, cada vez mais sofisticada e com ramificações de controle mais complexo, que se não compadece com uma investigação mais aproundada do princípio, como ainda das provas de que o tribunal espanhol se serviu para emitir o mandado.

6. Não nos diz a lei como se certifica a detenção ou a impossibilidade de detenção nem qual o destino de cada um dos exemplares dos mandados de detenção.

Cremos que, como acto necessário para a realização do processo, o encarregado da detenção lavrará certidão comprovativa desta, com o dia, hora e local onde foi levada a cabo, ou da impossibilidade de a efectuar, tudo como se estabelecia no art. 296.º, §§ 2.º, 3.º e 4.º do CPP de 1929, na redacção introduzida pelo Dec.-Lei n.º 377/77, de 6 de Setembro.

Quanto ao destino dos exemplares dos mandados, serão todos juntos ao processo se a detenção não for efectuada; se o for, um dos exemplares será entregue ao detido (n.º 3), outro destina-se ao estabelecimento prisional (ver *supra*, n.º 3) e outro destina-se a ficar junto ao processo.

7. *Jurisprudência:*

— I — Para dar satisfação ao estatuído no n.º 4 do art. 27.º da Constituição não basta mencionar nos mandados de captura que se encontra fortemente indiciada a prática, pelo visado, de um dado crime previsto e punido por determinada norma legal; torna-se também necessário fornecer-lhe elementos concretos que lhe permitam apreender qual é o facto concreto que determina a prisão (*v.g.*, a identificação da vítima e as circunstâncias de tempo e lugar em que o facto foi praticado). II — A nulidade dos mandados de detenção prevista no corpo do n.º 1 do art. 258.º do CPP pode ser arguida até ao encerramento do acto processual do primeiro interrogatório judicial, no qual se concretiza a finalidade visada pela detenção. (Ac. RL de 7 de Junho de 2000; *CJ*, XXV, tomo 3, 149). *Nota* — Não concordamos com o ponto I. Ver *supra*, anot. 2. O ac. tem declaração de voto contrário da Desembargadora Ana Moreira da Silva, que informa ter a RL seguido orientação contrária no recurso n.º 2434//2000;

— No mandado de detenção para o arguido ser presente ao juiz competente para o primeiro interrogatório e para eventual aplicação da medida de coacção, a indicação do facto que motivou a detenção não tem de conter com precisão a indicação dos factos que determinaram a detenção, bastando-lhe a menção do crime e de que há fortes suspeitas de ter sido cometido pela pessoa a deter. (Ac. RC de 28 de Janeiro de 2004; *CJ*, XXIX, tomo 1, 49);

— I — O mandado de detenção satisfaz a exigência legal de indicar o facto que motiva a detenção quando indica uma conduta que preenche o tipo incri-

Artigo 258.º

minador, descrevendo numa linguagem que seja acessível à generalidade das pessoas. II — Satisfaz tal exigência a indicação de que a razão da detenção é a prática de crime de tráfico de estupefacientes; é que a expressão tráfico de estupefacientes não é um conceito normativo, antes tem um significado puramente descritivo. (Ac. RP de 26 de Maio de 2004; *CJ*, XXIX, tomo 3, 209);

— I — O processo de execução do amandado de detenção europeu (MDE) é um procedimento ultra célere e simplificado, a ser decidido em 5 dias. II — Os direitos do detido, no âmbito de tal processo expedito, são apenas os catalogados no art. 17.º da Lei n.º 65/2003, de 23 de Agosto, sem prejuízo, naturalmente, de os seus direitos de defesa serem assegurados e inteiramente garantidos, mas para serem exercidos no processo do país emissor do mandado de detenção europeu. III — Salvo se forem liminarmente impeditivas do deferimento do mandado em face da Lei citada, não cabe, assim, no âmbito do processo de execução do mandado, sindicar a bondade das decisões judiciais tomadas no país emissor, as quais poderão/deverão ser contestadas no âmbito do processo, ele mesmo. IV — As normas processuais a observar no tocante a medidas coactivas, nomeadamente as respeitantes à prisão preventiva, embora devendo coadunar-se com os atinentes preceitos da Lei Fundamental portuguesa, são os do Estado emissor do mandado. (Ac. STJ de 13 de Janeiro de 2005, proc. n.º 71/05-5.ª; *SASTJ*, n.º 87, 116);

— I — Nem a Decisão Quadro do Conselho da União Europeia, nem a Lei n.º 65/2003, exigem a reciprocidade. II — No âmbito da cooperação judiciária penal europeia não é exigível consticionalmente a reciprocidade. III — A falta de reciprocidade não é impeditiva do cumprimento do mandado de detenção europeu — cfr. art. 33.º, n.º 5, da CRP. (Ac. STJ de 13 de Janeiro de 2005, proc. n.º 4738/04-5.ª; *SASTJ*, n.º 87, 117);

— I — A aplicação de uma causa de recusa facultativa à execução do mandado de detenção europeu tem de assentar em valores e princípios e em critérios de operacionalidade e eficácia. II — A execução do mandado de detenção europeu regulado pela Lei n.º65/03 de 25 de Agosto não está dependente da verificação, pela autoridade judicial, do requisito da reciprocidade. (Ac. STJ de 3 de Março de 2005; *CJ, ACS. do STJ*; ano XII, tomo 1, 215);

— A recusa facultativa de cumprimento do mandado de detenção europeu não pode ser concebida como um acto gratuito ou arbitrário do tribunal. Há-de basear-se em argumentos e elementos de facto adicionais, reportados ao processo, nomeadamente pelo interessado, e que, devidamente equacionados, levem o tribunal a dar justificada prevalência ao processo nacional, sobre o do Estado requerente. (Ac. do STJ de 17 de Março de 2005; *CJ, Acs. do STJ*, ano XII, tomo 1, 221);

— I — A indicação do facto que motivou a detenção, nos termos do art. 258.º, n.º 1, al. c), do CPP, não reclama uma descrição fáctica completa, bastando uma referência genérica. II — Deste modo, não é nulo o mandado de detenção que não se limita à mera indicação da conduta que preenche os tipos incriminadores, referindo também os factos que motificaram a prática dos crimes. (Ac. RL de 7 de Abril de 2005; *CJ*, ano XXX, tomo 2, 130);

— I — O processo de decisão sobre a execução do mandado de detenção europeu constitui um procedimento relativamente simplificado, compreendendo

Código de Processo Penal

três momentos essenciais: a apreciação da suficiência das informações e da regularidade do mandado (conteúdo e forma — art. 16.°); detenção e audição da pessoa procurada (arts. 17.° e 18.°) e decisão sobre a execução (art. 22.ª da Lei 65/2003, de 23-08). II — A decisão sobre a execução constitui o acto final da fase decisória sobre a execução do mandado, sendo os actos posteriores já propriamente executivos e que supõem, anteriormente, uma decisão positiva sobre a execução. III — A norma do art. 28.° da Lei n.° 65/2003, tanto pela inserção sistemática no contexto do diploma como pelo sentido funcional com que se apresenta, não se refere a um *prius* processual, pressuposto da decisão sobre a execução do mandado, mas diversamente, a um *posterior* à decisão que pressupõe, já tomada, pois só se pode notificar à autoridade judiciária da emissão uma decisão que tenha sido anteriormente proferida. (Ac. do STJ de 1 de Junho de 2005, proc. n.° 2040/05-3.ª; *SASTJ*, n.° 92, 85);

— I — Com a adopção do mandado de detenção europeu substituiu-se o recurso à extradição entre os Estados menbros da União Europeia por um sistema simplificado de entrega das pessoas em que apenas têm intervenção autoridades judiciárias. II — Consequentemente, as regras relativas à extradição previstas na Lei n.° 144/99, de 31 de Dezembro, deixaram de ser aplicáveis aos pedidos de entrega de pessoas com origem nos Estados membros da União. III — Não há, assim qualquer fase administrativa no procedimento do pedido de entrega ao abrigo do regime do mandado de detenção europeu, quando os países da emissão e de execução do mandado são Estados membros da União Europeia. (Ac. STJ de 29 de Novembro de 2005; *SASTJ*, n.° 95, 145);

— I — A inserção de pessoas procuradas nos ficheiros do Sistema de Informação Schengen (SIS) tenderá a produzir, em pleno, os efeitos do MDE, sendo, no entanto, necessário que constem as indicações referidas no art. 3,°, n.° 1, da Lei n.° 65/2003, de 23 de 23 de Agosto. II — Enquanto o SIS não estiver m condições de transmitir essas informações, a inserção produz os efeitos do MDE até à recepção do original. III — Tal inserção no SIS da indicação de pessoas a procurar permite que, ainda que provisoriamente, enquanto se aguarda pela recepção em boa e devida forma, se dê execução ao MDE, muito embora só com a recepção deste se formalize o respectivo pedido. (Ac. STJ de 19 de Janeiro de 2006; *CJ, Acs. do STJ*, XIV, tomo 1, 168);

— I — A execução de um mandado de detenção europeu não se confunde com o julgamento de mérito da questão de facto e de direito que lhe subjaz. II — Às autoridades do Estado de execução cabe indagar a regularidade formal, nomedamente a concretização das circunstâncias em que a infracção foi cometida, incluindo o momento, o lugar e o grau de identificação da pessoa procurada. III — As razões humanitárias decorrentes da avançadda idade ou debilidade física não são causa de recusa do cumprimento do mandado, mas apenas podem levar à suspensão temporária da entrega da pessoa. (Ac. STJ de 16 de Fevereiro de 2006; *CJ*, Acs. do STJ, XIV, tomo 1, 193);

— I — A recusa facultativa assenta em argumentos e elementos de factos aportados ao processo que levem o tribunal a dar justificada prevalência ao processo nacional sobre o do Estado requerente. II — Não consubstancia um motivo de recusa fundado na existência de processo em Portugal, por factos que motivam a emissão do mandado, a existência de factos em investigação em Portugal relacionados com o tráfico de estupefacientes que não são

Artigo 258.º

necessariamente sobrepostos àqueles que consubstanciam o mandado. III — Sendo os factos em investigação em Portugal diversos dos que são imputados em outros países, não há violação do princípio *ne bis in idem*. (Ac. STJ de 22 de Junho de 2006, proc. n.º 2326/06; *CJ, Acs. do STJ*, ano XIV, tomo 2, 224);

— I —Existe erro de identificação sempre que ao procurador se atribui uma identificação que não lhe corresponde. II — A determinação da existência ou não de responsabilidade criminal por parte do indivíduo a deter, designadamente se foi ele ou não o autor dos factos imputados pelo Estado requerente,não é fundamento legal de oposição ao cumprimento do mandado. (Ac. STJ de 17 de Janeiro de 2007; *CJ, Acs. do STJ*, ano XV, tomo I, 168);

— I — A falta de requisitos de conteúdo e de forma do mandado de detenção europeu, a que alude o art. 3.º da Lei n.º 65/2003, não é causa de recusa obrigatória ou facultativa, importando apenas uma irregularidade sanável. II — Sendo evidente que o mandado de detenção europeu se destina ao procedimento criminal por crimes de contrabando, no quadro de uma associação criminosa, foi emitido por decisão judicial, foi nele indicada a natureza e a qualificação jurídica da infracção, com uma descrição das circunstâncias em que a mesma foi cometida, incluindo o momento, o lugar e o grau de participação na infracção da pessoa procurada, tal mandado não sofre de vício de conteúdo ou de forma. (Ac. STJ de 25 de Janeiro de 2007; *CJ, Acs. do STJ*, ano XV, tomo I, 178);

— I — As legislações nacionais – direito interno – deverão ser adaptadas e modeladas às normas da mesma decisão-quadro, e não o contrário. II — O reconhecimento mútuo do mandado de detenção europeu não se deve sobrepor às garantias processuais e aos direitos inscritos na própria Convenção Europeia dos Direitos do Homem, como é o caso do direito de defesa inscrito no direito a um processo justo. (Ac. STJ de 10 de Outubro de 2007; *CJ, Acs. do STJ*, ano XV, tomo 3, 2007);

— I — A Lei 65/2003 estabelece, no seu art. 30.º, os prazos máximos de duração da detenção: 60 dias até à prolação da decisão sobre a execução do MDE (n.º 1); 90 dias, no caso de recurso dessa decisão; 150 dias, se houver recurso para o TC. Estes são os prazos de duração da *detenção*, ou seja, os prazos que a detenção não pode exceder *até à prolação da decisão sobre a execução do MDE*. II — Após o trânsito dessa decisão, uma nova fase se abre: a da execução do MDE, com a entrega da pessoa procurada (detida ou em liberdade) à entidade emissora do MDE. Para a entrega, um novo prazo é cominado, este previsto no art. 29.º da mesma Lei. Esse prazo é de 10 dias (n.º 2 do referido artigo), podendo ser prorrogdo por mais dez, nas circunstâncias indicadas no n.º 3 do mesmo preceito. III — Há pois, que distinguir entre prazo de duração da detenção, cuja previsão está contida no art. 30.º, e prazo para a entrega do procurado, que está previsto no art. 29.º, ambos da Lei 65/2003, acrescendo este último àquele. (Ac. STJ de 10 de Setembro de 2008; *SASTJ* relativos a esse mês, pág. 23).

Código de Processo Penal

ARTIGO 259.º

(Dever de comunicação)

Sempre que qualquer entidade policial proceder a uma detenção, comunica a de imediato:

a) Ao juiz do qual dimanar o mandado de detenção, se esta tiver a finalidade referida na alínea *b)* do artigo 254.º;

b) Ao Ministério Público, nos casos restantes.

---

1. Reproduz o art. 259.º do Proj. Não tinha correspondente na legislação anterior.

2. Com este artigo pretende-se evitar que a privação de liberdade levada a cabo pelas autoridades policiais não seja em caso algum subtraída ao conhecimento do juiz ou do MP.

A comunicação de imediato da detenção não tem que ser feita quando o detido é, logo após a detenção, entregue ao juiz ou ao MP; em tal caso a própria entrega vale como comunicação da detenção. Seria pura inutilidade que, a par da entrega do detido, com mandado de detenção certificado ou com o auto da ocorrência, simultaneamente e em separado se fizesse a comunicação da detenção. O dever de comunicação fica consumido com a própria entrega do detido, quando esta é feita logo após a detenção.

3. A 11.ª sessão da CRCPP, em 30 de Abril de 1991, foi discutido o alcance da expressão *de imediato*. O Prof. Figueiredo Dias, no seguimento do entendimento de outros membros, e resumindo-o, expendeu que *de imediato* e *no mais curto prazo possível* são expressões com alcance diferente, sendo aquela com conceito normativo e envolvendo dois vectores: refere-se àquilo que se faz logo após a detenção e significa que só pode dizer-se que uma comunicação não foi imediata se se puder afirmar que a entidade envolvida não foi diligente. *De imediato* significa pois que a comunicação deve ser feita logo a seguir à detenção, com diligência e sem perda de tempo, segundo um critério de razoabilidade.

4. O acompanhamento ao posto policial, para identificação, nos termos previstos no art. 250.º, n.º 2, não é um caso de detenção, pelo que relativamente a esse acompanhamento não tem que ser feita a comunicação imediata prevista neste artigo.

ARTIGO 260.º

(Condições gerais de efectivação)

É correspondentemente aplicável à detenção o disposto no n.º 2 do artigo 192.º e no n.º 8 do artigo 194.º.

624

Artigo 261.º

1. O texto deste artigo foi introduzido pela Lei n.º 48/2007, de 29 de Agosto. A versão anterior, que era a originária, teve ligeira alteração na referência ao art. 194.º, provocada por alterações sofridas por este último artigo.

2. Este artigo é um afloramento, relativamente à detenção, de comandos gerais aplicáveis às medidas de coacção. Por isso, poder-se-á até entender que seria desnecessário; foi, porém, introduzido para expressamente desfazer dúvidas que pudessem surgir.

3. Ver anots. aos arts. 192.º e 194.º.

ARTIGO 261.º

(Libertação imediata do detido)

1. Qualquer entidade que tiver ordenado a detenção ou a quem o detido for presente, nos termos do presente capítulo, procede à sua imediata libertação logo que se tornar manifesto que a detenção foi efectuada por erro sobre a pessoa ou fora dos casos em que era legalmente admissível ou que a medida se tornou desnecessária.

2. Tratando-se de entidade que não seja autoridade judiciária, faz relatório sumário da ocorrência e transmite-o de imediato ao Ministério Público; se for autoridade judiciária, a libertação é precedida de despacho.

1. Reproduz o art. 260.º do Proj. Não havia disposições correspondentes no CPP de 1929.

2. O acto de soltura efectiva-se sempre dentro de um esquema de controlo quanto à legalidade da detenção. Assim, se a libertação é ordenada por autoridade judiciária (juiz ou MP), é essa autoridade que, em despacho fundamentado, aprecia a legalidade da detenção e da soltura. Se a soltura é ordenada por autoridade de polícia criminal, elaborará esta um relatório a enviar ao MP, nos termos do n.º 2. O MP, através do relatório, apreciará se foram violados quaisquer preceitos legais, e, caso o tenham sido, tomará as providências que repute adequadas.

Para além disto, contém este artigo afloramentos de comandos gerais.

Código de Processo Penal

TÍTULO II
DO INQUÉRITO

CAPÍTULO I
DISPOSIÇÕES GERAIS

ARTIGO 262.°
(Finalidade e âmbito do inquérito)

1. O inquérito compreende o conjunto de diligências que visam investigar a existência de um crime, determinar os seus agentes e a responsabilidade deles e descobrir e recolher as provas, em ordem à decisão sobre a acusação.

2. Ressalvadas as excepções previstas neste Código, a notícia de um crime dá sempre lugar à abertura de inquérito.

---

1. Reproduz o art. 262.° do Proj. e corresponde aos arts. 260.° do Aproj. e 1.° do Dec.-Lei n.° 605/75, de 3 de Novembro. Não havia disposições correspondentes no CPP de 1929, nem tão-pouco no Dec.-Lei n.° 35 007, de 13 de Outubro de 1945.

2. A Lei n.° 43/86, de 26 de Setembro (Lei de Autorização legislativa), art. 2.°, n.° 2, al. 45), determinou a existência de um inquérito preliminar, a cargo do MP, coadjuvado pelos órgãos de polícia criminal, com a finalidade de investigar a notícia do crime e de proceder às determinações inerentes à decisão de acusação ou de não acusação, definindo-se, nestes termos, ser o inquérito bastante para a introdução do feito em juízo. Mais determinou que, tornando-se necessária, durante o inquérito, a prática de actos que directamente se prendam com os direitos fundamentais das pessoas, tais actos sejam presididos, praticados ou autorizados pelo juiz, o qual terá para o efeito na sua disponibilidade os órgãos de polícia judiciária.

Dentro destes parâmetros foi estabelecida a regulamentação do inquérito, tal como consta deste título. Trata-se, lógica e cronologicamente de uma fase processual, pois que é dominado por actos pertinentes a uma mesma ideia e a uma determinada finalidade e os actos que lhe correspondem e o caracterizam são contíguos no tempo. Neste sentido, Prof. Germano Marques da Silva, *Curso de Processo Penal*, III, 62.

3. Como se acentuou no relatório, o Código optou decidamente por converter o inquérito, realizado sob a titularidade e a direcção do MP, na fase geral e normal de preparar a decisão de acusação ou de não acusação. Por seu turno, a instrução, de carácter contraditório e dotada de uma fase de debate oral — o

Artigo 262.º

que implicou o abandono da distinção entre instrução preparatória e contraditória —, apenas terá lugar quando for requerida pelo arguido que pretenda invalidar a decisão de acusação, ou pelo assistente que deseje contrariar a decisão de não acusação. Tal opção filiou-se na convicção de que só assim será possível ultrapassar um dos maiores e mais graves estrangulamentos da *praxis* processual que se verificava nos últimos tempos da vigência do CPP de 1929. E esteiou-se, por outro lado, no facto de que todos os actos processuais que contendam directamente com os direitos fundamentais do arguido só devem ter lugar se autorizados pelo juiz de instrução e, em alguns casos, só por este podem ser realizados. Como decorrência directa da opção de fundo que quanto ao inquérito foi tomada, os órgãos de polícia criminal são, na fase de inquérito, colocados na dependência funcional do MP.

O sistema perfilhado aproxima-se, de algum modo, daquele que foi instaurado pelo Dec.-Lei n.º 35 007, de 13 de Outubro de 1945, correspondendo o actual inquérito à instrução preparatória instituída por esse diploma. Não existem, porém, agora casos de instrução legalmente obrigatória, enquanto que pelo Dec.-Lei n.º 35 007 havia casos de instrução contraditória obrigatória, e a instrução contraditória obedecia a um formalismo de que a actual instrução se distancia.

E deve entender se que este sistema se enquadra perfeitamente dentro do espírito e do texto da CRP, pesem embora as vozes discordantes que esporadicamente se têm levantado, designadamente do art. 32.º, n.º 4, como aliás se vinha entendendo no regime anterior, até pela Comissão Constitucional, a propósito do inquérito preliminar. O ponto prestar-se-ia a larga exposição, que excede o âmbito desta obra, mas sobre ele, e no sentido indicado, podem ver-se, por todos, Figueiredo Dias, *Para Uma Reforma Glogal do Processo Penal Português* 39-40; Gomes Canotilho-Vital Moreira, *Constituição da República Portuguesa Anotada,* 2.ª ed., vol. I, 216-217 e jurisprudência mencionada nessas obras.

4. O disposto no n.º 1 tem o mesmo âmbito que os arts. 158.º do CPP de 1929 e 10.º e 11.º do Dec.-Lei n.º 35 007, de 13 de Outubro de 1945.

Aqui se define o tema da prova e aflora o princípio da demanda da verdade material, que domina o Direito processual penal. Como o inquérito é, perante o sistema por que o Código optou, a fase geral e normal de apuramento indiciário dos factos, logo se intui como se trata de fase fundamental para a boa administração da justiça penal.

5. A ressalva referida no n.º 2 alude ao regime dos crimes semipúblicos e particulares, em que o exercício da acção penal está dependente de queixa ou de acusação particular.

Este dispositivo do n.º 2 deve ainda ser interpretado restritivamente, pois quando diz que a notícia de um crime dá sempre lugar à abertura de um inquérito, pressupõe que a notícia reveste os requisitos que a lei exige, o que não será, *v. g.,* o caso de a notícia ser através de carta anónima. Então só haverá lugar a inquérito se, após exame atento por parte do MP, a notícia merecer credibilidade; se não merecer, como normalmente sucederá, a carta deverá ser destruída, a não ser que haja conveniência em conservá-la para outra finalidade. *v. g.* averiguação da sua autoria.

Código de Processo Penal

6. Os inquéritos levados a cabo pelas comissões parlamentares de inquérito, ainda que tenham por objecto investigação sobre matérias que estão ou estiveram pendentes de apreciação num processo judicial, não são equiparáveis aos inquéritos ou à instrução realizados pelas autoridades judiciárias em processo de natureza criminal. Situam-se num âmbito político e não judicial e as suas conclusões nunca podem pôr em causa as decisões judiciais, como estas não podem pôr em causa as conclusões de natureza política a que os inquéritos parlamentares tenham chegado, tudo dimanando, além do mais, da consagração constitucional da separação de poderes do Estado.

Sobre este ponto, do âmbito e das finalidades dos inquéritos parlamentares e respectivo relacionamento com o inquérito e com a instrução em processo criminal, veja-se o ac. do Trib. Constitucional n.º 195/94, de 1 de Março, que incidiu sobre o conhecido acidente de Camarate de 4 de Dezembro de 1980; *BMJ,* 435, 57.

As comissões parlamentares de inquérito são admitidas pelo art. 178.º da CRP e, para além do que aí se estabelece, estão reguladas pela Lei n.º 5/93, de 1 de Março, na redacção das Leis n.º 126/97, de 10 de Dezembro, e 15/2007, de 3 de Abril.

7. A Lei n.º 21/2007, de 12 de Junho estabeleceu um regime de mediação criminal a que o MP em qualquer fase do inquérito pode recorrer, tratando-se de crimes semi-públicos contra as pessoas ou contra o património ou de crimes particulares, quando existam indícios de se ter verificado crime e de que o arguido foi o seu autor.

Este regime de mediação penal foi criado em execução do art. 10.º da Decisão Quadro n.º 2001/220/J/JAI, do Conselho, de 15 de Março, relativa ao estatuto da vítima em processo penal. A Lei n.º 21/2007, que o introduziu, compõe-se de 16 artigos, relativos ao objecto, ao âmbito, à remessa do processo para injunção, ao processo de mediação, à tramitação subsequente, ao acordo, à suspensão de prazos, à presença de advogado, à isenção do pagamento de custas, à actividade do mediador, às listas de mediadores, às pessoas habilitadas a exercer as funções de mediador, a um período experimental, à aplicação no tempo e à entrada em vigor.

É o seguinte o texto da Lei n.º 21/2007:

Artigo 1.º

Objecto

A presente lei cria o regime da mediação em processo penal.

Artigo 2.º

Âmbito

1 — A mediação em processo penal pode ter lugar em processo por crime cujo procedimento dependa de queixa ou de acusação particular.

2 — A mediação em processo penal só pode ter lugar em processo por crime que dependa apenas de queixa quando se trate de crime contra as pessoas ou de crime contra o património.

628

Artigo 262.º

3 — Independentemente da natureza do crime, a mediação em processo penal não pode ter lugar nos seguintes casos:

a) O tipo legal de crime preveja pena de prisão superior a 5 anos;
b) Se trate de processo por crime contra a liberdade ou autodeterminação sexual;
c) Se trate de processo por crime de peculato, corrupção ou tráfico de influência;
d) O ofendido seja menor de 16 anos;
e) Seja aplicável processo sumário ou sumaríssimo.

4 — Nos casos em que o ofendido não possua o discernimento para entender o alcance e o significado do exercício do direito de queixa ou tenha morrido sem ter renunciado à queixa, a mediação pode ter lugar com intervenção do queixoso em lugar do ofendido.

5 — Nos casos referidos no número anterior, as referências efectuadas na presente lei ao ofendido devem ter-se por efectuadas ao queixoso.

Artigo 3.º
Remessa do processo para mediação

1 — Para os efeitos previstos no artigo anterior, o Ministério Público, em qualquer momento do inquérito, se tiverem sido recolhidos indícios de se ter verificado crime e de que o arguido foi o seu agente, e se entender que desse modo se pode responder adequadamente às exigências de prevenção que no caso se façam sentir, designa um mediador das listas previstas no art. 11.º e remete-lhe a informação que considere essencial sobre o arguido e o ofendido e uma descrição sumária do objecto do processo.

2 — Se o ofendido e o arguido requererem a mediação, nos casos em que esta é admitida ao abrigo da presente lei, o Ministério Público designa um mediador nos termos do número anterior, independentemente da verificação dos requisitos aí previstos.

3 — Nos casos previstos nos números anteriores, o arguido e o ofendido são notifficados de que o processo foi remetido para mediação, de acordo com modelo aprovado por portaria do Ministro da Justiça.

4 — Quando razões excepcionais o justifiquem, nomeadamente em função da inserção comunitária ou ambiente cultural do arguido e ofendido, o mediador pode transferir o processo para outro mediador que repute mais indicado para a condução da mediação, disso dando conhecimento, fundamentalmente, por meios electrónicos, ao Ministério Público e ao organismo referido no artigo 13.º

5 — O mediador contacta o arguido e o ofendido para obter os seus consentimentos livres e esclarecidos quanto à participação na mediação, informando-os dos seus direitos e deveres e da natureza, finalidade e regras aplicáveis ao processo de mediação, e verifica se aqueles reúnem condições para participar no processo de mediação.

6 — Caso não obtenha consentimento ou verifique que o arguido ou o ofendido não reúne condições para a participação na mediação, o

Código de Processo Penal

mediador informa disso o Ministério Público, prosseguindo o processo penal.

7 — Se o mediador obtiver os consentimentos livres e esclarecidos do arguido e do ofendido para a participação na mediação, estes assinam um termo de consentimento, que contém as regras a que obdece a mediação, e é iniciado o processo de mediação.

Artigo 4.º

Processo de mediação

1 — A mediação é um processo informal e flexível, conduzido por um terceiro imparcial, o mediador, que promove a aproximação entre o arguido e o ofendido e os apoia na tentativa de encontrar activamente um acordo que permita a reparação dos danos causados pelo facto ilícito e contribua para a restauração da paz social.

2 — O arguido e o ofendido podem, em qualquer momento, revogar o seu consentimento para a participação na mediação.

3 — Quando se revista de utilidade para a boa resolução do conflito podem ser chamados a intervir na mediação outros interessados, nomeadamente eventuais responsáveis civis e lesados.

4 — O disposto no n.º 2 é aplicável, com as necessárias adaptações, à participação na mediação de eventuais responsáveis civis e lesados.

5 — O teor das secções de mediação é confidencial não podendo ser valorado como prova em processo judicial.

Artigo 5.º

Tramitação subsequente

1 — Não resultando da mediação acordo entre arguido e ofendido ou não estando o processo de mediação concluído no prazo de três meses sobre a remessa do processo para mediação, o mediador informa disso o Ministério Público, prosseguindo o processo penal.

2 — O mediador pode solicitar ao Ministério Público uma prorrogação, até um máximo de dois meses, do prazo previsto no número anterior, desde que se verifique uma forte probabilidade de se alcançar um acordo.

3 — Resultando de mediação acordo, o seu teor é reduzido a escrito, em documento assinado pelo arguido e pelo ofendido, e transmitido pelo mediador ao Ministério Público.

4 — No caso previsto no número anterior, a assinatura do acordo equivale a desistência da queixa por parte do ofendido e à não oposição por parte do arguido, podendo o ofendido, caso o acordo não seja cumprido no prazo fixado, renovar a queixa no prazo de um mês, sendo reaberto o inquérito.

5 — Para os efeitos previstos no número anterior, o Ministério Público verifica se o acordo respeita o disposto no artigo 6.º e, em caso afirmativo, homologa a desistência de queixa no prazo de cinco dias, devendo a secretaria notificar imediatamente a homologação ao mediador, ao arguido e ao ofendido.

Artigo 262.º

6 — Havendo indicação de endereço electrónico ou de número de fax ou telefone, a notifficação referida no número anterior é efectuada por uma dessas vias.

7 — Os processos em que tenha havido mediação e em que desta tenha resultado acordo são tramitados como urgentes desde a recepção do acordo pelo Ministério Público até ao termo dos trâmites a que se referem os n.ᵒˢ 5 e 6.

8 — Quando o Ministério Público verifique que o acordo não respeita o disposto no artigo 6.º, devolve o processo ao mediador, para que este, no prazo de 30 dias, juntamente com o ofendido e o arguido, sane a ilegalidade.

Artigo 6.º
Acordo

1 — O conteúdo do acordo é livremente fixado pelos sujeitos processuais participantes, sem prejuízo do disposto no número seguinte.

2 — No acordo não podem incluir-se sanções privativas da liberdade ou deveres que ofendam a dignidade do arguido ou cujo cumprimento se deva prolongar por mais des seis meses.

3 — Havendo renovação de queixa nos termos do n.º 4 do artigo 5.º, o Ministério Público verifica o incumprimento do acordo, podendo, para esse fim, recorrer aos serviços de reinserção social, a órgãos de polícia criminal e a outras entidades administrativas.

Artigo 7.º
Suspensão de prazos

1 — A remessa do processo para mediação determina a suspensão do prazo previsto no n.º 1 do artigo 283.º do Código de Processo Penal e dos prazos de duração máxima do inquérito previstos no artigo 276.º do Código de Processo Penal.

2 — Os prazos de prescrição do procedimento criminal suspendem--se desde a remessa do processo para mediação até à sua devolução pelo mediador ao Ministério Público ou, tendo resultado da mediação acordo, até à data fixada para seu cumprimento.

Artigo 8.º
Presença de Advogado nas sessões de mediação

Nas sessões de mediação, o arguido e o ofendido devem comparecer pessoalmente, podendo fazer-se acompanhar de advogado ou de advogado estagiário.

Artigo 9.º
Custas

Pelo processo de mediação não há lugar ao pagamento de custas, aplicando-se no demais o disposto no livro XI do Código de Processo Penal e no Código das Custas Judiciais.

Código de Processo Penal

Artigo 10.º
Exercício da actividade do mediador penal

1 — No desempenho das suas funções, o mediador penal deve observar os deveres de imparcialidade, independência, confidencialidade e diligência.

2 — O mediador penal que, por razões legais, éticas ou deontológicas, não tenha ou deixe de ter assegurada a sua independência, imparcialidade e isenção deve recusar ou interromper o processo de mediação e informar disso o Ministério Público, que procede à sua substituição de acordo com o previsto no n.º 1 do artigo 3.º.

3 — O mediador penal tem o dever de guardar segredo profissional em relação ao teor das sessões de mediação.

4 — O mediador penal fica vinculado ao segredo de justiça em relação à informação processual de que tiver conhecimento em virtude de participação no processo de mediação.

5 — Não é permitido ao mediador penal intervir, por qualquer forma, nomeadamente como testemunha, em quaisquer procedimentos subsequentes à medição, como processo judicial ou o acompanhamento psicoterapêutico, quer se tenha aí obtido ou não um acordo e ainda que tais procedimentos estejam apenas indirectamente relacionados com a mediação realizada.

6 — A fiscalização da actividade dos mediadores penais cabe à comissão prevista no n.º 6 do art. 33.º da Lei n.º 78/2001, de 13 de Julho.

Artigo 11.º
Listas de mediadores penais

1 — São organizadas, no quadro dos serviços de mediação dos julgados de paz, lista contendo os nomes das pessoas habilitadas a exercer as funções de mediador penal, o respectivo domicílio profissional, endereço de correio electrónico e contacto telefónico.

2 — Cabe ao Ministério da Justiça:
 a) Desenvolver os procedimentos conducentes à inscrição dos mediadores nas listas;
 b) Assegurar a manutenção e actualização das listas, bem como a sua disponibilização aos serviços do Ministério Público;
 c) Criar um sistema que garanta a designação sequencial dos mediadores pelo Ministério Público, sem prejuízo do disposto no n.º 4 do artigo 3.º;
 d) Disponibilizar as listas de mediadores penais na página oficial do Ministério da Justiça.

3 — A inscrição nas listas não investe o mediador penal na qualidade de agente nem garante o pagamento de qualquer remuneração fixa por parte do Estado.

Artigo 12.º

Pessoas habilitadas a exercer as funções de mediador penal

1 — As listas de mediadores penais são preenchidas mediante um procedimento de selecção, podendo candidatar-se quem satisfazer os seguintes requisitos:

a) Ter mais de 25 anos de idade;
b) Estar no pleno gozo dos seus direitos civis e políticos;
c) Ter licenciatura ou experiência profissional adequadas;
d) Estar habilitado com um curso de mediação penal reconhecido pelo Ministério da Justiça;
e) Ser pessoa idónea para o exercício da actividade de mediador penal;
f) Ter o domínio da língua portuguesa.

2 — Entre outras circunstâncias, é indicador de falta de idoneidade para inscrição nas listas oficiais o facto de o requerente ter sido condenado por sentença transitada em julgado pela prática de crime doloso.

3 — Os critérios de graduação e os termos do procedimento de selecção são aprovados por portaria do Ministro da Justiça.

Artigo 13.º

Remuneração do mediador penal

A remuneração pela prestação de serviços de mediador penal consta de tabela fixada por despacho do Ministro da Justiça sendo suportada por verbas inscritas no orçamento do organismo do Ministério da Justiça ao qual incumbe promover os meios de resolução alternativa de litígios.

Artigo 14.º

Período experimental

1 — A partir da entrada em vigor da presente lei e por um período de dois anos, a mediação penal funciona a título experimental nas circunscrições a designar por portaria do Ministério da Justiça, a qual define igualmente os demais termos da prestação do serviço de mediação penal nessas circunscrições.

2 — Durante o período experimental, o Ministério da Justiça adopta as medidas adequadas à monitorização e avaliação da mediação em processo penal.

3 — Decorrido o período experimental previsto no n.º 1, a extensão da mediação penal a outras circunscrições depende de portaria do Ministro da Justiça.

Artigo 15.º

Aplicação no tempo

A presente lei aplica-se aos processos penais iniciados após a sua entrada em vigor.

Código de Processo Penal

Artigo 16.º
Entrada em vigor

A presente lei entra em vigor no 30.º dia após a sua publicação.

8. As polícias, dentro da sua actividade preventiva conforme as suas leis estatutárias e sempre dentro do princípio da legalidade e da necessidade, podem tomar medidas preventivas quanto ao cometimento de crimes, com imediata comunicação ao MP e dever de documentação.

Os poderes das polícias, nomeadamente da PJ, em matéria de actividade de prevenção criminal anteriormente à abertura de inquérito não se encontram bem definidos, quer pela doutrina quer pela jurisprudência. Parece, porém, inequívoco que não colidem com normativos constitucionais, desde que se acantonem dentro dos princípios da legalidade e da necessidade e que respeitem os direitos, liberdades e garantias das pessoas.

Sobre este ponto se debruçou o ac. do Trib. Constitucional n.º 334/94, de 20 de Abril; *BMJ*, 436, 96, sumariado *infra*).

9. *Jurisprudência:*

— I — Não implica violação da CRP o cometimento à Polícia Judiciária, em sede de combate à corrupção e criminalidade económica e financeira, de acções entendidas como tendo natureza exclusivamente preventiva, já que aquela Polícia, logo que no seu decurso tenha notícia de um crime, é obrigada a fazer a imediata comunicação e denúncia ao MP. II — Na verdade, tais acções da PJ têm de ser justificadas tendo necessariamente em conta o princípio da legalidade da actividade preventiva das polícias, da necessidade das medidas de polícia e do respeito pelos direitos, liberdades e garantias dos cidadãos, sendo sujeitas ainda ao dever de documentação e de informação ao Procurador-Geral da República. (Ac. do Trib. Constitucional n.º 334/94, de 20 de Abril; *BMJ*, 436, 96);

— I — As conversas informais, mormente do arguido, não podem ser valorizadas em sede probatória. II — Tais conversas, a propósito dos factos em averiguação, estão sujeitas ao princípio da legalidade, ínsito no art. 2.º do CPP e proveniente do art. 262.º e 267.º do CPP. Por isso as ditas conversas informais só podem ter valor probatório se transpostas para o processo em forma de auto e com respeito pelas regras legais da recolha de prova. (Ac. STJ de 3 de Outubro de 2002, proc. n.º 2804/02-5.ª; *SASTJ*, n.º 64, 101);

— Em inquérito, a inquirição de testemunhas indicadas pelo arguido não tem que lhe ser comunicada, com notificação da respectiva data, por forma a que ele possa comparecer e sugerir perguntas sobre os factos. A natureza predominantemente inquisitória dessa fase processual tutelada pelo segredo de justiça a tanto obsta. (Ac. RC de 17 de Março de 2004; *CJ*, XXIX, tomo 2, 43);

— Não são inconstitucionais os arts. 120.º, n.º 1, alínea *d)*; 17.º; 262.º e 263.º do CPP, na interpretação segundo a qual o MP é livre, salvaguardados os actos de prática obrigatória e as exigências decorrentes do princípio da legalidade, de levar a cabo ou de promover as diligências que entender necessárias com vista a fundamentar uma decisão de acusar ou de arquivar o inquérito, e não determina a nulidade do inquérito por insuficiência a omissão

Artigo 263.º

de diligências de investigação não impostas por lei. (Ac. do Trib. Constitucional n.º 395/2004, de 2 de Junho, proc. n.º 916/2003; *DR*, II série, de 9 de Outubro de 2004).

ARTIGO 263.º
(Direcção do inquérito)

1. A direcção do inquérito cabe ao Ministério Público, assistido pelos órgãos de polícia criminal.

2. Para efeito do disposto no número anterior, os órgãos de polícia criminal actuam sob a directa orientação do Ministério Público e na sua dependência funcional.

---

1. Reproduz o art. 263.º do Proj. e corresponde aos arts. 261.º do Aproj. e 1.º, n.º 1, do Dec.-Lei n.º 605/75, de 3 de Novembro. Não havia disposições correspondentes no CPP de 1929, nem tão-pouco no Dec.-Lei n.º 35 007, de 13 de Outubro de 1945.

A representação do MP em processos criminais é ainda regida pelo art. 68.º do Estatuto do Ministério Público-Lei n.º 60/98, de 28 de Agosto, do seguinte teor:

1 — Nos processos criminais, e sem prejuízo do disposto nos artigos 47.º, n.º 3, alínea b), e 73.º, n.º 1 alínea c), o Procurador-Geral da República pode nomear qualquer magistrado do Ministério Público para coadjuvar ou substituir outro magistrado a quem o processo esteja destribuído sempre que razões ponderosas de complexidade processual ou de repercussão social o justifiquem.

2 — O procurador -geral distrital pode determinar, fundado em razões processuais, que intervenha nas fases subsequentes do processo o magistrado do Ministério Público que dirigiu o inquérito.

2. A direcção do inquérito compete ao Ministério Público, que a exerce através do Departamento Central de Investigação e Acção Penal ou dos departamentos de investigação e acção penal, conforme se estabelece na Lei n.º 21/ /2000, de 10 de Agosto, e no Estatuto do Ministério Público após as alterações introduzidas pela Lei n.º 60/98, de 27 de Agosto, Secção VI do Capítulo II e Capítulo VII, do seguinte teor:

SECÇÃO VI
DEPARTAMENTO CENTRAL DE INVESTIGAÇÃO E ACÇÃO PENAL

ARTIGO 46.º
Definição e composição

1 — O Departamento Central de Investigação e Acção Penal é um órgão de coordenação e de direcção da investigação e de prevenção da criminalidade violenta, altamente organizada ou de especial complexidade.

2 — O Departamento Central de Investigação e Acção Penal é constituído por um procurador-geral-adjunto, que dirige, e por procuradores da República

Código de Processo Penal

em número constante de quadro aprovado por portaria do Ministro da Justiça, ouvido o Conselho Superior do Ministério Público.

ARTIGO 47.º
Competência

1 — Compete ao Departamento Central de Investigação e Acção Penal coordenar a direcção da investigação dos seguintes crimes:

a) Contra a paz e a humanidade;
b) Organização terrorista e terrorismo;
c) Contra a segurança do Estado, com excepção dos crimes eleitorais;
d) Tráfico de estupefacientes, substâncias psicotrópicas e precursores, salvo tratando-se de situações de distribuição directa ao consumidor, e associação criminosa para o tráfico;
e) Branqueamento de capitais;
f) Corrupção, peculato e participação económica em negócio;
g) Insolvência dolosa;
h) Administração danosa em unidade económica do sector público;
i) Fraude na obtenção ou desvio de subsídio, subvenção ou crédito;
j) Infracções económico-financeiras cometidas de forma organizada, nomeadamente com recurso à tecnologia informática;
l) Infracções económico-financeiras de dimensão internacional ou trans-nacional.

2 — O exercício das funções de coordenação do Departamento Central de Investigação e Acção Penal compreende:

a) O exame e a execução de formas de articulação com outros depar-tamentos e serviços, nomeadamente de polícia criminal, com vista ao reforço da simplificação, racionalidade e eficácia dos procedimentos;
b) Em colaboração com os departamentos de investigação e acção penal das sedes dos distritos judiciais, a elaboração de estudos sobre a natureza, o volume e as tendências de evolução da criminalidade e os resultados obtidos na prevenção, na detecção e no controlo.

3 — Compete ao Departamento Central de Investigação e Acção Penal dirigir o inquérito e exercer a acção penal:

a) Relativamente aos crimes indicados no n.º 1, quando a actividade criminosa ocorrer em comarcas pertencentes a diferentes distritos judiciais;
b) Precedendo despacho do Procurador-Geral da República, quando, relativamente a crimes de manifesta gravidade, a especial complexidade ou dispersão territorial da actividade criminosa justificarem a direcção concentrada da investigação.

4 — Compete ao Departamento Central de Investigação e Acção Penal realizar as acções de prevenção previstas na lei relativamente aos seguintes crimes:

636

Artigo 263.º

---

a) Branqueamento de capitais;
b) Corrupção, peculato e participação económica em negócio;
c) Administração danosa em unidade económica do sector público;
d) Fraude na obtenção ou desvio de subsídio, subvenção ou crédito;
e) Infracções económico-financeiras cometidas de forma organizada, com recurso à tecnologia informática;
f) Infracções económico-financeiras de dimensão internacional ou transnacional.
....

CAPÍTULO VII
DEPARTAMENTOS DE INVESTIGAÇÃO E ACÇÃO PENAL

ARTIGO 70.º
Sede de distrito judicial

Na comarca sede de cada distrito judicial existe um departamento de investigação e acção penal.

ARTIGO 71.º
Comarcas

1 — Podem ser criados departamentos de investigação e acção penal em comarcas de elevado volume processual.

2 — Para efeitos do disposto no número anterior, consideram-se de elevado volume processual as comarcas que registem entradas superiores a 5000 inquéritos, anualmente e em, pelo menos, três dos últimos cinco anos judiciais.

3 — Os departamentos de investigação e acção penal das comarcas são criados por portaria do Ministro da Justiça, ouvido o Conselho Superior do Ministério Público.

ARTIGO 72.º
Estrutura

1 — Os departamentos de investigação e acção penal podem estruturar-se por secções, em função da natureza e frequência dos crimes.

2 — Os departamentos de investigação e acção penal nas comarcas sede dos distritos judiciais são dirigidos por procuradores-gerais-adjuntos ou por procuradores da República.

3 — Os departamentos de investigação e acção penal das comarcas são dirigidos por procuradores da República.

4 — Quando os departamentos de investigação e acção penal se organizarem por secções, estas são dirigidas por procuradores da República.

5 — Sem prejuízo do disposto nos números anteriores, nos departamentos de investigação e acção penal exercem funções procuradores da República e procuradores-adjuntos, em número constante de portaria do Ministério da Justiça, sob proposta do Conselho Superior do Ministério Público.

Código de Processo Penal

ARTIGO 73.º

Competência

1 — Compete aos departamentos de investigação e acção penal nas comarcas sede de distrito judicial:

a) Dirigir o inquérito e exercer a acção penal por crimes cometidos na área da comarca;

b) Dirigir o inquérito e exercer a acção penal relativamente aos crimes indicados no n.º 1 do artigo 47.º, quando a actividade criminosa ocorrer em comarcas pertencentes a diferentes círculos do mesmo distrito judicial;

c) Precedendo despacho do procurador-geral distrital, dirigir o inquérito e exercer a acção penal quando, relativamente a crimes de manifesta gravidade, a complexidade ou dispersão territorial da actividade criminosa justificarem a direcção concentrada da investigação.

2 — Compete aos departamentos de investigação e acção penal das comarcas referidas no artigo 71.º dirigir o inquérito e exercer a acção penal relativamente a crimes cometidos na área da comarca.

3. Sobre a forma como o MP deve dirigir o inquérito e exercer a acção penal após as alterações introduzidas no CPP pela Lei n.º 48/2007, de 29 de Agosto, incide a Directiva da PGR de 9 de Janeiro de 2008, cujo texto é o seguinte:

As alterações introduzidas no Código de Processo Penal pela Lei n.º 48/ /2007, de 29 de Agosto, consubstanciam mudanças significativas na concepção de diversos institutos fundamentais do nosso sistema processual penal, desde logo pela inversão do paradigma, tradicional entre nós, de sujeição a segredo de justiça dos processos em fase de investigação.

Tais alterações justificam, pelas implicações na forma como o Ministério público deverá dirigir o inquérito e exercer a acção penal, a adopção de orientações adequadas a garantir uma actuação uniforme desta magistratura, tendo em conta o seu carácter unitário e hierarquizado.

No curto período de tempo de efectiva aplicação da lei, foram identificadas algums questões relativamente às quais se mostra, desde já, aconselhável uma uniformização de procedimentos.

Nestes termos, considerando que:

Por força do art. 86.º, n.º 1, do CPP, o processo penal é, sob pena de nulidade, público, ressalvadas as excepções previstas na lei;

O regime regra da publicidade do processo poderá acarretar dificuldades de investigação da criminalidade mais grave e complexa;

O cumprimento das obrigações de comunicação previstas pelos n.os 4 e 5 do art. 276.º do Código de Processo Penal deverá ter em consideração o adiamento da possibilidade de acesso aos autos pelos sujeitos processuais, nos termos do n.º 6 do art. 89.º do Código de Processo Penal;

Não existe regulamentação específica do prazo de conservação dos suportes técnicos das comunicações ou conversações telefónicas interceptadas e gravadas no âmbito dos inquéritos objecto de despacho final de arquivamento, nos quais tal modo de obtenção de prova tenha sido utilizado, ao abrigo do disposto no

Artigo 263.º

art. 12.º, n.º 2, al. *b)*, da Lei n.º 47/86, de 15 de Outubro, na redacção da Lei n.º 60/98, de 27 de Agosto, determino o seguinte:

1 — *Sujeição a segredo de justiça dos inquéritos relativos a criminalidade grave*
Sempre que a investigação tenha por objecto os crimes previstos no art. 1.º, alíneas *i)* a *m)*, do Código de Processo Penal, na Lei n.º 36/94, de 29 de Setembro, e na Lei n.º 5/2002, de 11 de Janeiro, o Ministério Público determinará, no início do inquérito, a sujeição do mesmo a segredo de justiça, nos termos do art. 86.º, n.º 3, do Código de Proceso Penal;

2 — *Comunicações a efectuar nos termos dos n.ºs 4 e 5 do art. 276.º do CPP*
Nos inquéritos sujeitos a segredo de justiça, nos quais tenha sido concebido o adiamento do acesso aos autos, as comunicações referidas nos n.ºs 4 e 5 do art. 276.º do CPP serão efectuadas depois de findo o prazo judicialmente fixado nos termos do n.º 6 do art. 89.º do mesmo diploma;

3 — *Conservação dos suportes técnicos das conversações ou comunicações telefónicas*
O suportes técnicos das conversações ou comunicações telefónicas gravadas no âmbito de inquéritos objecto de despacho final de arquivamento são conservados, pelo prazo correspondente ao prazo de prescrição do procedimento criminal, sempre que se afigure judicialmente possível a reabertura do inquérito, sem prejuízo do disposto sobre a eliminação de processos, pela Portaria n.º 1003/99, de 10 de Novembro.
Circule-se pelos Senhores Procuradores Gerais distritais e pela Senhora Directora do Departamento Central de Investigação e Acção Penal.
Lisboa, 9 de Janeiro de 2008
O Procurador-Geral da República.

4. Em nosso entendimento apesar de o MP ser o *dominus* do inquérito, a direcção que lhe é conferida por este artigo e pelo art. 53.º não exige a direcção real e efectiva, bastando uma direcção funcional. Por isso são válidos os actos de inquérito efectuados pelas Polícias ao abrigo do despacho do procurador-geral da República de 21 de Dezembro de 1987. Veja-se este despacho e, no sentido que sustentamos, o ac. RL de 4 de Maio de 1990; *CJ*, XV, tomo 3, 158.

Ver anots. ao art. 262.º.

Como aí expendemos, está ultrapassada a possibilidade de considerar o inquérito inconstitucional, por violação do art. 32.º, n.º 4, da CRP, sucedendo até que o ac. do Tribunal Constitucional de 9 de Janeiro de 1987, já várias vezes referido, não se pronunciou pela inconstitucionalidade deste art. 263.º. Cremos, por isso, infundadas as críticas dirigidas quer ao artigo quer ao ac. do Tribunal Constitucional por Costa Pimenta, *Código de Processo Penal Anotado*, anot. ao art. 263.º.

Posteriormente ao referido acórdão de 9 de Janeiro de 1987, o Tribunal Constitucional voltou a abordar, e mais detalhadamente, a propósito deste artigo, a conformidade do inquérito com os ditames da CRP. Salientamos o ac. de 31 de Janeiro de 1990; *BMJ*, 393, 181 e segs., cujas conclusões IV e V são do seguinte teor: IV — A norma do art. 263.º, n.º 1, do CPP, que atribui ao MP a direcção do inquérito, não colide com o n.º 4 do art. 32.º da CRP; mantém-se incólume o preceito constitucional e o regime por ele moldado e, do mesmo passo, concilia-se a norma nele

Código de Processo Penal

contida com outros valores tutelados ao mesmo nível — o direito à segurança (n.º 1 do art. 27.º), envolvendo componentes de segurança jurídica e de certeza quanto ao exercício dos direitos, o respeito pelos direitos e liberdades dos terceiros expresso na Declaração Universal dos Direitos do Homem (n.º 2 do art. 29.º), as exigências de ordem pública são exemplos de referentes jurídico-constitucionais a exigir a observância da adequação e da proporcionalidade. V — O aludido art. 263.º, n.º 1, do CPP não viola a estrutura acusatória do processo criminal consagrada no art. 32.º, n.º 5, da CRP, pois o que esta estrutura exige é a diferenciação entre o órgão que investiga e (ou) acusa e o órgão que julga.

5. *Jurisprudência:*
— São válidos e não geradores de nulidade os actos de instrução dos processos crimes efectuados pelas Polícias ao abrigo do Despacho do procurador-geral da República de 21 de Dezembro de 1987, por o conceito de direcção da instrução conferida ao MP pelos arts. 53.º e 263.º do CPP não exigir a direcção real e efectiva, e se contentar com uma direcção funcional da mesma. (Ac. RL de 4 de Maio de 1990; *CJ*, XV, tomo 3, 158);
— Em sede de inquérito, a reparação oficiosa de irregularidades processuais, como actividade preventiva, compete unicamente ao MP. (Ac. RC de 7 de Fevereiro de 1996; *CJ*, XXI, tomo 1, 51). *Nota* — Ver art. 118.º, anots. 6 e 7;
— Não são inconstitucionais as normas constantes dos arts. 263.º, n.º 1 e 264.º, n.º 1, do CPP, interpretadas no sentido de atribuírem competência ao Ministério Público para dirigir e realizar o inquérito e deduzir acusação, naqueles casos em que os ofendidos são o próprio Ministério Público, o seu órgão superior ou a pessoa do seu presidente, em confronto com os princípios do Estado de direito, da legalidade e da imparcialidade (arts. 2.º e 219.º da Constituição da República Portuguesa), com o direito a um processo equitativo (art. 20.º, n.º 4 da Constituição da República Portuguesa) e com o princípio segundo o qual o processo penal deve assegurar todas as garantias de defesa (art. 32.º, n.º 1, da Constituição da República Portuguesa. (Ac. do Trib. Constitucional n.º 581//2000, proc. n.º 1083/98, de 20 de Dezembro de 2000; *DR*, II série, de 22 de Março de 2001);
— Não é inconstitucional a interpretação do art. 263.º do CPP no sentido de o MP poder praticar os actos que entender durante o inquérito, com ressalva dos actos de prática obrigatória. (Ac. do Tribunal Constitucional n.º 395/2004; *DR*, II série, de 9 de Outubro de 2004).

ARTIGO 264.º

(Competência)

1. É competente para a realização do inquérito o Ministério Público que exercer funções no local em que o crime tiver sido cometido.

2. Enquanto não for conhecido o local em que o crime foi cometido, a competência pertence ao Ministério Público que exercer funções no local em que primeiro tiver havido notícia do crime.

Artigo 265.º

3. Se o crime for cometido no estrangeiro, é competente o Ministério Público que exercer funções junto do tribunal competente para o julgamento.

4. Independentemente do disposto nos números anteriores, qualquer magistrado ou agente do Ministério Público procede, em caso de urgência ou de perigo na demora, a actos de inquérito, nomeadamente de detenção, de interrogatório e, em geral, de aquisição e conservação de meios de prova.

5. É correspondentemente aplicável o disposto nos artigos 24.º a 30.º.

1. Os n.ºs 1 a 4 reproduzem o art. 264.º do Proj. e correspondem ao art. 263.º do Aproj. Não havia disposições expressas correspondentes no CPP de 1929, nem tão-pouco nos Decs.-Leis n.ºs 35 007, de 13 de Outubro de 1945 e 605/75, de 3 de Novembro. O n.º 5, foi introduzido pela Lei n.º 59/98, de 25 de Agosto.

2. O disposto neste artigo representa afloramento das regras gerais sobre competência para o julgamento, aplicadas ao inquérito com as adaptações decorrentes da natureza desta fase, da imprecisão que os factos nesta fase frequentemente apresentam, e ainda da urgência na realização de diligências cuja utilidade se pode perder.
O n.º 5, como se apontou *supra,* anot. 1, foi introduzido pela Lei aí mencionada, assim ficando clarificado que as normas gerais sobre competência por conexão se aplicam, *mutatis mutandis,* durante o inquérito.

ARTIGO 265.º
(Inquérito contra magistrado)

1. Se for objecto da notícia do crime magistrado judicial ou do Ministério Público, é designado para a realização do inquérito magistrado de categoria igual ou superior à do visado.
2. Se for objecto da notícia do crime o procurador-geral da República, a competência para o inquérito pertence a um juiz do Supremo Tribunal de Justiça, designado por sorteio, que fica impedido de intervir nos subsequentes actos do processo.

1. A redacção deste artigo foi introduzida na fase final dos trabalhos de elaboração do Código, já posteriormente à Lei n.º 43/86, o que foi devido a ter-se decidido manter no CPP a algumas formalidades específicas dos processos contra magistrados. Correspondiam-lhe os arts. 595.º e 609.º do CPP de 1929.

Código de Processo Penal

2. A designação referida no n.º 1 é feita por via administrativa. Porém, normalmente não haverá lugar a qualquer designação, porque em regra o magistrado visado pela notícia do crime não terá categoria superior à do magistrado competente para a realização do inquérito. Embora a redacção do artigo não seja explícita, cremos que só neste caso de o magistrado visado ter categoria superior à do que é normalmente competente para o inquérito se deve proceder à designação de outro magistrado; é isso que, na senda do direito anterior, está no pensamento legislativo, e não se vê razão plausível para que seja de outro modo.

No caso do n.º 2 a designação é feita por sorteio, a efectuar pelo presidente do STJ.

Só neste caso, de inquérito contra o procurador-geral da República é que a direcção do inquérito pertence a magistrado judicial; em todos os demais segue-se a regra geral, de o inquérito ser efectuado pelo MP. Compreende-se o desvio, porque dentro do MP não há magistrado de categoria igual ou superior à do visado.

ARTIGO 266.º

(Transmissão dos autos)

1. Se, no decurso do inquérito, se apurar que a competência pertence a diferente magistrado ou agente do Ministério Público, os autos são transmitidos ao magistrado ou agente do Ministério Público competente.

2. Os actos de inquérito realizados antes da transmissão só são repetidos se não puderem ser aproveitados.

3. Em caso de conflito sobre a competência, decide o superior hierárquico que imediatamente superintende nos magistrados ou agentes em conflito.

---

1. Reproduz o art. 266.º do Proj. Não havia disposições correspondentes no CPP de 1929.

2. De notar a forma extremamente expedita de, pela via administrativa, o superior hierárquico imediato dos magistrados do MP em oposição decidir o conflito. A decisão, obviamente, pertence a superior hierárquico de ambos os magistrados em conflito; se estes tiverem categoria diferente, deverá o magistrado do MP que decide ter categoria que seja superior à de ambos os magistrados em oposição.

A decisão pode ser proferida no próprio processo ou em expediente separado, e deve sê-lo mediante despachos dos magistrados em oposição, em que estes exponham as suas razões.

O conflito pode ser positivo ou negativo.

Em qualquer caso, devem sempre ser praticados os actos urgentes, sendo a este respeito aplicável, por analogia e paridade de razões, o art. 35.º, n.º 3.

642

Artigo 268.º

CAPÍTULO II
DOS ACTOS DE INQUÉRITO

ARTIGO 267.º
(Actos do Ministério Público)

O Ministério Público pratica os actos e assegura os meios de prova necessários à realização das finalidades referidas no artigo 262.º, n.º 1, nos termos e com as restrições constantes dos artigos seguintes.

---

1. Reproduz o art. 267.º do Proj. e corresponde aos arts. 260.º e 261.º do Aproj. e 1.º do Dec.-Lei n.º 605/75, de 3 de Novembro, que vigorava à data da entrada em vigor deste Código.

2. Vejam-se as anots. ao art. 262.º, quanto a restrições a actos a praticar pelo MP durante o inquérito, e os artigos seguintes e respectivas anots. Nestes artigos se faz a distinção entre actos que, durante o inquérito, têm que ser praticados pelo juiz de instrução (art. 268.º) e actos que, na mesma fase, têm que ser ordenados ou autorizados pelo juiz de instrução (art. 269.º); isto para além de actos que, podendo ser praticados pelo MP podem também ser delegados nas autoridades de polícia criminal (art. 270.º).

ARTIGO 268.º
(Actos a praticar pelo juiz de instrução)

1. Durante o inquérito compete exclusivamente ao juiz de instrução:
   a) Proceder ao primeiro interrogatório judicial de arguido detido;
   b) Proceder à aplicação de uma medida de coacção ou de garantia patrimonial, à excepção da prevista no artigo 196.º, a qual pode ser aplicada pelo Ministério Público;
   c) Proceder a buscas e apreensões em escritório de advogado, consultório médico ou estabelecimento bancário, nos termos dos artigos 177.º, n.º 3; 180.º, n.º 1, e 181.º;
   d) Tomar conhecimento, em primeiro lugar, do conteúdo da correspondência apreendida, nos termos do artigo 179.º, n.º 3;
   e) Declarar a perda, a favor do Estado, de bens apreendidos, quando o Ministério Público proceder ao arquivamento do inquérito nos termos dos artigos 277.º, 280.º e 282.º;
   f) Praticar quaisquer outros actos que a lei expressamente reservar ao juiz de instrução.

643

Código de Processo Penal

2. O juiz pratica os actos referidos no número anterior a requerimento do Ministério Público, da autoridade de polícia criminal em caso de urgência ou de perigo na demora, do arguido ou do assistente.

3. O requerimento, quando proveniente do Ministério Público ou de autoridade de polícia criminal, não está sujeito a quaisquer formalidades.

4. Nos casos referidos nos números anteriores, o juiz decide, no prazo máximo de vinte e quatro horas, com base na informação que, conjuntamente com o requerimento, lhe for prestada, dispensando a apresentação dos autos sempre que a não considerar imprescindível.

---

1. Com excepção do texto da al. *e)* do n.º 1, que é o que foi introduzido pela Lei n.º 59/98, de 25 de Agosto, reproduz, com ligeira alteração, o art. 268.º do Proj. e corresponde ao art. 266.º do Aproj. Não havia disposições correspondentes no CPP de 1929.

Na determinação do tribunal competente regem as disposições gerais deste Código e ainda as da Lei de Organização e Funcionamento dos Tribunais Judiciais (n.º 3/99, de 13 de Janeiro).

2. Sobre actos a praticar pelo juiz de instrução regem ainda os arts. 79.º e 80.º da LOFTJ, do seguinte teor:

Artigo 79.º

(Competência)

1 — Compete aos tribunais de instrução criminal proceder à instrução criminal, decidir quanto à pronúncia e exercer as funções jurisdicionais relativas ao inquérito.

2 — Quando o interesse ou a urgência da investigação o justifique, os juízes em exercício de funções de instrução criminal podem intervir, em processos que lhe estejam afectos, fora da sua área territorial de competência.

Artigo 80.º

(Casos especiais de competência)

1 — A competência a que se refere o n.º 1 do artigo anterior, quanto aos crimes enunciados no n.º 1 do abrigo 47.º da Lei n.º 60/98, de 27 de Agosto, cabe a um tribunal central de instrução criminal quando a actividade criminosa ocorrer em comarcas pertencentes a diferentes distritos judiciais.

2 — A competência dos tribunais de instrução criminal da sede dos distritos judiciais abrange a área do respectivo distrito relativamente aos crimes a que se refere o número anterior quando a actividade criminosa ocorrer em comarcas pertencentes a diferentes círculos judiciais.

3 — Nas comarcas em que o movimento processual o justifique e sejam criados departamentos de investigação e acção penal (DIAP) serão

Artigo 268.º

também criados tribunais instrução criminal com competência circunscrita à área da comarca ou comarcas abrangidas.

4 — A competência a que se refere o n.º 1 do artigo anterior, quanto aos crimes estritamento militares, cabe às secções de instrução criminal militar dos Tribunais de Instrução Criminal de Lisboa e do Porto, com jurisdição nas áreas indicadas no Código de Justiça Militar; à medida que o movimento processual o justifique, podem ser criadas idênticas secções noutros tribunais, com jurisdição numa ou mais áreas definidas no artigo 15.º.

5 — O disposto nos números anteriores não prejudica a competência do juiz de instrução da área onde os factos jurisdicionais, de carácter urgente, relativos ao inquérito, devam ser realizados.

2. Ver anots. ao art. 262.º.

Enumeram-se neste artigo os actos que, durante o inquérito, competem exclusivamente ao juiz de instrução. Estes actos terão, portanto, que ser realizados por esta entidade.

O texto actual da al. *e)* do n.º 1, que foi introduzido pela lei mencionada na anot. 1, veio expressar a orientação que já devia ser anteriormente seguida. Trata-se, evidentemente, de bens apreendidos que devam ser declarados perdidos a favor do Estado. Todos os restantes serão restituídos a quem de direito.

A enumeração feita neste artigo dos actos que durante o inquérito competem exclusivamente ao juiz de instrução não é taxativa. Outros actos da competência exclusiva do juiz, ainda que realizados durante o inquérito, se encontram dispersos pelo Código, tais como a admissão de assistente (art. 68.º, n.º 3); a condenação nos termos dos arts. 116.º, n.º 2, e 273.º, n.º 3; a recolha de declaração para memória futura, nos termos do art. 271.º e o arquivamento nos termos do art. 280.º, n.º 1.

A enumeração baseou-se nos arts. 205.º e 206.º da CRP, no direito anterior e na doutrina do Prof. Figueiredo Dias, *Para Uma Reforma Global,* 36-37.

3. O primeiro interrogatório judicial de arguido detido, referido no n.º 1, al. *a),* é aquele que é imposto pelo art. 141.º e aí pormenorizadamente regulado. Não confundir este interrogatório, que é judicial e deve ser feito no prazo de 48 horas após a detenção, com aquele que pode ser feito sumariamente pelo MP após a detenção, regulado no art. 143.º, nem com os interrogatórios subsequentes a arguido preso, regulados no art. 144.º, os quais são feitos pelo MP durante o inquérito.

4. *Jurisprudência:*

— Face ao disposto no n.º 1 do art. 268.º do CPP o juiz não pode impor medidas de coacção durante o inquérito, que não tenham sido previamente requeridas pelo MP. (Ac. RL de 7 de Março de 1990; *BMJ,* 395, 656);

— Na aplicação das medidas de coacção, o juiz não está limitado ou obrigado a aplicar apenas aquelas que tenham sido propostas pelo MP, por ser ele quem tem o poder de decidir sobre a respectiva aplicabilidade. (Ac. RL de 6 de Novembro de 1990; *CJ,* XV, tomo 5, 149);

— A competência exclusiva do juiz de instrução criminal, na fase do inquérito, para a apreensão de objectos depositados em estabelecimento bancário abrange também as instituições de crédito. (Ac. RP de 10 de Março de 1993; *CJ,* XVIII, tomo 2, 232);

Código de Processo Penal

— É ao juiz de instrução criminal do tribunal onde corre o inquérito que compete resolver todas as questões de natureza jurisdicional que aí se levantem, devendo decidir mesmo sobre os pedidos que impliquem a realização de diligências noutra comarca. (Ac. RP de 9 de Junho de 1993; *CJ*, XVIII, tomo 3, 255);

— Competindo ao MP dirigir o inquérito, a intervenção do juiz de instrução nesta fase processual está limitada, em conformidade com os arts. 267.º a 269.º do CPP, não lhe sendo permitido realizar diligências com vista a revogar medidas de coacção que haja determinado, as quais estão dependentes dos indícios existentes nos autos. (Ac. RP de 13 de Novembro de 1996; *BMJ*, 461, 524);

— O juiz de instrução, mesmo nos casos em que a lei lhe atribui competência para ordenar apreensões, não tem poderes para, na fase de inquérito, determinar o levantamento dos objectos apreendidos. (Ac. RL de 9 de Junho de 1998; *CJ*, XXIII, tomo 3, 153).

ARTIGO 269.º

(Actos a ordenar ou autorizar pelo juiz de instrução)

1. Durante o inquérito compete exclusivamente ao juiz de instrução ordenar ou autorizar:

a) A efectivação de perícias, nos termos do n.º 2 do artigo 154.º;

b) A efectivação de exames, nos termos do n.º 2 do artigo 172.º;

c) Buscas domiciliárias, nos termos e com os limites do artigo 177.º;

d) Apreensões de correspondência, nos termos do artigo 179.º, n.º 1;

e) Intercepção, gravação ou registo de conversações ou comunicações, nos termos dos artigos 187.º e 189.º;

f) A prática de quaisquer outros actos que a lei expressamente fizer depender de ordem ou autorização do juiz de instrução.

2. É correspondentemente aplicável o disposto nos n.ºs 2, 3 e 4 do artigo anterior.

---

1. Com excepção das alíneas *a)* e *b)* do n.º 1, que foram introduzidas pela Lei n.º 48/2007, de 29 de Agosto, reproduz o art. 269.º do Proj. porém com actualização da alínea *c)*, do n.º 1, efectuada pela Lei n.º 59/98, de 25 de Agosto. Não havia disposições correspondentes no CPP de 1929 mas, no regime do Dec.-Lei n.º 605/75, de 3 de Novembro, o art. 2.º, n.º 1, al. *a)* deste diploma enumerava diligências que, durante o inquérito preliminar, teriam que ser autorizadas pelo juiz de instrução.

2. Ver anots. ao art. 262.º.
Enumeram-se neste artigo as diligências que, durante o inquérito, embora realizadas pelo MP ou pelos órgãos de polícia criminal por sua delegação, terão que ser ordenadas ou autorizadas pelo juiz de instrução.

Artigo 270.º

A enumeração aqui feita foi estabelecida levando em conta os parâmetros da Lei n.º 43/86, de 26 de Setembro, art. 2.º, n.º 2.º als. 25) e 28) e ainda a especialidade das perícias nos termos do n.º 2 do art. 154.º e dos exames nos termos do n.º 2 do art. 172.º, realizados sem consentimento da pessoa e tendo em conta o direito à integridade pessoal e à reserva da intimidade.

3. A realização de qualquer das diligências aqui enumeradas sem ordem ou autorização do juiz de instrução acarreta nulidade das mesmas, como se estabelece nos arts. 177.º, n.º 1; 179.º, n.º 1 e 189.º.

Em anot. ao art. 179.º emitimos o nosso entendimento sobre o regime destas nulidades.

ARTIGO 270.º

(Actos que podem ser delegados pelo Ministério Público nos órgãos de polícia criminal)

1. O Ministério Público pode conferir a órgãos de polícia criminal o encargo de procederem a quaisquer diligências e investigações relativas ao inquérito.

2. Exceptuam-se do disposto no número anterior, além dos actos que são da competência exclusiva do juiz de instrução, nos termos dos artigos 268.º e 269.º, os actos seguintes:

a) Receber depoimentos ajuramentados, nos termos do artigo 138.º, n.º 3, segunda parte;

b) Ordenar a efectivação de perícia, nos termos do artigo 154.º;

c) Assistir a exame susceptível de ofender o pudor da pessoa, nos termos da segunda parte do n.º 3 do artigo 172.º;

d) Ordenar ou autorizar revistas e buscas, nos termos e limites dos n.ºs 3 e 5 do artigo 174.º;

e) Quaisquer outros actos que a lei expressamente determinar que sejam presididos ou praticados pelo Ministério Público.

3. O Ministério Público pode, porém, delegar em autoridade de polícia criminal a faculdade de ordenar a efectivação da perícia relativamente a determinados tipos de crime, em caso de urgência ou de perigo de demora, nomeadamente quando a perícia deva ser realizada conjuntamente com o exame de vestígios. Exceptuam-se a perícia que envolva a realização de autópsia médico-legal, bem como a prestação de esclarecimentos complementares e a realização de nova perícia nos termos do artigo 158.º.

4. Sem prejuízo do disposto no n.º 2, no n.º 3 do artigo 58.º, no n.º 3 do artigo 243.º e no n.º 1 do artigo 248.º, a delegação a

Código de Processo Penal

que se refere o n.º 1 pode ser efectuada por despacho da natureza genérica que indique os tipos de crime ou de limites das penas aplicáveis aos crimes em investigação.

---

1. As alíneas *c)* e *d)* do n.º 2 têm o texto introduzido pela Lei n.º 48/2007, de 29 de Agosto, que resulta de alterações introduzidas pela mesma Lei nos arts. 172.º e 174.º.

O texto do n.º 4 foi introduzido pela supramencionada Lei e, em relação ao precedente, contém tão-só o aditamento da ressalva inicial — *Sem prejuízo do disposto no n.º 2 do presente artigo, no n.º 3 do artigo 58.º, no n.º 3 do artigo 243.º e no n.º 1 do artigo 248.º,* ...

Os n.ᵒˢ 1 e 2 (na versão anterior) reproduziam o art. 270.º do Proj. e correspondiam ao art. 261.º, n.º 2, do Aproj. Os n.ᵒˢ 3 e 4 (na versão anterior) foram introduzidos pela Lei n.º 59/98, de 25 de Agosto).

2. Ver anots. ao art. 262.º.

Durante o inquérito, o MP pode delegar, genérica ou concretamente, nos órgãos e nas autoridades de polícia criminal o encargo de procederem à realização de diligências. Esta é a regra geral; a lei, contudo, faz excepções, que estão indicadas nos n.ᵒˢ 2 e 3, 2.º período. Portanto, todas as diligências podem ser delegadas, desde que a lei não impeça a delegação.

De notar que o MP não pode conferir aos órgãos de polícia criminal o encargo de recolher depoimentos ajuramentados. É que, nos termos do art. 132.º, n.º 1, al. *b),* as testemunhas, salvo quando a lei dispuser de forma diferente, só têm o dever de prestar juramento quando ouvidas por autoridade judiciária. E assim, só quando ouvidas pelo juiz ou pelo MP as testemunhas devem ser ajuramentadas. Os depoimentos, em caso de delegação do MP, devem pois ser recolhidos pelos órgãos de polícia criminal delegados, mas sem juramento.

3. Os n.ᵒˢ 3 e 4, como ficou anotado *supra,* anot. 1, foram introduzidos pela Lei aí mencionada.

O n.º 4 veio consagrar expressamente a orientação que vínhamos defendendo e era predominantemente seguida, embora de início com alguma hesitação por parte da jurisprudência.

4. Despacho do conselheiro Procurador-Geral da República de 24 de Julho de 1999, transmitido pela Directiva da PGR n.º 2/2000; *DR*, II série, de 12 de Junho de 2000:

...

3 — Pelo exposto e nos termos do artigo 12.º, n.º 2, alínea *b),* do Estatuto do Ministério Público, recomendado aos Srs. Magistrados do Ministério Público a conveniência de, em cada círculo judicial ou comarca, ser ponderada a delegação nos órgãos de polícia criminal ao abrigo do artigo 270.º, n.º 1, do Código e Processo Penal, da competência para, na pendência de inquérito, autorizar a passagem de certidão de auto de notícia relativo a acidente de viação, verificados que se mostrem os requisitos legais.

Artigo 270.º

5. PROCURADORIA-GERAL DA REPÚBLICA

Despacho n.º 24 301/2004 (2.ª série). — *Directiva n.º 3/2004 (circular n.º 14/2004).* — A entrada em vigor em 15 de Setembro de 2004 do Código de Justiça Militar, aprovado pela Lei n.º 100/2003, de 15 de Novembro, e respectiva legislação complementar, impõe que se definam princípios gerais relativamente ao relacionamento da Polícia Judiciária Militar com o Ministério Público, no âmbito dos inquéritos que tenham por obejecto os crimes abrangidos por aquele Código.

A Polícia Judiciária Militar assume no âmbito do novo regime o estatuto do órgão de polícia criminal, tendo-lhe o artigo 5.º, n.os 1 e 2, do Decreto-Lei n.º 200/2001, na redacção emergente da Lei n.º 100/2003, atribuído a competência específica para a investigação dos crimes estritamente militares e a competência reservada para a investigação dos crimes comuns cometidos no interior das «unidades, estabelecimentos e órgãos militares».

Torna-se, deste modo, necessário alargar o âmbito de aplicação da circular n.º 6/2002, de 11 de Março, daquele órgão de polícia criminal.

Assim, nos termos do artigo 12.º, n.º 2, do Estatuto do Ministério Público, determino o seguinte:

1 — Nos termos do artigo 270.º, n.º 4, do Código de Processo Penal delego na Polícia Judiciária Militar a competência para a investigação e a prática de actos processuais de inquérito derivados da mesma e que a integrem, relativamente aos crimes previstos nos n.os 1 e 2 do artigo 5.º do Decreto-Lei n.º 200/2001, de 13 de Julho, na redacção resultante da Lei n.º 100/2003, de 15 de Novembro.

2 — A delegação referida no número anterior abrange os actos previstos e não excepcionados pelo n.º 3 do artigo 270.º do Código de Processo Penal.

3 — As propostas relativas à realização das diligências processuais mencionadas no n.º 2 do artigo 10.º do Decreto-Lei n.º 200/2001 serão apresentadas ao magistrado do Ministério Público responsável pela direcção do processo que as avaliará antes da sua apresentação, quando necessária, ao juiz de instrução criminal.

4 — É aplicável no âmbito da investigação dos crimes a que se refere o n.º 1, com as necessárias adaptações, o disposto nos pontos I e V do meu despacho de 8 de Março de 2002, divulgado através da circular n.º 6/2002, desta Procuradoria-Geral.

5 — É igualmente aplicável, no âmbito da investigação dos crimes a que se refere o n.º 1, com as necessárias adaptações, o disposto nos n.os 1 e 2 do ponto VI do meu despacho de 8 de Março de 2002, divulgado com a circular n.º 6/2002.

26 de Outubro de 2004. — O Procurador-Geral da República, *José Adriano Machado Souto de Moura.*

6. *Competência reservada da Polícia Judiciária em matéria e investigação criminal e investigação que pode ser deferida à GNR e à PSP pelo PGR na fase de inquérito e pelo juiz na fase de instrução.*

Os crimes cuja investigação é da reserva da PJ ou pode ser deferida encontram-se enumerados nos arts. 4.º e 5.º da Lei n.º 21/2000, de 10 de Agosto (Organização da investigação criminal), transcrita no final desta obra,

Código de Processo Penal

ficando revogadas as correspondentes disposições da Lei n.º 36/94, de 29 de Setembro, e do Dec.-Lei n.º 325/95, de 2 de Dezembro.

Conforme o n.º 3 do art. 4.º que acaba de ser referido, compete ainda à PJ, sem prejuízo da competência do Serviço de Estrangeiros e Fronteiras, a investigação dos crimes de auxílio à imigração ilegal, tráfico de pessoas com emprego de coação grave, extorsão ou burla relativa a trabalho e falsidade de testemunho, perícia, interpretação ou tradução conexos com os crimes anteriormente referidos.

Como considera o Prof. Germano Marques da Silva, *Curso de Processo Penal,* III, pág. 78, nota, a direcção do inquérito pelo MP será assim, em grande parte dos casos, puramente nominal. A possibilidade de incumbir os órgãos de polícia criminal de realizarem o inquérito conduz, na prática, à politização dessa fase processual, pois a maior parte das vezes o MP só tomará contacto com o inquérito quando a polícia o considerar concluído.

7. Jurisprudência:

— É legal o despacho do procurador-geral da República que permite a delegação genérica e implícita nos órgãos da Polícia dos actos não jurisdicionais que funcionalmente competem ao MP, no exercício dos seus poderes de direcção do inquérito. (Ac. RL de 21 de Junho de 1989; *CJ,* XIV, tomo 3, 171);

— São válidos e não geradores de nulidade os actos de inquérito feitos pelas Polícias ao abrigo do Despacho do procurador-geral da República de 21 de Dezembro de 1987, por o conceito de direcção do inquérito conferida ao MP pelos arts. 53.º e 253.º do CPP não exigir uma direcção real e efectiva, e se contentar com a direcção funcional do mesmo. (Ac. RL de 4 de Maio de 1990; *CJ,* XV, tomo 3, 158);

— O art. 270.º do CPP não padece de inconstitucionalidade. (Ac. STJ de 5 de Fevereiro de 1991; *BMJ,* 404, 151);

— Durante o inquérito, o MP pode encarregar genérica ou concreta mente os órgãos de polícia criminal de efectuar diligências necessárias, com excepção das referidas no n.º 2 do art. 270.º do CPP. A delegação não ofende o art. 32.º, n.º 4, da CRP. (Ac. STJ de 10 de Novembro de 1994, proc. 46376/3.ª);

— A circunstância de a entidade policial actuar em delegação de poderes conferida pelo MP não possibilita que se lhe tone extensível o regime do MP, designadamente o poder de detenção para comparência do art. 116.º do CPP. (Ac. RL de 10 de Fevereiro de 2000; *CJ,* XXV, tomo 1, 156).

ARTIGO 271.º

(Declarações para memória futura)

1. Em caso de doença grave ou de deslocação para o estrangeiro de uma testemunha, que previsivelmente a impeça de ser ouvida em julgamento, bem como nos casos de vítima de crime de tráfico de pessoas ou contra a liberdade e autodeterminação sexual, o juiz de

Artigo 271.º

instrução, a requerimento do Ministério Público, do arguido, do assistente ou das partes civis, pode proceder à sua inquirição no decurso do inquérito, a fim de que o depoimento possa, se necessário, ser tomado em conta no julgamento.

2. No caso de processo por crime contra a liberdade e autodeterminação sexual de menor, procede-se sempre à inquirição do ofendido no decurso do inquérito, desde que a vítima não seja ainda maior.

3. Ao Ministério Público, ao arguido, ao defensor e aos advogados do assistente e das partes civis são comunicados o dia, a hora e o local da prestação do depoimento, para que possam estar presentes, sendo obrigatória a comparência do Ministério Público e do defensor.

4. Nos casos previstos no n.º 2, a tomada de declarações é realizada em ambiente informal e reservado, com vista a garantir, nomeadamente, a espontaneidade e a sinceridade das respostas, devendo o menor ser assistido no decurso do acto processual por um técnico especialmente habilitado para o seu acompanhamento, previamente designado para o efeito.

5. A inquirição é feita pelo juiz, podendo em seguida o Ministério Público, os advogados do assistente e das partes civis e o defensor, por esta ordem, formular perguntas adicionais.

6. É correspondentemente aplicável o disposto nos artigos 352.º, 356.º, 363.º e 364.º.

7. O disposto nos números anteriores é correspondentemente aplicável a declarações do assistente e das partes civis, de peritos e de consultores técnicos e a acareações.

8. A tomada de declarações nos termos dos números anteriores não prejudica a prestação de depoimento em audiência de julgamento, sempre que ela for possível e não puser em causa a saúde física ou psíquica de pessoa que o deva prestar.

---

1. O texto deste artigo, com excepção do n.º 7, que era o anterior n.º 4, foi introduzido pela Lei n.º 48/2007, de 29 de Agosto.

O texto anterior reproduzia o art. 271.º do Proj. excepto quanto ao aditamento adiante referido. Não havia disposições correspondentes no CPP de 1929 nem do Direito processual penal anterior. Teve por fontes o art. 374.º do Projecto preliminar italiano e as disposições correspondentes do CPC (arts. 520.º e 521.º).

A Lei n.º 59/98, de 25 de Agosto, no intuito de poder ser acautelado o recato das vítimas de crimes sexuais, aditou ao n.º 1 a expressão *bem como nos casos de vítimas de crimes sexuais.*

Código de Processo Penal

Em relação ao texto anterior deste artigo, foram introduzidas pelo actual as seguintes alterações:
— Nos crimes contra a liberdade e autodeterminação sexual de menor passou a ser obrigatória a recolha de declarações para memória futura durante o inquérito, quando anteriormente era facultativa; e
— Em todos os casos de declarações para memória futura passou a garantir--se o contraditório na sua plenitude, por estar em causa uma antecipação parcial da audiência de julgamento, admitindo-se assim que os sujeitos processuais inquiram directamente, nos termos gerais, as testemunhas.

2. O CPP actual é mais autónomo relativamente ao CPC do que era o CPP de 1929 e por isso mesmo estabeleceu normas autónomas relativamente ao registo de prova para memória futura; no domínio do CPP de 1929 eram aplicáveis, para o efeito, a normas do CPC, com as necessárias adaptações.
Os depoimentos antecipadamente prestados nos termos deste artigo são diligências a que o juiz de instrução procede, ainda que realizadas durante o inquérito, com obediência ao princípio contraditório e com as formalidades aqui exigidas porque, se necessário, serão levadas em conta na instrução e no julgamento mesmo sem a presença das pessoas que os produzem.

3. *Jurisprudência:*
— I — Actualmente, face ao CPP, existe uma enorme preocupação no sentido de ser respeitado sempre o contraditório de todas as provas apresentadas, em cumprimento do disposto no art. 32.º, n.º 5, da CRP. II — No caso de depoimento prestado para memória futura, dada a forma como o depoimento é prestado, essa contraditoriedade apenas é alcançada com a presença facultativa do arguido, seu advogado ou MP e com a possibilidade de solicitarem ao juiz a formulação de perguntas adicionais, conforme os n.os 2 e 3 do art. 271.º, não obrigando a lei à presença do arguido ou seu defensor, já que é expressa em referir que são notificados «para que possam estar presentes se o desejarem» e não permite sequer o contra-interrogatório, mas só as perguntas adicionais já referidas. III — As garantias da defesa são, assim, alcançadas com a circunstância de a prova ser produzida perante um juiz e com a faculdade de assistência do arguido e do seu defensor. A prova produzida pode ser apresentada e aproveitada em audiência e aí pode ser impugnada e contraditada por quaisquer outras provas, no sentido de ser abalada. IV — Se ao ser tomado tal depoimento se consignou apenas a fórmula de que o depoente confirmava as suas declarações prestadas anteriormente, por estar a dizer o mesmo que anteriormente tinha dito, não há qualquer irregularidade. (Ac. STJ de 19 de Abril de 1991; Proc. 41 428/3.ª);
— I — É admissível a inquirição para memória futura da vítima de um crime sexual, mesmo não sendo previsível o impedimento de comparência em julgamento, pois o que a lei pretende é que a vítima não seja obrigada a expor--se na audiência. II — Essa inquirição tem de ser feita pelo juiz de instrução, com observância do contraditório. III — A observância do contraditório não obsta a que tal inquirição tenha lugar antes de todos os suspeitos serem constituídos arguidos. (Ac. RP de 18 de Abril de 2001; *CJ*, XXVI, tomo 2, 228);

Artigo 272.º

— I — As declarações para memória futura só podem ser prestadas perante o juiz, e este só as pode tomar se for previsível que os inquiridos não possam comparecer na audiência de julgamento em razão de doença grave ou de deslocação para o estrangeiro. II — Verificando-se a impossibilidade de comparência dos inquiridos na audiência, as declarações que antes foram tomadas para memória futura têm que ser lidas. III — Se tais declarações não forem lidas na audiência, o tribunal não pode utilizá-las para fundamentar a sua convicção. Se o fizer, serve-se de prova proibida, e isso implica a nulidade da sentença. IV — Esta nulidade é insanável e de conhecimento oficioso e afecta todo o julgamento, que por isso tem de ser repetido. (Ac. RP de 4 de Julho de 2001; *CJ*, XXVI, tomo 4, 222);

— I — Por exigência do princípio do contraditório, as provas devem, em princípio, ser produzidas perante o arguido, em audiência pública. II — Tal princípio, porém, comporta excepções, pois verificada a impossibilidade de reiterar as declarações prestadas no inquérito ou na instrução, seja por ausência ou morte do declarante, seja por circunstâncias específicas ou vulnerabilidade da pessoa, podem essas declarações ser valoradas na audiência de julgamento. Questão é que se dê oportunidade ao arguido de, na audiência, contraditar essas declarações. III — É que o princípio do contraditório não exige, em termos absolutos, o interrogatório directo ou em *cross-examination*. IV — O modelo de prestar declarações *pro memoria futura* respeita, no essencial, o princípio do contraditório. (Ac. STJ de 7 de Novembro de 2008; *CJ, Acs. do STJ*, ano XV, tomo 3, 242).

ARTIGO 272.º
(Primeiro interrogatório e comunicação ao arguido)

1. Correndo inquérito contra pessoa determinada em relação à qual haja suspeita fundada da prática de crime é obrigatório interrogá-la como arguido, salvo se não for possível notificá-la.

2. O Ministério Público, quando proceder a interrogatório de um arguido ou a acareação ou reconhecimento em que aquele deva participar, comunica-lhe, pelo menos com vinte e quatro horas de antecedência, o dia, a hora e o local da diligência.

3. O período de antecedência referido no número anterior:

a) É facultativo sempre que o arguido se encontrar preso;

b) Não tem lugar relativamente ao interrogatório previsto no artigo 143.º, ou, nos casos de extrema urgência, sempre que haja fundado motivo para recear que a demora possa prejudicar o asseguramento de meios de prova, ou ainda quando o arguido dele prescindir.

Código de Processo Penal

4. Quando haja defensor, este é notificado para a diligência com pelo menos 24 horas de antecedência, salvo nos casos previstos na alínea *b)* do número anterior.

---

1. Os n.ºs 1 e 4 deste artigo foram introduzidos pela Lei n.º 59/98, de 25 de Agosto e não tinham correspondentes na versão originária do Código. Os n.ºs 2 e 3 são os n.ºs 1 e 2 da versão originária, que reproduziam o art. 272.º do Proj. Não havia dispositivos correspondentes no CPP de 1929.
A Lei n.º 48/2007, de 29 de Agosto aditou no n.º 1 a locução em *relação à qual haja suspeita fundada da prátia de crime.*

2. Como ficou anotado, os n.ºs 1 e 4 deste artigo foram introduzidos pela Lei referida na anot. 1.
A obrigação expressa de o arguido ser interrogado foi estabelecida não só em benefício da simplificação processual mas também pela possibilidade de realização da audiência de julgamento sem a sua presença, quando como tal tiver sido constituído e tiver prestado termo de identidade e residência, conforme alterações introduzidas pela mencionada Lei, na sequência da revisão constitucional de 1997.
O aditamento no n.º 1 da locução mencionada na anot. 1 foi meramente confirmativo do que já se afigurava inequívoco, não implicando qualquer alteração relevante.

3. Não se encontra fixado qualquer prazo para que seja interrogada como arguida a pessoa contra a qual corre inquérito, por ser fundamentadamente suspeita da prática de crime, pelo que esse momento depende da discricionaridade do MP, que o fixará em atenção às finalidades do inquérito.

4. A comunicação a que se refere o n.º 2 pode ser feita conjuntamente com o mandado de comparência aludido no art. 273.º.
A omissão desta comunicação, porque não cominada com qualquer nulidade e porque as nulidades são taxativas, deve ser considerada irregularidade e submetida ao regime do art. 123.º.

5. Quanto à falta de interrogatório do arguido, em fase de inquérito, quando este corra contra pessoa determinada e a sua notificação para comparência não se revele inviável, como se deduz das anteriores edições desta obra, sempre entendemos que configura a nulidade prevista na al. *d)* do n.º 2 do art. 120.º do CPP. Esta orientação acabou por ser perfilhada pelo ac. do Pleno das secções criminais do STJ de 23 de Novembro de 2005; *DR*, I série, de 2 de Janeiro de 2006 e *infra*, anot. 5.

6. *Jurisprodência fixada:*
— A falta de interrogatório como arguido, no inquérito, de pessoa determinada contra quem o mesmo corre, sendo possível a notificação, constitui a nulidade prevista no artigo 120.º, n.º 2, alínea *d)*, do Código de Processo Penal. (Ac. do Pleno das secções criminais do STJ de 23 de Novembro de 2005, proc. n.º 2517/2002-3.ª; *DR*, I série-A, de 2 de Janeiro de 2006).

Artigo 273.º

ARTIGO 273.º
(Mandado de comparência, notificação e detenção)

1. Sempre que for necessário assegurar a presença de qualquer pessoa em acto de inquérito, o Ministério Público ou a autoridade de polícia criminal em que tenha sido delegada a diligência emitem mandado de comparência, do qual conste a identificação da pessoa, a indicação do dia, do local e da hora a que deve apresentar-se e a menção das sanções em que incorre no caso de falta injustificada.

2. O mandado de comparência é notificado ao interessado com pelo menos três dias de antecedência, salvo em caso de urgência devidamente fundamentado, em que pode ser deixado ao notificando apenas o tempo necessário à comparência.

3. Se o mandado se referir ao assistente ou ao denunciante com a faculdade de se constituir assistente representado por advogado, este é informado de realização da diligência para, querendo, estar presente.

4. E correspondentemente aplicável o disposto no artigo 116.º, n.º 2.

---

1. Os n.ºˢ 1, 2 e 4 (anterior n.º 3) reproduzem o art. 273.º do Proj. e corresponde a disposições do art. 83.º do CPP de 1929.

O n.º 3 foi introduzido pela Lei n.º 48/2007, de 29 de Agosto e não tinha correspondente anterior.

2. Além dos mandados de comparência podem ser usados meios informais de convocação. O uso destes meios, como o postal e a convocação telefónica, está até generalizado, porque mais expeditos e menos onerosos.

3. A disposição do n.º 4, permitindo sancionar os faltosos a diligências durante o inquérito nos termos do n.º 2 do art. 116.º, veio resolver por forma clara e por via legislativa uma dificuldade suscitada após a instauração do inquérito preliminar, isto é na vigência dos Decs.-Leis n.ºˢ 605/75 e 377/77.

Ainda que convocados pelo MP ou por autoridade de polícia criminal, aqueles que tenham faltado injustificadamente a acto de inquérito para que tenham sido regularmente convocados estão sujeitos às sanções do art. 116.º, n.º 2. O processo irá, para o efeito, ao juiz de instrução, que aplicará a sanção mais adequada ao caso, dentre as que esse dispositivo legal faculta, e que podem mesmo ir até à detenção do faltoso pelo tempo necessário para a realização da diligência.

Sendo a detenção ordenada pelo juiz e sendo o MP uma autoridade judiciária (art. 1.º, n.º 1, *b)*), fica ela a coberto de qualquer juízo de inconstitucionalidade. Na verdade, o art. 27.º, n.º 3, al. *e)* da CRP permite a detenção por decisão judicial... para assegurar a comparência perante autoridade judicial competente. E o MP é uma autoridade judicial, não só porque foi intuito do Código assim o definir, como até porque, mesmo sem o Código, já assim devia ser entendido — cfr. Gomes Canotilho-Vital Moreira, *Constituição Anotada*, 2.ª ed., 1.º vol., pág. 27, nota IX.

655

Código de Processo Penal

Afiguram-se-nos portanto infundadas as acusações de inconstitucionalidade que à disposição do n.º 4 foram dirigidas por Costa Pimenta, *Código de Processo Penal Anotado,* anot. o art. 273.º.

4. *Jurisprudência:*

— As pessoas residentes fora da comarca não são obrigadas a comparecer na comarca onde pende o inquérito, não podendo a sua falta ser sancionada nos termos do art. 116.º, n.º 1, do CPP. (Ac. RP de 24 de Março de 1993; *BMJ,* 425, 626);

— I — A privação da liberdade na forma de detenção apenas e só pode ter lugar para assegurar a comparência perante uma autoridade judiciária ou seja, perante o magistrado do MP, o juiz de instrução ou o juiz julgador, consoante a fase em que o processo se encontrar. II — Nunca para comparência em diligência a realizar na secção de inquéritos da PSP. (Ac. RL de 3 de Outubro de 2000; *CJ,* XXV, tomo 4, 143).

ARTIGO 274.º

(Certidões e certificados de registo)

São juntos aos autos as certidões e certificados de registo, nomeadamente o certificado de registo criminal do arguido, que se afigurem previsivelmente necessários ao inquérito ou à instrução ou ao julgamento que venham a ter lugar e à determinação da competência do tribunal.

---

1. Reproduz o art. 274.º do Proj. Corresponde aos arts. 190.º do Aproj.; 245.º do CPP de 1929 e 21.º, § 2.º, do Dec.-Lei n.º 35 007, de 13 de Outubro de 1945.

2. Não há alteração significativa relativamente ao regime anterior. Muitos outros documentos podem ser necessários para o inquérito, a instrução ou o julgamento, o que só pode ser apreciado casuisticamente. Podem, no entanto, referir-se a certidão de nascimento quanto a menores; registo de infracção do condutor (art. 145.º do Código da Estrada), a folha de matrícula quanto a militares, se for necessária; o cadastro dos agentes económicos (art. 80.º, n.º 3, do Dec.-Lei n.º 28/84); etc.

ARTIGO 275.º

(Auto de inquérito)

1. As diligências de prova realizadas no decurso do inquérito são reduzidas a auto, que pode ser redigido por súmula, salvo aquelas cuja documentação o Ministério Público entender desnecessário.

2. É obrigatoriamente reduzida a auto a denúncia, quando feita oralmente, bem como os actos a que se referem os artigos 268.º, 269.º e 271.º.

Artigo 276.º

3. Concluído o inquérito, o auto fica à guarda do Ministério Público ou é remetido ao tribunal competente para a instrução ou para o julgamento.

---

1. Reproduz o art. 275.º do Proj., excepto a expressão *que pode ser redigido por súmula,* que foi introduzida pela Lei n.º 59/98, de 25 de Agosto, a-fim-de possibilitar que os autos relativos a diligências de prova durante o inquérito sejam redigidos nos termos do art. 100.º, n.º 2. Não havia disposições correspondentes no direito anterior, excepto no tocante ao n.º 2, que corresponde ao 1.º do art. 4.º do Dec.-Lei n.º 35 007, de 13 de Outubro de 1945.

2. Na realização do inquérito, o MP pode deixar de reduzir a auto as diligências que não tenham qualquer interesse, desde que não sejam das especificadas no n.º 2. Embora a lei, no n.º 1, aluda só ao MP, a disposição aplica-se também, por idênticas razões e até porque é válida em processo penal a norma formulada em processo civil que impede a prática de actos inúteis, aos órgãos de policia criminal nos quais tenha sido delegada a prática de diligências de investigação.

3. A disposição do n.º 3 tem o seguinte alcance:
Sendo o inquérito arquivado, fica ele no tribunal, nos arquivos do MP.
De notar que não há agora qualquer distinção entre arquivamento provisório e arquivamento definitivo, como era feita pelo art. 29.º e seu § único do Dec.-Lei n.º 35 007, e que deixou de haver distinção entre arquivamento e aguardar melhor prova; todos os casos em que o inquérito não dá origem a procedimento são agora considerados casos de arquivamento.
Também o processo fica à guarda do MP nos casos de arquivamento com dispensa ou isenção de pena (art. 280.º) e de suspensão provisória do processo (art. 281.º), neste último caso, porém, com uma excepção para o caso de o arguido não cumprir as injunções e o processo ter que prosseguir (art. 282.º, n.º 3).
Em todos os demais casos, ou seja nos de acusação ou de requerimento para instrução, o inquérito é remetido ao tribunal competente.

CAPÍTULO III

DO ENCERRAMENTO DO INQUÉRITO

ARTIGO 276.º
(Prazos de duração máxima do inquérito)

1. O Ministério Público encerra o inquérito, arquivando-o ou deduzindo acusação, nos prazos máximos de seis meses, se houver arguidos presos ou sob obrigação de permanência na habitação, ou de oito meses, se os não houver.

Código de Processo Penal

2. O prazo de seis meses referido no número anterior é elevado:

a) Para oito meses, quando o inquérito tiver por objecto um dos crimes referidos no artigo 215.º, n.º 2;

b) Para dez meses, quando, independentemente do tipo de crime, o procedimento se revelar de excepcional complexidade, nos termos do artigo 215.º, n.º 3, parte final;

c) Para doze meses, nos casos referidos no artigo 215.º, n.º 3.

3. Para efeito do disposto nos números anteriores, o prazo conta--se a partir do momento em que o inquérito tiver passado a correr contra pessoa determinada ou em que se tiver verificado a constituição de arguido.

4. O magistrado titular do processo comunica ao superior hierárquico imediato a violação de qualquer prazo previsto nos n.os 1 e 2 ou no n.º 6 do artigo 89.º, indicando as razões que explicam o atraso e o período necessário para concluir o inquérito.

5. Nos casos referidos no número anterior, o superior hierárquico pode avocar o processo e dá sempre conhecimento ao Procurador--Geral da República, ao arguido e ao assistente da violação do prazo e do período necessário para concluir o inquérito.

6. Recebida a comunicação prevista no número anterior, o Procurador-Geral da República pode determinar, oficiosamente ou a requerimento do arguido ou do assistente, a aceleração processual nos termos do artigo 109.º.

---

1. Os n.os 1 e 3 mantêm o texto originário e reproduzem os mesmos números do art. 276.º do Proj.

O n.º 2 tem o texto introduzido pela Lei n.º 59/98, de 25 de Agosto, o qual estabeleceu para o inquérito um prazo mais dilatado, em determinadas situações, justificado pela excepcional complexidade, independentemente do crime em investigação.

O n.º 4 têm a redacção que resulta da Lei n.º 48/2007, de 29 de Agosto, diploma que também aditou os n.os 5 e 6.

Não havia disposições correspondentes no direito anterior, pois o encerramento do inquérito preliminar estava regulado em moldes diferentes no art. 5.º do Dec.-Lei n.º 605/75, de 3 de Novembro.

2. De notar o significativo aumento de prazos relativamente aos do inquérito preliminar, e mesmo da instrução preparatória do direito anterior. É que os prazos do direito anterior eram irrealistas e houve o intuito de fixar prazos mais consentâneos com a realidade, para serem mesmo cumpridos.

Também de notar que o prazo de encerramento do inquérito se passou a contar, não a partir da notícia do crime e da abertura do processo como no

Artigo 276.º

regime que vigorava anteriormente, mas a partir do momento em que o inquérito tiver passado a correr contra pessoa determinada ou em que se tiver verificado a constituição de arguido (n.º 3).

3. Os prazos máximos de duração do inquérito não são peremptórios, pois não é possível demarcar o tempo e uma investigação. As diligências praticadas para além desses prazos são válidas. Porém, um excesso para além do que é razoável pode desencadear responsabilidade disciplinar, para além do que neste artigo se prevê.

4. A introdução pela supramencionada Lei dos dispositivos dos n.ᵒˢ 5 e 6 e a alteração do n.º 4 encontra-se justificadas na Exposição e Motivos nos seguintes termos: "No âmbito do inquérito é facultado o acesso aos autos ao arguido, ao assistente e ao ofendido, ressalvadas as hipóteses de prejuízo para a investigação ou para os direitos dos participantes ou das vítimas. Também nesta hipótese, cabe ao juiz de instrução criminal a última palavra no caso de o Ministério Público não facilitar o acesso aos autos. Findos os prazos do inquérito, o arguido, o assistente e o ofendido podem consultar todos os elementos do processo, a não ser que o juiz determine, no interesse da investigação, um aditamento pelo período máximo e improrrogável de 3 meses (artigo 89.º). Após o decurso dos prazos máximos de inquérito ou de prorrogação por 3 meses do período de vigilância do segredo de justiça, o magistrado titular do processo comunica ao superior hierárquico imediato a violação do prazo, as razões que o explicam e o período necessário para concluir o inquérito. O superior hierárquico pode avocar o processo e dá sempre conhecimento ao Procurador-Geral da República e aos sujeitos processuais de que o prazo foi excedido e de qual é o período necessário para concluir o inquérito. Por seu turso, o Procurador -Geral da República pode decidir-se pela aceleração processual, oficiosamente ou a requerimento do arguido ou do assistente (artigo 276.º)."

Em nosso entendimento, perante um número por vezes inabarcável de processos em que, pelas rszões mais diversificadas, há necessidade de exceder prazos não peremptórios, é instituída uma tramitação de difícil cumprimento, estabelecendo até a obrigatoriedade de diligências que não eram de premente introdução (v. g. indicação do período necessário para a conclusão do inquérito e obrigatoriedade de dar conhecimento ao arguido e ao assistente da violação do prazo e do período necessário para o concluir). Esta tramitação afigura-se-nos mais propícia a criar delongas processuais do que a favorecer um rápido e desejável andamento do processo.

5. *Jurisprudência:*

— I — Arquivado o inquérito por desconhecimento do autor do crime, o assistente não pode deduzir acusação, requerer a instrução, ou que o juiz proceda a diligências com vista à determinação de quem o cometeu. II — Os meios processuais de que o assistente dispõe para reagir ao arquivamento do processo determinado pelo MP por desconhecimento da identidade do autor do crime são a reclamação hierárquica ou a arguição da nulidade, por insuficiência do inquérito. (Ac. RL de 25 de Junho de 2002; *CJ*, XXVII, tomo 3, 143).

ARTIGO 277.º

(Arquivamento do inquérito)

1. O Ministério Público procede, por despacho, ao arquivamento do inquérito, logo que tiver recolhido prova bastante de se não ter verificado crime, de o arguido não o ter praticado a qualquer título ou de ser legalmente inadmissível o procedimento.

2. O inquérito é igualmente arquivado se não tiver sido possível ao Ministério Público obter indícios suficientes da verificação de crime ou de quem foram os agentes.

3. O despacho de arquivamento é comunicado ao arguido, ao assistente, ao denunciante com faculdade de se constituir assistente e a quem tenha manifestado o propósito de deduzir pedido de indemnização civil nos termos do artigo 75.º, bem como ao respectivo defensor ou advogado.

4. As comunicações a que se refere o número anterior efectuam-se:

a) Por notificação mediante contacto pessoal ou via postal registada ao assistente e ao arguido, excepto se estes tiverem indicado um local determinado para efeitos de notificação por via postal simples, nos termos dos artigos 145.º, n.ºs 5 e 6, e 196.º, n.ºs 2 e 3, alínea c), e não tenham entretanto indicado uma outra, através de requerimento entregue ou remetido por via postal registada à secretaria onde os autos se encontarem a correr nesse momento;

b) Por editais se o arguido não tiver defensor nomeado ou advogado constituído e não for possível a sua notificação mediante contacto pessoal, via postal registada ou simples, nos termos previstos na alínea anterior;

c) Por notificação mediante via postal simples ao denunciante com a faculdade de se constituir assistente e a quem tenha manifestado o propósito de deduzir pedido de indemnização civil;

d) Por notificação mediante via postal simples sempre que o inquérito não correr contra pessoa determinada.

5. Nos casos previstos no n.º 1, sempre que se verificar que existiu por parte de quem denunciou ou exerceu um alegado direito de queixa uma utilização abusiva do processo, o tribunal condena-o no pagamento de uma soma entre seis e vinte UCs sem prjuízo do apuramento da responsabilidade penal.

Artigo 277.º

1. Os n.ºˢ 1 e 2 são os da versão originária do Código que reproduziam, com ligeira alteração formal, os do art. 277.º do Proj. e correspondiam aos arts. 269.º e 270.º do Aproj. e 6.º do Dec.-Lei n.º 605/75, de 3 de Novembro, introduzido pelo Dec.-Lei n.º 377/77, de 6 de Setembro.

Os n.ºˢ 3 e 4 foram introduzidos pela Lei n.º 59/98, de 25 de Agosto e correspondem ao n.º 3 da versão originária, com aditamento da obrigatoriedade de notificação de quem tenha manifestado o propósito de deduzir pedido de indemnização civil e com mais desenvolvida especificação, feita nas alíneas do n.º 4, do modo de efectuar as comunicações. As alíneas *a)* e *b)* deste n.º 4 têm o texto introduzido pelo Dec.-Lei n.º 320-C/2000, de 15 de Dezembro, em consonância com alterações introduzidas pelo mesmo diploma nos arts. 145.º e 196.º, passando as anteriores alíneas *b)* e *c)* a ser as actuais alíneas *c)* e *d)*. O n.º 5 foi introduzido pela Lei n.º 48/2007, de 29 de Agosto. Não tinha correspondente anterior, salvo porventura nos dispositivos gerais sobre custas e não constava da proposta governamental.

2. A Lei n.º 43/86 (Lei de Autorização legislativa), art. 2.º, n.º 2 als. 4) e 7) estabeleceu a máxima acusatoriedade do processo penal e fixou a competência exclusiva do MP para promover o processo penal, ressalvado o regime dos crimes semipúblicos e particulares.

Daí que não haja agora, contrariamente ao que sucedia no regime do CPP de 1929 e no Dec.-Lei n.º 35 007, de 13 de Outubro de 1945, qualquer controlo judicial sobre a decisão do MP de, finda a instrução preparatória, acusar ou decidir-se pelo arquivamento.

É esta uma significativa alteração, relativamente ao direito anterior, que perfilhava um sistema inquisitório mitigado, alteração cujos fundamentos doutrinários se podem ver explanados na exposição do Prof. Figueiredo Dias, *in Para Uma Reforma Global do Processo Penal Português,* pág. 11, nota 19. O processo penal passou, pois, a ter uma estrutura acusatória.

Outra alteração relativamente ao regime anterior consistiu na extensão do conceito de arquivamento, que passa agora a englobar também os casos que no direito anterior eram considerados como ficando o processo a *aguardar a produção de melhor prova.* Considera-se agora que o inquérito fica arquivado quer nos casos em que foi recolhida prova bastante de se não ter verificado o crime, o arguido o não ter praticado a qualquer título ou de ser legalmente inadmissível o procedimento criminal; quer naqueles casos em que não foi possível ao MP obter indícios suficientes da verificação de crimes ou de quem foram os seus agentes.

Outras diferenças podem ser ainda assinaladas relativamente ao regime anterior: não há agora quaisquer modalidades de arquivamento, do género daquela que o Dec.-Lei n.º 35 007 estabelecia, de arquivamento provisório e definitivo; há agora mais facilidade na reabertura de inquéritos arquivados, mesmo que o tenham sido com os fundamentos do n.º 1 do art. 277.º (cfr. art. 279.º).

É possível distinguir as seguintes modalidades de arquivamento:

a) Arquivamento em sentido estrito, previsto no n.º 1, sempre que se verifica não ter havido crime, o arguido não o ter praticado a qualquer título, ou ser legalmente admissível o procedimento criminal;

b) Arquivamento por falta de prova indiciária suficiente da verificação do

Código de Processo Penal

crime ou de quem foram os seus agentes, modalidade que se encontra prevista no n.º 2; e

c) Arquivamento em caso de dispensa ou isenção de pena, modalidade que se encontra prevista e regulada no art. 280.º. Neste caso, o arquivamento depende da concordância do juiz de instrução.

Sobre estas modalidades vejam-se o estudo de J. Souto de Moura, *Jornadas de Direito Processual Penal, 113-115 e* J. A. Barreiros, *Manual de Processo Penal,* 410 e segs.

3. O despacho do MP arquivando o inquérito pode ser impugnado nos termos seguintes:

— Se não tiver sido requerida instrução, no prazo de 20 dias, nos termos do art. 278.º, pode o imediato superior hierárquico do MP determinar que seja formulada acusação ou que as investigações continuem;

— Esgotado o prazo de 20 dias referido no art. 278.º, pode o inquérito ser reaberto se surgirem novos elementos de prova que invalidem os fundamentos invocados no despacho de arquivamento, como se estabelece o art. 279.º. Competirá aos eventualmente interessados fornecer ao MP. os novos elementos de prova; e

— Por via judicial, através da abertura de instrução, requerida por quem para tanto tenha legitimidade.

4. Os despachos do MP em que esta entidade se decida pelo arquivamento são actos decisórios, que revestem os requisitos formais dos actos escritos e são sempre fundamentados (art. 97.º, n.ºs 2, 3 e 4).

A fundamentação inclui aqui, obviamente, a exposição das razões que levaram o MP a decidir-se pelo arquivamento.

Sucede, porém, que a lei não comina qualquer nulidade para a falta de fundamentação (contrariamente ao que sucede para a insuficiência do inquérito por omissão de diligências essenciais à descoberta da verdade), pelo que se tratará de uma irregularidade, sujeita ao regime do art. 123.º. Em tais termos, e como é lógico e facilmente apreensível, a omissão de diligências essenciais durante o inquérito tem um regime mais severo do que a omissão de fundamentação da decisão de arquivamento.

5. Além das comunicações que devem ser efectuadas nos termos do n.º 3 deste artigo, deve ainda o MP comunicar os despachos de arquivamento aos directores dos departamentos da PJ que tiverem realizado as investigações, conforme foi determinado no despacho do Procurador Geral da República de 6 de Março de 2008 e consta da Circular da PGR n.º 4/2008, do seguinte teor:

A investigação criminal, definida como o conjunto de diligências que, nos termos da lei, visam averiguar a existência de um crime, determinar os seus agentes e a respectiva responsabilidade, descobrir e recolher as provas, condiciona directamente o resultado do inquérito e todas as fases posteriores do processo penal (cfr. o artigo 262.º do Código de Processo Penal).

O sucesso da prevenção e, sobretudo, da repressão da criminalidade depende, portanto, de uma boa articulação entre os órgãos do Ministério Público

Artigo 277.º

responsáveis pela direcção dos inquéritos e os órgãos de polícia criminal que, nos termos da lei, executam as diligências de investigação (cfr. os artigos 48.º, 53.º, 55.º e 249.º do Código de Processo Penal).

Importa, por isso, assegurar e desenvolver um nível adequado de relacionamento e de coordenação entre o Ministério Público e os órgãos de polícia criminal, com respeito pelas atribuições e competências próprias das instituições e de harmonia com os princípios e as normas da «Lei de Organização da Investigação Criminal» (cfr., nomeadamente, os artigos 1.º e 2.º da Lei n.º 21/2000, de 10 de Agosto, alterada pelo Decreto-Lei n.º 305/2002, de 13 de Dezembro).

Nos termos do disposto nos artigos 3.º, n.º 4.º, e 5.º, n.º 2, da citada Lei n.º 21/2000, sobre competência reservada e competência deferida, à Polícia Judiciária cabe desempenhar um papel fundamental em matéria de investigação da criminalidade mais grave e com múltiplas conexões, justificando-se, por isso, o interesse manifestado pela sua Direcção Nacional em conhecer os despachos de encerramento dos inquéritos, não só para aferir a qualidade das investigações realizadas mas também para actualizar o sistema integrado de informação criminal.

Em face do exposto, determina-se:

1. Sem prejuízo do disposto na lei sobre segredo de justiça, os Magistrados e Agentes do Ministério Público competentes devem comunicar, pelo meio considerado mais adequado, o teor dos despachos de encerramento dos inquéritos, aos dirigentes dos departartamentos da Polícia Judiciária que tiverem realizado as investigações, nos casos previstos nos artigos 4.º (competência reservada) e 5.º, n.º 2 (competência deferida), da Lei n.º 21/2000, de 10 de Agosto, alterada pelo Decreto-Lei n.º 305/2002, de 13 de Dezembro.

2. A comunicação de despachos de arquivamento é efectuada após o decurso do prazo previsto no artigo 278.º do Código de Processo Penal.

3. A comunicação de despachos de acusação é efectuada após as notificações previstas no artigo 283.º, n.º 5, do Código de Processo Penal.

4. Os elementos facultados à Polícia Judiciária, nos termos do presente despacho, são considerados como matéria reservada de utilização interna, exclusivamente para fins de prevenção e investigação criminal.

6. O art. 520.º preceitua que o denunciante pagará custas quando se mostrar que denunciou de má fé ou com negligência grave.

O regulamento das Custas Processuais preceitua um valor entre 1UC e 5 UC, a fixar pelo juiz e a pagar pelo denunciante que deva pagar custas nos termos do mesmo art. 520.º.

A redacção actual desde art. 520.º foi introduzida pela Lei n.º 34/2008 de Fevereiro, mas é igual à que constava da anterior alínea *c)* do mesmo artigo.

Como no regime anterior à Lei n.º 34/2008, já que os dispositivos se mantiveram, as custas a pagar pelo denunciante de má fé ou com negligência grave são cumuláveis com a soma a que alude o n.º 5 deste art. 277.º. Na realidade trata-se de tributação de actividades diferenciadas: utilização abusiva do processo no caso do art. 277.º, n.º 5 e actividade da tramitação processual no caso do art. 520.º.

Código de Processo Penal

7. *Jurisprudência fixada:*
— Deduzida acusação, a mesma tem de ser notificada ao arguido nos termos dos arts. 283.º, n.º 5; 277.º, n.º 3 e 113.º, n.º 1, al. *c)*, todos do CPP. Caso se verifique que aquele está ausente em parte incerta, a notificação a fazer-lhe será a edital prevista naquele art. 113.º, n.º 1, al. *c)*, prosseguindo depois o processo para a fase do julgamento. (Ac. do Plenário das secções criminais do STJ, para fixação de jurisprudência, de 25 de Maio de 1992; *DR*, I série, n.º 157-A, de 10 de Julho de 1992). *Nota* — Veja-se a anot. 2 ao art. 283.º, pois, em nosso entendimento, esta jurisprudência fixada caducou, em face de posteriores dispositivos introduzidos nesse art. 283.º.

8. *Jurisprudência:*
— É inconstitucional a norma resultante da conjugação do n.º 5 do art. 283.º do CPP, com o n.º 3 do art. 277.º e com a al. *c)* do n.º 1 do art. 113.º, na redacção anterior à resultante da Lei n.º 59/98, de 25 de Agosto, enquanto — de acordo com a interpretação feita na decisão recorrida, em aplicação da jurisprudência fixada pelo assento do STJ de 25 de Março de 1992 — permite, no caso de notificação edital ao arguido da acusação, que se conte a partir do momento em que se considera efectuada o prazo para requerer a abertura da instrução, por violação do n.º 1, do art. 32.º da Constituição. (Acs. do Trib. Constitucional n.ºˢ 388/99, de 23 de Junho, proc. n.º 37/97; *DR*, II série, de 8 de Novembro de 1999 e 54/2000, de 3 de Fevereiro, proc. n.º 935/98; *DR*, II série, de 23 de Outubro de 2000);
— I — O n.º 3 do art. 277.º do CPP apenas impõe que o denunciante com a faculdade de se constituir assistente seja notificado do despacho de arquivamento do inquérito, e nada mais. II — Por isso, não determina que também seja notificado de que dispõe do prazo de 20 dias para, querendo, se constituir assistente e requerer a abertura de instrução. (Ac. RL de 9 de Maio de 2000; *CJ*, XXV, tomo 3, 136);
— O arquivamento de um inquérito, nos termos do art. 277.º, n.º 2, do CPP (por falta de indícios), não constitui um *julgamento*, para os efeitos do art. 29,º, n.º 5, da CRP, nem tem força de caso julgado. (Ac. STJ de 12 de Fevereiro de 2003, proc. n.º 4524/02-3.ª; *SASTJ*, n.º 68, 60);
— Arquivado o inquérito nos termos do art. 277.º do CPP, o respectivo despacho pode ser sindicado nos seguintes termos:
No caso de processo por crime que admita a constituição de assistente, exclusivamente por via hierárquica, nos termos do art. 278.º, contando-se o prazo aí previsto da data daquele despacho;
No caso de processo por crime que admita a constituição de assistente:
a) Por via judicial, através do requerimento de abertura de instrução;
b) Não tendo sido requerida a abertura de instrução, por intervenção hierárquica, a exercer apenas depois de decorrido o prazo para aquele requerimento; e
c) No caso de renúncia à instrução, por intervenção hierárquica eventualmente suscitada pelo interessado, sem possibilidade, naturalmente, de posteriormente se confrontar esta decisão com a abertura de instrução. (Ac. STJ de 16 de Março de 2005; *SASTJ*, n.º 89, 85).

Artigo 278.º

ARTIGO 278.º
(Intervenção hierárquica)

1. No prazo de 20 dias a contar da data em que a abertura de instrução já não poder ser requerida, o imediato superior hierárquico do magistrado do Ministério Público pode, por sua iniciativa ou a requerimento do assistente ou do denunciante com a faculdade de se constituir assistente, determinar que seja formulada acusação ou que as investigações prossigam, indicando, neste caso, as diligências a efectuar e o prazo para o seu cumprimento.

2. O assistente e o denunciante com a faculdade de se constituir assistente podem, se optarem por não requerer a abertura de instrução, solicitar a intervenção hierárquica, ao abrigo do número anterior, no prazo previsto para requererem a abertura de instrução.

---

1. O texto deste artigo foi introduzido pela Lei n.º 48/2007, de 29 de Agosto. O n.º 1 reproduz, com alterações de reduzido significado, o art. 278.º da versão anterior.

O n.º 2 foi introduzido pela mesma Lei e consagra a orientação que vínhamos sustentando em edições anteriores desta obra, na anot. 3 ao art. 278.º.

2. De notar, relativamente ao regime de Dec.-Lei n.º 35 007, que não há agora lugar à organização de qualquer relação de processos arquivados, para ser enviada ao superior hierárquico do MP, como era o caso da relação trimestral, no regime do art. 23.º do apontado Dec.-Lei. Isto a nível da lei processual penal, o que não significa que as leis de organização judiciária ou disposições regulamentares dos serviços do MP não venham a estabelecer a obrigatoriedade de uma relação desse género, a-fim-de possibilitar ao imediato superior hierárquico e exercício eficaz dos deveres conferidos por este artigo.

3. No prazo referido neste artigo, o despacho de arquivamento é revogável pelo superior, sem quaisquer restrições, portanto mesmo só com os elementos de prova carreados para o processo, e até com outro tratamento de direito da matéria de facto apurada.

Decorrido esse prazo, já o superior hierárquico imediato não pode intervir nos termos deste artigo, mas só eventualmente determinar a reabertura do inquérito, se se verificarem os pressupostos do art. 279.º.

4. *Jurisprudência:*

— I — No CPP considera-se que o inquérito foi arquivado quer nos casos em que fica reconhecida prova bastante de não se ter verificado o crime quer nos casos em que não foi possível ao MP recolher indícios suficientes da prática do crime. II — Notificado o denunciante de que o inquérito ficou arquivado, ou requer a sua constituição como assistente, se ainda a não requereu, e a abertura de instrução, ou, no mesmo prazo, «recorre» para o superior hierárquico do MP. Ao assistente, porém, está vedada a possibilidade de usar cumulativamente aqueles dois procedimentos. (Ac. RC de 21 de Julho de 1990; *CJ,* XV, tomo 3, 82);

Código de Processo Penal

— Quando o denunciante com a faculdade de se constituir assistente provocar a apreciação do despacho de arquivamento dos autos de inquérito pelo superior hierárquico do magistrado do MP que o tenha proferido, este procedimento não tem qualquer reflexo no exercício de direito de requerer a instrução, quer precludindo tal exercício, quer interrompendo ou suspendendo o prazo em curso para esse efeito. (Ac. RL de 15 de Outubro de 2002; *CJ*, XXVII, tomo 4, 134);

— I — Não fazendo a lei qualquer distinção ao nível hierárquico do MP que decretou o arquivamento ou a dedução de acusação, só poderá reportar-se, para efeito de contagem do prazo para abertura de instrução, ao arquivamento e à acusação, definidos nos arts. 277.º e 278.º do CPP, onde, entre o mais, se estabelecem as regras especiais quanto às comunicações e notificações desses actos. II — A *ratio* da intervenção hierárquica do art. 278.º do CPP reside mais na possibilidade e até no dever de o superior hierárquico *fiscalizar* ou controlar o exercício da acção penal pelo detentor do inquérito, do que na concessão de quaisquer meios — *v.g.* reclamação, para os interessados impugnarem o arquivamento entretanto ordenado pelo MP. III — A intervenção hierárquica oficiosa ou a requerimento dos interessados só ocorrerá dentro de prazo de 30 dias após o arquivamento ou a notificação deste ao assistente ou ao denunciante com a faculdade de se constituir assistente, pela simples razão de que, primeiramente, haverá, que decorrer o prazo para abertura de instrução (20 dias), e só se esta não tiver sido requerida poderá o superior hierárquico avocar a si, oficiosamente ou a requerimento, o inquérito, para os fins tido por convenientes. IV — A intervenção hierárquica com o objectivo de controlar o exercício da acção penal deixa de fazer sentido logo que os autos passem para a alçada do juiz de instrução, pois, para além dessa função de controlo, pouca ou nenhuma função lhe cabe. (Ac. STJ de 15 de Dezembro de 2004, proc. n.º 2027/04-3.ª; SASTJ, n.º 86, 78);

— I — A instrução deve ser requerida no prazo de 20 dias a contar da data da notificação da acusação ou do despacho de arquivamento, e não de desfecho decisório da hierarquia do MP, cuja intervenção ocorre no prazo de 30 dias. II — O requerimento de abertura de instrução afasta a possibilidade de intervenção hierárquica, e o pedido de intervenção hierárquica significa necessariamente renúncia à faculdade de requerer a abertura de instrução. (Ac. STJ de 18 de Maio de 2005, proc. n.º 2148/04-3.ª; SASTJ, n.º 91, 133).

ARTIGO 279.º
(Reabertura do inquérito)

1. Esgotado o prazo a que se refere o artigo anterior, o inquérito só pode ser reaberto se surgirem novos elementos de prova que invalidem os fundamentos invocados pelo Ministério Público no despacho de arquivamento.

2. Do despacho do Ministério Público que deferir ou recusar a reabertura do inquérito há reclamação para o superior hierárquico imediato.

Artigo 279.º

1. Reproduz o art. 279.º do Proj. Não havia disposições correspondentes no direito anterior. Vejam-se as anots. ao artigo anterior.

2. Com este artigo soluciona-se, pela via legislativa, uma questão que no regime do Dec.-Lei n.º 35 007, e mesmo no do Dec.-Lei n.º 605/75 foi largamente controvertida na doutrina e na jurisprudência, e que consistia em saber qual a natureza dos despachos de arquivamento proferidos pelo MP, e como podiam ser alterados. Vejam-se, sobre a questão as anots. ao art. 343.º do CPP de 1929, no nosso *Código de Processo Penal*.

3. A reabertura do inquérito, como vem regulada neste artigo, tem fundamentos que se inspiraram nos do pedido de revisão (cfr. art. 449.º, mas aqui tudo se processa perante a mesma entidade que determinou o arquivamento, e por forma extremamente sucinta. A reabertura pode ser determinada oficiosamente ou a requerimento de quem nela tenha interesse legítimo, e como fundamento da reabertura só se admite o aparecimento de novos elementos de prova que invalidem os invocados no despacho de arquivamento. Deve, por isso, entender-se que só um novo e relevante elemento de prova que ponha em causa a justeza de decisão de arquivamento pode justificar a reabertura do inquérito, o que não é o caso de uma simples contradição formal. A paz jurídica é um valor muito importante a preservar; por isso mesmo fizemos alusão no início desta nota a um certo paralelismo com os fundamentos do pedido de revisão das sentenças penais.

4. A reclamação hierárquica no n.º 2 pode ser formulada por quem viu o seu requerimento indeferido, ou, no caso de deferimento, por quem se sentir ilegitimamente lesado pela reabertura do inquérito.

Este n.º 2 parece excluir a reabertura oficiosa; não deve porém dar-se-lhe esse entendimento, pois trata-se tão-só de disposição destinada a admitir a possibilidade de reclamação e a estabelecer quem tem legitimidade para a formular. Ao MP podem vir a deparar-se novos e decisivos elementos de prova *v. g.* surgidos em um outro processo, e seria solução intolerável para a realização da justiça, que a lei portanto não poderia perfilhar, não permitir, em tal caso, a reabertura do inquérito.

5. *Jurisprudência:*

— Tendo sido requerida a abertura de instrução após o MP, nos termos do n.º 1 do art. 277.º do CPP, ter determinado o arquivamento dos autos, e tendo tal requerimento sido indeferido pelo juiz de instrução, a apreciação do requerimento posteriormente apresentado para reabertura do inquérito, nos termos do art. 279.º, não é da competência daquele magistrado, mas sim do MP respectivo. (Ac. RL de 22 de Março de 2001; *CJ*, XXVI, tomo 2, 133);

— I — O despacho do MP que recusa a reabertura doinquérito antes arquivado apenas é reclamável hierarquicamente. II — O despacho do superior hierárquico que, apreciando essa reclamação, mantém o arquivamento do processo, também não é impugnável perante o juiz de instrução. (Ac. RP de 2 de Novembro de 2005; *CJ*, ano XXX, tomo 5, 211).

Código de Processo Penal

ARTIGO 280.°

(Arquivamento em caso de dispensa da pena)

1. Se o processo for por crime relativamente ao qual se encontre expressamente prevista na lei penal a possibilidade de dispensa da pena, o Ministério Público, com a concordância do juiz de instrução, pode decidir-se pelo arquivamento do processo, se se verificarem os pressupostos daquela dispensa.

2. Se a acusação tiver sido já deduzida, pode o juiz de instrução, enquanto esta decorrer, arquivar o processo com a concordância do Ministério Público e do arguido, se se verificarem os pressupostos da dispensa da pena.

3. A decisão de arquivamento, em conformidade com o disposto nos números anteriores, não é susceptível de impugnação.

---

1. Reproduz o art. 280.° do Proj., com as seguintes alterações:
— No n.° 1, a expressão *tribunal competente para o julgamento* foi substituída por *juiz de instrução;*
— No n.° 2 foi acrescentada a expressão *e do arguido;* e
— No n.° 3, *recurso* foi substituído por *impugnação.*
— Os n,os 1 e 2 têm o texto resultante do Dec.-Lei n.º 317/95, de 28 de Novembro, em virtude de as referências à *isenção de pena* que constavam da versão originária se não justificarem após a revisão do CP levada a efeito pelo Dec.-Lei n.º 48/95, de 15 de Março. Veja-se o art. 74.º do CP, bem como as respectivas anotações, no nosso *Código Penal Anotado.*
Não havia antecedentes no ordenamento jurídico português.

2. Através das disposições deste artigo, o Código avança significativamente com uma nova alternativa relativamente ao que têm sido os quadros do nosso Direito: a eventualidade de arquivamento em caso de crime a que corresponda dispensa da pena, aqui se dando de algum modo conteúdo ao princípio da oportunidade acusatória, que porém se move dentro de critérios estritos de objectividade e de imparcialidade.
O tratamento da pequena criminalidade e sua incidência processual, como se estabelece neste artigo e no seguinte, levou em conta experiências recentes do Direito comparado e os ensinamentos da doutrina estrangeira, quase inabarcável, e mesmo nacional, destacando-se nesta as exposições do Prof. Figueiredo Dias, *Para Uma Reforma Global do Processo Penal Português,* págs. 44-49 e do Dr. Manuel da Costa Andrade, *O Novo Código Penal e a Moderna Criminologia, in Jornadas de Direito Criminal,* ed. do Centro de Estudos Judiciários, págs. 205-206.
Através deste artigo, e principalmente do seguinte em que se prevê e regula a suspensão provisória do processo, e talqualmente tem sucedido no Direito comparado, conta-se que seja resolvida grande parte dos casos de pequena criminalidade, aliviando-se os tribunais de uma morosa tarefa de julgamento.

Artigo 280.º

3. No caso previsto neste artigo há como que uma antecipação do julgamento, mas por razões processuais e de política criminal, atenta a pouca gravidade da infracção. Não chega mesmo a ser fixada qualquer pena, nem o arguido se pode opor ao arquivamento, continuando portanto e beneficiar da presunção de inocência relativamente aos factos objecto do inquérito. Se a acusação ainda não tiver sido deduzida, bastará uma decisão de arquivamento, por parte do MP, seguida de concordância do juiz de instrução, não sendo necessária qualquer intervenção do arguido, uma vez que não chega a haver acusação.

No caso de a acusação já ter sido deduzida, a situação é algo diferente: então será o juiz a arquivar o processo, com a concordância do MP, e agora também a do arguido.

A falta de concordância de alguma destas entidades fará que o processo prossiga, não se operando então o arquivamento nos termos deste artigo.

Se a instrução já estiver encerrada ou já tiver sido deduzida acusação não poderão funcionar as disposições deste artigo.

4. O normativo do n.º 1 enfermava alguma confusão, que radicava em idêntica confusão do CP, ao referir os casos de *dispensa ou isenção de pena* como podendo fundamentar o arquivamento do processo. Os casos de isenção de pena são casos em que não existe culpa nem punibilidade, e que portanto dão sempre lugar à não abertura de processo, ou ao arquivamento deste, se tiver sido aberto. Os casos de dispensa de pena são casos de culpa muito diminuta, em que se não justifica a aplicação de qualquer reacção criminal. A eles se aplica este artigo. O texto introduzido pelo Decreto-Lei referido na anot. 1, rectificando o da versão originária, clarificou os conceitos.

Veja-se, com as respectivas anots., o art. 74.º do CP, no nosso *Código Penal Anotado.*

5. O normativo do n.º 3, estabelecendo que a decisão de arquivamento, em conformidade com o disposto nos números anteriores, não é susceptível de impugnação, tem fundamento óbvio, já que tem a iniciativa do MP ou a concordância deste e é favorável ao arguido, não havendo portanto legitimidade ou interesse em agir de qualquer desses sujeitos processuais.

Por isso mesmo entendemos que a decisão do juiz no sentido de não aceitar o arquivamento, e antes se decidir pelo prosseguimento do processo, é susceptível de ser impugnada mediante recurso. Neste sentido também o Dr. José Pedro Fazenda Martins, *Lusíada,* n.º 1, 138. Também a decisão de arquivamento é impugnável pelo assistente, com o fundamento de que se não verificam os pressupostos dos números anteriores.

6. *Jurisprudência:*
— I — Arquivado o inquérito antes da acusação, com dispensa na pena, O MP não pode reabri-lo, pois no caso não tem aplicação o art. 279.º do CPP, que apenas rege para as hipóteses em que não chega a apurar-se a existência de crime ou de identidade dos seus agentes. II — Se o MP reabriu o inquérito arquivado com dispensa de pena, e, realizadas diligências de prova, deduz acusação contra os arguidos, que vieram a ser condenados, tem a sentença condenatória de ser revogada, uma vez que, desse modo, não apenas

Código de Processo Penal

se violou o caso julgado que a decisão de arquivamento formou, como o MP carecia de legitimidade para agir do modo indicado. (Ac. RP de 3 de Julho de 2003; *CJ*, XXVIII, tomo 4, 203);

— Não é inconstitucional a norma do art. 280.º, n.ºˢ 1 e 3, do CPP, interpretada como não admitindo recurso para o Tribunal da Relação das decisões do MP de arquivamento de inquérito, em caso de dispensa de pena. (Ac. do Trib. Constitucional n.º 397/2004, de 2 de Junho, proc. n.º 204/04-2.ª; *DR*, II série, de 8 de Julho de 2004);

— I — O arquivamento do inquérito por crime relativamente ao qual a lei preveja expressamente a possibilidade de dispensa de pena só pode ter lugar caso se verifiquem os pressupostos dessa dispensa; ou seja, se a ilicitude do facto e a culpa forem diminutas, se o dano tiver sido reparado, e se houver razões de prevenção que se oponham a essa dispensa. II — Se não se verificam os pressupostos da dispensa de pena a decisão de arquivamento é passível de recurso, já que a irrecorribilidade a que alude o n.º 3 do art. 280.º do CPP não se aplica a tal decisão. (Ac. RP de 31 de Março de 2004; *CJ*, XXIX, tomo 2, 210);

— I — Apenas a dispensa de pena decretada na sentença ao abrigo do art. 74.º do CP deve ser levada ao registo criminal. II — Não tem, por isso, que ser comunicado ao registo criminal o arquivamento do processo ordenado pelo MP, depois de obtida a concordância do juiz, em virtude de a lei prever para o crime a possibilidade de dispensa de pena. III — O arguido não tem interesse em agir para recorrer do despacho do juiz que concorda com esse arquivamento. (Ac. RG de 17 de Outubro de 2005; *CJ*, XXX, tomo 4, 305).

ARTIGO 281.º

(Suspensão provisória do processo)

1. Se o crime for punível com pena de prisão não superior a cinco anos ou com sanção diferente da prisão, o Ministério Público, oficiosamente ou a requerimento do arguido ou do assistente, determina, com a concordância do juiz de instrução, a suspensão do processo, mediante a imposição ao arguido de injunções e regras de conduta, sempre que se verificarem os seguintes pressupostos:

a) Concordância do arguido e do assistente;

b) Ausência de condenação anterior por crime da mesma natureza;

c) Ausência de aplicação anterior de suspensão provisória de processo por crime da mesma natureza;

d) Não haver lugar a medida de segurança de internamento;

e) Ausência de um grau de culpa elevado; e

f) Ser de prever que o cumprimento das injunções e regras de conduta responda suficientemente às exigências de prevenção que no caso se façam sentir.

Artigo 281.º

2. São oponíveis ao arguido, cumulativa ou separadamente, as seguintes injunções e regras de conduta:

a) Indemnizar o lesado;
b) Dar ao lesado satisfação moral adequada;
c) Entregar ao Estado ou a instituições privadas de solidariedade social certa quantia ou efectuar prestação de serviço de interesse público;
d) Residir em determinado lugar;
e) Frequentar certos programas ou actividades;
f) Não exercer determinadas profissões;
g) Não frequentar certos meios ou lugares;
h) Não residir em certos lugares ou regiões;
i) Não acompanhar, alojar ou receber certas pessoas;
j) Não frequentar certas associações ou particular em determinadas reuniões:
l) Não ter em seu poder determinados objectos capazes de facilitar a prática de outro crime;
m) Qualquer outro comportamento especialmente exigido pelo caso.

3. Não são oponíveis injunções e regras de conduta que possam ofender a dignidade do arguido.

4. Para apoio e vigilância do cumprimento das injunções e regras de conduta podem o juiz de instrução e o Ministério Público, consoante os casos, recorrer aos serviços de reinserção social, a órgãos de polícia criminal e às autoridades administrativas.

5. A decisão de suspensão, em conformidade com o n.º 1, não é susceptível de impugnação.

6. Em processos por crime de violência doméstica não agravado pelo resultado, o Ministério Público, mediante requerimento livre e esclarecido da vítima, determina a suspensão provisória do processo, com a concordância do juiz de instrução e do arguido, desde que se verifiquem os pressupostos das alíneas *b)* e *c)* do n.º 1.

7. Em processos por crime contra a liberdade e autodeterminação sexual de menor não agravado pelo resultado, o Ministério Público, tendo em conta o interesse da vítima, determina a suspensão provisória do processo, com a concordância do juiz de instrução e do arguido, desde que se verifiquem os pressupostos das alíneas *b)* e *c)* do n.º1.

---

1. A suspensão provisória do processo foi introduzida logo na versão originária do Código, segundo o Proj. e o Parecer do Tribunal Constitucional de 9 de Janeiro de 1987, proc. n.º 302/86.

671

Código de Processo Penal

O texto originário sofreu posteriormente alterações introduzidas pelas Leis n.ᵒˢ 59/98, de 25 de Agosto e 7/2000, de 27 de Maio.

O texto actual foi introduzido pela Lei n.º 48/2007, de 29 de Agosto e estabeleceu significativas e relevantes alterações relactivamente à versão anterior, designadamente as seguintes:

— A suspensão provisória do processo passou a poder ser aplicada a requerimento do arguido ou do assistente (anteriormente só do MP);

— Restringiu-se o requisito de ausência de antecedentes criminais, passando a exigir-se apenas que não haja condenação ou suspenção ou suspensão provisória anteriores por crime da mesma natureza;

— O requisito de culpa diminuta foi transformado em previsão de ausência de culpa elevada;

— Em processos por crime contra a liberdade e autodeterminação sexual de menor não agravado pelo resultado, o MP, tendo em consideração o interesse da vítima, determina a suspensão provisória do processo como se prescreve no n.º 7, tratando-se aqui de um poder-dever, portanto vinculativo, sempre subordinado ao interesse da vítima.

2. A Lei n.º 43/86, de 26 de Setembro (Lei de Autorização legislativa), art. 2.º, n.º 2, al. 46)) estabeleceu a admissibilidade, dentro das determinantes constitucionais, da suspensão provisória de processo quando, atento o carácter diminuto da culpa e a circunstância de a pena abstractamente aplicável não exceder prisão por mais de três anos, o MP previsse que o cumprimento pelo arguido de determinadas injunções e regras de conduta seja suficiente para responder às exigências de prevenção que no caso se façam sentir, assegurando-se, em termos adequados, a concordância do arguido e do ofendido.

Com as disposições deste artigo, dentro das determinantes daquela Lei e da CRP, avançou-se com mais uma alternativa no tratamento processual da pequena criminalidade, levando-se em conta experiências do Direito comparado e os ensinamentos da doutrina estrangeira e nacional, que foi referida em anot. ao artigo anterior. Em tal aspecto são de destacar as experiências do Direito Italiano dos decretos de condenação e principalmente do Alemão Federal, por mais próximo do articulado do art. 281.º, do arquivamento provisório (suspensão) do processo penal contra injunções e regras de conduta.

Trata-se de um importante instituto posto à disposição do MP e do juiz, através do qual têm o poder-dever de resolver grande parte das bagatelas penais, como se acentua no relatório do Código, n.º 6, al. *a),* e como resulta das exposições do Prof. Figueiredo Dias e do Dr. Costa Andrade, aludidas em anot. ao artigo anterior e que fortemente influenciaram a estrutura das disposições deste artigo. Particularmente quanto à suspensão provisória do processo, veja-se a exposição deste último autor, *in Jornadas de Direito Processual Penal.* 346--355.

3. O Dec.-Lei n.º 299/99, de 4 de Agosto, regulamentou a base de dados da PGR sobre a suspensão provisória de processos crime, nos termos dos arts. 281.º e 282.º do CPP.

Artigo 281.º

4. A suspensão provisória do processo, nos moldes regulados neste artigo, é decidida pelo MP findo o inquérito, desde que se verifiquem as condições (cumulativas) do n.º 1.

Seguir-se-á, para que a suspensão seja válida, a concordância do juiz de instrução.

Se o MP se decidir pela suspensão provisória do processo, imporá ao arguido as injunções e regras de conduta especificadas no n.º 2 e que ao caso forem adequadas.

De salientar que há algum paralelismo entre as condições e as injunções e regras de conduta aqui especificadas e as que o CP prevê para a suspensão da execução da pena, o que é compreensível, porque se trata como que de uma antecipação do tratamento jurídico criminal, que dispensa uma actividade processual que poderia vir a ter custos elevados, nos casos em que, presumivelmente, seria aplicada na sentença suspensão da execução da pena.

5. Contrariamente ao que sucede no caso do art. 280.º, é aqui necessária a concordância do arguido, e também a do assistente, quando o houver.

O caso do art. 280.º aproxima-se mais de um julgamento, já que o processo é então desde logo arquivado. No caso do art. 281.º a suspensão é provisória, e o processo prosseguirá se as injunções não forem cumpridas.

A suspensão provisória do processo é decidida pelo MP, em despacho fundamentado — art. 97.º, n.ºs 2 e 4, embora fique sujeita à condição *sine qua non* da concordância do juiz, a qual apresenta portanto a feição de um acto homologatório. Caso se não verifique a concordância, tudo se passará como se não tivesse havido a decisão do MP de suspender o processo, devendo portanto este seguir os seus trâmites normais.

6. Particularmente quanto a magistrados e agentes do MP, no que concerne à determinação da suspensão provisória do processo, devem observar e sustentar o que foi determinado por Despacho do Procurador-Geral da República de 1 de Fevereiro de 2006, constante da circular n.º 2/2008, da mesma data, que a seguir se transcreve:

I — O artigo 281.º do Código de Processo Penal, aprovado pelo Decreto--Lei n.º 78/87, de 17 de Fevereiro, na redacção conferida pela Lei n.º 48/2007, de 29 de Agosto, prevê uma forma consensual de resolução do conflito criminal, que se traduz na possibilidade de o Ministério Público, oficiosamente ou a requerimento do arguido ou do assistente, determinar, com a concordância do juiz de instrução, a suspensão do processo, mediante a imposição ao arguido de injunções e regras de conduta, sempre que se verificarem determinados pressupostos.

II — Por seu turno, a Lei sobre Política Criminal (Lei n.º 51/2007, de 31 de Agosto), em matéria de orientações sobre a pequena criminalidade – artigos 12.º, n.º 1, alínea *b)*, e 14.º, alínea *f)* –, estabelece que os magistrados do Ministério Público privilegiam, no âmbito das suas competências e de acordo com as directivas e instruções genéricas aprovadas pelo Procurador-Geral da República, a aplicação do referido instituto da suspensão provisória do processo.

III — A base de dados da Procuradoria-Geral da República sobre a suspensão provisória de processos crime encontra-se regulamentada no Decreto-Lei n.º 299/99, de 4 de Agosto.

Código de Processo Penal

IV— Incumbe ao Procurador-Geral da República emitir as directivas e instruções genéricas que se mostrem necessárias para assegurar o efectivo cumprimento pelo Ministério Público dos deveres às suas competências legais.

V — Tendo presente o exposto, determino, ao abrigo do disposto no artigo 12.º, n.º 2, alínea *b)*, do Estatuto do Ministério Público, e nos artigos 12.º, n.º 2, e 14.º da Lei sobre Política Criminal, que os Senhores Magistrados e Agentes do Ministério Público observem e sustentem o seguinte:

1. Nos processos relativos a factos ocorridos até ao dia 1 de Março de 2008, os elementos a que se refere o artigo 281.º, n.º 1.º, alínea *c)*, do Código de Processo Penal deverão ser obtidos:

a) Nos registos criados – nos termos do n.º 3 do ponto VI da Circular n.º 6/20002, de 11 de Março de 2002 – nas Procuradorias da República e nos Departamentos de Investigação e Acção Penal;

b) Na ausência de registos ou perante a sua desactualização, através das declarações do arguido, com a advertência de que a falsidade o pode fazer incorrer em responsabilidade penal, nos termos dos artigos 140.º, 141.º, n.º 3, 143.º, n.º 2, e 144.º, n.º 1, do Código de Processo Penal.

2. Nos processos relativos a factos ocorridos a partir do dia 1 de Março de 2008, inclusive, os Senhores Magistrados e Agentes do Ministério Público deverão, em cumprimento do referido Decreto-Lei n.º 299/99, de 4 de Agosto, e nos termos da presente Circular:

a) Recolher e comunicar, por via electrónica, à Procuradoria-Geral da República, através do respectivo sítio na internet (www.pgr.pt), a partir da entrada «Bases de Dados» e respectiva ligação a «Suspensão Provisória do Processo», os dados a que se refere o artigo 3.º do citado diploma, mediante o uso do login e da password fornecidas, em 2007, aquando do movimento de magistrados;

b) Aceder directamente e sempre que for necessário, nos termos do artigo 5.º, alínea *c)* do mencionado diploma, à referida ligação «Suspensão Provisória do processo», nas condições acima referidas.

3. A título excepcional e apenas nos casos em que não se disponha dos meios técnicos adequados para o preenchimento, por via electrónica, da referida base de dados, a informação a que se refere o artigo 3.º do Decreto-Lei n.º 299/99, de 4 de Agosto, incluindo a identificação do arguido, deverá ser comunicada em suporte de papel (fax n.º 213975255), à Procuradoria-Geral da República, com a menção expressa *«base de dados – suspensão provisória do processo – Decreto-Lei n.º 299/99, de 4 de Agosto».*

4. Do mesmo modo e apenas nos casos em que não estejam disponíveis meios técnicos adequados para aceder à base de dados em causa, os Senhores Magistrados e Agentes do Ministério Público poderão solicitar à Procuradoria Geral da República (fax n.º 213975255) o fornecimento da informação pretendida.

5. Os Senhores Magistrados e Agentes do Ministério Público que não disponham do *login* e da *password* referidos na alínea *a)* do n.º 2 da

Artigo 281.º

presente circular poderão solicitar o respectivo fornecimento à Procuradoria-
-Geral da República, através do *e-mail:* eelvas@pgr.pt.

7. Havendo no mesmo processo vários arguidos, pode haver lugar à suspensão orovisória do processo só quanto a algum ou alguns deles, mas dever-
-se-á então proceder à separação de processos.
Havendo pluralidade de assistentes, só será necessária a concordância dos que tenham sido ofendidos pela prática do crime cujo processo é provisoriamente suspenso.

8. Em relação a determinados crimes existentes regras especiais para aplicação da suspensão provisória do processo. Designadamente:
— A Lei n.º 48/2007, de 29 de Agosto, estabeleceu regras especiais para o crime de violência doméstica não agravado pelo resultado;
— A mesma lei estabeleceu regras especiais quanto ao crime contra a liberdade e autodeterminação sexual de menor não agravado pelo resultado;
— A Lei n.º 36/94, de 29 de Setembro, estabelece regras especiais para o crime de corrupção activa.

9. A Lei n.º 51/2007, de 31 de Agosto, sobre definição e execução da política criminal, no art. 12.º, n.º 1, alínea *c)*, estabelece o dever de os magistrados do MP privilegiarem, no âmbito dassuas competências e de acordo com as direcctivas e instruções genéricas aprovadas pelo Procurador-Geral da República, a suspensão provisória do processo.

10. *Jurisprudência:*
— São irrecorríveis os despachos do juiz que não apliquem a suspensão provisória do processo, por discordar da proposta do MP, nos termos do art. 281.º do CPP. (Ac. RL de 26 de Junho de 1990; CJ, XV, tomo 3, 170). *Nota* — Discordamos. Vejam-se as anots. 5 e 6 ao art. 280.º);
— A intervenção do juiz na suspensão provisória do processo não se limita à verificação dos respectivos pressupostos, competindo-lhe, para além disso, exercer um juízo sobre as injunções ou regras de conduta que o MP entendeu de impor ao arguido, a partir do que deverá ou não dar a sua anuência. (Ac. RC de 26 de Junho de 1991; *CJ,* XVI, tomo 3, 109);
— I — A *injunção* consiste na imposição ao arguido de um *facere* ou de um *non facere,* ou seja de uma conduta activa ou passiva que condicione a sua normal actividade. II — Não constitui, porém, injunção ou imposição de regra de conduta a ordenação ao arguido de um comportamento que era obrigado   a adoptar, como seria a de não cometer qualquer ilícito penal, durante o   decurso de certo prazo. (Ac. RL de 11 de Junho de 1997; *CJ,* XXII, tomo 3, 156);
— O despacho do juiz, indeferindo uma proposta de suspensão do processo formulada pelo MP, é irrecorrível, por constituir o exercício de um poder discricionário. (Ac. RE de 3 de Fevereiro de 1998; *CJ,* XXIII, tomo 1, 98). *Nota* — Discordamos. Vejam-se as anots. 5 e 6 ao art. 280.º);
— É irrecorrível o despacho no qual o juiz de instrução manifeste discordância quanto à proposta de suspensão provisória do processo formulada pelo MP. (Ac. RL de 1 de Junho de 1999; *CJ,* XXIV, tomo 3, 143);

Código de Processo Penal

— I — O MP não tem que fundamentar o seu juízo de oportunidade acerca da iniciativa que tome sobre a suspensão do processo e, tanto o arguido como o assistente, quando se oponham às propostas de injunção ou às regras de conduta, também não necessitam de justificar as razões do seu procedimento. II — A manifestação de discordância formulada pelo juiz de instrução à proposta de suspensão provisória do processo é irrecorrível. (Ac. RL de 21 de Dezembro de 1999; *CJ*, XXIV, tomo 5, 153);

— I — As injunções e regras de conduta são equivalentes funcionais de uma sanção especial penal. II — A intervenção do juiz, referentemente à suspensão provisória do processo nos termos do art. 281.º do CPP, não deve limitar-se à verificação dos respectivos requisitos formais, já que poderá também exercer um juízo de censura sobre as injunções ou regras de conduta que o MP entenda dever aplicar ao arguido e expressar a concordância ou discordância sobre as mesmas. (Ac. RL de 9 de Fevereiro de 2000; *CJ*, XXV, tomo 1, 152);

— I — A decisão judicial de concordância com a suspensão do processo nos termos do art. 281.º n.º 1, do CPP, é recorrível, do mesmo modo que o é a decisão de não concordância com essa suspensão. II — A dita suspensão do processo só pode ter lugar se o arguido concordar com as injunções e determinações impostas. (Ac. RP de 22 de Outubro de 2003; *CJ*, XXVIII, tomo 4, 215);

— Num processo suspenso provisoriamente com sujeição ao cumprimento de determinadas injunções, tendo a ofendida de um crime de maus tratos a cônjuge requerido a instrução para se apurar de incumprimento das injunções, finda a instrução e provado o incumprimento, não há que pronunciar o arguido, mas sim de determinar o fim da suspensão provisória do processo e prosseguimento deste, devendo os autos ser presentes ao MP para prosseguimento do mesmo com o exercício da acção penal. (Ac. RC de 21 de Janeiro de 2004; *CJ*, XXIX, tomo 1, 44);

— I — A decisão judicial que decide da aplicação da suspensão provisória do processo art. 281.º, n.º 1, do CPP — é passível de recurso. II — A expressão "se o crime for punível com pena de prisão não superior a 5 anos..." do art. 281.º, n.º 1, do CPP, abarca o concurso de crimes em que a pena abstractamente aplicável não é superior a 5 anos de prisão. (Ac. RC de 16 de Fevereiro de 2005; *CJ*, XXX, tomo I, 46);

— É irrecorrível o depacho judicial no qual se discorda da proposta do MP de que o processo fosse provisoriamente suspenso. (Ac. RE de 18 de Março de 2005, *CJ*, XXX, tomo 2, 265);

— I — A decisão de suspensão provisória do processo, que requer a verificação de determinados pressupostos (materiais e formais), resulta da concorrência de duas decisões concordantes: a do MP e a do juiz de instrução. II — A decisão do juiz de instrução, seja de concordância, seja de discordância, não é um mero acto de expediente, nem dependente da sua livre resolução; antes está sujeita ao princípio da legalidade. III — Tal decisão tem por isso de ser fundamentada de facto e do direito, sob pena de irregularidade, por falta de fundamentação. IV — A decisão, sendo de concordância, não é, em princípio, passível de recurso, mas apenas porque os sujeitos processuais, tendo dado a sua concordância, não têm interesse em agir, para recorrer. V — Se a decisão

676

Artigo 282.º

for discordância, é recorrível. (Ac. RP de 22 de Junho de 2005, proc. n.º 1320/05; *CJ*, ano XXX, tomo 3, 217);

— I — O art. 281.º do CPP, interpretado no sentido de o juiz de instrução estar condicionado pela decisão do MP, nomeadamente quando à selecção das injnções e regras de conduta e à determinação do período de suspensão do processo, não é inconstitucional. II — A norma do art. 281.º em conjunto com o art. 64.º do mesmo Código, interpretada no sentido de ser dispensada a assistência de defensor ao arguido no acto em que este é chamado a dar a sua concordância à suspensão provisória do processo, não viola o n.º 3 do art.32.º da Constituição. (Ac. do Trib. Constitucional n.º 67/2006, de24 de Janeiro; *DR*, II — série, de 6 de Março do mesmo ano);

— I — Proposta pelo MP a suspensão do processo, o juiz não está limitado a verificar os pressupostos formais e vinculativos da aplicação da medida de suspensão, antes tem o poder de concordar ou não com o acerto da proposta, tendo em vista os fins para que tal medida foi legalmente desenhada. II — O MP, para se decidir pela suspensão do processo, não tem que, previamente, *negociar* a aplicação da medida com o juiz. III — Embora a lei exija a concordância do arguido para a aplicação da medida de suspensão do processo, ele não tem que estar assistido por defensor para dar o seu acordo. (Ac. RP de 21 de Dezembro de 2005; *CJ*, ano XXX, tomo 5, 227);

— A norma do art. 281.º, n.º 2, al.i), do CPP não é inconstitucional. (Ac. do Trib. Constitucional de 22 de Fevereiro de 2006, proc. n.º 144/2006; *DR*, II — série, de 3 de Maio do mesmo ano);

— Sendo o instituto da suspensão provisória do processo admissível relativamente a todos os crimes puníveis com pena de prisão não superior a 5 anos, não pode o julgador criar excepções onde o legislador não distinguiu, pelo que aquela medida se aplica aos crimes de condução em estado de embriaguez. (Ac. RG de 20 de Fevereiro de 2006; *CJ*, ano XXXI, tomo I, 295);

— O despacho do juiz de instrução que se opõe à suspensão provisória do processo de inquérito requerido pelo MP é irrecorrível, pois não é decisão em sentido próprio, mas mero juízo de concordância ou discordância com a posição assumida por aquele magistrado. (Ac. RE de 13 de Junho de 2006, proc. n.º 994/06; *CJ*, ano XXXI, tomo 3, 261);

— O despacho em que o juiz maniesta a sua discordância relativamente à suspensão provisória do processo é irrecorrível. (Ac. RL de 12 de Junho de 2007; *CJ,* ano XXXII, tomo 3, 128).

ARTIGO 282.º

(Duração e efeitos da suspensão)

1. A suspensão do processo pode ir até dois anos, com excepção do disposto no n.º 5.

2. A prescrição não corre no decurso do prazo de suspensão do processo.

3. Se o arguido cumprir as injunções e regras de conduta, o Ministério Público arquiva o processo, não podendo ser reaberto.

Código de Processo Penal

4. O processo prossegue e as prestações feitas não podem ser repetidas:

a) Se o arguido não cumprir as injunções e regras de conduta; ou

b) Se, durante o prazo de suspensão do processo, o artigo cometer crime da mesma natureza pelo qual venha a ser condenado.

5. Nos casos previstos nos n.ᵒˢ 6 e 7 do artigo anterior, a duração da suspensão pode ir até 5 anos.

---

1. O texto dos n.ᵒˢ 3, 4 e 5 deste artigo foi introduzido pela Lei n.º 48/2007, de 29 de Agosto. O texto anterior era o originário, com alterações introduzidas pela Lei n.º 7/2000, de 27 de Maio.
Em relação ao regime anterior apontam-se as seguintes alterações:
— Foi incluida a causa de prosseguimento do processo constante da alínea b) do n.º 4 que, em nosso entendimento, já estava incluída na amplitude do anterior n.º 3;
— A duração da suspensão pode ir até 5 anos nos casos previstos nos n.ᵒˢ 6 e 7 do art. 281.º (anteriormente até ao limite máximo da respectiva muldura penal).

2. O n.º 2 consagra um caso de suspensão da prescrição do procedimento criminal, a acrescer aos que vêm enumerados no art. 120.º do CP. Como é próprio do regime da suspensão, estabelecido no n.º 3 do referido art. 120.º, não ficam inutilizados os prazos que já decorreram até ao momento da suspensão; se o processo prosseguir, o prazo volta a correr, contando o tempo decorrido até ao momento em que foi decidida a suspensão provisória do processo.

3. A lei é aqui, no n.º 3, muito mais terminante quanto às consequências do não cumprimento das injunções e regras de conduta, do que é o CP a propósito das consequências da falta de cumprimento dos deveres impostos na sentença e que condicionam a suspensão da execução da pena.
Não obstante, cremos que o não cumprimento de qualquer injunção ou regra de conduta não poderá, por si e automaticamente, desencadear o prosseguimento do processo. A disposição da alínea *a)* do n.º 4 tem que ser objecto de uma interpretação ponderada, harmónica com os princípios perfilhados pelo CP, nomeadamente sobre a culpa, o que terá como resultado uma interpretação restritiva. É, desde logo, exigível que a falta, para que possa desencadear o prosseguimento do processo, seja imputável ao arguido pelo menos a título de culpa. Também se nos afigura que faltas mínimas, de desvalor ético-jurídico de reduzido significado, terão como consequência mais adequada *v. g.* uma solene advertência do que, desde logo, o prosseguimento do processo.

4. Quanto a duração, preceitua-se no n.º 1 que a suspensão pode ir até 2 anos, com excepção do disposto no n.º 5. Não se estabelece porém qualquer limite mínimo, pelo que em nosso entendimento ele é o limite temporal do cumprimento das injunções e regras de conduta que tenham sido impostas. Isto é o processo será arquivado logo que cumpridas as injunções ou regras de conduta.

5. Os agentes do MP não magistrados não podem decidir-se pela suspensão provisória do processo sem prévia autorização do seu superior hierárquico — Circular da PGR n.º 8/87.

Artigo 283.º

6. *Jurisprudência:*
— Se determinada matéria de facto foi objecto de despacho de arquivamento, na sequência do decurso do prazo de suspensão provisória do processo, não pode vir a ser incluída na factualidade dada como provada no âmbito de um outro processo, não admitida pelo art. 282.º, n.º 3, do CPP. (Ac. STJ, de 11 de Outubro de 2005, proc. n.º 2159/ 04-3.ª; *SASTJ*, n.º 94, 83).

ARTIGO 283.º
(Acusação pelo Ministério Público)

1. Se durante o inquérito tiverem sido recolhidos indícios suficientes de se ter verificado o crime e de quem foi o seu agente, o Ministério Público, no prazo de dez dias, deduz acusação contra aquele.
2. Consideram se suficientes os indícios sempre que deles resultar uma possibilidade razoável de ao arguido vir a ser aplicada, por força deles, em julgamento, uma pena ou uma medida de segurança.
3. A acusação contém, sob pena de nulidade:

a) As indicações tendentes à identificação do arguido;
b) A narração, ainda que sintética, dos factos que fundamentam a aplicação ao arguido de uma pena ou de uma medida de segurança, incluindo, se possível, o lugar, o tempo e a motivação da sua prática, o grau de participação que o agente neles teve e quaisquer circunstâncias relevantes para a determinação da sanção que lhe deve ser aplicada;
c) A indicação das disposições legais aplicáveis;
d) O rol com o máximo de vinte testemunhas, com a respectiva identificação, discriminando-se as que só devam depor sobre os aspectos referidos no artigo 128.º, n.º 2, que não podem exceder o número de cinco;
e) A indicação dos peritos e consultores técnicos a serem ouvidos em julgamento, com a respectiva identificação;
f) A indicação de outras provas a produzir ou a requerer;
g) A data e a assinatura.

4. Em caso de conexão de processos, é deduzida uma só acusação.
5. É correspondentemente aplicável o disposto no artigo 277.º, n.º 3, prosseguindo o processo quando os procedimentos de notificação se tenham revelado ineficazes.
6. As comunicações a que se refere o número anterior efectuam-se mediante contacto pessoal ou por via postal registada, excepto se o arguido e o assistente tiverem indicado a sua residência ou domicílio profissional à autoridade policial ou judiciária que elaborar

Código de Processo Penal

o auto de notícia ou que os ouvir no inquérito ou na instrução, caso em que são notificados mediante via postal simples, nos termos do artigo 113.º, n.º 1, alínea *c)*.

7. O limite do número de testemunhas previsto na alínea *b)* do n.º 3 pode ser ultrapassado desde que tal se afigure necessário para a descoberta da verdade material, designadamente quando tiver sido praticado algum dos crimes referidos no n.º 2 do artigo 215.º ou se o processo se revelar de excepcional complexidade, devido ao número de arguidos ou ofendidos ou o carácter organizado do crime.

1. O texto do n.º 1, bem como os das alíneas *e)*, *f)* e *g)* do n.º 3 e o do n.º 5 foram introduzidos pela Lei n.º 59/98, de 25 de Agosto. O da alínea *d)* do n.º 3, introduzido pela mesma Lei, sofreu posteriormente alteração introduzida pelo Dec.-Lei n.º 320-C/2000, de 15 de Dezembro consistente na limitação a 20 do número de testemunhas.
O n.º 6 tem a redacção introduzida pelo Dec.-Lei n.º 320-C/2000, de 15 de Dezembro. Relativamente ao texto anterior aponta-se a possibilidade de notificação por via postal simples, no caso aí previsto, em consonância com alterações introduzidas pelo mesmo diploma no art. 113.º.
O n.º 7, que não tinha correspondente anterior, foi introduzido pelo aludido Dec.-Lei n.º 320-C/2000, de 15 de Dezembro. Representa como que uma válvula de segurança relativamente à limitação estabelecida na alínea *d)* do n.º 3, imposta pelo princípio da demanda da verdade material que norteia o processo penal.

2. A acusação pelo MP, de que trata este artigo, é a acusação formulada em processo comum. Quanto aos processos especiais sumário e abreviado deve atender-se ao disposto nos arts. 389.º n.º 3 e 391.º-B. Quanto ao processo sumaríssimo não há acusação, mas requerimento que o MP dirige ao tribunal e que obedece aos requisitos dos arts. 392.º, 393.º e 394.º.

3. Além dos requisitos enumerados nas alíneas do n.º 3, o MP deve atender a outros dispositivos constantes deste Código e mesmo de algumas leis especiais. Ocorre-nos mencionar os seguintes:
— Pedido de indeminização civil, quando o MP tiver legitimidade para o formular – art. 77.º, n.º 1;
— Pedido de intervenção do tribunal singular quando for caso de aplicação do art 16.º n.º 3;
— Pedido de intervenção do tribunal do júri, conforme os n.os 1, 2 e 3 do art. 13.º.
— Nos termos do art. 2.º, n.º 1, do Dec.-Lei n.º 59/89, de 22 de Fevereiro, em todas as acusações penais por actos que tenham determinado incapacidade para o exercício da actividade profissional ou morte, o MP, quando deduza acusação ou se pronunciar sobre a acusação particular, deve indicar a qualidade de beneficiário da Segurança Social do ofendido e identificar a instituição ou instituições que o abranjam, elementos que são apurados no inquérito preliminar ou na instrução.

Artigo 283.º

4. A dedução da acusação deve revestir-se do maior cuidado, pelas repercussões que tem na tramitação ulterior. Uma acusação mal deduzida pode comprometer irremediavelmente o tratamento que o direito substantivo comina para um determinado comportamento humano. É que, se o tribunal, respeitado o contraditório, é livre na apreciação do direito, não o é na indagação dos factos na fase de julgamento, devido as limitações impostas, designadamente nos arts. 358.º e 359.º, ao apuramento da matéria de facto e aos poderes de cognição do tribunal no domínio desta matéria. Na realidade, e salvo casos excepcionais que agora não importa focar, só podem ser considerados, no julgamento, os factos gravosos para o arguido constantes da acusação e da pronúncia.

Este artigo impõe, no n.º 3, que o despacho de acusação contenha, sob cominação de nulidade, além de outros elementos, a narração dos factos que fundamentam a aplicação ao arguido de uma pena ou de uma medida de segurança, isto é dos elementos de facto constitutivos do crime (art. 1.º, n.º 1, *a)*). No cumprimento do apontado normativo do n.º 3, será conveniente ponderar que a descrição aí exigida deve ser precedida de estudo atento das normas substantivas, em todos os aspectos que o desenvolvimento ulterior do caso poderá revestir, para que ao julgador não venham a faltar factos necessários para uma eventual solução de direito adequada.

Assim, se o comportamento do arguido integra um crime continuado, será conveniente descrever na acusação todas as condutas que se integram na continuação, porque algumas podem não ficar provadas, estar prescritas, amnistiadas, etc., e porque, mesmo dentro da unidade, pode não ser indiferente a prática de um ou de vários actos naturalísticos.

Também, nos casos de concurso aparente, deve o acusador descrever as condutas integradoras das infracções que considere consumidas, porque podem só estas ficar provadas no julgamento e porque pode, afinal, não haver razão para a consunção. Suponha-se um caso de violação, com ofensas à integridade física na pessoa ofendida. Normalmente, as ofensas estarão consumidas pela violação. Figure-se, porém, o caso de no julgamento, se apurar que não houve violação, mas só ofensas à integridade física. Se a acusação tiver sido correctamente deduzida, haverá logo condenação por ofensas à integridade física. Mas se o acusador, por considerar que as ofensas à integridade física estavam consumidas pela violação, tiver omitido na acusação as lesões corporais, o crime de ofensas à integridade física não pode nesse processo ser levado em conta pelo tribunal a não ser com a concordância do MP, do arguido e do assistente (n.º 2 do art. 359.º) e normalmente ter-se-á que instaurar novo procedimento (art. 359.º, n.º 1).

Ainda quanto à dedução da acusação afigura-se-nos pertinente aditar os seguintes apontamentos, sugeridos pelos dispositivos dos arts. 32.º, n.ºs 1 e 5 da Constituição e 358.º e 359.º deste Código e pela jurisprudência do Trib. Constitucional sumariada em anot. a estes últimos artigos:

Devem ser descritos na acusação, e aí devidamente discriminados, todos os factos relevantes, inclusivamente os atinentes ao modo de execução do crime, não sendo lícito, por desrespeito das garantias da defesa e dos princípios do acusatório e do contraditório, que a acusação remeta, quanto a tais factos, para outros elementos constantes do processo.

Código de Processo Penal

Quanto ao tratamento jurídico a dar aos factos, a questão põe-se hoje em moldes diferentes daqueles em que era posta perante o Código de 1929 e mesmo anteriormente à vigência o n.º 3 do art. 358.º do presente Código, introduzido pela Lei n.º 59/98, de 25 de Agosto, por premência da jurisprudência do Trib. Constitucional e dos princípios do acusatório e do contraditório. Em tais termos, e em cumprimento da alínea *c)* do n.º 3, a-fim-de evitar eventuais delongas para a comunicação a que alude o art. 358.º, n.º 1, *in fine*, afigura-se- -nos aconselhável que nos casos de concurso aparente de infracções a acusação indique também a que fica consumida no caso de condenação pela de maior gravidade.

5. O n.º 3 comina com nulidade a omissão, na acusação, de alguma das matérias contidas nas suas alíneas.

A nulidade, porém, não é insanável, pois não está abrangida na enumeração taxativa do art. 119.º. Assim, para que seja decretada, deve ser arguida, nos termos do art. 120.º.

Para além disto, qualquer irregularidade da acusação pode ser rectificada oficiosamente, nos termos do art. 123.º.

Este regime denota bem o intuito que houve de reduzir ao mínimo o número das nulidades em processo penal, e de não incluir no seu número quaisquer vícios formais.

No entanto, e embora o Código se lhe não refira expressamente, há lugar em processo penal ao vício mais radical que é o da inexistência, e que será abordado a propósito do art. 468.º.

6. A expressão *indicações tendentes à identificação do arguido,* e não simplesmente identificação do arguido, pode afigurar-se de algum modo enigmática. Foi, porém, usada de caso pensado, visando resolver aqueles casos em que se não sabe ao certo qual e a identificação do arguido. Em tais casos a acusação descreverá as indicações que tiver ao seu dispor e que e que identifiquem o arguido: sexo, altura, peso, cor, idade aproximada e outras características, incluindo sinais particulares.

7. A acusação do MP é comunicada ao arguido, ao assistente, ao denunciante que tenha a faculdade de se constituir assistente e às partes civis (art. 277.º, n.º 3, *ex vi* do n.º 5) sendo as comunicações efectuadas nos termos do n.º 6.

8. *Jurisprudência:*
— A obrigação que impende sobre o MP de notificar o arguido da acusação deduzida nos termos dos arts. 283.º, n.º 5, 277.º, n.º 3 e 113.º, n.º 5 do CPP não abrange a notificação por via edital. (Ac. RL de 26 de Abril de 1990; *CJ,* XV, tomo 3, 157);

— I — O MP, depois de deduzir acusação contra o arguido, deve ordenar que esta lhe seja notificada. II — Certificada nos autos a ausência do arguido em parte incerta, deve ele ser notificado editalmente, sendo esta forma de notificação admitida expressamente na lei, por remissão dos arts. 283.º, n.º 5, n.º 5 e 277.º, n.º 3 para o art. 113.º, n.º 1, todos do CPP. III — Tendo o juiz recebido o processo com a notificação edital, deve proferir o despacho a que se refere o art. 311.º do CPP. (Ac. RP de 30 de Maio de 1990; *CJ,* XV, tomo 3, 236);

Artigo 283.º

— A notificação ao arguido da acusação deduzida (art. 283.º, n.º 5 do CPP), que incumbe ao MP, tem natureza pessoal e por esse motivo, se se não conseguir proceder pessoalmente a ela, o processo não poderá prosseguir, e deverá aguardar, sob a responsabilidade dos serviços do MP, a possibilidade da sua efectivação, sem haver lugar à determinação da notificação edital pelo juiz do processo. (Ac. RL de 16 de Outubro de 1990; *CJ,* XV, tomo 4, 179). *Nota* — Ver *supra*, anot. 2;

— Deduzida acusação e tentada, sem êxito, a notificação pessoal do arguido, o processo terá de seguir (sem notificação edital) para o tribunal competente, para ser proferido o despacho a que se referem os arts. 311.º e 312.º do CPP. (Ac. RP de 10 de Outubro de 1990; *BMJ*, 400, 728). *Nota* — Ver *supra*, anot. 2;

— A definição de indícios suficientes, do art. 283.º, n.º 2, do CPP, acolheu a orientação da doutrina e da jurisprudência seguida na vigência do CPP de 1929. (Ac. RC de 31 de Março de 1993; *CJ*, XVIII, tomo 2, 65);

— A nulidade por incumprimento do art. 283.º, n.º 3, do CPP — falta de narração na acusação dos factos imputados — não é insanável e, por isso, tem de ser arguida até 5 dias depois da notificação do despacho que recebeu a acusação, ou equivalente. Tal nulidade não pode ser invocada pelo arguido, já que manifestamente o beneficia. (Ac. STJ de 5 de Maio de 1993; proc. 42290/3.ª);

— A acusação, à semelhança de qualquer outro texto, mesmo que não jurídico, não pode ser lida e interpretada sectorialmente e em função de frases isoladas, mas antes globalmente. II — É ilícito ao tribunal explicar com pormenores os factos constantes do despacho acusatório e dar como assente matéria de facto que é mero desenvolvimento dos factos que dele constavam, desde que não saia do âmbito do seu conteúdo fáctico, nem com essa pormenorização agrave a posição processual do arguido. (Ac. STJ de 7 de Maio de 1997; *BMJ*, 467, 419);

— Em crimes de natureza pública ou semi pública, se o assistente deduziu acusação antes de o fazer o MP e este se limitou a acompanhar tal acusação, ocorre a nulidade insanável prevista no art. 119.º, al. *b)* do CPP — falta de acusação pública —, a determinar a nulidade de todos os actos processuais que do acto omitido dependam. (Ac. RC de 1 de Julho de 1998; *CJ*, XXIII, tomo 4, 46);

— É inconstitucional a norma resultante da conjugação do n.º 5 do art. 283.º do CPP, com o n.º 3 do art. 277.º e com a al. *c)* do n.º 1 do art. 113.º, na redacção anterior à resultante da Lei n.º 59/98, de 25 de Agosto, enquanto — de acordo com a interpretação feita na decisão recorrida, em aplicação da jurisprudência fixada pelo assento do STJ de 25 de Março de 1992 — permite, no caso de notificação edital ao arguido da acusação, que se conte a partir do momento em que se considera efectuada o prazo para requerer a abertura da instrução, por violação no n.º 1 do art. 32.º da Constituição. (Acs. do Trib. Constitucional n.ºs 388/99, de 23 de Junho, proc. n.º 37/97; *DR*, II série, de 8 de Novembro de 1999 e 54/2000, de 3 de Fevereiro, proc. n.º 935/98; *DR*, II série, de 23 de Outubro de 2000);

— Não é inconstitucional a norma constante do art. 283.º n.º 5, *in fine*, do Código de Processo Penal (conjugada com os artigos 283.º, n.º 6, e 336.º, n.º 3, do mesmo Código), interpretada no sentido de que a acusação que

Código de Processo Penal

não pode ser notificada ao arguido mediante contacto pessoal ou via postal registada não lhe seja notificada por editais. (Ac. do Trib. Constitucional de 20 de Outubro de 1999, proc. n.º 386/99; *DR*, II série, de 22 de Fevereiro de 2000);

— I — Não é admissível ao tribunal formular qualquer convite à correcção de quaisquer peças processuais das partes, formal ou substancialmente deficientes. II — Assim, quando a acusação seja formal ou substancialmente deficiente, não pode ser objecto de aperfeiçoamento. (Ac. RL de 10 de Outubro de 2002; *CJ*, XXVII, tomo 4, 132);

Não é inconstitucional a norma do art. 283.º, n.º 3, do CPP, interpretada no sentido de que o assistente tem de fazer constar do requerimento para abertura de instrução todos os elementos aí referidos, sem que o possa fazer por remissão para elementos dos autos. (Ac. do Trib. Constitucional n.º 358/2004, de 10 de Maio, proc. n.º 807/2003; *DR*, II série, de 28 de Junho de 2004);

— I — O requerimento para abertura de instrução tem de enumerar e descrever os factos concretos imputados ao arguido, como se se tratasse de uma acusação; se não enumerar e descrever tais factos, verificar-se-á uma nulidade, de conhecimento oficioso. II — Tal requerimento não poderá ser objecto de aperfeiçoamento. (Ac. RC, RL e RG, de 23, 3 e 14 de Fevereiro de 2005; *CJ*, XXX, tomo I, 48, 129 e 299, respectivamente).

— Não é inconstitucional a norma constante dos arts. 287.º e 283.º do CPP, segundo a qual não é obrigatória a formulação de um convite ao aperfeiçoamento do requerimento para abertura da instrução, apresentado pelo assistente, que não contenha uma descrição dos factos imputados ao arguido. (Ac. do Trib. Constitucional n.º 389/2005, de 14 de Julho de 2005, proc. n.º 310/2005; *DR*, II série, de 19 de Outubro do mesmo ano);

— Deduzida acusação pelo MP e esgotados todos os meios para a sua notificação ao arguido, deve aquela ser notificada ao defensor oficioso nemeado. Isto porque, actualmente, aquela falta pode constituir, quando muito, mera irregularidade, sempre sanável, se for caso disso. (Ac. RE de 13 de Dezembro de Dezembro de 2005; *CJ*, ano XXX, tomo 5, 274).

ARTIGO 284.º

(Acusação pelo assistente)

1. Até dez dias após a notificação da acusação do Ministério Público, o assistente pode também deduzir acusação pelos factos acusados pelo Ministério Público, por parte deles ou por outros que não importem alteração substancial daqueles.

2. É correspondentemente aplicável o disposto nos n.ºˢ 3 e 7 do artigo anterior, com as seguintes modificações:

> a) A acusação do assistente pode limitar-se a mera adesão à acusação do Ministério Público;
>
> b) Só são indicadas provas a produzir ou a requerer que não constem da acusação do Ministério Público.

Artigo 284.º

1. Reproduz o art. 284.º do Proj. Corresponde aos arts. 287.º, n.º 2, do Aproj. e 349.º do CPP de 1929 e 4.º, § 2.º, do Dec.-Lei n.º 35 007, de 13 de Outubro de 1945. O prazo de 10 dias fixado no n.º 1 foi porém estabelecido pela Lei n.º 59/98, de 25 de Agosto (na versão originária 5 dias). O novo prazo ficou a dever-se às circunstâncias de os prazos passarem a correr continuamente, como em processo cível, e ainda a uma questão de coerência com o prazo de 10 dias, fixado no n.º 1 do art. 283.º, para o MP deduzir acusação.

A alusão à aplicabilidade dos n.ºs 3 e 7 do art. 283.º, estabelecida no n.º 2, foi introduzida pelo Dec.-Lei n.º 320-C/2000, de 15 de Dezembro, em consonância com alterações introduzidas pelo mesmo diploma do art. 283.º.

2. A Lei n.º 43/86, de 26 de Setembro (Lei de Autorização legislativa), art. 2.º, n.º 2, al. 7), fixou a competência exclusiva do MP para promover o processo penal, ressalvado o regime dos crimes, semipúblicos e particulares. E na al. 11) dos mesmos artigo e número determinou a subordinação estrita da intervenção processual dos assistentes, salvo nos referidos crimes, à actuação do MP, sem prejuízo do direito de recorrerem autonomamente das decisões que os afectem.

Perante estas disposições da Lei de Autorização legislativa, e as dos arts. 69.º, n.º 2, al. *b)*, 284.º e 285.º que foram elaboradas dentro dos parâmetros da aludida Lei, é agora inequívoco que os assistentes não podem deduzir acusação por crime público sem que o MP o faça pelos mesmos factos, assim ficando clarificada, dentro da orientação geral do Código quanto aos poderes do MP e do assistente, uma questão que foi muito controvertida no regime do Dec.-Lei n.º 35 007, de 13 de Outubro de 1945.

Perante uma abstenção do MP por crime público ou semipúblico por que tenha havido queixa e constituição de assistente, abrem-se ainda a este as seguintes vias:

— Requerer abertura de instrução (art. 287.º n.º 1, al. *b)* e poder vir a obter, por este meio, a pronúncia do arguido;

— Requer ao superior hierárquico que intervenha, nos termos do art. 278.º, determinando que seja formulada acusação ou que no inquérito as investigações prossigam; ou

— Requerer a reabertura do inquérito, nos termos do art. 279.º, quando surgirem novos elementos de prova que invalidem os fundamentos do despacho de arquivamento.

3. Ao assistente é dado deduzir ou não deduzir acusação pelos factos por que o MP tenha acusado, sem que a não dedução de acusação por sua parte afecte o seu estatuto processual.

Também o assistente pode deduzir acusação só por parte dos factos incluídos na acusação do MP, e igualmente lhe é dado acusar por factos que o MP não tenha incluído na sua acusação, desde que tais factos não importem uma alteração substancial da acusação do MP, isto é, desde que esses factos não tenham como efeito a imputação ao arguido de um crime diferente do apontado pelo MP ou a agravação dos limites máximos das sanções previstas — cfr. art. 1.º, n.º 1, al. *f)*.

4. «Quando o assistente pretenda fazer prevalecer uma qualificação diversa daquela defendida pelo MP na acusação, só tem dois caminhos: ou fá-lo nas

Código de Processo Penal

alegações finais em julgamento (art. 360.º, n.º 1) ou no debate instrutório (art. 302.º, n.º 4, *in fine*), ou numa fase anterior acusa nos termos do art. 284.º, n.º 1 (acusação pelos mesmos factos da acusação do MP, mas com qualidade diversa)... As mesmas razões de economia processual valem para uma hipótese diversa: o assistente entende que se provam factos novos, diversos daqueles descritos na acusação do MP, mas que não a alteram substancialmente, nos termos do art. 1.º, al. f). O assistente tem um meio ao seu dispor, a acusação prevista na art. 284.º e não pode ser o requerimento de instrução» (Dr. José Pedro Fazenda Martins, *Lusíada*, n.º 1, 140).

5. *Jurisprudência fixada:*
— Para os fins dos arts. 1.º, al. *f)*; 120.º; 284.º, n.º 1; 303.º, n.º 3; 309.º, n.º 2; 359.º, n.ºˢ 1 e 2 e 379.º, al. *b)*, do CPP, não constitui alteração substancial dos factos descritos na acusação ou na pronúncia a simples alteração da respectiva qualificação jurídica (ou convolação), ainda que se traduza na submissão de tais factos a uma figura criminal mais grave). (Ac. do Plenário das secções criminais do STJ de 27 de Janeiro de 1993; *DR*, I série-A, de 10 de Março do mesmo ano). *Nota* — A orientação assim fixada não deixa de impor que, em obediência ao princípio do contraditório e dos direitos fundamentais da defesa, o arguido seja prevenido da nova qualificação e se lhe dê, quanto a ela, a possibilidade de se defender. Sobre este ponto remetemos para as anots. aos arts. 358.º e 301.º;
— Integra a nulidade insanável da alínea *b)* do artigo 119.º do Código de Processo Penal a adesão posterior do Ministério Público à acusação deduzida pelo assistente relativa a crimes de natureza pública ou semi-pública e fora do caso previsto no artigo 284.º, n.º 1, do mesmo diploma legal. (Ac. do Pleno das secções criminais do STJ de 16 de Dezembro de 1999; *DR*, I-A série, de 6 de Janeiro de 2000).

6. *Jurisprudência:*
— I — O assistente não pode deduzir acusação por crime público ou semi-público quando o MP tenha ordenado o arquivamento do processo. II — Em tal caso, só resta ao assistente requerer a instrução, para conse- guir a pronúncia do arguido. (Ac. RC de 3 de Junho de 1993; *CJ*, XVII, tomo 3, 71);
— I — Nos casos de crime público ou semi-público o assistente não pode deduzir acusação desacompanhado do MP. II — Verifica-se mera irregularidade, no caso de o assistente ter deduzido acusação por crime público ou semi-público e de o MP, posteriormente, ter apenas declarado acompanhá-la. III — Se essa irregularidade for atempadamente arguida, deve ser reparada, desentranhando--se dos autos a acusação particular e formulando o MP a sua própria acusação. (Ac. RL de 24 de Setembro de 1997; *CJ*, XXII, tomo 4, 144).

ARTIGO 285.º

(Acusação particular)

1. Findo o inquérito, quando o procedimento depender de acusação particular, o Ministério Público notifica o assistente para que este deduza em dez dias, querendo, acusação particular.

Artigo 285.º

2. O Ministério Público indica, na notificação prevista no número anterior, se foram recolhidas indícios suficientes da verificação do crime e de quem foram os seus agentes.

3. É correspondentemente aplicável à acusação particular o disposto nos n.ᵒˢ 3 e 7 do artigo 283.º.

4. O Ministério Público pode, nos cinco dias posteriores à apresentação da acusação particular, acusar pelos mesmos factos, por parte deles ou por outros que não importem uma alteração substancial daqueles.

---

1. Os n.ᵒˢ 1, 3 e 4 deste artigo são dispositivos da versão originária do Código que reproduziam o art. 285.º do Proj. e correspondiam aos arts. 287.º, n.º 3 do Aproj. e 349.º do CPP de 1929. O prazo de 10 dias estabelecido no n.º 1 foi porém fixado pela Lei n.º 59/98, de 25 de Agosto (na versão originária 5 dias).

A alusão à aplicabilidade dos n.ᵒˢ 3 e 7 do art. 283.º, estabelecida no n.º 3, foi introduzida pelo Dec.-Lei n.º 320-C/2000, de 15 de Dezembro, em consonância com alterações introduzidas pelo mesmo diploma no art. 283.º.

O n.º 2 foi introduzido pela Lei n.º 48/2007, de 29 de Agosto e não tinha correspondente anterior.

2. Ver anots. ao artigo anterior.

Inversamente ao que sucede nos casos de crime público, aqui é a acusação do MP que está limitada pelos factos constantes da acusação do assistente, sendo uma acusação facultativa.

Os dispositivos deste artigo significam que nos crimes particulares continua a dar-se precedência ao assistente para deduzir acusação, mas prescreve-se o arquivamento no caso de o MP não acompanhar a acusação perticular, pois que, uma vez que o MP dirigiu o inquérito, só ele pode avaliar se existem indícios sufecientes para submeter o arguido a julgamento. No caso de esses indícios não existirem não se vê razão para atribuir ao arguido o ónus de pedir a abertura da instrução, e terá que ser o assistente a fazê-lo, retirando a acusação particular.

3. Se o assistente, notificado para deduzir acusação em caso de crime particular, o não fizer, o processo não prossegue — art. 50.º — havendo lugar a condenação em custas — arts. 515.º, n.º 1, al. d) e 518.º.

4. Nos crimes particulares a acusação do assistente tem de fundamentar-se exclusivamente nas provas carreadas para o processo na fase do inquérito, pois que nos processos por crimes particulares não há lugar a instrução. Uma acusação por factos não indiciados pelos resultados do inquérito deve ser liminarmente rejeitada, por manifestamente infundada (art. 311.º, n.º 2, al. *a)*). Se houver insuficiência do inquérito, verificar-se-á uma nulidade dependente de arguição (art. 120.º, n.º 3, al. *c)*). sobre estes pontos veja-se o Prof. Germano Marques da Silva, *Do Processo Preliminar*, 219.

Código de Processo Penal

5. *Jurisprudência:*
— O assistente não tem que ser notificado pessoalmente para deduzir acusação, por tal notificação dever ser feita apenas ao seu advogado, nos termos do art. 285.º do CPP. (Ac. RE de 1 de Fevereiro de 1994; *CJ,* XIX, tomo 1, 294);
— Em crime particular, depois de ter sido exercido o direito de queixa por quem tem legitimidade, não é necessário que a acusação particular seja subscrita pelo titular do direito de queixa ou por advogado munido de poderes especiais para o efeito. (Ac. RL de 11 de Maio de 1994; *CJ,* XIX, tomo 3, 151);
— A notificação do art. 285.º, n.º 1, do CPP, tanto pode ser feita ao próprio assistente como ao seu advogado, não exigindo a lei duas notificações — uma ao assistente e outra ao seu advogado. (Ac. RC de 17 de Abril de 1996; *BMJ,* 456, 507);
— I — O MP tem o dever legal de tomar posição sobre a acusação particular, quer abstendo-se de acusar, quer subscrevendo-a integralmente, quer acompanhando-a apenas quanto a alguns factos nela descritos, quer acusando por outros factos que não importem uma alteração substancial daqueles. II — Se tal não fizer, ocorrerá a nulidade insanável prevista na al. *b)* do art. 119.º do CPP. (Ac. RL de 24 de Fevereiro de 1999; *CJ,* XXIV, tomo 1, 154).

TÍTULO III
DA INSTRUÇÃO

CAPÍTULO I
DISPOSIÇÕES GERAIS

ARTIGO 286.º
(Finalidade e âmbito da instrução)

1. A instrução visa a comprovação judicial da decisão de deduzir acusação ou de arquivar o inquérito em ordem a submeter ou não a causa a julgamento.

2. A instrução tem carácter facultativo.

3. Não há lugar a instrução nas formas de processo especiais.

---

1. O n.º 1 deste artigo tem a redacção originária. O n.º 2 tem a que foi introduzida pela Lei n.º 59/98, de 25 de Agosto e o n.º 3 tem a que foi introduzida por esta mesma Lei, porém com supressão da ressalva final — sem prejuízo do disposto no artigo 391.º-C, em virtude de a Lei n.º 48/2007, de 29 de Agosto, ter determinado que nenhum processo especial, nem mesmo o abreviado, comporta instrução.

2. A Lei n.º 43/86, de 26 de Setembro (Lei de Autorização legislação), art. 2.º, n.º 2, al. 45) estabeleceu a possibilidade de o inquérito ser bastante para

Artigo 286.º

a introdução do feito em juízo. E na al. 52) dos mesmos artigo e número estipulou a possibilidade de o arguido — no caso de o MP se decidir pela acusação — e o assistente — no caso de aquele se decidir pela não acusação — solicitarem, depois de devidamente notificados para tal, a abertura de instrução, da competência do juiz respectivo, distinto daquele que for incumbido do julgamento; e ainda a possibilidade de a instrução terminar com um debate oral e contraditório, destinado à comprovação judicial da decisão do MP de acusar ou não acusar, que poderá incluir as novas diligências de prova estritamente necessárias, e que terminará com um despacho de pronúncia ou de não pronúncia.

Dentro destes parâmetros da Lei, sugeridos pela Comissão encarregada de elaborar o Proj., foi estabelecido o articulado sobre a instrução. Neste articulado, seguiu-se de perto a exposição do Prof. Figueiredo Dias, *Para Uma Reforma Global do Processo Penal Português*, pág. 37.

3. A instrução, como está estruturada, afasta-se significativamente da instrução preparatória do regime do Dec.-Lei n.º 35 007; esta correspondia antes, embora com diferenças marcantes, ao actual inquérito.

A instrução — importa acentuar — não é um novo inquérito, mas tão-só um momento processual de comprovação; não visa um juízo sobre o mérito, mas apenas um juízo sobre acusação, em ordem a verificar da admissibilidade da submissão do arguido a julgamento com base na acusação que lhe é formulada.

Trata-se de uma fase dotada de uma audiência rápida e informal, mas oral e contraditória, destinada a comprovar judicialmente a decisão do MP de acusar ou de não acusar, e que portanto termina por um despacho de pronúncia ou de não pronúncia. «...É óbvio, por outro lado, que, tratando-se já aqui de uma fase *judicial,* a sua estrutura eminentemente acusatória deverá apresentar-se integrada pelo princípio da investigação; não terá por isso o juiz de instrução de limitar-se, em vista da pronúncia, ao material probatório que lhe seja apresentado pela acusação e pela defesa, mas deve antes — se para tanto achar razão — instruir autonomamente o facto em apreciação, com a colaboração dos órgãos de polícia judiciária...» (Prof. Figueiredo Dias, *loc. cit.,* pág. 38).

4. *Jurisprudência:*

— I — A instrução visa não só a comprovação judicial da decisão de acusar ou de arquivar o processo, mas também tudo o que, para além disso, possa ter interesse imediato e relevante para a justa decisão da causa. II — Assim, não é de rejeitar por inadmissibilidade legal a instrução requerida pelo arguido a que foi aplicada prisão preventiva, com vista à prova de factos susceptíveis de tornar injustificável aquela medida de coacção. (Ac. RC de 17 de Abril de 1991; *CJ,* XVI, tomo 2, 111). *Nota* — Discordamos. A instrução visa a finalidade apontada neste artigo, e não quaisquer outras. Sucede ainda que a prisão preventiva, com ou sem instrução, pode sempre ser reexaminada, e é-o obrigatoriamente de 3 em 3 meses, sendo alterada quando há novo condicionalismo que tanto imponha (art. 213.º). Para quê, então, realizar-se a instrução só para esse efeito?;

— I — Os actos de instrução não estão sujeitos ao princípio do contraditório. II — Na instrução, apenas o debate instrutório é contraditório. (Ac. RL de 28 de Janeiro de 1998; *BMJ,* 474, 538);

— I — Em instrução apenas o debate instrutório, e não também a produção de prova, está sujeito ao princípio do contraditório. II — O assistente pode

689

Código de Processo Penal

estar presente à inquirição dos arguidos, mas sem intervenção directa activa. (Ac. RC de 25 de Novembro de 1998; *CJ,* XXIII, tomo 5, 51);

— Como a produção da prova na instrução não está sujeita a contraditório, o advogado do arguido não tem que ser convocado para a inquirição de testemunhas, e por isso, não há nulidade na sua realização na ausência do mesmo. (Ac. RP de 28 de Março de 2001; *CJ,* XXVI, tomo II, 218). *Nota.* este acórdão tem anotação discordante de F. Pereira Coutinho, *in RPCC,* ano 12, n.º 2, 301 e segs;

— São inconstitucionais os arts. 286.º, n.º 1; 298 e 308, n.º 1, do CPP, por violação do art. 32.º, n.º 2, da Constituição interpretados no sentido de que a valoração da prova incidiária que subjaz ao despacho de pronúncia se bastar com a formulação de um juízo segundo o qual não deve haver pronúncia se da submissão do arguido a julgamento resultar um acto manifestamente inútil. (Ac. do Trib. Constitucional n.º 439/2002, de 23 de Outubro; proc. n.º 56/2002; *DR,* II série, de 29 de Novembro do mesmo ano);

— É admissível a abertura de instrução, a requerimento do arguido, ainda que apenas para ser submetido a novo interrogatório, e não obstante já ter sido ouvido na fase de inquérito. (Ac. RL de 16 de Outubro de 2003; *CJ,* XXVIII, tomo 4, 140).

ARTIGO 287.º
(Requerimento para abertura da instrução)

1. A abertura da instrução pode ser requerida, no prazo de 20 dias a contar da notificação da acusação ou do arquivamento:

a) Pelo arguido, relativamente a factos pelos quais o Ministério Público ou o assistente, em caso de procedimento dependente de acusação particular, tiverem deduzido acusação; ou

b) Pelo assistente, se o procedimento não depender de acusação particular, relativamente a factos pelos quais o Ministério Público não tiver deduzido acusação.

2. O requerimento não está sujeito a formalidades especiais, mas deve conter, em súmula, as razões de facto e de direito de discordância relativamente à acusação ou não acusação, bem como, sempre que disso for caso, a indicação dos actos de instrução que o requerente pretende que o juiz leve a cabo, dos meios de prova que não tenham sido considerados no inquérito e dos factos que, através de uns e de outros, se espera provar, sendo ainda aplicável ao requerimento do assistente o disposto no artigo 283.º, n.º 3, alíneas *b)* e *c).*

Não podem ser indicadas mais de 20 testemunhas.

3. O requerimento só pode ser rejeitado por extemporâneo, por incompetência do juiz ou por inadmissibilidade legal da instrução.

Artigo 287.º

4. No despacho de abertura de instrução o juiz nomeia defensor ao arguido que não tenha advogado constituído nem defensor nomeado.
5. O despacho de abertura de instrução é notificado ao Ministério Público, ao assistente, ao aguido e ao seu defensor.
6. É aplicável o disposto no n.º 12 artigo 113.º.

1. O texto actual deste artigo é resultante de alterações introduzidas pelo Dec-Lei n.º 317/95, de 20 de Novembro, e pelas Leis n.º 59/98, de 25 de Agosto e 48/2007, de 29 de Agosto.

O texto originário reproduzia o art. 287.º do Proj., com excepção do prazo de 20 dias referido no n.º 1, que foi introduzido pelo Dec.-Lei n.º 317/95, de 28 de Novembro (anteriormente 5 dias).

Não havia disposições correspondentes no direito anterior.

Confrontando os dispositivos actuais deste artigo com os da versão originária salienta-se uma maior exigência do requerimento de abertura de instrução, atendendo nomeadamente ao disposto no art. 303.º quanto à alteração substancial dos factos constantes do requerimento do assistente, bem como a expressa obrigatoriedade de nomeação de defensor ao arguido que não tenha defensor nomeado ou advogado constituído e do dever de notificação aos sujeitos processuais do despacho de abertura de instrução.

2. Pela abertura de instrução é devida taxa de justiça, conforme se estabelece no art. 8.º, n.º 2, do Regulamento das Custas Processuais, do seguinte teor:

1. A taxa de justiça devida pela abertura de instrução pelo assistente é auto liquidada no montante de 1UC, podendo ser corrigida, a final, pelo juiz para um valor entre 1UC e 10 UC, tendo em consideração a utilidade prática da instrução no tramitação global do processo.

3. Não há agora, contrariamente ao que sucedia no direito anterior, casos de obrigatoriedade legal de instrução; esta tem sempre carácter facultativo.

Outro marcante traço diferenciador em relação ao regime que anteriormente vigorava é que agora o MP nunca pode requerer a abertura de instrução: esta só pode ser requerida pelo arguido, nos casos referidos na al. *a)* do n.º 1 e pelo assistente, no caso das als. *b) e c)* do mesmo número.

A impossibilidade legal de o MP requerer a abertura de instrução filia-se em que, competindo a essa entidade a realização do inquérito, e sendo-lhe dado apurar nessa fase todos os factos relevantes para a introdução do feito em juízo, não faria sentido permitir-se-lhe que requeresse que o juiz de instrução fizesse aquilo que essa mesma entidade, ou seja o MP, tem o poder-dever de fazer.

4. A disposição do n.º 3 tem como antecedente a do art. 31.º do Dec.-Lei n.º 35 007, de 13 de Outubro de 1945.

A rejeição por extemporaneidade e por incompetência do juiz não se afigura passível de dúvidas relevantes.

A rejeição por inadmissibilidade legal de instrução inclui os casos em que aos factos não corresponde infracção criminal (falta de tipicidade), de haver

Código de Processo Penal

obstáculo que impede o procedimento criminal e de haver obstáculo à abertura da instrução, *v. g.* ilegitimidade do requerente (caso do MP) ou inadmissibilidade legal de instrução (*v. g.* casos dos crimes particulares e de alguns processos especiais).

5. No caso de a instrução ser requerida pelo assistente, por o MP não ter deduzido acusação, deverá tratar-se de crime público ou, obviamente, de crime semipúblico em que tenha havido queixa. Tratando-se de crime particular, o assistente não poderá requerer instrução, devendo antes deduzir ele próprio a acusação.

Em tal caso, de instrução requerida pelo assistente, o seu requerimento deverá, a par dos requisitos do n.º 1, revestir os de uma acusação, que serão necessários para possibilitar a realização da instrução, particularmente no tocante ao funcionamento do princípio do contraditório, e a elaboração da decisão instrutória. E como o requerimento do assistente para abertura de instrução constitui substancialmente uma acusação, podendo o arguido vir a ser pronunciado pelos factos descritos, deve ele ser notificado do teor desse requerimento, a-fim-de ficarem devidamente assegurados os direitos da defesa, podendo, em tempo útil, carrear para o processo os elementos de prova que entender úteis. Veja-se, neste sentido, Prof. Germano Marques da Silva, *Curso de Processo Penal,* 2.ª ed., III, 138-147.

6. Como se explicita no n.º 2, o requerimento para abertura de instrução, seja do arguido seja do assistente, não está sujeito a formalidades especiais, mas deve conter os elementos aí indicados.

A lei não estabelece, porém, qualquer sanção para a omissão destes elementos.

Na realidade, como pondera Souto de Moura, *Jornadas de Direito Processual Penal,* 120-121, se o assistente requerer a abertura de instrução sem a mínima delimitação do campo factual sobre que há-de versar, a instrução será inexequível, fixando o juiz sem saber que factos é que o assistente gostaria de ver provados. O mesmo se poderá dizer, *mutatis mutandis,* no que concerne à instrução requerida pelo arguido.

Em nosso entendimento, se o requerimento para abertura de instrução não indicar os factos integradores da infracção criminal, a instrução será inexequível e, talqualmente sucede no caso de acusação que não inclua factos, não haverá lugar a convite para que o requerimento seja completado ou aperfeiçoado. O Pleno das secções criminais do STJ, fixou jurisprudência neste sentido, como se sumaria na anot. 8. Tratando-se de outra deficiência, o juiz deverá proceder do seguinte modo: Quanto ao assistente notificá-lo-á para que complete o requerimento com os elementos que omitiu e que não devia ter omitido (art. 287.º, n.º 3). Se o assistente não completar o requerimento, o juiz não procederá à instrução. Quanto ao arguido, procederá do mesmo modo; no entanto o facto de o arguido não completar o requerimento pode não ser caso de o juiz não proceder à instrução, sempre que se deduza que o único intuito do arguido e requerente é contrariar os factos constantes da acusação e tiver indicado os actos de instrução que para o efeito deseja que sejam levados a cabo. Neste último caso o juiz dispõe, apesar de todas as deficiências do requerimento, de um campo delimitado de factos (os da acusação), que o arguido se propõe contrariar na instrução.

Sobre estes pontos, veja-se a exposição de Souto de Moura, *loc. cit.*

Artigo 287.º

7. Questões sobre as quais o Código —, na versão originária, não tomou posição expressa foram as de saber se a instrução é extensiva aos arguidos que a não tenham requerido e se é extensiva à parte remanescente da acusação quando o arguido a tenha requerido somente relativamente a uma parte da acusação.

Afigurou-se-nos que a melhor solução era aplicar aqui normas paralelas às dos recursos, formuladas nos arts. 402.º e 403.º. E, assim, a circunstância de ter sido requerida apenas por um dos arguidos não prejudica o dever de o juiz retirar da instrução as consequências legalmente impostas relativamente a todos os arguidos; assim também a instrução requerida por um dos arguidos, em caso de comparticipação, aproveita aos restantes. Do mesmo modo, quando o arguido requer instrução tão só relativamente a uma parte da acusação, a limitação só seria possível quando a remanescente parte da acusação puder ser separada da parte requerida por forma a tornar possível e coerente uma apreciação e uma decisão instrutória autónomas.

No entanto, esta orientação não foi inteiramente seguida pelo Plenário das secções criminais do STJ — ver *infra, jurisprudência fixada.*

Mas a questão veio a ter desenvolvimento posterior, já que a Lei mencionada na anot. 1 introduziu o n.º 5 do art. 307.º, do seguinte teor:

— A circunstância de ter sido requerida apenas por um dos arguidos não prejudica o dever de o juiz retirar da instrução as consequências legalmente impostas a todos os arguidos.

O texto actual veio portanto consagrar, como se intui, a solução que sustentámos no domínio da versão originária e fez caducar a jurisprudência fixada pelo ac. do Plenário das secções criminais do STJ de 19 de Setembro de 1995.

8. *Jurisprudência fixada:*
— Requerida a instrução por um só ou por alguns dos arguidos abrangidos por uma acusação, os efeitos daquela estendem-se aos restantes que por ela possam ser afectados, mesmo que a não tenham requerido. A final, a decisão instrutória que vier a ser proferida deve abranger todos os arguidos constantes da referida acusação por não haver lugar, neste caso, à aplicação posterior do n.º 2 do art. 311.º do Código de Processo Penal. (Ac. do Plenário das secções criminais do STJ de 19 de Setembro de 1995, *DR,* I-A série, de 18 de Outubro de 1997). *Nota —* Conforme expendemos *supra,* anot. 6, esta jurisprudência fixada caducou, em face do superveniente dispositivo do art. 307.º, n.º 5.

— A disciplina autónoma do processo penal em matéria de prazos prescinde da figura da dilação, pelo que a abertura da instrução tem de ser requerida no prazo peremptório, previsto no n.º 1 do artigo 287.º do Código de Processo Penal. (Ac. do Plenário das secções criminais do STJ n.º 2/96, de 6 de Dezembro de 1995; *DR,* I-A série, de 10 de Janeiro de 1996);

— Não há lugar a convite ao assistente para aperfeiçoar o requerimento de abertura de instrução, apresentado nos termos do artigo 287.º, n.º 2, do Código de Processo Penal, quando for omisso relativamente à narração sintética dos factos que fundamentam a aplicação de uma pena ao arguido. (Ac. do

Código de Processo Penal

Pleno das secções criminais do STJ de 12 de Maio de 2005, proc. n.º 430/04-3.ª; *DR*, I série, de 4 de Novembro de 2005).

9. *Jurisprudência:*

— I — A razão de ser e o objecto da instrução é a obtenção do reconhecimento jurisdicional da legalidade ou ilegalidade processual da acusação ou da abstenção. II — O sentido da locução *inadmissibilidade legal* usada no n.º 2 do art. 287.º do CPP só pode ser o de falta de condições de procedibilidade ou de perseguibilidade penal, caso em que o processo não devia ter sido instaurado ou não podia prosseguir, por carência do pressuposto processual. III — A insuficiência dos factos, suas consequências e seus autores não integra o conceito de inadmissibilidade legal, a que se refere o n.º 2 do art. 287.º do CPP e por isso a sua reapreciação está vedada ao juiz para justificar a recusa da instrução. (Ac. RL de 12 de Julho de 1995; *CJ*, XX, tomo 4, 140);

— Requerida a instrução nos termos do art. 287.º do CP, só a final é devida taxa de justiça, se for caso disso, devendo ser fixada em função da complexidade das diligências efectuadas e da situação económica de quem a requereu. (Ac. RL de 20 de Março de 1996; *CJ*, XXI, tomo 2, 143);

— Só a realização da instrução, e não o respectivo pedido de abertura é que é passível de taxa de justiça, a qual não assume, portanto, natureza de um preparo, mas de uma taxa sanção, a pagar a final, se o requerente não ficar isento. (Ac. RL de 26 de Março de 1996; *CJ*, XXI, tomo 2, 145);

— Havendo dois ou mais arguidos no mesmo processo e não tendo sido todos notificados da acusação da mesma data, o prazo de apresentação do requerimento para a abertura da instrução conta-se, em relação a cada um deles, a partir da data da respectiva notificação, não se esgotando só com o termo do prazo do que foi notificado em último lugar. (Ac. RC de 20 de Novembro de 1996; *CJ*, XXI, tomo 5, 51);

— O requerimento de diligência em instrução que é indeferido não origina incidente anómalo, não sendo passível de tributação como tal. (Ac. RP de 13 de Novembro de 1996; *BMJ*, 461, 523);

— O requerimento do assistente para abertura de instrução, no caso de arquivamento do processo pelo MP, é que define e limita o respectivo objecto, de processo, a partir da sua formulação, constituindo, substancialmente, uma acusação alternativa. Assim, e além do mais, deverão dele constar a descrição dos factos que fundamentam a eventual aplicação de uma pena ao arguido e a indicação das disposições legais incriminatórias. (Ac. RL de 20 de Maio de 1997; *CJ*, XXII, tomo 3, 143);

— Havendo mais do que um arguido no processo, e não tendo sido todos notificados da acusação na mesma data, o prazo para apresentação do requerimento para abertura de instrução conta-se, separadamente para casa um deles, a partir da respectiva notificação. (Ac. RL de 20 de Maio de 1997; *CJ*, XXII, tomo 3, 141);

— O requerimento do assistente para abertura de instrução deduzido contra incertos deve ser rejeitado, por a investigação do crime e a determinação dos seus agentes ser objectivo exclusivo do inquérito. (Ac. RE de 5 de Maio de 1998; *CJ*, XXIII, tomo 3, 281);

Artigo 287.º

— O juiz não pode devolver o processo ao MP, quer para prosseguir a investigação para abranger outros factos ou outros agentes, quer para reformular a acusação, ainda que discorde do modo como foi efectuado o inquérito, designadamente por omissão de algumas diligências com interesse para a descoberta da verdade, ou por considerar que existe desconformidade entre os factos descritos na acusação e a prova indiciária recolhida. (Ac. RL de 5 de Maio de 1999; *CJ*, XXIV, tomo 3, 138);

— I — No caso de abstenção de acusação do MP, o requerimento de abertura de instrução equivalente à acusação, devendo, por isso, nele descreverem-se os factos concretos susceptíveis de integrar o crime imputado ao arguido. II — Quando se considere que alguns pontos da matéria de facto não se acham devidamente esclarecidos ou que a valoração da prova indiciária obtida através do inquérito não foi devidamente valorada, ou que o mesmo enferma de insuficiência, os meios próprios para reagir a tais vícios são a reclamação hierárquica e a arguição da respectiva nulidade. (Ac. RL de 9 de Fevereiro de 2000; *CJ*, XXV, tomo 1, 153);

— Não pode ser rejeitada a instrução com fundamento na inadmissibilidade legal da mesma, apoiando-se tal conclusão na inexistência nos autos de indícios suficientes para integrar os crimes que são imputados ao arguido no requerimento de abertura de instrução. (Ac. STJ de 26 de Abril de 2000, proc. n.º 1237/98-3.ª; *SASTJ*, n.º 40, 49);

— Não são inconstitucionais os n.os 1, al. *b)* e 2 do art. 287.º do CPP, designadamente porque não violam o princípio constante do art. 32.º da Constituição da República Portuguesa, quando interpretados no sentido de que o decurso do prazo para requerer a abertura da instrução impede a renovação do respectivo requerimento, que foi julgado nulo por inobservância dos requisitos exigidos por lei. (Ac. do Trib. Constitucional n.º 27/2001, de 30 de Janeiro de 2001, proc. n.º 189/00; *DR*, II série, de 23 de Março de 2001);

— Quando o art. 287.º do CPP manda aplicar o disposto no art. 113.º, n.º 10, do mesmo diploma, está só a referir-se à possibilidade de um arguido aproveitar do prazo concedido aos demais, notificados posteriormente, para requerer a instrução, e não àquele que, já notificado da acusação e com processo a correr os trâmites subsequentes, deixando precludir a faculdade de requerer a instrução, pretende aproveitar-se do prazo concedido àquele que, nunca notificado da acusação e sem termo de identidade, só posteriormente teve conhecimento daquela. (Ac. RL de 21 de Fevereiro de 2001; *CJ*, XXVI, tomo 1, 154);

— I — Arquivado o inquérito pelo MP, a legalidade dessa decisão é fiscalizável judicialmente através do requerimento de abertura de instrução que, de facto, encerra em si uma acusação em sentido material, delimitando o objecto do processo, assim se respeitando o princípio do acusatório. II — Daí a necessidade de narração de factos que fundamentam a aplicação ao arguido de uma pena ou de uma medida de segurança bem como dos referentes normativos dos mesmos factos. III — Não permite porém a lei que o requerimento de abertura de instrução pelo assistente seja submetido a julgamento sem o controlo de um órgão jurisdicional, por isso o submetendo ao controlo do juiz de instrução criminal sem qualquer excepção, o que também vem a significar que não tem tal requerimento o valor de uma acusação formal. IV — O requerimento para abertura de instrução do assistente, como acusação em sentido material, delimita o objecto do processo,

Código de Processo Penal

com a inerente vinculação temática — arts. 303.º e 309.º do CPP. V — Tal requerimento, por não revestir a natureza de acusação em sentido formal, não tem força suspensiva da prescrição do procedimento criminal, a qual advém, tal como resulta da segunda alternativa da al. *b)* do n.º 1 do art. 120.º do CP, apenas da notificação da decisão instrutória que pronunciar o arguido. (Ac. STJ de 23 de Maio de 2001, proc. n.º 151/01-3.ª; *SASTJ*, n.º 51, 80);

— I — É legalmente inadmissível a instrução requerida pelo assistente se este não descrever no requerimento os factos integradores do crime pelo qual pretende a pronúncia do arguido. II — Esta inadmissibilidade legal da instrução conduz à rejeição do respectivo requerimento. III — A referida falta de descrição dos factos que fundamentam a aplicação de uma pena ou de uma medida de segurança ao arguido constitui nulidade de conhecimento oficioso. (Ac. RP de 23 de Maio de 2001; *CJ*, XXVI, tomo 3, 238);

— Quando, havendo mais do que um arguido, não tenha sido possível notificar um ou alguns deles, os já notificados da acusação deverão, para o efeito de requererem a abertura de instrução, ser notificados de que o processo prosseguirá nos termos do art. 283, n.º 5, 2.ª parte, do CPP, contando-se a partir daí o respectivo prazo. (Ac. RL de 7 de Junho de 2001; *CJ*, XXVI, tomo 3, 147);

— O arguido que requereu a instrução apenas tem de pagar a taxa de justiça a que se reporta o n.º 1 do art. 83.º do Código das Custas Judiciais, e não qualquer outra, no final da instrução, por ter decaído. (Ac. RC de 8 de Maio de 2002; *CJ*, XXVII, tomo 3, 42);

— I — Arquivado o inquérito por desconhecimento do autor do crime, o assistente não pode deduzir acusação, requerer a instrução, ou que o juiz proceda a diligências com vista à determinação de quem o cometeu. II — Os meios processuais de que o assistente dispõe para reagir ao arquivamento do processo determinado pelo MP por desconhecimento da identidade do autor do crime são a reclamação hierárquica ou a arguição da nulidade, por insuficiência do inquérito. (Ac. RL de 25 de Junho de 2002; *CJ*, XXVII, tomo 3, 143);

— I — Devendo a decisão instrutória restringir-se à apreciação do conteúdo do requerimento de abertura de instrução, as omissões deste podem comprometer irremediavelmente a pronúncia dos arguidos. II — Se assim é, não faz sentido proceder-se a uma instrução visando levar o arguido a julgamento, sabendo-se antecipadamente que a decisão instrutória não poderá ser proferida nesse sentido. III — No que concerne ao elemento subjectivo, embora se possa controverter se o dolo é inerente à prática do facto, deve ser expressamente invocado para poder ser revelado. A ideia de um *dolus in re ipsa,* que sem mais resultaria da simples materialização da infracção, é hoje indefensável em direito penal. IV — E, igualmente, a falta de indicação das disposições legais aplicáveis não pode ser suprida pelo juiz de instrução, por decorrência do princípio do acusatório, como resulta do disposto no art.º 3111, n.ᵒˢ 2, al. *a)* e 3, al. *c)*, do CPP, ao preceituar que a acusação deve ser rejeitada por manifestamente infundada se não indicar as disposições legais aplicáveis. V — Nos casos de requerimento do assistente para abertura de instrução não pode haver convite para suprir deficiências de que padeça, pois, atenta a estrutura acusatória do processo penal, o juiz de instrução não pode intrometer-se na delimitação do objecto da acusação no sentido de o alterar ou completar, directamente ou por convite ao assistente. (Ac. STJ de 22 de Outubro de 2003; proc. n.º 2608/03-3.ª; *SASTJ*, n.º 74, 149);

696

Artigo 288.º

— O despacho de rejeição do requerimento instrutório, do art. 287.º, n.º 3, do CPP basta-se com a indicação clara dos motivos da razão de ser da decisão. (Ac. STJ de 23 de Outubro de 2003, proc. n.º 3266/03-5.ª; *SASTJ*, n.º 74, 192);

— Quando o MP tenha deduzido acusação, se o assistente considerar que a mesma deve ter por objecto outros factos, nomeadamente com maior amplitude, deve requerer a abertura de instrução. Ao juiz de instrução é, no entanto, vedado decidir para além do pedido formulado no requerimento instrutório, cabendo-lhe apenas receber ou rejeitar os factos constantes da acusação alternativa nela formulados. (Ac. RL de 11 de Maio de 2004; *CJ*, XXIX, tomo 3, 129);

— Não é inconstitucional a norma constante dos arts. 287.º e 283.º do CPP, segundo a qual não é obrigatória a formulação de um convite ao aperfeiçoamento do requerimento para abertura da instrução, apresentado pelo assistente, que não contenha uma descrição dos factos imputados ao arguido. (Ac. do Trib. Constitucional n.º 389/2005, de 14 de Julho de 2005, proc. n.º 310/2005; *DR*, II série, de 19 de Outubro do mesmo ano);

— A norma do art. 287.º, n.º 1. do CPP, não é inconstitucional, quando interpreta no sentido de que o prazo de 20 dias para o assistente requerer a abertura de instrução se conta da notificação do despacho de arquivamento do inquérito pelo MP, e não da notificação do despacho que, em intervenção hierérquica, o confirme. (Ac. do Trib. Constitucional n.º 501/2005, de 4 de Outubro de 2005, proc. n.º 255/2005; *DR*, II série, de 23 de Novembro do mesmo ano);

— I — O despacho que admita a intervenção como assistente não faz caso julgado quanto À sua legitimidade. II — O assistente não tem legitimidade para, tratando-se de crime de natureza particular, requer a instrução, devendo antes deduzir acusação. (Ac. RL de 6 de Julho de 2005; *CJ*, XXX, 130);

— I — O requerimento de abertura de instrução que não contenha a descrição dos factos imputados ao arguido torna legalmente inadmissível a instrução, e é, por isso, nulo. II — O assistente não deve ser convidado a corrigir o requerimento de abertura de instrução que não contenha a descrição dos factos imputados ao arguido. (Ac. RP de 4 de Outubro de 2006; *CJ*, ano XXXI, tomo IV, 200);

— Não são inconstitucionais as normas constantes dos arts. 286.º,n.ºs 1 e 2; 287.º, n.ºs 1, al. *a)* e 3; 288.º, n.º 4; 289.º; 307.º, n.º 1; e 311.º, n.º 2, do CPP, quando interpretados de forma a concluir que os efeitos da instrução requerida apenas por um só ou por vários arguidos se estendem a outro ou a outros arguidos e que a respectiva decisão instrutória abrange todos eles. (Ac. do Trib. Constitucional n.º 226/97, de 12 de Março, proc. n.º 96/96; *DR,* II série, de 26 de Junho de 1997);

— Os co-arguidos aos quais a acusação tenha sido notiicada no momento próprio, bem como aos respectivos defensores, não beneficiam da notifficação tardia dos outros para efeitos de poderem ainda requerer a abertura de instrução. (Ac. RL, de 28 de Junho de 2007; *CJ,* ano XXXII, tomo 3, 145).

ARTIGO 288.º
(Direcção da instrução)

1. A direcção da instrução compete a um juiz de instrução, assistido pelos órgãos de polícia criminal.

Código de Processo Penal

2. As regras de competência relativas ao tribunal são correspondentemente aplicáveis ao juiz de instrução.

3. Quando a competência para a instrução pertencer ao Supremo Tribunal de Justiça ou à relação, o instrutor é designado, por sorteio, de entre os juízes da secção e fica impedido de intervir nos subsequentes actos do processo.

4. O juiz investiga autonomamente o caso submetido em instrução, tendo em conta a indicação, constante do requerimento da abertura de instrução, a que se refere o n.º 2 do artigo anterior.

---

1. Os n.os 1, 2 e 4 reproduzem, com ligeiras alterações formais, os n.os 1, 2 e 3 do Proj. O n.º 3 foi introduzido na fase final da elaboração do Código, já posteriormente à Lei de Autorização legislativa, e resultou da introdução no Código (contrariamente ao que sucedia no Proj.), de normas relativas a processos contra magistrados. O n.º 4 sofreu ligeiras alterações introduzidas pela Lei n.º 59/98, de 25 de Agosto. O título actual foi introduzido pela Lei n.º 48/2007, de 29 de Agosto.

2. *Jurisprudência:*
— I — Ainda que discorde o modo como tenha sido realizado o inquérito, designadamente por omissão de diligências com utilidade para a descoberta da verdade, não é legalmente permitido ao juiz devolver o processo ao MP para prosseguir a investigação. II — No caso de arquivamento do processo, o objecto do mesmo é definido e limitado pelo rquerimento de abertura da instrução. (Ac. RL de 6 de Junho e de 13 de Dezembro de 2002; *CJ*, XXVII, tomo 3, 137 e XXVII, tomo 5, 133);
— I — O Tribunal da Relação é a autoridade competente para recusar a execução do MDE e, simultaneamente, assumir o compromisso de executar a respectiva pena de prisão ou medida de segurança no nosso país, de acordo com a lei portuguesa. II — A recusa facultativa de um MDE, para além de integrar uma das causas estabelecidas na respectiva lei-quadro, deve ainda obedecer aos critérios internos fixados na lei portuguesa, designadamente os respeitantes às finalidades das penas. III — Na oposição à execução do MDE, no quadro da recusa facultativa, e sendo alegados factos que possam integrar uma dessas causas de recusa, deve o Tribunal da Relação pronunciar-se sobre os mesmos, considerando-os assentes ou não provados, sob pena de omissão de pronúncia. (Ac. STJ de 22 de Março de 2007; *CJ, Acs. do STJ*, ano XV, tomo I, 223).

ARTIGO 289.º
(Conteúdo da instrução)

1. A instrução é formada pelo conjunto dos actos de instrução que o juiz entenda dever levar a cabo e, obrigatoriamente, por um debate instrutório, oral e contraditório, no qual podem participar o Ministério Público, o arguido, o defensor, o assistente e o seu advogado, mas não as partes civis.

Artigo 289.º

2. O Ministério Público, o arguido, o defensor, o assistente e o seu advogado podem assistir aos actos de instrução por qualquer deles requeridos e suscitar pedidos de esclarecimento ou requerer que sejam formuladas as perguntas que entenderem relevantes para a descoberta da verdade.

---

1. O n.º 1 reproduz o art. 289.º da versão originária do Código, que por sua vez reproduzia o art. 289.º do Proj. Não havia disposições correspondentes no direito anterior.
O n.º 2 tem o texto introduzido pela Lei n.º 48/2007, de 29 de Agosto, em substituição do que tinha sido introduzido pela Lei n.º 59/98, de 25 de Agosto. As alterações introduzidas visaram eliminar restrições anteriores, designadamente quanto ao princípio do contraditório.

2. Os actos de instrução e o debate, este informal, sem sujeição a formalidades especiais, mas contraditório, encontram-se pormenorizadamente regulados nos artigos seguintes.
Os actos de instrução que o juiz deve levar a cabo são os necessários à comprovação judicial da decisão de deduzir acusação ou de arquivar o inquérito (arts. 290.º, n.º 1 e 286.º, n.º 1); os actos já realizados durante o inquérito não devem ser repetidos, a não ser que se dê o caso previsto no art. 291.º, n.º 2. A lei deixa aqui alguma margem para o critério do juiz; porém, a realização do debate instrutório é obrigatória.

3. A instrução é secreta, com excepção do que se dispõe no n.º 2 deste artigo. Mas, como expende o Prof. Germano Marques da Silva, *Curso de Processo Penal*, 2.ª ed., III, pág. 161, para que o debate tenha alguma utilidade, os intervenientes têm necessidade de conhecer previamente as provas indiciárias recolhidas no inquérito e na instrução, pois só conhecendo--as se podem pronunciar sobre elas. Por isso que antes do debate os autos têm de ser facultados ao MP, arguido e assistentes para que possam conhecer as provas indiciárias deles constantes e recolhidas na fase da instrução. O processo deve ser faculdado para consulta ao defensor e ao advogado pelo menos a partir da notificação para o debate instrutório (n.º 3 do art. 297.º).

4. A falta de instrução nos casos em que deve ser aberta, bem como a omissão, nesta fase, de diligências que devam considerar-se essenciais constituem nulidades, a primeira insanável e a segunda dependente de arguição — arts. 119.º, al. *d)* e 120.º, n.º 2, al. *d)*;

5. *Jurisprudência:*
— Não é inconstitucional a norma constante do n.º 2 do art. 289.º do CPP, na interpretação segundo a qual as diligências de instrução prévias ao debate instrutório, nomeadamente os depoimentos das testemunhas, são realizadas sem a notificação e presença do mandatário do assistente. (Ac. do Trib. Constitucional n.º 59/2001, proc. n.º 407/00, de 13 de Fevereiro de 2001; *DR*, II série, de 12 de Abril do mesmo ano).

Código de Processo Penal

CAPÍTULO II
DOS ACTOS DE INSTRUÇÃO

ARTIGO 290.°
(Actos do juiz de instrução e actos delegáveis)

1. O juiz pratica todos os actos necessários à realização das finalidades referidas no artigo 286.°, n.° 1.

2. O juiz pode, todavia, conferir a órgãos de polícia criminal o encargo de procederem a quaisquer diligências e investigações relativas à instrução, salvo tratando-se do interrogatório do arguido, da inquirição de testemunhas, de actos que por lei sejam cometidos em exclusivo à competência do juiz e, nomeadamente, os referidos no artigo 268.°, n.° 1, e no artigo 270.°, n.° 2.

---

1. O n.° 2 tem o texto que foi introduzido pela Lei n.° 59/98, de 25 de Agosto o qual, em relação ao da versão originária, veio excepcionar o interrogatório do arguido e a inquirição de testemunhas das diligências que na instrução podem ser conferidas a órgãos de polícia criminal, estabelecendo assim novas restrições à faculdade de delegação de actos de instrução, atenta a natureza desta.

Salvo no que concerne às alterações posteriormente introduzidas e que acabam de ser referidas, reproduz o art. 290.° do Proj.

Não havia disposições correspondentes no direito anterior.

2. Quanto aos actos que devem ser realizados na instrução e consequências da omissão de tais actos vejam-se os arts. 289.°, com as respectivas anots., 286.° e 291.°, n.° 2.

3. *Jurisprudência:*

— I — O poder previsto no art. 290.°, n.° 2, do CPP é o poder de conferir o encargo da pontual e mera coadjuvação dos órgãos de polícia criminal na efectivação de apenas uma ou de várias diligências de investigação que o juiz de instrução entenda serem necessárias e queira delegar. II — Sendo um mero poder discricionário, não é admissível recurso dos actos que ordenem ou recusem ordenar a realização das diligências, pelo que, se admitido, deve o tribunal superior rejeitá-lo, por manifesta improcedência. (Ac. RP de 6 de Dezembro de 1989; *BMJ*, 392, 515);

— I — Embora o juiz não seja obrigado a praticar todas as diligências probatórias requeridas, o poder de as deferir ou indeferir não é arbitrário. II — Assim, não pode indeferir a inquirição de mais uma testemunha, só porque a sua indicação foi tardia. III — Esse indeferimento tardio cons-   titui nulidade que, no entanto, ficou sanada se não foi arguida até ao encerramento da instrução. (Ac. RP de 3 de Junho de 1992; *CJ*, XVII, tomo 3, 317);

— Dentro do âmbito da instrução e ressalvada a hipótese do art. 292.°, n.° 2, do CPP, o juiz é que avalia, independentemente do requerido e sem

Artigo 291.º

possibilidade de recurso, do interesse da efectivação dos diversos actos. (Ac. RL de 20 de Abril de 1993; *BMJ,* 426, 510);

— I — Ainda que discorde do modo como tenha sido realizado o inquérito, designadamente por omissão de diligências com utilidade para a descoberta da verdade, não é legalmente permitido ao juiz devolver o processo ao MP para prosseguir a instrução. II — No caso de arquivamento do processo pelo MP, o objecto do mesmo é definido e limitado pelo requerimento de abertura da instrução. (Ac. RL de 6 de Junho de 2002; *CJ,* XXVII, tomo 3, 137);

— Pode deprecar-se a inquirição de testemunhas em processo crime na fase da instrução. (Ac. STJ de 10 de Junho de 2002; *CJ,* XXVII, tomo 3, 137);

— Pode deprecar-se a inquirição de testemunhas em processo crime na fase da instrução. (Ac. STJ de 10 de Julho de 2002, proc. n.º 1248/02-3.ª; *SASTJ,* n.º 63, 46).

ARTIGO 291.º

(Ordem dos actos e repetição)

1. Os actos de instrução efectuam-se pela ordem que o juiz reputar mais conveniente para o apuramento da verdade. O juiz inde-fere os actos requeridos que entenda não interessarem à instrução ou servirem apenas para protelar o andamento do processo e pratica ou ordena oficiosamente aqueles que considerar úteis.

2. Do despacho previsto no número anterior cabe apenas reclamação, sendo irrecorrível o despacho que a decidir.

3. Os actos e diligências de prova praticados no inquérito só são repetidos no caso de não terem sido observadas as formalidades legais ou quando a repetição se revelar indispensável à realização das finali-dades da instrução.

4. Não são inquiridas testemunhas que devam depor sobre os aspectos referidos no artigo 128.º, n.º 2.

---

1. O texto dos n.ᵒˢ 1 e 2 foi introduzido pela Lei n.º 48/2007, de 29 de Agosto, mas contém, sem alteração relevante, o que constava da anterior redacção do n.º1.

Os n.ᵒˢ 2 e 3 reproduzem, com os aditamentos do adjectivo *irrecorrível* e da frase final exclusiva, no n.º 2, efectuados pela Lei n.º 59/98, de 25 de Agosto, o art. 291.º do Proj. e não tinham correspondentes no direito anterior. A irrecorribilidade do despacho indeferindo actos que não interessem à instrução eliminou incertezas e hesitações da versão originária sobre a possibilidade de recurso de actos intermédios, quando em regra não era admissível recurso da decisão instrutória.

Código de Processo Penal

O n.º 4 foi introduzido pela Lei n.º 59/98. Este dispositivo, onde se determina a proibição da audição de testemunhas sobre factos relativos à personalidade e ao carácter do arguido, bem como às suas condições pessoais e conduta anterior, previne o desvirtuamento da finalidade da instrução.

2. O juiz de instrução a quem competir a direcção desta só deve ordenar as diligências de prova que interessar realizar, dentro do tema da acusação, ou dentro do tema do requerimento do assistente, nos casos em que houve abstenção de acusação. Ainda dentro destes limites, uma outra limitação há a fazer: não se repetirão actos e diligências de prova já realizados durante o inquérito, a não ser que quanto a tais actos e diligências se verifique algum dos casos previstos no n.º 3. Ainda o n.º 4 veio introduzir uma outra limitação, aludida na anot. 1, *in fine.*

3. Pode verificar-se o caso de na instrução não haver lugar à prática de quaisquer actos ou diligências de prova, ou porque não foram requeridos ou porque, tendo-o sido, o juiz os indeferiu. Em tal caso, haverá somente lugar ao debate e à decisão instrutória.

4. *Jurisprudência:*
— O art. 291.º, n.º 1, do Código de Processo Penal não inconstitucional. (Ac. do Trib. Constitucional n.º 375/2000, de 13 e Julho, proc. n.º 633/99; *DR*, II série, de 16 de Novembro de 2000);
— Não é inconstitucional a norma constante do artigo 291.º, n.º 1, do CPP, na redacção que lhe foi dada pela Lei n.º 59/98, de 25 de Agosto, na parte em que determina a irrecorribilidade do despacho do juiz que indefere o requerimento de realização de diligência instrutórias. (Acs. do Trib. Constitucional de 12 de Julho de 2000, proc. n.º 48/2000; *DR*, II série, de 5 de Dezembro de 2000; de 28 de Outubro do mesmo ano, *ibidem*, de 11 de Dezembro, ainda de 2000 e n.ºˢ 176/2002, *ibidem* de 7 de Junho de 2002 e 611/2005, de 9 de Novembro; *ibidem*, de 28 de Dezembro de 2005).

ARTIGO 292.º

(Provas admissíveis)

1. São admissíveis na instrução todas as provas que não forem proibidas por lei.
2. O juiz de instrução interroga o arguido quando o julgar necessário e sempre que este o solicitar.

---

1. Reproduz o art. 292.º do Proj. Não havia disposições correspondentes no direito anterior.

2. Contém afloramento de princípios gerais incontroversos, tratando-se, por isso, de disposições de algum modo desnecessárias.
Vejam-se, com as respectivas anots., os arts. 125.º e 126.º.

Artigo 294.º

3. *Jurisprudência:*
— Dentro do âmbito da instrução e ressalvada a hipótese do art. 292.º, n.º 2, do CPP, o juiz é que avalia, independentemente do requerido e sem possibilidade de recurso, do interesse da efectivação dos diversos actos (Ac. RL de 20 de Abril de 1993; *BMJ*, 426, 510).

ARTIGO 293.º
(Mandado de comparência e notificação)

1. Sempre que for necessário assegurar a presença de qualquer pessoa em acto de instrução, o juiz emite mandado de comparência do qual constem a identificação da pessoa, a indicação do dia, do local e da hora a que deve apresentar-se e a menção das sanções em que incorre no caso de falta injustificada.

2. O mandado de comparência é notificado ao interessado com pelo menos três dias de antecedência, salvo em caso de urgência devidamente fundamentada, em que o juiz pode deixar ao notificando apenas o tempo necessário à comparência.

---

1. Reproduz o art. 293.º do Proj. Não havia disposições correspondentes no direito anterior.

2. A notificação para a comparência é efectuada nos termos dos arts. 113.º a 115.º. A falta injustificada de comparecimento é sancionada nos termos do art. 116.º; se porém houver lugar à justificação da falta far-se-á nos termos do art. 117.º.

3. Como *última ratio,* a-fim-de fazer comparecer alguma pessoa a acto processual, pode ainda ser ordenada, pelo juiz, a sua detenção.
Sobre esta possibilidade vejam-se, com as respectivas anots., os arts. 116.º, n.º 2; 254.º, al. *b)* e 273.º, n.º 3.

ARTIGO 294.º
(Declarações para memória futura)

Oficiosamente ou a requerimento, o juiz pode proceder, durante a instrução, à inquirição de testemunhas, à tomada de declarações do assistente, das partes civis, de peritos e de consultores técnicos e a acareações, nos termos e com as finalidades referidas no artigo 271.º.

---

1. Reproduz o art. 294.º do Proj. Não havia disposição correspondente no direito anterior. Ver anots. aos arts. 286.º e 271.º.

2. Trata-se de afloramento de regras gerais, o qual se afigura, de algum modo, desnecessário, em face do que já consta dos arts. 271.º e 292.º, n.º 1.

Código de Processo Penal

ARTIGO 295.º

(Certidões e certificados de registo)

São juntas aos autos as certidões e certificados de registo, nomeadamente o certificado de registo criminal do arguido, que ainda não constarem dos autos e se afigurarem previsivelmente necessários à instrução ou ao julgamento que venha a ter lugar e à determinação da competência do tribunal.

---

1. Reproduz o art. 295.º do Proj.

2. Trata-se de repetição, para a instrução, do que no art. 274.º se preceitua para o inquérito, pelo que esta disposição se afigura de algum modo desnecessária, em face do que consta desse artigo e do art. 292.º, n.º 1.
Ver anots. ao art. 274.º.

ARTIGO 296.º

(Auto de instrução)

As diligências de prova realizadas em acto de instrução são documentadas mediante gravação ou redução a auto, sendo juntos ao processo os requerimentos apresentados pela acusação e pela defesa nesta fase, bem como quaisquer documentos relevantes para apreciação da causa.

---

1. O texto deste artigo foi introduzido pela Lei n.º 48/2007, de 29 de Agosto.
O texto anterior reproduzia o art. 296.º do Proj. e não tinha correspondente no direito anterior. Em relação a esse texto, o actual não apresenta relevante alteração de fundo, pois que as diligências de prova, que eram *reduzidas a auto*, passaram também a poder ser documentadas *mediante gravação*.

2. Os autos ou gravações contendo as diligências de prova realizadas durante a instrução têm a finalidade ou gravações apontada no art. 99.º, n.º 1, e contêm os requisitos do n.º 3 do mesmo artigo.
O auto relativo ao debate instrutório tem a designação especial de *acta* (art. 99.º, n.º 2).
Estes autos ou gravações são incorporados no processo, em seguida ao inquérito, acusação (ou não acusação), requerimento para a abertura da instrução e despacho que sobre ele recair, juntando se também os requerimentos e documentos referidos neste artigo.

3. *Jurisprudência:*
— I — Na fase de instrução, a inquirição de testemunhas através de carta precatória não é absolutamente proibida. II — Assim, se for expedida carta precatória para esse efeito, o tribunal deprecado deve cumpri-la. (Ac. RC de 16 de Junho de 2004; *CJ*, ano XXIX, tomo 3, 50).

704

Artigo 297.º

CAPÍTULO III
DO DEBATE INSTRUTÓRIO

ARTIGO 297.º
(Designação da data para o debate)

1. Quando considerar que não há lugar à prática de actos de instrução, nomeadamente nos casos em que estes não tiverem sido requeridos, ou em cinco dias a partir da prática do último acto, o juiz designa dia, hora e local para o debate instrutório. Este é fixado para a data mais próxima possível, de modo que o prazo máximo de duração da instrução possa em qualquer caso ser respeitado.

2. É correspondentemente aplicável o disposto no artigo 312.º, n.º 3.

3. A designação de data para o debate instrutório é notificada ao Ministério Público, ao arguido e ao assistente pelo menos cinco dias antes de aquele ter lugar. Em caso de conexão de processos nos termos do artigo 24.º, n.º 1, alíneas *c), d)* e *e),* a designação da data para o debate instrutório é notificada aos arguidos que não tenham requerido a instrução.

4. A designação de data para o debate é igualmente notificada, pelo menos três dias antes de aquele ter lugar, a quaisquer testemunhas, peritos e consultores técnicos cuja presença no debate o juiz considerar indispensável.

5. É correspondentemente aplicável o disposto nos artigos 116.º, n.os 1 e 2; 254.º e 293.º.

---

1. O texto dos n.os 1, 2, 3 e 5 foi introduzido pela Lei n.º 59/98, de 25 de Agosto.

No n.º 1, em relação à versão originária, aponta-se somente o aditamento da expressão exemplificativa *nomeadamente nos casos em que estes não tiverem sido requeridos,* o que veio clarificar a orientação, que vínhamos sustentando, de que a instrução se pode resumir ao debate instrutório.

O n.º 3 da versão originária foi eliminado, por se ter tornado desnecessário, em virtude da introdução de outros preceitos sobre a nomeação de defensor ao arguido, nomeadamente do n.º 4 do art. 287.º.

O n.º 5 foi introduzido pela apontada Lei e não tinha correspondente na versão originária. Não contém, no entanto, em nosso entendimento, qualquer inovação, por se nos afigurar inequívoco que já assim devia ser entendido no domínio da versão originária.

Vejam-se as anots. ao art. 286.º, designadamente a anot. 2 e os dispositivos da Lei n.º 43/86, aí referidos.

705

Código de Processo Penal

2. O debate instrutório é obrigatório, nos casos em que há lugar à instrução, e segue-se à prática das diligências de prova. Como na instrução pode não haver diligências de prova realizadas — ou porque não foram requeridas nem ordenadas oficiosamente ou porque, tendo sido requeridas, foram indeferidas — daqui se segue que a instrução se pode resumir ao debate instrutório e à decisão instrutória.

O debate instrutório é, no fundo, uma audiência rápida e com o formalismo reduzido ao mínimo indispensável para comprovar judicialmente a decisão do MP, de acusar ou de não acusar.

Para justificação da implementação do debate instrutório, veja-se a exposição do Prof. Figueiredo Dias, *Para Uma Reforma Global do Processo Penal Português,* pág. 37, nota 76, onde são também fornecidos elementos do direito comparado, particularmente do sistema anglo-americano da *preliminary examination, preliminary hearing* ou *examination trial, q*ue forneceram o modelo do debate instrutório.

Ainda sobre a finalidade do debate, e dentro da orientação exposta na anot. 2 ao art. 297.º, expendeu Souto de Moura, *Jornadas de Direito Processual Penal,* 127: «O debate instrutório, para além de obrigatório, é o culminar de toda a fase preparatória do processo penal. Por isso é que se assinala como seu objectivo último a decisão de submeter ou não o arguido a julgamento, sendo certo que não é mais do que essa a finalidade que preside ao inquérito e à feitura de actos de instrução. Dir-se-á que a opção de submeter ou não o arguido a julgamento depende *em última instância* do resultado do debate. A decisão do encerramento do inquérito não decide só por si da submissão a julgamento, porque pode ser neutralizada através dos resultados da instrução que venha a ser requerida. E mesmo no caso de não haver instrução, ainda aí a acusação pode ser rejeitada... O debate instrutório será assim o ponto para que converge o vector da posição assumida pelo MP no fim do inquérito, com o vector da pretensão do requerente da instrução. É basicamente uma discussão, conjugada ou não com a produção de prova no próprio debate, e que se desenrola perante o juiz...». E ainda, em nota: «O debate instrutório afasta se de modo significativo da audiência, não só evidentemente na respectiva razão de ser, como no seu modo de ser... O debate não é uma audiência, e muito menos um pré--julgamento... o essencial do debate é exactamente a discussão, e não a produção de prova, que pode nem sequer ter lugar. Na audiência de julgamento não só é dado relevo primordial à produção de prova, como vigora aí a regra de que só à prova produzida ou examinada em audiência poderá ser atribuído valor».

3. O debate instrutório, nos casos em que há lugar a instrução, é obrigatório (art. 289.º) e na instrução apenas o debate está necessariamente submetido ao princípio contraditório. Pode suceder que a instrução tenha como única tramitação o debate instrutório, como flui do n.º 1 deste art. 297.º. Neste caso, se não houver lugar a debate, não haverá lugar a instrução.

Em edições anteriores inclinámo-nos para a orientação de que a omissão do debate constitui nulidade dependente de arguição. Posterior reflexão sobre o ponto, em torno da obrigatoriedade, da oralidade e da submissão ao princípio contraditório, e ainda de que a instrução pode ser enformada somente pelo debate, fez-nos inclinar para a solução de considerar antes que a omissão do debate constituirá uma nulidade insanável, como tal prevista no art. 119.º, al. *d)* — falta de instrução, num caso em que ela é obrigatória.

Artigo 298.º

4. *Jurisprudência:*
— A falta de comparência de um arguido ao debate instrutório, por não ter sido notificado no local constante dos autos, determina a nulidade daquele acto, inclusive quanto aos restantes co-arguidos, apesar de terem estado presentes. (Ac. RE de 4 de Fevereiro de 1997; *CJ,* XXII, tomo 1, 306);
— A realização do debate instrutório sem a presença do defensor, em processo que possa dar lugar à aplicação de pena de prisão, constitui nulidade insanável, tornando inválido esse acto e a subsequente decisão instrutória. (Ac. RP de 9 de Outubro de 1996; *BMJ,* 460, 810);
— Sendo obrigatória a presença do arguido no debate instrutório e não se verificando qualquer excepção contemplada no regime legal, a prática do acto sem a sua presença é causa de nulidade insanável, tornando inválido o acto, bem como a decisão instrutória. (Ac. RP de 23 de Outubro de 1996; *BMJ,* 460, 810);
— Admitido o requerimento de abertura da instrução, o juiz, ainda que considere que as diligências requeridas são desnecessárias, só pode emitir despacho de pronúncia ou de não pronúncia depois de, pelo menos, realizar debate instrutório. (Ac. RL de 15 de Novembro de 2000; *CJ,* XXV, tomo 5, 142).
— Não estando presente o arguido no debate instrutório e não tendo o defensor por ele constituído sido notificado da data marcada para a sua realização, não pode ser-lhe nomeado oficiosamente outro defensor sem do facto lhe ser dado conhecimento, sob pena de se cometer uma irregularidade. (Ac. RL de 2 de Outubro de 2002; *CJ,* XXVII, tomo 4, 132);
— É obrigatória a presença do arguido no debate instrutório pelo que, se este for efectuado sem ela, fora dos casos que a lei o permite, verifica-se a nulidade insanável prevista no art. 119.º do CPP. (Ac. RL de 12 de Dezembro de 2002; *CJ,* XXVII, tomo 5, 145).

ARTIGO 298.º

(Finalidade do debate)

O debate instrutório visa permitir uma discussão perante o juiz, por forma oral e contraditória, sobre se, do decurso do inquérito e da instrução, resultam indícios de facto e elementos de direito suficientes para justificar a submissão do arguido a julgamento.

1. Reproduz o art. 298.º do Proj. Não havia disposição correspondente no direito anterior.

2. Sobre a finalidade do debate instrutório vejam-se as anots. ao artigo anterior e aos arts. 286.º e 287.º, onde foi sumariada jurisprudência de interesse.

3. *Jurisprudência:*
— São inconstitucionais os arts. 286.º n.º 1; 298.º, n.º 1, do CPP, por violação do art. 32.º, n.º 2, da Constituição, interpretados no sentido de que a valoração da prova indiciária que subjaz ao despacho de pronúncia se basta com a formulação de um juízo segundo o qual não deve haver pronúncia se da submissão do arguido a julgamento resultar um acto manifestamente inútil. (Ac. do Trib. Constitucional n.º 439/2002, de 23 de Outubro; proc. n.º 56/2002; *DR,* II série, de 29 de Novembro do mesmo ano).

Código de Processo Penal

ARTIGO 299.º

(Actos supervenientes)

1. A designação de data para o debate não prejudica o dever do juiz de levar a cabo, antes do debate ou durante ele, os actos de instrução cujo interesse para a descoberta da verdade se tenha entretanto revelado.

2. A realização dos actos referidos no número anterior processa-se com observância das formalidades estabelecidas no capítulo anterior.

---

1. Reproduz o art. 299.º do Proj. Não havia disposições correspondentes no direito anterior.

2. A instrução integra-se na fase judicial do processo e a sua estrutura acusatória é temperada pelo princípio da investigação oficiosa. Por isso, e como expendeu o Prof. Figueiredo Dias, *loc. cit.*, pág. 38, não tem o juiz de instrução de limitar se, em vista da pronúncia ou não pronúncia, ao material probatório que lhe seja apresentado pela acusação ou pela defesa, mas deve antes, se para tanto achar razão, instruir autonomamente o feito em apreciação, com a colaboração dos órgãos de polícia criminal.

ARTIGO 300.º

(Adiamento do debate)

1. O debate só pode ser adiado por absoluta impossibilidade de ter lugar, nomeadamente por grave e legítimo impedimento de o arguido estar presente.

2. Em caso de adiamento, o juiz designa imediatamente nova data, a qual não pode exceder em dez dias a anteriormente fixada. A nova data é comunicada aos presentes, mandando o juiz proceder à notificação dos ausentes cuja presença seja necessária.

3. Se o arguido renunciar ao direito de estar presente, o debate não é adiado com fundamento na sua falta, sendo ele representado pelo defensor constituído ou nomeado.

4. O debate só pode ser adiado uma vez. Se o arguido faltar na segunda data marcada, é representado pelo defensor constituído ou nomeado.

---

1. Reproduz o art. 300.º do Proj., com excepção do prazo de 10 dias fixado no n.º 2, que foi estabelecido pela Lei n.º 59/98, de 25 de Agosto (na versão originária 8 dias), sendo a elevação devida à circunstância de os prazos terem passado a correr continuamente, como em processo civil.

Não havia disposições correspondentes no direito anterior.

Artigo 301.º

2. Na instrução e particularmente no debate instrutório, o formalismo é célere, reduzido ao mínimo indispensável para comprovar judicialmente a decisão do MP, de acusar ou não acusar. Daí que, integrando-se na orientação geral do Código, só muito excepcionalmente se admitam fundamentos para o adiamento. Inclusivamente, o debate pode decorrer sem a presença do arguido; a falta deste só pode originar um adiamento no caso excepcional do n.º 1, e ele pode mesmo renunciar ao direito de estar presente, caso em que será representado pelo defensor; esta representação verifica se também sempre que houver segunda falta do arguido.

Em qualquer caso, só pode haver um adiamento, isto dentro das determinantes deste art. 300.º.

Faltando o MP ou o defensor, proceder-se-á à adequada substituição (cfr. art. 330.º).

3. Sobre o adiamento do debate, expendeu Souto de Moura, *Jornadas de Direito Processual Penal,* 128, as seguintes considerações:

«O adiamento depende unicamente da ponderação que o juiz faça sobre a utilidade do debate apesar da falta que se verifique. Em regra, o *grave e legítimo impedimento de o arguido estar presente.* constatado directamente pelo juiz, ou que ele verifique através de uma justificação antecipada de falta, originarão adiamento. O debate poderá até ser notificado ao arguido com a cominação de presença obrigatória, caso em que o d*ireito a estar presente* deixará de ser renunciável. E se ulteriormente o arguido não justificar a falta, nos termos gerais, será sancionado. Obviamente que aquela obrigatoriedade de comparência explicará que neste caso o debate seja adiado. Se o debate é notificado ao arguido sem qualquer obrigatoriedade de comparência, ele poderá renunciar ao direito de estar presente. Expressamente, ou através de actos que claramente inculquem a renúncia. No entanto, da simples não presença do arguido no debate não parece que possa concluir-se a renúncia, e então o adiamento há-de depender do juízo sobre a utilidade do debate, apesar da ausência do arguido. Normalmente, não se produzirá adiamento».

Concordamos com estas asserções.

ARTIGO 301.º
(Disciplina, direcção e organização do debate)

1. A disciplina do debate, a sua direcção e organização competem ao juiz, detendo este, no necessário, poderes correspondentes aos conferidos por este Código ao presidente, na audiência.

2. O debate decorre sem sujeição a formalidades especiais. O juiz assegura, todavia, a contraditoriedade na produção da prova e a possibilidade de o arguido ou o seu defensor se pronunciarem sobre ela em último lugar.

3. O juiz recusa qualquer requerimento ou diligência de prova que ultrapasse a natureza indiciária para aquela exigida nesta fase.

Código de Processo Penal

1. Reproduz o art. 301.º do Proj., porém com alteração formal, consistente na supressão da expressão *sem prejuízo do que vai disposto no artigo seguinte,* que no n.º 2 figurava a seguir a *especiais,* ou seja no final do primeiro período. Não havia disposições correspondentes no direito anterior.

2. Ver anots. aos artigos anteriores, designadamente aos arts. 291.º e 297.º, sobre limitações às diligências de prova a realizar durante a instrução. Tais limitações são ainda reforçadas pelo n.º 3 do art. 301.º.

3. O n.º 2 consagra a natureza tanto quanto possível informal da instrução, que foi realçada a propósito de anteriores artigos, porém com submissão ao princípio contraditório e sem prejuízo de quaisquer garantias da defesa, designadamente de esta ser sempre ouvida em último lugar.

ARTIGO 302.º

(Decurso do debate)

1. O juiz abre o debate com uma exposição sumária sobre os actos de instrução a que tiver procedido e sobre as questões de prova relevantes para a decisão instrutória e que, em sua opinião, apresentem carácter controverso.

2. Em seguida concede a palavra ao Ministério Público, ao advogado do assistente e ao defensor para que estes, querendo, requeiram a produção de provas indiciárias suplementares que se proponham apresentar, durante o debate, sobre questões concretas controversas.

3. Segue-se a produção da prova sob a directa orientação do juiz, o qual decide, sem formalidades, quaisquer questões que a propósito se suscitarem. O juiz pode dirigir-se directamente aos presentes, formulando-lhes as perguntas que entender necessárias à realização das finalidades do debate.

4. Antes de encerrar o debate, o juiz concede de novo a palavra ao Ministério Público, ao advogado do assistente e ao defensor para que estes, querendo, formulem em síntese as suas conclusões sobre a suficiência ou insuficiência dos indícios recolhidos e sobre questões de direito de que dependa o sentido da decisão instrutória.

5. É admissível réplica sucinta, a exercer uma só vez, sendo, porém, sempre o defensor, se pedir a palavra, o último a falar.

---

1. Os n.os 1 a 4 deste artigo reproduzem o art. 302.º do Proj. Não havia dispositivos correspondentes no direito anterior.

O n.º 5 foi introduzido pela Lei n.º 48/2007, de 29 de Agosto, tratando-se de um dispositivo de conteúdo idêntico ao do n.º 2 do art. 302.º para as alegações orais na audiência de julgamento, que, correspondentemente, aqui se impunha.

Artigo 303.º

2. Neste artigo regula-se a tramitação do debate instrutório, acentuando-se aqui, mais uma vez, o seu carácter tanto quanto possível informal. Apesar desta natureza tanto quanto possível informal do debate, reforçada no n.º 3, todos os actos decisórios do juiz terão que ser fundamentados, como é princípio geral, ainda quando proferidos nesta fase; sucede porém que a fundamentação será normalmente sucinta, e portanto reduzida ao mínimo indispensável, de modo a não prejudicar a celeridade desta fase processual.

A produção da prova a que se refere o n.º 3 é a das provas indiciárias suplementares requeridas nos termos do n.º 2; as diligências de prova a realizar durante a instrução terão, normalmente, já sido efectuadas antes do debate (cfr. art. 291.º).

3. O dispositivo do n.º 5, introduzido pela supramencionada Lei e estabelecendo que a réplica é admissível mas exercida de uma só vez, sendo porém sempre o defensor, se pedir a palavra, o último a falar, suscita-nos dúvidas e deve, em nosso entendimento, ser interpretado do seguinte modo:

Existe o direito de réplica, a exercer de uma só vez, mas o defensor do arguido será sempre o último a falar. O texto legal é bem explícito neste sentido. Como, porém, proceder quando o defensor é o único a pedir a palavra e tanto o MP e o assistente, que devem replicar antes do defensor, ainda estão carecidos de conhecimento da argumentação de quem pediu a palavra e ainda não falou?

Toda a lei que concede um direito concede também, expressa ou implicitamente, os necessários elementos, de facto ou de direito, para o poder exercer validamente.

Neste caso deve ser dada a palavra ao defensor, e depois ao MP e ao assistente, por só então poderem replicar conforme o direito que a lei lhes concede e em obdiência ao princípio do contraditório. Seguidamente será novamente dada a palavra ao defensor, porque deve ser o último a falar. Mas não poderá explanar argumentos que não tenham sido discutidos anteriormente.

Só assim ficará acatado o cumprimento da lei na clareza do seu texto, bem como o direito de réplica e o princípio do contraditório. E, bem vistas as coisas, o MP e o assistente, se falarem de início e depois, replicando a argumentos que não tenham sido anteriormente explanados, terão replicado uma só vez. É certo que falaram duas vezes, mas uma só vez no direito de replicar, que a lei lhes concede mas que anteriormente não tinham podido exercer;

4. *Jurisprudência:*

— I — É obrigatória a presença do MP no debate instrutório. II — A falta do MP nesse debate constitui uma nulidade sanável. (Ac. RL de 12 de Março de 1997; *CJ*, XXII, tomo 2, 137).

ARTIGO 303.º
**(Alteração dos factos descritos na acusação
ou no requerimento para abertura da instrução)**

1. Se dos actos de instrução ou do debate instrutório resultar alteração não substancial dos factos descritos na acusação do Ministério Público ou do assistente, ou no requerimento para abertura

Código de Processo Penal

da instrução, o juiz, oficiosamente ou a requerimento, comunica a alteração ao defensor, interroga o arguido sobre ela sempre que possível e concede-lhe, a requerimento, um prazo para preparação da defesa não superior a oito dias, com o consequente adiamento do debate, se necessário.

2. Não tem aplicação o disposto no número anterior se a alteração verificada determinar a incompetência do juiz de instrução.

3. Uma alteração substancial dos factos descritos na acusação ou no requerimento para abertura da instrução não pode ser tomada em conta pelo tribunal para o efeito de pronúncia no processo em curso, nem implica a extinção da instância.

4. A comunicação da alteração substancial dos factos ao Ministério Público vale como denúncia para que ele proceda pelos novos factos, se estes forem autonomizáveis em relação ao objecto do processo.

5. O disposto no n.º 1 é correspondentemente aplicável quando o juiz alterar a qualificação jurídica dos factos descritos na acusação ou no requerimento para a abertura da instrução.

---

1. Os n.ᵒˢ 1 e 2 reproduzem, com ligeiras alterações no n.º 1, dispositivos do art. 303.º do Proj. Os n.ᵒˢ 3, 4 e 5 têm a redacção introduzida pela Lei n.º 48/2007, de 29 de Agosto.

Com excepção do prazo de oito dias estabelecido no n.º 1, que foi fixado pela Lei n.º 59/98, de 25 de Agosto (na versão originária o prazo era de cinco dias), reproduz o art. 303.º do Proj. A aludida alteração do prazo que pode ser concedido ao arguido para preparar a sua defesa decorreu de terem passado a correr continuamente os prazos em processo penal, como já sucedia em processo civil.

Não havia disposições correspondentes no direito anterior.

2. O que neste artigo se dispõe destina-se a um tempo a salvaguardar os direitos da defesa, designadamente no tocante ao princípio do contraditório, a dar ao arguido tempo suficiente para organizar a sua defesa e a conceder ao tribunal do julgamento poderes de cognição tão amplos quanto possível, dentro daqueles direitos da defesa. E porque assim é não tem aplicação quando a alteração não substancial dos factos resulta de alegação da própria defesa, talqualmente sucede aquando da audiência de julgamento – cfr. art. 358.º n.ᵒˢ 1 e 2.

3. No n.º 1 regula-se o caso de a instrução, incluindo o debate instrutório, revelar, indiciariamente, a existência de factos que representam uma alteração não substancial da acusação do MP ou do assistente, ou do requerimento para abertura de instrução (formulado pelo assistente quando o MP se abstém de acusar). O requerimento para abertura de instrução aqui referido é apenas o do assistente, e não também o do arguido.

Quando assim sucede, procede-se de harmonia com o n.º 1, e os novos factos poderão ser levados em conta pelo juiz de instrução, na decisão instrutória.

Artigo 303.º

Aqui se podem incluir novos factos que formem, com os já descritos, uma continuação criminosa; outros objectos furtados ao mesmo ofendido e abrangidos pelo mesmo dolo, desde que não qualifiquem o crime; novos factos integradores de um crime consumido pelo da acusação ou do requerimento para abertura de instrução, etc.

A disposição do n.º 2 obsta a que o juiz de instrução prossiga na realização desta, devendo o processo ser remetido para o tribunal competente — art. 32.º, n.º 2, al. *a)*, no caso de a alteração não substancial dos factos determinar a competência de outro tribunal (*v. g.* existência de novos factos que se integram na continuação criminosa, mas mais recentes e praticados em outra comarca).

4. No n.º 3 regula-se o caso de a instrução, incluindo o debate instrutório, revelar fundada suspeita da verificação de factos que representem uma alteração substancial da acusação do MP ou do assistente, ou do requerimento para abertura de instrução.

Recorde-se aqui que alteração substancial é aquela que tem como efeito a imputação de um crime diverso daquele que foi apontado naquelas peças processuais, ou a elevação dos limites máximos das sanções aplicáveis — art. 1.º, n.º 1.º, al. *f)*.

Quando se verifica este caso, os novos factos não poderão ser incluídos na decisão instrutória, devendo o MP, quanto a eles, abrir inquérito. Aqui haverá, segundo cremos, que fazer uma explicitação, pois a lei não é explícita:

Se os novos factos forem completamente distintos dos que constam do processo e foram apontados na acusação ou no requerimento, haverá que abrir um novo inquérito, e o processo prosseguirá quanto aos factos e infracções que dele já constam. Se, porém, os novos factos integrarem uma infracção que está relacionada com a que já consta do processo (através de uma relação de consunção ou de especialidade ou outra legalmente relevante, como de continuação criminosa no caso de os novos factos qualificarem o crime) afigura-se solução mais acertada a de ser proferida decisão instrutória no sentido de se abrir inquérito quanto aos novos factos, a apreciar oportuna, globalmente e em conjunto com os antigos.

Em qualquer caso, se, contrariando o normativo do n.º 3, os factos que representam a alteração substancial forem levados em conta pelo juiz na decisão instrutória, esta será nula, mas a nulidade é sanável, ficando sanada se o arguido a não arguir no prazo de 8 dias (art. 309.º).

5. Do que fica exposto *supra,* anot. 4, e do n.º 3 resulta claramente que o juiz, na decisão instrutória, não pode em caso algum alterar ou mesmo substituir o objecto do processo, de modo a alterar substancialmente a acusação ou o requerimento para abertura de instrução. De outro modo seriam violados o princípio da acusatoriedade e o direito do arguido a uma defesa eficaz.

Perante a Comissão encarregada de elaborar o Projecto chegou a discutir-se solução contrária, isto é no sentido de admitir alteração substancial desde que ao arguido tivesse sido dado conhecimento dos novos factos e a oportunidade de deles se defender. Porém, após demorada reflexão, essa solução foi afastada. Sobre isto, veja-se a pormenorizada exposição do Prof. Figueiredo Dias, *Jornadas de Direito Processual Penal,* 16-18 e ainda Souto de Moura, *ibidem,* 130-131.

Código de Processo Penal

6. O dispositivo do n.º 5, introduzido pela supramencionada Lei, ao determinar a aplicação do n.º 1 quando o juiz alterar a qualificação jurídica dos factos, alterou o regime anterior, pois manda aplicar o regime de alteração não substancial a um caso que a alínea f) do art. 1.º considera de alteração substancial. De qualquer modo, a alteração compreende-se e justifica-se, pois trata-se de uma simplificação processual que respeita o contraditório e os direitos de defesa do arguido.

7. *Jurisprudência fixada:*
— Para os fins dos arts. 1.º, al. f); 120.º; 284.º, n.º 1; 303.º, n.º 3; 309.º, n.º 2; 359.º, n.ºs 1 e 2, 379.º, al. b), do CPP, não constitui alteração substancial dos factos descritos na acusação ou na pronúncia a simples alteração da respectiva qualificação jurídica (ou convolação), ainda que se traduza na submissão de tais factos a uma figura criminal mais grave. (Ac. do Plenário das secções criminais do STJ de 27 de Janeiro de 1993; *DR*, I série-A, de 10 de Março do mesmo ano). *Nota* — Como mais desenvolvidamente será expendido em anot. ao art. 358.º, a orientação assim fixada não deixa de impor, em obediência ao princípio do contraditório e aos direitos fundamentais da defesa, que o arguido seja prevenido da nova qualificação e se lhe dê, quanto a ela, a possibilidade de se defender. Uma nova e diferente qualificação dos factos pode ser muito gravosa para o arguido, e consequentemente tem que se dar a possibilidade de a contraditar. Assim tem vindo a entender o Tribunal Constitucional.

8. *Jurisprudência:*
— Não são inconstitucionais as normas dos arts. 303.º e 358º, n.ºs 1 e 3, do CPP, e os arts. 666.º e 672.º, do CPP, aplicados por força do art. 4.º do CPP, interpretados no sentido de permitirem a alteração da qualificação jurídica dos factos mais de uma vez no mesmo processo. (Ac. do Trib. Constitucional n.º 544/2006, de 27 de Setembro, proc. n.º 388/2006; *DR*, II série, de 6 de Novembro de 2006).

ARTIGO 304.º
(Continuidade do debate)

1. Ao debate instrutório é correspondentemente aplicável o disposto no artigo 328.º, n.ºs 1 e 2.

2. O juiz interrompe o debate sempre que, no decurso dele, se aperceber de que é indispensável a prática de novos actos de instrução que não possam ser levados a cabo no próprio debate.

---

1. Reproduz o art. 304.º do Proj. Não havia disposições correspondentes no direito anterior.

2. O debate instrutório é uma audiência oral, célere e informal, destinada a comprovar judicialmente a decisão do MP de, findo o inquérito, deduzir ou não deduzir acusação. Daí, a disposição do n.º 1.

Artigo 306.º

3. Quanto aos actos de instrução que podem ser realizados no decurso desta, particularmente no debate, ver arts. 291.º, 292.º e 302.º, com respectivas anots.

ARTIGO 305.º
(Acta)

1. Do debate instrutório é lavrada acta, a qual, sem prejuízo do disposto no artigo 99.º, n.º 3, é redigida por súmula em tudo o que se referir a declarações orais, nos termos do artigo 100.º, n.º 2.

2. A acta é assinada pelo juiz e pelo funcionário de justiça que a lavrar.

---

1. O n.º 1 reproduz o art. 305.º do Proj. O n.º 2 foi introduzido na fase final da elaboração do Código. Não havia disposições correspondentes no direito anterior.

2. A acta do debate instrutório contém os elementos do n.º 3 do art. 99.º e uma súmula das declarações orais, feita nos termos do art. 100.º. Faz fé quanto aos actos processuais que documenta — arts. 99.º, n.º 1 e 169.º.

3. A introdução do n.º 2 destinou-se a dispensar outras assinaturas além das do juiz de instrução e do funcionário de justiça, designadamente as das outras pessoas que intervêm no debate (cfr. art. 95.º).

CAPÍTULO IV
DO ENCERRAMENTO DA INSTRUÇÃO

ARTIGO 306.º
(Prazos de duração máxima da instrução)

1. O juiz encerra a instrução nos prazos máximos de dois meses, se houver arguidos presos ou sob obrigação de permanência na habitação, ou de quatro meses, se os não houver.

2. O prazo de dois meses referido no número anterior é elevado para três meses quando a instrução tiver por objecto um dos crimes referidos no artigo 215.º, n.º 2.

3. Para efeito do disposto nos números anteriores, o prazo conta-se a partir da data de recebimento do requerimento para abertura da instrução.

Código de Processo Penal

1. Reproduz o art. 306.° salvo quanto à parte final do n.° 2, que sofreu actualização efectuada pela Lei n.° 59/98, de 25 de Agosto. Não havia disposições correspondentes no direito anterior.

2. Vejam-se as anots. aos arts. 209.° e 215.°, particularmente a anot. 2 ao art. 215.°, sobre o fundamento do alargamento dos prazos nos casos referidos nesses artigos. Trata-se, aliás, de prazos ordenadores ou programáticos, cujo excesso, só por si, não acarreta qualquer nulidade ou irregularidade processual, podendo no entanto fundamentar um pedido de aceleração processual (arts. 108.°-110.°).

Os prazos aqui estabelecidos foram-no dentro dos parâmetros da Lei n.° 43/86 que, no art. 2.°, n.° 2, al. 54), estabeleceu a obrigatoriedade de o juiz de instrução proferir despacho de pronúncia ou de não pronúncia no prazo máximo de 90 dias a contar da abertura da instrução.

3. *Jurisprudência:*
— I — Os actos de instrução realizados para além dos prazos máximos previstos na lei para a instrução não padecem de nulidade por esse facto. II — O prazo para a instrução conta-se a partir da data em que o requerimento para a abertura da instrução é deferido e declarada aberta a instrução. (Ac. RC de 7 de Setembro de 1994; *CJ*, XIX, tomo 4, 51).

ARTIGO 307.°

(Decisão instrutória)

1. Encerrado o debate instrutório, o juiz profere despacho de pronúncia ou de não pronúncia, que é logo ditado para acta, considerando-se notificado aos presentes, podendo fundamentar por remissão para as razões de facto e de direito enunciadas na acusação ou no requerimento de abertura da instrução.

2. É correspondentemente aplicável o disposto no artigo 281.°, obtida a concordância do Ministério Público.

3. Quando a complexidade da causa em instrução o aconselhar, o juiz, no acto de encerramento do debate instrutório, ordena que os autos lhe sejam feitos conclusos a fim de proferir, no prazo máximo de dez dias, o despacho de pronúncia ou de não pronúncia. Neste caso, o juiz comunica de imediato aos presentes a data em que o despacho será lido, sendo correspondentemente aplicável o disposto na segunda parte do n.° 1.

4. A circunstância de ter sido requerida apenas por um dos arguidos não prejudica o dever de o juiz retirar da instrução as consequências legalmente impostas a todos os arguidos.

5. À notificação do lesado que tiver manifestado o propósito de deduzir pedido de indemnização civil, quando não for assistente,

Artigo 307.º

bem como, no caso previsto no n.º 4, à notificação de pessoas não presentes, é correspondentemente aplicável o disposto no artigo 283.º, n.º 5.

1. O n.º 1 tem o texto introduzido pelo Dec.-Lei n.º 320-C/2000, de 15 de Dezembro e substituiu os anteriores n.ᵒˢ 1 e 3.

O n.º 2 contém dispositivo introduzido pela Lei n.º 59/98, de 25 de Agosto, e veio permitir a possibilidade de suspensão provisória do processo durante a fase da instrução, obtida a concordância do MP, nos termos regulados no art. 281.º.

Os n.ᵒˢ 3, 4 e 5 são os n.ᵒˢ 4, 5 e 6 anteriores ao apontado Dec.-Lei n.º 320--C/2000, tendo a alteração da numeração resultado da fusão no n.º 1 dos anteriores n.ᵒˢ 1 e 3.

2. O despacho de pronúncia conterá, sob pena de nulidade (art. 283.º, n.º 3), os elementos referidos no n.º 3 do art. 283.º, *ex vi* do art. 308.º, n.º 2. O despacho de não pronúncia é obrigatoriamente fundamentado, com as razões de facto e/ou de direito que conduziram à não pronúncia. Trata-se de uma decisão de carácter processual, em que o juiz constata que se não verificam os pressupostos necessários para que o processo prossiga para a fase de jugamento, e que pode ter os mais diversos fundamentos, designadamente:

a) Inadmissibilidade legal do procedimento criminal;
b) Nulidade, irregularidade ou excepção determinante da devolução de processo para a fase de instrução;
c) Inexistência de factos ou não subsunção destes a preceito incriminador;
d) Insuficiência da prova indiciária.

3. *Jurisprudência fixada:*
— Requerida a instrução por um só ou por alguns dos arguidos abrangidos por uma acusação, os efeitos daquela estendem-se aos restantes que por ela possam ser afectados, mesmo que a não tenham requerido. A final, a decisão instrutória que vier a ser proferida deve abranger todos os arguidos constantes da referida acusação por não haver lugar, neste caso, à aplicação posterior do n.º 2 do art. 311.º do Código de Processo Penal. (Ac. do Plenário das secções criminais do STJ de 19 de Setembro de 1995, proc. n.º 41 250/3.ª, *DR,* I-A série, de 18 de Outubro de 1997. *Nota* — Ver anot. 6 ao art. 287.º e *supra,* anot. 1. O n.º 5 deste art. 307.º, introduzido pela Lei mencionada nesta última anot. fez caducar a jurisprudência fixada por este ac. do Plenário das secções criminais do STJ.

4. *Jurisprudência:*
— Não são inconstitucionais as normas constantes dos arts. 286.º, n.ᵒˢ 1 e 2; 287.º, n.ᵒˢ 1, al. *a)* e 3; 288.º, n.º 4; 289.º; 307.º, n.º 1; e 311.º, n.º 2, do CPP, quando interpretadas de forma a concluir que os efeitos da instrução requerida apenas por um só ou por vários arguidos se estendem a outro ou a outros arguidos e que a respectiva decisão instrutória abrange todos eles. (Ac. do Trib. Constitucional n.º 226/07, de 12 de Março, proc. n.º 96/96; *DR,* II série, de 26 de Junho de 1997);

Código de Processo Penal

— I — O juiz de instrução pode incluir no despacho de pronúncia factos que tenha por indiciados e que não constem da acusação ou do requerimento do assistente para abertura da instrução, desde que tais factos não constituam uma alteração substancial da acusação ou aquele requerimento. II — E também pode arredar factos que constem daquelas peças processuais e que entenda não se encontrarem indiciados, bem como rectificar factos. (Ac. RC de 5 de Setembro de 2000; *CJ*, XXIV, tomo 4, 57);

— O juiz de instrução não pode, em despacho anterior à decisão instrutória, alterar a qualificação jurídica dos factos descritos na acusação (e mesmo alterar esses factos) para, face à nova qualificação, decidir da prescrição. Só após a instrução, aquando da decisão instrutória, é que o pode fazer. (Ac. RC de 7 de Junho de 2000; *CJ*, XXV, tomo 3, 51);

— I — A decisão instrutória de não pronúncia é sempre uma decisão de conteúdo estritamente processual, na qual o tribunal não conhece do mérito da causa, mas simplesmente da não verificação dos pressupostos necessários para que o processo possa prosseguir para julgamento. II — Assim sendo, a decisão de não pronúncia constitui, do ponto de vista formal, uma absolvição da instância, ou seja, uma decisão que não põe termo à causa. III — Nesta conformidade, sendo certo serem irrecorríveis os acórdãos proferidos pelo Tribunal da Relação, em recurso, que não ponham termo à causa — art. 400.º, n.º 1, al. c), do CPP, é inadmissível o recurso para o STJ do acórdão da Relação que rejeitou o recurso de tal despacho (de não pronúncia). (Ac. STJ de 18 de Janeiro de 2006, proc. n.º 3613/05-3.ª);

— I — Finda a instrução, entendendo que os factos apurados não constituem crime de maus tratos a cônjuge, como constava da acusação, mas crime de ofensa à integridade física, deve o juiz pronunciar o arguido por este crime, e não proferir despacho de não pronúncia. II — A referida alteração da qualificação jurídica não constitui alteração substancial dos factos (equiparada), nem sequer alteração não substancial dos mesmos, pois eles já constavam todos da acusação. (Ac. RP de 28 de Março de 2007; *CJ*, ano XXXII, tomo II, 211).

ARTIGO 308.º
(Despacho de pronúncia ou de não pronúncia)

1. Se, até ao encerramento da instrução, tiverem sido recolhidos indícios suficientes de se terem verificado os pressupostos de que depende a aplicação ao arguido de uma pena ou de uma medida de segurança, o juiz, por despacho, pronuncia o arguido pelos factos respectivos; caso contrário, profere despacho de não pronúncia.

2. É correspondentemente aplicável ao despacho referido no número anterior o disposto no artigo 283.º, n.ºs 2, 3 e 4, sem prejuízo do disposto na segunda parte do n.º 1 do artigo anterior.

3. No despacho referido no n.º 1 o juiz começa por decidir das nulidades e outras questões prévias ou incidentais de que possa conhecer.

Artigo 308.º

1. Os três números reproduzem iguais números do Proj., com excepção da referência a *nulidades* feita no n.º 3, que foi introduzida pela Lei n.º 59/98, de 25 de Agosto, e que não constava da versão originária nem tão-pouco do Proj. A apontada Lei eliminou o n.º 4 da versão originária, sobre a possibilidade de o juiz, no despacho de pronúncia, solicitar a elaboração de relatório social ou a actualização do que já conste do processo.

De notar que a expressão verbal *terem verificado,* constante do n.º 1, se não afigura correcta. Se se tiverem verificado mas já se não verificarem no momento do encerramento da instrução os pressupostos de que depende a aplicação de uma pena ou de uma medida de segurança, o juiz não pronuncia, devendo antes proferir despacho de não pronúncia. Dever-se-ia usar simplesmente a expressão verbal *verificarem.*

2. Como já se referiu em anot. ao artigo anterior, a elaboração do despacho de pronúncia obedece aos requisitos estabelecidos para o conteúdo da acusação, com as necessárias adaptações. O despacho de não pronúncia é obrigatoriamente fundamentado (art. 97.º, n.º 4). Da pronúncia, segundo se nos afigura, tem mesmo que constar a indicação das provas a produzir (n.º 3 do art. 283.º), porque isso é exigido pelo art. 283.º, n.º 3, al. *d)* e confirmado por outras disposições do Código (cfr. art. 340.º, n.º 2) e porque só assim fica garantida a contraditoriedade na produção de provas. Pode é suceder que seja bastante a remissão, feita na pronúncia, para as provas indicadas no requerimento para abertura de instrução.

3. Vejam-se as anots. ao art. 283.º, aqui aplicáveis, *mutatis mutandis,* designadamente quanto à omissão, na pronúncia, de algum dos elementos que ela deve obrigatoriamente conter.

Como se explicita no n.º 1, o juiz pronuncia o arguido pelos factos respectivos, que são os descritos na acusação ou no requerimento para a abertura de instrução ou, caso contrário, profere despacho de não pronúncia. O princípio acusatório impede que seja o juiz a tomar a iniciativa de alterar a acusação; por isso, se entender que se provam indiciariamente factos que alterem substancialmente os da acusação, limitar-se-á a não receber a que foi deduzida, proferindo despacho de não pronúncia e comunicando ao MP os factos para que, quanto a eles, abra inquérito.

Este regime, que segue rigidamente o princípio acusatório, é algo diferente do italiano, do alemão e do francês. No italiano — art. 428.º do CPP de 1988 —, o MP tem de modificar a acusação de harmonia com o entendimento do juiz; no alemão, o juiz recebe a acusação com modificações, deduzindo depois o MP nova acusação, de harmonia com a decisão judicial — § 207 StPO — e no francês a Câmara de Acusação define com ampla liberdade o objecto do processo sem que seja necessária promoção complementar do MP — arts. 202.º e segs. do CPP francês.

4. As questões prévias, que o juiz deve apreciar em primeiro lugar, como se preceitua no n.º 3, são todas aquelas que obstem ao conhecimento do mérito, ou seja que obstem a que o juiz pronuncie ou não pronuncie o arguido. Dentre essas questões deve ser apreciada prioritariamente a da competência, pois que se o juiz não for competente não deve mesmo chegar a entrar no conhecimento das outras questões prévias.

Código de Processo Penal

Sobre o conteúdo do despacho de pronúncia ou de não-pronúncia, expendeu J. Souto de Moura as seguintes considerações, *in Jornadas de Direito Processual Penal*. 130:

«O CPP estipula também que antes de se proferir despacho de pronúncia ou de não pronúncia o juiz decida todas as questões prévias ou incidentais de que possa conhecer (art. 308.°, n.° 3).

Nesse saneamento preliminar se abordarão antes do mais os pressupostos processuais, a começar pela competência do tribunal. Conhecer-se-ão aí as nulidades ou eventuais questões incidentais. Se nada obstar ao conhecimento do mérito da causa, decidirá o JIC a pronúncia ou a não pronúncia. Parece-nos portanto que a decisão instrutória incluirá o saneamento e a apreciação do mérito, redundando este na pronúncia ou na não pronúncia; daí que a falência dum pressuposto processual não dê origem a uma não pronúncia. Rigorosamente, originará uma decisão instrutória *de forma* que não aborda o fundo da questão. Implicará em regra a absolvição da instância, sem mais. De assinalar é a remissão que o art. 308.°, n.° 2 do CPP faz para a disciplina da acusação prevista no art. 283.°, n.os 2, 3 e 4. *A prova da acusação é a que passa a figurar na pronúncia*, independentemente do que sobre o assunto pensar o MP. E o critério da suficiência de indícios dos factos é o mesmo, tanto para a acusação como para a pronúncia...».

5. Ao despacho de não pronúncia já fizemos breve alusão na anot. 2 ao art. 307.°, onde referimos que deve ser fundamentado e apontámos que se trata de uma decisão de carácter processual que pode ter os mais diversos fundamentos, nomeadamente os que aí especificámos.

Estes despacho, como reflexo dos diversos fundamentos que pode ter, também pode ter diversos efeitos sobre o andamento do processo. E assim *v. g.*, tratando-se de despacho de não pronúncia por inadmissibilidade legal do procedimento criminal ou por não subsunção de factos a preceito incriminador o procedimento criminal fica extinto, estabelecendo-se caso julgado. Neste caso, o processo só poderá ser reaberto através de recurso extraordinário de revisão. Tratando-se de despacho de não pronúncia por nulidade ou por irregularidade deverá atentar-se na espécie da nulidade ou da irregularidade, porque pode ser sanada e o processo prosseguir após a sanação ou pode implicar a anulação da própria acusação e impedir que o processo prossiga.

Caso que merece particular atenção é o despacho de não pronúncia por insuficiência de prova indiciária. Poderá o processo prosseguir se surgirem novos factos ou elementos de prova que invalidem ou ponham em sérias dúvidas os fundamentos do despacho? O Prof. Germano Marques da Silva, no *Curso de Processo Penal*, 2.ª ed., III, 197, expende que neste caso a reabertura do processo se há-de fazer nos mesmos termos prescritos para a reabertura do inquérito arquivado por decisão do MP (arts. 277.° e 279.°). Concordamos com esta orientação, porém *mutatis muntandis*. Aqui não terá cabimento o dispositivo do n.° 2 do art. 279.°; do despacho do juiz de instrução deferindo ou recusando a reabertura do inquérito ou da instrução não caberá, obviamente, reclamação, mas recurso.

6. *Jurisprudência:*
— I — Em princípio, quando o tempo for elemento constitutivo do crime cometido, é obrigatória a indicação precisa, no despacho de pronúncia, da data

Artigo 309.º

do crime. II — Fora desse caso, pode a data deixar de ser indicada na pronúncia, quando tal não for possível. (Ac. RC de 18 de Janeiro de 1989; *BMJ,* 383, 618); — I — Não obstante o teor literal do art. 308.º, n.º 2, do CPP, não é obrigatório que na pronúncia se faça a indicação das provas a produzir ou a requerer. II — A necessidade de todas as provas deverem ser valoradas na audiência, por força do art. 355.º do CPP, não impede que o tribunal, para formação da sua convicção, se socorra dos documentos juntos aos autos nas fases preliminares do processo. (Ac. RP de 20 de Abril de 1994; *CJ,* XIX, tomo 2, 235); — O regime de irrecorribilidade da decisão instrutória aludido no art. 310.º, n.º 1, do CPP, não se estende à decisão das questões prévias ou incidentais a que se refere o art. 308.º, n.º 3, do CPP. (Ac. STJ de 7 de Abril de 1994; *CJ, Acs. do STJ,* II, tomo 2, 187);

São inconstitucionais os arts. 286, n.º 1; 298.º e 308.º n.º 1, do CPP, por violação do art. 32.º, n.º 2, da Constituição, interpretados no sentido de que a valoração da prova indiciária que subjaz ao despacho de pronúncia se basta com a formulação de um prejuízo segundo o qual não deve haver pronúncia se da submissão do arguido a julgamento resultar um acto manifestante inútil. (Ac. do Trib. Constitucional n.º 439/2002, de 23 de Outubro; proc. n.º 56/2002; *DR,* 11 série, de 29 de Novembro do mesmo ano);

— A falta de fundamentação de facto e de direito do despacho de não pronúncia não constitui nulidade, mas sim mera irregularidade, ao contrário do que sucede com a sentença ou acórdão. As disposições que regulam o despacho de não pronúncia, ao contrário das que regulam a sentença ou acórdão, não cominam a falta de fundamentação do mesmo como uma nulidade do acto, pelo que, atento o princípio da legalidade na matéria — art. 118.º, n.º 1, do CPP — há que entender que tal falta de fundamentação constitui uma mera irregularidade processual. (Ac. STJ de 12 de Junho de 2003, proc. n.º 1496/03-5.ª; *SASTJ,* n.º 72, 76);

— Tendo a instrução terminado por decisão de não pronúncia, isto é, tendo o tribunal declarado findo o processo e determinado o seu arquivamento, o mesmo só pode ser reaberto através do recurso de revisão. (Ac. RC de 29 de Outubro de 2003; *CJ,* XXVIII, tomo 4, 51);

— A falta de fundamentação, de facto e de direito do despacho de não pronúncia não constitui nulidade, mas mera irregularidade, ao contrário do que acontece com a sentença ou acórdão. (Ac. PL de 14 de Outubro de 2004; *CJ,* ano XXIX, tom 4, 145);

— I— Por corresponder a uma decisão final absolutória, com base no surgimento de novos factos ou meios de prova é inadmissível o recurso de revisão da decisão de não pronúncia. II — Solução que não impede a reabertura do inquérito, em sede própria. (Ac. STJ de 8 de Março de 2007; *CJ. Acs. do STJ,* ano XV, tomo I, 208).

ARTIGO 309.º

(Nulidade da decisão instrutória)

1. A decisão instrutória é nula na parte em que pronunciar o arguido por factos que constituam alteração substancial dos descritos

Código de Processo Penal

na acusação do Ministério Público ou do assistente ou no requerimento para abertura da instrução.

2. A nulidade é arguida no prazo de oito dias contados da data da notificação da decisão.

---

1. O n.º 1 reproduz o art. 309.º do Proj. O n.º 2 foi introduzido na fase final dos trabalhos de elaboração do Código, já posteriormente à Lei n.º 43/86, de 26 de Setembro. Não havia disposições correspondentes no direito anterior. O prazo de 8 dias, estabelecido no n.º 2, foi fixado pela Lei n.º 59/98, de 25 de Agosto, em virtude de os prazos em processo penal terem passado a correr continuamente, como em processo civil. A versão originária estabelecia o prazo de 5 dias.

2. O disposto no n.º 1 deve relacionar-se com o art. 303.º, particularmente com o seu n.º 3. O requerimento para abertura de instrução aqui referido é apenas o do assistente, e não também o do arguido.

Uma alteração substancial dos factos descritos na acusação ou no requerimento para a abertura de instrução não pode ser levada em conta, para efeito de pronúncia, no próprio processo, sem que seja precedida de inquérito quanto aos novos factos, e dos subsequentes trâmites.

A decisão instrutória que pronuncie o arguido por factos que representem alteração substancial dos da acusação ou do requerimento para a abertura de instrução é, logicamente, nula, já que não respeita direitos fundamentais da defesa. A nulidade é, porém, sanável, como se deduz do n.º 2. Se o arguido, tendo conhecimento da decisão, não arguir a nulidade no prazo de oito dias, ficará a mesma sanada; em tal caso, não poderá a defesa alegar que não teve conhecimento atempado dos factos por que o arguido vai responder.

Se a decisão instrutória pronunciar o arguido por factos que constituam alteração não substancial dos descritos na acusação do MP ou do assistente, haverá que distinguir duas situações:

Se foi seguido o formalismo do art. 303.º, n.º 1, não haverá qualquer nulidade ou irregularidade. Se esse formalismo não foi seguido, não haverá nulidade (porque não especificada na enumeração taxativa da lei), mas irregularidade, podendo o arguido socorrer-se do meio facultado pelo art. 123.º, n.º 1.

3. *Jurisprudência fixada:*
— Para os fins dos arts. 1.º, al. *f*); 120.º; 284.º, n.º 1; 303.º, n.º 3; 309.º, n.º 2; 359.º, n.ᵒˢ 1 e 2 379.º, al. *b*), do CPP, não constitui alteração substancial dos factos descritos na acusação ou na pronúncia a simples alteração da respectiva a qualificação jurídica (ou convolação), ainda que se traduza na submissão de tais factos a uma figura criminal mais grave. (Ac. do Plenário das secções criminais do STJ de 17 de Janeiro de 1992; *DR*, I série-A, de 10 de Março do mesmo ano). *Nota* — A orientação assim fixada não deixa de impor que, em obediência ao princípio do contraditório e dos direitos fundamentais da defesa, o arguido seja prevenido da nova qualificação e se lhe dê, quanto a ela, a possibilidade de se defender. Sobre este ponto remetemos para as anots. aos arts. 358.º e 301.º.

Artigo 310.º

4. *Jurisprudência:*
— I — A previsão da 2.ª parte do n.º 1 do art. 309.º do CPP pressupõe a hipótese, contida na al. *b)* do n.º 1 do art. 287.º daquele Código, de a instrução ter sido requerida pelo assistente relativamente a factos pelos quais o MP não tiver deduzido acusação. II — Havendo instrução requerida pelo arguido, ao abrigo do disposto no art. 287.º, n.º 1, do CPP, só a pronúncia por factos que constituam alteração substancial dos descritos na acusação do MP ou do assistente integra a nulidae prevista no art. 309.º do referido diploma. (Ac. STJ de 17 de Novembro de 1999, proc. 607/98-3.ª; *SASTJ*, n.º 35, 79).

ARTIGO 310.º

(Recursos)

1. A decisão instrutória que pronunciar o arguido pelos factos constantes da acusação do Ministério Público, formulada nos termos do artigo 283.º ou do n.º 4 do artigo 285.º, é irrecorrível, mesmo na parte em que apreciar nulidades e outras questões prévias ou incidentais, e determina a remessa imediata dos autos ao tribunal competente para o julgamento.
2. O disposto no número anterior não prejudica a competência do tribunal de julgamento para excluir provas proibidas.
3. É recorrível o despacho que indeferir a arguição da nulidade cominada no antigo anterior.

---

1. O texto do n.º 1 e o n.º 2 foram introduzidos pela Lei n.º 48/2007, de 29 de Agosto.
O n.º 3 reproduz o n.º 2 deste artigo anteriormente à supramencionada Lei.

2. A Lei n.º 43/86, de 26 de Setembro (Lei de Autorização legislativa), na sequência da orientação da Comissão encarregada de elaborar o Proj., no art. 2.º, n.º 2, al. 53), estabeleceu a irrecorribilidade da decisão instrutória que pronunciar o arguido pelos factos constantes da acusação, confinando-se a sindicabilidade da mesma ao próprio julgamento.
Dentro desta orientação, manifestamente destinada a obter aceleração processual, foram estabelecidos os comandos deste artigo. O arguido que é pronunciado por factos por que o MP o acusou terá agora que ser submetido a julgamento, se não sobrevier causa de extinção do procedimento criminal, e com isso não sofrerá prejuízo ilegítimo, pois que até uma eventual condenação com trânsito beneficiará da presunção de inocência. No estabelecimento deste comando pesou também a consideração de que na grande maioria dos recursos dos despachos de pronúncia se tem discutido matéria de facto, em discussões que têm sede mais adequada no julgamento; e pesou finalmente a constatação de que o arguido passou a poder beneficiar, se assim o entender, de uma fase de instrução em que tem mais garantias de defesa do que no direito anterior lhe eram concedidas antes do julgamento.

Código de Processo Penal

Porque a garantia constitucional de duplo grau de jurisdição só existe quanto às decisões condenatórias e às privativas da liberdade e de outros direitos fundamentais, entendemos que a irrecorribilidade da decisão instrutória, nos termos estabelecidos no n.º 1 deste artigo não viola qualquer preceito da CRP, contrariamente ao que sustenta Pinto de Albuquerque, *in Comentário do Código de Processo Penal*, 2.ª ed., pág. 783.

3. Quanto aos demais despachos (que não pronunciarem o arguido ou que o pronunciarem por factos de que não foi acusado pelo MP, ou seja aqueles descritos pelo assistente no requerimento para abertura de instrução) segue-se a regra geral da admissibilidade do recurso, o mesmo sucedendo, consequentemente, quanto ao despacho que desatender a arguição da nulidade cominada no art. 309.º. Nestes termos, e em aplicação do normativo geral sobre a admissibilidade de recursos, a decisão instrutória que pronuncia o arguido por factos constantes da acusação do PM é recorrível na parte respeitante ao indeferimento da arguição de nulidades arguidas no decurso do inquérito ou da instrução e a todas as questões prévias ou incidentais.

4. Se a acusação (ou o requerimento para abertura de instrução) incluirem múltiplos factos e crimes, e a decisão instrutória pronunciar quanto a uns mas rejeitar a acusação ou o requerimento quanto a outros, podem surgir dificuldades. A solução que se nos afigura mais adequada é a de haver lugar a recurso quanto à parte rejeitada, se a parte recorrida puder separar-se da não recorrida, por falta da necessária conexão e dentro da al. *b)* do n.º 2 do art. 403.º. Em tal caso, o tribunal superior não conhecerá dos crimes por que o arguido foi pronunciado, mas tão só daqueles por que o não foi.

5. *Jurisprudência fixada:*
— A decisão instrutória que pronunciar o arguido pelos factos constantes da acusação do Ministério Público é recorrível na parte respeitante à matéria relativa às nulidades arguidas no decurso do inquérito da instrução e às demais questões prévias ou incidentais. (Assento n.º 6/200 do Pleno das Secções Criminais do STJ, de 19 de Janeiro de 2000; *DR*, I-A série, de 7 de Março de 2000);
— Sobe imediatamente o recurso da parte da decisão instrutória respeitante às nulidades arguidas no decurso do inquérito ou da instrução e às demais questões prévias ou incidentais, mesmo que o arguido seja pronunciado pelos factos constantes da acusação do Ministério Público. (Ac. do Pleno das Secções criminais do STJ de 21 de Outubro de 2004; *DR*, I-A série, de 2 de Dezembro do mesmo ano).

6. *Jurisprudência:*
— I — O recurso do despacho do juiz de instrução que, finda esta, conhece da acusação apenas em relação aos arguidos que a requererem é de subida imediata. II — O juiz de instrução pode e deve conhecer do bem fundado da acusação apenas e na medida em que lhe foi solicitado. III — Havendo instrução, em processo com vários arguidos, compete ao juiz de

Artigo 310.º

instrução proferir despacho de pronúncia ou de não pronúncia em relação a todos, mesmo que algum ou alguns não tenham requerido a abertura de instrução. (Ac. RC de 9 de Maio de 1990; *CJ,* XV, tomo 3, 67). *Nota* — Discordamos do ponto III, que só seria válido no caso de comparticipação e no do n.º 3 do art. 403.º;

— I — A garantia do duplo grau de jurisdição só existe quanto às decisões penais condenatórias e quanto às respeitantes à situação do arguido face à privação ou restrição da liberdade ou de outros direitos fundamentais, nada obstando a que o direito ao recurso seja restringido ou limitado a certas fases do processo criminal e podendo mesmo tal direito, relativamente a certos actos do juiz, não existir, desde que se não atinja o conteúdo essencial do direito de defesa do arguido. II — Não existindo uma real simetria entre os despachos de pronúncia e de não pronúncia, não constitui violação do art. 32.º, n.º 1, da CRP, nem do princípio da igualdade de armas, a circunstância de o n.º 1 do art. 310.º do CPP estabelecer a irrecorribilidade da decisão instrutória que pronuncia o arguido pelos factos constantes da acusação do MP. (Ac. do Trib. Constitucional n.º 265/94, de 3 de Março; *BMJ,* 435, 432);

— O regime de irrecorribilidade da decisão instrutória aludida no art. 310.º, n.º 1, do CPP não se estende à decisão das questões prévias ou incidentais a que se refere o art. 308.º, n.º 3, do mesmo Código. (Ac. STJ de 7 de Abril de 1994; *CJ, Acs. do STJ,* II, tomo 2, 187);

— O recurso interposto do despacho de pronúncia quando afecte toda a decisão deverá subir imediatamente nos próprios autos, embora com efeito suspensivo. (Ac. RE de 14 de Outubro de 1995; *CJ,* XX, tomo 4, 288);

— Não há recurso do despacho do juiz no qual se considere que os factos descritos na acusação integram um crime diverso do que nela se mencione. (Ac. RE de 17 de Outubro de 1995; *CJ,* XX, tomo 4, 289);

— O recurso da decisão instrutória que pronuncie o arguido e que tenha por fundamento nulidade-omissão de pronúncia e ausência de defensor constituído no debate instrutório — deve subir a final, nos termos do n.º 3 do art. 407.º do CPP. (Ac. RL de 10 de Janeiro de 1996; *CJ,* XXI, tomo 1, 148);

— A norma constante do art. 310.º, n.º 1, do CPP, ao estabelecer a irrecorribilidade da decisão instrutória que pronuncia o arguido pelos factos constantes da acusação do MP, não viola os princípios constitucionais da igualdade e das garantias de defesa do arguido em processo penal. (Ac. do Trib. Constitucional n.º 610/96, de 17 de Abril; *BMJ,* 456, 158);

— Deve subir conjuntamente com o recurso que vier a ser interposto da decisão que ponha termo ao processo aquele que os arguidos interpuseram do despacho que desatendeu a arguição de nulidade apresentada contra a decisão instrutória. (Ac. RP de 1 de Outubro de 1997; *CJ,* XXII, tomo 4, 240);

— As normas dos n.os 1 e 2 do art. 310.º do CPP não são inconstitucionais. (Ac. do Trib. Constitucional de 5 de Março de 1998; *DR,* II série, n.º 158/98, de 11 de Julho);

— É irrecorrível o despacho que designa dia para julgamento, recebendo a acusação quanto aos factos, mas alterando a qualificação jurídica feita pelo MP. (Ac. RL de 20 de Outubro de 1998; *BMJ,* 480, 524);

Código de Processo Penal

— É recorrível a decisão instrutória que pronuncie o arguido por factos constantes da acusação particular que o MP não tenha acompanhado. (Ac. RL de 15 de Dezembro de 1998; *CJ*, XXIII, tomo 5, 150);

— Não são inconstitucionais as normas dos arts. 308.º, n.º 3 e 310.º, n.º 1, do CPP, na interpretação de que são irrecorríveis as decisões prévias ou incidentais constantes do despacho de pronúncia. (Ac. do Trib. Constitucional n.º 216/99, de 21 de Abril; *DR*, II série, de 6 de Agosto de 1999);

— O recurso da decisão instrutória de não pronúncia de um arguido, havendo outros pronunciados, sobe imediatamente, em separado e com efeito meramente devolutivo, devendo o processo prosseguir para julgamento dos demais. (Ac. RL de 6 de Junho de 2000; *CJ*, XXV, tomo 3, 148);

— Não é inconstitucional a norma constante do n.º 1 do art. 310.º do CPP, na interpretação segundo a qual é irrecorrível a decisão instrutória que pronuncie o arguido pelos factos constantes da acusação particular quando o MP acompanhe tal acusação. (Ac. do Trib. Constitucional n.º 30/2001, proc. n.º 469/00, de 30 de Janeiro de 2001; *DR*, II série, de 23 de Março de 2001);

— I — A decisão instrutória abarca não só a parte da pronúncia ou não pronúncia (despacho de pronúncia propriamente dito) como também as nulidades arguidas no decurso do inquérito ou da instrução e as demais questões prévias ou incidentais. II — A regra da irrecorribilidade do despacho de pronúncia do art. 310.º do CPP só respeita ao despacho de pronúncia propriamente dito. III — A decisão instrutória que julga improcedente a arguida excepção de prescrição é recorrível. (Ac. STJ de 5 de Abril de 2001, proc. n.º 675/01-5.ª; *SASTJ*, n.º 50, 44).

— Não é inconstitucional a norma constante do n.º 1 do art. 310.º do CPP, na interpretação segundo a qual é irrecorrível a decisão instrutória que pronuncie o arguido pelos factos constantes da acusação particular, quando o MP acompanhe tal acusação. (Ac. do Trib. Constitucional n.º 79/2005, de 15 de Fevereiro, proc. n.º 741/01; *DR*, II série, de 6 de Abril do mesmo ano);

— O art. 410.º, n.º 2, do CPP não viola o direito de recurso consagrado no art. 32.º, n.º 1, da CRP, quando interpretado no sentido de permitir a subida do recurso interposto do indeferimento da arguição de nulidade da decisão instrutória que pronuncia o arguido com o recurso da decisão que puser termo à causa. (Ac. do Trib. Constitucional n.º 242/2005, de 4 de Maio de 2005, proc. n.º 494/2004; *DR*, II série, de 10 de Outubro de 2005).

LIVRO VII

DO JULGAMENTO

TÍTULO I

DOS ACTOS PRELIMINARES

ARTIGO 311.º
(Saneamento do processo)

1. Recebidos os autos no tribunal, o presidente pronuncia-se sobre nulidades e outras questões prévias ou incidentais que obstem à apreciação do mérito da causa, de que possa desde logo conhecer.

2. Se o processo tiver sido remetido para julgamento sem ter havido instrução, o presidente despacha no sentido:

a) De rejeitar a acusação, se a considerar manifestamente infundada;

b) De não aceitar a acusação do assistente ou do Ministério Público na parte em que ela representa uma alteração substancial dos factos, nos termos do n.º 1 do artigo 284.º e do n.º 4 do artigo 285.º, respectivamente.

3. Para efeitos do disposto no número anterior, a acusação considera-se manifestamente infundada:

a) Quando não contenha a identificação do arguido;

b) Quando não contenha a narração dos factos;

c) Se não indicar as disposições legais aplicáveis ou as provas que a fundamentam; ou

d) Se os factos não constituírem crime.

---

1. O texto do n.º 1 e o da al. *b)* do n.º 2 (com alteração de n.º 3 por n.º 4 do art. 285.º pela Lei n.º 48/2007, de 29 de Agosto, devido a alteração introduzida

Código de Processo Penal

pela Lei no referido artigo) foram introduzidos pela Lei n.º 59/98, de 25 de Agosto. Em relação à versão originária, no n.º 1 foi introduzida a referência a nulidades e na al. *b)* do n.º 2 foi aditada a possibilidade de rejeição da acusação do MP, na parte em que ela representa uma alteração substancial dos factos, nos termos do art. 285.º, n.º 3 (caso de o procedimento depender de acusação particular), paralelamente ao que já sucedia relativamente à acusação do assistente divergente da do MP nos casos em que o procedimento não depende de acusação particular.

O n.º 3 foi aditado pela mencionada Lei, e não tinha correspondente na versão originária. Este número, enumerando os casos em que para efeitos do disposto no n.º 2 a acusação se considera manifestamente infundada, não continha, na Proposta de Lei governamental, o dispositivo da alínea *b) — Quando não contenha a narração dos factos —,* dispositivo que veio contrariar a jurisprudência fixada pelo STJ — ver *infra,* anot. 4.

A impossibilidade de rejeição da acusação por insuficiência de prova indiciária acabou por ficar decididamente perfilhada pela Assembleia da República através dos novos dispositivos da Lei n.º 59/98, enumerando taxativamente no n.º 3 os casos em que, para efeitos do n.º 2, a acusação se considera manifestamente infundada. Manteve-se assim a estrutura acusatória do processo na sua pureza, bem como uma nítida separação entre os órgãos da acusação e do juramento.

Deste modo, também caducou a jurisprudência fixada pelo ac. das secções criminais do STJ de 26 de Março de 1993.

Sobre este ponto, houve de início alguma confusão, em que também de algum modo laborámos apesar de a al. *b)* do n.º 3 ter sido introduzida por nossa sugestão, devido a ter sido divulgada pela comunicação social cedência à posição da Associação Sindical, atrás referida, sendo até de salientar que a Associação continuou a sustentar a inconstitucionalidade do actual n.º 3, como se pode ver no *Boletim, Informações e Debate,* II série, n.º 3, págs. 51-52.

Para melhor e mais cabal esclarecimento, reproduzimos o seguinte extracto da Declaração de voto do PS sobre a votação final na Assembleia da República, *ut* referido *Boletim,* pág. 69:

«Em concordância com a solução proposta, elogiada pela clareza que introduz num ponto estruturante do processo (neste sentido, nomeadamente, as intervenções do Professor Figueiredo Dias na Conferência parlamentar de 7 de Maio, dedicada ao Código, bem como de outros participantes na mesma iniciativa parlamentar, e ainda o parecer do Conselho Superior da Magistratura), introduz-se uma nova alínea, na sequência da sugestão do Conselheiro Maia Gonçalves ao Ministério da Justiça, de modo a incluir-se no texto a referência à falta de narração dos factos. Embora esta circunstância já se devesse considerar presente na alínea *c)* da Proposta Governamental, julgou-se conveniente proceder à aclaração, para prevenir incertezas. A solução vai de encontro à estrutura acusatória do processo, de matriz constitucional, tornando ainda mais nítida a separação dos órgãos de acusação e de julgamento no processo penal português, em respeito também por regras fundamentais do processo penal moderno do Estado democrático. Ficará, a partir de agora, bem expresso que o juiz de julgamento não pode apreciar da prova indiciária do inquérito — afastando a jurisprudência fixada neste sentido, em menos rigorosa

728

Artigo 311.º

interpretação da lei vigente — e que a sua valorização apenas compete ao Ministério Público.»

Sobre este ponto é ainda bem elucidativa a segunda nota do Prof. Figueiredo Dias na *RPCC*, ano 8.º, fasc. 2.º, 210-211.

A insuficiência dos indícios constitui portanto competência do juiz de instrução, que terá de ser requerida pelo arguido quando a quiser sustentar e tiver sido acusado pelo MP, e não competência do juiz do julgamento. Este entendimento já foi explanado em edições anteriores desta obra, pelo que se não justifica a anotação de Simas Santos/Leal-Henriques, pág. 233 da 2.ª ed., II volume, do *Código de Processo Penal anotado*, posteriormente vinda a lume.

Anote-se contudo que o juiz do julgamento poderá ter que tomar posição sobre a prova indiciária, *v.g.* para efeitos de medidas de coação —, como resulta de outros dispositivos, *v.g.* 200.º, n.º 1; 201.º, n.º 1; 202.º, n.º 1, *a)* e de reexame trimestral dos pressupostos da prisão preventiva — art. 213.º, obrigatório mesmo na fase de julgamento.

Ainda, em nosso entendimento, o juiz do julgamento pode, e consequentemente *deve*, considerar a acusação manifestamente infundada quando não indique as provas que a fundamentam. Isto resulta claramente do n.º 3, al. *c)* e é questão diferente da da avaliação indiciária, havendo até necessidade de dar conhecimento dessas provas a outros intervenientes processuais, *ex vi* do art. 313.º, n.º 2, e de outros dispositivos.

2. Ao ser recebido o processo no tribunal do julgamento, o presidente, prioritariamente, entra na apreciação de nulidades e de todas as questões prévias ou incidentais que possam obstar à apreciação do mérito da causa, sejam elas de natureza substantiva ou adjectiva. Como se referiu em anot. ao art. 308.º, dentre essas questões deve ser apreciada em primeiro lugar a da competência do tribunal, pois que se este não for competente não deve entrar no conhecimento de quaisquer outras questões prévias ou incidentais.

O decidido genericamente nesta fase processual quanto a questões prévias ou pressupostos processuais não tem o valor de caso julgado formal, podendo até à decisão final ser tomado conhecimento dessas questões. Quanto a legitimidade do MP há mesmo jurisprudência fixada neste sentido — cfr. *infra*.

Seguidamente, importa que o juiz verifique se houve ou não instrução.

No caso de ter havido instrução, seguir se-á, sem mais, a marcação de dia, hora e local para a audiência, como se estabelece nos arts. 312.º e 313.º. Neste caso, já não pode ser rejeitada a acusação, nem tão-pouco o requerimento do assistente para abertura de instrução, por já terem sido aceites judicialmente pelo despacho de pronúncia.

No caso de não ter havido lugar a instrução o presidente poderá então tomar uma das três decisões que a seguir se apontam:

a) Rejeitar a acusação, se a considerar manifestamente infundada (al. *a)* do n.º 2). Acusação manifestamente infundada é aquela que, em face dos seus próprios termos, não tem condições de viabilidade. Os casos em que, para efeitos do n.º 2, a acusação se considera manifestamente infundada estão agora enumerados no n.º 3. Ver *supra*, anot. 1 e *infra*, anot. 4.

b) Rejeitar a acusação do assistente ou do MP na parte em que ela repre-

Código de Processo Penal

senta uma alteração substancial da acusação do assistente em custas, com a consequente condenação em custas (arts. 515.°, n.° 1, al. *f)* e 518.°; ou

c) Designar, desde logo, dia, hora e local para a audiência, caso entenda que se não verifica qualquer dos casos descritos em *a)* ou *b)*, como se estabelece nos arts. 312.° e 313.°.

Dando-se o caso formulado em *c)*, isto é, designando o juiz dia, hora e local para a audiência, não há lugar a recurso, paralelamente ao que sucede com o despacho de pronúncia — arts. 313.°, n.° 3 e 310.° n.° 1. Já há, porém, possibilidade de recurso nos casos das als. *a)* e *b)*, em que se segue a regra geral da admissibilidade, porque os despachos, em tais casos, põem termo a processo.

3. Mesmo dentro do processo comum podem existir particularidades de tramitação estabelecidas em leis especiais, a que será necessário atender.

Como casos de mais frequente aplicação mencionamos os de processos por abuso de liberdade de imprensa, regulados pela lei geral e pela Lei n.° 2/99, de 13 de Janeiro.

4. *Jurisprudência fixada:*
— A al. *a)* do n.° 2 do art. 311.° do CPP inclui a rejeição da acusação, por manifesta insuficiência de prova indiciária. (Ac. do Plenário das secções criminais do STJ de 17 de Fevereiro de 1993; *DR*, I série-A, de 26 de Março do mesmo ano). *Nota* — Ver *supra*, anot 1 pois, em nosso entendimento, esta solução caducou;
— A decisão judicial genérica transitada e proferida ao abrigo do art. 311.°, n.° 1, do CPP, sobre a legitimidade do MP, não tem o valor de caso julgado formal, podendo até à decisão final ser dela tomado conhecimento. (Ac. do Plenário das secções criminais do STJ de 16 de Maio de 1995; *DR*, I-série, de 12 de Junho do mesmo ano);
— Extinto o procedimento criminal por prescrição depois de proferido o despacho previsto no art. 311.° do CPP mas antes de realizado o julgamento, o processo em que tiver sido deduzido pedido de indemnização prossegue para conhecimento deste. (Ac. do Pleno das secções criminais do STJ n.° 3/2002, de 17 de Janeiro; *DR*, I série, de 5 de Março de 2002).

5. *Jurisprudência:*
— Não é admissível ao juiz censurar o modo como tenha sido realizado o inquérito e devolver o processo ao MP para prosseguir a investigação de forma a abranger outros factos e/ou outros agentes, ou simplesmente para reformular a acusação. (Ac. RE de 11 de Julho de 1995; *CJ*, XX, tomo 4, 287);
— I — Nada obsta a que, após o despacho de pronúncia e antes do início da audiência de julgamento, o juiz conheça de questões prévias, se no despacho a que alude o art. 311.° do CPP a questão não foi concretamente considerada. II — No intervalo entre a pronúncia e o julgamento não é, todavia, possível alterar os factos e a sua qualificação, tal como foram definidos na pronúncia, ainda que a pretexto do conhecimento oficioso ou a requerimento de qualquer questão prévia. III — Qualificado na pronúncia o escrito jornalístico objecto do procedimento como artigo baseado em entrevista, não pode, antes do jul-

Artigo 311.º

gamento, ser requalificado como entrevista, para efeitos de apreciação da questão prévia da despenalização da conduta do arguido. (Ac. RP de 20 de Novembro de 1996; *BMJ,* 461, 524);

— Não são inconstitucionais as normas constantes dos arts. 286.º, n.os 1 e 2; 287.º n.os 1, al. *a)* e 3; 288.º, n.º 4; 289.º; 307.º, n.º 1; e 311.º, n.º 2, do CPP, quando interpretadas de forma a concluir que os efeitos da instrução requerida apenas por um só ou por vários arguidos se estendem a outro ou a outros arguidos e que a respectiva decisão instrutória abrange todos eles. (Ac. do Trib. Constitucional n.º 226/07, de 12 de Março, proc. n.º 96/96; *DR,* II série, de 26 de Junho de 1997);

— Quando o juiz discorde da qualificação jurídico-penal efectuada pelo MP, deve receber a acusação com os factos dela constantes, mas qualificando-os diversamente. (Ac. RL de 14 de Outubro de 1999; *CJ*, XXIV, tomo 4, 150);

— I — Qualificar os factos da acusação como constituindo vários crimes quando vinham considerados como um único é efectuar uma alteração substancial da acusação. II — Se o juiz, ao proferir o despacho a que se refere o art. 311.º do CPP, verificar que há um claro erro na subsunção dos factos às normas incriminadoras, deve rejeitar a acusação, permitindo ao acusador a rectificação de tal erro. III — Mas, se o erro é apenas provável, deve designar dia para julgamento, já que não pode alterar o objecto do processo e assumir a posição de acusador, alterando a qualificação jurídica dos factos, sobretudo se esta agrava a posição do arguido. (Ac. RC e 5 de Janeiro de 2000; *CJ*, XXV, tomo 1, 42);

— Proferido despacho a receber a acusação deduzida pelo MP, não pode, depois, o juiz proferir despacho a rejeitá-la, pois o seu poder de cognição ficou esgotado com a prolação do despacho de recebimento. (Ac. RP de 10 de Maio de 2000; *CJ*, XXV, tomo 3, 224);

— I — No despacho a que se refere o art. 311.º do CPP, o juiz não pode qualificar juridicamente de modo diferente os factos da acusação. II — Se o juiz, ao proferir o despacho a que se refere o art. 311.º do CPP, verificar que há um claro erro na subsunção dos factos às normas incriminadoras, deve rejeitar a acusação. II — E, dessa forma, permitir ao acusador a sua rectificação. (Ac. RL de 28 de Setembro de 2000; *CJ*, XXV, tomo 4, 140);

— A norma do art. 311.º, n.º 3, do CPP, que veda ao juiz de julgamento a possibilidade de rejeitar a acusação manifestamente infundada por insuficiência de prova indiciária, no caso de não ter havido instrução, não viola as garantias de defesa do arguido e não atenta contra o princípio da presunção de inocência, nomeadamente por não proceder à inversão de qualquer ónus probatório em desfavor do arguido, não sendo portanto inconstitucional. (Ac. do Trib. Constitucional n.º 101/2001, de 14 de Março, proc. n.º 420/2000; *DR*, II série, de 6 de Junho de 2001);

— I — Não tendo havido instrução, quando o processo é remetido para julgamento o presidente do tribunal, para efeitos de competência territorial, não tem que fazer quaisquer diligências de prova sobre os factos constantes da acusação, nem que atender a outros que lhe sejam estranhos, *v.g.*, os decorrentes de uma pouco segura informação por si solicitada. II — Deve antes proferir o despacho referido no art. 311.º do CPP, pronunciando-se sobre nulidade e questões prévias ou incidentais que obstem ao conhecimento da causa de que

Código de Processo Penal

possa desde logo conhecer, nomeadamente sobre competência do tribunal, mas sempre com os elementos referidos na acusação, e em seguida designar dia, hora e local para julgamento. (Ac. STJ de 3 de Maio de 2001, proc. n.º 4010/00-5.ª; *SASTJ*, n.º 51, 84);

— I — O preceito do art. 311.º, n.º 3, *a)*, do CPP deve ser interpretado restritivamente, no sentido de que só a total omissão da identificação do arguido é causa de rejeição da acusação. II — Assim, bastará a indicação do nome, seguida de remissão para o local dos autos onde essa identificação esteja completa. (Ac. RL de 26 de Setembro de 2001; *CJ*, XXVI, tomo 4, 135);

— I — É a acusação que define o objecto do processo, determinado pelo problema jurídico-criminal concreto, sendo por ela que se fixam o *thema probandi* e o *thema decidendi*, com referência àquele problema. II Como um dos princípios fundamentais do objecto do processo conta-se o princípio da identidade, segundo o qual o objecto se deve manter idêntico desde a acusação até à decisão final. III O comando legal do art. 311.º do CPP não permite ao juiz do julgamento que na fase saneadora proceda a diligências instrutórias que lhe possibilitem qualquer modificação factual da acusação. (Ac. STJ de 12 de Junho de 2002, proc. n.º 1100/02-3.ª; *SASTJ*, n.º 62, 60);

— I — Não é admissível ao tribunal formular qualquer convite à correcção de quaisquer peças processuais das partes, formal ou substancialmente deficientes. II — Assim, quando a acusação seja formal ou substancialmente deficiente, não pode ser objecto de aperfeiçoamento. (Ac. RL de 10 de Outubro de 2002; *CJ*, XXVII, tomo 4, 132);

— A norma constante do art. 311.º, n.º 2, al. *a)*, do CPP, conjugada com a definição taxativa dos casos de acusação manifestamente infundada constante do n.º 3 do preceito, enquanto veda ao juiz, no momento do saneamento do processo, a rejeição da acusação deduzida pelo assistente com fundamento na insuficiência da prova indiciária, tendo o arguido prescindido da oportunidade processual de requerer a instrução, não ofende o princípio das garantias de defesa nem qualquer outra norma ou princípio da Constituição. (Ac. do Trib. Constitucional n.º 276/03, de 28 de Maio de 2003, proc. n.º 710/2002; *DR*, II série, de 3 de Outubro de 2003;

— Em processo penal não tem aplicação a droutrina fixada para o processo civil pelo assento de 1 de Fevereiro de 1963, pelo que a decisão judicial genérica transitada e proferida ao abrigo do art. 311.º do CPP não tem o valor de caso julgado formal. (Ac. STJ de 17 de Junho de 2004: *CJ*, *Acs. do STJ*, XII, tomo 2, 229);

— I — O despacho preliminar em ordem à continuação do processo, afirmativo de que se não detectaram circunstâncias que obstassem ao conhecimento do recurso não pode ser entendido como uma apreciação definitiva da questão de saber se o recurso é o não admissível. II — Não padece, por isso, de qualquer nulidade o acórdão que posteriormente àquele despacho preliminar decida da ilegitimidade para interpor recurso. (Ac. STJ de 24 de Março de 2004, proc. n.º 866/02-3.ª);

— I— Não é ilícito ao juiz do julgamento devolver o processo ao MP para prosseguir a investigação quando discorde, ainda que fundamentadamente, do modo como tenha sido realizado o inquérito, designadamente por omissão de diligência

Artigo 312.º

com utilidade para a descoberta da verdade. II — O juízo sobre a suficiência ou insuficiência de indícios que sutentam a acusação é da competência do juiz de instrução, a requerimento do arguido. (Ac. RL de 8 de Julho de 2004; *CJ*, XXIX, tomo 4, 127);

— Nos casos em que o MP, ao abrigo do disposto no n.º 3 do art. 16.º do CPP, manifeste o entendimento de que não deve ser aplicada ao arguido, mesmo em caso de concurso de infracções, pena superio a cinco anos, o juiz do tribunal singular, no despacho a que se refere o art. 311.º do CPP, não pode exprimir entendimento diferente e, consequentemente, atribuir ao tribunal colectivo competência para o julgamento. (Ac. RL de 12 Maio de 2005, proc. n.º 2278/05;*CJ*, ano XXX, tom 3, 127);

— I — Recebida a acusação do MP, o juiz só na sentença pode conhecer do mérito da causa. II— No início da audiência de julgamento, o juiz não pode, assim, alterar a qualificação jurídica dos factos constantes da acusação. III— Nesse momento, o juiz apenas pode decidir questões prévias ou incidentais que, acaso, obstem ao conhecimento do mérito. (Ac. RP de 6 de Julho de 2005; *CJ*, XXX, 223).

— Quando o processo tiver sido remetido para julgamento sem ter havido instrução, não é admissível ao juiz qualificar os factos de forma diferente da constante na acusação, a não ser que, em fase processual posterior, se constate que integram outro tipo de crime. (Ac. RL de 8 de Fevereiro de 2006; *CJ*, ano XXXI, tomo I, 135);

— I — O juiz, no despacho que designa dia para julgamento, pode divergir da qualificação jurídica feita pelo MP na acusação, qualificando-a de forma diferente. II— Se o fizer, o seu dispacho é irrecorrível. III — Deste modo, nos casos de julgamento em tribunal singular, sempre que o juiz que recebe a acusação entenda que os factos integram, não o crime constante da acusação, mas outro cuja competência é do tribunal colectivo, deve proceder à alteração e remeter os autos ao tribunal competente. (Ac. RG de 3 de Julho de 2006, proc. n.º 141/06; *CJ*, ano XXXI, tomo 3, 305).

ARTIGO 312.º
(Data da audiência)

1. Resolvidas as questões referidas no artigo anterior, o presidente despacha designando dia, hora e local para a audiência. Esta é fixada para a data mais próxima possível, de modo que entre ela e o dia em que os autos foram recebidos não decorram mais de dois meses.

2. No despacho a que se refere o número anterior é, desde logo, igualmente designada data para realização da audiência em caso de adiamento nos termos do artigo 333.º, n.º 1, ou para audição do arguido a requerimento do seu advogado ou defensor nomeado, ao abrigo do artigo 333.º, n.º 3.

3. Sempre que o arguido se encontrar em prisão preventiva ou com obrigação de permanência na habitação, a data da audiência é fixada com precedência sobre qualquer outro julgamento.

Código de Processo Penal

4. O tribunal deve marcar a data da audiência de modo a evitar a sobreposição com outros actos judiciais a que os advogados ou defensores tenham a obrigação de comparecer, aplicando-se o disposto no artigo 155.º do Código de Processo Civil.

---

1. A primeira alternativa do n.º 2 fora introduzida pela Lei n.º 59/98, de 25 de Agosto; a segunda alternativa — *ou para audição do arguido...* — é resultante do Dec.-Lei n.º 320-C/2000, de 15 de Dezembro, em consonância com o dispositivo do art. 333.º, n.º 3, introduzido pelo mesmo Dec.-Lei.

O n.º 3 reproduz o n.º 2 da versão originária.

O n.º 4 tem o texto introduzido pela Lei n.º 48/2007, de 29 de Agosto, em substituição do que tinha sido introduzido pelo Dec.-Lei n.º 320-C/2000, de 15 de Dezembro, porém sem relevante alteração de fundo.

2. Como se aludiu na anot. 1, o dispositivo do n.º 2 tem o texto resultante dos diplomas aí mencionados. A marcação de duas datas para a audiência de julgamento, conforme aí se estabelece, visou obter, através da gestão da agenda, uma maior aproximação temporal entre essas datas e uma substancial redução dos actos da secretaria e de procedimentos de notificação, com consequentes vantagens na celeridade processual e na economia dos actos.

3. *Jurisprudência:*

— I — A norma contida no art. 312.º do CPP, ao dizer que a audiência de julgamento será fixada para a data mais próxima possível de modo que entre ela e o dia em que os autos forem recebidos não decorram mais de 2 meses, e ainda que, quando o arguido se encontrar em prisão preventiva, a data da audiência deve ser fixada com precedência sobre qualquer outro julgamento, reveste apenas um carácter normativo e programático. II — O seu cumprimento estará sempre dependente das possibilidades de tempo e humanas dos tribunais. III — E o seu não cumprimento justifica o lançar mão do incidente do art. 108.º do CPP — aceleração de processo atrasado. (Ac. RE de 30 de Março de 1993; *BMJ,* 425, 643);

— I — O prazo de dois meses para a marcação da audiência a que se refere o art. 312.º, n.º 1, do CPP, é um prazo peremptório. II — A marcação da audiência para além desse prazo constitui mera irregularidade processual, a arguir pelos interessados no próprio acto ou, se a este não tiverem assistido, nos três dias a contar daquele em que tiverem sido notificados para qualquer termo do processo ou intervindo em qualquer acto nele praticado. (Ac. RC de 26 de Novembro de 2001; *CJ,* XXVI, tomo 5, 48);

— O não cumprimento do disposto no n.º 2 do art. 312.º do CPP (designação da segunda data para a realização da audiência) não consubstancia uma nulidade, dado o disposto nos arts. 118.º, n.º 1, e 120.º daquele diploma, mas antes uma simples irregularidade. (Ac. STJ de 2 de Abril de 2003, proc. n.º 242/03-3.ª; *SASTJ,* n.º 70, 47);

— Há concertação da data para a audiência, ao abrigo do n.º 4 do art. 312.º do CPP, quer quando existe advogado constituído quer quando existe defensor oficioso. (Ac. do Trib. Constitucional n.º 602/2004, de 12 de Outubro de 2004, proc. n.º 414/2004; *DR,* II série, de 25 de Novembro do mesmo ano).

Artigo 313.º

— O art. 312.º n.º 4, do CPP, é inconstitucional, quando interpretado no sentido de que só o advogado constituído, e não também o defensor oficioso nomeado, goza da prerrogativa de concertação do prévio agendamento da data para realização de audiência. (Ac. RC de 8 de Março de 2006, proc. n.º 4246/05).

ARTIGO 313.º
(Despacho que designa dia para a audiência)

1. O despacho que designa dia para a audiência contém, sob pena de nulidade:

  a) A indicação dos factos e disposições legais aplicáveis, o que pode ser feito por remissão para a acusação ou para a pronúncia, se a houver;

  b) A indicação do lugar, do dia e da hora da comparência;

  c) A nomeação de defensor do arguido, se ainda não estiver constituído no processo; e

  d) A data e a assinatura do presidente.

2. O despacho, acompanhado da cópia da acusação ou da pronúncia, é notificado ao Ministério Público, bem como ao arguido e seu defensor, ao assistente, às partes civis e aos seus representantes, pelo menos 30 dias antes da data fixada para a audiência.

3. A notificação do arguido e do assistente ao abrigo do número anterior tem lugar nos termos do artigo 113.º, n.º 1, alíneas *a)* e *b)*, excepto quando aqueles tiverem indicado a sua residência ou domicílio profissional à autoridade policial ou judiciária que elaborar o auto de notícia ou que os ouvir no inquérito ou na instrução e nunca tiverem comunicado a alteração da mesma através de carta registada, caso em que a notificação é feita mediante via postal simples, nos termos do artigo 113.º, n.º 1, alínea *c)*.

4. Do despacho que designa dia para a audiência não há recurso.

---

1. Corresponde, com alterações e aditamentos, ao art. 313.º do Proj. Não havia disposições correspondentes no direito anterior para o despacho que designava dia para a audiência, mas sim para o despacho de pronúncia.
O texto dos n.ºs 2 e 3 foi estabelecido pelo Dec.-Lei n.º 320-C/2000, de 15 de Dezembro, em consonância com as alterações introduzidas no art. 113.º pelo mesmo diploma quanto a notificação por via postal simples. O n.º 4 reproduz o n.º 3 anterior ao Dec.-Lei a que acabámos de aludir.

Código de Processo Penal

2. Em relação às disposições do Proj. são mais significativas as seguintes alterações:

— Supressão das indicações tendentes à identificação do arguido, isto porque, constando já esses elementos da acusação ou da pronúncia, seria inutilidade a respectiva repetição no despacho que marca a audiência;

— Possibilidade de a indicação dos factos e das disposições legais ser feita por remissão para a acusação ou para a pronúncia, e portanto supressão de a exigência dessa indicação ser expressamente feita no despacho que marca a audiência;

— Notificação por via postal simples, no caso previsto na 2.ª parte do n.º 3;

— Introdução do n.º 4, que não figurava no Proj., estabelecendo que não há recurso do despacho o que designa dia para a audiência. A solução não poderia ser outra, dentro do pensamento legislativo que transparece de numerosas disposições do Código; no entanto, e para evitar eventuais dúvidas, entendeu-se como mais prudente a consagração expressa. Por outro lado, também a Lei de Autorização legislativa, art. 2.º, n.º 2, al. 53), estabeleceu a irrecorribilidade da decisão instrutória que pronunciar o arguido pelos factos constantes da acusação, confinando-se a sindicabilidade da mesma ao próprio julgamento.

De notar que, apesar da sua designação, o *despacho que designa dia para a audiência,* regulado neste artigo, tem uma função bem mais vasta do que proceder à indicação do dia para a audiência.

3. A al. *c)* do n.º 1, sobre nomeação de defensor ao arguido se ainda não estiver constituído no processo, é um dispositivo que deve ser aplicado levando-se em conta o estabelecido na Lei n.º 30/2000, de 20 de Dezembro, particularmente nos arts. 42.º a 45.º desta Lei, transcritos na anot. 3 ao art. 62.º, para onde remetemos.

4. A disposição do n.º 4 exige uma interpretação criteriosa e equacionada com o que se preceitua no art. 310.º, n.º 1.

A inadmissibilidade de recurso aqui estabelecida tem como pressuposto que o despacho, que, como se aludiu *supra,* n.º 2, tem uma função mais vasta do que a simples designação de dia para a audiência, não introduziu qualquer alteração na acusação ou na pronúncia. Se tiver introduzido qualquer alteração a esses factos será admissível recurso com esse fundamento, paralelamente ao que sucede no caso do art. 310.º.

5. *Jurisprudência:*

— O art. 313.º, n.º 3, do CPP, que não permite recurso do despacho que designa dia para a audiência, deve ser interpretado no sentido de que tal inadmissibilidade de recurso apenas se verifica nos casos em que esse despacho não introduziu qualquer alteração aos termos da acusação ou da pronúncia. (Ac. STJ de 7 de Junho de 1995, proc. 45606/3.ª);

— A exigência de a audiência ser marcada com uma antecedência mínima de 30 dias, imposta pelo art. 313.º, n.º 2, do CPP, só se impõe quando se profere o despacho a designar dia para julgamento, pela primeira vez, e não quando se marca nova data, por ter havido adiamento. (Ac. RP de 14 de Janeiro de 1998; *CJ*, XXIII, tomo 1, 227);

Artigo 314.º

— Não é admissível recurso do despacho que designa dia para julgamento, ainda que o juiz tenha discordado do enquadramento jurídico dos factos descritos na acusação. (Ac. RL de 16 de Dezembro de 1998; *CJ*, XXIII, tomo 5, 152). *Nota* — Discordamos. Ver *supra*, anot. 3 e ac. STJ de 7 de Junho de 1995, atrás sumariado. Em nosso entendimento só não é admissível recurso quando o despacho se limita a designar dia para a audiência; se introduzir alteração nos termos da acusação ou da pronúncia já é admissível recurso. A inadmissibilidade de recurso radica na ideia de que havendo aqui, como em casos paralelos, concordância entre a acusação e o juiz o caso deve ir para julgamento, sem as delongas de um recurso. Em caso de discordância esse pressuposto não se verifica, pelo que deve haver lugar a recurso;

— A desatenção, no despacho que designa dia para julgamento, do prazo conferido para organização da defesa, previsto no art. 315.º do CPP, não é cominada com qualquer nulidade, atento o princípio da legalidade que preside ao regime das nulidades. (Ac. STJ de 26 de Maio de 1999, proc. n.º 455/99-3.ª; *SASTJ*, n.º 31, 89);

— Só no caso de a notificação do arguido do despacho de pronúncia que designa dia para a audiência (arts. 313.º e 333.º, n.º 4, do CPP) ser por editais, e não também quando a notificação para as audiências marcadas nos autos foi feita devida e regularmente a arguido sujeito a termo de identidade e residência, é que as declarações prestadas em audiência são documentadas. (Ac. RC de 7 de Junho de 2000; *CJ*, XXV, tomo 3, 49).

— I — A falta de notificação do arguido para a audiência de julgamento não constitui uma nulidade insanável. II — Tendo o arguido comparecido em audiência, apesar de não ter sido notificado, sendo-lhe nomeado defensor oficioso sem que tenha deduzido qualquer oposição a que o julgamento se realizasse, fica sanada aquela falta de notificação. (Ac. STJ de 7 de Março de 2001, proc. n.º 70/00-3.ª; *SASTJ*, n.º 49, 59);

— É irrecorrível o despacho (do juiz singular) que, no momento de receber a acusação, altere a qualificação jurídico-criminal dos factos acusados. (Ac. STJ de 31 de Maio de 2001, proc. n.º 486/01-5.ª; *SASTJ*, n.º 51, 96). *Nota* — Discordamos, pelas razões sumariamente expostas *supra*, anot. 3 e a propósito de outro acórdão;

— Ao contrário do que sustenta o MP junto do Tribunal recorrido, aquele despacho era recorrível, a tanto não obstando o n.º 4 do artigo 313.º do CPP, pois, como bem observa o Cons.º Maia Gonçalves, a inadmissibilidade de recurso aqui estabelecida [art. 313.º, n.º 4] tem como pressuposto que o despacho que tem uma função mais vasta do que a simples designação de dia para a audiência, não introduziu qualquer alteração na acusação ou na pronúncia. Se tiver introduzido qualquer alteração a esses factos será admissível recurso com esse fundamento, paralelamente ao que sucede no caso do artigo 310.º. II — Tendo transitado em julgado o despacho de pronúncia e o citado despacho de alteração da qualificação jurídica, ou seja, havendo duas decisões transitadas contraditórias, que, dentro do processo, versam sobre a mesma questão concreta da relação processual, nos termos do artigo 675.º, n.ºs 1 e 2 do Código de Processo Civil, *ex vi* do artigo 4.º do Código de Processo Penal apenas há que dar cumprimento à que passou em julgado em primeiro lugar, no caso ao despacho de pronúncia. (Ac. RG de 29 de Outubro de 2007, proc. n.º 1632/07).

Código de Processo Penal

ARTIGO 314 °
(Comunicação aos restantes juízes)

1. O despacho que designa dia para a audiência é imediatamente comunicado, por cópia, aos juízes que fazem parte do tribunal.

2. Conjuntamente, ou logo que possível, são-lhes remetidas cópias da acusação ou arquivamento, da acusação do assistente, da decisão instrutória, da contestação do arguido, dos articulados das partes civis e de qualquer despacho relativo a medidas de coacção ou de garantia patrimonial.

3. Sempre que se mostrar necessário, nomeadamente em razão da especial complexidade da causa ou de qualquer questão prévia ou incidental que nele se suscite, o presidente pode, oficiosamente ou a solicitação de qualquer dos restantes juízes, ordenar que o processo lhes vá com vista por prazo não superior a oito dias. Nesse caso, não é feita remessa dos documentos referidos no número anterior.

---

1. Corresponde, com alterações formais nos n.° 2 e 3, ao art. 314.° do Proj. Não havia disposições correspondentes no direito anterior. De notar porém que o prazo de 8 dias estabelecido no n.° 3 foi fixado pela Lei n.° 59/98, de 25 de Agosto (na versão originária o prazo era de 5 dias). A alteração ficou a dever- -se a que os prazos em processo penal passaram a correr continuamente, como em processo civil.

2. Notam-se, em relação ao regime do CPP de 1929, alterações profundas e significativas.

Foram, como regra, abolidos os vistos aos juízes adjuntos, mas são-lhes enviadas cópias das peças processuais referidas no n.° 2, através das quais os mesmos juízes se apercebem das questões a decidir e podem fazer um primeiro estudo das mesmas. Aqui se evidencia, mais uma vez, o intuito de aceleração processual que presidiu à elaboração do Código.

Em casos particulares, de processos de grande complexidade, pode, excepcionalmente, haver lugar a vistos, quer por determinação do presidente quer por solicitação de qualquer dos juízes adjuntos. Neste caso, obviamente, não serão remetidas as cópias referidas no n.° 2.

Normalmente, portanto, aos juízes adjuntos será somente comunicado o despacho designando a audiência, o qual ira acompanhado das cópias referidas no n.° 2.

ARTIGO 315.°
(Contestação e rol de testemunhas)

1. O arguido, em 20 dias a contar da notificação do despacho que designa dia para a audiência, apresenta, querendo, a contestação, acompanhada do rol de testemunhas. É aplicável o disposto no n.° 12 do artigo 113.°.

Artigo 315.º

2. A contestação não está sujeita a formalidades especiais.

3. Juntamente com o rol de testemunhas, o arguido indica os peritos e consultores técnicos que devem ser notificados para a audiência.

4. Ao rol de testemunhas é aplicável o disposto no artigo 283.º, n.º 3, alínea *d)*, e no n.º 7.

1. Com excepção do último período do n.º 1 e do n.º 4, que foram introduzidos pela Lei n.º 59/98, de 25 de Agosto, reproduz o art. 315.º do Proj. e corresponde aos arts. 298.º do Aproj. e 381.º do CPP de 1929. O prazo de 20 dias para apresentação da contestação foi estabelecido pelo Dec.-Lei n.º 317/95, de 28 de Novembro (anteriormente 7 dias).

A alusão feita no n.º 4 ao n.º 7 do art. 283.º foi introduzida pelo Dec.-Lei n.º 320-C/2000, de 15 de Dezembro, em consonância com as alterações introduzidas nesse artigo pelo mesmo Dec.-Lei.

A Lei n.º 48/2007, de 29 de Agosto, no final do n.º 1, substitui n.º 10 por n.º 12, em virtude de alterações que introduziu no art. 113.º.

2. Paralelamente ao que sucedia no regime anterior, o rol de testemunhas pode vir a ser alterado ou adicionado, o que se faz agora nos termos e com o condicionalismo do art. 316.º.

A indicação de peritos e de consultores técnicos que devem ser notificados para a audiência está sujeita ao mesmo regime da indicação de testemunhas.

No há agora qualquer limitação ao número de testemunhas a indicar no rol, salvo no caso do n.º 4, mas o tribunal pode obstar a mais inquirições, desde que as considere dilatórias ou desnecessárias.

Quanto à contestação, que no regime anterior podia também ser apresentada na audiência, não existe agora disposição que tal permita, pelo que tem ela que ser necessariamente apresentada no prazo aqui previsto. No entanto, a defesa não sofrerá com isso qualquer limitação dos seus direitos, pois que o tribunal deve ordenar a produção de todos os meios de prova necessários à descoberta da verdade e à boa decisão da causa, oficiosamente ou a requerimento, constem eles ou não da contestação (cfr. *v. g.,* art. 340.º, n.º 1).

O n.º 4, como já se deixou apontado, foi aditado pela Lei mencionada na anot. 1. Conforme este dispositivo e o art. 283.º, n.º 3, al. *d),* para onde remete, o arguido, no rol de testemunhas, deve discriminar as que só devam depor sobre os aspectos referidos no n.º 2 do art. 128.º, que não podem exceder o número de 5. Trata-se de factos relativos à personalidade e ao carácter do arguido, bem como às suas condições pessoais e à sua conduta anterior.

A contestação não está sujeita a quaisquer formalidades especiais, não tendo, consequentemente, que ser articulada.

Embora a lei, no n.º 1, aluda a *contestação acompanhada do rol de testemunhas*, nada impede que o arguido apresente aó contestação ou só rol de testemunhas.

3. Respondendo no mesmo processo vários arguidos, podem eles apresentar uma contestação conjunta, talqualmente sucedia no direito anterior. Veja-se a anot. 2 ao art. 381.º do CPP de 1929, no nosso *Código de*

Código de Processo Penal

Processo Penal. E quando o prazo para a contestação termine em dias diferentes, pode ser apresentada, por todos ou por cada um deles, até ao termo do prazo que começou a correr em último lugar, como se dispõe no art. 113.º, n.º 10.

4. *Jurisprudência:*
— I — Não pode ter acolhimento a contestação por remissão para as declarações prestadas pelo arguido durante o inquérito. II — Não só porque essa forma de contestar não discrimina os factos concretos, mas também porque o próprio tribunal, em julgamento, não pode tomar conhecimento dessas declarações em inquérito. (Ac. STJ de 23 de Fevereiro de 199, proc. n.º 47.327-3.ª).

ARTIGO 316.º

(Adicionamento ou alteração do rol de testemunhas)

1. O Ministério Público, o assistente, o arguido ou as partes civis podem alterar o rol de testemunhas, inclusivamente requerendo a inquirição para além do limite legal, nos casos previstos no n.º 7 do artigo 283.º, contanto que o adicionamento ou a alteração requeridos possam ser comunicados aos outros até três dias antes da data fixada para a audiência.

2. Depois de apresentado o rol não podem oferecer-se novas testemunhas de fora da comarca, salvo se quem as oferecer se prontificar a apresentá-las na audiência.

3. O disposto nos números anteriores é correspondentemente aplicável à indicação de peritos e consultores técnicos.

---

1. O texto do n.º 1 foi introduzido pelo Dec.-Lei n.º 320-C/2000, de 15 de Dezembro. As alterações introduzidas no texto anterior, que era o originário, foram feitas em consonância com as alterações introduzidas no art. 283.º pelo mesmo Dec.-Lei.

Os n.ºs 2 e 3 têm o texto originário e correspondem aos arts. 299.º do Aproj. e 394.º do CPP de 1929.

2. *Jurisprudência:*
— I — O art. 316.º, n.º 1, do CPP não ordena a notificação do próprio rol, mas somente a notificação de adicionamento do rol. II — Não foi prejudicada a defesa com esta notificação, pois se quisesse conhecer o rol até telefonicamente o podia fazer. (Ac. STJ de 13 de Março de 1991; Proc. 41 546/3.ª);
— Ocorrendo no decurso da audiência a ausência de uma testemunha e não tendo o tribunal entendido usar dos poderes conferidos, designadamente pelos artigos 323.º, alíneas a) e b); 331.º, n.º 1 e 340.º. n.ºs 1 e 2, todos do CP, a sua substituição não pode ser admitida, caso não esteja presente a parte contrária. (Ac. RL de 17 de Outubro de 1995; *CJ,* XX, tomo 4, 148);

Artigo 317.º

— A falta de comunicação do adicionamento do rol de testemunhas prevista no art. 316.º, n.º 1, do CPP, é uma irregularidade. (Ac. STJ de 7 de Janeiro de 1999, proc. 1172/98-3.ª; *SASTJ,* n.º 27, 68).

ARTIGO 317.º
(Notificação e compensação de testemunhas, peritos e consultores técnicos)

1. As testemunhas, os peritos e os consultores técnicos indicados por quem se não tiver comprometido a apresentá-los na audiência são notificados para comparência, excepto os peritos dos estabelecimentos, laboratórios ou serviços oficiais apropriados, os quais são ouvidos por teleconferência a partir do seu local de trabalho, sempre que tal seja tecnicamente possível, sendo tão-só necessária a notificação do dia e da hora a que se procederá à sua audição.

2. Quando as pessoas referidas no número anterior tiverem a qualidade de órgão de polícia criminal ou de trabalhador da Administração Pública e forem convocadas em razão do exercício das suas funções, o juiz arbitra, sem dependência de requerimento, uma quantia correspondente à dos montantes das ajudas de custo e dos subsídios de viagem e de marcha que no caso forem devidos, que reverte, como receita própria, para o serviço onde aquelas prestam serviço.

3. Para os efeitos do disposto no número anterior, os serviços em causa devem remeter ao tribunal as informações necessárias, até cinco dias após a realização da audiência.

4. Quando não houver lugar à aplicação do disposto no n.º 2, o juiz pode, a requerimento dos convocados que se apresentarem à audiência, arbitrar-lhes uma quantia, calculada em função de tabelas aprovadas pelo Ministério da Justiça, a título de compensação das despesas realizadas.

5. Da decisão sobre o arbitramento das quantias referidas nos números anteriores e sobre o seu montante não há recurso.

6. As quantias arbitradas valem como custas do processo.

7. A secretaria, oficiosamente ou sob a direcção do presidente, procede a todas as diligências necessárias à localização e notificação das pessoas referidas no n.º 1, podendo, sempre que for indispensável, solicitar a colaboração de outras entidades.

---

1. O n.º 1 tem o texto introduzido pelo Dec.-Lei n.º 320-C/2000, de 15 de Dezembro. As alterações introduzidas por este diploma no texto anterior, que era o originário, relativas à audição por teleconferência, resultam da progressiva introdução nos tribunais de equipamentos técnicos que permitem o recurso a meio de telecomunicação em tempo real.

Código de Processo Penal

Os n.ᵒˢ 2 a 6 têm a redacção introduzida pelo Dec.-Lei n.º 343/93, de 1 de Outubro, sendo porém o n.º 5 idêntico ao n.º 3 da redacção originária. O n.º 7 foi introduzido pela Lei n.º 59/98, de 25 de Agosto.

2. Os n.ᵒˢ 2 a 6 foram, como se referiu, introduzidos pelo Dec.-Lei n.º 343/93, sendo porém o n.º 5 idêntico ao n.º 3 da redacção originária. Do relatório desse Decreto-Lei consta justificação da introdução.

3. As renumerações a atribuir a entidades que intervenham nos processos ou que coadjuvem em diligências processuais encontram-se estabelecidas no Regulamento das Custas Processuais, cujo art. 17.º é do teor seguinte:

Constituição de mandatário

1 — As entidades que intervenham nos processos ou que coadjuvem em quaisquer diligências, salvo os técnicos que assistam os advogados, têm direito às remunerações previstas no presente regulamento.

2 — A remuneração de peritos, tradutores, intérpretes e consultores técnicos, em qualquer processo é efectuada nos termos do disposto na tabela IV, que faz parte integrante do presente Regulamento.

3 — Quando a taxa seja variável, a remuneração é fixada numa das seguintes modalidades, tendo em consideração o tipo de serviço, os usos do mercado e a indicação dos interessados:

a) Remuneração em função do serviço ou deslocação;
b) Remuneração em função da fracção ou do número de páginas de parecer, peritagem ou tradução.

4 — A taxa é fixada em função do valor indicado pelo prestador do serviço, desde que se contenha dentro dos limites impostos pela tabela IV.

5 — Salvo disposição, a quantia devida às testemunhas em qualquer processo é fixada nos termos da tabela IV.

6 — Nas perícias médicas, os médicos e respectivos auxiliares são renumerados por cada exame nos termos fixados em diploma próprio.

7 — As remunerações dos serviços prestados por instituições de acordo com o disposto no artigo 861.º-A do Código de Processo Civil obedecem ao seguinte:

a) Um quinto de UC quando sejam apreendidos saldos de conta bancária ou valores mobiliários existentes em nome do executado;
b) Um décimo de UC quando não haja saldos ou valores em nome do executado;

8 — A remuneração prevista no número anterior é reduzida a metade quando não sejam utilizados meios eleectrónicos entre o agente de execução e a instituição.

A remuneração de peritos, tradutores, intérpretes, consultores técnicos e testemunhos, mencionada nos n.ᵒˢ 2 e 5, cumo aí se refere, é efectuada nos termos da tabela IV e, quanto a testemunhas é de 1/12 de UC por cada deslocação.

Artigo 318.º

ARTIGO 318.º
(Residentes fora da comarca)

1. Excepcionalmente, a tomada de declarações ao assistente, às partes civis, às testemunhas, a peritos ou a consultores técnicos pode, oficiosamente ou a requerimento, não ser prestada presencialmente, podendo ser solicitada pelo presidente ao juiz de outra comarca, por meio adequado de comunicação, nos termos do artigo 111.º, se:

a) Aquelas pessoas residirem fora da comarca;
b) Não houver razões para crer que a sua presença na audiência é essencial à descoberta da verdade; e
c) Forem previsíveis graves dificuldades ou inconvenientes, funcionais ou pessoais, na sua deslocação.

2. A solicitação é de imediato comunicada ao Ministério Público, bem como aos representantes do arguido, do assistente e das partes civis.

3. Quem tiver requerido a tomada de declarações informa, no mesmo acto, quais os factos ou as circunstâncias sobre que aquelas devem versar.

4. A tomada de declarações processa-se com observância das formalidades estabelecidas para a audiência.

5. A tomada de declarações realiza-se em simultâneo com a audiência de julgamento, com recurso a meios de telecomunicação em tempo real.

6. No caso previsto no número anterior, observam-se as disposições aplicáveis à tomada de declarações em audiência de julgamento. Compete, porém, ao juiz da comarca a quem a diligência foi solicitada praticar os actos referidos nos artigos 323.º, alíneas *b),* primeira parte, *d)* e *e),* e 348.º, n.º 3.

7. Fora dos casos previstos no n.º 5, o conteúdo das declarações é reduzido a auto, sendo aquelas reproduzidas integralmente ou por súmula, conforme o juiz determinar, tendo em atenção os meios disponíveis de registo e transcrição, nos termos do artigo 101.º.

---

1. Os n.os 1 e 5 deste artigo têm a redacção introduzida pelo Dec.-Lei n.º 320-C/2000, de 15 de Dezembro. O n.º 6 tem a redacção introduzida pela Lei n.º 59/98, e 25 de Agosto; os restantes conservam a versão originária, com excepção da al. *a)* do n.º 1, que sofreu ligeira alteração introduzida pela Lei n.º 52/2008, de 28 de Agosto (LOFTJ) – *da comarca* (anteriormente *do círculo judicial),* alteração porém sujeita a um período experimental com termo em 1 de Agosto de 2010 nas comarcas piloto referidas no n.º 1 do art. 171.º (Alentejo Litoral, Baixo Vouga a Grande Lisboa Noroeste), como se estabelece no art. 187.º, n.º 2, da LOFFTJ.

Código de Processo Penal

2. O dispositivo do n.º 1 contém inovação de relevo relativamente não só à versão originária como também relativamente à anterior, que fora estabelecida pela Lei n.º 59/98. O Novo regime encontra-se justificado no ponto 6 de exposição de motivos da Proposta de Lei n.º 41/VIII: «A introdução nos tribunais de equipamentos técnicos que permitem o recurso a meios de telecomunicação em tempo real, no decurso da audiência de julgamento, possibilita a previsão da tomada de declarações ao assistente, às partes civis, às testemunhas, aos peritos ou consultores técnicos, residentes noutra comarca, através da utilização dessa tecnologia, nomeadamente através da teleconferência, que tem frequentemente sido causa da falta de comparência das mesmas".

É manifesto que a verificação das condições das als. *b)* e *c)* deixa larga margem de critério para o prudente arbítrio do juiz. Este atenderá, nomeadamente, à complexidade da prova; à distância entre a residência da pessoa a ouvir e o local onde se realiza a audiência; à idade, estado de saúde e ocupações profissionais e a todo o restante condicionalismo que caiba na amplitude das referidas alíneas.

3. A solicitação para a tomada de declarações é feita ao juiz da outra comarca por carta, ofício, telegrama, telex, comunicação telefónica ou qualquer outro meio de comunicação, conforme for mais adequado segundo o critério do presidente—arts. 111.º, n.º 3, *b)* e *e)* e 318.º, n.º 1. Deve a solicitação ser acompanhada da indicação dos factos ou das circunstâncias sobre os quais as declarações devem incidir, conforme se estabelece no n.º 3.

As declarações processam-se com observância das formalidades estabelecidas para a audiência e o respectivo conteúdo é reduzido a auto onde são transcritas integralmente ou por súmula, conforme o juiz determinar tendo em atenção os meios disponíveis. Esta determinação é feita pelo juiz da comarca onde as declarações são prestadas, e não pelo juiz presidente deprecante, isto em atenção à regra *locus regit actum* e porque só esse juiz está em condições de avaliar quais os meios disponíveis de registo e transcrição que para o efeito tem ao seu alcance.

4. *Jurisprudência fixada:*
— Não configura conflito a resolver pelas relações ou pelo Supremo a recusa do tribunal deprecado em cumprir carta precatória expedida por outro tribunal para inquirição de testemunhas em processo por transgressão (sumaríssimo) com fundamento em que a lei não autoriza tal acto ou diligência. (Ac. do Plenário das Secções Criminais do STJ de 16 de Outubro de 1991; *DR,* série I-A, de 22 de Novembro de 1991).

5. *Jurisprudência:*
— O tribunal deprecado tem, em princípio, de acatar o pedido feito pelo tribunal deprecante, não lhe sendo permitido negar o cumprimento da carta com fundamento num facto ou numa razão de direito que o tribunal deprecante arredou. A recusa só é legítima quando se trate de proibição absoluta do acto. Tratando-se de proibição relativa, o tribunal deprecado só na prática do acto ou na execução da diligência pode atender ao regime legal a que estão subordinados. (Ac. STJ de 18 de Outubro de 1989; *AJ,* n.º 2, 6);

Artigo 319.º

— O recurso ao disposto no art. 318.º do CPP tem carácter excepcional, e está dependente da verificação de condições especiais, aí previstas. (Ac. RC de 2 de Novembro de 1989; *CJ,* XIV, tomo 5, 70);

— No regime do CPP actual nã há lugar a produção de prova, requerida na contestação, fora da audiência de julgamento, salvo nos casos excepcionais em que é admitida prova por deprecada, ou em que haja impossibilidade de deslocação ao tribunal, ou em que se verifique uma razão de urgência (arts. 318.º a 320.º do CPP. (Ac. STJ de 14 de Outubro de 1992; *BMJ,* 420, 379).

ARTIGO 319.º
(Tomada de declarações no domicílio)

1. Se, por fundadas razões, o assistente, uma parte civil, uma testemunha, um perito ou um consultor técnico se encontrarem impossibilitados de comparecer na audiência, pode o presidente ordenar, oficiosamente ou a requerimento, que lhe sejam tomadas declarações no lugar em que se encontrarem, em dia e hora que lhes comunicará.

2. É correspondentemente aplicável o disposto nos n.ºs 2, 3 e 7 do artigo anterior.

3. A tomada de declarações processa-se com observância das formalidades estabelecidas para a audiência, salvo no que respeita à publicidade.

---

1. Reproduz o art. 319.º do Proj. Corresponde aos arts. 302.º, n.º 2, do Aproj. e 403.º do CPP de 1929. No n.º 3, a anterior referência ao n.º 5 do art. 318.º foi substituída pela referência ao n.º 7 do mesmo artigo pela Lei n.º 59/98, de 25 de Agosto, em virtude de alteração introduzida naquele art. 318.º.

2. A tomada de declarações no domicílio é ordenada pelo presidente, mediante *fundadas razões,* quando uma parte civil, uma testemunha, um perito ou um consultor técnico se encontrarem impossibilitados de comparecer na audiência. A lei não dá qualquer critério indicativo do que são *fundadas razões,* o que fica para o prudente arbítrio do presidente. Caso típico é o de doença que impeça a deslocação, mas outros se podem configurar.

Como resulta do texto legal, este artigo não se aplica a declarações a prestar pelo arguido, cuja presença na audiência é regulada por outros normativos, sendo obrigado a nela comparecer, sob pena de ser declarado contumaz.

Código de Processo Penal

3. Sendo a tomada de declarações no domicílio realizada na fase da audiência, com observância das formalidades para ela estabelecidas, terá que quanto a essas declarações ser inteiramente respeitado o princípio contraditório. Deveria também ser acatada a publicidade. Aqui, porém, faz a lei uma excepção, na parte final do n.° 3, a qual radica na privacidade do domicílio dos cidadãos que é um valor com garantia constitucional, no art. 34.° da CRP. Trata-se de um ponderado ponto de equilíbrio entre a publicidade de audiência, que segundo a CRP e a lei ordinária pode ser quebrada, e a privacidade do domicílio.

ARTIGO 320.°
(Realização de actos urgentes)

1. O presidente, oficiosamente ou a requerimento, procede à realização dos actos urgentes ou cuja demora possa acarretar perigo para a aquisição ou a conservação da prova, ou para a descoberta da verdade, nomeadamente à tomada de declarações nos casos e às pessoas referidas nos artigos 271.° e 294.°.

2. É correspondentemente aplicável o disposto no artigo 318.°, n.ºs 2, 3, 4 e 7.

---

1. Reproduz o art. 320.° do Proj. Não havia disposições correspondentes no Direito Processual Penal anterior, conforme se referiu em anot. ao art. 271.°. No n.° 2, a referência originária ao n.° 5 do art. 318.° foi substituída pela referência ao n.° 7 desse artigo pela Lei n.° 59/98, de 25 de Agosto.

2. A realização dos actos urgentes referidos neste artigo, antes da audiência, processa-se com o formalismo para esta estabelecido, como se deduz da remissão para os n.ºs 3 a 7 do art. 318.°. Não existe aqui disposição paralela à da parte final do n.° 3 do art. 319.°, pelo que a realização destes actos urgentes se realizará, em princípio, com respeito pela publicidade. É permitida, na audiência, a leitura dos autos relativos a estes actos (art. 356.°, n.° 1, al. *a)*), ainda que se trate de declarações.

3. *Jurisprudência:*
— I — A realização de actos urgentes está dependente somente do prudente arbítrio e livre resolução do juiz presidente do tribunal, sem que esteja obrigado a ouvir as partes antes de decidir. II — É ao presidente que compete a direcção dos trabalhos da audiência de julgamento e, quanto a esta, as suas decisões só são precedidas de audição contraditória se aquele entender que isso não põe em causa a eficácia das medidas a tomar. (Ac. STJ de 4 de Junho de 1996; *CJ, Acs. do STJ,* V, tomo I, 72).

Artigo 321.º

TÍTULO II
DA AUDIÊNCIA

CAPÍTULO I
DISPOSIÇÕES GERAIS

ARTIGO 321.º
(Publicidade da audiência)

1. A audiência de julgamento é pública, sob pena de nulidade insanável, salvo nos casos em que o presidente decidir a exclusão ou a restrição da publicidade.

2. É correspondentemente aplicável o disposto no artigo 87.º.

3. A decisão de exclusão ou de restrição da publicidade é, sempre que possível, precedida de audição contraditória dos sujeitos processuais interessados.

---

1. Reproduz o art. 321.º do Proj. e corresponde aos arts. 303.º do Aproj. e 407.º do CPP de 1929.

2. O disposto neste artigo quanto à publicidade da audiência de julgamento representa imperativo constitucional, já que a CRP, no art. 211.º, estabelece que as audiências dos tribunais são públicas, salvo quando o próprio tribunal decidir o contrário, em despacho fundamentado, para salvaguarda da dignidade das pessoas e da moral pública ou para garantir o seu normal funcionamento.

3. Quanto ao *modelo de audiência* foi mantido pelo Código, no essencial, o sistema do direito anterior, particularmente o que vigorou desde 1929, ou seja um modelo de composição do sistema acusatório pelo princípio da investigação objectiva e imparcial por parte do juiz.

Sobre as razões pelas quais foi perfilhado este modelo da audiência de julgamento pode ver-se a exposição do Prof. Figueiredo Dias, *Para Uma Reforma Global do Processo Penal Português,* 30-31.

4. A realização da audiência está subordinada aos seguintes princípios:

Publicidade. Trata-se de princípio constitucional, também consagrado na Lei de Organização e Funcionamento dos Tribunais Judiciais e reafirmado no n.º 1 deste art. 321.º.

A publicidade das audiências de julgamento significa não só que os locais onde se realizam devem estar abertos ao público em geral, mas também que as audiências podem ser relatadas publicamente, mesmo pelos órgãos de comunicação social, com as restrições que a CRP e a lei ordinária permitem.

747

Código de Processo Penal

Quanto aos casos em que pode ser decidida a exclusão ou a restrição da publicidade, ver arts. 86.º e 87.º, com as respectivas anots. De notar no entanto que o art. 206.º da CRP impõe que a exclusão da publicidade seja decidida pelo tribunal, e não pelo presidente.

A realização da audiência com exclusão da publicidade sem despacho de tanto justificativo constitui nulidade que, quando declarada, torna inválida a audiência bem como todos os actos posteriores que essa nulidade possa afectar (arts. 86.º a 122.º).

Contraditoriedade. Trata-se também de princípio com assento constitucional — art. 32.º, n.º 5, da CRP, com diversos afloramentos ao longo de todo o articulado da audiência. É instrumento de uma política de garantia dos direitos fundamentais e da «igualdade de armas» no processo, entre a acusação e a defesa.

Concentração. Este princípio visa garantir a realização de uma justiça penal atempada e eficaz, pelo que, embora não venha expresso, aflora em múltiplas disposições de vertente temporal impeditivas de obstrução ao andamento rápido do processo ou procurando impor o seu andamento rápido. Dentre estas disposições destacamos as seguintes: Continuidade da audiência (art. 328.º); Marcação para data tão próxima quanto possível (art. 312.º); Deliberação em seguida ao encerramento da discussão; Elaboração da sentença imediatamente após a discussão, salvo tratando-se de caso de especial complexidade (art. 373.º).

Continuidade. Este princípio está consagrado para a audiência em processo penal no art. 328.º, e aflorado em numerosas outras disposições.

Oralidade. Resulta do art. 96.º, n.º 1, e contém afloramentos, como *v. g.* no art. 360.º.

Imediação, princípio do qual decorre a ineficácia de depoimentos indirectos, conforme o disposto nos arts. 129.º; 130.º, n.º 1 e 138.º, n.º 1. Traduz-se fundamentalmente no contacto pessoal entre o julgador e os diversos meios de prova, pelo que, em regra, toda a prova que serve para formar a convicção do julgador deve ser produzida ou examinada na audiência, oralmente, e durante ela também discutida oralmente.

Investigação. Em virtude deste princípio deve o tribunal, na audiência, para além dos meios de prova oferecidos em tempo oportuno pelas partes, proceder oficiosamente à produção de prova necessária à descoberta da verdade, nos termos estabelecidos no art. 340.º.

5. *Jurisprudência:*

— A publicidade da audiência e a segurança do tribunal são coisas diferentes; daí que, restringido o acesso à audiência a certas pessoas, por razões de segurança, a audiência é pública, não se violando os arts. 87.º e 321.º do CPP. (Ac. STJ de 6 de Fevereiro de 1991, Proc. 41 285/3.ª);

— Não implica qualquer violação da CRP, nomeadamente do seu art. 206.º, uma interpretação normativa extraída da conjugação dos arts. 321.º, n.º 2, e 87.º, n.º 5, ambos do CPP, no sentido de que em caso de reformulação do acórdão condenatório declarado nulo por insuficiência de fundamentação e em que o acórdão a proferir em nada se afastou da matéria de facto dada como provada é dispensada a leitura da decisão reformulada, sendo a mesma notificada às partes e estando acessível a qualquer um que esteja legitimado por um interesse no seu conhecimento. (Ac. do Trib. Constutucional n.º 698/2004, de 15 de Dezembro, proc. n.º 991/2004; *DR*, II série, de 25 de Fevereiro de 2005).

Artigo 323.º

ARTIGO 322.º

(Disciplina da audiência e direcção dos trabalhos)

1. A disciplina da audiência e a direcção dos trabalhos competem ao presidente. É correspondentemente aplicável o disposto no artigo 85.º.

2. As decisões relativas à disciplina da audiência e à direcção dos trabalhos são tomadas sem formalidades, podem ser ditadas para a acta e precedidas de audição contraditória, se o presidente entender que isso não põe em causa a tempestividade e a eficácia das medidas a tomar.

---

1. Reproduz o art. 322.º do Proj. e corresponde aos arts. 304.º do Aproj. e 409.º do CPP de 1929.

2. Não há alteração relevante relativamente ao direito anterior.

Sobre a manutenção da ordem nos actos processuais, ver art. 85.º, com as respectivas anotações.

3. *Jurisprudência:*

— I — A possibilidade legal de os advogados ou defensores serem advertidos com urbanidade por usarem expressões violentas ou agressivas e de lhes ser retirada a palavra ao prosseguirem insere-se nos poderes de disciplina da audiência conferidos ao juiz que preside ao julgamento. II — O mecanismo de disciplina da audiência não ofende qualquer preceito da CRP, designadamente a livre expressão do pensamento do arguido ou o seu direito de ser assistido por advogado da sua escolha. III — Também tal mecanismo não tem natureza discricionária nem pode ser exercido sem se basear em razões sérias. (Ac. STJ de 12 de Outubro de 1994; *BMJ*, 440, 266);

— I — Os despachos sobre a disciplina e a direcção da audiência são proferidos no uso de um poder discricionário e, portanto, irrecorríveis. II — Um protesto exarado na acta de audiência, que não tenha fundamento fáctico nem legal, transforma-se num incidente do processo, sujeito a tributação. (Ac. RL de 20 de Novembro de 1996; *CJ*, XXI, tomo 5, 149);

— I — A acta da audiência de julgamento constitui prova plena e insubstituível do que se passou na audiência de julgamento. II — A não transcrição na acta de audiência de julgamento do despacho que decretou que ele se realizasse com exclusão da publicidade, à porta fechada, constitui nulidade insanável, prevista no art. 321.º, n.º 1, do CPP, que acarreta a nulidade da própria audiência e de todos os actos dela dependentes. (Ac. RC de 28 de Maio de 1997; *CJ*, XXII, tomo 3, 49).

ARTIGO 323.º

(Poderes de disciplina e de direcção)

Para disciplina e direcção dos trabalhos cabe ao presidente, sempre juízo de outros poderes e deveres que por lei lhe forem atribuídos:

Código de Processo Penal

a) Proceder a interrogatórios, inquirições, exames e quaisquer outros actos de produção da prova, mesmo que com prejuízo da ordem legalmente fixada para eles, sempre que o entender necessário a descoberta da verdade;

b) Ordenar, pelos meios adequados, a comparência de quaisquer pessoas e a produção de quaisquer declarações legalmente admissíveis, sempre que o entender necessário à descoberta da verdade;

c) Ordenar a leitura de documentos, ou de autos de inquérito ou de instrução, nos casos em que aquela leitura seja legalmente admissível;

d) Receber os juramentos e os compromissos;

e) Tomar todas as medidas preventivas, disciplinares e coactivas, legalmente admissíveis, que se mostrarem necessárias ou adequadas a fazer cessar os actos de perturbação da audiência e a garantir a segurança de todos os participantes processuais;

f) Garantir o contraditório e impedir a formulação de perguntas legalmente inadmissíveis;

g) Dirigir e moderar a discussão, proibindo, em especial, todos os expedientes manifestamente impertinentes ou dilatórios.

---

1. Reproduz o art. 323.° do Proj. Não havia, no direito anterior, disposição onde se enumerassem os poderes de disciplina e de direcção dos trabalhos de audiência que ao presidente competem. No entanto, não há alteração sensível ao direito anterior, no qual os poderes e deveres inerentes à disciplina e direcção da audiência se encontravam dispersos por diversas disposições.

2. Neste artigo está bem aflorado o modelo de audiência que o Código perfilhou: de composição do sistema acusatório pelo sistema de investigação objectiva e imparcial por parte do tribunal, *maxime* nas als. *a). b)* e *c)*.

ARTIGO 324.°
(Deveres de conduta das pessoas que assistem à audiência)

1. As pessoas que assistem à audiência devem comportar-se de modo a não prejudicar a ordem e a regularidade dos trabalhos, a independência de critério e a liberdade de acção dos participantes processuais e a respeitar a dignidade do lugar.

2. Cabe, em especial, às pessoas referidas no número anterior:

a) Acatar as determinações relativas à disciplina da audiência;

b) Comportar-se com compostura, mantendo-se em silêncio, de

Artigo 325.º

cabeça descoberta e sentadas;

c) Não transportar objectos perturbadores ou perigosos, nomeadamente armas, salvo, quanto a estas, tratando-se de entidades encarregadas da segurança do tribunal;

d) Não manifestar sentimentos ou opiniões, nomeadamente de aprovação ou de reprovação, a propósito do decurso da audiência.

1. Reproduz o art. 324.º do Proj. e corresponde aos arts. 305.º do Aproj. e 408.º do CPP de 1929, na redacção introduzida pelo Dec.-Lei n.º 36 387, de 1 de Julho de 1947.

2. Relativamente ao direito anterior, salienta-se que foi eliminada a proibição de assistirem os menores, vadios e anormais. Quanto aos menores, veja-se, porém, o art. 87.º, n.º 6.
Quanto ao mais, não há alteração de relevo do regime anterior.

3. Se as pessoas que assistem à audiência não cumprirem os deveres que lhes são impostos nos n.ºs 1 (deveres gerais) e 2 (deveres especiais) poderá o presidente expulsá-las (art. 87.º, n.º 6, *in fine*); se tiverem cometido infracção criminal ou disciplinar mandará o presidente levantar auto e procederá à detenção do agente, se for caso disso (art. 85.º, n.º 3).
Ficam, evidentemente, ressalvadas as normas especiais respeitantes ao arguido, ao MP e aos advogados no exercício das suas funções.

ARTIGO 325.º
(Situação e deveres de conduta do arguido)

1. O arguido, ainda que se encontre detido ou preso, assiste à audiência livre na sua pessoa, salvo se forem necessárias cautelas para prevenir o perigo de fuga ou actos de violência.

2. O arguido detido ou preso é, sempre que possível, o último a entrar na sala de audiência e o primeiro a ser dela retirado.

3. O arguido está obrigado aos mesmos deveres de conduta que, nos termos do artigo anterior, impendem sobre as pessoas que assistem à audiência.

4. Se, no decurso da audiência, o arguido faltar ao respeito devido ao tribunal, é advertido e, se persistir no comportamento, é mandado recolher a qualquer dependência do tribunal, sem prejuízo da faculdade de comparecer ao último interrogatório e à leitura da sentença e do dever de regressar à sala sempre que o tribunal reputar a sua presença necessária.

5. O arguido afastado da sala de audiência, nos termos do número anterior, considera-se presente e é representado pelo defensor.

Código de Processo Penal

6. O afastamento do arguido vale só para a sessão durante a qual ele tiver sido ordenado.

7. É correspondentemente aplicável o disposto no artigo 85.º, n.º 3.

---

1. Reproduz o art. 325.º do Proj. e corresponde aos arts. 307.º do Aproj. e 413.º do CPP de 1929, na redacção introduzida pelo Dec.-Lei n.º 377/77, de 6 de Setembro.

2. Se a falta cometida pelo arguido no decurso da audiência constituir crime, o presidente manda imediatamente levantar auto e, se for caso disso, o arguido ficará detido para efeito de procedimento criminal pelo crime cometido (art. 85.º, n.º 3). Em tal caso, o presidente pode ainda mandá-lo recolher a qualquer dependência do tribunal, usando da faculdade do n.º 4, se isso se afigurar aconselhável.

3. A disposição do n.º 1 é um mero afloramento da disposição geral do art. 140.º, n.º 1, portanto até de algum modo dispensável. Veja-se a anot. 2 a esse art. 140.º sobre o alcance da disposição.

Também o dispositivo do n.º 2 é novo no ordenamento jurídico. Destina--se a salvaguardar a dignidade e a segurança do próprio arguido.

Igualmente nova é a norma do n.º 6. No entanto, embora sem consagração expressa no domínio do CPP de 1929, a solução já era sustentável e praticada na vigência desse diploma.

Quanto ao mais, não há alterações de relevo relativamente ao direito anterior.

ARTIGO 326.º

(Conduta dos advogados e defensores)

Se os advogados ou defensores, nas suas alegações ou requerimentos:

a) Se afastarem do respeito devido ao tribunal;

b) Procurarem, manifesta e abusivamente, protelar ou embaraçar o decurso normal dos trabalhos;

c) Usarem de expressões injuriosas ou difamatórias ou desnecessariamente violentas ou agressivas; ou

d) Fizerem, ou incitarem a que sejam feitos, comentários ou explanações sobre assuntos alheios ao processo e que de modo algum sirvam para esclarecê-lo,

são advertidos com urbanidade pelo presidente do tribunal; e se, depois de advertidos, continuarem, pode aquele retirar-lhes a palavra, sendo aplicável neste caso o disposto na lei do processo civil.

---

1. Com ressalva da parte final da alínea d), a partir de *retirar-lhes a palavra,* este artigo reproduz o art. 326.º do Proj. e corresponde aos arts. 306.º do Aproj. e 411.º, § 4.º e 412.º do CPP de 1929.

Artigo 327.º

A referida parte final da alínea d) tem o texto introduzido pela Lei n.º 48/2007, de 29 de Agosto. O anterior tinha a seguinte redacção: *e, no caso do defensor, confiar a defesa a outro advogado ou pessoa idónea, sem prejuízo do procedimento criminal e disciplinar a que haja lugar.*

2. Sobre os deveres dos advogados para com os tribunais, veja-se o Estatuto aprovado pelo Dec.-Lei n.º 84/84, de 16 de Março. Quanto a doutrina e direito comparado, veja-se, o Parecer do MP publicado no *BMJ*, 81, 299 e segs.

3. Se a falta cometida pelo advogado constituir crime, o presidente mandará levantar o respectivo auto, nos termos do art. 85.º, n.º 3.

No domínio do CPP de 1929 o caso das faltas constitutivas de crimes praticados pelos defensores durante as audiências provocou acesa controvérsia, que culminou na Lei n.º 2086, de 23 de Maio de 1959. Essa controvérsia foi suscitada principalmente pelo facto de o próprio tribunal, perante o qual a falta era cometida e que podia ser o ofendido, poder julgar sumariamente o defensor, que assim passava à situação de réu perante o mesmo tribunal. A apontada Lei, que introduziu o § 4.º do art. 411.º do CPP de 1929, veio impedir tal prática.

Não existe, consequentemente, alteração sensível relativamente ao regime que vigorava à data da entrada em vigor do Código. Se a conduta dos defensores integrar infracção criminal ou disciplinar, levantar-se-á auto para o efeito, que será remetido a quem de direito, podendo ser-lhes retirada a palavra, se o presidente entender que tal medida é necessária, de harmonia com a lei do processo civil.

4. *Jurisprudência:*
— I — A advertência feita em audiência a advogado insere-se no poder-dever de direcção da audiência conferido por lei ao juiz, e não é passível de recurso. II — Apesar de o CPP não reproduzir no normativo sobre decisões que não admitem recurso o texto do n.º 2 do art. 646.º do CPP de 1929, a irrecorribilidade das decisões sobre disciplina da audiência continua a impor-se, pela natureza intrínseca dessas decisões, cabendo, obviamente, na previsão da alínea *b)* do n.º 1 do art. 400.º do CPP, onde se veda o recurso de decisões que ordenam actos dependentes da livre resolução do tribunal. III — Se o protesto do advogado, transcrito em acta, não tiver fundamento fáctico nem legal, transforma-se num incidente na marcha do processo, sujeito a tributação. (Ac. RL de 20 de Novembro de 1996; *BMJ*, 461, 508).

ARTIGO 327.º

(Contraditoriedade)

1. As questões incidentais sobrevindas no decurso da audiência são decididas pelo tribunal, ouvidos os sujeitos processuais que nelas forem interessados.

2. Os meios de prova apresentados no decurso da audiência são submetidos ao princípio do contraditório, mesmo que tenham sido oficiosamente produzidos pelo tribunal.

Código de Processo Penal

---

1. Reproduz o art. 327.º do Proj. e corresponde aos arts. 309.º do Aproj. e 415.º do CPP de 1929.

2. Este artigo contém emanação do princípio do contraditório, que tem assento constitucional, no art. 32.º, n.º 5, da CRP, e não representa qualquer alteração do direito anterior.

O sentido essencial do princípio do contraditório está em que nenhuma prova deve ser aceite em audiência, nem nenhuma decisão, mesmo só inter-locutória, deve aí ser tomada pelo juiz sem que previamente tenha sido dada ampla e efectiva possibilidade, ao sujeito processual contra o qual é dirigida, de a discutir, a contestar ou a valorar.

Vejam-se os Professores Eduardo Correia; *RLJ,* ano 110, pg. 99; Figueiredo Dias, *Direito Processual Penal,* (1981), I, pg. 142; Costa Andrade, *CJ,* VI, tomo 1, pgs. 5 e segs. e Germano Marques da Silva, *Curso de Processo Penal,* II, 115 e III, 229.

3. A falta de audição dos sujeitos processuais interessados, com violação do disposto neste artigo, constitui irregularidade, sujeita ao regime do art. 123.º.

4. *Jurisprudência:*

— I — O processo penal de um Estado de direito há-de cumprir dois objectivos fundamentais: assegurar ao Estado a possibilidade de realização do seu *jus puniendi* e oferecer aos cidadãos as garantias necessárias para os proteger contra os abusos que possam cometer-se no exercício do poder punitivo, designadamente contra a possibilidade de uma sentença injusta. II — Um tal processo há-de, por conseguinte, ser um processo equitativo (*a due process, a fair process*), que tenha por preocupação dominante a busca da verdade material, mas sempre com inteiro respeito pela pessoa do arguido, o que, entre o mais, exige que se assegurem a este todas as garantias de defesa e que se não admitam provas que não passem pelo crivo do contraditório e pela percepção directa e pessoal do juiz (princípios da oralidade e da imediação). III — O sentido essencial do princípio do contraditório está em que nenhuma prova deve ser aceite em audiência, nem nenhuma decisão (mesmo só interlocutória) deve aí ser tomada pelo juiz sem que previamente tenha sido dada ampla e efectiva possibilidade ao sujeito processual contra o qual é dirigida de a discutir, de a contestar e de a valorar. (Ac. do Trib. Constitucional de 6 de Maio de 1993; *BMJ,* 427, 57);

— I — O princípio do contraditório não é um princípio que respeite à decisão, mas ao itinerário que a ela conduz. II — É essencial no processo criminal a oportuna informação ao arguido dos factos que lhe são imputados, sem o que se não pode esperar que ele defina uma estratégia ajustada para exercer a sua defesa. III — Aquela informação pressupõe uma identificação cabal, através dos seus contornos mais importantes, que variam de caso para caso, mas que, de um modo geral, incluirão as circunstâncias de lugar e tempo em que tiveram lugar. (Ac. STJ de 20 de Novembro de 1996; *BMJ,* 461, 321).

— I — O art. 327.º do CPP consagra o princípio da continuidade da adiência, nos termos do qual se exige que os membros do tribunal que procedem a um julgamento assistam a todos os actos praticados durante a audiência de julgamento e que aquela decorra sem interrupções, salvo as expressamente decorrentes da própria lei processual. II – Mas, no caso do art.

Artigo 328.º

371.º-A do CPP, tendo em conta o tipo de reponderação que é preciso fazer, na situação concreta, o princípio da aplicação retroactiva da lei penal mais favorável, com expressa consagração constitucional (Art. 29.º, n.º 4) deve prevalecer sobre o princípio da continuidade da audiência, que nem sequer encontra guarida expressa no texto normativo constitucional. (Ac. do Trib. Constitucional. n.º 164/2008, de 5 de Março; *DR,* II série, de 10 de Abril de 2008).

ARTIGO 328.º

(Continuidade da audiência)

1. A audiência é contínua, decorrendo sem qualquer interrupção ou adiamento até ao seu encerramento.

2. São admissíveis, na mesma audiência, as interrupções estritamente necessárias, em especial para alimentação e repouso dos participantes. Se a audiência não puder ser concluída no dia em que se tiver iniciado, é interrompida, para continuar no dia útil imediatamente posterior.

3. O adiamento da audiência só é admissível, sem prejuízo dos demais casos previstos neste Código, quando, não sendo a simples interrupção bastante para remover o obstáculo:

a) Faltar ou ficar impossibilitada de participar pessoa que não possa ser de imediato substituída e cuja presença seja indispensável por força da lei ou de despacho do tribunal, excepto se estiverem presentes outras pessoas, caso em que se procederá à sua inquirição ou audição, mesmo que tal implique a alteração da ordem de produção de prova referida no artigo 341.º;

b) For absolutamente necessário proceder à produção de qualquer meio de prova superveniente e indisponível no momento em que a audiência estiver a decorrer;

c) Surgir qualquer questão prejudicial, prévia ou incidental, cuja resolução seja essencial para a boa decisão da causa e que torne altamente inconveniente a continuação da audiência; ou

d) For necessário proceder à elaboração de relatório social ou de informação dos serviços de reinserção social, nos termos do artigo 370.º, n.º 1.

4. Em caso de interrupção da audiência ou do seu adiamento, a audiência retoma-se a partir do último acto processual praticado na audiência interrompida ou adiada.

Código de Processo Penal

5. A iterrupção e o adiamento dependem sempre de despacho fundamentado do presidente que é notificado a todos os sujeitos processuais.

6. O adiamento não pode exceder trinta dias. Se não for possível retomar a audiência neste prazo, perde eficácia a produção de prova já realizada.

7. O anúncio público em audiência do dia e da hora para continuação ou recomeço daquela vale como notificação das pessoas que devam considerar-se presentes.

---

1. Reproduz o art. 328.º do Proj. e corresponde aos arts. 308.º do Aproj. e 414.º do CPP de 1929, com as seguintes alterações:
— Na al. *a)* do n.º 3 foi eliminada pela Lei n.º 48/2007, de 29 de Agosto a locução final — *sendo as suas declarações documentadas,* que se tornou desnecessária em virtude de o art. 363.º estabelecer a obrigatoriedade de serem documentadas as declarações prestadas oralmente na audiência, sob pena de nulidade;
— A al. *d)* do n.º 3 foi aditada pela Lei n.º 59/98, de 25 de Agosto;
— O prazo de 8 dias, estabelecido no n.º 4, foi fixado pela lei que acaba de ser referida (na versão originária o prazo era de 5 dias), sendo a alteração feita porque os prazos em processo penal passaram a correr continuamente, como já sucedia em processo civil;
— A excepção constante da 2.ª parte da alínea *a)* do n.º 3 foi introduzida pelo Dec.-Lei n.º 320-C/2000, de 15 de Dezembro; e
— A excepção constante do início do n.º 5 — *salvo o caso previsto no n.º 3, alínea* a) foi introduzida pelo supramencionado Dec.-Lei, em consonância com a alteração dessa alínea.
— A supramencionada Lei n.º ????, de ??????, eliminou no n.º 4 a locução *por período não superior a oito dias,* que constava a seguir a documento;
— A mesma Lei introduziu novo texto no n.º 5, em virtude de outras alterações neste artigo.

2. Ressalta das disposições deste artigo o intuito de obstar, até onde é possível, às interrupções e aos adiamentos das audiências, sempre como afloramento do intuito mais geral de aceleração processual.

Particularmente de notar, por se tratar de relevante alteração relativamente ao regime anterior, o dispositivo do n.º 1, introduzido pelo Dec.-Lei supramencionado.

A limitação da possibilidade de adiamento da audiência, que se estendeu também aos casos de falta de comparência de qualquer pessoa cuja presença seja indispensável à boa decisão da causa, caso em que se permite a audição das pessoas presentes, mesmo que tal implique a alteração da ordem de produção de prova estabelecida no art. 341.º, procedendo-se no entanto à documentação dos depoimentos ou esclarecimentos prestados, traduz a intenção de eliminar uma das causas da morosidade processual e de evitar o incómodo de as pessoas se deslocarem vezes sucessivas ao tribunal.

Artigo 328.º

De assinalar, pela novidade que representam relativamente ao regime anterior, as disposições da al. *a)* do n.º 3 e do n.º 6. Designadamente, a disposição do n.º 6 vem impedir que no caso dos designados *processos monstruosos* não possa haver mais de 30 dias de adiamento.

Esta disposição radica na oralidade e na imediação da prova, que se não pode esvanecer na mente dos julgadores. Por esta razão, e dado o texto do n.º 6, cremos que o prazo, que não é meramente processual, corre mesmo em férias, como já foi assinalado.

A disposição, como referimos, radica na oralidade e imediação da prova. Sendo assim, como se nos afigura evidente, os documentos, *v. g.* uma certidão de nascimento que se encontre junta, não perdem valor nem eficácia por força deste dispositivo. O que perde valor é a *prova oral realizada em audiência.*

3. *Jurisprudência fixada:*

— Nos termos do art. 328.º, n.º 6, do Código Processo Penal, o adiamento da audiência de julgamento por prazo superior a 30 dias implica a perda da eficácia da prova produzida com sujeição ao princípio da imediação. Tal perda de eficácia ocorre independentemente da existência de documentação a que o alude o artigo 363.º do mesmo diploma. (Ac. do Pleno das secções criminais do STJ n.º 11/2008; *DR*, I série, de 11 de Dezembro do mesmo ano).

4. *Jurisprudência:*

— I — Não perde eficácia a prova produzida quando o julgamento é adiado para 4 dias depois, para ser lido o acórdão; nesse dia é adiado para 24 dias depois, para ser elaborado e junto relatório social de um arguido; nesse dia é dado conhecimento da junção do relatório, é dada palavra ao MP e à defesa, para alegações e é encerrada a discussão e adiado para 6 dias depois, para leitura do acórdão. II — Isto porque a reabertura da audiência nunca excedeu 30 dias após a suspensão e o relatório social não pode deixar de ser considerado como prova sujeita a contraditório. (Ac. STJ de 7 de Fevereiro de 1996; *CJ, Acs. do STJ*, IV, tomo 1, 204);

— I — O despacho que designa novo dia para continuação da audiência suspensa deve ser notificado ao arguido e ao seu defensor com diferentes objectivos: ao arguido, como ordem para comparecer em audiência, sob pena de multa; ao advogado, para tomar conhecimento de um acto processual e assumir a defesa dos interesses do seu constituinte. II — O prazo para recorrer desse despacho começa a correr com a notificação ao advogado. III — O art. 328.º, n.º 6, do CPP emprega o termo *adiamento* em sentido amplo, abrangendo o adiamento propriamente dito, quando não foi declarada a abertura da audiência, quando se não iniciou ainda a ordem de trabalhos e a interrupção. IV — Ordenando-se a continuação da audiência suspensa de forma a ser ultrapassado o prazo de 30 dias de adiamentos, não se verifica nulidade, mas apenas a perda de eficácia da prova feita oralmente em anteriores sessões. V — Daí que apenas possa ser afectada a eficácia probatória dessa prova quando incluída nos fundamentos da sentença. (Ac. STJ de 3 de Julho de 1996; *CJ, Acs. do STJ*, IV, tomo 2, 208);

Código de Processo Penal

— A violação do disposto no n.º 6 do art. 328.º do CPP, constitui nulidade que, quando invocada nas alegações de recurso, determina a nulidade do julgamento, ainda que a prova oral já tenha sido produzida e a suspensão do processo tenha sido determinada, apenas, para obtenção de elementos escritos. (Ac. RE de 19 de Outubro de 1996; *CJ*, XXI, tomo 4, 302);

— Quando o processo baixa para, pelos mesmos juízes, ser suprida a irregularidade de falta de indicação dos factos não provados, não é necessária a notificação do MP, arguido e seu defensor para comparecerem à reunião do tribunal colectivo e a prova produzida anteriormente, mesmo ultrapassando 30 dias, não perdeu a sua eficácia por a audiência em que foi produzida ter terminado nesse prazo. (Ac. STJ de 6 de Novembro de 1996; *CJ, Acs. STJ*, IV, tomo 3, 195);

— I — O n.º 6 do art. 328.º do CPP não comina, directamente, de nulo, nem o despacho que faz retomar a audiência que permanaceu adiada ou interrompida por período superior a 30 dias, nem a audiência de julgamento realizada à sombra de tal despacho, nem a decisão proferida em resultado daquela audiência de julgamento; apenas a prova feita oralmente em anteriores sessões da audiência perde eficácia. II — O disposto no n.º 6 do art. 328.º não tem aplicação ao caso de a leitura da sentença ocorrer depois de ultrapassados 30 dias sobre o encerramento da audiência. (Ac. STJ de 15 de Outubro de 1997; *CJ, Acs. do STJ*, V, tomo 3, 197);

— O disposto no art. 328.º, n.º 6, do CPP, não tem aplicação quando o STJ ordena a baixa do processo para ser elaborado novo acórdão pelos mesmos juízes, se possível. (Ac. STJ de 20 de Novembro de 1997; *CJ, Acs. do STJ*, V, tomo 3, 243);

— I — O art. 328.º do CPP refere-se à continuidade da audiência, enquanto o art. 331.º se reporta a audiência ainda não iniciada. II — Por isso, iniciado o julgamento, já adiado antes uma vez, é possível interromper ou adiar a audiência, para que se faça comparecer uma testemunha que tinha faltado e cujo depoimento se afigura essencial para a descoberta da verdade. III — Com a realização do julgamento sem inquirição dessa testemunha cometeu-se a nulidade do art. 120.º do CPP. (Ac. STJ de 24 de Março de 1999; *CJ, Acs. do STJ*, VII, tomo 1, 258);

— O disposto no art. 328.º, n.º 6, do CPP, não tem aplicação quando o STJ ordena a baixa do processo para ser elaborado novo acórdão pelos mesmos juízes, ou quando a leitura da sentença ocorrer depois de ultrapassados 30 dias sobre o encerramento da audiência. (Ac. STJ de 22 de Abril de 1999, proc. 1356/98-3.ª; *SASTJ*, n.º 30, 78);

— Tendo um acórdão sido declarado nulo pelo STJ e ordenada a descida do processo à 1.ª instância para que os mesmos juízes e o tribunal que havia proferido a decisão suprissem a nulidade (carência de fundamentação, por incumprimento do preceituado no art. 374.º, n.º 2, 2.ª parte, do CPP), não havendo que tomar qualquer nova deliberação, mas tão-só que fundamentar a que havia sido tomada, é indiferente o tempo decorrido desde o encerramento da discussão da causa e a prolação do segundo acórdão, não havendo lugar nem fundamento para aplicar ao caso o estatuído no art. 328.º, n.º 6, do CPP, ou seja, a perda da eficácia da prova já produzida. (Ac. STJ de 14 de Outubro de 1999, proc. 861/99-5.ª; *SASTJ*, n.º 34, 80);

Artigo 328.º

— O art. 328.º, n.º 6, do CPP, ao determinar a perda de eficácia da prova produzida há mais de 30 dias, só tem aplicação até à fase processual *sentença*, e, dentro desta, até à deliberação em que são fixados os factos provados sobre que assenta a decisão, e não também até ao momento final em que a sentença é redigida. (Ac. STJ de 2 de Dezembro de 1999, proc 964/99-5.ª; *SASTJ*, n.º 36, 65);

— I — O princípio da continuidade da audiência não pode sobrepor-se à necessidade razoável de diligências indispensáveis à descoberta dos factos pertinentes cognoscíveis. Daí as limitações a esse princípio, constantes dos n.ºs 2 e 3 do art. 328.º, permitindo a interrupção ou até o adiamento da audiência já iniciada. II — Antes de iniciado o julgamento, a audiência não pode ser adiada mais do que uma vez, por falta de testemunhas (art. 331.º, n.º 3, com referência ao n.º 1. do CPP). III — Mas depois de iniciada, pode ela ser interrompida ou mesmo adiada, nos termos do art. 328.º, n.º 3, al. *a)*, por forma a conseguir-se a comparência de testemunhas faltosas, podendo sê-lo inclusivamente no caso de impossibilidade de outro meio para assegurar a sua comparência (art. 18.º da CRP), por detenção das testemunhas, nos termos do art. 116.º, n.º 2, se verificado o carácter injustificado das faltas. (Ac. STJ de 2 de Fevereiro de 2000, proc. n.º 59/99-3.ª; *SASTJ*, n.º 38, 67);

— I — A lei processual, ao exigir a continuidade da audiência, sem qualquer interrupção ou adiamento até ao seu encerramento (princípio da concentração) não poderá condescender — ao admitir, excepcionalmente e em casos muito delimitados, o adiamento da audiência — com uma prática jurisprudencial que, a coberto da excepção legal (um adiamento, por não mais de 30 dias, em situações muito contadas), acabe, através de uma sucessão de adiamentos espaçados uns dos outros por menos de 30 dias, por desrespeitar — com manifesta violação da razão que as ditou-as normas sobre continuidade da audiência. II — O art. 328.º, n.º 6, do CPP, só desencorajará o adiamento da audiência por período excessivo de tempo se a jurisprudência, respeitando (ou passando a respeitar) o seu objectivo e a sua razão de ser, o interpretar (ou passar a interpretar) no sentido de que, havendo mais do que um adiamento, o conjunto dos adiamentos não pode exceder 30 dias e de que, em caso de excesso, perderá eficácia a prova já realizada. III — O tribunal *a quo*, ao escusar-se, em pleno julgamento, à repetição da prova entretanto volvida ineficaz em virtude de excessiva descontinuidade/desconcentração da audiência, omitiu diligências essenciais para a descoberta da verdade, omissão que constitui nulidade dependente de arguição, nos termos do art. 120.º, n.º 2, al. *d)*, do CPP. (Ac. de STJ de 5 de Abril de 2001, proc. n.º 489/01-5.ª; *SASTJ*, n.º 50, 43);

— I — A limitação decorrente da norma do art. 328.º, n.º 6, do CPP, já não respeita ao eventual momento da abertura da audiência para a produção dos meios de prova necessários somente à questão da determinação da sanção (art. 369.º), no sistema de *césure* mitigada que o CPP parece consagrar. Nessa altura, já o tribunal considerou provados os elementos fácticos respeitantes à responsabilidade do arguido, às circunstâncias que graduam a sua culpa e às condições de punibilidade, estando só em causa as questões relativas à individualização da pena (espécie e medida), com a consideração de elementos de prova pertinentes a produzir nesse momento (arts. 369.º e 371.º). II — Menos ainda seria justificável, à luz da referida *ratio* do n.º 6 do art. 328.º, considerar perdida a eficácia da prova no caso de mediar mais de 30 dias entre o momento

Código de Processo Penal

da deliberação sobre a decisão de facto e a prolação da sentença, ainda que de forma alguma deva diminuir-se o relevo dos esforços para a observância dos momentos de deliberação e de elaboração e leitura da sentença, dos arts. 365.º, n.º 1; 372.º e 373.º, do CPP. (Ac. STJ de 30 de Outubro de 2001, proc. n.º 2630/ /2001-3.ª; *SASTJ*, n.º 54, 96).

— Quando se procede à gravação da prova, o princípio da continuidade da audiência não é ofendido, quando seja utrapassado o prazo estabelecido no n.º 6 do art. 328.º do CPP. (Ac. RL de 27 de Fevereiro de 2002; *CJ*, XXVII, tomo 1, 153);

— O n.º 6 do art. 328.º do CPP relativo à perda de eficácia da prova não impõe que a sentença seja proferida nos 30 dias posteriores à produção da prova, mas apenas que não haja intervalos superiores a 30 dias entre as várias sessões de julgamento, com ou sem produção efectiva de prova. (Ac. RP de 20 de Outubro de 2004; *CJ*, ano XXIX, tomo 4, 222);

— O disposto no n.º 6 do art. 328.º do CPP é aplicável não só nos casos de oralidade pura de audiência, mas também nos casos de oralidade documentada. (Ac. RE de 22 de Fevereiro de 2005; *CJ*, XXX, tomo 2, 262);

— O disposto no art. 328.º do CPP apenas se aplica à fase da audiência, e já não à fase da sentença, pelo que, sendo esta lida decorridos que sejam mais de 30 dias após a última sessão, não se verifica qualquer nulidade, mas apenas uma mera irregularidade. (Ac. RG de 27 de Fevereiro de 2006; *CJ*, ano XXXI, tomo I, 296);

— O disposto no n.ᵒˢ 6 e 7 do art. 328.º do CPP não aplica quando o tribunal superior determina que seja elaborada nova decisão. (Ac. RL de 11 de Julho de 2006, proc. n.º 11607/06; *CJ*, ano XXXI, tomo 3, 153).

CAPÍTULO II
DOS ACTOS INTRODUTÓRIOS

ARTIGO 329.º
(Chamada e abertura da audiência)

1. Na hora a que deva realizar-se a audiência, o funcionário de justiça, de viva voz e publicamente, começa por identificar o processo e chama, em seguida, as pessoas que nele devam intervir.

2. Se faltar alguma das pessoas que devam intervir na audiência, o funcionário de justiça faz nova chamada, após o que comunica verbalmente ao presidente o rol dos presentes e dos faltosos.

3. Seguidamente, o tribunal entra na sala e o presidente declara aberta a audiência.

---

1. Reproduz o art. 329.º do Proj. e corresponde aos arts. 311.º, n.º 1, do Aproj. e 417.º (corpo do artigo) do CPP de 1929.

2. Não há alterações de fundo relativamente ao regime anterior. Nota-se, no entanto, que se estabeleceu a obrigatoriedade de uma segunda chamada das

Artigo 330.º

pessoas que não tenham respondido à primeira, e que deve ser indicado ao presidente o rol dos presentes e dos faltosos antes de o tribunal entrar na sala de audiência.

3. A declaração de que a audiência se encontra aberta, feita pelo presidente conforme se estabelece no n.º 3, marca o início da audiência de julgamento, e tem grande importância, pois há actos processuais que só podem ser praticados até esse momento, *v. g.,* dedução de incompetência territorial (art. 32.º, n.º 2, al. *b)*); constituição de assistente e dedução do pedido de indemnização em processo sumário (art. 388.º), etc. Por outro lado, só quando a audiência foi aberta pode haver interrupção da audiência. Se não foi pode haver adiamento, mas não interrupção.

4. *Jurisprudência:*
— Constitui irregularidade, que deve levar à anulação do julgamento e da subsequente sentença, a omissão da chamada de testemunhas na hora em que devia realizar-se a audiência e a omissão de nova chamada às que faltaram na anterior. (Ac. RC de 6 de Junho de 1990; *CJ,* XV, tomo 3, 80).

ARTIGO 330.º
**(Falta do Ministério Público, do defensor e do representante
do assistente ou das partes civis)**

1. Se, no início da audiência, não estiver presente o Ministério Público ou o defensor, o presidente procede, sob pena de nulidade insanável, à substituição do Ministério Público pelo substituto legal, e do defensor por outro advogado ou advogado estagiário, aos quais pode conceder, se assim o requererem, algum tempo para examinarem o processo e prepararem a intervenção.

2. Em caso de falta do representante do assistente ou das partes civis a audiência prossegue, sendo o faltoso admitido a intervir logo que comparecer. Tratando-se da falta do representante do assistente em procedimento dependente de acusação particular, a audiência é adiada por uma só vez; a falta não justificada ou a segunda falta valem como desistência da acusação, salvo se houver oposição do arguido.

---

1. O texto do n.º 1 foi introduzido pela Lei n.º 59/98, de 25 de Agosto, a qual substituiu *pessoa idónea,* que constava da versão originária, por *outro advogado ou advogado estagiário.*

Este artigo, na versão originária, reproduzia, com ligeira alteração formal, o art. 330.º do Proj. e correspondia aos arts. 311.º, n.os 2, 3 e 4 do Aproj. e 417.º, §§ 1.º, 2.º e 3.º do CPP de 1929.

2. Quanto à nomeação de defensor ao arguido veja-se anot. ao art. 62.º, para onde remetemos.

Código de Processo Penal

3. O que se estabelece no n.º 1 quanto à falta do MP e do defensor, e particularmente a cominação com nulidade insanável das respectivas faltas sem substituição adequada na audiência, isto até em repetição do que já fora preceituado no art. 119.º, als. *b)* e *c),* destina-se a assegurar um eficaz funcionamento do princípio do contraditório e a evitar práticas nada curiais que se registaram no domínio do CPP de 1929.

Em caso algum as audiências de julgamento podem ser levadas a cabo sem a presença do magistrado do MP ou do seu substituto legal, indicado pela respectiva lei orgânica, bem como sem a presença do defensor constituído ou nomeado, conforme se estabelece no n.º 1. O novo texto deste número, introduzido pela Lei mencionada na anot. 1, só permite a substituição do defensor por outro advogado ou advogado estagiário, e não por pessoa idónea que não seja advogado ou advogado estagiário. Visou esta Lei, manifestamente, dar mais eficiência e credibilidade à defesa, mas veio certamente criar um novo entrave ao regular andamento dos processos, nomeadamente em comarcas de reduzido movimento, onde com frequência escasseiam advogados ou advogados estagiários disponíveis.

4. A redacção meticulosa e pormenorizada que foi dada ao n.º 2 permite a um tempo, a necessária celeridade processual e a eliminação de dúvidas que surgiram na vigência do CPP de 1929 (veja-se, *v. g.,* o ac. RC de 26 de Julho de 1978; *BMJ,* 280, 395).

Ficou agora claro que, se faltar o representante das partes civis, como o do assistente, a audiência prossegue, não havendo adiamento. Também foi clarificado que nos crimes dependentes de acusação particular a audiência só pode ser adiada uma vez por falta justificada do representante do assistente, uma só falta não justificada vale como desistência, salvo oposição do arguido, e igualmente vale como desistência uma segunda falta, ainda que justificada.

5. O que no final do n.º 2 se estabelece quanto à possibilidade de o arguido se opor à validade da desistência do assistente nos crimes que dependem de acusação particular é mera aplicação da norma do art. 116.º, n.º 2, do CP. No caso de o arguido se opor à desistência, o julgamento será efectuado sem o representante faltoso do assistente, sendo a acusação só representada pelo MP.

6. *Jurisprudência:*
— I — Nos termos do art. 330.º, n.º 2, do CPP, a audiência é adiada por uma vez, se faltar o representante do assistente em procedimento dependente de acusação particular. II — A inobservância de tal regra implica uma mera irregularidade processual cujo regime é o do art. 123.º do CPP. (Ac. RP de 31 de Outubro de 1990; *BMJ,* 400, 726);

— I — Se no início da audiência não estiver presente o MP, o presidente procede, sob pena de nulidade insanável, à sua substituição pelo substituto legal, ou seja pelo notário do município sede do tribunal ou, na falta de notário, pela pessoa indicada pelo Procurador da República. II — O juiz só pode nomear, em substituição do MP e quando não for possível a substituição através do notário ou de pessoa indicada pelo Procurador da República, qualquer pessoa idónea, quando se estiver em face de situações urgentes. III — Define-se a situação de urgência quando se torna necessário garantir a liberdade dos cidadãos, como nos casos de arguidos presos ou detidos e de quaisquer outros impostos por necessidade urgente. (Ac. STJ de 3 de Fevereiro de 1993; *BMJ,* 424, 491);

Artigo 331.º

— I — Se o juiz, na falta do delegado do Procurador da República ou do seu substituto legal à audiência de julgamento, nomeia um representante do MP *ad hoc* sem se tratar de caso urgente, comete nulidade insanável, que implica anulação de todo o processado posterior. II — Só se verifica caso de urgência, quando se torna necessário garantir a liberdade individual dos cidadãos — caso de arguidos presos e para a soltura de presos — ou em quaisquer outros casos impostos por necessidade urgente, mas não quando o julgamento tenha antes sido adiado por várias vezes. (Ac. RP de 26 de Outubro de 1995; *CJ,* XX, tomo 4, 238);

— I — Para que o MP possa ser substituído *ad hoc* em audiência de julgamento, será necessário que haja urgência na sua efectivação, devidamente documentada no processo, não bastando que o juiz tenha emitido ordem de detenção com vista ao julgamento imediato, sendo necessário que tal ordem tenha sido executada. II — A substituição do MP nestas circunstâncias, sem observância do disposto no art. 48.º da Lei Orgânica do MP, corporiza nulidade insanável. (Ac. RP de 9 de Outubro de 1996; *BMJ,* 460, 810);

— O MP em julgamento deve estar representado por membro da sua magistratura, apenas devendo ser nomeado o seu substituto legal ou, na falta deste, um cidadão idóneo, em caso de urgência (*v. g.* por se tratar de processo com arguido preso) e não sendo possível aquela presença. (Ac. STJ de 13 de Novembro de 1998, proc. n.º 45.668-3.ª). *Nota.* Veja-se porém agora a Lei orgânica do MP.

ARTIGO 331.º

(Falta do assistente, de testemunhas, peritos, consultores técnicos ou das partes civis)

1. Sem prejuízo do disposto no artigo 116.º, a falta do assistente, de testemunhas, peritos ou consultores técnicos ou das partes civis não dá lugar ao adiamento da audiência. O assistente e as partes civis são, nesse caso, representados para todos os efeitos legais pelos respectivos advogados constituídos.

2. Se o presidente, oficiosamente ou a requerimento, decidir, por despacho, que a presença de alguma das pessoas mencionadas no número anterior é indispensável à boa decisão da causa e não for previsível a obtenção do seu comparecimento com a simples interrupção da audiência, são inquiridas as testemunhas e ouvidos o assistente, os peritos ou consultores técnicos ou as partes civis presentes, mesmo que tal implique a alteração da ordem de produção de prova referida no artigo 341.º.

3. Por falta das pessoas mencionadas no n.º 1 não pode haver mais que um adiamento.

---

1. Os n.ºs 1 e 3 reproduzem os mesmos números do art. 331.º do Proj. e correspondem a dispositivos idênticos dos arts. 315.º e 316.º do Aproj. e 421.º e 422.º do CPP de 1929.

Código de Processo Penal

O n.º 2 tem a redacção introduzida pelo Dec.-Lei n.º 320-C/2000, de 15 de Dezembro. Em relação ao texto anterior, que era o originário nota-se a possibilidade de audição das pessoas faltosas, com documentação do que declararam e sem adiamento da audiência, mesmo que isso implique alteração da ordem de produção da prova estabelecida no art. 331.º. Como consta da exposição de motivos da Proposta de Lei n.º 41/VIII, a alteração visou eliminar uma causa da morosidade processual que estava comprometendo a eficácia do Direito Penal. O apontado Dec.-Lei eliminou o n.º 4 da versão originária, que se tornou desnecessário em virtude da redacção que introduziu no n.º 2.

Ainda neste n.º 2 a Lei n.º 48/2007, de 29 de Agosto eliminou a última locução —*sendo documentados os depoimentos ou esclarecimentos prestados,* que constava do texto a seguir a *341.º*, que se tornou desnecessária em virtude de o art. 363.º estabelecer a obrigatoriedade de serem documentadas as declarações prestadas oralmente na audiência, sob pena de nulidade.

2. Aflora nas disposições deste artigo o intuito de imprimir celeridade processual e de evitar adiamentos e interrupções, na linha de orientação já desenhada a partir da redacção dada ao corpo do art. 422.º do CPP de 1929 e ao seu § 4.º pelo Dec.-Lei n.º 34 564, de 2 de Maio de 1945.

3. Se faltar alguma das pessoas referidas no n.º 1 não haverá, em regra, adiamento da audiência; só haverá adiamento no caso do n.º 2.

No caso de falta do assistente ou das partes civis, serão representados pelos respectivos advogados. Faltando outras pessoas, poderão ser ouvidas se, posteriormente ao início da audiência, for possível obter a respectiva comparência.

4. *Jurisprudência:*
— Face ao art. 331.º do CPP, o juiz que preside à audiência tem de proceder a um duplo julgamento: determinar se, com os elementos já trazidos aos autos, se configura como indispensável para a boa decisão da causa a presença de algumas das pessoas indicadas oportunamente para serem ouvidas e determinar se tal presença pode ou não ser conseguida dentro dos prazos previstos na lei para as interrupções da audiência. (Ac. STJ de 21 de Abril de 1993; *BMJ,* 426, 227);
— I — O art. 328.º do CPP refere-se à continuidade da audiência, enquanto o art. 331.º se reporta a audiência ainda não iniciada. II — Por isso, iniciado o julgamento, já adiado antes uma vez, é possível interromper ou adiar a audiência, para que se faça comparecer uma testemunha que tinha faltado e cujo depoimento se afigura essencial para a descoberta da verdade. III — Com a realização do julgamento sem inquirição dessa testemunha cometeu-se a nulidade do art. 120.º do CPP. (Ac. STJ de 24 de Março de 1999; *CJ, Acs. do STJ,* VII, tomo 1, 258).

ARTIGO 332.º
(Presença do arguido)

1. É obrigatória a presença do arguido na audiência, sem prejuízo do disposto nos artigos 333.º, n.ᵒˢ 1 e 2, e 334.º, n.ᵒˢ 1 e 2.

Artigo 332.º

2. O arguido que deva responder perante determinado tribunal, segundo as normas gerais da competência, e estiver preso em comarca diferente pela prática de outro crime, é requisitado à entidade que o tiver à sua ordem.

3. A requerimento fundamentado do arguido, cabe ao tribunal proporcionar àquele as condições para a sua deslocação.

4. O arguido que tiver comparecido à audiência não pode afastar-se dela até ao seu termo. O presidente toma as medidas necessárias e adequadas para evitar o afastamento, incluída a detenção durante as interrupções da audiência, se isso parecer indispensável.

5. Se, não obstante o disposto no número anterior, o arguido se afastar da sala de audiência, pode esta prosseguir até final se o arguido já tiver sido interrogado e o tribunal não considerar indispensável a sua presença, sendo para todos os efeitos representado pelo defensor.

6. O disposto no número anterior vale correspondentemente para o caso em que o arguido, por dolo ou negligência, se tiver colocado numa situação de incapacidade para continuar a participar na audiência.

7. Nos casos previstos nos n.os 5 e 6 deste artigo, bem como no do artigo 325.º, n.º 4, voltando o arguido à sala de audiência é, sob pena de nulidade, resumidamente instruído pelo presidente do que se tiver passado na sua ausência.

8. É correspondentemente aplicável o disposto nos artigos 116.º, n.os 1 e 2, e 254.º.

---

1. O texto do n.º 1 foi introduzido pelo Dec.-Lei n.º 320-C/2000, de 15 de Dezembro, em resultado de alterações nos arts. 333.º e 334.º, para os quais remete, em vista da eliminação de uma das principais causas da morosidade processual, a que adiante faremos mais pormenorizada referência.

Os n.os 2 a 7 reproduzem dispositivos do art. 332.º do Proj., porém com aditamento da referência aos arts. 333.º e 334.º, introduzido pela Lei n.º 59/98, de 25 de Agosto e da introdução do n.º 8, pela mesma Lei.

2. Os §§ 1.º, 2.º e 3.º do art. 418.º do CPP de 1929, na redacção que lhes fora dada pelo Dec.-Lei n.º 29636, de 27 de Maio de 1939, que permitiam o julgamento à revelia do réu que se encontrasse preso ou detido em comarca diferente da do julgamento, foram declarados inconstitucionais com força obrigatória geral pela Resolução n.º 62/78 da Comissão Constitucional, publicada no *DG,* I série, de 10 de Maio de 1978.

A orientação da Resolução que acaba de ser referida, decalcada em estudo do Prof. Eduardo Correia publicado na *RLJ* e então membro da Comissão Constitucional, foi levada em conta na elaboração do Proj. e demoradamente considerada na CRCPP que, perante obstáculos constitucionais, manteve a exigência da presença do arguido na audiência, salvo no caso de *bagatelas penais,*

Código de Processo Penal

porque então se entendia que só assim estavam devidamente garantidos o princípio do contraditório, uma defesa eficaz e a imediação da prova.

Sabe-se que este regime, pela sua rigidez, foi logo de início sujeito a fortes críticas e causou graves entraves ao regular andamento dos processos, afigurando-se até injustificável naqueles casos em que os arguidos sabiam que contra si corria um processo e voluntariamente se furtavam a comparecer na audiência.

O legislador constitucional, consciente de tudo isto, na revisão de 1997 introduziu o n.º 6 do art. 32.º da CRP, do seguinte teor:

6. A lei define os casos em que, assegurados os direitos de defesa, pode ser dispensada a presença do arguido ou acusado em actos processuais, incluindo a audiência de julgamento.

Esta importante alteração na CRP abriu caminho à regulação pelo legislador ordinário dos julgamentos sem a presença do arguido, vulgarmente designados *julgamentos à revelia*. Como já foi anotado e é consabido, a inexistência de uma norma constitucional idêntica a esta vinha-se revelando um factor impeditivo do desbloqueamento e aceleração de numerosos processos penais.

Daqui a reestruturação deste artigo e dos seguintes, levada a cabo pela Lei mencionada na anot. 1. Da exposição de motivos da Proposta de Lei governamental, a este respeito, consta o seguinte, no n.º 6:

«Reconhecendo que um dos principais estrangulamentos na *praxis* dos nossos tribunais, responsável pela frustração de uma justiça tempestiva, é a actual regra da obrigatoriedade da presença do arguido na audiência de julgamento, a qual não tem vindo a ser assegurada nem pelo regime das faltas nem pela declaração de contumácia, optou-se pelo alargamento dos casos em que é possível a audiência na ausência do arguido (art. 334.º, n.ᵒˢ 2 e 3). Opção que a Constituição acolhe agora expressamente no artigo 32.º, n.º 6, ao estabelecer que "a lei define os casos em que, assegurados os direitos de defesa, pode ser dispensada a presença do arguido ou acusado em actos processuais, incluindo a audiência de julgamento".

O alargamento dos casos em que é possível a audiência na ausência do arguido verifica-se, por um lado, porque se abandonou o carácter taxativo dos motivos que fundamentam o requerimento ou o consentimento para a audiência ocorrer sem a presença daquele (artigo 334.º, n.º2); e, por outro, porque se admite agora que a audiência ocorra na ausência do arguido, sempre que este tenha prestado termo de identidade e residência e ainda que tenha justificado falta anterior à audiência (artigos 196.º, n.º 3, alínea *c),* 333.º, n.º 2, e 334.º, n.º 3).

Não se esquece, contudo, que a celeridade processual se quer compatível com as garantias de defesa, pelo que a audiência de julgamento na ausência do arguido só terá lugar se este tiver anteriormente prestado termo de identidade e residência, o que significa necessariamente que ao arguido foi dado conhecimento de que a inobservância de certos deveres processuais legitima a notificação edital da data designada para a audiência e a realização desta na sua ausência [artigo 196.º, n.º 3, alínea *c)*]. Mas, para que do termo de identidade e residência possa ser retirada de forma efectiva a consequência da realização da audiência sem a presença do arguido, esta medida de coacção é agora obrigatoriamente aplicada quando ocorrer a constituição de arguido, valendo a pena salientar que passa a ser obrigatório interrogar como arguido

Artigo 332.º

pessoa determinada contra quem correr inquérito (artigo 272.º, n.º 1) e que se esclareceu que a constituição de arguido com a dedução da acusação ou com o requerimento para abertura da instrução deve obedecer às regras previstas no artigo 58.º (cfr. artigo 57.º, n.º 3).

Ainda em nome do direito de defesa deste sujeito processual é obrigatória a assistência de defensor (artigos 64.º e 334.º, n.º 6), sendo-lhe concedido, caso seja condenado, o direito de interpor recurso da sentença ou de, em alternativa, requerer nova audiência de julgamento, quando ao crime corresponder pena de prisão superior a cinco anos (artigo 380.º-A). Uma nova audiência que se caracteriza por as declarações prestadas na audiência realizada na ausência do arguido valerem como declarações para memória futura (cfr. artigo 380.º-A), assim se evitando os inconvenientes, por todos reconhecidos, de um novo julgamento em sentido próprio. Declarações estas que são obrigatoriamente documentadas (artigo 363.º, n.º 3), o que permite que sejam prestadas perante o tribunal singular, ainda que competente no caso seja o tribunal colectivo ou o tribunal de júri (artigo 334.º, n.º 5).

Neste quadro, a declaração de contumácia tem carácter meramente residual. Por um lado, abrange apenas aqueles que, não tendo prestado termo de identidade e residência, não foi possível notificar do despacho que designa dia para a audiência ou deter ou prender preventivamente para assegurar o comparecimento em audiência (artigo 335.º); e, por outro, é declarada uma só vez relativamente a casa arguido, já que, quando este se apresenta ou é detido, é sujeito a termo de identidade e residência, ficando legitimada a partir daí a audiência na sua ausência (artigo 336.º).

Saliente-se, ainda, que para uma maior eficácia destas soluções se consagra o prosseguimento do processo quando os procedimentos normais de notificação da acusação e da decisão de pronúncia se tenham revelado ineficazes (artigos 283.º, n.º 5, e 307.º, n.º 6); a designação de nova data para a audiência no despacho que designa dia para a primeira audiência, em caso de adiamento (artigo 312.º, n.º 2); a possibilidade de o arguido ser detido, nos termos do artigo 254.º, ainda que tenha faltado justificadamente à audiência (artigo 333.º, n.º 3); e um regime mais exigente quanto à justificação da falta (artigo 117.º).»

Enquanto que na versão originária do Código a declaração de contumácia era regra quando o arguido se não apresentava nem era detido, após a revisão levada a cabo pela Lei mencionada na anot. 1 passou a ter carácter meramente residual, pois, abrange somente os arguidos que, não tendo prestado termo de identidade e residência, não foi possível notificar do despacho que designa dia para a audiência nem deter ou prender preventivamente para assegurar o comparecimento na audiência. E sucede ainda que quando o arguido se apresenta ou é detido é obrigatoriamente sujeito a termo de identidade e residência (art. 336.º, n.º 2), ficando legitimada a partir daí a realização da audiência sem que esteja presente.

3. O texto do n.º 1, introduzido pelo Dec.-Lei referido na anot. 1, prosseguiu na linha do aligeiramento processual e de eliminação de algumas causas da morosidade processual que se vinha verificando. Jutificando a introdução deste dispositivo, pondera-se na exposição de motivos da Proposta de Lei n.º 41/VIII:

Código de Processo Penal

«Atendendo ao facto de uma das principais causas da morosidade processual residir nos sucessivos adiamentos das audiências de julgamento por falta de comparência do arguido, limitam-se os casos de adiamento da audiência em virtude dessa falta, nomeadamente quando aquele foi regularmente notificado.

Com efeito, a posição do arguido no processo penal é protegida pelo princípio da presunção de inocência, prevista no n.º 2 do artigo 32.º da Constituição da República Portuguesa, que surge articulado com o tradicional príncipio *in dubio pro reo*, o qual implica a absolvição do arguido no caso de o juiz não ter a certeza sobre a prática dos factos que subjazem à acusação.

Se o arguido já beneficia deste regime processual especial, não pode permitir-se a sua total desresponsabilização em relação ao andamento do processo, ou ao seu julgamento, razão que possibilita, por um lado, a introdução da modalidade de notificação por via postal simples... e por outro lado permite que o tribunal pondere a necessidade da presença do arguido na audiência, só a podendo adiar nos casos em que aquele tenha sido regularmente notificado da mesma e a sua presença desde o início da audiência se afigure absolutamente indispensável para a descoberta da verdade material.

Se o tribunal considerar que a presença do arguido desde o início da audiência não é absolutamente indispensável para a descoberta da verdade material, ou se a falta do arguido tiver como causa os impedimentos enunciados nos n.ᵒˢ 2 a 4 do art. 117.º, a audiência não é adiada, podendo o tribunal inverter a ordem de produção de prova prevista no artigo 341.º, sendo inquiridas ou ouvidas as pessoas presentes e as suas declarações documentadas, sem prejuízo da possibilidade de aplicação do disposto no n.º 6 do arigo 117.º...».

4. A disposição do n.º 3 destina-se a dar possibilidades de deslocação aos arguidos cujas carências lhes não permitam suportar as despesas para tanto necessárias. Em tal caso, o tribunal adiantará essas despesas, que depois entrarão nas custas do processo, a suportar por quem nelas for condenado.

5. *Jurisprudência:*

— A necessidade da presença do arguido diz apenas respeito à audiência propriamente dita, e não também à fase da leitura da sentença. (Ac. RP de 21 de Setembro de 1994; *CJ*, XIX, tomo 4, 233);

— Ordenada a repetição do julgamento em processo com vários arguidos apenas quanto aos crimes praticados por um deles, somente se impõe a presença deste em audiência. (Ac. STJ de Maio de 1995; *CJ, Acs. STJ,* III, tomo 2, 192);

— Quando o processo baixa para, pelos mesmos juízes, ser suprida a irregularidade de falta de indicação dos factos não provados, não é necessária a notificação do MP, arguido e seu defensor para comparecerem à reunião do tribunal colectivo e a prova produzida anteriormente, mesmo ultrapassando 30 dias, não perdeu a sua eficácia por a audiência em que foi produzida ter terminado nesse prazo. (Ac. STJ de 6 de Novembro de 1996; *CJ, Acs. do STJ,* IV, tomo 3, 195).

Artigo 333.º

ARTIGO 333.º

(Falta e julgamento na ausência do arguido notificado para a audiência)

1. Se o arguido regularmente notificado não estiver presente na hora designada para o início da audiência, o presidente toma as medidas necessárias e legalmente admissíveis para obter a sua comparência, e a audiência só é adiada se o tribunal considerar que é absolutamente indispensável para a descoberta da verdade material a sua presença desde o início da audiência.

2. Se o tribunal considerar que a audiência pode começar sem a presença do arguido, ou se a falta de arguido tiver como causa os impedimentos enunciados nos n.os 2 a 4 do artigo 117.º, a audiência não é adiada, sendo inquiridas ou ouvidas as pessoas presentes pela ordem referida nas alíneas *b)* e *c)* do artigo 341.º, sem prejuízo da alteração que seja necessário efectuar no rol apresentado, e as suas declarações documentadas, aplicando-se sempre que necessário o disposto no n.º 6 do artigo 117.º.

3. No caso referido no número anterior, o arguido mantém o direito a prestar declarações até ao encerramento da audiência, e se ocorrer na primeira data marcada, o advogado constituído ou o defensor nomeado ao arguido pode requerer que este seja ouvido na segunda data designada pelo juiz ao abrigo do artigo 312.º, n.º 2.

4. O disposto nos números anteriores não prejudica que a audiência tenha lugar na ausência do arguido com o seu consentimento, nos termos do artigo 334.º, n.º 2.

5. No caso previsto nos n.os 2 e 3, havendo lugar a audiência na ausência do arguido, a sentença é notificada ao arguido logo que seja detido ou se apresente voluntariamente. O prazo para a interposição de recurso pelo arguido conta-se a partir da notificação da sentença.

6. É correspondentemente aplicável o disposto nos artigos 116.º, n.os 1 e 2, e 254.º e nos n.os 4 e 5 do artigo seguinte.

---

1. O texto deste artigo foi introduzido pelo Dec.-Lei n.º 320-C/2000, de 15 de Dezembro, no prosseguimento da orientação do aligeiramento processual e de eliminação de algumas causas de adiamento das audiências iniciadas em anteriores revisões, *máxime* na da Lei n.º 59/98, de 25 de Agosto.

Vejam-se as anots. ao art. 332.º, particularmente a anot. 3.

Código de Processo Penal

2. *Jurisprudência:*
— O art. 333.º, n.º 1, do CPP, exprime apenas a exigência de um juízo de ponderação da necessidade do julgamento na ausência do arguido, e esta ponderação, que não pode ser arbitrária e não justificada, não está, por isso, em colisão com o art. 32.º, n.º 6, da Constituição. (Ac. do Trib. Constitucional n.º 465/2004, de 23 de Junho, proc. n.º 249/04; *DR*, II série, de 13 de Agosto de 2004);
— As normas do n.º 1 do art. 411.º e do n.º 5 do art. 333.º do CPP devem ser interpretadas no sentido de que o prazo para a interposição de recurso da decisão condenatória do arguido ausente se conta a partir da notificação pessoal e não a partir do depósito na secretaria, independentemente dos motivos que determinaram tal ocorrência e se os mesmos são, ou não, justificáveis. (Ac. do Trib. Constitucional n.º 856/2003; *DR*, II série, de 8 de Agosto do mesmo ano);
— A realização de audiência de julgamento sem a presença do arguido, devidamente notificado para tanto, sem que o juiz tenha tomado as medidas necessárias e legalmente admissíveis para obter a sua comparência, consubstancia uma nulidade insanável. (Ac. STJ de 24 de Outubro de 2007; *CJ, Acs. do STJ,* ano XV, tomo 3, 224);
— Face ao art. 333.º do CPP, a audiência pode prosseguir sem a presença do arguido, se o tribunal a considerar não indispensável para a descoberta da verdade, mas a sentença tem de lhe ser pessoalmente notificada, sem o que não transita em julgado, por não se iniciar o prazo do recurso. (Ac. RE de 8 de Janeiro de 2008; *CJ,* ano XXXIII, tomo 1, 259);
— I — Seja porque o tribunal considere que a presença do arguido desde o início da audiência não é absolutamente indispensável para a descoberta da verdade material, seja porque a falta do arguido tem como causa os impedimentos enunciados nos n.ºˢ 2 a 4 do art. 117.º, nos quais se inclui a doença, a consequência é sempre a mesma — a audiência não é adiada – art. 333.º do CPP. II — Em ambas as situações o arguido mantém o direito de prestar declarações até ao encerramento da audiência, e, se ocorrer na primeira data marcada, o advogado constituído ou o defensor nomeado ao arguido pode requerer que este seja ouvido na segunda data marcada pelo juiz ao abrigo do art. 312.º, n.º 2, do CPP, como resulta do n.º 3 do art. 333.º do CPP. III — E a ausência do arguido ou do seu defensor só constitui a nulidade insanável prevista na al. *c)* do art. 119.º do CPP, nos casos em que a lei exige a comparência. (Ac. RL de 24 de Janeiro de 2008, proc. n.º 10144/07).

ARTIGO 334.º
(Audiência na ausência do arguido em casos especiais e de notificação edital)

1. Se ao caso couber processo sumaríssimo mas o procedimento tiver sido reenviado para a forma comum e se o arguido não puder ser notificado do despacho que designa dia para a audiência ou faltar a esta injustificadamente, o tribunal pode determinar que a audiência tenha lugar na ausência do arguido.

Artigo 334.º

2. Sempre que o arguido se encontrar praticamente impossibilitado de comparecer à audiência, nomeadamente por idade, doença grave ou residência no estrangeiro, pode requerer ou consentir que a audiência tenha lugar na sua ausência.

3. Nos casos previstos nos n.os 1 e 2, se o tribunal vier a considerar absolutamente indispensável a presença do arguido, ordena-a, interrompendo ou adiando a audiência, se isso for necessário.

4. Sempre que a audiência tiver lugar na ausência do arguido, este é representado, para todos os efeitos possíveis, pelo defensor.

5. Em caso de conexão de processos, os arguidos presentes e ausentes são julgados conjuntamente, salvo se o tribunal tiver como mais conveniente a separação de processos.

6. Fora dos casos previstos nos n.os 1 e 2, a sentença é notificada ao arguido que foi julgado como ausente logo que seja detido ou se apresente voluntariamente.

7. É correspondentemente aplicável o disposto nos artigos 116.º, n.os 1 e 2, e 254.º.

---

1. Os n.os 2 a 7 deste artigo têm o texto introduzido pela Lei n.º 59/98, de 25 de Agosto, na sequência de alterações introduzidas no texto constitucional na revisão da CRP de 1987 e neste Código pela referência na anot. 2 ao art. 332.º, para onde remetemos. O n.º 2 é porém idêntico ao da versão originária.

O Dec.-Lei n.º 320-C/2000, de 15 de Dezembro, eliminou os anteriores n.os 3 e 5 e o último período do actual n.º 6: *O prazo previsto no artigo 380.º-A, n.º 1, conta-se a partir da notificação da sentença.* O mesmo diploma, em consequência, rectificou a numeração dos anteriores números 4, 6, 7, 8 e 9, que passaram a ser os actuais 3, 4, 5, 6 e 7.

As alterações introduzidas pelo mencionado Dec.-Lei radicaram no novo regime de notificações estabelecido no art. 113.º pelo mesmo diploma.

2. O disposto no n.º 1 deve ser interpretado conjuntamente com o que se dispõe nos arts. 396.º a 398.º sobre processo sumaríssimo, e ainda levando-se em conta a orientação do Código de que nos casos das chamadas *bagatelas penais,* não puníveis em regra com pena de prisão, pode ser lícita a realização da audiência sem a presença do arguido.

Assim, a disposição deste n.º 1 só se aplica nos casos em que, em regra, seria aplicável processo sumaríssimo, isto é, naqueles casos em que só se não usa esse processo porque o arguido não aceitou as sanções propostas pelo MP ou não compareceu nem se fez representar. Se o juiz rejeitou o requerimento do MP para aplicação da pena em processo sumaríssimo por outro fundamento, não se aplica o n.º 1 deste art. 334.º, e será exigida ou não a presença do arguido na audiência a realizar em processo comum, conforme as regras gerais.

3. O disposto no n.º 2 é afloramento do princípio *volenti non fit injuria,* conjugado com a realização do princípio contraditório, que de algum modo ainda fica assegurado pelas normas dos n.os 3 e 4.

Código de Processo Penal

Pode dar-se o caso de o arguido praticamente impossibilitado de comparecer à audiência não requerer nem consentir que esta tenha lugar na sua ausência e seja naquela representado pelo seu defensor. Cremos que o caso deve ser resolvido deslocando-se o tribunal, sempre que necessário, ao local onde o arguido se encontra, se a deslocação for viável. Se a deslocação não for viável, será imposta ao arguido a presença, excepto se isso não for exigível por doença grave ou idade muito avançada, casos em que a audiência terá que ser realizada na sua ausência, conforme os comandos gerais.

4. *Jurisprudência:*

— I — Só nos casos especificados no art. 334.º do CPP é possível a realização do julgamento sem a presença do arguido. II — O direito que a lei concede ao arguido impossibilitado de comparecer à audiência por idade, doença grave ou residência no estrangeiro de requerer que a audiência tenha lugar na sua ausência é um direito pessoal. III — Tal direito apenas pode ser exercido pelo arguido, não podendo o seu defensor, sem poderes especiais para esse efeito, agir do modo indicado. (Ac. RP de 9 de Maio de 1990; *BMJ*, 397, 567);

— O disposto no art. 334.º, n.º 2, do CPP impõe, para que seja possível a realização do julgamento sem a presença do arguido, que ele aceite, de modo expresso, essa solução. (Ac. RC de 15 de Setembro de 1993; *BMJ*, 429, 896);

— I — A remissão feita no art. 332.º, n.º 1, do CPP, ao dispor que é obrigatória a presença do arguido na audiência, sem prejuízo do disposto no art. 334.º, n.ºs 1 e 2, torna claro que o legislador quis admitir, para o processo comum, a solução consagrada neste último normativo. II — Prosseguindo a audiência na ausência do arguido que não compareceu devido ao seu estado de saúde, ao abrigo do disposto no art. 334.º, n.ºs 2 e 3 do CPP, e após requerimento nesse sentido do seu mandatário, ainda que apenas com poderes forenses gerais, não se verifica a nulidade do art. 119.º, al. *c)*, do CPP. (Ac. STJ de 1 de Julho de 1998, proc. n.º 459/98);

— O arguido que tiver sido julgado na sua ausência só pode interpor recurso da sentença condenatória depois de esta lhe ter sido notificada na sequência da sua apresentação em juízo ou da sua detenção. (Ac. RG de 10 de Março de 2003; *CJ*, XXVIII, tomo 2, 289);

— Os preceitos constantes dos arts. 334.º n.º 6 e 373.º, n.º 3, do CPP devem, sob pena de inconstitucionalidade por violação dos n.ºs 1 e 6 do art. 32.º da CRP, ser interpretados no sentido de que consagram a necessidade de a decisão condenatória ser pessoalmente notificada ao arguido ausente, não podendo, enquanto essa notificação não ocorrer, contar o prazo para ser interposto recurso ou requerido novo julgamento. (Ac. do Trib. constitucional n.º 274/2003, proc. n.º 7/2003, de 20 de Maio de 2003; *DR*, II série, de 3 de Junho do mesmo ano);

— Não são inconstitucionais as normas dos artigos 334, n.º 3 e 113.º, n.º 7 do CPP, conjugadas com a do artigo 373, n.º 3, do mesmo diploma, quando interpretadas no sentido de que consagram a necessidade de a decisão condenatória ser pessoalmente notificada ao arguido ausente, não podendo, enquanto essa notificação não ocorrer, contar o prazo para ser interposto recurso ou requerido

Artigo 335.º

novo julgamento. (Ac. do Tribunal Constitucional n.º 464/2003, de 23 de Outubro, proc. n.º 619/2002; *DR,* II série, de 5 de Janeiro de 2004);
— Não é inconstitucional a norma derivada dos arts. 113.º, n.º 9; 334.º n.º 6 e 373.º, n.º 3, do CPP, interpretada no sentido de que pode ser efectuada por via postal simples, com prova de depósito, para a morada indicada no termo de identidade e residência prestado pelo arguido, a notificação de sentença condenatória proferida na sequência de audiência de julgamento a que o arguido, ciente da data da sua realização, requerera ser dispensado de comparecer, por residir no estrangeiro, sentença que foi notificada ao defensor do arguido, que esteve presente na audiência de julgamento e na audiência para leitura da sentença. (Ac. do Trib. Constitucional n.º 111/ 2007, de 15 de Fevereiro; *Acórdãos do Trib. Constitucional,* n.º 67, pág. 211).

ARTIGO 335.º
(Declaração de contumácia)

1. Fora dos casos previstos nos n.ᵒˢ 1 e 2 do artigo anterior, se, depois de realizadas as diligências necessárias à notificação a que se refere o artigo 313.º, n.º 2, e 1.ª parte do n.º 3, não for possível notificar o arguido do despacho que designa dia para a audiência, ou executar a detenção ou a prisão preventiva referidas nos artigos 116.º, n.º 2, e 254.º, ou consequentes a uma evasão, o arguido é notificado por editais para se apresentar em juízo, num prazo até 30 dias, sob pena de ser declarado contumaz.

2. Os editais contêm as indicações tendentes à identificação do arguido, do crime que lhe é imputado e das disposições legais que o punem e a comunicação de que, não se apresentando no prazo assinado, será declarado contumaz.

3. A declaração de contumácia é da competência do presidente e implica a suspensão dos termos ulteriores do processo até à apresentação ou à detenção do arguido, sem prejuízo da realização de actos urgentes nos termos do artigo 320.º.

4. Em caso de conexão de processos, a declaração de contumácia implica a separação daqueles em que tiver sido proferida.

---

1. O n.º 1 tem a redacção introduzida pela Lei n.º 59/98, de 25 de Agosto, porém com ligeira alteração introduzida pelo Dec.-Lei n.º 320-C/2000, de 15 de Dezembro, em consonância com alterações introduzidas por este diploma nos arts 313.º e 334.º. Corresponde ao n.º 1 da versão originária do Código, com as alterações decorrentes da reestruturação da contumácia referidas na anot. 2 ao art. 332.º.
   O n.º 2 não sofreu alteração; o n.º 3 reproduz o n.º 1 do art. 336.º da versão originária e o n.º 4 reproduz o n.º 2 do mesmo art. 336.º.

Código de Processo Penal

2. O processo de ausentes conforme estava regulado no CPP de 1929, vinha desde há muito sofrendo ataques de vária ordem, sendo, designadamente, assacado de inconstitucional e de beneficiar os arguidos mais afortunados ou mais expeditos na fuga à acção da justiça. A tal respeito, destacou-se a lição do Prof. Eduardo Correia, na *RLJ.*

Em tais termos, e como se refere no Relatório, o Código optou por fugir aos inconvenientes do processo de ausentes tradicional e perfilhou uma perspectiva de desincentivação da ausência, privilegiando um conjunto articulado de medidas drásticas de compressão da capacidade patrimonial e negocial do contumaz que então se afiguraram eficazes e suficientes.

O regime da contumácia estabelecido na versão originária do Código logo desde o seu início sofreu fortes críticas e revelou-se de algum modo fonte de morosidade no andamento dos processos, que em grande número se iam avolumando nos tribunais. Por outro lado favorecia até por vezes injustificadamente arguidos que se furtavam à comparência, bem sabendo que tinham processos pendentes e com audiência marcada.

Por obstáculos decorrentes de comandos constitucionais, mais pormenorizadamente referidos na anot. 2 ao art. 332.º, só após a revisão constitucional de 1997 foi possível ao legislador dar mais maleabilidade ao regime da realização da audiência sem a presença do arguido, tornando o regime da contumácia meramente residual.

3. *Jurisprudência fixada:*
— No domínio da vigência do Código Penal de 1982 e do Código de Processo Penal de 1987, a declaração de contumácia constituía causa de suspensão da prescrição do procedimento criminal. (Ac. do Pleno das secções criminais do STJ de 19 de Outubro de 2000, proc. n.º 87/2000-3.ª, ainda não publicado no *DR* à data desta anot. — 2001/01/02).

4. *Jurisprudência:*
— São inconstitucionais, por violação do art. 29.º, n.os 1 e 3 da CRP, as normas dos arts. 335.º e 337.º do CPP de 1987, conjugadas com o art. 120.º, n.º 1, al. *d)* do CP de 1982, (redacção originária), na interpretação segundo a qual a declaração de contumácia pode ser equiparada como causa de interrupção da prescrição do procedimento criminal, à marcação de dia para julgamento em processo de ausentes, aí prevista. (Ac. do Trib. Constitucional de 23 de Setembro de 2003, proc. n.º 816/2002; *DR,* II série, de 5 de Fevereiro de 2004).

ARTIGO 336.º

(Caducidade da declaração de contumácia)

1. A declaração de contumácia caduca logo que o arguido se apresentar ou for detido, sem prejuízo do disposto nos n.os 2, 4 e 5 do artigo 58.º.

2. Logo que se apresente ou for detido, o arguido é sujeito a termo de identidade e residência, sem prejuízo de outras medidas de coacção, observando-se o disposto nos n.os 2, 4 e 5 do artigo 58.º.

774

Artigo 337.º

3. Se o processo tiver prosseguido nos termos do artigo 283.º, n.º 5, parte final, o arguido é notificado da acusação, podendo requerer a abertura de instrução no prazo a que se refere o artigo 287.º, seguindo-se os demais termos previstos para o processo comum.

---

1. O texto deste artigo foi introduzido pela Lei n.º 59/98, de 25 de Agosto. O n.º 1 reproduz o n.º 3 da versão originária do Código. Os dispositivos dos n.ᵒˢ 2 e 3 foram introduzidos pela apontada Lei em virtude da reestruturação do julgamento na ausência do arguido, conforme ficou apontado na anot. 2 ao art. 332.º.
As referências feitas na parte final do n.º 2 aos números do art. 58.º foram alteradas pela Lei n.º 48/2007, de 29 de Agosto, em virtude de alterações introduzidas por esta Lei no aludido art. 58.º.

2. A caducidade da declaração de contumácia, por apresentação ou detenção do arguido, não implica que fique sem efeito a separação de processos que continuarão, em regra, separados.

3. *Jurisprudência obrigatória:*
— É inconstitucional a norma extraída das disposições conjugadas do art. 119.º, n.º 1, alínea *a)*, do CP, e do art. 336, n.º 1, do CPP, ambos na redacção originária, na interpretação segundo a qual a prescrição do procedimento criminal se suspende com a declaração de contumácia. (Ac. do Trib. Constitucional n.º 183/2008; *DR,* I série, de 22 de Abril de 2008).

4. *Jurisprudência:*
— Embora o crime por que o arguido está acusado não admita prisão preventiva, é legal a emissão de mandados de detenção contra ele, a-fim-de o fazer comparecer perante o juiz para ser notificado do despacho que recebeu a acusação contra si deduzida, se o mesmo havia antes sido declarado contumaz. (Ac. RP de 20 de Novembro de 1996; *CJ,* XXI, tomo 5, 259). *Nota* — Em sentido contrário ac. da mesma Relação de 11 de Dezembro de 1996, sumariado *infra*;
— Não é admissível a emissão de mandados de detenção para, comparência contra arguido declarado contumaz, com o objectivo de lhe ser notificado um despacho antes proferido. (Ac. RP de 11 de Dezembro de 1996; *CJ,* XXI, tomo 5, 241);
— Apesar de no processo haver um arguido declarado contumaz, o arguido não contumaz não pode, para recorrer, beneficiar do prazo estabelecido no n.º 3 do art. 336.º do CPP. (Ac. RL de 24 de Outubro de 2001; *CJ,* XXVI, tomo 4, 153).

ARTIGO 337.º

(Efeitos da notificação da contumácia)

1. A declaração de contumácia implica para o arguido a passagem imediata de mandado de detenção para efeitos do disposto

Código de Processo Penal

no n.º 2 do artigo anterior ou para aplicação da medida de prisão preventiva, se for caso disso, e a anulabilidade dos negócios jurídicos de natureza patrimonial celebrados após a declaração.

2. A anulabilidade é deduzida perante o tribunal competente, pelo Ministério Público até à cessação da contumácia.

3. Quando a medida se mostrar necessária para desmotivar a situação de contumácia, o tribunal pode decretar a proibição de obter determinados documentos, certidões ou registos junto de autoridades públicas, bem como o arresto, na totalidade ou em parte, dos bens do arguido.

4. Ao arresto é correspondentemente aplicável o disposto no artigo 228.º, n.os 2, 3, 4 e 5.

5. O despacho que declarar a contumácia é anunciado nos termos do artigo 113.º, n.º 9, parte final, e notificado, com indicação dos efeitos previstos no n.º 1, ao defensor e a parente ou a pessoa da confiança do arguido.

6. O despacho que declarar a contumácia, com especificação dos respectivos efeitos, e aquele que declarar a sua cessação são registados no registo de contumácia.

---

1. O texto dos n.os 1 e 5 foi introduzido pela Lei n.º 59/98, de 25 de Agosto. Em relação ao da versão originária do Código existe no texto actual a referência à *passagem imediata de mandados de detenção para efeitos do disposto no n.º 2 do artigo anterior ou para aplicação da medida de prisão preventiva, se for caso disso*.

Os n.os 2, 4 e 5 reproduzem as disposições do Proj. com igual numeração. A redacção originária dos n.os 1 e 3 foi introduzida no final dos trabalhos preparatórios, por o Tribunal Constitucional ter considerado ferida de inconstitucionalidade a al. *b*) do n.º 1 do Proj. na medida em que a proibição de obter documentos, aí prevista, decorria automaticamente da declaração de contumácia, mas apenas na parte em que essa alínea era aplicável a documentos, certidões ou registos necessários ao exercício de direitos civis, profissionais ou políticos, por violação do art. 30.º, n.º 4, da CRP (Parecer de 9 de Janeiro de 1987, Proc. 302/86 publicado no Suplemento ao *DR* de 9 de Fevereiro de 1987).

O n.º 6 foi alterado, na parte final, pela Lei n.º 48/2007, de 29 de Agosto (anteriormente publicação no *Diário da República*).

Não havia disposições correspondentes no direito anterior.

2. *Jurisprudência fixada:*
— No domínio da vigência do Código Penal de 1982 e do Código de Processo Penal de 1987, nas suas versões originárias, a declaração de contumácia não constituía causa de suspensão da prescrição criminal. (Ac. do Pleno das secções criminais do STJ n.º 5/2008; *DR*, I série, de 13 de Maio de 2008).

Artigo 338.º

3. *Jurisprudência:*
— As normas dos n.ᵒˢ 1 e 3 do art. 337.º do CPP, que regulam o instituto da contumácia, não violam o direito à capacidade civil consagrado no art. 26.º, n.º 1, da CRP, pois apenas traduzem restrições a essa capacidade consentidas pelo subsequente n.º 3, já que se mostram ajustadas, adequadas e proporcionadas, pois com elas visa-se pressionar os arguidos a comparecerem em juízo, a-fim-de aí serem julgados pelos crimes que lhes são imputados, com integral respeito pelo princípio do contraditório. E as mesmas normas também não violam o direito de propriedade consagrado no art. 62.º, n.º 1, da CRP, pois as restrições que estabelecem nada têm de despropositado ou desadequado. (Ac. do Tribunal Constitucional de 7 de Maio de 1991; *BMJ*, 407, 50);
— São inconstitucionais, por violação do art. 29.º n.ᵒˢ 1 e 3 da CRP, as normas dos arts. 335.º e 337.º do CPP de 1987, conjugadas com o art. 120.º, n.º 1, al. *d)* do CP de 1982 (redacção originária), na interpretação segundo a qual a declaração de contumácia pode ser equiparada como causa de interrupção da prescrição do procedimento criminal, à marcação de dia para julgamento em processo de ausentes, aí prevista. (Ac. do Trib. Constitucional de 23 de Setembro de 2003, proc. n.º 816/2002; *DR*, II série, de 5 de Fevereiro de 2004);
— I — Fora dos casos de execução de medida de prisão preventiva ou de cumprimento de pena privativa de liberdade, a emissão de mandados de detenção europeu deve obedecer aos princípios de legalidade, de excepcionalidade, de subsidiariedade e de proporcionalidade. II — Não é admissível a emissão de mandado de detenção europeu para executar a detenção que foi ordenada em Portugal em virtude de mera declaração de contumácia, nos termos do art. 337.º, n.º 1, do CPP, se não tiver sido decretada a medida de prisão preventiva. (Ac. RC de 21 de Novmbro de 2007; *CJ*, ano XXXII, tomo 5, 41).

ARTIGO 338.º

(Questões prévias ou incidentais)

1. O tribunal conhece e decide das nulidades e de quaisquer outras questões prévias ou incidentais susceptíveis de obstar à apreciação do mérito da causa acerca das quais não tenha ainda havido decisão e que possa desde logo apreciar.

2. A discussão das questões referidas no número anterior deve conter-se nos limites de tempo estritamente necessários, não ultrapassando, em regra, uma hora. A decisão pode ser proferida oralmente, com transcrição na acta.

---

1. Com excepção da alusão a nulidades, que foi introduzida pela Lei n.º 59/98, de 25 de Agosto, reproduz o art. 338.º do Proj. e corresponde aos arts. 320.º do Aproj. e 424.º do CPP de 1929.
O apontado aditamento da alusão a nulidades em nada alterou, em nosso entendimento, o regime da versão originária do Código, por traduzir mero afloramento do regime geral estabelecido quanto a nulidades nos arts. 119.º e 120.º.

Código de Processo Penal

2. As questões prévias aqui referidas, e em outros lugares do Código, são todas as que, além das incidentais, ou seja das que surgem no decurso da audiência, podem obstar ao conhecimento do mérito. Essas questões podem ter natureza substantiva (morte do arguido, amnistia, prescrição, etc.) ou adjectiva (incompetência do tribunal, ilegitimidade do acusador, etc.). A apreciação das questões prévias de natureza adjectiva deve preceder a apreciação das de natureza substantiva, e dentre aquelas deve ser apreciada prioritariamente a questão da competência, pois que se o tribunal se declarar incompetente deve cessar a sua intervenção, para que o tribunal competente aprecie todas as questões.

3. As questões prévias devem ser apreciadas tão cedo quanto possível (cfr., *v. g.* art. 311.°, n.° 1), mas podem também ser decididas na sentença final (art. 368.°, n.° 1) e assim terá que suceder necessariamente sempre que a solução estiver dependente de prova a produzir na audiência.

4. *Jurisprudência:*
— I — Depois de recebida a acusação ou proferido despacho de pronúncia, com a prolação do despacho respectivo a designar dia para a audiência, e antes de ser proferida sentença, actividade a levar a cabo só após ter sido realizada a audiência de discussão e julgamento, não se pode conhecer do mérito da acção. Somente é permitido o conhecimento de questões prévias ou incidentais que sejam susceptíveis de obstar à apreciação do mérito da causa. II — Assim, é ilegal o acórdão proferido no início da audiência, em que o tribunal colectivo, para chegar à conclusão expendida no mesmo, teve de fazer uma apreciação de fundo, ou seja, apreciação de mérito da causa quanto às questões relacionadas com a matéria de facto contida na pronúncia e com a incriminação aí imputada aos arguidos, sem previamente realizar a audiência. (Ac. STJ de 20 de Novembro de 1997; *BMJ*, 471, 156);
— I — Recebida a acusação do MP, o juiz só na sentença pode conhecer do mérito da causa. II — No início da audiência de julgamento, o juiz não pode, assim, alterar a qualificação jurídica dos factos constantes da acusação. III — Nesse momento, o juiz apenas pode decidir questões prévias ou incidentais que, acaso, obstem ao conhecimento do mérito. (Ac. RP de 6 de Julho de 2005; *CJ*, XXX, 223).

ARTIGO 339.°
(Exposições introdutórias)

1. Realizados os actos introdutórios referidos nos artigos anteriores, o presidente ordena a retirada da sala das pessoas que devam testemunhar, podendo proceder de igual modo relativamente a outras pessoas que devam ser ouvidas, e faz uma exposição sucinta sobre o objecto do processo.

2. Em seguida o presidente dá a palavra, pela ordem indicada, ao Ministério Público, aos advogados do assistente, do lesado e do responsável civil e ao defensor, para que cada um deles indique, se

Artigo 339.º

assim o desejar, sumariamente e no prazo de dez minutos, os factos que se propõe provar.

3. O presidente regula activamente as exposições referidas no número anterior, com vista a evitar divagações, repetições ou interrupções, bem como a que elas se transformem em alegações preliminares.

4. Sem prejuízo do regime aplicável à alteração dos factos, a discussão da causa tem por objecto os factos alegados pela acusação e pela defesa e os que resultarem da prova produzida em audiência, bem como todas as soluções jurídicas pertinentes, independentemente da qualificação jurídica dos factos resultante da acusação ou da pronúncia, tendo em vista as finalidades a que se referem os artigos 368.º e 369.º.

---

1. Com excepção do n.º 4, que foi introduzido pela Lei n.º 59/98, de 25 de Agosto, reproduz o art. 339.º do Proj. Não havia disposições expressas correspondentes no direito anterior.

2. A primeira parte do disposto no n.º 1 não representa qualquer inovação relativamente ao direito imediatamente anterior. A segunda parte do n.º 1 traduziu inovação relativamente ao direito comum (dispunha-se identicamente no direito penal militar) e destina-se a esclarecer as partes, particularmente o arguido, sobre o objecto do processo. A omissão da exposição, porque não cominada com qualquer nulidade, constitui mera irregularidade, submetida ao regime do art. 123.º. É que as partes, através de peças processuais anteriormente entregues, já tiveram oportunidade de conhecer o objecto do processo.

3. Também o disposto no n.º 2 representa inovação relativamente ao direito imediatamente anterior. Quanto ao MP e ao assistente, embora a indicação não seja necessária nesta fase processual, terão que provar todos os factos constitutivos do crime ou gravosos para o arguido que não possam ser provados através de documento com força probatória plena, salvo se for aplicado o regime dos arts. 344.º e 345.º.
O presidente dará obrigatoriamente a palavra às pessoas e para os efeitos indicados no n.º 2; se o não fizer verificar-se-á uma irregularidade, submetida ao regime do art. 123.º, pois a omissão não é cominada com qualquer nulidade. É, porém, facultativo o uso da palavra por parte dessas pessoas.

4. O disposto no n.º 3 é afloramento de comandos gerais sobre poderes do presidente e sobre proibição da prática de actos inúteis.

5. Como se anotou *supra,* anot. 1, o n.º 4 foi introduzido pela Lei aí referida, ficando assim consagrado, de forma mais expressa, o objectivo da discussão da causa, que já resultava de outros dispositivos do Código.

6. *Jurisprudência:*
— I — A circunstância de o tribunal não ter dado a palavra aos representantes da acusação e da defesa para indicarem sumariamente os factos que se propunham provar constitui simples irregularidade, a ser erguida nos termos

Código de Processo Penal

do art. 123.º, n.º 1, do CPP. II — Não tendo sido atempadamente arguida, essa irregularidade não afecta o acto a que se refere, nem os actos posteriores. (Ac. STJ de 12 de Julho de 1989; *AJ*, n.º 1, 9);

— A omissão, no todo ou em parte, e ou a omissão de descrição em acta da concessão da palavra à acusação e à defesa para que indiquem, se o desejarem, os factos que se propõem provar (art. 339.º, n.º 1, do CPP) constitui uma irregularidade a arguir pelos interessados na própria audiência. (Ac. STJ de 5 de Junho de 1991; *BMJ*, 408, 406).

CAPÍTULO III
DA PRODUÇÃO DA PROVA

ARTIGO 340 º
(Princípios gerais)

1. O tribunal ordena, oficiosamente ou a requerimento, a produção de todos os meios de prova cujo conhecimento se lhe afigure necessário à descoberta da verdade e à boa decisão da causa.

2. Se o tribunal considerar necessária a produção de meios de prova não constantes da acusação, da pronúncia ou da contestação, dá disso conhecimento, com a antecedência possível, aos sujeitos processuais e fá-lo constar da acta.

3. Sem prejuízo do disposto no artigo 328.º, n.º 3, os requerimentos de prova são indeferidos por despacho quando a prova ou o respectivo meio forem legalmente inadmissíveis.

4. Os requerimentos de prova são ainda indeferidos se for notório que:

   a) As provas requeridas são irrelevantes ou supérfluas;

   b) O meio de prova é inadequado, de obtenção impossível ou muito duvidosa; ou

   c) O requerimento tem finalidade meramente dilatória.

---

1. Reproduz o art. 340.º do Proj. Corresponde aos arts. 333.º do Aproj. e 443.º do CPP de 1929.

2. Não existe alteração de fundo significativa relativamente ao direito anterior, tendo porém sido reforçadas, através da disposição do n.º 2, a garantias da contraditoriedade relativamente à produção de meios de prova que não constam da acusação, da pronúncia ou da contestação. A referência à pronúncia tornou-se aqui necessária para abranger os casos em que não há acusação, mas requerimento do assistente para abertura de instrução (por o MP se ter abstido de acusar) e a instrução culminou em pronúncia do arguido — cfr. arts. 308.º e 283.º.

Artigo 340.º

Resumindo, consagra-se neste artigo, para a audiência, afloramento do *princípio da investigação,* também designado de *princípio da verdade material,* que domina o processo penal.

Mas este princípio tem limites:

Os meios de prova admissíveis são aqueles cujo conhecimento se afigure necessário para a descoberta da verdade e boa decisão da causa (n.º 1). É afloramento do *princípio da necessidade.*

Os meios de prova permitidos são aqueles que forem legalmente admissíveis (n.º 3 e *princípio da legalidade,* consagrado no art. 125.º).

Os meios de prova a produzir deverão ser os adequados ao objecto da prova — *princípio da adequação,* aflorado no n.º 3.

Os meios de prova hão-de ser de obtenção possível — *princípio da obtenibilidade,* consagrado no n.º 4, al. *b).*

3. *Jurisprudência:*

— Em processo penal não existe, em rigor, qualquer ónus da prova, cabendo ao juiz, oficiosamente, o dever de indagar e esclarecer o feito sujeito a julgamento. (Ac. RC de 16 de Junho de 1988; *BMJ,* 378, 805);

— Não existe em direito processo penal o ónus da prova, mas quando é de interesse para o arguido demonstrar, ou pelo menos invocar, um facto que manifestamente o favorece, por afastar a ilicitude, e que certamente é do seu conhecimento pessoal, as regras da experiência ensinam que, na falta dessa demonstração ou simples invocação, esse facto não se verifica. Trata--se de uma situação, com efeito, em que se afigura compreensível que se ponha a cargo do agente algum risco. (Ac. STJ de 12 de Julho de 1989; *AJ,* n.º 1, 7);

— Nos termos do art. 340.º, n.º 1, do CPP, os meios de prova admissíveis são aqueles cujo conhecimento se afigure necessário para a descoberta da verdade e boa decisão da causa. E o árbitro da necessidade é o tribunal. Se este, com o indeferimento de certa diligência requerida em audiência, fere os interesses do requerente, este deve, *in acta,* interpor logo o atinente recurso. Não tendo ele lançado mão desse meio, não se vê assim que, com valimento, tenha havido omissão de diligências essenciais para a descoberta da verdade. (Ac. STJ de 31 de Outubro de 1991; *BMJ,* 410, 418);

— O princípio da investigação oficiosa no processo penal tem os seus limites previstos na lei e está condicionado, desde logo, pelo princípio da necessidade, uma vez que só os meios de prova cujo conhecimento se afigure necessário para habilitar o julgador a uma decisão condenatória ou absolutória devem ser produzidos por determinação do tribunal na fase do julgamento, oficiosamente ou a requerimento dos sujeitos processuais. (Ac. STJ de 1 de Julho de 1993, proc. 43022/3.ª);

— A disciplina do art. 340.º do CPP sobre a produção dos meios de prova não é limitada aos meios de prova da responsabilidade criminal, abrangendo também os meios de prova relativos ao pedido civil fundado na prática do crime e formulado no processo. (Ac. STJ de 13 de Janeiro de 1994, proc. 43701/3.ª);

— I — Resulta dos princípios da verdade material e da investigação, contidos, respectivamente, nos n.ºs 1 e 2 do art. 340.º do CPP, que o tribunal tem o poder-dever de investigar o facto sujeito a julgamento e construir por

781

Código de Processo Penal

si mesmo os suportes da sua decisão, independentemente das contribuições dadas para tal efeito pelas partes em litígio. II — Daqui resulta que o tribunal deve, oficiosamente ou a requerimento das partes, ordenar a produção de todos os meios de prova cujo conhecimento se lhe afigure essencial à descoberta da verdade e à boa decisão da causa, não estando, obviamente, circunscrito aos meios de prova constantes da acusação, da contestação ou da pronúncia. III — Assim, deve ser anulado o julgamento em que se indeferiu o pedido formulado pelo assistente para aí ser ouvido, fundamentando-se tal decisão em causas diversas das constantes dos n.os 3 e 4 do art. 340.º do CPP. (Ac. STJ de 4 de Dezembro de 1996; *BMJ*, 462, 286);

— O juízo de necessidade ou de desnecessidade de diligências de prova não vinculada, tributário da livre apreciação crítica dos julgadores, na própria vivência e imediação do julgamento, constitui pura questão de facto, insusceptível de fiscalização e crítica do STJ. (Ac. STJ de 26 de Novembro de 1998, proc. n.º 504/98);

— Em processo penal não há repartição do ónus da prova, como sucede em processo civil. É o tribunal que ordena, oficiosamente ou a requerimento, a produção de todos os meios de prova cujo conhecimento se lhe afigure necessário à descoberta da verdade e à boa decisão da causa. (Ac. STJ de 7 de Junho de 2000, proc. n.º 755/98-3.ª; *SASTJ*, n.º 42, 54);

— A disciplina do art. 340.º, n.º 2, do CPP, ao impor que se dê conhecimento de novos meios de prova não constantes da acusação, da pronúncia ou da contestação, com a antecedência possível, aos sujeitos processuais, não tem aplicação quando eles surgem na sequência do desenvolvimento processual normal, como acontece no caso de a testemunha ter sido arrolada com o pedido cível. (Ac. RC de 5 de Outubro de 2000; *CJ*, XXV, tomo 4, 53);

— I — A disciplina constante do art. 340.º, n.º 1, do CPP, respeitante ao princípio da verdade material, e donde resulta que em processo penal não existe em rigor qualquer ónus da prova, cabendo ao tribunal, oficiosamente, o dever de investigar e esclarecer o facto sujeito a julgamento, é aplicável tão somente à vertente criminal do processo, sendo portanto de afastar no que concerne ao pedido cível. II — Assim, a prova de que a indemnização devida por pessoa não imputável lhe poderá privar dos alimentos necessários e/ou dos meios indispensáveis para cumprir os seus deveres legais de alimentos (art. 489.º, n.º 2, do CC) pertence ao demandado. (Ac. STJ de 23 de Novembro de 2000, proc. n.º 180/2000-5.ª; *SASTJ*, n.º 45, 74);

— A norma do art. 340.º, n.º 1, do CPP não é inconstitucional. (Ac. do Trib. Constitucional n.º 137/2002, de 3 de Abril de 2002, proc. n.º 363/01; *DR*, II série, de 26 de Setembro de 2002);

— I — Os n.os 1 e 2 do art. 340.º do CPP completam os princípios da investigação (tendente ao apuramento da verdade material) e do contraditório (visando o acautelamento dos interesses processuais das partes afectadas). II — Os poderes aí conferidos ao Tribunal são de exercício obrigatório. III — O poder conferido pela norma n.º 1 do art. 340.º do CPP, ao ser actuado fora do condicionalismo legal, em sentido positivo ou negativo, pode ser sindicado e censurado pelo STJ, em sede de violação de lei. (Ac. STJ de 9 de Outubro de 2003, proc. n.º 1670/03-5.ª; *SASTJ*, n.º 74, 170);

— Na audiência de julgamento o juiz só deve determinar, oficiosamente ou a requerimento dos sujeitos processuais, a realização de diligências que se

Artigo 342.º

mostrem necessárias e indispensáveis para a descoberta da verdade e para a boa decisão da causa: este o sentido do princípio da investigação oficiosa. (Ac. RP de 6 de Outubro de 2004; *CJ*, ano XXIX, tomo 4, 212);

— O n.º 4 do art. 340.º do CPP não é inconstitucional. (Ac. do Trib. Constitucional n.º 171/2005, de 31 de Março, proc. n.º 764/2004; *DR*, II série, de 6 de Maio de 2005).

ARTIGO 341.º

(Ordem de produção da prova)

A produção da prova deve respeitar a ordem seguinte:

a) Declarações do arguido;

b) Apresentação dos meios de prova indicados pelo Ministério Público, pelo assistente e pelo lesado;

c) Apresentação dos meios de prova indicados pelo arguido e pelo responsável civil.

1. Reproduz o art. 341.º do Proj. Não existe alteração significativa relativamente ao direito anterior.

2. Afigura-se-nos que as normas das als. *b)* e *c)* dizem tão só respeito aos meios de prova indicados na acusação, na pronúncia, no pedido civil ou na contestação. Tratando-se da produção de outros meios de prova admitidos nos termos do n.º 2 do art. 340.º, seguir-se-á a ordem por que foram admitidos.

3. A produção da prova por ordem diversa da que aqui é estabelecida pode ser determinada por motivos justificados, em casos pontuais (cfr. art. 331.º n.º 4). Mesmo fora destes casos só constituirá irregularidade processual, com o regime do art. 123.º.

ARTIGO 342.º

(Identificação do arguido)

1. O presidente começa por perguntar ao arguido pelo seu nome, filiação, freguesia e concelho de naturalidade, data de nascimento, estado civil, profissão, local de trabalho e residência, sobre a existência de processos pendentes, e, se necessário, pede-lhe a exibição de documento oficial bastante de identificação.

2. O presidente adverte o arguido de que a falta de resposta às perguntas feitas ou a falsidade da mesma o pode fazer incorrer em responsabilidade penal.

1. Com excepção da alusão à pergunta sobre o *local de trabalho,* feita no n.º 1, que foi introduzida pela Lei n.º 59/98, de 25 de Agosto, e sobre a existência de processos pendentes, aditada pela Lei n.º 48/2007, de 29 de Agosto, o texto actual deste artigo é resultante da revisão do Código levada a

Código de Processo Penal

efeito pelo Dec.-Lei n.º 317/95, de 28 de Novembro. Esta revisão eliminou o dispositivo constante do n.º 2 da versão originária, segundo o qual o presidente perguntava ao arguido pelos seus antecedentes criminais e por qualquer outro processo penal que contra ele nesse momento corresse, lendo-lhe ou fazendo com que ele fosse lido, se necessário, o certificado do registo criminal.

2. Como se referiu *supra*, a revisão do Código eliminou o dispositivo do n.º 2 da versão originária. Isso ficou a dever-se à orientação do Trib. Constitucional de que a indagação, em audiência pública, dos antecedentes criminais do arguido, sendo mesmo ele obrigado a revelá-los, atentava contra a sua dignidade e as suas garantias constitucionais. Consideramos esta orientação infundada, mas, *legem habemus*.

Quanto a interrogatórios do arguido anteriores à audiência pública, nomeadamente aos regulados nos arts. 141.º e 142.º, subsistem as normas da versão originária.

3. A recusa do arguido a prestar declarações sobre a sua identidade, como no n.º 1 se determina, fá-lo incorrer no crime de desobediência, do art. 348.º do CP.

A falsidade das declarações do arguido sobre a sua identidade é punida nos termos do art. 359.º do CP.

Estes dispositivos do CP segundo a redacção introduzida pelo Dec.-Lei n.º 48/95, de 15 de Março, resolveram expressamente uma questão sobre a qual se suscitaram dúvidas durante a vigência da versão originária do CP. Vejam-se a anot. 4 ao art. 35.º do CP, no nosso *Código Penal Português anotado e comentado.*

4. *Jurisprudência:*

— Dada a eliminação do art. 342.º, n.º 2, do CPP pelo Dec.-Lei n.º 317/95, de 28 de Novembro, o conhecimento do passado criminal do arguido deve advir das suas declarações sobre a matéria, prestadas no inquérito ou na instrução — art. 141.º, n.º 3 — e do que constar do seu certificado do registo criminal ou, eventualmente, da sua ficha pessoal. (Ac. STJ de 7 de Março de 1996; *CJ, Acs. do STJ*, IV, tomo 1, 228);

— A qualificação da omissão do dever de informação do arguido, por parte do presidente do tribunal, do que se passou na audiência durante a sua ausência — no caso de prestação de declarações separadas pelos vários co-arguidos —, como nulidade dependente de arguição, sanável se não for arguida até final da audiência, não implica violação das garantias de defesa e do princípio do contraditório. (Ac. do Trib. Constitucional n.º 429/94, de 6 de Julho; *BMJ*, suplemento ao n.º 451, 286);

— Não é cometida qualquer nulidade se o tribunal, tendo o arguido desejado falar dos seus antecedentes criminais, regista esse depoimento. (Ac. RC de 7 de Fevereiro de 2001; *CJ*, XXVI, tomo 1, 59).

ARTIGO 343.º

(Declarações do arguido)

1. O presidente informa o arguido de que tem direito a prestar declarações em qualquer momento da audiência, desde que elas se

Artigo 343.º

refiram ao objecto do processo, sem que no entanto a tal seja obrigado e sem que o seu silêncio possa desfavorecê-lo.

2. Se o arguido se dispuser a prestar declarações, o tribunal ouve-o em tudo quanto disser, nos limites assinalados no número anterior, sem manifestar qualquer opinião ou tecer quaisquer comentários donde possa inferir-se um juízo sobre a culpabilidade.

3. Se, no decurso das declarações, o arguido se afastar do objecto do processo, reportando-se a matéria irrelevante para a boa decisão da causa, o presidente adverte-o e, se aquele persistir, retira-lhe a palavra.

4. Respondendo vários co-arguidos, o presidente determina se devem ser ouvidos na presença uns dos outros; em caso de audição separada, o presidente, uma vez todos os arguidos ouvidos e regressados à audiência, dá-lhes resumidamente conhecimento, sob pena de nulidade, do que se tiver passado na sua ausência.

5. Ao Ministério Público, ao defensor, aos representantes do assistente e das partes civis não são permitidas interferências nas declarações do arguido, nomeadamente sugestões quanto ao modo de declarar. Ressalva-se, todavia, relativamente ao defensor, o disposto no artigo 345.º, n.º 1, segunda parte.

---

1. Reproduz o art. 343.º do Proj. Corresponde aos arts. 321.º do Aproj. e 425.º, §§ 1.º, 2.º e 3.º do CPP de 1929, na redacção introduzida pelo Dec.-Lei n.º 185/72, de 31 de Maio.

2. O disposto neste artigo não altera, fundamentalmente, o que o direito anterior dispunha posteriormente ao Dec.-Lei n.º 185/72, de 31 de Maio.
Sobre o direito que ao arguido assiste de não prestar declarações no que respeita ao objecto do processo vejam-se Cavaleiro de Ferreira, *Curso de Processo Penal,* I, 151 e segs.; Eduardo Correia, *Processo Criminal,* 197 Castanheira Neves, *Sumários de Processo Penal,* 172 e segs. e Figueiredo Dias, *Direito Processual Penal,* 437 e segs.
Prestando o arguido declarações, serão elas livremente apreciadas pelo tribunal, ainda que o desfavoreçam; para além das finalidades da defesa o interrogatório visa o esclarecimento da verdade, quer beneficie quer prejudique o arguido que se dispôs livremente a prestá-lo.
Se o arguido se dispôs a prestar declarações sobre o objecto do processo e durante o interrogatório faltou à verdade, não será por isso punido: a lei não prevê aqui qualquer incriminação, contrariamente ao que sucede no caso do artigo anterior. À mesma solução se chega, *a contrario,* através das disposições dos arts. 346.º, n.º 2; 347.º, n.º 2 e 145.º, n.º 2. Neste sentido, Figueiredo Dias, *Direito Processual Penal,* 437 e 449.

3. O que neste artigo se dispõe sobre as declarações do arguido em audiência deve ser completado pelos normativos do art. 345.º. Não é admissível inter-

Código de Processo Penal

rogatório cruzado, e só os membros do tribunal: presidente e demais juízes e jurados podem fazer ao arguido perguntas sobre os factos imputados e solicitar esclarecimentos sobre as declarações prestadas. O MP, o advogado do assistente e o defensor podem solicitar ao presidente que formule ao arguido perguntas sobre os factos imputados, mas não fazer-lhas directamente. O arguido pode, espontaneamente ou por recomendação do seu defensor, recusar a resposta a alguma ou a todas as perguntas, sem que isso o possa desfavorecer.

4. *Jurisprudência:*
— A nulidade prevista no art. 343.º do CPP — violação do dever de informação em audiência separada no julgamento — é uma nulidade de processo e não de um acto processual, pelo que, cometida em julgamento, e sanável, tem de ser arguida antes que este termine e, não sendo, sana-se por renúncia tácita. Não pode esta nulidade arguir-se em recurso, não se integrando no âmbito dos arts. 379.º e 380.º do CPP. (Ac. STJ de 5 de Junho de 1991; *BMJ*, 408, 406);

— I — Quando o arguido exerce o seu direito de não prestar declarações em audiência, não podem ser lidas as que anteriormente prestou no processo. II — Os agentes da PJ não ficam impedidos de depor sobre factos de que tiveram conhecimento directo por meios diferentes das declarações do arguido no decurso do processo, ainda que também as possam ter ouvido e que elas não possam ser lidas na audiência. (Ac. STJ de 24 de Fevereiro de 1993; *CJ, Acs. do STJ,* tomo 1, 202);

— É inconstitucional, por violação do art. 32.º, n.º 5, da CRP, a norma extraída com referência aos arts. 133.º, 343.º e 345.º do CPP, no sentido de que confere valor de prova às declarações proferidas por um co-arguido em prejuízo do outro co-arguido quando, a instâncias destoutro co-arguido, o primeiro se recusa a responder, no exercício do direito ao silêncio. (Ac. do Trib. Constitucional n.º 524/97, de 14 de Julho, Proc. n.º 222/97; *DR,* II série, de 27 de Novembro de 1997);

— O arguido não tem o dever de colaborar com a justiça. Mas, se ele guardar silêncio, é legítimo que o tribunal conclua que não houve arrependimento. (Ac. STJ de 5 de Fevereiro de 1998; *CJ, Acs. do STJ,* VI, tomo 1, 190);

— O arguido tem o direito de prestar declarações em qualquer momento da audiência, nos termos do art. 343.º, n.º 1, do CPP, não lhe podendo ser negado esse direito com base no disposto no art. 341.º do mesmo Código, caso pretenda usar da palavra logo que finda a inquirição de uma testemunha e apesar de haver ainda muita prova por produzir. (Ac. STJ de 8 de Abril de 1999, proc. 876/98-3.ª; *SASTJ,* n.º 30, 68);

— I — As gravações de conversas telefónicas entre o arguido e uma testemunha, tendo-se a escuta processado legalmente, são livremente apreciadas e valoradas pelo tribunal, mesmo que o arguido se remeta ao silêncio. II — Tal não colide com o direito ao silêncio do arguido, uma vez que os registos fonográficos são um meio de prova distinto das declarações do arguido. (Ac. RG de 19 de Maio de 2003, *CJ*, XXVIII, tomo 3, 299);

— I — É a posição de interessado do arguido, a par de outros intervenientes citados no art. 133.º do CPP, que dita o seu impedimento para depor como testemunha, o que significa que nada obsta a que preste declarações,

Artigo 344.º

nomeadamente para se desonerar ou atenuar a sua responsabilidade, o que acarreta que, não sendo meio proibido de prova, as declarações do co-arguido podem e devem ser valorizadas no processo, não esquecendo o tribunal a posição que ocupa quem as prestou e as razões que ditaram o impedimento deste artigo. II — O art. 133.º apenas proibe que os arguidos sejam ouvidos como testemunhas uns dos outros, mas não impede que os arguidos de uma mesma infracção possam prestar declarações no exercício desse direito que lhes assiste, e de o fazerem em qualquer momento do processo. III — O art. 344.º, n.º 3, do CPP, não prevê qualquer limitação ao exercício do direito de livre apreciação da prova resultante das declarações do arguido. (Ac. STJ de 5 de Junho de 2003, proc. n.º 976/03-5.ª; *SASTJ,* n.º 72, 66);

— I — Os arguidos estão reciprocamente impedidos de ser testemunhas, adentro do mesmo processo, em caso de co-arguição e nos limites desta, como decorre do disposto na al. *a)* do n.º 1 do art. 133.º do CPP. II — Não estão todavia, impedidos de produzir prova – *a chamada prova por declarações do arguido* mesmo no decurso da audiência de julgamento, nos termos dos arts. 140 e seguintes, como decorre, entre outros, dos arts. 343.º e 345.º do CPP. II — Porém, as declarações assim prestadas, *maxime* as que o forem em audiência de julgamento, por um ou mais dos co-arguidos, não podem validamente ser assumidas como meio de prova relativamente aos outros co- -arguidos, servindo única e exclusivamente como meio de defesa pessoal do arguido ou dos co-arguidos que as tiverem prestado. (Ac. STJ de 9 de Julho de 2003, proc. n.º 3100/02-3.ª; *SASTJ,* n.º 73, 125);

— A proibição de valoração, contra o arguido, do exercício do direito ao silêncio incide apenas sobre o silêncio que aquele optou como estratégia processual, não podendo repercutir-se na prova produzida por qualquer meio legal, designadamente a que venha a precisar e demonstrar a responabilidade criminal do arguido, revelando a falência daquela estratégia. (Ac. STJ de 13 de Setembro de 2008; *SASTJ* relativos a esse mês, pág. 2).

ARTIGO 344.º

(Confissão)

1. No caso de o arguido declarar que pretende confessar os factos que lhe são imputados, o presidente, sob pena de nulidade, pergunta- -lhe se o faz de livre vontade e fora de qualquer coacção, bem como se se propõe fazer uma confissão integral e sem reservas.

2. A confissão integral e sem reservas implica:

a) Renúncia à produção da prova relativa aos factos imputados e consequente consideração destes como provados;

b) Passagem de imediato às alegações orais e, se o arguido não dever ser absolvido por outros motivos, à determinação da sanção aplicável; e

c) Redução da taxa de justiça em metade.

Código de Processo Penal

3. Exceptuam-se do disposto no número anterior os casos em que:

a) Houver co-arguidos e não se verificar a confissão integral, sem reservas e coerente de todos eles;

b) O tribunal, em sua convicção, suspeitar do carácter livre da confissão, nomeadamente por dúvidas sobre a imputabilidade plena do arguido ou da veracidade dos factos confessados; ou

c) O crime for punível com pena de prisão superior a cinco anos.

4. Verificando-se a confissão integral e sem reservas nos casos do número anterior ou a confissão parcial ou com reservas, o tribunal decide, em sua livre convicção, se deve ter lugar e em que medida, quanto aos factos confessados, a produção da prova.

---

1. Reproduz o art. 344.º do Aproj. e corresponde ao art. 319.º do Aproj. Não havia disposições correspondentes no direito anterior.

O limite de 5 anos para a pena de prisão estabelecido na al. *c)* do n.º 3 foi fixado pela Lei n.º 59/98, de 25 de Agosto (na versão originária 3 anos), na sequência de alterações nas molduras penais do CP.

2. A Lei n.º 43/86, de 26 de Setembro (Lei de Autorização legislativa). art. 2.º, n.º 2, al. 69), determinou o estabelecimento, pelo Código, da possibilidade de a confissão total e sem reservas da culpabilidade pelo arguido — formalizada em momento inicial do julgamento em termos que não levantem dúvidas de autenticidade, e sempre que ao crime não caiba abstractamente pena de prisão superior a três anos — evitar a produção de prova, permitindo que se passe imediatamente à determinação da sanção.

Dentro destes parâmetros foi estabelecida a regulamentação do regime da confissão integral e sem reservas, constante deste artigo e que se não distancia sensivelmente da do Aproj.

3. O que neste artigo se estabelece quanto aos efeitos da confissão integral e sem reservas nos casos aqui previstos foi inspirado no direito comparado, particularmente dos Estados Unidos (guilty-plea) da Inglaterra (plea-bargaining) e em especial no da Espanha (Lei de 11 de Novembro de 1980).

O regime definido para a confissão, neste e em outros artigos do Código, assenta no pressuposto de que já se não justifica a desconfiança com que era encarada pelo direito anterior, fruto de excessos do regime inquisitório que, encontrando na confissão a rainha das provas, para a sua obtenção canalizava todos os esforços processuais sem respeito por um mínimo de lealdade processual e de contraditoriedade, o que conduziu à utilização abusiva de meios desrespeitadores de direitos fundamentais, e mesmo de meios violentos.

Esses tempos históricos pareceram definitivamente encerrados, e por isso não se viu razão para que se mantivessem restrições do direito anterior relativamente ao valor da confissão, onde lhe era retirado efeito probatório.

Artigo 344.º

4. Perante a declaração feita pelo arguido no início do julgamento, em caso não exceptuado pelo n.º 3, de que pretende confessar os factos que lhe são imputados, o tribunal assegura-se, nos termos da 2.ª parte do n.º 1, de que se trata de uma confissão *integral* e *sem reservas*.

Para o efeito, deve considerar-se *confissão integral* aquela que abrange todos os factos imputados, e *confissão sem reservas* aquela que não acrescenta novos factos susceptíveis de dar aos imputados um tratamento diferente do pretendido (ex. confissão dos factos da acusação integradores de ofensas corporais, mas com acrescentamento de novos factos configurativos de uma legítima defesa).

Sendo caso de confissão integral e sem reservas, aplicar-se-á imediatamente o regime do n.º 2. Sendo caso de confissão parcial ou com reservas, e dada a infinidade de variações que pode configurar, o tribunal terá que ponderar a situação, como se estabelece no n.º 4. Como resultado dessa ponderação, o tribunal poderá decidir prosseguir no julgamento como se não tivesse havido qualquer confissão; produzir prova só quanto a algum ou alguns dos factos; e até mesmo considerar, para o efeito, a confissão integral e sem reservas (este último caso só na hipótese de os factos não confessados ou as reservas não terem relevância para a decisão).

5. Questão que pode pôr-se a propósito deste artigo é a de saber quando deve ser feita a declaração do arguido de que pretende confessar os factos que lhe são imputados, para que essa confissão tenha os efeitos previstos neste artigo.

Embora o artigo não seja explícito, entendemos que essa declaração, para o efeito, terá que ser feita nas declarações iniciais da audiência. Embora lhe seja lícito prestar declarações em qualquer momento da audiência (art. 343.º, n.º 1), o arguido terá que aproveitar, para o efeito, as primeiras declarações que presta. Foi isto o que se estabeleceu na Lei de Autorização legislativa (ver supra, n.º 2). A declaração prestada em momento posterior pode não ter qualquer interesse processual e resultar até da evidência da prova já produzida. Não poupa actividade processual e não justificaria o relevante benefício de ordem fiscal concedido pela al. *c)* do n.º 2, que tem como razões subjacentes não só criar incentivos à confissão mas também a constatação de uma menor actividade processual nos casos de confissão inicial. Sucede ainda que a colocação do artigo nas disposições cimeiras do Capítulo sobre a produção da prova, seguidamente ao artigo que trata, na generalidade, das declarações do arguido, sugere precisamente esta solução.

6. Outra questão que se pode pôr é a de saber se a confissão, para que tenha o valor probatório que este artigo lhe reconhece, deve ser reduzida a escrito, quer na contestação ou em requerimento do arguido, quer na própria acta. Sobre este ponto afigura-se-nos que a confissão terá que ficar documentada no processo, segundo as regras gerais.

Veja se a exposição de Robalo Cordeiro, *Jornadas de Direito Processual Penal,* 311.

7. *Jurisprudência:*
— A confissão, salvo nos casos do art. 344.º do CPP, é um elemento de prova a apreciar livremente pelo tribunal e que pode ser contrariado por outros

Código de Processo Penal

elementos de prova produzidos no processo. (Ac. STJ de 3 de Abril de 1991; Proc. 41 612/3.ª);

— I — Quer na hipótese de confissão integral e sem reservas — com ou sem verificação dos óbices descritos no n.º 3 do art. 344.º do CPP — quer no caso de confissão parcial ou com reservas, o tribunal mantém intacta a sua liberdade de apreciação e, consequentemente, pode admitir ou não a confissão. II — E, assim, a confissão do arguido, msmo no caso de ser admitida, não impede necessariamente a produção de prova em audiência, mormente no que concerne à prova da defesa para o efeito da escolha e da medida da reacção criminal a aplicar. (Ac. STJ de 9 de Outubro de 1991; *BMJ*, 410, 591);

— I — Nos termos do art. 344.º do CPP, são prescritos dois regimes diferentes para a confissão: *a)* Se há confissão integral e sem reservas de crime punível com pena de prisão não superior a três anos, verifica-se automática renúncia à produção de prova, os factos consideram-se provados, passa-se à fase oral do julgamento e determinação da sanção aplicável e há redução da taxa de justiça a metade; *b)* Nos outros casos — confissão integral de crime punível com pena de prisão superior a 3 anos, confissão não integral ou com reservas ou incoerente ou a criar dúvidas quanto à seriedade ou veracidade ou sobre a integridade mental do arguido — não há redução da taxa de justiça e há necessidade de decisão do tribunal sobre se, e em que medida, deve ter lugar a produção da prova. II — Por isso, se o tribunal aceita a confissão que se diz integral e sem reservas, não pode absolver o arguido por falta de prova suficiente; se a não aceita, tem de deliberar sobre a necessidade de serem ou não produzidas mais provas, sob pena de omitir diligências indispensáveis para o apuramento da verdade. (Ac. STJ de 20 de Outubro de 1994; *CJ, Acs. do STJ*, II, tomo 3, 217);

— A circunstância de um arguido confessar em audiência de julgamento os factos constantes da acusação não implica necessariamente a condenação pela prática do crime imputado. Basta, por exemplo que, não se perfilhando a qualificação jurídica dos factos, se conclua pela inexistência de ilícito penal, ou que esclarecimentos complementares recolhidos na audiência levem a concluir pela não verificação do crime. (Ac. RC de 30 de Junho de 1993; *BMJ*, 428, 705);

— I — Feita uma confissão que se diz integral e sem reservas, se a pena abstractamente aplicável atinge um máximo de 8 anos de prisão, o tribunal é livre para decidir se aceita a confissão como prova plena e suficiente da matéria da acusação ou se deve ter lugar a produção de prova, negando à confissão aquele valor. II — Tendo considerado logo após a confissão provados os factos por meio de confissão do arguido, não pode depois considerar o contrário *sponte sua*, pois o seu poder jurisdicional esgotara-se, em tal matéria. III — Se assim considerar, o julgamento deve ser anulado, por violação do caso julgado, devendo proceder-se à repetição do julgamento, no mesmo tribunal e, se possível, com a intervenção dos mesmos juízes. (Ac. STJ de 18 de Dezembro de 1996; *CJ, Acs. do STJ*, IV, tomo 3, 212);

— I — Não resulta do art. 344.º do CPP que não podem ser valoradas as declarações de um co-arguido quando haja co-arguidos que não confessaram integralmente e sem reservas. O que o n.º 3 desse dispositivo afasta é a força probatória pleníssima, e não todo e qualquer valor probatório e as consequências que o n.º 2 estabelece para a confissão integral e sem reservas.

Artigo 345.º

II — Sendo os crimes puníveis com pena superior a 3 anos e existindo co-arguidos que não confessaram integralmente e sem reservas, as declarações de um arguido constituem um meio de prova válido, a apreciar livremente pelo Tribunal. (Ac. STJ de 19 de Dezembro de 1996; *CJ, Acs. do STJ,* IV, tomo 3, 214);

— No caso de confissão integral e sem reservas dos factos imputados na acusação que integrem pena superior a 5 anos de prisão, o art. 344.º do CPP não proíbe a dispensa de produção de prova quanto aos factos confessados, mas apenas estabelece que tal confissão não a implica necessariamente, cabendo ao tribunal decidir, em sua livre convicção, sobre se, e em que medida, relativamente a esses factos, deve ter lugar a produção de prova. (Ac. STJ de 6 de Janeiro de 1999, proc. 1304/98-3.ª; *SASTJ,* n.º 27, 65);

— Não são inconstitucionais os arts. 99.º, n.ᵒˢ 2 e 3, al. *d)*; 362.º, al. *e)* e 344.º, n.º 4, do CPP, na redacção anterior à Lei n.º 59/98, de 25 de Agosto, quando interpretados no sentido de considerar não obrigatória a menção na acta de audiência de julgamento à confissão do arguido, nomeadamente quando essa confissão seja valorada para fundamentar uma decisão condenatória. (Ac. do Trib. Constitucional n.º 288/99, de 12 de Maio, proc. n.º 125/99; *DR,* II série, de 22 de Outubro de 1999);

— I — A natureza indivisível da confissão integral e sem reservas (art. 344.º do CPP) — que levou à dispensa de produção de prova — não permite que sejam julgados não provocados factos que vieram ao processo por via daquelas declarações ou da contestação. II — Não explicando o tribunal porque é que considera provados alguns factos, com base naquela confissão, e como não provados outros que, invocados na contestação, não consta que tenham sido repelidos pela confissão, ocorre erro notório na apreciação da prova. (Ac. STJ de 26 de Janeiro de 2005, proc. 3201/04-3.ª; *SASTJ,* n.º 87, 105).

ARTIGO 345.º

(Perguntas sobre os factos)

1. Se o arguido se dispuser a prestar declarações, cada um dos juízes e dos jurados pode fazer lhe perguntas sobre os factos que lhe sejam imputados e solicitar-lhe esclarecimentos sobre as declarações prestadas. O arguido pode, espontaneamente ou a recomendação do defensor, recusar a resposta a alguma ou a todas as perguntas, sem que isso o possa desfavorecer.

2. O Ministério Público, o advogado do assistente e o defensor podem solicitar ao presidente que formule ao arguido perguntas, nos termos do número anterior.

3. Podem ser mostrados ao arguido quaisquer pessoas, documentos ou objectos relacionados com o tema da prova, bem como peças anteriores do processo, sem prejuízo do disposto nos artigos 356.º e 357.º.

4. Não podem valer como meio de prova as declarações de um co--arguido em prejuízo de outro co-arguido quando o declarante se recusar a responder às perguntas formuladas nos termos dos n.ᵒˢ 1 e 2.

Código de Processo Penal

1. Os três primeiros números deste artigo reproduzem o art. 345.º do Proj. e correspondem aos arts. 321.º do Aproj. e 425.º e 426.º do CPP de 1929. O n.º 4 foi introduzido pela Lei n.º 48/2007, de 29 de Agosto e consagra a orientação predominantemente seguida pela jurisprudência, incluindo a do Trib. Constitucional.

2. Não existe alteração significativa relativamente ao regime anterior. Embora assim já devesse ser entendido, clarificou-se agora que é permitida interferência do defensor para o efeito de recomendar ao arguido que se recuse a responder a alguma ou a algumas das perguntas. Em tudo o mais, não é permitida qualquer interferência nas declarações do arguido (cfr. art. 343.º, n.º 5).

3. Sobre o valor das declarações do arguido como meio de prova em julgamento, relativamente a ele e a co-arguidos, versou, dentre outros em sentido idêntico, o extenso e elucidativo ac. STJ de 12 de Março de 2008, proc. n.º 694/08-3.ª, cujas conclusões, insertas nos *SASTJ* relativos a esse mês, págs. 18-19, são do seguinte teor:
I – Se, após ter anulado um meio de prova – as declarações de um co-arguido –, o acórdão da Relação consegue segmentar a concreta relevância probatória do depoimento em causa, o reenvio dos autos à instância não tem qualquer justificação. II — As declarações de co-arguido, sendo um meio de prova legal, cuja admissibilidade se inscreve no art. 125.º do CPP, podem e devem ser valoradas no processo. III — Questão diversa é a da credibilidade desses depoimentos, mas essa análise só em concreto e face às circunstâncias em que os mesmos são produzidos, pode ser realizada. IV — Por isso, dizer em abstracto e genericamente que o depoimento do co-arguido só é válido se for acompanhado de outro meio de prova é uma subversão das regras da produção de prova, sem qualquer apoio na letra ou espírito da lei. V — A admissibilidade como meio de prova do depoimento de co-arguido, em relação aos demais co-arguidos, não colide minimamente com o catálogo de direitos que integram o estatuto inerente àquela situação, mostrando-se adequada à prossecução de legítimos e relevantes objectivos de política criminal, nomeadamente no que toca à luta contra a criminalidade organizada. VI – O direito ao silêncio não pode ser valorado contra o arguido. Porém, a proibição de valoração incide apenas sobre o silêncio que o arguido adoptou como estratégia processual, não podendo repercutir-se na prova produzida por qualquer meio legal, designadamente a que venha a precisar e demonstar a responsabilidade criminal do arguido, relevando a falência daquela estratégia. VII —Inexiste no nosso ordenamento jurídico um direito a mentir, a lei admite, simplesmente, ser inexigível dos arguidos o cumprimento do dever de verdade. Contudo, uma coisa é a inexigibilidade do cumprimento do dever de verdade e outra é a inscrição de um direito do arguido a mentir, inadmissível num Estado de Direito. VIII — É evidente que, tal como em relação ao depoimento da vítima, é preciso ser muito cauteloso no momento de pronunciar uma condenação baseada somente nas declarações do co-arguido, porque este pode ser impulsionado por razões aparentemente suspeitas, tal como o anseio de obter um trato policial ou judicial favorável, o ânimo de vingança, o ódio ou ressentimento, ou o interesse em auto-exculpar-se mediante a incriminação de outro ou outros acusados. IX — Por isso, para dissipar qualquer

Artigo 345.º

dessas suspeitas objectivas, é razoável que o co-arguido transmita algum dado externo que corrobore objectivamente a sua manifestação incriminatória, com o que deixará de ser uma imputação meramente verbal para se converter numa declaração objectivada e superadora de um eventual défice de credibilidade inicial. Não se trata de criar, à partida e em termos abstractos, uma exigência adicional ao depoimento do co-arguido quando este incrimine os restantes, antes de uma questão de fiabilidade. X — A credibilidade do depoimento incriminatório do co-arguido está na razão directa da ausência de motivos de incredibilidade subjectiva, o que, na maioria dos casos, se reconduz à inexistência de motivos espúrios e à existência de uma auto-inculpação. XI — O TC e o STJ já se pronunciaram no sentido de estar vedado ao tribunal valorar as declarações de um co-arguido, proferidas em prejuízo de outro, quando, a instâncias deste, o primeiro se recusa a responder, no exercício do direito ao silêncio (cf. Acs. do TC n.º 524/97, de 14-07-1997, DR II, de 27-11-1997, e do STJ de 25-02-1999, CJSTJ, VII, tomo 1, pág. 229). XII — E é exactamente esse o sentido da alteração introduzida pelo n.º 4 do art. 345.º do CPP quando proíbe a utilização, como meio de prova, das declarações de um co-arguido em prejuízo de outro nos casos em que aquele se recusar a responder às perguntas que lhe forem feitas pelo juiz ou jurados ou pelo presidente do tribunal a instâncias do Ministério Público, do advogado, do assistente ou do defensor oficioso. XIII — Tal como quando é exercido o direito ao silêncio, as declarações incriminadoras de co-arguido continuam a valer como prova quando o incriminado está ausente. XIV — Na verdade, tal ausência não afecta o direito ao contraditório — que, na fase de julgamento, onde pontifica a oralidade e imediação, pressupõe a possibilidade de o arguido, por intermédio do seu defensor, sugerir as perguntas necessárias para aquilatar da credibilidade do depoimento que se presta e informá-lo caso se mostre adequado –, pois estando presente o defensor do arguido o mesmo pode e deve exercer o contraditório sobre os meios de prova produzidos (arts. 63.º e 345.º do CPP). XV — Questão distinta seria a da recusa do mesmo co-arguido a depor sobre perguntas formuladas pelo tribunal e sugeridas pelo defensor ou pelo MP. XVI — O crime base de tráfico de estupefacientes, tipificado no art. 21.º do DL 15/93, de 22-01, está delineado para assumir uma função de defesa social ou protecção da comunidade perante a actividade de tráfico de mediana dimensão, utilizando recursos e propondo meios e objectivos que não apresentam grande traço de dissemelhança perante o perfil que apresenta, normalmente, a patologia criminal deste tipo. XVII — A agravação supõe, pelo contrário, uma exasperação do grau de ilicitude já definido e delimitado na muito ampla dimensão dos tipos base – os arts. 21.º, 22.º e 23.º do referido diploma –, e, consequentemente, uma dimensão que, referenciada pelos elementos específicos da descrição das circunstâncias, revele um *quid* específico que introduza uma medida especialmente forte do grau de ilicitude que ultrapasse consideravelmente o círculo base das descrições tipo. A forma agravada há-de ter, assim, uma dimensão que, segundo considerações objectivas, extravase o modelo, o espaço e o grau de ilicitude própria dos tipos base. XVIII — No caso concreto considerou-se provado que a quantia de PTE 69 565 000$00 – valores que foram determinados num momento temporal já distante (ano de 2000) e cuja equivalência em euros teria de ter em atenção a desvalorização da moeda – era proveniente da actividade de tráfico exercida pelo arguido em conjunção com

Código de Processo Penal

outros arguidos. Tal facto por si só, e independentemente de outras considerações sobre as restantes quantias e droga apreendidas, dá uma ideia clara de que a actividade ilícita exercida pelo arguido se situa num patamar superior e muito distante de uma organização de modesta ou mediana dimensão, apontando para operações ou «negócios» de grande tráfico, longe, por regra, das configurações da escala de base típicas e próprias do «*dealer* de rua» urbano e suburbano ou do seu sucedâneo no espaço rural. A quantia em causa assume uma dimensão que se caracteriza pela excepcionalidade e grandeza que é pressuposto do funcionamento da qualificativa da al. *c)* do art. 24.º do DL 15/93, de 22-01.

4. *Jurisprudência:*
Ver anot. anterior;
— I — Nada impede que um arguido preste declarações sobre factos de que possua conhecimento directo e que constituam objecto de prova, ou seja, tanto sobre factos que só a ele digam directamente respeito, como sobre factos que também respeitem a outros arguidos. II — As declarações de um co-arguido são meios de prova, e como tal o Tribunal pode valorá-las para fundar a sua convicção acerca dos factos que deu como provados. III — O interrogatório visa o esclarecimento da verdade, e sendo dever do Tribunal perseguir a verdade material, não lhe pode ser coartada a possibilidade de apreciar e valorar essas declarações de acordo com as regras da experiência comum e da lógica do homem médio suposto pela ordem jurídica. (Ac. STJ de 19 de Dezembro de 1996; *CJ, Acs. do STJ,* IV, tomo 3, 214);
— É inconstitucional, por violação do art. 32.º, n.º 5, da CRP, a norma extraída com referência aos arts. 133.º, 343.º e 345.º do CPP, no sentido em que confere valor de prova às declarações proferidas por um co-arguido em prejuízo de outro co-arguido quando, a instâncias destoutro co-arguido, o primeiro se recusa a responder, no exercício do direito ao silêncio. (Ac. do Trib. Constitucional n.º 524/97, de 14 de Julho, Proc. n.º 222/97; *DR,* II série, de 27 de Novembro de 1997);
— I — O art. 345.º do CPP não proíbe que o tribunal formule a sua convicção acerca da responsabilidade de um arguido a partir das declarações prestadas por outro. II — O defensor do co-arguido não pode ser impedido de solicitar ao presidente do tribunal que formule ao arguido perguntas de esclarecimento complementares quando possa ser afectado ou prejudicado pelas declarações prestadas por este último. III — Tendo um arguido a possibilidade de não responder às perguntas formuladas pelo tribunal, nunca daí poderá resultar prejuízo para o exercício do direito de defesa de outro co-arguido, o que envolve a consequência de que a declaração proferida por quem depois se recusou a esclarecê-la perde o seu valor probatório contra quem é por ele visado e que merece tanta protecção como o direito do arguido ao silêncio. (Ac. STJ de 21 de Abril de 1999, proc. 107/99-3.ª; *SASTJ,* n.º 30, 78);
— Sob pena de inconstitucionalidade do art. 345.º, n.º 2, do CPP, o defensor de arguido prejudicado ou afectado por declarações produzidas por co-arguido não pode ser impedido de solicitar a formulação de perguntas de esclarecimento que entender necessárias, independentemente da reacção que o arguido incriminado entenda manifestar. (Ac. STJ de 20 de Junho de 2001, proc. n.º 1559/01-3.ª; *SASTJ,* n.º 52, 46 e *CJ, Acs. STJ,* IX, tomo 2, 230);

Artigo 347.º

— I — As declarações de um co-arguido em desfavor do outro podem constituir meio de prova, se bem que merecedoras de especial atenção, já que podem estar subjacentes interesses de descarga ou alívio de responsabilidade e /ou de imputação a outrem animosidades ou outras circunstâncias que afectam a sua isenção. II — O advogado do co-arguido desfavorecido pelas declarações de outro co-arguido, no uso dos poderes do contraditório, pode fazer-lhe perguntas e pedir esclarecimentos, nos termos do art. 345, n.ºs 1 e 2, do CPP, sem prejuízo da faculdade de recusa de resposta aí prevista. (Ac. STJ de 20 de Setembro de 2001, proc. n.º 1287/01-3.ª; *SASTJ*, n.º 53, 66).

ARTIGO 346.º
(Declarações do assistente)

1. Podem ser tomadas declarações ao assistente, mediante perguntas formuladas por qualquer dos juízes e dos jurados ou pelo presidente, a solicitação do Ministério Público, do defensor ou dos advogados das partes civis ou do assistente.

2. É correspondentemente aplicável o disposto no artigo 145.º, n.ºs 2 e 4, e no n.º 3 do artigo anterior.

---

1. Reproduz o art. 346.º do Proj. Corresponde aos arts. 324.º e 325.º do Aproj. e 428.º e 429.º do CPP de 1929.

2. Não existe alteração significativa relativamente ao regime anterior. Da colocação deste artigo e do que no art. 341.º se dispõe deduz-se agora com clareza que, como já era prática do regime anterior, as declarações do assistente, do ofendido e das partes civis devem ser tomadas, na audiência, logo a seguir às declarações do arguido.

3. O assistente, contrariamente ao que sucede com o arguido, tem o dever de prestar declarações, se lhe forem solicitadas, sobre o objecto do processo, incorrendo em responsabilidade penal nos casos de recusa (desobediência) e de faltar à verdade (falsas declarações).

ARTIGO 347.º
(Declarações das partes civis)

1. Ao responsável civil e ao lesado podem ser tomadas declarações, mediante perguntas formuladas por qualquer dos juízes ou dos jurados ou pelo presidente, a solicitação do Ministério Público, do defensor ou dos advogados do assistente ou das partes civis.

2. É correspondentemente aplicável o disposto no artigo 145.º, n.ºs 2 e 4, e no artigo 345.º, n.º 3.

Código de Processo Penal

1. Reproduz o art. 347.º do Proj. e corresponde aos arts. 324.º e 325.º do Aproj. e 428.º e 429.º do CPP de 1929.

2. Vejam-se as anots. ao artigo anterior, aqui aplicáveis, *mutatis mutandis*. Também o responsável civil e o lesado têm o dever de prestar declarações na audiência, se lhes forem solicitadas, sobre o objecto do processo, e incorrem em responsabilidade penal se se recusarem a prestá-las e se faltarem ao dever de verdade.

3. *Jurisprudência:*
— O n.º 2 do art. 347.º do CPP não exige a transcrição dos depoimentos das testemunhas ou das declarações do arguido. (Ac. STJ de 15 de Janeiro de 2003, proc. n.º 2129/02-3.ª; *SASTJ*, n.º 67, 69).

ARTIGO 348.º

(Inquirição das testemunhas)

1. À produção da prova testemunhal na audiência são correspondentemente aplicáveis as disposições gerais sobre aquele meio de prova, em tudo o que não for contrariado pelo disposto neste capítulo.

2. As testemunhas são inquiridas, uma após outra, pela ordem por que foram indicadas, salvo se o presidente, por fundado motivo, dispuser de outra maneira.

3. O presidente pergunta à testemunha pela sua identificação, pelas suas relações pessoais, familiares e profissionais com os participantes e pelo seu interesse na causa, de tudo se fazendo menção na acta.

4. Seguidamente a testemunha é inquirida por quem a indicou, sendo depois sujeita a contra-interrogatório. Quando neste forem suscitadas questões não levantadas no interrogatório directo, quem tiver indicado a testemunha pode reinquiri-la sobre aquelas questões, podendo seguir-se novo contra-interrogatório com o mesmo âmbito.

5. Os juízes e os jurados podem, a qualquer momento, formular à testemunha as perguntas que entenderem necessárias para esclarecimento do depoimento prestado e para boa decisão da causa.

6. Mediante autorização do presidente, podem as testemunhas indicadas por um co-arguido ser inquiridas pelo defensor de outro co-arguido.

7. É correspondentemente aplicável o disposto no artigo 345.º, n.º 3.

---

1. Os n.ᵒˢ 1 a 6 reproduzem o art. 348.º do Proj. e correspondem aos arts. 326.º do Aproj. e 430.º do CPP de 1929.

Artigo 348.º

O n.º 7 foi introduzido pela Lei n.º 59/98, de 25 de Agosto, não representando, em nosso entendimento, qualquer inovação, por já assim dever ser entendido face a outros dispositivos gerais sobre produção de prova.

2. Após a disposição do n.º 1, remetendo para as disposições gerais sobre a prova testemunhal em tudo o que se não dispuser nas normas especiais deste capítulo, estabelecem-se nos n.ᵒˢ 2 a 6 preceitos que rectificam o direito anterior ou que colmatam omissões que nele se verificavam. Contudo, no essencial, manteve-se o sistema que anteriormente vigorava quanto à inquirição de testemunhas na audiência de julgamento. Designadamente, não se evoluiu para um sistema marcadamente acusatório e de passividade judicial, porque se entendeu que isso prejudicaria uma correcta incidência do princípio da investigação.

As testemunhas são inquiridas, em primeiro lugar, por quem as indicou, e o interrogatório cruzado é feito pela parte contrária, tudo nos termos do n.º 4. Mas — e aqui se faz a correcta incidência do princípio da investigação —, os juízes e os jurados podem, a qualquer momento, formular às testemunhas as perguntas que entenderem necessárias.

Sobre estes pontos, cfr. Figueiredo Dias, *Para Uma Reforma Global do Processo Penal Português,* 30-31 e Germano Marques da Silva, *Curso de Processo Penal,* 2.ª ed., III, 244-252.

3. O n.º 6 exige uma interpretação atenta, pois afigura-se-nos que visa apenas completar o depoimento prestado pela testemunha, e não desacreditá-la ou obter uma nova perspectiva dos factos sobre que depôs, referindo-se este dispositivo somente àquelas situações em que os co-arguidos têm interesses comuns. Quando não há interesses comuns dos co-arguidos, as testemunhas arroladas por um deles podem sempre ser contra-interrogadas pelos outros; sem assim não for ficará violado o princípio do contraditório. Neste sentido, Prof. G. Marques da Silva, *loc. cit.,* 246-247.

4. A inquirição de testemunhas sobre factos relativos à personalidade e ao carácter do arguido, bem como às suas condições pessoais e à sua conduta anterior, ou seja das vulgarmente designadas *testemunhas do bom comportamento* em regra só é permitida a propósito da determinação da pena (*césure,* cfr. art. 369.°). Porém a lei abre aqui, no art. 128.°, n.° 2, tão amplas excepções que a regra a bem pouco ficou reduzida, pois é aplicável, *mutatis mutandis,* o art. 128.°, n.° 2;

5. A Lei n.º 93/99, de 14 de Julho, trancrita no final desta obra, regulou a aplicação de medidas para protecção de testemunhas em processo penal, quando a sua vida, integridade física ou psíquica, liberdade ou bens pessoais de valor consideravelmente elevado sejam postos em perigo por causa do seu contributo para a prova dos factos que constituem objecto de processo. Este regime especial de protecção de testemunhas implica alterações na produção da prova testemunhal, nomeadamente pela ocultação da imagem ou com distorção da voz ou de ambas, de modo a evitar-se o reconhecimento da testemunha e pelo recurso a teleconferência.

Nenhuma decisão condenatória poderá fundar-se, exclusivamente ou de modo decisivo, em depoimento ou declarações produzidos por uma ou mais testemunhas cuja identidade não foi revelada.

Código de Processo Penal

6. *Jurisprudência:*
— I — A realização do contra-interrogatório a que se refere o n.º 4 do art. 348.º do CPP pressupõe obviamente a presença da testemunha na audiência, o que não se verifica quando aquela seja ouvida por deprecada. II — Quando a parte teve, no decurso do processo, oportunidades para exercer o contraditório sobre tal depoimento, sem que tenha feito qualquer reparo, não pode invocar qualquer invalidade, e muito menos qualquer nulidade insanável. (Ac. STJ de 8 de Dezembro de 1996; *BMJ*, 462, 310);
— O art. 348.º, n.º 2, do CPP, embora estabeleça uma certa ordem para a inquirição das testemunhas, que em princípio deverá ser respeitada, confere ao presidente do tribunal o poder discricionário de, concorrendo motivo fundado, a alterar ou modificar. (Ac. STJ de 28 de Janeiro de 1999, proc. 1296/98-3.ª; *SASTJ*, n.º 27, 86).

ARTIGO 349.º

(Testemunhas menores de dezasseis anos)

A inquirição de testemunhas menores de dezasseis anos é levada a cabo apenas pelo presidente. Finda ela, os outros juízes, os jurados, o Ministério Público, o defensor e os advogados do assistente e das partes civis podem pedir ao presidente que formule à testemunha perguntas adicionais.

---

1. Reproduz o art. 349.º do Proj. Não havia disposição correspondente no direito anterior.

2. Este artigo estabelece um regime de excepção, relativamente ao regime geral de inquirição de testemunhas na audiência, dos n.os 4, 5 e 6 do art. 348.º. Este regime de excepção foi estabelecido em atenção a uma presumível pouca maturidade da testemunha. Foram, em todo o caso, tomadas no segundo período do texto do artigo as necessárias medidas para de algum modo garantir o funcionamento do princípio contraditório e um interrogatório cruzado, embora indirectamente.

3. *Jurisprudência:*
— A inquirição de testemunhas menores de 16 anos deve ser feita só pelo presidente do tribunal, e sempre por ele, constituindo a violação desta regra uma simples irregularidade – Arts. 118.º, n.º 2 e 123.º do CPP – a arguir em momento próprio, sob pena de sanação. (Ac. STJ de 28 de Maio de 2003, proc. n.º 391/03; *CJ, Acs. do STJ*, ano XI, tomo 2, 194).

ARTIGO 350.º

(Declarações de peritos e consultores técnicos)

1. As declarações de peritos e consultores técnicos são tomadas pelo presidente, a quem os outros juízes, os jurados, o Ministério Público, o defensor e os advogados do assistente e das partes civis

Artigo 351.º

podem sugerir quaisquer pedidos de esclarecimento ou perguntas úteis para a boa decisão da causa.

2. Durante a prestação de declarações, os peritos e consultores podem, com autorização do presidente, consultar notas, documentos ou elementos bibliográficos, bem como servir-se dos instrumentos técnicos de que careçam, sendo-lhes ainda correspondentemente aplicável o disposto no artigo 345.º, n.º 3.

3. Os peritos dos estabelecimentos, laboratórios ou serviços oficiais são ouvidos por teleconferência a partir do seu local de trabalho, sempre que tal seja tecnicamente possível, sendo tão-só necessária a notificação do dia e da hora a que se procederá à sua audição.

Com excepção da parte final do n.º 2: *sendo-lhes ainda correspondentemente aplicável o disposto no artigo 345.º, n.º 3,* que foi introduzida pela Lei n.º 59/98, de 25 de Agosto, os n.ºs 1 e 2 reproduzem o art. 350.º do Proj. e correspondem aos arts. 331.º do Aproj. e 440.º do CPP de 1929.

O aludido aditamento não representou, em nosso entendimento, qualquer inovação, por já assim dever ser entendido face a outros dispositivos gerais sobre produção de prova.

O n.º 3 foi introduzido pelo Dec.-Lei n.º 320-C/2000, de 15 de Dezembro, em virtude do progressivo equipamento dos tribunais de meios técnicos que permitem o recurso a telecomunicações em tempo real, como se pondera na exposição de motivos da Proposta de lei n.º 41/VIII.

ARTIGO 351.º

(Perícia sobre o estado psíquico do arguido)

1. Quando na audiência se suscitar fundadamente a questão da inimputabilidade do arguido, o presidente, oficiosamente ou a requerimento, ordena a comparência de um perito para se pronunciar sobre o estado psíquico daquele.

2. O tribunal pode também ordenar a comparência do perito quando na audiência se suscitar fundadamente a questão da imputabilidade diminuída do arguido.

3. Em casos justificados, pode o tribunal requisitar a perícia a estabelecimento especializado.

4. Se o perito não tiver ainda examinado o arguido ou a perícia for requisitada a estabelecimento especializado, o tribunal, para o efeito interrompe a audiência ou, se for absolutamente indispensável, adia-a.

---

1. Reproduz o art. 351.º do Proj. Não havia, para a audiência, disposição correspondente no direito anterior, pois que perante o CPP de 1929 o exame para determinar o estado psíquico do arguido era regulado nas disposições

Código de Processo Penal

gerais sobre alienação mental do réu, dos arts. 125.º e segs., e processado por apenso.

2. Como se patenteia, a perícia sobre o estado psíquico do arguido é realizada em termos extremamente simplificados, relativamente ao regime anterior, dos arts. 125.º e segs. do CPP de 1929. A Lei de Autorização legislativa, art. 6.º, n.º 1. al. *c)* determinou a elaboração de um diploma sobre o regime das perícias médico-legais, que veio efectivamente a ser promulgado pelo Dec.-Lei n.º 387-C/87, de 29 de Dezembro, e posteriormente pelo Dec.-Lei n.º 11/98, de 24 de Janeiro e pela Lei n.º 45/2004, de 10 de Agosto, diploma que revogou os arts. 40.º a 49.º do Dec.-Lei 11/98, e estabeleceu o novo regime das perícias médico-legais e forenses.

3. *Jurisprudência:*

— I — O tribunal é obrigado, quando na audiência se suscitar fundadamente a questão de inimputabilidade do arguido, oficiosamente ou a requerimento, a ordenar a comparência de um perito para se pronunciar sobre o estado psíquico daquele. II — O tribunal pode, quando nas mesmas circunstâncias se suscitar a questão da imputabilidade diminuída do arguido, ordenar a comparência de um perito. III — Na primeira situação a comparência do arguido é obrigatória, e na segunda trata-se de uma diligência facultativa. IV — É que na primeira hipótese achamo-nos perante uma circunstância grave, na medida em que pode implicar irresponsabilidade penal do arguido, enquanto que na segunda apenas se mostra em jogo uma imputabilidade diminuída do agente, situação muito menos relevante e que facilmente se pode constatar através de quaisquer outros meios de prova. (Ac. STJ de 22 de Março de 1989; *AJ,* n.º 3, 8);

— Não pode o tribunal considerar que a arguida era uma psicopata insegura sem haver ordenado e ser realizada perícia sobre o seu estado psíquico. (Ac. STJ de 9 de Maio de 1990; *AJ,* n.º 9, 5). *Nota* — Afigura-se-nos muito duvidosa esta orientação, da qual discordamos, e que denota até divergência da que foi seguida no acórdão anteriormente sumariado. O caso enquadra-se no n.º 2, em que a perícia não é obrigatória, porque as psicopatias são em regra casos de imputabilidade diminuída;

— I — Mesmo no caso de haver confissão integral e sem reservas, se o tribunal tiver dúvidas sobre a imputabilidade do arguido, deve ordenar o cumprimento do art. 351.º, n.º 1, do CPP, ou seja, ordenar a comparência de um perito para se pronunciar sobre o estado psíquico. II — Existem essas dúvidas justificadas quando o tribunal conclui que o arguido caminha a passos largos para a loucura. III — Não tendo sido dado cumprimento ao art. 351.º, n.º 1, deve o processo ser reenviado, relativamente à questão da imputabilidade. (Ac. STJ de 7 de Julho de 1994, proc. 45765/3.ª);

— Flui do art. 351.º, n.ºs 1 e 2 do CPP, que quando se suscitar, fundadamente, a questão da inimputabilidade, ou da imputabilidade diminuída do arguido, a perícia sobre o seu estado psíquico só é obrigatória no primeiro caso. (Ac. STJ de 14 de Abril de 1999, proc. 729/98-3.ª; *SASTJ,* n.º 30, 72).

ARTIGO 352.º
(Afastamento do arguido durante a prestação de declarações)

1. O tribunal ordena o afastamento do arguido da sala de audiência, durante a prestação de declarações, se:

   a) Houver razões para crer que a presença do arguido inibiria o declarante de dizer a verdade;

   b) O declarante for menor de dezasseis anos e houver razões para crer que a sua audição na presença do arguido poderia prejudicá-lo gravemente; ou

   c) Dever ser ouvido um perito e houver razão para crer que a sua audição na presença do arguido poderia prejudicar gravemente a integridade física ou psíquica deste.

2. Salvo na hipótese da alínea *c)* do número anterior, é correspondentemente aplicável o disposto no artigo 332.º, n.º 7.

---

1. Reproduz o art. 352.º do Proj. Não havia disposições correspondentes no direito anterior.

2. Trata-se de disposições destinadas a garantir a liberdade na prestação das declarações e a genuidade destas, sem afectação da garantias da defesa e do princípio do contraditório, que ficam garantidos pela norma do n.º 2.

Estas derrogações ao direito de presença do arguido são perfeitamente admissíveis, porque tal direito não é absoluto e admite restrições (cfr. Figueiredo Dias, *Direito Processual Penal,* vol. 1.º, 431 e segs.).

ARTIGO 353.º
(Dispensa de testemunhas e outros declarantes)

1. As testemunhas, os peritos, o assistente e as partes civis só podem abandonar o local da audiência por ordem ou com autorização do presidente.

2. A autorização é denegada sempre que houver razões para crer que a presença pode ser útil à descoberta da verdade.

3. O Ministério Público, o defensor e os advogados do assistente e das partes civis são ouvidos sobre a ordem ou a autorização.

---

1. Reproduz o art. 353.º do Proj. e corresponde aos arts. 332.º do Aproj. e 441.º do CPP de 1929.

2. Este artigo intitula-se *dispensa de testemunhas e outros declarantes*; porém o n.º 1 omite referências aos consultores técnicos, que podem prestar declarações, assistem à realização das perícias, podem propor a realização de diligências e formular observações e objecções, como se estabelece nos arts.

Código de Processo Penal

155.º e 350.º. Estes dispositivos tratam com alguma pariedade os peritos e os consultores técnicos, por isso entendemos que também estes últimos aqui devem ter o mesmo tratamento, não podendo portanto abandonar o local da audiência sem ordem ou autorização do presidente, após terem sido ouvidos os participantes a que alude o n.º 3.

ARTIGO 354.º

(Exame no local)

O tribunal pode, quando o considerar necessário à boa decisão da causa, deslocar se ao local onde tiver ocorrido qualquer facto cuja prova se mostre essencial e convocar para o efeito os participantes processuais cuja presença entender conveniente.

---

1. Reproduz o art. 354.º do Proj. Não havia, no direito anterior, disposição correspondente expressa para a audiência de julgamento.

2. Trata-se de afloramento de comandos gerais, que não contém alteração relativamente ao direito anterior, em cujo domínio era já prática corrente a deslocação do tribunal.

3. *Jurisprudência:*
— O art. 354.º do CPP confere ao julgador uma faculdade discricionária que só a ele compete exercer e que ninguém mais pode aquilatar, uma vez que se prende com o próprio processo de formação da convicção do tribunal. Assim, compete-lhe exclusivamente decidir da essencialidade, ou não, da realização de uma qualquer diligência de prova, *v. g.* a deslocação do tribunal aos locais mencionados na acusação. (Ac. STJ de 2 de Julho de 1998, proc. n.º 555/98).

ARTIGO 355.º

(Proibição de valoração de provas)

1. Não valem em julgamento, nomeadamente para o efeito de formação da convicção do tribunal, quaisquer provas que não tiverem sido produzidas ou examinadas em audiência.
2. Ressalvam se do disposto no número anterior as provas contidas em actos processuais cuja leitura, visualização ou audição em audiência sejam permitidas, nos termos dos artigos seguintes.

---

1. Reproduz o art. 355.º do Proj. Não havia disposições expressas neste sentido no CPP de 1929. Cfr., no entanto, o art. 439.º desse diploma e as anotações a ele feitas, na 6.ª edição do nosso *Código de Processo Penal.*
O n.º 2 sofreu aditamento pela Lei n.º 48/2007, de 29 de Agosto justificado pelo aparecimento de novas tecnologias e consistente na introdução das alternativas e consistente na introdução das alternativas *visualização ou audição.*

Artigo 355.º

2. Consagram-se, neste artigo, expressamente, afloramentos do *princípio do contraditório* e da *imediação da prova*. Estes princípios vinham já sendo seguidos pela doutrina e pela jurisprudência mais autorizadas nos últimos tempos da vigência do CPP de 1929, tendo a questão ficado clarificada após a Resolução do Conselho da Revolução e o Parecer da Comissão Constitucional que serão referidas em anot. ao art. 356.º.

3. O dispositivo do n.º 2 indica que valem em julgamento, independentemente da sua leitura, visualização ou audição em audiência, as provas contidas em actos processuais cuja leitura é permitida nos termos dos artigos seguintes.

Nos termos deste dispositivo há, por exemplo que deixar bem claro que os documentos juntos ao processo não têm, em regra, que ser lidos na audiência. A leitura de documentos constantes do processo, conforme o art. 356.º, n.º 1, al. *b)*, só é, em regra, proibida quando contiver, e na medida em que contiver, declarações do arguido, do assistente, das partes civis ou de testemunhas.

Há portanto que esclarecer, pois tem reinado alguma confusão sobre este ponto, que os documentos constantes do processo se consideram produzidos em audiência independentemente de nesta ser feita a respectiva leitura, visualização ou audição, desde que se trate de caso em que esta leitura não seja proibida. Esta orientação, que sustentámos em anteriores edições, foi seguida, dentre outros, pelo ac. do Trib. Constitucional n.º 87/99, de 10 de Fevereiro, sumariado *infra*.

4. *Jurisprudência:*

— I — Não valem em julgamento, nomeadamente para o efeito de formação da convicção do tribunal, quaisquer provas que não sejam produzidas ou examinadas em audiência. II — Resultando do acórdão e da acta da audiência que o arguido não confessou os factos de que era acusado, nem sequer quis prestar declarações, remetendo-se a uma posição de absoluto silêncio mesmo depois de ter ouvido os outros co-arguidos negar a maior parte dos factos, não tem cabimento a atenuação ao abrigo do disposto no art. 31.º do Dec.-Lei n.º 430/83. (Ac. STJ de 17 de Abril de 1991; Proc. 421 356/3.ª);

— O exame das provas documentais não exige, por forma alguma, a necessidade da sua leitura na audiência, já que o exame é feito em sede de deliberação pelo tribunal. (Ac. STJ de 10 de Novembro de 1993; *CJ, Acs. do STJ*, I, tomo 3, 233);

— I — O tribunal não está vinculado a fazer a enumeração expressa de todos os factos não provados referidos na contestação, bastando-lhe que o faça por remissão, para a contestação oportunamente apresentada. II — O tribunal não está igualmente vinculado a referir a prova em que se baseou para dar como não provados certos factos, pois seria um contra-senso exigir que o tribunal indique concretamente prova da falta de prova. III — A interpretação conjugada dos arts. 355.º e 356.º do CPP não impõe que toda a prova documental indicada como tendo servido para formar a convicção do tribunal sobre os factos dados como provados tenha de ser lida em audiência de julgamento. IV — Dos citados

803

Código de Processo Penal

artigos resulta que as únicas provas documentais cuja leitura é permitida em audiência são *autos,* não se encontrando porém o tribunal vinculado a fazer tal leitura, porquanto é uma faculdade que lhe assiste. V — No que respeita aos demais documentos, resulta *a contrario* daqueles citados artigos que a leitura não é permitida em audiência, tendo, sim, que ser examinados, como impõe o art. 355.º, n.º 1, do CPP. VI — As provas que tenham de ser examinadas em audiência poderão sê-lo até ao momento da leitura da sentença ou do acórdão. VII — O disposto no n.º 1 do art. 355.º do CPP visa tão-só evitar que o tribunal possa formar a sua convicção alicerçando-se em material probatório não apresentado e junto ao processo pelos diversos intervenientes e relativamente ao qual não tenha sido exercido o princípio do contraditório. (Ac. STJ de 25 de Fevereiro de 1993; *BMJ,* 424, 535);

— As provas constituídas por documentos juntos aos autos são provas que, forçosamente, estão presentes na audiência e submetidas ao contraditório, sem necessidade de serem lidas na mesma audiência, já que as partes têm conhecimento do seu conteúdo. II — Embora a leitura de depoimento prestado por deprecada perante o juiz, na forma legal, possa ser lido na audiência de julgamento, nada obriga a que o seja. (Ac. STJ de 23 de Março de 1994, proc. 46218/3.ª);

— A prova documental junta ao processo não carece de ser lida em audiência, embora o possa ser, por ser do conhecimento das partes e poder ser objecto de contraditório. (Ac. STJ de 9 de Novembro de 1994; proc. 46600//3.ª);

— Os documentos constantes do processo consideram-se produzidos em audiência independentemente da sua leitura e é irrelevante que as actas sejam omissas quanto aos que contribuíram para a formação da convicção do tribunal. (Ac. STJ de 10 de Julho de 1996; *CJ, Acs. do STJ,* IV, tomo 2, 229);

— A observância do disposto no art. 355.º, n.º 1, do CPP, não exige a leitura em audiência dos documentos constantes dos autos, bastando a existência dos mesmos e a possibilidade de relativamente a eles poder exercer-se o contraditório. (Ac. STJ de 27 de Janeiro de 1999, proc. 350/98-3.ª; *SASTJ,* n.º 27, 83);

— Não são inconstitucionais os normativos do art. 355.º do CPP, interpretados no sentido de que os documentos juntos aos autos não são de leitura obrigatória na audiência de julgamento, considerando-se nesta produzidos e examinados, desde que se trate de caso em que a leitura não seja proibida. (Ac. do Trib. Constitucional n.º 87/99, de 10 de Fevereiro, proc. n.º 444/98; *DR,* II série, de 1 de Julho de 1999);

— Se as declarações anteriormente prestadas pelo arguido (aquando do primeiro interrogatório judicial) não foram lidas em audiência de julgamento e mesmo assim fundamentam a convicção do tribunal, verifica-se violação da norma do art. 355.º, n.º 1, do CPP, respeitante à proibição de valoração de provas, se as mesmas declarações foram lidas em audiência mas não constar da acta a permissão da leitura e sua justificação legal, tal acarretará a nulidade do respectivo acto e, consequentemente, por derivação, a proibição da sua valoração. (Ac. STJ de 13 de Dezembro de 2000, proc. n.º 2752/2000-3.ª; *SASTJ,* n.º 46, 40);

Artigo 356.º

— I — Os registos magnéticos das conversas telefónicas não têm de ser mostrados ou examinados em audiência de julgamento. Na medida em que as conversações telefónicas foram transcritas, constituem prova documental. II — A leitura efectiva dos documentos em audiência não é obrigatória, para efeitos de cumprimento do estabelecido no art. 355.º n.º 1, do CPP, bastando a junção aos autos com a inerente possibilidade de leitura. (Ac. STJ de 4 de Junho de 2003, proc. n.º 519/03-3.ª; *SASTJ,* n.º 72, 56);

— I — O tribunal tem de examinar os documentos em sede de deliberação se neles basear a sua convicção, não sendo nunca obrigado a ordenar a sua leitura em audiência e julgamento, embora possa consenti-la. II — Os autos de transcrição de escutas telefónicas são documentos autenticados pelo juiz, valendo em julgamento nomeadamente para o efeito e formação da convicção do tribunal, independentemente de serem ou não lidos em audiência. (Ac. STJ de 2 de Julho de 2003, proc. n.º 1802/03-3.ª; *SASTJ,* n.º 13, 119);

— I — Tratando-se de prova documental constante do processo, ainda que não tenha sido lida nem examinada na audiência de julgamento, nada obsta a que possa servir para formar a convicção do tribunal. II — A apresentação de depoimento por agente da autoridade sobre factos praticados na sua presença não ofende o princípio da legalidade, nem o estatuto de arguido. (Ac. STJ de 23 de Fevereiro de 2005; *CJ, Acs. STJ,* ano XIII, tomo 1, 210);

— A formação da convicção do tribunal pode ser apoiada em transcrições das escutas telefónicas que constem do processo, sem necessidade de leitura prévia dos respectivos autos na audiência de julgamento. (Ac. STJ de 29 de Novembro de 2006; *CJ, Acs. do STJ,* ano XIV, tomo 3, 235).

ARTIGO 356.º

(Leitura permitida de autos e declarações)

1. Só é permitida a leitura em audiência de autos:

   a) Relativos a actos processuais levados a cabo nos termos dos artigos 318.º, 319.º e 320.º; ou

   b) De instrução ou de inquérito que não contenham declarações do arguido, do assistente, das partes civis ou de testemunhas.

2. A leitura de declarações do assistente, das partes civis e de testemunhas só é permitida tendo sido prestadas perante o juiz, nos casos seguintes:

   a) Se as declarações tiverem sito tomadas nos termos dos artigos 271.º e 294.º;

   b) Se o Ministério Público, o arguido e o assistente estiverem de acordo na sua leitura;

   c) Tratando-se de declarações obtidas mediante rogatórias ou precatórias legalmente permitidas.

Código de Processo Penal

3. É também permitida a leitura de declarações anteriormente prestadas perante o juiz:

a) Na parte necessária ao avivamento da memória de quem declarar na audiência que já não recorda certos factos; ou

b) Quando houver, entre elas e as feitas em audiência, contradições ou discrepâncias.

4. É ainda permitida a leitura de declarações prestadas perante o juiz ou o Ministério Público, se os declarantes não tiverem podido comparecer por falecimento, anomalia psíquica superveniente ou impossibilidade duradoura.

5. Verificando-se o pressuposto do n.º 2, alínea b), a leitura pode ter lugar mesmo que se trate de declarações prestadas perante o Ministério Público ou perante órgãos de polícia criminal.

6. É proibida, em qualquer caso, a leitura de depoimento prestado em inquérito ou instrução por testemunha que, em audiência, se tenha validamente recusado a depor.

7. Os órgãos de polícia criminal que tiverem recebido declarações cuja leitura não for permitida, bem como quaisquer pessoas que, a qualquer título, tiverem participado da sua recolha, não podem ser inquiridas como testemunhas sobre o conteúdo daquelas.

8. A visualização ou a audição de gravações de actos processuais só é permitida quando o for a leitura do respectivo auto nos termos dos números anteriores.

9. A permissão de uma leitura, visualização ou audição e a sua justificação legal ficam a constar da acta, sob pena de nulidade.

---

1. Reproduz, com alterações introduzidas no n.º 4 na fase final dos trabalhos preparatórios, e pela Lei n.º 48/2007, de 29 de Agosto, o art. 356.º do Proj. e corresponde aos arts. 329.º, 330.º e 331.º do Aproj. e 438.º e 439.º do CPP de 1929.

A supramencionada Lei introduziu o n.º 8 consagrando expressamente a orientação predominante na doutrina e na jurisprudência, passando o anterior n.º 8, actualizado, para n.º 9.

2. Regulam-se neste artigo, muito mais pormenorizadamente que no regime anterior, os casos em que, na audiência de julgamento, é permitida a leitura de autos lavrados no processo. Estes casos são taxativos, como se deduz do intuito que houve em fazer respeitar o contraditório e a imediação da prova, reflectido neste artigo através do uso do advérbio de exclusão *só*, logo à testa do texto legal, e também no n.º 2.

806

Artigo 356.º

Para bom entendimento deste artigo e do seguinte é de toda a utilidade o Parecer da Comissão Constitucional em que se baseou a resolução n.º 146-A/81, de 29 de Julho, do Conselho da Revolução, publicada no *DG* (suplemento), I série, n.º 150, de 3 de Julho de 1981, sobre a inconstitucionalidade do art. 439.º do CPP de 1929, e a anotação que lhe fizemos no nosso *Código de Processo Penal.*

3. Na al. *a)* do n.º 1 incluem-se casos em que não seria viável fazer deslocar as pessoas a ouvir ao julgamento, para aí serem ouvidas. A al. *b)* do mesmo número ficou com uma redacção de modo a tornar claro que os autos de perícia e as declarações complementares dos peritos podem ser lidos em audiência de julgamento, sem que, normalmente, os peritos aí tenham que se deslocar.

4. O texto proposto pela Proposta governamental para o n.º 3 aditava a permissão de leitura de declarações anteriormente prestadas perante o MP, o que veio a ser rejeitado pela Assembleia da República.

Esta possibilidade afigurava-se-nos muito criticável e até de constitucionalidade duvidosa. Foi mesmo já contestada pela Associação Sindical dos Juízes Portugueses em exposição enviada ao Ministério da Justiça quando ouvida sobre o Projecto de Proposta de Lei e rejeitada em estudo doutrinário da autoria de José Damião da Cunha, na *RPCC,* ano 7, fasc. 3.º, 418-419.

Tal possibilidade implicava uma quebra de paridade e de igualdade de *armas* na fase do julgamento, pois o arguido não tem poder idêntico perante uma testemunha por si indicada. Para além disto, a permissão relativamente ao MP significa admitir que esta entidade ponha em causa um testemunho perante ela prestado, o que é incoerente e implica que o próprio MP se transforme em testemunha.

Do apontado estudo, vindo a lume no domínio da versão originária e sustentando o dispositivo do n.º 3 como então estava formulado, transcrevemos, com a devida vénia, as seguintes considerações, com as quais concordamos:

«O recurso a esta leitura está também limitado pela entidade perante quem elas foram prestadas: elas têm de ter sido prestadas *perante o juiz.* A exigência de tal pressuposto é perfeitamente compreensível face à credibilidade que merece a posição institucional de um juiz. Poder-se-ia discutir, eventualmente, porque não podem ser lidas declarações prestadas perante o Ministério Público, um pouco em analogia com o que sucede às declarações referidas em A.2 *(Nota do autor — as do n.º 4).* Além de, como se referiu, tal possibilidade, no âmbito destas declarações, se afigurar excepcional, seria também estruturalmente impossível aceitar tal hipótese. De facto, adoptar tal solução significaria admitir que o Ministério Público pusesse em causa um testemunho perante ele prestado, o que, para além de ser incoerente, implicaria que o próprio Ministério Público se tornasse uma testemunha. Para além disso, agravar--se-ia a situação de quebra de paridade face ao arguido que, perante uma testemunha por si indicada, não teria um poder semelhante, caso essa testemunha prestasse declarações em tudo diferentes das suas expectativas.»

Código de Processo Penal

5. O n.º 4 foi alterado na fase final dos trabalhos preparatórios, para permitir a leitura de declarações prestadas por pessoas que não tenham podido comparecer por *impossibilidade duradoura*. Trata-se de uma válvula de segurança, sugerida pelo Conselho Superior da Magistratura. O que é ou não impossibilidade duradoura fica ao prudente arbítrio do juiz. Com esta disposição ficam solucionados os casos, possíveis, de faltarem todos os declarantes, assim se provocando uma ausência total de prova.

A disposição do n.º 4 vale para todas as pessoas, com excepção do arguido, que tem normas especificas no artigo seguinte.

6. A disposição do n.º 6, abrange os casos em que a testemunha se recusou a depor para não se auto-incriminar e os casos em que ela poderia invocar segredo profissional.

7. O n.º 7 proíbe apenas a reprodução daquelas declarações cuja leitura não é permitida, como aí claramente se expressa e resulta do pensamento legislativo. Consideramos, assim, manifestamente errada a interpretação que por vezes se tem dado a esse dispositivo de que os órgãos de polícia criminal não podem ser testemunhas no processo. Ver anot. 3 ao art. 355.º.

8. O n.º 9 comina com nulidade a permissão de uma leitura, visualização ou audição referidas neste artigo, sem que isso e a respectiva justificação legal fiquem a constar da acta. Trata-se de uma nulidade dependente de arguição e sujeita ao regime do art. 120.º, n.os 1 e 3.

9. *Jurisprudência:*
— O art. 356.º, n.º 1, al. *b)* do CPP não permite a leitura em audiência do relatório elaborado pelo comandante do posto da GNR que apenas refira o que as pessoas ouvidas por si, no posto, lhe relataram. (Ac. STJ de 11 de Julho de 1991; *CJ,* XVI, tomo 4, 18);

— I — A nulidade prevista no n.º 8 do art. 356.º do CPP — não consignação na acta da permissão e justificação legal da leitura — é uma nulidade relativa sujeita à disciplina do art. 120.º, n.os 2 e 3 , al. *a)*, do CPP. II — O acto em causa é a leitura das declarações anteriores do arguido pelo que, terminada ela, terminou o acto, não podendo depois arguir-se a sua nulidade. (Ac. STJ de 12 de Março de 1992; *BMJ,* 415, 464);

— Só não é permitida a inquirição do agente da PJ (investigador nos autos) sobre declarações prestadas pelo arguido perante órgão da polícia criminal ou outra qualquer pessoa. (Ac. STJ de 13 de Maio de 1992; *CJ,* XVII, tomo 3, 13);

— A agente policial não está impedido de depor sobre factos de que tenha conhecimento directo obtido por meios diferentes das declarações que recebeu do arguido no decurso do processo, mesmo nos casos do art. 356.º, n.º 7, do CPP, ou seja ainda que tenha recebido declarações do arguido cuja leitura não seja permitida em julgamento. (Ac. STJ de 13 de Maio de 1992; *CJ,* XVII, tomo 3, 19);

— Só não podem ser objecto de depoimento por parte dos órgãos de polícia criminal que tiverem recebido declarações do arguido os factos que

Artigo 356.º

eles conheceram apenas através dessas declarações. (Ac. STJ de 20 de Maio de 1992; *CJ*, XVII, tomo 3, 32);

— I — Quando o arguido exerce o seu direito de não prestar declarações em audiência, não podem ser lidas as que anteriormente prestou no processo. II — Os agentes da PJ não ficam impedidos de depor sobre factos de que tiveram conhecimento directo por meios diferentes das declarações do arguido no decurso do processo, ainda que também as possam ter ouvido e que elas não possam ser lidas em audiência. (Ac. STJ de 24 de Fevereiro de 1993; *CJ, Acs. STJ*, ano I, tomo 1, 202);

— O disposto no art. 356.º, n.º 7, do CPP não implica que os órgãos de polícia criminal fiquem impedidos de depor sobre factos de que possuam conhecimento directo por meios diferentes das declarações que receberam do arguido no decurso do processo, não ficando essa audição a constituir um impedimento para o efeito de esse agente policial poder prosseguir investigações que venha a relatar em julgamento. (Ac. STJ de 24 de Fevereiro de 1993; *BMJ*, 424, 529);

— I — Os órgãos de polícia criminal estão proibidos de ser inquiridos como testemunhas sobre o conteúdo de declarações que tenham recebido e cuja leitura não seja permitida e não de o serem sobre o relato de conversas informais que tenham tido com os arguidos. II — Salvo se se provar que o agente investigador escolheu deliberadamente esse meio de conversas informais para evitar a proibição de leitura das declarações do arguido em audiência. (Ac. STJ de 29 de Março de 1995; *BMJ*, 445, 279);

— O tribunal pode proceder à leitura de declarações prestadas na fase instrutória, desde que o hajam sido perante o juiz e houver entre elas e as prestadas em audiência contradições ou discrepâncias sensíveis que não possam ser esclarecidas de outra forma. (Ac. STJ de 6 de Março de 1966; *CJ, Acs. do STJ*, IV, tomo 1, 222);

— A leitura em audiência de depoimentos obtidos mediante carta rogatória, expedida por iniciativa do tribunal e prestados na presença de uma autoridade judiciária, dos membros do próprio tribunal, do MP e da defesa é permitida pelo art. 356.º, n.º 1, al. *a)*, conjugado com o art. 318.º do CPP. (Ac. STJ de 10 de Julho de 1996; *CJ, Acs. do STJ,* IV, tomo 2, 229);

— A norma constante dos arts. 356.º, n.º 2, alínea *b)* e 5, do CPP, ao consentir a leitura do depoimento de testemunha, prestado no inquérito perante um órgão de polícia criminal, apenas quando se verifique acordo por parte do MP, do arguido e do assistente, não implica encurtamento ou restrição inadequada ou inadmissível das garantias de defesa. (Ac. do Trib. Constitucional n.º 1052/96, de 10 de Outubro; *BMJ*, 460, 259);

Resultando da fundamentação de facto do acórdão recorrido que os agentes da PJ se limitaram a narrar as diligências em que cada um deles interveio, não é aplicável aos seus depoimentos o preceituado no n.º 7 do art. 356.º do CPP, também as tendo valorado a narração de *conversas informais* com os arguidos. (Ac. STJ de 30 de Outubro de 1996; *BMJ,* 460, 425);

— I — Os agentes da PJ não ficam impedidos de depor sobre factos de que tiverem conhecimento directo por meios diferentes das declarações do arguido no decurso do processo. II — Os agentes da PJ que procederam à reconstituição do crime podem depor como testemunhas sobre o que se terá passado nessa reconstituição, por essa situação não estar abrangida pelo n.º 7

Código de Processo Penal

do art. 356.º do CPP. (Ac. STJ de 11 de Dezembro de 1996; *BMJ*, 462, 299);
— Comete-se a nulidade prevista no art. 356.º, n.º 8, do CPP, se, tendo o tribunal fundado a sua convicção nas declarações prestadas pelo arguido, perante o juiz, aquando do primeiro interrogatório, do acto do julgamento não consta ter-se procedido à leitura das mesmas, na audiência. (Ac. STJ de 11 de Dezembro de 1997; *CJ, Acs. do STJ*, V, tomo 3, 255);
— I — Do disposto nos arts. 356.º e 357.º, n.º 1, al. *b)*, do CPP, não resulta nenhuma obrigação legal de concretizar as contradições ou discrepâncias sensíveis verificadas entre as declarações que o arguido prestara em audiência e aquelas que houvera prestado no inquérito, perante o juiz de instrução. II — Os agentes da PJ não estão impedidos de prestar depoimentos sobre factos diversos dos que respeitam ao conteúdo das declarações por eles recebidas (art. 356.º, n.º 7, do CPP), de que tiveram conhecimento no exercício das suas funções e em cumprimento de determinações judiciais ou judiciárias. (Ac. STJ de 21 de Janeiro de 1999, proc. 1097/98-3.ª; *SASTJ*, n.º 27, 78);
— I — O art. 357.º do CPP não se aplica às declarações de co-arguido já falecido, relativamente ao qual o procedimento criminal foi declarado extinto. II — A leitura, em julgamento, das declarações prestadas por esse co-arguido no inquérito é regulada pelo art. 356.º do CPP, que se reporta à leitura prmitida de autos e declarações, pois que o co-arguido perdeu, por força do evento morte, essa qualidade, o que afasta o impedimento contido no art. 133.º, n.º 1, al. *a)*, do referido Código. (Ac. STJ de 17 de Novembro de 1999, proc. 827/99; *SASTJ*, n.º 35, 76);
— A impossibilidade duradoura, para efeitos do art. 356.º do CPP, não pode coincidir ou identificar-se com a ausência em parte incerta, até porque pode haver uma impossibilidade duradoura, por exemplo provocada por uma doença prolongada, mas com o doente em parte certa, ao passo que a ausência em parte incerta pode não representar uma impossibilidade, mas apenas uma dificuldade de notificação e comparência. (Ac. STJ de 23 de Março de 2000; *CJ, Acs. do STJ*, VIII, tomo 1, 230);
— I — Se no decurso da audiência de julgamento o arguido não prestou declarações e a testemunha (agente da PSP) deu a conhecer ter feito diligências para descobrir quem furtou determinados bens e ainda que, na sequência das mesmas, o próprio arguido lhe confessou ser ele o autor do ilícito, então o depoimento desta não se configura como indirecto, nos termos e para os efeitos do art. 129.º do CPP. II — Acontecendo também que aquela testemunha não teve qualquer intervenção no processo, ou seja, não foi instrutora dele e não recebeu do arguido declarações prestadas em inquérito, o referido depoimento não pode ofender o disposto no n.º 7 do art. 356.º do CPP. (Ac. STJ de 15 de Novembro de 2000, proc. n.º 2551/2000-3.ª; *SASTJ*, n.º 45, 60);
— I — O disposto no art. 356.º, n.º 7, do CPP não impede que os agentes de órgãos de polícia criminal possam ser inquiridos em audiência de julgamento sobre factos por si detectados durante a fase investigatória ou de inquérito, desde que não constantes de autos de declarações cuja leitura não seja permitida. (Ac. STJ de 30 de Maio de 2001, proc. n.º 1405/01-3.ª; *SASTJ*, n.º 51, 82);
— I — Os órgãos de polícia criminal que tiverem recebido declarações cuja leitura não for permitida, bem como quaisquer pessoas que, a qualquer título, tiverem participado na sua recolha, não podem ser inquiridos como testemunhas

810

Artigo 357.º

sobre o conteúdo daquelas. II — Se o arguido, apesar de ter confessado os factos no primeiro interrogatório perante o juiz de instrução, em julgamento se remete ao silêncio, não podendo depor as pessoas que recolheram ou auxiliaram na recolha das suas declarações, pois em tal caso não se poderia falar em contradição ou discrepância com as anteriores declarações, já que o silêncio não tem o valor de *sim, não,* ou *talvez*. III — Esta constatação vale mesmo para conversas informais, pois não há conversas informais com validade probatória à margem do processo, sejam quais forem os procedimentos de recolha admitidos por lei e por ela sancionados. IV — Se o resultado final a que o colectivo chegou se pode por esta via dizer de algum modo em contra-pé com o interesse público na perseguição dos criminosos, da segurança dos cidadãos e das garantias que devem provir de um Estado de direito, não é menos verdade que o fim do processo, na interpretação independente dos tribunais, não é apenas a descoberta da verdade a todo o transe, mas a descoberta usando regras processualmente admissíveis e legítimas. (Ac. STJ de 11 de Julho de 2001; *CJ, Acs. do STJ*, ano IX, tomo 3, 186);

— Os órgãos de polícia criminal que tiverem recebido declarações cuja leitura não for permitida, bem como quaisquer pessoas que, a qualquer título, tiverem participado na sua recolha, não podem ser inquiridas como testemunhas sobre o conteúdo daquelas. (Ac. STJ de 3 de Outubro de 2002, proc. n.º 2804-5.ª; *SASTJ,* n.º 64, 101);

— Os agentes de autoridade que participam nas investigações não ficam impedidos de depor em julgamento sobre os factos de que tiveram conhecimento directo no decurso dessas investigações. (Ac. STJ de 30 de Outubro de 2002, proc. n.º 2557/02-3.ª; *SASTJ,* n.º 64,89);

— I — A prova por ouvir dizer, quando reportada a afirmações produzidas extraprocessualmente pelo arguido, é passível de livre apreciação pelo tribunal quando o arguido se encontra presente em audiência e, por isso, com plena possibilidade de a contraditar, ou seja, de se defender. II — A proibição de depoimentos dos órgãos de polícia criminal ou das pessoas a que se refere o art. 356.º, n.º 7, do CPP, apenas incide sobre o conteúdo das declarações prestadas pelo arguido em inquérito ou em instrução. (Ac. RC de 18 de Junho de 2003; *CJ,* XXVIII, tomo 3, 51).

ARTIGO 357.º
(Leitura permitida de declarações do arguido)

1. A leitura de declarações anteriormente feitas pelo arguido só é permitida:

   a) A sua própria solicitação e, neste caso, seja qual for a entidade perante a qual tiverem sido prestadas; ou

   b) Quando, tendo sido feitas perante o juiz, houver contradições ou discrepâncias entre elas e as feitas em audiência.

2. É correspondentemente aplicável o disposto nos n.ᵒˢ 7 a 9 do artigo anterior.

Código de Processo Penal

1. Reproduz o art. 357.º do Proj., com alterações introduzidas pela Lei n.º 48/2007, de 29 de Agosto, reduzidas e pouco significativas, devidas a alterações introduzidas pela mesma Lei no art. 356.º. Não havia preceito correspondente no direito anterior.

2. Ver anots. ao artigo anterior.

3. De notar que, verificado o condicionalismo do art. 356.º, podem ser lidas as declarações de pessoas inquiridas quer quando prestadas perante o juiz, quer quando prestadas perante o MP. Quanto ao arguido, o caso é algo diferente, pois as suas declarações só podem ser lidas por sua solicitação ou quando prestadas perante o juiz se se verificar o condicionalismo da al. *b)* do n.º 1. A diferença de regime radica na consideração de que o MP é aqui encarado como parte ou sujeito processual.

4. *Jurisprudência:*
— I — Apenas é permitida a leitura de declarações anteriormente feitas pelo arguido quando ele também prestar declarações em julgamento. II — Por isso, no caso de um arguido se recusar a prestar declarações em audiência, não é lícita a leitura das que anteriormente prestou no processo. (Ac. STJ de 26 de Junho de 1991; *CJ,* XVI, tomo 3, 34);
— Verifica-se a contradição exigida pelo art. 357.º, n.º 1, al. *b)*, do CPP, que permite a leitura em julgamento de anteriores declarações do arguido, quando ele, nessas declarações, fez um relato dos factos, a confirmá-los, e em audiência nega tê-los praticado. (Ac. STJ de 13 de Maio de 1992; *CJ,* XVII, tomo 3, 15);
— I — A expressão *a solicitação do arguido,* consignada na al. *a)* do n.º 1 do art. 357.º do CPP, significa fundamentalmente que a leitura de declarações anteriormente feitas pelo arguido não pode realizar-se contra a sua vontade. II — Perguntando pelo juiz ao arguido se autorizava a leitura das suas anteriores declarações e respondendo ele afirmativamente, mostra-se respeitado o disposto na al. *a)* do n.º 1 do art. 357.º do CPP. (Ac. STJ de 12 de Março de 1992; *BMJ,* 415, 464);
— O tribunal pode mandar proceder à leitura das declarações do arguido prestadas anteriormente perante o juiz, havendo contradições e discrepâncias sensíveis entre elas e as feitas na audiência, e que não pudessem ser esclarecidas de outro modo, nos termos do art. 357.º, n.º 1, al. *b)*, do CPP. (Ac. STJ de 20 de Maio de 1999; *BMJ,* 487, 221);
— I — As declarações que os arguidos prestem estão tuteladas na sua produção e no seu âmbito pelo estatuto próprio do arguido, devendo ser sujeitas ao princípio do contraditório na medida em que afectem o co-arguido, não valendo contra este se esse contraditório não puder ser estabelecido, mormente pela oposição do arguido produtor da prova. II — A redução a auto das declarações dos arguidos, testemunhas, etc. impõe-se legalmente na fase do inquérito e, genericamente, antes da audiência de julgamento. III — Por outro lado, a disciplina da leitura de autos e de declarações na audiência de julgamento pressupõe aquela mesma documentação, carecendo de existência jurídica quaisquer declarações recolhidas pelos órgãos ou autoridades de polícia criminal sem a respectiva formalização em auto. IV — Daí que os arts. 356.º e 357.º

Artigo 358.º

do CPP se não refiram a essas declarações não documentadas, constituindo um flagrante desvio à lei a consideração pelo tribunal dos depoimentos de agentes da PJ sobre conversas havidas com arguidos, não documentadas e, por isso, fora daquele controlo. V — Porém, nos casos em que a alusão à «conversa informal» na motivação da decisão de facto não assume objectivamente relevância com significado no conjunto de toda a restante fundamentação, não é nulo o acórdão. (Ac. STJ de 7 de Fevereiro de 2001, proc. n.º 4/00-3.ª; *SASTJ*, n.º 48, 49);

— I — Tratando-se de prova documental constante do processo, ainda que não tenha sido lida nem examinada na audiência de julgamento, nada obsta a que possa servir para formar a convicção do Tribunal. II — A prestação de depoimento por agente da autoridade sobre factos praticados na sua presença não ofende o princípio da legalidade, nem o estatuto de arguido. (Ac. STJ de 23 de Fevereiro de 2005; *CJ, Acs. STJ*, ano XIII, tomo 1, 210).

ARTIGO 358.º

(Alteração não substancial dos factos descritos na acusação ou na pronúncia)

1. Se no decurso da audiência se verificar uma alteração não substancial dos factos descritos na acusação ou na pronúncia, se a houver, com relevo para a decisão da causa, o presidente, oficiosamente ou a requerimento, comunica a alteração ao arguido e concede--lhe, se ele o requerer, o tempo estritamente necessário para a preparação da defesa.

2. Ressalva-se do disposto no número anterior o caso de a alteração ter derivado de factos alegados pela defesa.

3. O disposto no n.º 1 é correspondentemente aplicável quando o tribunal alterar a qualificação jurídica dos factos descritos na acusação ou na pronúncia.

---

1. Os n.ºˢ 1 e 2 reproduzem o art. 358.º do Proj. e correspondem ao art. 337.º do Aproj. Os poderes de convolação para crime diverso do da acusação ou da pronúncia constavam dos arts. 447.º e 448.º do CPP de 1929.

O n.º 3 foi introduzido pela Lei n.º 59/98, de 25 de Agosto, com ele se clarificando controvérsia surgida no domínio da versão originária, resolvida por acórdão com força obrigatória geral do Tribunal Constitucional, conforme mais desenvolvidamente será anotado *infra*.

2. Regula-se neste artigo a alteração não substancial dos factos descritos na acusação ou na pronúncia, quando feita no julgamento.

No artigo seguinte regula-se a alteração substancial dos mesmos factos, também quando feita no julgamento.

Trata-se de pontos que foram objecto de cuidadosa atenção da doutrina e da jurisprudência no domínio do Código anterior, como se deduz das anots. aos arts. 447.º e 448.º desse diploma, no nosso *Código de Processo Penal*.

Código de Processo Penal

Neste artigo e no seguinte condensam-se os ensinamentos da doutrina mais autorizada sobre esta matéria, de modo a harmonizar, dentro do possível, a celeridade processual e o aproveitamento do processado com os imperativos legais do princípio contraditório e de uma defesa eficaz e em tempo útil por parte do arguido.

Recordemos que, conforme a definição do art. 1.º, al. *f)*, alteração substancial dos factos é aquela que tem por efeito a imputação ao arguido de um crime diverso, ou a agravação dos limites máximos das sanções aplicáveis. Logo, alteração não substancial será aquela que, representando embora uma modificação dos factos que constam da acusação ou da pronúncia, não tem por efeito a imputação de um crime diverso, nem tão-pouco a agravação dos limites máximos das sanções aplicáveis.

Estas definições dão-nos um critério seguro de orientação, mas não dispensam um apelo aos princípios que lhes estão subjacentes, conforme a doutrina tem expendido. Assim, afigura-se-nos que quando da alteração resulta a imputação de um crime simples, em vez do qualificado, por supressão do elemento de facto qualificador, não há sequer alteração substancial, porque o arguido se defendeu contra todos os factos, embora venha a ser condenado por um crime diferente (mas que seria consumido pelo da acusação). Será este o caso de o arguido ter sido acusado ou pronunciado pelo crime qualificado de furto, do art. 204.º do CP, por ter furtado a coisa em lugar que lhe era particularmente acessível, mas ser condenado pelo crime de furto simples, do art. 203.º do CP, porque no decurso da audiência se fez a prova de que o lugar lhe não era particularmente acessível.

Inversamente, se houver acusação ou pronúncia pelo crime de furto simples, do referido art. 203.º, mas na audiência se fizer a prova de que existe alguma circunstância qualificativa, haverá então lugar a aplicação dos dispositivos do art. 359.º.

Se no decurso da audiência se fizer a prova de factos que representem uma alteração dos da acusação ou pronúncia, mas contudo sem qualquer relevo para a alteração do crime ou do máximo das penas, haverá então lugar a aplicação deste art. 358.º, cujos dispositivos são um imperativo do princípio contraditório e da salvaguarda de uma defesa eficaz por parte do arguido. Estes dispositivos resumem-se a notificação do arguido e concessão, quando requerida, do tempo necessário para preparação da defesa, no caso do n.º 1 e à circunstância de a defesa ter alegado tais factos, no caso do n.º 2. A concessão do tempo necessário para a preparação da defesa não envolve, em caso algum, o adiamento da audiência.

Sobre a alteração, substancial e não substancial, dos factos descritos na acusação ou na pronúncia, e que definem o objecto do processo e delimitam os poderes de cognição do tribunal, veja-se o estudo de M. Marques Ferreira, *Da Alteração dos Factos Objecto do Processo Penal, RPCC,* ano I, n.º 2, 221 e segs.

3. Questão inicialmente posta, a propósito da definição dada no art. 1.º, n.º 1, al. *f);* dos arts. 358.º e 359.º e de outros, é a de saber se o tribunal é ou não inteiramente livre na qualificação jurídico-criminal dos factos ou se uma diversa qualificação jurídica pode significar uma alteração, substancial ou não, da acusação ou da pronúncia, ainda que a matéria de facto, naturalisticamente considerada, seja a mesma.

Existiu alguma hesitação, na doutrina e na jurisprudência, sobre este ponto.

No seguimento de alguma doutrina autorizada (cfr. Prof. Germano Marques da Silva, *Do Processo Penal Preliminar,* 302) e por razões que mergulham no princípio contraditório, já nos inclinámos para a orientação de que uma diversa qualificação jurídica dos factos, se resultar tratamento mais gravoso para o arguido, implica alteração substancial. Uma reflexão mais aturada fez-nos inclinar para a solução oposta, isto é para a solução de que o tribunal, suposta a sua competência, pode dar aos factos o tratamento jurídico-criminal que entender adequado. O princípio contraditório não fica marginalizado com esta solução, desde que ao arguido seja dada a possibilidade de defesa, comunicando-se-lhe a previsível incriminação para que sobre ela se pronuncie, se assim o entender.

Resta acrescentar que sobre a questão *legem habemus,* pois que o n.º 3, aditado pela Lei referida na anot. 1, consagrou expressamente a imposição de o arguido ser ouvido quando o tribunal altera a qualificação jurídica dos factos.

Em nosso entendimento, como já se deixou anotado embora muito sumariamente, não é necessária a comunicação ao arguido quando a alteração da qualificação jurídica é para uma infracção que representa um *minus* relativamente à da acusação ou da pronúncia, pois que o arguido teve conhecimento de todos os seus elementos constitutivos e possibilidade de os contraditar. Aqui podem apontar-se os casos de convolação de furto ou de qualquer outro crime qualificado para o crime simples; de crime doloso para o crime por negligência e, de um modo geral, sempre que entre o crime da acusação ou da pronúncia e o da condenação há uma relação de especialidade ou de consunção e a convolação é efectuada para o crime menos gravoso, *rectius* do crime especial ou qualificado para o simples ou para o que seria consumido pelo da acusação ou da pronúncia. Muitos exemplos se podem aqui apontar: Convolação de furto de valor elevado para furto simples; de roubo para furto; de homicídio ou de ofensas à integridade física cometidos dolosamente para os mesmos crimes por negligência; de violação para coacção sexual; de homicídio para homicídio privilegiado, etc.

Em todos estes casos não é necessária a comunicação a que este artigo alude para que o tribunal altere a qualificação jurídica dos factos descritos na acusação ou na pronúncia, porque ao arguido foi dada a possibilidade de se defender da nova qualificação, que é um *minus* relativamente à da acusação ou da pronúncia.

Sucede que o CP exige que o arguido tenha consciência da ilicitude do facto, para que possa ser condenado. E sendo obrigatória a indicação, na acusação ou na pronúncia, da lei que proibe e pune os factos, não se tratará certamente de mero preciosismo, mas de normativo destinado e esclarecer o tribunal e principalmente o arguido sobre a imputação jurídico-criminal que sobre ele impende.

Sobre esta questão, extensamente abordada pela doutrina já na vigência de diplomas anteriores, vejam-se as exposições de Frederico Isasca, *RPCC,* ano 4, 3.º, 369 e segs.; Duarte Soares, *CJ, Acs. do STJ,* II, tomo 3, 15 e segs. e do Prof. Germano Marques da Silva, *loc. cit.* e *Curso de Processo Penal,* 2.ª ed., III, 282-283.

De qualquer modo, a questão, a nível jurisprudencial, foi oportunamente fixada, já que o Plenário das secções criminais do STJ, por acórdão de 27 de Janeiro de 1993, após reformulação — ver *infra,* anot. 4, *jurisprudência*

Código de Processo Penal

fixada —, fixou a jurisprudência precisamente no sentido que acabamos de indicar.

Importará ainda aditar uma restrição que se nos afigura inquestionável, mas de algum modo oportuna em virtude de reservas que alguma doutrina autorizada tem oposto ao n.º 3 deste art. 358.º. A alteração da qualificação jurídica dos factos a efectuar pelo tribunal, mesmo após a comunicação ao arguido a que alude o n.º 1, terá sempre que ser efectuada para crime a que corresponda moldura penal dentro da competência do tribunal e não pode retirar ao arguido sem o anuimento deste qualquer direito que a lei lhe confira, *v. g.* o direito de, atenta a moldura penal resultante da alteração da qualificação jurídica para que se convoca, requerer o julgamento pelo tribunal do júri.

4. *Jurisprudência fixada:*
— Para os fins dos arts. 1.º, al. *f)*, 120.º; 284.º, n.º 1; 303.º, n.º 3; 309.º; n.º 2; 359.º, n.ºˢ 1 e 2 e 379.º, al. *b)*, do CPP, não constitui alteração substancial dos factos descritos na acusação ou na pronúncia a simples alteração da respectiva qualificação jurídica (ou convolação), ainda que se traduza na submissão de tais factos a uma figura criminal mais grave. (Ac. do Plenário das secções criminais do STJ de 27 de Janeiro de 1993; *DR*, I série-A, de 10 de Março do mesmo ano).

Nota — Como resulta das considerações constantes da anot. 3, *supra,* o decidido neste ac. que firmou a jurisprudência não prejudica a obrigatoriedade de o arguido ser ouvido sobre a nova incriminação, quando mais grave que a da acusação ou da pronúncia. Tanto resulta dos direitos da defesa e do princípio contraditório, que têm consagração constitucional. Sucede ainda que do ac. de jurisprudência obrigatória foi interposto recurso para o T. Constitucional que, por ac. de 25 de Junho de 1997, publicado no *DR*, I-A série, de 5 de Agosto do mesmo ano, declarou inconstitucional, com força obrigatória geral — por violação do princípio constante do n.º 1 do artigo 32.º da Constituição —, a norma ínsita na alínea *f)* do n.º 1 do artigo 1.º do Código de Processo Penal, em conjugação com os artigos 120.º, 284.º, n.º 1, 303.º, n.º 3, 309.º, n.º 2, 359.º n.ºˢ 1 e 2, e 379.º, alínea *b)*, do mesmo Código, quando interpretada, nos termos constantes do acórdão lavrado pelo Supremo Tribunal de Justiça em 27 de Janeiro de 1993 e publicado, sob a designação de «assento n.º 2/93», na 1.ª série-A do *Diário da República*, de 10 de Março de 1993 — aresto esse entretanto revogado pelo Acórdão n.º 279/95 do Tribunal Constitucional —, no sentido de não constituir alteração substancial dos factos descritos na acusação ou na pronúncia a simples alteração da respectiva qualificação jurídica, mas tão-somente na medida em que, conduzindo a diferente qualificação jurídica dos factos à condenação do arguido em pena mais grave, não se prevê que este seja prevenido da nova qualificação e se lhe dê, quanto a ela, oportunidade de defesa. Esta solução veio a ser consagrada legislativamente com o aditamento do n.º 3, conforme se anotou *supra,* anot. 3.

— Na vigência do regime do Código de Processo Penal de 1987 e de 1995, o tribunal, ao enquadrar juridicamente os factos constantes da acusação ou da pronúncia, quando esta existisse, podia proceder a uma alteração do correspondente enquadramento, ainda que em figura criminal mais grave, desde que previamente desse conhecimento e, se requerido, prazo ao arguido da

816

Artigo 358.º

possibilidade de tal ocorrência, para que o mesmo pudesse organizar a respectiva defesa. (Ac. do Pleno das secções criminais do STJ de 15 de Dezembro de 1999; *DR*, I-A série, de 11 de Fevereiro de 2000).

5. *Jurisprudência:*
— I — A alteração prevista no art. 358.º, n.º 1, do CPP e o formalismo aí prescrito não têm a virtualidade de afastar uma possível condenação do arguido pelos factos descritos na acusação ou na pronúncia. II — Acusado o arguido pelo crime de homicídio voluntário e durante o julgamento, ocorrendo a possibilidade de o homicídio ter sido por omissão, ter sido dado cumprimento ao disposto no art. 358.º, n.º 1, do CPP, tal não obsta à condenação pelo crime da acusação, de homicídio voluntário por acção, tanto mais que se não tratava de alteração substancial dos factos. Alteração não substancial é aquela que, representando uma modificação dos factos acusados ou constantes da pronúncia, não tem por efeito a aplicação de um crime diverso nem a elevação das penas aplicáveis. III — Não há violação das garantias de defesa consignadas na lei quando, em casos como o presente, foi dada ao arguido oportunidade de se defender de uma alteração factual que, em dado momento, pareceu existir. (Ac. STJ de 31 de Janeiro de 1990; Proc. 40 413/3.ª);
— I — Actualmente para verificação da reincidência é necessária a prova de que a condenação ou condenações anteriores não constituíram suficiente prevenção para que o arguido não voltasse a delinquir. II — Porém se o tribunal, para além da acusação, der como verificados tais pressupostos, sem dar ao arguido oportunidade de se defender, pratica nulidade de sentença, dos arts. 379.º, al. *b)* e 358.º do CPP. III — E apenas se verifica alteração não substancial dos factos, uma vez que, conforme o art. 77.º do CP, a reincidência não implica alteração do limite mínimo. (Ac. STJ de 5 de Dezembro de 1990; Proc. 41 292/3.ª);
— Não há alteração, substancial ou não, dos factos da acusação ou da pronúncia, para os efeitos dos arts. 358.º do CPP, quando os factos considerados provados representam um *minus* relativamente àqueles. (Ac. STJ de 3 de Abril de 1991; *CJ*, XVI, tomo 2, 17);
— I — Acusado um arguido pelo crime de tentativa de homicídio por ter agido com intenção de matar, pode efectuar-se a convolação para o crime de ofensas corporais. II — O facto de ofender corporalmente contém-se no de matar, não representando um facto novo ou diferente em relação ao acusado. (Ac. STJ de 23 de Março de 1992; *CJ*, XVII, tomo 2, 9);
— Se no decurso da audiência se fizer prova de factos que representem uma alteração da acusação ou da pronúncia, mas contudo sem qualquer relevo para a alteração do crime ou do máximo da pena, haverá lugar à aplicação do art. 358.º do CPP, um imperativo do princípio contraditório e da salvaguarda de uma defesa eficaz por parte do arguido. (Ac. STJ de 23 de Abril de 1992; *CJ*, XVII, tomo 2, 22);
— A alteração não substancial de factos da acusação só releva processualmente quando tenha relevo para a discussão da causa, ou seja quando puder ter repercussões agravativas na medida da punição ou na estratégia da defesa do arguido. (Ac. STJ de 11 de Novembro de 1952; *BMJ*, 421, 309);
— É legal a convolação de um crime doloso para o correspondente crime por negligência, sem observância do disposto no art. 358.º do CPP, desde que

Código de Processo Penal

da acusação constem factos que, uma vez provados, constituam suporte suficiente da existência de culpa. (Ac. STJ de 22 de Fevereiro de 1995; proc. 45884/3.ª);

— Verifica-se alteração substancial dos factos quando é acolhido na decisão condenatória o elemento subjectivo — intenção de obter vantagens patrimoniais — que não constava da acusação ou da pronúncia, e sem o qual o arguido não podia ser condenado. (Ac. STJ de 15 de Fevereiro de 1995; *CJ, Acs. do STJ*, III, tomo 1, 219);

— Não viola o princípio das garantias de defesa a norma constante do art. 358.º, n.º 1, do CPP, interpretado em termos de — surgindo durante a audiência de julgamento em processo penal factos relevantes para a decisão de causa e que não alterem o crime tipificado na acusação, nem levem à agravação dos limites máximos das sanções aplicáveis — poder o tribunal investigar oficiosamente esses factos, indiciados *ex novo*, integrando-os no processo, desde que se faculte ao arguido a oportunidade processual de organizar, quanto a eles, a sua defesa. (Ac. do Trib. Constitucional de 5 de Fevereiro de 1998, proc. n.º 373/96; *BMJ*, 474, 69);

— A inobservância pelo tribunal do procedimento prescrito no art. 358.º do CPP implica a anulação do julgamento e a nulidade da sentença, mas tão-só na parte respeitante aos factos que foram objecto da alteração, tendo em conta o modo como foram descritos na pronúncia. (Ac. STJ de 19 de Fevereiro de 1998; *BMJ*, 474, 351);

— I — O tribunal julgador, ao sentir a necessidade de fazer funcionar os mecanismos previstos nos arts. 358.º e 359.º do CPP, terá de assinalar, com a concretização possível, a opção que faz por qualquer deles, o que equivale a dizer que importa que indique se ocorre alteração não substancial ou alteração substancial; *inclusive,* pode suceder até que deva cumprir-se em concomitância o disposto nos dois preceitos. II — Ocorrendo uma situação de alteração substancial, ainda que o tribunal colectivo a tenha comunicado, não havendo acordo por parte da defesa na continuação do julgamento por esses factos, a mesma só pode valer como denúncia para que o MP exerça o respectivo procedimento, e não para o efeito de condenação no processo em curso, sob pena de se verificar a nulidade prevista na al. *b)* do art. 379.º do CPP. (Ac. STJ de 6 de Maio de 1999, proc. n.º 313/99-3.ª; *SASTJ,* n.º 31, 81);

— Um momento diferente da prática da infracção que prejudique a estratégia da defesa, designadamente o momento da inversão do título da posse no crime de abuso de confiança, pode implicar uma alteração substancial dos factos da acusação. (Ac. STJ de 27 de Maio de 1999, proc. n.º 437/99--3.ª; *SASTJ,* n.º 31, 93);

— Quando a alteração de facto (não substancial) e/ou de direito, operada pelo julgamento relativamente à pronúncia derivar de factos alegados pela defesa na sua contestação, ou no requerimento para abertura de instrução, não haverá, antes de avançar para a sentença, que comunicar ao arguido a alteração dos factos e/ou da sua qualificação jurídica, nem que lhe conceder um tempo suplementar de defesa. (Ac. RL de 29 de Junho de 1999; *CJ,* XXIV, tomo 3, 149);

— I — Na hipótese de crime complexo, como o de roubo, fica claramente compreendido entre os limites da actividade cognitiva do tribunal o conhecimento dos crimes que aquela figura sintetiza. II — Assim, se o arguido

818

Artigo 358.º

está acusado de um crime de roubo, constituído por elementos que, isoladamente, integrariam crimes de furto e de ofensa à integridade física simples, e se é considerada não provada a subtracção de coisas móveis, mas são considerados factos que podem integrar o referido crime de ofensas à integridade física simples, não se verifica alteração substancial dos factos, nos termos e para os efeitos dos arts. 359.º e 1.º do CPP, sendo apenas necessário o cumprimento prévio do art. 358.º, n.º 1, deste diploma. (Ac. STJ de 3 de Novembro de 1999, proc. 1001/98-3.ª; *SASTJ*, n.º 35, 71);

— São inconstitucionais as normas contidas nos artigos 358.º e 359.º do Código de Processo Penal, quando interpretadas no sentido de se não entender como alteração dos factos — substancial ou não substancial — a consideração, na sentença condenatória, de factos atinentes ao modo de execução do crime, que, embora constantes ou decorrentes dos meios de prova juntos aos autos, para os quais a acusação e a pronúncia expressamente remetiam, no entanto aí se não encontravam especificamente enunciados, descritos ou discriminados, por violação das garantias de defesa do arguido e dos princípios do acusatório e do contraditório, assegurados no artigo 32.º, n.ᵒˢ 1 e 5, da Constituição da República. (Ac. do Trib. Constitucional n.º 674/99, de 15 de Dezembro de 1999, proc. 24/97; *DR*, II série, de 25 de Fevereiro de 2000);

— O cumprimento do preceituado no art. 358.º, n.º 1, do CPP, não se satisfaz com a simples concessão de um prazo para produzir alegações de direito, já que a expressão *preparação da defesa* nesse lugar utilizada traduz algo mais do que um mero *convite* circunscrito à alegação em exclusiva sede jurídica, competido aos arguidos, com plena autonomia, e não a presidente do tribunal, a definição e fixação dos seus exactos limites. (Ac. STJ de 27 de Abril de 2000, proc. n.º 662/99-5.ª *SASTJ*, n.º 40, 54);

— I — Se a alteração da qualificação jurídica não implicar uma modificação essencial do interesse protegido com a incriminação, como é o caso quando o crime para o qual se quer convolar já está abrangido na previsão do anterior, por estar numa relação de especialidade, então já não se corre o risco de a defesa ser surpreendida com a nova qualificação. II — É equiparável à situação descrita no número anterior, não havendo razão para aplicação do art. 358.º, n.º 3, do CPP, a hipótese de, por redução de algum ou alguns dos factos, que não resultaram provados, atenta a relação de hierarquia entre os preceitos (ainda que à custa de uma consunção impura), dever o tribunal fazer nova qualificação jurídica dos factos sobrantes. (Ac. STJ de 5 de Julho de 2001, proc. n.º 4000/00-3.ª; *SASTJ*, n.º 53, 62);

— I — No que respeita à qualificação jurídica, o entendimento do tribunal colectivo não vincula o STJ que, sem prejuízo da *reformatio in pejus*, tem, como tribunal de revista que é, plena liberdade de julgar de direito, ou seja, de qualificar juridicamente os factos, mesmo divergindo da qualificação operada no tribunal *a quo*, e ainda que tal qualificação não venha directamente posta em causa no recurso. II — Aquela liberdade de qualificação jurídica tem lugar, sem necessidade de observância de quaisquer formalidades adicionais (art. 358.º, n.º 3, do CPP), se se tratar de repor uma qualificação já objecto do direito de contraditório do recorrente, por ter sido perfilhada no despacho de pronúncia. (Ac. STJ de 4 de Outubro de 2001, proc. n.º 1091/2001-5.ª; *SASTJ*, n.º 54, 98);

Código de Processo Penal

— I — Só ocorre alteração substancial dos factos descritos na acusação ou na pronúncia quando aquela alteração implique a imputação de um crime diverso do que foi imputado naquelas peças processuais ou tenha como consequência o agravamento da sanção aplicável. II — Uma alteração não substancial dos factos descritos na acusação ou na pronúncia pressupõe uma modificação com relevância para a decisão da causa, não bastando para tal que a matéria de facto provada não seja inteiramente coincidente com a vertida na acusação ou na pronúncia. (Ac. STJ de 24 de Janeiro de 2002, proc. n.º 1298/99-5.ª; *SASTJ*, n.º 57, 93);

— A omissão das formalidades previstas no n.º 1 do art. 358.º do CPP relativas à alteração da qualificação jurídica (n.º 3 do mesmo artigo) não é expressamente cominada na lei como nulidade, pelo que, atento o princípio da legalidade constante do n.º 1 do art. 118.º, constitui, nos termos do n.º 2 da dita norma, uma irregularidade, sujeita ao regime do art. 123.º do referido Código (Ac. STJ de 13 de Fevereiro de 2002, proc. n.º 4213/01-3.ª; *SASTJ*, n.º 58, 51);

— I — Se a alteração consiste na imputação de um crime simples ou menos agravado, quando da acusação ou da pronúncia resultava a atribuição do mesmo crime, mas em forma mais grave, por afastamento do elemento qualificador ou agravativo inicialmente imputado, não há qualquer alteração relevante, pois que o arguido se defendeu em relação a todos os factos, embora venha a ser condenado por diferente crime (mas consumido pelo da acusação ou da pronúncia). II — O mesmo se diga quando a alteração da qualificação jurídica é trazida pela defesa, pois que também aqui se não verifica qualquer elemento de surpresa que exija a atribuição ao arguido de maior latitude de defesa. (Ac. STJ de 7 de Novembro de 2002, proc. n.º 3158/02-5.ª; *SASTJ*, n.º 65, 67);

— O dever de advertência ou comunicação de alteração, substancial ou não, dos factos, imposta pelos arts. 358 e 359 do CPP, implica que tal comunição seja feita com todo o rigor, já que tal diligência se destina a permitir que o visado exerça, em plenitude, o seu direito de defesa, que não resultaria salvaguardado se o tribunal, afinal, pudesse ultrapassar, uniteralmente, os limites daquela alteração, nos termos precisos em que lhe foi transmitida. (Ac. STJ de 16 de Janeiro de 2003, proc. n.º 4420/02-5.ª; *SASTJ*, n.º 67, 85);

— I — Para que possa licitamente proceder-se à alteração da qualificação jurídica dos factos descritos na acusação, importa que pelo tribunal seja observado previamente o regime do art. 358.º, n.º 3, do CPP. II — No art. 359.º do mesmo Código englobam-se três hipóteses distintas: Alteração de facto ou de factos descritos na acusação; revelação de um crime conexo cometido pela mesma acção ou omissão ou por outra acção ou omissão cometida em unidade de tempo e lugar ou revelação de uma circunstância agravante; e revelação de um facto novo. III — Tratando-se de convolar a acusação de um crime de furto qualificado para o de receptação, a convolação implica necessariamente a alteração, por aditamento, de alguns factos acusados, já que, tratando-se embora de dois crimes contra o património, são bastante diferentes na respectiva configuração típica, objectiva e subjectiva. IV — Deste modo, tal convolação exige a convocação do formalismo do art. 359 do CPP. (Ac. STJ de 20 de Fevereiro de 2003, proc. n.º 373/03-5.ª; *SASTJ*, n.º 68, 83).

— Para que seja válida a alteração dos factos constantes da acusação ou da pronúncia é exigível a concordância dos arguidos, e não apenas do seu defensor, sob pena de nulidade da decisão final e de, consequentemente, ter de

820

Artigo 358.º

ser repetido o julgamento. (Ac. RL de 26 de Fevereiro de 2003; *CJ*, XXVII, tomo 1, 146);

— O adiantamento de um novo crime à acusação, mantendo-se a imputação dos crimes anteriores, ainda que os factos nela descritos possam integrá-lo não constitui uma alteração da qualificação jurídica sujeita ao regime do art. 358.º do CPP, no sentido, que parece ser o aí consagrado, de atribuição ao mesmo facto de qualificação jurídica diferente da referida na acusação ou na pronúncia, mas antes configura uma alteração substancial dos factos, tendo presente o conceito definido no art. 1.º, n.º 1, al. *f)*, do CPP. (Ac. STJ de 29 de Outubro de 2003, proc. n.º 2623/03-3.ª; *SASTJ*, n.º 74, 151);

— Não há alteração, substancial ou não, dos factos da acusação, quando os factos provados representam um *minus* relativamente àqueles, não sendo sequer necessária, nestes casos, a comunicação a que alude o art. 358.º do CPP. (Ac. STJ de 12 de Novembro de 2003, proc. n.º 1216/03-3.ª; *SASTJ*, n.º 75, 93);

— Tratando-se de uma convolação de um furto qualificado, na forma tentada, para um crime de furto simples, também na forma tentada, não há que dar cumprimento ao disposto no art. 358.º, n.º 3, do CPP, já que se trata de uma alteração que se traduz num *minus*, dentro do mesmo tipo legal, sem envolver qualquer elemento novo, de facto ou de direito, justificativo da concessão da oportunidade de o arguido se defender, nos termos do disposto no n.º 1 do art. 358.º. (Ac. STJ de 10 de Março de 2004, proc. n.º 4024/03-3.ª);

— A omissão do disposto no art. 358.º, n.ºs 1 e 3 do CPP, não é expressamente cominada como nulidade, pelo que, atendendo o princípio da legalidade constante do n.º 1 do art. 118.º, constitui, nos termos do n.º 2 do mesmo artigo, uma irregularidade, sujeita ao regime previsto no art. 123.º do CPP. (Ac. STJ de 19 de Outubro de 2005, proc. n.º 3191/03-3.ª; *SASTJ*, n.º 94, 90);

— A requalificação da participação do agente de co-autor para autor não traduz qualquer alteração não substancial dos factos. (Ac. STJ de 9 de Novembro de 2005; *CJ, Acs. do STJ*, ano XIII, tomo 3, 205);

— Não são inconstitucionais as normas dos arts.303.º e 358.º, n.ºs 1 e 3, do CPP, e os arts. 666.º e 672.º, do CPC, aplicados por força do art. 4.º do CPP, interpretados no sentido de permitirem a alteração da qualificação jurídica dos factos mais de uma vez no mesmo processo. (Ac. do Trib. Constitucional n.º 544/2006, de 27 de setembro, proc. n.º 388/2006; *DR*, II série, de 6 de Novembro de 2006);

— As figuras de alteração não substancial dos factos e de alteração da qualificação jurídica, referidas no art. 358.º do CPP, têm de dimanar da prova produzida em audiência de julgamento e não de qualquer reapreciação dos indícios recolhidos nas fases preliminares do processo. (Ac. RL de 28 de Março de 2007; *CJ*, ano XXXII, tomo II, 124);

— I — Não basta invocar uma qualquer inconstitucionalidade. Para além de indicar o preceito da Lei Fundamental violado *mister* se torna demonstrar o conteúdo factual em que esta violação se traduz. A não ser assim, a suscitada inconstitucionalidade não passa de uma afirnmação vaga e inexpressiva. II — Dispõe o art. 1.º, al. *f)*, do CPP que «alteração substancial dos factos é aquela que tiver por efeito a imputação ao arguido de um crime diverso ou a agravação dos limites máximos das sanções aplicáveis». III — Argumentando a *contrario*,

Código de Processo Penal

uma alteração não substancial é aquela que, representando embora uma modificação dos factos que constam da acusação ou de pronúncia, não tem por efeito a imputação de um crime diverso, nem tão pouco a agravação dos limites máximos das sanções aplicáveis. IV — Uma modificação dos factos que constam da acusação ou de pronúncia, mas que não tem por efeito a imputação de um crime diverso, nem tão pouco a agravação dos limites máximos das sanções aplicáveis, nem afectando negativamente a situação do arguido, não carecem tais factos de ser comunicados. Inserem-se nesta categoria «factos adminiculares» de neutro alcance ou meramente circunstanciais que não afectam a situação processual ou substantiva do arguido no processo. V — Invocando o requerente o erro notório na apreciação da prova, relacionado com a intenção de matar, que pretende ver alterada para não provada, é evidente que neste ponto estamos em pleno campo de impugnação e de discussão de matéria de facto, o que fica de fora da competência cognitiva do STJ (Ac. STJ de 3 de Abril de 2008; SASTJ relativos a esse mês).

ARTIGO 359.º

(Alteração substancial dos factos descritos na acusação ou na pronúncia)

1. Uma alteração substancial dos factos descritos na acusação ou na pronúncia não pode ser tomada em conta pelo tribunal para o efeito de condenação no processo em curso, nem implica a extinção da instância.

2. A comunicação da alteração substancial dos factos ao Ministério Público vale como denúncia para que ele proceda pelos novos factos, se estes forem autonomizáveis em relação ao objecto do processo.

3. Ressalvam-se do disposto nos números anteriores os casos em que o Ministério Público, o arguido e o assistente estiverem de acordo com a continuação do julgamento pelos novos factos, se estes não determinarem a incompetência do tribunal.

4. Nos casos referidos no número anterior, o presidente concede ao arguido, a requerimento deste, prazo para preparação da defesa não superior a dez dias, com o consequente adiamento da audiência, se necessário.

---

1. O texto dos n.ᵒˢ 1 e 2 foi introduzido pela Lei n.º 48/2007, de 29 de Agosto, e representa desdobramento do anterior n.º 1, porém estabelecendo a distinção entre factos novos autonomizáveis e não autonomizáveis e que só os primeiros originam a abertura de um novo processo. E tais termos e como decorrência do princípio *non bis in idem* e do acusatório, no caso de factos novos não autonomizáveis, o processo continua sem alteração do respectivo objectivo.

Artigo 359.º

Os n.ᵒˢ 3 e 4 são os anteriores n.ᵒˢ 2 e 3.

Na versão anterior à da supramencionada Lei este artigo reproduzia o art. 359.º do Proj. e corresponde ao art. 337.º do Aproj.

Os poderes de convolação para crime diverso do da acusação ou da pronúncia constavam dos arts. 447.º e 448.º do CPP de 1929.

2. Ver anots. ao artigo anterior.

No art. 1.º, n.º 1, al. *f)*, definiu-se o que se deve entender por alteração substancial dos factos.

Neste artigo vai-se muito mais longe do que no regime anterior, quanto aos poderes de o tribunal condenar por crime diverso do da acusação ou da pronúncia, quando há uma alteração substancial dos factos imputados nessas peças processuais, tudo dentro de um princípio de economia processual, mas sempre dentro dos limites do respeito pelos direitos da defesa.

Nos n.ᵒˢ 1 e 2 formula-se a regra geral de que uma alteração substancial dos factos, verificada na audiência de julgamento, não pode ser levada em conta pelo tribunal, para efeitos de condenação, valendo tão-só como denúncia ao MP para procedimento criminal pelos novos factos se estes forem autonomizáveis em relação ao objecto do processo.

Nos n.ᵒˢ 3 e 4 estabelecem-se excepções a esta regra. Nestes casos há acordo entre a acusação e a defesa para a continuação do processo pelos novos factos, pelo que se não violam os respectivos direitos. Essa continuação pode conduzir a condenação por um crime bem diferente do inicialmente previsto. Em todo o caso, o processo só poderá continuar se o tribunal tiver competência em razão da matéria, da espécie e da hierarquia para o conhecimento do novo crime.

Contrariamente ao que sucede com a instrução (ver art. 303.º, n.º 3 e anots. 4 e 5 a esse artigo), os novos factos determinantes de alteração substancial podem ser levados em conta no julgamento, desde que se respeite o condicionalismo do art. 359.º, n.ᵒˢ 3 e 4.

Vemos nisto incoerência do sistema, certamente resultante da introdução de alterações na formulação de início projectada para o art. 303.º sem as correspondentes alterações no art. 359.º. Vejam-se as anots. ao art. 303.º e Figueiredo Dias, *Jornadas,* 17.

A solução do art. 359.º é certamente mais pragmática e economicista, enquanto que a do art. 303.º, n.º 3, respeita mais o princípio acusatório.

Esta solução pragmática e economicista estabelecida no n.º 3 já foi assacada de inconstitucional, precisamente por violar o princípio acusatório estabelecido na CRP, e ainda por existir motivo sério e grave, adequado a gerar desconfiança sobre a imparcialidade dos juízes. Assim, Marques Ferreira, *Da Alteração dos Factos Objecto do Processo Penal, RPCC,* n.º 2, 238-239.

Não cremos, porém, que assim deva ser entendido:

Recordemos que, como repetidamente foi decidido pelo Tribunal Constitucional no domínio do CPP de 1929, não enferma de qualquer inconstitucionalidade a solução de a pronúncia ser decidida pelo juiz do julgamento, já que, ao realizar este, ele não se encontra de qualquer modo vinculado à posição que assumiu da pronúncia (decisão *pro nunc*).

Sucede que aqui, no n.ᵒˢ 3 e 4, há garantias acrescidas relativamente ao CPP de 1929, já que a continuação do julgamento pelos novos factos depende da concordância do MP, do arguido e do assistente. E o arguido, assistido de

Código de Processo Penal

defensor, é certamente quem melhor sabe se a continuação do julgamento pelos novos factos o pode ou não prejudicar. Se entender que a sua defesa assim pode ficar prejudicada, não deixará de se opor, realizando-se então o julgamento só pelos factos descritos na acusação ou na pronúncia.

3. *Jurisprudência:*

— I — A nulidade do incumprimento do disposto no art. 359.º, n.os 1 e 2 do CPP, depende de arguição, a qual é tempestativamente feita se o for na motivação do recurso, face ao disposto no art. 410.º, n.º 3 do mesmo diploma. II — Acusado o arguido de factos que preenchem a tipicidade do crime de homicídio voluntário do art. 131.º do CP e, provados factos contidos na acusação, é legal a condenação pelo crime de rixa que seria consumido pelo de homicídio não provado, por não se ter provado o dolo. O crime de rixa constitui um *menos* em relação ao de homicídio voluntário, sendo por este consumido. A convolação não constitui, assim, uma alteração substancial dos factos, tal como esta vem definida no art. 1.º, n.º 1, do CPP, porquanto constavam da pronúncia os elementos factuais constitutivos do crime de participação em rixa. III — O homicídio por negligência é consumido pelo crime de participação em rixa. (Ac. STJ de 5 de Julho de 1989; *AJ,* n.º 1, 3);

— I — Acusado um arguido de tentativa de homicídio por ter agido com intenção de matar, pode condenar-se pelo crime de ofensas corporais. II — O facto de querer ofender corporalmente contém-se no de querer matar, não representando um facto novo ou diferente em relação ao acusado (art. 359.º do CPP. III — Assim sendo, não se verifica quer alteração substancial quer alteração não substancial dos factos constantes da acusação. (Ac. STJ de 26 de Setembro de 1990, Proc. 41 065/3.ª);

— I — Se o arguido só foi acusado pelo crime simples de tráfico de estupefacientes (art. 23.º, n.º 1 do Dec.-Lei n.º 430/83), não pode vir a ser condenado pelo crime agravado do art. 27.º do mesmo diploma sem que se hajam cumprido as formalidades do art. 359.º do CPP. II — De outro modo incorrer-se-ia na nulidade revista no art. 379.º, al. *b)* do mesmo Código, dado haver alteração substancial dos factos. (Ac. STJ de 16 de Janeiro de 1991, Proc. 41 379/3.ª);

— Não há alteração, substancial ou não, da acusação, para os efeitos dos arts. 358.º e 359.º do CPP, quando os factos considerados provados representam um *minus* relativamente aos da acusação e nenhuns novos são introduzidos. (Ac. STJ de 3 de Abril de 1991; *CJ,* XVI, tomo 2, 17);

— I — O CPP, dando cumprimento ao reforço dos direitos da defesa emanados da Constituição, fez abranger elo princípio do contraditório, não só a matéria de facto, mas também o tratamento que a esta é dado para o efeito de a subsumir aos preceitos incriminadores. II — Por isso, a condenação por crime diverso do constante da acusação, ainda que baseada nos factos aí escritos, traduz-se em alteração substancial da acusação, que só pode ser permitida com as formalidades do art. 359.º, n.º 2. (Ac. STJ de 16 de Janeiro de 1991; *CJ,* XVI, tomo 1, 5). *Nota—* Não concordamos com esta orientação, nos termos amplos em que está sumariada. Como se referiu, estabeleceu-se alguma confusão — que de algum modo partilhámos—, em torno do conceito de *alteração substancial dos factos descritos na acusação ou na pronúncia, e*

Artigo 359.º

reflectida neste acórdão. Veja-se, sobre este ponto, a anot. 3 ao art. 358.º, particularmente a *jurisprudência obrigatória* aí referida e sumariada;

— Apenas se verifica uma alteração substancial dos factos quando existe um acréscimo de factos aos que constavam da acusação ou da pronúncia, e não já quando aqueles merecem um diverso enquadramento jurídico-penal, mesmo que mais gravoso. (Ac. STJ de 8 de Janeiro de 1992; *CJ*, XVII, tomo 1, 5);

— I — A proibição de alteração dos arts. 358.º e 359.º do CPP é dos factos, e não de toda a acusação, nomeadamente da qualificação jurídica que a eles é dada. II — O art. 1.º, al. *f)*, do CPP tem de ser interpretado no seu sentido natural, de que uma alteração dos factos é substancial se vier a ter por efeito a imputação de crime diverso ou a agravação dos limites máximos das sanções aplicáveis; não sucedendo isso, ela não é substancial, ficando sujeita ao regime do art. 358.º. (Ac. STJ de 27 de Maio de 1992; *CJ*, XVII, tomo 3, 40);

— I — Nos termos do art. 359.º do CPP, uma alteração substancial dos factos descritos na acusação ou na pronúncia, se a houver, não pode ser tomada em conta pelo tribunal para efeito de condenação no processo em curso, mas a comunicação da alteração ao MP vale como denúncia para procedimento pelos novos factos. II — Se os novos factos apurados formam juntamente com os constantes da acusação uma unidade que não permita a sua autonomização, não sendo possível proceder à sua cisão sob pena de os tornar irrelevantes e não se poder valorar o comportamento do arguido, impõe-se a abertura de novo inquérito quanto a todos os factos, e não somente quanto aos factos novos. III — Em tal situação, o processo em curso não deve ser arquivado, por não ser aplicável ao caso o regime de extinção da instância; antes deve o tribunal, por aplicação subsidiária das normas do CPC, ordenar a suspensão da instância, tendo por objecto a totalidade dos factos na reabertura do inquérito. (Ac. STJ de 28 de Janeiro de 1993; *BMJ*, 423, 380);

— I — Constitui alteração substancial dos factos a imputação ao arguido, na audiência de julgamento, de um crime de receptação, quando na acusação lhe é imputada a autoria de um crime de furto, já que os novos factos consubstanciam um crime diferente e autónomo e a forma de cometimento do primeiro daqueles crimes é diferente da do segundo. II — Tal alteração, nos termos da alínea *f)* do artigo 1.º do CPP, constitui violação do art. 359.º e acarreta a nulidade da sentença, nos termos do art. 380, n.º 1, alínea *b)*, do mesmo diploma. (Ac. STJ de 28 de Abril de 1993; *BMJ*, 426, 408);

— I — A condenação por factos totalmente estranhos à acusação e que o arguido alegou em defesa própria, face às imputações que naquela lhe eram dirigidas, configura uma alteração substancial dos factos. II — Assim, e por violação do art. 359.º do CPP, o acórdão condenatório enferma da nulidade do art. 379.º, al. *b)*, do mesmo diploma legal. (Ac. STJ de 20 de Outubro de 1993; *BMJ*, 430, 355);

— I — Constitui alteração substancial dos factos a imputação ao arguido, na audiência de julgamento, de um crime de receptação, quando na acusação lhe foi imputada a autoria de um crime de furto, já que os novos factos consubstanciam um crime diferente e autónomo: a forma de aquisição no primeiro daqueles crimes é diferente, porque há que provar a aquisição da

825

Código de Processo Penal

coisa do ofendido para outrem, que por sua vez a transmite aos agentes da receptação. II — Tal alteração, nos termos da al. *f)* do art. 1.º do CPP, constitui violação do art. 359.º do CPP e acarreta a nulidade da sentença, nos termos do art. 380.º, n.º 1, do mesmo diploma. (Ac. STJ de 28 de Abril de 1993; *BMJ,* 426, 408);

— Não se verifica alteração substancial da acusação, pela simples discrepância na natureza do instrumento utilizado — enxada ou barra de ferro — e de pormenores que terão ocorrido no momento da contenda. (Ac. STJ de 20 de Setembro de 1995; proc. 48094/3.ª);

— I — Tendo ocorrido redução da matéria de facto constante da acusação, relativamente à qual se tinha assegurado ao arguido o contraditório, essa redução teve como efeito autonomizar a norma incriminadora do art. 144.º do CP, que o art. 281.º do mesmo diploma consumira. II — Não resultou, assim, da diversidade do tipo incriminador uma alteração essencial do sentido da ilicitude típica do comportamento do arguido, pelo que deverá concluir-se não haver lugar a censura jurídico-constitucional no concreto caso e no modo como foi interpretada e aplicada a normação questionada (arts. 358.º e 359.º do CPP), intocada que se mostra a plenitude das garantias de defesa assegurada pelo n.º 1 do art. 32.º da Constituição da República. (Ac. do Trib. Constitucional n.º 330/97, de 17 de Abril; *BMJ,* 466, 115).

— A alteração substancial dos factos da acusação só releva processualmente quando tenha importância para a discussão da causa, ou seja, quando tenha repercussão agravativa na medida da punição, ou na estratégia da defesa do arguido. Quando tal não acontecer nada impõe que o tribunal deva comunicar a alteração aos arguidos, a-fim-de estes se defenderem, como resulta da parte final do n.º 1 do art. 358.º do CPP. (Ac. STJ de 18 de Junho de 1997; *CJ, Acs. do STJ,* V, tomo 2, 245);

— No caso de oposição ao prosseguimento do julgamento depois de indiciada a situação de alteração substancial dos factos da acusação, nos termos do art. 359.º, n.º 1, do CPP, deve o tribunal mandar extrair certidão de todo o processado, ordenar o arquivamento do processo e remeter essa certidão ao MP. (Ac. STJ de 17 de Dezembro de 1997; *CJ, Acs. do STJ,* V, tomo 3, 257);

— Sempre que o tribunal preveja a possibilidade de subsunção dos factos a figura criminal diversa da indicada na acusação ou na pronúncia, deve o tribunal prevenir o arguido dessa eventualidade em ordem a que o mesmo possa organizar a sua defesa quanto a tal orientação, sob pena de nulidade da sentença, por força dos arts. 359.º e 379.º, al. *b),* do CPP. (Ac. STJ de 11 de Fevereiro de 1998; *BMJ,* 474, 309);

— São inconstitucionais as normas contidas nos artigos 358.º e 359.º do Código de Processo Penal, quando interpretadas no sentido de se não entender como alteração dos factos — substancial ou não substancial — a consideração, na sentença condenatória, de factos atinentes ao modo de execução do crime, que, embora constantes ou decorrentes dos meios de prova juntos aos autos, para os quais a acusação e a pronúncia expressamente remetiam, no entanto aí se não encontravam especificamente enunciados, descritos ou discriminados, por violação das garantias de defesa do arguido

Artigo 360.º

e dos princípios do acusatório e do contraditório, assegurados no artigo 32.º, n.os 1 e 5, da Constituição da República. (Ac. do Trib. Constitucional n.º 674/99, de 15 de Dezembro de 1999, proc. 24/97; *DR*, II série, de 25 de Fevereiro de 2000);

— É inconstitucional, por violação do art. 32.º, n.os 1 e 5 da CPR, a norma constante do art. 359.º do CPP, quando interpretada no sentido de, em situação em que o tribunal de julgamento comunica ao arguido estar-se perante uma alteração não substancial dos factos descritos na acusação, quando a situação é de alteração substancial da acusação, poder o silêncio do arguido ser havido como acordo com a continuação do julgamento. (Ac. do Trib. Constitucional n.º 463/2004, de 23 de Junho de 2004, proc. n.º 226/03; *DR*, II série, de 12 de Agosto de 2004);

— Não é inconstitucional a norma do art. 359.º do CPP, na redacção da Lei n.º 48/2007, de 29 de Agosto, interpretada no sentido de que perante uma alteração substancial dos factos descritos na acusação ou na pronúncia, o tribunal não pode proferir decisão de extinção da instância em curso e determinar a comunicação ao Ministério Público para que este proceda pela totalidade dos factos. (Ac. do Trib. Constitucional n.º 226/2008; *DR*, II série, de 22 de Julho de 2008).

ARTIGO 360.º

(Alegações orais)

1. Finda a produção da prova, o presidente concede a palavra, sucessivamente, ao Ministério Público, aos advogados do assistente e das partes civis e ao defensor, para alegações orais nas quais exponham as conclusões, de facto e de direito, que hajam extraído da prova produzida.

2. É admissível réplica, a exercer uma só vez, sendo, porém, sempre o defensor, se pedir a palavra, o último a falar, sob pena de nulidade. A réplica deve conter-se dentro dos limites estritamente necessários para a refutação dos argumentos contrários que não tenham sido anteriormente discutidos.

3. As alegações orais não podem exceder, para cada um dos intervenientes, uma hora e as réplicas vinte minutos; o presidente pode, porém, permitir que continue no uso da palavra aquele que, esgotado o máximo do tempo legalmente consentido, assim fundamente o requerer com base na complexidade da causa.

4. Em casos excepcionais, o tribunal pode ordenar ou autorizar, por despacho, a suspensão das alegações para produção de meios de prova supervenientes, quando tal se revelar indispensável para a boa decisão da causa; o despacho fixa o tempo concedido para aquele efeito.

Código de Processo Penal

---

1. Reproduz o art. 360.º do Proj. e corresponde aos arts. 338.º do Aproj. e 467.º do CPP de 1929. A disposição do n.º 4 é, porém, nova.

2. A lei mostra-se agora mais completa e pormenorizada do que o CPP de 1929, cujo art. 467.º não continha qualquer referência ao conteúdo das alegações orais: diz-se agora expressamente o que já estava implícito no direito anterior, isto é que nas alegações orais devem as partes expor as conclusões, de facto e de direito, que hajam extraído da prova produzida durante o julgamento.

Também quanto a réplica se esclarece e pormenoriza que ela se deve conter dentro dos limites estritamente necessários para a refutação dos argumentos contrários que não tenham sido anteriormente discutidos.

A violação destes normativos sobre as alegações e a réplica não constitui qualquer nulidade, cumprindo porém ao presidente velar pelo acatamento destes ditames legais.

3. O n.º 4 contém uma disposição que não tinha correspondente no texto da lei anterior; corresponde, porém, a uma prática que por vezes era seguida e que se integrava no pensamento legislativo (veja-se, a este respeito, *v. g.* o ac. STJ de 21 de Maio de 1969; *BMJ,* 187, 59).

4. A omissão de concessão da palavra, para alegações ou para réplica, não vem taxada como nulidade insanável em qualquer disposição legal. Cabe, porém, no âmbito do art. 120.º, n.º 2, al. *d).* As alegações e a réplica são uma formalidade essencial para a boa administração da justiça, para assegurar o contraditório e também essencial para a descoberta da verdade. Essa omissão constituirá pois uma nulidade dependente de arguição, podendo esta ser feita até ao encerramento da audiência (art. 120.º, 3, *a)).* Já vem, porém, expressamente cominada com nulidade a omissão da concessão de palavra ao defensor, quando ele a pede para que seja o último a falar, nos termos da primeira parte do n.º 3. Trata-se, também aqui, de uma nulidade dependente de arguição, que pode ser feita até ao encerramento da audiência.

5. *Jurisprudência:*
— Não tendo sido dada a palavra ao MP e aos advogados do assistente e do arguido, foi cometida irregularidade, que apenas acarreta invalidade do acto e dos termos subsequentes quando tiver sido arguida pelos interessados no próprio acto. (Ac. RC de 21 de Novembro de 1990; *CJ,* XV, tomo 5, 85).

ARTIGO 361.º
(Últimas declarações do arguido e encerramento da discussão)

1. Findas as alegações, o presidente pergunta ao arguido se tem mais alguma coisa a alegar em sua defesa, ouvindo-o em tudo o que declarar a bem dela.

2. Em seguida o presidente declara encerrada a discussão, sem prejuízo do disposto no artigo 371.º, e o tribunal retira-se para deliberar.

Artigo 362.º

1. Reproduz o art. 361.º do Proj. e corresponde ao art. 339.º do Aproj.; e à 1.ª parte do art. 468.º do CPP de 1929.

2. Não existe diferença de relevo em relação ao regime anterior.
No domínio do CPP de 1929 várias vezes a jurisprudência dos tribunais superiores entendeu que a omissão da pergunta ao arguido, no final das alegações, sobre se tinha mais alguma coisa a alegar em sua defesa constituía nulidade absoluta, determinante da anulação do julgamento.
Como a lei anterior, não faz aqui a lei actual qualquer referência à existência de uma nulidade, no caso de tal omissão ser praticada. E assim, em face da disposição do n.º 1 do art. 118.º que estabelece o princípio da legalidade do domínio das nulidades, que não tinha correspondente na lei anterior, põe-se agora a questão de saber se a omissão se traduz em qualquer nulidade, e, caso positivo, quais os seus efeitos. Afigura-se-nos que a questão deve ser resolvida entendendo-se que, ao incorrer na referida omissão, o tribunal pratica uma irregularidade, sujeita ao regime do art. 123.º, que portanto terá que ser arguida pelo arguido nos termos aí preceituados, para que possa determinar a invalidade dos termos subsequentes.

3. *Jurisprudência:*
— Não é inconstitucional o complexo normativo formado pelos arts. 361.º; 368.º, n.º 2 e 374.º do CPP, enquanto nele se não prevê a prévia quesitação de factos alegados pela acusação e pela defesa e resultantes da discussão da causa e, consequentemente, a sua reclamação. (Ac. do Trib. Constitucional de 19 de Maio de 1998, proc. n.º 387/97; *DR*, II série, de 11 de Dezembro do mesmo ano).

CAPÍTULO IV

DA DOCUMENTAÇÃO DA AUDIÊNCIA

ARTIGO 362.º
(Acta)

1. A acta da audiência contém:

a) O lugar, a data e a hora de abertura e de encerramento da audiência e das sessões que a compuseram;

b) O nome dos juízes, dos jurados e do representante do Ministério Público;

c) A identificação do arguido, do defensor, do assistente, das partes civis e dos respectivos advogados;

d) A identificação das testemunhas, dos peritos, dos consultores técnicos e dos intérpretes e a indicação de todas as provas produzidas ou examinadas em audiência;

e) A decisão de exclusão ou restrição da publicidade, nos termos do artigo 321.º;

Código de Processo Penal

f) Os requerimentos, decisões e quaisquer outras indicações que, por força da lei, dela devam constar;

g) A assinatura do presidente e do funcionário de justiça que a lavrar.

2. O presidente pode ordenar que a transcrição dos requerimentos e protestos verbais seja feita somente depois da sentença, se os considerar dilatórios.

---

1. O texto deste artigo foi introduzido pela Lei n.º 59/98, de 25 de Agosto. Em relação à versão originária do Código apontam-se as seguintes alterações, introduzidas pela referida Lei:

O n.º 1 corresponde ao art. 362.º da versão originária, sendo novo o dispositivo da al. *e)* e com alterações de pouco relevo nas als. *d)* e *f)*.

O n.º 2 foi introduzido pela apontada Lei e não tinha correspondente na versão originária.

2. *Protesto*, a que alude o n.º 2, é um termo pouco usado no CPP. Refere-se-lhe mais pormenorizadamente o n.º 2 do art. 64.º do Estatuto da Ordem dos Advogados, onde é definido como *declaração formal de que um acto é ilegal ou que se não aceita*. Tem por objecto a arguição de uma nulidade ou de uma irregularidade, correspondendo portanto a um requerimento com essa arguição.

3. Não comina aqui a lei qualquer nulidade para a omissão da acta da audiência; assim, e em face do carácter taxativo das nulidades (art. 118.º, n.º 1), põe-se a questão de saber quais as consequências da omissão da acta.

No domínio do CPP de 1929 entendia-se que a acta constituía prova plena e insubstituível do que no julgamento se passou, pelo que a sua falta constituía a nulidade prevista na 2.ª parte do n.º 1 do seu art. 98.º (omissão de diligências essenciais para a descoberta da verdade — cfr. ac. RC de 27 de Julho de 1977; *CJ*, II, tomo 5, 1090).

A redacção que, no final dos trabalhos preparatórios, acabou por ser dada à al. *d)* do n.º 2 do art. 120.º tornou-a idêntica à daquele dispositivo do CPP de 1929, pelo que se nos afigura como solução mais razoável aquela que no direito anterior era perfilhada mediante idêntica norma. Sucede ainda que se a falta, na acta, de alguns elementos que dela devem constar constitui nulidade, por maioria de razão deve constituir nulidade a falta da própria acta (cfr. art. 356.º, n.º 8).

4. *Jurisprudência:*

— I — Constitui nulidade quer a falta de acta de audiência quer a falta de elementos que dela devem constar. II — Em consequência, deve ser anulada a sessão de julgamento que tinha sido designada para leitura do acórdão, se se verificar que pode haver arguidos sem estarem no acto representados por advogado e que foi feita exortação final a um arguido, quando eles eram sete. (Ac. STJ de 18 de Maio de 1994; proc. 45712);

Artigo 363.º

— Não são inconstitucionais os arts. 99.º, n.ᵒˢ 2 e 3, al. *d)*; 362.º, al. *e)* e 344.º, n.º 4, do CPP, na redacção anterior à Lei n.º 59/98, de 25 de Agosto, quando interpretados no sentido de considerar não obrigatória a menção na acta de audiência de julgamento à confissão do arguido, nomeadamente quando essa confissão seja valorada para fundamentar uma decisão condenatória. (Ac. do Trib. Constitucional n.º 268/99, de 12 de Maio, proc. n.º 125/99; *DR*, II série, de 22 de Outubro de 1999).

ARTIGO 363.º

(Documentação de declarações orais)

As declarações prestadas oralmente na audiência são sempre documentadas na acta, sob pena de nulidade.

1. O texto deste artigo foi introduzida pela Lei n.º 48/2007, de 29 de Agosto, em substituição do texto originário, que reproduzia o art. 363.º do Proj.

2. Este artigo veio estabelecer relevante alteração do regime anterior, que estabelecia a documentação das declarações orais prestadas na audiência como princípio geral. As declarações passaram a ser sempre e obrigatoriamente documentadas na acta, não se admitindo portanto que os sujeitos processuais prescindam da documentação, seja qual for o tribunal materialmente competente. A documentação é feita pela forma constante do art. 374.º.

3. A omissão da documentação das declarações prestadas na audiência constitui nulidade, como expressamente consta do texto legal. Porque não incluída na enumeração taxativa do art. 119.º ou de outra disposição legal, trata-se de nulidade dependente de arguição, sujeita ao regime do art. 120.º.
Não terá entendido assim o ac. STJ de 26 de Março de 2003, ao considerar tratar-se de irregularidade sujeita ao regime estabelecida no art. 123.º (proc. n.º 105/08 da 3.ª secção), entendimento de que manifestamente discordamos. Esse acórdão encontra-se publicado nos *SASTJ* relativos ao referido mês de Março de 2008 e contém as seguintes conclusões:
I — Apesar da existência de diferentes interpretações na aplicação do n.º 2 do art. 5.º do CPP, a 3.ª Secção deste Supremo Tribunal vem formulando o entendimento de que a referida norma é de natureza processualmente substantiva, pelo que não poderá o recorrente ficar privado da amplitude do direito ao recurso que era legalmente possível antes da vigência da Lei 48/2007, de 29-08, não sendo de aplicar o novo regime relativamente aos graus de recurso nos processos iniciados anteriormente à sua vigência quando da sua aplicabilidade imediata possa resultar agravamenbto sensível e ainda evitável da situação processual do arguido, nomeadamente uma limitação do seu direito de defesa. II — A questão [suscitada] da falta de gravação da prova concerne à documentação da matéria de facto, embora possa implicar consequências jurídicas no exercício do direito ao recurso. III — O direito ao recurso em

831

Código de Processo Penal

matéria penal (duplo grau de jurisdição), inscrito constitucionalmente como uma das garantias de defesa no art. 32.º, n.º 1, da CRP, impõe que o sistema processual penal preveja a organização de um modelo de impugnação das decisões penais que possibilite, de modo efectivo, a reapreciação por uma instância superior das decisões sobre a cupabilidade e a medida da pena. IV — A dimensão constitucional do direito ao recurso, como garantia de defesa, não significa, porém, que o direito ao recurso em matéria de facto seja irrenunciável, ou que não esteja na disponibilidade do titular, que pode modelar, na perspectiva que considere mais favorável aos seus interesses, o exercício dos seus direitos processuais. V — Assim, a documentação das declarações prestadas oralmente na audiência e a posterior transcrição das provas que impõem decisão em matéria de facto (arts. 363.º e 412.º, n.ᵒˢ 3, al. *b)*, e 4, do CPP). VI — A não documentação das declarações prestadas oralmente na audiência de julgamento, contra o disposto no art. 363.º, do CPP, contitui irregularidade, sujeita ao regime estabelecido no art. 123.º do mesmo diploma legal, pelo que uma vez sanada o tribunal já dela não pode conhecer. VII — As irregularidades têm de ser arguidas pelos interessados no próprio acto ou, se a este não tiverem assistido, nos três dias seguintes a contar daquele em que tiverem sido notificados para qualquer termo do processo ou intervindo em alguma acto nele praticado, sem prejuízo de o poderem ser nos três dias úteis subsequentes a tal prazo, nos termos dos n.ᵒˢ 5 e 6 do art. 145.º do CPC, aqui aplicável por força do art. 104.º do CPP. VIII — A eventual inaudibilidade e imperceptibilidade da prova gravada, uma vez que não é tida legalmente como nulidade, constitui uma mera irregularidade, que se tem por sanada se não for arguida nos termos enunciados. IX — No caso dos autos, o recorrente reclamou em tempo a dita irregularidade e foi desatendido. Ainda que suscitada em recurso a indispensabilidade de tal prova, compete à Relação decidir de tal «essencialidade», pois constitui «matéria de facto». X — Daí que, tendo o Tribunal da Relação emitido prenúncia sobre a questão suscitada pelo recorrente, e não sendo caso de procedência de nulidade, não pode o STJ, como tribunal de revista, fazer qualquer censura ao acórdão impugnado sobre o conhecimento e decisão da referida questão de facto.

4. *Jurisprudência:*
Ver supra, anot. 3.

ARTIGO 364.º

(Forma da documentação)

1. A documentação das declarações prestadas oralmente na audiência é efectuada, em regra, através de gravação magnetofónica ou audiovisual, sem prejuízo de utilização de meios estenográficos ou estenotípicos, ou de outros meios técnicos idóneos a assegurar a reprodução integral daquelas. É correspondentemente aplicável o disposto nos n.ᵒˢ 2 e 3 do artigo 101.º.

Artigo 365.º

2. Quando houver lugar a gravação magnetofónica ou audiovisual, deve ser consignado na acta o início e o termo da gravação de cada declaração.

O texto deste artigo foi introduzido pela Lei n.º 48/2007, de 29 de Agosto. O texto anterior não era o originário, mas o que tinha sido introduzido pela Lei n.º 59/98, de Agosto e pelo Dec.-Lei n.º 320-C/2000, de 15 de Dezembro. A obrigatoriedade de as declarações prestadas oralmente na audiência serem sempre documentadas na acta, estabelecida no art. 363.º, e a divulgação e acessibilidade de meios técnicos de gravação magnetofónica ou audiovisual, bem como de meios estenográficos e estenotípicos, justificaram a alteração radical dos dispositivos que neste artigo se estabeleciam quanto à forma de documentação ads declarações prestadas oralmente na audiência.

TÍTULO III

DA SENTENÇA

ARTIGO 365.º
(Deliberação e votação)

1. Salvo em caso de absoluta impossibilidade, declarada em despacho, a deliberação segue-se ao encerramento da discussão.
2. Na deliberação participam todos os juízes e jurados que constituem o tribunal, sob a direcção do presidente.
3. Cada juiz e cada jurado enunciam as razões da sua opinião, indicando, sempre que possível, os meios de prova que serviram para formar a sua convicção, e votam sobre cada uma das questões, independentemente do sentido do voto que tenham expresso sobre outras. Não é admissível a abstenção.
4. O presidente recolhe os votos, começando pelo juiz com menor antiguidade de serviço, e vota em último lugar. No tribunal de júri votam primeiro os jurados, por ordem crescente de idade.
5. As deliberações são tomadas por maioria simples de votos.

1. Reproduz o art. 365.º do Proj. Não havia disposições correspondentes no CPP de 1929, aplicando-se, na vigência desse diploma, supletivamente as normas do processo civil.

2. Há alterações sensíveis relativamente as regime imediatamente anterior à entrada em vigor do Código:
A partir da entrada em vigor da Lei n.º 82/77 (Lei Orgânica dos Tribunais), o júri, quando intervinha, deliberava só quanto a matéria de facto; passa agora,

Código de Processo Penal

nos casos em que intervém, a deliberar em todas as questões objecto da decisão de julgamento, incluindo a determinação da pena e todas as outras decisões de direito.
É eliminado o questionário. A eliminação, pese embora o intuito de simplificação que lhe está subjacente, pode vir a revelar-se como fonte de confusões, mormente nos casos de matéria de facto complexa e de julgamentos com intervenção do júri, em que na prática corrente haverá necessidade de proceder do mesmo modo como se o questionário tivesse sido organizado e respondido artigo por artigo. É este, precisamente, o sentido do art. 368.º, n.º 2.

3. Tudo quanto ocorre na deliberação e votação é secreto, incluindo portanto as razões e os meios de prova decisivos para a formação da opinião, referidos no n.º 3. Por isso mesmo, as notas tomadas pelo Secretário são só para efeitos internos; não têm que constar da deliberação e são destruídas logo que elaborada a sentença (art. 366.º, n.º 3).

4. De notar ainda que nesta fase, e contrariamente ao que sucede na elaboração da sentença e nos recursos (arts. 372.º, n.º 2, e 425.º), não é admissível qualquer declaração. A admissão de declarações de voto nesta fase dificilmente se coadunaria com a existência de jurados.

ARTIGO 366.º

(Secretário)

1. À deliberação e votação pode assistir o secretário ou o funcionário de justiça que o presidente designar.
2. O secretário presta ao tribunal todo o auxílio e colaboração de que este necessitar durante o processo de deliberação e votação, nomeadamente tomando nota, sempre que o presidente o entender, das razões e dos meios de prova indicados por cada membro do tribunal e do resultado da votação de cada uma das questões a considerar.
3. As notas tomadas pelo secretário são destruídas logo que a sentença for elaborada.

Ver anots. ao artigo anterior.
Até onde nos é dado saber, tem sido pouco usual a prática de o presidente designar o secretário ou qualquer funcionário de justiça para prestarem ao tribunal auxílio e colaboração durante o processo de deliberação e votação, como é permitido por este artigo.

ARTIGO 367.º

(Segredo da deliberação e votação)

1. Os participantes no acto de deliberação e votação referido nos artigos anteriores não podem revelar nada do que durante ela se tiver passado e se relacionar com a causa, nem exprimir a sua opinião sobre a deliberação tomada, salvo o disposto no n.º 2 do artigo 372.º.

Artigo 368.º

2. A violação do disposto no número anterior é punível com a sanção prevista no artigo 371.º do Código Penal, sem prejuízo da responsabilidade disciplinar a que possa dar lugar.

1. Reproduz o art. 367.º do Proj. e corresponde aos arts. 396.º do Aproj. e 471.º do CPP de 1929. A referência feita no n.º 2 ao CP foi porém actualizada pelo Dec.-Lei n.º 317/95, de 28 de Novembro, em virtude da revisão do CP levada a efeito pelo Dec.-Lei n.º 48/95, de 15 de Março. A ressalva da parte final do n.º 1 foi porém aditada pela Lei n.º 48/2007, de 29 de Agosto.

2. O preceituado neste artigo abrange o secretário. A alteração feita na primeira versão do Projecto, em que não havia referência a *acto,* mas só a *deliberação* e *votação,* visou precisamente obter esse efeito.

ARTIGO 368.º

(Questão da culpabilidade)

1. O tribunal começa por decidir separadamente as questões prévias ou incidentais sobre as quais ainda não tiver recaído decisão.

2. Em seguida, se a apreciação do mérito não tiver ficado prejudicada, o presidente enumera discriminada e especificadamente e submete a deliberação e votação os factos alegados pela acusação e pela defesa, e bem assim os que resultarem da discussão da causa, relevantes para as questões de saber:

   a) Se se verificaram os elementos constitutivos do tipo de crime;
   b) Se o arguido praticou o crime ou nele participou;
   c) Se o arguido actuou com culpa;
   d) Se se verificou alguma causa que exclua a ilicitude ou a culpa;
   e) Se se verificaram quaisquer outros pressupostos de que a lei faça depender a punibilidade do agente ou a aplicação a este de uma medida de segurança;
   f) Se se verificaram os pressupostos de que depende o arbitramento da indemnização civil.

3. Em seguida, o presidente enumera discriminadamente e submete a deliberação e votação todas as questões de direito suscitadas pelos factos referidos no número anterior.

1. Reproduz o art. 368.º do Proj. e corresponde aos arts. 382.º do Aproj. 424.º e 494.º do CPP de 1929.

2. Como se referiu em anot. o art. 365.º, embora o questionário tivesse sido eliminado, haverá muitas vezes que proceder do mesmo modo como a quesitação era feita, isto é discriminando os factos um a um, de modo a não

Código de Processo Penal

haver perguntas sobre factos complexos e a poder responder-se simplesmente com um sim ou um não. É precisamente este o sentido dos n.ᵒˢ 2 e 3 deste art. 368.º.

3. Quanto ao n.º 1, não existe alteração de relevo do regime anterior. Vejam-se as anots. aos arts. 400.º e 424.º do CPP de 1929, no nosso *Código de Processo Penal*. 6.ª edição.

Questões prévias são todas as que obstam ao conhecimento do mérito da causa; devem, portanto, ser conhecidas antes das questões de fundo. Na apreciação das questões prévias deve dar-se prioridade à questão da competência do tribunal, pois se o tribunal se declarar incompetente não deve mesmo entrar na apreciação de qualquer outra questão, que ficará para apreciação pelo tribunal competente. Quanto a outras questões prévias, além da competência, não estabelece geralmente a lei ou a doutrina qualquer ordem de prioridade.

4. Quanto aos n.ᵒˢ 1 e 2, continuam a revelar-se de toda a utilidade as anots. ao art. 494.º do CPP de 1929, no nosso *Código de Processo Penal*, pela manifesta proximidade de algumas disposições.

É agora mais patente que na lei anterior a necessidade de se seguir um ordenamento lógico no apuramento do material fáctico, exigência mais premente porque agora se eliminou a elaboração do questionário.

5. Quanto às als. *e)* e *f)* do n.º 2, nelas se incluem, além das deliberações relativas a todos os outros pressupostos, as relativas à graduação dos elementos constitutivos do tipo de crime e ao arbitramento da indemnização civil.

6. *Jurisprudência:*

— I — Em processo penal não é admissível o sistema de se darem respostas negativas a perguntas negativas, já que estas, tradicionalmente apelidadas de «perguntas do diabo», têm como característica peculiar a inversão das regras do ónus da prova, nos casos em que as mesmas sejam aplicáveis. II — Por isso, não pode dar-se como provado que o arguido «não tivesse actuado movido por ganância, nem tivesse sido determinado pelo prazer de matar, por excitação, mero exibicionismo ou para satisfação de instinto sexual dominado por emoção violenta». (Ac. STJ de 12 de Junho de 1997; *CJ, Acs. do STJ,* V, tomo 2, 235);

— Não é inconstitucional o complexo normativo formado pelos arts. 361.º; 368.º, n.º 2 e 374.º do CPP, enquanto nele se não prevê a prévia quesitação de factos alegados pela acusação e pela defesa e resultantes da discussão da causa e, consequentemente, a sua reclamação. (Ac. do Trib. Constitucional de 19 de Maio de 1998, proc. n.º 387/97; *DR*, II série, de 11 de Dezembro do mesmo ano);

— A falta de alusão, no acórdão, à contestação de um dos arguidos, com omissão de discriminação dos factos nesta alegados, relevantes para a questão da culpabilidade, em especial para a questão de saber se o arguido praticou o crime ou nele participou, constitui violação do disposto nos arts. 368.º, n.º 2 e 374.º, n.º 2, do CPP, o que acarreta a nulidade do acórdão, a suprir pelo mesmo tribunal, sem prejuízo, perante a inexistência de recurso do MP, da absolvição decretada em relação a outros co-arguidos. (Ac. STJ de 2 de Fevereiro de 2000, proc. n.º 1160/99-3.ª; *SASTJ*, n.º 38, 69).

Artigo 369.º

ARTIGO 369.º
(Questão da determinação da sanção)

1. Se, das deliberações e votações realizadas nos termos do artigo anterior, resultar que ao arguido deve ser aplicada uma pena ou uma medida de segurança, o presidente lê ou manda ler toda a documentação existente nos autos relativa aos antecedentes criminais do arguido, à perícia sobre a sua personalidade e ao relatório social.

2. Em seguida, o presidente pergunta se o tribunal considera necessária produção de prova suplementar para determinação da espécie e da medida da sanção a aplicar. Se a resposta for negativa, ou após a produção da prova nos termos do artigo 371.º, o tribunal delibera e vota sobre a espécie e a medida da sanção a aplicar.

3. Se, na deliberação e votação a que se refere a parte final do número anterior, se manifestarem mais de duas opiniões, os votos favoráveis à sanção de maior gravidade somam-se aos favoráveis à sanção de gravidade imediatamente inferior, até se obter maioria.

---

1. Reproduz o art. 369.º do Proj. Não tem antecedentes no direito anterior.

2. O Código introduz entre nós, embora de modo mitigado e prudente, uma fase destinada à aplicação da medida penal, dotando essa fase de alguma autonomia no quadro da tramitação do processo.

O tribunal, quando comprovados os elementos respeitantes aos factos da responsabilidade do arguido, as circunstâncias que graduam a sua culpa, as condições de punibilidade e os pressupostos da responsabilidade civil, entra na tramitação destinada à individualização da pena ou da medida de segurança. Aqui, e só agora, são tomados em conta os elementos respeitantes aos antecedentes criminais do arguido, as perícias sobre a sua personalidade e o relatório social.

Os elementos já apurados podem ser bastantes e então entra-se logo na escolha da pena, da medida de segurança e da indemnização. Mas se suceder serem tais elementos insuficientes, e ser indispensável prova complementar, reabre-se a audiência, procedendo-se à produção dos meios de prova necessários, ouvindo-se, sempre que possível, o perito criminológico, o técnico de reinserção social e quaisquer pessoas que possam depor com relevo sobre a personalidade e as condições de vida do arguido.

O Código rejeita, assim, um sistema radical de *césure,* perfilhando antes um sistema mitigado, em que se autonomiza a individualização das medidas penais aplicáveis. Esta fase, de relativa autonomia, não existe, evidentemente, nos casos de absolvição.

Código de Processo Penal

3. A disposição do n.° 3 visa evitar as dificuldades do sistema da média aritmética. Com a fórmula aqui perfilhada começa-se a contagem dos votos pelo membro do tribunal que tiver proposto a pena mais grave e continua-se, somando os votos dos que propuserem pena de gravidade imediatamente inferior, até ser ouvida mais de metade dos votantes e se obter a maioria. Assim: votações de 3, 2 e 1 ano de prisão darão 2 anos de prisão (a pena de 3 passa para 2, e soma-se a de 2, fazendo portanto maioria; votações de 7, 6, 5, 4, 3, 2 e 1 ano de prisão darão 4 anos de prisão (as penas de 7, 6, 5 e 4 anos juntam--se todas a esta última, e já fazem maioria); penas de 7, 7, 6, 5, 2, 2 e 2 anos de prisão darão 5 anos de prisão; etc.

4. Sobre este artigo e sobre o anterior incidiu o extenso e elucidativo ac. STJ de 13 de Fevereiro de 2008, proc. n.° 213/08-3.ª, cujas conclusões, como constam dos *SASTJ* relativos a esse mês, pags. 19, são do seguinte teor:

— I —Na al. *f)* do art. 1.° do CPP classifica-se como alteração substancial dos factos, em contraste com a alteração não substancial, aquela que envolva a imputação de crime diverso ou o agravamento da moldura penal. Ponto é, no entanto, que se verifique uma alteração de *factos,* pois quando os factos se mantêm intocados, e apenas se procede a uma qualificação jurídica diversa da que constava da acusação, essa alteração é equiparada pelo legislador à alteração não substancial dos factos – n.° 3 do art. 358.° do CPP. II — Se o tribunal não procedeu a nenhuma alteração dos factos que já constavam da acusação, tendo apenas divergido da acusação quanto à qualificação dos mesmos – por falsificação de cheque ser punível pelo n.° 3 do art. 256.° do CPP, e não pelo n.° 1 do mesmo artigo – , foi correcto o recurso ao mecanismo do art. 358.°, n.° 3, do CPP, bem como a notificação realizada na pessoa da defensora do arguido, pois que apenas os actos indicados no n.° 9 do art. 113.° do CPP, em que não se inclui o cumprimento do art. 358.°, n.° 3 (nem, aliás, o do art. 359.°), devem ser notificados pessoalmente ao arguido. III — O CPP consagra um sistema (mitigado) de cisão («césure») na fase decisória do processo, que se desdobra em duas fases: a da «questão da culpabilidade» (art. 368.° do CPP), em que se fixam os factos; e a da «questão da determinação da pena« (Art. 369.° do CPP), em que se procede a tal operação, se for caso disso. É nesta segunda fase que devem ser conhecidos e valorados os elementos referentes à pessoa do arguido, nomeadamente o CRC, a perícia de personalidade e o relatório social. IV — Contudo, estas duas fases, embora lógica e normativamente ordenadas em sequência, consubstanciam-se numa única decisão: a sentença. Não há, contrariamente ao que acontece no processo civil, nas acções ordinárias, ou que acontecia no CPP29, nos julgamentos realizados pelo júri, uma decisão inicial quanto à matéria de facto, devidamente publicitada seguida da decisão de direito. A cisão operada pelo legislador não separou de facto aqueles dois momentos (as duas «questões») em duas fases processuais distintas, cada uma com a sua decisão, aberta à publicidade. Na realidade, a «césure» separou apenas logicamente, mas não materialmente, as duas «questões», tornando ténues as possibilidades de controlo efectivo pelas partes da sua efectivação. V — Assim, como de todo o processo decisório o único «testemunho» é a senteença, pois a acta de julgamento nada pode referir sobre a discussão e a deliberação, por força do art. 367.° do CPP, ela deve obedecer aos cânones estabelecidos no art. 374.°

Artigo 370.º

do mesmo diploma, que define uma sistematização da sentença em termos de fundamentação de facto e de direito, a qual remete necessariamente as informações sobre a pessoa do arguido, nomeadamente as constante do CRC, para a matéria de facto, como factos que são (isto é, circunstâncias da vida real), a par dos factos inerentes à infracção imputada. VI — Estando embora incluídas na matéria de facto, tal não significa que essas informações tenham sido tidas em conta juntamente com as provas atinentes aos factos referentes ao crime imputado, mas tão-só que, na sistematização da sentença, elas parecem enquadradas na matéria de facto, a que normativamente pertencem. VII — Poderá dizer-se que assim se torna insindicável, ou quase, o cumprimento dos arts. 368.º e 369.º do CPP, mas essa limitação resulta, como se referiu atrás, da opção do legislador, ao adoptar uma versão mitigada do princípio da «césure» da decisão em processo penal.

5. *Jurisprudência:*
— Ver anot. anterior.

ARTIGO 370.º

(Relatório social)

1. O tribunal pode, em qualquer altura do julgamento, logo que, em função da prova para o efeito produzida em audiência, o considerar necessário à correcta determinação da sanção que eventualmente possa vir a ser aplicada, solicitar a elaboração de relatório social ou de informação dos serviços de reinserção social, ou a respectiva actualização quando aqueles já constarem do processo.

2. Independentemente de solicitação, os serviços de reinserção social podem enviar ao tribunal, quando o acompanhamento do arguido o aconselhar, o relatório social ou a respectiva actualização.

3. A leitura em audiência do relatório social ou da informação dos serviços de reinserção social só é permitida a requerimento, nos termos e para os efeitos previstos no artigo seguinte.

4. É correspondentemente aplicável o disposto no artigo 355.º.

---

1. Os n.ºs 1, 3 e 4 têm a redacção introduzida pela Lei n.º 59/98, de 25 de Agosto. O número 2 tem a redacção introduzida pela Lei n.º 48/2007, de 29 de Agosto, da qual, em relação ao texto anterior, introduziu as seguintes alterações:
— Eliminou o adjectivo oficiais, que constava entre *serviços e reinserção social*; e
— Eliminou a locução *preso preventivamente*, a seguir a arguido, aplicando-se assim o dispositivo a todos os arguidos, presos preventivamente ou não.
Em relação ao texto originário notam-se as seguintes alterações:
— Deixou de ser obrigatória a realização de relatório social relativo a menores de 21 anos à data da prática do crime;

839

Código de Processo Penal

— Possibilidade de, em função da prova produzida, o tribunal poder solicitar a elaboração de informação dos serviços de reinserção social (na versão originária só havia referência a relatório social); e
— Introdução do dispositivo do n.º 4, o que, em nosso entendimento, não representou qualquer inovação, visto que o art. 355.º já devia ser correspondentemente aplicável.

2. O relatório e a informação devem ser solicitados e elaborados de modo a estarem juntos ao processo na fase da determinação das sanções a aplicar (ver anot. ao artigo anterior sobre a *césure* mitigada). Trata-se de uma regra de celeridade e de economia processual, bem reflectida no texto dos n.ºs 1, 2 e 3. Se ainda não estiverem juntos e a junção for necessária, ordenar-se-á na fase de produção de prova suplementar, regulada no artigo seguinte.

3. O relatório e a informação, em regra, não são lidos em audiência. Só o podem ser quando é produzida prova suplementar para determinação da espécie e da medida da pena (n.º 2 do art. 369.º, *ex vi* do art. 371.º e do n.º 4 deste artigo), e mesmo assim só por requerimento. Isto radica em que o relatório pode conter elementos que de algum modo colidem com a vida privada do arguido.

4. A falta de junção não integra, como tal, qualquer nulidade, já que a lei não a prevê. No entanto, nos casos em que há insuficiência de matéria de facto para a decisão e em que essa matéria deve constar de relatório ou de informação já poderá verificar-se a nulidade dos arts. 379.º, *a)* e 374.º, n.º 2.

5. *Jurisprudência:*
— I — O relatório social é, por definição legal (al. *g)* do n.º 1 do art. 1.º do CPP), um documento elaborado pelos serviços de reinserção social com competência de apoio técnico aos tribunais na aplicação e na execução das sanções criminais, que tem por objectivo auxiliar a tribunal ou o juiz no conhecimento da personalidade do arguido, e eventualmente também da vítima, incluída a sua inserção familiar e sócio-profissional. II — A requisição do relatório social pode revestir duas modalidades: *a)* facultativa, que constitui a regra; *b)* obrigatória; verificado o pressuposto subjective da idade do arguido — inferior a 21 anos à data da eclosão dos factos — e os elementos consignados no n.º 2 do art. 370.º do CPP o tribunal tem o dever de requisitar o relatório social. (Ac. STJ de 19 de Abril de 1991; Proc. 41 719/3.ª);
— A omissão do relatório social, quando é obrigatória a sua requisição, não é fulminada com nulidade, consistindo mera irregularidade que se tem como ultrapassada se a matéria de facto provada consentir a formulação de uma imagem precisa e favorável do arguido menor. (Ac. STJ de 10 de Janeiro de 1993; proc. 43850/3.ª);
— Determina a anulação do julgamento e a sua repetição pelo mesmo tribunal, na medida do possível, a sua realização, em relação a arguidos com menos de 21 anos, por crimes em que seja de admitir a aplicação de pena superior a 3 anos, sem que esteja junto o relatório social. (Ac. STJ de 19 de Outubro de 1995, proc. 47337/3.ª);
— Não constitui nulidade de conhecimento oficioso a falta do relatório social e a não aplicação ao arguido do regime especial para jovens delinquentes. (Ac. STJ de 17 de Setembro de 1997; *CJ, Acs. do STJ,* V, tomo 3, 173);

Artigo 370.º

— A ausência de relatório social no processo, relativamente a menor de 21 anos, quando for de admitir que lhe venha a ser aplicada pena de prisão superior a 3 anos, faz enfermar o acórdão do vício de insuficiência para a decisão da matéria de facto provada, prevista no art. 410.º, n.º 2, al. *a)*, do CPP. (Ac. STJ de 18 de Setembro de 1997; *CJ*, V, *Acs. do STJ*, V, tomo 3, 176);

— A falta de relatório social não constitui nulidade insanável, integrando-se antes no art. 120.º, n.º 1, al. *d)*, do CPP e ficando sanada quando não arguida em tempo. (Ac. STJ de 28 de Maio de 1998; *BMJ*, 477, 350);

— A norma ínsita no n.º 1 do art. 370.º do CPP, ao não impor ao tribunal o dever de solicitar a elaboração de um inquérito social e concedendo tão--só uma mera faculdade, não é contrária ao princípio do asseguramento das garantias de defesa no processo criminal consagrado no art. 32.º da lei fundamental. (Ac. do Trib. Constitucional de 22 de Março de 1999, proc. 759/98; *DR*, II série, de 9 de Julho de 1999).

— A ausência de relatório social, nos casos em que legalmente seja obrigatório, gera insuficiência para a decisão da matéria de facto provada e consequentemente, o reenvio do processo. (Ac. STJ de 3 de Dezembro de 1998, proc. 974/98-3.ª; *SASTJ*, n.º 26, 74);

— I — É obrigatório pedir relatório social quando os arguidos tiverem menos de 21 anos à data da prática dos factos e for de admitir que lhes venha a ser aplicada uma pena de prisão superior a 3 anos. II — A falta do relatório social pode determinar o vício de insuficiência para a decisão da matéria de facto. III — Tal vício, porém, não ocorre quando os factos dados como provados elucidam suficientemente o tribunal sobre a personalidade do arguido. (Ac. STJ de 25 de Fevereiro de 1999; *CJ, Acs. do STJ*, VII, tomo 1, 226);

— Embora o art. 370.º, n.º 2, da versão originária do CPP obrigasse à realização de relatório social quando o arguido à data da prática dos fac- tos tivesse menos de 21 anos e fosse de admitir que ao mesmo viesse a ser aplicada medida de segurança de internamento ou pena de prisão efec- tiva superior a 3 anos, uma vez que com a redacção dada a tal preceito pelo Dec.-Lei n.º 59/98, de 25 de Agosto, tal obrigatoriedade desapareceu, não subsiste fundamento para que a sua omissão possa constituir nulidade. (Ac. STJ de 13 de Maio de 1999, proc. n.º 201/99-3.ª; *SASTJ*, n.º 31, 85);

— I — A falta de relatório social não importa nulidade insanável, considerando a sua não integração em qualquer das provisões do art. 119.º do CPP e o manifesto carácter taxativo destas. II — Poderia a falta, nos casos em que a sua solicitação era obrigatória à luz do art. 370.º, n.º 3, do CPP na redacção anterior à Lei n.º 59/98, constituir nulidade dependente de arguição, prevista na parte final da al. *d)* do n.º 2 do art. 120.º do mesmo Código. III — Mas por força do disposto no mesmo art. 120.º, n.º 3, al. *a)*, a referida nulidade deve ser arguida antes de terminado o julgamento, até ao momento final das alegações a que se refere o art. 360.º ou, se verifica a hipótese do art. 371.º, aquando da reabertura da audiência nos termos desse artigo. IV — A falta de relatório pode ainda implicar o vício da insuficiência para a decisão da matéria de facto, previsto na al. *a)* do n.º 2 do art. 410.º do CPP, caso os factos provados não elucidem suficientemente aqueles elementos que o relatório visa esclarecer. (Ac. STJ e 27 de Outubro de 1999, proc. 1294/98-3.ª; *SASTJ*, n.º 34, 74);

Código de Processo Penal

— Embora se possam formular no relatório social juízos de valor, estes não vinculam o juiz, assim como o juiz não está sujeito a aceitar como provados os factos que ali vêm «testemunhados», devendo apreciá-los segundo a sua livre convicção, nos termos do art. 127.º do CPP. E, se divergir das conclusões que o relatório eventualmente contenha, não está o juiz obrigado a fundamentar a divergência. (Ac. STJ de 14 de Abril de 1999; *CJ, Acs. do STJ*, VII, tomo 2, 174);

— O relatório social não constitui prova pericial, mas somente uma informação auxiliar do juiz, a ter em conta no âmbito da livre apreciação da prova a que alude o art. 127.º do CPP. (Ac. STJ de 17 de Novembro de 1999, proc. 867/99; *SASTJ*, n.º 35, 80).

ARTIGO 371.º
(Reabertura da audiência para a determinação da sanção)

1. Tornando-se necessária produção de prova suplementar, nos termos do artigo 369.º, n.º 2, o tribunal volta à sala de audiência e declara esta reaberta.

2. Em seguida procede-se à produção da prova necessária, ouvindo sempre que possível o perito criminológico, o técnico de reinserção social e quaisquer pessoas que possam depor com relevo sobre a personalidade e as condições de vida do arguido.

3. Os interrogatórios são feitos sempre pelo presidente, podendo, findos eles, os outros juízes, os jurados, o Ministério Público, o defensor e o advogado do assistente sugerir quaisquer pedidos de esclarecimento ou perguntas úteis à decisão.

4. Finda a produção da prova suplementar, o Ministério Público, o advogado do assistente e o defensor podem alegar conclusivamente até um máximo de vinte minutos cada um.

5. A produção de prova suplementar decorre com exclusão da publicidade, salvo se o presidente, por despacho, entender que da publicidade não pode resultar ofensa à dignidade do arguido.

---

1. Reproduz o art. 371.º do Proj. Não havia disposições correspondentes no direito anterior.

2. Ver anot. 2 ao art. 369.º, sobre a *césure* mitigada perfilhada pelo Código e a justificação da reabertura da audiência para determinação da sanção ou das sanção a aplicar, nos casos em que se torna necessário proceder a prova suplementar.

3. O disposto no n.º 5 quanto à exclusão da publicidade como regra não é inconstitucional, pois que a segunda parte do preceito permite a publicidade sempre que desta não resulte ofensa à dignidade do arguido. A prova a recolher sobre a medida da pena levantará com frequência questões pessoais relativas a

Artigo 371.º-A

dignidade do arguido e, por isso, no direito comparado existem preceitos idênticos, perante textos constitucionais e da lei comum paralelos. A finalidade do preceito é tão-só ressalvar a dignidade da pessoa do arguido e, como na determinação das sanções se levantam amiúde questões relativas a essa dignidade, daí a estruturação do preceito, excluindo em regra a publicidade nesta fase.

4. Sobre as disposições deste artigo veja-se a exposição de Laborinho Lúcio, *Jornadas de Direito Processual Penal,* 48.

ARTIGO 371.º-A
(Abertura da audiência para a aplicação retroactiva de lei penal mais favorável)

Se, após o trânsito em julgado da condenação mas antes de ter cessado a execução da pena, entrar em vigor lei penal mais favorável, o condenado pode requerer a reabertura da audiência para que lhe seja aplicado o novo regime.

---

1. Este artigo foi introduzido pela Lei n.º 48/2007, de 29 de Agosto.
Não havia dispositivo correspondente no direito anterior sobre aplicação retroactiva de lei mais favorável ao arguido já condenado por decisão transitada em julgado mas antes de ter cessado a execução da pena.

2. A superveniência de uma lei penal mais favorável para o condenado que ainda não cumpriu a pena quando a sentença condenatória transitou em julgado não foi incluída nos fundamentos do processo de revisão constantes do art. 449.º, mas antes no dispositivo autónomo deste art. 371-A, e isto certamente porque aqui a sentença anterior não é posta em causa. O que é posto em causa é tão-somente o regime penal anterior que, segundo o sentimento generalizado da comunidade, vasado no texto da nova lei, já se não justifica.
E porque não se trata de uma revisão como é delineada no art. 449.º, quando um primeiro contacto apreciámos o dispositivo deste art. 371.º-A, considerámo-lo inconstitucional, por violação do caso julgado e dos princípios *res judicata pro veritate habetur* e *ne bis in idem,* todos com protecção na CRP, *maxime* nos arts. 29.º, n.ºs 5 e 6 e 282.º, n.º 3, embora a inconstitucionalidade constituísse, de algum modo, desatenção aos avisados ensinamentos de Mestres consagrados, como Eduardo Correia, Cavaleiro de Ferreira e Figueiredo Dias, sumariamente explanados na anot. 2 ao art. 449.º.
Vaticinando artigo idêntico ao que acaba de ser introduzido, como se expende em anotação ao art. 449.º, já Cavaleiro de Ferreira esperava que, de harmonia com a unânime pretensão da doutrina moderna, se tornasse a revisão em matéria penal admissível como regra, não apenas nos casos de inocência, mas também nos de condenação injusta no seu montante. E, mais recentemente, a ligação de Figueiredo Dias vem-nos apontando que «a segurança em que se baseia o caso julgado só dificilmente se pode erigir em um fim único ou mesmo prevalente, pois entraria então constantemente em conflitos frontais e inescapáveis com a justiça; e, provavelmente sempre ou sistematicamente sobre

843

Código de Processo Penal

esta, pôr-nos-ia face a uma *segurança da injusto*, que, hoje, mesmo os mais cépticos têm de reconhecer, não passar de uma segurança aparente e ser só, no fundo, a força da tirania».

Após análise mais demorada e reflectida, dissiparam-se-nos as dúvidas sobre a constitucionalidade deste artigo, pelo que à questão não dedicámos particular desenvolvimento na anterior edição desta obra.

Assim continuamos a entender convictamente. Além da já mencionada lição de Mestres eminentes, atentámos em que a consagração do caso julgado e do *ne bis in idem* entronca mais na defesa do próprio cidadão contra a tentativa de o submeter a novos julgamentos do que em um escudo de defesa do prestígio dos tribunais. E, sendo assim, a verdadeira garantia em que radica a existência do caso julgado nada tem a ver com a aplicação de nova lei penal quando é solicitada pelo próprio condenado. Neste caso o condenado, ao requerer em nova audiência a aplicação retroactiva de lei mais favorável, nada terá para contestar, pois tratar-se-á de acto por ele requerido, em seu próprio benefício, e *volenti non fit injuria*.

Sendo a razão da garantia político-criminal da garantia do caso julgado e do n*e bis in idem* a que acabámos de anotar, logo se conclui que não constituem entrave, mas antes favorecem dispositivo legal para aplicação rectroactiva de lei mais favorável, não só em caso de descriminalização, mas também de cominação com sanção de montante inferior. E apontando no mesmo sentido a lição dos Mestres mais consagrados, tudo se concilia no sentido da premência de dispositivo como o deste art. 371.º -A.

Mas, vaticinado pela doutrina e pela razão de ser ínsita nos fundamentos em que radicam o caso julgado e *ne bis in idem,* acantonar-se-á este art. 371.º-A dentro dos pârametros constitucionais? Cremos resolutament que sim:

Comecemos por atentar na lição de Gomes Canatilho-Vital Moreira, já perante o texto actual da CRP, in *Constituição da República Portuguesa Anotada,* vol. I, 4.ª edição, pág. 496.º.

«Não estabelecendo a Constituição qualquer excepção, a aplicação retroactiva da lei penal mais favorável (despenalização, penalização menor, etc.) há-de valer, ao menos em princípio, mesmo para os *casos julgados*, com a consequente reapreciação da questão, devendo notar-se que, quando a Constituição manda respeitar os casos julgados nos casos de declaração de inconstitucionalidade com efeitos *ex tunc,* admite uma excepção exactamente para a lei penal (ou equiparada) mais favorável... De facto não faz sentido que alguém continue a cumprir uma pena para um crime que, entretanto, deixou de o ser ou que passou a ser punido com pena mais leve».

Certo que, como já anotámos, este art. 371.º-A não veio estabelecer um novo caso de revisão de sentença, tal como é admissível dentro dos parâmetros do art. 449.º. Aqui a sentença não é posta em causa, nem mesmo o requerente foi injustamente condenado; simplesmente, embora tenha sido justamente condenado, já está injustamente condenado a cumprir uma pena que, segundo o sentimento geral da comunidade, vasado no texto legal, deixou de se justificar.

Sucede ainda que a CRP não contém qualquer sentido jurídico-processual penal para o termo *revisão de sentença* e que este termo, *rectius*, esta expressão, também não consta de qualquer lei natural nem se integra inequivocamente no que pode considerar-se *natureza das coisas*.

Sendo assim, este art. 371.º-A, demais atentando num *favorabilia amplianda* e mesmo sem recurso a interpretação declarativa lata, não contraria qualquer

Artigo 371.º-A

texto constitucional. Contrariamente, a própria CRP parece impô-lo, quando o art. 282.º, n.º 3 ressalva os casos julgados, *salvo tratando-se de norma respeitante a matéria penal, disciplinar ou de ilícito de mera ordenação social e for de conteúdo menos favorável ao arguido*. A ressalva é, portanto e *expressis verbis*, também para os casos em que a nova lei é de conteúdo mais favorável, e não só para os de descriminalização. Casos chocante seria, *v.g.*, o de a lei do momento de aplicação impor prisão efectiva e de a nova lei punir com pena de multa. Outro caso, que já sucedeu, sobre o qual decidiu o ac. do Tribunal Constitucional n.º 164/2008, de 5 de Março, acórdão que também aceitou a constitucionalidade deste art. 371.º-A, é o de a nova lei admitir a suspensão da execução da pena, não permitida pela lei em vigor no momento da condenação.

Pelo exposto, discordamos de Pinto de Albuquerque. Este autor, no *Comentário do Código de Processo Penal,* 2.ª ed., págs. 934-936, sustenta a inconstitucionalidade deste artigo.

3. O inovador dispositivo inserto neste artigo suscita-nos algumas observações:

Não se discute a natural e intrínseca justiça da inovação. Se o são sentimento geral da comunidade vasado no texto legislativo entende que o arguido em cumprimento de pena já não merece tão grande punição como a que lhe foi aplicada, mas ainda merece outra, embora menos severa, porque então cumprir aqueloutra?.

A inovação encontra algum pralelismo, e mesmo uma parcela de sobreposição, com uma outra, constante do art. 2.º, n.º4, do CP. Atentando no dispositivo deste art. 2.º, n.º 4 do CP e considerando que no caso sobre nos debruçamos não há descriminalização, pode suceder que o arguido condenado bem pouco beneficie com este novo dispositivo do CPP.

Por outro lado, o dispositivo do CP é de aplicação simples, fazendo-se com uma mera comparação aritmética, enquanto que o do CPP pode suscitar diversos e complexos problemas e inabarcáveis delongas processuais, antolhando-se como que uma caixa de Pandora.

Embora ainda não experimentado na tramitação dos tribunais, ocorre-nos enumerar algumas questões que podem vir a surgir:

O condenado pode requerer a reabertura de audiência para que lhe seja aplicado o novo regime. Se tiver havido recurso, qual audiência é reabertura?

A do tribunal *a quo*? A do tribunal *ad quem*? Em nosso entendimento a audiencia que deve ser reaberta é a da primeira instância, embora eventualmente para alterar um acórdão de tribunal superior e com o inconveniente de ficar aberta a via para novos recursos e novas delongas processuais. É que o novo regime mais favorável pode implicar a averiguação de matéria de facto que não foi apurada, como, dentre uma infinidade de outros que se podem configurar, será o caso de a matéria de facto que condiciona a suspensão da execução da pena até 4 anos de prisão, de que pode passar a beneficiar um condenado nessa pena, matéria que anteriormente não foi apurada porque no momento da suspensão da execução da pena de prisão só era aplicável e penas até 3 anos.

E qual a composição do tribunal para a reabertura da audiência, quando já não funciona com os mesmos juízes ou jurados que o compunham aquando da decisão condenatória? O caso virá certamente a suceder, dada a frequência de alterações em leis penais e considerando que há penas de longa duração. Terá

845

Código de Processo Penal

que haver continuação de um julgamento,com novos juízes e novos jurados, por aberrante que a solução possa parecer!

Se na reabertura da audiência no tribunal já não funcionar algum ou alguns dos juízes ou jurados que o compunham aquando da decisão condenatória, intervirão os que exercerem funções no momento da reabertura. E, em nosso entendimento, não haverá impedimento à intervenção dos mesmos juízes porque não se trata de um autêntico processo de revisão nem o anterior julgamento está a ser posto em causa.

A introdução deste artigo exigia, em nosso entendimento, sequentes dispositivos no CPP ou nas leis de organização judicial, que regulamentassem a sua aplicação.

Seguir-se-á o apuramento de qual é o regime mais favorável. Desde a revisão do Projecto de Código Penal, em 1964, se sabe e tornou ponto quase indiscutido que as novas leis penais mais favoráveis devem ser aplicadas na sua globalidade, não sendo lícito ao condenado respigar pontos favoráveis, para deles beneficiar, e pontos desfavoráveis, para os rejeitar. *Ubi commodum, ibi inommodum.* Basta contactar a vasta jurisprudência sobre esta questão e a doutrina mais autorizada para constatar as melindrosas questões que a realidade vai fazendo surgir.

4. *Jurisprudência:*

— I — Com o art. 371.º-A do CPP, o legislador não pretendeu dar ao arguido a oportunidade de um segundo julgamento onde possam ser colmatadas deficiências do primeiro ou considerados factos novos. II — O art. 371.º-A do CPP limita-se à aplicação de novo regime penal mais favorável. (Ac. RG de 10 de Dezembro de 2007; *CJ,* ano XXXII, tomo 5, 294).

—I — Padece de nulidade insanável a decisão que indeferir o requerimento de reabertua da audiência, com o fundamento em a lei nova não ser concretamente mais favorável ao arguido. II — Os juízes que não participarem na audiência prevista no art. 371.º-A do CPP não têm que ser os mesmos que subscrevem a decisão transitada em julgado (Ac. RC de 14 de Dezembro de 2007; *CJ,* ano XXXII, tomo 5, 52).

— I — As alterações legislativas introduzidas pelas Leis n.º 48/2007, de 29 de Agosto, e n.º 59/2007, de 4 de Setembro, procuraram edificar um regime que respondesse às preocupações daqueles que consideravam inconstitucional a restrição do caso julgado ao princípio da aplicação retroactiva da lei penal mais favorável. II — Da conjugação dessas alterações resulta que o juiz do tribunal da condenação deve num primeiro momento, oficiosamente e por mero despacho, verificar se a pena aplicada ultrapassa o limite máximo da pena prevista para o crime pela lei nova. Se tal acontecer, deve reduzir a pena aplicada a esse limite, determinando de imediato, se for caso disso, a cessação da execução e dos seus efeitos penais. III — Caso a pena aplicada ultrapasse aquele limite, confere-se ao arguido o direito de requerer a reabertura da audiência para o tribunal que nesse momento seja o competente, depois de assegurar o contraditório e tendo em conta, pelo menos como regra, apenas os factos considerados assentes na sentença ou acórdão condenatórios antes proferidos, possa determinar a nova pena, atendendendo às disposições estabelecidas pela lei que, em abstrato, se apresente como mais favorável. IV – A decisão de reabertura não implica, nem sequer indicia, que o tribunal venha efctivamente

Artigo 372.º

a substituir a pena que foi aplicada ao arguido. Esse é um juízo da competência do tribunal colectivo, e não do juiz singular, que apenas pode ser formulado o exercício do contraditório. (Ac. RL de 6 de Fevereiro de 2008; *CJ,* ano XXXIII, tomo I, 128).

— I — Deve revestir a forma de uma sentença a decisão a proferir no termo da audiência reaberta ao abrigo do art. 371.º-A do CPP, sendo que essa sentença pode reproduzir, por razões de conveniência formal, a quase totalidade da sentença já transitada. II — Sempre que tal se revele necessário, na audiência reaberta há lugar à produção de prova. (Ac. RC de 27 de Fevereiro de 2008; *CJ,* ano XXXIII, tomo 1, 55).

— Não é inconstitucional a norma constante do art. 371.º-A do CPP, na redacção aditada pela Lei n.º 48/2007, de 29 de Agosto, quando interpretada no sentido de permitir a reabertura da audiência para aplicação de nova lei penal que aumenta o limite máximo das penas concretas a considerar, para efeitos de suspensão da execução de pena privativa da liberdade. (Ac. do Tribunal Constitucional n.º 164/2008; *DR,* II série, de 10 de Abril de 2008).

— I — O art. 328.º do CPP consagra o princípio da constitucionalidade da audiência, nos termos do qual se exige que os membros do tribunal que procedem a um julgamento assistam a todos os actos praticados durante a audiência de julgamento e que aquela decorra sem interrupções, salvo as expressamente decorrentes da própria lei processual. II — Mas, no caso do art. 371.º-A do CPP, tendo em conta o tipo de reponderação que é preciso fazer, na situação concreta, o princípio da aplicação retroactiva da lei penal mais favorável, com expressa consagração constitucional (art. 29.º, n.º 4) deve prevalecer sobre o princípio da continuidade da audiência, que nem sequer encontra guarida expressa no texto normativo constitucional. (Ac. do Trib. Constitucional n.º 164/2008, 5 de Março; *DR,* II série, de 10 de Abril de 2008).

ARTIGO 372.º

(Elaboração e assinatura da sentença)

1. Concluída a deliberação e votação, o presidente ou, se este ficar vencido, o juiz mais antigo dos que fizerem vencimento, elaboram a sentença de acordo com as posições que tiverem feito vencimento.

2. Em seguida, a sentença é assinada por todos os juízes e pelos jurados e, se algum dos juízes assinar vencido, declara com precisão os motivos do seu voto.

3. Regressado o tribunal à sala de audiência, a sentença é lida publicamente pelo presidente ou por outro dos juízes. A leitura do relatório pode ser omitida. A leitura da fundamentação ou, se esta for muito extensa, de uma sua súmula, bem como do dispositivo, é obrigatória, sob pena de nulidade.

4. A leitura da sentença equivale à sua notificação aos sujeitos processuais que deverem considerar-se presentes na audiência.

Código de Processo Penal

5. Logo após a leitura da sentença, o presidente procede ao seu depósito na secretaria. O secretário apõe a data, subscreve a declaração de depósito e entrega cópia aos sujeitos processuais que o solicitem.

---

1. Os n.ᵒˢ 1, 2 e 5 deste artigo têm a redacção introduzida pela Lei n.º 59/98, de 25 de Agosto, porém com eliminação pela Lei n.º 48/2007, de 29 de Agosto da parte final do n.º 2 — *quanto à matéria de direito*. Os n.ᵒˢ 3 e 4 mantêm a redacção originária.

As alterações introduzidas nos n.ᵒˢ 1 e 2 tornaram-se necessárias porque, contrariamente ao que sucedia no domínio da versão originária, a partir da revisão levada a cabo pela referida Lei passou a ser admitida a possibilidade de algum dos juízes assinar vencido quanto à matéria de direito.

A alteração introduzida no n.º 5 consistiu no aditamento da parte final, referente à entrega, pelo secretário, de cópia da sentença aos sujeitos processuais que o requeiram.

2. Como anotámos em anteriores edições desta obra vindas a lume no domínio da versão originária deste artigo, o regime então instituído, particularmente quanto à impossibilidade de os juízes fazerem qualquer declaração quanto à matéria de direito, estava a ser objecto de fortes críticas, de algum modo fundadas.

Esse regime veio alterar o do CPP de 1929, e sucedeu até que nos recursos continuava a admitir-se declaração de voto.

Sensível a estas críticas que se afiguravam fundadas, a outras quanto à impossibilidade de declaração te voto em matéria da facto e à divergência de regimes comparativamente ao dos recursos, sofreu este artigo as apontadas alterações.

3. O n.º 2 estabelece que se algum dos juízes assinar vencido, declara com precisão os motivos do seu voto. Contrariando o regime anterior, passou a ser possível a declaração de voto dos juízes também quanto à matéria da facto.

A introdução deste dispositivo não vinha sendo consistentemente exigida na doutrina ou na jurisprudência. O secretismo quanto à discussão e à posição de cada um dos juízes em matéria de facto é um baluarte da credibilidade das decisões judiciais e dos juízes. Alguma doutrina autorizada aponta-o também como consequência do princípio da presunção de inocência do arguido, pois, formada maioria pela absolvição, é do interesse do próprio arguido que a questão fique encerrada, e será deprimente para ele, já não só presumível inocente mas de certeza inocente (*res judicata pro veritate habetur*), saber-se que algum ou alguns dos julgadores o consideraram criminoso. Neste sentido Prof. Germano Marques da Silva, *Curso de Processo Penal*, III, pág. 288.

É ponto resolvido. *Legem habemus.*

No que concerne a este n.º 2 apontamos também uma injustificada e porventura inconstitucional desigualdade de tratamento entre juízes e jurados. Uns e outros votam igualmente a matéria de facto sobre culpabilidade e a determinação da sanção, como se estabelece no art. 2.º, n.º 3, do Dec.-Lei n.º 387.º-A/87, de 29 de Dezembro.

848

Artigo 372.º

Porque então só os juízes, e não também os jurados, quando vencidos, assim poderem assinar e declarar com precisão os motivos do seu voto?

O dispositivo, em nosso entendimento, não terá sido atentamente ponderado, pois, ficando os jurados, e não os juízes, sujeitos ao secretismo do seu voto, pode afinal ficar a saber-se como em alguns casos votaram os jurados, mas ficando eles inibidos de declarar como votaram, bem como os motivos do seu voto. Suponha-se que o julgamento de um crime de homicídio foi feito com intervenção do júri e que foi proferida decisão condenatória, porém com declaração de voto de vencido de todos os juízes, minuciosamente fundamentada. Ficámos a saber como votaram todos os jurados, no entanto desconhecendo os motivos dos seus votos, ficando até o próprio arguido carecido de meios de defesa no recurso que vai interpor, já que desconhece os fundamentos dos votos dos jurados. E, na medida em que este dispositivo não assegura ao arguido necessárias garantidas de defesa, encontramos aqui uma razão para que tenha um segmento de inconstitucionalidade, por violação do art. 32.º, n.º 1, da CRP.

Esta desigualdade de tratamento entre juízes e jurados, quando todos votam em igualdade matéria de facto sobre culpabilidade e determinação da pena, viola também o princípio da igualdade, que tem assento constitucional no art. 13.º da CRP, hoje princípio geral e alargado, *ut* Gomes Canotilho-Vital Moreira, *Constituição anotada*, anots. II a IV ao art. 13.º.

4. A leitura do relatório da sentença pode ser omitida; a fundamentação, quando muito extensa, pode ser substituída por uma súmula; a leitura da parte dispositiva da sentença é, porém, sempre obrigatória, sob pena de nulidade. Esta nulidade é dependente de arguição e, quando procedente, obrigará à leitura e à repetição dos actos posteriores já praticados.

5. *Jurisprudência:*

— I — Os últimos actos do julgamento em que a lei exige a presença de todos os juízes de tribunal colectivo são os da deliberação, votação e assinatura da sentença. Por isso, o acto de leitura pública da sentença, pode ser praticado apenas pelo presidente ou por outro dos juízes. II — Se na acta de julgamento se consignou que estiveram presentes à leitura da sentença todos os juízes que compunham o tribunal colectivo quando na verdade apenas esteve presente o presidente, foi cometida uma falsidade. Porém, tal factualidade consubstancia mera irregularidade, sem qualquer influência na decisão da causa, que pode ser mandada sanar com a repetição da leitura apenas pelo presidente e feitura de nova acta a descrever este facto. III — É permitida a correcção oficiosa da sentença, para que venha a ser assinada por todos os juízes. (Ac. STJ de 5 de Janeiro de 1995; *CJ*, *Acs. do STJ*, III, tomo 1, 168);

— O acórdão final, depois de devidamente elaborado e assinado, pode ser lido por qualquer dos juízes membros do colectivo, sem a presença dos outros juízes. (Ac. STJ de 10 de Maio de 1995; *CJ*, *Acs. do STJ*, III, tomo 2, 190);

— A notificação a que alude o art. 372.º, n.º 4, do CPP, não abarca a situação do arguido que se não encontre presente à leitura do acórdão, em virtude de ter sido dispensado de comparecer na audiência em que aquela deveria ter lugar. (Ac. STJ de 3 de Dezembro de 1998, proc. 974/98-3.ª; *SASTJ*, n.º 26, 74);

Código de Processo Penal

— I — Anteriormente ao actual CPP era de entender admissível, por inconstitucionalidade do entendimento contrário, a declaração de voto em matéria de direito nos julgamentos criminais, quer na primeira instância quer naqueles em que o tribunal superior, seja ele a Relação seja o Supremo, funciona como tribunal de primeira instância. II — Esta posição veio a ser consagrada na nova formulação do n.º 2 do art. 372.º do CPP de 1998, presentemente em vigor, que tem de ser considerada como interpretação autêntica do pensamento do legislador em relação ao código anterior, por as correspondentes normas não terem uma redacção perfeitamente clara e conforme com os princípios orientadores do Direito Processual Penal. III — Relativamente a matéria de facto há que distinguir: *a)* Ou a discordância corresponde a uma forma pouco ortodoxa de chamar a atenção para a existência de vícios enquadráveis na previsão de qualquer das situações consideradas no n.º 2 do art. 410.º do CPP, caso em que a eventual ocorrência dos aludidos vícios terá de ser apeciada no lugar próprio, sem que a ocorrência do voto de vencido tenha o menor relevo para qualquer invalidade do acórdão recorrido, na medida em que o conhecimento e tais vícios, para além de eles terem sido também invocados no recurso, pode ser resultante da actividade oficiosa do tribunal; *b)* Ou a discordância respeita à apreciação de factos apurados ou não apurados durante o julgamento e à convicção com que o julgador ficou, e representa, assim, a expressão do seu julgamento pessoal sobre a matéria de facto, divergente daquele a que o próprio Colectivo chegou. Neste caso, a proibição legal de formulação do voto de vencido em matéria de facto tem como única finalidade a protecção do segredo de justiça quanto à matéria do apuramento do vencimento sobre a determinação dos factos provados, pelo que não é afectada a validade do julgamento. (Ac. STJ de 25 de Novembro de 1999; *CJ, Acs. STJ*, VII, tomo 3, 207);

— I — Não constitui sentença o rascunho que o juiz lê, contendo a decisão sobre os factos que na acusação se imputam ao arguido. II — A sentença esctita posteriormente pelo juiz e incorporada no processo sem prévia leitura pública é nula. III — Tal nulidade da sentença não pode ser colmatada com a leitura da mesma se entre o encerramento da discussão e essa leitura decorrerem mais de 30 dias. IV — Num tal caso, impõe-se a repetição do julgamento, pois que a prova antes produzida perdeu eficácia. (Ac. RP de 5 de Fevereiro de 2003; *CJ*, XXVII, tomo 1, 215);

— É nula a sentença lida por apontamento. (Ac. RL de 23 de Junho de 2005, proc. n.º 4544/05; *CJ*, ano XXX, tomo 3, 139);

— Não se verifica a falta do número de juízes ou jurados que devam constituir o tribunal, ou a violação das regras relativas ao modo de determinar a respectiva composição, e a consequente nulidade insanável do art. 119.º, al. a), do CPP, quando na deliberação e votação da decisão participam todos os juízes que regularmente constituiam o tribunal, sendo que o único acto que já não contou com a presença de um dos juízes adjuntos, entretanto jubilado, foi, estritamente, o da publicação de voto conformidade, suprindo a sua assinatura, traduziu com verdade. (Ac. STJ de 13 de Julho de 2005; *SASTJ*, n.º 93, 93);

— I — Os motivos do voto de vencido de um juiz, seja sobre matéria de direito ou de facto, dvem ser concisos restringir-se ao objecto do processo. II — No que concerne à matéria de facto, o voto de vencido não se pode

850

Artigo 373.º

afastar das provas que foram produzidas, nem dos factos integrantes que versem o objecto do processo. III — Sempre que exceda essa limitação, revelando-se o que se passou na deliberação ou formulando-se um juízo sobre a mesma viola-se o dever de reserva da deliberação, que se encontra tutelado pelo crime de violação do segredo de justiça do art. 371.º, n.º 1, do CP. (Ac. STJ de 20 de Fevereiro de 2008; *CJ, Acs. STJ,* ano XVI, tomo 1, 223).

ARTIGO 373.º
(Leitura da sentença)

1. Quando, atenta a especial complexidade da causa, não for possível proceder imediatamente à elaboração da sentença, o presidente fixa publicamente a data dentro dos dez dias seguintes para a leitura da sentença.

2. Na data fixada procede-se publicamente à leitura da sentença e ao seu depósito na secretaria, nos termos do artigo anterior.

3. O arguido que não estiver presente considera-se notificado da sentença depois de esta ter sido lida perante o defensor nomeado ou constituído.

---

1. Os n.ºs 1 e 2 correspondem ao art. 373.º do Proj., com alterações introduzidas na fase final da elaboração do Código.

O n.º 3 foi introduzido pela Lei n.º 59/98, de 25 de Agosto, em virtude de a partir da revisão do Código levada a cabo por essa Lei, e no seguimento da revisão constitucional de 1977, ter passado a admitir-se o julgamento na ausência do arguido.

De notar ainda que o prazo de 10 dias estabelecido no n.º 1 foi fixado pela apontada Lei (na versão originária o prazo era de 7 dias), em virtude de os prazos em processo penal terem passado a correr continuamente, como em processo civil.

2. Nos casos de especial complexidade em que, pela dificuldade e estudo moroso das questões a decidir, ou pela própria extensão da sentença não é possível proceder à elaboração integral desta logo imediatamente a seguir à realização do julgamento, o presidente fixa e anuncia publicamente a data para a leitura da sentença, que terá de ser num dos dez dias seguintes.

Este artigo sofreu significativa remodelação, relativamente ao Proj., introduzida na fase final de elaboração do Código. Segundo o Proj. o dispositivo da sentença e a sua leitura seriam feitos imediatamente e só a leitura do relatório e da fundamentação podiam ser feitos em dias seguintes.

3. O não acatamento do prazo fixado no n.º 1 para a leitura da sentença nas causas de especial complexidade reconduz-se a uma irregularidade processual — art. 118.º, n.º 2 —, com o regime do art. 123.º. Esta solução afigura-se-nos muito clara nos casos em que a leitura da sentença ou o seu depósito na secretaria são efectuados nos 30 dias a que se refere o art. 328.º, n.º 6. E se

Código de Processo Penal

forem efectuados posteriormente ao decurso desse prazo? Ainda assim a solução deverá ser a mesma, porque a audiência já está encerrada, conforme se preceitua no art. 361.º, n.º 2, e portanto não se pode considerar que houve adiamento. E uma eventual prova suplementar a produzir posteriormente será só relativa à personalidade para determinação da espécie e da medida da pena. Mas aqui a solução afigura-se-nos muito duvidosa perante a constatação de que houve reabertura da audiência.

4. *Jurisprudência:*
— I — O prazo estabelecido no art. 373.º do CPP tem natureza meramente ordenadora e a sua ultrapassagem não acarreta irregularidade, e muito menos qualquer nulidade, podendo dar origem apenas a processo disciplinar. II — Mas se entre o dia em que se produziu a prova e o dia em que se procedeu à leitura da sentença decorrerem mais de 30 dias a prova perdeu eficácia e a sentença não pode subsistir. III — É que a continuidade da audiência tem em vista que, entre a produção da prova e a decisão, medeie o menor espaço de tempo possível, evitando-se o esquecimento. IV — Se a sentença não for proferida no prazo legalmente fixado (30 dias), impõe-se a repetição do julgamento, se tal for arguido no prazo de 5 dias ou na motivação, como fundamento de recurso. (Ac. RP de 2 de Dezembro de 1993, *CJ*, XVIII, tomo 5, 262). *Nota* — Há jurisprudência contraditória. Ver *supra*, anot. 3 e *infra*;
— A inobservância do prazo para a leitura da sentença, do art. 373.º do CPP, constitui mera irregularidade, não afectando o valor do acto, nem acarretando quaisquer outras consequências jurídicas. (Ac. STJ de 15 de Outubro de 1997; *CJ, Acs. do STJ,* V, tomo 3, 197 e *BMJ,* 470, 379);
— Estando o arguido notificado, embora ausente porque considerada dispensável a sua presença, e presente o seu defensor na audiência de julgamento que procedeu a cúmulo jurídico de penas (art. 472.º do CPP), o arguido considera-se notificado da sentença logo após a sua leitura, por força do disposto no art. 373.º, n.º 3, do mesmo Código. (Ac. STJ de 22 de Novembro de 2000, proc. n.º 1776/2000-3.ª; *SASTJ,* n.º 45, 63);
— Os preceitos constantes dos arts. 334.º, n.º 6 e 373, n.º 3, do CPP devem, sob pena de inconstitucionalidade por violação dos n.os 1 e 6 do art. 32.º da CRP, ser ser interpretados no sentido de que consagram a necessidade de a decisão condenatória ser pessoalmente notificada ao arguido ausente, não podendo enquanto essa notificação não ocorrer, contar o prazo para ser interposto recurso ou requerido novo julgamento. (Ac. do Trib. Constitucional n.º 274/2003, proc. n.º 7/2003, de 20 de Maio de 2003; *DR,* II série, de 3 de Junho do mesmo ano);
— A norma constante do n.º 3 do art.º 373.º do CPP, enquanto considera notificado da sentença condenatória o arguido que, tendo estado presente na audiência de produção da prova, na qual foi marcada a data para a leitura da sentença não compareceu na audiência em que se procedeu a essa leitura, à qual assistiu defensor indicado pelo seu anterior defensor para o substituir, não viola o princípio da igualdade, as garantias de defesa nem o direito ao recurso, consagrados nos arts. 13.º e 32.º, n.º 1 da Constituição da República Portuguesa. (Ac. do Trib. Constitucional n.º 429/2003, de 24 de Setembro de 2003, proc. n.º 273/03, de 24 de Setembro de 2003, proc. n.º 273/03; *DR,* II série, de 21 de Novembro de 2003);

Artigo 374.º

— Não são inconstitucionais as normas dos arguidos 334.º, n.º 8 e 113.º, n.º 7 do CPP, conjugados com a do artigo 373.º, n.º 3, do mesmo diploma, quando interpretadas no sentido de que consagram a necessidade de a decisão condenatória ser pessoalmente notificada ao arguido ausente, não podendo, enquanto essa notificação não ocorrer, contar o prazo para ser interposto recurso ou requerido novo julgamento. (Ac. do Tribunal Constitucional n.º 464/2003, de 23 de Outubro, proc. n.º 619/2002; *DR,* II série, de 5 de Janeiro de 2004).

— Não são inconstitucionais as normas dos artigos 334.º, n.º 8 e 113.º, n.º 7 do CPP, conjugadas com a do artigo 373.º, n.º 3, do mesmo diploma, quando interpretadas no sentido de que consagram a necessidade de a decisão condenatória ser pessoalmente notificada ao arguido ausente, não podendo, enquanto essa notificação não ocorrer, contar o prazo para ser interposto recurso ou requerido novo julgamento. (Ac. do Tribunal Constitucional n.º 464/2003, de 23 de Outubro, proc. n.º 619/2002; *DR,* II série, de 5 de Janeiro de 2004);

— O prazo estabelecido no art. 373.º do CPP para a leitura da sentença tem natureza meramente ordenacional e a sua ultrapassagem não acarreta irregularidade, e muito menos qualquer nulidade. (Ac. STJ de 11 de Janeiro de 2006, proc. n.º 4301/04-3.ª);

— Não é inconstitucional a norma derivada dos arts. 113.º, n.º 9; 334.º, n.º 6 e 373.º n.º 3, do CPP, interpretada no sentido de que pode ser efectuada por via postal simples, com prova de depósito, para a morada indicada no termo de identidade e residência prestado pelo arguido, a notificação de sentença condenatória proferida na sequência de audiência de julgamento a que o arguido, ciente da data da sua realização, requerera ser dispensado de comparecer, por residir no estrangeiro, sentença que foi notificada ao defensor do arguido, que esteve presente na audiência de julgamento e na audiência para leitura da sentença. (Ac. do Trib. Constitucional, 111/2007, de 15 de Fevereiro; *Acórdãos do Trib. Constitucional,* n.º 67, pág. 211);

— Não são inconstitucionais as normas dos arts. 373.º, n.º 3, e 113.º, n.º 9, do CPP, quando interpretadas no sentido de que tendo estado o arguido presente na primeira audiência de julgamento, onde tomou conhecimento da data da realização da segunda, na qual, na sua ausência e na presença do primitivo defensor, foi designado dia para leitura da sentença, deve considerar--se que a sentença foi notificada ao arguido no dia da sua leitura, na pessoa do defensor então nomeado. (Ac. do Trib. Constitucional n.º 489/2008; *DR,* II série, de 11 de Novembro de 2008).

ARTIGO 374.º

(Requisitos da sentença)

1. A sentença começa por um relatório, que contém:

   a) As indicações tendentes à identificação do arguido;

   b) As indicações tendentes à identificação do assistente e das partes civis;

   c) A indicação do crime ou dos crimes imputados ao arguido, segundo a acusação, ou pronúncia, se a tiver havido;

853

Código de Processo Penal

d) A indicação sumária das conclusões contidas na contestação, se tiver sido apresentada.

2. Ao relatório segue-se a fundamentação, que consta da enumeração dos factos provados e não provados, bem como de uma exposição, tanto quanto possível completa, ainda que concisa, dos motivos, de facto e de direito, que fundamentam a decisão, com indicação e exame crítico das provas que serviram para formar a convicção do tribunal.

3. A sentença termina pelo dispositivo que contém:

a) As disposições legais aplicáveis
b) A decisão condenatória ou absolutória;
c) A indicação do destino a dar a coisas ou objectos relacionados com crime;
d) A ordem de remessa de boletins ao registo criminal;
e) A data e as assinaturas dos membros do tribunal.

4. A sentença observa o disposto neste Código e no Regulamento das Custas Processuais, em matéria de custas.

---

1. Reproduz o art. 374.° do Proj., porém com alterações na al. *d)* do n.° 1, e corresponde aos arts. 343.° e 351.° do Aproj. e 173.° e 450.° do CPP de 1929, com excepção do que adiante vai indicado.
No n.° 2, a Lei n.° 59/98, de 25 de Agosto, aditou a exigência do *exame crítico das provas.*
O n.° 4 sofreu ligeira alteração introduzida pela Lei n.° 59/98, de 25 de Agosto, consistente na harmonização com o Código das Custas Judiciais aprovado pelo Dec.-Lei n.° 224-A/96, de 26 de Novembro, segundo o qual as custas passaram a compreender a taxa de justiça e os encargos. Já anteriormente a designação de imposto de justiça fora substituída pela de taxa de justiça. Ainda neste n.° 4 a designação de *Código das Custas Judiciais* foi substituída por *Regulamento das Custas Processuais* pelo art. 6.° do Dec.-Lei n.° 34/2008, de 26 de Fevereiro, tendo entrado em vigor em 1 de Setembro desse ano.

2. Especificam-se neste artigo os requisitos gerais da sentença, no art. 375.° os requisitos especiais da sentença condenatória; no art. 376.° os especiais da sentença absolutória e no art. 377.° regula-se um caso particular de absolvição em matéria criminal mas condenação em indemnização civil, por responsabilidade objectiva. Esta disposição do art. 377.° tem a sua primeira fonte legislativa no art. 12.° do Dec.-Lei n.° 605/75, de 3 de Novembro.

3. Na estruturação deste artigo distinguem-se mais claramente que em quaisquer outras disposições do Código as três partes em que a sentença se divide: relatório, fundamentação e dispositivo. O relatório é elaborado de harmonia com o n.° 1; a fundamentação de harmonia com o n.° 2; e o dispositivo de harmonia com o n.° 3.

Artigo 374.º

4. Particularmente de salientar os dois pontos seguintes, por representarem inovações salientes em relação ao regime anterior:

Em vez da identificação do arguido, do assistente e das partes civis, a lei contenta-se agora com as indicações tendentes às respectivas identificações. Pode suceder, e sucedeu já na prática, por exemplo num julgamento na comarca de Albufeira que foi objecto de larga informação, que se não saiba ao certo qual a exacta identificação de um daqueles intervenientes no processo. Então, em vez da identificação através do nome, etc., descrever-se-ão as indicações tendentes à identificação, até onde for possível (indivíduo que diz chamar-se..., que aparenta ter... anos de idade, de cor..., com... de altura, com as seguintes particularidades físicas... etc.).

Na fundamentação é agora obrigatória a indicação das provas que serviram para formar a convicção do tribunal e do exame crítico destas. Trata-se aqui de um sistema semelhante ao que vigora no processo civil desde 1961 e que alguma doutrina a partir de então sustentou ser aplicável em processo penal, entendimento que porém não teve acolhimento nos tribunais superiores. Para a falta de indicação das provas que serviram para fundamentar a convicção do tribunal comina-se uma nulidade — art. 379.º, al. *a)*, nulidade que também afecta a falta de todas as outras menções referidas nos n.os 2 e 3, al. *b)*.

A fundamentação, como resulta *expressis verbis* do n.º 2, não se satisfaz com a enumeração dos meios de prova produzidos na audiência de julgamento e dos que serviram para fundamentar a sentença. É ainda necessário um exame crítico desses meios, que servirá para convencer os interessados e a comunidade em geral da correcta aplicação da justiça no caso concreto. Trata-se de significativa alteração do regime do Código de 1929, e mesmo do que, segundo alguma doutrina, anteriormente vigorava por alterações introduzidas no CPC.

De notar que quanto aos motivos de facto e de direito que fundamentam a decisão e quanto à indicação das provas que serviram para formar a convicção do tribunal ter-se-á que fundamentar com a posição que fez maioria, sem qualquer declaração, mesmo sem a declaração de que se trata de uma maioria. De outro modo violar-se-ia o secretismo da deliberação (art. 367.º), e ainda o n.º 2 do art. 372.º, impeditivo de qualquer declaração.

5. Sobre a motivação fáctica das sentenças penais expendeu Marques Ferreira as seguintes considerações nas *Jornadas de Direito Processual Penal* 229-230:

«A obrigatoriedade de tal motivação surge em absoluta oposição à prática judicial na vigência do CPP de 1929 e não poderá limitar-se a uma genérica remissão para os diversos meios de prova fundamentadores da convicção do tribunal, à semelhança do que tradicionalmente vem sucedendo com a interpretação e aplicação do estipulado sobre este assunto no art. 665.º, n.º 2, do CPC, embora com desacordo completo da doutrina e, a nosso ver, violando-se materialmente a *ratio* do art. 210.º, n.º 1, da CRP.

De facto, o problema da motivação está intimamente conexionado com a concepção democrática ou antidemocrática que insufle o espírito de um determinado sistema processual, e no que concerne ao nosso processo penal vigente este informa, neste particular, de nítidas características medievais e ditatoriais.

No futuro processo penal português, em consequência com os princípios informadores do Estado de Direito democrático e no respeito pelo efectivo direito

Código de Processo Penal

de defesa consagrado no art. 320.°, n.° 1 e no art. 210.°, n.° 1, da CRP, exige-se não só a indicação das provas ou meios de prova que serviram para formar convicção do tribunal mas, fundamentalmente, *a expressão tanto quanto possível completa ainda que concisa, dos motivos de facto que fundamentaram a decisão.*

Estes motivos de facto que fundamentam a decisão não são nem os factos provados *(thema decidendum)* nem os meios de prova *(thema probandum)* mas os elementos que em razão das regras da experiência ou de critérios lógicos constituem o substracto racional que conduziu a que a convicção do tribunal se formasse em determinado sentido ou valorasse de determinada forma os diversos meios de prova apresentados em audiência.

...

A fundamentação ou motivação deve ser tal que, *intraprocessualmente* permita aos sujeitos processuais e ao tribunal superior o exame do processo lógico ou racional que lhe subjaz, pela via de recurso, conforme impõe inequivocamente o art. 410.°, n.° 2.

...

E *extraprocessualmente* a fundamentação deve assegurar, pelo conteúdo, um respeito efectivo pelo princípio da legalidade na sentença e a própria independência e imparcialidade dos juízes, uma vez que os destinatários da decisão não são apenas os sujeitos processuais mas a própria sociedade...».

6. *Jurisprudência fixada:*
— Nos processos de transgressão é aplicável o regime de fundamentação da decisão em matéria de facto, com a indicação das provas que serviram para formar a convicção do tribunal, previsto no n.° 2 do artigo 374.° do Código de Processo Penal de 1987. (Ac. do Plenário das secções criminais do STJ de 24 de Outubro de 1996; *DR,,* I-A série, de 19 de Novembro do mesmo ano).

7. *Jurisprudência:*
— I — As nulidades da sentença são nulidades dependentes de arguição que podem ser arguidas na motivação dos recursos, e portanto dentro do prazo da motivação. II — A obrigatoriedade de indicação, na sentença, das provas que serviram para formar a convicção do tribunal, estabelecida no art. 374.°, n.° 2, do Código de Processo Penal, destina-se a garantir que na sentença se seguiu um processo lógico e racional na apreciação da prova, não sendo portanto uma decisão ilógica, arbitrária, contraditória ou notoriamente violadora das regras da experiência comum na apreciação da prova — cfr. art. 410.°, n.° 2, als. *b)* e *c)* do Código de Processo Penal. III — Sendo a indicação de tais provas feita sucinta e dispersamente (fora do local indicado no art. 374.°, n.° 2 do Código de Processo Penal), não se tratará de nulidade mas de irregularidade processual, a submeter ao regime do art. 123.° do Código de Processo Penal, suposto que a indicação, como é feita, ainda satisfaz a finalidade indicada em II. (Ac. do STJ de 21 de Junho de 1989, Proc. 40023/3.ª);
— Sobre a fundamentação das decisões judiciais penais, designadamente sobre a não exigência constitucional de fundamentação da matéria de facto, ver acs. do Tribunal Constitucional de 9 de Maio de 1988 e de 12 de Outubro do mesmo ano; *BMJ,* 375, 138 e 380, 158, respectivamente e do STJ de 30 de Janeiro de 1990, Proc. n.° 40 356/3.ª;

Artigo 374.º

— Satisfaz o imperativo legal da enumeração dos factos provados e não provados contido no art. 374.°, n.° 2 do CPP a decisão que não faz uma descrição especificada dos factos provados e se limita, em contrapartida, a enunciar como não provados os restantes factos da acusação e da contestação. (Ac. STJ de 22 de Fevereiro de 1989; *BMJ,* 384, 552);

— I — A falta de indicação na sentença, quer na fundamentação quer em qualquer outro local, das provas que serviram para formar a convicção do tribunal, nos termos do art. 374.°, n.° 2, do CPP constitui nulidade sanável. II — As nulidades da sentença como a referida, podem ser arguidas na motivação e no prazo dos recursos, nos termos do art. 410.°, n.° 3, do CPP. (Ac. STJ de 5 de Julho de 1989; *BMJ,* 389, 486);

— O art. 374.°, n.° 2, do CPP impõe que na sentença se enumerem pormenorizadamente os factos provados, sendo incorrecto proceder a remissões. (Ac. STJ de 26 de Setembro de 1990; *BMJ,* 399, 432);

Nota — No caso apreciado, a emuneração dos factos provados e não provados foi feita, porém por remissão e por forma não modelar, antes confusa, como consta do texto o acórdão do Supremo, o que deu origem a um trabalho insano dos juízes desse alto tribunal, a-fim-de recolherem os factos relevantes para a aplicação do direito e assim evitarem a declaração da nulidade e o consequente cortejo de inconvenientes. O acórdão, uma notável obra de ponderação e de equilíbrio, contém um apontamento de cunho didáctico, chamando a atenção do tribunal *a quo* para que factos dessa natureza se não repitam, pois geram o risco de anulação, desprestígio da justiça e repetição do julgamento. Sempre expendemos e decidimos dentro da orientação de que as anulações, mormente quando acarretam a anulação dos julgamentos, só devem ser decididas nos casos taxativos da lei quando esta, bem interpretada dentro do pensamento legislativo, não permitir outra solução. O acórdão sumariado, que se debruçou sobre um caso limite, merece pois ser apontado como exemplo a seguir, isto em nosso entendimento;

— I — Nos termos do n.° 2 do art. 374.° do CPP, ao relatório, com que começa a sentença, segue-se a fundamentação e desta há-de constar, além do mais que ali expressamente se aponta, a enumeração dos factos provados e não provados. II — A enumeração dos factos é, em rigor, a sua menção, um a um. III — Daí que a sentença deva enumerar facto a facto provado, não podendo limitar-se à forma imperfeita e sem qualquer rigor de dar como provados os factos constantes da acusação. IV — A sentença que dá como provados todos os factos constantes da acusação, para os efeitos do art. 374.°, n.° 2 do CPP, viola aquele preceito e é nula, de acordo com a al. *a)* do art. 379.° do CPP, insusceptível de correcção, dado o teor do art. 379.°. V — A nulidade arguida na motivação foi-o em tempo. (Ac. STJ de 6 de Fevereiro de 1991, Proc. 41 200; *AJ,* n.ᵒˢ 15-16, 6);

— I — A ausência total da referência às provas que constituíram a fonte da convicção do tribunal constitui violação do art. 374.°, n.° 2 do CPP, o que acarreta a nulidade da decisão, por força do art. 379.° do mesmo diploma. II —Tal nulidade tem de ser invocada na motivação do recurso, porque não é aplicável o art. 120.°, n.° 3, al. *a),* do CPP. III — Só o acórdão é nulo, e não a audiência de julgamento. (Ac. STJ de 6 de Março de 1991, Proc. n.° 40 874);

— A exposição dos motivos que fundamentam a decisão, exigida pelo art. 374.°, n.° 2, do CPP, é a fundamentação de direito, do enquadra-

Código de Processo Penal

mento jurídico dos factos. (Ac. STJ de 29 de Janeiro de 1992; *CJ*, XVII, tomo 1, 24);

— É nulo o acórdão — e não a audiência de julgamento — face ao estatuído no n.º 2 dos arts. 374.º e 379.º, al. *a)*, do CPP, que não contenha um exame crítico sobre as provas que concorreram para a formação da convicção do tribunal. (Ac. STJ de 11 de Fevereiro de 1992; *BMJ*, 414, 389);

— I — A mera indicação na sentença de que houve contestação constitui irregularidade que terá de ser arguida, sob pena de sanação. II — Se da análise da contestação se verificar que esta nada apontou — como no caso de apenas oferecer o merecimento dos autos — ou se da comparação entre ela e a enunciação da matéria de facto provada e não provada se concluir que toda a alegada na contestação foi concretamente examinada, a nulidade que possa existir não tem qualquer relevo. III — Enumerar é mencionar os factos um a um, e não fazer mera remissão para a acusação ou para a pronúncia. IV — Não satisfaz a exigência legal a mera afirmação abstracta de que os restantes factos se não provaram, já que apenas se podem considerar como não provados os incompatíveis com os provados se houver a certeza de que foram investigados. V — Os factos a enumerar hão-de ser os essenciais à caracterização do crime e suas circunstâncias juridicamente relevantes, que influenciem na determinação da medida da pena. VI — A razão de ser da exigência da exposição, ainda que concisa, dos meios de prova, é não só permitir aos sujeitos processuais e ao tribunal de recurso o exame do processo lógico ou racional que subjaz à formação da convicção do julgador, como assegurar a inexistência de violação do princípio da inadmissibilidade das proibições de prova; é necessário revelar o processo racional que conduziu à expressão da convicção. VII — Não se exige que o julgador exponha pormenorizada e completamente todo o raciocínio lógico que se encontra na base da sua convicção de dar como provado um determinado facto, especialmente quando relativamente a tal facto se procedeu a uma dada inferência mediata a partir de outros havidos como provados. VIII — A indicação das provas que serviram para formar a convicção apenas é obrigatória na medida do que é necessário. (Ac. STJ de 29 de Junho de 1995; *CJ, Acs. do STJ,* III, tomo 2, 254);

— Não enferma de nulidade o acórdão que, sem descrever com minúcia os factos não provados, os enumera de forma concisa, em termos de se adquirir a certeza de que todos os factos alegados foram objecto de decisão. (Ac. STJ de 31 de janeiro de 1996; *CJ, Acs. do STJ,* IV, tomo 1, 195);

— I — O art. 374.º, n.º 2, do CPP, ao exigir a exposição dos motivos de facto e de direito que fundamentam a decisão, não acrescenta um mais que não se contenha na enumeração dos factos provados e não provados e consequentemente avaliação deles à luz da norma ou normas chamadas ao juízo substantivo, ou seja, se os factos preenchem ou não a essência dessas normas. II — Esse preceito apenas exige que sobre os factos provados incida um raciocínio lógico que consiste justamente numa operação, demais conhecida, de avaliação da aptidão dos factos para integração na norma ou normas de conteúdo geral e abstracto em ordem a decidir se os mesmos preenchem ou não as definições nelas contidas. (Ac. STJ de 15 de Maio de 1996, proc. 47722/3.ª);

— O art. 374.º, n.º 2, do CPP não exige a explicitação e valoração de cada meio de prova perante cada facto, mas tão-só uma exposição concisa dos motivos de facto e de direito que fundamentaram a decisão, com indicação das

Artigo 374.º

provas que serviram para formar a convicção do tribunal, não impondo a lei a menção das inferências indutivas levadas a cabo pelo tribunal ou dos critérios de valoração das provas e contraprovas. (Ac. STJ de 9 de Janeiro de 1997; *CJ, Acs. do STJ,* V, tomo 1, 172;

— A exigência legal de na sentença se fazer a descrição dos factos provados e não provados refere-se aos que são essenciais à caracterização do crime a suas circunstâncias juridicamente relevantes, o que exclui os factos inócuos, irrelevantes para a qualificação do crime ou para a graduação da responsabilidade do arguido, mesmo que descritos na acusação ou na contestação. (Ac. STJ de 15 de Janeiro de 1997; *CJ, Acs. do STJ,* V, tomo 1, 181);

— A indicação de factos provados ou não provados, por simples remissão para a acusação, para o pedido cível ou para a contestação, não se enquadra no requisito legal *enumeração* consignação no art. 374.º, n.º 2, do CPP. (Ac. do STJ de 16 de Janeiro de 1997; *CJ, Acs. do STJ,* V, tomo 1, 202);

— É nula a sentença em que se elabora o cúmulo jurídico das penas, se nada se diz sobre as razões que levaram à fixação da pena unitária escolhida. (Ac. STJ de 6 de Fevereiro de 1997; *CJ, Acs. do STJ,* V, tomo 1, 215);

— Não é obrigatória a presença do arguido, devidamente notificado, à leitura da sentença. (Ac. RC de 12 de Março de 1997; *CJ,* XXII, tomo 2, 47);

— I — A sentença não cumpre o art. 374.º, n.º 1, al. *d),* do CPP, quando se limita a referir que o arguido se defendeu *nos termos da sua contestação escrita junta a fls., cujo teor aqui se dá por integralmente reproduzido para todos os efeitos legais.* II — Esta irregularidade tem de ser suprida, mediante correcção, oficiosamente ou a requerimento, nos termos do art. 380.º, n.ᵒˢ 1 e 2, na decisão do recurso interposto. (Ac. STJ de 30 de Abril de 1997; *CJ, Acs. do STJ,* V, tomo 2, 195);

— A indicação sumária das conclusões da contestação (art. 374.º, n.º 1, do CPP) pode não transmitir toda a extensão da versão da defesa. Porém, disso não decorre qualquer prejuízo para a defesa, se o tribunal apreciar em toda a sua extensão a matéria da contestação. (Ac. STJ de 18 de Dezembro de 1997; *BMJ,* 477, 185);

— O art. 374.º, n.º 2, do CPP, não impõe que o julgador exponha pormenorizadamente o raciocínio lógico que se encontra na base da sua convicção, e nenhuma norma legal também exige que se faça uma apreciação crítica das provas, em ordem a permitir a sua apreciação pelo tribunal de recurso. (Ac. STJ de 27 de Janeiro de 1998; *BMJ,* 473, 166);

— Não existe violação do art. 374.º, n.º 2, do CPP por nem todos os factos constantes da acusação/pronúncia e da contestação terem sido enumerados como provados ou não provados. Só os factos essenciais para a decisão da causa têm de constar dessa enumeração. (Ac. STJ de 11 de Fevereiro de 1998; *BMJ,* 474, 151);

— A indicação das provas em que o tribunal recorrido se fundou para formar a sua convicção satisfaz plenamente a obrigatoriedade estabelecida no art. 374.º, n.º 2, do CPP, destinada a garantir que na sentença se seguiu um processo lógico e racional na apreciação da prova, sem necessidade de referência expressa às testemunhas ouvidas a cada facto considerado provado. (Ac. STJ de 11 de Fevereiro de 1998; *BMJ,* 474, 309);

Código de Processo Penal

— Se no acórdão sob recurso, além dos meios de prova de que o tribunal se socorreu para formar a sua convicção, se indica a razão de ciência de cada uma das pessoas cujos depoimentos ou declarações tomou em consideração, não se verifica insuficiência dos motivos de facto que fundamentam a decisão, nos termos do art. 374.º, n.º 2, do CPP. (Ac. STJ de 12 de Fevereiro de 1998; *BMJ*, 474, 321);

— O art. 374.º, n.º 2, do CPP, não exige, relativamente aos factos não provados, a minúcia que preside à indicação dos factos provados, tendo o tribunal apenas que deixar bem claro que foram por ele apreciados todos os factos alegados, *maxime* na contestação, com interesse para a decisão. (Ac. STJ de 12 de Março de 1998; *BMJ*, 475, 233);

— Não é inconstitucional o complexo normativo formado pelos arts. 361.º; 368.º, n.º 2 e 374.º do CPP, enquanto nele se não prevê a prévia quesitação de factos alegados pela acusação e pela defesa e resultantes da discussão da causa e, consequentemente, a sua reclamação. (Ac. do Trib. Constitucional de 19 de Maio de 1998, proc. n.º 387/97; *DR*, II série, de 11 de Dezembro do mesmo ano);

— É inconstitucional a norma do n.º 2 do artigo 374.º do Código de Processo Penal de 1987, na interpretação segundo a qual a fundamentação das decisões em matéria de facto se basta com a simples enumeração dos meios de prova utilizados em 1.ª instância, não exigindo a explicitação do processo de formação da convicção do tribunal, por violação do dever de fundamentação das decisões dos tribunais previsto no n.º 1 do artigo 205.º da Constituição, bem como, quando conjugada com a norma das alíneas *b)* e *c)* do n.º 2 do artigo 410.º do mesmo Código, por violação do direito ao recurso consagrado no n.º 1 do artigo 32.º, também da Constituição. (Ac. do Trib. Constitucional n.º 680/98, de 2 de Dezembro, proc. n.º 456//95; *DR*, II série, de 5 de Março de 1999);

— O disposto no art. 374.º, n.º 2, do CPP, não obriga o tribunal a fazer qualquer extracto dos depoimentos prestados em audiência ou o seu resumo; basta-se com a indicação da razão de ciência das testemunhas e localização dos documentos que apreciou. (Ac. STJ de 7 de Outubro de 1998; *CJ, Acs. do STJ,* VI, tomo 3, 183);

— O disposto no art. 374.º, n.º 3, do CPP apenas exige que sejam enumerados os factos essenciais para a descoberta da verdade, e não aqueles que são indiferentes para esta, como acontece com os meramente instrumentais. (Ac. STJ de 7 de Outubro de 1998; *CJ, Acs. do STJ,* VI, tomo 3, 183);

— A lei não impõe a indicação dos meios de prova atinentes a cada um dos factos provados, mas sim a especificação de todos aqueles em que o tribunal se baseou para dar como provados os factos constitutivos de cada uma das infracções, os relativos à personalidade do arguido, às suas condições de vida, situação económica, conduta anterior e posterior aos factos praticados, bem como qualquer outra circunstância tomada em consideração na determinação da pena, ou, sempre que for caso disso, os factos integradores da exclusão da culpa e da pena. (Ac. STJ de 2 de Dezembro de 1998; *CJ, Acs. do STJ,* VI, tomo 3, 229);

— I — O art. 374.º, n.º 2, do CPP, ao aludir a *factos provados,* abrange quer os puros factos — acontecimentos, estados, eventos — quer os juízos

Artigo 374.º

de valor sobre os factos e veda a inclusão de questões de direito ou de conceitos de direito. II — Assim, o tribunal pode julgar que o objectivo do arguido consiste em obter, com a venda de drogas, *avultados lucros pecuniários,* a partir de factos concretos testemunhados (ou provados por outros meios), uma vez que tal expressão é um juízo de valor sobre factos e não um conceito ou questão de direito. (Ac. STJ de 6 de Janeiro de 1999, proc. 1075/98-3.ª; *SASTJ,* n.º 27, 66);

— Uma fundamentação que apenas indica como elementos de convicção do tribunal, quanto a factos essenciais, o depoimento de duas testemunhas, nada dizendo sobre a razão de ciências dessas testemunhas, infringe o disposto no art. 374.º, n.º 2, do CPP, com consequente nulidade, prevista no art. 379.º, al. *a).* (Ac. STJ de 14 de Janeiro de 1999; *CJ, Acs. do STJ,* VII, tomo 1, 187);

— A fundamentação de uma sentença, na parte da enumeração dos factos provados e não provados, apenas pode conter *factos*; não *juízos de valor* ou *conceitos*, que são matéria de direito. E os factos provados têm de ser precisos, não podendo ser enumerados em termos alternativos. (Ac. STJ de 6 de Maio de 1999, proc. n.º 325/99-3.ª; *SASTJ,* n.º 31, 79);

— Dá integral cumprimento ao dever de fundamentar contido no n.º 2 do art. 374.º do CPP o colectivo que, na fundamentação da formação da sua convicção, valora e aprecia os depoimentos das testemunhas, justifica e avalia a sua razão de ciência, indica os factos donde ela derivou e enumera os elementos de prova de que se socorreu, *v.g.* buscas, apreensões realizadas, exames e avaliações. (Ac. STJ de 13 de Maio de 1999, proc. n.º 144/99-3.ª; *SASTJ,* n.º 31, 85);

— Fórmulas imprecisas, tais como *nada mais se provou,* porque não dão a indispensável garantia de que todos os factos relevantes que não surgem discriminados na decisão sobre a matéria de facto foram objecto de apreciação nos termos legais, têm de considerar-se ineficazes, estando o acórdão ferido de nulidade, nos termos das disposições combinadas dos arts. 374.º, n.º 2 e 379.º, n.º 1, al. *a),* do CPP. (Ac. STJ de 26 de Maio de 1999, proc. n.º 1488//98-3.ª; *SASTJ,* n.º 31, 90);

— Não é inconstitucional a norma constante do n.º 2 do art. 374.º do CPP, quando interpretada no sentido de que, sendo vários os arguidos que, em co-autoria, praticaram os factos delituosos, o tribunal não tem que fazer uma fundamentação formalmente distinta para cada um deles. (Ac. do Trib. Constitucional n.º 102/99, de 10 de Fevereiro; *BMJ,* 484, 119);

— O *exame crítico das provas,* a que faz referência o n.º 2 do art. 374.º do CPP, em sede de fundamentação da sentença, consiste tão somente na indicação das razões que levaram a que determinada prova tenha convencido o tribunal. (Ac. STJ de 24 de Junho de 1999, proc. n.º 457/99-3.ª; *SASTJ,* n.º 32, 88);

— I — O art. 374.º, n.º 2, do CPP, trata da estrutura e conteúdo da fundamentação da sentença, aparecendo dividido em três momentos: enumeração dos factos provados e não provados; exposição dos motivos de facto e de direito que fundamentam a decisão e indicação das provas que serviram para formar a convicção do tribunal. II — A motivação da decisão de facto, seja qual for o conteúdo que se lhe dê, não pode ser um substituto do princípio da oralidade e da imediação no que tange à actividade de produção da prova, transformando-

861

Código de Processo Penal

a em documentação da oralidade da audiência, nem se propõe reflectir nela exaustivamente todos os factores probatórios, argumentos, intuições, etc., que fundamentam a convicção ou resultado probatório. III — A lei não exige que em relação a cada facto se autonomize e substancie a razão de decidir, como também não exige que em relação a cada fonte de prova se descreva como a sua dinamização se desenvolveu em audiência, sob pena de se transformar o acto de decidir numa tarefa impossível, devendo também não ser esquecido que o convencimento é de cada um dos juízes e jurados que constituem o colectivo ou o júri (art. 365.º, n.º 3, do CPP). (Ac. STJ de 30 de Junho de 1999, proc. n.º 285/99-3.ª; *SASTJ*, n.º 32, 92);

— I — Actualmente, face à nova redacção do n.º 2 do art. 474.º do CPP, é indiscutível que tem de ser feito um exame crítico das provas. II — Por isso, é insuficiente a fundamentação e nula a sentença que refere que a convicção se baseou na confissão parcial do arguido, mas não explicita quais os factos constantes da acusação que o arguido confessou ter cometido e que não indica em que se fundamentou a matéria de facto que foi dada como provada, para além da que foi confessada. (Ac. STJ de 7 de Julho de 1999; *CJ, Acs. do STJ*, VII, tomo 2, 246);

— I — A sentença tem de se bastar a si mesma, como decorre do art. 374.º do CPP conjugado com o art. 472.º do mesmo diploma. II — Assim, não é admissível a remissão para outras peças processuais, devendo a sentença, ainda que de forma resumida, conter os elementos indispensáveis, quer de facto quer de direito, para obter o fim que se deseja com ela. III — Por isso, é nula, nos termos do art. 379.º, n.º 2, al. *a)*, do CPP, a decisão final do tribunal colectivo que remete os leitores dela, inclusive o tribunal de recurso, para o acórdão proferido anteriormente, não deixando saber as normas jurídico--penais em que realmente o tribunal se baseou para determinar, a partir delas, a moldura penal máxima aplicável ao conjunto de infracções integrantes dum cúmulo jurídico. (Ac. STJ de 24 de Novembro de 1999, proc. 987/99-3.ª; *SASTJ*, n.º 35, 84);

— I — A fundamentação a que se refere o art. 374.º, n.º 2, do CPP, não tem de ser distinta para cada um dos arguidos, nem tem de ser uma espécie de assentada em que o tribunal reproduza os depoimentos das testemunhas ouvidas, ainda que de forma sintética, sob pena de violar o princípio da oralidade que rege o julgamento feito pelo tribunal colectivo de juízes. II — Não dizendo a lei em que consiste o *exame crítico das provas*, esse exame tem de ser aferido com critérios de razoabilidade, sendo fundamental que permita avaliar cabalmente o porquê da decisão e o processo lógico--formal que serviu de suporte ao respectivo conteúdo. (Ac. STJ de 12 de Abril de 2000, proc. n.º 141/2000-3.ª; *SASTJ*, n.º 40, 48);

— Tendo o STJ determinado a descida do processo à 1.ª instância para ser proferido acórdão que observasse o disposto na 2.ª parte do n.º 2 do art. 374.º do CPP, ou seja, para elaboração de uma nova decisão com suprimento da nulidade constatada, não significa isso que tenha anulado a operação anterior à elaboração e assinatura, mas apenas o acórdão em si, pelo que, mantendo--se a deliberação e votação, não há que questionar a perda da eficácia da prova decorrente do preceituado no art. 328.º, n.º 6, do CPP. (Ac. STJ de 18 de Maio de 2000, proc. n.º 861/99-5.ª; *SASTJ*, n.º 41, 78);

862

Artigo 374.º

— I — A fundamentação a que se reporta o art. 374.º, n.º 2, do CPP, não tem de ser uma espécie de «assentada» em que o tribunal reproduza os depoimentos das testemunhas ouvidas, ainda que de forma sintética. II — O exame crítico das provas deve ser aferido com critérios de razoabilidade, sendo fundamental que permita avaliar cabalmente o porquê da decisão e o processo lógico-mental que serviu de suporte ao respectivo conteúdo. (Ac. STJ de 11 de Outubro de 2000, proc. n.º 2253/2000-3.ª; *SASTJ*, n.º 44, 70);

— Tendo o tribunal enumerado as provas que teve ao seu dispor, indicado os aspectos essenciais do seu conteúdo e, por consequência, o modo como formou o juízo da sua veracidade, cumpriu, *quantum satis*, com o dever de fundamentação contido no art. 374.º, n.º 2, do CPP. (Ac. STJ de 12 de Outubro de 2000, proc. n.º 2003/2000-3.ª; *SASTJ*, n.º 44,81);

— I — A indicação das provas que serviram para formar a convicção do tribunal apenas é obrigatória na medida em que é necessário. II — A exigência legal de na sentença se fazer a descrição dos factos provados e não provados tem de referir-se àqueles que são essenciais à caracterização do ilícito criminal que esteja em causa e ao seu circunstancialismo juridicamente relevante, o que exclui, obviamente, todos os factos inócuos para a qualificação do crime ou para a graduação da responsabilidade do agente, ainda que descritos na acusação, na pronúncia ou na contestação. III — O exame crítico da prova tem como objecto, apenas e tão-só, os factos essenciais para a qualificação jurídico-criminal do ilícito, para a definição do seu circunstancialismo relevante e para a determinação da responsabilidade do agente. (Ac. STJ de 26 de Outubro de 2000, proc. n.º 2528/2000-5.ª; *SASTJ*, n.º 44, 91);

— O que a sentença tem de indicar em conformidade com os requisitos constantes dos arts. 374.º e 375.º do CPP são as normas legais aplicáveis e não as inaplicáveis, sob pena de a sua feitura se transformar numa humanamente inextricável e impossível tarefa intelectual. (Ac. STJ de 7 de Dezembro de 2000, proc. n.º 2748/2000-5.ª; *SASTJ*, n.º 46, 45);

— I — A fundamentação da sentença, na parte que respeita à indicação e exame crítico das provas não tem de ser uma espécie de «assentada» em que o tribunal reproduza os depoimentos das testemunhas ouvidas, ainda que de forma sintética, sob pena de se violar o princípio da oralidade que rege o julgamento feito pelo colectivo de juízes. II — Não dizendo a lei em que consiste o exame crítico das provas, esse exame tem de ser aferido com critérios de razoabilidade, sendo fundamental que permita avaliar cabalmente o porquê da decisão e o processo lógico-mental que serviu de suporte ao respectivo conteúdo, bastando a fundamentação e motivação necessárias à decisão. (Ac. STJ de 7 de Fevereiro de 2001, proc. n.º 3998/00-3.ª; *SASTJ*, n.º 48, 50);

— Os factos provados e não provados que devem constar da sentença são os que se configuram como essenciais para as questões enunciadas no n.º 2 do art. 368.º do CPP. (Ac. STJ de 14 de Fevereiro de 2001, proc. n.º 2836/00-3.ª; *SASTJ*, n.º 48, 53);

— O art. 374.º, n.º 2, do CPP, ao exigir uma indicação e exame crítico das provas que serviram para formar a convicção do tribunal, não impõe uma destrinça entre a fundamentação relativa aos factos provados e a fundamentação dos factos não provados. Formada convicção num determinado sentido, a

Código de Processo Penal

fundamentação tem de surgir como um todo, constituindo uma unidade, relativamente aos factos provados e aos não provados. (Ac. STJ de 24 de Abril de 2001, proc. n.º 3817/00-3.ª; *SASTJ*, n.º 50, 42);

— I — A disposição do art. 374.º, n.º 2, do CPP sobre o exame crítico das provas não obriga os julgadores a uma escalpelização de todas as provas que foram produzidas, e muito menos a uma reprodução do tipo gravação magnetofónica dos depoimentos prestados na audiência, o que levaria a uma tarefa incomportável com sadias regras de trabalho e eficiência, e ao risco de falta de controlo pelos intervenientes processuais da transposição feita para o acórdão. II — A partir da indicação e exame das provas que serviram para formar a convicção do tribunal, este enuncia as razões de ciência extraídas destas, o porquê da opção por uma e não por outra das versões apresentadas, se as houver, os motivos da credibilidade em depoimentos, documentos ou exames que privilegiou na sua convicção, em ordem a que um leitor atento e minimamente experimentado fique ciente da lógica do raciocínio seguido pelo tribunal e das razões da sua convicção. (Ac. STJ de 30 de Janeiro de 2002, proc. n.º 3063/01-3.ª; *SASTJ*, n.º 57, 69);

— I — Aplicada aos tribunais de recurso, a norma do art. 374.º, n.º 2, do CPP, não tem aplicação em toda a sua extensão; nomeadamente não faz sentido a aplicação da parte final de tal preceito (exame crítico das provas que serviram para formar a convicção do tribunal) quando referida a acórdão confirmatório proferido pelo Tribunal da Relação ou quando referida a acórdão do STJ funcionando como tribunal de revista. II — Se a Relação, reexaminando a matéria de facto, mantém a decisão da primeira instância, é suficiente que do respectivo acórdão passe a constar esse reexame e a conclusão de que, analisada a prova respectiva, não se descortinaram razões para exercer cencura sobre o decidido. (Ac. STJ de 13 de Novembro de 2002, proc. n.º 3214/02-3.ª; *SASTJ*, n.º 65, 60);

— I — De acordo com o disposto no art. 428.º, n.º 1, do CPP, as Relações conhecem de facto e de direito. II — Logo, têm de tomar posição concreta sobre a matéria de facto, fixando a que, no seu entender, deve considerara-se provada e não provada. III — Se a Relação se limita a remeter para os factos apurados e não apurados na 1.ª instância, não satisfaz as exigências do n.º 2 do art. 374.º do CPP no que concerne à fundamentação de facto, acarretando a nulidade do acórdão, nos termos da al. *a)* do art. 379.º do mesmo Código. (Ac. STJ de 13 de Fevereiro de 2003, proc. n.º 163/03-5.ª; *SASTJ,* n.º 68, 76;

— I — A falta de referência, tanto quanto possível completa, mas concisa, sobre as provas apresentadas, designadamente pela defesa (mas não só), viola o disposto no n.º 2 do art. 374.º do CPP. II — Remeter para *o valor probatório dos documentos juntos aos autos* ou *para o depoimento das testemunhas do requerido* é o mesmo que nada dizer, padecendo o respectivo acórdão da nulidade prevista no art. 379.º, al. a), do CPP. (Ac. STJ de 24 de Julho de 2003, proc. n.º 2881/03-5.ª; *SASTJ,* n.º 73, 154);

— I — A sentença constitui uma incindível unidade lógica, e não mera soma de segmentos autónomos, não podendo valer como acórdão uma fragmentária menção da fundamentação, desacompanhada das restantes partes componentes relacionadas com o relatório e o dispositivo, pois que a leitura da sentença, nas suas componentes estruturais, é essencial, porque a lei exige que os arguidos tenham conhecimento das razões que os levaram a julgamento, factos apurados,

Artigo 374.º

normas jurídicas afrontadas, de forma a que se apresentem compreensíveis e pertinentes a condenação, medida da pena e conteúdo da exortação final e seu teor – art. 375.º, n.º 2, do CPP. II — O dever de fundamentação das decisões judiciais constante do art.º 374.º, n.º 2, do CPP, não se basta com a simples indicação seca, genérica, vazia de conteúdo, dos meios de prova, contentando-se, no entanto, com a indicação de um mínimo de essência, designadamente a razão de ciência dos depoentes e declarantes, a localização de documentos, autos, exames, etc., menção do seu teor, por forma a convencer o bem fundado da decisão, com explicitação do processo de convicção e bem assim dos elementos que, objectivamente ponderados e valorados à luz das regras da experiência comum, mostram que a decisão se ancorou no bom senso, à margem de qualquer arbítrio do julgador, convincente tanto dos seus destinatários como da sociedade mais vasta de cidadãos, que esperam dos seus juízes decisões equilibradas e justas. III — O dever de exame crítico das provas traduz-se na indicação das razões que levaram a que o tribunal formasse a convicção probatória num dado sentido, repelindo um e adoptando outro, porque é que certas provas são mais credíveis do que outras, servindo de substrato lógico-racional da decisão. IV — Peca por *deficit* a fundamentação quando ao indicar que se funda no depoimento das testemunhas não refere qual o teor do seu concreto depoimento, ficando-se por uma emissão de juízos conclusivos, valorativos acerca dos seus depoimentos, mas sem que se fique a conhecer em que concretos factos se fundamentou esse juízo de valor. V — E, quanto à prova documental, peca por carência da indicação do elemento nuclear de cada documento com relevo para formação da convicção probatória a decisão que se limita a efectuar uma remissão genérica para os documentos juntos aos autos. (Ac. STJ de 17 de Março de 2004, proc. n.º 4026/03-3.ª);

— É inconstitucional por violação dos arts. 32.º, n.º 1 e 29.º, n.º 1, conjugado com o art. 205.º, n.º 1, da CRP, a norma do art. 374.º, n.º 2, do CPP, interpretada no sentido de permitir ao tribunal de recurso considerar não provados factos que foram considerados irrelevantes pela primeira instância, e por isso não apreciados, relativos à exclusão da responsabilidade, nos termos do art, 180.º, n.º 2, do CP. (Ac. do Trib. Constitucional n.º 47/2005, de 26 de Janeiro, proc. n.º 134/2004; *DR*, II série, de 28 de Fevereiro de 2005);

— I — O tribunal não está obrigado a indicar e fazer exame crítico das provas sobre factos que não foram alegados, nem resultaram da discussão da causa. II — Não há outra justificação para a não convicção que não seja a não convicção da mesma. III — A lei (art. 374.º, n.º 2, do CPP) apenas manda indicar e fazer exame crítico das provas que serviram para formar a convicção do tribunal. (Ac. STJ de 25 de Maio de 2005; proc. n.º 902/05-5.ª; *SASTJ*, n.º 91, 152);

— O dever de fundamentação da sentença basta-se com a exposição, tanto quanto possível completa, ainda que concisa, dos motivos de facto e de direito que fundamentam a decisão, bem como o exame crítico das provas que serviram para fundar a decisão, sendo que o exame crítico das provas exige a indicação dos meios de prova que serviam para formar a sua convicção, mas também, os elementos que em razão das regras de experiência ou de critérios lógicos que constituem o substrato racional que conduziu a que a convicção, mas, também, os elementos que em razão das regras da experiência

865

Código de Processo Penal

ou de critérios lógicos que constituem o substrato racional que conduziu a que a convicção do tribunal se formasse em determinado sentido, ou valorizasse de determinada forma os diversos meios de prova apresentados em audiência. (Ac. STJ de 12 de Julho de 2005, proc. n.º 2315/05-5.ª; *SASTJ*, n.º 93, 116); — I — No art. 374.º, n.º 2, do CPP, a lei satisfaz-se com a enumeração, sem dúvida sintética, mas ainda assim suficientemente compreensiva, das razões que fundam a decisão, tanto no plano dos factos do direito, pois só desse modo o condenado pode exercer os seus direitos, designadamente a avaliação do sucesso dos recursos. II — Os motivos de facto não se reconduzem à mera indicação dos factos provados (*thema decidendum*) nem aos meios de prova (*thema probandum*) mas àqueles elementos que, em razão das regras da experiência e da lógica, constituindo o substrato lógico-racional da decisão, orientando a decisão em dado sentido, são um verdadeiro remédio contra o arbítrio, facultando um maior controle pelos destinatários directos da decisão e pela comunidade mais vasta dos cidadãos, que epera decisões transparentes e credíveis dos orgãos aplicadores da Lei. (Ac. STJ de 7 de Dezembro de 2005; *SASTJ*, n.º 96, 67);

— Não é inconstitucional a norma dos arts. 374.º, n.º 2, e 379.º, n.º 1, alínea *a)*, do CPP, interpretados no sentido de que não é sempre necessária menção específica na sentença do conteúdo dos depoimentos do arguido e das testemunhas de defesa. (Ac. do Trib. Constitucional n.º 27/2007, de 17 de Janeiro; *Acórdãos do Trib. Constitucional* n.º 67, pág. 119).

ARTIGO 375.º
(Sentença condenatória)

1. A sentença condenatória especifica os fundamentos que presidiram à escolha e à medida da sanção aplicada, indicando nomeadamente, se for caso disso, o início e o regime do seu cumprimento, outros deveres que ao condenado sejam impostos e a sua duração, bem como o plano individual de readaptação social.

2. Após a leitura da sentença condenatória, o presidente, quando o julgar conveniente, dirige ao arguido breve alocução, exortando-o a corrigir-se.

3. Para efeito do disposto neste Código, considera-se também sentença condenatória a que tiver decretado dispensa de pena.

4. Sempre que necessário, o tribunal procede ao reexame da situação do arguido, sujeitando-o às medidas de coacção admissíveis e adequadas às exigências cautelares que o caso requerer.

---

1. Os n.ºs 1 a 3 reproduzem o art. 375.º do Proj. com excepção do n.º 3, onde a revisão levada a efeito pelo Dec.-Lei n.º 317/95, de 28 de Novembro, eliminou a referência à isenção de pena, e correspondem aos arts. 343.º do Aproj. e 455.º do CPP de 1929.

Artigo 376.º

O n.º 4 foi introduzido pela Lei n.º 59/98, de 25 de Agosto.

2. Além dos requisitos gerais enumerados no artigo anterior, e dos especiais enumerados neste artigo, a enumeração feita no Código dos requisitos da sentença condenatória não é completa, pois muitas leis especiais exigem outros requisitos, em determinados casos.

3. O plano individual de readaptação social, quando não for possível organizá-lo de modo a ser incluído na sentença condenatória, será posteriormente organizado pelos serviços de reinserção social e submetido a homologação do tribunal, como se estabelece no art. 480.º.

4. A disposição do n.º 2 é semelhante à do art. 455.º do CPP de 1929, e foi por esta inspirada; a alocução deixou, porém, de ser obrigatória, e só será feita quando o presidente a reputar conveniente.

Não é admissível qualquer exortação no caso de a sentença ser absolutória. Como salienta o Prof. Germano Marques da Silva, *Curso de Processo Penal,* 2.ª ed., III, 291, o arguido absolvido, seja qual for a razão da absolvição, não tem o dever de escutar considerações marginais à sentença, sobretudo quando a absolvição seja consequência da inexistência do crime ou de falta de prova; neste caso, quaisquer considerações sobre a razão da absolvição podem facilmente violar o princípio da presunção de inocência.

5. A disposição do n.º 3 é meramente explicativa.

Se o caso de dispensa de pena não oferece dúvidas, já o de isenção de pena oferece muita reserva. É que no caso de dispensa de pena ainda há culpa do arguido, e portanto juízo de censura. Simplesmente tanto a culpa como a ilicitude são de grau tão diminuto que se não justifica a aplicação de qualquer pena, bastando a formulação de um juízo de censura. O caso de isenção de pena é diferente, pois é a própria lei a determinador a não aplicação de pena, como sucede na desistência voluntária na tentativa. Neste caso o processo não deve prosseguir e, se prosseguir, o arguido será absolvido. Veja-se, com as anotações, o art. 74.º do CP, no nosso *Código Penal Português anotado e comentado.*

6. O dispositivo do n.º 4, como ficou referido na anot. 1, foi aditado pela Lei aí mencionada, não constando da versão originária. Não traduz, porém, qualquer inovação, pois trata-se de afloramento de dispositivos gerais, nomeadamente dos arts. 212.º e 213.º; tem no entanto o intuito de chamar a atenção para uma prática que a lei já impunha mas que era frequentemente esquecida nesta fase processual.

7. *Jurisprudência:*

— O art. 375.º do CPP só impõe a indicação na sentença do início do cumprimento da sanção aplicada se for caso disso, o que não se verifica se se tratar de pena privativa da liberdade, porquanto resulta *ope legis* (cfr. arts. 467.º 477.º e 478.º do referido diploma) que o cumprimento da pena de prisão se inicia após o trânsito em julgado da decisão condenatória, por mandado do juiz competente e, por outro lado, também o desconto por inteiro da prisão preventiva não é feito *ope judicis*, resultando, expressa e directamente, da lei (art. 80.º do CP). (Ac. STJ de 12 de Abril de 2000, proc. n.º 131/2000; *SASTJ,* n.º 40, 45).

Código de Processo Penal

ARTIGO 376.º

(Sentença absolutória)

1. A sentença absolutória declara a extinção de qualquer medida de coacção e ordena a imediata libertação do arguido preso preventivamente, salvo se ele dever continuar preso por outro motivo ou sofrer medida de segurança de internamento.

2. A sentença absolutória condena o assistente em custas, nos termos previstos neste Código e no Regulamento das Custas Processuais.

3. Se o crime tiver sido cometido por inimputável, a sentença é absolutória; mas se nela for aplicada medida de segurança, vale como sentença condenatória para efeitos do disposto no n.º 1 do artigo anterior e de recurso do arguido.

---

1. Reproduz o art. 376.º do Proj. e corresponde aos arts. 348.º do Aproj. e 452.º do CPP de 1929; o n.º 3 é uma disposição nova, relativamente ao direito anterior.

O n.º 2 sofreu ligeira remodelação introduzida pela Lei n.º 59/98, de 25 de Agosto, para harmonizar a terminologia deste dispositivo com a do Código das Custas Judiciais aprovado pelo Dec.-Lei n.º 224-A/96, de 26 de Novembro, paralelamente ao que sucedeu com o art. 374.º, cujas anots. a este propósito aqui são aplicáveis, *mutatis mutandis*. Ainda neste n.º 2, o art. 6.º do Dec.-Lei n.º 34/2008, de 26 de Fevereiro, entrado em vigor em 1 de Setembro desse ano, diploma que aprovou o Regulamento das Custas Processuais, substituiu a designação de *Código das Custas Judiciais* por *Regulamento das Custas Processuais*.

2. A redacção dada ao n.º 1, nomeadamente através da expressão *imediata libertação,* vinca bem que houve o intuito de eliminar dúvidas surgidas durante a vigência do CPP de 1929, e que agora o arguido absolvido é libertado imediatamente e ficam extintas as medidas de coacção logo que proferida a sentença absolutória, sem ter que aguardar o trânsito, e ainda que haja recurso. Diferente é, porém, o caso do arguido inimputável a quem seja aplicada medida de segurança de internamento, pois, embora a sentença seja absolutória (por falta de juízo de censura), como há perigosidade criminal e consequente aplicação de medida de segurança de internamento, para os efeitos específicos referidos no n.º 3 e no final do n.º 1 a sentença será considerada condenatória. A falta de alusão ao n.º 2 deixa bem claro que para efeito de custas, a sentença que aplique ao inimputável medida de segurança continua a ser considerada absolutória; os custos do processo serão suportados pelo Estado, pois que o inimputável não é passível de juízo de censura e o seu tratamento é um ónus da Sociedade em que se insere.

3. O dispositivo do n.º 2 encontra-se de algum modo deslocado, pois que teria sede mais adequada no Livro XI. De qualquer modo, este n.º 2 terá que ser interpretado equacionando-o com dispositivos desse Livro, designa-

Artigo 377.º

damente constantes do art. 517.º, donde resulta que deve sofrer interpretação restritiva, pois o arguido pode ser absolvido por razões supervenientes à acusação, ficando, em tal caso, o assistente isento de custas.

ARTIGO 377.º
(Decisão sobre o pedido de indemnização civil)

1. A sentença, ainda que absolutória, condena o arguido em indemnização civil sempre que o pedido respectivo vier a revelar-se fundado, sem prejuízo do disposto no artigo 82.º, n.º 3.

2. Se o responsável civil tiver intervindo no processo penal, a condenação em indemnização civil é proferida contra ele ou contra ele e o arguido solidariamente, sempre que a sua responsabilidade vier a ser reconhecida.

3. Havendo condenação no que respeita ao pedido de indemnização civil, é o demandado condenado a pagar as custas suportadas pelo demante nesta qualidade, e, caso cumule, na qualidade de assistente.

4. Havendo absolvição no que respeita ao pedido de indemnização civil, é o demandante condenado em custas nos termos previstos no Regulamento das Custas Processuais.

---

1. O n.º 1 tem o texto introduzido pela Lei n.º 59/98, de 25 de Agosto, que, em relação à versão originária, alterou a referência que no final é feita para o art. 82.º, n.º 3 (na versão originária 82.º, n.º 2).

A mesma Lei eliminou o n.º 3 da versão originária, referente à condenação das partes civis em imposto de justiça, custas e honorários, por na parte final ter sido introduzida uma disposição geral sobre a matéria (art. 523.º).

Na versão originária este artigo reproduzia o art. 377.º do Proj. e correspondia aos arts. 349.º do Aproj.; 450.º, n.º 5, do CPP de 1929 e 12.º do Dec.-Lei n.º 605/75, de 3 de Novembro.

Os n.ºs 3 e 4 foram aditados pelo art. 6.º do Dec.-Lei n.º 34/2008, de 26 de Fevereiro, diploma que aprovou o Regulamento das Custas Processuais, e que entrou em vigor em 1 de Stembro do mesmo ano.

2. Este artigo exige que haja sentença, portanto decisão que conheça, a final, do objecto (cfr. art. 97.º, 1, al. *a)*). É, portanto, necessário que tenha havido julgamento; se o processo não chegou a julgamento, por extinção da responsabilidade criminal em momento anterior, não pode condenar-se na indemnização aqui prevista.

3. Este artigo tem campo de aplicação privilegiado nos casos em que há responsabilidade civil objectiva mas a responsabilidade penal inexiste por falta de culpa (*v. g.* acidente de viação, com morte, que se provou, em julgamento, ter sido causado por caso fortuito inerente ao funcionamento do veículo), mas abrange outros casos, como o de sentença absolutória por amnistia da infracção.

Código de Processo Penal

4. A Portaria n.º 377/2008, de 28 de Maio, transpôs para o ordenamento jurídico português a Quinta Directiva Automóvel – Directiva n.º 2005/14-CE, do Parlamento Europeu e do Conselho de 11 de Maio, regulando inovadoramente diversos domínios da regularização de sinistros rodoviários, sobretudo no que respeita ao dano corporal.

Trata-se de um diploma do maior interesse para fixação de critérios e valores orientadores de apresentação aos lesados por acidente automóvel de proposta razoável para indemnização de dano corporal, nos termos do disposto no capítulo III, DR título II do Dec.-Lei n.º 291/2007, de 21 de Agosto. Não afasta porém o direito a indemnização por outros danos, nos termos da lei, nem a fixação de valores superiores aos propostos.

5. *Jurisprudência fixada:*
— Se em processo penal for deduzido pedido cível, tendo o mesmo por fundamento um facto ilícito criminal, verificando-se o caso previsto no artigo 377.º, n.º 1, do CPP, ou seja, a absolvição do arguido, este só poderá ser condenado em indemnização civil se o pedido se fundar em responsabilidade extracontratual ou aquiliana, com exclusão da responsabilidade civil contratual. (Ac. do Pleno das secções criminais do STJ n.º 7/99, de 17 de Junho, *DR*, I série-A, de 3 de Agosto).

6. *Jurisprudência:*
— A indemnização por perdas e danos provocados pela prática de um crime é regulada pela lei civil, pelo que a essa lei — arts. 483.º e segs. do CC — se têm de ir buscar não só os pressupostos da responsabilidade civil, como também as regras de determinação dos danos a indemnizar. (Ac. STJ de 26 de Outubro de 1989; *AJ,* n.º 2, 4);
— Existindo nexo de causalidade entre a conduta do arguido e a morte da vítima, existe fundamento da responsabilidade civil, impondo-se a condenação na indemnização. Se esta for liquidada em execução de sentença, a execução correrá pelo tribunal civil, servindo de título executivo a sentença condenatória do tribunal criminal. (Ac. STJ de 6 de Dezembro de 1989; *AJ,* n.º 4, 5);
— I — A sentença penal apenas tem de conter condenação ou absolvição na indemnização civil desde que haja pedido formulado. II — Mas tendo sido formulado esse pedido, a sentença omissa quanto à condenação ou absolvição do arguido no pagamento da indemnização pedida incorre na nulidade do art. 379.º, al. *a)*, com referência aos arts. 377.º, n.º 1 e 374.º, n.º 3, *b)*, do CPP. (Ac. STJ de 24 de Abril de 1991; proc. 41682/3.ª);
— O n.º 1 do art. 377.º do CPP só pode funcionar quando esteja em causa uma situação de responsabilidade civil extracontratual, mas já não quando se configura um caso de responsabilidade civil contratual. (Ac. STJ de 10 de Dezembro de 1996; *CJ, Acs. STJ,* IV, tomo 3, 202);
— I — Por força do que se dispõe no art. 377.º, n.º 1, do CPP, o juiz, apesar de absolver o arguido da acusação contra ele deduzida, deve condená--lo na indemnização civil, desde que, obviamente, o respectivo pedido, formulado com base nos factos da acusação, seja fundado, e, assim, procedente. II — Essa condenação deve o juiz proferi-la, quer a obrigação derive de facto

Artigo 378.º

ilícito extracontratual, quer se funde no risco, quer tenha por fonte violação de um qualquer direito subjectivo, seja ele um direito pessoal, seja antes um direito de crédito. (Ac. RP de 19 de Novembro de 1997; *CJ,* XXII, tomo 5, 227);

— O art. 377.º, n.º 1, do CPP, tem em vista, tão somente, as situações em que apesar de o arguido ser absolvido pelos factos que constituem ilícito criminal, permaneçam factos que constituam responsabilidade civil objectiva, nos termos previstos no art. 483.º, n.º 2, do CC. (Ac. STJ de 20 de Maio de 1999, proc. n.º 77/99-3.ª; *SASTJ,* n.º 31, 88);

— No caso previsto no art. 377.º, n.º 1, do CPP, a indemização só pode fundar-se em responsabilidade civil extracontratual ou em responsabilidade pelo risco. (Ac. STJ de 12 de Janeiro de 2000, proc. 599/99-3.ª; *SASTJ,* n.º 37, 61);

— Em obediência ao estatuído no art. 377.º, n.º 1, do CPP, o tribunal tem o dever legal de condenar os demandados, caso se verifiquem os pressupostos da responsabilidade por facto ilícito, no pagamento de indemnização, apesar de ter declarado extinto, por prescrição, o procedimento criminal contra os arguidos. (Ac. STJ de 23 de Fevereiro de 2000, proc. n.º 906/99-3.ª; *SASTJ,* n.º 38, 75);

— I — Só é possível a condenação em indemnização civil, nos termos do art. 377.º, n.º 1, do CPP, se os factos integrantes do objecto do processo na sua vertente estritamente penal e simultaneamente constitutivos da causa de pedir do pedido de indemnização civil estão provados. II — Não pode a condenação ter por base factos diferentes dos imputados, e, de entre estes, os factos provados — embora insuficientes para a condenação pelo crime, determinando a absolvição deste — têm de se mostrar suficientes ao preenchimento dos pressupostos da responsabilidade civil extra-contratual, única que, por força do princípio da adesão, pode estar em causa no processo penal (art. 71.º do CPP). (Ac. do STJ de 21 de Novembro de 2000, proc. n.º 1776/2000-3.ª; *SASTJ,* n.º 45, 63).

— Fundando-se o pedido de indemnização civil na prática de um crime de burla e não se provando este facto ilícito, improcede o pedido, não podendo o tribunal criminal conhecer da responsabilidade contratual decorrente do não pagamento dos cheques referidos na acusação, a qual se tem por excluída da previsão do art. 377.º, n.º 1, do CPP. (Ac. STJ de 10 de Janeiro de 2001, proc. n.º 3580/00-3.ª; *SASTJ,* n.º 47, 64);

— Em face do art. 377.º, n.º 1, do CPP, mesmo no caso de absolvição da responsabilidade criminal, para que o tribunal possa conhecer da responsabilidade civil, tem necessariamente que existir a mesma causa de pedir, ou seja, os mesmos factos que são também pressuposto da responsabilidade criminal. (Ac. STJ de 10 de Janeiro de 2001, proc. n.º 2757/00-3.ª; *SASTJ,* n.º 47, 65).

ARTIGO 378.º
(Publicação de sentença absolutória)

1. Quando o considerar justificado, o tribunal ordena no dispositivo a publicação integral ou por extracto da sentença absolutória

Código de Processo Penal

em jornal indicado pelo arguido, desde que este o requeira até ao encerramento da audiência e haja assistente constituído no processo.
2. As despesas correm a cargo do assistente e valem como custas.

---

1. Reproduz o art. 378.° do Proj. e corresponde aos arts. 350.° do Aproj. e 454.° do CPP de 1929.

2. Em relação ao direito anterior, nota-se que a publicação da sentença, nos termos deste artigo, só pode ser ordenada quando haja assistente constituído, e for absolutória.

3. A publicação da sentença é um meio de reparar a ofensa sofrida. A esta finalidade deve o tribunal atender, ao decidir se a publicação se justifica.
A natureza do crime é também elemento a ponderar. Nos crimes patrimoniais, a publicação, em regra, não se justificará. Pelo contrário, como considerou Luís Osório, *Comentário,* V, 242, a publicação de uma sentença pelo crime de difamação quase sempre será de admitir.

4. Como se referiu *supra,* não há lugar à publicação de sentenças condenatórias, ao obrigo do disposto neste artigo, contrariamente o que se previa no CPP de 1929, e até numa versão inicial do Projecto. Porém, isto não obsta a que a sentença condenatória seja mandada publicar ao abrigo de outras disposições, do CP ou de leis extravagantes; tais disposições foram consideradas suficientes, no tocante a sentenças condenatórias, e daí a omissão, no CPP, de qualquer referência a tais sentenças. É este *v. g.* o caso das sentenças condenatórias por crimes cometidos através da imprensa — art. 34.° da Lei n.° 2/99, de 2 de Fevereiro.

ARTIGO 379.°

(Nulidade da sentença)

1. É nula a sentença:

a) Que não contiver as menções referidas no artigo 374.°, n.ºs 2 e 3, alínea *b);* ou

b) Que condenar por factos diversos dos descritos na acusação ou na pronúncia, se a houver, fora dos casos e das condições previstos nos artigos 358.° e 359.°;

c) Quando o tribunal deixe de pronunciar-se sobre questões que devesse apreciar ou conheça de questões de que não podia tomar conhecimento.

2. As nulidades da sentença devem ser arguidas ou conhecidas em recurso, sendo lícito ao tribunal supri-las, aplicando-se, com as necessárias adaptações, o disposto no artigo 414.°, n.° 4.

---

1. O n.° 1, als. *a)* e *b)* do art. 379.° do Proj. e corresponde ao art. 353.° do Aproj. O CPP de 1929 não continha disposições sobre nulidades da sentença,

Artigo 379.º

sendo aplicáveis as disposições gerais e as do processo civil. A al. *c)* e o n.º 2 foram introduzidos pela Lei n.º 59/98, de 25 de Agosto.

2. *Jurisprudência fixada:*
— Não é insanável a nulidade da al. *a)* do art. 379.º do CPP de 1987, consistente na falta de indicação na sentença penal das provas que serviram para formar a convicção do tribunal, ordenada pelo art. 374.º, n.º 2, parte final, do mesmo Código, por isso não lhe sendo aplicável a disciplina do corpo do art. 119.º daquele diploma legal. (Ac. do Plenário das secções criminais do STJ de 6 de Maio de 1992; *DR*, I série-A, de 6 de Agosto do mesmo ano);
— Para os fins dos arts. 1.º, al. *f)*; 120.º; 284.º, n.º 1; 303.º, n.º 3; 309.º, n.º 2; 359.º, n.ºˢ 1 e 2 e 379.º, al. *b)*, do CPP, não constitui alteração substancial dos factos descritos na acusação ou na pronúncia a simples alteração da respectiva qualificação jurídica (ou convolação), ainda que se traduza na submissão de tais factos a uma figura criminal mais grave. (Ac. do Plenário das secções criminais do STJ de 27 de Janeiro de 1993; *DR*, I série-A, de 10 de Março do mesmo ano);
— As nulidades de sentença inumeradas de forma taxativa nas alíneas *a)* e *b)* do artigo 379.º do Código de Processo Penal não têm de ser arguidas, necessariamente, nos termos estabelecidos na alínea *a)* do n.º 3 do artigo 120.º do mesmo diploma processual, podendo sê-lo, ainda, em motivação de recurso para o tribunal superior. (Ac. do Plenário das secções criminais do STJ de 2 de Dezembro de 1993, *DR,* I série-A, de 11 de Fevereiro de 1994).

3. Como já se tem acentuado, há no pensamento legislativo que presidiu à feitura do Código o intuito de restringir as nulidades, cuja enumeração é taxativa.
Assim, a sentença só será afectada de nulidade nos casos taxativamente previstos neste artigo ou em outras disposições da lei.
E sucede ainda que, como as nulidades aqui previstas não estão enumeradas no art. 119.º como nulidades insanáveis de conhecimento oficioso, para que sejam declaradas e produzam efeitos devem ser arguidas nos termos do art. 120.º, n.º 3.
Fora dos casos aqui previstos, a omissão de qualquer outro requisito especificado no art. 374.º pode ser suprida pelo tribunal, no termos do art. 380.º, o mesmo sucedendo quanto à correcção de erros materiais, lapsos, obscuridades ou ambiguidades, desde que isso não implique qualquer modificação essencial.

4. Questão de muito interesse na versão originária do Código era a de saber até quando podiam ser arguidas as nulidades da sentença. Na realidade, o regime do art. 120.º, n.º 3, al. *a)* não podia aqui ser aplicado, pois que se o fosse o prazo ficaria esgotado com a leitura da sentença, o que redundaria em coartar o direito de arguir as nulidades. Por isso os autores propuseram soluções alternativas: possibilidade de arguição enquanto a sentença não transitava; possibilidade de recurso as normas do processo civil, etc., sem que contudo apontem claramente qual a solução. Cfr. Robalo Cordeiro, *Jornadas de Direito Processual Penal*, 315-316.

Código de Processo Penal

Sobre o ponto inclinámo-nos decididamente para que, no caso de recurso, a arguição das nulidades da sentença podia ser feita na motivação, e consequentemente no prazo desta, como se deduzia do art. 410.°, n.° 3. Não havendo recurso, a arguição podia ser feita no prazo geral (solução geral, aflorada no art. 309.°, n.° 2). Dentro desta orientação decidiram os acs. do STJ de 21 de Junho e de 5 de Julho de 1989 (ver *infra*). Posteriormente, o STJ manteve a mesma orientação.

A questão ficou clarificada após a introdução do n.° 2, confirmativo da solução para onde nos inclinávamos. Assim as nulidades de sentença podem ser arguidas na motivação, no caso de haver recurso, e o tribunal superior pode supri-las. Não havendo recurso, segue-se o regime geral, do art. 309.°, n.° 2.

5. O que aqui se estabelece quanto a nulidades e correcção da sentença não prejudica a possível verificação do vício mais radical da inexistência, conforme o exposto na anot. 3 ao art. 118.°. E também não prejudica a possível existência de qualquer irregularidade, como tal definida no art. 123.°, e que poderá ser reparada nos termos do n.° 3 desse mesmo artigo.

6. *Jurisprudência:*

— I — As nulidades da sentença são nulidades dependentes de arguição que podem ser arguidas na motivação dos recursos, e portanto dentro do prazo da motivação. II — A obrigatoriedade de indicação, na sentença, das provas que serviram para formar a convicção do tribunal, estabelecida no art. 374.°, n.° 2, do Código de Processo Penal, destina-se a garantir que na sentença se seguiu um processo lógico e racional na apreciação da prova, não sendo portanto uma decisão ilógica, arbitrária, contraditória ou notoriamente violadora das regras da experiência comum na apreciação da prova — cfr. art. 410.°, n.° 2, als. *b)* e *c)* do Código de Processo Penal. III — Sendo a indicação de tais provas feita sucinta e dispersamente (fora do local indicado no art. 374.°, n.° 2 do Código de Processo Penal), não se tratará de nulidade mas de irregularidade processual, a submeter ao regime do art. 123.° do Código de Processo Penal, suposto que a indicação, como é feita, ainda satisfaz a finalidade indicada em II. (Ac. STJ de 21 de Junho de 1989, Proc. 10 023/3.ª);

— I — A falta total de enumeração de factos provados e não provados acarreta nulidade insanável da sentença. II — No caso de a enumeração ser deficiente ou insuficiente para a decisão do tribunal de recurso, só há lugar à repetição do julgamento para averiguar dos factos em falta e considerados indispensáveis e necessários para a decisão. (Ac. RC de 24 de Outubro de 1990; *CJ,* XV, tomo 5, 72);

— É taxativa a enumeração das nulidades contida no art. 379.° do CPP, sendo notório o seu paralelismo com o art. 668.° do CPC, correspondendo a falta de motivação à al. *b)* do n.° 1 desse artigo 668.°. (Ac. STJ de 31 de Maio de 1989; *BMJ*, 387, 493);

— I — A decisão não tem que apreciar com referência expressa aos fundamentos das pretensões, mas sim as pretensões. II — Só a total ausência de fundamentação constitui nulidade. (Ac. STJ de 9 de Janeiro de 1991; *AJ,* n.os 15-16, 2);

Artigo 379.º

— A enumeração dos factos, exigida pelo art. 374.º, n.º 2, do CPP é, em rigor, a menção dos factos um a um. A sentença que dá como provados todos os factos constantes da acusação para os efeitos do art. 374.º, n.º 2 do CPP viola aquele preceito e é nula, de acordo com a al. *a)* do art. 379.º, insusceptível de correcção dado o teor do art. 380.º, também do CPP. A nulidade arguida na motivação do recurso foi-o em tempo. (Ac. STJ de 6 de Fevereiro de 1991; *AJ,* n.ºˢ 15-16, 6);

— I — A ausência total, na sentença, da referência às provas que constituiram a fonte da convicção do tribunal constitui violação do art. 374.º, n.º 2, do CPP, o que acarreta nulidade da decisão, por força do art. 379.º do CPP. II — Tal nulidade tem de ser invocada na motivação do recurso, porque não é aplicável o art. 120.º, n.º 3, al. *a)* do CPP. III — Só o acórdão é nulo, e não a audiência de julgamento. (Ac. STJ de 6 de Março de 1991; Proc. 40 874/3.ª);

— I —As nulidades de sentença podem ser atacadas não só pela via do art. 120.º, n.º 3, do CPP, mas também pela via e no prazo do recurso. II — As irregularidades processuais cometidas na audiência não podem ser conhecidas pelo tribunal superior se não tiverem sido denunciadas na acta. III — A indicação das provas exigida para a sentença destina-se também a assegurar a inexistência de violação do princípio da inadmissibilidade das proibições de prova. IV — Constitui nulidade da sentença a falta de indicação dos factos não provados. (Ac. STJ de 5 de Junho de 1991; *CJ,* XVI, tomo 3, 29);

— É inexistente a condenação proferida contra pessoa que não tinha sido acusada do crime nem a quem tinham sido imputados factos que o podiam integrar, (Ac. STJ de 24 de Junho de 1992; *CJ,* XVII, tomo 3, 49);

— A enumeração sucinta dos meios de prova que determinaram a decisão da matéria de facto é suficiente para afastar a nulidade do art. 379.º, al. *a),* do CPP. (Ac. STJ de 7 de Julho de 1993; *CJ, Acs. do STJ,* I, tomo 3, 195);

— I — Em processo comum, apesar de da acta constar que foi lida asentença, esta deve considerar-se inexistente se não tiver sido entregue na secretaria, pelo juiz que presidiu ao julgamento, e, consequentemente, não estiver documentada nos autos. II — Assim, e caso a prova produzida não tenha perdido eficácia, deve o juiz que presidiu aos actos realizados em sede de audiência finalizar o julgamento. III — Todavia, se a prova tiver perdido eficácia, ou se o juiz tiver ficado impossibilitado de exercer funções, designadamente por aposentação, então deverá proceder-se a novo julgamento. (Ac. RE de 25 de Fevereiro de 1997; *CJ,* XXII, tomo 1, 311);

— Na enumeração dos factos não provados basta que o tribunal se refira aos factos não provados por forma a não deixar dúvidas de que apreciou todos os factos que interessam à decisão e quais os que considerou não provados, de forma a que o tribunal superior possa determinar, com segurança, o que se teve como provado e não provado. (Ac. STJ de 16 de Outubro de 1997; *CJ, Acs. do STJ,* V, tomo 3, 210);

— Tendo o arguido sido acusado por dois crimes — tentativa de burla e moeda falsa —, e condenado por tais crimes e ainda pelo de falsificação de

Código de Processo Penal

documentos, que não constava da acusação, e não se mostrando que tenha sido prevenido da nova qualificação e que, quanto a ela, lhe tenha sido concedida oportunidade de defesa, mostra-se violado o princípio do contraditório, o que acarreta a nulidade do acórdão, nessa parte — art. 379.º, alínea B), do CPP. (Ac. STJ de 10 de Dezembro de 1977; *BMJ*, 420, 116);

— A al. *c)* do n.º 1 do art. 379.º do CPP, introduzida pela Lei n.º 59/98, de 25 de Agosto, é uma norma interpretativa e não inovadora. A omissão de pronúncia aí referida enquadrava-se, antes da entrada em vigor daquela lei, no art. 668.º, n.º 1, al. *d)*, do CPC, subsidiariamente aplicável em processo penal por força do art. 4.º do CPP. (Ac. STJ de 12 de Janeiro de 2000, proc. 957/98-3.ª; *SASTJ*, n.º 37, 61);

— A decisão que recaia sobre o pedido de aclaração ou sobre a arguição de nulidades, tal como resulta do preceituado no art. 677.º do CPP, é insusceptível de nova arguição pelos mesmos fundamentos. (Ac. STJ de 3 de Fevereiro de 2000, proc. n.º 640/99-5.ª; *SASTJ*, n.º 38, 76);

— Não é inconstitucional a interpretação das normas conjugadas dos arts. 379.º, alínea *b)*, do CPP, e 71.º, n.º 2, alínea *e)*, do CP, no sentido de que dispensar o cumprimento do dever de comunicação e prevenção do arguido para exercer o contraditório relativamente a factos posteriores ao crime, reiteradamente praticados pelo arguido desde momento anterior — e fundamento da condenação —, desprovidos de relevância típica e considerados apenas pelo tribunal para efeito de determinação da medida concreta da pena, porque não violam o princípio do contraditório que integra a estrutura do processo penal português. (Ac. do Trib. Constitucional n.º 258/2001 de 30 de Maio de 2001, proc. n.º 716/00; *DR*, II série, de 2 de Novembro de 2001);

— I — As nulidades de sentença enumeradas no art. 379.º, n.º 1, do CPP, são oficiosamente cognoscíveis, porquanto têm regime próprio e diferenciado do regime geral das nulidades dos restantes actos processuais, estabelecendo-se no n.º 2 do mesmo artigo que as nulidades da sentença devem ser arguidas ou conhecidas em recurso. II — A consequência processual da declaração da nulidade da al. *a)* do n.º 1 daquele artigo é limitada à anulação da decisão, não inquinando o próprio julgamento, pois que a mesma verifica-se em momento posterior ao encerramento da respectiva audiência. (Ac. STJ de 31 de Maio de 2001, proc. n.º 260/01-5.ª; *SASTJ*, n.º 51, 97);

— I — A sentença proferida verbalmente e lida por apontamento é inexistente. II — A inexistência da sentença não importa, porém, a invalidade do julgamento em todos os casos, mas apenas naqueles em que ao juiz que presidiu ao julgamento já não seja proferir a sentença, designadamente por ter perdido eficácia a prova produzida na audiência. III — Nos demais casos, a consequência da inexistência da sentença é determinar-se a sua elaboração e proferimento. IV — Se, porém, o juiz depositou entretanto a sentença, datando-a do dia em que a proferiu verbalmente, há que conhecer do mérito do recurso, pois se mostra supervenientemente colmatada a deficiência verificada. (Ac. RP de 27 de Junho de 2001; *CJ*, XXVI, tomo 3, 246);

— I — A nulidade prevista no art. 379.º, n.º 1, al. *b)*, do CPP, só é suprível em 1.ª instância, não sendo aplicável em processo penal, face à inexistência de lacuna, o disposto no art. 731.º, n.º 1, do CPC. II — Ao decretar-se a referida

Artigo 379.º

nulidade, o sentido da decisão é o da anulação de todo o processado a partir do momento em que devia ter sido efectuada a comunicação nos termos do art. 358.º do CPP, cuja omissão determinou a nulidade da sentença. (Acs. STJ de 10 e de 17 de Outubro de 2001, procs. n.ᵒˢ 1416/01 e 2247/01; *SASTJ*, n.º 54, 83 e 86);

— I — Não existe lei que permita à relação atribuir competência ao STJ — órgão superior da hierarquia dos tribunais judiciais – para julgar um recurso. II — Caso a Relação não seja competente para conhecer de um recurso, assim o deve declarar, como resulta dos arts. 417, n.º 3, al. *a)* e n.º 4, al. *a)* e 419.º n.º 3, do CPP, sendo que de tal declaração cabe, então, recurso para o STJ. III — Quando a Relação atribui competência ao STJ para julgar certo recurso, o respectivo acórdão padece da nulidade prevista no art. 379.º, n.º 1, al. *c)* do CPP, aplicável *ex-vi* do art. 425.º, n.º 4, do mesmo diploma, pois conheceu de uma questão de que não podia tomar conhecimento, infringindo ainda as regras de competência em razão da hierarquia, o que só por si constitui a nulidade insanável do art. 119.º, al. *e)*, do CPP. (ac. STJ de 28 de Novembro de 2002, proc. n.º 4192/02-5.ª; *SASTJ*, n.º 65, 90);

— I — De acordo com o disposto no art. 428.º, n.º 1, do CPP, as relações conhecem de facto e de direito. II — Logo, têm de tomar posição concreta sobre a matéria de facto, fixando a que, no seu entender, deve considerar-se provada e não provada. III — Se a Relação se limita a remeter para os factos apurados e não apurados na 1.ª instância, não satisfaz as exigências do n.º 2 do art. 374.º do CPP no que concerne à fundamentação de facto, acarretando a nulidade do acórdão, nos termos da al. *a)* do art. 379.º do mesmo Código. (Ac. STJ de 13 de Fevereiro de 2003, proc. n.º 163/03-5.ª; *SASTJ*, n.º 68, 76);

— Não é inconstitucional a norma dos arts. 374.º, n.º 2, e 379.º, n.º 1, alínea *a)*, do CPP, interpretados no sentido de que não é sempre necessária menção específica na sentença do conteúdo dos depoimentos do arguido e das testemunhas de defesa. (Ac. do Trib. Constitucional n.º 27/2007, de 17 de Janeiro; *Acórdãos do Trib. Constitucional* n.º 67, pág. 119);

— I — As penas por crimes cometidos depois de uma condenação transitada em julgado não podem cumular-se com as penas cometidas anteriormente a essa condenação. II — A sentença que opera o cúmulo das penas relativamente a crimes que efectivamente não estão em concurso enferma da nulidade do art. 379.º, n.º 1, al. *c)*, do CPP. (Ac. STJ de 27 de Fevereiro de 2008; *CJ, Acs.* STJ, ano XVI, tomo I, 236);

— I — As nulidades da sentença devem ser arguidas ou conhecidas em recurso, sendo lícito ao tribunal supri-las, conforme perceitua o n.º 2 do art. 379.º do CPP. II — Não sendo admissível recurso da sentença (recurso ordinário), as eventuais nulidades de que a sentença enferme devem ser arguidas nos termos gerais, ou seja, perante o próprio tribunal que a proferiu – n.º 1 do art. 120.º –, sendo o prazo de arguição o prazo-regra para a prática de qualquer acto processual – n.º 1 do art. 105.º –, qual seja o de 10 dias. III — É esta também a solução expressamente consagrada no processo civil – n.º 4 do art. 668.º e n.º 1 do art. 670.º, na redacção dada pelo DL 303/ 2007, de 24-08, sendo que este diploma alterou o n.º 3 do art. 670.º, que relegava a contagem do prazo para arguição de nulidades da sentença, no caso de pedido de rectificação ou aclaração da sentença, para o momento da notificação da decisão apreciadora do respectivo incidente. (Ac. STJ de 8 de Outubro de 2008; *SASTJ* relativos a esse mês, proc. n.º 1615/08-3.ª).
Nota – há outros acórdãos do mesmo mês, no mesmo sentido.

Código de Processo Penal

ARTIGO 380.º

(Correcção da sentença)

1. O tribunal procede, oficiosamente ou a requerimento, à correcção da sentença quando:

   a) Fora dos casos previstos no artigo anterior, não tiver sido observado ou não tiver sido integralmente observado o disposto no artigo 374.º;

   b) A sentença contiver erro, lapso, obscuridade ou ambiguidade cuja eliminação não importe modificação essencial.

2. Se já tiver subido recurso da sentença, a correcção é feita, quando possível, pelo tribunal competente para conhecer do recurso.

3. O disposto nos números anteriores é correspondentemente aplicável aos restantes actos decisórios previstos no artigo 97.º.

---

1. Os n.os 1 e 2 reproduzem dispositivos do Proj. com a mesma numeração. O n.º 3 tem a redacção introduzida pela Lei n.º 48/2007, de 29 de Agosto. Em relação à redacção anterior, esta Lei substituiu a parte final, a partir de *aplicável (a despachos judiciais)*, por *aos restantes actos decisórios previstos no artigo 97.º*, passando assim o disposto nos n.os 1 e 2 a ser correspondentemente aplicável tanto a despachos decisórios judiciais como a actos decisórios do MP.

2. Prevê-se neste artigo um processo de correcção da sentença e dos actos decisórios previstos no art. 97.º. Quando os vícios de que enferma não constituem nulidade, embora se não tenha observado integralmente o disposto no art. 374.º, e ainda quando a sentença contiver lapso, obscuridade ou ambiguidade cuja eliminação não importe modificação essencial. Esta modificação essencial afere-se em relação ao que estava no pensamento do tribunal decidir, e não em relação ao que ficou escrito; por isso se incluem aqui os erros materiais ou de escrita. Cremos, por isso, que em relação ao que estava no pensamento do tribunal escrever todas as modificações são essenciais, pois de outro modo ficaria aberto o caminho para alterar o decidido quando o poder de jurisdição está esgotado. Assim, se for manifesto, em face da fundamentação, que estava no pensamento do tribunal condenar em 3 anos de prisão, mas na sentença se escreveu 3 meses de prisão, será lícito corrigir a sentença, ao abrigo do n.º 1, al. *b)*; não será, porém, lícito corrigir para outra coisa que não seja dizer que a condenação é em 3 anos de prisão. São válidos, nestes aspectos, os ensinamentos do processo civil, apesar da constatação de que este Código vai mais longe que o CPC e que o CPP de 1929 na sanação de nulidades e na possibilidade de correcção da sentença.

Desses ensinamentos extrai-se que a sentença é obscura quando contém algum passo cujo sentido seja ininteligível, ou seja, quando não se sabe o que o juiz quis dizer. Uma decisão é obscura ou ambígua quando for ininteligível, confusa ou de difícil interpretação, de sentido equívoco ou indeterminado.

878

Artigo 380.º

Mas deve ter-se em conta que o haver-se decidido bem ou mal, de forma correcta ou incorrecta, em sentido contrário ao preconizado pela requerente, é coisa totalmente diversa da existência de obscuridade ou ambiguidade. Se do pedido da aclaração resulta que a reclamante compreendeu bem os fundamentos da decisão e apenas não concordou com aqueles e esta, não ocorrem aquela obscuridade e ambiguidade reclamadas.

O inconformismo do requerente com o decidido, cujo sentido compreendeu, não constitui fundamento para pedido de esclarecimento, pois que a aclaração tem como limite que dela não resulta modificação essencial.

3. A correcção da sentença é feita pelo tribunal, oficiosamente ou a requerimento, sendo a correcção elaborada pelo presidente do tribunal, quando se tratar de tribunal colectivo (art. 108.º, al. *d*) da Lei de Organização e Funcionamento dos Tribunais Judiciais). Pode ser feita a todo o tempo, admitindo a decisão recurso, nos termos gerais.

4. *Jurisprudência:*

— A omissão de condenação em custas, quando são devidas, importa correcção da sentença, que pode ser feita na primeira instância ou pelo tribunal superior, em caso de recurso. (Ac. RC de 20 de Setembro de 1989; *CJ*, XIV, tomo 4, 83);

— I — A correcção da sentença proferida em processo sumário pode fazer--se a todo o tempo. II—É admissível recurso da decisão que corrige a sentença, por se integrar na própria sentença. (Ac. RP de 29 de Novembro de 1989; *CJ*, XIV, tomo 5, 233);

— É lícito corrigir a sentença através do processo estabelecido no art. 380.º do CPP, quando, por manifesto erro, o tribunal escreveu no dispositivo pena diferente da que quis aplicar, e que indicara até na fundamentação. (Ac. STJ de 27 de Fevereiro de 1992; *CJ*, XVII, tomo 1, 49);

— I — Havendo a sentença laborado em confusão de nomes e de nacionalidade da pessoa física submetida a julgamento, o caminho a seguir, em tais circunstâncias, é o da correcção do erro cometido, desde que a correcção não implique modificação essencial do julgado. II — Essa correcção pode ser feita oficiosamente ou a requerimento do MP, e deve sê-lo, quando possível, pelo próprio juiz que cometeu o lapso ou erro a emendar, ou excepcionalmente pelo tribunal superior, mas neste caso unicamente se já tiver subido o recurso da sentença. (Ac. STJ de 11 de Março de 1993; *CJ*, *Acs. STJ*, ano I, tomo 1, 212). *Nota* — Sobre erro ou confusão, na sentença, acerca da identificação do arguido, vejam-se as anots. aos arts. 449.º e 468.º;

— Por aplicação das normas do processo civil, pode qualquer dos interessados no processo penal requerer ao tribunal que proferiu a sentença o esclarecimento de alguma obscuridade ou ambiguidade que ela contenha; mas a intervenção do juiz não pode ir mais além, sob pena de violação das regras limitativas do seu poder jurisdicional, que nessa altura se encontra esgotado. (Ac. STJ de 6 de Janeiro de 1994; *BMJ*, 433, 423);

— I — Não constitui nova audiência de julgamento a reunião do tribunal colectivo, pelos mesmos juízes que naquela intervieram, a-fim de efectuar correcção da sentença, ou de suprir uma nulidade. II — A falta do MP a essa reunião não constitui violação de qualquer preceito legal, mormente do art. 332.º do

Código de Processo Penal

CPP, uma vez que a lei só exige tal presença quando se está perante uma audiência de julgamento e não em caso como esse em que não há, designadamente, que fazer produção de prova. III — Pelo mesmo motivo, ou seja por se tratar de uma reunião do tribunal a-fim-de sanar uma nulidade, e não de uma continuação da audiência, não foi igualmente violada a norma do art. 328.º do CPP, a propósito da continuação da audiência. (Ac. STJ de 6 de Novembro de 1996; *BMJ,* 461, 291);

— I — Uma vez que a modificação essencial a que se refere a al. *b),* do n.º 1 do art. 380.º do CPP deve ser aferida em relação ao que estava no pensameto do tribunal julgador decidir e não em relação ao que ficou escrito, é mister que tal pensamento se revele com inequivocidade bastante para se ajuizar devidamente da essencialidade ou da não essencialidade dessa modificação. II — É que a correcção para que a lei aponta e que o referido art. 380.º autoriza só pode ser ditada por erro, lapso, obscuridade ou ambiguidade evidentes, já que de outro modo estaria aberta a passagem a um ínvio caminho conducente à alteração do decidido quando o poder jurisdicional se encontrasse esgotado, com risco para a segurança das decisões. (Ac. STJ de 1 de Junho de 2000, proc. n.º 76/2000-5.ª; *SASTJ,* n.º 42, 60);

— Nos termos do art. 670.º do CPC, aplicável por força do art. 4.º do CPP, não é admissível segunda reclamação (ou reclamações sucessivas) ou seja, não é admissível reclamação de um acórdão que apreciou e desatendeu a reclamação de outro acórdão que conheceu de recurso interposto, ainda que haja decretado a sua rejeição. (Acs. STJ de 9 de Novembro de 2000, proc. n.º 29/2000-5.ª; *SASTJ,* n.º 45, 72 e de 31 de Janeiro de 2001, proc. n.º 213/00-3.ª; *ibidem,* n.º 47, 75);

— Não é inconstitucional a exigência de que o pedido de aclaração ou de esclarecimento de ambiguidades da sentença em processo penal seja feita no prazo de 10 dias, por aplicação suplectiva do n.º 1 do art. 153.º do CPCivil. (Ac. do Trib. Constitucional n.º 574/2001, de 12 de Dezembro de 2001, proc. n.º 300/2001; *DR,* II série, de 4 de Fevereiro de 2002);

— I — O art. 669.º do CPC é inaplicável em processo penal, pois a respeito da correcção dos acórdãos proferidos em recurso existe no CPP norma própria, a qual é o art. 380.º, aplicável *ex vi* do art. 425.º, n.º 4, do CPP. II — O prazo para a interposição de recurso de acórdão da Relação conta-se a partir do depósito deste na secretaria. II — A discordância relativamente a uma decisão judicial só pode motivar recurso, se o mesmo for admissível, e não um pedido de aclaração, que iria implicar, a ser aceite, uma modificação essencial na decisão em causa, o que o art. 380.º, n.º 1, al. *b),* do CPP não consente. (Ac. STJ de 21 de Fevereiro de 2002, proc. n.º 4012/01-5.ª; *SASTJ,* n.º 58, 72);

— I — As disposições do art. 670.º, n.os 1 e 2, do CPC, relativas à rectificação dos erros materiais e à reforma da sentença quanto a custas, são aplicáveis subsidiariamente em processo penal, por força do estatuído no art. 4.º do CPP. II — É admissível recurso para o STJ do acórdão da Relação que, rejeitando um recurso interposto de um despacho proferido por juiz de instrução condenando o recorrente nos termos do n.º 4 do art. 420.º do CPP em 5 Ucs, ainda que naquele recurso se impugne apenas esta condenação. (Ac. STJ de 11 de Dezembro de 2002, proc. n.º 3405/02-3.ª; *SASTJ,* n.º 66, 50);

— I — Em processo penal não é admissível reclamação para o Plenário das secções criminais. II — É por isso de rejeitar a reclamação dirigida àquele órgão, de acórdão que havia rejeitado um recurso para fixação de jurisprudência. (Ac. STJ de 26 de Março de 2003, proc. n.º 3584/03-3.ª; *SASTJ,* n.º 69, 47);

Artigo 380.º

— É aplicável em processo penal o disposto no n.º 1, al. *a),* do art. 669.º do CPC, por força do art. 4.º do CPP, pelo que pode qualquer das partes requerer no tribunal que proferiu a sentença o esclarecimento de qualquer obscuridade ou ambiguidade que nela contenha, vícios que tanto podem ocorrer na parte decisória como na respectiva fundamentação, norma retomada no art. 380.º do CPP. Discordância da decisão é coisa diferente da obscuridade ou ambiguidade daquela, e não pode fundar pedido de aclaração. (Ac. STJ de 20 de Março de 2003, proc. n.o 4411/02-5.ª; *SASTJ,* n.º 69, 63);

— I — O art. 669.º do CPC é inaplicável em processo penal dado que, a respeito dos acórdãos proferidos em recurso, existe norma própria no CPP que é o art. 380.º, aplicável *ex vi* do art. 425.º, n.º 4, do mesmo diploma. II — O referido art. 380.º afasta inequivocamente a possibilidade de corrigir uma sentença ou um acórdão em termos que importem a sua modificação essencial, pelo que, em processo penal, não é possível esclarecer ou reformar uma decisão nos referidos termos. (Ac. STJ de 5 de Junho de 2003, proc. n.º 606/03-5.ª; *SASTJ,* n.o 72, 70);

— Uma decisão só é obscura ou ambígua quando for ininteligível, confusa nos seus termos ou de interpretação difícil dos seus parâmetros ou nos seus propósitos decisórios, ou seja quando a obscuridade se traduzir na ininteligibilidade e a ambiguidade na possibilidade de, à dita decisão serem razoavelmente atribuídos dois ou mais sentidos diferentes ou assacáveis duas ou mais perspectivas diversas. (Ac. STJ de 2 de Outubro de 2003, proc. n.º 4635/02--5.ª; *SASTJ,* n.º 74, 169);

— I — Após a sentença, a intervenção do tribunal limita-se ao esclarecimento/correcção de erro, obscuridade ou ambiguidade cuja eliminação não importe modificação substancial — art. 380.º, n.º 1, al. *b),* do CPP. II — Nestes termos, proferida a sentença, não pode o tribunal debruçar-se, de novo, sobre a fundamentação jurídica da decisão, em ordem a uma modificação do julgado. (Ac. STJ de 6 de Novembro de 2003, proc. n.º 2130/03-5.ª; *SASTJ,* n.º 75, 108);

— O inconformismo do requerente com o decidido, cujo sentido compeendeu, não constitui fundamento para pedido de esclarecimento, pois que a aclaração tem como limite que dela não resulte modificação essencial do que foi decidido com o poder jurisdicional esgotado. (Ac. STJ de 27 de Novembro de 2003, proc. n.º 2721/03-5.ª; *SASTJ,* n.º 75, 124);

— I — A falsa identidade do arguido como fundamento do recurso de revisão não pode ter uma solução unitária, antes dependendo das circunstâncias do caso. II — No essencial, importa determinar se a dúvida, divergência ou incompletude de identificação se refere exclusivamente ao sujeito ou também ao julgamento; no primeiro caso, será de efectuar apenas a correcção da sentença, nos termos do art. 380.º do CPP; no segundo, poderá ter lugar o expediente excepcional da revisão de sentença. (Ac. STJ de 28 de Janeiro de 2004, proc. n.º 3557/03; *CJ, Acs. STJ,* XII, tomo 1, 183);

— A lei não faculta pedidos de esclarecimento, numa interminável espiral que mantém o processo sempre pendente, sem que a respectiva decisão transite em julgado, não podendo tais pedidos ser formulados *ad nauseum,* num sistema de multiplicação de dívidas, que são sugeridas ou forjadas de dúvidas anteriores, e assim sucessivamente. (Ac. STJ de 4 de Março de 2004, proc. n.º 2304/05-3.ª);

Código de Processo Penal

— I — Após a sentença, a intervenção do tribunal limita-se ao esclarecimento/correcção de erro, obscuridade ou ambiguidade cuja eliminação não importe modificação substancial – art. 380.º, n.º 1, al. *b)*, do CPP. II — O art. 669.º, al. *a)*, do CPC, aplicável subsidiariamente ao processo penal, prevê que pode qualquer das partes requerer no tribunal que proferiu a sentença o esclarecimento de alguma obscuridade ou ambiguidade que ele contenha. III — Trata-se nessas disposições de atribuir ao juiz ou juízes que proferiram a decisão uma faculdade meramente residual, já que, proferida a sentença, fica imediatamente esgotado poder jurisdicional do juiz quanto à matéria da causa (art. 666.º, n.º 1, do CPC). (Ac. STJ de 11 de Março de 2004, proc. n.º 3198/03-5.ª);

— O pedido de aclaração de um acórdão com o objectivo de o ver declarado nulo por omissão de prenúncia é inaceitável, porquanto a sua eventual procedência redundaria em modificação essencial do decidido no acórdão visado, o que está vedado ao procedimento previsto no art. 380.º, n.º 1, al. *b)*, do CPP. (Ac. STJ de 18 de Janeiro de 2006, proc. n.º 3349/05-3.ª).

LIVRO VIII

DOS PROCESSOS ESPECIAIS

TÍTULO I

DO PROCESSO SUMÁRIO

ARTIGO 381.º
(Quando tem lugar)

1. São julgados em processo sumário os detidos em flagrante delito, nos termos dos artigos 255.º e 256.º, por crime punível com pena de prisão cujo limite máximo não seja superior a 5 anos, mesmo em caso de concurso de infracções:

a) Quando à detenção tiver procedido qualquer autoridade judiciária ou entidade policial; ou

b) Quando a detenção tiver sido efectuada por outra pessoa e, num prazo que não exceda 2 horas, o detido tenha sido entregue a uma das entidades referidas na alínea anterior, tendo esta redigido auto sumário da entrega.

2. São ainda julgados em processo sumário, nos termos do número anterior, os detidos em flagrante delito por crime punível com pena de prisão de limite máximo superior a 5 anos, mesmo em caso de concurso de infracções, quando o Ministério Público, na acusação, entender que não deve ser aplicada, em concreto, pena de prisão superior a 5 anos.

---

1. O texto deste artigo foi introduzido pela Lei n.º 48/2007, de 29 de Agosto.

O texto anterior não era o originário, mas o que tinha sido introduzido pela Lei n.º 59/98, de 25 de Agosto.

Código de Processo Penal

2. A Lei n.º 43/86, de 26 de Setembro (Lei de Autorização legislativa), art. 2.º, n.º 2, al. 67), determinou a estruturação do processo sumário em termos análogos aos previstos na lei então vigente, para os detidos em flagrante delito por crime punível com prisão cujo limite máximo não fosse superior a três anos e a eliminação da presunção probatória conferida pelo direito anterior aos autos de notícia bem como das mais sensíveis restrições ao direito de defesa.

Dentro destes parâmetros, perfilhados pela Lei n.º 43/86 por sugestão da Comissão encarregada de elaborar o Código, foi estruturado o processo sumário.

A Lei n.º 59/98, visando rentabilizar soluções processuais típicas da pequena e da média criminalidade, introduziu alterações no processo sumário, destacando-se a possibilidade de recurso à faculdade prevista no art. 16.º, n.º 3, mesmo em caso de concurso de crimes; a eliminação do requisito da idade mínima do arguido; a possibilidade de adiamento da audiência até ao trigésimo dia posterior à detenção, em total sintonia com o que se dispõe em matéria de continuidade da audiência no art. 328.º, n.º 6 (art. 386.º); o esclarecimento dos casos de impossibilidade de audiência imediata (art. 387.º) e a restrição dos casos de reenvio do processo para a forma comum (art. 390.º);

Visando promover a celeridade processual, a supramencionada Lei que introduziu o texto actual deste artigo alargou o âmbito deste processo, tornando-o obrigatório nos casos de detenção em flagrante delito por crime punível com pena não superior a 5 anos. E para elevar de 3 para 5 anos o limite da pena, passou a admitir que a detenção tenha sido efectuada por qualquer pessoa, desde que ela haja procedido à entrega imediata do suspeito à autoridade judiciária ou à entidade policial. Possibilitou ainda que a audiência de julgamento se inicie no prazo máximo de 5 dias (e não de 48 horas) quando houver interposição de um ou mais dias não úteis entre a detenção e a audiência, sem que fique prejudicada a possibilidade de a audiência ser adiada até ao limite máximo de 30 dias, para o arguido preparar a sua defesa ou o MP desenvolver diligências probatórias. Finalmente, estabelece-se no art. 390.º que o reenvio para outra forma de processo só é possível nos casos de impossibilidade devidamente justificada de no processo sumário se desenvolverem diligências probatórias no prazo de 30 dias, bem como de excepcional complexidade do processo.

3. *Jurisprudência:*

— I — No processo sumário, deve ter-se como equivalente ao de pronúncia o despacho do juiz que, na sequência da apresentação, pelo MP, para julgamento de um detido em flagrante delito, determina os termos subsequentes ao processo, nomeadamente ordena a efectivação de diligências de prova essenciais, adia a audiência para permitir ao arguido a preparação da sua defesa, determina a tramitação do processo sob a forma comum, ou indica o dia, hora e local para realização da audiência. II — Assim, a notificação de tal despacho tem eficácia suspensiva da prescrição. (Ac. RL de 12 de Janeiro de 1999; *CJ,* XXIV, tomo 1, 133);

— Em processo sumário, sendo o arguido libertado, não é essencial que a audiência se inicie no máximo de 48 horas, devendo ela, nesse caso, ter lugar no mais curto prazo de tempo possível, até ao limite do trigésimo dia após a detenção. (Ac. RC de 14 de Junho de 2000; *CJ,* XXV, tomo 3, 53);

Artigo 382.º

— Ainda que o arguido tenha sido detido em flagrante delito por entidade policial e apresentado imediatamente em juízo, não pode ser julgado em processo sumário se a lei atribuir ao tribunal colectivo competência exclusiva para o julgamento, como é o caso dos crimes de injúrias ao Presidente da República. (Ac. RL de 21 de Dezembro de 2000; *CJ*, XXV, tomo 5, 151);

— I — O julgamento em processo sumário efectuado mais de 48 horas após a detenção em flagrante delito do arguido enferma da nulidade absoluta estabelecida na al. *f)* do art. 119.º do CPP. II — A expressão *primeiro dia útil seguinte* empregue no n.º 1 do art. 387.º do CPP deve ser interpretada como referindo-se também ao dia em que a secretaria funciona para casos urgentes. (Ac. RE de 1 de Abril de 2003; *CJ,* XXVIII, tomo 2, 250).

ARTIGO 382.º
(Apresentação ao Ministério Público e a julgamento)

1. A autoridade judiciária, se não for o Ministério Público, ou a entidade policial que tiverem procedido à detenção ou a quem tenha sido efectuada a entrega do detido, apresentam-no, imediatamente ou no mais curto prazo possível, ao Ministério Público junto do tribunal competente para o julgamento.

2. O Ministério Público, depois de, se o julgar conveniente, interrogar sumariamente o arguido, apresenta-o imediatamente, ou no mais curto prazo possível, ao tribunal competente para o julgamento.

3. Se tiver razões para crer que a audiência de julgamento não se pode iniciar no prazo de 48 horas após a detenção, o Ministério Público liberta imediatamente o arguido, sujeitando-o, se disso for caso, a termo de identidade e residência, ou apresenta-o ao juiz para efeitos de aplicação de medida de coacção ou de garantia patrimonial.

---

1. O texto deste artigo foi introduzido pela Lei n.º 48/2007, de 29 de Agosto. O texto anterior era o originário, com alteração introduzida pela Lei n.º 59/98, de 25 de Agosto, provocada pela introdução do processo abreviado pela mesma lei.

2. Quando existe auto de notícia, é a partir dos factos constantes desse auto que o arguido organiza a sua defesa. O processo sumário pode, porém, seguir sem a existência desse auto; em tal caso será a partir dos factos que foram objecto do interrogatório e da apresentação ao tribunal que o arguido organiza a defesa.

3. Como já se referiu na anot. ao artigo anterior e consta expressamente do texto legal, para que o julgamento se efectue na forma de processo sumário, a detenção do arguido terá que ser efectuada por autoridade judiciária, por entidade policial ou por outra pessoa, mas neste caso com auto sumário de entrega.

Código de Processo Penal

Quando a detenção não é efectuada pelo MP, o arguido ser-lhe-á apresentado no mais curto prazo possível dentro das 48 horas seguintes à detenção. Seguidamente o MP interroga sumariamente o arguido e só então, nos termos dos n.ᵒˢ 2 e 3, toma a decisão de o submeter a julgamento em processo sumário. Se entender que os prazos do processo sumário não podem ser respeitados, ou que deve ser seguida outra tramitação, assim decidirá, podendo optar por seguir a forma do processo comum ou do abreviado, por arquivar o processo ou por aplicar os arts. 280.º, 281.º e 282.º, *ex vi* do art. 384.º. O interrogatório do detido pelo MP destina-se precisamente a verificar se existem os pressupostos do julgamento em processo sumário ou se deve seguir-se outra tramitação, dentro das que acabam de ser enunciadas.

ARTIGO 383.º

(Notificações)

1. A autoridade judiciária ou a entidade policial que tiverem procedido à detenção notificam verbalmente, no próprio acto, as testemunhas da ocorrência, em número são superior a cinco, e o ofendido, se a sua presença for útil, para comparecerem na audiência.

2. No mesmo acto o arguido é informado de que pode apresentar na audiência até cinco testemunhas de defesa, sendo estas, se presentes, verbalmente notificadas.

---

1. Reproduz o art. 383.º do Proj. e corresponde aos arts. 404.º do Aproj. e 557.º (corpo do artigo) do CPP de 1929.

2. Não existem sensíveis diferenças de fundo entre este artigo e as disposições do CPP de 1929 que o antecederam. De notar, porém, que agora podem ser apresentadas até cinco testemunhas, por cada parte, enquanto que no domínio do CPP de 1929 podiam ser apresentadas três.

ARTIGO 384.º

(Arquivamento ou suspensão do processo)

É correspondentemente aplicável em processo sumário o disposto nos artigos 280.º, 281.º e 282.º.

Reproduz o art. 384.º do Proj. Não havia disposições correspondentes no Aproj. Nem tão-pouco no CPP de 1929, já que esses diplomas não previam o arquivamento do processo e a suspensão deste mediante a imposição de injunções, previstos nos arts. 280.º, 281.º e 282.º.
Ver anot. 3 ao art. 382.º.

ARTIGO 385.º
(libertação do arguido)

1. Se a apresentação ao juiz não tiver lugar em acto seguido à detenção em flagrante delito, o arguido só continua detido se houver razões para crer que não se apresentará espontaneamente perante a autoridade judiciária no prazo que lhe for fixado.

2. Em qualquer caso, o arguido é de imediato libertado quando se concluir que não poderá ser apresentado a juiz no prazo de 48 horas.

3. No caso de libertação nos termos dos números anteriores, o órgão de polícia criminal sujeita o arguido a termo de identidade e residência e notifica-o para comparecer perante o Ministério Público, no dia e hora que forem designados, para ser submetido:

a) A audiência de julgamento em processo sumário, com a advertência de que esta se realizará, mesmo que não compareça, sendo representado por defensor; ou

b) A primeiro interrogatório judicial e eventual aplicação de medida de coacção ou de garantia patrimonial.

---

1. Este artigo foi introduzido pela Lei n.º 48/2007, de 29 de Agosto. Não havia dispositivo correspondente na versão anterior, mas corresponde aproximadamente ao art. 387.º da versão originária do Código, revista pela Lei n.º 59//98, de 25 de Agosto.

Vejam-se as anots. ao art. 381.º.

2. De notar que no caso de libertação previsto no n.º 3 o termo de identidade e residência é fixado pelo órgão de polícia criminal. Trata-se de uma excepção, pois que esta medida de coacção, em regra e como sucedia anteriormente à introdução deste preceito, só pode ser aplicada pelo juiz ou pelo MP.

Embora este n.º 3 só preveja o caso de a libertação ser ordenada pelo órgão de polícia criminal, em nosso entendimento é também aplicável, por maioria de razão, ao caso de a libertação ser ordenada pelo MP.

ARTIGO 386.º
(Princípios gerais do julgamento)

1. O julgamento em processo sumário regula-se pelas disposições deste Código relativas ao julgamento por tribunal singular, com as modificações constantes deste título.

2. Os actos e termos do julgamento são reduzidos ao mínimo indispensável ao conhecimento e boa decisão da causa.

---

1. Este artigo foi introduzido pela Lei n.º 48/2007, de 29 de Agosto, mas reproduz o texto anterior do art. 385.º, que por sua vez reproduzia os n.os 1 e 2

Código de Processo Penal

do art. 385.º do Proj. e corresponde aos arts. 405.º e 407.º do Aproj. e 558.º e 559.º do CPP de 1929 porém com ligeira alteração formal no n.º 1, introduzida pela Lei n.º 59/98, de 25 de Agosto.

2. Não existem alterações de relevo relativamente ao regime anterior.

O julgamento em processo sumário regula-se pelas disposições relativas ao julgamento perante o tribunal singular, porém com as modificações constantes deste título.

Os actos e termos do julgamento são reduzidos ao mínimo indispensável ao conhecimento e boa decisão da causa; não existe inquérito nem instrução, concentrando-se a produção de prova e o contraditório na fase de julgamento; a audiência só pode ser adiada nos termos do art. 387.º; os assistentes e as partes civis podem intervir, mesmo por solicitação verbal, no início da audiência; a tramitação segue os termos do art. 389.º; pode ser decidido o processamento em processo comum, verificados os pressupostos do art. 390.º, sendo irrecorrível o despacho que assim decide; e só é admissível recurso do despacho ou da sentença que puser termo ao processo.

ARTIGO 387.º

(Audiência)

1. O início da audiência de julgamento em processo sumário tem lugar no prazo máximo de 48 horas após a detenção.

2. O início da audiência pode ser adiado:

a) Até ao limite do 5.º dia posterior à detenção, quando houver interposição de um ou mais dias não úteis no prazo previsto no número anterior;

b) Até ao limite de 30 dias, se o arguido solicitar esse prazo para preparação da sua defesa ou se o tribunal, oficiosamente ou a requerimento do Minstério Público, considerar necessário que se proceda a quaisquer diligências de prova essenciais à descoberta da verdade.

3. Se a audiência for adiada, o juiz adverte o arguido de que esta se realizará na data designada, mesmo que não compareça, sendo representado por defensor.

4. Se faltarem testemunhas de que o Ministério Público, o assistente ou o arguido não prescindam, a audiência não é adiada, sendo inquiridas as testemunhas presentes pela ordem indicada nas alíneas *b)* e *c)* do artigo 341.º, sem prejuízo da possibilidade de alterar o rol apresentado.

---

1. O texto deste artigo foi introduzido pela Lei n.º 48/2007, de 29 de Agosto. O anterior texto não era o da versão originária, mas o que introduzira a Lei n.º 59/98, de 25 de Agosto.

Artigo 389.º

2. Vejam-se as anots. ao art. 381.º.
Em relação ao regime imediatamente anterior aponta-se como alteração mais significativa a introdução do dispositivo da al. *a)* do n.º 2.

ARTIGO 388.º

(Assistente e partes civis)

Em processo sumário, as pessoas com legitimidade para tal, podem constituir-se assistentes ou intervir como partes civis se assim o solicitarem, mesmo que só verbalmente, no início da audiência.

1. Reproduz o art. 388.º do Proj. Não havia disposições correspondentes no Aproj. nem no CPP de 1929.

2. Segundo o disposto no art. 72.º, n.º 1, al. *h)*, o pedido de indemnização civil pode ser deduzido em separado, perante o tribunal civil, quando o processo correr sob a forma sumária ou sumaríssima.
Mas, como se dispõe neste art. 388.º, as pessoas com legitimidade para intervir como partes civis, no processo sumário, também podem deduzir o pedido o próprio processo penal, se assim o solicitarem, mesmo só verbalmente, no início da audiência. É evidente que, se optarem pela formulação do pedido no processo penal sumário, terão logo que expor os respectivos fundamentos, pois aqui os prazos são muito curtos e os actos e termos do julgamento serão reduzidas ao mínimo indispensável ao conhecimento e boa decisão da causa.
Se não for possível, com os prazos e a tramitação do processo sumário, julgar criteriosamente sobre o pedido de indemnização civil, o juiz deverá consoante os casos, condenar no que se liquidar em execução de sentença (art. 82.º, n.º 1), reenviar as partes para os tribunais civis (art. 82.º, n.º 2), ou reenviar o processo para tramitação sob outra forma processual (art. 390.º).

ARTIGO 389.º

(Tramitação)

1. Se o Ministério Público não estiver presente no início da audiência e não puder comparecer de imediato, o tribunal procede à sua substituição pelo substituto legal.
2. O Ministério Público pode substituir a apresentação da acusação pela leitura do auto de notícia da autoridade que tiver procedido à detenção.
3. Se tiver sido requerida documentação dos actos de audiência, a acusação, a contestação, o pedido de indemnização e a sua contestação, quando verbalmente apresentados, são registados na acta.
4. A apresentação da acusação e da contestação substituem as exposições introdutórias referidas no artigo 339.º.

Código de Processo Penal

5. Finda a produção da prova, a palavra é concedida, por uma só vez, ao Ministério Público, aos representantes do assistente e das partes civis e ao defensor, os quais podem usar dela por um máximo de trinta minutos, improrrogáveis.

6. A sentença é logo proferida verbalmente e ditada para a acta.

---

1. O texto deste artigo foi introduzido pela Lei n.º 48/2007, de 29 de Agosto. É, porém o texto da versão anterior, com supressão do n.º 2 e rectificação da numeração dos restantes números, que era a originária com alterações introduzidas pela Lei n.º 59/98, de 25 de Agosto.

O texto do n.º 1 foi introduzido pela Lei n.º 59/98, de 25 de Agosto, que porém somente eliminou a possibilidade de o tribunal nomear pessoa idónea para substituir o MP. Terá, portanto, que ser sempre o substituto legal do MP a substituir o MP junto do tribunal, sempre que este não estiver presente no início da audiência nem puder comparecer de imediato.

A referida eliminação do n.º 2 da versão anterior ficou a dever-se à obrigatoriedade geral de documentação dos actos de audiência, imposta por outros dispositivos, sem que os intervenientes possam prescindir dessa documentação.

Exceptuadas alterações que acabam de ser apontadas, o artigo reproduz o art. 389.º do Proj. e corresponde aos arts. 407.º do Aproj. e 559.º do CPP de 1929; o Dec.-Lei n.º 320-C/2000, de 15 de Dezembro introduziu porém ligeira alteração no n.º 6, consistente na substituição de *pode ser* por *é logo*, isto porque, segundo a exposição de motivos da Proposta de Lei n.º 41/VII, não existem motivos que justifiquem mais uma audiência só para efeitos de leitura da sentença.

2. A falta do MP constitui nulidade insanável (art. 119.º, *b)*); a falta do aviso referido no n.º 2 constitui nulidade, que por não ser taxada como insanável é dependente de arguição, a qual deve ser feita logo que a omissão se verifica (art. 120.º, n.º 3, *d)*).

3. *Jurisprudência:*
— Em processo sumário, a omissão do aviso previsto no n.º 2 do art. 389.º do CPP corresponde a uma nulidade que fica sanada se não for logo arguida, em virtude de nessa forma processual só caber recurso da sentença ou do despacho que puser termo ao processo. (Ac. RE de 14 de março de 1993; *CJ,* XIV, tomo 2, 292);
— I — Em processo sumário, verifica-se a nulidade do art. 119.º, al. *b)*, do CPP, se o MP, em face da participação, se limita a promover a remessa desta a juízo para julgamento imediato, não constando da acta a leitura do auto, nos termos impostos pelo art. 389.º, n.º 3, do mesmo Código. II — Tal artigo da lei processual é indissociável do princípio acusatório consagrado no art. 32.º, n.º 5, da CRP, que tem como implicação fundamental que ao arguido seja dado a conhecer com precisão aquilo de que é acusado, para que possa

Artigo 390.º

convenientemente defender-se. (Ac. RP de 30 de Junho de 1993; *CJ*, XVIII, tomo 3, 260);

— Tendo a acusação sido substituída pela leitura em julgamento do auto de notícia elaborado pelo agente da autoridade que procedeu à detenção do arguido nos termos do art. 389.º, n.º 3, do CPP, ainda que daquele auto não constassem factos respeitantes aos elementos subjectivos da infracção, isso não determina a rejeição da acusação, pois em julgamento tal omissão pode ser colmatada. (Ac. RE de 6 de Fevereiro de 2007; *CJ*, ano XXXII, tomo 1, 256).

ARTIGO 390.º
(Reenvio para a outra forma de processo)

1. O tribunal só remete os autos ao Ministério Público para tramitação sob outra forma processual quando:

a) Se verificar a inadmissibilidade, no caso, do processo sumário;

b) Não tenham podido, por razões devidamente justificadas, realizar-se, no prazo máximo previsto no artigo 387.º, as diligências de prova necessárias à descoberta da verdade; ou

c) O procedimento se revelar de excepcional complexidade, devido, nomeadamente, ao número de arguidos ou de ofendidos ou ao carácter altamente organizado do crime.

2. Se, depois de recebidos os autos, o Ministério Público deduzir acusação em processo comum com intervenção do tribunal singular, em processo em processo abreviado, ou requerer a aplicação de pena ou medida de segurança não privativas da liberdade em processo sumaríssimo o tribunal competente para delas conhecer será aquele a quem inicialmente os autos foram distribuídos para julgamento na forma sumária.

---

1. O texto do n.º 1 deste artigo foi introduzido pela Lei n.º 48/2007, de 29 de Agosto, ficando então a constituir todo o corpo do artigo.

O n.º 2 foi introduzido pela Lei n.º 52/2008, de 28 de Agosto (LOFTJ), ficando então o anterior corpo do artigo a constituir o n.º 1.

O texto anterior do n.º 1 não era o originário, mas o que resultava da Lei n.º 59/98, de 25 de Agosto. Em relação a este texto, como alterações mais significativas, apontam-se a introdução do prazo da alínea *b)*; o dispositivo da alínea *c)*, tratando-se aqui de reintrodução de um dispositivo que constava da versão originária e que tinha sido eliminado pela Lei n.º 59/98; e ainda a eliminação da irrecorridade do despacho de remessa ao MP para tramitação sob outra forma processual, que constava da versão anterior deste artigo.

2. Como já foi referido, a versão actual deste artigo eliminou a irrecorribilidade do despacho de remessa ao MP para tramitação sob outra forma processual, certamente porque se entendeu que o dispositivo era desnecessário

Código de Processo Penal

já que no art. 391.º se preceitua que nesta forma de processo só é admissível recurso da sentença ou do despacho que puser termo ao processo.

Em nosso entendimento a eliminação não devia ter sido efectuada, porque era referida a um momento em que ainda não havia processo sumário, quando o art. 391.º pressupõe que já está fixada a forma de processo sumário. E assim, do despacho de remessa ao MP para tramitação sob outra forma processual é admissível recurso, o qual terminará normalmente por inutilidade superveniente, já que muito dificilmente poderá ser decidido nos prazos estipulados no art. 387.º para o julgamento em processo sumário.

3. *Jurisprudência:*
— A norma da al. *b)* do art. 390.º do CPP não é inconstitucional. (Ac. do Trib. Constitucional n.º 452/2002, de 30 de Outubro, proc. n.º 418/2001; *DR,* II série, de 12 de Dezembro de 2002).

ARTIGO 391.º

(Recorribilidade)

Em processo sumário só é admissível recurso da sentença ou de despacho que puser termo ao processo.

---

1. Reproduz o art. 391.º do Proj. e corresponde aos arts. 409.º do Aproj. e 561.º do CPP de 1929.

2. Não há alteração sensível em relação ao regime previsto período do art. 561.º do CPP de 1929.
O despacho que decide a tramitação do processo sob outra forma é irrecorrível (art. 390.º).

3. *Jurisprudência:*
— I — Nos julgamentos em processo sumário e na ausência do arguido, o prazo para recorrer conta-se da notificação da sentença ao arguido. II — Porém, em processo sumário em que o arguido foi julgado na sua ausência, tendo ele sido advertido de que o julgamento assim se realizaria, o prazo conta-se do depósito da sentença. (Ac. RC de 17 de Outubro de 2007; *CJ*, ano XXXII, tomo IV, 63).

TÍTULO II

DO PROCESSO ABREVIADO

ARTIGO 391.º-A

(Quando tem lugar)

1. Em caso de crime punível com pena de multa ou com pena de prisão não superior a 5 anos, havendo provas simples e evidentes de

Artigo 391.º-A

que resultem indícios suficientes de se ter verificado o crime e de quem foi o seu agente, o Ministério Público, em face do auto de notícia ou após realizar inquérito sumário, deduz acusação para julgamento em processo abreviado.

2. São ainda julgados em processo abreviado, nos termos do número anterior, os crimes puníveis com pena de prisão de limite máximo superior a 5 anos, mesmo em caso de concurso de infracções, quando o Ministério Público, na acusação, entender que não deve ser aplicada, em concreto, pena de prisão superior a 5 anos.

3. Para efeitos do disposto no n.º 1, considera-se que há provas simples e evidentes quando, nomeadamente:

a) O agente tenha sido detido em flagrante delito e o julgamento não puder efectuar-se sob a forma de processo sumário;

b) A prova for essencialmente documental e possa ser recolhida no prazo previsto para a dedução da acusação; ou

c) A prova assentar em testemunhas presenciais com versão uniforme dos factos.

---

1. O texto deste artigo, foi introduzido pela Lei n.º 48/2007, de 29 de Agosto. A forma de processo abreviado não constava da versão originária do CPP. Foi introduzidapela Lei n.º 59/98, de 25 de Agosto, com tramitação inspirada em normas do direito comparado, *maxime* francês, alemão e espanhol.

O texto actual, em relação ao anterior, denota como mais significativa alteração a concretização do conceito de provas simples e evidentes através da técnica dos exemplos-padrão, como resultada das alíneas *a)*, *b)* e *c)* do n.º 4.

2. Da exposição de motivos da Proposta de Lei governamental enviada à Assembleia da República, de que resultou a Lei n.º 59/98, destacamos as seguintes e elucidativas considerações sobre a introdução desta forma de processo:

«A distinção do tratamento processual da pequena e média criminalidade, por um lado, e da criminalidade grave, por outro, constitui um dos eixos fundamentais inspiradores da reforma do sistema consagrado no Código vigente, já que estamos na presença de realidades claramente distintas quanto à sua explicação criminológica, ao grau de danosidade social e ao alarme colectivo que provocam.

A experiência revela, porém, que, na prática, essa distinção não assume visibilidade significativa, assistindo-se a um tratamento tendencialmente uniforme das diversas formas de criminalidade.

Importa, assim, aprofundar esta dimensão do sistema, sem pôr em causa o princípio de legalidade que molda o processo português, o direito de defesa e as garantias do processo equitativo, introduzindo e reforçando mecanismos de simplificação, aceleração e consenso relativamente à pequena e média criminalidade, no sentido das recomendações da ONU e do Conselho da Europa

Código de Processo Penal

— cite-se, nomeadamente, a recomendação n.º R (87) 18, adoptada pelo Comité de Ministros do Conselho da Europa, de 17 de Setembro de 1987, relativa à simplificação da justiça penal — e levando em linha de conta experiências próximas de direito comparado, com resultados confirmados, através de institutos como a ordem penal, a citação directa ou o processo abreviado, como sucede na Alemanha, na Itália, em França ou em Espanha.

São, por conseguinte, significativas as alterações introduzidas neste domínio. Destaca-se, em primeiro lugar, a criação de uma nova forma de processo especial — o processo abreviado (artigo 391.º-A e seguintes). Limita-se a sua aplicação aos casos de crime punível com pena de prisão não superior a cinco anos ou de crime punível com pena de multa, da competência do tribunal singular, com o objectivo de uma rápida submissão do caso a julgamento.

Trata-se de um procedimento caracterizado por uma substancial aceleração nas fases preliminares, mas em que se garante o formalismo próprio do julgamento em processo comum, com ligeiras alterações de natureza formal justificadas pela pequena gravidade do crime e pelos pressupostos que o fundamentam.

Estabelecem-se, porém, particulares exigências ao nível dos pressupostos. São eles o juízo sobre a existência de prova evidente do crime — como sucederá, por exemplo, nos casos de flagrante delito não julgados em processo sumário, de prova documental ou de outro tipo, que permitam concluir inequivocamente sobre a verificação do crime e sobre quem foi o seu agente — e a frescura da prova — traduzida na proximidade do facto, não superior a 60 dias —, pressupostos que, na sua essência, igualmente enformam o processo sumário, característico do nosso sistema. Tratar-se-á, em síntese, de casos de prova indiciária sólida e inequívoca que fundamenta, face ao auto de notícia ou perante um inquérito rápido, a imediata sujeição do facto ao juiz, concentrando-se, desta forma, o essencial do processo na sua fase crucial, que é o julgamento.

O procedimento é, porém, envolvido de particulares cautelas no que se refere às formalidades preliminares, em homenagem ao direito de defesa e ao princípio de igualdade de armas na fase preparatória. Estabelece-se assim, a possibilidade de o arguido submeter o caso a comprovação judicial e de, em debate instrutório, contrariar a decisão de acusação do Ministério Público. Neste caso, caberá ao juiz de instrução a apreciação da existência de indícios suficientes em ordem a submeter o caso a julgamento, num critério de exigência aferido em função da probabilidade de ao arguido poder ser aplicada uma pena.

Ainda com o objectivo de simplificação, permite-se que o Ministério Público formule o requerimento com remissão parcial, em matéria de identificação do arguido e de narração dos factos, para o auto de notícia ou para a denúncia, sem, no entanto, estabelecer concessões no que se refere ao rigor da fixação do objecto do processo, e possibilita-se que o juiz, como no processo sumário, profira verbalmente a sentença, ditando-a para a acta.

Julga-se que, por esta via, se possibilitará uma considerável aceleração do processamento da criminalidade menos grave, que, segundo as estatísticas conhecidas, representa cerca de 85% dos crimes submetidos a julgamento, com resultados que se esperam de grande reforço na credibilidade do sistema de justiça.»

Artigo 391.º-A

3. A tramitação do processo abreviado, como se encontra regulada neste artigo e nos seguintes, sugere-nos algumas observações e reservas, particularmente no que concerne à existência de provas simples e evidentes de que resultem indícios da verificação do crime e de quem foi o seu agente, que fica ao critério do MP sem possibilidade de eficaz oposição desde logo do arguido que só depois poderá requerer debate instrutório (art. 391.º-C).

Sucede ainda que admitir desde logo a evidência da verificação do crime e de que o arguido foi o seu agente significa, de algum modo, uma quase condenação antecipada do arguido.

Preferiríamos aqui o uso de outra expressão, menos contundente, como *evidência probatória* ou *prova indiciária segura*.

É certo que existem casos incontroversos, como os que foram apontados na transcrita exposição de motivos. Outros se poderão apontar, como o da confissão integral e sem reservas, de difamação através da imprensa e de emissão de cheque sem provisão. Mas em casos menos frisantes será sempre aqui recomendável grande dose de contenção e de prudência quanto à existência da prova simples e evidente da verificação do crime e de quem foi o seu agente.

Certamente que estas reservas, que de algum modo o legislador terá levado em consideração através da introdução dos exemplos padrão no n.º 4, acabaram por perder o interesse que tinham nas anteriores edições desta obra.

Além das reservas que já apontámos, algumas críticas têm sido apontadas à introdução deste processo e respectiva tramitação, destacando-se a este propósito as que foram dirigidas por Laborinho Lúcio, *in Processo Penal em Revisão, Comunicações*, edição da Universidade Autónoma de Lisboa, 205-209.

Sobre os antecedentes da criação deste processo, particularmente sobre o direito comparado, veja-se a exposição do Dr. Lopes da Mota, *RPCC*, ano 8.º, 2.º, 172-175;

4. *Jurisprudência:*

— Só podem ser objecto de processo abreviado os casos em que, não tendo decorrido mais de noventa dias sobre a prática do crime, existe prova evidente do mesmo, como sucede quando, apesar de praticado em flagrante delito, não seja julgado em processo sumário, bem como quando, de prova documental, ou de outro tipo, nomeadamente confissão, for possível concluir, inequivocamente, sobre a sua vevificação e autoria. (Ac. RL de 7 de Junho de 2000; *CJ*, XXV, tomo 3, 152);

— I — A lei processual penal não impõe obrigatoriamente a fase de inquérito no processo abreviado. II — Está vedado ao juiz de julgamento fazer um juízo sobre a forma como foi realizado o inquérito e sobre a insuficiência de indícios para ter sido deduzida acusação. (Ac. RL de 28 de Setembro de 2000; *CJ*, tomo 4, 140);

— I — A lei processual, no processo abreviado, não impõe a necessidade de inquérito, nem de interrogatório do arguido, mas apenas a prolação da acusação. II — Em processo abreviado é, no entanto, admíssivel recurso do despacho que tenha declarado nula a acusação e rejeitado a mesma por a considerar manifestamente infundada. (Ac. RL de 14 de Novembro de 2007; *CJ*, ano XXXII, tomo 5, 124);

895

Código de Processo Penal

— I — O inquérito não é uma fase obrigatória do processo abreviado, sendo da própria natureza e especificidade deste que não haja lugar a inquérito. II — O quadro legal e constitucional não permite ao juiz, na fase de recebimento da acusação, sindicar a suficiência dos indícios ou a forma como foi realizado o inquérito, para concluir que a acusação é nula. III — Tendo sido requerido o julgamento em tribunal singular por força do n.º 3 do art. 16.º do CPP, a diversa qualificação jurídica operada pelo juiz não altera a competência assim fixada. (Ac. RL de 21 de Novembro de 2007; *CJ,* ano XXXII, tomo 5, 127).

ARTIGO 391.º-B

(Acusação, arquivamento e suspensão do processo)

1. A acusação do Ministério Público deve conter os elementos a que se refere o artigo 283.º, n.º 3. A identificação do arguido e a narração dos factos podem ser efectuadas, no todo ou em parte, por remissão para o auto de notícia ou para a denúncia.

2. A acusação é deduzida no prazo de 90 dias a contar da:

a) Aquisição da notícia do crime, nos termos do disposto no artigo 241.º, tratando-se de crime público; ou

b) Apresentação de queixa, nos restantes casos.

3. Se o procedimento depender de acusação particular a acusação do Ministério Público tem lugar depois de deduzida acusação nos termos do artigo 285.º.

4. É correspondentemente aplicável em processo abreviado o disposto nos artigos 280.º a 282.º.

O texto deste artigo foi introduzido pela Lei n.º 48/2007, de 29 de Agosto. Não há alterações significativas relactivamente ao texto anterior. Vejam-se as anots. aos arts. 391.º e 391.º-A.

ARTIGO 391.º-C

(Saneamento do processo)

1. Recebidos os autos, o juiz conhece das questões a que se refere o artigo 311.º.

2. Se não rejeitar a acusação, o juiz designa dia para audiência, com precedência sobre os julgamentos em processo comum, sem prejuízo da prioridade a conferir aos processos urgentes.

---

1. O texto deste artigo foi introduzido pela Lei n.º 48/2007, de 29 de Agosto. Correspondente ao art. 391.º-D da anterior versão, relativamente à qual

Artigo 391.º-E

apresenta como significativa alteração a prioridade sobre julgamentos em processo comum, sem prejuízo da que é conferida a processos urgentes.

2. Nesta forma processual a realização dos actos de produção de prova é reduzida ao mínimo indispensável. A produção da prova é feita durante a audiência, pois não existe a fase de instrução. O juiz não pode sindicar a existência de provas simples e evidentes, nem portanto a existência ou não de indícios suficientes. Finda a produção da prova segue-se logo a tramitação dos n.ºs 2 e 3 do art. 391.º-E.

ARTIGO 391.º-D

(Audiência)

A audiência de julgamento em processo abreviado tem início no prazo de 90 dias a contar da dedução da acusação.

---

1. Este artigo foi introduzido pela Lei n.º 48/2007, de 29 de Agosto.
Não havia dispositivo anterior sobre prazo para o início da audiência de julgamento em processo abreviado.

2. O início da auduência para além de 90 dias a contar da dedução da acusação constitui irregularidade, sujeita ao regime do art 123.º;
De notar porém que tratando-se de processo por crime particular o início do prazo se reporta à acusação do assistente. Declarada a audiência aberta dentro do prazo de 90 dias, não se verificará qualquer irregularidade no caso de ser adiada ou interrompida.

ARTIGO 391.º-E

(Julgamento)

1. O julgamento regula-se pelas disposições relativas ao julgamento em processo comum, com as alterações previstas neste artigo.
2. Finda a produção da prova, é concedida a palavra ao Ministério Público, aos representantes do assistente e das partes civis e ao defensor, os quais podem usar dela por um máximo de 30 minutos, prorrogáveis se necessário e assim for requerido. É admitida réplica por um máximo de dez minutos.
3. A sentença é logo proferida verbalmente e ditada para a acta.

---

1. Este artigo foi introduzido no Código pela Lei n.º 59/98, de 25 de Agosto. O n.º 3 sofreu porém alteração pelo Dec.-Lei n.º 320-C/2000, de 15 de Dezembro, consistente na substituição de *pode ser* por *é logo*, isto porque, segundo a exposição de motivos da Proposta de Lei n.º 41/VIII, não existem motivos que justifiquem mais uma audiência só para efeitos de leitura da sentença.

Código de Processo Penal

A Lei n.º 48/2007, de 29 de Agosto, de que resultou o texto actual deste artigo, suprimiu o n.º 2 da versão anterior e alterou a numeração seguinte, por se ter tornado desnecessário, em vista da generalização da obrigatoriedade de documentação dos acto de audiência.

2. *Jurisprudência:*
— Em processo comum abreviado, a não prolação verbal e imediata da sentença após a produção da prova e as alegações dos sujeitos processuais consubstancia tão-só uma mera irregularidade, a arguir no próprio acto. (Ac. RC de 12 de Junho de 2002; *CJ,* XXVII, tomo 3, 51).

ARTIGO 391.º-F
(Recorribidade)

É correspondentemente aplicável ao processo abreviado o disposto no artigo 391.º.

---

1. Este artigo foi introduzido pela Lei n.º 48/2007, de 29 de Agosto. Não havia dispositivo correspondente anterior.

2. Em processo abreviado, como resulta da correspondente aplicabilidade do art. 391.º, só é admissível recurso da sentença ou do despacho que puser termo ao processo.

TÍTULO III
DO PROCESSO SUMARÍSSIMO

ARTIGO 392.º
(Quando tem lugar)

1. Em caso de crime punível com pena de prisão não superior a cinco anos ou só com pena de multa, o Ministério Público, por iniciativa do arguido ou depois de o ter ouvido e quando entender que ao caso deve ser concretamente aplicada pena ou medida de segurança não privativas da liberdade, requer ao tribunal que a aplicação tenha lugar em processo sumaríssimo.
2. Se o procedimento depender de acusação particular, o requerimento previsto no número anterior depende da concordância do assistente.

---

1. O texto do n.º 1 deste artigo foi introduzido pela Lei n.º 48/2007, de 29 de Agosto. Em relação à redacção anterior aponta-se a elevação para 5 anos da

Artigo 392.º

pena de prisão e a possibilidade de o MP requerer que o processo sumaríssimo tenha lugar por iniciativa do arguido.

O anterior texto deste artigo fora introduzido pela Lei n.º 59/98, de 25 de Agosto, que procedeu a alterações de algum vulto na tramitação do processo sumaríssimo, destacando-se a elevação de 6 meses para 3 anos da moldura abstracta da pena de prisão correspondente ao crime objecto do processo e a alteração do regime processual, com reforço do estatuto da defesa e a permissão de intervenção do assistente, esta deduzida do n.º 2 deste art. 392.º e de alteração no art. 393.º.

2. A Lei n.º 43/86, de 26 de Setembro (Lei de Autorização legislativa) art. 2.º, n.º 2, al. 68), determinou a criação do processo sumaríssimo para hipóteses em que, mau grado a pena abstractamente cominada, seja de admitir que só haja lugar à aplicação de pena de multa e/ou de medida de segurança não detentiva; e a necessidade, para aplicação de tal forma de processo sumaríssimo, da anuência do arguido, a qual valerá também como renúncia ao recurso. Mais determinou a existência, nesta forma de processo, de uma audiência rápida e informal e a possibilidade de o juiz reenviar o processo para a forma comum ou sumária, consoante o caso, nomeadamente nas hipóteses em que entenda poder haver lugar à aplicação de sanções detentivas ou o uso do processo sumaríssimo conduzir a um encurtamento inadmissível das garantias de defesa.

Estas disposições da Lei n.º 43/86, que resultam de sugestão da Comissão encarregada de elaborar o Código e que permitiram a introdução de um julgamento imediato com audiência informal, levaram em conta experiências do direito comparado (ver *infra*, no 3), e a necessidade de resolver por um processo extremamente expedito muitos casos de bagatelas penais, como se explanou na exposição do Prof. Figueiredo Dias, *Para Uma Reforma Global do Processo Penal Português,* 46-47.

Como se aludiu *supra,* anot. 1, a Lei aí mencionada introduziu alterações de relevo na tramitação do processo sumaríssimo, destacadas na exposição de motivos da Proposta de Lei, nos seguintes termos:

«Ao nível do processo sumaríssimo (artigo 392.º e seguintes) introduzem-se alterações de vulto, que procuram criar condições para dar expressão a uma forma de processo que praticamente não tem tido aplicação e que poderá desempenhar um papel muito importante no controlo das chamadas bagatelas penais.

Aumenta-se de seis meses para três anos a moldura abstracta da pena de prisão correspondente ao crime objecto do processo e altera-se profundamente o regime processual, com reforço do estatuto da defesa.

Elimina-se a audiência — excepto quando o juiz não 'homologar o acordo' entre o Ministério Público e o arguido — e, em vez desta, cria-se um procedimento de notificação do requerimento do Ministério Público, sujeito a particulares exigências de regulamentação para efectiva garantia do direito de defesa, de modo a possibilitar um esclarecido exercício do direito de oposição à sanção proposta, a qual será sempre não privativa da liberdade.

Salvaguarda-se, porém, o poder jurisdicional de aplicação da sanção. Mesmo nos casos de consenso entre o Ministério Público e o arguido, o juiz poderá sempre recusar a 'homologação do acordo' se discordar da sanção proposta, nomeada-

Código de Processo Penal

mente por a considerar injusta ou desproporcionada, e ordenar o prosseguimento do processo para julgamento em que intervirá sem quebra de imparcialidade, uma vez que não lhe foi solicitada a apreciação da prova indiciária, mas tão somente a do conteúdo da proposta do Ministério Público, com a sua própria autonomia formal. Neste caso, o aproveitamento racional dos actos processuais e o acordo firmado entre o Ministério Público e o arguido impõem, em benfício da celeridade, que o juiz designe de imediato dia para a audiência de julgamento, mantendo-se a forma sumaríssima do processo.

Devidamente salvaguardado está também o direito que o arguido tem de lhe não ser 'roubado o conflito', já que, se este se opuser, o processo segue a forma comum, impondo também aqui o aproveitamento racional dos actos processuais que o requerimento do Ministério Público funcione como acusação.»

3. O processo sumaríssimo, que com o sumário e o abreviado constituem as formas de processos especiais consignados no Código, foi uma inovação de muito relevo inspirada no *procedimento por decreto* dos arts. 529.º e segs. do *Progetto preliminare* italiano. Representarou certamente uma enorme economia processual em muitos casos, pois destinou-se a ter um vasto campo de aplicação e traduziu a ideia de pacificação em torno do consenso, sem prejuízo da realização do Direito.

Trata-se de um processo muito expedido para a pequena criminalidade, que permitirá libertar os tribunais de uma massa de processos de tramitação até agora morosa, a aplicar naqueles casos em que, independentemente da pena abstractamente cominada no tipo incriminador, o MP possa prever, em face do circunstancialismo, não haver lugar à aplicação de pena superior à estabelecida no n.º 1, tudo a apontar no sentido de um aligeiramento, tanto do rito indagatório como da tramitação subsequente destinada à aferição da responsabilidade e à individualização da medida.

O processo sumaríssimo passou a ser o adequado para o julgamento dos feitos em que o MP entenda haver apenas lugar à aplicação de pena de multa e/ou de medida de segurança não detentiva, desde que se trate de crime cuja moldura penal abstracta seja a de prisão não superior a 5 anos ou só multa, e o procedimento não dependa de acusação particular.

Trata-se de um processo caracteristicamente simplificado: o MP deduz o seu requerimento para aplicação da pena que — mau grado a dosimetria abstractamente estipulada na lei — entenda dever ser aplicada. Em audiência, uma alternativa é então aberta: ou o arguido aceita a sanção proposta pelo MP, incluindo a taxa de justiça reduzida que nesse caso for devida e a indemnização civil, e eis o caso encerrado, com benefício da substancial aceleração e encurtamento de trâmites; ou ele não aceita esta forma expedita de ser julgado o seu caso — pois quer a produção da prova da acusação e não dispensa a dedução da respectiva defesa — e neste caso o processo é reenviado para a forma processual diferente, para que se proceda de harmonia com a tramitação do processo comum.

Não pesa a circunstância de esta substancial simplificação ter sido feita à custa de um apoucamento dos direitos processuais dos participantes no processo, porquanto os meios que falecem nesta expedita forma sumaríssima sempre

Artigo 393.º

poderão ser achados através do recurso outra forma processual, que se faculta integralmente àqueles que dela pretendam fazer uso: ao MP, que é o titular da opção entre as duas formas alternativas de processamento; ao arguido que, não sendo obrigado sequer a comparecer na audiência sumaríssima, é integralmente livre de a rejeitar, por preferir o processo comum; ao assistente; e ao juiz, que não está obrigado a receber o requerimento do MP por poder antever uma pena mais grave perante os factos que estão em causa.

4. Este artigo define o campo de aplicação do processo sumaríssimo, dizendo--nos aqui a lei quando tem lugar a aplicação desta forma de processo especial.
O limite de 5 anos de prisão foi achado tendo em conta a sugestão do CP no sentido de aos crimes puníveis com tal pena ser decretada a substituição da prisão por multa.

5. Dentro do condicionalismo aqui descrito, *deve* o MP requerer o uso do processo sumaríssimo; trata-se de um poder vinculado, de um *poder-dever*, o que se deduz da finalidade com que o processo sumaríssimo foi introduzido, e da expressão literal — *o MP requer.*
Trata-se, aliás, de uma forma extremamente simplificada de resolver bagatelas penais, introduzida também na expectativa de aliviar o serviço dos tribunais.

6. Sobre o processo sumaríssimo vejam-se ainda Costa Andrade e A. Henriques Gaspar, *Jornadas de Direito Processual Penal,* 356 e segs. e 373 e segs., respectivamente.

ARTIGO 393.º
(Partes civis)

Não é permitida, em processo sumaríssimo, a intervenção de partes civis, sem prejuízo da possibilidade de aplicação do disposto no artigo 82.º-A.

---

1. O texto deste artigo foi introduzido pela Lei n.º 59/98, de 25 de Agosto, porém com aditamento da parte final, a seguir a partes civis, introduzido pela Lei n.º 48/2007, de 29 de Agosto.
Corresponde ao n.º 2 do art. 393.º da versão originária do Código. A eliminação do n.º 1 dessa versão veio permitir a intervenção do assistente na forma de processo sumaríssimo, o que também se deduz do n.º 2 do art. 392.º. Quanto ao mais, não permissão da intervenção de partes civis, não há alteração ao regime da versão originária.

2. Nesta forma de processo o pedido de indemnização civil deve ser formulado separadamente, conforme se deduz deste artigo e também se estabelece no art. 72.º, n.o 1, al. *h),* porém sem prejuízo de ser atribuída quantia a título de reparação pelos prejuízos sofridos, nos termos do art. 82.º-A.

Código de Processo Penal

ARTIGO 394.º
(Requerimento)

1. O requerimento do Ministério Público é escrito e contém as indicações tendentes à identificação do arguido, a descrição dos factos imputados e a menção das disposições legais violadas, a prova existente e o enunciado sumário das razões pelas quais entende que ao caso não deve concretamente ser aplicada pena de prisão.

2. O requerimento termina com a indicação precisa pelo Ministério Público:

   a) Das sanções concretamente propostas;
   b) Da quantia exacta a atribuir a título de reparação, nos termos do disposto no artigo 82.º-A, quando este deva ser aplicado.

---

1. O texto deste artigo foi introduzido pela Lei n.º 59/98, de 25 de Agosto. O n.º 2 foi porém alterado pela Lei n.º 48/2007, de 29 de Agosto, em virtude de o art. 393.º ter passado a admitir a possibilidade de aplicações do disposto no art. 82.º-A.

Corresponde a dispositivos dos n.ºs 1 e 2 da versão originária, com eliminação da referência à impossibilidade de aplicação de medida de segurança (o n.º 1 do art. 392.º passou a possibilitar a aplicação nesta forma de processo de medida de segurança não privativa da liberdade) e também eliminação da referência ao pedido de indemnização civil por parte do MP.

A apontada Lei eliminou também neste artigo o dispositivo do n.º 3 da versão originária, introduzindo porém um dispositivo correspondente no art. 395.º.

2. Estabelece-se neste artigo o formalismo a que deve obedecer o requerimento do MP para o uso do processo sumaríssimo.

É de particular importância uma boa estruturação deste requerimento, pois que se se fizer uso deste processo, não havendo rejeição pelo juiz nem oposição do arguido, o juiz limitar-se-á a proceder de harmonia com o art. 397.º. Por isso mesmo terá aqui o MP que indicar, concretamente e com precisão, quais as sanções a aplicar, bem como a quantia a arbitrar a título de reparação pelos prejuízos sofridos, nos termos do art. 82.º-A.

Os requisitos do requerimento do MP são aqui um misto da acusação e da sentença nas outras formas processuais, acrescido de uma avaliação sobre as sanções que ao caso devem caber.

Sobre o que se deve entender por *indicações tendentes à identificação do arguido,* ver art. 374.º, 1, *a)* e respectiva anot..

902

ARTIGO 395.º
(Rejeição do requerimento)

1. O juiz rejeita o requerimento e reenvia o processo para outra forma que lhe caiba:

   a) Quando for legalmente inadmissível o procedimento;
   b) Quando o requerimento for manifestamente infundado, nos termos do disposto no n.º 3 do artigo 311.º;
   c) Quando entender que a sanção proposta é manifestamente insusceptível de realizar de forma adequada e suficiente as finalidades da punição.

2. No caso previsto na alínea *c)* do número anterior, o juiz pode, em alternativa ao reenvio do processo para outra forma, fixar sanção diferente, na sua espécie ou medida, da proposta pelo Ministério Público, com a concordância deste e do arguido.

3. Se o juiz reenviar o processo para outra forma, o requerimento do Ministério Público equivale, em todos os casos, à acusação.

4. Do despacho a que se refere o n.º 1 não há recurso.

---

1. O texto deste artigo, com excepção do n.º 4 que manteve a versão anterior, foi introduzido pela Lei n.º 48/2007, de 29 de Agosto. O texto anterior tinha sido introduzido pela Lei n.º 59/98, de 25 de Agosto, e em relacção a esse texto, aponta-se a possibilidade de, em alternativa de fixação de sanção diferente da proposta, o processo ser reenviado para outra forma de processo ser reenviado para outra forma comum.

2. Rejeitando o requerimento, o juiz decidirá em conformidade com o fundamento da rejeição; se o caso for de inadmissibilidade, no caso, do processo sumaríssimo, reenviará o processo para outra forma.

No caso previsto na al. *c)* do n.º 1 o juiz procederá de harmonia com o n.º 2.

Como resulta deste artigo e da remissão que é feita para o art. 311.º, n.º 3, não se admite a possibilidade de o juiz rejeitar o requerimento quando considerar que não existem indícios suficientes da prática do crime, o que se afigura contrário aos princípios que informam o processo penal. Mas, como considera o Prof. Germano Marques da Silva, *Curso de Processo penal*, 2.ª ed., III, pág. 28, o juiz pode alcançar o mesmo efeito rejeitando o requerimento por considerar inadequadas as sanções propostas em razão da insuficiente indiciação da culpabilidade para a graduação da pena e reenviar o processo para a forma comum. «É que se assim não fosse o juiz teria eventualmente de condenar o arguido não obstante a sua convicção de que o crime não está suficientemente indiciado»;

Código de Processo Penal

3. *Jurisprudência:*
— Não tendo sido possível notificar o arguido da proposta do MP para ser submetido a julgamento em processo sumaríssimo, os autos deverão seguir os seus trâmites após reenvio para a forma comum. (Ac. RL de 11 de Outubro de 2001; *CJ*, XXVI, tomo 4, 143);
— Após o recebimento do requerimento sancionatório em processo sumaríssimo, e não sendo o mesmo rejeitado pelo tribunal nem pelo arguido, não pode o mesmo tribunal, em momento posterior, rejeitar o mesmo requerimento, com fundamento em não concordar, afinal, com o sancionamento em causa e que já tinha sido sugerido ao arguido. (Ac. RL de 7 de Abril de 2005; *CJ*, XXX, tomo 2, 133).

ARTIGO 396.º

(Notificação e oposição do arguido)

1. O juiz, se não rejeitar o requerimento nos termos do artigo anterior:

   a) Nomeia defensor ao arguido que não tenha advogado constituído ou defensor nomeado; e

   b) Ordena a notificação ao arguido do requerimento do Ministério Público e, sendo caso disso, do despacho a que se refere o n.º 2 do artigo anterior, para, querendo, se opor no prazo de quinze dias.

2. A notificação a que se refere o número anterior é feita por contacto pessoal, nos termos do artigo 113.º, n.º 1, alínea *a)*, e deve conter obrigatoriamente:

   a) A informação do direito de o arguido se opor à sanção e da forma de o fazer;

   b) A indicação do prazo para a oposição e do seu termo final;

   c) O esclarecimento dos efeitos da oposição e da não oposição a que se refere o artigo seguinte.

3. O requerimento é igualmente notificado ao defensor.

4. A oposição pode ser deduzida por simples declaração.

---

1. O texto deste artigo foi introduzido pela Lei n.º 59/98, de 25 de Agosto. Em relação ao texto originário notam-se significativas alterações, particularmente no que concerne a uma mais pormenorizada informação do arguido quanto aos seus direitos nesta forma de processo e quanto aos efeitos da sua oposição ou não oposição à proposta do MP.

2. Sobre este artigo vejam-se as anots. ao art. 392.o, particularmente a Exposição deMotivos da Proposta de Lei e Jornadas de Processo Penal, aí

Artigo 397.º

referidas e parcialmente transcritas.

3. A nomeação de defensor ao arguido quando não tenha advogado constituído ou defensor nomeado deve obedecer ao estabecido na Lei n.º 30E/2000, de 20 de Dezembro, particularmente aos atrs. 42.º a 45.º, e como também se refere em anot. ao art. 62.º.

4. *Jurisprudência:*
— I — No processo sumaríssimo, a falta de concordância prévia do arguido, por impossibilidade de ser notificado, deve ser equiparada à dedução de acusação. II — Por isso, em tal caso, o processo deve ser reenviado para a forma comum. (Ac. RC de 6 de Setembro de 2004; *CJ*, ano XXIX, tomo 4, 289).

ARTIGO 397.º

(Decisão)

1. Quando o arguido não se opuser ao requerimento, o juiz, por despacho, procede à aplicação da sanção, e à condenação no pagamento de taxa de justiça.

2. O despacho a que se refere o número anterior vale como sentença condenatória e transita imediatamente em julgado.

3. É nulo o despacho que aplique pena diferente da proposta ou fixada nos termos do disposto nos artigos 394.º, n.º 2 e 395.º, n.º 2.

---

1. O texto deste artigo foi introduzido pela Lei n.º 59/98, de 25 de Agosto.
O n.º 1 corresponde, com alterações, ao n.º 3 do art. 396.º da versão originária. A redação deste n.º 1, a partir de *da sanção,* foi introduzida pelo art. 6.º do Dec.-Lei n.º 34/2008, de 26 de Fevereiro, diploma que aprovou o Regulamento das Custas Processuais e que entrou em vigor em 1 de Setembro do mesmo ano; o n.º 2 reproduz o n.º 4 do mesmo artigo.
O n.º 3 não tinha correspondente na versão originária.

2. O disposto no n.º 2, sobre o trânsito imediato, consigna a impossibilidade de interposição de recurso em decisões proferidas no processo sumaríssimo.
«Trata-se, como se sabe, de uma forma de processo especial que corresponde à ideia de privilegiar, no tratamento da pequena criminalidade, soluções de consenso. A não aceitação, pelo arguido, das sanções propostas, acrescidas da indemnização civil, do imposto de justiça e custas ou a falta e não representação do arguido em audiência importam o reenvio do processo para a forma comum. O direito de impugnação do arguido assume aqui a forma de oposição, *rectius*, de não aceitação» (Cunha Rodrigues, in *Jornadas de Direito Processual Penal*, 390).

3. O n.º 3 é um dispositivo introduzido pela Lei mencionada na anot. 1, que não tinha correspondente na versão originária do Código.
Aqui se estabelece uma nulidade, que pode ser insanável ou dependente de arguição:
Tratar-se-á de nulidade insanável se o juiz violar as regras da sua competência,

Código de Processo Penal

sem prejuízo do disposto no art. 32.º, n.º 2 [art. 119.º, al. *e)*] ou se o processo sumaríssimo tiver sido seguido fora dos casos previstos na lei [art. 119.º, al. *f)*]. Em todos os demais casos tratar-se-á de nulidade dependente de arguição.

4. *Jurisprudência:*
— I — O processo sumaríssimo que não seja objecto de reenvio esgota os seus trâmites na aplicação da sanção. II — A fase da execução da pena que, nesse processo, foi imposta ao arguido, é dominada por critérios de legalidade, pois que a fase da oportunidade se encerrou com a condenação. III — Nada impede, por isso, que em processo sumaríssimo, após o trânsito em julgado da decisão que condenou o arguido em multa, este requeira, e o juiz autorize, o respectivo pagamento em prestações. (Ac. RG de 3 de Fevereiro de 2003; *CJ*, XXVII, tomo 1, 295).

ARTIGO 398.º

(Prosseguimento do processo)

1. Se o arguido deduzir oposição, o juiz ordena o reenvio do processo para outra forma que lhe caiba, equivalendo à acusação, em todos os casos, o requerimento do Ministério Público formulado nos termos do artigo 394.º.

2. Ordenado o reenvio, o arguido é notificado da acusação, bem como para requerer, no caso de o processo seguir a forma comum, a abertura de instrução.

---

1. O texto deste artigo foi introduzido pela Lei n.º 48/2007, de 29 de Agosto.
O n.º 1 reproduz o corpo do artigo com o mesmo número, introduzido pela Lei n.º 59/98, de 25 de Agosto, com substituição de *forma comum* por *outra forma que lhe caiba*, pela razão de o reenvio passar a poder ser feito para qualquer outra forma de processo, e não para a comum, como resulta de alteração introduzida no art. 395.º.
O n.º 2 foi introduzido pela supramencionada Lei, colmatando omissão do texto anterior, evidenciada no a.c. RG de 6 de Janeiro de 2003; *CJ*, ano XXVII, tomo I, 294, e em anteriores edições desta obra.

2. Como se preceitua neste artigo, a dedução de oposição do arguido ao uso do processo sumaríssimo implica, sem mais, o reenvio para outra forma. Valerá então como acusação o requerimento do MP formulado nos termos do art. 394.º, mas não será lícito invocar esse requerimento para qualquer outro efeito, designadamente quanto às sanções que o MP propusera, *ex vi* do art. 394.º, n.º 1, *in fine* e n.º 2.

LIVRO IX

DOS RECURSOS

TÍTULO I
DOS RECURSOS ORDINÁRIOS

CAPÍTULO I
PRINCÍPIOS GERAIS

ARTIGO 399.°
(Princípio geral)

É permitido recorrer dos acórdãos, das sentenças e dos despachos cuja irrecorribilidade não estiver prevista na lei.

---

1. Reproduz o art. 399.° do Proj. e corresponde aos arts. 451.°, n.° 1, do Aproj. e 645.° do CPP de 1929.

2. A Lei de Autorização legislativa — n.° 43/86, de 26 de Setembro —, no art. 2.°, n.° 2, als. 70) a 75), determinou as seguintes coordenadas a que o Código, quanto a recursos, devia obedecer:
— Introdução de um princípio de tramitação unitária para todas as espécies de recurso e consagração, para todos eles, da possibilidade de rejeição liminar por manifesta falta de fundamento;
— Consagração, para todas as espécies de recurso ordinário interposto de decisão final, da garantia do contraditório, sem possibilidade, porém, de réplica nos recursos que sejam exclusivamente de direito;
— Atribuição ao tribunal da relação de competência para conhecer, em apelação, dos recursos interpostos de decisões interlocutórias e finais do juiz singular e de decisões interlocutórias emitidas pelo tribunal colectivo, e para, em certos casos, renovar a prova, caso não reenvie o processo para o tribunal colectivo;

Código de Processo Penal

— Atribuição ao STJ de competência para conhecer, em revista, das decisões proferidas com intervenção do júri, de decisões finais do tribunal colectivo e de decisões proferidas em primeira instância pela relação;
— Definição de um regime de subida dos recursos interpostos de decisões interlocutórias juntamente com o recurso interposto da decisão final, excepto tratando-se de decisões proferidas em matéria de liberdade provisória ou de prisão;
— Regulamentação, em termos autónomos e eventualmente alargados relativamente à disciplina vigente em processo civil, do recurso para fixação de jurisprudência ou de um recurso no interesse da lei.

3. A revisão do Código levada a cabo pela Lei n.º 59/98, de 25 de Agosto, não pretendeu consagrar uma inversão destas concepções básicas. Pelo contrário, continuou a apostar em objectivos de economia processual, de eficácia e de garantia, como se salienta na exposição de motivos da Proposta de Lei n.º 157/ /VII; *Diário da Assembleia da República,* II Série-A, n.º 27, de 28 de Janeiro de 1998. Só que através de instrumentos mais consistentes, adequados e dialogantes, obtidos a partir da reavaliação dos meios disponíveis, da tradição jurídica e da cultura prevalente. Assim, e acompanhando a exposição de motivos:

a) Restitui-se ao Supremo Tribunal de Justiça a sua função de tribunal que conhece apenas de direito, com excepções em que se inclui a do recurso interposto do tribunal de júri;
b) Ressalva-se a ideia da tramitação unitária, que deixa, no entanto, de corresponder à configuração de um único modelo de recurso;
c) Faz-se um uso discreto do princípio da «dupla conforme», harmonizando objectivos de economia processual com a necessidade de limitar a intervenção do Supremo Tribunal de Justiça a casos de maior gravidade;
d) Admite-se o recurso *per saltum,* justificado pela medida da pena e pela limitação do recurso a matéria de direito;
e) Retoma-se a ideia de diferenciação orgânica, mas apenas fundada no princípio de que os casos de pequena ou média gravidade não devem, por norma, chegar ao Supremo Tribunal de Justiça;
f) Ampliam-se os poderes de cognição das relações, evitando-se que decidam, por sistema, em última instância;
g) Assegura-se um recurso efectivo em matéria de facto;
h) Altera-se o regime do recurso para uniformização da jurisprudência, valorizando as ideias de independência dos tribunais e de igualdade dos cidadãos perante a lei e evitando os riscos de rigidez jurisprudencial.

Entre as soluções mantidas avultam as da oralidade e da autonomia entre motivação e alegações.

Compreensivelmente, as soluções do Código continuam a encontrar, neste domínio, alguma resistência. Por um lado, viveu-se, durante muito tempo, em regime de recurso escrito; por outro, tem sido particularmente difícil desenvolver e estabilizar o modelo de audiência.

Só que as normas em vigor parecem, ainda agora, ser as que melhor realizam os objectivos de um processo democraticamente fundado e baseado no

Artigo 399.º

princípio da máxima concentração. Com efeito, os poderes de iniciativa do tribunal (nomeadamente os que vinculam o juiz relator a enunciar as questões que merecem exame especial) e os princípios do acusatório e do contraditório só podem razoavelmente efectivar-se, nesta fase, em audiência.

Sem aderir a soluções extremas, como as que, no direito constitucional e processual brasileiro, consagram a oralidade e publicidade da audiência compreendendo o próprio acto de deliberação do tribunal, não se vêem razões para afastar o regime em vigor, defendido pela melhor doutrina.

A oralidade continuará a aplicar-se, salvo quando a ela houver renúncia.

Do mesmo modo, é de manter a autonomia entre motivação e alegações. Enquanto a primeira, obrigatoriamente formatada, visa definir e fundamentar o objecto do recurso, tendo em vista uma decisão sobre recebivilidade, a segunda destina-se a possibilitar a justificação e a discussão do mérito do recurso.

Uma melhor compreensão destas finalidades, que a modificação de algumas disposições irá potenciar, levará, com certeza, a um aproveitamento mais racional do processo.

4. Neste artigo estabelece-se o princípio geral da admissibilidade de recurso das sentenças e dos despachos judiciais, sempre que a irrecorribilidade não esteja prevista na lei.

Trata-se de uma norma idêntica à do art. 654.º do CPP de 1929.

Porém, se as normas são idênticas, sucede que os casos de irrecorribilidade previstos na lei são agora mais numerosos que aqueles que a lei anterior previa. Como casos de irrecorribilidade agora estabelecidos e que o CPP de 1929 não consagrava podem mencionar-se:

— Irrecorribilidade dos acórdãos das relações, proferidos em recurso, que não ponham termo à causa;

— Irrecorribilidade dos despachos de pronúncia ou que marquem dia para julgamento de harmonia com a acusação do MP;

— Irrecorribilidade das decisões proferidas em processo sumaríssimo (que porém não existia no direito anterior);

— Irrecorribilidade da decisão relativamente à indemnização civil desde que o valor do pedido seja superior à alçada do tribunal recorrido e a decisão impugnada seja desfavorável para o recorrente em valor superior a metade da alçada deste tribunal;

— Demais casos previstos nas alíneas do n.º 1 do art. 400.º.

Ressalvam-se aqui, obviamente, os casos em que cabe recurso para o Tribunal Constitucional (ver anot. ao art. 401.º).

5. *Jurisprudência fixada:*
— Após as alterações ao Código de Processo Penal introduzidas pela Lei n.º 59/98, de 25 de Agosto, em matéria de recursos, é admissível recurso para o Tribunal da Relação da matéria de facto fixada pelo tribunal colectivo. (Ac. do Pleno das secções criminais do STJ de 20 de Outubro de 2005; *DR*, I-A série, de 7 de Dezembro do mesmo ano).

6. *Jurisprudência:*
— I — Do facto de a CRP garantir a todos o acesso aos tribunais para defesa dos seus direitos (art. 20.º, n.º 2) e prever a existência de tribunais de

Código de Processo Penal

recurso (art. 215.°, n.ᵒˢ 2 e 3) decorre que o legislador, dispondo embora de uma larga margem de liberdade no tocante à definição das decisões susceptíveis de ser impugnadas por via de recurso, e bem assim no que concerne à identificação das pessoas legitimadas para recorrer, não pode eliminar pura e simplesmente a faculdade de recorrer em todo e qualquer caso, nem inviabilizar na prática essa faculdade. II — No tocante ao processo penal, o princípio constitucional das garantias da defesa impõe ao legislador que consagre a faculdade de os arguidos recorrerem das sentenças condenatórias, e bem assim o direito de recorrerem de quaisquer actos judiciais que, no decurso do processo, tenham como efeito a privação ou a restrição da liberdade ou de quaisquer outros dos seus direitos fundamentais. III — Traduzindo a faculdade de recorrer em processo penal uma expressão do direito de defesa, a CRP não impõe, porém, que o legislador consagre, nesse campo, a faculdade de recorrer de todo e qualquer acto do juiz, devendo admitir-se que tal faculdade seja restringida ou limitada em certas fases do processo e que, relativamente a certos actos do juiz, possa mesmo não existir, desde que dessa forma se não atinja o núcleo essencial do direito de defesa. (Ac. TC de 14 de Abril de 1988; *BMJ,* 379, 323). *Nota* — Dentro da mesma orientação, e dentre outros, veja-se ainda o ac. TC de 9 de Novembro de 1988; *BMJ,* 381, 117);

— I — Integrando-se a faculdade de recorrer no direito de defesa, a CRP não impõe ao legislador a consagração da faculdade de recorrer de todo e qualquer acto, devendo admitir-se a sua limitação a certas fases do processo e que, relativamente a certos actos do juiz, possa mesmo não existir, se não for atingido dessa forma o núcleo essencial do direito de defesa. II — Não pode dizer-se que o CPP de 1987 excluiu o duplo grau de jurisdição, pois que os arguidos têm a faculdade de ver a prova reapreciada, sempre que para isso haja razões plausíveis. (Ac. STJ de 19 de Abril de 1991; Proc. 41 623/3.ª);

— O princípio das garantias de defesa do art. 32.°, n.° 1, da CRP tem o sentido de que o processo criminal deve ser um processo justo e leal, ficando, por isso, proibidas as restrições intoleráveis ou inadmissíveis da possibilidade de defesa dos arguidos. O direito de recurso é um elemento integrador das garantias de defesa do arguido, mas a CRP não impõe que tenha sempre que haver recurso de todos os actos do juiz, como também não exige que se garanta um triplo grau de jurisdição. No tocante ao processo criminal, o princípio constitucional das garantias de defesa apenas impõe ao legislador que consagre a faculdade de os arguidos recorrerem das sentenças condenatórias e bem assim o direito de recorrerem de quaisquer actos judiciais que, no decurso do processo, tenham como efeito a privação ou restrição da liberdade ou de quaisquer outros dos seus direitos fundamentais. (Ac. TC de 19 de Junho de 1990; *BMJ,* 398, 152);

— I — As disposições do art. 670.°, n.ᵒˢ 1 e 2, do CPC, relativas à rectificação dos erros materiais e à reforma da sentença quanto a custas, são aplicáveis subsidiariamente em processo penal, por força do estatuído no art. 4.° do CPP. II — É admissível recurso para o STJ do acórdão da Relação que, rejeitando um recurso interposto de um despacho proferido por juiz de instrução condenando o recorrente nos termos do n.° 4 do art. 420.° do CPP em 5 Ucs, ainda que naquele recurso se impugne apenas esta condenação. (Ac. STJ de 11 de Dezembro de 2002; Proc. n.° 3405/2-3.ª; *SASTJ,* n.° 66, 50).

Artigo 400.º

ARTIGO 400.º

(Decisões que não admitem recurso)

1. Não é admissível recurso:

a) De despachos de mero expediente;

b) De decisões que ordenam actos dependentes da livre resolução do tribunal;

c) De acórdãos proferidos, em recurso, pelas relações, que não conheçam, a final, do objecto do processo;

d) De acórdãos absolutórios proferidos, em recurso, pelas relações, que confirmem decisão de primeira instância;

e) De acórdãos proferidos, em recurso, pelas relações, que apliquem pena não privativa da liberdade;

f) De acórdãos condenatórios proferidos, em recurso, pelas relações, que confirmem decisão de primeira instância e apliquem pena de prisão não superior a 8 anos;

g) Nos demais casos previstos na lei.

2. Sem prejuízo do disposto nos artigos 427.º e 432.º, o recurso da parte da sentença relativa a indemnização civil só é admissível desde que o valor do pedido seja superior à alçada do tribunal recorrido e a decisão impugnada seja desfavorável para o recorrente em valor superior a metade desta alçada.

3. Mesmo que não seja admissível recurso quanto à matéria penal, pode ser interposto recurso da parte da sentença relativa à indemnização civil.

---

1. As als. *c)*, *e)* e *f)* do n.º 1 têm a redacção introduzida pela Lei n.º 48/2007, de 29 de Agosto, que também introduziu o n.º 3. No restante, este artigo reproduz o art. 400.º do Proj., com alterações introduzidas pela Lei n.º 59/98, de 25 de Agosto.

2. A al. *a)* do n.º 1 corresponde ao n.º 1.º do art. 646.º do CPP de 1929 e ao n.º 2 do art. 679.º do CPC. Os despachos de mero expediente são aqueles que se destinam a regular, de harmonia com a lei os termos do processo, e que assim não são susceptíveis de ofender direitos processuais das partes ou de terceiros (Proj. J. A. Reis, *Código de Processo Civil Anotado*, V, 250).

A al. *b)* do n.º 1 reproduz o n.º 3.º do art. 646.º do CPP de 1929 e corresponde ao art. 679.º, n.º 1, *in fine*, do CPC. Trata-se aqui de decisões proferidas no exercício de poderes discricionários conferidos ao tribunal, tendo em vista a livre escolha quer da oportunidade quer da solução a dar ao caso concreto. Como no Direito Administrativo, onde o conceito tem sido cuidadosamente

Código de Processo Penal

trabalhado, o poder discricionário não deve ser confundido com poder arbitrário: aquele é conferido tendo em vista a realização de um determinado fim, que limita a liberdade de quem o exerce; se for exercido para outro fim o acto fica afectado de desvio de poder. Como exemplos destas resoluções podem apontar-se a convocação de peritos para esclarecimentos complementares e a realização de nova perícia ou renovação da anterior (art. 158.º); a requisição de documento para ser junto (art. 165.º); de um modo geral, a realização oficiosa de quaisquer diligências probatórias; etc.

A al. *c)* tem o texto introduzido pela supramencionada Lei, na anot. 1. O texto anterior tinha sido introduzido pela Lei n.º 59/98, de 25 de Agosto e referia-se a acórdãos proferidos em recurso pelas Relações que não pusessem termo ao processo.

O texto actual, remetendo para a al. a) do n.º 1 do art. 97.º — *Sentenças, quando conhecerem a final do objecto do processo*, precisou e densificou a noção de decisão que não põe termo à causa para efeito de interposição de recurso.

A al. *d)* estabelece a irrecorribilidade de decisão dupla conforme, isto é de acórdão das relações que confirmem decisão absolutória proferida em recurso de decisão da primeira instância.

A alínea *e)* tem redacção diferente da da Proposta governamental. Segundo esta não era admissível recurso *de acórdãos proferidos, em recurso, pelas relações, que apliquem pena de multa ou pena de prisão não superior a 5 anos.*

A Proposta governamental enquadrava-se no pensamento legislativo de diminuir os recursos para o STJ, mormente tratando-se de bagatelas penais e atendendo ainda à diminuição dos juízes intervenientes nas decisões.

O dispositivo nesta alínea *e)*, interpretado *a contrario*, conduzir-nos-ia a admitir recurso para o Supremo de todos os acórdãos proferidos em recurso pelas relações que aplicassem pena privativa da liberdade. Trata-se de um dispositivo algo enigmático pois que, interpretado à letra, logo contraria o dispositivo na alínea seguinte e outras disposições, designadamente o art. 432.º, para além de colidir com o pensamento legislativo de reservar os recursos para o Supremo para casos de relevante complexidade ou de elevado valor.

O legislador, ao introduzir a redacção do preceito na fase final, diferentemente da Proposta governamental e sem apoio em trabalhos preparatórios, não desconhecia certamente o que se dispunha e continua a dispor na alínea seguinte *(f)* e não terá querido entrar em colisão com o que aí e em outros dispositivos se estabelece. Por outro lado, e simultaneamente, o CP veio estabelecer, no art. 11.º, a responsabilidade geral das pessoas colectivas e, para elas, penas até então desconhecidas, quer no CP quer no CPP, e não privativas da liberdade. Sem este dispositivo da alínea *e)* haveria sempre recurso para o Supremo de acórdãos das relações que aplicassem tais penas solução certamente fora do pensamento legislativo e impraticável.

Tudo ponderado, em nosso entendimento, esta alínea *e)*, demais conjugada com a alínea *g)*, não colide com os demais casos de inadmissibilidade de recurso para o Supremo, designadamente com os estabelecidos na alínea *f)* e no art. 432.º. Esse dispositivo tem campo eleito de aplicação no que concerne a penas aplicadas a pessoas colectivas.

Em síntese, entendemos que este dispositivo da alínea *e)* significa que de acórdãos proferidos em recurso pelas relações que apliquem pena não privativa da liberdade não há recurso para o Supremo, mantendo-se integralmente todos os outros dispositivos.

Não haverá, portanto, recurso para o STJ de acórdãos proferidos em recurso pelas relações que apliquem penas de multa, de trabalho a favor da comunidade,

912

Artigo 400.º

de admoestação, de alguma das penas aplicáveis a pessoas colectivas, enumeradas no artigo 90.º-A, n.º 2, do CP, ou ainda de alguma outra pena não privativa da liberdade. Duvidoso se nos afigura o caso de prisão com suspensão de execução da pena, entendendo-se geralmente que não há lugar a recurso. Mas, como na doutrina não há unanimidade sobre a natureza, de pena autónoma ou não, da suspensão da execução da pena de prisão, como em outros lugares anotámos, inclinamo-nos antes para outra solução, portanto a da admissibilidade do recurso.

Trata-se, admitimos, de um dispositivo que pode lançar confusão, susceptível por isso de futuro desenvolvimento e de necessária clarificação.

A alínea *f)*, do n.º 1 veio resolver legislativamente uma querela jurisprudencial que se manteve no STJ durante a redacção anterior, qual era a de saber se o limite era estabelecido pela pena aplicável ao crime objecto do processo ou pela pena efectivamente aplicada. O limite é, portanto, segundo ficou estabelecido, o da pena efectivamente aplicada, mesmo em caso de concurso de infracções.

A al. *g)* reproduz o n.º 8.º do art. 646.º do CPP de 1929. Porém, como já se anotou — anot. 4 ao art. 399.º, o Código estabelece agora mais casos de irrecorribilidade do que o CPP de 1929, designadamente os que foram apresentados na mesma anotação.

Quanto às demais alíneas, vejam-se as anots. ao artigo 399.º.

Pelo exposto, e até porque não há qualquer lacuna no processo penal dado o texto deste art. 400.º e atenta ainda a orientação geral do Código, não funciona em processo penal o normativo do art. 678.º do CPP relativo aos recursos para o STJ baseados em ofensa do caso julgado ou das regras de competência internacional e em razão da matéria ou da hierarquia. Veja-se, no entanto, *infra, jurisprudência*, particularmente *nota* ao primeiro dos acórdãos sumariados.

3. A norma do n.º 2 foi decalcada em disposição semelhante prevista para ser introduzida no CPC pela Comissão que, aquando do funcionamento da CRCPP, estava a preparar a revisão daquele diploma. A disposição representa limitação do direito de recorrer relativamente ao regime do art. 626.º, n.º 6.º, do CPP de 1929, na redacção introduzida pelo Dec.-Lei n.º 402/82, de 23 de Setembro; perante esse regime podia haver lugar a recurso sempre que o montante do pedido excedesse a alçada do tribunal recorrido.

4. O n.º 3, introduzido pela supramencionada Lei na anot. 1, veio contrariar a jurisprudência fixada pelo STJ. Haja ou não lugar a recurso da matéria penal, pode haver lugar a recurso da parte relativa à indemnização civil, se o puder haver perante a lei civil, e conforme se estabelece no n.º 2.

5. *Jurisprudência:*
— Mesmo no regime actual, do CPP de 1987, é admissível recurso para o STJ de acórdão da relação proferido em recurso interposto de decisão da primeira instância, com fundamento em ofensa de caso julgado. (Ac. STJ de 11 de Julho de 1991; *CJ,* XVI, tomo 4, 21). *Nota* — Discordamos deste douto aresto, pese embora a penetrante argumentação que o motivou. Não há aqui lacuna a resolver pelas normas do processo civil, dado o texto terminante deste art. 400.º: «Não é admissível recurso... de acórdãos das relações em recursos

913

Código de Processo Penal

interpostos de decisões proferidas em primeira instância». Conhecidos o texto legal e o pensamento legislativo que presidiu à feitura do Código afigura-se-nos totalmente de rejeitar a solução encontrada pelo Supremo. O mesmo haverá que repetir quanto aos recursos com base nas regras de competência internacional e em razão da matéria ou a hierarquia, também contemplados no art. 678.°, n.° 2, do CPP com regime de recurso paralelo ao do caso julgado. Posteriormente ao acórdão sumariado *supra*, o STJ proferiu vários outros, quer no sentido do sumariado (*v.g.* ac. de 8 de Fevereiro de 2001, proc. n.° 3993/00-5.ª; *SASTJ*, n.° 48, 64), quer no sentido que perfilhamos (*v.g.* ac. de 11 de Janeiro de 2001, proc. n.° 3576/00-5.ª; *SASTJ*, n.° 47, 86 e *CJ*, *Acs. do STJ*, IX, tomo I, 206);

— I — Actualmente é imposto ao pedido cível o regime de recursos em processo penal. II — Consequentemente, não tem aplicação no processo penal, ainda que o recurso seja limitado ao montante da indemnização, disposto no art. 678.° do CPC, que só permite o recurso desde que a decisão impugnada seja desfavorável para o recorrente em valor superior a metade da alçada do tribunal de que se recorre. (Ac. STJ de 6 de Maio de 1992; *CJ*, XVII, tomo 3, 5);

— Não é admissível recurso para o STJ do acórdão da Relação proferido em processo comum julgado perante o juiz singular, ainda que haja pedido cível formulado. (Ac. STJ de 12 de Novembro de 1992; *CJ*, XVII, tomo V, 13);

— Não é admissível recurso das decisões que concedam ou não concedam a liberdade condicional, quer nos casos em que ela tem a natureza de facultativa que nos casos em que tem a natureza de obrigatória, pois, em tais decisões, o seu carácter administrativo prepondera sobre o jurisdicional. (Ac. RL de 26 de Janeiro de 1994; *CJ*, XIX, tomo 1, 154);

— O despacho que admite liminarmente o apoio judiciário é irrecorrível. (Ac. RP de 16 de Fevereiro de 1994; *CJ*, XIX, tomo 1, 260);

— O regime de irrecorribilidade da decisão instrutória do art. 310.°, n.° 1, do CPP não se estende à decisão das questões prévias ou incidentais a que se refere o art. 308.°, n.° 3, do mesmo diploma. (Ac. STJ de 7 de Abril de 1994; *CJ*, *Acs. do STJ*, II, tomo 2, 187);

— Não é admissível recurso de acórdão da Relação proferido, em recurso, ainda que restrito à parte cível, nos processos referenciados na al. *e)* do n.° 1 do art. 400.° do CPP, mesmo que, por ter deixado de subsistir, em tais processos, a vertente criminal que os originou, se verifique desnecessidade de sobre ela decidir. (Ac. STJ de 11 de Maio de 2000, proc. n.° 108/2000-5.ª; *SASTJ*, n.° 41, 77);

— É inconstitucional, por violação do art. 32.°, n.° 1, da Constituição, a interpretação do art. 400.°, n.° 1, alínea *c)* do CPP, segundo a qual não são susceptíveis de recurso para o STJ os acórdãos proferidos, em recurso, pelas relações que versem sobre questões de direito processual penal. (Ac. do Trib. Constitucional de 20 de Dezembro de 2000, proc. n.° 643/2000; *DR*, II série, de 25 de Janeiro de 2001);

— Não é inconstitucional, designadamente por violação do disposto no artigo 32.°, n.° 1, da Constituição, a norma constante do artigo 400.°, n.° 2, do CPP, quando interpretada em termos de não admitir o recurso na parte relativa ao pedido de indemnização civil, exclusivamente para efeitos de

Artigo 400.º

nulidades de sentença, quando o valor do pedido não seja superior ao valor da alçada do tribunal recorrido e a decisão impugnada não seja desfavorável ao recorrente em valor superior a metade dessa alçada. (Ac. do Trib. Constitucional n.º 94/2001, proc. n.º 589/00, de 13 de Março de 2001; *DR*, II série, de 24 de Abril de 2001);

— Tendo o MP numa acusação por concurso de crimes, no uso da faculdade do art. 16.º, n.º 3, do CPP, entendido não dever ser aplicada em concreto ao arguido pena de prisão superior a 5 anos, dirigindo, consequentemente, a apreciação do feito ao tribunal singular, ocorrendo não pronúncia ao cabo da instrução, e tendo o JIC negado a reabertura do inquérito bem como a constituição da requerente como assistente, do acórdão da Relação proferido em recurso desta decisão já não cabe recurso para o STJ, nos termos do art. 400.º, n.º 1, al. *e)*, do CPP. (Ac. STJ de 1 de Fevereiro de 2001, proc. n.º 3827/00-5.ª; *SASTJ*, n.º 48, 59);

— O art. 400.º, n.º 1, alínea *d)*, do CPP, na redacção originária, interpretado no sentido de não ser admissível recurso para o STJ que, de acordo com o art. 678.º do CPC, seria admissível, não é inconstitucional. (Ac. do Trib. Constitucional n.º 183/2001, proc. n.º 397/2000-2.ª, de 18 de Abril de 2001; *DR*, II série, de 8 de Junho de 2001);

— Não é inconstitucional a norma do art. 400.º, n.º 2, do CPP, na interpretação segundo a qual não é admissível recurso de sentença condenatória proferida em processo penal por crime que fora amnistiado após a prolação da acusação e cujo processo prosseguiu para apreciação do pedido de indemnização civil, desde que o montante da condenação não seja superior a metade da alçada do tribunal recorrido, mesmo que a sentença dê como provada a prática dolosa, pelo arguido/demandado, de factos que, sem a amnistia, consubstanciariam o tipo legal de crime por que fora acusado. (Ac. do Trib. Constitucional n.º 100/2002, de 27 de Fevereiro, proc. n.º 557/2001; *DR*, II série, de 4 de Abril de 2002);

— I — Um despacho de não pronúncia é, no fundo, uma decisão absolutória, não podendo, em consequência, haver prosseguimento do processo, mantendo-se a situação que o baseou. II — Assim sendo, ao abrigo da disposição legal contida na al. *d)* do n.º 1 do art. 400.º do CPP, não é admissível recurso para o STJ do acórdão da Relação confirmativo de despacho de não pronúncia proferido em 1.ª instância. (Acs. STJ de 6, 7 e 20 de Fevereiro de 2002; *SASTJ*, n.º 58, págs. 47, 62 e 53, respectivamente);

— I — O sistema de recursos a que se refere o art. 400.º do CPP, nomeadamente o que se dispõe na al. *f)* sobre a irrecorribilidade de acórdão condenatório proferido em recurso pela Relação, por crime a que seja aplicável pena de prisão não superior a 8 anos, em confronto com um despacho de não pronúncia por crime de idêntica gravidade, aponta para a inadmissibilidade de recurso também neste caso. II — Na esteira do Assento de 24 de Janeiro de 1990 e da jurisprudência posterior, do despacho de pronúncia ou de não pronúncia não é admissível recurso para o STJ. (Ac. STJ de 20 de Fevereiro de 2002, proc. n.º 4232/01-3.ª; *SASTJ*, n.º 58, 55);

— É admissível recurso de um acórdão da Relação que confirme decisão de 1.ª instância relativo a crimes a que são aplicáveis penas de prisão superiores a 8 anos, mesmo em caso de concurso de infracções — art. 400.º, n.º 1, al. *f)*, do CPP. (Ac. STJ de 14 de Fevereiro de 2002, proc. n.º 380/02-5.ª; *SASTJ*, n.º 58, 68);

Código de Processo Penal

— Não é admissível recurso para o STJ de acórdão da Relação que conheceu do recurso sobre a aplicação da medida de prisão preventiva, por não pôr a mesma termo à causa. (Ac. STJ de 21 de Fevereiro de 2002, proc. n.º 131//02-5.ª; *SASTJ*, n.º 58, 73);

— Nos termos do art. 400.º, n.º 1, al. *c)*, do CPP, não é admissível recurso para o STJ da decisão do Tribunal da Relação que, por inutilidade superveniente, não conheceu do recurso interposto pelo arguido da decisão de primeira instância que lhe aplicou a medida de prisão preventiva. (Ac. STJ de 7 de Março de 2002, proc. n.º 482/02-5.ª; *SASTJ*, n.º 59, 61);

— Nos termos do art. 400.º, n.º 1, al. *d)*, do CPP, não é admissível recurso de acórdãos absolutórios proferidos, em recurso, pelas relações, que confirmem decisão de primeira instância. (Ac. STJ de 14 de Março de 2002, proc. n.º 354//02-5.ª; *SASTJ*, n.º 59, 63);

— Não cabe recurso da decisão que indeferiu um pedido de aclaração de uma outra decisão judicial, conforme resulta do art. 670.º, n.º 2, do CPC, aqui aplicável *ex vi* dos arts. 716.º e 732.º do mesmo diploma, e do art. 4.º do CPP. (Ac. STJ de 14 de Março de 2002, proc. n.º 575/02-5.ª; *SASTJ*, n.º 59, 67);

— É irrecorrível para o STJ o acórdão da Relação que decide um pedido de recusa de juiz, indeferindo-o. (Ac. STJ de 15 de Maio de 2002, proc. n.º 1267/02-3.ª; *SASTJ*, n.º 61, 83);

— I — Em processo penal, não é admissível a condenação como litigante de má fé, ao abrigo do disposto nos n.ᵒˢ 1 e 2 do art. 456.º do CPC. II — Ainda que proferida em processo de contra-ordenação, é admissível recurso para o STJ do acordão da Relação que tenha condenado o recorrente como litigante de má fé. (Ac. STJ de 26 de Junho de 2002; *CJ, Acs. do STJ*, X, tomo 2, 227);

— I — A irrecorribilidade do acórdão da Relação em caso de dupla conforme absolutória (art. 400.º, n.º 1, al. *d)*, do CPP) verifica-se independentemente da pena aplicável. II — Se, no caso de a decisão recorrida da 1.ª instância ter uma parte em que é absolutória e outra em que é condenatória, nada impede que, no caso de recurso da totalidade da decisão, não se possa distinguir os dois campos para, a cada um deles, se aplicar o regime legal próprio. (Ac. STJ de 16 de Outubro de 2002; proc. n.º 2106/02-3.ª; *SASTJ*, n.º 64, 80);

— I — Em sede de recursos, os despachos do relator são insusceptíveis de impugnação por tal via, seja qual for o seu conteúdo e substância. II — No caso de discordância relativamente ao entendimento sufragado em tal despacho, pode o sujeito processual discordante solicitar que sobre esse despacho recaia um acordão a proferir em conferência —art. 700.º, n.º 3, do CPC, aplicável *ex vi* do art. 4.º do CPP. (Ac. STJ de 3 de Outubro de 2002; proc. n.º 2707/02-5.ª; *SASTJ*, n.º 64, 99);

— A ofensa de caso julgado não constitui em processo penal fundamento autónomo de recurso para o STJ. (Ac. STJ de 24 de Outubro de 2002; proc. n.º 3104/02-5.ª; *SASTJ*, n.º 64, 125);

— É irrecorrível o ac. da Relação que confirmou decisão de primeira instância em processo em que, apesar de ocorrer concurso de infracções, ao crime mais grave não era aplicável pena de prisão superior a oito anos (art. 400.º n.º 1, al. *f)*, do CPP). (Ac. STJ de 6 de Fevereiro de 2003; *RPCC*, ano 13.º, n.º 3, 419). *Nota*. Tem anotação discordante dos Profs. Costa Andrade, Maria João Antunes e da Dra. Susana Aires de Sousa, no mesmo número da *RPCC*. Também discordamos, como se deduz da anot. 2. Há jurisprudência abundante do STJ nos dois sentidos, de que sumariamos alguns acórdãos;

Artigo 400.º

— Na previsão das als. *e)* e *f)* do n.º 1 do art. 400.º do CPP é atendível somente a pena máxima aplicável a cada crime, não relevando a pena abstractamente aplicável no caso de concurso de crimes. (Ac. STJ de 8 de Janeiro de 2003, proc. n.º 4221/02-3.ª; *SASTJ*, n.º 67, 65);

— A al. *e)* do n.º 1 do art. 400.º do CPP não é inconstitucional. (Ac. do Tribunal Constitucional de 29 de Janeiro de 2003, proc. n.º 81/2002; *DR*, II série, de 16 de Abril de 2003);

— Porque não põe termo à causa, é irrecorrível para o STJ (art. 400.º, n.º 1, al. *c)*, do CPP), o ac. da Relação que, em recurso, declara nulo o julgamento efectuado em 1.ª instância, ordenando se proceda a novo julgamento, e não conhece das demais questões suscitadas no recurso, por considerar prejudicado por aquela decisão o seu conhecimento. (Ac. STJ de 5 de Fevereiro de 2003; proc. n.º 3586/02-5.ª; *SASTJ*, n.º 68, 55);

— Em matéria de recursos a interpor para o STJ, nomeadamente para efeitos do disposto na al. *c)* do n.º 1 do art. 400.º do CPP, é o ac. da Relação, não o da 1.ª instância, que fixa o enquadramento jurídico e, por aí, a moldura penal das infracções. (Ac. STJ de 13 de Fevereiro de 2003; proc. n.º 384/03-5.ª; *SASTJ*, n.º 68, 74);

— Sendo a decisão penal do Tribunal da Relação irrecorrível por via ordinária, não cabe recurso para o STJ da correspondente decisão cível, respeitante à acção nela incorporada, qualquer que seja o valor do pedido. (Ac. STJ de 13 de Fevereiro de 2003; proc. n.º 4626/02-5.ª; *SASTJ*, n.º 68, 76);

— A expressão *mesmo em caso de concurso de infracções*, a que se deve a al. *f)* do n.º 1 do art. 400.º do CPP, deve ser entendida como significando que no caso da prática pelo arguido de várias infracções, ainda que cada uma delas não exceda a pena abstracta de oito anos de prisão, se o cúmulo jurídico correspondente exceder esse tecto de oito anos, o recurso é admissível. (Ac. STJ de 24 de Setembro de 2002; proc. n.º 1682/02-3.ª; *SASTJ*, n.º 63, 70);

— Se a cada um dos crimes em concurso pelas quais foi condenado o arguido recorrente não é aplicável pena de prisão superior a 8 anos, é irrecorrível para o STJ o acórdão da Relação que confirma inteiramente as penas aplicadas em primeira instância, inclusivamente a pena unitária de 8 anos de prisão. (Ac. STJ de 9 de Abril de 2003; proc. n.º 517/03-3.ª; *SASTJ*, n.º 70, 52);

— Tendo os arguidos sido condenados em 1.ª instancia em penas de um ano e um mês e um ano de prisão, respectivamente, não havendo recurso do MP, mas apenas dos próprios arguidos, o princípio da *reformatio in pejus* impede que tais sanções sejam alteradas no seu limite máximo, pelo que da decisão em causa não cabe recurso para o STJ, ainda que a moldura penal do crime comporte uma pena superior a 8 anos de prisão. (Ac. STJ de 26 de Junho de 2003; proc. n.º 1504/03-3.ª; *SASTJ*, n.º 72, 65);

— Tendo em atenção o disposto no art. 400.º, alíneas *e)* e *f)*, do CPP, bem como o tecto fixado quanto às penas aplicáveis face ao princípio da proibição de *reformatio in pejus*, é de rejeitar, por inadmissível, o recurso interposto, apenas pelo arguido, do acórdão da Relação confirmatório da decisão da primeira instância que o condenou pela prática de crimes a que correspondem molduras penas abstractas não superiores a cinco anos de prisão. (Ac. STJ de 29 de Outubro de 2003; proc. n.º 2605/03-3.ª; *SASTJ*, n.º 74, 158);

— I — Quando na al. *c)* do n.º 4 do art. 419.º do CPP se exige que seja

Código de Processo Penal

julgado em audiência o recurso da decisão final, tem-se em mente a sentença ou o acórdão que conheça a final do mérito da causa. II — Não é decisão final, para esse efeito, a rejeição judicial do requerimento instrutório, cujo recurso não reclamará, assim, para ser conhecido, a convocação do tribunal superior em audiência, a convocação do tribunal superior em audiência, bastando-se com a apreciação em conferência. (Ac. STJ de 23 de Outubro de 2003; proc. n.º 3223/ /03-5.ª; *SASTJ*, n.º 74, 192);

— I — Não é admissível recurso para o STJ de acórdão da Relação que alterou decisão da 1.ª instância mas condenou em pena inferior à anteriormente fixada, desde que ao crime não seja aplicável pena superior a 8 anos. II — Tal acórdão tem de ser havido como confirmativo (confirmação *in mellius*) da decisão da 1.ª instância. III — Em caso de concurso de crimes, o que releva para efeito de admissibilidade de recurso para o STJ é a pena aplicável a cada um dos crimes em concurso. (Ac. STJ de 30 de Outubro de 2003; proc. n.º 2921/03-5.ª; *SASTJ*, n.º 74, 207);

— Não é inconstitucional a norma do art. 400.º, n.º 1, al. *e)*, do CPP, mesmo quando interpretada no sentido de incluir no seu âmbito a irrecorribilidade de acórdão condenatório da Relação, ainda que o fundamento do recurso se traduza na respectiva nulidade. (Ac. do Trib. Constitucional n.º 390/ /2004, de 2 de Junho, proc. n.º 651/2003-2.ª; *DR*, II série, de 7 de Julho do mesmo ano);

— Do acórdão da Relação que confirme a decisão do juiz de instrução que mande arquivar os autos, por prescrição do procedimento criminal, não é admissível recurso para o STJ. (Ac. STJ de 6 de Maio de 2004; *CJ, Acs. do STJ*, ano XII, tomo 2, 183);

— É inconstitucional, por violação do n.º 1 do art. 32.º da Constituição, a norma do art. 400.º, n.º 1, alínea *c)*, do CPP, interpretada no sentido de ser irrecorrível uma decisão do tribunal da relação que se pronuncie pela primeira vez sobre a especial complexidade do processo, declarando-a. (Ac. do Trib. Constitucional n.º 682/2004, de 30 de Novembro, proc. n.º 843/2004; *DR*, II série, de 18 de Janeiro de 2005);

— I — Relevante para efeitos de (in) admissibilidade de recurso para o STJ é a pena aplicável a cada um dos crimes cometidos e não a soma das molduras abstractas dos crimes em concurso. II — Esta interpretação não colide com a CRP, pois esta não impõe ao legislador a obrigação de consagrar o direito de recorer de todo e qualquer acto do juiz e, mesmo admitindo-se o direito a um duplo grau de jurisdição como decorrência, no processo penal, da exigência constitucional das garantias de defesa, tem de aceitar-se que o legislador penal possa fixar um limite acima do qual não seja admissível um terceiro grau de jurisprudência. Ponto é que tal limitação não atinja o núcleo essencial das garantias de defesa do arguido. (Ac. STJ de 14 de Julho de 2004, proc. n.º 1101/04-3.ª);

— I — Decisão que põe termo à causa é aquela que decide a questão que constitui objecto do processo, dizendo o direito do caso. II — A decisão que rejeitou o recurso de um despacho da primeira instância que, após o trânsito da decisão condenatória, não aplicou um perdão, não põe termo à causa é posterior à decisão final, pelo que, nos termos dos arts. 400.º, al. c), e 432.º, al. b), do CPP, o recurso não é admissível, sendo de rejeitar. (Ac. STJ de 15 de Dezembro de 2004, proc. n.º 3264/04-3.ª; *SASTJ*, n.º 86, 73);

— I — A ofensa de caso julgado não constitui, em processo penal,

Artigo 400.º

fundamento autónomo de recurso para o STJ. II — Assim, em caso de irrecorribilidade da decisão, segundo as regras básicas em matéria de admissibilidade de recurso em processo penal (arts. 399.º e 400.º do CPP), a norma do art. 678.º, n.º2, do CPC não tem aplicação subsidiária. (Ac. STJ de 19 de Janeiro de 2005, proc. n.º 3965/ 04-3.ª; *SASTJ*, n.º 87, 92).

__ — I — As decisões do Tribunal de Execução das Penas têm um regime de recursos próprios e autónomo do regulado nos arts. 400.º e 432.º do CPP, relativamente à admissibilidade dos recursos e à competência das Relações e do STJ. II — De acordo com o tal regime, das decisões dos Tribunais de Execução das Penas apenas é possível recorrer para o Tribunal da Relação. III — Esta limitação do recurso a um grau (duplo grau de jurisdição, que não deve confundir-se com duplo grau de recurso), não afecta a garantia do direito ao recurso, na dimensão constitucional, como integrante do direito de defesa. (Ac. do STJ de 20 de Abril de 2005; *CJ, Acs. do STJ,* ano XIII, tomo 2, 178);

— Quando os tribunais da Relação confirmam decisões de tribunais da primeira instância em que nenhum dos crimes seja punível com pena superior a 8 anos, tais decisões não admitem recurso para o STJ, mesmo que a confirmação seja *in mellius* da decisão da primeira instância. (Ac. STJ de 8 de Junho de 2005. proc. n.º 1754/05-3.ª; *SASTJ*, n.º 92, 93);

— I — Pôr termo à causa significa que a questão substantiva que é objecto do processo fica definitivamente decidida; que o processo não seguirá para sua apreciação. II — Uma decisão que rejeitou o recurso de um despacho proferido na 1.ª instância, depois do trânsito da decisão condenatória, tendo por objecto uma questão relativa ao cumprimento da pena de prisão aplicada, não põe termo à causa, pois é posterior a ela. III — Assim, do acórdão proferido pela Relação não cabe recurso para o STJ. (Ac. STJ de 29 de Junho de 2005, proc. n.º 1845/ 05-3.ª; *SASTJ*, n.º 92, 101);

— I — O art. 400.º, n.º 1, al. f), do CPP apenas consente o recurso nas hipóteses em que ao crime seja aplicável pena excedente a 8 anos de prisão, independentemente da pena aplicável em concurso. II — Se ao crime singularmente considerado não couber, de acordo com a moldura penal abstracta, pna de prisão superior a 8 anos e a Relação confirmar —" dupla conforme"— a decisão da 1.ª instância, está vedado o recurso, mesmo que em cúmulo aquele limite de 8 anos seja ultrapassado. III — Quer isto significar que o pressuposto atributivo da recorribilidade está condicionado pela moldura penal abstracta de cada uma das penas aplicáveis; e penas aplicáveis não se confundem com penas aplicadas. IV — Está vedado ao arguido, para fundar o recurso, apelar a uma nova requalificação jurídico-penal, desta feita em veste mais agravada, imérita de qualquer tratamento nas instâncias, com o objectivo de, pela moldura penal mais agravada pertinente àquela requalificação, assegurar o direito ao recurso. (Ac. STJ de 28 de Setembro de 2005, proc. n.º 2807/05-3.ª; *SASTJ*, n.º 93, 110);

— I — Nos termos do art. 400.º, n.º 1, al. f), do CPP, não é admissível recurso de acórdãos condenatórios proferidos em recurso pelas Relações, que confirmem decisão da 1.ª instância, em processo por crime a que seja aplicável pena de prisão não superior a 8 anos, mesmo em caso de concurso de infracções. II — Um acórdão que rejeita um recurso por manifesta improcedência deve ser considerado como confirmativo do acórdão recorrido. III — O instituto da rejeição de um recurso por manifesta improdência não pode ter outro sentido que não seja o de confirmar, para todos os efeitos legais, a decisão posta em

Código de Processo Penal

causa, isto é, manter, como estava, o anterior julfado. IV — Esta manutenção realiza a ideia de dupla conforme. (Ac. STJ de 21 de Setembro de 2005, proc. n.º 2759/05-3.ª; *SASTJ*, n.º 93, 102);

— Qualquer que seja a pena aplicada ou aplicada ou aplicável em cúmulo jurídico, são as penas-cada uma delas, singularmente considerada - aplicáveis aos singulares crimes em curso que hão-de dizer da recorribilidade ou irrecorribilidade de decisão. A lei é expressa ao excluir as penas únicas aplicáveis ao cúmulo jurídico dos parâmetros de aferição da (ir) recorribilidade. (Ac. STJ de 11 de Outubro de 2005; proc. n.º 2433/05-5.ª; *SASTJ*, n.º 94, 104);

— Não é inconstitucional a norma do art. 400.º, n.º 1, al. *f)*, do CPP, interpretada no sentido de que é inadmissível recurso para o STJ de acórdão condenatório proferido, em recurso, pelas relações, que conformem (mesmo que parcialmente, desde que *in melius*) decisão da 1.ª instância quando o limite máximo da moldura penal dos crimes, individualmente considerados, por que o arguido foi condenado, não ultrapasse 8 anos de prisão. (Ac. do Trib. Constitucional n.º 2/2006, de 3 de Janeiro do mesmo ano, n.º 954/2005; *DR*, II série, de 13 de Fevereiro de 2006).

— I — Se ao crime singularmente considerado não couber, em termos de moldura penal abstracta, pena de prisão superior a 8 anos, e a Relação confirmar dupla conforme — a decisão da primeira instância, está vedado o recurso, mesmo que, em cúmulo, aquele limite seja ultrapassado. II — E, mesmo que a relação reduza a pena, o campo de aplicação do preceito do art. 400.º, n.º 1, al. f), do CPP, nos moldes indicados, subsiste intocado. até à coincidência a dupla conforme subsiste; o excesso elimitado, *in mellius*, só por ilogismo manifesto justificaria recurso: se ao arguido está vedado interpor recurso quando a decisão da Relação confirma a da primeira instância, por maioria de razão se imporá negar o direito de recurso sempre que a Relação a reduza. (Ac. STJ de 21 de Dezembro de 2005; *SASTJ*. n.º 96, 79);

— Não é inconstitucional a norma constante da alínea f) do n.º 1 do art. 400.º do CPP, quando interpretada no sentido de que não é admissível recurso interposto apenas pelo arguido para o STJ de um acórdão da Relação que, confirmando a decisão da 1.ª instância, o tenha condenado numa pena não superior a 8 anos de prisão pela prática de um crime a que seja aplicável pena superior a esse limite. (Ac. do Trib. Constitucional n.º 64/2006, de 24 de Janeiro, proc. n.º 707/2005; *DR*, II série, de 19 de Maio de 2006);

— Não é inconstitucional a norma constante do art. 400.º, n.º 1, al. e), do CPP, quando interpretada no sentido de que não é admissível recurso para o STJ de acórdãos proferidos em recurso pelas relações, em processo por crime a que seja aplicável pena de prisão não superior a 5 anos mesmo em caso de concurso de infracções, e em que a decisão é de rejeição do recurso interposto pelo arguido da decisão da 1.º instância, por falta de concisão das conclusões apresentadas, depois de prévio convite para a sua correcção. (Ac. do Trib. constitucional n.º 140/2006, de 21 de Fevereiro, proc. n.º 601(2005; DR, II série, de 22 de Maio de 2006);

— I — A decisão instrutória de não pronúncia é sempre uma decisão de conteúdo estritamente processual, na qual o tribunal não conhece do mérito da causa, mas simplesmente da não verificação dos pressupostos necessários para que o processo possa prosseguir para julgamento. II — Assim sendo, a decisão de não pronúncia constitui, do ponto de vista formal, uma absolvição da

Artigo 400.º

instância, ou seja, uma decisão que não põe termo à causa. III — Nesta conformidade, sendo certo serem irrecorríveis os acórdãos proferidos pelo Tribunal da Relação, em recurso, que não ponham termo à causa — art. 400.º, n.º 1, al. c), do CPP, é inadmissível o recurso para o STJ do acórdão da Relação que rejeitou o recurso de tal despacho (de não pronúncia). (Ac. STJ de 8 de janeiro de 2006, proc. n.º 3613/05-3.ª);

— I — Nos termos do art. 400.º, n.º 1, al. e), do CPP, não é admissível recurso de acórdãos proferidos, em recurso, pelas Relações, incidindo sobre crimes puníveis com pena de prisão não superior a 5 anos. II — A expressão *mesmo em caso de concurso de infracções* utilizada no preceito significa que não importa a pena aplicada ao concurso, tomando-se em conca a pena abstractamente aplicável a cada um dos crimes. (Ac. STJ de 1 de Fevereiro de 2006, proc. n.º 2877/05-3.º);

— I — A decisão que põe termo à causa nem sempre é uma decisão final. II — Mas a decisão final é sempre uma decisão que põe termo à causa. III — Pôr termo à causa significa que a questão substantiva, que é o objecto do processo, fica definitivamente decidida. IV — Não é o caso de a decisão da Relação, por ocorrência do vício de insuficiência para a determinação da matéria de facto, ter ordenado o reenvio do processo para o parcial julgamento. (Ac. STJ de 6 de Abril de 2006; proc. n.º 805/06; *CJ, Acs do STJ*, ano XIV, tomo 2, 159);

—Não é inconstitucional o conjunto normativo decorrente dos arts. 399.º; 414, n.º 2; 420.º, n.º 1; 432.º e 433.º do CPP, interpretado no sentido de se considerar irrecorrível em processo penal a decisão que tenha julgado o incidente de recusa de juiz. (Ac. do Trib. Constitucional n.º 549/2007; *DR,* II série, de 31 de Janeiro de 2008);

— I — De acordo com a jurisprudência deste Supremo Tribunal, havendo dois ou mais recursos em que algum ou alguns dos recorrentes requerem, e outro ou outros não, a produção de alegações escritas, devem ser todos decididos, por razões de unidade de julgamento, após a realização da audiência, cuja discussão se circunscreve ao recurso ou recursos em que não há lugar a alegações escritas (cf. Acs. do STJ de 23-01-2003, CJSTJ, IX, tomo 3, pág. 186, de 01-10-2004, CJSTJ, XI, tomo 1, pág. 168, e de 10-10-2007, Proc. n.º 2814/07-3.ª). II — É pacífico, e jurisprudência comum deste STJ, que a lei reguladora da admissibilidade dos recursos é a que vigora no momento em que é proerida a decisão de que se recorre: como recentemente se decidiu no Ac. do STJ de 22-11-2007, Proc. n.º 387/07-3.ª, no domínio da aplicação da lei processual penal no tempo vigora a regra *tempus regit actum,* só assim não acontecendo em relação às normas processuais penais de natureza substantiva. III — É assim evidente que o STJ é competente para apreciar um recurso interposto quanto às penas parcelares aplicadas inferiores a 5 anos de prisão, pois caso se aplicasse o regime novo (art. 432.º n.º 1, al. c), do CPP, na redacção introduzida pela Lei 48/2007) o recorrente ficaria privado do seu direito de defesa enquanto exercício do direito ao recurso. (Ac. STJ de 20 de Fevereiro de 2008; *SASTJ* relativos a esse mês, pág. 33);

I — Na redacção actual do art. 400.º, n.º 1, al. f), do CPP, passou a falar--se em *pena aplicada,* em vez de *pena aplicável* e deixou de se fazer referência ao concurso de crimes; deste modo restringe-se o âmbito da recorribilidade, pois

921

Código de Processo Penal

a referência é agora a pena efectivamente aplicada e, por outro lado, amplia-se essa recorribilidade, ao menos em relação àquela corrente jurisprudencial que atendia somente aos crimes singulares, independentemente do concurso de crimes, não admitindo a revisão da decisão, mesmo em relação à pena única que fosse superior a 8 anos, quando todos os crimes, singularmente considerados, fossem puníveis com pena não superior a esse limite e a Relação tivesse confirmado a condenação.

II — Actualmente, se é a *pena aplicada* que constitui a reerência da recorribilidade, essa pena tanto pode ser a referida a cada um dos crimes singularmente considerados, como a que se reporta ao concurso de crimes (pena conjunta ou única).

III — O legislador aferiu a gravidade relevante como limite da dupla conforme e como pressuposto do recurso da decisão da Relação para o STJ pela pena efectivamente aplicada, quer esta se refira a um crime singular, quer a um concurso de crimes, o que significa que o STJ está obrigado a rever as questões de direito que lhe tenham sido submetidas em recurso ou que deva conhecer *ex officio* e que estejam relacionadas com os crimes cuja pena aplicada tenha sido superior a 8 anos de prisão e também a medida da pena de concurso, se a aplicada nesse âmbito for superior a 8 anos de prisão, ainda que os crimes que fazem parte desse concurso, singularmente considerados, tenham sido punidos na 1.ª instância com penas inferiores ou iguais a tal limite e confirmadas pela Relação.

IV — Mesmo que se leve em conta que a pena aplicada tanto é a relativa à pena singular, como à pena conjunta, a possibilidade de recurso directo para o STJ foi drasticamente restringida, pois só serão passíveis de tal recurso as decisões do tribumal colectivo ou do júri que isoladamente tenham aplicado por um crime pena superior a 5 anos ou que, num concurso de crimes, tenham aplicado uma pena única superior àquele limite, ainda que as penas parcelares aplicadas sejam iguais ou inferiores a 5 anos; neste caso, porém o recurso será restrito á medida da pena única, a menos que alguma das penas parcelares seja também superior a 5 anos, caso em que o recurso abrange essas penas parcelares e a pena conjunta – cf. Ac. de 02-04-2008, Proc., n.º 415/08-3.ª.

V — Na verdade, seria um contra-senso, na perspectiva focada de restrição do recurso para o Supremo Tribunal, que o legislador, ao falar de *pena aplicada,* em concreto, em vez de *pena aplicável* em abstrato, pretendesse levar o STJ a conhecer de todos os crimes que formam um concurso de infracções, mesmo que tais crimes correspondam àquela noção que normalmente se digna de *criminalidade bagatelar* ou que, tenho já passado o crivo da Relação, e não sendo *crimes de bagatela,* viram as respectivas condenações confirmadas por aquela, até um limite de gravidade tido como razoável (na opção legislativa, 8 anos de prisão), a partir do qual se justifica a revisão do caso pelo STJ. (Ac. STJ de 14 de Agosto de 2008; *SASTJ* relativos a esse mês, pág. 2);

— O acórdão da Relação que revoga a execução da pena, que é uma pena diferente da pena de prisão effectiva, não confirma o acórdão da primeuira instância que havia aolicado aquela suspensão, pelo que não tem aplicação a alínea f) do n.º 1 do art. 400.º do CPP. (Ac. STJ de 10 de Setembro de 2008; *SASTJ* relativos a esse mês, pág. 25);

Artigo 401.º

— I — Deve considerar-se confirmatório não só o acórdão da Relação que mantém integralmente a decisão da primeira instância, mas também aquele que, mantendo a qualificação jurídica dos factos, reduz a pena imposta ao recorrente, sendo o argumento decisivo fundamentador desta orientação o de que não seria compreensível que, mostrando-se as instâncias consonantes quanto à qualificação jurídica dos factos, o arguido tivesse que conformar-se com o acórdão confirmatório da pena, mas já pudesse impugná-lo caso a pena fosse objecto de redução. II — Certo é que o instituto da dupla conforme, como excepção ao princípio do direito ao recurso consagrado no art. 32.º, n.º 1, da CRP, subjaz a ideia de que a concordância de duas instâncias quanto ao mérito da causa é factor indicador do mérito da decisão, o que, em caso de absolvição ou de condenação em pena de prisão de pequena ou média gravidade, prévia e rigorosamente estabelecida pelo legislador, justifica a limitação daquele direito. (Ac. STJ de 16 de Setembro de 2008; *SASTJ* relativos a esse mês, pág. 44).

ARTIGO 401.º

(Legitimidade e interesse em agir)

1. Têm legitimidade para recorrer:

a) O Ministério Público, de quaisquer decisões, ainda que no exclusivo interesse do arguido;

b) O arguido e o assistente, de decisões contra eles proferidas;

c) As partes civis, da parte das decisões contra cada uma proferidas;

d) Aqueles que tiverem sido condenados ao pagamento de quaisquer importâncias, nos termos deste Código, ou tiverem a defender um direito afectado pela decisão.

2. Não pode recorrer quem não tiver interesse em agir.

---

1. Reproduz o art. 401.º do Proj. Corresponde aos arts. 452.º do Aproj. e 647.º do CPP de 1929.

2. O que neste artigo se dispõe sobre legitimidade para recorrer, bem como em outros artigos sobre possibilidade de recurso, deve ser completado com o que na Lei n.º 28/82, de 15 de Novembro, se dispõe sobre recurso para o Tribunal Constitucional, designadamente nos arts. 70.º e 72.º dessa Lei, transcrita no final desta obra.

Também o que neste artigo e em outros se estabelece sobre possibilidade de recurso, sua obrigatoriedade e legitimidade para a interposição não revoga o que em leis especiais se estabelece sobre esses aspectos, designadamente o que na Lei Orgânica do Ministério Público, art. 3.º, n.º 1, al. *n)* se preceitua sobre o dever de recorrer sempre que a decisão seja efeito de conluio das partes no sentido de fraudar a lei ou tenha sido proferida com violação de lei expressa.

Código de Processo Penal

3. A al. *a)* do n.º 1 reproduz o n.º 1.º do art. 647.º do CPP de 1929, e tem alcance idêntico. Trata-se de afloramento da função primacial do MP, de defender a legalidade, seja contra ou a favor da defesa.

A al. *b)* do n.º 1 reproduz o n.º 2 do art. 647.º do CPP de 1929 e também tem um alcance idêntico. Continua, por isso, a ter utilidade a jurisprudência mencionada nas anots. ao art. 647.º do Código de 1929, na 6.ª edição do nosso *Código de Processo Penal,* sobre quando uma decisão deve ser considerada desfavorável ao arguido ou ao assistente.

Questão que tem sido controvertida e objecto de decisões contraditórias é a da legitimidade do assistente para recorrer da medida da pena. Cremos que a esta questão não pode ser dada resposta geral, e que deve ser apreciada caso-a-caso. Assim, o assistente poderá recorrer da medida da pena quando, no caso, tiver um interesse concreto e próprio em agir, por da medida da pena poder tirar um benefício, *v.g.* evitando a prescrição. Caso contrário, não lhe será dado recorrer. Neste preciso sentido foi fixada a jurisprudência. Ver *infra*, anot. 5.

As als. *c)* e *d)* do n.º 1, principalmente a primeira, contêm matéria nova e colmatam lacunas do direito anterior, representando a al. *d)* significativo alargamento do que já se dispunha no § 6.º do art. 647.º do CPP de 1929. Todos aqueles que sejam afectados nos seus direitos pela decisão penal têm agora legitimidade para interpor recurso, *v. g.* os que forem condenados em taxa de justiça ou custas, os que vejam um seu objecto declarado perdido, etc.

4. A norma do n.º 2 significa que, para poder recorrer, além dos requisitos da legitimidade, deve ainda o recorrente ter necessidade de, no caso concreto, para realizar o seu direito usar do meio processual que é o recurso.

Dada a extensão dos deveres do MP, este requisito do interesse em agir dificilmente lhe não será aplicável. Porém, quanto a outros interessados no recurso poderá assim não suceder, e ficará para a jurisprudência a função de avaliar da existência ou da inexistência do interesse em agir, talqualmente tem sucedido em processo civil. Enquanto a legitimidade é subjectiva e valorada *a priori,* o interesse em agir é objectivo e terá que se verificar em concreto.

Assim, ressalvado o MP, só terá interesse em agir para efeito de interposição de recurso, quem tiver necessidade de usar do recurso para sustentar o seu direito.

Sobre o interesse em agir, vejam-se Manuel de Andrade, *Noções, 83;* Castro Mendes, *Manual,* 251; Anselmo de Castro, *Lições,* cap. II, 809 e, já tendo em vista o CPP, Gonçalves da Costa, *Jornadas de Direito Processual Penal,* 412.

5. *Jurisprudência fixada:*
— Em face das disposições combinadas dos arts. 48.º a 52.º e 401.º, n.º 1, al. *a),* do CPP e atentas a origem, natureza e estrutura, bem como o enquadramento constitucional e legal do MP, tem este legitimidade e interesse para recorrer de quaisquer decisções mesmo que lhe sejam favoráveis e assim concordantes com a sua posição anteriormente assumida no processo. (Ac. do Plenário das secções criminais do STJ de 27 de Outubro de 1994; *DR*, I-A série, de 16 de Dezembro do mesmo ano);

— O assistente não tem legitimidade para recorrer, desacompanhado do Ministério Público, relativamente à espécie e medida da pena aplicada, salvo quando demonstrar um concreto e próprio interesse em agir. (Ac. do Plenário das secções criminais do STJ de 30 de Outubro de 1977; *BMJ*, 470, 39).

924

Artigo 401.º

6. *Jurisprudência:*

— I — Não é admissível o recurso interposto pelo ofendido do despacho que não recebeu a acusação do MP, ainda que ele tenha formulado pedido de indemnização pelos danos que sofrera. II — O ofendido não é sujeito processual, mas um mero participante processual. Por outro lado, o pedido de indemnização, embora enxertado na acção penal, conserva as características de verdadeira acção cível e a causa de pedir não é o crime, mas o dano sofrido pelo lesado. Daí, a falta de legitimidade do ofendido para recorrer. (Ac. RP de 10 de Janeiro de 1990; *CJ,* XV, tomo 1, 247);

— O ofendido apenas tem legitimidade para recorrer quando se tiver constítuído assistente. (Ac. do STJ de 20 de Outubro de 1993; *CJ, Acs. do STJ,* I, tomo 3, 218);

— I — A par da legitimidade, o CPP introduziu um novo requisito do recurso, ou seja o interesse em agir, que consiste na necessidade de utilização deste meio de impugnação para defender um direito do recorrente. II — O assistente não pode recorrer de um despacho em que é concedida ao arguido uma dilatação do prazo fixado na sentença para o pagamento de uma importância como condição da suspensão da execução da pena. (Ac. RC de 3 de Maio de 1995; *CJ,* XX, tomo 3, 62);

— I — A decisão é proferida contra o assistente, e nessa medida afecta-o, para efeitos de legitimar o seu direito de recorrer, quando der como improcedente a acusação e absolver o arguido; se este for condenado em pena mais ou menos pesada e eventualmente suspensa na sua execução, não é o assistente vencido; a decisão não foi contra ele proferida, nem o afectou juridicamente, porque nenhuma pretensão por ele formulada foi rejeitada pelo tribunal. Neste caso, o assistente pediu e obteve a condenação do arguido. II — O assistente só poderá recorrer da sentença condenatória na parte referente à medida da pena imposta se houver acusado e se tratar de procedimento dependente de acusação particular. III — No caso de se tratar de procedimento que não dependa de acusação do assistente, e porque aí só poderá acusar se o MP o fizer, também só poderá recorrer da medida da pena se o MP interpuser recurso. (Ac. STJ de 15 de Janeiro de 1997; *CJ, Acs. do STJ,* V, tomo 1, 188);

— O MP carece de interesse em agir em recurso interposto de uma decisão a condenar o arguido por haver faltado a julgamento. (Ac. RC de 9 de Abril de 1997; *CJ,* XXII; tomo 2, 54);

— Conferindo o art. 69.º, n.º 2, al. *c)* do CPP competência aos assistentes para interpor recurso das decisões que os afectem, mesmo que o MP o não tenha feito, a solução para decidir da sua legitimidade ou ilegitimidade para o recurso deve ser encontrada apreciando, caso a caso, se a sua posição é afectada pela natureza da condenação ou pela espécie da medida da pena aplicada ao arguido. (Ac. STJ de 9 de Abril de 1997; *CJ, Acs. do STJ,* V, tomo 2, 177);

— É de rejeitar o recurso, por falta de legitimidade do recorrente, se ele também a não tem para se constituir assistente. Não obsta a essa rejeição o facto de ele já ter sido admitido nessa qualidade, pois a respectiva decisão não formou caso julgado. (Ac. RP de 9 de Julho de 1997; *CJ,* XXII, tomo 4, 230);

— O assistente não tem legitimidade para recorrer, ao pedir o agravamento da pena imposta ao arguido ou a sua condenação por crime diverso do considerado no acórdão recorrido. (Ac. STJ de 6 de Novembro de 1997; *CJ, Acs. do STJ,* V, tomo 3, 231);

Código de Processo Penal

— O assistente tem legitimidade para recorrer de decisão que optou por qualificação de crime substancialmente diversa da que defendeu na acusação e no julgamento. (Ac. STJ de 27 de Janeiro de 1999, proc. 350/98-3.ª; *SASTJ*, n.º 27, 83);

— O MP tem legitimidade para recorrer, mas não tem interesse em agir, se, na motivação do recurso que não é interposto no exclusivo interesse do arguido, declara que concorda com a absolvição deste, discordando apenas da fundamentação da sentença. (Ac. RP de 14 de Abril de 1999; *CJ*, XXIV, tomo 2, 221);

— O assistente tem legitimidade para recorrer de decisão penal absolutória. (Ac. STJ de 26 de Maio de 1999, proc. n.º 291/98-3.ª; *SASTJ*, n.º 31, 90);

— I — Segundo a interpretação firmada no assento n.º 8/99, de 30 de Outubro de 1977, quando o assistente visa simplesmente a alteração da espécie ou da medida da pena, impõe-se ainda a indagação de um concreto e próprio interesse em agir, para que o seu recurso possa ser admitido. II — O interesse processual ou interesse em agir é definido, em termos de processo civil, como a necessidade do processo para o demandante, em virtude de o seu direito estar carecido de tutela judicial. Há um interesse do demandante não já no objecto do processo (legitimidade), mas no próprio processo. III — Em termos de recurso em processo penal tem interesse em agir quem tiver necessidade deste meio de impugnação para defender o seu direito. IV — Por carência de interesse em agir, impõe-se a rejeição do recurso interposto pelo assistente — que solicitou a sua intervenção como tal, aderiu à acusação formulada pelo MP e requereu indemnização civil — no qual o mesmo somente discorda da qualificação jurídica efectuada no acórdão recorrido, sem que vise extrair algum efeito que lhe seja útil em termos de indemnização. (Ac. STJ de 7 de Dezembro de 1999, proc. 1098/99-3.ª; *SASTJ*, n.º 36, 58);

— Para além da legitimidade, derivada da titularidade do interesse especial protegido pela incriminação e afectado pela decisão, é normal a existência do requisito do interesse em agir, a que alude o n.º 2 do art. 401.º do CPP, apesar da necessidade da sua verificação em concreto. Isto porque, como é sabido, o interesse em agir é a necessidade concreta de recorrer à intervenção judicial, à acção, ao processo, e, em regra, o assistente só pode reagir àquela afectação mediante a interposição de recurso. (Ac. STJ de 29 de Março de 2000, proc. n.º 628/99-3.ª; *SASTJ*, n.º 39, 62);

— I — A legitimidade consubstancia-se na posição de um sujeito processual face a determinada decisão proferida no processo, justificativa da possibilidade de a impugnar através de um dos recursos tipificados na lei. Trata-se de uma posição subjectiva perante o processo, que é avaliada *a priori*. II — Outra coisa é o interesse em agir, que consiste na necessidade de apelo aos tribunais para acautelamento de um direito ameaçado que precisa de tutela e só por essa via logra obtê-la. Portanto, o interesse em agir radica na utilidade e imprescindibilidade do recurso aos meios judiciários para assegurar um direito em perigo. Trata-se portanto de uma posição objectiva perante o processo, que é ajuizada *a posteriori*. (Ac. STJ de 18 de Outubro de 2000, proc. n.º 2116/2000-3.ª; *SASTJ*, n.º 44, 75);

— Não é inconstitucional o art. 401.º, n.º 1, al. *b)*, do CPP, interpretado conforme o ac. do STJ que fixou jurisprudência e publicado no *DR*, I-A série, de 10 de Agosto de 1999, no sentido de que o assistente não tem legitimidade

Artigo 401.º

para recorrer, desacompanhado do MP, relativamente à espécie e medida da pena aplicada, salvo quando demonstrar um concreto e próprio interesse em agir. (Ac. do Trib. Constitucional n.º 205/2001, de 9 de Maio de 2001, proc. n.º 372/ /2000; *DR*, II série, de 29 de Junho de 2001);

— O assistente não tem legitimidade para, desacompanhado do MP, recorrer para que a suspensão da execução da pena de prisão em que o arguido foi condenado fique condicionada ao pagamento da indemnização que lhe foi arbitrada. (Ac. RC de 3 de Outubro de 2001; *CJ*, XXVI, tomo 4, 57);

— Não é inconstitucional o art. 401.º, n.º 2, do CPP, interpretado no sentido de impor ao MP, em recurso em que questiona a legalidade do despacho interlocutório que indeferiu a gravação da audiência e que sobe a final, e sob pena de preclusão de tal recurso por falta de interesse em agir, que impugne, no recurso interposto da decisão final condenatória, a matéria de facto apurada pelo tribunal, ainda que a prova não tenha ficado gravada. (Ac. do Trib. Constitucional de 4 de Dezembro de 2001; *DR*, II série, de 9 de Janeiro de 2002);

— O assistente carece de legitimidade para recorrer, se o recurso é limitado à mera discordância sobre a qualificação jurídico-penal operada na decisão com a qual se conformou o MP, defendendo aquele a incriminação por homicídio agravado, tal como constava da acusação pública, a que aderiu, e a da pronúncia, em vez de homicídio simples pelo qual foi condenado o arguido. (Ac. STJ de 22 de Novembro de 2001, proc. n.º 1798/01-5.ª; *SASTJ*, n.º 55, 89);

— I — É parte legítima aquela que, segundo o CPP, pode recorrer de uma determinada decisão judicial. II — Tem interesse em agir quem tem necessidade de pedir a intervenção dos tribunais para acautelamento de um direito ameaçado que precisa de tutela e só por essa via logra obtê-la. III — O assistente não tem legitimidade para recorrer desacompanhado do MP relativamente à espécie e medida da pena aplicada, salvo quando demonstrar concreto e próprio interesse em agir. IV — Não tem interesse em agir para recorrer da decisão penal a assistente que assumiu no decurso do processo uma posição passiva e de total alheamento relativamente à sorte dos autos na sua vertente criminal, não deduzindo acusação contra o arguido nem aderindo à acusação pública, limitando-se a deduzir pedido de indemnização civil, pelo que o recurso é de rejeitar. (Ac. STJ de 9 de Janeiro de 2002, proc. n.º 2751/01-3.ª; *SASTJ*, n.º 57, 63);

— A mera situação determinante do interesse em agir, pressuposto da admissão e intervenção como assistente, não importa interesse em agir para, não recorrendo o MP, impugnar em recurso a medida da pena. (Ac. STJ de 23 de Janeiro de 2002, proc. n.º 3027/01-3.ª; *SASTJ*, n.º 57, 67);

— I — Em crime público ao assinante que não deduziu acusão final, enquanto tal recurso se achar limitado à mera discordância da qualificação jurídica nela vertida. II — O interesse em agir pode definir-se pela necessidade de apelo aos tribunais para acautelamento de um direito ameaçado que necessita de tutela e só por essa via logra obtê-la, ou seja, vem a consubstanciar-se na utilidade e imprescindibilidade do recurso aos meios judiciários para assegurar um direito em perigo. (Ac. STJ de 3 de Julho de 2003; proc. n.º 2144/03-5.ª; *SASTJ*, n.º 73, 140);

— I — O assistente não tem legitimidade para recorrer desacompanhado do MP., relativamente à espécie e medida da pena aplicada, salvo quando demonstrar um concreto e próprio interesse em agir. II — Tal não acontece quando o assistente se cingiu a aderir à acusação do MP, pois em sede de recurso de

Código de Processo Penal

acórdão final apenas pode recorrer relativamente a decisões contra ele proferidas — art. 401.º, n.º 1, al. *b)*, do CPP. III — Igualmente, o demandante civil não tem legitimidade para recorrer da matéria penal visando apenas a condenação do arguido, agora sem benefício da atenuação especial que foi aplicada. (Ac. do STJ de 3 de Março de 2004 proc. n.º 1801/03-3.ª);

— O assistente que deduziu acusação contra o arguido por crime público carece de legitimidade para recorrer do acórdão proferido, mesmo que não haja coincidência entre essa acusação e a do MP. (Ac. STJ de 29 de Junho de 2005, proc. n.º 1550/05; *CJ, Acs. do STJ*, ano XIII, tomo 2, 232);

— No processo penal pelo crime de falsidade de testemunho, previsto e punido pelo art. 360.º do CP, a pessoa cujo prejuízo seja visado pelo agente tem legitimidade para se constituir assistente. (Ac. STJ de 12 de Julho de 2005, proc. n.º 2535/05; *CJ, Acs. do STJ*, ano XIII, tomo 2, 238).

ARTIGO 402.º

(Âmbito do recurso)

1. Sem prejuízo do disposto no artigo seguinte, o recurso interposto de uma sentença abrange toda a decisão.

2. Salvo se for fundado em motivos estritamente pessoais, o recurso interposto:

a) Por um dos arguidos, em caso de comparticipação, aproveita aos restantes;

b) Pelo arguido, aproveita ao responsável civil;

c) Pelo responsável civil, aproveita ao arguido, mesmo para efeitos penais.

3. O recurso interposto apenas contra um dos arguidos, em casos de comparticipação, não prejudica os restantes.

---

1. Os n.ᵒˢ 1 e 2 reproduzem o art. 402.º do Proj. e correspondem ao art. 456.º do Aproj.

O n.º 3 foi introduzido pela Lei n.º 48/2007, de 29 de Agosto.

2. Não havia no CPP de 1929 disposição expressa estabelecendo a regra geral de que os recursos em processo penal abrangiam toda a decisão. Esse normativo, a que correspondia a prática corrente dos tribunais superiores, deduzia-se dos arts. 663.º, 665.º e 666.º.

A regra geral, formulada no n.º 1, de que o recurso abrange toda a decisão recorrida sofre duas ordens de excepções:

— O recurso pode ser limitado a uma parte da decisão, nos termos regulados no art. 403.º, desde já se adiantando que a limitação é admitida em moldes muito mais amplos do que no direito anterior;

Artigo 402.º

— A extensão do âmbito do recurso *ex vi* das alíneas do n.º 2 não funciona, ficando portanto restrito ao recorrente, quando este recorre por motivos estritamente pessoais, isto é por circunstâncias que não são extensivas, perante a lei, a outros intervenientes no processo.

As alíneas do n.º 2 destinam-se a esclarecer casos em que a extensão do âmbito do recurso a não recorrentes poderia ser duvidosa. Particularmente de notar aqui que a interposição de recurso por um dos arguido só aproveita aos restantes arguidos no caso de comparticipação com ou arguido recorrente quanto ao crime por que ele recorre (cfr. art. 403.º, n.º 2, *b)*). Assim, se A... e B... tiverem cometido, em comparticipação, um furto e A... ainda um crime de ofensas corporais, o recurso interposto por A... limitado às ofensas corporais não abrange de qualquer modo B.... Mas o recurso interposto por A... limitado ao furto não abrange as ofensas corporais mas abrange a responsabilidade de B..., já que este é comparticipante do crime relativamente ao qual A... recorreu.

3. Às limitações ao âmbito do recurso atrás mencionadas, e decorrentes deste artigo e do art. 403.º, acrescem ainda as limitações decorrentes da proibição de *reformatio in pejus,* estabelecidas no art. 309.º. Cremos ser este o alcance no n.º 3, introduzido pela supramencionada Lei. Mesmo em caso de comparticipação, o recurso interposto contra um dos arguidos e comparticipantes, se a pena lhe for gravada, não o será a de outro comparticipante. poderá ficar prejudicada a coerência da decisão, mas não ficará prejudicada a proibição de *reformatio in pejus.*

4. *Jurisprudência:*
— I — Interposto recurso por dois arguidos com fundamentos em motivos estritamente pessoais, a decisão transitou totalmente em relação aos demais, embora comparticipantes, dado que o recurso não lhes aproveita — art. 402.º, n.º 2, al. *a)* do CPP. II — Tendo o recurso por objecto apenas a suspensão da execução da pena, a decisão recorrida transitou quanto à incriminação e em tudo o mais, designadamente quanto às penas parcelares a unitária. (Ac. STJ de 13 de Dezembro de 1989; Proc. 40 311/3.ª);
— I — A razão do preceituado na al. *a)* do n.º 2 do art. 402.º do CPP assenta numa exigência de coerência: não pode decidir-se que para o recorrente é A e manter-se para os comparticipantes que é B. II — Daqui não resulta, porém, que o não recorrente assuma a posição de parte na instância de recurso, na qual apenas são partes recorrente e recorrido. III — Não sendo parte na instância de recurso, ao não recorrente está vedada a possibilidade de intervir, sendo um mero beneficiário indirectamente. (Ac. STJ de 13 de Maio de 1989; *BMJ,* 387, 493);
— O âmbito do recurso é dado pelas conclusões, extraídas pelo recorrente, da respectiva motivação. (Ac. STJ de 19 de Junho de 1996; *BMJ*, 458, 98);
— I — Se o recurso vem fundamentado em motivos pessoais, ou estritamente pessoais, como refere o art. 402.º, n.º 2, al. *a)*, do CPP, apesar de haver, por hipótese, outro ou outros arguidos que, por comparticipação, cometeram também a infracção ou infracções executadas pelo recorrente, já não há que apreciar a decisão relativamente a esses arguidos, comparticipantes mas não recorrentes. II — Porém, apesar de apenas um arguido ter recorrido, deve ser

Código de Processo Penal

apreciada a aplicação ou não do regime penal dos jovens delinquentes ao outro arguido, já que essa aplicação integra questão de conhecimento oficioso de todos os tribunais, sempre que é julgado um arguido menor que tenha completado 16 anos sem ter atingido ainda os 21 anos, conforme o art. 1.º, n.ᵒˢ 2 e 3, do Dec.-Lei n.º 401/82. III — O não conhecimento dessa questão pelo tribunal não integra qualquer nulidade, mas apenas um erro de julgamento, erro de apreciação. (Ac. STJ de 18 de Junho de 1997; *CJ, Acs. do STJ*, V, tomo 2, 242);

— Os recursos, como remédios jurídicos que são, não se destinam a conhe-cer questões novas, não apreciadas pelo tribunal recorrido, mas sim a apurar da adequação e legalidade das decisões sob recurso, pelo que não pode o STJ conhecer em recurso subido da Relação de questões não colocadas perante este tribunal superior, mesmo que resolvidas na decisão da primeira instância. II — Estando em causa um recurso para o STJ de acórdão da Relação, o mesmo não pode ter por objecto o acórdão de primeira instância, e se o recorrente se limita a impugnar este último acórdão verifica-se falta de impugnação a que alude o art. 412.º do CPP. (Ac. STJ de 6 de Junho de 2002; proc. n.º 1874/02-5.ª; *SASTJ*, n.º 62, 69);

— I — O disposto no art. 402.º, n.º 2, al. *a)*, do CPP, não faz com que o não recorrente adquira as posições e qualidade de parte na instância, está vedada ao não recorrente a possibilidade de intervenção, limitado e reduzido que está a aguardar os benefícios indirectos que lhe possam eventualmente advir, mas que exigir não pode. III — A esta luz, não é permitido ao arguido não recorrente, pretender, através de requerimento, beneficiar da mesma pena de substituição que foi aplicada ao arguido recorrente. (Ac. STJ de 20 de Junho de 2002; proc. n.º 769/02-5.ª; *SASTJ*, n.º 62, 90);

— I — O dispositivo do art. 402.º, n.º 2, al. *a)*, do CPP, não faz com que o não recorrente adquira a posição e a qualidade de parte na instância do recurso. II — E não sendo parte na instância, está-lhe vedada a possibilidade de inter-venção, limitado e reduzido que está a aguardar os benefícios que lhe possam eventualmente advir, mas que não pode exigir. III — Assim, não pode pretender beneficiar de redução de pena de co-arguido julgado conjuntamente, fundada em motivos estritamente pessoais. (Ac. STJ de 26 de Junho de 2002; proc. n.º 769/02-5.ª; *SASTJ*, n.º 62, 90);

— I — Se porventura o arguido não recorrente houver de beneficiar da decisão proferida em recurso de co-arguido, isso não lhe confere legitimidade para apresentar requerimento reclamando tais benefícios; sendo estranho à instância, deve limitar-se a aguardar os benefícios indirectos que, eventualmente, lhe possam advir da decisão. II — Se a decisão não abranger, como devia, por força do art. 402.º, n.º 2, al. a), do CPP, a situação do co-arguido (compartici-pação), tal omissão não constitui a nulidade do art. 379.º, n.º 1, al. c), do CPP, mas antes erro de julgamento. (Ac. STJ de 20 de Abril de 2005, proc. n.º 2152/04-3.ª; *SASTJ*, n.º 90, 126).

ARTIGO 403.º
(Limitação do recurso)

1. É admissível a limitação do recurso a uma parte da decisão quando a parte recorrida puder ser separada da parte não recorrida, por forma a tornar possível uma apreciação e uma decisão autónomas.

Artigo 403.º

2. Para efeito do disposto no número anterior, é autónoma, nomeadamente a parte da decisão que se referir:

a) A matéria penal;

b) A matéria civil;

c) Em caso de concurso de crimes, a cada um dos crimes;

d) Em caso de unidade criminosa, à questão da culpabilidade, relativamente àquela que se referir à questão da determinação da sanção;

e) Em caso de comparticipação criminosa, a cada um dos arguidos, sem prejuízo do disposto no artigo 402.º, n.º 2, alíneas *a)* e *c)*;

f) Dentro da questão da determinação da sanção, a cada uma das penas ou medidas de segurança.

3. A limitação do recurso a uma parte da decisão não prejudica o dever de retirar da procedência daquele as consequências legalmente impostas relativamente a toda a decisão recorrida.

---

1. Os n.ᵒˢ 1 e 3 reproduzem os mesmos dispositivos do art. 403.º do Proj.. O n.º 2 foi primeiramente alterado pela Lei n.º 59/98, de 25 de Agosto, que introduziu d), (actul e)), e posteriormente pela Lei n.º 48/2007, de 29 de Agosto, que desdobrou a anterior al. a) nas duas actuais als. a) e b), alterando a numeração das restantes, porém sem relevantes alterações de fundo.
  Corresponde ao art. 456.º, n.º 2, do Aproj. Não havia disposições correspondentes no CPP de 1929.

2. *Jurisprudência fixada:*
— Formuladas várias pretensões no recurso, podem algumas delas rejeitar-se, em conferência, prosseguindo o recurso quanto às demais, em obediência ao princípio da cindibilidade. (Ac. do Plenário das secções criminais do STJ de 24 de Junho de 1982; *DR*, I série, de 6 de Agosto do mesmo ano).

3. No n.º 1 formula-se a possibilidade de limitação do recurso a uma parte da decisão sempre que seja possível apreciar autonomamente a parte de que se recorreu. Isto significa que a parte de que foi interposto recurso, se houver alteração, não pode ficar em contradição insanável com a parte de que se não interpôs recurso; se houver essa possibilidade, o recurso será extensivo a toda a decisão na medida em que esta puder ser afectada. Mas ainda aqui haverá que atentar na disposição do n.º 3, que amplia a possibilidade de limitação do âmbito do recurso. Assim, se A... cometeu um crime de furto, um de burla e um de ofensas à integridade física; foi condenado pela prática de todos e interpôs recurso quanto ao de ofensas à integridade física, vindo a ser absolvido da prática desse crime, haverá que reformular a pena aplicada em cúmulo jurídico, sem que isso implique conhecimento dos outros crimes.

Código de Processo Penal

4. No n.º 2 especificam-se casos em que a lei considera haver autonomia entre partes da decisão recorrida, para efeito de interposição de recurso; trata-se de enumeração que não é taxativa.

Qualquer das alíneas deste número terá sempre que ser criteriosamente equacionada com o comando do n.º 1. Assim, se num recurso penal se discutir tão só a matéria penal, e não a matéria civil (n.º 1, al. *a)*) e o recurso tiver provimento por a conduta ter sido considerada lícita, *v. g.* legítima defesa num crime de ofensas à integridade física, não poderá subsistir a condenação em indemnização civil, apesar de não discutida no recurso. A este respeito, veja-se ainda o exemplo apontado *supra*, n.º 3.

5. O n.º 3, como já se deixou antever através de referências feitas nos números anteriores, significa que deve começar-se pela apreciação do recurso, e seguidamente retirar-se da decisão do mesmo todas as consequências quanto à decisão do tribunal inferior, alterando-a na medida estritamente necessária para que não haja contradição com a decisão do tribunal superior, respeitando porém sempre as limitações decorrentes da proibição de *reformatio in pejus*.

6. *Jurisprudência:*

— O recurso interposto pelo receptador não é extensivo ao autor do furto, já que o furto e a recepção são crimes autónomos. (Ac. STJ de 5 de Julho de 1989; *AJ,* n.º 1, 4);

— I — Perante o CPP de 1987 vigora o princípio da cindibilidade do recurso, acolhido no n.º 1 do art. 403.º e reafirmado nos arts. 410.º, n.º 1 e 412.º, n.º 2, princípio esse que funciona sempre que a parte recorrida possa ser separada da não recorrida por forma a tornar possível uma apreciação e uma decisão autónomas. II — Por esse princípio poderá o recorrente limitar a sua reacção a uma decisão judicial, contanto que observe a regra da autonomia na parte que pretende submeter à censura do tribunal superior, como acontece nos casos exemplificativamente enumerados no n.º 2 do art. 403.º. III — O recorrente pode limitar o recurso só à matéria de facto ou só à matéria de direito, já que elas se apresentam com independência. (Ac. STJ de 15 de Novembro de 1989; *AJ,* n.º 3, 59);

— É permitido ao recorrente limitar o âmbito do recurso à dosimetria das penas e a tanto não obsta a circunstância de o recorrido, na resposta à motivação, pôr em causa a qualificação jurídica dos factos. (Ac. STJ de 27 de Junho de 1990; *AJ,* n.os 10-11, 7);

— Na vigência do CPP de 1987 é permitida ao recorrente limitar o objecto do recurso à medida das penas — art. 403.º, n.os 1 e 2. A tanto não obsta a circunstância de o recorrido, na contra-motivação, pôr em causa a qualificação jurídico-penal dos factos. Se queria que o tribunal superior apreciasse tal matéria, teria ele que interpor recurso com tal objectivo. (Ac. STJ de 27 de Junho de 1990, Proc. 41 025/3.ª).

— O normativo do art. 403.º do CPP e a reafirmação nos arts. 412.º e 410.º, n.º 2 do mesmo Código consentem, se for caso disso, rejeitar uma parte do recurso e só conhecer da restante. Assim, é possível rejeitar o recurso quanto à impugnação que nele se faz relativamente à matéria de facto e deixá-lo prosseguir só quanto à fundamentação de direito ou, inversamente, rejeitá-lo

Artigo 403.º

no que toca à fundamentação de direito e fazê-lo prosseguir quanto à fundamentação de facto, nos termos do art. 410.º, n.º 2. Isto embora se possa admitir um certo retardamento da decisão final que, no entanto, se considera compensado com as vantagens do saneamento e clarificação que se obtêm com o procedimento referido. (Ac. STJ de 13 de Fevereiro de 1991, Proc. 41 567/3.ª).

— Tendo em conta o princípio da cindibilidade do recurso penal, que obteve consagração no art. 403.º do CPP, é possível separar, no terreno do âmbito do recurso, uma parte recorrida e uma parte não recorrida que se desenham em conexão com cada uma das questões conhecidas e / ou conhecíveis, sendo que uma parte há-de ser uma questão completa ou um conjunto de questões completas, e cabendo a quem recorre decidir o que pretende ver apreciado e só isso. (Ac. STJ de 4 de Julho de 1991; *BMJ*, 409, 622);

— Não é admissível recurso subordinado relativamente ao recurso que o MP tenha interposto da acção penal. (Ac. STJ de 30 de Novembro de 1993; *CJ, Acs. do STJ*, I, tomo 3, 253);

— Face ao disposto no art. 403.º do CPP, o julgamento sobre a existência ou não de uma continuação criminosa pode ser apreciada e decidida com autonomia da restante parte da decisão, mormente no que concerne à qualificação jurídica de cada um dos crimes ou de algum deles. (Ac. STJ e 24 de Junho de 1998, proc. n.º 471/98);

— Tendo havido por parte do arguido condenado pela prática de um crime de ofensas corporais com dolo de perigo e de um crime de ofensas corporais com negligência uma renúncia quanto àquele crime, isso impede que o STJ possa alterar o enquadramento jurídico-criminal do crime não objecto de recurso. (Ac. STJ de 21 de Outubro de 1999, proc. n.º 287/98);

— Dado o princípio da cindibilidade do recurso, consagrado no art. 403.º do CPP e limitado o recurso à suspensão da execução da pena, tem o STJ de acatar a qualificação jurídico-penal dos factos. (Ac. STJ de 11 de Outubro de 2000, proc. n.º 2349/2000-3.ª; *SASTJ*, n.º 44, 68);

— I — O facto de a parte criminal da sentença não ser objecto de impugnação não obsta a que em sede de recurso limitado à parte cível se aprecie toda a matéria de facto. II — É o que ocorre quando o arguido absolvido de crime culposo, por os factos serem insuficientes para uma condenação pelo crime e vêm a permitir uma inferência de negligência na conduta. III — Todavia, por força do princípio da proibição de *reformatio in pejus*, a absolvição do arguido pelo crime é intangível. (Ac. RC de 12 de Dezembro de 2001; *CJ*, XXVI, tomo 5, 53);

— I — O disposto no art. 403.º, n.º 2, do CPP, ao considerar que é normalmente autónoma a parte da decisão que se referir, em caso de comparticipação criminosa, a cada um dos arguidos, sem prejuízo do aproveitamento (efeito útil) que se possa retirar em relação aosrestantes, pressupõe a possibilidade de autonomia, o que, em caso de comparticipação criminosa, só funciona quando esteja em causa motivo de recurso que respeite exclusivamente a um dos arguidos, e não quando o objecto do recurso, pela sua própria natureza e fundamentos, não admite cindibilidade-prévia. II — Tratando-se de um recurso que se remete à questão relativa à admissibilidade da administração de determinado (s) meio (s) de prova, da sua procedência devem ser retiradas todas as consequências que eventualmente decorrerem da produção e consequente

Código de Processo Penal

valoração dos meios de prova que estavam em discossão em relação a ambos os arguidos. (Ac. STJ de 13 de Abril de 2005, proc. n.º 3276/05-3.ª; *SASTJ*, n.º 90, 117);
— Não são inconstitucionais as normas dos n.os 1 e 3 do art. 403.º do CPP. (Ac. do Trib. Constitucional n.º 188/2008; *DR,* II série, de 5 de Maio de 2008).

ARTIGO 404.º
(Recurso subordinado)

1. Em caso de recurso interposto por uma das partes civis, a parte contrária pode interpor recurso subordinado.

2. O recurso subordinado é interposto no prazo de vinte dias, contado da data da notificação referida nos n.os 6 e 7 do artigo 411.º.

3. Se o primeiro recorrente desistir do recurso, este ficar sem efeito ou o tribunal não tomar conhecimento dele, o recurso subordinado fica sem efeito.

---

1. Reproduz, com ressalva do que adiante se anota, o art. 404.º do Proj. e corresponde ao art. 457.º do Aproj.. Não havia disposições correspondentes no CPP de 1929.

O prazo de interposição do recurso subordinado, que na redacção originária era de 10 dias, foi depois alterado para 15 dias pela Lei n.º 59/98, de 25 de Agosto, e finalmente fixado em 20 dias, contados da data da notificação referida no art. 411.º, n.os 6 e 7, pela Lei n.º 48/2007, de 29 de Agosto. isto em concordância com a alteração do prazo de interposição do recurso principal, que também foi aumentado.

2. O CPP de 1929 era omisso quanto à possibilidade de interposição de recurso subordinado. Este recurso era admitido, por aplicação supletiva das normas do CPC sobre recurso subordinado, não se notando divergências de relevo, quer na doutrina quer na jurisprudência.
A omissão foi colmatada através das disposições deste artigo. Mas é de salientar que a disposição do n.º 1 limita consideravelmente, relativamente ao processo civil e à prática no domínio do CPP de 1929, os casos em que pode haver lugar a recurso subordinado, pois só o pode haver em caso de recurso principal interposto por uma das partes civis, e portanto abrange também só a questão civil.
As disposições dos n.os 2 e 3 correspondem à essência e à regulamentação típicas dos recursos subordinados.

3. *Jurisprudência:*
— Em processo penal, a possibilidade de interpor recurso subordinado acha--se limitada ao caso previsto pelo art. 404.º, n.º 1, do CPP. (Ac. RP de 29 de Novembro de 1989; *CJ,* XIV, tomo V, 236);
— I — O recurso subordinado só pode ter lugar quando é interposto recurso relativo ao pedido de indemnização civil deduzido nos termos dos arts.

Artigo 405.º

71.º e segs. do CPP. II — O recurso subordinado não pode abranger matéria criminal. (Ac. STJ de 20 de Maio de 1998; *CJ, Acs. do STJ*, VI, tomo 2, 204); — Não é inconstitucional a norma do art. 404.º do CPP, na interpretação segundo a qual não é admissível recurso subordinado em matéria penal. (Ac. do Trib. Constitucional n.º 284/2006, de 3 de Maio; *DR*, II série, de 28 de Agosto do mesmo ano).

ARTIGO 405.º
**(Reclamação contra despacho que não admitir
ou que retiver o recurso)**

1. Do despacho que não admitir ou que retiver o recurso, o recorrente pode reclamar para o presidente do tribunal a que o recurso se dirige.

2. A reclamação é apresentada na secretaria do tribunal recorrido no prazo de dez dias contados da notificação do despacho que não tiver admitido o recurso ou da data em que o recorrente tiver tido conhecimento da retenção.

3. No requerimento o reclamante expõe as razões que justificam a admissão ou a subida imediata do recurso e indica os elementos com que pretende instruir a reclamação.

4. A decisão do presidente do tribunal superior é definitiva, quando confirmar o despacho de indeferimento. No caso contrário, não vincula o tribunal de recurso.

---

1. Reproduz o art. 405.º do Proj. Corresponde aos arts. 652.º do CPP de 1929 e 689.º do CPC.

2. Este artigo, além de casos regulados pela lei anterior, regula casos em que o art. 652.º do CPP de 1929 era omisso, como o da reclamação contra o despacho que retém o recurso.
O artigo é, porém, omisso quanto à possibilidade de o presidente do tribunal a que o recurso se dirige, e que vai decidir a reclamação, ouvir o juiz reclamado. Essa possibilidade existe, manifestamente, por se integrar nos princípios gerais. E como a reclamação é apresentada na secretaria do tribunal recorrido, convirá até que o juiz reclamado, antes de a fazer subir, sustente a decisão com as considerações que entender cabidas e oportunas.
A reclamação enviada ao presidente do tribunal a que o recurso se dirige deve sempre ser acompanhada de cópia dactilografada do despacho que não admitiu ao que reteve o recurso. Assim determinou o Conselho Permanente do Conselho da Magistratura, em deliberação que vai transcrita na anot. 3 ao art. 406.º.

3. Apesar de a reclamação ser apresentada na secretaria do tribunal recorrido, não deve a mesma ser autuada por apenso, como sucede no processo civil, mas em separado, nem a sua apresentação tem qualquer efeito sobre o andamento do processo.

Código de Processo Penal

Efectuada a apresentação na secretaria do tribunal recorrido, o juiz, no prazo geral, informa-a respondendo, se assim o entender, às razões aduzidas pelo reclamante, e envia-a ao presidente do tribunal superior. Como a autuação não é por apenso, convirá que o juiz reclamado não só lavre informação, mas também junte todos os elementos necessários para que o presidente do tribunal superior decida sem necessidade de pedir novos elementos.

Costa Pimenta, em anot. ao art. 405.° do seu *Código de Processo Penal Anotado* discorda deste entendimento, sustentando que a reclamação é autuada por apenso, por entender que, à falta de normas especiais, se aplicam as do CPC. Cremos, no entanto, que a orientação que melhor se enquadra no pensamento legislativo, e que no Código tem reflexo textual, é a de a reclamação ser processada em separado. Sabe-se que o CPP procurou autonomizar-se do CPC e que mal se coadunaria com as finalidades do processo penal a subida, com a reclamação, de todo o processo, que pode ser de grande volume e complexidade, e onde pode haver diligências imediatas a realizar. Por outro lado, se a reclamação é processada e segue por apenso, para quê instruí-la com elementos extraídos do processo (*ut* n.° 3). Cremos que este n.° 3 contém subjacente a ideia de que a processamento da reclamação é em separado.

4. A disposição do n.° 4 confirma o direito anterior, tanto processual penal como civil. A decisão do presidente do tribunal superior terá que ser notificada ao reclamante. Se a reclamação for deferida, o recurso considera-se interposto a partir da notificação, começando a partir desta a correr o prazo para a motivação, se esta não tiver sido apresentada com a interposição.

Cremos que a notificação deve ser ordenada pelo tribunal onde a reclamação foi apresentada, após comunicação ao mesmo tribunal da decisão do presidente do tribunal superior.

5. A reclamação prevista no n.° 1 deste artigo é, em nosso entendimento, a única forma de atacar o despacho que não admitiu ou que reteve o recurso, ficando portanto excluída a via de recurso. Seria incompreensível que a lei fornecesse aqui vias alternativas e mais garantias do que as que concede para impugnar decisões de fundo do tribunal. Esteve pendente no STJ, para fixação de jurisprudência sobre esta questão, o processo n.° 2711-3.ª, o qual não teve seguimento por carência de pressupostos.

6. *Jurisprudência:*
— A forma de impugnar a decisão que não admite ou que retém um recurso é por via de reclamação, e não de recurso. (Ac. STJ de 3 de Novembro de 1993; proc. n.° 45367-3.ª;);
— Embora a reclamação deva ser apresentada no tribunal *a quo*, a decisão sobre a sua validade, regularidade e procedência compete exclusivamente ao presidente do tribunal *ad quem*. (Ac. RL de 3 de Outubro de 2000; *CJ*, XXV, tomo 4, 143);
— A forma legal de impugnação do despacho proferido pelo relator do Tribunal da Relação que declarou sem efeito o recurso, por falta de pagamento da taxa de justiça devida pela sua interposição, é a reclamação para a conferência, só da decisão desta podendo caber recurso, conforme resulta do disposto no art. 700.°, n.° 3, do CPC, *ex vi* do art. 4.° do CPP. (Acs. STJ de

Artigo 406.º

6 de Novembro de 2002 (2), procs. n.ºˢ 3116/02 e 3096/02-3.ª; *SASTJ*, n.º 65, 55 e 57).

ARTIGO 406.º
(Subida nos autos e em separado)

1. Sobem nos próprios autos os recursos interpostos de decisões que ponham termo à causa e os que com aqueles deverem subir.
2. Sobem em separado os recursos não referidos no número anterior que deverem subir imediatamente.

---

1. Reproduz o art. 406.º do Proj. Corresponde aos arts. 472.º e 473.º do Aproj. e 653.º e 661.º do CPP de 1929.

2. Em matéria de subida dos recursos mantém-se, em geral, o regime do direito anterior.

Neste artigo enumeram-se os recursos que sobem nos próprios autos e os que sobem separadamente, em processo para o efeito organizado, e que se destina a ser apensado, depois de baixar.

Sobem nos próprios autos os recursos de decisões que ponham termo à causa e os interpostos anteriormente, que tenham sido recebidos para subir juntamente com aquele recurso primeiramente mencionado.

Sobem em separado, e processo para o efeito organizado, os recursos que devam subir imediatamente — *vide* art. 407.º — mas que não tenham sido interpostos de decisões que ponham termo à causa.

3. Deliberação do Conselho Permanente do Conselho Superior da Magistratura na sessão de 19 de Fevereiro de 1991, conforme a Circular de Execução Permanente n.º 3/91, da Relação de Lisboa: «O Conselho Permanente do Conselho Superior da Magistratura deliberou completar a deliberação de 18 de Junho de 1986, que emitiu directiva para que, aquando da subida dos autos em recurso ao tribunal superior, fossem os mesmos acompanhados de cópia dactilografada dos despachos, sentenças ou acórdãos motivadores das interposição e subida desses recursos, no sentido de que a aludida cópia dactilografada acompanhe, também, os processos que sobem ao Supremo Tribunal de Justiça e às relações por força de reclamações por não recebimento e retenção de recurso ou para solução de conflitos, ainda que de índole administrativa».

4. *Jurisprudência:*
— A regra contida no art. 406.º, n.º 2, do CPP, significa que os recursos em causa sobem sem separado dos autos principais, mas não implica que, havendo vários recursos a subir em separado e imediatamente, todos eles tenham que subir em separado uns dos outros. (Ac. RP de 9 de Maio de 1990; *BMJ*, 397, 583);
— Em processo penal, é ao recorrente, e apenas a ele, que incumbe o ónus de instrução do recurso que suba em separado, sem prejuízo de o juiz da primeira instância juntar as peças processuais que entenda. (Ac. RC de 18 de Outubro de 1995; *CJ*, XX, tomo 4, 56);

Código de Processo Penal

— O recurso interposto de decisão posterior àquela que pôs termo à causa sobe imediatamente e em separado (para o Tribunal da Relação), como determinam os arts. 407.º, n.º 1, al. *b)* e 406.º, n.º 2, do CPP. Só os recursos anteriores ao acórdão final sobem nos próprios autos e com efeito meramente devolutivo (arts. 407.º, n.º 3, 406.º, n.º 1 e 408.º (*a contrario*), do CPP. (Ac. STJ de 10 de Novembro de 1999, proc. 973/99-3.ª; *SASTJ*, n.º 35, 72);

— Sobe imediatamente o recurso do despacho que mandou seguir a forma de processo criminal comum em vez da forma abreviada. (Despacho do Presidente da RL de 10 de Março de 2000; *CJ*, XXV, tomo 2, 136).

ARTIGO 407.º

(Momento da subida)

1. Sobem imediatamente os recursos cuja retenção os tornaria absolutamente inúteis.

2. Também sobem imediatamente os recursos interpostos:

a) De decisões que ponham termo à causa;

b) De decisões posteriores às referidas na alínea anterior;

c) De decisões que apliquem ou mantenham medidas de coacção ou de garantia patrimonial, nos termos deste Código;

d) De decisões que condenem no pagamento de quaisquer importâncias, nos termos deste Código;

e) De despacho em que o juiz não reconhecer impedimento contra si deduzido;

f) De despacho que recusar ao Ministério Público legitimidade para a prossecução do processo;

g) De despacho que não admitir a constituição de assistente ou a intervenção de parte civil;

h) De despacho que indeferir o requerimento para a abertura de instrução;

i) Da decisão instrutória, sem prejuízo do disposto no artigo 310.º;

j) De despacho que indeferir requerimento de submissão de arguido suspeito de anomalia mental à perícia respectiva.

3. Quando não deverem subir imediatamente, os recursos sobem e são instruídos e julgados conjuntamente com o recurso interposto da decisão que tiver posto termo à causa.

---

1. O texto actual deste artigo resulta da Lei n.º 48/2007, de 29 de Agosto. Esta Lei limitou-se porém a alterar a ordem dos n.ºs 1 e 2, sem outra modificação.

938

Artigo 407.º

Reproduz, com alteração supramencionada, o art. 407.º do Proj. e corresponde aos arts. 470.º do Aproj. e 655.º do CPP de 1929. A disposição do n.º 1 foi inspirada no art. 734.º, n.º 2, do CPC, que por sua vez fora determinado pela jurisprudência do STJ, firmada por assento. Veja-se o nosso *Código de Processo Penal,* 6.ª ed., anot. ao art. 655.º do CPP de 1929.

2. Também quanto ao momento da subida ao tribunal superior dos recursos interpostos se não notam divergências significativas relativamente ao regime do art. 655.º do CPP de 1929. Subjacente à regulamentação estabelecida, e que de um modo geral agora se mantém, está a ideia de que devem subir imediatamente os recursos cuja utilidade se poderia perder no caso de diferimento da subida. Por isso mesmo é que, depois da enumeração dos casos em que a subida é imediata, se estabelece o comando de que devem ainda subir imediatamente os recursos cuja utilidade se perderia em absoluto se a subida fosse diferida.

Se o recurso não couber no âmbito das alíneas do n.º 1, ou no do n.º 2, não subirá imediatamente, mas sim com o recurso que vier a ser interposto na decisão que puser termo à causa.

De notar que, como agudamente notou Gonçalves da Costa, *Jornadas de Direito Processual Penal,* 424, nota 23, a expressão *nos termos deste Código,* que se lê nas als. *c)* e *d)* do n.º 1, peca por estar a mais. Se se aplicarem ou mantiverem medidas de coacção ou de garantia patrimonial não previstas neste Código, ou se for proferida decisão condenatória em importância também em moldes não previstos no Código, obviamente que a decisão será também recorrível, e com o mesmo regime de subida do recurso.

3. Veja-se a deliberação do Conselho Permanente do C. S. da Magistratura de 19 de Fevereiro de 1991, na anot. 3 ao art. 406.º.

4. *Jurisprudência fixada:*
— Sobe imediatamente o recurso da parte da decisão instrutória respeitante às nulidades arguidas no decurso de inquérito ou da instrução e às demais questões prévias ou incidentais, mesmo que o arguido seja pronunciado pelos factos constantes da acusação do Ministério Público. (Ac. do Pleno das Secções criminais do STJ de 21 de Outubro de 2004; *DR,* I-A série, de 2 de Dezembro do mesmo ano).

5. *Jurisprudência:*
— I — O CPP não permite que a apresentação da motivação do primeiro recurso possa ser feita com o recurso que o faz subir. II — Trata-se de um Código que se preocupa muito com a rápida tramitação dos recursos, mais do que com a economia processual. As suas disposições são bastante elucidativas no sentido de que a motivação dos recursos que não sobem imediatamente deve ser apresentada com o requerimento de interposição ou no prazo devido, quando o recurso é interposto para a acta. III — A expressão *são instruídos,* utilizada no n.º 3 do art. 407.º, não abrange a apresentação de motivação. IV — O acto de interposição do recurso é um acto complexo, exigindo a apresentação do respectivo requerimento e da motivação. De tal modo complexo que só depois de apresentada em momento posterior a motivação (quando isso é permitido)

Código de Processo Penal

deverá ser proferido despacho de admissão ou rejeição do recurso. (Ac. STJ de 13 de Fevereiro de 1991; *AJ*, n.ºs 15/16, 7);

— Deve subir conjuntamente com o recurso que vier a ser interposto da decisão que ponha termo ao processo aquele que os arguidos interpuseram do despacho que desatendeu a arguição de nulidade apresentada contra a decisão instrutória. (Ac. RP de 1 de Outubro de 1997; *CJ*, XXII, tomo 4, 240);

— O recurso interposto de decisão posterior àquela que pôs termo à causa sobe imediatamente e em separado para o Tribunal da Relação, como determinam os arts. 407.º, n.º 1, al. *b)*, e 406.º, n.º 2, do CPP. (Ac. STJ de 10 de Novembro de 1999, proc. n.º 973/99);

— Não é inconstitucional a norma constante do art. 407.º, n.º 2, do CPP, interpretada no sentido de que a retenção de recursos de decisões que indefiram diligências de prova requeridas pelo arguido na fase de instrução não os torna absolutamente inúteis. (Ac. do Trib. Constitucional n.º 68/2000, proc. n.º 887/98, de 8 de Fevereiro de 2000; *DR*, II série, de 4 de Outubro de 2000);

— I — Os recursos interlocutórios retidos pressupõem, para serem objecto de conhecimento, que seja interposto recurso da decisão final que os leve, por arrastamento, ao tribunal superior (art. 407.º, n.º 3, do CPP). II — Embora a lei o não diga explicitamente, resulta do elemento sistemático de interpretação (art. 412.º, n.º 5, do mesmo Código) que o recurso da decisão final de que fala aquele art. 407.º, n.º 3, terá que ser interposto pelo próprio recorrente dos recursos intercalares ou interlocutórios. (Ac. STJ de 13 de Fevereiro de 2002, proc. n.º 4113/01-3.ª; *SASTJ*, n.º 58, 53);

— É inconstitucional, por violação dos arts. 32.º, n.º 1, e 20.º, n.º 5, da CPP, a norma do art. 407.º, n.º 2, com o interposto da decisão final o recurso interposto de decisão que indeferiu o pedido de acesso a elementos contidos nos autos com vista a impugnar a decisão que aplicou ao recorrente a medida de coacção de prisão preventiva. (Ac. do Trib. Constitucional n.º 417/2003, de 24 de Setembro, proc. n.º 584/2003-2.ª; *DR*, II série, de 7 de Abril de 2004);

— O art. 407.º, n.º 2, do CPP não viola o direito de recurso consagrado no art. 32.º, n.º 1, da CRP, quando interpretado no sentido de permitir a subida do recurso interposto do indeferimento da arguição de nulidade de decisão instrutória que pronuncia o arguido com o recurso da decisão que puser termo à causa. (Ac. do Tib. Constitucional n.º 242/2005, de 4 de Maio de 2005, proc. n.º 494/2004; *DR*, II série, de 10 de Outubro de 2005).

ARTIGO 408.º

(Recursos com efeito suspensivo)

1. Têm efeito suspensivo do processo:

a) Os recursos interpostos de decisões finais condenatórias, sem prejuízo do disposto no artigo 214.º;

b) O recurso do despacho de pronúncia, sem prejuízo do disposto no artigo 310.º.

Artigo 408.º

2. Suspendem os efeitos da decisão recorrida:

a) Os recursos interpostos de decisões que condenarem ao pagamento de quaisquer importâncias, nos termos deste Código, se o recorrente depositar o seu valor;

b) O recurso do despacho que julgar quebrada a caução;

c) O recurso do despacho que ordene a execução da prisão, em caso de não cumprimento de pena não privativa da liberdade;

d) O recurso do despacho que considere sem efeito, por falta de pagamento de taxa de justiça, o recurso da decisão final condenatória.

3. Os recursos previstos no n.º 1 do artigo anterior têm efeito suspensivo do processo quando deles depender a validade ou a eficácia dos actos subsequentes, suspendendo a decisão recorrida nos restantes casos.

---

1. Os n.ºs 1 e 2, als. *a)* e *b)* reproduzem o art. 408.º do Proj., porém com aditamento da expressão final da al. *b)* do n.º 1 — *sem prejuízo do disposto no artigo 310.º* —, decidida na fase final dos trabalhos preparatórios. Correspondem aos arts. 471.º do Aproj. e 658.º e 659.º do CPP de 1929.

As als. *c)* e *d)* do n.º 2 foram aditadas pela Lei n.º 59/98, de 25 de Agosto.

O n.º 3 foi aditado pela Lei n.º 48/2007, de 29 de Agosto.

2. No n.º 1, que corresponde, *grosso modo,* ao art. 658.º do CPP de 1929, enumeram-se os recursos que têm efeito suspensivo do processo, e portanto também, evidentemente, da decisão recorrida. O processo fica suspenso e dependente do recurso, com as ressalvas feitas na parte final das als. *a)* e *b).*

A ressalva feita na al. *a)* do regime do art. 214.º destina-se a significar, também aqui, que as medidas de coacção só se extinguem com o trânsito em julgado da decisão condenatória, e ainda que a prisão preventiva mesmo em caso de condenação em pena de prisão, se extingue imediatamente, ainda que da decisão tenha sido interposto recurso, se a pena aplicada não for superior à prisão já sofrida, ou quando atingir o tempo aplicado na decisão sob recurso.

A al. *b)* do n.º 1 tem que ser equacionada com o art. 310.º. Como se deduz desse art. 310.º, e de outras disposições, a decisão que pronunciar o arguido de harmonia com a acusação do MP é irrecorrível. Porém, pode haver pronúncia por factos diferentes dos apontados pelo MP, mais precisamente por factos objecto de requerimento do assistente para a abertura de instrução. Em tal caso, o recurso é admissível, e se for interposto tem efeito suspensivo do processo. Trata-se aqui de uma garantia acrescida do arguido, radicada na constatação de que há divergência entre os magistrados judicial e do MP. A ressalva da parte final da al. *b),* introduzida na fase final dos trabalhos de elaboração do Código, destina-se a significar que apesar de a lei aludir aqui a recursos do despacho de pronúncia, isso em nada prejudica a inadmissibilidade, em geral, de recurso desses despachos.

Código de Processo Penal

3. O n.º 2 corresponde, também *grosso modo,* ao art. 659.º do CPP de 1929. Aqui só a própria decisão recorrida fica suspensa; o recurso interposto não tem efeito suspensivo sobre tudo o mais do processo, que continua a sua tramitação. Por isso estes recursos sobem imediatamente, e normalmente em separado.

4. O n.º 3, aditado pela Lei supramencionada na anot. 1, veio explicitar que os recursos que sobem imediatamente, por a sua retenção os tornar absolutamente inúteis, têm efeitos suspensivo do processo quando deles depender a validade ou a eficácia dos actos subsequentes, e que nos restantes casos suspendem a decisão recorrida. Ficou assim clarificado que estes recursos têm efeito suspensivo do processo ou da decisão recorrida, conforme os casos.

5. *Jurisprudência:*
— O recurso do despacho que julgou deserto o interposto de sentença condenatória tem efeito suspensivo. (Ac. RL de 11 de Dezembro de 1996; *CJ,* XXI, tomo 5, 162).;
— Tem efeito devolutivo o recurso interposto de decisões proferidas durante a audiência de julgamento determinando a inquirição de testemunhas fora da ordem por que foram apresentadas. (Ac. STJ de 26 de Fevereiro de 1997, proc. n.º 141/97);
— Tem efeito suspensivo o recurso interposto de decisão que contém simultaneamente componentes condenatórias e absolutórias. (Ac. STJ de 1 de Abril de 1998, proc. n.º 1398/97);
— I — O art. 408.º do CPP refere-se a recursos ordinários da ordem jurídica comum com o regime previsto no mesmo diploma, não se aplicando o respectivo efeito suspensivo aos recursos para o Tribunal Constitucional. II — Assim, após a prolação pelo STJ de acórdão condenatório em pena de prisão, o arguido preso preventivamente passará à situação de cumprimento da pena, ainda que haja sido interposto recurso para o Tribunal Cosntitucional. (Ac. RL de 26 de Outubro de 1999; *CJ,* XXIV, tomo 4, 160).

ARTIGO 409.º
(Proibição de *reformatio in pejus*)

1. Interposto recurso de decisão final somente pelo arguido, pelo Ministério Público, no exclusivo interesse daquele, ou pelo arguido e pelo Ministério Público no exclusivo interesse do primeiro, o tribunal superior não pode modificar, na sua espécie ou medida, as sanções constantes da decisão recorrida, em prejuízo de qualquer dos arguidos, ainda que não recorrentes.

2. A proibição estabelecida no número anterior não se aplica à agravação da quantia fixada para cada dia de multa, se a situação económica e financeira do arguido tiver entretanto melhorado de forma sensível.

Artigo 409.º

1. O texto do n.º 2 foi introduzido pela Lei n.º 48/2007, de 29 de Agosto. Em relação à versão originária aponta-se a seguinte e relevante alteração: Foi eliminada a al. *b)* do n.º 2, passando a originária al. *a)* a constituir o actual texto do n.º 2. Essa al. *b)* era do seguinte teor:

À aplicação da medida de segurança de internamento, se o tribunal superior a considerar aplicável nos termos do artigo 91.º do Código Penal.

Em face da eliminação deste dispositivo, a medida de segurança de internamento passou a ter, para efeitos de *reformatio in pejus,* tratamento igual ao das demais sanções, com excepção da pena de multa.

2. Tanto na vigência das Ordenações Filipinas de 1595 como na da Novíssima Reforma Judiciária de 1841, não estava limitado o âmbito do conhecimento do recurso pelo tribunal superior. Vejam-se Pereira e Sousa, *Primeiras Linhas sobre o Processo Criminal,* §§ 277.º, 278.º, 279.º e 286.º; Luís Osório, *Comentário ao Código de Processo Penal,* 6.º, pág. 315; voto de vencido do Cons. Cruz Alvura, no assento de 4 de Maio de 1950 e o parecer n.º 13/IX da Câmara Corporativa sobre o projecto de lei n.º 4/IX, no *BMJ,* 180. 103 e segs.

O CPP de 1929 na versão originária não resolveu expressamente a questão, mas a doutrina e a jurisprudência inclinaram-se predominantemente para a possibilidade de agravação da pena ao recorrente, embora em recurso só por ele interposto. Luís Osório escreveu, a pág. 315 do *Comentário:* «Pretendem alguns deduzir destas limitações a proibição de em recurso se agravar a pena ao réu, quando ele for o único recorrente. Este artigo tem somente por fim dizer quem pode recorrer, e não pôr limites ao tribunal superior. Se daqui se deduzisse uma proibição a favor do réu, também se devia deduzir com os mesmos fundamentos — n.º 2 e § 4.º — uma limitação a favor da acusação. Em processo civil esta regra de legitimidade coincide com a permissão de agravar a situação do recorrente... Já era essa, e foi desde sempre, a nossa legislação e jurisprudência anteriores. Nos países onde a proibição é admitida, é combatida por escritores como Mortara, Garófalo, Stoppato, etc....».

Esta orientação dominante ficou consagrada no assento de 4 de Maio de 1950, para o direito processual criminal comum.

No processo criminal militar continuou de pé a proibição da *reformatio in pejus,* estabelecida no art. 532.º do Cód. de Just. Militar, até que o Dec.-Lei n.º 46 206, de 27 de Fevereiro de 1965, estabeleceu também para o processo militar a possibilidade da *reformatio.* Mas o Código de Justiça Militar, aprovado pelo Dec.-Lei n.º 141/77, de 9 de Abril, no art. 440.º, proibiu-a em moldes idênticos aos do art. 667.º do CPP.

Certo é, no entanto, que em muitos países se verificou recentemente um movimento a favor da proibição da *reformatio in pejus,* a qual, porém, não é admitida em moldes absolutos, mas com determinadas limitações. A este movimento parecem estranhas as formas políticas do Estado, e os fundamentos invocados pela doutrina em defesa da inadmissibilidade de agravação da pena ao réu, quando só ele recorre, têm pouca consistência, não sendo de modo algum decisivos. Veja-se a ampla informação do parecer da Câmara Corporativa, *BMJ,* 180, 118 e segs. Como neste parecer, poderá concluir-se que a tradição jurídica nacional favorecia a aceitação da *reformatio in pejus.* Mas, à luz do direito com-

Código de Processo Penal

parado, a tese da proibição predomina largamente nas legislações mais representativas; os fundamentos invocados pela doutrina a favor desta tese têm algum valor, ainda que relativo, e, no seu conjunto, representam uma voz significativa no diálogo universal do pensamento jurídico e a concepção autoritária do Estado ou o carácter social da ordem jurídica, aceites para o caso português, não são inconciliáveis com uma proibição limitada da *reformatio,* coadunando-se esta até muito bem com o marcado sentido humanitário do direito criminal português.

Estes os antecedentes da Lei n.º 2139, de 14 de Março de 1959, e das disposições deste art. 409.º, que levou ainda em conta o direito comparado.

3. O sentido da proibição da *reformatio in pejus* é o de obstar a que o arguido veja alterada a sentença penal, em seu prejuízo, quando só a defesa recorreu, ou mesmo quando também o MP recorreu, mas no exclusivo interesse do arguido.

A proibição, com a ressalva do n.º 2, aplica-se agora a todas as sanções, sejam penas ou medidas de segurança, constantes da decisão recorrida, sendo por isso notoriamente mais vasta do que no domínio do art. 667.º do CPP de 1929, conforme a redacção introduzida pela Lei n.º 2139, em que, além do mais, a proibição não abrangia as medidas de segurança.

4. A proibição de *reformatio in pejus* não é absoluta, tendo uma limitação, que porém se distancia das que eram estabelecidas pelo art. 667.º do CPP de 1929, na redacção introduzida pela Lei n.º 2139:

Esta limitação diz respeito à agravação da pena de multa, que é sempre possível no recurso, desde que a situação económica e financeira do arguido tenha entretanto melhorado de forma sensível.

5. Como inovações de muito relevo relativamente ao regime anterior, podem ainda salientar-se as seguintes:

Em relação à possibilidade de agravação da pena de multa, durante a vigência do texto do n.º 2 anterior ao actual introduzido pela supramencionada Lei, discutia-se se perante a melhoria sensível da situação económica e financeira do arguido a gravação só podia incidir sobre a quantia fixada, ou podia também incidir sobre os dias de multa. No actual texto do n.º 2 ficou consagrada a orientação, que já era maioretária anteriormente, de que a gravação só incide sobre a quantia fixada para cada dia de multa.

6. A lei é omissa quanto à possibilidade de aplicação de penas diversas e mais graves do que as da decisão recorrida, no caso de diversa qualificação jurídico-criminal dos factos pelo tribunal superior. Mesmo em tal caso, não é agora portanto possível a *reformatio in pejus.* O tribunal superior dará aos factos o tratamento jurídico-criminal que reputar adequado desde que sobre esse tratamento o arguido tenha sido ouvido, depois de para o efeito lhe ter sido dado prazo razoável, como mais desenvolvidamente expendemos a propósito do julgamento — anot. ao art. 358.º —, em obediência ao princípio contraditório e aos direitos fundamentais da defesa.

Também cessou a possibilidade de o MP no tribunal superior pedir a agravação da pena, nos casos de recursos interpostos só pelo arguido ou pelo MP no interesse da defesa, que no regime anterior por vezes deixava frustrada a

944

Artigo 409.º

expectativa dos arguidos recorrentes. Para que possa operar-se nos recursos penais a modificação das sanções em prejuízo dos arguidos terá que haver agora recurso interposto pela acusação.

Do maior interesse para compreensão do novo regime de proibição de *reformatio in pejus* é a crítica do Prof. Figueiredo Dias ao art. 667.º do CPP de 1929, na redacção introduzida pela Lei n.º 2139, *Direito Processual Penal,* vol. 1.º, pág. 259. Veja-se ainda Cunha Rodrigues, *Jornadas,* 388.

7. *Jurisprudência fixada:*

— O tribunal superior pode, em recurso, alterar oficiosamente a qualificação jurídico-penal efectuada pelo tribunal recorrido, mesmo que para crime mais grave, sem prejuízo, porém, da proibição da *reformatio in pejus.* (Ac. do Plenário das secções criminais do STJ de 7 de Junho de 1995; *DR,* I-A série, de 6 de Julho de 1995). *Nota* — Este acórdão fixando jurisprudência, em nosso entendimento, enferma de inconstitucionalidade, quando interpretado no sentido de que o tribunal superior pode alterar a qualificação jurídica dos factos em prejuízo do arguido, sem que este seja previamente ouvido sobre a alteração. Ver *supra,* anot. 5, anot. ao art. 358.º e jurisprudência do Trib. Constitucional, *infra.*

8. *Jurisprudência:*

— I — Conforme o art. 409.º, n.º 1, do CPP, no caso de recurso interposto somente pelo arguido, a pena da decisão recorrida não pode ser modificada em seu prejuízo, mesmo no caso de funcionar uma agravante qualificativa. II — Da mesma forma, a proibição da *reformatio in pejus* abrange as medidas de segurança. (Ac. STJ de 24 de Janeiro de 1990; *CJ,* XV, tomo 1, 19);

— A proibição da *reformatio in pejus* impõe que, em caso de pluralidade de arguidos, os absolvidos não recorrentes não possam ser objecto de condenação. (Ac. STJ de 16 de Janeiro de 1990; *AJ,* n.º 5, 4);

— O art. 409.º do CPP só impede que o tribunal de recurso aplique ao agente a sanção correspondente ao crime mais grave, mas não impede que o mesmo tribunal modifique a qualificação jurídico-criminal, dentro do âmbito definido pelo art. 402.º, não limitado, nos termos do art. 403.º, ambos do CPP. (Ac. STJ de 19 de Setembro de 1990, Proc. 40 924/3.ª);

— A proibição de *reformatio in pejus* impede que se conheça, no recurso, da responsabilidade de arguidos absolvidos, se não houver recurso por parte da acusação. (Ac. STJ de 5 de Junho de 1991; *CJ,* XVI, tomo 3, 29);

— É possível ao tribunal de recurso agravar a pena imposta ao arguido quando o MP recorre a defender que ela não pode ser suspensa e se conclua que não pode ser mantida a atenuação especial que permita tal suspensão. (Ac. do STJ de 27 de Outubro de 1993; *CJ, Acs. do STJ,* I, tomo 3, 220);

— I — O simples enquadramento jurídico de uma dada conduta a partir dos mesmos factos descritos na acusação, e só deles, não constitui alteração, substancial ou não, desses mesmos factos. II — Procedendo o tribunal a uma requalificação jurídica dos factos para crime mais grave é-lhe vedado aplicar aos factos assim requalificados uma pena que, embora correcta dentro da

Código de Processo Penal

moldura do crime mais grave, se situe para além dos limites fixados para a infracção mais leve, que havia sido indicada na acusação. (Ac. STJ de 1 de Fevereiro de 1996; *CJ, Acs. do STJ,* IV, tomo 1, 201);

— São inconstitucionais, por violação do art. 32.º, n.ᵒˢ 1 e 5 da CRP, as normas do art. 409.º, n.ᵒˢ 1 e 2 do CPP, na interpretação segundo a qual a revogação pelo tribunal superior do perdão concedido pelo tribunal *a quo* não se encontra subordinada à proibição da *reformatio in pejus.* (Ac. do Trib. Constitucional de 10 de Julho de 1997, n.º 499/97, Proc. 823/95; *DR,* II série, de 21 de Outubro de 1997, págs. 12983 e segs.);

— Na sequência de recurso interposto pelo arguido, sempre que a Relação desagrave o ilícito criminal em que aquele foi condenado em 1.ª instância, deve, sob pena de *reformatio in pejus,* reformular (*in mellius*) as penas aplicadas, na medida exacta da implicação, na sua graduação, da(s) agravantes(s) desaparecida(s). (Ac. STJ de 29 de Abril de 2003; proc. n.º 768/ 03-5.ª; *SASTJ,* n.º 70, 66). *Nota* — Tem declaração de voto do Exmo Conselheiro Santos Carvalho;

— Se em julgamento anterior, entretanto anulado, o arguido foi condenado numa pena de 6 anos de prisão, e posteriormente, em segundo julgamento, é-lhe fixada uma pena de 7 anos de prisão, não se verifica qualquer violação da proibição da *reformatio in pejus,* pois tudo se passa como se o primeiro julgamento nunca se tivesse realizado. (Ac. STJ de 17 de Março de 2004, proc. n.º 4415/04-3.a);

— Na sequência de recurso interposto pelo arguido, sempre que a Relação desagrave o ilícito criminal em que aquele foi condenado em 1.ª instância, deve, sob pena de (indirecta) *reformatio in pejus,* reformular (*in melius*) as penas aplicadas na medida, pelo menos, da implicação, na sua graduação, da agravante desaparecida. (Ac. STJ de 21 de Abril de 2005, proc. n.º 895/05-5.ª; *SASTJ,* n.º 90, 141);

— É inconstitucional a norma do art. 409.º, n.º 1, do CPP, por violação do art. 32, n.º 1, do CRP, interpretada no sentido de não proibir o agravamento da condenação em novo julgamento a que se procedeu por o primeiro ter sido anulado na sequência de recurso unicamente interposto pelo arguido. (Ac. do Trib. Constitucional de 30 de Março de 2007; *DR.* II série, de 23 de Maio de 2007);

— Anulada uma decisão em recurso da defesa, na subsequente decisão a proferir pelo tribunal recorrido, não pode o arguido ser condenado numa pena mais severa do que aquela que lhe havia sido aplicada antes dessa anulação. (Ac. STJ de 5 de Julho de 2007; *CJ, Acs. do STJ,* ano XV, tomo 2, 239);

— I — Havendo recurso exclusivo do arguido, a agravação da pena aplicada na instância recorrida contraria, à partida, o princípio da proibição de r*eformatio in pejus* – art. 409.º do CPP. II — Este postulado é de se aplicar mesmo no caso de uma diversa qualificação penal. III – Perante a anulação da decisão, sob o impulso de recurso da defesa, o tribunal reenviado não pode agravar a (primitiva) pena do arguido recorrente; outra interpretação violaria as garantias constitucionais da defesa – art. 32.º, n.º 1, da CRP. (Ac. STJ de 30 de Abril de 2008; *SASTJ* relativos a esse mês).

Artigo 410.º

CAPÍTULO II

DA TRAMITAÇÃO UNITÁRIA

ARTIGO 410.º
(Fundamentos do recurso)

1. Sempre que a lei não restringir a cognição do tribunal ou os respectivos poderes, o recurso pode ter como fundamento quaisquer questões de que pudesse conhecer a decisão recorrida.

2. Mesmo nos casos em que a lei restrinja a cognição do tribunal de recurso a matéria de direito, o recurso pode ter como fundamentos, desde que o vício resulte do texto da decisão recorrida, por si só ou conjugada com as regras da experiência comum:

a) A insuficiência para a decisão da matéria de facto provada;
b) A contradição insanável da fundamentação ou entre a fundamentação e a decisão;
c) Erro notório na apreciação da prova.

3. O recurso pode ainda ter como fundamento, mesmo que a lei restrinja a cognição do tribunal de recurso a matéria de direito, a inobservância de requisito cominado sob pena de nulidade que não deva considerar-se sanada.

---

1. Com excepção da alteração a seguir indicada, reproduz o art. 410.º do Proj. Não havia disposições correspondentes no CPP de 1929.

A Lei n.º 59/98, de 25 de Agosto introduziu a alternativa constante da parte final da al. *b)* do n.º 2 — *ou entre a fundamentação e a decisão.*

2. O disposto neste artigo é de primacial importância, porque enquanto nos recursos as relações conhecem em regra de facto e de direito (art. 428.º), os recursos interpostos para o STJ visam em regra exclusivamente o reexame da matéria de direito (art. 434.º).

É manifesto que fica de algum modo ampliada, relativamente ao regime do CPP de 1929, a matéria que pode fundamentar a interposição de recurso para o STJ e para as relações quando estes tribunais conhecem só de direito, pois clarificou-se que a matéria especificada nos n.os 2 e 3 pode fundamentar esse recurso. É certo que muita dessa matéria deve ser incluída na classificação de matéria de direito, porque a respectiva apreciação não pode desprender-se da interpretação e aplicação de normas jurídicas; porém quanto a outra matéria já assim não pode ser entendido, designadamente quanto ao erro notório na apreciação da prova a que alude a alínea *c)* do n.º 1. De qualquer modo, *legem habemus,* e toda esta matéria pode agora fundamentar o recurso para o Supremo e para as relações no caso referido.

947

Código de Processo Penal

De salientar porém que os vícios apontados no n.º 2, como fundamento do recurso, têm que resultar do próprio texto da decisão recorrida (não sendo assim portanto permitida a consulta a outros elementos constantes do processo), por si ou conjugada com as regras da experiência comum. Serão, portanto, casos de erro notório na apreciação da prova aquele em que um acórdão recorrido menciona que o arguido estava às 10 horas de um dia em Coimbra e às 10 horas e 30 minutos desse mesmo dia em Lisboa e aquele em que se diga que o arguido deu um tiro procurando atingir o coração da vítima, que efectivamente atingiu e esfacelou, mas que não houve da sua parte intenção de matar.

3. As razões determinantes da dinâmica e dos fundamentos dos recursos, como se encontravam estabelecidas no Código, foram explanadas por Cunha Rodrigues, *in Jornadas de Direito Processual Penal.* 391 e segs., de onde extraímos as seguintes e elucidativas passagens:

«A grande inovação neste domínio é ter-se erigido em elemento determinante da competência do tribunal de recurso o da natureza do tribunal recorrido: salvo o caso de decisões proferidas em primeira instância por tribunais superiores, os recursos ordinários são interpostos do tribunal singular para o tribunal da Relação e do tribunal colectivo e do tribunal do júri para o Supremo Tribunal de Justiça.

A regra é a de um único grau de recurso, cuja tramitação contende, como vimos, com os próprios poderes de cognição do tribunal superior.

Uma das críticas que tenho visto fazer à nova regulamentação é a de que ela, obliquamente, esvazia a garantia do duplo grau de jurisdição. Para tornar mais claras as coisas e assumir o desafio da argumentação, recordo que do tribunal colectivo e do tribunal do júri se recorre directamente para o Supremo Tribunal de Justiça. A consagração deste recurso directo e as limitações do Supremo Tribunal de Justiça no conhecimento da matéria de facto significariam a eliminação da garantia de recurso relativamente à culpabilidade, ao arrepio do que hoje seriam aquisições comuns aos sistemas de processo penal e dos instrumentos internacionais sobre direitos e liberdades.

O argumento merece obviamente ser ponderado, ainda que me pareça manifesto que repousa numa avaliação deficiente das realidades.

São muitos os sistemas, mesmo na Europa a que pertencemos que, e o que é mais significativo na criminalidade mais grave, se satisfazem com uma única instância quanto ao apuramento dos factos. Citaria, entre outros, o caso da República Federal da Alemanha, em que o Tribunal Federal de Justiça e os Tribunais Regionais Superiores não conhecem de matéria de facto em recursos interpostos de tribunal colegial; o caso da Itália, em que se recorre directamente do tribunal colectivo para o tribunal de cassação. Não obstante a evolução verificada nesses países, por via jurisprudencial, relativamente à autonomia das questões de facto e de direito, os Supremos Tribunais que acabamos de referir funcionam na base da ideia de cassação; isto é, constatam a existência de violação da lei, anulam o julgamento e reenviam o processo a outro tribunal.

E nem vale a pena ignorar, sob pena de fariseísmo, o que hoje se passa entre nós. Não só o recurso do tribunal do júri é interposto directamente para o Supremo Tribunal de Justiça, como do tribunal colectivo não há, em rigor, recurso da matéria de facto. O que existe são dois tribunais de revista, mais alargada, é certo, relativamente ao Tribunal da Relação.

...

Artigo 410.º

O que hoje se sabe é que a superior garantia que representam os tribunais colectivos resulta manifestamente da sua estrutura colegial e da imediação com os factos. E que há cada vez mais razões para olhar com cepticismo os segundos julgamentos, necessariamente montados sobre cenários já montados e com prévio ensaios geral.

É fundamental não esconder a realidade das coisas. Não são considerações de dogmática ou um certo construtivismo judiciário que abonam a vantagem ou a fatalidade do recurso directo interposto dos tribunais colegiais. As razões encontram-se noutro plano. Assegurada a efectiva colegialidade, garantido o contraditório e obtida uma tanto quanto possível imediação, o recurso do tribunal colectivo tem características particularmente nítidas de remédio jurídico. A previsão de um mecanismo de reapreciação dos factos não pode — não deve — ser senão uma válvula de segurança. É esta a economia do recurso para o Supremo Tribunal de Justiça a que poderíamos chamar, com rigor, de revista alargada.
...

Não se pode, assim, dizer que o Código exclui o duplo grau de jurisdição relativamente à culpabilidade nos recursos do tribunal colectivo. Pode mesmo sustentar-se, fazendo uma prognose sobre o desempenho da jurisprudência, que estão abertos caminhos bem mais amplos do que os autorizados pelo artigo 712.º do Código de Processo Civil. O apelo que agora é feito às regras da experiência comum e à notoriedade do erro na apreciação da prova constituem, a nosso ver, uma adequada válvula de segurança para o sistema.

No que respeita às Relações, o problema é diferente.

Trata-se, neste caso, de recurso interposto de tribunal singular. Esta circunstância justifica a conveniência de que o recurso seja apreciado, segundo as normas clássicas da apelação, por um tribunal colegial.

Se não tiver havido renúncia ao recurso, as Relações conhecem de facto e de direito. Se a tiver havido, o recurso é de direito mas na modalidade de revista alargada, como definimos relativamente ao Supremo Tribunal de Justiça (art. 428.º).

Uma das questões que maiores resistências parece estar a provocar é a da renovação da prova.

Esclareça-se, desde já que, contrariamente ao que se tem ouvido dizer, o Código não prevê que, no Supremo Tribunal, como tribunal de último recurso, seja, alguma vez, consentida a renovação da prova.»

Resta anotar que, dentro desta orientação, o Tribunal Constitucional vem decidindo que o princípio do duplo grau de jurisdição em matéria de facto não implica um novo julgamento na segunda instância, com repetição da prova produzida na primeira instância (ou com produção de nova prova), o que, a verificar-se, seria mais propriamente um segundo julgamento do que um recurso propriamente dito. Neste sentido, o ac. de 5 de Maio de 1992; *BMJ*, 417, 161).

Este regime sofreu porém profunda alteração, já referida em anot. ao art. 399.º, em virtude de nos casos já enumerados, ser admissível recurso para as relações e destas para o Supremo.

4. *Jurisprudência fixada:*
— É oficioso, pelo tribunal de recurso, o conhecimento dos vícios indicados no artigo 410.º, n.º 2 do CPP, mesmo que o recurso se encontre limitado à

Código de Processo Penal

matéria de direito. (Ac. do Plenário das secções criminais do STJ de 19 de Outubro de 1995, proc. n.º 46 580/3.ª, *DR*, I-A Série, de 28 de Dezembro do mesmo ano).

5. *Jurisprudência:*

— I — Nunca o STJ, quando funciona como tribunal de recurso, pode substituir-se ao tribunal de instância na apreciação directa de prova não vinculada, como não pode, em caso algum, realizar diligências de prova dessa natureza, quando funciona nesses termos. II — O STJ, como tribunal de revista, embora alargada, verifica a suficiência ou insuficiência da matéria de facto apurada; se há contradição insanável em tal matéria ou na respectiva fundamentação; e ainda se foi cometido erro notório, isto é erro de tal modo patente que não escapa à observação de um homem de formação média. III — Verificada alguma destas situações, ordenará a renovação da prova, em outro tribunal, consoante a lei prevê; caso contrário, estará a matéria de facto definitivamente fixada. IV — As novas vias abertas pelo CPP de 1987 não são ilimitadas; designadamente não permitem a apreciação directa pelo STJ de prova não vinculada. V — Tais vias são somente as indicadas nas alíneas do n.º 2 do art. 410.º e eventualmente em outras disposições, como por exemplo as referentes aos requisitos cominados sob pena de nulidade que não deva considerar-se sanada. VI — As contradições insanáveis, para efeito de renovação da prova, são somente as intrínsecas da própria decisão, considerada como peça autónoma, não sendo, para o efeito, consideradas eventuais contradições entre a decisão e o que do processo consta em outros locais, designadamente no inquérito ou na instrução. (Ac. STJ de 29 de Novembro de 1989. Proc. 40 255/3.ª). *Nota* — Há jurisprudência abundante do STJ em sentido idêntico. Sobre a constitucionalidade do sistema veja--se o ac. do Tribunal Constitucional (Plenário) de 12 de Dezembro de 1990, Proc. 58/89;

— I — Como resulta *expressis verbis* do art. 410.º do CPP, os vícios nele referidos têm que resultar da própria decisão recorrida, na sua globalidade, mas sem recurso a quaisquer elementos que lhe sejam externos, designadamente declarações ou depoimentos exarados no processo durante o inquérito ou a instrução, ou até mesmo no julgamento. II — E compreende-se que assim seja, já que a decisão do Colectivo ou do Júri é tomada em consciência e após livre apreciação crítica; e o que do inquérito, da instrução ou das declarações em julgamento consta pode ter sido posteriormente alterado ou esclarecido pelos próprios intervenientes. III — O STJ, quando funciona como tribunal de recurso, não efectua diligências de prova não vinculada. IV — É portanto inoperante alegar o que os declarantes afirmaram no inquérito, na instrução ou no julgamento, em motivação de recursos interpostos. (Ac. STJ, de 19 de Dezembro de 1990; Proc. 41 327/3.ª);

— I — Se o recorrente alega vícios da decisão recorrida a que se refere o n.º 2 do art. 410.º do CPP, mas fora das condições previstas nesse normativo, afinal impugna a convicção adquirida pelo tribunal *a quo* sobre determinados factos, em contraposição com a que sobre os mesmos ele adquiriu em julgamento, esquecido da regra da livre apreciação da prova inserta no art. 127.º. II — O fundamento a que se refere a al. *a)* do n.º 2 do art. 410.º do CPP é a insuficiência da matéria de facto para a decisão de direito, que não se confunde

Artigo 410.º

com a insuficiência da prova para a decisão de facto proferida, coisa bem diferente. (Ac. STJ de 13 de Fevereiro de 1991; *AJ,* n.ºs 15/16, 7);

— A existência de video-gravações ou de audio-gravações do julgamento só é susceptível de ser tomada em consideração pelo STJ se se verificar qualquer dos vícios referidos no art. 410.º, n.º 2 e se a sua existência resultardo texto da própria decisão. (Ac. STJ de 29 de Janeiro de 1992; *CJ,* XVII, tomo 1, 20);

— Quando o tribunal superior ordene a repetição do julgamento com base na experiência dos vícios do n.º 3 do art. 410.º do CPP, não há lugar ao reenvio dos autos, pelo que a aludida repetição deve ser feita pelo tribunal que proferiu a decisão mandada repetir. (Ac. RL de 19 de Janeiro de 1993; *CJ,* XVIII, tomo 1, 153);

— O conceito de erro notório na apreciação das provas tem de ser interpretado como o tem sido o conceito de facto notório em processo civil, ou seja como o facto de que todos se apercebem directamente, ou que, observados pela generalidade dos cidadãos, adquire carácter notório. (Ac. STJ de 6 de Abril de 1994; *CJ, Acs. do STJ,* II, tomo 2, 186);

— O STJ pode intervir em matéria de facto, mesmo sem que o vício seja arguido, se a decisão está eivada de clara contradição insanável na fundamentação. Nesse caso, deve anular-se o julgamento e reenviar-se o processo para que se desfaça a contradição e se julgue em conformidade. (Ac. STJ de 27 de Abril de 1994; *CJ, Acs. do STJ,* II, tomo 2, 199);

— Verifica-se um caso de erro notório na apreciação da prova, que deve levar ao reenvio do processo para novo julgamento, quando o tribunal colectivo dá como provado que o arguido introduziu o seu pénis erecto na vagina da ofendida sem atingir o hímen. (Ac. do STJ de 15 de Junho de 1994; *CJ, Acs. do STJ,* II, tomo 2, 249);

— I — O sistema de recurso que se acha consagrado no CPP, *maxime* nos arts. 410.º e 433.º, não dá o flanco às críticas de que é alvo a apelação penal e, simultaneamente, preserva o núcleo essencial do direito ao recurso em matéria de facto, contra sentenças penais condenatórias — direito que decorre do princípio das garantias de defesa consagrado no art. 32.º, n.º 1, da CRP. II — Um tal sistema — um sistema de revista alargada — protege o arguido dos perigos de um erro de julgamento, designadamente de erro grosseiro na decisão da matéria de facto, e desse modo defende-o do risco de uma sentença injusta. III — O tribunal colectivo, tendo em conta as regras do seu próprio modo de funcionamento e as que presidem à audiência de julgamento, constitui, ele próprio, uma primeira garantia de acerto no julgamento da matéria de facto. (Ac. do Trib. Constitucional de 5 de Maio de 1993; *BMJ,* 427, 100);

— Para se verificar contradição insanável de fundamentação, têm de constar do texto da decisão recorrida, sobre a mesma questão, posições antagónicas e inconciliáveis, como por exemplo dar o mesmo facto como provado e como não provado, em situações que não possam ser ultrapassadas pelo tribunal de recurso. (Ac. STJ de 22 de Maio de 1996, proc. 306/96);

— Verifica-se erro notório na apreciação da prova quando se constata erro de tal forma patente que não escapa à observação do homem de formação média, o que deve ser demonstrado a partir do texto da decisão recorrida, por si ou conjugada com as regras da experiência comum. (Ac. STJ de 17 de Dezembro de 1997; *BMJ,* 472, 407);

Código de Processo Penal

— O termo *decisão*, utilizado no art. 410.º, n.º 2, al. *a)* do CPP — vício da insuficiência para a decisão da matéria de facto provada — refere-se à decisão justa que devia ter sido proferida, e não à decisão recorrida. (Ac. STJ de 13 de Maio de 1998; *CJ, Acs. do STJ,* VI, tomo 2, 199);

— Não são inconstitucionais as normas resultantes da conjugação do art. 433.º do CPP com o corpo do n.º 2 do art. 410.º do mesmo Código, na medida em que limitam os fundamentos do recurso a que «o vício resulte do texto da decisão recorrida, por si ou conjugada com as regras da experiência comum». (Ac. do Trib. Constitucional de 15 de Outubro de 1998, proc. n.º 166/98; *DR,* II série, de 13 de Novembro de 1998);

— Só existe erro notório na apreciação da prova quando do texto da decisão recorrida, por si ou conjugada com as regras da experiência comum, resulta com toda a evidência a conclusão contrária à que chegou o tribunal. Nesta perspectiva, a violação do princípio *in dubio pro reo* pode e deve ser tratada como erro notório na apreciação da prova quando do texto da decisão recorrida se extrair, por forma mais do que óbvia, que o colectivo optou por decidir, na dúvida, contra o arguido. (Ac. do STJ de 15 de Abril de 1998; *BMJ,* 476, 82);

— Erro notório na apreciação da prova, vício previsto na al. *c)* do n.º 2 do art. 410.º do CPP, existe quando se dão como provados factos que, face às regras da experiência comum e à lógica corrente, não se teriam podido verificar ou são contraditados por documentos que fazem prova plena e que não tenham sido arguidos de falsos. (Ac. STJ de 10 de Março de 1999, proc. 162/99-3.ª; *SASTJ,* n.º 29, 73);

— Constitui contradição insanável da fundamentação a circunstância de o tribunal ter dado como não provada a intenção de apropriação por parte do arguido em relação a um determinado conjunto de bens, que retirou e levou consigo dumas instalações e depois como provado que as vendeu para realizar quantia em dinheiro a que se julgava com direito. (Ac. STJ de 18 de Março de 1999, proc. 1007/98-3.ª; *SASTJ,* n.º 29, 79);

— O erro notório na apreciação da prova existe quando se dão como provados factos que, face às regras da experiência comum e à lógica do homem médio, não se poderiam ter verificado ou são contraditados por documentos que fazem prova plena e que não tenham sido arguidos de falsos. (Ac. STJ de 2 de Junho de 1999, proc. n.º 354/99);

— O vício do erro notório na apreciação da prova só pode verificar-se relativamente aos factos tidos como provados ou não provados e não às interpretações ou conclusões de direito com base nesses factos. (Ac. STJ de 13 de Outubro de 1999, proc. n.º 1002/98);

— O STJ só conhece dos vícios do n.º 2 do art. 410.º do CPP por sua própria iniciativa, e nunca a pedido do recorrente, que para o efeito terá que interpor recurso para a Relação. (Ac. STJ de 3 de Outubro de 2002; proc. n.º 2697/02-5.ª; *SASTJ,* n.º 64, 100);

— I — Para conhecer dos recursos interpostos de um acórdão final do tribunal colectivo em que são invocados quaisquer dos vícios previstos no art. 410.º do CPP é competente o tribunal da Relação. II — No recurso directo para o STJ da decisão final do tribunal colectivo só pode invocar--se matéria de direito, e não também matéria de facto, ainda que a coberto dos vícios do art. 410.º, n.º 2. III — Tal não é contraditório com o conhe-

952

Artigo 410.º

cimento oficioso que o STJ deve ter dos mesmo vícios, de resto em conformidade com orientação uniformizadora, pois é essa uma válvula de escape dos sistema, através da qual se pretende que o STJ não decida o direito quando os factos são manifestamente insuficientes, contraditórios ou errados. (Ac. STJ de 26 de Junho de 2003 (dois), procs. n.ºˢ 2411 e 2416-5.ª; *SASTJ*, n.º 72, 82);

— I — O erro notório na apreciação da prova a qua alude o art. 410.º, n.º 2, al. *c)*, do CPP, não consiste na omissão de relevação de factos provados, mas sim num vício de apuramento da matéria de facto. II — Em recurso de acórdão da Relação, o recorrente não pode invocar este vício, uma vez que o STJ julga apenas de direito, como resulta das disposições combinadas dos arts. 428.º, 432.º, al. *d)* e 434.º, todos do CPP. (Ac. STJ de 15 de Outubro de 2003; proc. n.º 3187/03-3.ª; *SASTJ*, n.º 74, 131);

— Tratando-se de recurso de deliberação do tribunal do júri, o STJ só pode sindicar a matéria de facto por via da revista alargada, com o alcance consentido pela indagação dos vícios a que se reporta o art. 410.º, n.º 2, do CPP. (Ac. STJ de 30 de Outubro de 2003; proc. n.º 3252/03-5.ª; *SASTJ*, n.º 74, 198);

— I — São realidades diferentes o erro de julgamento por insuficiência de prova ou incorrecta valoração desta e o erro notório na apreciação da prova. II — O erro de julgamento pressupõe que a prova produzida, analisada e valorada, não podia conduzir à fixação da matéria de facto provada e não provada, nos termos em que o foi o erro notório na apreciação da prova, para além de ser ostensivo, prescinde da análise da prova produzida, para se ater tão-somente ao texto da decisão recorrida, por si ou conjugado com as regras da experiência comum, o que significa a impossibilidade de recurso a outros elementos, ainda que constantes do processo. (Ac. do STJ de 15 de Julho de 2004, proc. n.o 2150/04-5.ª);

— I — Verificada a existência de um vício enquadrável no art. 410.º, n.º 2, do CPP, e considerando-se que a renovação da prova permite evitar o reenvio, deve a Relação proceder à renovação dessa prova. II — O regime de recurso não admite que, nestes casos, se remeta a renovação da prova para o tribunal de 1.ª instância. III — A desconsideração desta regra de competência, material e funcional, integra a nulidade insanável do art. 119.º, n.º 1, al. e), do CPP. (Ac. STJ de 28 de Fevereiro de 2007; *CJ, Acs. do STJ,* ano XV, tomo I, 198);

I — É irrecorrível, conforme estabelece a al. c) do n.º 1 do art. 400.º, por referência à al. b) do art. 432.º, ambos do CPP, a decisão da Relação tomada em recurso que, tendo absoluta autonomia relativamente às demais questões suscitadas, não pôs termo à causa por não se ter pronunciado sobre a questão substantiva que é o objecto do processo. Para efeito da recorribilidade, mostra-se indiferente a forma como o recurso foi processado e julgado pela Relação, isto é, se o recurso foi processado autonomamente ou se a decisão se encontra inserida em impugnação da decisão final (cf. o Ac. do STJ de 09-01-2008, Proc. 2793/07-3.ª, e o Ac. de 21-05-2008, Proc. n.º 414/08-5.ª).

II — Este entendimento respeita a garantia constitucional do duplo grau de jurisdição e encontra-se em perfeita sintonia com o regime traçado pela Reforma de 1998, e mantido na Reforma de 2007, para os recursos para o

Código de Processo Penal

STJ: sempre que se trate de questões processuais ou que não tenham posto termo ao processo, o legislador pretendeu impedir o segundo grau de recurso, terceiro de jurisdição, determinando que tais questões fiquem definitivamente resolvidas com a decisão da Relação.

III — O reexame pelo Supremo Tribunal da matéria de direito exige a prévia definição pela Relação dos factos provados, se estes tiverem sido impugnados, ficando com a decisão da Relação esgotados os poderes de apreciação da matéria de facto, a menos exigindo a lei, para a prova de certo acto, determinada espécie de prova ou que fixando a força de determinado meio de prova, estes comandos não tenham sido respeitados.

IV — Fora das hipóteses previstas no art. 410.º do CPP, cujo fundamento é oficioso, não podendo servir de fundamento ao recurso, o STJ não pode investigar se o tribunal de 1.ª instância proferiu uma decisão justa no campo da matéria de facto. (Ac. STJ de 19 de Junho de 2006; *SASTJ* relativos a esse mês, pág. 72).

ARTIGO 411.º

(Interposição e notificação do recurso)

1. O prazo para interposição do recurso é de 20 dias e conta-se:

a) A partir da notificação da decisão;

b) Tratando-se de sentença, do respectivo depósito na secretaria;

c) Tratando-se de decisão oral reproduzida em acta, a partir da data em que tiver sido proferida, se o interessado estiver ou dever considerar-se presente.

2. O recurso de decisão proferida em audiência pode ser interposto por simples declaração na acta.

3. O requerimento de interposição do recurso é sempre motivado, sob pena de não admissão do recurso, podendo a motivação, no caso de recurso interposto por declaração na acta, ser apresentada no prazo de 20 dias, contado da data da interposição.

4. Se o recurso tiver por objecto a reapreciação da prova gravada os prazos estabelecidos nos n.ᵒˢ 1 e 3 são elevados para 30 dias.

5. No requerimento de interposição de recurso o recorrente pode requerer que se realize audiência, especificando os pontos da motivação do recurso que pretende ver debatidos.

6. O requerimento de interposição ou a motivação são notificados oficiosmente aos restantes sujeitos processuais afectados pelo recurso, devendo ser entregue o número de cópias necessário.

Artigo 411.º

7. O requerimento de interposição de recurso que afecte o arguido julgado na ausência, ou a motivação, anteriores à notificação da sentença, são notificados àquele quando esta lhe for notificada, nos termos do n.º 5 do artigo 333.º.

---

1. Com excepção do n.º 2, que conserva a versão originária, o texto deste artigo foi introduzido pela Lei n.º 48/2007, de 29 de Agosto. Já anteriormente sofrera significativas alterações introduzidas pela Lei n.º 59/98, de 25 de Agosto.

2. Confrontando os anteriores dispositivos deste artigo com os actuais, notam-se as seguintes alterações mais significativas:
— No n.º 1, o prazo para a interposição de recurso foi fixado em 20 dias. O prazo da versão originária era de 10 dias, sendo posteriormente fixado em 15 dias pela Lei n.º 59/98, pelas razões apontadas em edições anteriores desta obra;
— Também no n.º 3 o prazo foi fixado em 20 dias (anteriormente 10 e depois 15 dias), identicamente ao que sucedeu no caso que acaba de ser anotado;
— Foi introduzido o dispositivo do n.º 4, permitindo a elevação para 30 dias dos prazos estabelecidos no n.º 3 para a interposição do recurso, quando tiver por objecto a reapreciação da prova gravada;
— No n.º 5 estabeleceu-se que no requerimento de interpposição do recurso o recorrente pode requerer que se realize audiência, especificando os pontos da motivação do recurso que pretende ver debatidos. Com este dispositivo inverteu--se a regra anterior, passando a oralidade a ser excepção. O recorrente, se pretender a realização de audiência, deverá requerer, no requerimento de interposição de recurso, que ela se realize, especificando logo os pontos da motivação do recurso que pretende ver debatidos. Por esta solução propugnou o autor desta anotação, porém sem insistência, por atentar na duvidosa constitucionalidade, no duvidoso acatamento da Convenção Europeia e nos exemplos do direito comparado.
Tudo isto ficou, em nosso entendimento, esbatido perante o direito que ao recorrente é facultado, de optar pela realização de audiência, que será realizada quando requerida e para debater pontos concretos da motivação que pretende ver debatidos.
A oralidade em audiências nos tribunais superiores perdera tradição entre nós e veio por vezes dar lugar ao espectáculo pouco dignificante de advogados substituídos por defensores oficiosos completamente à margem das questões debatidas; e
— Foram suprimidas as alterações escritas, que na realidade constituíam mera repetição da motivação e eram uma formalidade inútil.

3. Na vigência deste artigo anterior ao texto actual punha-se a questão de saber se a motivação podia logo integrar a declaração de interposição de recurso ditada para a acta.
A questão ficou resolvida no texto do n.º 1. O requerimento de interposição do recurso é sempre motivado, sob pena de não admissão do recurso. Porém, no caso de recurso interposto por declaração para a acta, a motivação pode acompanhá-lo ou ser apresentada no prazo de 20 dias, contado da data da interposição.

955

Código de Processo Penal

4. Nos recursos é devida taxa de justiça por quem não estiver isento nos termos do art. 4.º, alínea *j*), do Regulamento das Custas Processuais. A taxa é fixada nos termos da tabela I -B e paga apenas pelo recorrente, sendo imputada, a final, ao recorrido que tenha contraalegado, quando este tenha ficado total ou parcialmente vencido, na proporção respectiva, como se precitua no art. 7.º, n.os 1 e 2, do referido Regulamento.

O pagamento da taxa de justiça faz-se até ao momento da prática do acto processual a ela sujeito, devendo o interessado entregar o documento comprovativo do pagamento ou realizar a comprovação desse pagamento, juntamente com o articulado ou requerimento (art. 14.º, n.º 1), ficando porém dispensados do pagamento prévio da taxa de justiça os arguidos nos processos criminais ou nos *habeas corpus* (art. 15.º, alínea *c*), do aludido Regulamento.

5. Perante o dispositivo do n.º 5 põe-se a questão de saber qual o regime a seguir quando, havendo vários recorrentes, uns requerem, e outros não, a realização de audiência.

Entendemos que, neste caso, só os que assim tiverem requerido poderão ter. De outro modo, conferir-se-ia a alguns um direito potestativo que colocaria os demais em estado de sujeição, retirando-se-lhes um direito que a lei lhes confere, correndo-se até o risco de erigir em excepção uma regra que é geral.

O entendimento que sustentamos não prejudica a unidade de julgamento final, mas tão só que a tramitação de cada recurso pode não ficar subordinada à tramitação dos demais.

Há, no entanto, jurisprudência do STJ contraditória sobre as alegações, no regime anterior — ver *infra, jurisprudência*.

6. *Jurisprudência obrigatória:*

— É inconstitucional a norma constante do n.º 1 do artigo 74.º do Decreto--Lei n.º 433/82, de 27 de Outubro, na redacção que lhe foi dada pelo Decreto--Lei n.º 244/95, de 14 de Setembro, conjugada com o artigo 411.º do Código de Processo Penal, quando dela decorre que em processo contra-ordenacional o prazo para o recorrente motivar o recurso é mais curto que o prazo da correspondente resposta, por violação do princípio da igualdade de armas, inerente ao princípio do processo equitativo, consagrado no n.º 4 do artigo 20.º da Constituição. (Ac. do Trib. Constitucional n.º 27/2006, de 11 de Janeiro, proc. n.º 883/2005; *DR*, I - A série, de 3 de Março de 2006).

7. *Jurisprudência fixada:*

— O disposto nos arts. 103.º, n.º 2, alínea *a*) e 104.º, n.º 2, do CPP não é aplicável em recurso interposto em processo à ordem do qual inexistem arguidos presos, ainda que o recorrente esteja preso à ordem de outro processo. (Ac. do Plenário das secções criminais do STJ de 27 de Setembro de 1995; *DR,* I-A série, de 14 de Dezembro de 1995);

— Quando o recorrente impugne a decisão em matéria de facto e as provas tenham sido gravadas, o recurso deve ser interposto no prazo de 15 dias, fixado no artigo 411.º do CPP, não sendo subsidiariamnete aplicável em processo penal o disposto no artigo 698.º, n.º 6, do CPC. (Ac. do Pleno das secções criminais do STJ de 11 de Outubro de 2005, proc. n.º 3172/2004; *DR*, I - A série, de 6 de Dezembro de 2005).

Artigo 411.º

8. Jurisprudência:

— Interposto recurso mediante requerimento ditado para a acta, tem ele de ser motivado a contar da data da interposição, ainda que seja interposto outro recurso da decisão final, a motivar posteriormente. (Ac. STJ de 13 de Fevereiro de 1991; *CJ*, XVI, tomo 1, 26);

— Tratando-se de processo com arguidos presos, o prazo do art. 411.º, n.º 1, do CPP para a interposição do recurso, de harmonia com os comandos dos arts. 103.º, n.º 2, al. *a)* e 104.º, n.º 2, do mesmo diploma, corre em férias, nos termos do art. 144.º do CPC, não devem ser contados os sábados, domingos. (Ac. STJ de 30 de Abril de 1992, proc. 42686/3.ª);

— I — Como dispõe o art. 411.º do CPP, o recurso interpõe-se por requerimento ou por declaração na acta, sendo que, em qualquer das formas, existe uma manifestação expressa de vontade do recorrente de interpor recurso da decisão contra ele proferida ou com a qual não concorda, a qual só pode ser expressa uma vez. II — Interposto o recurso, fica exercido o direito do recorrente, não podendo posteriormente, ainda que dentro do prazo, voltar a repetir a interposição do mesmo recurso. (Ac. STJ de 12 de Fevereiro de 1997; *BMJ*, 464, 351);

— Havendo mais do que um recorrente, se um deles requerer a produção de alegações escritas, o recurso segue com alegações escritas quanto a todos eles. (Ac. STJ de 3 de Março de 1998; *CJ, Acs. do STJ,* VI, tomo 1, 216);

— O requerimento de produção de alegações escritas formulado por um só dos recorrentes conduz à necessidade de essa forma de alegações ser extensível a todos os outros. (Ac. STJ de 5 de Novembro de 1998; *CJ, Acs. do STJ,* VI, tomo 3, 216);

— I — Quando se trata de recurso interposto por meio de declaração na acta, a interposição tem de ser feita na acta respeitante à sessão da audiência em que foi proferida a decisão de que se pretende recorrer, como se extrai do art. 411.º, n.ºˢ 1, 2 e 3, do CPP. II — De outro modo, o recorrente teria um prazo para apresentar a motivação mais longo que aquele que cabe ao recorrente que interpõe o recurso por escrito. (Ac. STJ de 7 de Janeiro de 1999, proc. 1038/98-3.ª; *SASTJ,* n.º 27, 68);

— Tendo o arguido sido dispensado de comparecer à audiência em que foi lida a sentença, mas encontrando-se devidamente representado pelo seu defensor, para o efeito de interposição de recurso é a partir dessa data que se inicia a contagem do respectivo prazo. (Ac. STJ de 7 de Janeiro de 1999, proc. 1214/98-3.ª; *SASTJ,* n.º 27, 69);

— É inconstitucional a norma constante dos arts. 412.º, n.º 2, e 420.º, n.º 1, do CPP, quando interpretada no sentido de a falta de concisão das conclusões da motivação levar à rejeição imediata do recurso, sem que previamente seja feito o convite ao recorrente para aperfeiçoar a deficiência, por violação do art. 32.º, n.º 1, da Constituição. (Ac. do Trib. Constitucional n.º 43/99, de 19 de Janeiro, proc. n.º 46/98; *DR,* II série, de 26 de Março de 1999);

— Não é inconstitucional a norma do art. 411.º, n.º 1, do CPP, que manda contar o prazo de interposição do recurso, de 15 dias, a partir do depósito da sentença na secretaria, pois que este sistema não implica encurtamento inadmissível das possibilidades de defesa. (Ac. do Tribunal Constitucional n.º 75/99, de 3 de Fevereiro, proc. n.º 510/94; *DR,* II série, de 6 de Abril do mesmo ano);

Código de Processo Penal

— Não é inconstitucional a norma que se extrai dos arts. 411.º, n.º 1, e 113.º, n.º 5, do CPP, interpretados por forma a entender que, com o depósito da sentença na secretaria do tribunal, o arguido que, justificadamente, não esteve presente na audiência em que se procedeu à leitura pública da mesma, deve considerar-se notificado do seu teor, para o efeito de, a partir desse momento, se contar o prazo para recorrer da sentença, se, nessa audiência, esteve presente o seu mandatário. (Ac. do Trib. Constitucional n.º 109/99, de 10 de Fevereiro, proc. 747/98; *DR,* II série, de 10 de Junho de 1999);

— I — Como decorre do n.º 1 do art. 411.º do CPP, quando a decisão não é proferida em acta, o prazo para a interposição de recurso conta-se a partir da notificação da decisão ou do depósito da sentença (ou acórdão) na secretaria. II — Porém, para que este duplo *terminus a quo* tenha algum sentido, há que considerar que o mesmo se inicia a partir da notificação da decisão, se os sujeitos processuais se deverem considerar presentes na audiência e a partir do depósito da decisão, se esta situação não ocorreu. III — Consequentemente, tendo o arguido e o seu mandatário comparecido à sessão em que a leitura do acórdão foi realizada, a circunstância de o acórdão ter sido depositado numa data posterior não pode ser aproveitada para desse modo se alargar o prazo de interposição do recurso. (Ac. STJ de 15 de Abril de 1999, proc. 287/99-3.ª; *SASTJ,* 30, 76);

— Não se tendo realizado a leitura do acórdão na data anteriormente indicada, por razões de impossibilidade do juiz presidente, e tendo-se designado para o efeito uma outra, com dispensa da presença do arguido, em que tal leitura se veio a efectivar, apenas com a presença do defensor oficioso, é por referência à data do depósito da decisão que, por não coincidir com o da leitura pública do acórdão, se mostra mais favorável, que se deve contar o prazo de 15 dias para a interposição de recurso, e não por referência à data da notificação pessoal do arguido da decisão final. (Ac. STJ de 30 de Setembro de 1999, proc. 548/99-5.ª; *SASTJ,* n.º 33, 96);

— I — Apenas quando o recurso é interposto em acta existe a possibilidade legal de apresentação posterior — no prazo de 15 dias — da respectiva motivação. II — Apresentado por requerimento, podem as partes esgotar ou não o prazo para a interposição. Porém, apresentando-o no seu início ou no meio, deve entender-se que prescindem do prazo restante. III — Consequentemente, não podem os interessados processuais, sob pena de rejeição, aproveitarem-se do prazo em falta para apresentarem a motivação que não tenha acompanhado a interposição do recurso. (Ac. STJ de 7 de Outubro de 1999, proc. 845/99-5.ª; *SASTJ,* n.º 34, 76);

— I — Existindo vários recorrentes, se algum, ou alguns deles, requererem a produção de alegações escritas, tal circunstância conduz à necessidade de essa forma de alegações ser estendida a todos os demais, ao abrigo do princípio da unidade do processamento da fase de julgamento. II — Quando o pedido de alegações escritas seja feito com a interposição do recurso, a sua oposição tem de ser deduzida no tribunal inferior, só o podendo ser no tribunal superior quando deduzido depois da apresentação da motivação, mas antes de o processo ir ao relator para exame inicial. (Ac. STJ de 26 de Junho de 2000, proc. n.º 17/2000-5.ª; *SASTJ,* n.º 42, 67);

— É inconstitucional, por violação do artigo 32.º, n.º 1, da Constituição, a norma do artigo 411.º, n.º 1, do Código de Processo Penal, quando interpretada

Artigo 411.º

no sentido de determinar a contagem do prazo de interposição do recurso da data do depósito da sentença manuscrita de modo ilegível na secretaria, e não da data em que o defensor do arguido é notificado da cópia da sentença dactilografada, tempestivamente requerida. (Acs. do Trib. Constitucional n.ᵒˢ 148/2001, proc. n.º 544/2000, de 28 de Março de 2001; *DR*, II série, de 9 de Maio de 2001 e 202/2001, de 9 de Maio, proc. n.º 56/2000, *ibidem*, de 28 de Junho, ainda de 2001);

— I — A existência de uma pluralidade de recursos, em que alguns recorrentes requerem e outros não a produção de alegações escritas, não implica que todos os recorrentes sejam forçados a alegar por escrito. II — Sem prejuízo da unidade de julgamento final, a vida de cada recurso não fica condicionada à vida do outro ou dos outros. III — A não ser assim, ou seja a impor-se, sem mais, a obrigatoriedade de alegações escritas a todos, conferindo-se, infundadamente, a um deles o correspondente direito potestativo e colocando os demais em perfeito estado de sujeição, estaria e erigir-se a excepção — alegações escritas — em regra geral, com o consequente esvaziamento do princípio geral da oralidade das alegações, impondo um processamento especial quando se impunha o comum, o que configura nulidade insanável. (Ac. STJ de 4 de Outubro de 2001; *CJ, Acs. do STJ*, ano IX, tomo 3, 186);

— I — Com a nova redacção do n.º 1 do art. 411.º do CPP, introduzida pela Lei n.º 59/98, de 25 de Agosto, ficou claro que a decisão referida naquele normativo, a partir de cuja notificação se conta o prazo para a interposição do recurso, não reveste a natureza de sentença, seja ela oriunda de um tribunal singular ou de um tribunal colegial, muito embora, neste último caso, assuma a designação de acórdão, justamente por provir de um órgão colegial. II — Se o acto decisório de que se recorre for uma sentença (quando conhecer a final do objecto do processo), revista ele a forma de um acórdão ou não, o prazo de interposição do recurso já não se conta da notificação da decisão, mas sim do respectivo depósito na secretaria. (Ac. STJ de 16 de Janeiro de 2002, proc. n.º 2989/01-3.ª; *SASTJ*, n.º 57, 64);

— Ao prazo de 15 dias para a interposição do recurso, a que se refere o n.º 1 do art. 411.º do CPP, não acresce o prazo referido no art. 698.º do CPC. (Ac. RC de 27 de Fevereiro de 2002; *CJ*, XXVII, tomo 1, 58);

— I — Ainda que o recurso vise impugnar a decisão da matéria de facto, o prazo para a sua interposição é de 15 dias. II — Quando o recurso tenha por objecto a reapreciação de prova gravada, esse prazo de 15 dias é acrescido de 10 dias, por força do disposto no art. 698.º, n.º 6, do CPC. (Ac. RP de 16 de Janeiro de 2002; *CJ*, XXVII, tomo 1, 225);

— Nos termos do n.º 1 do art. 411.º do CPP, aplicável a todos os recursos ordinários, o prazo para a interposição de recurso é de quinze dias, e condão, seja da primeira instância ou da Relação, do respectivo depósito na secretaria. (Ac. STJ de 23 de Maio de 2002; proc. n.º 1787/02-5.ª; *SASTJ*, n.º 61, 128);

— É inconstitucional a norma contida no n.º 3 do art. 411.º do Código de Processo Penal, quando entendida no sentido de que o recurso é rejeitado sempre que a motivação não acompanhe o requerimento de interposição de recurso, ainda que a sua falta decorra de lapso objectivamente desculpável, e seja sanada antes de decorrido o prazo abstractamente fixado para recorrer e antes da subida

Código de Processo Penal

ao tribunal de recurso, por violação dos artigos 2.º e 32.º, n.º 1, da Constituição. (Ac. T. Constitucional n.º 260/2002, proc. n.º 467/2001, de 18 de Junho de 2002; *DR*, II série, de 24 de Junho de 2002);

—Tendo o recorrente requerido a produção de alegações escritas, é de dez dias após a notificação do requerimento ao recorrido o prazo que este tem para deduzir oposição. (Ac. STJ de 2 de Maio de 2002; proc. n.º 472/01-5.ª; *SASTJ*, n.º 61, 93);

— Ao prazo de 15 dias de interposição de recurso em processo penal, a que se reporta o art. 411.º, n.º 1, do CPP, não acresce o de 10 dias, do art. 698.º, n.º 6, do CPC. (Ac. RC de 24 de Abril de 2002; *CJ*, XXVII, tomo 3, 41);

— Sob pena de se restringir, de forma absolutamente inadmissível, o efectivo direito de recurso concedido pelo art. 32.º, n.º 1, da CRP, no caso de recurso em que se impugna matéria de facto, nos termos do art. 412.º, n.os 3 e 4, do CPP, perante a manifesta lacuna de que enferma o CPP, nos termos do art. 4.º deste Código deve aplicar-se subsidiariamente o disposto no art. 698.º, n.º 6, do CPC, sendo acrescido de 10 dias o prazo previsto no art. 411.º, n.º 1, do CPP. (Ac. STJ de 13 de Novembro de 2002; proc. n.º 3192/02-3.ª; *SASTJ*, n.º 65, 61);

I — Quando o STJ é confrontado com um recurso da Relação, são os fundamentos da decisão da 2.ª instância que importa verificar, e não os da 1.ª instância, já sufragados pelo tribunal recorrido. II — Daí que quando o recorrente se limita a uma espécie de recauchutagem informática dos fundamentos do recurso que apresentou perante a Relação, sem nada trazer de novo à discussão, verdadeiramente não apresenta motivação. III — O recurso que em tudo reedita o pretenso inconformismo do recorrente perante o deliberado em 1.ª instância não pode ser conhecido, e não deveria mesmo ter sido admitido, por carência absoluta de motivação — arts. 411.º, n.º 3; 414.º, n.º 2; e 417.º, n.º 3, al. *a)*, do CPP. IV — E porque assim é, o acórdão da Relação transitou em julgado — art. 677.º do CPC. O que, por outra via, seria circunstância impeditiva do conhecimento do recurso — arts. 493.º, n.º 2 e 494.º, al. *i)*, do último diploma citado. (Ac. STJ de 14 de Novembro de 2002; proc. n.º 3092/02-5.ª; *SASTJ*, n.º 65, 79);

— Nos recursos para o STJ em que sejam vários os recorrentes e uns requeiram e outros não alegações por escrito, embora aparentemente os primeiros devessem ser julgados em conferência e os demais em audiência, mandam os princípios da concentração e economia processual que todos sejam julgados conjuntamente, após a audiência oral, se a ela houver lugar, sem prejuízo de a discussão quanto aos que foram objecto de alegações escritas se haver por encerrada com a produção daquelas ou do decurso do prazo para tal efeito. (Ac. STJ de 23 de Janeiro de 2003; proc. n.º 4098/02-5.ª; *SASTJ*, n.º 67, 90);

— A contagem do prazo de interposição de recurso de acórdão da Relação inicia-se com o depósito do acórdão na secretaria do tribunal (art. 411.º, n.º 1, do CPP), e não com a notificação do acórdão ao recorrente, pelo que e intempestivo e deve ser rejeitado o recurso interposto para além do decurso daquele prazo. (Ac. STJ de 6 de Fevereiro de 2003; *RPCC,* ano 13.º, n.º 3, 419). *Nota.* Tem anotação discordante dos Profs. Costa Andrade e Maria João Antunes e da Dra. Susana Aires de Sousa, no mesmo número da *RPCC*. Também discordamos, como se deduz da anot. 2, *supra*;

— É inconstitucional, por violação do disposto nos n.os 1 e 4 do art. 20.º e do n.º 1 do art. 32.º da CRP, a norma constante do n.º 1 do art. 411.º do CPP,

Artigo 411.º

na interpretação segundo o qual o prazo para interpor recurso da sentença proferida em conferência, ao abrigo do disposto na alínea *a)* do n.º 4 do art. 419.º do mesmo diploma legal, deve ser contado a partir do depósito na secretaria e não da respectiva notificação, quando nem ao arguido nem ao seu defensor foi dado prévio conhecimento desse acto judicial. (Ac. do Trib Constitucional n.º 87/2003, de 14 de Fevereiro, proc. n.º 395/2002; *DR*, II série, de 23 de Maio de 2003);

— Quando o recurso verse sobre matéria de facto, em que haja lugar a transcrição da prova oralmente produzida em audiência, ao prazo para apresentação da motivação estabelecido no n.º 3 do art. 411.º do CPP não acresce o de dez dias a que alude o n.º 6 do art. 698.º do CPP. Todavia, quando legitimamente seja pedida cópia do registo das gravações, aquele prazo suspende-se, voltando a correr logo que o recorrente tenha acesso a ela. (Ac. RL de 11 de Dezembro de 2003; *CJ*, XXVIII, tomo 5, 153);

— São inconstitucionais os arts. 411.º, n.º 1 e 420.º, n.º 1, do CPP, na interpretação segundo a qual tais normas permitiriam a destruição dos efeitos anteriormente produzidos de uma decisão não impugnada da primeira instância quanto à prorrogação do prazo de recurso, por violação dos princípios da segurança jurídica e da confiança e das garantias de defesa consagrados, respectivamente, nos arts. 2.º e 32.º, n.º 1, da CRP. (Ac. do Trib. Constitucional n.º 44/ /2004, de 14 de Janeiro, proc. n.º 375/2003; *DR*, II série, de 20 de Fevereiro de 2004);

— Não é inconstitucional a norma do n.º 1 do art. 411.º do CPP, interpretada no sentido de que, quando os arguidos e um defensor nomeado estão presentes à leitura da sentença, mas o advogado constituído falta e é posteriormente notificado dela, o prazo de interposição de recurso se conta a partir do depósito da sentença na secretaria. (Ac. do Trib. Constitucional n.º 36/2004, de 16 de Janeiro de 2004, proc. n.º 627/2002; *DR*, II série, de 20 de Fevereiro de 2004);

— É inconstitucional, por violação do disposto nos arts. 20.º, n.º 1 e 32.º, n.º 1, da CRP, a norma resultante da interpretação conjugada dos arts. 66.º, n.º 4 e 411.º, n.º 1, do CPP, segundo a qual o prazo para a interposição do recurso, de 15 dias, se conta ininterruptamente a partir da data do depósito da decisão na Secretaria, mesmo no caso de recusa de interposição do recurso por parte do defensor oficioso nomeado, cuja substituição foi requerida, o que foi deferido por o tribunal *a quo* considerar existir justa causa para essa substituição. (Ac. do Trib. Constitucional n.º 159/2004, de 17 de Março, proc. n.º 472/03-2.ª; *DR*, II série, de 22 de Abril de 2004);

— É inconstitucional, por violação dos arts. 20.º, n.º 1, e 32.º, n.º 1, da CRP, a norma do art. 411.º, n.º 3, do CPP, na redacção da Lei n.º 59/98, de 25 de Agosto, interpretada no sentido de que o prazo de 15 dias nela fixado para apresentação da motivação de recurso interposto por declaração na acta da audiência onde foi proferida a sentença se conta a partir da data dessa interposição, mesmo que a sentença só posteriormente haja sido depositada na secretaria. (Ac. do Trib. Constitucional n.º 186/2004, de 23 de Março, proc. n.º 693/2003-3.ª; *DR*, II série, de 12 de Maio de 2004);

— I — As garantias constitucionais de defesa de arguido têm o sentido de que o processo penal deve ser um processo justo e leal, proibindo todas as restrições intoleráveis ou inadmissíveis de possibilidade de defesa. II — O direito de recurso é um elemento integrador dessas garantias de defesa, que só serão plenamente adquiridas se ao arguido for dado conhecimento da decisão conde-

961

Código de Processo Penal

natória que a seu respeito for tomada, de forma a assegurar-se-lhe esse direito de impugnação. III — Não tendo o arguido estado presente na leitura de acórdão, por não ter sido notificado ou convocado para a mesma, já que se encontrava preso, e estando igualmente ausente o seu mandatário, ainda que este tenha sido substituído por um defensor oficioso, deve o prazo de recurso iniciar-se apenas a partir da data em que o recorrente foi notificado da sentença, e não do seu depósito na secretaria. (Ac. STJ de 29 de Abril de 2004; *CJ, Acs. do STJ*, ano XII, tomo 2, 174);

— São inconstitucionais os arts. 113.º, n.º 9, e 411.º, n.º 1, do CPP, interpretados no sentido de que a notificação de uma decisão condenatória relevante para a contagem do prazo de interposição de recurso seria a notificação ao defensor, independentemente, em qualquer caso, da notificação pessoal ao arguido, sem exceptuar os casos em que este não tenha obtido conhecimento pessoal da decisão condenatória. (Ac. do Trib. Constitucional n.º 476/2004, de 2 de Julho de 2004, proc. n.º 151/04; *DR*, II série, de 13 de Agosto de 2004;

—No caso de registo da prova produzida em audiência de julgamento, o prazo de 15 dias de interposição de recurso, do art. 411.º, n.º 1, do CPP, conta-se a partir do dia em que são entregues as cípias ds fitas magnéticas que documentam aquela audiência e a prova nela produzida. (Ac. RC de 23 de Fevereiro de 2005; *CJ*, XXX, tomo I, 52);

— I — O regime de recursos em processo penal, em que se impugna a matéria de facto, é diferente daquele que vigora no processo civil. II — Regime esse que se mostra autónomo, coerente e sem lacunas, pelo que se torna desnecessário o recurso às normas do processo civil para o completar, nomeadamente àquela inserta no n.º 4 do art. 698.º do CPC. III — assim, a impugnação da matéria de facto em processo penal, em que tenha ocorrido a garvação da audiência, não faz, em princípio, prolongar ou aumentar os prazos para o cumprimento do ritualismo que se encontra previsto nas actuais normas do CPP que regulam o regime dos recursos. (Ac. STJ de 9 de Março de 2005; *CJ, Acs. do STJ*, XIII, tomo 1, 218);

— O prazo de interposição do recurso previsto no art. 411.º, n.º 1, do CPP, é peremptório, e não pode ser alargado para mais 10 dias, por aplicação do art. 698.º, n.º 6, do CPC. (Ac. STJ de 27 de Abril de 2005, proc. n.º 1121/05-3.ª: *SASTJ*, n.º 90, 131);

— As normas do n.º 1 do art. 411.º e do n.º 5 do art. 333.º do CPP devem ser interpretadas no sentido de que o prazo para a interposição de recurso da decisão condenatória do arguido ausente se conta a partir da notificação pessoal e não a partir do depósito na secretaria, independentemente dos motivos que determinaram tal ausência e se os mesmos são, ou não, justificáveis. (Ac. do Trib. Constitucional n.º 312/2005, de 8 de junho de 2005, proc. n.º 856/2003; *DR*, II série, de 8 de Agosto do mesmo ano);

— Não são inconstitucionais as normas constantes dos arts. 411.º, n.º 1 e 412.º, n.º 4, do CPP, interpretadas no sentido de que o prazo de interposição do recurso penal em que se questione a decisão da matéria de facto e em que se procedeu a gravação da prova produzida em audiência se conta da data em que o arguido, agindo com a diligência devida, podia ter acesso ao suporte material da prova gravada, e não da data em que foi disponibilizada a transcrição dessagravação. (Ac. do Trib. Constitucional n.º 17/2006, de 6 de Janeiro, proc. n.º 383/2004; *DR*, II série, de 15 de Fevereiro do mesmo ano).

Artigo 411.º

— É inconsticional, por violação dos pricípios da segurança jurídica, da confiança e do processo equitativo, e das garantias de defesa consagradas nos arts. 2.º e 32.º, n.º 1, da CPP, a morma dos arts. 411.º, n.º 3; 414.º, n.ᵒˢ 2 e 3; e 420.º, n.º 1, do CPP, interpretada no sentido de permitir ao tribunal *ad quem* a apreciação oficiosa da tempestividade do recurso que para ele foi interposto, e a decisão no sentido da intempestividade, quando esta decorre um prorrogação do prazo para recorrer, ou motivar, o recurso deferido procedentemente pela primeira instância, por decisão que foi impugnada ou questionada por outro sujeito do processo. (Ac. do Trib. Constitucional n.º 103/2006, de 7 de Fevereiro, proc. n.º 53/2005; *DR*, II série, de 23 de Março de 2006);

— Não é inconstitucional a norma constante do art. 411.º, n. 1 e 3, do CPP. (Ac. do Trib. Constitucional n.º 343.º/2006, de 23 de Maio de 2006, proc. n.º 823/2005 - 2.ª; *DR*, II série, de 30 de Junho do mesmo ano);

— I — É inconstitucional o art. 412.º, n.º 5, do CPP, interpretado no sentido de que a exigência da especificação dos recursos retidos em que o recorrente mantém interesse, constante do preceito, também é obrigatória, sob pena de preclusão do seu conhecimento, nos casos em que o despacho de admissão de recurso interlocutório é proferido depois da própria apresentação da motivação do recurso interposto da decisão final do processo. II — É inconstitucional a mesma norma, na interpretação que permita ao tribunal *ad quem*, não considerando ser suficiente para o cumprimento do ónus previsto nesse preceito a referência nas conclusões ao recurso interlocutório retido e a que o mesmo subirá a final, a limiar rejeição desse recurso, entretanto já admitido, sem que seja formulado ao recorrente um convite para explicar se mantém interesse no seu conhecimento. (Ac. do Trib, Constitucional n.º 381/2006; *DR*, II série, de 16 de Agosto de 2006);

— É inconstitucional a norma constante do at. n.º 1, do CPP, interpretada no sentido de o prazo de interposição de recurso em que se impugne a decisão da matéria de facto e as provas produzidas em audiência tenham sido gravadas se conta sempre a partir da data do depósito de sentença na secretaria, e não da data da disponibilização das cópias dos suportes magnéticos, tempestativamente requeridas pelo arguido recorrente, por as considerar essenciais para o exercício do direito de recurso. (Ac. do Trib. Constitucional n.º 545/2006, de 27 de Setembro, proc. n.º 414/2006; *DR*, II série, de 6 de Novembro de 2006);

— É inconstitucional a norma do art. 411.º, n.º 1, do CPP, interpretada no sentido de ao prazo de 15 dias referido nesse preceito não acrescer o período do tempo em que o arguido não pôde ter acesso às gravações da audiência, desde que se pretenda inpugnar a matéria de facto e desde que o arguido actue com a diligência devida. (Ac. do Trib. Constitucional n.º 546/2006, de 27 de Setembro, proc. n.º 356/2006; *DR*, II série, de 6 de Novembro de 2006);

— Em processo, penal, mesmo que seja apresentado requerimento de correcção da sentença, o prazo para interpor recurso começa a correr a partir da notificação da primeira decisão, não se suspendendo com esse requerimento, pois não é aplicável o disposto no art. 688.º, n.º 1, do CP Civil. (Ac. RG de 23 de Abril de 2007; *CJ*, ano XXXII, tomo II, 294);

I — De acordo com a jurisprudência deste Supremo Tribunal, havendo dois ou mais recursos em que algum ou alguns dos recorrentes requerem, e outro ou

Código de Processo Penal

outros não, a produção de alegações escritas, devem ser todos decididos, por razões de unidade de julgamento, após a realização da audiência, cuja discussão se circunscreve ao recurso ou recursos em que não há lugar a alegações escritas (cf. Acs. do STJ de 23-01-2003, CJSTJ, IX, tomo 3, pág. 186, de 01-10-2004, CJSTJ, XI, tomo 1, pág. 168, e de 10-10-2007, Proc. n.º 2814/07-3.ª).

II — É pacífico, e jurisprudência comum deste STJ, que a lei reguladora da admissibilidade dos recursos é a que vigora no momento em que é proferida a decisão de que se recorre: como recentemente se decidiu no Ac. do STJ de 22-11-2007, Proc. n.º 387/07-3.ª, no domínio da aplicação da lei processual penal no tempo vigora a regra *tempus regit actum,* só assim não acontecendo em relação às normas processuais penais de natureza substantiva. (Ac. STJ de 20 de Fevereiro de 2008; *SASTJ* relativos a esse mês, pág. 33);

— I — A Lei 48/2007, de 29-08, que concretizou a 15.ª alteração ao CPP de 1987, modificou o quadro legal em matéria de recursos, tendo circunscrito a realização de audiência aos casos em que seja requerida, por o recorrente querer debater oralmente os pontos objecto da movitação de recurso, ou por pretender seja a prova renovada [sendo que esta renovação não será admissível no STJ salvo nos casos excepcionais em que funcione como 2.ª instância] – art. 419.º, n.º 3, *a contrario sensu.*

II — Sendo as alterações introduzidas por aquele diploma de aplicação imediata, *ex vi* art. 5.º, n.º 1, do CPP, designadamente no que concerne à expedição, processamento e julgamento dos recursos, e não tendo sido requerida [nem no requerimento nem na motivação de recurso, apresentados após a entrada em vigor da Lei 48/2007] a realização de audiência, é evidente que não podia a mesma ter lugar, como não teve, tendo o recurso sido julgado em conferência, após o arguido haver sido notificado do parecer do MP e a ele ter respondido – art. 417.º, n.º 2, do CPP –, exercendo o direito ao contraditório. (Ac. STJ de 14 de Maio de 2008; *SASTJ* relativos a esse mês, pág 15).

ARTIGO 412.º
(Motivação do recurso e conclusões)

1. A motivação enuncia especificamente os fundamentos do recurso e termina pela formulação de conclusões, deduzidas por artigos, em que o recorrente resume as razões do pedido.

2. Versando matéria de direito, as conclusões indicam ainda:

   a) As normas jurídicas violadas;

   b) O sentido em que, no entendimento do recorrente, o tribunal recorrido interpretou cada norma ou com que a aplicou e o sentido em que ela devia ter sido interpretada ou com que devia ter sido aplicada; e

   c) Em caso de erro na determinação da norma aplicável, a norma jurídica que, no entendimento do recorrente, deve ser aplicada.

Artigo 412.º

3. Quando impugne a decisão proferida sobre matéria de facto, o recorrente deve especificar:

a) Os concretos pontos de facto que considera incorrectamente julgados;

b) As concretas provas que impõem decisão diversa da recorrida;

c) As provas que devem ser renovadas.

4. Quando as provas tenham sido gravadas, as especificações previstas nas alíneas b) e c) do número anterior fazem-se por referência ao consignado na acta, nos termos no disposto no n.º 2 do artigo 364.º, devendo o recorrente indicar concretamente as passagens em que se funda a impugnação.

5. Havendo recursos retidos, o recorrente especifica obrigatoriamente, nas conclusões, quais os que mantêm interesse.

6. No caso previsto no n.º 4, o tribunal procede à audição ou visualização das passagens indicadas e de outras que considere relevantes para a descoberta da verdade e a boa decisão da causa.

---

1. O texto original deste artigo reproduzia, com ligeira alteração formal no n.º 3, o art. 413.º do Proj. Não havia disposições correspondentes no CPP de 1929.

Posteriormente, a Lei n.º 59/98, de 25 de Agosto, introduziu-lhe as seguintes alterações:

— O n.º 3 originário foi desdobrado em alíneas, e, para além disso foi feita pormenorizada especificação dos ónus do recorrente, quando impugna a decisão em matéria de facto; e

— Aditou os n.ºs 4 e 5, que não tinham correspondentes na versão originária.

O texto actual foi introduzido pela Lei n.º 48/2007, de 29 de Agosto, diploma que alterou os n.ºs 2, 3 e 4 e aditou o n.º 6, como adiante se anotará:

2. No n.º 2, a supramencionada Lei retirou a cominação final — *sob pena de rejeição*. E, em nosso entendimento, com boas razões, pois, seguindo-se a orientação mais recente da jurisprudência do STJ, e até já declarada com força obrigatória geral pelo Tribunal Constitucional, ficou estabelecida no n.º 3 do art. 417.º a obrigatoriedade de o relator convidar o recorrente apresentar, completar ou esclarecer as conclusões formuladas quando delas não for possível deduzir total ou parcialmente as indicações previstas nos n.ºs 2 e 5 deste art. 412.º.

No n.º 3, a), a mesma Lei aditou o adjectivo *concretos* para qualificar os pontos de facto que o recorrente considera incorrectamente julgados. E na al. b) aditou na al. b) o mesmo adjectivo para qualificar as provas que o recorrente considera imporem decisão diversa da recorrida. Com estes aditamentos ficou acentuada a necessidade de precisar, concretizando, quais os erros que, segundo o recorrente, foram cometidos pelo tribunal *a quo*, em ordem a serem remediados pelo tribunal *ad quem*.

Código de Processo Penal

Ainda a supramencionada Lei, estabelecendo no n.º 4 que as especificações aí referidas se fazem por referência ao consignado na acta (e não por referência aos suportes técnicos, havendo lugar a descrição, como anteriormente), devendo o recorrente indicar concretamente as passagens da acta em que se funda a impugnação, pôs cobro a uma das principais causas da morosidade dos recursos, Trata-se de uma medida de aplaudir. O recorrente pode referir as concretas provas que impõem decisão diversa da recorrida, indicando as passagens das gravações, não sendo obrigado a proceder à respectiva transição, e o tribunal *ad quem* procede à audição ou visualização das passagens indicadas ou de outras que considere relevantes.

As especificações, em nosso entendimento, devem ser feitas pelo recorrente na sua motivação.

Finalmente, a mesma e supramencionada Lei aditou o n.º 6 a este art. 412.º.

3. Como já se referiu em anot. ao artigo anterior, a motivação do recurso corresponde, *grosso modo,* às alegações do direito anterior.

Neste artigo estabelecem-se os requisitos da motivação, sendo patente que a lei é aqui particularmente exigente, muito mais até do que o era a lei anterior quanto à estruturação das alegações. E esta tomada de posição da lei através desse artigo é secundada por outras disposições, determinando a não admissão ou a rejeição do recurso, não só quando falte a motivação mas ainda quando esta for manifestamente improcedente ou quando, versando o recurso matéria de direito, a motivação não contenha as indicações das als. *a), b* e *c)* do n.º 2 e versando matéria de facto as indicações das als. *a), b)* e *c)* do n.º 3.

É, portanto, uma matéria a que haverá que prestar particular cuidado, pois o Código denota o intuito de não deixar prosseguir recursos inviáveis ou em que os recorrentes não exponham com clareza o sentido das suas pretensões.

Estas considerações só são porém inteiramente válidas quando a falta de conclusões ou a falta de concisão ou qualquer outro vício das mesmas não for colmatada depois de o recorrente ser convidado a suprir tais irregularidades. Só então o recurso deve ser rejeitado. Assim vinha entendendo predominantemente o STJ e o Trib. Constitucional, tendo mesmo este último Tribunal fixado jurisprudência obrigatória quanto à falta de concisão das conclusões da motivação. Esta solução acabou por ficar consagrada no art. 417.º, n.º 3.

4. Quanto a requisitos formais, estão especificados nos n.os 1, 3 e 4. A moti-vação não tem que ser articulada, excepto nas conclusões, que serão deduzidas por artigos. Em seguida às conclusões, quando pedir renovação da prova, o recorrente indicará as provas que devem ser renovadas mencionando, em relação a cada uma, os factos que se destina a esclarecer e as razões que justificam a renovação. Quanto ao n.º 4, remetemos para a anot. 4 ao art. 363.º.

De muito interesse o dispositivo do n.º 5, introduzido pela Lei referida na anot. 1. Este dispositivo, em processos volumosos e complexos, será susceptível de facilitar o trabalho dos juízes do tribunal superior.

Não nos diz a lei *quid juris* no caso de o recorrente omitir este ónus. Cremos que em face do texto legal, que é terminante — *o recorrente especifica obriga-toriamente* —, a falta de especificação implica a desistência dos recursos retidos que não são especificados.

966

Artigo 412.º

5. *Jurisprudência obrigatória:*
— É inconstitucional a norma constante dos arts. 412.º, n.º 1, e 420.º, n.º 1, do Código de Processo Penal (na redacção anterior à Lei n.º 59/98, de 25 de Agosto), quando interpretados no sentido de a falta de concisão das conclusões da motivação implicar a imediata rejeição do recurso, sem que previamente seja feito convite ao recorrente para suprir tal deficiência. (Ac. do Trib. Constitucional n.º 337/200, com força obrigatória geral, proc. n.º 183/2000; *DR*, I-A série, de 21 de Julho de 2000);
— O ac. do Trib. Constitucional n.º 320/2002, de 9 de Julho, proc. n.º 754/ /01, declarou, com força obrigatória geral, a inconstitucionalidade da norma do artigo 412.º, n.º 2, do CPP, interpretada no sentido de que a falta de indicação, nas conclusões da motivação, de qualquer das menções contidas nas alíneas *a)*, *b)* e *c)* tem como efeito a rejeição liminar do recurso do arguido, sem que ao mesmo seja facultada a oportunidade de suprir tal deficiência.

6. *Jurisprudência fixada:*
— Sempre que o recorrente impugne a decisão proferida sobre matéria de facto, em conformidade com o disposto nos n.ºs 3 e 4 do artigo 412.º do Código de Processo Penal, a transcrição ali referida incumbe ao tribunal. (Ac. do Pleno das secções criminais do STJ de 16 de Janeiro de 2003; *DR*, I-A série, de 30 de Janeiro do mesmo ano).

7. *Jurisprudência:*
— I — A exigência do n.º 2 do art. 412.º do CPP contempla, no essencial, o princípio da lealdade processual, conformador da matéria de recursos. II — É de rejeitar o recurso que, versando apenas matéria de direito, não dá satisfação ao ónus imposto pelo preceito referido, ainda que se trate de recurso restrito à questão cível, no âmbito da acção cível enxertada, não sendo aplicável o disposto no art. 690.º, n.º 3, do CPCivil. (Ac. RP de 24 de Março de 1993; *BMJ*, 425, 626);
— I — A natureza do processo penal impõe que o conceito de articulado se estenda a outras peças processuais, nomeadamente à motivação do recurso. II — Por isso, deve o original da motivação do recurso interposto por *fax* ser junto ao processo no prazo de 7 dias, sob pena de rejeição desse recurso. (Ac. STJ de 21 de Março de 1996; *CJ, Acs. do STJ*, IV, tomo 1, 235);
— A motivação de um recurso só pode ser elaborada pelo defensor. (Ac. STJ de 27 de Fevereiro de 1997; *CJ, Acs. do STJ*, V, tomo 1, 240;
— Uma motivação do recurso com remissão para a de outro recorrente frustra os objectivos que a lei pretende alcançar com a minuciosa regulamentação estabelecida nos arts. 411.º e 412.º do CPP; não satisfaz o ónus imposto por este último normativo e não constitui, por isso, verdadeira motivação, pelo que deve ser rejeitada. (Ac. STJ de 29 de Fevereiro de 1996; *BMJ*, 454, 532);
— I — Quando um preceito legal contém diversos números ou alíneas, deve ser especificado na motivação o número ou números e alínea ou alíneas que se entendem violados, sob pena de rejeição do recurso. Essa especificação é necessária, pois, desta maneira pode ser alcançada, com segurança, a norma jurídica que, no entender do recorrente, foi efectivamente violada pela decisão recorrida. II — Os artigos indicados como violados têm que ser reportados concretamente às conclusões anteriores ou dadas, a tal respeito,

Código de Processo Penal

adequadas explicações, sob pena de rejeição do recurso. III — Quando o recorrente apenas indica nas conclusões as normas jurídicas que entende violadas, não o tendo feito também, como se impunha, no texto da motivação, deve o recurso ser rejeitado. IV — Também deve ser indicado pelo recorrente, sob pena de rejeição do recurso, o sentido que, no seu entendimento, o tribunal recorrido interpretou as normas jurídicas que diz violadas ou com que as aplicou e o sentido que, no seu entender, elas deveriam ter sido interpretadas ou aplicadas. (Ac. STJ de 5 de Novembro de 1998; *CJ, Acs. do STJ,* VI, tomo 3, 214);

— I — As conclusões do recurso são, logicamente, um resumo dos fundamentos por que se pede o seu provimento, tendo como finalidade que elas se tornem fácil e rapidamente apreensíveis pelo tribunal *ad quem.* II — Tem de ser rejeitado o recurso em que o recorrente apresentou como conclusões uma cópia integral do texto da motivação, nomeadamente no que concerne às epígrafes das matérias tratadas e aos números dos artigos, apenas com pequeníssimas e irrelevantes diferenças de pormenor. (Ac. STJ de 4 de Março de 1999; *CJ, Acs. do STJ,* VII, tomo 1, 239);

— A observância das regras do n.º 2 do art. 412.º do CPP tem de ser encarada com equilíbrio e sensatez, de modo a que, sendo apercebido, num mínimo, o desiderato do recurso, se não fruste com aspectos formais o objectivo principal de aplicar justiça. (Ac. do STJ de 21 de Janeiro de 1999, proc. 742/98-3.ª, *SASTJ,* n.º 27, 80);

— Não é inconstitucional a norma que se extrai dos artigos 363.º e 412.º, n.º 4, do Código de Processo Penal, segundo a qual está a cargo do recorrente a transcrição dos depoimentos gravados no julgamento. (Acs. do Trib. Constitucional n.º 677/99, de 21 de Dezembro de 1999; *DR,* II série, de 28 de Fevereiro de 2000 e do STJ de 7 de Junho de 2000, proc. n.º 108/2000-3.ª; *SASTJ,* n.º 42, 51);

— Havendo recurso sobre a matéria de facto em que se vise a reapreciação da prova gravada, a transcrição desta cabe ao recorrente, que pode beneficiar na apresentação da sua motivação do acréscimo de prazo de dez dias estabelecido no art. 698.º, n.º 4, do CPC, *ex vi* do art. 4.º do CPP. (Ac. RC de 20 de Setembro de 2000; *CJ,* XXV, tomo 4, 49);

— I — A imposição constante da parte final do n.º 4 do art. 412.º do CPP — transcrição da gravação magnetofónica em que ficou registada a prova produzida no julgamento — não constitui um ónus do recorrente, mas sim do tribunal. II — Daí que possa ser objecto de execução logo que transitada em julgado a sentença condenatória. (Ac. RC de 20 de Setembro de 2000; *CJ,* XXV, tomo 4, 51);

— I — Quando no recurso seja impugnada a decisão sobre a matéria de facto e a prova produzida tenha sido gravada, a transcrição a que se refere o n.º 4 do art. 412.º do CPP deve circunscrever-se às concretas provas que, no entender do recorrente, imponham decisão diversa da recorrida. II — Essa transcrição incumbe ao tribunal, nos termos do n.º 2 do art. 101.º do CPP. III — O art. 101.º do CPP não exige a transcrição sistemática do conteúdo das gravações, pois, quanto a elas e diferentemente do que sucede com os restantes meios em que se torna indispensável para apreensão do seu conteúdo a respectiva transcrição, esta não se torna necessária. IV — A circunstância de,

Artigo 412.º

diversamente do que sucede com o n.º 1 do art. 101.º, no n.º 2 do art. 101.º do CPP não serem mencionadas as gravações magnetofónicas ou audiovisuais, só teve em vista excluí-las da imediata e integral transcrição, pois o seu conteúdo pode ser directamente apreendido por qualquer pessoa. (Ac. STJ de 11 de Janeiro de 2001, proc. n.º 3419/00-5.ª; *SASTJ*, n.º 47, 76 e *CJ, Acs. STJ*, IX, tomo 1, 201, com notas na pág. 206);

— I — Quando o recorrente impugne matéria de facto, para que essa impugnação possa ser validamente tomada em conta pela Relação, deve especificar, com referência aos suportes técnicos da gravação, as provas que imponham decisão diversa da recorrida e as que, na sua óptica, devem ser renovadas. II — Os n.ºs 3 e 4 do art. 412.º do CPP limitam o julgamento da matéria de facto àqueles pontos que referem, mas não permitem o julgamento da globalidade dessa matéria de facto. (Ac. STJ de 18 de Janeiro de 2001, proc. n.º 3105/00-5.ª; *SASTJ*, n.º 47, 88);

— O facto de o recurso não ter sido interposto por iniciativa do magistrado do MP junto do tribunal *a quo*, mas por dever de obediência hierárquica, não dispensa a observância dos requisitos impostos pelo art. 412.º do CPP; e por isso deve ser rejeitado se esses requisitos não forem observados. (Ac. RE de 5 de Junho de 2001; *CJ*, XXVI, tomo 3, 292);

— Faltando as conclusões do recurso, deve aplicar-se subsidiariamente o disposto no n.º 4 do art. 690.º do CPC, *ex vi* do art. 4.º do CPP, devendo o recorrente ser notificado para apresentar as conclusões, sob pena de rejeição do recurso. (Ac. STJ de 26 de Setembro de 2001, proc. n.º 2263/01-3.ª; *SASTJ*, n.º 53, 68);

— A transcrição dos depoimentos gravados em audiência de julgamento, a que se refere o n.º 4 do art. 412.º do CPP, compete à secretaria do tribunal, e não ao recorrente. (Ac. STJ de 10 de Outubro de 2001, proc. n.º 1926/01-3.ª; *SASTJ*, n.º 54, 82);

— A decisão do tribunal de primeira instância sobre matéria de facto só é susceptível de modificação, no caso de gravação de prova, se esta tiver sido impugnada, nos termos dos n.ºs 3 e 4 do art. 412.º do CPP. (Ac. RC de 30 de Janeiro de 2002; *CJ*, XXVII, tomo 1, 44);

— I — Os recursos, como remédios jurídicos que são, não se destinam a conhecer questões novas, não apreciadas pelo tribunal recorrido, mas sim a apurar da adequação e legalidade das decisões sob recurso, pelo que não pode o STJ conhcer em recurso subdo da Relação de questões não colocadas perante este tribunal superior, mesmo que resolvidas na decisão da primeira instância. II — Estando em causa um recurso para o STJ de acórdão da Relação, o mesmo não pode ter por objecto o acórdão de promeira instância, e se o recorrente se limita a impugnar este último acórdão verifica-se falta de impugnação a que alude o art. 412.o do CPP. (Ac. STJ de 6 de Junho de 2002; proc. n.º 1874/02-5.ª; *SASTJ*, n.º 62, 69);

— I — A falta de conclusões — coisa diferente da falta de concisão de conclusões — corresponde a falta de motivação, como se infere inequivocamente do n.º 1 do art. 412.º do CPP. II — Portanto, correspondendo a falta de conclusões a falta de motivação, o recurso tem de ser rejeitado quando as conclusões faltarem nos termos dos arts. 411.º, n.º 3, 414.º, n.º 2 e 420.º, do CPP. III — A não indicação pelo recorrente do sentido em que, no seu entendimento, o tribunal recorrido interpretou as normas violadas, ou com que as aplicou, nem o sentido em que deviam ter sido interpretadas ou com que deviam ter sido

Código de Processo Penal

aplicadas, viola o disposto no art. 412.º, n.º 2, al. *b)*, do CPP, o que leva, igualmente, à rejeição do recurso. (Ac. STJ de 3 de Outubro de 2002; proc. n.º 2569//02-5.ª; *SASTJ*, n.º 64, 98);

— O n.º 5 do art. 512.º do CPP, ao impor ao recorrente a especificação obrigatória dos recursos retidos sobre os quais mantém interesse, refere-se exclusivamente aos recursos retidos, isto é àqueles que aguardam a interposição do recurso que os fará subir ao tribunal superior, e não aos que, devendo subir imediatamente e em separado, foram indevidamente retidos na instância recorrida, mesmo que sem culpa do recorrente. (Ac. STJ de 8 de Outubro de 2002; proc. n.º 2138/02-5.ª; *SASTJ*, n.º 64, 94);

— A falta de especificação consignada no art. 412.º, n.º 3, do CPP, não conduz à imediata e liminar rejeição do recurso, devendo antes dar-se ao recorrente a oportunidade de corrigir e completar as conclusões da motivação, para o que será convidado, sob pena de, então, não o fazendo, ver o recurso rejeitado. (Ac. STJ de 30 de Outubro de 2002; proc. n.º 2535/02-3.ª; *SASTJ*, n.º 64, 90);

— Sob pena de se restringir, de forma absolutamente inadmissível, o efectivo direito de recurso concedido pelo art. 32.º, n.º 1, da CRP, no caso de recurso em que se impugna matéria de facto, nos termos do art. 412.º, n.ºs 3 e 4, do CPP, perante a manifesta lacuna de que enferma o CPP, nos termos do art. 4.º deste Código deve aplicar-se subsidiariamente o disposto no art. 698.º, n.º 6, do CPC, sendo acrescido de 10 dias o prazo previsto no art. 411.º, n.º 1, do CPP. (Ac. STJ de 13 de Novembro de 2002; proc. n.º 3192/02-3.ª; *SASTJ*, n.º 65, 61);

— I — Impugnando a matéria de facto, tem o recorrente de dar cumprimento ao disposto no n.º 3 do art. 412.º do CPP. II — Não cumprindo tal ónus, deverá o tribunal convidar o recorrente a suprir as deficiências encontradas, com a cominação de rejeição do recurso, caso não cumpra o disposto na lei. (Ac. STJ de 13 de Novembro de 2002; proc. n.º 3176/02-3.ª; *SASTJ*, n.º 65, 39);

— É inconstitucional, por violação das disposições conjugadas do art. 32.º, n.º 1, e do art. 20.º, n.º 4, parte final, da CRP, o art. 412.º, n.º 5, do CPP, quando interpretado no sentido de que é insuficiente para cumprir o ónus de especificação ali consignado a referência a "todos" os recursos, nas conclusões da motivação, sempre que no texto desta tenha sido feita a sua identificação individualizada e seriada. (Ac. do Trib. Constitucional n.º 191/2003, de 9 de Abril, proc. n.º 773/2002; *DR*, II série, de 28 de Maio de 2003);

— Actualmente a lei (art. 412.º, n.º 3, do CPP), permite um verdadeiro duplo grau de jurisdição em matéria de facto. (Ac. STJ de 2 de Julho de 2003; proc. n.º 2043/03-3.ª; *SASTJ*, n.º 73, 119);

— É inconstitucional, por violação do art. 32.º, n.º 1, da Constituição, a norma constante dos arts. 412.º, n.º 1; 414.º, n.º 2 e 420.º, n.º 1, do CPP, interpretada no sentido de que a falta de conclusões da motivação do recurso conduz à rejeição liminar do recurso do arguido, sem que ao mesmo seja facultada a oportunidade de suprir tal deficiência. (Ac. do Trib. Constitucional n.o 428/2003, de 24 de SEtembro de 2003, proc. n.º 532/2002; *DR*, II série, de 20 de Novembro de 2003);

— É inconstitucional, por violação do art. 32.º, n.º 1, da CRP, a norma constante do art. 412.º, n.º 3, do CPP, quando interpretada no sentido de que a

970

Artigo 412.º

falta de indicação, nas conclusões da motivação, de qualquer das menções contidas nas suas alíneas *a)*, *b)* e *c)* tem como efeito o não conhecimento da impugnação da matéria de facto e a improcedência do recurso do arguido nessa parte, sem que ao mesmo seja dada a oportunidade de suprir tal deficiência. (Ac. do Trib. Constitucional n.º 529/03, de 31 de Outubro, proc. n.º 667/03; *DR*, II série, de 17 de Dezembro de 2003);

— Não é inconstitucional a norma do art. 412.º, n.º 3, do CPP interpretada no sentido de que a falta, na motivação e nas conclusões de recurso em que se impugne matéria de facto, da especificação nela exigida tem como efeito o não conhecimento da matéria e a improcedência do recurso, sem que ao recorrente tenha sido dada oportunidade de suprir tais deficiências. (Ac. do Trib. Constitucional n.º 140/2004, de 10 de Março, proc. n.º 565/2003; *DR*, II série, de 17 de Abril de 2004);

— I — São inconstitucionais, por violação do art. 32.º, n.º 1, da CRP, as normas dos n.ºs 3 e 4 do art. 412.º do CPP, interpretadas no sentido de que a falta de indicação, nas conclusões da motivação do recurso em que o arguido impugna a decisão sobre a matéria de facto das menções contidas na al. *a)* e, pela forma prevista no n.º 4, nas alíneas *b)* e *c)* daquele n.º 3, tem como efeito o não conhecimento da impugnação da matéria de facto e a improcedência do recurso nessa parte, sem que ao recorrente seja dada a oportuniade de suprir tal deficiência. II — Não é inconstitucional a norma do n.º 4 do mesmo art. 412.º, quando interpretada no sentido de que incumbe ao recorrente o ónus da transcrição aí previsto. III — É inconstitucional, por violação do art. 32.º, n.º 1, da CRP, a norma do n.º 4 do mesmo art. 412.º, interpretada no sentido de que a falta de transcrição pelo arguido recorrente das gravações constantes dos suportes técnicos a que se referem as especificações previstas nas alíneas *b)* e *c)* do n.º 3 do mesmo artigo tem como efeito o não conhecimento da impugnação da matéria de facto e a improcedência do recurso nessa parte, sem que ao mesmo seja dada a oportunidade de suprir tal deficiência. (Ac. do Trib Constitucional n.º 404/2004, de 2 de Junho de 2004, proc. n.º 802/2003; *DR*, II série, de 23 de Julho do mesmo ano);

— Sempre que o recorrente reproduza exactamente perante o STJ o que anteriormente alegou no seu recurso para a Relação, e ignore ostensivamente a decisão da Relação, não está, em rigor, a impugnar esta última, mas o acórdão da primeira instância, quando, formalmente, o recurso é do aresto da Relação, e não daquele. (Ac. STJ de 15 de Julho de 2004, proc. n.º 2005/04-5.ª);

— Não deve ser convidado a corrigir as conclusões do recurso o arguido que apresenta uma motivação com deficiências de fundo, quando, contra o que expressamente impõe a lei, o recorrente não se preocupa minimamente com satisfazer as suas exigências, como acontece com a indicação dos suportes técnicos que documentem a sua discordância com o decidido quanto à matéria de facto. (Ac. STJ de 15 de Julho de 2004, proc. n.º 2360/04-5.ª).

— Não é inconstitucional a norma do art. 32.º, n.º 1, al. *c)*, do CPC, aplicada em processo penal por força do art. 4.º do CPP, na medida em que dela resulta a exigência de patrocínio judiciário para a apresentação da motivação de recurso em processo penal. (Ac. do Trib. Constitucional n.º 461/2004, de 23 de Junho, proc. n.º 120/04; *DR*, II série, de 12 de Agosto de 2004);

— I — Ao recorrer-se para o STJ do acórdão da Relação importa a verificação dos fundamentos da decisão por esta proferida, e não os da

Código de Processo Penal

decisão da primeira instância, sob pena de, constante, gradual e perigosamente, se subvalorizar as decisões dos tribunais superiores, desvirtuar a função dos recursos, suas regras de competência hierárquica e das decisões dos órgãos integrados na sua cadeia. II — Se o recorrente utiliza contra o acórdão da Relação argumentação de todo coincidente, ponto por ponto, com a que lhe serviu no recurso para aquela ao impugnar a sentença da primeira instância, não cumpre o ónus imposto no art. 412.º, n.ᵒˢ 1 e 2, do CPP, e o recurso deve ser rejeitado, por falta de motivação. (Ac. STJ de 22 de Setembro de 2004, proc. n.º 2813/04-3.ª);

— É inconstitucional, por violação das disposições conjugadas dos arts. 32.º, n.º 1, e 20.º, n.º 4, parte final, da Constituição, o art. 412.º, n.º 5, do CPP, interpretado no sentido de que a exigência da especificação dos recursos retidos em que o recorrente mantém interesse, constante do preceito, também é obrigatória, sob pena de preclusão do seu conhecimento, nos casos em que o despacho de admissão do recurso interlocutório é proferido depois da própria apresentação da motivação do recurso interposto da decisão final do processo. (Ac. do Trib. Constitucional n.º 724/2004, de 21 de Dezembro de 2004; *DR*, II série, de 4 de Dezembro de 2005);

— I — A salvaguarda do direito de defesa constitucionalmente consagrado no art. 32.º, n.º 1, da CRF justifica que o recorrente seja convidado a aprefeiçoar as conclusões da motivação quando estas não sejam concisas ou quando nelas falte alguma das menções contidas nas alíneas a), b) e c) do n.º 3 do art. 412.º do CPP. II — Não justifica, contudo que se convide o arguido a motivar o seu pretendido recurso. III — A omissão de motivação não se confunde com a motivação deficiente ou irregular, pelo que, sendo de ordenar o aperfeiçoamento destas, não o é daquela. (Ac. STJ de 20 de Janeiro de 2005, proc. n.º 3209/04-5.ª; SASTJ, n.º 87, 120);

— I — No caso de impugnação da decisão proferida em matéria de facto, o recorrente deve especificar nas conclusões os pontos de facto que considera incorrectamente julgados, as provas que impõem decisão diversa da recorrida e as provas que devem ser renovadas — art. 412.º, n.º 2, als. a), b) e c) do CPP. II — Quando as provas tenham sido gravadas, dispõe o n.º 4 do art. 412.º que as especificações previstas nas als. b) e c) do n.º 3 se fazem por referência aos suportes técnicos, havendo lugar a transcrição. esta disposição separa inteiramente dois momentos, partindo do pressuposto e da função da gravação da prova e dos respectivos suportes técnicos e da função e finalidade da transcrição das provas gravadas. (Ac. STJ de 3 de Março de 2005, proc. n.º 335/05-3.ª; *SASTJ*, n.º 89, 76);

— I — Se o recorrente não fez, quer no requerimento de interposição, quer no texto da motivação, quer nas conclusões do recurso da decisão condenatória, qualquer menção ao recurso retido, não pode este recurso ser conhecido. II — É este o único sentido que hermeneuticamente se pode atribuir à "especificação obrigatória" dos recursos retidos em relação aos quais mantém interesse, nas conclusões do recurso que os faz subir (art. 412.º, n.º 5, do CPP). (Acs. STJ de 12 de Julho de 2005, proc. n.º 2442/05-05.ª; *SASTJ*, n.º 93, 115 e de 22 de Setembro do mesmo ano; *ibiem*, 124);

— I — O reexame da matéria de facto pelas Relações não corresponde a um segundo julgamento, como se não tivesse havido um julgamento anterior, antes visa correcção de erros de julgamento da 1.ª instância, impondo-se que

Artigo 412.º

os recorrentes especifiquem os pontos de facto incorrectamente julgados e as suas provas que em relação a cada facto deviam conduzir a um veredicto diferente, para que a instância de recurso reaprecie essas provas, e eventualmente altere a decisão da matéria de facto quanto a esses pontos. II — Se na motivação do recurso para a Relação o recorrente não especificou os pontos de facto que considerou incorrectamente julgados e, por outro lado, indicou as provas que em relação a cada um dos pontos de facto impunham decisão diversa, é de considerar que essa motivação não observa o disposto no art. 412.º, n.º 3, als. a) e b) do CPP. III — E não há que convidar o recorrente a suprir tais deficiências, por se tratar de uma deficiente menção dos fundamentos do recurso, e não de um mero vício de formulação das conclusões. IV — Só há lugar a tal convite quando se trate de deficiências na formulação das conclusões, e não de deficiente indicação dos fundamentos do recurso, já que a omissão de fundamentos do recurso equivalente à não impugnação da decisão, total ou parcial. (Ac. STJ de 11 de Outubro de 2005, proc. n.º 2435/05-3.ª; *SASTJ*, n.º 94, 81);

— Não são inconstitucionais as normas constantes dos arts. 411.º, n.º 1 e 412.º, n.º 4, do CPP, interpretadas no sentido de que o prazo de interposição do recurso penal em que se questione a decisão da matériaa de facto e em que se procedeu a gravação da prova produzida em audiência se conta da data em que o arguido, agindo com a diligência devida, podia ter acesso ao suporte material da prova gravada, e não da data em que foi disponibilizada a transcrição dessa salvação. (Ac. do Trib. Constitucional n.º 17/2006, de 6 de Janeiro, proc. n.º 383/2004; *DR*, II série, de 15 de Fevereiro do mesmo ano);

— I — É inconstitucional o art. 412.º, n.º 5, do CPP, interpretado no sentido de que a exigência da especificação dos recursos retidos em que o recorrente mantém interesse, constante do preceito, também é obrigatória, sob pena de preclusão do seu conhecimento, nos casos em que o despacho de admissão do recurso interlocutório é proferido depois da própria apresentação da motivação do recurso interposto da decisão final do processo. II — É inconstitucional a mesma norma, na interpretação que permita ao tribunal *ad quem*, não considerando ser suficiente para o cumprimento do ónus previsto nesse preceito a referência nas conclusões ao recurso interlocutório retido e a que o mesmo subirá a final, a liminar rejeição desse recurso, entretanto já admitido, sem que seja formulado ao recorrente um convite para explicitar se mantém interesse no seu conhecimento. (Ac. do Trib. Constitucional n.º 381/2006; *DR*, II série, de 16 de Agosto de 2006);

— Não é inconstitucional a interpretação dos arts. 45.º, n.º 1, al. *e*) e 59.º, n.º 2, do Código das Custas Judiciais, de acordo com a qual em processo penal a falta de pagamento do preparo para despesas relativo a transcrição de prova produzida oralmente, a efectuar para efeitos de recurso, tem como consequência a não realização da transcrição. (Ac. do Trib. Constitucional n.º607/2006, de 14 de Novembro; *DR*, II série, de 19 de Janeiro de 2007);

— É inconstitucional a norma constante do art. 412.º, n.os 2, alínea *b*), e 4, do CPP, interpretada no sentido de que a inserção apenas nas conclusões da motivação do recurso das menções aí referidas determina a imediata rejeição deste. (Ac. Trib. Constitucional n.º 485/2008; *DR,* II série, de 11 de Novembro de 2008).

Código de Processo Penal

ARTIGO 413.º

(Resposta)

1. Os sujeitos processuais afectados pela interposição do recurso podem responder no prazo de vinte dias, contados da data da notificação referida nos n.ᵒˢ 6 e 7 do artigo 411.º.

2. Se o recurso tivr por objecto a reapreciação da prova gravada, o prazo estabelecido no número anterior é elevado para 30 dias.

3. A resposta é notificada aos sujeitos processuais por ela afectados, devendo ser entregue no número de cópias necessário.

4. É correspondentemente aplicável o disposto nos n.ᵒˢ 3 a 5 do artigo 412.º.

---

1. A versão originária deste artigo reproduzia o art. 414.º do Proj. Não havia disposições correspondentes no CPP de 1929.

A Lei n.º 59/98, de 25 de Agosto, introduziu-lhe algumas alterações destacando-se o aditamento do n.º 3.

O texto actual resulta da Lei n.º 48/2007, de 29 de Agosto, de destacando--se a elevação do prazo do prazo estabelecido no n.º 1 para 20 dias (anteriormente 15 dias), a introdução do dispositivo do n.º 2, passando o anterior n.º 2 para o n.º 3, e a eliminação do anterior n.º 2 para o n.º 3, e a eliminação do anterior n.º 3, por se ter tornado desnecessário.

2. A falta de resposta dos sujeitos processuais afectados pela interposição do recurso não tem quaisquer consequências. No entanto a resposta pode ser útil, pelo contributo que pode dar ao tribunal superior para a justa decisão do recurso.

ARTIGO 414.º

(Admissão do recurso)

1. Recebida a resposta dos sujeitos processuais afectados pela interposição do recurso ou expirado o prazo para o efeito, o juiz profere despacho e, em caso de admissão, fixa o seu efeito e regime de subida.

2. O Recurso não é admitido quando a decisão for irrecorrível, quando for interposto fora de tempo, quando o recorrente não tiver as condições necessárias para recorrer ou quando faltar a motivação.

3. A decisão que admita o recurso ou que determine o efeito que lhe cabe ou o regime de subida não vincula o tribunal superior.

4. Se o recurso não for interposto de decisão que conheça, a final, do objecto do processo, o tribunal pode, antes de ordenar a

Artigo 414.º

remessa do processo ao tribunal superior, sustentar ou reparar aquela decisão.

5. Havendo arguidos presos, deve mencionar-se tal circunstância, com indicação da data da privação da liberdade e do estabelecimento prisional onde se encontrem.

6. Subindo o recurso em separado, o juiz deve averiguar se o mesmo se mostra instruído com todos os elementos necessários à boa decisão da causa, determinando, se for caso disso, a extracção e junção de certidão das pertinentes peças processuais.

7. Se o recurso subir nos próprios autos e houver arguidos privados da liberdade, o tribunal, antes da remessa do processo para o tribunal superior, ordena a extracção de certidão das peças processuais necessárias ao seu reexame.

8. Havendo vários recursos da mesma decisão, dos quais alguns versem sobre matéria de facto e outros exclusivamente sobre matéria de direito, são todos julgados conjuntamente pelo tribunal competente para conhecer da matéria de facto.

---

1. Este artigo tem o texto introduzido pela Lei n.º 59/98, de 25 de Agosto, com posteriores alterações introduzidas pela Lei n.º 48/2007, de 29 de Agosto, as quais consistiram na introdução do n.º 7, passando a anterior n.º 7 para o n.º 8 e em alterações no texto do n.º 1, porém sem significativa modificação do regime anterior, que já constava do mesmo dispositivo e do n.º 6 do art. 411.º.

2. Como se deduz do n.º 4, só é lícito ao juiz sustentar ou reparar a decisão quando a decisão recorrida não for sentença ou acórdão final. Tratando se de sentença ou acórdão final, o processo sobe ao tribunal superior após o termo do prazo para a resposta dos sujeitos processuais afectados pela interposição do recurso, porque em tais casos o juiz nada mais tem a fazer do que ordenar a subida do recurso.

Não se tratando de recurso interposto de sentença ou acórdão final, o juiz pode, se assim o entender, sustentar ou reparar a decisão, dispondo para o efeito do prazo geral.

Particularmente de assinalar que o juiz pode, nestes casos de recursos que não sejam interpostos de sentença ou acórdão final, reparar a decisão. O Código é omisso quanto aos trâmites que se devem seguir no caso de o juiz reparar a decisão, afigurando-se-nos por isso que devem ser seguidos os trâmites correspondentemente aplicáveis do processo civil, desde que se harmonizem com o processo penal, como se estabelece no art. 4.º. E assim, para efeitos de recurso, somente haverá que atender ao segundo despacho e indagar se ele é ou não passível de recurso, segundo o CPP. Se o juiz rejeitar uma acusação deduzida pelo MP e proferir despacho de não pronúncia, sendo interposto recurso, o magistrado judicial pode reparar esse despacho e proferir outro pronunciando o arguido de harmonia com a acusação do MP. Não poderá então o arguido usar

Código de Processo Penal

da faculdade do n.º 3 do art. 744.º do CPC, já que isso se não harmonizaria com o processo penal — arts. 310.º, n.º 1 e 313.º, n.º 3, do CPP. Já na situação inversa, de o juiz ter pronunciado de harmonia com a acusação do MP e de ser interposto recurso pelo arguido (sem que tal recurso seja admissível) com subsequente reparação do despacho, se nos afigura viável a aplicação do dispositivo do art. 744.º, n.º 3, do CPC, tanto mais que em tal caso o MP poderia obter efeito idêntico através da interposição de recurso, que em tal caso sempre caberia, do despacho de reparação.

3. O n.º 7, introduzido pela Lei supramencionada na anot. 1, veio estabelecer a obrigatoriedade de o tribunal, no caso de o recurso subir nos próprios autos e haver arguidos privados da liberdade, antes da remessa ao tribunal superior, ordenar a extracção de certidão das peças processuais necessárias ao reexame de medida de coacção.

Trata-se de um dispositivo que se vinha impondo e que resolveu legislativamente um ponto em que a jurisprudência estava dividida, qual era o de saber se o reexame era feito pelo tribunal superior ou pelo tribunal da primeira instância. Prevaleceu, por via legislativa, este último entendimento.

Este dispositivo virá ainda contribuir para mais celebridade na tramitação dos recursos no tribunal *ad quem*, uma vez libertados do reexame das medidas de coacção privativas da liberdade.

4. *Jurisprudência:*

— Face ao novo CPP continua a ser necessário o despacho de admissão do recurso e a fixação do seu efeito e regime de subida. (Ac. STJ de 5 de Fevereiro de 1992; *CJ*, XVII, tomo 1, 29);

— Se o juiz não podia reparar a decisão recorrida e proferiu despacho com esse objectivo, proferiu uma nova decisão sobre a matéria, que é nula. (Ac. RP de 22 de Setembro de 1993; *CJ,* XVIII, tomo 4, 252);

— Quem recorre, versando o recurso matéria de direito, não pode limitar-se a proclamar violações normativas; tem obrigatoriamente sob pena de rejeição, de fazer a crítica das soluções para que propendeu a decisão de que recorre, aduzindo os motivos do seu inconformismo, a base jurídica em que se apoia e o caminho de direito que deveria ter sido percorrido ou que haverá de percorrer-se. (Ac. STJ de 18 de Novembro de 1999, proc. 689//99-5.ª; *SASTJ*, n.º 35, 90);

— I — Sem motivação, irreleva o que se disser nas conclusões acerca de qualquer questão. Estas têm de reflectir o que se trata na motivação, não podendo de forma alguma ir para além dela. II — Se o recorrente, limitando o recurso nos termos do art. 403.º do CPP às questões da qualificação jurídica dos factos e da medida concreta da pena que lhe foi aplicada, na sua motivação apenas tratou daquela primeira questão, ou seja, da qualificação jurídica dos factos, vindo depois a tratar, nas conclusões, da outra questão, além da primeira, o recurso, dado que não houve motivação a respeito da questão da medida concreta da pena, tem de ser rejeitado quanto à mesma, nos termos dos arts. 414.º, n.º 2, e 420.º, n.º 1, do CPP. (Ac. STJ de 25 de Maio de 2000, proc. n.º 186/2000-5.ª, *SASTJ*, n.º 41, 80);

— Quando as conclusões, ou alguma das conclusões, não encontram correspondência no texto da motivação, está-se perante a insuficiência da

Artigo 414.º

motivação que deve ser tratada, no respectivo âmbito, como falta de motivação. (Ac. STJ de 11 de Janeiro de 2001, proc. n.º 3408/00-5.ª; *SASTJ*, n.º 47, 79);

— É de rejeitar, por ausência de motivação, o recurso interposto de acórdão da Relação confirmativo de acórdão da 1.ª instância, se o recorrente não coloca directamente em crise aquele de que recorre, mas antes o primeiro proferido. (Ac. STJ de 25 de Setembro de 2002; proc. n.º 1892/02-3.ª; *SASTJ*, n.º 63, 71);

— É inconstitucional, por violação do art. 32.º, n.º 1, da Constituição, a norma constante dos arts. 412.º, n.º 1; 414.º, n.º 2 e 420.º, n.º 1, do CPP, interpretada no sentido de que a falta de conclusões da motivação do recurso conduz à rejeição liminar do recurso do arguido, sem que ao mesmo seja facultada a oportunidade de suprir tal deficiência. (Ac. do Trib. Constitucional n.º 428/2003, de 24 de Setembro de 2003, proc. n.º 532/2002; *DR*, II série, de 20 de Novembro de 2003);

— O n.º 4 do art. 80.º do CCJ não viola o disposto nos arts. 13.º e 32.º, n.º 1, da CRP, não padecendo de inconstitucionalidade material. (Ac. do Trib. Constitucional n.º 491/2003, de 22 de Outubro, proc. n.º 745/2002; *DR*, II série, de 11 de Fevereiro de 2004). *Nota*. O n.º 4 do art. 80.º do CCJ, supramencionado, foi transcrito em anotação ao art. 411.º;

— Ocorrendo uma circunstância que tenha como consequência a não admissão do recurso, não pode o tribunal depois pronunciar-se sobre qualquer questão que na motivação tenha sido levantada, ainda que seja a de uma nulidade insanável, uma vez que a admissibilidade/inadmissibilidade do recurso surge como questão prévia, determinante ou de um futuro conhecimento do recurso ou da impossibilidade de apreciar a motivação apresentada. (Ac. STJ de 29 de Setembro de 2004, proc. n.º 3191/04-3.ª);

— É inconstitucional, por violação dos princípios da segurança jurídica, da confiança e das garantias de defesa consagradas nos arts. 2.º e 32.º, n.º 1, da Constituição, a norma do art. 414.º, n.º 3, do CPP, na interpretação segundo a qual é permitida a destruição, pelo tribunal superior, de efeitos anteriormente produzidos por uma decisão não impugnada da 1.ª instância que declarou interrompido o prazo em curso para o arguido recorrer. (Ac. do Trib. Constitucional n.º 722/2004, de 17 de Dezembro de 2004, proc. n.º 435/2003; *DR*, II série, de 4 de Fevereiro de 2005);

— Caso o recorrente suscite perante o STJ tão-só uma questão nova — a medida de pena — de todo em todo inexistente no recurso interposto para o tribunal recorrido, não podendo censurar-se a este a respectiva decisão naquele domínio, e tendo transitado em julgado a matéria suscitada pelo recorrente, cumpre entender que o recurso interposto pera o STJ carece de objecto relevante, e, por isso, deve ser rejeitado, por manifesta improcedência — arts. 493.º, n.º 2 e 494.º, al. i), do CPC. (Ac. STJ de 16 de Junho de 2005, proc. n.º 1842/05-5.ª; *SASTJ*, n.º 92, 113);

— Havendo dois recursos interpostos da decisão do Tribunal Colectivo, um dirigida à Relação e outro para o STJ, tendo um deles que ser apreciado pela Relação, por envolver a reapreciação da matéria de facto, sê-lo-á também o outro, pois a Relação detém competência para conhecer de facto e de direito. (Ac. STJ de 28 de Setembro de 2005, proc. n.º 2423/05-5.ª; *SASTJ*, n.º 93, 126);

— É inconstitucional, por violação dos princípios da segurança jurídica, da confiança e do processo equitativo, e das garantias de defesa consagradas nos arts. 2.º e 32.º, n.º 1, da CRP, a norma dos arts. 411.º, n.º 3, 414.º, n.os 2 e 3; e

977

Código de Processo Penal

420.º, n.º 1, do CPP, interpretada no sentido de permitir ao tribunal *ad quem* a apreciação oficiosa da tempestividade do recurso que para ele foi interposto, e a decisão no sentido da intempestividade, quando esta decorre inteiramente da questão da legalidade de uma prorrogação do prazo para recorrer, ou motivar, o recurso, deferida precedentemente pela primeira instância, por decisão que não foi impugnada ou questionada por outro sujeito do processo. (Ac. do Tribunal Constitucional n.º 103/2006, de 7 de Fevereiro, proc. n.º 53/2005; *DR*, II série, de 23 de Março de 2006).

ARTIGO 415.º

(Desistência)

1.   O Ministério Público, o arguido, o assistente e as partes civis podem desistir do recurso interposto, até ao momento de o processo ser concluso ao relator para exame preliminar.

2.   A desistência faz-se por requerimento ou por termo no processo e é verificada pelo relator.

---

1. Reproduz o art. 415.º do Proj., com alterção introduzida pela Lei n.º 48/ /2007, de 29 de Agosto, consistente na substituição, na parte final do n.º 2, de *em conferência* por *pelo relator*. Não havia disposições correspondentes no CPP de 1929 mas a jurisprodência e a doutrina entendiam geralmente que no domínio desse diploma era admissível a desistência do recurso, quando facultativamente interposto. Veja-se a anot. 5 ao art. 648.º desse diploma, no nosso *Código de Processo Penal Anotado.*

2. Confrontando o texto deste artigo com o do art. 401.º sobre a legitimidade para recorrer, nota-se que neste art. 415.º, quanto à possibilidade de desistência do recurso, se omitiram as pessoas indicadas na alínea *d)* do art. 401.º.

Cremos que se trata de lapso do legislador, e que portanto o art. 415.º deve sofrer interpretação extensiva. Este artigo consagra uma regra geral, e foi formulado mais com o propósito de deixar bem explícita a possibilidade de desistência por parte do MP, do arguido e do assistente e indicar até que momento se pode efectivar a desistência do que com o propósito de aflorar uma regra geral.

Entendemos portanto que qualquer recorrente, mesmo que não seja sujeito processual, tem a faculdade de desistir do recurso por si interposto, não se justificando a restrição sustentada por Simas Santos/Leal Henriques, *Código de Processo Penal,* 2.ª ed., 2.º vol., 568. Dentro da orientação que seguimos expende também o Prof. Germano Marques da Silva, *Curso de Processo Penal,* 2.ª ed., III, 356.

3. Questão que pode pôr-se é a de saber se o MP pode desisitir do recurso nos poucos casos que subsistem de recurso obrigatório?

Esta questão surgiu no domínio do CPP de 1929; foi abordada no nosso *Código de Processo Penal Anotado* em anot. ao art. 648.º desse diploma e, embora já tenhamos sustentado orientação contrária, repensada a questão, consideramos melhor doutrina a que defende que, nos poucos casos que

978

Artigo 416.º

subsistem de recurso obrigatório para o MP em processo penal (os do art. 446.º, n.º 1 deste Código e do art. 72.º, n.º 3, da Lei n.º 28/82, de 15 de Novembro, sobre organização, funcionando e processo no Trib. Constitucional) não é lícito ao MP desistir do recurso, tal como sucedia na vigência do CPP de 1929. Solução contrária esvaziaria, evidentemente, a obrigatoriedade do recurso. Esta solução ficou até reforçada desde que a jurisprudência fixada deixou de ser obrigatória para os tribunais judiciais, tornando-se então o recurso obrigatório do MP a melhor garantia de uniformidade da jurisprudência.

4. A alteração introduzida pela supramencionada Lei no n.º 4, estabelecendo que a desistência do recurso é julgada pelo relator, é uma medida que permite celebridade na tramitação processual e que se aplaude. O anterior dispositivo preceituava o julgamento em conferência e harmonizava-se com normas do CPC e do CPP de 1929.

5. *Jurisprudência:*
— É válida a desistência do recurso feita pelo MP, desde que feita antes de o processo ser concluso ao relator. (Ac. STJ de 23 de Outubro de 1991, proc. 42160/3.ª);
— A regra do art. 415.º, n.º 1, do CPP, de que o MP, o arguido, o assistente e as partes civis podem desistir do recurso interposto até ao momento de o processo ser concluso ao relator para exame preliminar, aplica-se também aos recursos para a fixação de jurisprudência. (Ac. STJ de 29 de Setembro de 1995; *CJ, Acs. do STJ,* III, tomo 3, 201);
Nos termos do art. 415.º, n.º 1, do CPP, a desistência do recurso só é permitida quando feita até ao momento de o processo ser concluso pela primeira vez ao relator. Este regime aplica-se aos próprios intervenientes civis. (Ac. STJ de 12 de Junho de 1997, proc. n.º 199/97);
— O MP, o arguido, o assistente e as partes civis podem desistir do recurso extraordinário para fixação de jurisprudência até ao momento de o processo ser concluso ao relator para exame preliminar. (Ac. STJ de 5 de Junho de 2003; proc. n.º 1650/03-5.ª; *SASTJ*, n.º 72, 69).

ARTIGO 416.º
(Vista ao Ministério Público)

1. Antes de ser apresentado ao relator, o processo vai com vista ao Ministério Público junto do tribunal de recurso.

2. Se tiver sido requerida audiência nos termos do n.º 5 do artigo 411.º, a vista ao Ministério Público destina-se apenas a tomar conhecimento do processo.

---

1. O n.º 1 reproduz o art. 416.º do Proj. e corresponde aos arts. 465.º do Aproj. e 664.º do CPP de 1929.
O n.º 2 foi introduzido pela Lei n.º 48/2007, de 29 de Agosto e não tinha correspondente anterior.

979

Código de Processo Penal

2. Os recursos em processo penal são obrigatoriamente motivados no tribunal *a quo* pelo MP, quando este for recorrente. Quando não for recorrente, também normalmente o MP responderá à motivação do recorrente, porque se trata de um sujeito processual afectado (cfr. art. 413.º e respectiva anot.).

No entanto, cumprirá ao MP no tribunal superior apor o seu visto ou emitir o seu parecer, no qual não está vinculado pela motivação ou pela resposta do MP no tribunal inferior.

No visto a que se refere este artigo o MP emite o seu parecer, podendo suscitar quaisquer questões que se lhe oferecerem como cabidas para a decisão e devendo, logicamente, seguir a ordenação estabelecida nas alíneas do n.º 2 do art. 417.º; em casos que se afigurem de extrema simplicidade aporá o visto no processo.

Se o recurso não for rejeitado ou julgado em conferência e houver de prosseguir, o MP normalmente já não terá novo visto, sendo só convocado para a audiência.

3. A propósito de disposição paralela inserta no CPP de 1929 — art. 664.º — suscitou-se a constitucionalidade dessa disposição, passível de violação do princípio contraditório e da igualdade de armas. Não se nos afigurou porém ser passível de censura constitucional o MP ter visto do processo, por se tratar de uma via normal e legítima de transmissão dos autos; e de outro modo a única solução alternativa deveria ser a de conceder à outra parte o direito de resposta, e nunca a de eliminar-se o visto do MP junto do tribunal de recursos, por inconstitucionalidade. Esta solução afigurou-se-nos portanto de seguir sempre que o MP se não limitasse a apor o seu visto no processo e levantasse qualquer questão ou usasse de nova argumentação que pudesse prejudicar a outra parte. De referir que o STJ, em numerosos acórdãos, seguiu-se a orientação que acabámos de expender.

Sobre a questão veja-se Cunha Rodrigues, *Jornadas.* 391, nota e, com as respectivas anots., ac. do Tribunal Constitucional de 6 de Maio de 1987; *BMJ,* 367, 211, além de outra jurisprudência, *infra*.

Resta aditar que agora, sobre esta questão, *legem habemus,* pois que o novo dispositivo do n.º 2 do art. 417.º tomou posição expressa e inequívoca, resolvendo-a no sentido que sempre sustentámos e que vinha sendo seguido pelo STJ e pelo Trib. Constitucional.

Sobre esta questão deve porém ter-se em conta a Directiva da PGR n.º 3/200, publicada no *DR*, II série, de 12 de Junho de 2000, transmitindo o Despacho de 2 de Dezembro de 1999 do conselheiro Procurador-Geral da República, adiante transcrita.

4. Por conter indicações quanto à orientação do Tribunal Constitucional a propósito do art. 644.º do CPP de 1929 que se pode reflectir nos arts. 416.º e 417.º do CPP em vigor e ser obrigatória para o MP, transcreve-se a Directiva da PGR n.º 3/2000, aludida na anot. anterior:

Directiva n.º 3/2000 — *Visto do Ministério Público nos tribunais superiores — Notificação do parecer do Ministério Público ao arguido.* — Despacho de 2 de Dezembro de 1999 do conselheiro Procurador-Geral da República, no uso de competência atribuída pelo artigo 12.º, n.º 2, alínea *b)*, do Estatuto do Ministério Público (Lei n.º 60/98 de 27 de Agosto):

Artigo 416.º

O Acórdão do Tribunal Constitucional n.º 150/93, de 2 de Fevereiro, publicado no *Diário da República,* 2.ª série, de 29 de Março de 1993, pronunciou-se pela não inconstitucionalidade da norma constante do artigo 644.º do Código de Processo Penal de 1929, desde que interpretada no sentido de que, se o Ministério Público se pronunciar em termos de poder agravar a posição dos réus, quando os autos lhe vão com vista no tribunal *ad quem,* deve ser dada àqueles a oportunidade de se defenderem.

Através do Acórdão n.º 533/99, de 12 de Outubro, publicado no *Diário da República,* 2.ª série, de 22 de Novembro de 1999, o Tribunal Constitucional alterou a jurisprudência firmada pelo anterior acórdão, mantendo-se o juízo de não inconstitucionalidade da citada norma, mas agora quando «interpretada no sentido de que, se o Ministério Público, quando os recursos lhe vão com vista, se pronunciar, deve ser dada aos réus a possibilidade de responderem».

É previsível que esta nova orientação jurisprudencial se vá reflectir, de imediato, na questão da constitucionalidade do artigo 416.º do Código de Processo Penal em vigor, o que irá condicionar também a constitucionalidade do regime que prevê a possibilidade de o Ministério Público no tribunal *ad quem* se pronunciar sobre o objectivo do recurso à concessão ao arguido de oportunidade processual para responder ao parecer do Ministério Público, qualquer que seja o seu sentido e conteúdo.

Assim, com vista a garantir a necesária uniformidade de procedimentos e a obviar a gravosas anulações do julgamento dos recursos e aos correspondentes custos em termos de celeridade processual, determino, ao abrigo do artigo 12.º, n.º 2, alínea *b),* do Estatuto do Ministério Público, que os Srs. Magistrados e Agentes do Ministério Público se dignem promover que o parecer por si exarado, nos termos do artigo 416.º do Código de Processo Penal, seja notificado ao arguido, independentemente de o mesmo poder agravar ou não a posição da defesa.

5. O dispositivo do n.º 2, aditado pela supramencionada Lei na anot. 1, estabelecendo que se tiver sido requerida audiência a vista ao MP se destina apenas a tomar conhecimento do processo, encontra-se justificado no Preâmbulo da Proposta de Lei porque nesse caso o MP junto do tribunal de recurso terá oportunidade de intervir na própria audiência e que um visto prévio com conteúdo inovador desencadearia o contraditório, arrastando injustificadamente o processo.

Em nosso entendimento, ter-se-á aqui ido demasiadamente longe, pois que o MP, interpretado o texto à letra, ficará impedido de se pronunciar sobre questões, formais ou de fundo, que podem impedir mesmo a realização de audiência. Pensamos que o dispositivo, interpretado no contexto geral da lei e equacionado com a intervenção diversificada do MP, lhe permite intervir, no visto prévio ou em requerimento separado, sobre tudo o que não deva ser retardado até alegações na audiência, *v. g.* invocando a falta de um pressuposto processual (recurso inadmissível, falta de legitimidade de recorrente, recurso interposto intempestivamente, etc.), ou até a manifesta improdência do recurso.

6. *Jurisprudência:*

— A norma do art. 664.º do CPP de 1929, reproduzida no essencial pelo art. 416.º do CPP de 1987, quando interpretada no sentido de conceder ao MP, para além já de qualquer resposta ou contrapartida da defesa, a faculdade de

Código de Processo Penal

trazer aos autos uma nova e eventualmente mais aprofundada argumentação contra o recorrido, é lesiva dos princípios consagrados no art. 32.°, n.ᵒˢ 1 e 5 da CRP. Na verdade, a reciprocidade dialéctica arguido-acusador resulta quebrada e, por esta via, não obstante o especial estatuto do MP, atingido no seu núcleo essencial o direito de defesa do arguido, impedido de contrariar o posicionamento adverso; e isto porque não só ao MP é concedida a possibilidade de intervir no processo sobre a questão jurídico-substancial em último lugar, como também e especialmente porque essa intervenção é feita à revelia do réu que, contra ela, não pode deduzir qualquer defesa ou opor qualquer argumentação em sentido contrário. (Ac. TC de 6 de Maio de 1987; *BMJ.* 367, 211). *Nota —* Ver *supra*, 3, e anot. ao sumariado ac. TC; *BMJ* referido, págs. 218-223;

— I — O parecer do MP emitido ao abrigo do art. 416.° do CPP não está ferido de inconstitucionalidade. II — No entanto, quando o MP do tribunal *ad quem* emitir o seu parecer deverá averiguar-se se nele se pede agravação da punição ou da posição processual do arguido. III — Nestes casos, deve o arguido ser notificado do parecer emitido pelo MP, sob pena de se limitar a sua defesa. IV — Esta notificação não se mostra necessária nos casos em que o MP se limita a apor o seu visto ou a confirmar o que já vem aduzido nas alegações do recurso. (Ac. STJ de 23 de Maio de 1990; *BMJ*, 397, 385). *Nota —* Ver *supra*, anots. 3 e 4. O STJ, até onde alcançamos, tem seguido uniformemente esta orientação, havendo vários acs. no mesmo sentido. Quanto à jurisprudência do Trib. Constitucional nota-se alguma alteração, como foi apontado na Directiva da PGR transcrita na anot. 4. Debruçando-se sobre esta questão, o Prof. Germano Marques da Silva, *Curso de Processo Penal*, 2.ª ed., III, 358, expende ser de toda a conveniência evitar qualquer outra expressão diferente de «visto» sempre que o MP nada queira acrescentar;

— É inconstitucional o art. 416.° do CPP, interpretado no sentido de permitir a emissão de parecer do MP junto do Tribunal superior, sem que dele seja dado conhecimento ao arguido para se poder pronunciar. (Ac. do Trib. Constitucional n.° 279/2001, proc. n.° 467/2000, de 26 de Junho de 2001; *DR*, II série, de 27 de Setembro do mesmo ano);

— I — A falta de pronúncia do MP sobre o mérito do recurso não constitui violação ou inobservância das disposições da lei do processo, ou seja, não configura qualquer invalidade processual, tanto mais que é a própria lei adjectiva penal a prever a possibilidade de o MP, na vista a que se reere o n.° 1 do art. 416.° do CPP, se limitar a apor o seu visto, ou seja, a não emitir pronúncia sobre as questões suscitadas. II — Na vista que lhe foi conseguida nos autos, o MP, conquanto haja optado por se pronunciar apenas sobre a admissibilidade do recurso, não só podia emitir parecer sobre as questões suscitadas pelo recorrente, como também sobre outras que entendesse abordar, designadamente de cariz oficioso. III — Ainda que o juiz relator tivesse optado pela decisão imediata e autónoma da questão atinente à inadmissibilidade do recurso, suscitada pelo MP, tal procedimento em nada alteraria o processado no que concerne à pronúncia do MP sobre o mérito do recurso, pois não seria por isso que o processo lhe iria novamente com vista, designadamente com a finalidade de emitir pronúncia sobre o mérito do recurso, uma vez que a lei não prevê, expressa ou implicitamente, tal procedimento. E o MP não poderia emitir aquela pronúncia por qualquer outra via, posto que a lei o não admite, consabido que a pronúncia em causa só pode e deve ser emitida na vista a que se refere o n.° 1 do art. 416.°

Artigo 417.º

do CPP. IV — Assim, carece de qualquer fundamento a afirmação de que o MP não foi dada a possibilidade de tomar posição sobre o mérito do recurso, sendo certo que, se tal situação tivesse ocorrido, a eventual invalidade daí decorrente teria de ser arguida pelo MP não constituindo nulidade insanável, só o *interessado* a poderia arguir, ou seja, o titular do direito protegido pela norma violada – arts. 120.º, n.º 1, e 123.º, n.º 1, ambos do CPP. (Ac. STJ de 22 de Outubro de 2008, proc. n.º 2383/08-3.ª. *SASTJ* relativos a esse mês).

ARTIGO 417.º

(Exame preliminar)

1. Colhido o visto do Ministério Público o processo é concluso ao relator para exame preliminar.

2. Se, na vista a que se refere o artigo anterior, o Ministério Público não se limitar a apor o seu visto, o arguido e os demais sujeitos processuais afectados pela interposição do recurso são notificados para, querendo, responder no prazo de dez dias.

3. Se a motivação do recurso não contiver conclusões ou destas não for possível deduzir total ou parcialmente as indicações previstas nos n.ᵒˢ 2 a 5 do artigo 412.º o relator convida o recorrente a apresentar, completar ou esclarecer as conclusões formuladas, no prazo de 10 dias, sob pena de o recurso ser rejeitado ou não ser conhecido na parte afectada.

4. O aperfeiçoamento previsto no número anterior não permite modificar o âmbito do recurso que tiver sido fixado na motivação.

5. No caso previsto no n.º 3, os sujeitos processoaisa afectados pela interposição do recurso são notificados da apresentação de aditamento ou esclarecimento pelo recorrente, podendo responder-lhe no prazo de 10 dias.

6. Após exame preliminar, o relator profere decisão sumária sempre que:

   a) Alguma circunstância obstar ao conhecimento do recurso;
   b) O recurso dever ser rejeitado;
   c) Existir causa extintiva do procedimeto ou da responsabilidade criminal que ponha termo ao processo ou seja o único motivo do recurso; ou
   d) A questão a decidir já tiver sido judicialmente apreciada de modo uniforme e reiterado.

7. Quando o recurso não puder ser julgado por decisão sumária, o relator decide no exame preliminar:

   a) Se deve manter-se o efeito que foi atribuído ao recurso;
   b) Se há provas a renovar e pessoas que devem ser convocadas.

8. Cabe reclamação para a conferência dos despachos proferidos pelo relator nos termos dos n.ᵒˢ 6 e 7.

Código de Processo Penal

9. Quando o recurso deva ser julgado em conferência, o relator elabora um projecto de acórdão no prazo de 15 dias a contar da data em que o processo lhe for concluso nos termos dos n.os 1, 2 ou 5.

10. A reclamação prevista no n.º 8 é apreciada conjuntamente com o recurso, quando este deva ser julgado em conferência.

---

1. A versão originária deste artigo reproduzia o art. 417.º do Proj. Não havia disposições correspondentes no CPP de 1929.

A Lei n.º 59/98, de 25 de Agosto, introduziu neste artigo relevantes alterações, destacando-se os aditamentos dos n.os 2, cujo texto se mantém, 5, 6 e 7, já alterados.

O texto dos n.os 3 a 10 foi introduzido pela Lei n.º 48/2007, de 29 de Agosto.

2. O dispositivo do n.º 2, introduzido pela Lei referida na anot. 1, destina--se obviamente a garantir o princípio contraditório, de harmonia com a prática que já vinha sendo anteriormente seguida e com a jurisprudência do Tribunal Constitucional.

De harmonia com a razão de ser do dispositivo e com a mencionada jurisprudência, afigura-se-nos que também não haverá que notificar o arguido quando o MP se não limita a apor o seu visto, e antes diz concordar com as razões aduzidas pelo MP no tribunal *a quo*, pois neste caso já foi respeitado o contraditório.

Vejam-se no entanto as anots. 3, 4 e 5 ao art. 416.º, particularmente a Directiva da PGR n.º 3/2000, e tenha-se em atenção que alguma doutrina autorizada recomenda que, em respeito pelo princípio contraditório, os sujeitos processuais afectados pela interposição do recurso devem ser notificados mesmo quando o MP, não se limitando a apor o «visto», se limita a dizer que concorda com as razões aduzidas pelo MP no tribunal *a quo*.

3. Os dispositivos dos n.os 3, 4 e 5 foram introduzidos pela Lei supramen-cionada na anot. 1. Estes dispositivos resultam da jurisprudência do STJ e do Trib. Constitucional.

O convte para o recorrente apresentar, completar ou esclarecer as conclusões que formulou é feito pelo relator.

Como se estabelece no n.º 4, o recorrente, se apresentar conclusões, ou completar ou esclarecer as que apresentou, ao fazê-lo não pode modificar o âmbito do recurso que tiver fixado na motivação. Esta é portanto, o limite da correcção permitida pelo n.º 3.

4. O n.º 6 contém nas als. *a)*, *b)* e *c)* dispositivos que já constavam de alí-neas do n.º 3, na versão anterior. O dispositivo da al. *d)* não tem antecedentes no CPP e foi inspirada no n.º 1 do art. 78.º-A da Lei do Trib. Constitucional.

5. Os n.os 7 e 8 contêm dispositivos sem antecedentes no CPP, também inspirados no art. 78.º-A da Lei do Trib. Constitucional e justificados no Preâmbulo da Proposta governamental nos seguintes termos:

«O tribunal de recursos passa a funcionar em três níveis. Competirá ao relator convidar a apresentar, completar ou esclarecer as conclusões formuladas pelo recorrente, dcidir se deve manter-se o efeito atribuído ao recurso e se há lugar à

984

Artigo 417.º

renovação da prova e apreciar o recurso quando este deva ser rejeitado, exista causa extintiva do procedimento ou da responsabilidade e a questão a decidir já tenha sido apreciada antes de modo uniforme e reiterado. Do despacho do relator cabe sempre reclamação para a conferência. A conferência, por seu turso, passa a ter a composição mais restrita, englobando apenas o presidente da secção, o relator e um vogal, competindo-lhe julgar o recurso quando a decisão do tribunal *a quo* não constituir decisão final e quando não houver sido requerida a realização de audiência. Só nos restantes casos o recurso é julgado em audiência. Com esta repartição de competências racionaliza-se o funcionamento dos tribunais superiores, promovendo--se uma maior intervenção dos juízes que os compõem a título singular».

6. *Jurisprudência:*
— Nos casos em que a manifesta improcedência de um recurso e consequente decisão de rejeição liminar resultar da iniciativa do relator, nenhuma disposição legal impõe que se deva dar prévio conhecimento dessa intenção ao recorrente, bem como do propósito de o condenar na taxa de justiça imposta por tal situação. (Ac. STJ de 23 de Setembro de 1999, proc. 1303/98-3.ª *SASTJ*, n.º 33, 93);
— O art. 417.º, n.º 1, do CPC é inaplicável em processo penal, dado que o CPP tem disposição própria acerca das funções do relator. Trata-se do art. 417.º do CPP, particularmente do seu n.º 3. (Ac. STJ de 7 de Fevereiro de 2002, proc. n.º 380/02-5.ª; *SASTJ*, n.º 58, 65);
— I — Só é imposto o cumprimento do princípio do contraditório no caso previsto no art. 417.º, n.º 2, do CPP, se, na vista inicial, o MP não se limitar a apor o seu visto. II — A lei não manda notificar os sujeitos processuais, nomeadamente o recorrente e o recorrido, do despacho do relator resultante do exame preliminar, inclusivamente se ele se pronunciar pela rejeição do recurso. (Ac. STJ de 14 de Março de 2002, proc. n.º 4216/01-5.ª; *SASTJ*, n.º 59, 63);
— I — Não existe lei que permita à Relação atribuir competência ao STJ — órgão superior da hierarquia dos tribunais judiciais — para julgar um recurso. II — Caso a Relação não seja competente para conhecer de um recurso, assim o deve declarar, como resulta dos arts. 417.º, n.º 3, al. *a)* e n.º 4, al. *a)* e 419.º, n.º 3, do CPP, sendo que de tal declara — cabe, então, recurso para o STJ. III — Quando a Relação atribui competência ao STJ para julgar certo recurso, o respectivo acórdão padece da nulidade prevista no art. 379.º, n.º 1, al. *c)*, do CPP, aplicável *ex vi* do art. 425.º, n.º 4, do mesmo diploma, pois conheceu de uma questão de que não podia tomar conhecimento, infringindo ainda as regras de competência em razão da hierarquia, o que só por si constitui a nulidade insanável do art. 119.º, al. *e)*, do CPP. (Ac. STJ de 28 de Novembro de 2002; proc. n.º 4192/02-5.ª; *SASTJ*, n.º 65, 90);
— I — A lei não impõe a notificação aos sujeitos processuais — nomeadamente o recorrente e o recorrido — do despacho do relator resultante do exame preliminar, mesmo no caso de aquele entender que é de rejeitar o recurso. II — E, neste caso, o n.º 5 do art. 32.º da CRP também não exige a notificação dos sujeitos processuais, pois não se está perante audiência de julgamento ou acto instrutório que a lei subordine ao princípio do contraditório. (Acs. STJ de 20 de Março de 2003; proc. n.º 154/03-5.ª; *SASTJ*, n.º 69, 58 e proc. n.º172/ /03-5.ª; *ibidem*, pág. 61);
— Ocorrendo uma circunstância que tenha como consequência a não admissão do recurso, não pode o tribunal depois pronunciar-se sobre qualquer questão que na motivação tenha sido levantada, ainda que seja a de uma nulidade

Código de Processo Penal

insanável, uma vez que a admissibilidade/inadmissibilidade do recurso surge como questão prévia, determinante ou de um futuro conhecimento do recurso ou da impossibilidade de apreciar a motivação apresentada. (Ac. STJ de 29 de Setembro de 2004, proc. n.º 3191/04-3.ª).

ARTIGO 418.º
(Vistos)

1. Concluído o exame preliminar, o processo, acompanhado do projecto de acórdão se for caso disso, vai a visto do presidente e do juiz-adjunto e depois à conferência, na primeira sessão que tiver lugar.

2. Sempre que a natureza do processo e a disponibilidade de meios técnicos o permitirem, são retiradas cópias para que os vistos sejam efectuados simultaneamente.

---

1. O texto n.º 1 foi introduzido pela Lei n.º 48/2007, de 29 de Agosto, em substituição do anterior, que não era originário, mas o que tinha sido introduzido pela Lei n.º 59/98, de 25 de Agosto.

O n.º 2 reproduz o mesmo número do art. 418.º do Proj..

Não havia disposições correspondentes no CPP de 1929, pois que no domínio desse diploma se aplicavam as normas do agravo civil.

2. As alterações introduzidas no n.º 1 pela supramencionada Lei resultam das que foram introduzidas no art. 419, quanto aos juízes que intervêm na conferência e aos vistos.

Veja-se ainda a anot. 5 ao art. 417.º.

ARTIGO 419.º
(Conferência)

1. Na conferência intervêm o presidente da secção, o relator e um juiz-adjunto.

2. A discussão é dirigida pelo presidente, que, porém, só vota, para desempatar, quando não puder formar-se maioria com os votos do relator e do juiz-adjunto.

3. O recurso é julgado em conferência quando:

a) Tenha sido apresentada reclamação da decisão sumária prevista no n.º 6 do artigo 417.º;

b) A decisão recorrida não conheça, a final, do objecto do processo, nos termos da alínea *a)* do n.º 1 do artigo 97.º; ou

c) Não tiver sido requerida a realização de audiência e não seja necessário proceder à renovação da prova nos termos do artigo 430.º.

Artigo 420.º

1. O texto deste artigo foi introduzido pela Lei n.º 48/2007, de 29 de Agosto, em substituição do anterior, que era originário, com alteração introduzida no n.º 2 pela Lei n.º 59/98, de 25 de Agosto.

2. A supramencionada Lei que introduziu o texto actual deste artigo alterou significativamente a composição do tribunal de recurso.

A assim:

Na conferência passam a intervir 3 juízes, que são o presidente da secção, o relator e um juiz-adjunto. Anteriormente intervinham na conferência o presidente da secção, o relator e dois juízes-adjuntos, portanto 4 juízes.

Na audiência a composição da tribunal é a mesma da conferência: o presidente da secção, o relator e um juiz-adjunto, como se estabelece no art. 429.º.

Outra significativa alteração respeita às funções do presidente da secção. Compete-lhe dirigir a discussão, mas só vota para desempatar, quando não puder formar-se maioria com os votos do relator e do juiz-adjunto.

3. *Jurisprudência:*

— I — Quando o recurso é julgado em audiência, o presidente da secção, além de dirigir a discussão, como nas conferências, intervém sempre na deliberação e na subsequente votação e assina o acórdão. II — O voto do presidente da secção é um voto de qualidade, que, em caso de empate, determina o vencimento da decisão. (Ac. RP de 23 de Novembro de 2007; *CJ,* ano XXXII, tomo 5, 205).

ARTIGO 420.º

(Rejeição do recurso)

1. O recurso é rejeitado sempre que:

a) For manifesta a sua improcedência;

b) Se verifique causa que devia ter determinado a sua não admissão nos termos do n.º 2 do artigo 414.º; ou

c) O recorrente não apresente, complete ou esclareça as conclusões formuladas e esse vício afectar a totalidade do recurso, nos termos do n.º 3 do artigo 417.º.

2. Em caso de rejeição do recurso, a decisão limita-se a identificar o tribunal recorrido, o processo e os seus sujeitos e a especificar sumariamente os fundamentos da decisão.

3. Se o recurso for rejeitado, o tribunal condena o recorrente, se não for o Ministério Público, ao pagamento de uma importância entre três e dez UCs.

1. O texto actual deste artigo foi introduzido pela Lei n.º 48/2007, de 29 de Agosto, mantendo-se porém o anterior n.º 4, que é o actual n.º 3.

A versão originária reproduzia, com ligeira alteração, o art. 420.º do Proj. Não havia disposições correspondentes no CPP de 1929, funcionando suplectivamente as normas do processo civil.

Código de Processo Penal

2. A rejeição do recurso é sempre tomada por decisão do relator, como se estabelece no art. 417, n.º 6, al. *b*). No regime anterior exigia-se a unanimidade de votos.

A rejeição pode fundamentar-se em qualquer das alíneas deste art.º 420º. Dentre estas, a que suscita mais dificuldades de interpretação é a manifesta improcedência do recurso, que já constava do n.º 1 deste art. 20.º, na versão anterior. Um bom critério de orientação poderá ser dado, com as devidas adaptações, pela manifesta inviabilidade das acções em processo civil. Recursos em que, perante o STJ, se discuta só matéria de facto, ou em que seja visível um propósito ínvio, como o de aguardar previsíveis medidas de clemência ou o de retardar o pagamento de indemnizações, não terão cabimento e serão penalizados pela disposição do n.º 3.

3. *Jurisprudência obrigatória:*
— É inconstitucional a norma constante dos arts. 412.º, n.º 1, e 420.º, n.º 1, do Código de Processo Penal (na redacção anterior à Lei n.º 59/98, de 25 de Agosto), quando interpretados no sentido de a falta de concisão das conclusões da motivação implicar a imediata rejeição do recurso, sem que previamente seja feito convite ao recorrente para suprir tal deficiência. (Ac. do Trib. Constitucional n.º 337/200, com força obrigatória geral, proc. n.º 183/2000; *DR*, I-A série, de 21 de Julho de 2000).

Nota. – Esta solução ficou consagrada legislativamente no n.º 3 do art. 417.º pela Lei indicada em anotação a esse artigo.

4. *Jurisprudência fixada:*
— Formuladas várias pretensões no recurso, podem algumas delas rejeitar-se, em conferência, prosseguindo o recurso quanto às demais, em obediência ao princípio da cindibilidade. (Ac. do Plenário das secções criminais do STJ de 24 de Junho de 1982; *DR*, I série, de 6 de Agosto do mesmo ano).

5. A disposição do n.º 3 suscita uma questão, paralela a outras que já foram abordadas, e que consiste em saber se à condenação aqui prevista acresce a condenação em custas que forem devidas pelo decaimento no recurso.

Afigura-se-nos que também aqui a resposta deve ser afirmativa. Trata-se de condenações com fundamentos diferentes e que tributam actividades diferentes. A condenação em custas tributa, em caso de decaimento no recurso, a actividade a que se deu causa, bem como as despesas provocadas. A condenação em UCs destina-se a penalizar a lide temerária. A rejeição é operada devido à falta de motivação ou à manifesta improcedência do recurso; trata-se, assim, de casos que geralmente reflectem de algum modo falta de seriedade na interposição, e que por isso são penalizados. Já assim não sucede quanto a outros casos julgados em conferência e em que se põe termo ao processo.

Trata-se, aliás, de quantias com destinos diferentes.

6. *Jurisprudência:*
— Deve ser rejeitado o recurso cuja motivação não foi apresentada com o requerimento de interposição do recurso, mas posteriormente, após a notificação

Artigo 420.º

do despacho que admitiu o recurso, com alegações. (Ac. RP de 1 de Junho de 1988; *BMJ,* 378, 790);

— Nos termos dos arts. 411.º e 412.º do CPP é essencial a apresentação da motivação com o requerimento de interposição do recurso, cujas conclusões em matéria de direito devem conter as indicações especificadas nas alíneas do n.º 2 do art. 412.º. A falta de motivação ou das conclusões determina necessariamente a rejeição do recurso (arts. 412.º, n.º 2 e 420.º, n.º 1, do CPP). (Ac. RE de 5 de Julho de 1988; *BMJ,* 379, 665);

— Rejeitado o recurso por falta de motivação, deve o recorrente ser condenado no pagamento não só da taxa de justiça e custas, como também no quantitativo previsto no art. 420.º, n.º 4 do CPP. (Ac. STJ de 24 de Janeiro de 1989; *BMJ,* 393, 294);

— I — Actualmente o recurso apenas deve ser rejeitado por falta de motivação, e não por sua deficiência, a não ser quando falta qualquer dos requisitos do n.º 2 do art. 412.º do CPP. II — Também, face ao actual CPP, vigora o princípio da cindibilidade do recurso, do que resulta a possibilidade de rejeição parcial de um dos pedidos, se vier mal formulado e, como tal, sancionado por lei. (Ac. STJ de 10 de Dezembro de 1989; *CJ,* XIV, tomo 5, 15);

— O recurso apenas deve ser rejeitado por falta de motivação, e não por sua insuficiência, a não ser quando falte qualquer dos requisitos do n.º 2 do art. 412.º do CPP. (Ac. STJ de 20 de Dezembro de 1989; *CJ,* XIV, tomo 5, 15);

— I — Se na notificação o recorrente se limita à apreciação dos elementos de prova produzidos e à indicação de novos elementos de prova em vista do reenvio para novo julgamento, não se mostra preenchido qualquer dos vícios do art. 410.º, n.ᵒˢ 1 e 2 do CPP constantes da decisão recorrida, do seu próprio texto, por si ou conjugado com as regras da experiência comum. II — Impõe--se nesse caso a rejeição do recurso, por manifesta improcedência. (Ac. STJ de 10 de Janeiro de 1990; *AJ,* n.º 5, 3);

— Deve ser rejeitado o recurso para o Supremo, baseado em matéria de facto, por manifestamente improcedente, quando não se aponta na motivação algo que possa ser considerado contradição na fundamentação, erro notório na apreciação da prova ou insuficiência para a decisão, limitando-se o recorrente a espraiar-se em descrições fácticas distantes das que o tribunal apurou. (Ac. STJ de 14 de Fevereiro de 1990; *AJ,* n.º 6, 7);

— I — Se o recorrente não tiver pago a taxa de justiça devida pela interposição do recurso, o despacho que declarar sem efeito o requerimento de interposição não é de rejeição do recurso, mas de julgamento de deserção do mesmo. II — Desse despacho, portanto, não pode reclamar-se para o presidente do tribunal *ad quem,* mas apenas recorrer-se. (Ac. RP de 19 de Dezembro de 1990; *CJ,* XV, tomo 5, 229);

— É de rejeitar o recurso em que não foram indicadas as normas jurídicas que se entende terem sido violadas, ainda que ele tenha sido limitado à questão da redução da medida da pena e sua suspensão. (Ac. STJ de 11 de Janeiro de 1995; *CJ, Acs. do STJ,* III, tomo 1, 175);

— I — Em processo penal não é possível a condenação por litigância de má fé ao abrigo do disposto no art. 456.º do CPC. II — Ao recorrente que fez alegação sabidamente inexacta de que na sentença não haviam sido indicadas as provas e, em recurso restrito à matéria de direito, invocou factos não provados, vindo o recurso a ser rejeitado por manifestamente improcedente,

Código de Processo Penal

apenas pode ser aplicada a sanção do n.º 4 do art. 420.º do CPP. (Ac. RC de 11 de Outubro de 1995; *CJ,* XX, tomo 4, 51);

— I — O art. 420.º, n.º 1, do CPP, ao cominar a rejeição do recurso sempre que falta a motivação, refere-se à motivação em sentido substancial, isto é, àquela que enuncia especificamente os fundamentos do recurso, nos termos do art. 412.º, n.º 1. II — Por isso, deve ser rejeitado o recurso com motivação meramente formal, com conclusões que não são o resumo das alegações, mas sim afirmações desgarradas de qualquer premissa, sem indicação na motivação de qualquer fundamento apoiando o pedido formulado. (Ac. STJ de 12 de Junho de 1996; *CJ, Acs. do STJ,* IV, tomo 2, 194);

— Deve ser rejeitado por falta de motivação o recurso interposto por   fax, quando o que se diz ser seu original, posteriormente junto aos autos, contém alterações, por acrescentamentos e omissões, em relação à telecópia antes recebida. (Ac. STJ de 20 de Março de 1977; *CJ, Acs. do STJ,* V, tomo 2, 171);

— A manifesta improcedência do recurso tem a ver, não só com razões processuais, mas também com razões de mérito, dado o princípio da economia processual. (Ac. STJ de 9 de Fevereiro de 2000, proc. n.º 9/2000-3.ª; *SASTJ,* n.º 37, 70). *Nota* — Há numerosos acs. do STJ no mesmo sentido, que nos dispensamos de sumariar;

— O art. 420.º do CPP não é inconstitucional, na parte em que permite a rejeição do recurso por manifesta improcedência. (Ac. do Trib. Constitucional n.º 165/99, de 10 de Março, proc. n.º 412/98; *DR,* II série, de 28 de Fevereiro de 2000 e *BMJ,* 485, 93);

— O recurso é manifestamente improcedente quando, através de uma avaliação sumária dos seus fundamentos, se pode concluir, sem margem para dúvidas, que ele está votado ou insucesso. (Ac. STJ de 1 de Março de 2000, proc. n.º 12/2000-3.ª; *SASTJ,* n.º 39, 54);

— I — A figura da rejeição destina-se a potenciar a economia processual, numa óptica de celeridade e de eficiência, com vista a obviar ao reconhecido pendor para o abuso de recursos. II — A possibilidade de rejeição liminar, em caso de improcedência manifesta, tem em vista moralizar o uso do recurso e a sua desincentivação como instrumento de demora e chicana processual. III — Ter-se-á por manifestamente improcedente o recurso quando, através de uma avaliação sumária dos seus fundamentos, se puder concluir, sem margem para dúvidas, que o mesmo está claramente votado ao insucesso; que os seus fundamentos são inatendíveis. (Ac. STJ de 16 de Novembro de 2000, proc. n.º 2353-3.ª; *SASTJ,* n.º 45, 61);

— Na deliberação da rejeição do recurso prevista no art. 420.º do CPP apenas intervêm o relator e os dois adjuntos, e nunca o presidente da secção; este só intervém em caso de desempate, o que no caso nunca sucede, já que para a rejeição é necessária a unanimidade dos três juízes. (Ac. STJ de 5 de Julho de 2001; *CJ, Acs. do STJ,* IX, tomo 2, 245);

— A falta de especificação consignada no art. 412.º, n.º 3, do CPP, não conduz à imediata e liminar rejeição do recurso, devendo antes dar-se ao recorrente a oportunidade de corrigir e completar as conclusões da motivação, para o que será convidado, sob pena de então, não o fazendo, ver o recurso rejeitado. (Ac. STJ de 30 de Outubro de 2002; proc. n.º 2535/02-3.ª; *SASTJ,* n.º 64, 90);

— I — As disposições do art. 670.º, n.os 1 e 2, do CPC, relativas à rectificação dos erros materiais e à reforma da sentença quanto a custas, são aplicáveis

Artigo 420.º

subsidiariamente em processo penal, por força do estatuído no art. 4.º do CPP.

II — É admissível recurso para o STJ do acórdão da Relação que, rejeitando um recurso interposto de um despacho proferido por juiz de instrução condenando o recorrente nos termos do n.º 4 do art. 420.º do CPP em 5 Ucs, ainda aque naquele recurso se impugne apenas esta condenação. (Ac. STJ de 11 de Dezembro de 2002; proc. n.º 3405/02-5.ª; *SASTJ*, n.º 66, 50);

— Tratando-se de uma decisão de rejeição de recurso, ainda que por manifesta improcedência, o acórdão limita-se a identificar o tribunal recorrido, o processo e os seus sujeitos e a especificar sumariamente os fundamentos da decisão, nos termos do n.º 3 do art. 420.º do CPP, não sendo aplicável o disposto no art. 374.º do mesmo diploma. (Ac. STJ de 16 de Janeiro de 2003; proc. n.º 3569/02-5.ª; *SASTJ*, n.º 67, 80);

— I — A razão de ser da exigência de unanimidade de votos prevista no n.º 2 do art. 420.º do CPP só se aplica à rejeição de recurso por manifesta improcedência, e não à rejeição meramente formal, pois só aí se verifica o conhecimento de mérito com simplificação que é assim compensada pela opinião unânime dos juízes. II — Por outro lado, não se compreenderia que as causas de não admissão do recurso, que deveriam ter levado a um mero despacho de não admissão do juiz do tribunal recorrido, exijam no tribunal superior o voto unânime dos juízes. (Ac. STJ de 8 de Maio de 2003; proc. n.º 618/03-5.ª; *SASTJ*, n.º 71, 114);

— É inconstitucional, por violação do art. 32.º, n.º 1, da Constituição, a norma constante dos arts. 412.º, n.º 1; 414.º, n.º 2 e 420.º, n.º 1, do CPP, interpretada no sentido de que a falta de conclusões da motivação do recurso conduz à rejeição liminar do recurso do arguido, sem que ao mesmo seja facultada a oportunidade de suprir tal deficiência. (Ac. do Trib. Constitucional n.º 428/2003, de 24 de Setembro de 2003, proc. n.º 532/2002; *DR*, II série, de 20 de Novembro de 2003);

— I — A regra da unanimidade para a rejeição do recurso prevista no art. 420.º, n.º 2, do CPP, só se aplica à rejeição por manifesta improcedência, e não à rejeição meramente formal (intempestividade ou irrecorribilidade, por exemplo), pois só aí se verifica o conhecimento de mérito com simplificação da discussão jurídica, simplificação que é assim compensada pela opinião unânime dos juízes. II — Por outro lado, não se compreenderia que as causas de não admissão do recurso, que deviam ter levado a um mero despacho de não admissão do juiz do tribunal recorrido, exijam ao tribunal superior o voto unânime dos juízes. (Ac. STJ de 2 de Outubro de 2003; proc. n.º 2461/03-5.ª; *SASTJ*, n.º 74, 167);

— Quando no n.º 2 do art. 420.º do CPP o legislador exige a unanimidade de votos, *magis dixit quam voluit*, pelo que importa reduzir aquela expressão verbal ao seu real sentido — afinal confinado à rejeição *por manifesta improcedência*, mediante recurso à interpretação restritiva. (Ac. STJ de 13 de Novembro de 2003; proc. n.º 1660/03-5.ª; *SASTJ*, n.º 75, 110);

— A unanimidade de votos para a rejeição do recurso só se impõe para os casos de manifesta improcedência, tal como emerge claramente do art. 420.º do CPP, e não quando essa rejeição é imposta por razões de natureza formal e, designadamente, por ser irrecorrível a decisão impugnada. (Ac. STJ de 11 de Dezembro de 2003; proc. n.º 1794/03-6.ª; *SASTJ*, n.º 76, 82);

Código de Processo Penal

— É inconstitucional, por violação do art. 32.º, n.º 1, e do princípio da segurança e da confiança jurídica, ínsito no princípio do Estado de direito consagrado no art. 2.º, ambos da CRP, a norma do n.º 1 do art. 420.º do CPP, na interpretação segundo a qual é extemporâneo o recurso interposto pelo novo defensor do arguido dentro do prazo reiniciado a partir da sua nomeação, depois de ter sido proferido em primeira instância despacho, não impugnado, a interromper o anterior prazo de interposição de recurso, motivado por pedido de escusa do anterior patrono deduzido na sua pendência. (Ac. do Trib. Constitucional n.o 39/2004, de 14 de Janeiro de 2004, proc. n.º 124/03; *DR*, II série, de 20 de Fevereiro de 2004);

— São inconstitucionais os arts. 411.º, n.º 1 e 420.º, n.º 1, do CPP, na interpretação segundo a qual tais normas permitiriam a destruição dos efeitos anteriormente produzidos de uma decisão não impugnada da primeira instância quanto à prorrogação do prazo de recurso, por violação dos princípios da segurança jurídica e da confiança e das garantias de defesa consagrados, respectivamente, nos arts. 2.º e 32.º, n.º 1, da CRP. (Ac. do Trib. Constitucional n.º 44/2004, de 14 de Janeiro, proc. n.º 375/2003; *DR*, II série, de 20 de Fevereiro de 2004);

— A manifesta improcedência a que se refere a primeira parte do n.º 1 do art. 420.º do CPP, e que conduz à rejeição do recurso, tem a ver não só com razões processuais mas também com razões de mérito, dado o princípio da economia processual. (Ac. STJ de 24 de Março de 2004, proc. n.º 714/04-3.ª);

— I — O acórdão da Relação que decida, à luz do n.º do art. 420.º do CPP, rejeitar o recurso interposto pelos arguidos do acórdão condenatório da 1.ª instância, equivale à confirmação do mesmo, para efeito da al. *f)* do n.º 1 do art. 400.º do CPP. II — E para esse efeito, tanto faz que tal rejeição se baseie exclusivamente em razões processuais ou/e também em razões de mérito. III — Nesses termos, tendo os arguidos sido condenados na 1.ª instância na pena de 2 anos e 3 meses de prisão, pela prática de um crime de furto qualificado cuja moldura penal é de 2 a 8 anos de prisão, não é admissível recurso para o STJ daquele acórdão da Relação. (Ac. STJ de 28 de Maio de 2004; *CJ, Acs. do STJ,* ano XII, tomo 2, 203);

— Não é inconstitucional a norma extraída dos arts. 417.º, n.ºs 1 e 3, alíneas *a)* e *c)*; 418.º; 419, n.º 4, alínea *a)*; 420.º, n.ºs 1 e 2, do CPP, e do art.º 666.º do CPC, aplicável *ex vi* do art. 4.º do CPP, quando interpretada no sentido de que a conferência do STJ pode apreciar as circunstâncias da admissibilidade e conhecimento do recurso do arguido, rejeitando-o, quando já anteriormente decidira, por duas vezes, também em conferência, não o conhecer e rejeitá-lo com fundamento em norms diversas daquelas cuja interpretação o Tribunal Constitucional julgou inconstitucionais, por decisões transitadas em julgado. (Ac. do Trib. Constitucional n.º 225/2005, de 27 de Abril, proc. n.º 614/2004; *DR*, II série, de 6 de Junho de 2005);

— Caso o recorrente, ao invés de perfilar os específicos fundamentos de um recurso interposto para o STJ, se limite a reeditar a fundamentação apresentada no recurso para a Relação, não esgrimindo qualquer fundamento novo de discordância com o ali decidido, existe verdadeira carência de motivação e objecto, o que importa a rejeição do recurso, conforme as disposições combinadas, dos arts. 412.º, n.º 1, 414.º e 420.º, todos do CPP. (Ac. STJ, de 2 de Junho de 2005, proc. n.º 1565/05-5.ª; *SASTJ*, n.º 92, 105);

Artigo 420.º

— I — A circunstância de as questões que constituem objecto do recurso para o STJ já terem sido suscitadas no anterior recurso interposto para o Tribunal da Relação, sendo, no essencial, os mesmos fundamentos de um e de outro, não retira qualquer validade ao recurso. II — Com efeito, desde que a decisão impugnada seja efectivamente a da Relação e seja admissível recurso para o STJ, a repetição dos fundamentos de direito desatendidos no anterior recurso constitui afinal a razão da legitimidade e do interesse em agir do recorrente. (Ac. STJ de 20 de Julho de 2005, proc. n.º 2531/05-3.ª; *SASTJ*, n.º 93, 97);

— Caso o recorrente suscite perante o STJ tão-só uma questão nova – a medida da pena –, de todo em todo inexistente no recurso interposto para o tribunal recorrido, não podendo censurar-se a este a respectiva decisão naquele domínio, e tendo transitado em julgado a matéria suscitada pelo recorrente, cumpre entender que o recurso interposto pera o STJ carece de objecto relevante, e, por isso, deve ser rejeitado, por manifesta improdência – arts. 493.º, n.º 2 e 494.º, al. *i)*, do CPC. (Ac. STJ de 16 de Junho de 2005, proc. n.º 1842/05-5.ª; *SASTJ*, n.º 92, 113);

— I — Nos termos do art. 400, n.º 1, al. *f)*, do CPP, não é admissível recurso de acórdãos condenatórios proferidos em recurso pelas Relações, que confirmem decisão da 1.ª instância, em processo por crime a que seja aplicável pena de prisão não superior a 8 anos, mesmo em caso de concurso de infracções. II – Um acórdão que rejeita um recurso por manifesta improcedência deve ser considerado como confirmativo do acórdão recorrido. III – O instituto da rejeição de um recurso por manifesta improcedência não pode ter outro sentido que não seja o de confirmar, para todos os efeitos legais, a decisão posta em causa, isto é, manter, como estava, o anterior julgado. IV – Esta manutenção realiza a ideia de dupla conforme. (Ac. STJ de 21 de Setembro de 2005, proc. n.º 2759/05-3.ª; *SASTJ*, n.º 93, 102);

— É de rejeitar, por manifesta improcedência, o recurso interposto para o STJ no qual o recorrente repete a argumentação já deduzida em anterior recurso para a Relação, reproduzindo, na sua quase totalidade *ipsis verbis,* o que antes expusera, sem cuidar de desenvolver qualquer fundamento para alicerçar a sua discordância com o ali decidido, confundindo a motivação do recurso interposto para o STJ com a que apresentou perante o tribunal da 2.ª instância, como se o acórdão da Relação não existisse. (Ac. STJ de 28 de Setembro de 2005, proc. n.º 2830/05-3.ª; *SASTJ*, n.º 93, 104). *Nota*. Discordamos do assim decidido, pois que o STJ pode não concordar com a fundametação do acórdão da Relação e aceitar os fundamentos aduzidos na motivação do recorrente, procedendo, neste caso, o recurso para o Supremo. Este acórdão afigura-se-nos mesmo em contradição com o proferido no proc. 2531/05-3.ª, atrás sumariado);

— É inconstitucional, por violação dos princípios da segurança jurídica, da confiança e do processo equitativo, e das garantias de defesa consagradas nos arts. 2.º e 32.º, n.º 1, do CPP, interpretada no sentido de permitir ao tribunal *ad quem* a apreciação oficiosa da tempestividade do recurso que para ele foi interposto, e a decisão no sentido da intempestividade, quando esta decorrer inteiramente da questão da legalidade de uma prorrogação do prazo para recorrer, ou motivar, o recurso deferido precedentemente pela primeira instância, por decisão que não foi impugnada ou questionada por outro sujeito do processo. (Ac. do Tribunal Constitucional n.º 103/2006, de 7 de Fevereiro, proc. n.º 53/2005; *DR*, I série, de 23 de Março de 2006).

993

Código de Processo Penal

— I — É de rejeitar o recurso interposto para o STJ quando a motivação e respectivas conclusões se limitam a reproduzir a motivação do recurso interposto para o Tribunal da Relação. II – É que, se a motivação acaba, ao fim e ao cabo, por não atacar a argumentação deduzida no acórdão da Relação, estamos perante uma situação em que, praticamente, não há motivação. (Ac. STJ de 7 de Dezembro de 2005; *SASTJ*, n.º 96, 62). *Nota*. Trata-se de jurisprudência que tem predominado no STJ, da qual discordamos, como se deduz *supra*, nota ao ac. de 28 de Setembro de 2005. Além de outros já referidos na aludida nota, este acórdão afigura-se-nos também em oposição com o decidido no acórdão também proferido em 7 de dezembro de 2005, no proc. n.º 3355/05-3.ª; *SASTJ*, n.º 96, 64;

— I — A manifesta improcedência constitui um fundamento de rejeição do recurso de natureza substancial, visando os casos em que os termos do recurso não permitem a cognição pelo tribunal *ad quem*, ou quando, versando sobre questão de direito, a pretensão não estiver minimamente fundamentada, ou for claro, simples, evidente e de primeira aparência, que não pode obter provimento. II — Será o caso típico de respeitar unicamente à medida da pena e não existir razão válida para alterar a que foi fixada pela decisão recorrida. III – O recurso apresenta manifesta falta de fundamento se o recorrente suscita em recurso para o STJ questões relativas à determinação da medida da pena que não submeteu à consideração do Tribunal da Relação. (Ac. STJ de 11 de Janeiro de 2006, proc. n.º 4002-3.ª);

— I — A rejeição por manifesta improcedência envolve uma apreciação de fundo, não correspondendo a uma rejeição por motivo formal. II — Daí que se possa falar com toda a propriedade em confirmação da decisão recorrida, sempre que o Tribunal da Relação rejeita, por manifesta improcedência, o recurso de da decisão interposto da 1.ª instância. (Ac. STJ de 2 de Fevereiro de 2006, proc. n.º 4226/05-5.ª).

ARTIGO 421.º
(Prosseguimento do processo)

1. Se o processo houver de prosseguir, é aberta conclusão ao presidente da secção, o qual designa a audiência para um dos vinte dias seguintes, determina as pessoas a convocar e manda completar os vistos, se for caso disso.

2. São sempre convocados para a audiência o Ministério Público, o defensor, os representantes do assistente e das partes civis.

3. Exceptuado o caso do Ministério Público, as notificações são feitas por via postal.

4. É correspondentemente aplicável o disposto no artigo 418.º, n.º 2.

---

1. Reproduz, com ligeiras alterações, o art. 421.º do Proj. Não havia disposições correspondentes no CPP de 1929.

A Lei n.º 59/98, de 25 de Agosto introduziu no n.º 3 uma alteração formal — substituição de *pelo correio* por *por via postal*.

2. O dia que deve ser designado para a audiência, conforme o n.º 1, é materialmente incompatível com a existência de novos vistos. Nesta fase só devem

994

Artigo 4211.º

ter visto os juízes que ainda o não tiveram no processo, e mesmo assim sempre que possível simultaneamente e por meio de cópias.

Nos recursos perante as relações não haverá normalmente lugar a novos vistos, em virtude do disposto nos arts. 419.º, n.º 1 e 429.º, n.º 1 (ver anot. 2 ao art. 429.º).

Mas nos recursos perante o Supremo já assim não sucede, uma vez que na audiência o tribunal é constituído por cinco juízes — presidente da secção, relator e três juízes adjuntos, conforme o art. 435.º, n.º 1. Haverá aqui, portanto, que completar os vistos com a celeridade imposta pelo n.º 1.

3. Às pessoas indicadas no n.º 2 acrescem, no caso de renovação de prova, as que o tribunal de recurso terá de ouvir. Por isso, como perante o STJ nunca há lugar à renovação da prova, para a audiência nesse tribunal serão convocadas tão só as pessoas referidas no n.º 2.

O arguido não é convocado.

Os representantes das partes civis só devem ser convocados para a audiência quando a questão da indemnização civil esteja abrangida pelo recurso; caso contrário não o devem ser, por falta de legitimidade. Embora esta solução não esteja aqui expressa, ela resulta dos princípios gerais. Solução contrária sustentou Gonçalves da Costa, *Jornadas,* 440.

4. A disposição do n.º 4 impõe que, quando se verificar o condicionalismo do art. 418.º, n.º 2, se enviem cópias do projecto de acórdão, com os vistos simultâneos, aos outros juízes, e não obviamente a quaisquer outras entidades referidas no n.º 2, como parece admitir Gonçalves da Costa, *Jornadas,* 440.

5. *Jurisprudência:*

— I — A audiência de recurso no STJ adquire um carácter de tal forma técnico que torna redundante a presença do arguido na mesma. II — Por isso, não gera nulidade a não convocação do arguido para estar presente nessa audiência. III — O art. 421.º do CPP não sofre de inconstitucionalidade. (Ac. STJ de 30 de Outubro de 1996, proc. n.º 46.975-3.ª).

ARTIGO 422.º
(Adiamento da audiência)

1. A não comparência de pessoas convocadas só determina o adiamento da audiência quando o tribunal o considerar indispensável à realização da justiça.

2. Se o defensor não comparecer e não houver lugar a adiamento, o tribunal nomeia novo defensor. É correspondentemente aplicável o disposto no artigo 67.º, n.º 2.

3. Não é permitido mais de um adiamento da audiência.

---

1. Reproduz o art. 422.º do Proj. Não havia disposições correspondentes no CPP de 1929.

Código de Processo Penal

2. Quanto à falta de comparência do defensor, do assistente e das partes civis, aplicam-se as normas gerais e as relativas à audiência de julgamento em primeira instância nunca determinando, só por si, o adiamento.

3. *Jurisprudência:*
— I — Nos julgamentos dos recursos efectuados no STJ, porque não há lugar à renovação da prova, não há a exigência legal da comparência do arguido. II — Relativamente aos seus patronos, já a comparência é obrigatória, mas a sua falta na audiência só é causa de adiamento se o tribunal considerar a sua presença indispensável. III — Se tal presença não for considerada indispensável, será nomeado oficiosamente um defensor. (Ac. STJ de 16 de Setembro de 1989, proc. 40411/3.ª).

ARTIGO 423.º

(Audiência)

1. Após o presidente ter declarado aberta a audiência, o relator introduz os debates com uma exposição sumária sobre o objecto do recurso, na qual enuncia as questões que o tribunal entende merecerem exame especial.

2. À exposição do relator segue-se a renovação da prova, quando a ela houver lugar.

3. Seguidamente, o presidente dá a palavra, para alegações, aos representantes dos recorrentes e dos recorridos, a cada um por período não superior a trinta minutos, prorrogável em caso de especial complexidade.

4. Não há lugar a réplica, sem prejuízo da concessão da palavra ao defensor, antes do encerramento da audiência, por mais quinze minutos, se ele não tiver sido o último a intervir.

5. São subsidiariamente aplicáveis as disposições relativas à audiência de julgamento em primeira instância.

---

1. Com excepção do n.º 3, cujo texto actual foi intoduzido pela Lei n.º 48//2007, de 29 de Agosto reproduz o art. 423.º do Proj. Não havia disposições correspondentes no CPP de 1929, pois no domínio desse diploma não havia audiência no julgamento dos recursos perante os tribunais superiores.

2. O texto do n.º 3, introduzido pela supramencionada Lei, alterou a ordem das alegações em audiência. Conforme a versão que era originária, a ordem era a seguinte: MP, representantes dos recorrentes e dos recorridos. Este regime escudava-se nas funções constitucionais e legais do MP, como defensor da legalidade, ainda que favorecesse o arguido, e podia suscitar dificuldades que abordámos em edições anteriores desta obra.
A ordem agora introduzida é a tradicional e aparentemente mais lógica.
Se, num processo com assistente houver recurso interposto pelo arguido, a

Artigo 424.º

ordem das alegações será a seguinte: arguido, MP e assistente. E como neste caso o defensor do arguido não foi o último a alegar, ser-lhe-á dada a palavra, por mais 15 minutos, nos termos do n.º 4. Não poderá, no entanto, levantar novas questões, mas tão só responder, em obediência ao contraditório, às questões suscitadas pelo MP e pelo assistente nas alegações que acabam de produzir.

3. Contrariamente ao que sucede com a falta de motivação, a falta de alegações não implica a rejeição do recurso, sendo por isso lícito a qualquer das partes não alegar, sem que isso implique a rejeição ou o não conhecimento do recurso. As alegações têm função e finalidade diferentes das da motivação; esta destina-se a manifestar porque é que o recorrente discorda da decisão recorrida e a apontar qual o sentido em que, em seu entendimento, deve ser proferida a decisão do tribunal superior, enquanto que as alegações, proferidas quando o âmbito do recurso já está definido, se destinam a expor considerações finais, já após a audiência.

Em tais termos, não existe paralelismo entre as funções da motivação e das alegações, e consequentemente a lei não comina efeitos para a falta de alegações, como faz para a falta de motivação; o único efeito previsível da falta de alegações será a possibilidade de as partes deixarem de chamar a atenção do tribunal para algum aspecto que lhe pode escapar sem essa chamada de atenção.

ARTIGO 424.º

(Deliberação)

1. Encerrada a audiência, o tribunal reúne para deliberar.

2. São correspondentemente aplicáveis as disposições sobre deliberação e votação em julgamento, tendo em atenção a natureza das questões que constituem o objecto do recurso.

3. Sempre que se verificar uma alteração não substancial dos factos descritos na decisão recorrida ou da respectiva qualificação jurídica não conhecida do arguido, este é notificado para, querendo, se pronunciar no prazo de 10 dias.

---

1. Os n.ºs 1 e 2 deste artigo reproduzem o art. 424.º do Proj. Não havia disposições corresponentes no CPP de 1929, aplicando-se na vigência desse diploma as normas do processo civil.

O n.º 3 foi introduzido pela Lei n.º 48/2007, de 29 de Agosto.

2. Quanto aos n.ºs 1 e 2 vejam-se o art. 365.º e respectivas anotações.

Quanto ao n.º 3, introduzido pela supramencionada Lei, trata-se de afloramento imposto pelo princípio do contraditório, paralelo ao que consta dos n.ºs 1, 2 e 3 do art. 358.º.

Sobre este dispositivo afigura-se-nos pertinente aditar ainda o seguinte:

Apesar de se verificar uma alteração não substancial dos factos descritos na decisão recorrida ou da respectiva qualificação jurídica não conhecida do

Código de Processo Penal

arguido, nem sempre será necessário notificá-lo para se pronunciar, querendo. Esta questão foi tratada na anot. 2 ao art. 358.º, para onde remetemos.

Por outro lado, qualquer alteração terá sempre que ser feita respeitando o objecto do processo talqualmente vem definido no art. 339.º, n.º 4, a vinculação temática do recurso e a proibição de *reformatio in pejus*.

3. *Jurisprudência:*

— I — Quando o recurso é julgado em audiência, o presidente da secção, além de dirigir a discussão, como nas conferências, intervém sempre na deliberação e na subsequente votação e assina o acórdão. II — O voto do presidente da secção é um voto de qualidade, que, em caso de empate, determina o vencimento da decisão. (Ac. RP de 23 de Novembro de 2007; *CJ*, ano XXXII, tomo 5, 205).

ARTIGO 425.º

(Acórdão)

1. Concluída a deliberação e votação, é elaborado o acórdão pelo relator ou, se este tiver ficado vencido, pelo juiz adjunto.

2. São admissíveis declarações de voto.

3. Se não for possível lavrar imediatamente o acórdão, o presidente fixa publicamente a data, dentro dos 15 dias seguintes, para a publicação da decisão, após o respectivo registo em livro de lembranças pelos juízes.

4. É correspondentemente aplicável aos acórdãos proferidos em recurso o disposto nos artigos 379.º e 380.º, sendo o acórdão ainda nulo quando for lavrado contra o vencido, ou sem o necessário vencimento.

5. Os acórdãos absolutórios enunciados no artigo 400.º, n.º 1, alínea *d)*, que confirmem decisão de 1.ª instância sem qualquer declaração de voto podem limitar-se a negar provimento ao recurso, remetendo para os fundamentos da decisão impugnada.

6. O acórdão é notificado aos recorrentes, aos recorridos e ao Ministério Público.

7. O prazo para a interposição de recurso conta-se a partir da notificação do acórdão.

---

1. O texto dos n.os 1, 2 e 3 deste artigo foi introduzido pela Lei n.º 48/2007, de 29 de Agosto, diploma que ainda aditou o n.º 6.

O texto dos n.os 4 e 6 não era o originário mas o introduzido pela Lei n.º 59/98, de 25 de Agosto, e foi mantido pela supramencionada Lei.

O disposto do n.º 5, também mantido pela supramencionada Lei, foi introduzido pelo Dec.-Lei n.º 320-C/2000, de 15 de Dezembro. Trata-se de dispositivo paralelo ao que existia em processo civil — art. 713.º, n.º 5, do CPC,

Artigo 425.º

na redacção inntroduzida pelo Dec.-Lei n.º 329-A//95, de 12 de Dezembro — e que vem permitir acentuado aligeiramento do formalismo processual em casos simples e sem prejuízo da fundamentação, pois esta já consta da decisão recorrida e fornece todos os elementos indispensáveis à tomada da decisão.

2. Relevante e significativa alteração relativamente ao regime anterior é o disposto no n.º 2, permitindo declarações de voto, sem restrição, portanto também quanto à matéria de facto, quando anteriormente só eram admissíveis quanto à matéria de direito.

Trata-se, em nosso entendimento, de uma alteração que se não impunha nem era insistentemente exigida pela doutrina e pela jurisprudência, com mais inconvenientes do que vantagens, certamente fonte de perturbações e intranquilidades. Sobre ela exarámos mais dilatadas considerações na anot. 2 ao art. 372.º, para onde remetemos.

3. *Jurisprudência:*

— I — O n.º 6 do art. 425.º do CPP deve interpretar-se como notificação ao defensor, representantes do assistente e das partes civis. II — Decorre do n.º 1 do art. 63.º do CPP que o defensor exerce os direitos que a lei reconhece ao arguido, salvo os que ela reservou pessoalmente a este. Ora, a lei não reservou pessoalmente ao arguido a sua intervenção no recurso e, por consequência, também não faz reserva quanto à consequente notificação. (Ac. STJ de 6 de Fevereiro de 2002, proc. n.º 3534/01-3.ª; *SASTJ*, n.º 58, 49);

— I — As nulidades de acórdão penal do STJ, proferido em recurso, designadamente por excesso ou omissão de pronúncia, estão previstas nos arts. 425.º, n.º 5, e 379.º do CPP, nomeadamente no seu n.º 1, al. *a)*, pelo que não tem lugar a invocação do art. 668.º, n.º 1, al. *d)*, do CPC, por força do disposto no art. 4.º do CPP, por não se verificar uma lacuna. II — É de desatender a arguição se o requerente não distingue se se verifica excesso ou omissão de pronúncia e aceita expressamente que o tribunal conheceu de questão que devia conhecer, só discordando do sentido em que a mesma foi decidida. (Ac. STJ de 7 de Março de 2002, proc. n.º 3036/00-5.ª; *SASTJ*, n.º 59, 60);

— I — Aplicada aos tribunais de recurso, a norma do art. 374.º, n.º 2, do CPP, não tem aplicação em toda a sua extensão; nomeadamente não faz sentido a aplicação da parte final de tal preceito (exame crítico das provas que serviram para formar a convicção do tribunal) quando referida a acórdão confirmatório proferido pelo Tribunal da Relação ou quando referida a acordão do STJ funcionando como tribunal de revista. II — Se a Relação, reexaminando a matéria de facto, mantém a decisão da primeira instância, é suficiente que do respectivo acórdão passe a constar esse reexame e a conclusão de que, analisada a prova respectiva, não se descortinaram razões para exercer censura sobre o decidido. (Ac. STJ de 13 de Novembro de 2002; proc. n.º 3214/02-3.ª; *SASTJ*, n.º 65, 60);

— I — O art. 669.º do CPC é inaplicável em processo penal dado que, a respeito dos acórdãos proferidos em recurso, existe norma própria no CPP, que é o art. 380.º, aplicável *ex vi* do art. 425.º, n.º 4, do mesmo diploma. II — O referido art. 380.º, afasta inequivocamente a possibilidade de corrigir uma sentença ou um acórdão em termos que importem a sua modificação essencial, pelo que, em processo penal, não é possível esclarecer ou reformar uma decisão nos referidos termos. (Ac. STJ de 5 de Junho de 2003; proc. n.º 606/03-5.ª; *SASTJ*, n.º 72, 70);

Código de Processo Penal

— É inconstitucional a interpretação dos arts. 425.º do CPP e 716.º, n.ᵒˢ 1 e 2 e 670.º do CPC, no sentido de impedir a arguição de nulidades de uma decisão judicial que conhece o objecto do recurso. (Ac. do Trib. Constitucional n.º 112/2007; DR, II série, de 20 de Março de 2007).

— A notificação do acórdão condenatório proferido em recurso não tem necessariamente de ser feita ao arguido, podendo ser feita apenas ao defensor do mesmo. (Ac. STJ de 10 de Maio de 2007; *CJ, Acs. do STJ,* ano XV, tomo 2, 179).

— I — O recurso de facto para a Relação não é um novo julgamento em que a 2.ª instância aprecia toda a prova produzida e documentada na 1.ª instância, como se o julgamento ali realizado não existisse; antes se deve afirmar que os recursos, mesmo em matéria de facto, são remédios jurídicos destinados a colmatar erros de julgamento, que devem ser indicados precisamente com menção das provas que demonstrem esses erros. II — Em qualquer circunstância, a Revelação, como tribunal de recurso, pode modificar a decisão do tribunal de 1.ª instância sobre matéria de facto, se do processo constarem todos os elementos de prova que lhe serviram de base, se, havendo documentação da prova, esta tiver sido impugnada, nos termos do art. 412.º, n.º 3, ou se tiver havido renovação da prova (art. 431.º). (Ac. STJ de 17 de Janeiro de 2008; *CJ, Acs. do STJ,* ano XVI, tomo 1, 206).

ARTIGO 426.º

(Reenvio do processo para novo julgamento)

1. Sempre que, por existirem os vícios referidos nas alíneas do n.º 2 do artigo 410.º, não for possível decidir da causa, o tribunal de recurso determina o reenvio do processo para novo julgamento relativamente à totalidade do objecto do processo ou a questões concretamente identificadas na decisão de reenvio.

2. O reenvio decretado pelo Supremo Tribunal de Justiça, no âmbito de recurso interposto, em 2.ª instância, de acórdão da relação é feito para este tribunal, que admite a renovação da prova ou reenvia o processo para novo julgamento em 1.ª instância.

3. No caso de haver processos conexos, o tribunal superior faz cessar a conexão e ordena a separação de algum ou alguns deles para efeitos de novo julgamento quando o vício referido no número anterior recair apenas sobre eles.

---

1. A versão originária deste artigo, que é o actual n.º 1, reproduzia o art. 426.º do Proj., porém com supressão da expressão *mesmo após a renovação da prova,* que figurava no Proj. entre *não for possível* e *decidir.* Não havia disposições correspondentes no CPP de 1929.

A Lei n.º 59/98, de 25 de Agosto, introduziu o dispositivo do n.º 2, que é o actual n.º 3.

A Lei n.º 48/2007, de 29 de Agosto, introduziu o n.º 2, passando o anterior n.º 2 para o n.º 3, como acaba de ser anotado.

Artigo 426.º

2. O disposto nos n.ᵒˢ 1 e 3 do artigo aplica-se tanto às relações como ao STJ. Trata-se de uma norma inserida na tramitação unitária e o recurso para o Supremo pode ter como fundamento a matéria especificada mas alíneas do n.º 2 do art. 410.º.

O n.º 2, aditado pela supramencionada Lei veio resolver a questão de saber para onde é feito o reenvio do processo para novo julgamento nos rcursos interpostos das Relações para o STJ. O reenvio é para a Relação, que procede à renovação da prova ou reenvia o processo para a 1.ª instância efectuar novo julgamento, paralelamente ao disposto no art. 729.º, n.º 2, do CPC.

No n.º 3 há um lapso menifesto, pois o vício não é referido no número anterior, mas no número 1.

3. Quando o tribunal de recurso determina o reenvio do processo há que atender não só ao disposto neste artigo, mas também ao que se preceitua no art. 426.º-A. O disposto neste artigo modificou o regime originário do Código, segundo o qual o reenvio era sempre feito para o tribunal colectivo ou do júri.

4. Como bem se explicita no texto deste art. 426.º, a decisão do tribunal superior decretando o reenvio do processo para novo julgamento deve especificar com precisão se o novo julgamento diz respeito à totalidade do processo ou somente a determinadas questões e, neste último caso, identificará, concretizando-as, as questões a decidir no novo julgamento.

5. *Jurisprudência:*

— Quando o tribunal superior determina a repetição do julgamento com base na existência dos vícios do n.º 3 do art. 410.º do CPP não há lugar ao reenvio dos autos, pelo que a aludida repetição deve ser feita pelo tribunal que proferiu a decisão mandada repetir. (Ac. RL de 19 de Janeiro de 1993; *CJ,* XVIII, tomo 1, 53);

— O reenvio do processo só tem lugar quando se verifiquem os vícios do n.º 2 do art. 410.º do CPP, mas não quando se verifiquem os do n.º 3 do mesmo artigo, como se vê pelo art. 426.º, também do CPP. (Ac. STJ de 26 de Maio de 1994; *CJ, Acs. do STJ,* II, tomo 2, 236);

— Reenviado o processo para novo julgamento em outro tribunal, nada obsta a que este seja presidido pelo mesmo juiz que interveio no primeiro. (Ac. STJ de 5 de Março de 1997; *CJ, Acs. do STJ,* V, tomo 1, 241);

— Quando, por efeito de recurso, o tribunal da relação determine o reenvio do processo para que se proceda a novo julgamento, o juiz que tenha proferido a decisão recorrida não poderá integrar o tribunal colectivo que efectue esse julgamento (Ac. STJ de 17 de Fevereiro de 1999; *CJ, Acs. do STJ,* VII, tomo 1, 214);

— Quando, por efeito de recurso, o tribunal da relação determine o reenvio do processo para que se proceda a novo julgamento, o juiz que tenha proferido a decisão recorrida pode voltar a integrar o tribunal colectivo. (Ac. STJ de 18 de Fevereiro de 1999; *CJ, Acs. do STJ,* VII, tomo 1, 216);

— I — Só há lugar ao reenvio do processo nos casos dos arts. 426.º e 426.º-A do CPP. II — Se o julgamento é anulado, não, por vícios atribuídos aos julgadores,mas por ter ocorrido uma deficiência inerente aos meios de gravação da prova, deve o novo julgamento ser feito pelo mesmo tribunal. (Ac. RG de 4 de Setembro de 2003; *CJ,* XXVIII, tomo 4, 287).

1001

Código de Processo Penal

ARTIGO 426.º-A
(Competência para novo julgamento)

1. Quando for decretado o reenvio do processo, o novo julgamento compete ao tribunal que tiver efectuado o julgamento anterior, sem prejuízo do disposto no artigo 40.º, ou, no caso de não ser possível, ao tribunal que se encontre mais próximo, de categoria e composição idênticas às do tribunal que proferiu a dcisão recorrida.

2. Quando na mesma comarca existir mais de um juízo da mesma categoria e composição, o julgamento compete ao tribunal que resultar da distribuição.

---

1. O texto do n.º 1 deste artigo foi introduzido pela Lei n.º 48/2007, de 29 de Agosto, substituindo o que tinha sido introduzido pela Lei n.º 59/98, de 25 de Agosto:

O dispositivo do n.º 2 não tinha correspondente na versão originária do Código. Nele se regula a competência para o novo julgamento em caso de reenvio, quando na comarca onde se situa o tribunal recorrido existem mais de dois tribunais da mesma categoria e composição. Proceder-se-á a distribuição, em que ficará excluído o tribunal recorrido.

Não se regula aqui o caso de só existirem na comarca dois juízos da mesma categoria e composição do recorrido. Cremos que em tal caso a solução será averbar o processo ao tribunal não recorrido.

A redacção actual deste n.º 2 foi introduzida pelo art. 161.º da Lei n.º 52/ 2008, de 28 de Agosto (LOFTJ), limitando-se somente a substituir *dois tribunais* por *um juízo*, em consonância com outras alterações introduzidas pela mesma Lei, alteração porém sujeita a um período experimental com termo em 1 de Agosto de 2010 nas comarcas piloto referidas no n.º 1 do art. 171.º (Alentejo Litoral, Baixo Vouga a Grande Lisboa Noroeste), como se estabelece no art. 187.º, n.º 2, da LOFTJ.

2. O texto actual do n.º 1 introduzido pela supramencionada Lei veio resolver dúvidas que se suscitavam na versão anterior quando na mesma comarca existiam vários tribunais com sede no mesmo local, não fazendo sentido em tal caso o reenvio para o tribunal que se encontra mais próximo.

Segundo ficou estabelecido, o reenvio para novo julgamento é para o tribunal que efectuou o julgamento anterior, sem prejuízo do disposto no art. 40.º sobre impedimento por participação em processo.

3. *Jurisprudência:*

— Ver *jurisprudência*, em anot. ao art. 426.º.

— I — Na hipótese de existirem dois juízos no mesmo tribunal de comarca será competente para a realização do novo julgamento ditado pela decisão de reenvio (art. 426.º-A do CPP) aquele, de entre os dois, que não tenha realizado o primeiro julgamento, que se anulou. II — Em nenhum segmento do seu contexto a norma do art. 426.º-A do CPP se refere a incompatibilidades ou

Artigo 426.º-A

impedimentos de magistrados judiciais, designadamente decorrentes de terem tido intervenção no julgamento primeiramente realizado e depois anulado. III — Ao criar o normativo do art. 426.º-A do CPP, o legislador não revelou o vector da composição humana do tribunal do novo julgamento, antes e tão somente se preocupando com a sua categoria e composição orgânicas e formais para que, nesses aspectos, não fosse diferente do que realizou o primeiro julgamento. (Ac. STJ de 15 de Novembro de 2001, proc. n.º 2384/01-5.ª; *SASTJ*, n.º 55, 79);

— I — O conceito de *proximidade* que está no cerne do dispositivo do n.º 1 do art. 426.º-A do CPP tem em vista: Por um lado garantir, tanto quando possível, o respeito pelo princípio *locus regit actum*, definidor geral da regra de competência territorial; e por outro lado assegurar a boa realização da justiça na nova audiência, possibilitando a comparência de todos os intervenientes pela criação de condições pessoais com menor onerosidade. II — Deste modo, não pode definir-se a *proximidade* em razão de distâncias medidas em linha recta — meramente abstracta — que até podem ser as mais onerosas para os intervenientes em audiência, mas de distâncias medidas pelas estradas que acedem às respectivas comarcas. III — Tribunal *mais próximo* é, portanto, aquele cuja distância por estrada é a mais curta e acessível. (Ac. STJ de 19 de Fevereiro de 2003; proc. n.º 4184/02-3.ª; *SASTJ*, n.º 68, 62);

— I — Se, determinado pela Relação o reenvio do processo, nos termos dos arts. 426.º e 426.º-A do CPP, o novo julgamento vem a realizar-se pelo mesmo tribunal que procedeu ao anterior (tanto no aspecto formal como na composição humana), ocorre uma violação da regra de competência do tribunal, o que constitui a nulidade insanável prevista no art. 119.º, al. *e)*, do CPP. II — Tal nulidade, que deve ser oficiosamente declarada em qualquer altura do procedimento, torna inválido o acto que se verificou, bem como os que dele dependerem e aquela puder afectar, pelo que se impõe a anulação da parte do processo relativa ao julgamento, no tribunal competente nos termos do art. 426.º-A, do CPP. (Ac. STJ de 12 de Novembro de 2003; proc. n.º 3287/03-3.ª; *SASTJ*, n.º 75, 93);

— No caso de anulação do julgamento pelo tribunal superior e do reenvio do processo para efectivação de um novo julgamento, a realizar pelo tribunal mais próximo, este deve ser encontrado através do critério de recurso à distância entre as localidades em que se situam os tribunais em causa, medida a partir dos seus normais acessos, v.g. estradas, no caso da deslocação se fazer por essa via, utilizados pelas populações, e não aravés do critério da medição das distâncias em linha recta, a partir de um qualquer mapa. (Ac. STJ de 7 de Janeiro de 2004, proc. n.º 1540/03; *CJ, Acs. STJ*, XII, tomo 1, 163);

— I — No caso de reenvio do processo para novo julgamento, à luz do disposto no art. 426.º-A do CPP, a razão de ser da desafectação da jurisdição do tribunal que proferiu antes o acórdão que foi anulado, é de garantir, por razões de transparência e de imparcialidade, que o novo julgamento seja efectuado por órgão jurisdicional diferente, e com uma composição humana também distinta. II — Ora, tendo o Tribunal da Relação determinado o reenvio do processo para novo julgamento, com a produção de prova a incidir somente sobre questões de facto concretamente identificadas, não pode tal julgamento, não obstante o processo ser distribuído a um outro juízo daquele mesmo tribunal de 1.ª instância, ser efectuado pelos mesmos elementos que compuseram o anterior tribunal

1003

Código de Processo Penal

colectivo, por carecerem de jurisdição para o efeito. III — A realização de tal julgamento, pelos mesmos juízes que compuseram o anterior tribunal colectivo, consubstancia, nos termos do art. 119.º, al. *a)*, do CPP, numa nulidade insanável que leva, como consequência, à invalidade desse novo julgamento, e bem assim dos actos subsequentes que se lhe seguiram, incluindo o próprio acórdão proferido. (Ac. STJ de 26 de Maio de 2004; *CJ, Acs. do STJ*, ano XII, tomo 2, 202;

— I — Em caso de reenvio do processo para novo julgamento, o tribunal colectivo competente será, numa comarca de dois ou mais juízos, o do outro juízo, ou, sendo caso disso, o que resultar da distribuição. II — Não constituirá motivo de impedimento a eventual coincidência entre um ou mais juízes do tribunal colectivo competente para o novo julgamento e os que integraram o tribunal colectivo do primeiro julgamento. III — Todavia, essa coincidência já será, porventura, motivo de recusa, ou de escusa, tanto mais que pode constituir motivo de recusa a intervenção do juiz em outro processo ou em fases anteriores do mesmo processo (art. 43.º, n.º 2, do CPP). (Ac. STJ de 8 Julho de 2004, proc. n.º 1277/04-5.ª).

CAPÍTULO III

DO RECURSO PERANTE AS RELAÇÕES

ARTIGO 427.º

(Recurso para a relação)

Exceptuados os casos em que há recurso directo para o Supremo Tribunal de Justiça, o recurso de decisão proferida por tribunal de primeira instância interpõe-se para a relação.

---

1. Reproduz, com ligeira alteração formal, o art. 427.º do Proj. Não havia disposição correspondente no CPP de 1929, já que na vigência deste diploma não havia recurso directo da primeira instância para o STJ, com excepção dos recursos interpostos das decisões do tribunal do júri, após o Dec.-Lei n.º 605/75, de 3 de Novembro.

2. A tramitação dos recursos perante as relações e perante o STJ, em grande parte, é unitária. Há um conjunto comum de normas de tramitação a observar em qualquer destes tribunais, que consta dos arts. 410.º a 426.º. Para além deste conjunto comum das normas que formam a tramitação unitária, há trâmites específicos dos recursos interpostos para as relações, constante dos arts. 427.º a 431.º, e trâmites específicos dos recursos interpostos para o STJ, que constam dos arts. 432.º a 436.º.

Neste artigo especificam-se os casos em que há lugar a recurso para a relação, que são a regra geral quanto a decisões proferidas por tribunais de primeira instância.

Assim, em nosso entendimento cabe à Relação conhecer do recurso interposto do tribunal colectivo, em que o recorrente impugne matéria de facto, quer sob invocação dos vícios do art. 410.º, n.º 2, quer de forma mais ampla,

1004

Artigo 427.º

com base nos elementos constantes da documentação da prova produzida oralmente em audiência. Encontra-se pendente no Pleno do STJ o processo n.º 2355/04 para fixação de jurisprudência sobre esta questão, tendo o MP já emitido parecer no sentido que apontámos.

3. Como se deduz deste artigo, o regime-regra é o da interposição para as relações dos recursos de decisões dos tribunais de primeira instância. Assim, os recursos só são interpostos directamente para o STJ nos casos taxativamente enumerados na lei. Estes casos encontram-se enumerados nas alíneas *c)*, *d)* e *e)* do art. 432.º.

4. *Jurisprudência fixada:*
— Após as alterações ao Código de Processo Penal introduzidas pela Lei n.º 59/98, de 25 de Agosto, em matéria de recursos, é admissível recurso para o Tribunal da Relação da matéria de facto fixada pelo tribunal colectivo (Ac. do Pleno das secções criminais do STJ de 20 de Outubro de 2005; *DR*, I - A série, de 7 de Dezembro do mesmo ano).

5. *Jurisprudência:*
— O recurso interposto de decisão posterior ao acórdão final do tribunal colectivo insere-se no regra geral do art. 427.º do CPP segundo a qual, exceptuados os casos em que há recurso directo para o STJ, o recurso da decisão proferida por tribunal de 1.ª instância interpõe-se para a Relação. (Acs. STJ de 14 de Junho de 1989, Proc. n.º 40 102/3.ª e de 7 de Novembro de 1991; *BMJ*, 411, 447);
— I — O recurso para as relações é o regime regra, só havendo recurso para o STJ nos casos taxativamente indicados no art. 432.º do CPP. II — Do despacho do juiz do círculo que, finda a produção da prova, considerou haver alteração substancial dos factos e ordenou a remessa de certidão ao MP cabe recurso, a interpor para o tribunal da relação. III — Esse despacho não é um acórdão final e não se enquadra na al. *d)* do art. 432.º; e ainda que se entendesse ser despacho interlocutório deveria subir imediatamente, porque a retenção o tornaria inútil. (Ac. STJ de 23 de Janeiro de 1991, Proc. 41 391/3.ª);
— Face ao actual CPP, o recurso da parte cível da decisão do juiz singular desfavorável ao recorrente em valor superior a metade da alçada é dirigido para a Relação, e da decisão desta não cabe recurso para o STJ. (Ac. STJ de 13 de Fevereiro de 1992; *CJ*, XVII, tomo 1, 38);
— Apesar de os recursos interlocutórios, nos quais se discuta a matéria respeitante à pertinência ou não de produção de provas, como fora decidido aquando do seu recebimento, terem subido ao STJ com o recurso interposto da decisão final, o tribunal da relação é competente para deles conhecer. (Ac. STJ de 3 de Dezembro de 1998; *CJ, Acs. do STJ,* VI, tomo 3, 230);
— A competência para conhecer do recurso interposto de acórdão final proferido pelo tribunal colectivo já após a entrada em vigor da Lei n.º 59/98, de 25 de Agosto, que alterou o CPP, no qual é impugnada matéria de facto, sob a invocação de vícios que o recorrente entende previstos nas alíneas *a)* e *c)* do n.º 2 do art. 410.º do CPP, é do Tribunal da Relação, e não

Código de Processo Penal

do STJ. (Ac. STJ de 23 de Junho de 1999, proc. n.º 522/99-3.ª; *SASTJ*, n.º 32, 85). *Nota* — Há numerosos acs. do STJ, todos no mesmo sentido até à elaboração desta anot., em Junho de 2001, sumariados nos *SASTJ*;

— Fixada a competência da Relação para conhecimento do recurso, a circunstância de o recurso sobre matéria de facto vir a ser rejeitado não afecta a competência da Relação para conhecer da matéria de direito. (Acs. STJ de 26 de Janeiro de 2000 (dois), procs. 995/99-3.ª e 1168/99-5.ª; *SASTJ*, n.º 37, 67 e 73);

— É admissível recurso (para o Tribunal da Relação) visando impugnar, com base nos elementos constantes da documentação das declarações orais que teve lugar nos termos do art. 363.º do CPP, decisão sobre matéria de facto do tribunal colectivo, independentemente dos vícios a que aludem os n.ºs 2 e 3 do art. 410.º do CPP. (Ac. do STJ de 13 de Dezembro de 2000, proc. n.º 3496/ /2000-3.ª; *SASTJ*, n.º 46, 40 e *CJ, Acs. STJ*, VIII, tomo 3, 238);

— O tribunal da Relação é o competente para conhecer do recurso de acórdão do tribunal colectivo, em que o recorrente invoca algum dos vícios do art. 410.º, n.º 2, do CPP. (Ac. STJ de 11 de Janeiro de 2001, proc. n.º 3294/00- -5.ª; *SASTJ*, n.º 47, 77);

— I — Da disposição contida no art. 427.º do CPP vê-se que a regra é o recurso para o Tribunal da Relação. Mas se o recurso de acórdão final proferido pelo tribunal colectivo tiver por finalidade exclusiva o reexame da matéria de direito, deve ele ser interposto para o STJ, por força da norma expressa e imperativa da al. *d)* do art. 432.º do mesmo diploma. II — Sendo a citada norma da al. *d)* do art. 432.º do CPP imperativa, não está na disponibilidade das partes o poder de a contornar, já que ela fixa o foro legal ou natural e está de acordo com o disposto no art. 32.º, n.º 9, da CRP, que abrange o princípio da fixação de competência. (Ac. STJ de 21 de Fevereiro de 2001, proc. n.º 3302/00-3.ª; *SASTJ*, n.º 48, 55). *Nota* — Concordamos inteiramente com esta orientação, que se nos afigura a única defensável perante o CPP é a CRP. Há, no entanto alguma jurisprudência do STJ admitindo a opção pelo recurso para a Relação. A questão será abordada mais desenvolvidamente em anot. ao art. 432.º;

— Se se critica em recurso o uso feito pelo tribunal colectivo dos poderes de livre convicção, não se está perante um recurso exclusivamente de direito (art. 432.º, al. *d)*, do CPP), cujo conhecimento cabe ao STJ, cujo conhecimento cabe sim, à Relação — arts. 427.º e 428.º do CPP — a quem compete conhecer de recurso interposto de um acórdão final do tribunal colectivo em que se impugna a factualidade apurada, mesmo se se invoca qualquer dos vícios previstos no art. 410.º daquele diploma. (Ac. STJ de 20 de Junho de 2002; proc. n.º 2102/02-5.ª; *SASTJ*, n.º 62, 82);

— A impugnação que o tribunal de primeira instância faz do princípio *in dubio pro reo* constitui uma impugnação da matéria de facto, pelo que a apreciação e decisão de tal questão é da competência do Tribunal da Relação. (Ac. STJ de 24 de Outubro de 2002; proc. n.º 3507/02-5.ª; *SASTJ*, n.º 64, 125).

— Para conhecer de recurso interposto de um acordão final do Tribunal Colectivo relativo a matéria de facto, mesmo que se invoque qualquer dos vícios previstos no art. 410.º do CPP, é competente o Tribunal da Relação. Nos recursos interpostos da 1.ª instância ou da Relação, o STJ só conhece dos vícios

1006

Artigo 428.º

do art. 410.º, n.º 2, do CPP, por sua própria iniciativa e, nunca, a pedido do recorrente, que, para tal, terá sempre de dirigir-se à Relação. (Ac. STJ de 12 de Julho de 2005, proc. n.º 2315/05-5.ª; *SASTJ*, n.º 93, 116);

— I — A circunstância de as questões que constituem objecto do recurso para o STJ já terem sido suscitadas no anterior recurso interposto para o tribunal da Relação, sendo, no essencial, os mesmos os fundamentos de um e do outro, não retira qualquer validade ao recurso. II — Com efeito, desde que a decisão impugnada seja efectivamente a relação e seja admissível recurso para o STJ, a repetição dos fundamentos de direito desatendidos no anterior recurso constitui afinal a razão da legitimidade e do interesse em agir do rrecorrente. (Ac. STJ de 20 de Julho de 2005, proc. n.º 2531/05-3.ª; *SASTJ*, n.º 93, 97);

— Havendo dois recursos interpostos da dicisão do Tribunal Colectivo, um dirigida à Relação e outro para o STJ, tendo um deles que ser apreciado pela Relação, por envolver a reapreciação da metéria de facto, sê-lo-á também o outro, pois a Relação detém competência para conhecer de facto e de direito. (Ac. STJ de 28 de Setembro de 2005, proc. n.º 2423/05-5.ª; *SASTJ*, n.º 93, 126);

— É de rejeitar, por manifesta improdência, o recurso interporto para o STJ no qual o recorrente repeta a argumentação já deduzida, em anterior recurso rara a Relação, reproduzindo, na sua quase totalidade *ipsis verbis*, o que antes expusera, sem cuidar de desenvolver qualquer fundamento para alicerçar a sua discordância com o ali decidido, confundindo a motivação do recurso interposto para o STJ com a que apresentou perante o tribunal da 2.ª instância, como se o acórdão da Relação não omitisse. (Ac. STJ de 28 de Setembro de 2005, proc. n.º 2830/05-3.ª; *SASTJ*, n.º 93, 104). *Nota*. Discordamos do assim decidido, pois que o STJ pode não concordar com a fundamentação do acórdão da Relação e aceitar os fundamentos aduzidos na motivação do recorrente, procedendo, neste caso, o recurso para o Supremo. Este acórdão afigura-se-nos mesmo em contradição com o proferido no proc. 2531/05-3.ª, atrás sumariado).

ARTIGO 428.º

(Poderes de cognição)

As relações conhecem de facto e de direito.

---

1. Este artigo introduzido pela Lei n.º 48/2007, de 29 de Agosto e reproduz o n.º 1 da versão anterior, que por sua vez reproduzia o n.º 1 do art. 428.º do Proj.. A mesma Lei suprimiu o anterior n.º 2 deste artigo, porém sem relevante alteração de fundo.

2. Nos casos em que as relações detectam vícios referidos nas alíneas do n.º 2 do art. 410.º procedem à renovação da prova se se afigurar que a renovação perante elas permite evitar o reenvio do processo para novo julgamento.
Quando não se verificar o condicionalismo do art. 430.º, n.º 1, as relações não procedem à renovação, valendo nesse caso o que documentado ficou.
Daqui se conclui que bem reduzidos são os casos em que se procede à reno-vação da prova; só a ela se procede verificando-se cumulativamente as condições

1007

Código de Processo Penal

de se verificar algum dos vícios enumerados nas alíneas do n.º 2 do art. 410.º e de haver fundadas razões para crer que a renovação evita o reenvio do processo para novo julgamento.

Afiguram-se-nos assim infundados alguns receios vindos a lume sobre a viabilidade prática do sistema implantado quanto aos poderes das relações.

É quase inabarcável a jurisprudência do STJ sobre poderes de cognição das relações, não se notando divergências significativas. Dentre muitos outros, destacamos o ac. de 3 de Setembro de 2008 proc. 2031/04-3.ª secção, do qual foram extraídas as seguintes conclusões, *ut SASTJ* relativos a esse mês, págs. 20-21:

I — Tem sido enfatizado (cf. Ac. do STJ de 04-01-2007, Proc. n.º 4093//06) que o recurso de facto para a Relação não é um novo julgamento em que a 2.ª instância aprecia, em toda a sua extensão, a prova produzida e documentada em 1.ª instância, como se o julgamento aí realizado não existisse, mas sim um remédio jurídico destinado a colmatar erros de julgamento, que devem ser indicados precisamente com a nota das provas que demonstram esses erros (cf. Ac. n.º 59/06 do TC, de 18-01-2006). II — Nesta senda, as menções a que alude o art. 412.º, n.ᵒˢ 3, als. *a)* a *c)*, e 4, do CPP não traduzem um ónus de natureza puramente secundária ou formal que impende sobre o recorrente, antes se conexionando com a inteligibilidade e a concludência da própria impugnação da decisão proferida sobre a matéria de facto. III —«Impugnar especificamente» é enumerar os factos um a um: primeiro, porque o novo julgamento que deles se pede à Relação, para assegurar um efectivo grau de jurisdição de recurso em sede de matéria de facto, é um julgamento segmentado, respeitando a aspectos parcelares, um remédio para questões pontuais e nunca uma reapreciação global daquela matéria; depois, porque o tribunal de recurso não dispõe de poderes divinatórios, exigindo, numa óptica de colaboração, de lealdade, mas sobretudo de celeridade processual, a satisfação daquela enumeração, bem como das concretas provas que autorizam uma diferente solução, por referência aos suportes magnéticos onde constam as provas, havendo lugar à sua transição. IV — É à luz da concreta conformação dada pelos recorrentes à impugnação da decisão de facto que este Supremo Tribunal haverá que apreciar a resposta do tribunal recorrido. V — Está completa essa apreciação se o Tribunal da Relação, conquanto não faça uma análise ponto por ponto da matéria de facto impugnada, não deixou de se debruçar sobre as questões que lhe foram colocadas, que é, afinal, o que a lei impõe. VI — Não existindo imediação das provas, o tribunal de recurso não pode julgar a causa como o havia feito a 1.ª instância, o que, evidentemente, não o exime de, com rigor, reponderar os suportes documentais, testemunhais e periciais que especificamente se revelarem decisivos e nos exactos limites dos seus poderes de cognição. VII — E se, finda esta avaliação, se retirar que a convicção possível e explicável pelas regras de experiência comum, deve acolher a opção do julgador, até porque o mesmo beneficiou da oralidade e da imediação na recolha da prova. VIII — Apenas se coloca a questão de uma eventual inconstitucionalidade, por violação dos arts. 20.º, n.º 4, e 32.º da CRP, se o Tribunal da Relação, em recurso da matéria de facto, se limite a afirmar que os dados objectivos indicados na fundamentação da sentença da 1.ª instância foram colhidos na prova produzida, transcrita nos autos, já que o que a lei veda, de todo, é que o tribunal superior se cinja a uma referência abstracta ou generalista, a uma adesão acrítica e despida de juízo reflexivo, que tolhe as

Artigo 428.º

garantias mínimas de defesa, contende com o duplo grau de jusrisdição em matéria de facto e inviabiliza a instância recursiva – cf. Ac. n.º 116/2007 do TC, de 16-02-2007, Proc. n.º 522/06-3.ª, *DR* n.º 79, de 23-04-2007. IX — O exame crítico das provas, compreendido no dever de fundamentação da decisão (arts. 205.º, n.º 1, da CRP e 97.º, n.º 4, do CPP), impõe que o julgador consigne o *iter* de formação da convicção subjacente às decisões tomadas, desde logo como fonte de legitimação na comunidade, mas sobretudo como forma de convencimento do seu destinatário directo e para permitir a sua sindicação e controlabilidade por parte do tribunal superior – cf. Ac. n.º 680/98 do TC, de 02-12-1998. X — Mas também é unânime que, apesar de não ser suficiente a mera enunciação dos meios de prova utilizados em 1.ª instância, a observância do dever de fundamentar de facto não chega ao ponto de impor a indicação individualizada dos meios de prova relativamente a cada um dos factos assentes ou para cada um dos arguidos. XI — A lei não visa aqui a reprodução mecânica dos depoimentos ou do teor dos documentos, mas sim que, concisa e coerentemente, o tribunal esclareça as razões de ter aderido a uma determinada posição em detrimento de outra; os motivos pelos quais atribuiu credibilidade a um depoimento, exame ou documento e porque não atendeu a provas de sentido contrário; as razões de ciência; as inferências dedutivas; as presunções ou as regras de experiência. XII — E se assim é, só em face de cada situação se há-de aferir se houve ou não exame crítico da prova produzida, por forma a que se conclua se se seguiu um processo racional na apreciação da prova, se a decisão em matéria de facto não é intuitiva, arbitrária ou dominada pelas impressões ou, ainda, se a mesma padece de vícios que a inquinem.

3. *Jurisprudência obrigatória:*
Ac. do Trib. Constitucional n.º 80/2001; *DR*, I-A série, de 16 de Março de 2001:
— Declara inconstitucional, com força obrigatória geral, a norma que resulta das disposições conjugadas constantes dos artigos 33.º, n.º 1; 427.º; 428.º, n.º 2; e 432.º, alínea *d)*, todos do Código de Processo Penal, quando interpretadas no sentido de que, em recurso interposto de acórdão final proferido pelo tribunal colectivo de 1.ª instância pelo arguido e para o Supremo Tribunal de Justiça, muito embora também nele se intente reapreciar a matéria de facto, aquele tribunal de recurso não pode determinar a remessa do processo ao Tribunal da Relação.

4. *Jurisprudência:*
— Sendo o recurso circunscrito à matéria de direito, reconhecida a insuficiência da matéria de facto, haverá que determinar o reenvio do processo para novo julgamento, visto a renovação da prova na Relação só ser admitida quando esse tribunal conheça de facto e de direito. (Ac. RP de 19 de Abril de 1989; *BMJ,* 386, 511);
— I — O tribunal da Relação pode conhecer da matéria de facto, mesmo que esteja em crise uma decisão proferida pelo tribunal colectivo. II — Actualmente impõe-se que a documentação da prova constante de suporte magnético seja objecto de transcrição a fazer pelo tribunal de primeira instância. III — Na verdade, subjacente ao espírito do art. 101.º do CPP está a ideia de que deve ser o funcionário de justiça quem procede à transcrição, mesmo no caso de

1009

Código de Processo Penal

estarmos perante gravação magnetofónica ou audiovisual. (Ac. STJ de 21 de Novembro de 2001; *SASTJ*, n.º 55, 58);

— I — De acordo com o disposto no art. 428.º, n.º 1, do CPP, as Relações conhecem de facto e de direito. II — Logo, têm de tomar posição concreta sobre a matéria de facto, fixando a que, no seu entender, deve considerar-se provada e não provada. III — Se a Relação se limita a remeter para os factos apurados e não apurados na 1.ª instância, não satisfaz as exigências do n.º 2 do art. 374.º do CPP no que concerne à fundamentação de facto, acarretando a nulidade do acórdão, nos termos da al. *a)* do art. 379.º do mesmo Código. (Ac. STJ de 13 de Fevereiro de 2003; proc. n.º 163/03-5.ª; *SASTJ*, n.º 68, 76);

— Os acórdãos das Relações, na parte em que conhecem da matéria de facto, não têm que proceder a uma análise crítica de toda a prova produzida em 1.ª instância, mas tão-somente reapreciar a prova relativa à matéria de facto impugnada, de forma a demonstrar, face às razões invocadas pelo recorrente, o acerto ou não do veredicto factual do tribunal recorrido, não exactamente nos mesmos termos em que esse tribunal o fez, dado que se trata de uma instância de recurso, que não assistiu à produção da prova. De outro modo, seria proceder a um segundo julgamento da matéria de facto, *in totum*, o que não corresponde ao pensamento da lei, designadamente por na 2.ª instância não se poderem observar os princípios da oralidade e da imediação das provas. (Ac. STJ de 14 de Julho de 2004, proc. n.º 1889/04-3.ª);

— I — Impugnada, em sede de recurso, a matéria de facto fixada em 1.ª instância, a Relação não pode eximir-se à respectiva apreciação, a pretexto de que o modo como aquele tribunal procedeu à apreciação da prova constitui matéria não sindicável, por respeitar ao princípio da livre apreciação da prova. II — o Tribunal da Relação, em sede de fundamentação do seu acórdão, terá necessariamente que abordar especificamente cada uma das provas e correspondentes razões indicadas, salvo naturalmente aquelas cuja consideração tiver ficado prejudicada, sob pena de omissão de pronúncia, conducente à nulidade de tal aresto. Ac. STJ de 8 de Novembro de 2006; *CJ, Acs. do STJ*, ano XIV, tomo 3, 222);

— Não é inconstitucional a norma do n.º 1 do art. 428 do CPP, quando interpretada no sentido de que, tendo o tribunal de 1.ª instância apreciado livremente a prova perante ele produzida, basta para julgar o recurso interposto da decissão de facto que o tribunal de 2.ª instância se limite a afirmar que os dados objectivos indicados na fundamentação da sentença objecto de recurso foram colhidos da prova produzida, transcrita nos autos. (Ac. do Trib. Constitucional n.º 116/2007, de 16 de Fevereiro; *Acórdãos do Trib. Constitucional,* n.º 67, pág. 559);

Ver *supra,* anot. 2.

ARTIGO 429.º

(Composição do tribunal em audiência)

1. Na audiência intervêm o presidente da secção, o relator e um juiz-adjunto.

2. Sempre que possível, mantêm-se para a audiência os juízes que tiverem intervindo na conferência.

1010

Artigo 430.º

1. O texto n.º 1 deste artigo foi introduzido pela Lei n.º 48/2007, de 29 de Agosto, substituindo o da versão anterior, que não era o originário mas o que resultava da Lei n.º 59/98, de 25 de Agosto, segundo o qual na audiência intervinham o presidente da secção, o relator e dois juízes-adjuntos. Trata-se de alteração idêntica à introduzida no art. 419.º, para cuja anotação remetemos, e cuja problemática foi também aludida em anotação ao art. 417.º. De notar porém que, ao contrário do que sucede no julgamento em conferência, em que o presidente só vota para desempatar (art. 419.º, n.º 2), nos julgamentos em audiência o presidente vota sempre, e não apenas para desempatar, votando em último lugar (art. 365.º, n.ºs 4 e 5).

2. *Jurisprudência:*
— O julgamento dos processos contra magistrados de primeira instância, tanto por crimes dolosos como por crimes culposos ou por contravenções, compete à secção criminal da relação, com a composição prevista no art. 429.º, n.º 1, do CPP e não ao plenário da secção. (Ac. RC de 4 de Outubro de 1989; *CJ,* XIV, tomo 4, 86).

ARTIGO 430.º
(Renovação da prova)

1. Quando deva conhecer de facto e de direito, a relação admite a renovação da prova se se verificarem os vícios referidos nas alíneas do n.º 2 do artigo 410.º e houver razões para crer que aquela permitirá evitar o reenvio do processo.

2. A decisão que admitir ou recusar a renovação da prova é definitiva e fixa os termos e a extensão com que a prova produzida em primeira instância pode ser renovada.

3. A renovação da prova realiza-se em audiência.

4. O arguido é sempre convocado para a audiência, mas, se tiver sido regularmente convocado, a sua falta não dá lugar a adiamento, salvo decisão do tribunal em contrário.

5. É correspondentemente aplicável o preceituado quanto a discussão e julgamento em 1.ª instância.

1. A versão originária deste artigo reproduzia o art. 430.º do Proj. Não havia disposições correspondentes no CPP de 1929, que não admitia a renovação da prova no tribunal da relação.
Os n.ºs 3, 4 e 5 têm o texto introduzido pela Lei n.º 59/98, de 25 de Agosto.

2. Vejam-se, em anot. ao art. 428.º, as condições cumulativas que permitem às relações admitir, perante elas, a renovação da prova.
A decisão de renovar a prova é tomada em conferência, após ter sido suscitada no exame preliminar (arts. 417.º, 3, *e)* e 419.º, 3), devendo a deli-

1011

Código de Processo Penal

beração especificar as pessoas a convocar para a audiência e fixar os termos e a extensão com que a prova produzida em primeira instância pode ser renovada.

O arguido só é convocado para a audiência nos casos de renovação de prova; em todos os outros casos são só convocadas as pessoas indicadas no art. 421.°, n.° 2. Porém a falta do arguido, ainda que regularmente convocado, só dá lugar ao adiamento da audiência se o tribunal assim o decidir (n.° 4).

De salientar que a renovação da prova é um reexame da matéria de facto pelas relações e não corresponde a um total segundo julgamento como se não tivesse havido um julgamento anterior. Este reexame visa antes a correcção de eventuais erros da 1.ª instância. Por isso se impõe que o(s) recorrente(s) especifiquem os pontos de facto que entendem incorrectamente julgados e indiquem as provas que em relação a cada facto conduzam a um veredito diferente.

3. *Jurisprudência:*
— No STJ, funcionando como tribunal de recurso, não há em caso algum lugar à renovação da prova. (Ac. STJ de 4 de Abril de 1990; *AJ,* n.° 8, 2);
— A lei, ao permitir a renovação da prova em recurso penal, não autoriza que se proceda ao alargamento dos meios de prova produzidos no julgamento. (Ac. RC de 20 de Dezembro de 1989; *BMJ,* 392, 526);
— A renovação da prova só pode ter lugar quando a Relação julga de facto e de direito, como decorre do art. 430, n.° 1, do CPP. (Ac. RP de 24 de Janeiro de 1990; *BMJ,* 393, 665);
— Não pode ser renovada a prova na Relação nos recursos de decisões proferidas em processo em que se não tenha oportunamente pedido a documentação da prova em julgamento. (Ac. RL de 13 de Outubro de 1993; *CJ,* XVIII, tomo 4, 170);
— I — O rexame da matéria de facto pelas Relações não corresponde a um segundo julgamento, como se não tivesse havido um julgamento anterior, antes visa correcção de erros de julgamento de 1.ª instância, impondo-se que os recorrentes especifiquem os pontos de facto incorrectamente julgados e as provas que em relação a cada facto deviam conduzir a um veredicto diferente, para que a instância de recurso reaprecie essas provas, e eventualmente altere a decisão da matéria de facto quanto a esses pontos. II — Se na motivação do recurso para a Relação o recorrente não especificou os pontos de facto que considerou incorrectamente julgados e, por outro lado, não indicou as provas que em relação a cada um dos pontos de facto impunham decisão diverso, é de considerar que essa motivação não observa o disposto no art. 412.°, n.° 3, als. a) e b), do CPP. III — E não há que convidar o recorrente a suprir tais deficiências, por se tratar de uma deficiente menção dos fundamentos do recurso, e não de um mero vício de formação das conclusões. IV — Só há lugar a tal convite quando se trate de deficiências na formulação das conclusões, e não de deficiente indicação dos fundamentos de recurso, já que a omissão de fundamentos do recurso equivale à não impugnação da decisão, total ou parcial. (Ac. STJ de 11 de Outubro de 2005, proc. n.° 2435/-3.ª; *SASTJ,* n.° 94, 81).

ARTIGO 431.º
(Modificabilidade da decisão recorrida)

Sem prejuízo do disposto no artigo 410.º, a decisão do tribunal de 1.ª instância sobre a matéria de facto pode ser modificada:

a) Se do processo constarem todos os elementos de prova que lhe serviram de base;

b) Se a prova tiver sido impugnada, nos termos do n.º 3 do artigo 412.º; ou

c) Se tiver havido renovação da prova.

---

1. O texto deste artigo foi introduzido pela Lei n.º 59/98, de 25 de Agosto. Porém a Lei n.º 48/2007, de 29 de Agosto, procedeu a alteração da al. b), provocada pela redação que o mesmo diploma estabeleceu para o art. 412.º, n.º 3.

2. Neste artigo fixam-se as condições em que as relações podem alterar a decisão da 1.ª instância em matéria de facto.

Estas condições são alternativas, bastando portanto que se verifique o condicionalismo de qualquer das alíneas.

De notar que a este condicionalismo acresce o do n.º 2 do art. 410.º, estreitamente ligado à matéria de facto.

Veja-se a anot. 4 ao art. 363.º, pois a partir das alterações introduzidas pela Lei n.º 59/98 foram consideravelmente aumentados os poderes das relações em matéria de facto.

3. *Jurisprudência:*

— Havendo registo de prova em obediência ao disposto no art. 363.º do CPP, verifica-se a hipótese da al. b) do art. 431.º, podendo neste caso a decisão da 1.ª instância ser modificada pela Relação. (Ac. STJ de 10 de Outubro de 2002; proc. n.º 1777/02-5.ª; *SASTJ*, n.º 64, 105);

— Só relativamente a acórdãos da 1.ª instância, e já não aos da Relação, é de exigir a fundamentação da decisão da matéria de facto, nos termos do art. 374.º, n.º 2, do CPP. (Ac. STJ de 7 de Dezembro de 2005; *SASTJ*, n.º 6, 64);

— I — Verificada a existência de um vício enquadrável no art. 410.º, n.º 2, do CPP, e considerando-se que a renovação da prova permite evitar o reenvio, deve a Relação proceder à renovação dessa prova. II — O regime de recurso não admite que, nestes casos, se remeta a renovação da prova para o tribunal de 1.ª instância. III — A desconsideração desta regra de competência, material e funcional, integra a nulidade insanável do art. 119.º, n.º 1, al. e), do CPP. (Ac. STJ de 28 de Fevereiro de 2007; *CJ, Acs. do STJ*, ano XV, tomo I, 198).

Código de Processo Penal

CAPÍTULO IV
DO RECURSO PERANTE O SUPREMO TRIBUNAL DE JUSTIÇA

ARTIGO 432.°
(Recurso para o Supremo Tribunal de Justiça)

1. Recorre-se para o Supremo Tribunal de Justiça:

a) De decisões das relações proferidas em primeira instância;

b) De decisões que não sejam irrecorríveis proferidas pelas relações, em recurso, nos termos do artigo 400.°;

c) De acórdãos finais proferidos pelo tribunal do júri ou pelo tribunal colectivo que apliquem pena de prisão superior a 5 anos, visando exclusivamente o reexame de matéria de direito;

d) De decisões interlocutórias que devam subir com os recursos referidos nas alíneas anteriores.

2. Nos casos da alínea *c)* do número anterior não é admissivel recurso prévio para a Relação, sem prejuízo do disposto no n.° 8 do artigo 414.°.

---

1. A versão originária deste artigo reproduzia o art. 432.° do Proj. Não havia disposições correspondentes no CPP de 1929, pois na vigência deste diploma não havia recursos directos para o STJ, salvo no caso excepcional de decisões do júri, após a entrada em vigor do Dec.-Lei n.° 605/75, de 3 de Novembro.

A Lei n.° 59/98, de 25 de Agosto, introduziu neste artigo, para além de outras alterações, a alínea b).

A Lei n.° 48/2007, de 29 de Agosto, introduziu o texto da al. *c)* do n.° 1 e aditou o n.° 2.

2. Vejam-se as anots. ao art. 427.°.

O recurso para as relações é o regime-regra, só havendo portanto lugar a recurso para o STJ nos casos taxativamente previstos nas alíneas deste artigo ou em outras disposições da lei. Por isso entendemos que caso o recorrente queira abordar matéria de facto relacionada com os vícios do n.° 2 do art. 410.° o recurso deve ser interposto para a Relação, interpretando-se assim restritivamente aquele art. 410.°. Neste sentido expende o Prof. Germano Marques da Silva, *Curso de Processo Penal*, 2.ª ed., III, 371 e vem decidindo o STJ, *v. g.* através de numerosos acs. sumariados *infra*.

De notar que os recursos das decisões interlocutórias do tribunal do júri e do tribunal colectivo só sobem ao STJ se deverem subir com os interpostos dos acórdãos finais; o conhecimento daqueles recursos pertencerá à relação se tiverem que subir imediatamente.

1014

Artigo 432.º

3. O texto da al. c) do n.º 1 e o n.º 2, introduzidos pela supramensionada Lei, clarificaram uma questão que dividiu a jurisprudência do STJ, qual era a de saber se nos recursos visando exclusivamente matéria de dieito o recorrente podia optar, interpondo-os a Relação ou para o Supemo, ou teria necessariamente que os interpor para o Supremo. Sustentámos esta última orientação em edições anteriores desta obra, e mesma vinha sendo ultimamente maioritária no STJ, acabando mesmo por ser fixada jurisprudência neste sentido, em acórdão de 14 de Março de 2007, proferido no proc. n.º 2792/2006.

Com o novo texto ficou claramente estabelecido que os recursos de decisões finais proferidas pela júri ou pelo tribunal colectivo visando exclusivamente o reexame da matéria de direito e aplicando pena de prisão superior a 5 anos são interpostos para o STJ; e que são interpostos para a Relação os recursos de decisões finais proderidas pelo júri ou pelo tribunal colectivo tratando-se de matéria de facto ou de matéria de direito em que tenha sido aplicada pena de prisão não superior a 5 anos.

Porém, como se estabelece na al. f) do n.º 1 do art. 400.º, não há recurso de acórdãos proferidos, em recurso, pelas relações, que confirmem decisão de 1.ª instância e apliquem pena de prisão não superior a 8 anos. Assim, em caso de dupla conforme, não haverá lugar a recurso de acórdão da Relação confirmando pena de prisão de 6, 7, ou mesmo 8 anos.

4. Uma outra questão sobre a qual a jurisprudência se dividiu foi resolvida pela redacção da al. c) introduzida pela Lei supramencionda na anot. 1. Neste dispositivo se clarificou que para efeito de interposição do recurso se atende à pena que foi aplicada, e não à pena aplicável, isto em coerência com alterações introduzidas no art. 400.º.

5. *Jurisprudência fixada:*
— Do disposto nos arts. 427.º e 432.º, al. *d)*, do CPP, este último na redacção da Lei n.º 59/98, de 25 de Agosto, decorre que os recursos dos acórdãos finais do tribunal colectivo, visando exclusivamente o reexame da matéria de direito, devem ser interpostos directamente para o Supremo Tribunal de Justiça. (Ac. do Pleno das secções criminais do STJ de 14 de Março de 2007, proc. n.º 2782/2006, ainda não publicado no DR à data dessa anotação).
Nota. Como se anotou *supra*, anot. 3, foi fixada jurisprudência no sentido que sempre sustentámos e que ficou consagrado na nova redacção da al. *c)* do n.º 1 deste artigo.

6. *Jurisprudência:*
— O acórdão do tribunal colectivo proferido posteriormente ao que decidiu sobre a matéria constante da acusação, para elaboração do cúmulo jurídico das penas aplicadas nesse e noutros processos, não é acórdão final e, por isso, o tribunal competente para conhecer do recurso dele interposto é o tribunal da relação. (Ac. STJ de 23 de Novembro de 1994; *CJ, Acs. STJ,* II, tomo 3, 258).
Nota — Ver ac. seguinte;
— O STJ não é competente para conhecer do recurso interposto do acórdão do tribunal colectivo, proferido posteriormente ao que decidiu sobre a matéria constante da acusação, para elaboração do cúmulo jurídico das penas aplicadas nesse e noutros processos. (Ac. STJ de 8 de Fevereiro de 1995; *CJ,*

1015

Código de Processo Penal

Acs. do STJ, III, tomo 1, 196). *Nota*—Discordamos deste acórdão, que tem declarações de voto dos Exm.os Conselheiros Figueiredo Marçal e Lopes Rocha. Chamamos particularmente a atenção para as considerações aí expendidas pelo Conselheiro Lopes Rocha e para as do saudoso Conselheiro Manso--Preto, aí aludidas, com as quais concordamos. Há, aliás, jurisprudência do STJ em sentido contrário, *v. g.* ac. de 15 de Fevereiro de 1995, *ibidem*, 218. Vejam-se ainda as anots. ao art. 427.°;

— A decisão do tribunal colectivo que reformulou um cúmulo jurídico que englobava diversas penas parcelares de prisão por alguns crimes que vieram a ser amnistiados não é de haver como acórdão final, não competindo o conhecimento do recurso respectivo ao STJ. (Ac. STJ de 22 de Março de 1995; *BMJ,* 445, 272). *Nota* — Não concordamos com esta decisão, como referimos *supra,* em nota ao ac. de 8 de Fevereiro de 1995, e mais desenvolvidamente em anot. ao art. 427.°. Há jurisprudência do STJ em sentido contrário, designadamente o ac. precedentemente sumariado, pelo que é de esperar que a jurisprudência venha a ser firmada;

— Só se pode recorrer para o STJ dos acórdãos finais proferidos pelo tribunal colectivo, se os mesmos visarem, exclusivamente, o reexame da matéria de direito. (Ac. STJ de 8 de Abril de 1999, proc. 235/99-3.ª; *SASTJ,* n.° 30, 69);

— I — Quanto ao objecto e fundamentos, os recursos interpostos dos acórdãos finais proferidos pelo tribunal colectivo após a entrada em vigor da Lei n.° 59/98, de 25 de Agosto, sofrem uma restrição que não é imposta aos interpostos dos acórdãos finais do tribunal do júri: para que o STJ seja competente para conhecer dos primeiros, têm eles de visar *exclusivamente* o reexame da matéria de direito (art. 432.°, als. *c)* e *d))* do CPP, na redacção introduzida pela referida Lei. II — Logo, na ausência de qualquer restrição específica, retira-se que o recurso do acórdão final do tribunal do júri, no que ao objecto e fundamentos concerne, pode ir até onde vai a cognição do STJ, ou seja, pode visar o reexame da matéria de direito e/ou ter como fundamento qualquer dos vícios dos n.os 2, als. *a)* a *c)* e 3, do art. 410.° do CPP. III — O mesmo não se passa com o recurso do acórdão final do tribunal colectivo que, por força da aludida limitação específica, para se enquadrar nos poderes de cognição do STJ, só pode visar o reexame da matéria de direito, não podendo, assim, ter como fundamento nenhum dos vícios previstos no n.° 2 do citado art. 410.° do CPP. (Ac. STJ de 7 de Julho de 1999, proc. 736/99; *SASTJ,* n.° 33, 83);

— I — Se é certo que nos recursos de acórdãos finais proferidos pelo tribunal do júri, interpostos para o STJ, podem ser levantadas questões de facto e de direito, não é menos certo que, nos recursos de acórdãos finais proferidos pelo tribunal colectivo, somente podem ser suscitadas questões de direito (art. 432.°, als. *c)* e *d)* do CPP na redacção introduzida pela Lei n.° 59/98, de 25 de Agosto). II — Logo, a competência para conhecer do recurso interposto do acórdão final proferido pelo tribunal colectivo já no domínio do CPP com as alterações da Lei n.° 59/98, no qual se pretende pôr em causa a matéria de facto provada e se invocam os vícios de contradição insanável da fundamentação e de erro notório na apreciação da prova, é do Tribunal da Relação, e não do STJ. (Ac. STJ de 7 de Julho de 1999, proc. 653/99; *SASTJ,* n.° 33, 84);

Artigo 432.º

— I — Quanto ao objecto e fundamentos, os recursos interpostos dos acórdãos finais preferidos pelo tribunal colectivo após a entrada em vigor da Lei n.º 59/98, sofrem uma restrição que não é imposta a recursos interpostos dos orgãos finais do tribunal do júri: para que o STJ seja competente para conhecer dos primeiros têm eles de visar exclusivamente o reexame da matéria de direito (art. 432.º, als. *c)* e *d)* do CPP), na redacção introduzida pela referida Lei. II — Se o recurso para o STJ de acórdão final proferido pelo tribunal colectivo visa, exclusivamente, o reexame da matéria de direito, então, nele não se pode submeter ao julgamento daquele tribunal uma questão nova, ou seja, uma questão que não foi decidida, anteriormente, pelo tribunal de 1.ª instância. Noutra perspectiva: no recurso interposto de acórdão final do tribunal colectivo, ao STJ está vedado conhecer de questões de direito que não tenham sido por aquele previamente conhecidas, (Ac. STJ de 5 de Abril de 2000, proc. n.º 160/2000-3.ª; *SASTJ*, n.º 40, 41);

— Tendo um acórdão da Relação revogado o acórdão da 1.ª instância na parte em que o arguido foi condenado pela prática de um crime de ofensa à integridade física p. e p. no art. 143.º, n.º 1, do CP, e mantido a condenação pelo outro crime remanescente no processo — violação na forma tentada p. e p. pelo art. 23.º, n.º 2, e pelos arts. 73.º, n.º 1, al. *a)*, e 164.º, n.º 1, do CP, uma vez que apenas desta condenação podia o arguido recorrer sendo a pena máxima aplicável ao respectivo crime não superior a oito anos, não admite tal decisão recurso para o STJ, face ao preceituado nos arts. 400.º, n.º 1, al. *f)*, e 432.º, al. *d)*, do CPP. (Ac. STJ de 27 de Abril de 2000, proc. n.º 142/2000-5.ª; *SASTJ*, n.º 40, 54);

— Após a revisão operada pela Lei n.º 59/98, de 25 de Agosto, o STJ só é competente para discutir matérias exclusivamente de direito, e nunca questões que tenham qualquer envolvência fáctica (como sejam as que se prendem com o mérito da factualidade em que o tribunal recorrido assentou a condenação e com a não aplicação do princípio *in dubio pro reo*; casos em que o respectivo exame caberá aos tribunais da relação. (Ac. STJ de 28 de Junho de 2000, proc. n.º 278/2000-3.ª; *SASTJ*, n.º 42, 56);

— Com a reforma operada pela Lei n.º 59/98, de 25 de Agosto, embora caiba ao STJ conhecer de decisões interlocutórias, isso não sucede quando nelas, directa ou indirectamente, se aborde matéria de facto. (Ac. STJ de 28 de Junho de 2000, proc. n.º 225/2000-3.ª; *SASTJ*, n.º 42, 57);

— Quando o recurso (de acórdão da primeira instância) diz apenas respeito a matéria de direito, pode o recorrente optar entre a interposição para a Relação e para o STJ. (Ac. STJ de 11 de Outubro de 2000, proc. n.º 1892/2000-3.ª; *SASTJ*, n.º 44, 72);

— Interposto recurso de um acórdão do tribunal colectivo para a Relação, e do acórdão desta para o STJ, este segundo recurso, para além de ter de visar exclusivamente o reexame da matéria de direito, não pode ter como objecto a decisão da primeira instância. (Ac. STJ de 11 de Janeiro de 2001, proc. n.º 3408/00-5.ª; *SASTJ*, n.º 47, 78);

— I — Da disposição contida no art. 427.º do CPP vê-se que a regra é o recurso para o Tribunal da Relação. Mas se o recurso de acórdão final proferido pelo tribunal colectivo tiver por finalidade exclusiva o reexame da matéria de direito, deve ele ser interposto para o STJ, por força da norma expressa e imperativa da al. *d)* do art. 432.º do mesmo diploma. II — Sendo a citada norma

1017

Código de Processo Penal

da al. *d)* do art. 432.º do CPP imperativa, não está na disponibilidade das partes o poder de a contornar, já que ela fixa o foro legal ou natural e está de acordo com o disposto no art. 32.º, n.º 9, da CRP, que abrange o princípio da fixação de competência. (Ac. STJ de 21 de Fevereiro de 2001, proc. n.º 3302/00-3.ª; *SASTJ*, n.º 48, 55);

— O recurso de acórdão proferido por tribunal do júri não abarca no seu âmbito o conhecimento da matéria de facto, justamente porque é um caso de recurso *per saltum* para o STJ, que, como é sabido, se vocaciona para o conhecimento da matéria de direito, com ressalva do conhecimento, oficioso ou não, dos vícios aludidos no art. 410.º, n.º 2 do CPP. (Ac. STJ de 22 de Novembro de 2001, proc. n.º 3339/01-5.ª; *SASTJ*, n.º 55, 91);

— O tribunal competente para conhecer de um recurso de despacho proferido (pelo juiz titular do processo) após a decisão final — de subida imediata e em separado [arts. 407.º, n.º 1, al. *b)* e 406.º, n.º 1, do CPP] — é a Relação e não o STJ, já que este só conhece do recurso de decisões interlocutórias que deva subir com o recurso do acórdão final do tribunal colectivo [art. 432.º, al. *e)*, do CPP]. (Ac. STJ de 9 de Janeiro de 2002, proc. n.º 3638/01-3.ª; *SASTJ*, n.º 57, 63);

— I — Sendo a fixação da competência uma matéria de interesse e ordem pública, tal natureza subtrai a mesma da livre opção dos recorrentes. II — Tendo o recurso de decisão final do tribunal colectivo por objecto apenas uma questão de direito, é o Tribunal da Relação incompetente para decidir o mesmo, uma vez que competente para tanto é o STJ. (Ac. STJ de 20 de Fevereiro de 2002, proc. n.º 4210/01-3.ª; *SASTJ*, n.º 58, 55);

— Do disposto nos arts. 427.º e 432.º, al. *d)*, do CPP, resulta inequivocamente, em sede de recursos, quais sejam as competências da Relação e do STJ, não sendo lícito ao recorrente optar por este tribunal ou por aquele para apreciar recurso do tribunal colectivo que verse exclusivamente matéria de direito. (Ac. STJ de 21 de Fevereiro de 2002, proc. n.º 3023/01-5.ª; *SASTJ*, n.º 58, 72);

— I — Salvo quanto às deliberações do tribunal do júri, o resultado de acórdão de 1.ª instância que verse exclusivamente matéria de direito pode ser interposto directamente para o STJ ou pode ser interposto para a Relação, sendo que a escolha de uma das alternativas pertence exclusivamente ao recorrente. II — Tal posição decorre quer da letra da lei, quer dos elementos lógico ou racional, histórico e sistemático próprios da interpretação jurídica. III — Ao referir-se aos recursos *per saltum* para o STJ na alínea *d)* do art. 432.º do CPP, o legislador pretendeu tão só permitir tal tipo de recursos, e não impô-lo. IV — Caso sejam vários os recorrentes e alguns mostrem preferência por dirigirem o recurso directamente para o STJ e outros tiverem interesse em o dirigirem para a Relação, por ser o tribunal de menor hierarquia chamado à resolução, conforme caso paralelo do art. 414.º, n.º 7, do CPP. V — Tal orientação não viola o princípio do juiz natural, nem diminui os direitos de defesa do arguido. (Ac. STJ de 11 de Abril de 2002; proc. n.º 1081/02-5.ª; *SASTJ*, n.º 60, 75).

Nota. Em nosso entendimento, o art. 432.º, al. *d)*, não se refere a recurso *per saltum*, e o art. 414.º, n.º 7, nada tem a ver com este caso. Quanto ao ponto V, *hic opus labor est.* Faz-se a afirmação, sem a demonstrar, e é que viola mesmo o princípio do juiz natural, como se demonstra *supra*, anot. 3. Há muito abundante jurisprudência do STJ, tanto no sentido da possibiliddae da opção

Artigo 432.º

como no sentido da impossibilidade, a qual nos dispensamos de mais completa indicação, afigurando-se-nos que ultimamente tem predominado a orientação que sustentamos na anot. 3;

— Se se critica em recurso o uso feito pelo tribunal colectivo dos poderes de livre convicção, não se está perante um recurso exclusivamente de direito (art. 432.º, al. *d)*, do CPP), cujo conhecimento cabe ao STJ, cujo conhecimento cabe, sim, à Relação — arts. 427.º e 428.º do CPP — a quem compete conhecer de recurso interposto de um acórdão final do tribunal colectivo em que se impugna a factualidade apurada, mesmo se se invoca qualquer dos vícios previstos no art. 410.º daquele diploma. (Ac. STJ de 20 de Junho de 2002; proc. n.º 2102/02-5.ª; *SASTJ*, n.º 62, 82);

— O STJ só conhece dos vícios do n.º 2 do art. 410.º do CPP por sua própria iniciativa, e nunca a pedido do recorrente, que para o efeito terá que interpor recurso para a Relação. (Ac. STJ de 3 de Outubro de 2002; proc. n.º 2697/02-5.ª; *SASTJ*, n.º 64, 100);

— I — Quando o STJ é confrontado com um recurso da Relação, são os fundamentos da decisão da 2.ª instância que importa verificar, e não os da 1.ª instância, já sufragados pelo tribunal recorrido. II — Daí que quando o recorrente se limita a uma espécie de recauchutagem informática dos fundamentos do recurso que apresentou perante a Relação, sem nada trazer de novo à discussão, verdadeiramente não apresenta motivação. III — O recurso que em tudo reedita o pretendido inconformismo do recorrente perante o deliberado em 1.ª instância não pode ser conhecido, e não deveria mesmo ter sido admitido, por carência absoluta de motivação — arts. 411.º, n.º 3, 414.º, n.º 2; e 417.º, n.º 3, al. *a)*, do CPP. IV — E porque assim é, o acordão da Relação transitou em julgado — art. 677.º do CPC. O que, por outra via, seria circunstância impeditiva do conhecimento do recurso — arts. 493.º, n.º 2 e 494.º, al. *i)*, do último diploma citado. (Ac. STJ de 14 de Novembro de 2002; proc. n.º 3092//02-5.ª; *SASTJ*, n.º 65, 79);

— O recurso para o STJ de acórdão da Relação visa impugnar as soluções dadas por esta às questões que perante o mesmo Tribunal foram suscitadas, não podendo o recorrente suscitar *ex novo* questões não submetidas à Relação. (Ac. STJ de 13 de Novembro de 2002; proc. n.º 2365/02-3.ª; *SASTJ*, n.º 65, 60);

— O recurso do acórdão final do tribunal de júri, no que ao objecto e fundamentos concerne, pode visar o reexame da matéria de direito e/ou ter como fundamento qualquer dos vícios dos n.os 2, als. *a)* a *c)*, e n.º 3, do art. 410.º do CPP. (Ac. STJ de 18 de Dezembro de 2002; proc. n.º 3217/02-3.ª; *SASTJ*, n.º 66, 51);

— I — No sistema penal emergente da Reforma de 1998 é possível o recurso para a Relação das decisões finais do tribunal colectivo, mesmo que versando apenas matéria de direito. II — Havendo vários recorrentes, optando uns por dirigir o respectivo recurso ao STJ e outros à Relação, a esta compete conhecer de todos eles. (Ac. STJ de 19 de Dezembro de 2002; proc. n.º 4599/-5.ª; *SASTJ*, n.º 66, 72);

— I — Tendo em conta a previsão dos arts. 432.º, al. *c)* e 434.º do CPP, no recurso para o STJ de acórdão final proferido por tribunal do júri, o recorrente pode suscitar questões relacionadas com a existência dos vícios a que se reporta o n.º 2 do art. 410.º do referido diploma. II — Porém, como resulta claramente de tais preceitos, não pode o STJ alterar a matéria de facto dada como provada, mesmo que a prova produzida em audiência de julgamento tenha sido gravada. (Ac. STJ de 15 de Janeiro de 2003; proc. n.º 2129/02-3.ª; *SASTJ*, n.º 67, 69);

1019

Código de Processo Penal

— I — Para conhecer dos recursos interpostos de um acórdão final do tribunal colectivo em que são invocados quaisquer dos vícios previstos no art. 410.º do CPP é competente o tribunal da Relação. II — No recurso directo para o STJ da decisão final do tribunal colectivo só pode invocar-se matéria de direito, e não também matéria de facto, ainda que a coberto dos vícios do art. 410.º, n.º 2. III — Tal não é contraditório com o conhecimento oficioso que o STJ deve ter dos mesmos vícios, de resto em conformidade com orientação uniformizadora, pois é essa uma válvula de escape do sistema através da qual se pretende que o STJ não decida o direito quando os factos são manifestamente insuficiente, contraditórios ou errados. (Ac. STJ de 26 de Junho de 2003 (dois); procs. n.ᵒˢ 2411 e 2416-5.ª; *SASTJ*, n.º 72, 82);

— É inconstitucional a norma do art. 432.º, alínea *c)*, do CPP, interpretada no sentido de que o STJ só pode conhecer da medida concreta da pena nos casos de desrespeito dos respectivos parâmetros (culpa do arguido, exigências de prevenção, moldura penal abstracta e tipo legal de crime em causa), violação de regras de experiência ou desproporção da quantificação efectuada, sem que tal restrição dos seus poderes de cognição implique a remessa do processo para outro tribunal de recurso. (Ac. do Trib. Constitucional n.º 505/03, proc. n.º 327/03-5, de 28 de Outubro de 2003; DR, II série, de 5 de Janeiro de 2004);

— I — Do despacho do relator na Relação não cabe recurso para o STJ, mas reclamação para a conferência na Relação respectiva. II — As decisões da Relação que são recorríveis são os acórdãos tirados pelas secções. (Ac. STJ de 2 de Outubro de 2003; proc. n.º 2453/03-5.ª; *SASTJ*, n.º 74, 165);

— I — O CPP não prevê a possibilidade de interposição de recurso para as Relações do acórdão do tribunal colectivo visando exclusivamente o reexame da matéria de direito, e isto mesmo nos casos em que, se por hipótese tivesse havido recurso para a Relação e esta tivesse confirmado a decisão recorrida, por força da proibição da *reformatio in pejus*, não houvesse possibilidade de recorrer para o Supremo, nos termos do art. 400.º, n.º 1, al. *f)*, do CPP. II — Assim, não obstante o recurso ter sido dirigido para a Relação, cabe ao STJ conhcer do mesmo. (Ac. STJ de 10 de Março de 2004, proc. n.º 4024/03-3.ª);

— I — Quem pretenda impugnar um acórdão final do tribunal colectivo, de duas uma: se visar exclusivamente o reexame da matéria de direito, dirige o recurso directamente para o STJ; ou, se não visar exclusivamente o reexame da matéria de direito, mas também a matéria de facto, dirige-o à Relação, caso em que da decisão desta, se não for irrecorrível nos termos do art. 400.º do CPP, poderá recorrer para o STJ. II — Só que, nesta última hipótese, o recurso, agora restrito à matéria de direito, não pode abranger o conhecimento de eventuais erros das instâncias na apreciação das provas e na fixação dos factos materiais. (Ac. STJ de 8 de Julho de 2004, proc. n.º 2489/04-5.ª);

— I — O STJ só conhece dos recursos das decisões interlocutórias do tribunal de primeira instância que devam subir com a decisão final, quando esses recursos (de decisões do júri ou de colectivo) sejam directos para o STJ, e não quando tenha sido objecto de acórdão da Relação. II — Por isso, a decisão do Tribunal da Relação que apreciou o recurso interlocutório interposto em primeira instância não deve ser conhecido pelo STJ, assim como o não devem ser as invocadas nulidades relacionados com tal recurso interlocutório. (Ac. STJ de 15 de Julho de 2004, proc. n.º 2005/04-5.ª)

Artigo 432.º

— I — As decisões do Tribunal de Execução das Penas têm um regime de recursos próprios e autónomo do regulado nos arts. 400.º e 432.º do CPP, relativamente à admissibilidade dos recursos e à competência das relações e do STJ. II — De acordo com tal regime, das decisões dos Tribunais de Execução das Penas apenas é possível recorrer para o Tribunal da Relação. III — Esta limitação do recurso de um grau (duplo de jurisdição, que não deve confundir-se com duplo grau de recurso), não afecta a garantia do direito ao recurso, na dimensão constitucional, como integrante do direito de defesa. (Ac. do STJ de 20 de Abril de 2005; *CJ*, Acs. do STJ, tomo 2, 178);

— I — Para conhecer de recurso interposto de um acórdão final do Tribunal Colectivo relativo a matéria de facto, mesmo que se invoque qualquer dos vícios previstos no art. 410.º do CPP, é competente o Tribunal da Relação. Nos recursos interppostos da 1.ª instância ou da Relação, o STJ só conhece dos vícios do art. 410.º, n.º 2, do CPP, por sua própria iniciativa e, nunca, a pedido do recorrente, que, para tal, terá sempre de dirigir-se à Relação. (Ac. STJ de 12 de Julho de 2005, proc. n.º 2315/05-5.ª; *SASTJ*, n.º 93, 116);

— Quem pretenda impugnar um acórdão final do tribunal colectivo, de duas uma: se visar exclusivamente o reexame da matéria de direito – art. 432.º, al. d) – dirige o recurso ao STJ ou, se não visar exclusivamente o reexame da matéria de direito, dirige-o de facto e de direito à Relação, caso em que da decisão desta, se não for irrecorrível nos termos do art. 400.º, poderá depois recorrer para o STJ (art. 432.ª, al. b)); só que, nesta hipótese o recurso, agora puramente de revista, terá que visa exclusivamente o reexame da decisão recorrida – a da Relação, em matéria de direito. (Ac. STJ de 12 de Julho de 2005, proc. n.º 765/05-5.ª; *SASTJ*, n.º 93, 114);

— I — Tratando-se de uma decisão final do tribunal do júri, o STJ só conhece em revista alargada, e daí que em sede de reexame de matéria de facto, só possa pronunciar-se se ocorrer algum dos vícios previstos no n.º 2 do art. 410.º do CPP. II — O STJ apenas pode pronunciar-se sobre a violação do princípio *in dubio pro reo* se do texto do acórdão constar que os julgadores tiverem dúvidas sobre a culpabilidade do arguido, mas, mesmo assim, entenderam condená-lo. (Ac. STJ de 7 de Dezembro de 2005; *SASTJ*, n.º 96, 61);

— I — Os recursos, como remédios jurídicos que são, não se destinam a conhecer questões novas não apreciadas pelo tribunal recorrido, mas sim para apurar da adequação e legalidade das decisões sob recurso. II — Assim, se o arguido só recorreu da decisão final da 1.ª instância para a Relação invocando a existência de erro notório na apreciação da prova, não pode depois recorrer para o STJ invocando outros vícios da decisão ou impugnando a qualificação jurídica ou a medida da pena. III — O STJ não pode conhecer de questões que, embora resolvidas pelo tribunal de 1.ª instância, não foram suscitadas perante a 2.ª instância, de cuja decisão se recorre. (Ac. STJ de 2 de Fevereiro de 2006, proc. n.º 4409/05-5.ª);

— Os recursos para o STJ relativos a decisão do Tribunal Colectivo ou do Júri, após a Reforma de 2007, estão circunscritos à reapreciação da matéria de direito, se a correspondente condenação aplicar uma pena de prisão superior a 5 anos. (Ac. STJ de 17 de Outubro de 2007; *CJ, Ac. de STJ,* ano XV, tomo 3, 217);

— Após a entrada em vigor da Lei n.º 48/2007, de 29 de Agosto, o STJ só é competente para conhecer dos recursos interpostos das decisões finais do

1021

Código de Processo Penal

tribunal colectivo, se essas decisões tiverem aplicado pena de prisão superior a 5 anos e o recurso visar apenas o reexame da matéria de direito. (Ac. RP de 5 de Dezembro de 2007; *CJ,* ano XXXII, tomo 5, 210);
— I — É irrecorrível, conforme estabelece a al. *c)* do n.º 1 do art. 400.º, por referência à al. *b)* do art. 432.º, ambos do CPP, a decisão da Relação tomada em recurso que, tendo absoluta autonomia relativamente às demais questões suscitadas, não pôs termo à causa por não se ter pronunciado sobre a questão substantiva que é o objecto do processo. Para efeito da recorribilidade, mostra--se indiferente a forma como o recurso foi processado e julgado pela Relação, isto é, se o recurso foi processado autonomamente ou se a decisão se encontra inserida em impugnação da decisão final /cf. o Ac. do STJ de 09-01-2008, Proc. n.º 279/07-3.ª, e o Ac. de 21-05-2008, Proc. n.º 414/08-5.ª). II — Este entendimento respeita a garantia constitucional do duplo grau de jurisdição e encontra-se em perfeita sintonia com o regime traçado pela Reforma de 1998, e mantido na Reforma de 2007, para os recursos para o STJ: sempre que se trate de questões processuais ou que não tenham posto termo ao processo, o legislador pretendeu impedir o segundo grau de recurso, terceiro de jurisdição, determinando que tais questões fiquem definitivamente resolvidas com a decisão da Relação. III — O reexame pelo Supremo Tribunal da matéria de direito exige a prévia definição pela Relação dos factos provados, se estes tiverem sido impugnados, ficando com a decisão da Relação esgotados os poderes de apreciação da matéria de acto, a menos exigindo a lei, para a prova de certo facto, determinada espécie de prova ou que fixando a força de determinado meio de prova, estes comandos não tenham sido respeitados. IV — Fora das hipóteses previstas no art. 410.º do CPP, cujo fundamento é oficioso, não podendo servir de fundamento ao recurso, o STJ não pode investigar se o tribunal de 1.ª instância proferiu uma decisão justa no campo da matéria de facto. (Ac. STJ de 6 de Junho de 2008; *SASTJ* relativos a esse mês, pág. 72);
— I — Face ao actual regime de recursos – arts. 400.º (decisões que não admitem recurso) e 432.º (recurso para o Supremo Tribunal de Justiça) do CPP –, introduzido pela Lei 48/2007, de 29-08, verifica-se uma lacuna da lei no que respeita à admissibilidade de recurso para o STJ de acórdão proferido, em recurso, pela Relação, em 18-02-2008, que, conhecendo a final do objecto do processo, revoga a decisão condenatória da 1.ª instância e absolve o(s) arguido(s), como ocorreu nos presentes autos. II — E nem se pode dizer que, não estando a situação em apreço a coberto da previsão de qualquer das alíneas do art. 400.º, n.º 1, do CPP, respeitantes aos casos de inadmissibilidade de recurso, por força de um raciocínio a *contrario* seria possível concluir pela admissibilidade do recurso. É que uma tal interpretação iria contra o pensamento legislativo subjacente à nova redacção do art. 400.º do CPP: diminui os recursos para o STJ, reservando-os casos mais graves, de relevante complexidade ou de elevado valor, e deles excluindo os casos de menor gravidade, mais ligeiros, sobretudo as bagatelas penais. III — Por outro lado, a aceitação desta posição conduziria a situações incompreensíveis e por certo não queridas pelo legislador: o recurso seria a admissível para casos, como o presente, em que o acórdão da Relação (absolutório) tivesse revogado a decisão da 1.ª instância (condenatória, pois tinha aplicado pena de multa), mas já não o seria se o acórdão da Relação (confirmando ou não a decisão da 1.ª instância) condenasse em pena de multa. IV — A intenção do legislador, quer com a Lei 59/98, de 25-08, quer com a

1022

Artigo 434.º

Lei 48/2007, de 29-08, foi a de reservar o recurso para o STJ para os casos ou situações mais graves, isto é, para os casos de relevante complexidade ou de elevado valor. Assim, nos termos do art. 432.º, n.º 1, al. *c)*, do CPP – nova redacção – é admissível recurso para o STJ de acórdãos finais proferidos pelo tribunal do júri ou pelo tribunal colectivo que apliquem pena de prisão superior a 5 anos, visando exclusivamente o reexame de matéria de direito. E, também por isso, não lhe incumbe, por não se circunscrever no âmbito dos seus poderes de cognição, apreciar e julgar recurso interposto de decisão final de tribunal colectivo que condene em pena não superior a 5 anos de prisão. (Ac. STJ de 18 de Junho de 2008, proc. n.º 2159/08; *SASTJ* relativos a esse mês, pág. 33).

ARTIGO 433.º

(Outros casos de recurso)

Recorre-se ainda para o Supremo Tribunal de Justiça noutros casos que a lei especialmente preveja.

O texto deste artigo foi introduzido pela Lei n.º 59/98, de 25 de Agosto. Reproduz a alínea *e)* do art. 432.º da versão originária do Código.

ARTIGO 434.º

(Poderes de cognição)

Sem prejuízo do disposto no artigo 410.º, n.ºs 2 e 3, o recurso interposto para o Supremo Tribunal de Justiça visa exclusivamente o reexame da matéria de direito.

1. O texto deste artigo foi introduzido pela Lei n.º 59/98, de 25 de Agosto e reproduz o n.º 1 do art. 433.º da versão originária do Código.

2. Identicamente ao que sucedia no regime do CPP de 1929, quando o STJ funciona como tribunal de recurso compete-lhe aplicar o regime jurídico adequado perante os factos que foram apurados pelos tribunais de instância. Perante o STJ funcionando como tribunal de recurso não há lugar, em caso algum, a renovação da prova; a lei atendeu à elevada garantia de veracidade que dá a prova apurada pelos referidos tribunais.

Mas o STJ tem agora poderes que, de algum modo, se intrometem na apreciação de aspectos fácticos, e que são os de apreciação da matéria referida no art. 410.º, n.ºs 2 e 3 e neste art. 434.º. Ainda nestes casos, porém, o STJ não procede à renovação da prova, limitando-se a apontar o vício que apurou e a determinar o reenvio do processo para novo julgamento, como se preceitua nos arts. 426.º e 434.º.

Cabe aqui acentuar ser ponto assente na jurisprudência, *maxime* na do Tribunal Constitucional, que o duplo grau de jurisdição em matéria de facto pode garantir-se sem que isso implique a possibilidade de produção de prova no tribunal de recurso, bastando que este controle a legalidade da produção

1023

Código de Processo Penal

e possa ordenar a reapreciação por outro tribunal, de categoria idêntica ou superior à do recorrido. Cfr., neste sentido, acs. TC referidos na anot. ao ac. STJ de 9 de Maio de 1990, sumariado *infra, BMJ*, 397, 346.

Também parece haver uniformidade no sentido de que nem a Declaração Universal dos Direitos do Homem nem a Convenção Europeia dos Direitos do Homem consagram expressamente, entre as garantias da defesa, o duplo grau de jurisdição e o direito ao recurso (Cfr. Ac. TC de 19 de Dezembro de 1990, aludido na referida anot.; *BMJ*, 397, 347).

3. De notar que, mesmo em caso de recurso interposto para o STJ de deliberação do tribunal do júri, ainda existe alguma censura do tribunal *ad quem* sobre a produção da prova. Veja-se a anot. 2 do art. 410.º.

Como salientámos em anteriores edições desta obra e tem geralmente sido aceite pela jurisprudência, existe erro notório na apreciação da prova quando esse erro é de tal modo evidente que não passa despercebido ao comum dos observadores, ou seja quando o homem médio facilmente dele se dá conta. Pode ver-se neste sentido, dentre muitos outros, o ac. STJ de 6 de Abril de 1994; *CJ, Acs. do STJ,* II, tomo 2, 186.

4. *Jurisprudência:*

— I — A culpa decorrente de imperícia, inconsideração, negligência e falta de destreza constitui matéria de facto, estranha à competência do STJ. II — A culpa resultante de infracção de deveres legais integra matéria de direito, e por isso o STJ é competente para apreciação da mesma. (Ac. STJ de 29 de Novembro de 1989; *AJ,* n.º 4, 2);

— I — O STJ, quando funciona como tribunal de recurso, nunca pode substituir-se ao tribunal de instância, na apreciação directa de prova não vinculada. II — Também não pode em caso algum realizar diligências de prova dessa natureza, quando funciona nesses termos. O STJ, quando funciona nos termos indicados, verifica a suficiência ou insuficiência da matéria de facto apurada e constante da decisão recorrida; verifica se há contradição insanável; e verifica ainda se foi cometido erro notório, isto é erro de tal modo patente que não escapa à observação de um homem de formação média. III — Verificada alguma destas situações ordenará a renovação da prova em outro tribunal, consoante a lei prevê; caso contrário estará a matéria de facto fixada. IV — As novas vias abertas pelo CPP não são ilimitadas; designadamente, não permitem a apreciação directa pelo STJ de prova não vinculada. V — Tais vias são tão-somente as taxativamente indicadas nas alíneas do n.º 2 do art. 410.º e eventualmente em outras disposições legais, como por exemplo requisito cominado sob pena de nulidade que não deva considerar-se sanada. (Ac. STJ de 19 de Novembro de 1989; *AJ,* n.º 4, 4);

— Os recursos para o STJ visam, em princípio, exclusivamente o reexame da matéria de direito (art. 433.º do CPP), mas podem no entanto ter também como fundamento a insuficiência para a decisão insanável da fundamentação e o erro notório na apreciação da prova, desde que tais vícios resultem do texto da decisão, por si ou conjugado com as regras da experiência comum, de acordo com o art. 410.º, n.º 2, do CPP. (Ac. STJ de 19 de Novembro de 1990; *AJ,* n.º 10/11, 10);

— A norma constante do art. 433.º do CPP não viola as garantias de defesa previstas no art. 32.º, n.º 1, da CRP, o qual não consagra o princípio

1024

Artigo 434º

do duplo grau de jurisdição em matéria de facto, no campo penal, uma vez que do respectivo texto se não vislumbra qualquer referência expressa a tal princípio. (Ac. STJ de 9 de Julho de 1992; *BMJ*, 419, 589). *Nota* — Dentro da mesma orientação, e de um modo geral sobre a amplitude do direito ao recurso em processo penal, veja-se, no mesmo número do *BMJ*, págs. 132 e segs., o extenso ac. do Tribunal Constitucional n.º 253/92, de 1 de Julho de 1992. Há vários acs. posteriores do STJ no mesmo sentido, *v. g.* ac. de 10 de Julho de 1996; *C, Acs. do STJ*, IV, tomo 2, 229;

— I — O art. 434.º do CPP, na redacção da Lei n.º 59/98, de 25 de Agosto, e já no domínio temporal de aplicação da Lei n.º 1/97 que modificou, por acrescentamento da expressão *incluindo o recurso,* o art. 32.º do texto constitucional, não consagra o direito ao duplo grau de recurso para reapreciação, sem limite, da matéria de facto provada na instância inferior, ficando o recurso com o âmbito conferido pela lei ordinária tal como anteriormente sucedia. II — Portanto, fora das hipóteses previstas no art. 410.º do CPP, o STJ não pode investigar se o tribunal de 1.ª instância proferiu uma decisão justa no campo da matéria de facto. (Ac. STJ de 21 de Abril de 1999, proc. 107/99-3.ª; *SASTJ,* n.º 30, 78);

— I — O art. 434.º do CPP fixa os poderes de cognição do STJ em relação às decisões objecto de recurso referidas nas alíneas *a), b)* e *c)* do art. 432.º, e não também às decisões da al. *d)*, pois em relação a estas o âmbito do conhecimento é fixado na própria alínea. II — A norma do art. 410.º do CPP deve ser interpretada restritivamente, não sendo aplicável aos recursos referidos na al. *d)* do art. 432.º. III — Assim, para conhecer de um recurso interposto de um acórdão do tribunal colectivo em que se invoca qualquer dos vícios previstos no art. 410.º é competente o tribunal da relação. (Ac. STJ de 12 de Maio de 1999, proc. n.º 557/99-3.ª; *SASTJ,* n.º 31, 83);

— I — Com a redacção dada pela Lei n.º 59/98, de 25 de Agosto, ao art. 432.º, alínea *d)*, do CPP, quis o legislador expressamente acentuar a ideia, que não estava patente na anterior redacção, de que os recursos para o STJ relativamente aos acórdãos finais proferidos pelo tribunal colectivo só podem abranger o reexame da matéria de direito. II — A referência aos vícios da sentença constante do texto revisto do art. 434.º deve ser entendida, para conjugação com o princípio acima enunciado, como pretendendo contemplar, a título de excepção, as situações dos recursos interpostos dos acórdãos finais proferidos pelo tribunal do júri — em que não haja qualquer ressalva quanto à matéria de direito — e dos próprios recursos interpostos das decisões das relações que versem sobre os vícios do art. 410.º, e que admitam recurso para o STJ. (Ac. STJ de 2 de Dezembro de 1999, proc. 790/99; *SASTJ,* n.º 36, 64);

— I — O STJ só conhece de matéria de direito, e, por tal motivo, o conhecimento de eventuais recursos interlocutórios que possam subir para apreciação conjunta com a decisão final só podem também versar matéria de direito. II — Não é isso que se passa com o pedido de gravação de prova, que respeita à produção e à forma de prova, e, como tal, o correspondente recurso recai sobre matéria cujo conhecimento se encontra vedado ao STJ. (Ac. STJ de 3 de Fevereiro de 2000, proc. n.º 1058/98-5.ª; *SASTJ,* n.º 38, 78);

— Ainda que flua so estatuído no art. 432.º, al. *b)*, do CPP, que o STJ conhece, em recurso, de decisões que não sejam irrecorríveis proferidas pelas relações, o certo é que os poderes de cognição daquele estão limitados pela

1025

Código de Processo Penal

baliza imposta pelo art. 434.º do mesmo diploma, que os restringe à matéria exclusivamente de direito. (Ac. STJ de 10 de Janeiro de 2001, proc. n.º 2742/ /00-3.ª; *SASTJ*, n.º 47, 64);

— I — A norma do corpo do art. 434.º do CPP só fixa os poderes de cognição do STJ em relação às decisões objecto de recurso referidas nas als. *a), b)* e *c)* do art. 432.º, e não também às da al. *d)*, pois que em relação a esta o âmbito do conhecimento é fixado na própria alínea, o que significa que relativamente ao acórdão final do tribunal colectivo o recurso para o STJ só pode visar o reexame da matéria de direito. II — Assim, o recurso que verse, ou verse também, matéria de facto, designadamente os vícios referidos no art. 410.º, terá sempre que ser dirigido à Relação, em cujos poderes de cognição está incluída a apreciação de uma e de outro, sem prejuízo de o STJ poder conhecer, oficiosamente, daqueles vícios, como condição do conhecimento de direito. (Ac. STJ de 29 de Março de 2001, proc. n.º 874/01-5.ª; *SASTJ*, n.º 49, 82);

— I — A norma do corpo do art. 434.º do CPP só fixa os poderes de cognição do STJ em relação às decisões objecto de recurso referidas nas alíneas *a), b)* e *c)* do art. 432.º, e não também às da alínea *d)*, pois em relação a estas o âmbito do conhecimento é fixado na própria alínea, o que significa que relativamente aos acórdãos finais do tribunal colectivo o recurso para o STJ só pode visar o reexame da matéria de direito. II — Assim, o recurso que verse, ou verse também, matéria de facto, designadamente os vícios referidos no art. 410.º, terá sempre que ser dirigido à Relação, em cujos poderes de cognição está incluída a apreciação de uma e outro, sem prejuízo de o STJ poder conhecer oficiosamente daqueles vícios como condição do conhecimento de direito. III — Não se verifica contradição entre esta posição e a possibilidade que assiste ao STJ de conhecer oficiosamente dos referidos vícios. Enquanto a invocação expressa dos vícios da matéria de facto visa sempre a reavaliação da matéria de facto que a Relação tem, em princípio, condições de conhecer e colmatar, se for caso disso, sendo claros os benefícios em sede de economia e celeridade processuais que, nesses caos, se conseguem, se o recurso para aí for encaminhado. O conhecimento oficioso pelo STJ é imposto pela sua natureza de tribunal de revista, que se vê privado da matéria de facto adequadamente provada e suficiente para constituir a necessária base de aplicação do direito. (Ac. STJ de 21 de Junho de 2001, proc. n.º 1294/01-5.ª; *SASTJ*, n.º 52, 60). *Nota* — Além dos anteriormente sumariados, há vários acs. posteriores do STJ no mesmo sentido;

— I — Tendo em conta a previsão dos arts. 432.º, al. *c)* e 434.º do CPC, no recurso para o STJ de acórdão final proferido por tribunal do júri, o recorrente pode suscitar questões relacionadas com a existência dos vícios a que se reporta o n.º 2 do art. 410.º do referido diploma. II — Porém, como resulta claramente de tais preceitos, não pode o STJ alterar a matéria de facto dada como provada, mesmo que a prova produzida em audiência de julgamento tenha sido gravada. (Ac. STJ de 15 de Janeiro de 2003; proc. n.º 2129/02-3.ª; *SASTJ*, n.º 67, 69);

— Nos recursos de decisões finais do Tribunal Colectivo, o STJ só conhece dos vícios do art. 410.º, n.º 2, do CPP, por sua própria iniciativa, e nunca a pedido do recorrente. (Acs. STJ de 20 de Março e de 3 de Abril de 2003; *CJ, Acs. do STJ*, XXVIII, tomo I, págs. 232 e 236, respectivamente);

— Atendendo ao disposto no art. 434.º do CPP, é de rejeitar, por manifesta improcedência, o recurso interposto para o STJ, de decisão da Relação proferida em recurso, quando o recorrente reproduz, na motivação e conclusões, considerações sobre matéria de facto que já havia apresentado no recurso para a Relação,

Artigo 436.º

sem cuidar de desenvolver qualquer fundamento de discordância com o aqui decidido. (Ac. STJ de 1 de Outubro de 2003; proc. n.º 2635/03-3.ª; *SASTJ*, n.º 74, 117);

— Tratando-se de recurso de deliberação do tribunal do júri, o STJ só pode sindicar a matéria de facto por via da revista alargada, com o alcance consentido pela indagação dos vícios a que se reporta o art. 410.º, n.º 2, do CPP. (Ac. STJ de 30 de Outubro de 2003; proc. n.º 3252/03-5.ª; *SASTJ*, n.º 74, 198);

— Pretendendo o recorrente que o STJ indague se o tribunal recorrido deu cobertura a um procedimento ilegal na formação da convicção a que chegou, não está a pedir que se aprecie matéria de facto, antes a legalidade do processo da sua aquisição, matéria que é da competência do STJ. (Ac. STJ de 15 de Janeiro de 2004; *CJ, Acs. STJ*, XII, tomo 1, 170);

— A norma do art. 434.º do CPP só fixa os poderes de cognição do STJ em relação às deciões objecto de recurso referidas nas als. a), b) e c) do art. 432.º do mesmo diploma e não também Às da al. d), pois em relação a estas o âmbito do conhecimento é fixado na própria alínea, o que significa que, relativamente aos acórdãos finais do tribunal colectivo, o recurso para o STJ só pode visar o reexame da matéria de direito. (Ac. STJ de 1 Março de 2006, proc. n.º 126/06-3.ª);

— O STJ, em recurso de decisão da Relação, não pode conhecer de questões que, embora resolvidas ou surgidas na sequência do decidido em sede de primeira instância, não haviam sido submetidas a apreciação e julgamento no tribunal da segunda instância. (Ac. STJ de 16 de Maio de 2007; *CJ, Acs. do STJ,* ano XV, tomo 2, 182).

ARTIGO 435.º

(Audiência)

Na audiência o tribunal é constituído pelo presidente da secção, pelo relator e por um juiz-adjunto.

1. O texto deste artigo foi introduzido pela Lei n.º 48/2007, de 29 de Agosto, em substituição do anterior, que não era o originário mas o que resultava da Lei n.º 59/98, de 25 de Agosto, segundo o qual na audiência o tribunal era constituído pelo presidente da secção, pelo relator e por três juízes-adjuntos.

Trata-se de alteração da constituição do tribunal em audiência idêntica a outras introduzidas nos arts. 429.º e 419.º, para cujas anots. remetemos, e cuja problemática foi também aludida em anot. ao art. 417.º.

2. Ao contrário do que sucede nos julgamentos em conferência, em que o presidente só vota para desempatar (art. 419.º, n.º 2), nos julgamentos em audiência o presidente vota sempre, e não apenas para desempatar, votando em último lugar (art. 365.º, n.os 4 e 5).

ARTIGO 436.º

(Alteração da composição do tribunal)

Não sendo possível a participação na audiência dos juízes que intervieram na conferência, são chamados outros juízes, designando--se novo relator ou completando-se os vistos.

Código de Processo Penal

1. O texto deste artigo foi introduzido pela Lei n.º 59/98, de 25 de Agosto e reproduz o n.º 2 do artigo 435.º da versão originária do Código.

2. O art. 436.º da versão originária do Código era do seguinte teor:

> *Se o Supremo Tribunal de Justiça decretar o reenvio do processo, o novo julgamento compete ao tribunal, de categoria e composição idênticas às do tribunal que proferiu a decisão recorrida, que se encontrar mais próximo.*

O dispositivo foi aqui eliminado em virtude de a Lei supramencionada na anot. 1 ter introduzido os novos dispositivos do art. 426.º-A.

TÍTULO II
DOS RECURSOS EXTRAORDINÁRIOS

CAPÍTULO I
DA FIXAÇÃO DE JURISPRUDÊNCIA

ARTIGO 437.º
(Fundamento do recurso)

1. Quando, no domínio da mesma legislação, o Supremo Tribunal de Justiça proferir dois acórdãos que, relativamente à mesma questão de direito, assentem em soluções opostas, cabe recurso, para o pleno das secções criminais, do acórdão proferido em último lugar.

2. É também admissível recurso, nos termos do número anterior, quando um tribunal de relação proferir acórdão que esteja em oposição com outro, da mesma ou de diferente relação, ou do Supremo Tribunal de Justiça, e dele não for admissível recurso ordinário, salvo se a orientação perfilhada naquele acórdão estiver de acordo com a jurisprudência já anteriormente fixada pelo Supremo Tribunal de Justiça.

3. Os acórdãos consideram-se proferidos no domínio da mesma legislação quando, durante o intervalo da sua prolação, não tiver ocorrido modificação legislativa que interfira, directa ou indirectamente, na resolução da questão de direito controvertida.

4. Como fundamento do recurso só pode invocar-se acórdão anterior transitado em julgado.

5. O recurso previsto nos n.os 1 e 2 pode ser interposto pelo arguido, pelo assistente ou pelas partes civis e é obrigatório para o Ministério Público.

Artigo 437.º

1. O texto do n.º 1 deste artigo foi introduzido pela Lei n.º 48/2007, de 29 de Agosto, porém sem relevante alteração de fundo, pois que a legitimidade para a interposição do recurso passou a estar regulada no n.º 5, aditado pela mesma Lei.

No rsetante o artigo cnserva a versão originária, com alterações introduzidas pela Lei n.º 59/98, de 25 de Agosto.

2. A Lei de Autorização legislativa — 43/86, de 26 de Setembro —, art. 2.º, n.º 2, al. 75), determinou a regulamentação, em termos autónomos e eventualmente alargados relativamente à disciplina vigente em processo civil, do recurso para fixação de jurisprudência ou de um recurso no interesse da lei.

Neste título regulam-se os recursos extraordinários, designação que lhes advém da circunstância de serem interpostos após o trânsito em julgado das decisões.

O Capítulo I regula o recurso extraordinário para fixação de jurisprudência, incluindo o recurso no interesse da unidade do direito e foi estruturado dentro daqueles parâmetros da Lei de Autorização legislativa e levando-se em conta as posições ultimamente assumidas pela doutrina mais autorizada sobre a natureza dos assentos e sua eventual inconstitucionalidade nos moldes em que eram regulados no CPC.

A este respeito convém desde já destacar que os acórdãos que resolvem o conflito e fixam a jurisprudência só têm eficácia nos termos do art. 445.º, n.º 1 e podem vir a ser reexaminados e modificados pelo plenário das secções criminais (art. 447.º, n.º 2). Esses acórdãos, que têm sido designados de *assentos,* perderam assim a sua contestada força externa, que era inconstitucional, regressando à função que tinham na versão de 1939 do CPC. Deixa portanto de, neste aspecto, vigorar o art. 2.º do CC, que aos assentos atribui força obrigatória geral.

Isto mesmo veio posteriormente a ser firmado pelo Tribunal Constitucional — ver *infra.*

Sobre estas questões pode ver-se a extensa declaração de voto do Conselheiro Campos Costa; *BMJ,* 355, 128 e segs., onde vem mencionada a doutrina mais representativa.

3. O n.º 1 acompanha de perto o n.º 1 do art. 763.º do CPC; o n.º 2 os arts. 669.º do CPP de 1929 e 764.º do CPC; o n.º 3 o n.º 3 do art. 763.º do CPC e o n.º 4 o n.º 4 do mesmo art. 763.º.

Constatam-se diferenças de redacção entre as disposições dos dois diplomas, mas no essencial as soluções são idênticas.

As alterações introduzidas no n.º 2, já especificadas na anot. 1, decorreram das alterações no recurso para fixação de jurisprudência por imposições de parâmetros constitucionais e que serão mais pormenorizadamente referidos em anots. aos artigos seguintes. A ressalva formulada na parte final deste dispositivo afigura-se-nos até de algum modo desnecessária, face à evidência da solução.

4. O n.º 5, aditado pela supramencionada Lei no n.º 1, estabeleceu relevante alteração ao regime anterior, ao tornar obrigatória para o MP a interposição do recurso previsto nos n.ᵒˢ 1 e 2.

1029

Código de Processo Penal

Na Exposição de Motivos não se encontra minimamente justificada a introdução desta medida, cuja premência não vinha sendo insistentemente exigida na doutrina ou na jurisprudência.

A obrigatoriedade de o MP intepor recurso extraordinário para fixação de jurisprudência nos casos especificados nos n.ºs 1 e 2, em nosso entendimento, é uma medida discutível e muitas vezes impraticável. Para além disto, também por vezes perturbadora, desnecessária e inútil.

A este propósito recordamos uma medida de clemência amnistrando transgressões previstas no Código de Estrada quando, em 1977 ou 1978 exercíamos funções na Relação de Lisboa.

A Relação, à semelhança do que sucedera comarcas de Almada e de Lisboa, dividiu-se quanto à questão de saber se as transgressões cometidas na Ponte 25 de Abril estavam ou não amnistiadas. Foi questão que não perdurou no tempo.Que interesse relevante pode haver em interpor recurso para fixação de jurisprudência em casos como este ou outros semelhantes, demais tratando-se de recurso com tramitação morosa e em que, normalmente, aquando da fixação de jurisprudência, as infracções estariam prescritas e casos iguais não se poderiam repetir?

Por outro lado, entendemos e já vimos sustentado que, entrado um diploma legislativo em vigor, não é conveniente que se fixe a jurisprudência sobre questões nele tratadas, apressadamente, logo à primeira divergência jurisprudêncial, sendo prudente dar algum tempo para ponderação de orientações.

Sucede ainda que a estabelecida obrigatoriedade vem impor ao MP uma missão quase impraticável – diríamos impossível – qual é a de conhecer toda a jurisprudência do STJ e das Relações, muita dela não publicada; de ponderar atentamente se tratou da mesma questão de direito e se as decisões foram proferidas no domínio da mesma legislação. Poderíamos sobre esta questão aditar mais extensas anotações; isso excederia porém o âmbito desta obra e seria de algum modo desnecessário, pois todos os que conhecem as normas relativas aos recursos extraordinários para fixação de jurisprudência, tanto em processo civil como em processo penal, bem se terão apercebido das questões que aqui tão frequentemente se suscitam, mormente no que concerne à identidade das questões, ao domínio da mesma legislação e ao conhecimento de jurisprudência do STJ e das Relações.

5. *Jurisprudência obrigatória:*
— O ac. do Trib. Constitucional n.º 743/96, de 28 de Maio; *DR,* I-A série de 18 de Julho do mesmo ano, declarou a inconstitucionalidade, com força obrigatória geral, da norma do art. 2.º do Código Civil, na parte em que atribui aos tribunais competência para fixar doutrina com força obrigatória geral, por violação do disposto no art. 115.º, n.º 5, da Constituição.

6. *Jurisprudência:*
— Não são inconstitucionais as normas que permitem o recurso extraordinário para fixação de jurisprudência, regulado nos arts. 437.º e segs. do CPP. (Ac. STJ de 20 de Fevereiro de 1991, Proc. 41 634/3.ª);
— Para que exista a oposição a que se refere o art. 437.º do CPP torna-se necessário que os acórdãos em confronto assentem relativamente à mesma

Artigo 437.º

questão fundamental de direito em soluções opostas e no domínio da mesma legislação, sendo necessário que os mesmos preceitos sejam interpretados e aplicados diversamente a factos idênticos; e que uma das decisões tenha estabelecido por forma expressa doutrina contrária à fixada na outra, não sendo suficiente que em uma possa ver-se aceitação tácita da doutrina contrária à enunciada na outra; a oposição tem de ser expressa, e não apenas tácita. (Ac. STJ de 18 de Setembro de 1991; *BMJ*, 409, 664);

— I — Quando tenham sido interpostos recursos de diversos acórdãos das relações para uniformização de jurisprudência, nos termos dos arts. 437.º e segs. do CPP, relativamente à mesma questão de direito, e tiver sido fixada num deles a correspondente jurisprudência obrigatória, os restantes recursos, com o mesmo objecto, verificada que seja a sua admissibilidade e a oposição de julgados, nos termos e na conferência, face aos arts. 440.º e 441.º do CPP, devem em tal conferência ver declarada a sua extinção, nos termos das disposições combinadas dos arts. 287.º, al. *e)*, do CPC e 4.º e 417.º, n.º 2, al. *a)*, do CPP, por inutilidade superveniente, desde logo e na mesma conferência se ordenando a remessa do processo à Relação respectiva, para reexame da decisão proferida no acórdão recorrido, nos termos e para os efeitos do art. 445.º do CPP. II — Se já tiver tido lugar a conferência imposta pelo art. 441.º do CPP ordenando o prosseguimento dos autos por se verificar oposição relevante, deverá também, em nova conferência e não no Plenário da secção criminal, ser proferida a decisão referida em I, por se encontrar precludido o objecto de tal recurso: a jurisprudência obrigatória que o mesmo visava alcançar, e só restar a aplicação da jurisprudência obrigatória já fixada, daí tirando as necessárias consequências. (Ac. STJ de 23 de Junho de 1993; *BMJ,* 428, 470). *Nota* — No mesmo sentido o ac. de 30 do mesmo mês, *ibidem,* 501);

— O recurso para fixação de jurisprudência tem natureza excepcional, pelo que a interpretação das normas que o regulam deve ser feita com o rigor bastante para o conter num varácter extraordinário, de modo a não ser transformado em mais um recurso ordinário. (Ac. STJ de 26 de Setembro de 1996; *CJ, Acs. do STJ,* IV, tomo 3, 142);

— Não pode ser invocado como fundamento de recurso extraordinário para fixação de jurisprudência o estabelecido em acórdão proferido como jurisprudência obrigatória. (Ac. STJ de 23 de Outubro de 1996; *BMJ,* 460, 594);

— A expressão normativa *soluções opostas,* utilizada no n.º 1 do art. 437.º do CPP, não pode deixar de pressupor que nos acórdãos recorrido e fundamento a situação de facto deva ser idêntica; que em ambos tenha havido expressa solução de direito, e que a oposição entre eles detectada respeite às decisões e não apenas aos seus fundamentos, o que impõe a necessidade de se verificar não só a oposição entre as razões de direito que apoiam uma e outra, como também a identidade dos factos que se contemplem nas duas decisões. (Ac. STJ de 3 de Dezembro de 1998, proc. 2/98-3.ª; *SASTJ,* n.º 26, 74);

— Como resulta claramente do art. 437.º, n.º 2, do CPP, para haver neste caso recurso extraordinário para fixação de jurisprudência é necessário que o acórdão recorrido tenha sido proferido por um tribunal da relação, servindo de acórdão fundamento um outro proferido pelo STJ. Logo, não é admissível aquele recurso quando o acórdão recorrido é do STJ e o acórdão fundamento da Relação. (Ac. STJ de 15 de Abril de 1999, proc. 297/99-3.ª; *SASTJ,* n.º 30, 76);

1031

Código de Processo Penal

— Para que se tenha por existente a oposição a que se refere o art. 437.º do CPP, é necessário que os mesmos dispositivos sejam interpretados e aplicados diversamente a factualidades idênticas, sendo ainda de exigir que uma das decisões tenha estabelecido por forma expressa entendimento contrário ao fixado na outra. (Ac. STJ de 6 de Maio de 1999, proc. n.º 191/99-3.ª; *SASTJ*, n.º 31, 79);

— A identidade de questão de direito debatida nos acórdãos em oposição, para efeito de interposição de recurso para fixação de jurisprudência, tanto se pode traduzir na mesma questão como em questões diversas, se, neste último caso, os dois acórdãos contraditórios se pronunciarem de maneira oposta acerca de qualquer ponto jurídico neles discutido, suposto que a questão de direito em apreço nos acórdãos seja fundamentalmente a mesma e haja sido decidida de modo oposto. (Ac. STJ de 27 de Maio de 1999, proc. n.º 410//99-3.ª; *SASTJ*, n.º 31, 92);

— Não estão feridas de inconstitucionalidade as normas dos n.ºˢ 1 e 2 do art. 437.º do Código de Processo Penal, em virtude de não admitirem recurso extraordinário para fixação de jurisprudência quando os acórdãos em oposição emanaram de tribunais de graus diferentes e não no mesmo plano da hierarquia judiciária. (Ac. do Trib. Constitucional n.º 571//98, proc. 515/97, de 7 de Outubro de 1998; *DR*, II série, de 26 de Novembro de 1999);

— I — A expressão «no domínio da mesma legislação», constante do n.º 3 do art. 437.º do CPP, não deve ser entendida em termos rígidos e absolutos. O que importa é que, tendo embora ocorrido durante o intervalo da prolação dos acórdãos em confronto modificação legislativa, essa modificação não interfira, directa ou indirectamente, na resolução da questão de direito controvertida. II — Não se verificando tal interferência, a mera circunstância formal e objectiva de haver sucedido uma modificação de normas é irrelevante para, por si só, afastar ou excluir o pressuposto do recurso para fixação de jurisprudência consubstanciado na oposição de julgados. (Ac. STJ de 21 de Outubro de 1999, proc. 545/96-5.ª; *SASTJ*, n.º 34, 82);

— Todos os requisitos para o recurso para fixação de jurisprudência estabelecidos nos arts. 437.º e 438.º, n.º 1, do CPP são de admissibilidade, pelo que devem encontrar-se preenchidos no momento da interposição do recurso. (Ac. do STJ de 12 de Janeiro de 2000, proc. 1062/99-3.ª; *SASTJ*, n.º 37, 59);

— Não é admissível interpor recurso para fixação de jurisprudência de um acórdão do STJ apresentando como fundamento um acórdão de Tribunal da Relação. (Ac. STJ de 13 de Janeiro de 2000, proc. 892/99-3.ª; *SASTJ*, n.º 37, 70);

— A disposição do n.º 2 do art. 437.º do CPP deve considerar-se correspondentemente aplicável ao recurso previsto no art. 446.º, por força do n.º 2 deste preceito do mesmo Código. (Ac. STJ de 8 de Novembro de 2000, proc. n.º 2729/2000-3.ª; *SASTJ*, n.º 45, 59);

— A disposição do n.º 2 do art. 437.º do CPP, ao exigir que já não seja admissível recurso ordinário, deve considerar-se correspondentemente aplicável ao recurso de decisão proferida contra jurisprudência fixada pelo STJ, nos termos do n.º 2 do art. 446.º do mesmo Código. (Ac. STJ de 16 de Novembro de 2000, proc. n.º 1772/2000-3.ª; *SASTJ*, n.º 45, 61);

1032

Artigo 437.º

— I — O CPP prevê três tipos de recursos respeitantes à uniformização de jurisprudência:

a) Recurso com vista à uniformização de jurisprudência sobre uma questão de direito que encontra soluções opostas nos tribunais superiores (arts. 437.º a 445.º do CPP);

b) Recurso de decisão proferida contra jurisprudência fixada pelo STJ (art. 446.º do CPP); e

c) Recursos no interesse da unidade do direito (recurso para fixação de jurisprudência a interpor de acórdão transitado há mais de 30 dias — art. 447.º, n.º 1, do CPP e recurso para reexame de jurisprudência fixada anteriormente — art. 447.º, n.º 2, do CPP). II — O primeiro daqueles recursos visa fixação de jurisprudência e a decisão que resolver o conflito não constitui jurisprudência obrigatória para os tribunais judiciais, mas estes devem fundamentar as divergências relativas à jurisprudência fixada naquela decisão. A eficácia de tal decisão no caso concreto é uma consequência acessória em relação àquele escopo e limita-se ao processo em que o recurso tiver sido interposto e aos processos cuja tramitação tiver sido suspensa nos termos do art. 441.º, n.º 2, por força do n.º 1 do art. 445.º, e sempre sem prejuízo do disposto no art. 443.º, n.º 3, todos do CPP. (Ac. STJ de 30 de Novembro de 2000; proc. n.º 3293/2000- -3.ª; *SASTJ*, n.º 45, 80);

— Nos termos do n.º 1 do art. 437.º do CPP, no recurso para fixação de jurisprudência só pode invocar-se um único acórdão fundamento e uma única questão de direito. (Ac. STJ de 12 de Março de 2003; proc. n.º 4623/02-3.ª; *SASTJ*, n.º 69, 45);

— A norma do art. 437.º do CPP não é inconstitucional, quando interpretada no sentido de o recurso extraordinário para fixação de jurisprudência não ser admissível quando a oposição de julgados se materializa não entre acórdãos, mas entre um acórdão da Relação e um despacho do presidente da Relação, proferido nos termos do n.º 4 do art. 405.º do mesmo Código. (Ac. Trib. Constitucional n.º 168/2003, de 28 de Março de 2003; proc. n.º 695/2002; *DR*, II série, de 26 de Maio do mesmo ano);

— I — No caso de recurso para fixação de jurisprudência interposto pelo arguido, assistente ou partes civis, é razoável e lógico, à luz do sistema, a exigência do interesse em agir, traduzido na possibilidade de a decisão que resolver o conflito ter, por força do disposto no art. 445.º, n.º 1, do CPP, eficácia favorável ao recorrente no processo em que aquele recurso foi interposto. II — Não existindo essa possibilidade, o recurso é inadmissível por falta de interesse em agir por parte do recorrente. (Ac. STJ de 9 de Julho de 2003; proc. n.º 2091/03-3.ª; *SASTJ*, n.º 73, 121);

— Não é possível a indicação de mais do que um acórdão fundamento do recurso extraordinário para fixação de jurisprudência, não cabendo ao tribunal a obrigação de formulação de qualquer convite ao recorrente para cumprimento dessa imposição, quando a não satisfaça inicial ou posteriormente. (Ac. STJ de 27 de Novembro de 2003; proc. n.º 465/02-5.ª; *SASTJ*, n.º 75, 122);

— I — Face ao nosso regime legal em sede de recurso extraordinário para fixação de jurisprudência, a oposição exige que as asserções antagónicas dos acórdãos invocados como opostos tenham tido como efeito consagrar soluções diferentes para a mesma questão de direito; as decisões em oposição sejam

Código de Processo Penal

expressas; e as situações de facto e o respectivo enquadramento jurídico sejam, em ambas as decisões, idênticos. II — A expressão soluções opostas pressupõe que nos dois acórdãos é idêntica a situação de facto, em ambos havendo expressa resolução de direito e que a oposição respeita às decisões, e não aos fundamentos. (Ac. STJ de 25 de Março de 2004, proc. n.º 3758/03-5.ª);

— I — A admissibilidade de recurso extraordinário para fixação de jurisprudência depende do cumprimento, por parte do recorrente, de requisitos de ordem formal, designadamente que ele indique um só acórdão fundamento – art. 437.º, n.º 4, do CPP, e caso este acórdão tenha sido publicado, o lugar da publicação – art. 438.º, n.º 2, também do CPP. II – Indicando o reorrente três acórdãos fundamento, o recurso deve ser rejeitado. (Ac. STJ de 4 de Janeiro de 2006, proc. n.º 3786/05-5.ª);

— I — O recurso para fixação de jurisprudência tem natureza excepcional, bem como tramitação especial e autónoma, com o objectivo primordial de estabilizar e uniformizar a jurisprudência. II — O confronto entre o acórdão recorrido e o acórdão fundamento deve, quanto a este último, cingir-se apenas à identificação de um aresto. III — A menção de mais que um acórdão fundamento conduz à rejeição deste recurso, não sendo admissível formular qualquer convite para correcção da petição de recurso. (Ac. STJ de 12 de Março de 2008; *CJ, Acs. STJ,* ano XVI, tomo 1, 253).

ARTIGO 438.º
(Interposição e efeito)

1. O recurso para a fixação de jurisprudência é interposto no prazo de trinta dias a contar do trânsito em julgado do acórdão proferido em último lugar.

2. No requerimento de interposição do recurso o recorrente identifica o acórdão com o qual o acórdão recorrido se encontre em oposição e, se este estiver publicado, o lugar da publicação e justifica a oposição que origina o conflito de jurisprudência.

3. O recurso para fixação de jurisprudência não tem efeito suspensivo.

---

1. Reproduz o art. 438.º do Proj. O n.º 1 não tem correspondente no direito anterior; o n.º 2 corresponde ao n.º 2 do art. 765.º do CPC e o n.º 3 ao n.º 1 do referido art. 765.º

2. Contrariamente ao que sucede nos recursos ordinários, que são interpostos antes do trânsito em julgado da decisão de que se recorre, este recurso extraordinário para fixação de jurisprudência só pode ser interposto após o trânsito (nos 30 dias a contar da ocorrência do trânsito), pois que antes de este ocorrer não há oposição de julgados nem soluções opostas, não se verificando assim um dos pressupostos da interposição deste recurso. Se o recurso for interposto antes de se verificar o trânsito em julgado, terá que ser rejeitado, por intempestivo.

1034

Artigo 438.º

3. O recurso interposto nos termos do art. 437.º é um recurso extraordinário, a interpor no prazo de 30 dias a contar do trânsito da decisão de que se recorre. A partir do decurso desse prazo de 30 dias pode ser interposto recurso no interesse da unidade do direito, nos termos do art. 447.º. Este recurso do art. 447.º só pode ser interposto pelo procurador-geral da República, enquanto que para a interposição do recurso nos termos do art. 437.º, nos 30 dias subsequentes ao trânsito, têm legitimidade o MP, o arguido, o assistente e as partes civis. Por isso se compreende que, além da legitimidade para a interposição, outras diferenças marcantes existam entre os dois recursos, *maxime* quanto à eficácia da decisão, que no caso do art. 437.º se produz no processo em que o recurso foi interposto, não obstante o trânsito que durante 30 dias é condicional, enquanto que no caso do art. 447.º a decisão é só para o efeito de a jurisprudência ser fixada, não tendo portanto qualquer reflexo no processo em que o recurso foi interposto.

4. Os n.ᵒˢ 2 e 3 têm alcance idêntico ao das disposições do CPC que lhes correspondem, e que foram indicadas *supra,* n.º 1.
A norma do n.º 3, inserida no processo penal, pode vir a criar dificuldades, mormente nos casos em que há arguidos a cumprir penas de prisão. É que, como o recurso não tem efeito suspensivo e a decisão transitou em julgado (embora o trânsito seja condicional e dependente de uma condição resolutiva), pode vir a verificar-se que, em virtude de o acórdão que resolve o conflito e fixa a jurisprudência ter eficácia no processo (art. 445.º, n.º 1), a prisão a final venha a ser considerada injustificada, por ilegal, com possível direito a indemnização dos danos sofridos pela privação da liberdade (art. 225.º, n.º 1).

5. *Jurisprudência fixada:*
— Considerando o disposto nos artigos 412.º, n.ᵒˢ 1 e 2, alínea *b)*; 420.º, n.º 1; 438.º, n.º 2 e 448.º, todos do Código de Processo Penal, no requerimento de interposição de recurso para fixação de jurisprudência deve constar, sob pena de rejeição, para além dos requisitos exigidos no referido artigo 438.º, n.º 2, o sentido em que deve fixar-se a jurisprudência cuja fixação é pretendida. (Ac. do Pleno das secções criminais do STJ de 30 de Março de 2000; *DR,* I – A série, de 27 de Maio de 2000).
Nota do autor. Sempre discordámos da *jurisprudência fixada* que acaba de ser sumariada. Em nosso entendimento, o recorrente, depois de identificar o acórdão com o qual o acórdão recorrido se encontre em oposição e de justificar a oposição que origina o conflito de jurisprudência, pedirá simplesmente a resolução do conflito, não sendo necessário que indique o sentido em que deve fixar-se a jurisprudência.
Em recurso extraordinário interposto ao abrigo do art. 446.º do CPP, o Pleno das secções criminais do STJ, em acórdão proferido em 20 de Abril de 2006, publicado no *DR,* I – A série de 6 de Junho do mesmo mês, considerou ultrapassada a jurisprudência que fixara e, reexaminado-a, fixou outra em sua substituição.
Transcreve-se seguidamente a parte decisória do referido acórdão de substituição.
Tudo visto, o pleno das secções criminais do Supremo Tribunal de Justiça, reunido em conferência para apreciar o recurso oposto pelo Ministério Público

Código de Processo Penal

ao acórdão, da 5.ª Secção, que, em 16 de Junho de 2005, contrariou a jurisprudência fixada pelo acórdão n.º 9/2000, de 30 de Março (*Diário da República*, 1.ª série – A, de 27 de Mai de 2000: "No requerimento de interposição de recurso de fixação de jurisprudência deve constar, sob pena de rejeição para além dos requisitos exigidos no (...) artigo 438.º, n.º 2 (do Código de Processo Penal), o sentido em que deve fixar-se a jurisprudência cuja fixação é pretendia."):

I) Reputa ultrapassada a jurisprudência então fixada;

II) Reexaminando-a, fixa, em sua substituição, jurisprudência no sentido de que "no requerimento de interposição do recurso extraordinário de fixação de jurisprudência (artigo 437.º, n.º 1, do Código de Processo Penal), o recorrente, ao pedir a resolução do conflito (artigo 445.º, n.º 1), não tem de indicar 'o sentido em que deve fixar-se jurisprudência' (arigo 442.º, n.º 2)".

6. *Jurisprudência:*

— I — Estando pendentes vários processos sobre a mesma questão objecto de um recurso para fixação de jurisprudência, deve ser suspenso o processo mais recente, uma vez que seria desenvolver actividade inútil, pois o julgamento é feito pelos mesmos juízes. II — Basta que seja proferida decisão em um dos processos, até na medida em que, nos termos do art. 445.º do CPP, a decisão que resolver o conflito tem eficácia nesse processo e constitui jurisprudência obrigatória para os tribunais judiciais. (Ac. STJ de 24 de Abril de 1991; Proc. 41 782/3.ª);

— O prazo de interposição de recurso extraordinário para fixação de jurisprudência é interrompido com a interposição de recurso da decisão final para o Tribunal Constitucional. (Ac. STJ de 4 de Maio de 1995; *CJ, Acs. do STJ*, III, tomo 2, 187);

— No recurso extraordinário para fixação de jurisprudência, o recorrente, além de observar os requisitos exigidos no art. 438.º, n.ᵒˢ 1 e 2, do CPP, deve também indicar o sentido que, no seu entendimento, importa que venha a ter a jurisprudência cuja fixação integra o objecto do recurso. (Ac. STJ de 8 de Julho de 1998; *CJ, Acs. do STJ*, VI, tomo 2, 237);

— I — No recurso para fixação de jurisprudência não basta alegar os pressupostos da sua admissão, já que estes importam, fundamentalmente, para prolação do acórdão preliminar a que se refere o art. 441.º do CPP. II — Haverá que indicar ainda, sob pena de rejeição, quer a motivação do recurso quer nas suas conclusões, o sentido em que, face aos acórdãos ditos em oposição, se deve fixar a jurisprudência. (Ac. STJ de 7 de Outubro de 1999, proc. 788/99-5.ª; *SASTJ*, n.º 34, 76);

— I — No recurso extraordinário para fixação de jurisprudência não é permitida a invocação de mais do que um acórdão fundamento, assim como de um acórdão recorrido. II — A exigência de confrontar apenas dois acórdãos — o recorrido e o fundamento — assenta numa lógica de delimitação precisa da questão ou questões a decidir. III — Se o recorrente invoca uma pluralidade de acórdãos fundamento, estamos perante uma situação em que a causa de pedir não suporta o pedido, ou, melhor dizendo, de ausência de causa de pedir. IV — Aquela exigência formal não deve ser temperada com convite ao recorrente, quando a petição não a satisfaça, pois o processo penal não alberga qualquer princípio geral de convite à correcção ou aperfeiçoamento das peças processuais defeituosas. V — Assim, quando a petição não satisfaça essa exigência formal, há manifesta inaptidão do pedido, impondo-se a rejeição do recurso. (Ac. STJ de 10 de Outubro de 2002; proc. n.º 2354/02-5.ª; *SASTJ*, n.º 64, 110);

1036

Artigo 438.º

— I — No requerimento de interposição de recurso para fixação de jurisprudência deve constar, para além dos requisitos exigidos no art. 438.º, n.º 2, de CPP, o sentido em que deve fixar-se a jurisprudência cuja fixação é pretendida. II — Mas não basta ao recorrente indicar, genericamente, que a jurisprudência deve ser fixada pelo STJ no sentido de um dos acórdãos em oposição, pois torna-se imperativo que redija o texto que, na sua óptica, o STJ deve vir a adoptar. (Ac. STJ de 8 de Julho de 2003; proc. n.º 2543/03-5.ª; *SASTJ*, n.º 73, 146);

— O recurso para fixação de jurisprudência deve ser interposto nos trinta dias subsequente ao trânsito em julgado da decisão recorrida, pelo que terá de ser rejeitado, por intempestivo, se no momento da interposição ainda se não mostrar transitado. (Ac. STJ de 9 de Outubro de 2003; proc. n.º 2711/03-5.ª). *Nota.* No mesmo sentido acs. STJ de 8 de Outubro de 1998, proc. n.º 784/98 e de 9 de Outubro de 2003, proc. n.º 2711/03-5.ª; *SASTJ*, n.º 74, 172;

— No requerimento de interposição de recurso para fixação de jurisprudência não é obrigatório que se indique o sentido em que deve ser fixada a jurisprudência. (Ac. STJ de 16 de Junho de 2005; *CJ, Acs. do STJ*, ano XIII, tomo 2, 223);

— I — Em recurso para fixação de jurisprudência não pode o requerente deixar de indicar qualquer acórdão que esteja em divergência com o recorrido (acórdão fundamento), não podendo valer como indicação a simples remissão para o texto e para as indicações jurisprudenciais constantes de acórdão recorrido. II – A possibilidade de completar as conclusões (arts. 448.º e 412.º, n.º 2, do CPP), quando contenham deficiências, não abrange a superação de deficiências ou omissões do próprio requerimento ou da motivação. III – A referida deficiência, insusceptível de correcção afectar o requerimento (e a motivação) e não só as conclusões, determina a rejeição do recurso, nos termos dos arts. 411.º, n.º 3; 412.º, n.º 1; 414.º, n.º 2; 437.º; 438.º e 448.º, todos do CPP. (Ac. STJ de 29 de Setembro de 2005, proc. n.º 642/05-3.ª; *SASTJ*, n.º 93, 108);

— I — O recurso em vista da fixação de jurisprudência é, nos termos do art. 438.º, n.º 1, do CPP, interposto no prazo de 30 dias a contar do trânsito em julgamento do acórdão proferido em último lugar, só a partir do decurso deste prazo podendo ser interposto recurso no interesse da uniformidade do direito, já que antes da publicação daquele efeito não está instalada definitivamente a controvérsia legitimante da intervenção do STJ. II – A consequência legal de o recurso ter dado entrada antes de esgotado aquele prazo de 30 dias é a sua rejeição liminar. (Ac. STJ de 25 de Janeiro de 2006, Proc. n.º 3630/05-5.ª);

— I — Do regime legal dos recursos extraordinários para fixação de jurisprudência resulta que só é admissível recurso de acórdão da Relação em oposição com outro do STJ, aquele sendo o recorrido, e nunca o fundamento. De outra forma subalternizar-se-ia o papel decisor do STJ, topo da pirâmide judiciária. II – No recurso extraordinário para fixação de jurisprudência, além do mais, há-de o recorrente satisfazer os seguintes requisitos formais: indicar um só acórdão fundamento; indicar o lugar da sua publicação; justificar a oposição que dá origem ao conflito; indicar o sentido da jurisprudência a fixar; e formular conclusões da motivação. (Ac. STJ de 18 de Janeiro de Janeiro de 2006, proc. n.º 4120/05-3.ª).

1037

Código de Processo Penal

ARTIGO 439.º
(Actos de secretaria)

1. Interposto o recurso, a secretaria faculta o processo aos sujeitos processuais interessados para efeito de resposta no prazo de dez dias e passa certidão do acórdão recorrido certificando narrativamente a data de apresentação do requerimento de interposição e da notificação ou do depósito do acórdão.

2. O requerimento de interposição do recurso e a resposta são autuados com a certidão, e o processo assim formado é presente à distribuição ou, se o recurso tiver sido interposto de acórdão da relação, enviado para o Supremo Tribunal de Justiça.

3. No processo donde foi interposto o recurso fica certidão do requerimento de interposição e do despacho que admitiu o recurso.

---

1. Reproduz o art. 439.º do Proj.; o prazo de 10 dias foi porém estabelecido pela Lei n.º 59/98, de 25 de Agosto (na versão originária o prazo era de 8 dias), em virtude de os prazos em processo penal terem passado a correr continuamente, como em processo civil. Não existiam disposições correspondentes no CPP de 1929 e corresponde ao art. 765.º, n.º 4, do CPC.

2. Dos sujeitos processuais interessados excluem-se aqui o recorrente ou os recorrentes, pois que estes devem ter justificado no requerimento a existência da oposição e os demais pressupostos do recurso. A resposta é aqui tão só sobre os pressupostos processuais: competência, legitimidade, tempestividade, domínio da mesma legislação, oposição de soluções de direito, acórdão anterior transitado em julgado, regime do recurso, ou sobre outras questões que devam ser suscitadas preliminarmente, como por exemplo a inutilidade superveniente da lide em virtude de uma lei nova ter retirado toda a utilidade a uma eventual decisão uniformizadora.

ARTIGO 440.º
(Vista e exame preliminar)

1. Recebido no Supremo Tribunal de Justiça, o processo vai com vista ao Ministério Público, por dez dias, e é depois concluso ao relator, por dez dias, para exame preliminar.

2. O relator pode determinar que o recorrente junte certidão do acórdão com o qual o recorrido se encontra em oposição.

3. No exame preliminar o relator verifica a admissibilidade e o regime do recurso e a existência de oposição entre os julgados.

4. Efectuado o exame, o processo é remetido, com projecto de acórdão, a vistos do presidente e dos juízes-adjuntos, por dez dias, e depois à conferência, na primeira sessão que tiver lugar.

1038

Artigo 441.º

5. É correspondentemente aplicável o disposto no artigo 418.º, n.º 2.

---

1. Os prazos fixados nos n.ºs 1 e 4 foram estabelecidos pela Lei n.º 59/98, de 25 de Agosto (na versão originária eram de 5 dias) em virtude de os prazos em processo penal terem passado a correr continuamente, como em processo civil. A mesma Lei introduziu também o n.º 5, que não tinha correspondente na versão originária.

Na versão originária, que sofreu as alterações que acabam de ser apontadas, este artigo reproduzia o art. 440.º do Proj., porém com ligeira alteração no n.º 4.

Não havia disposições correspondentes no CPP de 1929.

2. O MP já foi ouvido sobre as questões preliminares, como recorrente ou como sujeito processual interessado, tendo disposto, nesta qualidade, do prazo de dez dias (art. 439.º, n.º 1). No visto que tem nos termos do n.º 1 do art. 440.º o magistrado do MP normalmente não voltará a pronunciar-se sobre as questões preliminares; cremos mesmo que este visto só se justifica porque o tribunal pode ser diferente (no caso de o recurso ter sido interposto de acórdão da relação), e então o magistrado do MP no STJ tem necessidade de conhecer o processo, o que não sucede com qualquer outro interessado, que já o conhece.

3. A disposição do n.º 3 deve ser interpretada extensivamente, pois o relator verificará não só as questões aqui expressamente referidas, como também quaisquer outras que possam obstar ao prosseguimento do recurso (ver anot. 2 ao art. 439.º).

4. Na conferência intervêm o presidente da secção onde o processo foi distribuído, o relator e um juiz adjunto (arts. 441.º, n.º 3 e 419.º, n.º 1). Por isso, o processo vai a vistos do presidente e desse juiz-adjunto, e seguidamente à conferência, na primeira sessão que tiver lugar após a aposição do último visto.

Para julgamento de fundo, se o processo houver de prosseguir, efectuar-se-ão vistos simultâneos de todos os juízes das secções criminais, obviamente com excepção do relator, conforme se preceitua no art. 442.º, n.º 3.

ARTIGO 441.º

(Conferência)

1. Se ocorrer motivo de inadmissibilidade ou o tribunal concluir pela não oposição de julgados, o recurso é rejeitado; se concluir pela oposição, o recurso prossegue.

2. Se, porém, a oposição de julgados já tiver sido reconhecida, os termos do recurso são suspensos até ao julgamento do recurso em que primeiro se tiver concluído pela oposição.

3. É correspondentemente aplicável o disposto no artigo 419.º, n.ºs 1 e 2.

1039

Código de Processo Penal

1. O n.º 1 reproduz o n.º 2 do art. 441.º do Proj.
O n.º 2 foi introduzido pela Lei n.º 59/98, de 25 de Agosto. Não tinha correspondente na versão originária e veio consagrar a prática seguida no STJ, baseada no princípio geral da proibição da prática de actos inúteis.
O n.º 3 reproduz o originário n.º 2, que correspondia, com alterações, ao n.º 1 do art. 441.º do Proj.

2. Nos recursos ordinários há lugar a conferência somente quando há questões suscitadas no exame preliminar que nela possam ser decididas, ou se o recurso dever ser julgado em conferência — arts. 417.º, n.º 3 e 419.º, n.ºs 3 e 4.
No recurso extraordinário para fixação de jurisprudência, porém, há sempre lugar a conferência, para verificar a admissibilidade e o regime do recurso, a existência de oposição entre os julgados e outras questões que devam ser suscitadas preliminarmente. Se em conferência se decidir que existe questão prejudicial que obste ao conhecimento do recurso, este é dado por findo; caso contrário prossegue, seguindo-se a tramitação dos arts. 442.º e segs.

3. Se o recurso houver de prosseguir, haverá lugar a novos vistos simultâneos de todos os juízes das secções criminais, com excepção do relator, após as alegações sobre a questão de fundo.
E embora o prosseguimento seja para decidir o fundo, ou seja o sentido em que a jurisprudência deve ser fixada, cremos que, tal como sucede em processo civil, o pleno das secções não está vinculado pelo que em conferência foi decidido sobre questões preliminares. O Código nada nos diz sobre esta questão; trata-se de um caso omisso em que o processo civil se harmoniza com o processo penal, em que portanto e nos termos do art. 4.º nos devemos socorrer da analogia.

4. Na conferência intervêm o presidente da secção onde o processo foi distribuído, o relator e um juiz adjunto, conforme se estabelece nos arts. 441.º, n.º 3 e 419.º, n.ºs 1 e 2. Note-se que o n.º 4 deste art. 440.º alude a juízes-adjuntos, mas trata-se certamente de mero lapso, como resulta claramente do art. 441.º, n.º 3. Por isso o processo vai a vistos do presidente e do juiz-adjunto, e seguidamente à conferência, na primeira sessão que tiver lugar após a aposição do último visto.

5. *Jurisprudência:*
— Ver *jurisprudência,* em anot. ao art. 437.º;
— Na sua motivação de recurso para fixação de jurisprudência, o recorrente deve invocar o trânsito em julgado dos dois acórdãos em oposição, tendo ainda o ónus da prova desse trânsito, sob pena de o recurso ser rejeitado, por ocorrer motivo de inadmissibilidade (art. 441.º, n.º 1, do CPP). (Ac. STJ de 30 de Novembro de 2000, proc. n.º 3403/2000-5.ª; *SASTJ,* n.º 45, 89);
— Se no domínio de recurso para fixação de Jurisprudência, cujos termos ficaram suspensos ao abrigo da disposição do art. 441.º, n.º 2, do CPP, o acórdão recorrido é no mesmo sentido da jurisprudência depois fixada, deve ser declarada extinta a instância por inutilidade superveniente da lide. (Ac. STJ de 10 de Janeiro de 2001, proc. n.º 1085/99-3.ª; *SASTJ,* n.º 47, 65);
– A decisão proferida quanto à fixação de jurisprudência tem eficácia nos processos cuja tramitação tiver sido suspensa nos termos do art. 441.º, n.º 2,

Artigo 442.º

do CPP, e determina, no caso de o acórdão recorrido ser no sentido da jurisprudência entretanto fixada, a confirmação daquele, com a improdência do recurso. (Ac. STJ de 7 de Dezembro de 2005; *SASTJ*, n.º 96, 66).

ARTIGO 442.º
(Preparação do julgamento)

1. Se o recurso prosseguir, os sujeitos processuais interessados são notificados para apresentarem, por escrito, no prazo de quinze dias, as suas alegações.

2. Nas alegações os interessados formulam conclusões em que indicam o sentido em que deve fixar-se a jurisprudência.

3. Juntas as alegações, ou expirado o prazo para a sua apresentação, o processo é concluso ao relator, por trinta dias, e depois remetido, com projecto de acórdão, a visto simultâneo dos restantes juízes, por dez dias.

4. Esgotado o prazo para os vistos, o presidente do Supremo Tribunal de Justiça manda inscrever o processo em tabela.

---

1. Os n.ᵒˢ 1 e 2 reproduzem iguais números do art. 442.º do Proj. O n.º 3 reproduz, com ligeira alteração, o n.º 3 do art. 442.º do Proj. O n.º 4 não constava do Proj.; foi introduzido na fase final de elaboração do Código. Não havia disposições correspondentes no CPP de 1929 e corresponde ao art. 767.º do CPC. O prazo de 15 dias estabelecido no n.º 1 foi porém fixado pela Lei n.º 59/98, de 25 de Agosto (na versão originária o prazo era de 10 dias) em virtude de os prazos em processo penal terem passado a correr continuamente, como em processo civil.

2. Cremos que a falta de alegações não impede que o processo prossiga. Trata-se de um recurso para fixação de jurisprudência, em que o conflito deve ser resolvido no interesse da lei, ainda que a solução não tenha interesse algum para o caso concreto em litígio mas só para eventuais casos futuros. O n.º 3 dá clara indicação neste sentido, ao preceituar que juntas as alegações, *ou expirado o prazo para a sua apresentação, ...o processo é depois remetido, com projecto de acórdão...*

3. O visto dos restantes juízes das secções criminais é simultâneo, para o que o processo lhes ficará patente, na secretaria, com o projecto de acórdão, a-fim-de que possam extrair os elementos necessários para exame da questão a decidir. Para o efeito, a secretaria comunicará aos juízes que o processo está a vistos simultâneos.
Esgotado o prazo dos vistos, o processo já não volta ao relator e deve ser feito concluso ao presidente para que o faça inscrever em tabela.

4. *Jurisprudência fixada:*
– O requerimento de interposição do recurso extraordinário para fixação de jurisprudência (art. 437.º, n.º 1, do CPP), o recorrente, ao pedir a resolução

1041

Código de Processo Penal

do conflito (art. 445.º, n.º 1), não tem de indicar o sentido em que deve fixar-se a jurisprudência (art. 442.º, n.º 2). (Ac. do Pleno das secções criminais do STJ de 20 de Abril 2006, proc. n.º 4387-5.ª; *DR*, I – A série de 6 de Junho do mesmo ano).

5. *Jurisprudência:*

— No recurso para fixação de jurisprudência deve o recorrente, sob pena de rejeição, indicar na parte conclusiva o sentido em que, no seu entendimento, deve ser dado à jurisprudência que se pretende ver uniformizada. (Ac. STJ de 7 de Janeiro de 1999, proc. 1292/98-3.ª; *SASTJ*, n.º 27, 69);

— I — Não constando do requerimento de interposição do recurso de fixação de jurisprudência o sentido em que deve fixar-se a jurisprudência, há que rejeitar o recurso liminarmente. II — Na fixação de jurisprudência pretendida não basta ao recorrente indicar, genericamente, que a jurisprudência deve ser fixada pelo STJ no sentido de um dos acórdãos em oposição, pois torna-se imperativo que redija o texto que, na sua óptica, o STJ deve adoptar. III — A omissão de indicação de jurisprudência que se pretende fixada não justifica que se mande aperfeiçoar o requerimento de interposição do recurso, pois não só as falhas foram totais e irreparáveis (e não meros defeitos pontuais) — pelo que não averia lugar a um aperfeiçoamento, mas a um novo recurso — como os direitos da defesa já se mostraram assegurados com a reapreciação feita em recurso ordinário, não ficando violada qualquer norma constitucional. (Ac. STJ de 30 de Setembro de 2004, proc. n. 2686/04-5.a).

ARTIGO 443.º

(Julgamento)

1. O julgamento é feito, em conferência, pelo pleno das secções criminais.

2. A conferência é presidida pelo presidente do Supremo Tribunal de Justiça, que dirige os trabalhos e desempata quando não puder formar-se maioria.

3. É correspondentemente aplicável o disposto no artigo 409.º, ainda que o recurso tenha sido interposto pelo Ministério Público ou pelo assistente, salvo quando qualquer destes tiver recorrido, em desfavor do arguido, no processo em que foi proferido o acórdão recorrido.

---

1. Os n.os 1 e 2 correspondem, com alterações, aos n.os 1 e 2 do art. 443.º do Proj.; o n.º 3 reproduz o n.º 3 do mesmo artigo do Proj. Não havia disposições correspondentes no CPP de 1929, sendo na vigência deste diploma aplicáveis as disposições do art. 768.º do CPC. A Lei n.º 59/98, de 25 de Agosto, introduziu alteração formal no n.º 1, para actualizar a terminologia.

2. As disposições dos n.os 1 e 2 não se afiguram passíveis de observações ou de dúvidas de relevo.

Artigo 445.º

A disposição do n.º 3 tem interesse e um objectivo evidente: ela destina-se a evitar que, por um processo ínvio, possam ser ladeadas as normas por que se rege a proibição de *reformatio in pejus*. E assim, em caso algum se poderá obter por via da aplicação do acórdão que fixou a jurisprudência aquilo que não podia ser obtido através do acórdão do tribunal superior que julgou o recurso interposto na primeira instância. A decisão que resolve o conflito tem eficácia no processo em que o recurso foi interposto e nos que ficaram suspensos podendo a decisão recorrida ser modificada no sentido do acórdão uniformizador pelo próprio Supremo ou através do reenvio do processo (art. 445.º, n.ºs 1 e 2). Porém, a eficácia tem como limite as normas da proibição de *reformatio in pejus,* aplicadas como se o tribunal fosse o de recurso da decisão da primeira instância, ainda que seja o próprio STJ a aplicar a decisão ao caso concreto. O MP ou o assistente não podem, portanto, em caso algum, obter nesta fase aquilo que não podiam obter no recurso interposto da decisão da primeira instância, no tocante a modificação em desfavor do arguido das sanções penais a este aplicadas.

ARTIGO 444.º

(Publicação do acórdão)

1. O acórdão é imediatamente publicado na I Série do *Diário da República* e enviado, por certidão, aos tribunais de relação para registo em livro próprio.

2. O presidente do Supremo Tribunal de Justiça remete ao Ministério da Justiça cópia do acórdão acompanhada das alegações do Ministério Público.

---

1. Reproduz o art. 444.º do Proj. Não havia disposição correspondente no CPP de 1929, e corresponde, com algumas alterações sem significado relevante, ao art. 769.º do CPC.

2. Em relação ao regime do CPC nota-se a obrigatoriedade, agora estabelecida, da remessa do acórdão aos tribunais da relação, para registo em livro próprio, e a omissão de referência à obrigatoriedade de publicação no *BMJ,* esta por se entender desnecessária no CPP e constar de outras disposições que regulam as publicações a incluir no *Boletim do Ministério da Justiça.*

Também no n.º 2 há alterações, de reduzido significado, relativamente ao n.º 2 do art. 769.º do CPC.

Enquanto não é publicado no *Diário da República,* o acórdão não tem eficácia jurídica externa, conforme o art. 122.º, n.º 2, da CRP.

ARTIGO 445.º

(Eficácia da decisão)

1. Sem prejuízo do disposto no artigo 443.º, n.º 3, a decisão que resolver o conflito tem eficácia no processo em que o recurso foi inter-

1043

Código de Processo Penal

posto e nos processos cuja tramitação tiver sido suspensa nos termos do artigo 441.º, n.º 2.

2. O Supremo Tribunal de Justiça, conforme os casos, revê a decisão recorrida ou reenvia o processo.

3. A decisão que resolver o conflito não constitui jurisprudên- cia obrigatória para os tribunais judiciais, mas estes devem fundamentar as divergências relativas à jurisprudência fixada naquela decisão.

---

1. O n.º 1 tem a redacção introduzida pela Lei n.º 59/98, de 25 de Agosto, diploma que também introduziu o n.º 3, que não tinha correspondente na versão originária.

O n.º 2 não constava do Proj., sendo introduzido na fase final dos trabalhos preparatórios. Não havia dispositivo correspondente no direito anterior.

2. Como ficou anotado *supra,* anot. 1, o n.º 1 tem o texto introduzido pela Lei aí mencionada, diploma que também introduziu o dispositivo do n.º 3.

As alterações introduzidas no n.º 1 e o aditamento do n.º 3 visaram aproximar o regime dos recursos para uniformização de jurisprudência em processo civil — arts. 732.º-A e 732.º-B do CPC — e em processo penal, e sobretudo acatar a jurisprudência do Tribunal Constitucional, que quebrara a força vinculativa genérica dos assentos.

A este propósito transcreve-se o seguinte extracto do relatório pream- bular do Dec.-Lei n.º 329-A/95, de 12 de Dezembro, que introduziu alterações no CPC:

«Quebrada pela jurisprudência constitucional a força vinculativa genérica dos assentos e imposto o princípio da sua ampla revisibilidade — não apenas por iniciativa do próprio Supremo, no âmbito dos recursos perante ele pendentes, mas a requerimento de qualquer das partes, em qualquer estado da causa —, pareceu desnecessária a instituição dos necessariamente complexos mecanismos processuais que facultassem a revisão do decidido, por se afigurar que a normal autoridade e força persuasiva da decisão do Supremo Tribunal de Justiça, obtida no julgamento ampliado de revista — e equivalente, na prática, à conferida aos actuais acórdãos das secções reunidas —, será perfeitamente suficiente para assegurar, em termos satisfatórios, a desejável unidade de jurisprudência, sem produzir o enquistamento ou cristalização das posições tomadas pelo Supremo».

As considerações assim expedidas são aplicáveis, *mutatis mutandis,* ao novo dispositivo do n.º 3.

O segundo período deste n.º 3, que seria talvez desnecessário face à obri- gatoriedade geral de os actos decisórios serem fundamentados, contém uma parti- cular chamada de atenção para o dever de fundamentar ponderada e meticulosa- mente as divergências relativamente à jurisprudência que se encontra fixada. Impõe-se ainda que os argumentos invocados para o efeito, além de ponderosos, sejam novos, no sentido de não terem sido considerados no acórdão uniformizador, e susceptíveis de criar algum desiquilíbrio na avaliação do peso

Artigo 445.º

de argumentos a favor do reaxame e alteração da doutrina fixada no acórdão uniformizador.

O dispositivo deve ainda ser confrontado com o do n.º 3 do art. 446.º. Quando o tribunal aplica a jurisprudência fixada, o STJ, que a fixou, pode limitar-se a aplicá-la, sem mais extensa fundamentação. Quanto aos outros tribunais, a lei é omissa. Este dispositivo do n.º 3 do art. 446.º e a constatação de que o n.º 3 do art. 445.º, relativo a todos os tribunais judiciais, só determina a obrigatoriedade de fundamentação das divergências relativas à jurisprudência fixada, inculca que todos os tribunais estão dispensados de mais dilatada fundamentação. Bem sabemos que esta interpretação implica uma excepção do dispositivo do art. 97.º, n.º 4, se não mesmo fundamentação por remissão, a qual só se comportará dentro dos limites constitucionais do art. 205.º, n.º 1, da CRP quando repercuta inequivocamente que é uma decisão do próprio juiz ou do tribunal, e não quando seja um simples *ir atrás* (expressão usada no ac. do Trib. Constitucional de 30 de Julho de 2003, in *DR*, II série de 4 de Fevereiro de 2004, sumariado em anot. ao art. 97.º) de acto processual alheio, designadamente de promoção do MP. Mas uma fundamentação em concordância com jurisprudência fixada por acórdão com fundamentação esgotante seria necessariamente repetitiva, e portanto acto inútil proibido por lei.

3. No n.º 2 estabelece-se que a decisão recorrida, quando tiver que ser alterada em virtude da jurisprudência fixada pelo acórdão uniformizador, sê-lo-á, conforme os casos, pelo próprio STJ ou pelo tribunal inferior, mediante o reenvio do processo.

Trata-se de um ponto em que, como foi referido *supra,* n.º 1, o direito anterior era omisso, mesmo o CPC, e que suscitou dúvidas na doutrina e na prática do Supremo.

Em todo o caso, porém, a disposição ainda não ficou completa, deixando margem para dúvidas, pois não esclarece em que casos é que a aplicação é feita pelo STJ e em que casos é que o STJ deve reenviar o processo, para o efeito de aplicação da jurisprudência que se tornou obrigatória e que tem efeito no próprio processo. Afigura-se-nos que este ponto deve ser resolvido da seguinte forma: se o recurso foi interposto de acórdão do STJ é o próprio Supremo que faz a aplicação da jurisprudência fixada, no caso de ser contrária à da decisão recorrida, devendo ser a secção a fazê-lo; se o acórdão recorrido foi proferido pela relação (art. 437.º, n.º 2), será a relação a aplicar a jurisprudência fixada no caso de ser contrária à da decisão recorrida, sendo, para o efeito, o processo para aí reenviado pelo Supremo. Significa isto que se respeitam regras gerais de competência que estão subjacentes às soluções enunciadas: a aplicação da jurisprudência fixada, quando estabelecida no processo em que o recurso foi interposto, é feita pelo mesmo tribunal que a aplicaria no caso de ela ter sido anteriormente estabelecida.

4. *Jurisprudência:*
— Ver *jurisprudência obrigatória* e *jurisprudência,* em anot. ao art. 437.º;
— Não são inconstitucionais as normas contidas nos artigos 445.º, n.º 1, do CPP e 137.º e 279.º, ambos do CPC, no sentido de, estando pendentes mais de um processo sobre a mesma questão objecto do recurso para fixação

1045

Código de Processo Penal

de jurisprudência, dever ser suspenso o processo mais recente até ser proferido acórdão a fixar jurisprudência no processo mais antigo. (Ac. do Trib. Constitucional de 6 de Outubro de 1998, proc. 851/96; *DR,* II série, de 16 de Março de 1999);

— I — No caso de recurso para fixação de jurisprudência interposto pelo arguido, assistente ou partes civis, é razoável e lógico, à luz do sistema, a exigência do interesse em agir, traduzido na possibilidade de a decisão que resolver o conflito ter, por força do disposto no art. 445.º, n.º 1, do CPP, eficácia favorável ao recorrente no processo em que aquele recurso foi interposto. II — Não existindo essa possibilidade, o recurso é inadmissível por falta de interesse em agir por parte do recorrente. (Ac. STJ de 9 de Julho de 2003; proc. n.º 2091/03-3.ª; *SASTJ,* n.º 73, 121);

— I — A partir da reforma de 1998 do processo penal, os tribunais podem afastar-se da jurisprudência uniformizada pelo STJ, desde que fundamentem as divergências relativamente à jurisprudência fixada naquela decisão (n.º 3 do art. 445.º do CPP). II — Mas não se quis seguramente referir o dever geral de fundamentação das decisões judiciais (arts. 97.º, n.º 4 e 374.º do CPP), mas antes postular um dever especial de fundamentação, destinado a explicitar as razões de divergência em relação à jurisprudência fixada. III — Quis então o legislador que o eventual afastamento, por parte dos tribunais judiciais, da jurisprudência fixada, pudesse gerar uma fiscalização difusa da jurisprudência uniformizada (art. 446.º, n.º 3, do CPP). IV — Ora, as duas normas que se ocupam da possibilidade de revisão pelo STJ da jurisprudência fixada, usam da mesma terminologia: *haver razões para crer que uma jurisprudência fixada está ultrapassda* (arts. 446.º, n.º 3 e 447.º, n.º 2, 1.ª parte, do CPP), as únicas razões, pois, que podem levar um tribunal judicial a afastar-se da jurisprudência fixada. V — Isso sucederá, *v.g.,* quando: *a)* O tribunal judicial em causa tiver desenvolvido um argumento novo e de grande valor, não ponderado no acórdão uniformizador, susceptível de desequilibrar os termos da discussão jurídica contra a solução anteriormente perfilhada; *b)* Se tornar patente que a evolução doutrinal e jurisprudencial alterou significativamente o peso relativo dos argumentos então utilizados, por forma a que, na actualidade, a sua ponderação conduziria a resultado diverso; ou, finalmente, *c)* A alteração da composição do STJ torne claro que a maioria dos juízes das secções criminais deixou de partilhar fundadamente da posição fixada. VI — Mas, seguramente, não sucederá quando o tribunal judicial não acata a jurisprudência fixada, sem adiantar qualquer argumento novo, sem percepção da alteração das concepções ou da composição do STJ, baseado somente na sua convicção de que aquela não é a melhor solução ou a solução legal, com base em argumentos já considerados. (Ac. STJ de 13 de Novembro de 2003; proc. n.º 3157/03-5.ª; *SASTJ,* n.º 75, 110);

– Conquanto a jurisprudência fixada pelo STJ não seja obrigatória para os tribunais (embora com eficácia no processo – art. 445.º do CPP), a sua não observância ou a divergência em relação a ela exige uma fundamentação séria e razoável, susceptível de pôr em causa os argumentos pressupostos que tiveram na sua base. (Ac. STJ de 9 de Fevereiro de 2005, proc. n.º 4704/-3.ª; *SASTJ,* n.º 88, 97);

1046

Artigo 446.º

– I – Para que a doutrina fixada por um acórdão fixador de jurisprudência possa ser alterada impõe-se que, em concreto, os argumentos invocados para o efeito sejam novos e ponderosos, isto é, que não tenham sido considerados pelo acórdão uniformizador e que criem um desiquilíbrio na avaliação de peso dos argumentos a favor do reexame e alteração da doutrina ali fixada. II – É de continuar a considerar válida e actual a doutrina fixada no seu acórdão n.º 7/99, uniformizador da jurisprudência, publicado no *DR*, I série – A, de 03.08.99 (Ac. STJ de 20 de Abril de 2005; *CJ, Acs. do STJ*, XIII, tomo 2, 181);

– Se em recurso para fixação de jurisprodência se verifica que, posteriormente à prolação do acórdão recorrido, foi tirado acórdão uniformizador de jurisprudência sobre a mesma questão, deve aplicar-se, por interpretação extensiva, o disposto no art. 445.º, n.º 2, do CPP, ou seja reconhecimento imediato, no processo, da eficácia da jurisprudência fixada. (Ac. STJ de 22 de Julho de 2005, n.º 2515/05-5.ª; *SASTJ*, n.º 93, 119);

– I – Mostrando-se já fixada a jurisprudência sobre a questão objecto do recurso para fixação de jurisprudência, não pode haver lugar a nova fixação, mas tão só, se for caso, a revisão dessa jurisprudência, nos termos do art. 446.º do CPP. II – Em situações como a referida, reconhecida a oposição de julgados, deve aplicar-se, por aplicação extensiva do art. 445.º, n.º 2 do CPP, ou seja, o reconhecimento imediato, no processo, da eficácia da jurisprudência fixada, no caso em apreço conduz ao não provimento do recurso. (Ac. STJ de 14 de Dezembro de 2005; *SASTJ*, n.º 96, 72);

– I – O recurso por violação da jurisprudência fixada só é possível se na decisão recorrida o tribunal se tiver pronunciado em desobediência ao entendimento jurisprudencialmente fixado. II – Neste recurso extraordinário e na verificação dos respectivos pressupostos não há que apreciar se a decisão recorrida fez a melhor interpretação do assento em causa, mas apenas se se recusou a aplicar a sua doutrina. (Ac. STJ de 2 Fevereiro de 2006, proc. n.º 4122/05-5.ª).

ARTIGO 446.º

**(Recursos de decisão proferida contra jurisprudência
fixada pelo Supremo Tribunal de Justiça)**

1. É admissível recurso directo para o Supremo Tribunal de Justiça de qualquer decisão proferida contra jurisprudência por ele fixada, a interpor no prazo de 30 dias a contar do trânsito em julgado da decisão recorrida, sendo correspondentemente aplicáveis as disposições do presente capítulo.

2. O recurso pode ser interposto pelo arguido, pelo assistente ou pelas partes civis e é obrigatório para o Ministério Público.

3. O Supremo Tribunal de Justiça pode limitar-se a aplicar a jurisprudência fixada, apenas devendo proceder ao seu reexame se entender que está ultrapassada.

Código de Processo Penal

1. Os n.os 1 e 2 deste artigo têm o texto introduzido pela Lei n.º 48/2007, de 29 de Agosto.

O n.º 3 têm o texto introduzido pela Lei n.º 59/98, de 25 de Agosto.

Em relação à versão anterior dos n.os 1 e 2 ficou clarificada a questão de saber qual o prazo interposição de recurso extraordinário de decisão proferida contr a jurisprudência fixada, estabelecendo-se o prazo de 30 dias, e que prazo se conta a partir do trânsito em julgado da decisão recorrida.

2. O disposto no n.º 1 tem como fundamento a conveniência de uniformização da jurisprudência, fazendo intervir o STJ sempre que as decisões dos tribunais inferiores não acatem a jurisprudência fixada por esse alto tribunal.

Prevê-se no n.º 2 um caso de recurso obrigatório para o MP, contra a orientação geral do Código, que não contém dispositivo correspondente ao do § 1.º do art. 647.º do CPP de 1929.

Tratando-se de recurso obrigatório para o MP, pode pôr-se a questão de saber se, neste caso, é lícito ao MP desistir do recurso que interpôs. Sobre esta questão, ver anot. 3 do art. 415.º.

3. Neste artigo estabelece-se o regime de um recurso extraordinário cuja tramitação tem dado lugar a alguma controvérsia e a divergências, tanto na doutrina como na jurisprudência.

Tratando-se de um recurso extraordinário, em nosso entendimento não pode ser interposto se for admissível recurso ordinário. Mas seja interposto recurso ordinário ou extraordinário, ele é sempre obrigatório para o MP.

Se for interposto recurso ordinário, porque a decisão recorrida o admite, tem sempre legitimidade para o interpor o MP, e tê-la-ão o arguido, o assistente e as partes civis, se para isso estiverem dotados dos respectivos pressupostos.

Se for interposto recurso extraordinário, por não ser admissível recurso ordinário, deve ser interposto para o STJ, mesmo quando de decisão proferida em primeira instância. Isto resulta dos dispositivos do n.º 1, já que o presente capítulo trata tão só de recurso para o STJ, e onde se pressupõe com nitidez a competência do Supremo, para além de o dispositivo aludir expressamente a recurso directo para o *Supremo Tribunal de Justiça*. Sucede ainda que só este alto tribunal, no Pleno das suas secções criminais, e nunca a Relação, tem competência para alterar a jurisprudência que fixou. Neste ponto há, porém, divergências: Simas Santos e Leal Henriques, no *Código de Processo Penal Anotado*, 2.ª ed., II vol., 1037, sustentam que tratando-se de decisão de tribunal singular ou colectivo, o recurso é interposto para a Relação, e só se a Relação confirmar o julgado haverá recurso para o STJ. A jurisprudência do Supremo encontra-se dividida sobre esta questão, como pode verificar-se *infra, jurisprudência*.

Seja o recurso ordinário ou extraordinário é certo que se não trata, aquando da sua interposição, de recurso para fixação de jurisprudência, mas de recurso obrigatório para o MP de decisão que contrariou jurisprudência fixada, e normalmente até para que ela seja acatada, embora eventualmente o STJ possa vir a alterá-la.

4. O dispositivo do n.º 3 suscita questões de solução duvidosa. Ocorre-nos abordar as seguintes, que se nos afiguram de algum interesse dogmático e pragmático:

1048

Artigo 446.º

1.ª. O recurso é interposto para o STJ e distribuído numa das secções criminais. O STJ, se conhecer do fundo da questão, pode decidir-se por uma das orientações seguintes:

a) Limitar-se a aplicar a jurisprudência fixada.

Parece-nos aqui oportuno esclarecer que, em nosso entendimento, a dispensa do dever de fundamentação no caso de o STJ se limitar a aplicar a jurisprudência fixada se restringe ao caso de no recurso não ter sido invocada fundamentação que o pleno das secções criminais não tenha expendido no acórdão de fixação de jurisprudência. Não faria sentido, e seria pura inutilidade, o STJ estar a repetir argumentação de sua autoria e cosntante do processo. Mas se forem invocados novos e credíveis argumentos sustentando alteração da jurisprudência, impor-se-á que sejam considerados.

b) O STJ entende que a jurisprudência se encontra ultrapassada e que deve proceder-se ao seu reexame, a-fim-de que outra seja fixada.

Neste caso, o processo irá aos vistos de todos os juízes do pleno das secções criminais que ainda o não tiverem aposto, seguindo-se a tramitação subsequente para fixação de jurisprudência.

2.ª Conforme consta do n.º 3 e já se aludiu, se o STJ entender que a jurisprudência que foi fixada se mantém por não estar ultrapassada, pode limitar-se a aplicá-la, sem mais dilatada fundamentação.

Quid juris, então, quanto aos demais tribunais, se aplicarem a jurisprudência fixada, por entenderem que não está ultrapassada e se mantém?

Quanto a esta questão, embora não muito convictamente, entendemos que todos os tribunais estão do mesmo modo dispensados do dever geral de fundamentação, o qual em regra ao ser cumprido não seria mais do que pura repetição, porventura disfarçada, dos argumentos que no STJ serviram de suporte ao acórdão de fixação de jurisprudência, portanto acto inútil. Remetemos aqui para as considerações explanadas na anot. 2 ao art. 445.º.

5. *Jurisprudência:*

— Da decisão do juiz singular proferida contra jurisprudência obrigatória recorre-se, em primeiro lugar, para o Tribunal da Relação, podendo, depois, recorrer-se para o STJ. (Ac. STJ de 26 de Setembro de 1996; *CJ, Acs. STJ,* IV, tomo III, 146);

— Se, posteriormente, foi proferido pelo STJ um acórdão em que se viole jurisprudência obrigatória, o meio legal para reagir não pode ser o recurso extraordinário para fixação de jurisprudência, mas o sim estabelecido no n.º 1 do art. 446.º do CPP (recurso de decisão proferida contra jurisprudência obrigatória. (Ac. STJ de 23 de Outubro de 1996; *BMJ,* 460, 594);

— Não existem razões sérias e concludentes para excluir do art. 40.º do CPP o recurso extraordinário regulado no art. 446.º do mesmo Código. (Ac. STJ de 3 de Junho de 1998; *BMJ,* 478, 178);

— I — Ao recurso de decisão proferida contra a jurisprudência obrigatória aplicam-se, *ex vi* do art. 446.º, n.º 2, do CPP, as disposições relativas ao recurso para fixação de jurisprudência. II — Uma dessas disposições é a que respeita ao prazo da sua interposição, que, de harmonia com preceituado no art. 438.º, n.º 1, do mesmo diploma, é de 30 dias a contar do trânsito

Código de Processo Penal

em julgado da decisão impugnada. (Ac. STJ de 8 de Junho de 2000, proc. n.º 1649/2000-5.ª; *SASTJ*, n.º 42, 61);

— I — O recurso do art. 446.º do CPP não deve aguardar, para a sua interposição, o trânsito em julgado da decisão proferida contra a jurisprudência fixada pelo STJ. II — E isto porque, na ausência, para aquele tipo de recurso, de uma norma equivalente à do n.º 1 do art. 438.º do CPP, se deve aplicar, por força do art. 448.º do mesmo Código, a regra geral dos recursos do art. 411.º, n.º 1, ainda do mesmo diploma. (Ac. STJ de 5 de Julho de 2000, proc. n.º 256/2000-3.ª, *SASTJ*, n.º 43, 55);

— I — Posto que o art. 446.º, n.º 2, do CPP, estipule que ao recurso de decisão proferida contra jurisprudência fixada pelo STJ sejam correspondentemente aplicáveis as disposições relativas ao recurso de fixação de jurisprudência, porque se trata de recursos substancialmente diversos nos seus propósitos, justifica-se, curialmente, uma não total identidade no campo da tramitação processual. II — Assim, de uma decisão proferida em primeira instância por juiz singular, alegadamente proferida contra jurisprudência fixada pelo STJ, deve recorrer-se em primeiro lugar para a Relação, e só depois, se isso se justificar, para o STJ. (Ac. STJ de 28 de Setembro de 2000, proc. n.º 1798/2000-5.ª; *SASTJ*, n.º 43, 63);

— I — Da letra e do espírito dos preceitos contidos nos arts. 446.º e 448.º do CPP, directamente ou por remissão, decorre que a sua teleologia é no sentido de que só se justifica o recurso extraordinário regulado nos referidos normativos quando a decisão já não é susceptível de recurso ordinário, pois só então a mesma, porque transitada em julgado, tem eficácia em sentido contrário ao da jurisprudência fixada. II — De forma que, proferida em 1.ª instância decisão susceptível de recurso ordinário contra jurisprudência fixada pelo STJ, o recurso deve ser interposto para o Tribunal da Relação ou para o STJ conforme as regras de repartição de competências resultantes da conjugação dos arts. 427.º, 428.º e 432.º do CPP. III — Só depois do trânsito em julgado de decisão (do Tribunal da Relação ou do STJ) contrária à jurisprudência fixada poderá ter lugar o recurso previsto no art. 446.º do CPP. (Ac. do STJ de 8 de Novembro de 2000, proc. n.º 2006/2000-3.ª; *SASTJ*, n.º 45, 57);

— I — O recurso previsto no art. 446.º do CPP é um dos instrumentos legais que visam garantir a uniformização da jurisprudência, impondo que o MP recorra obrigatoriamente de quaisquer decisões proferidas contra a jurisprudência fixada pelo STJ. II — Só se justifica o aludido recurso extraordinário quando a decisão já não é susceptível de recurso ordinário, pois só então se está perante uma decisão que, porque transitada em julgado, tem eficácia em sentido contrário ao da jurisprudência fixada. III — A disposição do n.º 2 do art. 437.º do CPP deve considerar-se correspondentemente aplicável ao recurso previsto no art. 446.º, por força do n.º 2 deste preceito. (Ac. do STJ de 8 de Novembro de 2000, proc. n.º 2190/2000-3.ª; *SASTJ*, n.º 45, 59);

— A disposição do n.º 2 do art. 437.º do CPP deve considerar-se correspondentemente aplicável ao recurso de decisão proferida contra jurisprudência fixada pelo STJ, nos termos do n.º 2 do art. 446.º do CPP. (Ac. STJ de 16 de Novembro de 2000, proc. n.º 1772/2000-3.ª; *SASTJ*, n.º 45, 61);

— I — Proferida em 1.ª instância decisão susceptível de recurso ordinário contra a jurisprudência fixada pelo STJ, o recurso deve ser interposto para o

Artigo 446.º

Tribunal da Relação ou para o STJ conforme as regras de repartição de competências resultantes da conjugação dos arts. 427.º, 428.º e 432.º do CPP.

II — Só depois do trânsito em julgado da decisão (da Relação ou do STJ) contrária à jurisprudência fixada poderá ter lugar o recurso previsto no art. 446.º do CPP. (Ac. STJ de 8 de Novembro de 2000, proc. n.º 2006/2000-3.ª; *SASTJ*, n.º 45, 57);

— Estando a eficácia jurídica dos acórdãos de uniformização de jurisprudência do STJ dependente de publicação no *DR* [arts. 1.º, n.º 1 e 3.º, n.º 2, al. *i)*, da Lei n.º 74/98, de 11 de Novembro], não se verifica o condicionalismo do art. 446.º, n.º 1, do CPP, se a decisão que se diz ter sido proferida contra jurisprudência obrigatória foi proferida em data anterior à da publicação da correspondente decisão uniformizadora de jurisprudência. (Ac. STJ de 28 de Fevereiro de 2001, proc. n.º 237/01-3.ª; *SASTJ*, n.º 48, 56);

— I — O recurso de decisão proferida contra jurisprudência obrigatória (art. 446.º, n.º 1, do CPP) rege-se pelas correspondentes disposições do recurso para fixação de jurisprudência. II — Uma dessas disposições é a que respeita ao prazo para a interposição, que é de 30 dias a contar do trânsito em julgado da decisão impugnada. III — Tendo o recurso sido interposto em data anterior ao trânsito da decisão em julgado, foi interposto antes do tempo legalmente estabelecido, pelo que terá que ser rejeitado, nos termos do art. 441.º, n.º 1, aplicável *ex vi* do art. 446.º, n.º 2, do CPP. (Ac. STJ de 29 de Março de 2001, proc. n.º 858/01-5.ª; *SASTJ*, n.º 49, 84);

— O recurso previsto no art. 446.º do CPP, embora incluído no elenco dos recursos extraordinários — a que são aplicáveis as disposições do Capítulo I, do Título II, do Livro IX (n.º 2 do citado art. 446.º) — não deve aguardar, para a sua interposição, o trânsito em julgado da decisão proferida contra jurisprudência fixada pelo STJ; antes deve ser interposto no prazo geral de 15 dias a contar da notificação da decisão, por força das disposições conjugadas dos arts. 448.º e 411.º, n.º 1, do referido diploma. (Acs. STJ de 4 de Abril de 2001, proc. n.º 1069/01-3.ª; *SASTJ*, n.º 50, 38) e de 13 de Fevereiro de 2002, *ibidem*, n.º 58, 53;

— De uma decisão proferida em primeira instância por juiz singular, que afronte jurisprudência fixada pelo STJ, deve recorrer-se em primeira linha para a Relação, e só depois, se tal se justificar, para o STJ. (Ac. STJ de 23 de Maio de 2001, proc. n.º 1444/01-3.ª; *SASTJ*, n.º 51, 78);

— O recurso de decisão proferida contra a jurisprudência fixada pelo STJ, nos termos do art. 446.º do CPP, é sempre admissível e tem de ser interposto pelo MP, não o podendo ser por outros intervenientes processuais, por falta de legitimidade. (Ac. STJ de 28 de Novembro de 2001, proc. n.º 2523/01-3.ª; *SASTJ*, n.º 55, 60);

— I — O recurso previsto no art. 446.º do CPP deve ser interposto no prazo previsto no art. 411.º, n.º 1, aplicável por força do art. 448.º, ambos do CPP. II — Não concordando com a jurisprudência fixada, terá o tribunal que fundamentar a discordância, não bastante invocar argumentos já ponderados no voto de vencido que integra o acórdão de fixação de jurisprudência. (Ac. STJ de 20 de Junho de 2002; proc. n.º 1670/02-5.ª; *SASTJ*, n.º 62, 88);

— I — Apenas o MP tem legitimidade para interpor recurso de uma decisão proferida contra a jurisprudência fixada pelo STJ, nos termos do art. 446.º do

1051

Código de Processo Penal

CPP, pois é ao MP, enquanto defensor da legalidade, que compete fiscalizar o respeito pela jurisprudência fixada por parte dos tribunais judiciais. II — Se o MP não recorrer de determinada decisão, presume-se que esta não foi proferida contra a jurisprudência fixada pelo STJ. (Ac. STJ de 10 de Outubro de 2002; proc. n.º 2691/02-5.ª; *SASTJ*, n.º 64, 106);

— O recurso a interpor de decisão de 1.ª instância contra jurisprudência fixada deve ser processado como recurso ordinário, a interpor no respectivo prazo previsto no art. 411.º, n.º 1, do CPP, e dirigido ao Tribunal da Relação, pois enquanto não houver trânsito em julgado não existe razão para considerar como definitiva a contrariedade à jurisprudência fixada pelo STJ. (Ac. STJ de 6 de Novembro de 2002; proc. n.º 3095/02-3.ª; *SASTJ*, n.º 65, 58);

— I – A decisão proferida contra jurisprudência fixada não pode ser objecto de recurso extraordinário enquanto não estiver esgotada a via ordinária de recursos. II — Com efeito, a abertura da via extraordinária, como recurso de excepção, só pode ser aberta enquanto a questão não puder ser solucionada pela via comum. III — Aliás, não há lugar a decisão final definitiva, pressuposto da abertura da via extraordinária, enquanto houver lugar a possibilidade de recurso ordinário. IV — Interposto recurso extraordinário, sem esgotamento daquela outra via, a situação configura um erro na espécie de recurso, a impor, por isso, a remessa do recurso interposto para o tribunal competente, nomeadamente se o requerimento de interposição, não obstante, obedecer aos requisitos de interposição do recurso ordinário. (Ac. STJ de 19 de Dezembro de 2002; proc. n.º 4400/02-5.ª; *SASTJ*, n.º 66, 71).

Nota. Há abundante jurisprudência posterior do STJ, toda dentro da mesma orientação, que é também a que sustentámos supra, anot. 3;

— I — O recurso de decisão proferida contra jurisprudência fixada é um recurso extraordinário, e tem de ser interposto directamente para o STJ, pois trata-se de matéria da sua exclusiva competência (art. 446.º, n.º 3, do CPP). II — Não compete à Relação apreciar um tal recurso. E não é pelo facto de o mesmo ser interposto no prazo do recurso ordinário que o transforma em recurso deste tipo, permitindo à Relação conhecer dele. III — O prazo de interposição é de 30 dias, a contar do trânsito em julgado da decisão impugnada (arts. 446.º, n.º 2 e 438.º, n.º 1, do CPP). IV — Se for interposto antes daquele trânsito, tem de ser rejeitado, por não ser admissível, nos termos dos arts. 441.º, n.º 1 e 446.º, n.º 2, do CPP. (Ac. STJ de 16 de Janeiro de 2003; proc. n.º 4500/02-5.ª; *SASTJ*, n.º 67, 86);

— Sempre que a jurisprudência cuja fixação se pretende foi fixada num outro processo e não se encontra ultrapassada, urge conformar a decisão recorrida com a mencionada jurisprudência, sem prejuízo do disposto no art. 445.º, n.º 3, do CPP, tendo em atenção o disposto nos arts. 441.º, n.º 2; 446.º, n.º 3, e 417.º, n.º 3, al. *a)*, do mesmo diploma legal, pelo que os autos devem ser reenviados ao tribunal recorrido para que este reveja aquela decisão, se tal for o caso, de harmonia com a jurisprudência fixada. (Ac. STJ de 23 de Janeiro de 2003; proc. n.º 2435/01-5.ª; *SASTJ*, n.º 67, 91);

— I — Só se justifica o recurso extraordinário de decisão proferida contra jurisprudência fixada pelo STJ, quando a decisão já não é susceptível de recurso ordinário. II — O recurso obrigatório para o MP, previsto no art. 446.º do CPP, visa garantir o controle do respeito pela jurisprudência fixada, por via do

1052

Artigo 446.º

reexame pelos tribunais superiores, pois que, com a revogação do anterior carácter obrigatório daquela jurisprudência, não se pretendeu desautorizar o STJ na sua função uniformizadora da aplicação da lei, mas sim aumentar a margem de iniciativa dos tribunais de instância, no provocar o seu eventual reexame. (Ac. STJ de 8 de Maio de 2003; proc. n.º 1491/03-5.ª; *SASTJ*, n.º 71, 103);

— I — O recurso contra a jurisprudência fixada será ordinário quanto admissível recurso ordinário e extraordinário quando a decisão recorrida não admitir recurso ordinário. II — Só o MP pode legitimamente intentar o recurso extraordinário de decisão proferida contra jurisprudência fixada pelo STJ. III — Para que possa ser interposto recurso extraordinário de decisão proferida contra jurisprudência fixada pelo STJ, há previamente esgotar as possibilidades de interposição de recurso ordinário. (Ac. STJ de 9 de Outubro de 2003; proc. n.º 3155/03-5.ª; *SASTJ*, n.º 74, 174);

— I — Só depois de esgotada a via do recurso ordinário é que poderá solicitar-se ao STJ que através de recurso extraordinário, se debruce sobre a decisão que contraria a jurisprudência fixada. II — Porém, se tal decisão transitar em julgado sem que da mesma haja sido interposto recurso ordinário, não há possibilidade legal de na linha de entendimento do STJ, remeter os autos à Relação para que aí seja feita a respectiva apreciação. Neste caso, deve o STJ conhecer do recurso. III — Ao decidir sobre o mérito deste recurso, o STJ pode limitar-se a aplicar a jurisprudência fixada, desde que se não mostre ultrapassada. (Ac. STJ de 15 de Outubro de 2003; proc. n.º 2388/03-3.ª; *SASTJ*, n.º 74, 142).

— I — Decorrendo do disposto no art. 446.º, n.º 2, do CPP, que ao recurso extraordinário de decisão proferida contra jurisprudência fixada pelo STJ são correspondentemente aplicáveis as disposições relativas ao recurso extraordinário para fixação de jurisprudência, é também requisito daquele recurso que a decisão não admita recurso ordinário (cfr. art. 437.º, n.º 2). II — Assim, o recurso de decisão proferida contra jurisprudência fixada pelo STJ — obrigatório para o MP — pode configurar-se com recurso ordinário ou como recurso extraordinário: se a decisão recorrida admitir recurso para a Relação ou para o STJ, o recurso obrigatório é um recurso ordinário e deve ser interposto para as secções criminais, da Relação ou do STJ; se, pelo contrário, a decisão não admitir recurso ordinário, o recurso obrigatório é um recurso extraordinário, e deve ser interposto para o Pleno das secções criminais do STJ. (Ac. STJ de 5 de Novembro de 2003; proc. n.º 3159/03-3.ª; *SASTJ*, n.º 75, 86);

— I — De uma decisão contra a jurisprudência fixada pelo STJ proferida em primeira instância deve interpor-se recurso para a Relação ou para o STJ, conforme se trate de decisão proferida por juiz singular ou pelo tribunal collectiva, pois, neste último caso, versando o recurso matéria de direito, o tribunal *ad quem* será o STJ, nos termos do art. 432.º, al. *d)*, do CPP. Só depois de esgotada a via dos recursos ordinários e, com ela, a possibilidade de restabelecer a conformidade da decisão com a jurisprudência fixada, será de interpor recurso extraordinário para o Pleno das secções criminais do STJ. II — Na verdade, se a mera localização sistemática do art. 446.º do CPP inculca a ideia de que estamos perante uma situação de recurso extraordinário directo, a interpretação contextualizada do preceito, em consonância com a preocupação da sua indagação teleológica, conduz o sentido diverso. (Ac. STJ de 11 de Dezembro de 2003; proc. n.º 3162/03-5.ª; *SASTJ*, n.º 76, 83);

1053

Código de Processo Penal

— I — Interposto um recurso extraordinário por violação de jurisprudência fixada, antes do trânsito em julgado da decisão recorrida, verifica-se erro na espécie de recurso, já que no caso cabe ainda recurso ordinário. II — Obedecendo o requerimento, não obstante, aos requisitos legais de interposição do recurso ordinário, impõe-se fazê-lo seguir pela via correcta, corrigindo-se a distribuição efectuada. (Ac. STJ de 4 de Março de 2004, proc. n.º 711/04-5.ª);

— O art. 446.º do CPP prevê um recurso obrigatório para o MP de queisquer decisões proferidas contra jurisprudência fixada e só o MP tem legitimidade para interpor este recurso; a legitimidade de quaisquer outros recorrentes (arguido, assistente e partes civis) está definida no art. 437.º, n.º 1. (STJ de 25 de Março de 2004, proc. n.º 712/04-5.ª);

– I – Nos termos do art. 446.º, n.º 2, do CPP, o recurso de decisão proferida contra jurisprudência fixada pelo STJ só é decidido pelo pleno das secções criminais quando interposto de decisão do mesmo Tribunal ou das Relações, não sendo admissível recurso ordinário. II – Nos restantes casos, isto é quando possa interpor-se recurso ordinário da decisão proferida contra jurisprodência fixada (todos os da primeira instância e alguns das relações), o recurso obrigatório segue o regime do recurso ordinário. (Ac. STJ de 9 de Dezembro de 2004, proc. n.º 3658/04-5.ª; *SASTJ*, n.º 86/87);

– I – Para que a doutrina fixada por um acórdão fixador de jurisprudência possa ser alterada, impõe-se que, em concreto, os argumentos invocados para o efeito sejam novos e ponderosos, isto é, que não tenham sido considerados pelo acórdão uniformizador e que criem um desiquilíbrio na avaliação do peso dos argumentos a favor do reexame e doutrina e alteração da doutrina ali fixada. II – É de continuar a considerar válida e actual a doutrina fixada no seu acórdão n.º 7/99, uniformizador da jurisprudência, publicado no *DR*, I série – A, de 03.08.99. (Ac. STJ de 20 de Abril de 2005; *CJ, Acs. do STJ*, XIII, tomo 2, 181);

– I – Se a decisão proferida contra a jurisprudência fixada admitir recurso para a Relação ou para o Supremo, tal recurso será necessariamente um recurso ordinário, a interpor para as respectivas secções criminais. II – Mas se a decisão em causa não admitir recurso ordinário, o recurso obrigatório (para o MP) terá de ser um recurso extraordinário, a interpor para o Pleno das secções criminais do STJ, nos termos do art. 446.º, n.º 1, do CPP. (Ac. STJ de 16 de Março e de 25 de Maio de 2005; *SASTJ*, n.ºs 89, 90, 91 e 137, respectivamente);

– I – Mostrando-se já fixada a jurisprudência, não pode haver lugar a nova fixação, mas tão só, se for caso, a revisão dessa jurisprudência, nos termos do art. 446.º do CPP. II – Em situações como a referida, reconhecida a oposição de julgados, deve aplicar-se por interpretação extensiva, o art. 445.º, n.º 2, do CPP, ou seja, o reconhecimento imediato, no processo, da eficácia da jurisprudência fixada, que no caso em apreço conduz ao não provimento do recurso. (Ac. STJ de 14 de Dezembro de 2005; *SASTJ*, n.º 96, 72).

ARTIGO 447.º

(Recursos no interesse da unidade do direito)

1. O procurador-geral da República pode determinar que seja interposto recurso para fixação da jurisprudência de decisão transitada em julgado há mais de trinta dias.

1054

Artigo 447.º

2. Sempre que tiver razões para crer que uma jurisprudência fixada está ultrapassada, o procurador-geral da República pode interpor recurso do acórdão que firmou essa jurisprudência no sentido do seu reexame. Nas alegações o procurador-geral da República indica logo as razões e o sentido em que jurisprudência anteriormente fixada deve ser modificada.

3. Nos casos previstos nos números anteriores a decisão que resolver o conflito não tem eficácia no processo em que o recurso tiver sido interposto.

---

1. Reproduz o art. 447.º do Proj. Não havia disposições correspondentes no CPP de 1929. O n.º 1 corresponde ao art. 770.º do CPC e as restantes disposições não têm antecedentes no direito anterior.

2. Os n.ºs 1 e 2 têm campos de aplicação diferentes. O n.º 1 destina-se a permitir que o procurador-geral da República interponha recurso para fixação de jurisprudência de decisão transitada em julgado há mais de 30 dias; o n.º 2 destina-se a permitir que a mesma entidade interponha recurso para alteração de jurisprudência já fixada, no sentido de alterar a decisão que foi firmada, por se impor o seu reexame.

Em qualquer destes casos, a decisão que resolver o conflito não tem qualquer eficácia no processo em que este recurso extraordinário tiver sido interposto (n.º 3), assim se distinguindo do recurso extraordinário regulado nos arts. 437.º a 445.º, o qual é interposto no prazo de 30 dias a contar do trânsito em julgado e tem eficácia no processo em que foi interposto.

A disposição do n.º 2, a par de limitações à obrigatoriedade da jurisprudência uniformizada, conforme já foi referido em anot. ao art. 437.º, coloca a uniformização da jurisprudência nos moldes agora estabelecidos ao abrigo de críticas que anteriormente foram formuladas aos assentos do STJ, assacando-os de inconstitucionais.

3. Quer no caso do n.º 1 quer no do n.º 2, trata-se de recursos interpostos para fixação de jurisprudência, tendo porém o do n.º 2 a especifidade de haver já jurisprudência fixada, que, por a considerar ultrapassada, o procurador-geral da República pretende que seja reexaminada e outra seja fixada.

Em tais termos, como se dispõe no artigo seguinte, na tramitação devem aplicar-se as disposições do presente capítulo, sendo competente para o julgamento o pleno das secções criminais do STJ. Discordamos, portanto, neste aspecto, da orientação de Simas Santos e Leal Henriques, *Código de Processo Penal anotado*, II vol., anot. ao art. 447.º.

Não tem, no entanto, aqui aplicação o dispositivo da primeira parte do n.º 3 do art. 446.º, quer porque se não trata de aplicar jurisprudência já fixada, quer porque o procurador-geral da República expendeu novos argumentos e

1055

Código de Processo Penal

razões pelas quais entende que a jurisprudência fixada deve ser alterada, invocando argumentação não considerada no acórdão que fixou jurisprudência. A fundamentação deve portanto ser a que é exigível num acórdão para fixação de jurisprudência.

3. *Jurisprudência:*
— Tendo o Tribunal Constitucional, em sede de fiscalização concreta, julgado inconstitucional a solução encontrada por um acórdão uniformizador, deve o STJ abrir a possibilidade de reexame da jurisprudência aí fixada. (Ac. STJ de 13 de Março de 2008; *CJ, Acs. STJ,* ano XVI, tomo 1, 262).

ARTIGO 448.º

(Disposições subsidiárias)

Aos recursos previstos no presente capítulo aplicam-se subsidiariamente as disposições que regulam os recursos ordinários.

---

1. Reproduz o art. 448.º do Proj. Não havia disposição correspondente no CPP de 1929, pois que a vigência desse diploma se aplicavam subsidiariamente as disposições do processo civil.

2. Não vemos qualquer razão convincente para excluir a aplicabilidade do   n.º 4 do art. 420.º, determinando a condenação do recorrente, se não for o MP, do MP, do pagamento de uma importância em UCs nos casos de rejeição do recurso. Veja-se no entanto, em sentido contrário, J. Gonçalves da Costa, *Jornadas,* 462.

3. *Jurisprudência fixada:*
— Considerando o disposto nos artigos 412.º, n.os 1 e 2, alínea *b);* 420.º, n.º 1; 438.º, n.º 2 e 448.º, todos do Código de Processo Penal, no requerimento de interposição de recurso para fixação de jurisprudência deve constar, sob pena de rejeição, para além dos requisitos exigidos no referido artigo 438.º, n.º 2, o sentido em que deve fixar-se a jurisprudência cuja fixação é pretendida. (Ac. do Pleno das secções criminais do STJ de 30 de Março de 2000; *DR,* I-A série, de 27 de Maio de 2000);

4. *Jurisprudência:*
— I — Em recurso para fixação de jurisprudência, tal como nos recursos ordinários, a não apresentação de conclusões corresponde a falta de motivação, pois aquelas fazem parte desta. E isto corresponde à rejeição do recurso, nos termos dos arts. 411.º, n.º 3; 414.º, n.º 2 e 420.º, n.º 1, do CPP, aplicáveis a este recurso *ex vi* do art. 448.º do mesmo diploma. II — Se o recorrente não indica, na sua motivação, o sentido em que pretende se fixe a jurisprudência, face aos dois acórdãos e oposição, nem as razões do seu pedido, a falta de motivação é mais ampla, não se cingindo à mera falta de conclusões. E isto também leva à rejeição do recurso, nos termos dos arts. 411.º, n.º 3; 414.º, n.º 2 e 420.º, n.º 1, do CPP, aplicáveis, *in casu,* por força do art. 448.º do

Artigo 448.º

mesmo diploma. (Ac. STJ de 7 de Outubro de 1999, proc. 788/99-5.ª; *SASTJ*, n.º 34, 78);

— O regime de impedimentos do art. 40.º do CPP não tem aplicação no recurso para fixação de jurisprudência. (Ac. STJ de 15 de Novembro de 2001, proc. n.º 2235/01-5.ª; *SASTJ*, n.º 55, 86);

— I — No requerimento de interposição de recurso para fixação de jurisprudência deve constar, para além dos requisitos exigidos no art. 438.º, n.º 2, do CPP, o sentido em que deve fixar-se a jurisprudência cuja fixação é pretendida. II — Mas não basta ao recorrente indicar, genericamente, que a jurisprudência deve ser fixada pelo STJ no sentido de um dos acórdãos em oposição, pois torna--se imperativo que redija o texto que, na sua óptica, o STJ deve vir a adoptar. (Ac. STJ de 8 de Julho de 2003; proc. n.º 2543/03-5.ª; *SASTJ*, n.º 73, 146);

— I — Em recurso para fixação de jurisprudência não pode o requerente deixar de indicar qualquer acórdão que esteja em divergência com o recorrido (acórdão fundamento), não podendo valer como indicação a simples remissão para o texto e para as decisões jurisprudenciais constantes do acórdão recorrido. II – A possibilidade de completar as conclusões (arts. 448.º e 412.º, n.º 2, do CPP), quando contenham deficiências, não abrange a superação de deficiências ou omissões do próprio requerimento ou da motivação. III – A referida deficiência, insusceptível de correcção por afectar o requerimento (e a motivação) e não só as conclusões, determina a rejeição do recurso, nos termos dos arts. 411.º, n.º 3; 412.º, n.º 1; 414.º, n.º 2; 437.º; 438.º e 448.º, todos do CPP. (Ac. STJ de 29 de Setembro de 2005, proc. n.º 642/05-3.ª; *SATJ*, n.º 93, 108);

— I – Aos recursos extraordinários para fixação de jurisprudência aplicam-se subsidiariamente, por força do art. 448.º do CPP, as disposições que regulam os recursos ordinários. II – Entre essas regras está a consagrada no art. 415.º, nos termos da qual o arguido pode desistir do recurso interposto, por meio de requerimento, até ao momento de o processo ser concluso ao relator para exame preliminar. III – A desistência é causa de extinção da instância, nos termos da al. d) do art. 287.º, do CPC. (Ac. STJ, de 4 de Janeiro de 2006, proc. n.º 2853/05-3.ª);

—I —O recurso para fixação de jurisprudência tem natureza excepcional, bem como tramitação especial e autónoma, com o objectivo primordial de estabilizar e uniformizar a jurisprudência. II — O confronto entre o acórdão recorrido e o acórdão fundamento deve, quanto a este último, cingir-se apenas à identitificação de um aresto. III — A menção de mais que um acórdão fundamento conduz à rejeição deste recurso, não sendo admissível formular qualquer convite para correcção da petição de recurso. (Ac. STJ de 12 de Março de 2008; *CJ, Acs. STJ*, ano XVI, tomo 1, 253).

1057

Código de Processo Penal

CAPÍTULO II

DA REVISÃO

ARTIGO 449.º

(Fundamentos e admissibilidade da revisão)

1. A revisão de sentença transitada em julgado é admissível quando:

a) Uma outra sentença transitada em julgado tiver considerado falsos meios de prova que tenham sido determinantes para a decisão;

b) Uma outra sentença transitada em julgado tiver dado como provado crime cometido por juiz ou jurado e relacionado com o exercício da sua função no processo;

c) Os factos que serviram de fundamento à condenação forem inconciliáveis com os dados como provados noutra sentença e da oposição resultarem graves dúvidas sobre a justiça da condenação;

d) Se descobrirem novos factos ou meios de prova que, de per si ou combinados com os que foram apreciados no processo, suscitem graves dúvidas sobre a justiça da condenação.

e) Se descobrir que serviram de fundamento à condenação provas proibidas nos termos dos n.ºs 1 a 3 do artigo 126.º;

f) Seja declarada, pelo Tribunal Constitucional, a inconstitucionalidade com força obrigatória geral de norma de conteúdo menos favorável ao arguido que tenha servido de fundamento à condenação;

g) Uma sentença vinculativa do Estado português, proferida por uma instância internacional, for inconciliável com a condenação ou suscitar graves dúvidas sobre a sua justiça.

2. Para o efeito do disposto no número anterior, à sentença é equiparado despacho que tiver posto fim ao processo.

3. Com fundamento na alínea *d)* do n.º 1, não é admissível revisão com o único fim de corrigir a medida concreta da sanção aplicada.

4. A revisão é admissível ainda que o procedimento se encontre extinto ou a pena prescrita ou cumprida.

1058

Artigo 449.º

1. Os n.ºˢ 1, als. *a), b), c)* e *d)* e os n.ºˢ 2, 3 e 4 reproduzem o art. 449.º do Proj. e correspondem, com alterações, aos arts. 475.º do Aproj. e 673.º do CPP de 1929.

As als. *e), f)* e *g)* do n.º 1 foram introduzidas pela Lei n.º 48/2007, de 29 de Agosto.

2. A revisão é um recurso extraordinário, admitido no processo civil e também, por maioria de razão, em processo penal, pois que este demanda mais vincadamente a verdade material. O princípio *res judicata pro veritate habetur* não pode impedir um novo julgamento, quando posteriores elementos de apreciação põem seriamente em causa a justiça do anterior. O fundamento central do caso julgado é uma concessão prática à necessidade de garantir a certeza e a segurança do direito. Com o caso julgado, «ainda mesmo com possível sacrifício da justiça material, quere-se assegurar através dele aos cidadãos a paz; quere-se afastar definitivamente o perigo de decisões contraditórias. Uma adesão à segurança com eventual detrimento da verdade, eis assim o que está na base do instituto» (Eduardo Correia, *Caso Julgado e Poderes de Cognição do Juiz,* pág. 7). Mas este fundamento utilitário não pode ser levado demasiadamente longe, nem mesmo como em processo civil. Desenvolvendo este pensamento, expendeu Cavaleiro de Ferreira, *Scientia Iuridica,* tomo XIV, n.ºˢ 75/76, págs. 520-521: «...No direito privado, a segurança e estabilidade das relações jurídicas, sobretudo patrimoniais, é valor superior, uma vez esgotados os meios de apreciação jurisdicional, à justiça concreta. Não assim em processo penal. A justiça prima e sobressai acima de todas as demais considerações; o direito não pode querer e não quer a manutenção duma condenação, em homenagem à estabilidade de decisões judiciais, a garantia dum mal invocado prestígio ou infalibilidade do juízo humano, à custa de postergação de direitos fundamentais dos cidadãos, transformados então cruelmente em vítimas ou mártires duma ideia mais do que errada, porque criminosa, da lei e do direito. A interpretação do art. 673.º não é por isso restritiva, antes extensiva. Esperamos que, de harmonia com a unânime pretensão da doutrina moderna se torne a revisão em matéria penal admissível como regra, não apenas nos casos de inocência do condenado, mas também nos de condenação injusta no seu montante...».

Embora a segurança seja um dos fins do processo penal, «isto não impede que institutos como o do recurso de revisão contenham na sua própria razão de ser um atentado frontal àquele valor, em nome das exigência da justiça. Acresce que só dificilmente se poderia erigir a segurança em fim ideal único, ou mesmo prevalente, do processo penal. Ele entraria então constantemente em conflitos frontais e inescapáveis com a justiça; e, prevalecendo sempre ou sistematicamente sobre esta, pôr-nos-ia face a uma *segurança do injusto* que, hoje, mesmo os mais cépticos têm de reconhecer não passar de uma segurança aparente e ser só, no fundo, a força da tirania» (F. Dias, *Direito Processual Penal.* 44).

Modernamente nenhuma legislação adoptou o caso julgado como dogma absoluto face à injustiça patente, nem a revisão incondicional da toda a sentença frente ao caso julgado, tendo sido acolhida uma solução de compromisso entre o interesse de dotar de firmeza e segurança o acto jurisdicional e o interesse de que não prevaleçam as sentenças que contradigam ostensivamente a verdade,

1059

Código de Processo Penal

e através dela, a justiça, solução que se revê na consagrada possibilidade limitada de revisão das sentenças penais.

O recurso de revisão inscreve-se também, parcialmente, nas garantias de defesa, no princípio da revisão que resulta da Constituição ao dispor que os cidadãos injustamente condenados têm direito, nas condições que a lei prescrever, à revisão de sentença e à indemnização pelos danos sofridos (n.º 6 do art. 29.º).

3. Qualquer sentença penal com trânsito em julgado ou despacho que tenha posto fim ao processo pode ser objecto de revisão.

Parece, no entanto, que por falta de interesse e atento o princípio da *actualidade,* que informa as medidas de segurança privativas de liberdade, não há lugar à revisão das decisões que aplicam tais medidas, enquanto estas forem modificáveis.

É sabido que as medidas de segurança têm como fundamento a perigosidade do delinquente, sendo uma função desta. Por isso mesmo, só subsistem enquanto a perigosidade subsistir, e devem acompanhá-la em todas as suas vicissitudes. Não têm, por isso, a estabilidade das penas, podem a todo o tempo ser modificadas, e devem, de ofício, ser periodicamente revistas. A perigosidade deve subsistir durante a execução das medidas de segurança, e esta deve mesmo ir-se adaptando ao estado que a perigosidade, de momento, apresenta.

Estas noções decorrem da natureza utilitária (de prevenção especial) das medidas de segurança e correspondem a ensinamentos de toda a doutrina autorizada. Daí decorre também que, na sucessão, do tempo, de leis que prescrevem diversas medidas de segurança, se aplicará sempre a lei mais recente, embora mais grave, já que, aplicando se à perigosidade *actual.* nunca haverá retroactividade. Já assim ensinava Beleza dos Santos sendo no mesmo sentido Cavaleiro de Ferreira *(Lições de Direito Penal,* 1945, págs. 122-123) e Eduardo Correia *(Direito Criminal,* ed. de 1963, vol. I, pág. 163).

Tudo isto teve amplo acolhimento na Lei n.º 2000, de 16 de Maio de 1944 e no Dec. n.º 34 553, de 30 de Abril de 1945, que lhe deu execução. Logo a Base I da Lei admitiu a substituição ou modificação das medidas de segurança, durante o seu cumprimento. Tem, no entanto, maior interesse o preceito do art. 23.º do aludido Decreto. Segundo a linha de orientação traçada no relatório, aí se preceituou que as decisões do tribunal de execução das penas são modificáveis por novas decisões proferidas sobre o mesmo delinquente, sempre que se apresentem novos elementos de apreciação.

A revisão pressupõe a estabilidade do julgado a rever, como logo se intui das palavras cimeiras deste art. 449.º e esta estabilidade é coisa que não existe nas decisões dos tribunais sobre medidas de segurança; o tribunal, com ou sem revisão autorizada, pode alterar a medida de segurança quando entender que a alteração é conveniente, segundo a factualidade e o circunstancialismo que, de momento, determinam a perigosidade do agente. O processo de revisão, em tal caso, redundaria até em inutilidade e pura perda, tudo atentório do ditame do art. 137.º do CPC.

Vejam se, neste sentido, o parecer que emitimos no processo n.º 31 318, publicado no *BMJ,* 130, 407.

1060

Artigo 449.º

O ac. STJ de 30 de Outubro de 1963; mesmo número do *Boletim,* pág. 407, decidiu ser admissível a revisão pelo tribunal de execução das penas de decisão que tenha declarado um delinquente vadio, aplicando-lhe a medida de segurança de internamento, com o fundamento em inimputabilidade no momento em que se verificava o estado de vadiagem.

Porém, o ac. STJ de 30 de Junho de 1976; *BMJ,* 258, 167, parece ter seguido orientação contrária, e integrou-se na doutrina que sustentámos.

4. *Fundamentos da revisão:*

a) Falsidade de meios de prova que tenham sido determinantes para a decisão.
Este fundamento é semelhante ao do n.º 2.º do art. 673.º do CPP de 1929, em que o legislador se inspirou.

Como no regime do CPP de 1929, deve entender-se ser bastante, para fundamentar o pedido de revisão, que os meios de prova considerados falsos por sentença transitada em julgado tenham influenciado a decisão a rever, não sendo necessária a prova de que esses meios, só por si, tenham sido determinantes dessa decisão.

Os fundamentos desta alínea, como os da al. *b),* permitem a revisão tanto *pro reo* como *pro societate,* sendo aqui portanto admissível a revisão de uma sentença absolutória, de harmonia com o interesse público na boa administração da justiça. Neste sentido o ac. STJ de 8 de Janeiro de 2003, CJ, Acs. do STJ, XXVIII, tomo I, 155. Já os fundamentos das alíneas *c)* e *d)* são exclusivamente *pro reo.*

b) Crime cometido por juiz ou jurado, relacionado com o exercício da sua função no processo.
É um fundamento semelhante ao do n.º 3.º do art. 673.º do CPP de 1929, disposição em que o legislador também se inspirou.

Há aqui uma presunção *juris et de jure* de que o crime cometido por juiz ou jurado, e relacionado com o exercício das suas funções no processo, influenciou a decisão, e de que portanto esta foi injusta, pelo que não há mais que indagar se esse crime teve ou não influência no processo, admitindo-se a revisão sem mais delongas.

c) Inconciliabilidade de decisões.
Também este fundamento é muito semelhante ao do n.º 1.º do art. 673.º do CPP de 1929, que o inspirou, inclusivamente na possibilidade de só fundamentar o pedido de revisão de sentenças condenatórias.

Como sempre perfilhámos, deve continuar a entender-se que a sentença inconciliável com a condenatória não tem que ser penal. Assim se vinha entendendo uniformemente no domínio do CPP de 1929, pois a doutrina contrária, sustentada por Luís Osório no *Comentário,* VI, pág. 411, nunca fez carreira, e a lei, como o CPP de 1929, não faz qualquer distinção nem se descortina razão para que seja feita.

Veja-se, quanto a esta questão, a anot. 4 ao art. 673.º do CPP de 1929, no nosso *Código de Processo Penal,* 6.ª edição.

Esta alínea, como a al. *d),* só permite a revisão de sentenças condenatórias. A lei usa expressamente o termo *condenação,* e não esteve no pensamento legislativo alterar o regime anterior. Não têm, assim, qualquer fundamento das dúvidas que o sobre o ponto têm surgido.

d) Descoberta de novos factos ou meios de prova que suscitem graves dúvidas sobre a justiça da condenação.

Código de Processo Penal

Este fundamento inspirou-se, além do mais, no n.° 4.° do art. 673.° do CPP de 1929. De notar porém que tem um campo de aplicação bastante divergente deste seu antecedente, muito mais amplo, pois enquanto aquele n.° 4 exigia que os novos factos ou elementos de prova constituíssem *grave presunção de inocência* de condenado, basta agora que eles suscitem *graves dúvidas sobre a justiça da condenação.* A disposição actual tem, é certo, a limitação do n.° 3, determinante da inadmissibilidade do pedido de revisão com o único fim de corrigir a medida da pena. Mesmo assim, ficam agora a caber no âmbito legal casos que a lei anterior não comportava, como o de posteriormente à condenação se descobrir que o arguido era inimputável ou tinha imputabilidade diminuída à data da condenação (caso que era previsto no art. 673.°, n.° 5.°, do CPP de 1929, disposição que agora não tem paralelo), e o de diferente enquadramento dos factos.

A lei alude, em alternativa, a *novos factos ou meios de prova;* a lei anterior fazia alusão a *novos factos ou elementos de prova.* Como anteriormente, são coisas diferentes, cada uma delas podendo fundamentar a revisão. Factos são os factos probandos; meios de prova são as provas relativas a factos probandos.

Como se vinha entendendo pacificamente nos últimos anos da vigência do CPP de 1929, deve também agora entender-se que os factos ou meios de prova devem ser novos, no sentido de não terem sido apresentados no processo que conduziu à acusação, embora não fossem ignorados pelo arguido no momento em que o julgamento teve lugar. A lei não faz qualquer restrição, e seria inviável fazer-se, pois isso conduziria a uma flagrante injustiça e tudo se concita portanto para rejeitar essa interpretação que foi sustentada por Luís Osório. Veja-se o nosso *Código de Processo Penal.* 6.ª ed., anot. ao art. 673.°.

e) Descoberta de provas proibinas nos termos dos n.ᵒˢ 1 a 3 do art. 126.°, que serviram de fundamento à condenação.

Trata-se aqui, manifestamente, de provas que não tinham sido apreciadas no julgamento, coerentemente com o que se dispõe na al. *d)* e como resulta também da locução *se descobrirem,* no início desta alínea.

Mas da conjugação desta alínea com o que se dispõe no art. 465.° não resulta a impossibilidade de haver nova revisão com fundamento nesta al. *e).* E assim, se for negada a revisão pedida com fundamento no uso de tortura física, poderá ser pedida nova revisão com fundamento em promessa de vantagem legalmente inadmissível, posteriormente descoberta por ter sido encontrada correspondência extraviada.

f) Inconstitucionalidade, com força obrigatória geral, de norma menos favorável ao arguido, que tenha servido de fundamento à condenação.

A decisão do Tribunal Constitucional com força obrigatória geral deve, em nosso entendimento, ser posterior à decisão condenatória. Se anterior, deve ser interposto recurso ordinário, tal como sucede com a lei.

Em nosso entendimento para este caso estaria mais adequada a tramitação do art. 371.° - A.

g) Sentença vinculativa do Estado Português proferida por uma instância internacional, inconciliável com a condenação ou suscitando graves dúvidas sobre a sua justiça.

Trata-se de aplicar para as sentenças proferidas por instâncias internacionais que obriguem o Estado Português o mesmo regime que se estabelece na al. *c)* quanto às sentenças proferidas por tribunais portugueses para efeito de fundamento do pedido de revisão. É um dispositivo que manifestamente se impunha aditar.

1062

Artigo 449.º

5. A disposição do n.º 2, que é nova no nosso ordenamento jurídico, foi introduzida no seguimento da doutrina mais autorizada, e permite a revisão de despachos que tenham posto fim ao processo. Note-se que quanto a despachos de arquivamento de inquéritos proferidos pelo MP a disposição tem reduzido interesse, tendo-se em conta o disposto no art. 279.º. Na verdade, mesmo após se ter esgotado o prazo de 30 dias conferido pelo art. 278.º, o inquérito pode sempre ser reaberto, se surgirem novos elementos de prova que invalidem os fundamentos invocados pelo MP no despacho de arquivamento, sendo admissível reclamação para o superior hierárquico imediato do despacho do MP que deferir ou recusar a abertura do inquérito. Em tais termos usar-se-á de preferência o processo expedido desse art. 279.º, em vez do recurso extraordinário de revisão.

6. O n.º 3 consagra legislativamente a jurisprudência que o STJ vinha seguindo uniformemente no domínio do CPP de 1929, de que simples questões de dosimetria penal não podem servir de finalidade à revisão. Não assim já quanto aos casos de diferente enquadramento jurídico-criminal dos factos (ver *supra, 4, d)*). Assim, se um arguido foi condenado por um crime e através de novos factos ou meios de prova se vier a concluir que o crime não é o da condenação, mas outro de menor gravidade, a revisão pode ser autorizada, com o fundamento no n.º 1, *d)*, não funcionando no caso o obstáculo deste n.º 3.

7. O n.º 4 reproduz o art. 674.º do CPP de 1929.

Continua a não existir limite temporal para formular o pedido de revisão, que pode ser pedida mesmo no caso de o condenado já ter morrido, como se deduz do art. 450.º, n.º 2.

Depreende-se que a extinção do procedimento criminal é aqui por motivos diferentes do julgamento, pois a extinção por via de julgamento é até pressuposto da revisão, e ainda que a norma foi formulada só para o caso de a sentença ter sido condenatória.

8. *Jurisprudência:*

— I — Da leitura do dispositivo do CP sobre o crime de estupro resulta que não é elemento constitutivo deste crime o facto de o arguido ter engravidado a ofendida, nem mesmo a virgindade desta. II — Daí que, ainda que através de meios mais modernos que a ciência e a técnica põem ao dispor dos investigadores se viesse a provar que o recorrente não é pai da criança que a ofendida deu à luz, nem por isso se seguiria que o arguido está inocente do crime de estupro, uma vez que os elementos constitutivos do crime referidos na sentença não ficam seriamente abalados. III — A eventual mitigação da pena resultante da comprovação de que o recorrente não engravidou a ofendida não pode servir para autorizar a revisão, atenta a disposição terminante do n.º 3 do art. 449.º do CPP. IV — Igualmente não poderá servir de suporte ao pedido de revisão formulado no processo penal qualquer consequência do processo civil eventualmente pretendida pelo recorrente. (Ac. STJ de 14 de Março de 1990; *AJ*, n.º 7, 3);

— I — Os factos são novos, para o efeito de fundamentar o pedido de revisão de decisões penais, quando não foram apreciados no processo que conduziu à condenação, embora não fossem ignorados pelo arguido no momento em que o julgamento teve lugar. II — A dúvida sobre a justiça da condenação

Código de Processo Penal

abrange todos aqueles casos em que o arguido não terá que cumprir uma pena e em que esta não teria que ser aplicada no momento de decidir, se o tribunal tivesse tido acesso a tais novos factos. III — É idêntico que a condenação tenha resultado de um erro substancial decorrente de vício na decisão fáctica ou de indevido exercício da acção penal, comprometido por extinção do procedimento criminal por causa só posteriormente conhecida. IV — Verificada desistência de queixa no crime de emissão de cheque sem cobertura, ocorrida após o julgamento mas antes da publicação da decisão, e não se tendo conhecimento dela na época, tal desistência constitui facto novo, sendo de conceder a revisão. (Ac. STJ de 3 de Abril de 1990, Proc. 41 800/3.ª);

— I — A decisão que amnistiou o crime não obsta a que prossiga o pedido de revisão da sentença proferida. II — O pagamento do valor do cheque e a declaração do queixoso a desistir da queixa não são factos novos que sirvam para fundamentar o pedido de revisão. (Ac. STJ de 20 de Maio de 1992; *CJ*, XVII, tomo 3, 26);

— Julgado o arguido em processo de transgressão por lapso no preenchimento do auto e constatando-se ser outro o transgressor, é de conceder a revisão ao abrigo da alínea *d)* do n.º 1 do art. 449.º do CPP, por força do art. 2.º do Dec.-Lei n.º 17/91, de 10 de Janeiro. (Ac. STJ de 4 de Novembro de 1993; *BMJ,* 431, 357);

— Tendo um arguido sido detido e, nessa situação, julgado e condenado em processo sumário, como autor de um crime previsto e punível pelo art. 110.º do Dec.-Lei n.º 422/89, de 2 de Dezembro, mas provando-se posteriormente que o mesmo, que não se fazia acompanhar de qualquer documento de identificação, falseou a sua identidade, declarando em audiência de julgamento, como sendo sua, a identidade de um seu irmão, de todo alheio à prática dos factos e que, assim, veio a ser condenado por um crime que não cometeu, deve ser autorizada a revisão da respectiva sentença, por ocorrer em grau de suficiência bastante o fundamento constante da alínea *d)* do n.º 1 do art. 449.º do CPP. (Ac. do STJ de 12 de Maio de 1994; *BMJ,* 437, 394). *Nota* — Discordamos desta orientação. Como apontamos em outro lugar e sempre sustentámos desde o Parecer da PGR de 10 de Novembro de 1949, publicado no *BMJ* n.º 18, págs. 144 e segs., quando uma pessoa arguida em processo criminal forneceu uma falsa identidade que corresponde, em todos os seus elementos, à de outra pessoa, a forma de provar a falsidade do arguido é o processo incidental, devendo o tribunal, uma vez feita a prova, ordenar oficiosamente as rectificações e os cancelamentos necessários no registo criminal. Em caso algum deve uma pessoa de quem foi usada a identificação ser submetida a um julgamento, já que lhe não foi imputada a prática de qualquer crime. Neste sentido tem sido, segundo alcançamos, a jurisprudência dominante no STJ, e foi sempre a orientação uniforme enquanto aí exercemos funções, quer como magistrado judicial quer como magistrado do MP. Vejam-se as anots. ao art. 468.º;

— I — Não é caso de recurso de revisão quando existem duas sentenças condenatórias do arguido sobre o mesmo crime. II — Nesta hipótese, porque se trata de sentenças em oposição por coincidência, deve aplicar-se subsidiariamente o disposto no art. 675.º do CP Civil, que dispõe que se deverá cumprir a que transitou em primeiro lugar. (Ac. do STJ de 3 de Maio de 1995; *CJ, Acs. do STJ,* III, tomo 2 180);

1064

Artigo 449.º

— Deve ser revista a decisão, e não apenas corrigidos os elementos de identificação do arguido, quando se apura existirem fortes suspeitas de que o condenado se identificou com o nome de um irmão. (Ac. STJ de 5 de Julho de 1995; *CJ, Ac. do STJ,* III, tomo 3, 186);

— Não há lugar a revisão de sentença quando é condenada a pessoa física que cometeu o crime, embora identificada com outro nome. (Ac. STJ de 8 de Novembro de 1995; *CJ, Acs. do STJ,* III, tomo 3, 229);

— I — É de conceder a revisão de sentença penal, no caso de o procedimento criminal ter ficado extinto por perdão de parte pelos herdeiros da vítima e ter terminado a acção cível por transação quando, posteriormente, sejam fornecidos elementos de que outros herdeiros não tinham intervindo nesse perdão nem nessa transacção. II — A alínea *d)* do n.º 1 do art. 449.º do CPP deve ser interpretada extensivamente, para englobar não apenas o caso de ter havido condenação, mas também o de o procedimento criminal ter terminado por perdão. III — Mesmo em relação ao pedido cível formulado, apesar de terem intervindo todos os demandantes, deve ser concedida a revisão, por não terem estado no processo todos os titulares do direito à indemnização. (Ac. STJ de 10 de Janeiro de 1996; *CJ, Acs. do STJ,* IV, tomo 1, 173);

— Não é fundamento de revisão de sentença a invocação de inconstitucionalidade de uma lei nem a inadmissibilidade, *in casu,* da pena de expulsão. (Ac. STJ de 31 de Outubro de 1996; *CJ, Acs. STJ,* IV, tomo 3, 181);

— I — São novos factos ou novos meios de prova aqueles que não tenham sido apreciados no processo que levou à condenação; que, sendo desconhecido da jurisdição na data do julgamento, sejam susceptíveis de levantar dúvida acerca da culpabilidade do condenado, e não de molde a estabelecer a sua inocência. II — As fotocópias de peças jornalísticas juntas ao processo, nas quais se relata uma versão dos factos que contraria a versão de acórdão recorrido, não contendo nenhum facto novo ou elemento de prova, não podem alicerçar a revisão pretendida. III — Um ou mais pareceres juntos ao processo em que foram realizadas várias perícias não constitui novo elemento de prova, para os fins da alínea *d)* do n.º 1 do art. 449.º do CPP. (Ac. STJ de 9 de Julho de 1997; *BMJ,* 469, 334);

— As leis posteriores descriminalizadoras não podem servir de fundamento à revisão de sentença, apenas podendo ser aplicadas aos factos objecto do processo (mesmo após o trânsito em julgado da decisão) no âmbito e com as consequências previstas no art. 2.º, n.º 2, do CP. (Ac. STJ de 9 de Julho de 1998; *CJ, Acs. do STJ,* VI, tomo 2, 255);

— I — São considerados novos factos ou novos meios de prova aqueles que não tenham sido apreciados no processo que levou à condenação, embora não fossem ignorados pelo arguido na ocasião em que se realizou o julgamento. II — O recurso de revisão penal, como meio extraordinário de impugnação de uma sentença transitada em julgo, pressupõe que ela esteja inquinada por um erro de facto originado por motivos estranhos ao processo. III — A revisão tem o seu fundamento essencial na necessidade de evitar sentenças injustas, reparando erros judiciários, fazendo-se prevalecer a justiça substancial sobre a justiça formal, ainda que com sacrifício do caso julgado; o seu fim último deverá traduzir-se em fazer preponderar a justiça sobre a segurança jurídica. (Ac. STJ de 22 de Outubro de 1998; *BMJ,* 480, 287);

1065

Código de Processo Penal

— I — O recurso extraordinário de revisão é instrumento legal que tem por fim estabelecer um mecanismo de equilíbrio entre a sentença imutável (transitada em julgado) e a necessidade de resposta à verdade material. II — Através do recurso de revisão, tem de se passar para uma decisão nova, e não para um reexame ou reapreciação de uma sentença, com base num outro julgamento com novos dados de facto. III — Mas os factos a que se refere o art. 449.º, n.º 1, al. *d)*, do CPP são os que, compondo o crime, devem constituir o tema da prova e os meios de prova são constituídos pelas provas que se destinam a demonstrar a verdade de quaisquer factos, ou que constituem o crime, ou que indiciam a existência ou inexistência do crime. IV — Para que os novos factos suscitem graves dúvidas sobre a justiça da condenação têm de constituir uma grave presunção da inocência do acusado. (Ac. STJ de 5 de Novembro de 1998; *BMJ,* 481, 311);

— As leis posteriores descriminalizadoras não podem servir de fundamento à revisão de sentença, por não consubstanciarem *factos novos* que, analisados no âmbito do objecto do processo, possam incluir-se na al. *d)* do n.º 1 do art. 449.º citado. (Ac. STJ de 10 de Dezembro de 1998, proc. 936/98-3.ª; *SASTJ,* n.º 26, 81);

— I — A modificação de determinado regime jurídico não só não pode apodar-se de *facto novo* para efeitos da al. *d)* do n.º 1 do art. 449.º do CPP, como também as leis posteriores que descriminalizem só devem ser aplicadas aos factos que foram objecto do processo no âmbito e com as consequências previstas no art. 2.º, n.º 2, do CP, e não em sede de revisão. II — Face a este último normativo, é à primeira instância que cabe, em sede oficiosa, proceder, se for caso disso, a eventuais diligências de renovação da prova destinadas a apurar se a situação concreta dos autos pode ou não ser subsumida à previsão da lei nova nos seus aspectos despenalizadores, ou mesmo em outros que tenham efeito semelhante. (Ac. STJ de 7 de Janeiro de 1999, proc. 1211/98-3.ª; *SASTJ,* n.º 27, 67);

— I — É de conceder a revisão de sentença quando o arguido, tendo sido condenado em pena acessória de explusão do território nacional, adquiriu, antes do trânsito em julgado da decisão, a nacionalidade portuguesa. II — Esta situação traduz um facto novo, estando abrangida pela art. 449.º, n.º 1, al. *d)*, do CPP. (Ac. STJ de 11 de Fevereiro de 1999; *BMJ*, 484, 280);

— I — Da leitura do disposto na al. *c)* do n.º 1 do art. 449.º do CPP ressalta que a inconstitucionalidade dos factos deve ocorrer entre sentenças. II — A equiparação entre sentença e despacho que tiver posto fim ao processo, que se faz no n.º 2 do mesmo preceito, para efeito do número anterior, não deverá ser entendida senão com o sentido de também um despacho desse tipo poder ser objecto de revisão, tal como resulta do art. 464.º do CPP. (Ac. STJ de 9 de Junho de 1999; proc. 495/99-3.ª; *SASTJ,* n.º 32, 80);

— I — As graves dúvidas sobre a justiça da condenação suscitadas pelos novos factos ou novos meios de prova têm, naturalmente, considerando a natureza e a finalidade do recurso de revisão, de ser aferidas face aos factos que constituiam o objecto do processo, no seu duplo aspecto do *thema decidendum* e do *thema probandum*, não podendo a revisão fazer-se à custa da alteração daquele objecto. II — A posterior alteração legislativa, de que resultou a descriminalização da conduta, não pode ser considerada novo facto,

1066

Artigo 449.º

para os efeitos do n.º 1, al. *d)*, do art. 449.º do CPP. III — Atento o carácter extraordinário do recurso de revisão, que por razões de justiça permite excepcionalmente superar os interesses da segurança e certeza do direito que subjazem ao instituto do caso julgado, é taxativa a indicação dos fundamentos enumerados no art. 449.º do CPP. IV — Consequentemente, não constitui fundamento daquele recurso a verificação da renúncia ao direito de queixa. (Ac. STJ de 6 de Outubro de 1999; *SASTJ*, n.º 34, 63);

— I — Referindo-se a al. *d)* do n.º 1 do art. 449.º do CPP a factos novos ou novos meios de prova, os primeiros são factos probandos, novos indícios fácticos, enquanto os segundos são aqueles que se destinam a demonstrar os factos. II — A novidade dos factos ou dos meios de prova avalia-se quanto ao processo, ao seu julgador, e não relativamente ao arguido. III — Na falta de elementos decisivos em favor de tese oposta, a que melhor se coaduna com a indicação constitucional e também com o *favor rei* é aquela que preconiza que, enquanto os fundamentos mencionados nas als. *a)* e *b)* do n.º 1 do art. 449.º do CPP são entendidos como *pro reo* e *pro societate*, os das als. *c)* e *d)* são exclusivamente *pro reo*. (Ac. STJ de 16 de Fevereiro de 2000, proc. n.º 713/99-3.ª; *SASTJ*, n.º 38, 72);

— I — O recurso de revisão, na sua *ratio*, aspira a obter o equilíbrio entre a imutabilidade da sentença ditada pelo caso julgado (vertente da segurança) e a necessidade de assegurar o respeito pela verdade material (vertente da Justiça). II — Trata-se de um verdadeiro recurso, permissivo não apenas de um mero reexame ou de uma simples apreciação de um anterior julgado, mas antes de uma nova decisão alicerçada em renovado julgamento do feito e com o apoio e novos dados de facto. III — Tal como se alcança do contexto das diversas alíneas que integram o n.º 1 do art. 449.º do CPP, mas de modo particularmente visível na hipótese da al. *d)*, a revisão versa sobre a questão de facto, *rectius*, versa apenas sobre a questão de facto. IV — Exactamente porque, tratando-se de um recurso extraordinário, o mesmo tem de ser avalizado rigorosamente, não podendo, nem devendo, vulgarizar--se, pelo que haverá que encará-lo sob o inafastável prisma das *graves dúvidas*, e como *graves* só podem ser havidas as que atinjam profundamente um julgado passado na base de inequívocos dados presentemente surgidos. (Ac. STJ de 11 de Maio de 2000, proc. n.º 20/ /2000-5.ª; *SASTJ*, n.º 41, 75);

— Não é inconstitucional a norma extraída do espírito do sistema e com apoio literal na alínea *d)* do n.º 1 do artigo 449.º, em conjugação com o artigo 460.º, ambos do Código de Processo Penal, segundo a qual o recurso de revisão, quando tiver por fundamento novos factos ou meios de prova, deverá ser interposto da decisão que julgou a matéria de facto. (Ac. do Trib. Constitucional de 13 de Julho de 2000, proc. n.º 397/99; *DR*, II série, de 13 de Dezembro de 2000);

— I — Há que reputar como novos elementos da prova, para efeitos do art. 449.º, n.º 1, al. *d)*, do CPP, os relatórios médicos psiquiátricos dos quais resulta ser o arguido, à data dos factos pelos quais foi condenado a pena de prisão, inimputável em razão de anomalia psíquica, não tendo aqueles sido oportunamente incorporados no processo e sendo certo que se o tivessem sido muito provavelmente determinariam uma decisão diferente da que foi proferida. II — Com base naqueles novos elementos de prova, é de conceder a revisão da sentença. (Ac. STJ de 18 de Outubro de 2000, proc. n.º 2092/2000-3.ª; *SASTJ*, n.º 44, 74);

1067

Código de Processo Penal

— No caso específico da al. *c)* do n.º 1 do art. 449.º do CPP, o requerente deve juntar ao requerimento certidão da decisão revidenda e do seu trânsito em julgado, bem como alegar e provar o trânsito em julgado da decisão onde foram dados como provados factos inconciliáveis com os que serviram de fundamento à condenação na decisão revidenda, sob pena de rejeição do recurso. (Ac. STJ de 1 de Fevereiro de 2001, proc. n.º 96/01-5.ª; *SASTJ*, n.º 48, 58);

— A alteração do regime jurídico constitui um facto novo para efeito de recurso extraordinário de revisão. (Ac. STJ de 5 de Abril de 2001; *CJ, Acs. do STJ*; IX, tomo 2, 173). *Nota* — Votou vencido o Cons. Guimarães Dias;

— Tratando-se de um despacho que julgou extinta a pena cuja execução ficou suspensa, a descoberta posterior da prática de crimes durante o período da suspensão não pode fundar, à luz da al. *d)* do n.º 1 do art. 449.º do CPP, a revisão daquele despacho. (Ac. STJ de 5 de Abril de 2001, proc. n.º 581/01--5.ª; *SASTJ*, n.º 50, 45);

— I — O surgimento de uma nova lei despenalizadora não pode deixar de ser visto como um acontecimento novo no mundo dos factos (sem engeitar que possa ser ou possa ser também do mundo do direito). II — Assim, sendo um facto novo que tornou supervenientemente injusta uma decisão condenatória, porque a manteve por facto que deixou de merecer qualquer condenação e porque perante situações iguais potencializa tratamento radicalmente diferente, pode fundamentar um pedido de revisão, nos termos da al. *d)* do n.º 1 do art. 449.º do CPP. (Ac. STJ de 17 de Maio de 2001, proc. n.º 960/01-5.ª; *SASTJ*, n.º 51, 90). *Nota* — Votaram vencidos os Conselheiros Abranches Martins e Hugo Lopes;

— Uma alteração legal que descriminaliza factos que eram previstos como crime não pode ser considerada como facto novo, para efeito de revisão de sentença. (Ac. STJ de 6 de Dezembro de 2001, proc. n.º 2054/01-5.ª; *SASTJ*, n.º 56, 43). *Nota* — Votou vencido o Conselheiro Carmona da Mota;

— I — O recurso de revisão penal, como meio extraordinário de impugnação de uma sentença transitada em julgado, pressupõe que a decisão esteja eivada de um erro de facto originado por motivos alheios ao processo. II — Do ponto de vista individual e social e por graves razões de interesse público, o recurso extraordinário de revisão tem fundamento na absoluta necessidade de evitar condenações injustas, reparando erros judiciários, fazendo-se prevalecer a justiça substancial sobre a justiça formal, mesmo com sacrifício do caso julgado; o seu fim último há-de traduzir-se em fazer preponderar a justiça sobre a segurança jurídica. (Ac. STJ de 19 de Junho de 2002, proc. n.º 1093/02-3.ª; *SASTJ*, n.º 62, 63);

— I — Com fundamento no art. 449.º, n.º 1, al. *d)*, do CPP, a revisão de sentença penal funda-se na circunstância de após o trânsito em julgado da mesma terem sido descobertos novos factos ou meios de prova que, per se ou combinados com os que foram apreciados no processo, suscitem graves dúvidas sobre a justiça da condenação. II — Ora tal não sucede quando a petição de recurso de revisão se funda exclusivamente numa declaração (manifestamente de favor) subscrita pela vítima, sem aparente correspondência com a verdade, com o único intuito de aliviar o arguido da sua responsabilidade, pois, em tal situação não se suscitam dúvidas, e muito menos graves, sobre a justiça da condenação cuja revisão é pretendida. (Ac. STJ de 11 de Julho de 2002, proc. n.º 2372/02-5.ª; *SASTJ*, n.º 63, 77);

1068

Artigo 449.º

— I — O recurso de revisão encontra a sua específica razão de ser e radica a sua justificação na garantia de defesa do condenado, determinantes que podem ser de uma reapreciação dos actos jurisdicionais envoltos pelo caso julgado. II — Se a certeza e a segurança constituem vectores eminentemente atendíveis e que importa tanto quanto possível assegurar, não menos certo é que tais certeza e segurança não consubstanciam a única finalidade do processo penal, e nem sequer a sua finalidade prevalente, pois que o desiderato final a conseguir é o da identificação da verdade material e, com ele, o da realização integral da justiça. donde não se legitimar sobrepor a segurança do injusto à necessidade de reparar uma verificada injustiça. III — Como dinama dos pressupostos consignados nas diversas alíneas do art. 449.º do CPP, o instituto da revisão destina-se não a um reexame ou a uma reapreciação de um anterior julgamento, mas a propiciar uma nova decisão assente num novo julgamento do feito, agora com alicerce em novos dados de facto. IV — Com apoio no fundamento previsto na al. *d)* do n.º 1 daquele art. 449.º não é permitido pedir a revisão com o fim exclusivo e único de lograr corrigir a sanção penal cominada, pois que o que aí se exige e requer é que os novos factos estabeleçam graves dúvidas e apontem para uma plausível inocência do condenado, dentro de uma alternativa circunscrita ao binómio condenação — absolvição. (Ac. STJ de 12 de Dezembro de 2002, proc. n.º 3101/02-3.ª; *SASTJ*, n.º 66, 67);

— I — Se dois testemunhos decisivos para a absolvição do arguido vieram a confirmar-se posteriormente como tendo sido falsos, mostram-se preenchidos os requisitos da revisão a que alude o art. 449.º, al. *a)* do CPP. II — O disposto no art. 463.º do CPP confirma a possibilidade da existência de revisão «pro societate» da decisão penal, ainda que absolutória, de harmonia com o interesse público da administração da justiça. (Ac. STJ de 8 de Janeiro de 2003, *CJ, Acs. do STJ*, XXVIII, tomo 1, 155);

— I — Não há lugar a revisão de sentença quando o condenado é a pessoa física que cometeu o crime objecto da condenação, embora identificada com outro nome. II — Em tal situação, haverá simplesmente que averiguar, incidentalmente, a verdadeira identidade do condenado e, uma vez feita a prova, ordenar oficiosamente as correspondentes rectificações na sentença, cancelamentos e averbamentos nos respectivos certificados do registo criminal. (Ac. STJ de 20 de Fevereiro de 2003, *CJ, Acs. do STJ*, XXVIII, tomo 1, 218);

— A revisão em processo penal pode ter lugar no caso de se descobrirem novos factos ou meios de prova que, por si ou combinados com os que foram apreciados no processo, suscitem graves dúvidas sobre a a justiça da condenação mas, neste caso, desde que se suscitem possibilidades de absolvição, e não já de mera correcção da medida concreta da sanção aplicada. (Ac. STJ de 13 de Março de 2003; *CJ, Acs. do STJ*, XXVIII, tomo 1, 231);

— I — Não há lugar a revisão da sentença penal quando o condenado é a pessoa física, embora identificada com outro nome, que cometeu o crime objecto da condenação. II — Em tais situações, haverá apenas que averiguar, incidentalmente, a verdadeira identidade do condenado e, uma vez feita a prova, ordenar oficiosamente as correspondentes rectificações (na sentença) e cancelamento (no registo criminal). (Ac. STJ de 20 de Fevereiro de 2003, proc. n.º 395/03-5.ª; *SASTJ*, n.º 68, 82);

Código de Processo Penal

— I — O despacho que declara extinta a pena após o decurso do prazo de suspensão de execução da mesma não põe fim ao processo, para efeitos do disposto no art. 449.º, n.º 2, do CPP. II — É inadmissível recurso de revisão daquele mesmo despacho de extinção da pena, com base na al. *d)* do n.º 1 do art. 449.º do CPP, pois não se trata de decisão condenatória nem foi proferida contra o arguido. (Ac. STJ de 9 de Abril de 2003, proc. n.º 869/03-3.ª; *SASTJ*, n.º 70, 52);

— É fundamento de revisão de sentença penal transitada, previsto na al. *d)* do n.º 1 do art. 449.º do CPP, a circunstância de o arguido presente a julgamento se identificar com nome e documentos alheios. (Ac. STJ de 1 de Outubro de 2003, *CJ, Acs. do STJ*, XI, tomo 3, 179);

— Não há lugar a revisão de sentença penal quando é condenada a pessoa física que cometeu um crime, embora identificada com outro nome. (Ac. STJ de 9 de Outubro de 2003, CJ, Acs. do STJ, XI, tomo 3, 204);

— Justifica-se a procedência do pedido de revisão quando as dúvidas que se compreendem na al. *c)* do n.º 1 do art. 449.º do CPP são tanto aquelas que respeitam à condenação ou não do arguido como as que conduzam ou não à redução da pena. (Ac. STJ de 19 de Novembro de 2003, proc. n.º 3218/03-3.ª; *SASTJ*, n.º 75, 95);

— Se o recorrente articulou todo o recurso na base de factos e de provas já apreciados na forma definitiva pelo tribunal, não aditando nem factos nem provas susceptíveis de gerarem dúvidas acerca da sua culpabilidade, apenas pretendendo a redução da pena, o pedido de revisão é manifestamente improcedente. (Ac. STJ de 19 de Novembro de 2003, proc. n.º 2728/03-3.ª; *SASTJ*, n.º 75, 96);

— Com fundamento na al. *b)* do n.º 1 do art. 449.º do CPP, a revisão de sentença não pode ter lugar quando os novos factos ou meios de prova poderiam fundamentar simplesmente a aplicação de uma norma penal menos grave que a imposta, requerendo-se antes que estes evidenciem inocência e a alternativa seja, portanto, condenação/absolvição, não sendo admissível também a revisão com o único fim de corrigir a medida concreta da sanção aplicada. (Ac. STJ de 20 de Novembro de 2003, proc. n.º 3468/03-5.ª; *SASTJ*, n.º 75, 120);

— I — A falsa identidade do arguido como fundamento do recurso de revisão não pode ter uma solução unitária, antes dependendo das circunstâncias do caso. II — No essencial, importa determinar se a dúvida, divergência ou incompletude de identificação se refere exclusivamente ao sujeito ou também ou julgamento; no primeiro caso, será de efectuar apenas a correcção da sentença, nos termos do art. 380.º do CPP; no segundo, poderá ter lugar o expediente excepcional da revisão de sentença. (Ac. STJ de 28 de Janeiro de 2004, proc. n.º 3557/03; *CJ, ACs. STJ*, XII, tomo 1, 183);

— I — São de considerar abrangidos pela previsão da al. *d)* do n.º 1 do art. 449.º do CPP os casos em que a injustiça da condenação se vem a revelar por factos ocorridos posteriormente a esta e que, se verificados e apreciados aquando da prolação da decisão, conduziriam à não condenação por imperativo constitucional. II — Encontra-se nesta situação o arguido que, na altura em que foi condenado, era de nacionalidade estrangeira, e que, posteriormente, em plena execução da pena, veio a adquirir a cidadania portuguesa. III — Desse modo, é de autorizar a revisão da sentença, no sentido de ser revogada a pena acessória que lhe foi aplicada, de expulsão do território nacional. (Ac. STJ e 5 de Maio de 2004; *CJ, ACs. do STJ*, ano XII, tomo 2, 183);

1070

Artigo 449.º

– I – Um documento particular assinado por pessoa não identificada não pode assumir qualquer valor de prova dos factos que reporta, caso esteja desacompanhado de outros meios probatórios, pois a veracidade não pode ser confirmada ou informada. II – Se tivesse sido possível identificar o signatário, então o mesmo deveria ter prestado depoimento no recurso de revisão sobre os factos relatados, para, de viva voz e sob juramento, esclarecer o que se passou. III – Assim, tal documento não tem força probatória suficiente para, de *per se* ou combinado com os que foram apreciados no processo, suscitar graves dúvidas sobre a justiça da condenação e viabilizar pedido de revisão de sentença transitada em julgado. (Ac. STJ de 13 de Janeiro de 2005, proc. n.º 3780/04-5.ª; *SASTJ*, n.º 87, 115);

– I – Uma carta escrita e assinada pela co-arguida condenada conjuntamente com a recorrente no processo principal não constitui um facto novo, nos termos da alínea d) do n.º 1 do art. 449.º do CPP, uma vez que a dita co-arguida já foi ouvida na audiência de julgamento, no processo em que foi proferida a decisão condenatória cuja revisão referida é requerida. II – Com fundamento na aludida carta poderia eventualmente ser requerida a revisão, ao abrigo da alínea a) do n.º 1 daquele preceito, mas somente após ser proferida uma outra sentença transitada em julgado, que tivesse considerado falsas as declarações prestadas no julgamento efectuado no processo principal, e que tenham sido determinantes para a decisão cuja revisão se precende. (Ac. STJ de 9 de fevereiro de 2005, proc. n.º 4311/04-3.ª; *SASTJ*, n.º 88, 96);

– I – Não há lugar a revisão da sentença quando é condenada a pessoa física que cometeu um crime, embora identificada com outro nome. II – Em tal caso, depois das necessárias diligências, deve proceder-se à rectificação da decisão condenatória, substituindo pelo nome verdadeiro do arguido condenado o nome que, por erro, figura naquela decisão. (Ac. STJ de 24 de Fevereiro de 2005, proc. n.º 654/05; *SASTJ*, n.º 88, 125);

– O que está em causa na revisão de sentença são factores novos, e não uma lei nova que provoque alterações da situação, o que nunca se poderá considerar um facto novo. (Ac. STJ de 8 de Junho de 2005, proc. n.º 2459/03-3.ª; *SASTJ*, n.º 92, 89);

– Não é admissível revisão de sentença penal com o único objectivo de corrigir a medida concreta da sanção aplicada. (Ac. STJ de 2 de Novembro de 2005; *SASTJ*, n.º 95, 100).

– Para efeitos da al. *d)* do n.º 1 do art. 449.º do CPP, o recurso de revisão não ocorre quando os novos factos ou meios de prova poderiam fundamentar simplesmente a aplicação de uma norma penal com pena menos grave que a imposta. Requer-se que *evidenciem inocência*, e a alternativa seja, portanto, condenação--absolvição. (Ac. STJ de 24 de Novembro de 2005; *SASTJ*, n.º 95, 138);

– I – Diferentemente do que resulta das três primeiras alíneas do n.º 1 do art. 449.º, n.º 3, do CPP, no caso da alínea d), a revisão de sentença não é admitida se tiver como único fim corrigir a medida concreta da sanção aplicada. II – Nos termos daquela alínea deve entender-se não só o *quantum* da pena, mas também a possibilidade de ser estabelecida uma pena de substituição. Com a reserva da alínea d), o legislador foi, assim, mais cauteloso, apenas afastando a certeza do direito quando estiver em causa a justiça da própria condenação, e não tão somente a da pena. (Ac. STJ de 7 de Fevereiro de 2005; *SASTJ,* n.º 96, 86);

1071

Código de Processo Penal

– I – Perante o art. 449.° do CPP, resulta que o legislador ordinário não se limitou a consagrar a possibilidade de revisão das sentenças condenatórias, mas antes abriu a possibilidade de serem revistas as decisões que sejam favoráveis ao arguido; todavia, ponderando o princípio constitucional ínsito no n.° 5 do art. 29.° da CRP, previu para esta última hipótese apenas os fundamentos elencados nas als. a) e b) do n.° 1 do n.° 1 do citado art. 449.°, já que aqui está em causa a genuidade da decisão, afectada desde o seu início. II – Não basta a mera dúvida sobre a justiça da condenação; a dúvida relevante tem de ser qualificada, elevando-se do patamar da mera existência pra o da gravidade que baste e que justifique que se abale a estabilidade de uma decisão judicial transitada em julgado. (Ac. STJ de 16 Fevereiro de 2006, proc. n.° 125/06-5.ª);

— Por corresponder a uma decisão final absolutória, com base no surgimento de novos factos ou meios de prova é inadmissível o recurso de revisão da decisão de não pronúncia. II — Solução que não impede a reabertura do inquérito, em sede própria. (Ac. STJ de 8 de Março de 2007; *CJ, Acs. do STJ,* ano XV, tomo I, 208);

— I — A revisão da sentença ou despacho é a relativização, numa escalada em ascensão entre nós (cfr. por exemplo o art. 371.°-A do CPP, na alteração introduzida pela Lei n.° 48/2007, de 29/08) do valor do caso julgado penal, e realiza o formato da concordância prática entre a segurança e a estabilidade e o ideal de justiça que, em situações de clamorosa ofensa, de ostensiva lesividade do sentimento de justiça reinante no tecido social, reclama atenuação da eficácia da decisão a coberto do trânsito em julgado. II — O trânsito em julgado não cobre, na filosoia deste recurso extraordinário, a injustiça da condenação penal, nenhum Estado adoptando como dogma, em nome do valor da certeza e segurança do Direito, o caso julgado, quando uma decisão já transitada atente flagrantemente contra a verdade, contra os direitos fundamentais dos cidadãos, procurando o nosso sistema processual penal realizar um compromisso entre os dois valores fundamentais. III — A norma do art. 449.° do CPP, que enumera de forma taxativa os fundamentos e a admissibilidade da revisão, é uma norma excepcional e uma restrição grave ao princípio da segurança inerente ao Estado de Direito, consentida mesmo à luz do Direito Internacional, paticularmente no art. 4.°, n.° 2, do protocolo adicional n.° 7 à CEDH, mas só circunstâncias substantivas e imperiosas devem permitir a quebra de respeito pelo caso julgado, permitido no art. 29.°, n.° 6, da CRP. IV — É imperioso que o recurso não se transforme numa apelação disfarçada, num recurso penal encapotado, degradando o valor do caso julgado e permitindo a eternização da discussão de uma mesma causa, não podendo ver-se nele um recurso contra os recursos ou o recurso dos recursos, de que se lança mão em desespero de causa, quando todos os demais já redundaram em fracasso. (Ac. STJ de 10 de Setembro de 2008, proc. n.° 2154/08-3.ª; *SASTJ* relativos a esse mês, pág. 30).

ARTIGO 450.°

(Legitimidade)

1. Têm legitimidade para requerer a revisão:

a) O Ministério Público;

1072

Artigo 451.º

b) O assistente, relativamente a sentenças absolutórias ou a despachos de não pronúncia;

c) O condenado ou seu defensor, relativamente a sentenças condenatórias.

2. Têm ainda legitimidade para requerer a revisão e para a continuar, quando o condenado tiver falecido, o cônjuge, os descendentes, adoptados, ascendentes, adoptantes, parentes ou afins até ao quarto grau da linha colateral, os herdeiros que mostrem um interesse legítimo ou quem do condenado tiver recebido incumbência expressa.

1. Reproduz o art. 450.º do Proj. e corresponde aos arts. 476.º do Aproj. e 675.º do CPP de 1929.

2. Este artigo, como se referiu, corresponde ao art. 675.º do CPP de 1929; é, porém, mais lato, pois alargou a legitimidade para requerer a revisão, no caso de falecimento do arguido, ao seu defensor, aos parentes ou afins até ao 4.º grau na linha colateral, aos herdeiros e àqueles que do condenado tiverem recebido incumbência expressa.

Não têm, porém, legitimidade para o pedido de revisão os lesados que tiverem deduzido pedido de indemnização civil nem tão-pouco aqueles que com o falecido tenham vivido em situação análoga à de cônjuge.

3. O MP tem legitimidade para pedir a revisão de quaisquer decisões, sejam condenatórias, absolutórias ou despachos de não pronúncia; trata-se de um poder vinculado, ou seja de um poder-dever, pelo que o pedido será obrigatoriamente formulado, sempre que para tanto haja fundamento bastante.

ARTIGO 451.º
(Formulação do pedido)

1. O requerimento a pedir a revisão é apresentado no tribunal onde se proferiu a sentença que deve ser revista.

2. O requerimento é sempre motivado e contém a indicação dos meios de prova.

3. São juntos ao requerimento a certidão da decisão de que se pede a revisão e do seu trânsito em julgado bem como os documentos necessários à instrução do pedido.

1. Reproduz o art. 451.º do Proj. e corresponde aos arts. 477.º do Aproj. e 676.º e 677.º do CPP de 1929.

1073

Código de Processo Penal

2. A revisão é um recurso extraordinário, cujo requerimento inicial tem de ser apresentado no tribunal em que o arguido foi julgado e corre o processo onde se proferiu a sentença que deve ser revista.

Não há, neste aspecto, qualquer alteração ao CPP de 1929. Nos trabalhos preparatórios, perante a Comissão Revisora, discutiu-se a conveniência de o pedido ser formulado e a 1.ª fase do juízo rescindente correr termos perante o tribunal de hierarquia imediatamente superior àquele em que a decisão foi proferida, pensando designadamente em casos de revisão fundamentada em crime praticado por juiz ou jurado, com influência na decisão a rever. Essa ideia foi abandonada, porque então o magistrado estaria impedido e porque a recolha de prova seria então mais morosa e onerosa.

3. O recurso extraordinário de revisão comporta duas fases distintas: a fase do juízo rescindente e a fase do juízo rescisório.

A fase do juízo rescindente abrange toda a tramitação, desde a dedução do pedido até à decisão que concede ou denega a revisão; a fase do juízo rescisório começa no momento em que o processo baixa, e termina com o novo Julgamento.

Quando a revisão é denegada, não há a fase do juízo rescisório.

Na fase do juízo rescindente, é o STJ que detém a jurisdição. Trata-se de uma questão julgada em única instância, pelo que não é admissível recurso ordinário da decisão que concede ou denega autorização para a revisão.

A fase do juízo rescindente é processada primeiramente no tribunal onde se proferiu a decisão cuja revisão se pretende, e posteriormente à informação e à remessa referidas no art. 454.º, no STJ.

4. O que se preceitua no n.º 2 quanto à motivação é novo, mas corresponde a uma exigência que já se vinha fazendo no domínio do CPP de 1929, de que o requerimento formulando o pedido de revisão devia conter uma exposição circunstanciada, demonstrativa de que o pedido tinha fundamento e se enquadrava em alguns dos números do art. 673.º.

É neste sentido que o preceito deve agora ser entendido, *mutatis mutandis*.

O facto de o requerente da revisão dever indicar os meios de prova não significa que outros meios, considerados indispensáveis não venham a ser produzidos, quer por determinação do tribunal onde o pedido é apresentado, quer do STJ (cfr. arts. 453.º e 455.º).

5. *Jurisprudência:*

— I — Segundo o disposto no art. 451.º, n.ºs 1 e 2 do CPP, o requerimento a pedir a revisão é apresentado no tribunal onde se proferiu a decisão a rever e é sempre motivado. II — O recurso de revisão abrange duas fases: Uma fase instrutória, realizada pelo juiz da comarca onde foi apresentado o requerimento, e uma fase decisória, que compete ao STJ. III — Mesmo que o juiz da comarca tenha intervindo no julgamento em que foi proferida a decisão a rever, pode ele presidir à fase instrutória, por nela não haver praticado actos jurisdicionais, no verdadeiro sentido da palavra. IV — Na fase decisória — julgamento do pedido —, aí não poderá ele participar, atento o que preceitua o art. 40.º do CPP. (Ac. STJ de 10 de Março de 1994, proc. 45793/3.ª);

1074

Artigo 453.º

— I — O impedimento do juiz referido no art. 40.º do CPP refere-se a todas as fases do pedido de revisão, e não apenas à do seu julgamento. II — O STJ pode alterar qualquer decisão proferida na fase instrutória do processo, nomeadamente sobre a necessidade ou não de audição de testemunhas arroladas. (Ac. STJ de 1 de Junho de 1995, proc. 47488/3.ª). *Nota* — Contrariamente à primeira proposição, ver ac. STJ de 10 de Março de 1994, sumariado *supra.*

ARTIGO 452.º

(Tramitação)

A revisão é processada por apenso aos autos onde se proferiu a decisão a rever.

---

1. Reproduz o art. 452.º do Proj. e corresponde aos arts. 477.º do Aproj. e 680.º do CPP de 1929.

2. O processo com o pedido de revisão fica apensado ao processo em que se encontra a decisão a rever.
A fase do juízo rescisório, que começa no momento em que o processo baixa do STJ com a autorização de revisão e termina com o novo julgamento, já é processada no processo em que foi proferida a decisão a rever.
No caso de revisão com o fundamento em sentenças inconciliáveis, os processos em que foram proferidas essas sentenças são apensados, seguindo se os termos da revisão (art. 458.º, n.º 2).

3. *Jurisprudência:*
— Ver *jurisprudência,* em anot. ao art. 451.º;
— O recurso de revisão de decisão apenas sobre o pedido cível, proferida em processo penal, rege-se pelas normas do CPC. (Ac. STJ de 14 de Novembro de 1997; *CJ, Acs. do STJ,* V, tomo 3, 234);
— I — Ainda que mesclado de particulares características, a revisão é um verdadeiro recurso. II — Assim, como em qualquer recurso, deve estar sujeito a um despacho inicial onde se aprecie a verificação dos pressupostos e requisitos formais da sua admissibilidade, devendo aplicar-se o regime contido no art. 687.º, n.º 3, do CPC, dada a falta de regulamentação específica no CPP. (Ac. STJ de 25 de Fevereiro de 1999, proc. 1364/98-3.ª; *SASTJ,* n.º 28, 88).

ARTIGO 453.º

(Produção de prova)

1. Se o fundamento da revisão for o previsto no artigo 449.º, n.º 1, alínea *d),* o juiz procede às diligências que considerar indispensáveis para a descoberta da verdade, mandando documentar, por redução a escrito ou por qualquer meio de reprodução integral, as declarações prestadas.

Código de Processo Penal

2. O requerente não pode indicar testemunhas que não tiverem sido ouvidas no processo, a não ser justificando que ignorava a sua existência ao tempo da decisão ou que estiveram impossibilitadas de depor.

1. Reproduz o art. 453.° do Proj. e corresponde aos arts. 678.°, corpo do artigo e § 1.° do CPP de 1929 e, com ligeiras alterações, ao art. 478.° do Aproj.

2. O CPP de 1929 continha ainda uma disposição (§ 2.° do art. 678.°), segundo a qual o juiz poderia, oficiosamente ou a requerimento do MP, do assistente ou do réu que não tivessem solicitado a revisão, proceder a quaisquer outras diligências que julgasse indispensáveis para esclarecimento da causa. Não existe agora preceito que consagre expressamente a mesma orientação, mas esta mantém-se. É que o n.° 1 é agora mais amplo que o corpo do art. 678.° do CPP de 1929, nele se dizendo que o juiz procede às diligências que considerar indispensáveis para a descoberta da verdade, e portanto sejam ou não indicadas pelo requerente da revisão. Por outro lado, o n.° 4 do art. 455.° consagra expressamente esta solução na fase em que o juízo rescindente já corre termos no Supremo, e seria manifesta incoerência não a perfilhar para a fase em que ainda corre no tribunal onde o processo deve ser instruído.

3. *Jurisprudência:*
— A impossibilidade de depor a que se reporta o n.° 2 do art. 453.° do CPP refere-se às testemunhas, e não a qualquer impossibilidade do arguido. (Ac. STJ de 6 de Fevereiro de 2003, proc. n.° 3110/02-5.ª; *SASTJ*, n.° 68, 69).

ARTIGO 454.°

(Informação e remessa do processo)

No prazo de oito dias após ter expirado o prazo de resposta ou terem sido completadas as diligências, quando a elas houver lugar, o juiz remete o processo ao Supremo Tribunal de Justiça acompanhado de informação sobre o mérito do pedido.

1. Reproduz o art. 454.° do Proj. e corresponde aos arts. 480.° do Aproj. e 681.° do CPP de 1929; o prazo de 8 dias foi porém fixado pela Lei n.° 59/98, de 25 de Agosto. O prazo originário era de 5 dias, e a alteração tornou-se necessária porque os prazos em processo penal passaram a correr continuamente, como em processo civil.

2. A competência do tribunal onde o pedido de revisão é apresentado está limitada à primeira fase do juízo rescindente, ou seja ao recebimento da petição, realização das diligências de prova e informação sobre o mérito do pedido. Normalmente, esta informação reveste-se de grande utilidade, pela imediação da prova e pela indicação dos respectivos elementos constantes do processo.

1076

Artigo 455.º

3. Terminado o prazo estipulado por este artigo, o processo é remetido ao STJ. Como é o Supremo, e não o tribunal onde o processo foi instaurado, instruído e informado, que detém a jurisdição, não pode este último tribunal, em caso algum, arquivar o processo, suspendê-lo ou julgá-lo.

Vejam-se, sobre estes pontos, Cavaleiro de Ferreira, *Stientia Juridica*, tomo XIV, n.os 73-74, 359 e o nosso parecer publicado no *BMJ*, 157, 202, cujas considerações continuam válidas, *mutatis mutandis*.

4. Como no processo de revisão o STJ funciona como tribunal que julga em única instância, continua a não ser admissível recurso ordinário de quaisquer decisões proferidas na fase rescindente. Vejam-se, a este propósito, as anotações ao art. 681.º do CPP de 1929, no nosso *Código de Processo Penal*. 6.ª ed., e a jurisprudência aí sumariada.

Tratando-se de um recurso extraordinário com finalidade e tramitação específicas, em que o STJ, na fase do juízo rescindente, conhece em única instância de facto e de direito, bem se justifica que nesta fase não haja lugar a recurso de quaisquer decisões tomadas pelo juiz do tribunal onde foi proferida a sentença cuja revisão é pedida, já que tudo será objecto de apreciação após a remessa do processo ao STJ. Em tais termos, o recurso seria acto inútil, e não deve aqui ser chamado à colação o que se passa com os recursos ordinários, em que o STJ só conhece de matéria de direito. Por esta razão, entendemos que se não justificava a crítica de Luís Osório à correspondente disposição do CPP de 1929, a pág. 403 do *Comentário ao Código de Processo Penal*:

«Confiou o nosso legislador o juízo rescindente ao STJ, mas bem se pode discordar deste preceito. Ele é uma sobrevivência do tempo em que a revisão era um acto de graça do príncipe, concedido, portanto, pelo tribunal que funcionava junto dele. Hoje visto tratar-se de uma apreciação de matéria de facto, está naturalmente indicada a Relação e contraindicado o STJ, que normalmente só de matéria de facto conhece».

5. De notar que a competência para julgamento dos pedidos de revisão em matéria contraordenacional pertence ao tribunal da Relação, como estabelece o art. 81.º do Dec. – Lei n.º 433/82, de 27 de Outubro.

ARTIGO 455.º
(Tramitação no Supremo Tribunal da Justiça)

1. Recebido no Supremo Tribunal da Justiça, o processo vai com vista ao Ministério Público, por dez dias, e é depois concluso ao relator, pelo prazo de quinze dias.

2. Com projecto de acórdão, o processo vai, de seguida, a visto dos juízes das secções criminais, por dez dias.

3. A decisão que autorizar ou denegar a revisão é tomada em conferência pelas secções criminais.

4. Se o tribunal entender que é necessário proceder a qualquer diligência, ordena-a, indicando o juiz que a ela deve presidir.

1077

Código de Processo Penal

5. Realizada a diligência, o tribunal delibera sem necessidade de novos vistos.

6. É correspondentemente aplicável o disposto nos artigos 418.º, n.º 2, e 435.º.

---

1. A versão originária deste artigo reproduzia o art. 455.º do Proj. e correspondia aos arts. 481.º do Aproj. e 682.º do CPP de 1929.

Sofreu alterações pela Lei n.º 59/98, de 25 de Agosto, que introduziu o texto actual dos n.ºs 1, 2 e 6. Essas alterações consistiram no seguinte:

— No n.º 1 os prazos originários de 5 e de 10 dias foram elevados para 10 e 15 dias, respectivamente;

— No n.º 2 o prazo originário de 5 dias foi elevado para 10 dias.

Estas alterações tornaram-se necessárias porque os prazos em processo penal passaram a correr continuamente, como em processo civil.

— No n.º 6 passou a ser correspondentemente aplicável o disposto no art. 435.º, relativo à constituição do tribunal.

O disposto no n.º 2 não foi devidamente revisto e encontra-se de algum modo desactualizado. Após a entrada em vigor da Lei n.º 48/2007, de 29 de Agosto as secções criminais do STJ funcionam com três juízes: presidente da secção, relator a juiz-adjunto (arts. 11.º, n.º 5 e 435). O processo deve ir, portanto somente a visto do juiz-adjunto, e não de todos os juízes das secções criminais.

2. Como já se anotou, com o novo texto do n.º 6 ficou esclarecido que os vistos dos juízes das secções criminais podem e devem ser efectuados simultaneamente, semelhantemente ao que se passa no caso dos recursos, e até por maioria de razão, pois que o processo de revisão é, por sua própria natureza e em vista do disposto no art. 466.º, urgente e é elevado o número de juízes que aqui intervêm.

Também se nos afigura que o processo deve ir ao visto do Presidente da secção, já que a conferência é por ele presidida, dirige os trabalhos e desempata quando não puder formar-se maioria (arts. 443.º, n.º 2, *ex vi* do n.º 6 e caso paralelo do art. 440.º, n.º 4);

3. Após a vista ao MP nos termos do n.º 1, porque aqui o MP, em respeito pelo contraditório, exerce somente o direito de resposta à petição, não tem o requerente da revisão que ser notificado para responder quando a posição assumida pelo MP constitua unicamente resposta ao pedido. Trata-se manifestamente de caso diferente do n.º 2 do art. 417.º, pois que neste caso são os sujeitos processuais a responder a questão sobre que não tinham sido ouvidos.

4. *Jurisprudência:*

— Não é inconstitucional o n.º 1 do art. 455.º do CPP, quando entendido como não devendo ser notificada ao requerente a posição do MP exarada no âmbito de um recurso de revisão e constituindo unicamente a resposta àquele pedido. (Ac. do Trib. Constitucional de 13 de Julho de 2000, proc. n.º 397/99; *DR*, II série, de 13 de Dezembro de 2000);

Artigo 456.º

— Não é admissível a desistência no recurso extraordinário de revisão. (Ac. STJ de 30 de Novembro de 2000, proc. n.º 2787/2000-5.ª; *SASTJ*, n.º 45, 78); – I – A competência para a decisão sobre o pedido de revisão de sentença é da espécie da competência funcional e material (art. 11.º, n.º 3, al. e) do CPP), deferida directamente ao STJ, e não da espécie e competência em razão da hierarquia própria. II – O procedimento de autorização ou negação da revisão integra a competência do STJ, não porque constitua um rcurso, no sentido de reapreciação e exame de uma decisão em outro grau de jurisdição, mas porque a competência lhe é directa, material e funcionalmente, deferida pela lei. III – A intervenção do tribunal onde se proferiu a sentença que deve ser revista está prevista especificamente, e em termos de limitada autonomia, no art. 454.º do CPP: no prazo de oito dias após ter expirado o prazo de resposta ou terem sido completadas as diligências (a que o juiz deve proceder, nos termos do art. 453.º, n.º 1, do CPP, quando o funcionamento da revisão for o da al. *d)* do n.º 1 do art. 449.º), o juiz remete o processo ao STJ, acompanhado de informação sobre o mérito do pedido. IV – Deste modo, no procedimento para autorização ou negação da revisão, a competência pertence ao STJ, que decidirá, sobre a aceitação ou indeferimento do requerimento, da legitimidade do requerente, e, vistos os fundamentos invocados, da autorização ou negação da revisão – art. 455.º do CPP. (Ac. STJ de 18 de Maio de 2005, proc. n.º 4215/05-3.ª; *SASTJ*, n.º 91, 128).

ARTIGO 456.º

(Negação da revisão)

Se o Supremo Tribunal de Justiça negar a revisão pedida pelo assistente, pelo condenado ou por qualquer das pessoas referidas no artigo 450.º, n.º 2, condena o requerente em custas e ainda, se considerar que o pedido era manifestamente infundado, no pagamento de uma quantia entre seis a trinta UCs.

---

1. Reproduz o art. 456.º do Proj. e corresponde ao art. 686.º do CPP de 1929; sofreu porém ligeira alteração introduzida pela Lei n.º 59/98, de 25 de Agosto, consistente na eliminação da referência ao *imposto de justiça,* por este, que já anteriormente tinha sido designado de *taxa de justiça,* ter sido incluído na categoria genérica de *custas* pelo Cód. das Custas Judiciais aprovado pelo Dec.-Lei n.º 224-A/96, de 26 de Outubro.

Quanto aos limites da quantia a que alude a parte final deste artigo, veja--se a anot. 3 ao art. 110.º.

2. Quando o pedido de revisão formulado pelas pessoas indicadas é manifestamente infundado são elas condenadas, além das custas, no pagamento de uma quantia em UCs. No domínio do CPP de 1929, além do imposto de justiça e das custas, havia lugar ao pagamento de uma multa quando houvesse má fé. Vê-se, assim, que o regime actual é mais rigoroso, pois há condenação em UCs em todos os casos de pedidos manifestamente infundados, ainda que não formulados de má fé.

Código de Processo Penal

ARTIGO 457.º
(Autorização da revisão)

1. Se for autorizada a revisão, o Supremo Tribunal de Justiça reenvia o processo ao tribunal de categoria e composição idênticas às do tribunal que proferiu a decisão a rever e que se encontrar mais próximo.

2. Se o condenado se encontrar a cumprir pena de prisão ou medida de segurança de internamento, o Supremo Tribunal de Justiça decide, em função da gravidade da dúvida sobre a condenação, se a execução deve ser suspensa.

3. Se ordenar a suspensão da execução ou se o condenado não tiver ainda iniciado o cumprimento da sanção, o Supremo Tribunal de Justiça decide se ao condenado deve ser aplicada medida de coacção legalmente admissível no caso.

---

1. Reproduz o art. 457.º do Proj. e corresponde aos arts. 482.º e 483.º do Aproj. e 684.º do CPP de 1929.

2. A disposição do n.º 1 representa significativa inovação relativamente ao CPP de 1929, pois segundo este o processo baixava ao juízo onde fora proferida a decisão a rever, e aí se processava a fase do juízo rescisório.

Entendeu-se agora que a fase do juízo rescisório não devia correr no juízo que proferira a decisão a rever, temendo-se que este juízo pudesse de algum modo ser arrastado para idêntica decisão. Ponderada a facilidade de produção de prova, entendeu-se que o juízo rescisório devia correr perante o tribunal da mesma categoria do que proferiu a decisão a rever e que deste se encontrasse mais próximo.

Não se trata de um desaforamento inconstitucional, porque o critério para a fixação da competência está aqui predeterminado na lei.

3. A disposição do n.º 2 corresponde à do corpo do art. 684.º do CPP de 1929.

A suspensão da execução da pena, neste caso, só pode ser decretada pelo STJ e nos casos aqui previstos. Tal como no domínio do CPP de 1929, não pode ser decretada na 1.ª instância com fundamento neste artigo.

4. A disposição do n.º 3 corresponde à do § único do art. 684.º do CPP de 1929.

No caso de o STJ autorizar a revisão antes de o condenado ter iniciado o cumprimento da pena e no de autorizar a revisão e ordenar a suspensão da execução da pena cumpre-lhe decidir se ao condenado cuja decisão vai ser revista deve ser aplicada qualquer das medidas de coacção que o Código prevê, e que são as dos arts. 196.º e segs. Para decidir este ponto o STJ atenderá aos princípios que dominam a aplicação das medidas, oportunamente explanados,

Artigo 458.º

e à infracção sujeita a revisão. Particular atenção merecerá o caso de ter havido condenação por uma pluralidade de crimes, sendo a decisão condenatória só passível de revisão quanto a um deles.

5. *Jurisprudência:*
— I — Se dois testemunhos decisivos para a absolvição do arguido vieram a confirmar-se posteriormente como tendo sido falsos, mostram-se preenchidos os requisitos da revisão a que alude o art. 449.º, al. *a)* do CPP. II — O disposto no art. 463.º do CPP confirma a possibilidade da existência de revisão «pro societate» da decisão penal, ainda que absolutória, de harmonia com o interesse público da administração da justiça. (Ac. STJ de 8 de Janeiro de 2003; CJ, Acs. do STJ, XXVIII, tomo 1, 155). *Nota.* Ver anot. 4 *a)* ao art. 449.º.

ARTIGO 458.º
(Anulação de sentenças inconciliáveis)

1. Se a revisão for autorizada com fundamento no artigo 449.º, n.º 1, alínea *c),* por haver sentenças penais inconciliáveis que tenham condenado arguidos diversos pelos mesmos factos, o Supremo Tribunal de Justiça anula as sentenças e determina que se proceda a julgamento conjunto de todos os arguidos, indicando o tribunal que, segundo a lei, é competente.

2. Para efeitos do disposto no número anterior, os processos são apensos, seguindo-se os termos da revisão.

3. A anulação das sentenças faz cessar a execução das sanções nelas aplicadas, mas o Supremo Tribunal de Justiça decide se aos condenados devem ser aplicadas medidas de coacção legalmente admissíveis no caso.

---

1. Reproduz o art. 458.º do Proj. e corresponde aos arts. 484.º do Aproj. e 685.º do CPP de 1929.

2. Ambas as sentenças inconciliáveis são anuladas e revistas. Os processos em que foram proferidas juntam-se e são remetidos ao tribunal que o Supremo tiver determinado, a-fim-de aí serem julgados conjuntamente. Como, para além de se tratar de revisão, se trata também de anulação, a execução de ambas as decisões contraditórias cessa, ou não se inicia, se ainda não tiver começado. Aos arguidos serão porém aplicadas as medidas de coacção legalmente admissíveis na fase anterior ao julgamento.

1081

Código de Processo Penal

ARTIGO 459.º
(Meios de prova e actos urgentes)

1. Baixado o processo, o juiz manda dar vista ao Ministério Público para indicar meios de prova e, para o mesmo fim, ordena a notificação do arguido e do assistente.

2. Seguidamente, o juiz pratica os actos urgentes necessários, nos termos do artigo 320.º, e ordena a realização das diligências requeridas e as demais que considerar necessárias para o esclarecimento da causa.

---

1. Reproduz o art. 459.º do Proj. e corresponde aos arts. 486.º do Aproj. e 687.º do CPP de 1929.

2. Os trâmites posteriores à decisão ou às decisões a rever podem ter sugerido a necessidade de realização de diligências antes do novo julgamento, e daí este artigo possibilitar que os interessados indiquem novos meios de prova.

A indicação de meios de prova pode ser feita pelo MP, pelo assistente e pelo arguido, mas não pelos lesados. O juiz pode ainda realizar oficiosamente quaisquer diligências que repute de utilidade para o esclarecimento da causa.

O prazo que o CPP de 1929 estipulava para a indicação de diligências a realizar e para o juiz as ordenar (três e dois dias) era excessivamente reduzido; o silêncio da lei actual significa que se aplica o prazo geral, mais consentâneo com a realidade.

ARTIGO 460.º
(Novo julgamento)

1. Praticados os actos a que se refere o artigo anterior, é designado dia para julgamento, observando se em tudo os termos do respectivo processo.

2. Se a revisão tiver sido autorizada com fundamento no artigo 449.º, n.º 1, alíneas *a)* ou *b)*, não podem intervir no julgamento pessoas condenadas ou acusadas pelo Ministério Público por factos que tenham sido determinantes para a decisão a rever.

---

1. Reproduz o art. 460.º do Proj. e corresponde aos arts. 487.º do Aproj. e 688.º do CPP de 1929.

2. No novo julgamento observar-se-ão os termos do respectivo processo, isto na medida do possível. Além das modificações quanto a prova, sugeridas pelo n.º 2 e pelo artigo anterior há a considerar que a defesa pode mudar, e mudará mesmo necessariamente quando a revisão tiver sido autorizada com fundamento na al. *d)* do n.º 1 do art. 449.º.

1082

Artigo 462.º

3. *Jurisprudência:*
— Não é inconstitucional a norma extraída do espírito do sistema e com apoio literal na alínea *d)* do n.º 1 do artigo 449.º, em conjugação com o artigo 460.º, ambos do Código de Processo Penal, segundo a qual o recurso de revisão, quando tiver por fundamento novos factos ou meios de prova, deverá ser interposto da decisão que julgou a matéria de facto. (Ac. do Trib. Constitucional de 13 de Julho de 2000, proc. n.º 397/99; *DR*, II série, de 13 de Dezembro de 2000);

ARTIGO 461.º

(Sentença absolutória no juízo de revisão)

1. Se a decisão revista tiver sido condenatória e o tribunal de revisão absolver o arguido, aquela decisão é anulada, trancado o respectivo registo e o arguido restituído à situação jurídica anterior à condenação.
2. A sentença que absolver o arguido no tribunal de revisão é afixada por certidão à porta do tribunal da comarca da sua última residência e à porta do tribunal que tiver proferido a condenação e publicada em três números consecutivos de jornal da sede deste último tribunal ou da localidade mais próxima, se naquela não houver jornais.

---

1. Reproduz o art. 461.º do Proj. e corresponde aos arts. 488.º, n.ᵒˢ 1 e 2 do Aproj. e 689.º do CPP de 1929.

2. Este artigo só se aplica no caso de absolvição no juízo rescisório, com anterior condenação na decisão revista.
Havendo nova condenação no juízo rescisório, aplica-se o n.º 1 do art. 463.º, ainda que a pena aplicada no juízo rescisório seja menor que a da decisão revista.
Para o caso de a decisão revista ser absolutória e a do juízo rescisório ser condenatória, rege o n.º 3 do art. 463.º.
A lei não prevê agora o caso de ambas as decisões serem absolutórias, caso que era regulado pelo art. 693.º do CPP de 1929, onde se estabelecia a condenação do assistente, quando o houvesse, em imposto de justiça e demais quantias, indemnização e multa, se houvesse procedido de má fé. A falta de expressa previsão legal não implica, porém, significativa alteração de regime, já que a condenação do assistente resulta de outras disposições legais.

ARTIGO 462.º

(Indemnização)

1. No caso referido no artigo anterior, a sentença atribui ao arguido indemnização pelos danos sofridos e manda restituir-lhe as quantias relativas a custas e multas que tiver suportado.

1083

Código de Processo Penal

2. A indemnização é paga pelo Estado, ficando este sub-rogado no direito do arguido contra os responsáveis por factos que tiverem determinado a decisão revista.

3. A pedido do requerente, ou quando não dispuser de elementos bastantes para fixar a indemnização, o tribunal relega a liquidação para execução de sentença.

---

1. Reproduz o art. 462.° do Proj. e corresponde aos arts. 488.°, n.° 2, do Aproj. e 690.° do CPP de 1929; o n.° 1 sofreu porém ligeira alteração pela Lei n.° 59/98, de 25 de Agosto, consistente na eliminação da referência ao *imposto de justiça,* por este, que já anteriormente tinha sido designado de *taxa de justiça,* ter sido incluído na categoria genérica de *custas* pelo Cód. das Custas Judiciais aprovado pelo Dec.-Lei n.° 224-A/96, de 26 de Outubro.

2. A expressão *danos sofridos* dá clara indicação de que a indemnização abrange os danos de qualquer natureza, sejam patrimoniais ou não patrimoniais, tal como já se vinha entendendo na vigência do CPP de 1929.

3. Vaz Serra, no *BMJ,* 85, 279, *nota,* sustentou haver lugar a indemnização no caso de a nova decisão impor uma pena menor, por se tratar de absolvição parcial. Esta doutrina, dificilmente sustentável no domínio do CPP de 1929, ainda menos o é agora, pois o n.° 1 remete para o artigo anterior, que só prevê o caso de absolvição total.

4. *Jurisprudência:*
— No cálculo da indemnização por danos morais, por ter havido sentença absolutória em processo de revisão de condenação penal deve atender-se à posição e ao ambiente social em que vive o arguido absolvido, ao carácter do crime que lhe foi imputado e ao tempo de injusta condenação. E sendo a pagar pelo Estado, deve ainda atender-se à natureza subsidiária da compensação. (Ac. STJ de 13 de Dezembro de 1947; *BMJ,* 4, 110);
— A expressão *danos sofridos,* referida no art. 462.°, n.° 1, do CPP, abrange os danos não patrimoniais, uma vez que tal preceito não faz qualquer restrição relativa ao seu género. (Ac. STJ de 26 de Setembro de 1996; *BMJ,* 459, 425);
— No cômputo dos danos sofridos pelo arguido, para efeitos de indemnização nos termos do art. 462.° do CPP, atender-se-á, para além do comportamento mais ou menos censurável dos agentes do Estado, à culpa do lesado (art. 570.° do CC), sendo certo que se se tratar de indivíduo inimputável a sua responsabilidade será fortemente diminuída. (Ac. STJ de 13 de Novembro de 1996; *BMJ,* 461, 310);
— Não tendo o STJ, quando decretou a revisão de sentença condenatória, atribuído a indemnização ao arguido pelos danos por ele sofridos, nem ordenado a restituição das quantias por ele dispendidas no processo, o que sucedeu por o pedido de revisão ter sido impulsionado pelo MP, tem o arguido, para conseguir essa indemnização, de interpor acção contra o Estado. II — Relativamente às quantias depositadas, custas e multas, deve a restituição ser feita pelo tribunal onde correu o processo, desde que aí tenha sido pedida. (Ac. RC de 28 de Janeiro de 1998; *CJ,* XXIII, tomo 1, 48).

1084

Artigo 463.º

ARTIGO 463.º
(Sentença condenatória no juízo de revisão)

1. Se o tribunal de revisão concluir pela condenação do arguido, aplica-lhe a sanção que considerar cabida ao caso, descontando-lhe a que já tiver cumprido.

2. É correspondentemente aplicável o disposto no artigo 409.º.

3. Se a decisão revista tiver sido absolutória, mas no juízo de revisão a sentença for condenatória:

   a) O arguido que houver recebido indemnização é condenado a restituí-la; e

   b) Ao assistente são restituídas as custas que houver pago.

---

1. Reproduz o art. 463.º do Proj. e corresponde aos arts. 489.º e 490.º do Aproj. e 691.º e 692.º do CPP de 1929.

A disposição do n.º 2 é inteiramente nova, pois não havia alguma paralela ou com sentido idêntico, quer no CPP de 1929 quer no Aproj.

De notar porém que a al. *b)* do n.º 3 tem o texto introduzido pela Lei n.º 59/98, de 25 de Agosto, a qual porém se limitou a eliminar a referência ao imposto de justiça porque este, já então designado taxa de justiça, foi abrangido pela categoria genérica de custas, conforme o Código das Custas Judiciais aprovado pelo Dec.-Lei n.º 224-A/96, de 26 de Novembro, ficando assim descabida a referência quer ao imposto quer à taxa de justiça, bastando a alusão a custas.

2. Se no juízo rescisório se condenar o arguido deve aplicar-se-lhe a pena que ao caso couber, mas com a limitação decorrente do disposto no n.º 2 *(proibição de reformatio in pejus)*.

Esta disposição do n.º 2 afigura-se de difícil justificação, pois que o primeiro julgamento ficou sem efeito, e não há portanto que estabelecer comparação com as penas nele aplicadas.

Trata-se, certamente, de disposição radicada em razões de política criminal. O disposto no art. 409.º é aplicado, *mutatis mutandis,* na fase do juízo rescisório das sentenças penais, o que significa que, autorizada a revisão cujo pedido foi formulado pelo condenado, pelo MP no exclusivo interesse daquele, ou pelo MP e pelo condenado no exclusivo interesse deste, a nova sentença não pode modificar, na sua espécie ou na medida, as sanções constantes da decisão revista em prejuízo de qualquer arguido, ainda que não tenha pedido a revisão, não se aplicando porém estas proibições no caso previsto no n.º 2 do art. 409.º.

Se no juízo rescisório for alterada a incriminação da decisão revista, ainda assim a pena, nos casos descritos, não pode ser agravada.

Ver anot. ao art. 409.º.

Código de Processo Penal

ARTIGO 464.°
(Revisão de despacho)

Nos casos em que for admitida a revisão de despacho que tiver posto fim ao processo, nos termos do artigo 449.°, n.° 2, o Supremo Tribunal de Justiça, se conceder a revisão, declara sem efeito o despacho e ordena que o processo prossiga.

---

1. Reproduz o art. 464.° do Proj. e corresponde aos arts. 491.° do Aproj. e 694.° do CPP de 1929.

2. Como foi referido em anot. 5 ao art. 449.°, quanto a despachos de arquivamento de inquéritos proferidos pelo MP este artigo tem reduzido interesse, em vista do que se dispõe no art. 279.°. Na verdade, mesmo após esgotado o prazo de 30 dias conferido pelo art. 278.°, o inquérito pode sempre ser reaberto se surgirem novos elementos de prova que invalidem os fundamentos invocados pelo MP no despacho de arquivamento, sendo admissível reclamação para o superior hierárquico imediato do despacho do MP que deferir ou recusar a abertura do inquérito.
Sendo assim, quanto a tais despachos usar-se-á o processo mais expedito do art. 279.°, e não o recurso extraordinário de revisão.

3. Ao contrário do que sucede quanto à revisão de sentenças, é o juízo rescindente a anular os despachos, pois o Supremo, se conceder a revisão, declara logo sem efeito o despacho a rever. Por isso, Luís Osório, *Comentário,* VI, 482, observou justamente que não se trata de um caso de revisão, mas de um meio de anular o despacho.

ARTIGO 465.°
(Legitimidade para novo pedido de revisão)

Tendo sido negada a revisão ou mantida a decisão revista, não pode haver nova revisão com o mesmo fundamento.

---

1. O texto deste artigo foi introduzido pela Lei n.° 48/2007, de 29 de Agosto, em substituição do anterior, que reproduzia os arts. 465.° do Proj., 492.° do Aproj. e 696.° do CPP de 1929, do seguinte teor:
Tendo sido negada a revisão ou mantida a decisão revista, não não pode haver nova revisão se a não requerer o Procurador-Geral da República.

2. Quando a revisão não é autorizada ou, sendo autorizada, a decisão revista é mantida pelo juízo rescisório, normalmente um segundo pedido de revisão é infundado. Esta constatação está na origem do preceito. No entanto pode admitir-se que um segundo pedido do tenha fundamento viável.
As alterações introduzidas pela supramencionada pela lei neste artigo consistiram num alargamento da legitimidade, que foi concedida a todos quantos

1086

Artigo 466.º

a tenham nos termos gerais, deixando de se restringir ao Procurador-Geral da Républica. Este alargamento atendeu à jurisprudência do Tribunal Constitucional, expressa no ac. n.º 301/2006, de 2 de Maio, proc. n.º 602/2005; 2005 *DR*, II série, de 23 de Junho do mesmo ano, segundo o qual era inconstitucional a norma do art. 465.º do CPP, por violação do art. 29.º, n.º 6, da CRP, na dimensão de que não pode haver um segundo pedido de revisão com novos fundamentos de facto, não anteriormente invocados, se o não requerer o Procurador-Geral da República.

Outra alteração consistiu não num alargamento, mas numa restrição, pois passou a não haver uma nova revisão com o mesmo fundamento da anterior. Já nos pronunciámos sobre esta restrição, na naot. 4, e) ao art. 449.º, para onde remetemos.

3. *Jurisprudência:*
– É inconstitucional a norma do artigo 465.º do Código de Processo Penal por violação do artigo 29.º, n.º 6, da Constituição, na dimensão de que não pode haver um segundo pedido de revisão com novos fundamentos de facto, não anteriormente invocados, se o não requerer o Procurador-Geral da República. (Ac. Trib. Constitucional n.º 301/ 2006, de 2 de Maio, proc. n.º 602/2005; DR, II série, de 23 de Junho do mesmo ano).

ARTIGO 466.º
(Prioridade dos actos judiciais)

Quando o condenado a favor de quem foi pedida a revisão se encontrar preso ou internado, os actos judiciais que deverem praticar-se preferem a qualquer outro serviço.

---

1. Reproduz o art. 466.º do Proj. e corresponde aos arts. 495.º do Aproj. e 700.º do CPP de 1929.

2. Como do domínio do CPP de 1929, cremos dever entender-se que a prioridade abrange ambas as fases do pedido de revisão — a do juízo rescindente e a do juízo rescisório —, pois a lei não distingue e não há razão para distinguir, já que o fundamento do preceito é extensivo a ambas as fases. Isto no caso de o condenado se encontrar preso ou internado ao longo de toda a tramitação das duas fases do recurso extraordinário; se o Supremo ordenar que a execução da prisão ou do internamento seja suspensa (art. 457.º, n.º 2), já a prioridade abrangerá só a fase do juízo rescindente.

3. Os actos judiciais a praticar no recurso extraordinário de revisão quando o condenado se encontra preso ou internado no processo preferem a qualquer outro serviço. Trata-se de um critério legal de preferência sobre qualquer outro serviço, portanto mesmo sobre quaisquer outros actos urgentes. É manifesta a razão de ser esta preferência legal: além de se tratar de processo com pessoas privadas da liberdade, acresce que sobre a decisão que os privou da liberdade paira uma grave dúvida sobre a justiça da condenação.

1087

LIVRO X

DAS EXECUÇÕES

TÍTULO I

DISPOSIÇÕES GERAIS

ARTIGO 467.°

(Decisões com força executiva)

1. As decisões penais condenatórias transitadas em julgado têm força executiva em todo o território português e ainda em território estrangeiro, conforme os tratados, convenções e regras de direito internacional.

2. As decisões penais absolutórias são exequíveis logo que proferidas, sem prejuízo do disposto no n.° 3 do artigo 214.°.

---

1. Reproduz o art. 467.° do Proj. e corresponde aos arts. 496.° do Aproj.; 625.° (corpo do artigo e § 3.°) do CPP de 1929 e 8.° do Dec.-Lei n.° 402/82, de 23 de Setembro. A revisão operada pela Lei n.° 48/2007, de 29 de Agosto, eliminou, por razões óbvias a referência a *território sob administração portuguesa.*

A revisão do CP levada a efeito pelo Dec.-Lei n.° 48/95, de 15 de Março, com as relevantes alterações que introduziu nos Títulos III a VI do Livro I relativamente às penas e às medidas de segurança, reflectiu-se no Livro X do CPP, relativo às execuções.

A CRCPP discutiu as alterações a introduzir no CPP nas 22.ª, 23.ª e 24.ª sessões, em 23 e 24 de Março e 2 de Novembro de 1992.

Estas alterações, além de serem na maior parte requeridas pela revisão do CP, visaram ainda operar correcções de situações incorrectas da versão originária.

1089

Código de Processo Penal

2. A Lei n.º 43/86, de 26 de Setembro (Lei de Autorização legislativa). art. 2.º, n.º 2, al. 79) determinou a reestruturação do sistema de execução das penas à luz dos princípios de política criminal consagrados pelo novo CP, nomeadamente pela participação dos serviços incumbidos da reinserção social quanto ao regime de liberdade condicional, prova e outras modalidade de execução penal não totalmente privativa da liberdade.

Em matéria de execuções são, porém, pouco significativas as inovações relativamente ao regime que vigorava à data da entrada em vigor do Código. E que o Dec.-Lei n.º 402/82, de 23 de Setembro, diploma destinado a viabilizar a entrada em vigor do CP de 1982, revogara todas as disposições do CPP de 1929 (arts. 625.º a 644.º) relativamente a execuções, e substituíra-as por um conjunto de disposições adaptadas à nova Filosofia da Lei substantiva, disposições estas que, por serem recentes e já elaboradas tendo em vista o novo CP, se encontravam relativamente actualizadas e só eram passíveis de uma revisão tendo em vista colmatar alguma omissão entretanto revelada ou aperfeiçoar qualquer preceito que disso se revelasse carecido.

Devem salientar-se agora os seguintes aspectos em matéria de execução das penas e das medidas de segurança:

Insere-se a possibilidade de suspensão da execução da sentença logo que seja proferido despacho de pronúncia ou que se designe dia para julgamento de magistrado, jurado, perito ou funcionário de justiça, por factos que possam ter determinado a condenação;

Paralelamente ao que se estabelece para o julgamento, sanciona-se fortemente a contumácia do condenado que, dolosamente, se exima ao cumprimento de uma pena de prisão;

Inserem se normas relativas ao momento de libertação dos presos em cumprimento de pena de prisão;

Fazem-se participar os serviços de reinserção social nos processos respeitantes à liberdade condicional, incumbindo-os nomeadamente (bem como ao director do estabelecimento onde se encontrar o preso) da elaboração do plano individual de readaptação do recluso e da redacção de um relatório contendo a análise dos efeitos da pena na responsabilidade do delinquente, do seu enquadramento profissional e da sua capacidade e vontade de se readaptar à vida social;

Com igual fundamento, fazem-se participar tais serviços na execução do regime de prova, também para a elaboração de um plano individual de readaptação e de relatórios de acompanhamento periódico;

Inserem se sistematicamente no articulado as normas referentes à execução da prisão por dias livres e em regime de semidetenção, bem como as referentes à execução do trabalho a favor da comunidade;

Compilam-se, dando-lhes maior unidade sistemática, as normas referentes à execução das medidas de segurança e execução das penas e ao destino das multas;

Regulam-se, a propósito da execução das medidas de segurança privativas de liberdade, situações como a libertação a título de ensaio ou experiência, bem como a revisão obrigatória da situação do internado, a efectivar mediante perícia psiquiátrica prévia.

1090

Artigo 467.º

3. No que respeita a este artigo, as diferenças relativamente às disposições que o antecederam são formais. A referência a território sob administração portuguesa visou o caso de Macau e a ressalva feita na parte final do n.º 2 destina-se a resolver legislativamente dúvidas que por vezes surgiram no domínio da legislação anterior.

4. O processo das execuções das decisões penais, fazendo parte do processo penal e estando ainda inserto no Código, está necessariamente dominado pelo *princípio da legalidade,* comum a todo o processo penal, como se estabelece no art. 2.º. Afloramento deste princípio é a exigência de um título executivo judiciário, formulada neste art. 467.º. Tal título executivo é a sentença de condenação, desde que transitada em julgado ou, tratando-se de sentença estrangeira, desde que confirmada pelo processo estabelecido no Código. Se a sentença é absolutória, possui força executiva logo que proferida, sem prejuízo do disposto no art. 214.º, n.º 3.

Outro princípio que domina a execução das decisões penais é o da *execução imediata.* Radica este princípio na necessidade de assegurar a exemplaridade da condenação, satisfazendo-se assim os fins de prevenção especial e geral das penas, e porque seria desumano retardar o cumprimento, pois isso poderia até em alguns casos implicar uma penalização suplementar. Este princípio, embora não expressamente formulado no Código, contém nele vários afloramentos, *maxime* nos arts. 469.º e 485.º, n.º 4, e no instituto da contumácia e pode admitir algumas restrições radicadas em razões humanitárias.

Sobre estes pontos veja-se a exposição de Lopes Rocha, *Jornadas de Direito Processual Penal,* 482-483.

Ainda um outro princípio vigente nesta matéria de execução das decisões penais é o da *execução contínua* das penas. Trata-se no entanto de um princípio, *rectius* de uma regra que consente várias excepções, geralmente ditadas por premências que radicam na reinserção social do delinquente. Pense-se, nomeadamente, na prisão por dias livres e no regime de semidetenção.

Finalmente, outros princípios dominam ainda a execução das penas, admitidos pelos autores e que se encontram de algum modo subjacentes no pensamento legislativo, embora não formulados em qualquer disposição do Código. Referimo-nos aos princípios da *humanidade* e da *individualização.* que foram formulados nos arts. 6.º e 7.º do Dec.-Lei n.º 402/82, de 24 de Setembro, em disposições que o Código não reproduziu, obviamente não porque as rejeitasse, mas porque as considerou desnecessárias em face do pensamento geral que resolutamente abraçou e dos numerosos afloramentos desses princípios.

5. *Jurisprudência*

– I – O caso julgado material, em processo penal, apenas existe quando a decisão se torna firme, impedindo a renovação da instância em qualquer processo que tenha por objecto a apreciação dos mesmos factos ilícitos. II – O caso julgado formal, em processo penal, atinge, no essencial, as decisões que visam a presunção de uma finalidade instrumental – um efeito de vinculação intraprocessual e de preclusão. III – A prescrição do procedimento criminal é um instituto de natureza substantiva. (Ac. STJ de 24 de Maio de 2006, proc. n.º 1041/06; *CJ, Acs. do STJ,* ano XIV, tomo 2, 188).

Código de Processo Penal

ARTIGO 468.º

(Decisões inexequíveis)

Não é exequível decisão penal que:

a) Não determinar a pena ou a medida de segurança aplicadas ou que aplicar pena ou medida inexistentes na lei portuguesa;
b) Não estiver reduzida a escrito; ou
c) Tratando-se de sentença penal estrangeira, não tiver sido revista e confirmada nos casos em que isso for legalmente exigido.

---

1. Reproduz o art. 468.º do Proj. e corresponde ao art. 500.º do Proj.; às als. b), c) e d) do n.º 1 do art. 9.º do Dec.-Lei n.º 402/82, de 23 de Setembro e aos n.ºs 1.º, 2.º e 3.º do art. 626.º do CPP de 1929, na redacção introduzida pelo Dec.-Lei n.º 185/72, de 31 de Maio.
Ver anot. ao art. 467.º.

2. Para correcta interpretação das disposições deste artigo, que consagra alguns casos do vício da inexistência, rotulando-os embora de inexequibilidade, são do maior interesse as anots. ao art. 626.º do Código anterior, nas 5.ª ou 6.ª edições do nosso *Código de Processo Penal.*

3. Não existem agora disposições correspondentes às no n.º 1.º e do § único do art. 626.º do CPP de 1929, na redacção introduzida pelo apontado Dec.-Lei n.º 185/72.
A primeira destas disposições estabelecia que não era exequível decisão ou sentença penal que não emanasse de tribunal com jurisdição penal. A solução continua a ser a mesma, por se tratar de consagração de princípio geral, aflorado nos arts. 2.º e 8.º (ver anots. a estes artigos).
A segunda disposição estabelecia que, quando fosse certa a pessoa que foi réu no processo, mas insuficiente ou inexacta a sua identificação, se procedesse a rectificação desta nos autos, depois de realizadas as diligências necessárias. Apesar da omissão, deve continuar a proceder-se do mesmo modo. Essa disposição fora introduzida em 1972, perante as dúvidas que na prática se estavam a suscitar, pois havia quem entendesse que, em tal caso, haveria lugar a processo de revisão, e estabeleceu legislativamente a melhor orientação, que fora até perfilhada pelo Parecer da PGR de 10 de Novembro de 1949, publicado no *BMJ*, n.º 18, 144 e segs., relatado pelo então ajudante do Procurador-Geral da República Adriano Vera Jardim, e cujo sumário era o seguinte:

— Quando um pessoa arguido em um processo criminal forneceu uma falsa identidade que corresponde, em todos os seus elementos, a outra pessoa, a forma de provar a falsidade do arguido é o processo incidental, devendo o tribunal, uma vez feita a prova, ordenar oficiosamente as rectificações e cancelamentos necessários no registo criminal. Em caso

Artigo 469.º

algum pode a pessoa de quem foi usada a identidade ser submetida a julgamento, pois não lhe foi imputada a prática de qualquer infracção criminal.

Esta orientação continua a impor-se e tem sido seguida predominantemente pelo STJ, como se evidencia nas anots. ao art. 449.º, tendo sido mesmo seguida uniformemente enquanto exercemos funções nesse alto Tribunal, quer como magistrado do MP quer como juiz.

4. *Jurisprudência:*
— Deve ser revista a decisão, e não apenas corrigidos os elementos de identificação do arguido, quando se apura existirem fortes suspeitas de que o condenado se identificou com o nome de um irmão. (Ac. STJ de 5 de Julho de 1995; *CJ, Acs. do STJ,* III, tomo 3, 186);
— Não há lugar a revisão da sentença quando é condenada a pessoa física que cometeu o crime, embora identificada com outro nome. (Ac. STJ de 8 de Novembro de 1995; *CJ, Acs. do STJ,* III, tomo 3, 229);
— I — Não há lugar a revisão de sentença quando o condenado é a pessoa física que cometeu o crime objecto da condenação, embora identificada com outro nome. II — Em tal situação, haverá simplesmente que averiguar, incidentalmente, a verdadeira identidade do condenado e, uma vez feita a prova, ordenar oficiosamente as correspondentes rectificações na sentença, cancelamentos e averbamentos nos respectivos certificados do registo criminal. Ac. STJ de 20 de Fevereiro de 2003; CJ, Acs. do STJ, XXVIII, tomo 1, 218.
Ver *supra,* anot. 3, e mais jurisprudência, em anot. ao art. 449.º.

ARTIGO 469.º

(Competência para a promoção da execução)

Compete ao Ministério Público promover a execução das penas e das medidas de segurança e, bem assim, a execução por custas, indemnização e mais quantias devidas ao Estado ou a pessoas que lhe incumba representar judicialmente.

---

1. O texto deste artigo foi introduzido pela Lei n.º 59/98, de 25 de Agosto, a qual porém se limiou a adaptar o texto à terminologia do Código das Custas Judiciais aprovado pelo Dec.-Lei n.º 224-A/96, de 26 de Novembro, segundo a qual a taxa de justiça, que já substituíra o imposto de justiça, e os encargos foram incluídos na designação genérica de custas.
O texto anterior ao da apontada Lei não era o originário, mas o que fora introduzido pelo Dec.-Lei n.º 317/95, de 28 de Novembro, por proposta da CRCPP.
Os n.os 2 e3 da versão originária continham dispositivos que têm agora correspondentes no art. 477.º.

1093

Código de Processo Penal

2. A competência para a promoção da execução das penas e das medidas de segurança criminais e bem assim custas, indemnização e demais quantias devidas ao Estado ou às pessoas que lhe cumpra representar judicialmente, pertence ao MP, não podendo portanto o juiz actuar oficiosamente nesta matéria.

A actividade do MP promotora da execução consiste na realização das diligências descritas no art. 477.º e em outros, a começar pelo envio de cópias da sentença a outras entidades que intervêm na execução: Tribunal de Execução de Penas, Serviços Prisionais e Instituto de Reinserção Social.

Merece aqui particular referência o n.º 2 do art. 477.º, inovador relativamente ao art. 11.º do Dec.-Lei n.º 402/82, de 23 de Setembro, na medida em que impõe ao MP o dever de indicar expressamente as datas calculadas, respectivamente, para o meio e para o termo da pena de prisão ou da medida e segurança, quando se trate de pena superior a seis meses ou relativamente indeterminada ou de medida de internamento.

Como pondera Lopes Rocha, *Jornadas de Direito Processual Penal*, 485, a indicação da data calculada para o meio da pena de prisão superior a seis meses articula-se com o art. 61.º do CP, porque se trata de um dos pressupostos formais da liberdade condicional, assim se facilitando a preparação, em tempo útil, dos processos de concessão de liberdade condicional.

A intervenção do MP em toda esta matéria das execuções traduz o propósito de afirmar, também aqui, o princípio da legalidade que domina todo o processo penal.

3. *Jurisprudência:*

— O juiz do processo não tem competência para determinar oficiosamente o desconto dos vencimentos do condenado no pagamento da taxa de justiça, quando o MP se tenha abstido de requerer a execução por essa dívida. (Ac. RL de 22 de Maio de 1990; *CJ*, XV, tomo 3, 163);

— I — O juiz do processo em que foi aplicada a medida de segurança de internamento em estabelecimento de internamento não tem competência para decidir se o tempo de prisão preventiva do arguido pode ser levado em conta no cálculo do tempo de internamento. II — Essa competência cabe ao juiz do Tribunal de Execução das Penas. (Ac. RC de 18 de Maio de 1994; *CJ*, XIX, tomo 3, 51);

— I — O Tribunal de Círculo é o competente para conhecer da execução instaurada pelo MP contra uma testemunha que faltou à audiência de julgamento e não justificou a falta, e que, por isso, foi condenada em taxa de justiça. II — Tal execução corre por apenso ao processo em que a sanção foi aplicada. (Ac. RP de 29 de Novembro de 1995; *CJ*, XX, tomo 5, 258).

ARTIGO 470.º

(Tribunal competente a execução)

1. A execução corre nos próprios autos perante o presidente do tribunal de primeira instância em que o processo tiver corrido.

Artigo 470.º

2. Se a causa tiver sido julgada em primeira instância pela relação ou pelo Supremo Tribunal de Justiça, ou se a decisão tiver sido revista e confirmada, a execução corre na comarca de domicílio do condenado, salvo se este for magistrado judicial ou do Ministério Público aí em exercício, caso em que a execução corre no tribunal mais próximo.

1. Com aditamento, no n.º 2, de *ou se a decisão tiver sido revista e confirmada*, introduzido pelo Dec.-Lei n.º 317/95, de 28 de Novembro, reproduz o art. 470.º do Proj. e corresponde aos arts. 501.º, n.ᵒˢ 1 e 2 do Aproj.; 625.º, corpo do artigo, 2.º período e § 2.º do CPP de 1929 e 10.º, n.ᵒˢ 1 e 2 do Dec.--Lei n.º 402/82, de 23 de Setembro.
Ver anot. ao art. 467.º.

2. Como no regime anterior (ver anot. 3 ao art. 628.º do CPP de 1929, no nosso *Código de Processo Penal*), deve continuar a entender-se que a competência para a execução de uma pena resultante do cúmulo jurídico de várias outras penas impostas em processos diferentes pertence ao tribunal que aplicou a pena unitária, por aplicação da regra de competência fixada neste artigo.

3. No n.º 1 estabelece-se que a execução corre nos próprios autos em que a decisão foi proferida, e perante o presidente do tribunal de 1.ª instância em que o processo correu. Significa isto que, embora a competência para a execução pertença ao tribunal, as decisões são sempre proferidas pelo presidente do tribunal, e não já pelo colectivo ou pelo júri, quando tiverem intervindo no julgamento.
No n.º 2 consagra-se uma excepção à regra geral de competência para a execução formulada no n.º 1, idêntica à do direito anterior.
Sobre o que se deve entender por tribunal mais próximo, ver anot. ao art. 23.º.

4. Além do tribunal da execução intervém também na execução da pena de prisão e da medida de segurança privativa da liberdade o Tribunal de Execução das Penas, cujas funções são amplas e diversificadas, pois além de algumas funções decisórias tem também funções de vigilância e consultivas.
A competência deste tribunal encontra-se definida nos arts. 91.º e 92.º da Lei n.º 3/90, de 13 de Janeiro — Lei de Organização e Funcionamento dos Tribunais Judiciais.

5. *Jurisprudência:*
— A execução da pena corre nos próprios autos, o que significa que, após a sentença condenatória, continuam pendentes até ao cumprimento da pena, e só terminarão com a decisão que lhes ponha termo final, declarando cumprida a pena ou semelhante. (Ac. STJ de 31 de Maio de 1989; *BMJ,* 387, 503 e segs.);
— Em processo penal, a execução para o pagamento da taxa de justiça e custas corre por apenso ao processo principal. (Ac. RP de 10 de Janeiro de 1990; *CJ,* XV, tomo 1, 250);

1095

Código de Processo Penal

— I — Os tribunais criminais têm competência, no âmbito do CPP de 1987, tal como sucedia com o CPP de 1929, para executarem as indemnizações fixadas em quantia certa, por apenso ao processo de condenação em que foram fixadas. II — Mesmo no domínio do CPP de 1987, os tribunais civis são os competentes para executarem as indemnizações a liquidar em execução de sentença, já que o art. 71.º da LOTJ não derrogou o § 3.º do art. 34.º do CPP de 1929. (Ac. STJ de 23 de Maio de 1996, proc. 46998/3.ª);

— I — Em caso de cúmulo jurídico das penas, a competência para a execução pertence ao tribunal que efectuou o cúmulo jurídico. II — Assim, o tribunal competente para conceder liberdade provisória em caso de cúmulo jurídico de penas efectuado por uma vara criminal, onde se cumularam penas aplicadas por um tribunal militar, é o Tribunal de Execução das Penas. (Ac. STJ de 3 de Julho de 1997, proc. n.º 90/97);

— Tendo cessado a responsabilidade criminal relativamente a um ou mais crimes cujas penas estavam englobadas na pena única sancionatória de um concurso de crimes em que aquele ou aqueles estavam englobados, e subsistindo uma só pena parcelar, esta readquire toda a sua autonomia, correndo então a execução apenas por ela e no tribunal de primeira instância que a aplicou, por ter deixado de haver concurso de crimes e voltar a haver a situação de uma pena aplicada num processo, abrangida pelo n.º 1 do art. 470.º do CPP. (Ac. STJ de 4 de Fevereiro de 1999, proc. n.º 1263/98).

ARTIGO 471.º

(Conhecimento superveniente do concurso)

1. Para o efeito do disposto no artigo 78.º, n.ºs 1 e 2, do Código Penal é competente, conforme os casos, o tribunal colectivo ou o tribunal singular. É correspondentemente aplicável o artigo 14.º, n.º 2, alínea *b)*.

2. Sem prejuízo do disposto no número anterior, é territorialmente competente o tribunal da última condenação.

---

1. Este artigo foi introduzido pelo Dec.-Lei n.º 317/95, de 28 de Novembro, por proposta da CRCPP, que o discutiu na 22.ª sessão, em 23 de Março de 1992. Não tinha correspondente na versão originária deste Código.

2. No n.º 1 resolve-se a competência material (tribunal colectivo ou tribunal singular; nunca tribunal do júri) para o conhecimento superveniente do concurso.

No n.º 2 resolve-se a competência territorial, que é atribuída ao tribunal da última condenação.

Em resumo: à competência para o conhecimento superveniente do concurso pertence ao tribunal da última condenação, funcionando como tribunal colectivo ou como tribunal singular conforme for o caso.

1096

Artigo 472.º

3. *Jurisprudência:*

— No caso de o arguido, condenado anteriormente por tribunal colectivo em pena de prisão por 6 anos, vir a ser condenado depois, por tribunal singular, em nova pena de prisão, o tribunal competente para elaborar o cúmulo jurídico é um tribunal colectivo, a determinar mediante prévia distribuição. (Ac. RL de 14 de Maio de 1997; *CJ,* XXII, tomo 3, 140);

— I — Para os casos de conhecimento superveniente do concurso de crimes dispõe o art. 471.º, n.º 2, do CPP, que para a realização do respectivo cúmulo jurídico é territorialmente competente o tribunal da última condenação. II — Uma exegese sob o ponto de vista teleológico do preceito mencionado não pode deixar de considerar como tribunal da última condenação aquele onde a decisão condenatória a proferir puder compreender a pena resultante de condenação anterior definitivamente alcançada em razão do seu trânsito em julgado. III — Com efeito, se a pena decorrente da decisão condenatória anterior estiver em recurso, não pode vir a ser objecto de qualquer cúmulo jurídico, em razão da sua transitoriedade, uma vez que pode vir a ser modificada ou até revogada pelo tribunal *ad quem.* IV — Em nome da certeza do direito definido, só quando aquela decisão condenatória anterior e a pena nela imposta estiverem definitivamente fixadas é que se pode operar o cúmulo jurídico a que a lei penal obriga. (Ac. STJ de 14 de Fevereiro de 2001, proc. n.º 3716/00-3.ª; *SASTJ,* n.º 48, 53);

— I —Na aplicação da pena decorrente do cúmulo jurídico a efectuar após o conhecimento superveniente do concurso de penas, importa avaliar unitariamente a personalidade do arguido, em correlação com o conjunto de factos provados, como se estes constituissem um facto global onde importa saber se o agente revela uma tendência para a prática do crime ou de certos crimes ou se a sua actuação é devida a factores ocasionais. II — Não é de exigir, na concretização da determinação daquela pena a aplicar após o conhecimento superveniente do concurso, uma fundamentação tão rigorosa e específica como a exigível na determinação das penas em concreto. (Ac. STJ de 28 de Março de 2007; *CJ, Acs. do STJ,* ano XV, tomo 1, 233);

— I — Se, depois de transitada em julgado uma sentença condenatória, chega ao conhecimento do tribunal uma outra condenação por factos praticados pelo arguido antes da primeira condenação, há que proceder ao cúmulo jurídico das penas aplicadas. II — Se a segunda condenação respeita a factos praticados depois da prolação da primeira sentença condenatória, está-se perante uma situação de sucessão de penas. III — Verificados os pressupostos do cúmulo jurídico, não obsta a que a ele se proceda a circunstância de as penas aplicadas ao arguido terem sido suspensas, devendo, inclusive, revogar-se a suspensão, se a tanto induzirem os factos praticados e a personalidade do arguido. (Ac. RP de 28 de Março de 2007; *CJ,* ano XXXII, tomo II, 213).

ARTIGO 472.º

(Tramitação)

1. Para o efeito do disposto no artigo 78.º, n.º 2, do Código Penal, o tribunal designa dia para a realização da audiência orde-

Código de Processo Penal

nando, oficiosamente ou a requerimento, as diligências que se lhe afigurem necessárias para a decisão.

2. É obrigatória a presença do defensor e do Ministério Público, a quem são concedidos 15 minutos para a alegações finais. O tribunal determina os casos em que o arguido deve estar presente.

---

1. Este artigo foi introduzido pelo Dec.-Lei n.º 317/95, de 28 de Novembro, por proposta da CRCPP, que o discutiu na 22.ª sessão, em 23 de Março de 1992. Não tinha correspondente na versão originária deste Código.

2. Estabelece-se aqui a tramitação mínima, dentro do respeito pelas garantias da defesa e pelo princípio contraditório, para que o tribunal possa elaborar nova sentença quando há conhecimento superveniente do concurso.

De notar que a presença do arguido é, em regra, dispensável, podendo porém o tribunal determinar que ele esteja presente. Na CRCPP houve consenso quanto à não obrigatoriedade, como regra. Caso de obrigatoriedade necessária ou pelo menos muito conveniente será o de se fazer prova quanto à personalidade.

3. *Jurisprudência:*

— I — A pena do concurso é imposta em audiência de julgamento, realizada com respeito pelas garantias da defesa do condenado, e pautada pela obediência ao princípio do contraditório, e é fixada em decisão fundamentada, nos termos do art. 205.º, n.º 1, da CRP e do art. 374.º, n.º 2, do CPP. II — Mas essa fundamentação afasta-se da prevista, em termos gerais, no art. 374.º, n.º 2, do CPP, tudo se resumindo a uma especial e imprescindível fundamentação, onde avultam, na fixação da pena unitária, a valoração, em conjunto, dos factos e da personalidade do agente, mas sem o rigor e a extensão pressupostos nos factores de fixação da pena previstos no art. 71.º do CP. (Ac. STJ de 20 de Fevereiro de 2008; *SASTJ* relativos a esse mês, pág. 30).

ARTIGO 473.º
(Suspensão da execução)

1. Logo que for proferido despacho de pronúncia ou que designe o dia para o julgamento de magistrado, jurado, testemunha, perito ou funcionário de justiça por factos que possam ter determinado a condenação do arguido, o Procurador-Geral da República pode requerer ao Supremo Tribunal de Justiça que suspenda a execução da sentença até ser decidido o processo, juntando os documentos comprovativos.

2. O Supremo Tribunal de Justiça decide, em pleno das secções criminais, se a execução da sentença deve ser suspensa, e, em caso

Artigo 474.º

afirmativo, se deve ser aplicada medida de coacção ou de garantia patrimonial legalmente admissível no caso.

3. É correspondentemente aplicável ao julgamento o disposto no artigo 455.º.

---

1. Reproduz o art. 472.º do Proj. e corresponde aos arts. 494.º do Aproj. e 699.º do CPP de 1929. Na versão originária do Código tinha o n.º 472.º.
O n.º 2 sofreu ligeira alteração formal actualizando a terminologia, introduzida pela Lei n.º 59/98, de 25 de Agosto.

2. O CPP de 1929 não continha disposição correspondente à deste artigo no título das execuções, figurando antes tal disposição no título da revisão das sentenças e despachos.
A colocação dessa disposição (art. 699.º) no referido título foi criticada (cfr. Luís Osório, *Comentário*, VI, pág. 493) com razão, pois não se tratava de uma revisão, e daí a deslocação agora operada.

3. A suspensão da execução da sentença funda-se na grave suspeita de que essa sentença foi injusta. Embora o juiz da pronúncia tenha todos os elementos para apreciar da injustiça da condenação, compreende-se que seja o STJ a decidir sobre a suspensão, porque já se está a pôr em causa o julgado, e pela afinidade com a revisão.
Embora se não trate de uma revisão, esta seguir-se-á normalmente, para que, a final, se decida definitivamente sobre se a pena é ou não executada (cfr. ac. STJ de 17 de Abril de 1968; *BMJ*, 176, 148).

ARTIGO 474.º

(Competência para questões incidentais)

1. Cabe ao tribunal competente para a execução decidir as questões relativas à execução das penas e das medidas de segurança e à extinção da responsabilidade, bem como à prorrogação, pagamento em prestações ou substituição por trabalho da pena de multa e ao cumprimento da prisão subsidiária.

2. A aplicação da amnistia e de outras medidas de clemência previstas na lei compete ao tribunal referido no número anterior ou ao tribunal de recurso ou de execução das penas onde o processo se encontrar.

---

1. O texto deste artigo é resultante da revisão do Código levada a efeito pelo Dec.-Lei n.º 317/95, de 28 de Novembro. Reproduz porém o art. 471.º da versão originária do Código, com alteração da parte final do n.º 1, em resultado da revisão do CP levada a efeito pelo Dec.-Lei n.º 48/95, de 15 de Março. Esse art. 471.º reproduzida o art. 471.º do Proj. e correspondia aos arts. 503.º, n .º 1, do Aproj.; 628.º e 629.º, § 2.º, do CPP de 1929, na redacção que

Código de Processo Penal

fora introduzida pelo Dec.-Lei n.º 185/72, de 31 de Maio; e 12.º do Dec.-Lei n.º 402.º/82, de 23 de Setembro.
Ver anot. ao art. 467.º.

2. A atribuição da competência para a aplicação da amnistia e de outras medidas de clemência ao tribunal de recurso ou ao de execução de penas onde o processo se encontrar, como se estabelece no n.º 2, é um desvio da regra geral fundamentado em duas razões óbvias: satisfazer premências de celeridade processual quase sempre existentes na aplicação de medidas de clemência e evitar a tramitação morosa que a ida do processo ao tribunal de primeira instância causaria, tramitação que seria complexa no caso de haver vários arguidos só alguns dos quais beneficiando de medidas de clemência.

3. *Jurisprudência:*
— I — A interpretação do n.º 2 do art. 474.º do CPP, no sentido de que, em qualquer caso não urgente, a amnistia ou o perdão são aplicadas pelo tribunal de recurso ou de execução das penas, é inconstitucional, por violação dos arts. 32.º, n.º 1 e 13.º, n.º 1, ambos da CRP. II — Assim, só no caso de ser urgente, por qualquer motivo, *inclusive* de o arguido estar preso, a aplicação da amnistia ou do perdão cabe ao tribunal de recurso cumprir o n.º 2 do art. 474.º do CPP, sempre que o processo nele se encontre no momento da entrada em vigor do diploma com aquelas medidas; nos outros casos (não urgentes), as mesmas medidas devem ser aplicadas na 1.ª instância, para que não se coiba o arguido ou o MP de usarem do direito de recorrer da decisão. (Ac. STJ de 23 de Junho e 1999, proc. n.º 837/98-3.ª; *SASTJ*, n.º 32, 86). *Nota* — No mesmo sentido o ac. STJ com a mesma data, proc. 391/99-3.ª *ibidem*, 87.

ARTIGO 475.º

(Extinção da execução)

O tribunal competente para a execução declara extinta a pena ou a medida de segurança, notificando o beneficiário com entrega de cópia e, sendo caso disso, remetendo cópias para os serviços prisionais, serviços de reinserção social e outras instituições que determinar.

---

1. Este artigo foi introduzido pelo Dec.-Lei n.º 317/95, de 28 de Novembro, por proposta da CRCPP, que o discutiu na 22.ª sessão, em 23 de Março de 1992, onde foi justificado pela necessidade de formalizar a extinção.
Não havia dispositivo correspondente na versão originária da CPP nem no direito anterior.

2. *Jurisprudência:*
– Se o tribunal tiver, só após o trânsito em julgado da decisão que declarou extinta uma pena suspensa, tomou conhecimento de que, durante a suspensão, ocorreram razões susceptíveis de conduzir à revogação da suspensão, tal decisão

Artigo 476.º

só pode ser alterada mediante recurso de revisão, se e quando for admissível. (Ac. RL de 22 de Setembro de 2005; *CJ*, XXX, 137).

ARTIGO 476.º

(Contumácia)

Ao condenado que dolosamente se tiver eximido, total ou parcialmente, à execução de uma pena de prisão ou de uma medida de internamento é correspondentemente aplicável o disposto nos artigos 335.º, 336.º e 337.º, com as modificações seguintes:

a) Os editais e anúncios contêm, em lugar da indicação do crime e das disposições legais que o punem, a indicação da sentença condenatória e da pena ou medida de segurança a executar;

b) O despacho de declaração da contumácia e o decretamento do arresto são da competência do tribunal referido no artigo 470.º ou do Tribunal de Execuções das Penas.

---

1. O texto deste artigo foi introduzido pelo Dec.-Lei n.º 317/95, de 28 de Novembro, por proposta da CRCPP, que o discutiu na 22.ª sessão, em 23 de Março de 1992.
Ver anot. 1 ao art. 467.º.
Relativamente à versão originária há uma alteração de relevo:
— O art. 473.º da versão originária só previa que o regime da contumácia fosse aplicável a quem se eximisse, total ou parcialmente, à execução de uma pena de prisão. Esse regime passou a aplicar-se também ao condenado que se exima ao cumprimento da medida de segurança de internamento. A extensão foi explicada no seio da CRCPP porque a contumácia nada tem a ver com a culpa da pessoa, sendo apenas uma medida funcional, pragmática.

2. Este artigo contém, para a fase do cumprimento da pena de prisão, disposições que são paralelas às da contumácia na fase do julgamento, as quais foram inspiradas no direito comparado e na exposição do Prof. Eduardo Correia; *RLJ*, ano 110, págs. 99 e segs.
Vejam-se, com as respectivas anots., os arts. 335.º, 336.º e 337.º.

3. Quanto a prisão por dias livres e em regime de semidetenção haverá, antes do mais, que atentar no diposto nos n.ºs 3 e 4 do art. 488.º. Só no caso de, cumpridas as formalidades dessas disposições, o arguido se subtrair dolosamente ao cumprimento da pena (já em regime contínuo), poderá ser declarado contumaz.

Código de Processo Penal

TÍTULO II
DA EXECUÇÃO DA PENA DE PRISÃO

CAPÍTULO I
DA PRISÃO

ARTIGO 477.º
(Comunicação da sentença a diversas entidades)

1. O Ministério Público envia ao Tribunal de Execução das Penas e aos serviços prisionais e de reinserção social, no prazo de cinco dias após o trânsito em julgado, cópia da sentença que aplicar pena privativa da liberdade.

2. Nos casos de admissibilidade de liberdade condicional o Ministério Público indica as datas calculadas para os efeitos previstos nos artigos 61.º, 62.º e 90.º, n.º 1, do Código Penal, devendo ainda comunicar futuramente eventuais alterações que se verificarem na execução da prisão.

3. Tratando-se de pena relativamente indeterminada, o Ministério Público indica ainda a data calculada para o efeito previsto no artigo 90.º, n.º 3, do Código Penal.

4. As indicações previstas nos números 2 e 3 são comunicadas ao condenado.

5. Em caso de recurso da decisão que aplicar pena privativa da liberdade e de o arguido se encontrar privado da liberdade, o Ministério Público envia aos serviços prisionais cópia da decisão, com a indicação de que dela foi interposto recurso.

---

1. O texto dos n.ºs 1, 2 e 5 deste artigo foi introduzido pelo Dec.-Lei n.º 317/95, de 28 de Novembro, por proposta da CRCPP que o aprovou na 22.ª sessão, em 23 de Março de 1992. Ó n.º 4 foi introduzido pela Lei n.º 48/2007, de 29 de Agosto, passando o então n.º 4 para o n.º 5.

Corresponde a dispositivos dos n.ºs 2, 3 e 4 do art. 469.º da versão originária do Código, os quais por sua vez reproduziam, com ligeiras alterações, dispositivos dos arts. 469.º do Proj. e 11.º do Dec.-Lei n.º 402/82, de 23 de Setembro.

Ver anot. 1 ao art. 467.º.

2. A actividade do MP promotora da execução consiste na realização das diligências descritas neste artigo, a começar pelo envio de cópias da sentença a outras entidades que intervêm na execução: Tribunal da Execução de Penas, Serviços Prisionais e Instituto de Reinserção Social e em outros dispositivos legais nomeadamente da Lei n.º 36/96, adiante transcrita.

1102

Artigo 477.º

A intervenção do MP em toda esta matéria das execuções traduz o propósito de afirmar, também aqui, o princípio da legalidade que domina todo o processo penal.

3. Tratando-se de condenados em pena de prisão afectados por doença grave e irreversível em fase terminal, podem eles beneficiar da modificação da execução da pena, quando a tal se não oponham exigências de prevenção ou de ordem e paz social, nos termos estabelecidos pela Lei n.º 36/96, de 29 de Agosto, cujo texto é o seguinte:

Artigo 1.º

**Condenados em pena de prisão afectados por doença grave
e irreversível em fase terminal**

1 — Os cidadãos condenados em pena de prisão que padeçam de doença grave e irreversível em fase terminal podem beneficiar de modificação da execução da pena quando a tal se não oponham exigências de prevenção ou de ordem e paz social.

2 — A modificação da execução da pena depende sempre do consentimento do condenado, ainda que presumido.

3 — Há consentimento presumido quando a situação física ou psicológica do condenado permitir razoavelmente supor que teria eficazmente consentido na modificação se tivesse podido conhecer ou pronunciar-se sobre os respectivos pressupostos.

Artigo 2.º

Modalidade de modificação da execução da pena

1 — A modificação da execução da pena reveste as seguintes modalidades:

a) Internamento do condenado em estabelecimento de saúde ou de acolhimento adequado; ou

b) Obrigação de permanência em habitação.

2 — O tempo de duração do internamento ou da permanência em habitação é tido em conta para efeitos de cumprimento da pena, não podendo, em caso algum, exceder o tempo que ao condenado falte cumprir.

3 — As modalidades referidas no n.º 1 podem ser:

a) Substituídas uma pela outra;

b) Revogadas, quando se verifique uma alteração substancial dos pressupostos da sua aplicação e se revele inadequada ou impossível a medida prevista na alínea anterior.

4 — Os encargos com o internamento do condenado são suportados, em partes iguais, pelos Ministérios da Justiça e da Saúde.

Artigo 3.º

Tramitação do pedido

1 — O pedido de modificação da execução da pena é dirigido ao Tribunal de Execução das Penas e apresentado ao director do estabelecimento prisional:

Código de Processo Penal

a) Pelo condenado;
b) Por familiar do condenado ou pelo Ministério Público, no interesse daquele.

2 — O pedido é instruído e remetido pelo director do estabelecimento prisional ao Tribunal, acompanhado dos seguintes elementos:

a) Parecer do médico do estabelecimento prisional contendo a descrição, caracterização, história e prognose clínica relativas à irreversibilidade e carácter terminal da fase da doença, bem como o acompanhamento médico e psicológico prestado ao condenado;

b) Relatório do director do estabelecimento prisional contendo os elementos relativos ao cumprimento da pena e à situação prisional do condenado;

c) Relatório do Instituto de Reinserção Social contendo o estudo da situação social e familiar do condenado e parecer fundamentado sobre as possibilidades de internamento ou de permanência em habitação, bem como sobre a existência de razões de prevenção ou de ordem e paz social que se oponham à modificação da execução da pena.

3 — Para efeitos do disposto na alínea *c)* do número anterior, o director do estabelecimento prisional entrega cópia do pedido aos serviços do Instituto no estabelecimento.

Artigo 4.º

Tramitação no Tribunal

1 — Recebido o pedido no Tribunal, o processo é continuado com vista ao Ministério Público, se não for o requerente, para, no prazo máximo de quarenta e oito horas, emitir parecer ou requerer o que tiver por conveniente.

2 — Sendo requerente o Ministério Público ou familiar do condenado, este é ouvido pessoalmente pelo juiz sobre o seu consentimento.

3 — Havendo o processo de prosseguir, o juiz pode ordenar a realização de perícias e de outras diligências que se mostrarem necessárias, designadamente a junção de elementos constantes do processo clínico do condenado que sejam relevantes para a decisão, após o que decidirá no mais breve prazo possível.

Artigo 5.º

Execução e alteração da decisão

Ao Instituto de Reinserção Social compete acompanhar a execução da decisão de modificação e, designadamente:

a) Elaborar relatórios mensais de avaliação da execução;

b) Prestar ou promover para que seja prestado adequado apoio psico-social ao condenado e respectiva família em coordenação com as competentes entidades públicas ou particulares;

c) Propor ao Tribunal a substituição ou a revogação das modalidades de modificação aplicadas;

d) Comunicar ao Tribunal o falecimento do condenado quando por outra razão não tenha sido declarada extinta a pena.

1104

Artigo 6.º

Extensão do regime

Quando, no momento da condenação, se encontrarem preenchidos os pressupostos materiais de que dependa a modificação da execução da pena, pode o tribunal que condene em pena de prisão optar pela aplicação imediata de qualquer das modalidades de modificação referidas no n.º 1 do artigo 2.º.

4. *Jurisprudência:*
— A liquidação da pena de prisão efectuada pelo MP nos termos do art. 477.º, n.º 2, do CPP, deve ser judicialmente apreciada e homologada. (Ac. RE de 1 de Outubro de 2002; *CJ*, XXVII, tomo 4, 255).

ARTIGO 478.º

(Entrada no estabelecimento prisional)

Os condenados em pena de prisão dão entrada no estabelecimento prisional por mandado do juiz competente.

1. O texto deste artigo, que é igual ao do art. 474.º da versão originária do Código, foi introduzido pelo Dec.-Lei n.º 317/95, de 28 de Novembro, por proposta da CRCPP, que o aprovou na 22.ª sessão, em 23 de Março de 1992.

2. A exigência de mandado para dar entrada no estabelecimento prisional em cumprimento da pena de prisão é uma garantia da legalidade desta pena. Assim se evita que aí dêem entrada pessoas que tenham sido ilegalmente presas. Este artigo contém aforamento do princípio geral de que ninguém pode dar entrada na cadeia, a não ser por ordem escrita de autoridade competente. Existem no entanto outras formas de dar entrada em estabelecimentos prisionais, além de mandado do juiz, previstas em lei especial — Dec.-Lei n.º 265/79, de 1 de Agosto —, como a apresentação voluntária, a recaptura e a transferência (ver art. 7.º deste diploma), isto além do caso previsto no art. 488.º, n.º 1, deste Código.

ARTIGO 479.º

(Contagem do tempo de prisão)

1. Na contagem do tempo de prisão, os anos, meses e dias são computados segundo os critérios seguintes:

a) A prisão fixada em anos termina no dia correspondente, dentro do último ano, ao de início da contagem e, se não existir dia correspondente, no último dia do mês;

b) A prisão fixada em meses é contada considerando-se cada mês um período que termina no dia correspondente do mês seguinte ou, não o havendo, no último dia do mês;

Código de Processo Penal

c) A prisão fixada em dias é contada considerando-se cada dia um período de vinte e quatro horas, sem prejuízo do que no artigo 481.º se dispõe quanto ao momento da libertação.

2. Quando a prisão não for cumprida continuamente, ao dia encontrado segundo os critérios do número anterior acresce o tempo correspondente às interrupções.

---

1. O texto deste artigo, que é igual ao do art. 475.º da versão originária do Código, foi introduzido pelo Dec.-Lei n.º 317/95, de 28 de Novembro, por proposta da CRCPP, que o aprovou na 22.ª sessão, em 23 de Março de 1992.

2. Sobre contagem do tempo de prisão e momento de soltura, veja-se ainda o estudo de António Manuel Beirão, *in RMP*, ano 25 (Out./Dez. de 2004), cujo sumário é o seguinte:
    1. Introdução.
    2. Quem conta as penas, juiz ao Ministério Público?.
    3. Para bem contar, começar por... descontar!
        3.1. Os períodos curtos de detenção.
        3.2. A prisão preventiva.
    4. Mas, afinal, como se conta a prisão?.
    5. *In dubio pro recluso*.
    6. Conclusões.

3. *Jurisprudência:*
— I — Não pode considerar-se prisão preventiva o período de detenção para interrogatório pelo juiz. II — Esse período de tempo não pode, por isso, ser descontado para o efeito de cumprimento da pena que venha a ser aplicada. (Ac. RP de 7 de Fevereiro de 1990; *CJ*, XV, tomo 1, 254). *Nota* — Não concordamos com esta orientação; em ambos os casos se trata de privação de liberdade, e é a própria lei que, no art. 260.º, al. *b)*, equipara a detenção à prisão preventiva;
— O tempo de prisão preventiva deve, nos termos da lei, ser descontado por inteiro, dia-a-dia, e não por aplicação dos critérios de contagem da pena previstos no art. 479.º do CPP. (Ac. RP de 3 de Junho de 1998; *BMJ*, 478, 455);
— I — Para efeitos de contagem do tempo de prisão, a unidade de tempo mais reduzida é o dia, correspondente a um período de 24 horas. II — Assim, se o arguido tiver sido detido e libertado no mesmo dia, há que considerar o período mínimo previsto para cumprimento da pena de prisão e proceder ao respectivo desconto. (Ac. RL de 23 de Setembro de 2007; *CJ*, ano XXXII, tomo IV, 139).

ARTIGO 480.º
(Mandado de libertação)

1. Os presos são libertados por mandato do juiz, no termo do cumprimento da pena de prisão ou para início do período de liberdade condicional.

Artigo 480.º

2. Em caso de urgência, a libertação pode ser ordenada por qualquer meio de comunicação devidamente autenticado, remetendo-se posteriormente o respectivo mandado.

3. Quando considerar que a libertação do preso pode criar perigo para o ofendido, o tribunal, oficiosamente ou a requerimento do Ministério Público, informa-o da data em que a libertação terá lugar.

---

1. O texto dos n.ᵒˢ 1 e 2 deste artigo foi introduzido pelo Dec.-Lei n.º 317/ 95, de 28 de Novembro, por proposta da CRCPP, que o aprovou na 22.ª sessão, em 23 de Março de 1992.

O n.º 1 reproduz o n.º 1 do art. 477.º da versão originária, que por sua vez reproduzia dispositivos dos arts. 407.º do Proj., 636.º do CPP de 1929 e 16.º do Dec.-Lei n.º 402/82, de 23 de Setembro.

O n.º 2 contém dispositivo sem antecedente no Código, e inspirado no art. 152.º, n.º 3, do Dec.-Lei n.º 265/79 (ver *infra*).

O n.º 3 foi introduzido pela Lei n.º 48/2007, de 29 de Agosto. Trata-se de dispositivo paralelo ao introduzido pelo mesmo diploma nos arts. 217.º e 482.º e também existente em outros ordenamentos jurídicos do direito comparado.

Este n.º 3 vem conforme a Lei n.º 48/2007 e não conforme o anexo que reproduz o Código na íntegra.

2. Sobre o momento da libertação são ainda do maior interesse as seguintes disposições do Dec.-Lei n.º 265/79, de 1 de Agosto (Reestruturação dos serviços que têm a seu cargo as medidas privativas de liberdade):

Art. 152.º. 1. Os reclusos são postos em liberdade mediante mandado ou ordem escrita da autoridade competente.

2. A libertação dos reclusos estrangeiros é sempre comunicada ao director do Serviço de Estrangeiros, do Ministério da Administração Interna, com a antecedência possível.

3. A ordem a que se refere o n.º 1 pode ser transmitida por telegrama oficial, mas, neste caso, o director do estabelecimento só a manda cumprir se tiver elementos que façam supor a sua legalidade.

4. A ordem comunicada por via telegráfica será oportunamente confirmada por escrito.

Art. 153.º. O director do estabelecimento deve solicitar a ordem de libertação referida no artigo anterior, pelo menos um mês antes de findo o prazo da medida privativa de liberdade.

Art. 154.º. 1. Se o recluso a libertar estiver doente e o médico informar por escrito que a libertação imediata prejudica gravemente a sua saúde, pode o director autorizar a sua permanência no estabelecimento pelo tempo indispensável.

2. O disposto no número anterior é aplicável às reclusas grávidas, no puerpério ou que tenham sofrido uma interrupção de gravidez.

3. Se o recluso estiver a cumprir a medida de internamento em cela disciplinar, não é libertado sem a ter cumprido.

4. A demora na libertação de qualquer recluso a que se referem os números anteriores é comunicada imediatamente à Direcção-Geral dos Serviços Prisionais e à entidade que tiver expedido a ordem de libertação.

Código de Processo Penal

ARTIGO 481.º

(Momento da libertação)

1. A libertação tem lugar durante a manhã do último dia do cumprimento da pena.

2. Se o último dia do cumprimento da pena for sábado, domingo ou feriado, a libertação pode ter lugar no dia útil imediatamente anterior, se a duração da pena justificar e a tal se não opuserem razões de assistência.

3. Quando as razões referidas no número anterior o permitirem e o feriado nacional for o 25 de Dezembro, a libertação pode ter lugar durante a manhã do dia 23.

4. O momento da libertação pode ser antecipado de dois dias quando razões prementes de reinserção social o justificarem.

5. O disposto nos números anteriores não é aplicável à prisão em regime de semidetenção nem à prisão subsidiária da multa, quando não tenha duração superior a quinze dias.

6. Compete ao director do estabelecimento prisional escolher o momento da libertação, dentro dos limites estabelecidos nos números anteriores.

---

1. O texto deste artigo foi introduzido pelo Dec.-Lei n.º 317/95, de 28 de Novembro, por proposta da CRCPP, que o aprovou na 2.ª sessão, em 23 de Março de 1992. É, porém, igual ao do art. 476.º da versão originária, com excepção do n.º 6, que reproduz o n.º 2 do art. 477.º da mesma versão.

Reproduz o art. 476.º do Proj. Não havia disposições correspondentes, quer no CPP de 1929, quer no Dec.-Lei n.º 402/82, de 23 de Setembro.

Ver anot. ao art. 467.º.

2. Se o recluso a libertar estiver doente; for mulher grávida, no puerpério ou que tenha sofrido interrupção de gravidez; ou tratando-se de reclusa cumprir medida de internamento em cela disciplinar, atender-se-á ainda ao disposto no art. 154.º do Dec.-Lei n.º 265/79, de 1 de Agosto, transcrito em anot. ao art. 480.º.

ARTIGO 482.º

(Comunicações)

1. Os directores dos estabelecimentos prisionais comunicam ao Ministério Público junto do tribunal competente para a execução da pena o falecimento dos presos, a sua fuga, qualquer suspensão ou interrupção ou causa da sua modificação, ou extinção total ou parcial, bem como a libertação, sendo as comunicações juntas ao processo.

Artigo 483.º

2. O Ministério Público comunica a fuga do preso ao tribunal que, se considerar que dela pode resultar perigo para o ofendido, o informa da ocorrência.

1. O texto do n.º 1 deste artigo foi introduzido pelo Dec.-Lei n.º 317/95, de 28 de Novembro, por proposta da CRCPP, que o aprovou na 22.ª sessão, em 23 de Março de 1992.

Com irrelevante alteração, reproduz o art. 478.º da versão originária, que por sua vez reproduzia o art. 478.º do Proj. e correspondia aos arts. 507.º do Aproj.; 637.º do CPP de 1929, na redacção introduzida pelo Dec.-Lei n.º 185/72, de 31 de Maio e 15.º do Dec.-Lei n.º 402/82, de 23 de Setembro, vigente à data da entrada em vigor do Código.

Ver anot. ao art. 467.º.

O n.º 2 foi introduzido pel Lei n.º 48/2007, de 29 de Agosto, passando então o anterior corpo do artigo para n.º 1.

Este dispositivo é paralelo ao introduzido pela supramencionada Lei nos arts. 217.º e 480.º e idêntico a outros existentes no ordenamento jurídico do direito comparado.

2. As comunicações ficam juntas ao processo, como se estabelece no final do artigo, mas pode haver lugar a outros actos processuais ulteriores. Assim, no caso de fuga haverá lugar a procedimento criminal, em processo a instaurar separadamente, pelo crime do art. 352.º do CP; e no caso de falecimento haverá lugar à declaração de extinção da responsabilidade criminal, ficando assim extintos tanto o procedimento criminal como a pena ou a medida de segurança, nos termos do art. 128.º do CP.

Também a libertação de reclusos estrangeiros é sempre comunicada ao director do Serviço de Estrangeiros do Ministério da Administração Interna, com a antecedência possível (art. 152.º, n.º 2, do Dec.-Lei n.º 265/79).

ARTIGO 483.º
(Anomalia psíquica posterior)

1. Se durante a execução da pena sobreviver ao condenado uma anomalia psíquica, com os efeitos previstos nos artigos 105.º, n.º 1, e 106.º, n.º 1, do Código Penal, o Tribunal de Execução das Penas ordena:

   a) Perícia psiquiátrica ou sobre a personalidade do condenado, devendo o respectivo relatório ser-lhe apresentado dentro de trinta dias;

   b) Relatório dos serviços de reinserção contendo análise do enquadramento familiar e profissional do condenado;

   c) Oficiosamente ou a requerimento do Ministério Público, do condenado ou do defensor, as diligências que se afigurem com interesse para a decisão.

1109

Código de Processo Penal

2. A decisão é precedida de audição do Ministério Público, do defensor e do condenado, só podendo a presença deste ser dispensada se o seu estado de saúde tornar a audição inútil ou inviável.

---

1. Este artigo foi introduzido pelo Dec.-Lei n.º 317/95, de 28 de Novembro, por proposta da CRCPP, que o discutiu na 22.ª sessão, em 23 de Março de 1992.
Não havia dispositivo correspondente na versão originária do Código.
Ver anot. 1 ao art. 467.º.

2. Com este artigo fica preenchida uma lacuna revelada pela verão originária do Código, que não continha dispositivos para o caso de durante a execução da pena obrevir ao agente anomalia psíquica com os efeitos previstos nos arts. 105.º, n.º 1 e 106.º, n.º 1, do CP.
Seguiu-se um procedimento paralelo ao das medidas de segurança.

CAPÍTULO II
DA LIBERDADE CONDICIONAL

ARTIGO 484.º
(Início do processo da liberdade condicional)

1. Até dois meses antes da data admissível para a libertação condicional do condenado ou para efeitos de concessão do período de adaptação à liberdade condicional em regime de permanência na habitação, com fiscalização por meios técnicos de controlo à distância, os serviços prisionais remetem ao tribunal de execução das penas:

a) Relatório dos serviços técnicos prisionais sobre a execução da pena e o comportamento prisional do recluso;
b) Parecer fundamentado sobre a concessão de liberdade condicional, elaborado pelo director de estabelecimento.

2. Até 4 meses antes da data admissível para a libertação condicional do condenação ou para efeitos da concessão do período de adaptação à liberdade condicional em regime de permanência na habitação, com fiscalização por meios técnicos do controlo à distância, o tribunal de execução das penas solicita aos serviços de reinserção social:

a) Plano individual de readaptação;
b) Relatório social contendo uma análise dos efeitos da pena; ou

Artigo 485.º

c) Relatório social contendo outros elementos com interesse para a decisão sobre a liberdade condicional ou a concessão do período de adaptação à liberdade condicional.

3. Oficiosamente ou a requerimento do Ministério Público ou do condenado, o tribunal solicita quaisquer outros relatórios, documentos ou diligências que se afigurem com interesse para a decisão sobre a liberdade condicional, nomeadamente a elaboração de um plano de reinserção social, pelos serviços de reinserção social. O pedido de elaboração do plano é obrigatório sempre que o condenado se encontre preso há mais de cinco anos.

---

1. O texto deste artigo foi introduzido pela Lei n.º 48/2007, de 29 de Agosto. O texto anterior não era o originário; o n.º 1 resultava do Dec.-Lei n.º 317/95, de 28 de Novembro e o dos n.ºˢ 2 e 3 da Lei n.º 59/98, de 25 de Agosto.

Em relação à versão anterior, o regime actual para o início do processo de liberdade condicional resulta essencialmente da introdução do período de adaptação à liberdade condicional estabelecido no art. 62.º do Código Penal.

2. Este artigo estabelece, como outros deste Capítulo, a tramitação necessária para a organização, em tempo útil, do processo de adaptação e de concessão de liberdade condicional, nos termos e com os pressupostos fixados no CP. Os relatórios e o parecer elaborados nos termos das disposições deste artigo são peças fundamentais para habilitar o juiz a decidir sobre a concessão da liberdade condicional e sobre o condicionalismo desta, no caso de ser concedida.

ARTIGO 485.º

(Decisão)

1. Até dez dias antes da data admissível para a libertação condicional, o Ministério Público emite, nos próprios autos, parecer sobre a concessão.

2. Antes de proferir despacho sobre a concessão da liberdade condicional, o Tribunal de Execução das Penas ouve o condenado, nomeadamente para obter o seu consentimento.

3. O despacho que deferir a liberdade condicional ou deferir a adaptação à liberdade condicional, além de descrever os fundamentos da sua concessão, especifica o respectivo período de duração e as regras de conduta ou outras obrigações a que fica subordinado o beneficiário, sendo este dele notificado e recebendo cópia antes de libertado.

4. O despacho que negar a liberdade condicional ou negar a adaptação à liberdade condicional é notificado ao recluso.

1111

Código de Processo Penal

5. Do despacho sobre a liberdade condicional ou a adaptação à liberdade condicional é remetida cópia, pelo meio de comunicação mais expedito, para os serviços prisionais, serviços de reinserção social e outras instituições que o tribunal determinar.

6. O despacho que negar a liberdade condicional é susceptível de recurso.

7. É correspondentemente aplicável o disposto no artigo 495.º, n.º 1.

---

1. O texto dos n.ºs 1 a 2 foi introduzido pelo Dec.-Lei n.º 317/95, de 29 de Novembro, por proposta da CRCPP, que o aprovou na 22.ª sessão, em 23 de Março de 1992.

Os n.ºs 3, 4 e 5 têm o texto introduzido pela Lei n.º 48/2007, de 29 de Agosto. Em relação à versão anterior, resultante do referido Dec.-Lei n.º 317/95, as alterações resultam essencialmente da introdução do período de adaptação à liberdade condicional estabelecido no art. 62.º do Código Penal.

O n.º 6 não tinha correspondente anterior. É um dispositivo que clarificou expressamente a possibilidade de interposição de recurso de despacho que nega a concessão de liberdade condicional.

O n.º 7 é o anterior n.º 6, introduzido pela Lei n.º 59/98, de 25 de Agosto. Corresponde ao art. 482.º da versão originária, porém com tramitação actualizada, melhor expressão do princípio contraditório e clarificação da possibilidade de recurso de despacho que nega a liberdade condicional.

2. Este artigo, como outros deste capítulo, estabelece a tramitação processual necessária para dar execução ao regime de adaptação e de concessão da liberdade condicional, nos arts. 61.º e segs. do CP, a cujos preceitos e juiz deve atender, ao elaborar a sentença que deferir a liberdade condicional, e posteriormente, durante esta e findo o seu período.

<h3 style="text-align:center">ARTIGO 486.º</h3>
(Renovação da instância)

1. Quando a liberdade condicional for revogada e a prisão houver ainda de prosseguir por mais de um ano, são remetidos novos relatórios e parecer, nos termos do artigo 484.º, até dois meses antes de decorrido o período de que depende a concessão.

2. O despacho que revogar a liberdade condicional ou a adaptação à liberdade condicional é notificado ao recluso

3. Do despacho que revogar a liberdade condicional ou a adaptação à liberdade condicional é remetida cópia ao director do estabelecimento e aos serviços de reinserção social.

1112

Artigo 486.º

4. O despacho que revogar a liberdade condicional é susceptível de recurso.

1. O texto do n.º 1 foi introduzido pelo Dec.-Lei n.º 317/95, de 28 de Novembro, por proposta da CRCPP, que o aprovou na 22.ª sessão, em 23 de Março de 1992.

O texto dos n.ºˢ 2, 3 e 4 foi introduzido pela Lei n.º 48/2007, de 29 de Agosto. O dos n. 1 e 2 são essencialmente os da versão anterior, resultante do referido Dec.-Lei n.º 317/95, porém com alteração decorrente da introdução no art. 62.º do CP do regime de adaptação à liberdade condicional.

O n.º 4 foi aditado pela supramencionada Lei e deixa clarificada a possibilidade de interposição de recurso de despacho que revoga a liberdade condicional.

2. A renovação da instância prevista neste artigo dá-se quando a liberdade condicional é revogada e a prisão vai prosseguir por mais de um ano.

Os casos de revogação da liberdade condicional estão previstos no CP.

A disciplina da renovação da instância, aqui prevista, tem suscitado alguns reparos, mormente por parte de Lopes Rocha e de Lopes de Almeida, *Jornadas de Direito Processual Penal,* 487 e 515.

Do primeiro extraímos, com a devida vénia, as seguintes passagens:

«A referência feita no n.º 1 ao *prosseguimento da prisão por mais de um ano* parece-me ambígua: quer referir-se a nova condenação, que determina, nos termos do art. 61.º, n.º 1, do Código Penal, a revogação da liberdade condicional, ou ao somatório da nova pena com a parte ainda não cumprida daquela cujo cumprimento foi interrompido com a concessão da liberdade condicional depois revogada? Em qualquer dos casos, porque o estabelecimento do período de *um ano* como termo de referência para o envio dos pareceres e do relatório nos dois meses anteriores? Tratando-se, como se trata, de concessão de nova liberdade condicional facultativa *nos termos gerais* (ver n.º 2 daquele art. 63.º), como conciliar aquela solução com o critério do art. 61.º, n.º 1, que prevê a possibilidade de liberdade condicional quando o condenado tiver cumprido *metade da pena?* Enfim, porque é que se eliminou a referência ao relatório da al. *c)* do art. 481.º apesar de o texto falar em *novos relatórios,* isto é, no plural?

Passando ao n.º 2, ainda do art. 483.º, afigura-se-me redundante o advérbio *sempre* (se a renovação é obrigatória, claro que não pode deixar de o ser *sempre*).

Tecnicamente incorrecta me parece, por outro lado, a referência ao *período* máximo da pena, pois deveria dizer-se *limite* máximo.

Enfim, a obrigatoriedade da renovação não abrange sempre o período de um ano, como se inculca no texto, porque a primeira renovação posterior à continuação do cumprimento da pena indeterminada, que por sua vez é consequência da revogação da liberdade condicional, não pode ter lugar antes de decorridos *dois anos,* como se dispõe no n.º 5 do artigo 89.º do Código Penal».

Código de Processo Penal

CAPÍTULO III

DA EXECUÇÃO DA PRISÃO POR DIAS LIVRES E EM REGIME DE SEMIDETENÇÃO OU DE PERMANÊNCIA NA HABITAÇÃO

ARTIGO 487.º
(Conteúdo da decisão e início do cumprimento)

1. A decisão que fixar o cumprimento da prisão por dias livres, em regime de semidetenção ou de permanência na habitação, com fiscalização por meios técnicos de controlo à distância, especifica os elementos necessários à sua execução, indicando a data do início desta.

2. O tribunal envia imediatamente aos serviços prisionais e de reinserção social cópia da sentença a que se refere o número anterior, devendo:

   a) Os serviços prisionais comunicar ao tribunal, nos 10 dias imediatos, o estabelecimento em que a pena deve ser cumprida, indicando-o de modo a facilitar a deslocação do condenado;

   b) Os serviços de reinserção social comunicar ao tribunal, nas 48 horas imediatas, a instalação dos meios técnicos de controlo à distância.

3. O tribunal entrega ao condenado cópia da decisão condenatória e guia de apresentação no estabelecimento prisional onde a pena deve ser cumprida.

4. O início da prisão por dias livres ou em regime de semidetenção pode ser adiado, mediante autorização do tribunal, pelo tempo que parecer razoável, mas nunca excedente a três meses, por razões de saúde do condenado ou da sua vida profissional ou familiar.

---

1. O texto dos n.ᵒˢ 1 e 2 foi introduzido pelo Lei n.º 48/2007, de 29 de Agosto, em substituição do que resultava do Dec.-Lei n.º 317/95, de 28 de Novembro, e que tinha sido aprovado para proposta na 22.ª sessão da CRCPP, em 23 de Março de 1992. As alterações introduzidas resultam essencialmente da recente divulgação de meios técnicos de controlo à distancia.

Os n.ᵒˢ 3 e 4 têm o texto introduzido pelo supramencionado Dec.Lei n.º 317/95.

2. Sobre prisão por dias livres e regime de semidetenção vejam-se os arts. 45.º e 46.º do CP, com as respectivas anots. no nosso *Código Penal Português*.

1114

Artigo 488.º

3. Relativamente ao regime que fora estabelecido pelo art. 22.º do Dec.--Lei n.º 402/82, são reduzidas as diferenças, podendo no entanto apontar-se as seguintes:

No n.º 2, alínea *a)*, resolveu-se a questão prática do estabelecimento escolhido para o cumprimento da pena de prisão por dias livres, o qual deve ser escolhido pelos serviços prisionais de modo a facilitar a deslocação do condenado;

Foi eliminada a causa de adiamento da execução constante do n.º 5 do referido art. 22.º, relacionada com a dificuldade eventual de internamento imediato.

ARTIGO 488.º
(Execução, faltas e termo do cumprimento)

1. As entradas e saídas no estabelecimento prisional são anotadas em processo individual do condenado.

2. Não são passados mandados de condução nem de libertação.

3. As faltas de entrada no estabelecimento prisional de harmonia com a sentença são imediatamente comunicadas ao tribunal. Se o tribunal, depois de ouvir o condenado e de proceder às diligências necessárias, não considerar a falta justificada, passa a prisão a ser cumprida em regime contínuo pelo tempo que faltar, passando-se, para o efeito, mandados de captura.

4. As apresentações tardias, com demora não excedente a três horas, podem ser consideradas justificadas pelo director do estabelecimento prisional, depois de ouvido o condenado.

5. A execução da adaptação à liberdade condicional em regime de permanência na habitação, com fiscalização por meios técnicos de controlo à distância, é efectuada nos termos previstos na lei.

---

1. O texto dos n.ᵒˢ 1, 2, 3 e 4 foi introduzido pelo Dec.-Lei n.º 317/95, de 28 de Novembro, por proposta da CRCPP, que o aprovou na 22.ª sessão, em 23 de Março de 1992. Reproduz porém o art. 486.º da versão originária do Código, que por sua vez reproduzia o art. 486.º do Proj. e correspondia aos arts. 516.º do Aproj. e 23.º do Dec.-Lei n.º 402/82, de 23 de Setembro, que vigorava à data da entrada em vigor do Código. O n.º 5 foi introduzido pela Lei n.º 48/2007, de 29 de Agosto.

Não havia disposição correspondente aos n. 1, 2, 3 e 4 no CPP de 1929, nem, quando ao n.º 5, no regime anterior à supramencionada Lei que o introduziu.

2. Quanto aos n.ᵒˢ 1 e 4 são reduzidas as diferenças relativamente ao regime do art. 23.º do Dec.-Lei n.º 402/82.

No n.º 3 foi eliminada a referência à instauração de procedimento criminal pelo crime do art. 393.º do CP com base em faltas injustificadas, limitando-se agora a lei a referir a passagem de mandados de captura para

Código de Processo Penal

cumprimento da pena no regime de prisão contínua, pelo tempo que faltar.

Pode no entanto suscitar-se aqui a questão, que já foi suscitada por Lopes Rocha, *Jornadas de Direito Processual Penal,* 489, de saber se se quis descriminalizar a conduta de quem falta injustificadamente ou se, pelo contrário, o legislador considerou desnecessária a referência contida na parte final do apontado art. 23.°, por o facto caber, sem ela, na previsão do art. 393.° do CP.

Sobre esta questão afigura-se-nos que, sem lei expressa tipificando criminalmente o facto, dificilmente estas faltas de apresentação caberiam no âmbito do art. 393.° do CP, até porque o lugar de apresentação não é aqui indicado na sentença criminal, mas pelos serviços prisionais. Para mais, a lei tipifica aqui especialmente o facto, prevendo sanção específica *(lex specialis derogat generali).* Em tais termos, ficará afastada a aplicação do referido art. 393.° (ou do art. 353.° após a revisão do CP efectuada pelo Dec.-Lei n.° 48/95).

3. O n.° 5, introduzido pela supramencionada Lei, é um dispositivo manifestamente desnecessário.

Os meios técnicos de controlo à distância para fiscalização do cumprimento da obrigação de permanência na habitação encontram-se regulados na Lei n.° 122/99, de 20 de Agosto.

TÍTULO III

DA EXECUÇÃO DAS PENAS NÃO PRIVATIVAS DE LIBERDADE

CAPÍTULO I

DA EXECUÇÃO DA PENA DE MULTA

ARTIGO 489.°
(Prazo de pagamento)

1. A multa é paga após o trânsito em julgado da decisão que a impôs e pelo quantitativo nesta fixado, não podendo ser acrescida de quaisquer adicionais.

2. O prazo de pagamento é de quinze dias a contar da notificação para o efeito.

3. O disposto no número anterior não se aplica no caso de o pagamento da multa ter sido diferido ou autorizado pelo sistema de prestações.

---

1. O texto deste artigo foi introduzido pelo Dec.-Lei n.° 317/95, de 28 de Novembro, por proposta da CRCPP, que o aprovou na 23.ª sessão, em 24 de Março de 1992. Reproduz porém o art. 487.° da versão originária do Código, que por sua vez reproduzia o art. 487.° do Proj. e também, com ligeira alteração de reduzido significado, ao art. 517.° do Aproj. Corresponde aos

Artigo 490.º

arts. 638.º do CPP de 1929 e 24.º do Dec.-Lei n.º 402/82, de 23 de Setembro, que vigorava à data da entrada em vigor do Código.
O prazo de 15 dias estabelecido no n.º 2 foi fixado pela Lei n.º 59/98, de 25 de Agosto (na versão originária o prazo era de 10 dias). A alteração ficou a dever-se a que os prazos em processo penal passaram a correr continuamente, como em processo civil.

2. O disposto nos n.ºs 1 e 2 não representa qualquer alteração em relação ao regime do CPP de 1929. Quanto ao n.º 3, contém disposição idêntica à que já constava do art. 24.º do Dec.-Lei n.º 402/82, de 23 de Setembro, destinando-se a dar execução a disposições do CP sobre o pagamento diferido ou em prestações da pena de multa (art. 64.º, n.º 5), já que tais modalidades de pagamento não se coadunam com as disposições dos n.ºs 1 e 2.
Sendo autorizado o pagamento diferido ou em prestações, respeitar-se-á o decidido, de harmonia com o CP, e só depois de esgotado o prazo do pagamento, ou de alguma das prestações, se procederá de harmonia com o art. 491.º.
3. Veja-se o art. 100.º do Cód. das Custas Judiciais sobre o pagamento de multas a entidades policiais.

ARTIGO 490.º
(Substituição da multa por dias de trabalho)

1. O requerimento para substituição da multa por dias de trabalho é apresentado no prazo previsto nos n.ºs 2 e 3 do artigo anterior, devendo o condenado indicar as habilitações profissionais e literárias, a situação profissional e familiar e o tempo disponível, bem como, se possível, mencionar alguma instituição em que pretenda prestar trabalho.

2. O tribunal pode solicitar informações complementares aos serviços de reinserção social, nomeadamente sobre o local e horário de trabalho e a remuneração.

3. A decisão de substituição indica o número de horas de trabalho e é comunicada ao condenado, aos serviços de reinserção social e à entidade a quem o trabalho deva ser prestado.

4. Em caso de não substituição da multa por dias de trabalho, o prazo de pagamento é de quinze dias a contar da notificação da decisão.

---

1. A versão originária do Código regulava os dias de trabalho em substituição da pena de multa no art. 489.º, que reproduzia o art. 489.º do Proj. e se inspirara em dispositivos do Dec.-Lei n.º 402/82, de 23 de Setembro, vigentes à data da entrada em vigor do Código.

1117

Código de Processo Penal

As alterações constantes deste artigo foram impostas pelas novas previsões legais relativas ao não pagamento da pena de multa e resultantes da revisão do CP.

O prazo de 15 dias estabelecido no n.º 4 foi fixado pela Lei n.º 59/98, de 25 de Agosto (na versão originária o prazo era de 10 dias), em virtude de os prazos em processo penal terem passado a correr continuamente, como em processo civil.

Este artigo foi aprovado na 23.ª sessão da CRCPP, em 24 de Março de 1992. Ver anot. ao art. 467.º.

2. Não existe no CPP norma que regule o caso de o condenado que viu a pena de multa substituída por trabalho se colocar intencionalmente em condições de não poder trabalhar ou de se recusar, sem justa causa, a prestar trabalho. Tal norma, que seria de natureza substantiva, foi omitida no CPP porque a situação é resolvida pelo CP, arts. 48.º, 58.º e 59.º, n.º 2, alíneas *a)* e *b)*, *maxime* nestas últimas disposições.

ARTIGO 491.º

(Não pagamento da multa)

1. Findo o prazo do pagamento da multa ou de alguma das suas prestações sem que o pagamento esteja efectuado, procede-se à execução patrimonial.

2. Tendo o condenado bens suficientes e desembaraçados de que o tribunal tenha conhecimento ou que ele indique no prazo de pagamento, o Ministério Público promove logo a execução, que segue os termos da execução por custas.

3. A decisão sobre a suspensão da execução da prisão subsidiária é precedida de parecer do Ministério Público, quando este não tenha sido o requerente.

---

1. O texto deste artigo é resultante da revisão do CPP levada a efeito pelo Dec.-Lei n.º 317/95, de 28 de Novembro. Os n.ºs 1 e 2 reproduzem o art. 488.º da versão originária do Código, que por sua vez reproduziam o art. 488.º do Proj. e correspondiam a dispositivos do Dec.-Lei n.º 402/82, de 23 de Setembro, vigentes à data da entrada em vigor do Código.

O n.º 3 contém dispositivo que não tinha correspondente na versão originária. Já assim devia ser entendido, pois que se trata de afloramento de princípios gerais do processo penal sobre funções do MP e garantias da defesa e princípio contraditório.

Este artigo foi aprovado na 23.ª sessão da CRCPP, em 24 de Março de 1992.

Ver anot. ao art. 467.º.

2. Nota-se a omissão de uma disposição que constava dos preceitos referidos no n.º 1, antecedentes deste artigo, sobre o pagamento da multa através

Artigo 492.º

dos instrumentos do crime e dos produtos deste e nulidade dos actos de disposição praticados sobre esses instrumentos e produtos. A omissão de tais disposições ficou a dever-se à constatação de que as normas do actual CP sobre a perda de coisas ou direitos relacionados com o crime (arts. 109.º e segs.) dispensam a inserção no CPP de norma que teria reduzido alcance prático e finalidade paralela.

3. Vejam-se os arts. 1696.º, 1691.º e 1692.º, CC, sobre a responsabilidade ou não responsabilidade de um dos cônjuges pelas dívidas do outro de proveniência criminal.

4. *Jurisprudência:*
— A execução para cobrança de uma multa a que tenha sido condenada uma testemunha não corre por apenso ao processo onde tenha sido efectuada a notificação da respectiva liquidação, mas sim, autonomamente, no juízo a que seja distribuída certidão dessa notificação. (Ac. RL de 15 de Janeiro de 1997; *CJ,* XXII, tomo 1, 151);
— A execução por multa devida por testemunha faltosa a uma audiência de julgamento em tribunal criminal tem autonomia processual, mas é processada no tribunal onde a condenação tenha sido proferida. (Ac. RL de 21 de Outubro de 1997; *CJ,* XXII, tomo 4, 152).

CAPÍTULO II

DA EXECUÇÃO DA PENA SUSPENSA

ARTIGO 492.º

(Modificação dos deveres, regras de conduta e outras obrigações impostas)

1. A modificação dos deveres, regras de conduta e outras obrigações impostos ao condenado na sentença que tiver decretado a suspensão de execução da prisão é decidida por despacho, depois de recolhida a prova das circunstâncias relevantes supervenientes ou de que o tribunal só posteriormente tiver tido conhecimento.

2. O despacho é precedido de parecer do Ministério Público e de audição do condenado, e ainda dos serviços de reinserção social no caso de a suspensão ter sido acompanhada de regime de prova.

---

1. O texto deste artigo foi introduzido pelo Dec.-Lei n.º 317/95, de 28 de Novembro, por proposta da CRCPP, que o aprovou na 23.ª sessão, em 24 de Março de 1992.

Código de Processo Penal

Corresponde ao art. 490.º da versão originária do Código, que reproduzia o art. 490.º do Proj., o qual por sua vez correspondia ao art. 29.º do Dec.-Lei n.º 402/82, de 23 de Setembro, vigente à data da entrada em vigor do Código.

As alterações que se verificam relativamente ao aludido art. 490.º da versão originária ficaram a dever-se a alterações introduzidas pela revisão do CP no regime de prova, que perdeu autonomia e passou a ser uma modalidade da suspensão da execução da pena de prisão.

Ver anot. ao art. 467.º.

2. Nota-se que este artigo é mais sucinto que as disposições anteriores, referidas no n.º 1, sendo ainda omisso quanto a alguns aspectos regulados nessas disposições. Isso é devido à constatação de que o CP vigente, por sua vez, é muito mais pormenorizador quanto aos deveres que impendem sobre o condenado em pena suspensa, sobre a modificação de tais deveres e ainda sobre as consequências do não cumprimento, do que o CP de 1886, o que dispensa mais dilatadas disposições no CPP.

ARTIGO 493.º
(Apresentação periódica e sujeição a tratamento médico ou a cura)

1. Sendo determinada apresentação periódica perante o tribunal, as apresentações são anotadas no processo.

2. Se for determinada apresentação perante outra entidade, o tribunal faz a esta a necessária comunicação, devendo a entidade em causa informar o tribunal sobre a regularidade das apresentações e, sendo caso disso, do não cumprimento por parte do condenado, com indicação dos motivos que forem do seu conhecimento.

3. A sujeição do condenado a tratamento médico ou a cura em instituição adequada durante o período da suspensão é executada mediante mandado emitido, para o efeito, pelo tribunal.

4. Os responsáveis pela instituição informam o tribunal da evolução e termo do tratamento ou cura, podendo sugerir medidas que considerem adequadas ao êxito do mesmo.

Este artigo foi introduzido pelo Dec.-Lei n.º 317/95, de 28 de Novembro, por proposta da CRCPP, que o discutiu na 23.ª sessão, em 24 de Março de 1992.

Não tinha correspondente na versão originária do Código e resultou de alterações introduzidas no CP pela revisão levada a efeito pelo Dec.-Lei n.º 48/95, de 15 de Março. Destas alterações resultou que o regime de prova tivesse perdido autonomia, tornando-se uma das modalidades da suspensão da execução da pena de prisão.

Ver anot. ao art. 467.º.

1120

ARTIGO 494.º
(Plano individual de readaptação social)

1. A decisão que suspender a execução da prisão com regime de prova deve conter o plano de reinserção social que o tribunal solicita aos serviços de reinserção social.

2. A decisão, uma vez transitada em julgado, é comunicada aos serviços de reinserção social.

3. Quando a decisão não contiver o plano de readaptação ou este deva ser completado, os serviços de reinserção social procedem à sua elaboração ou reelaboração, ouvido o condenado, no prazo de trinta dias, e submetem-no à homologação do tribunal.

---

1. O texto do n.º 1 foi introduzido pela Lei n.º 48/2007, de 29 de Agosto. O texto anterior resultava do Dec.-Lei n.º 317/95, de 28 de Novembro e, em relação a esse, foi substituída a loução final *sempre que o tribunal se encontre habilitado, nesse momento, a organizá-lo,* em seguida a *readaptação social,* por *que o tribunal solicita aos serviços de reinserção social.*

2. O regime de prova assenta no plano individual de readaptação social do delinquente. Esse plano constitui decisão judicial, pelo que tem de ser homologado pelo tribunal. Quando o tribunal, no momento da condenação, não tem em seu poder o plano, de harmonia com o que se estabelece no art. 54.º do CP, é ele organizado posteriormente, pelos serviços de reinserção social. Neste caso, os serviços de reinserção procedem de harmonia com o disposto no n.º 3 e submetem o plano à homologação do tribunal.

São características marcantes do regime de prova a exigência do plano de readaptação e a necessidade de assistência especializada ao condenado, imprimindo-lhe um cunho profundamente educativo e correctivo.

Será difícil conseguir que o regime de prova funcione com êxito se o delinquente a ele submetido não der o seu acordo ao plano de readaptação a que vai ser submetido, e a sua colaboração na correcta execução do mesmo. Mas, como considera Lopes de Almeida, *Jornadas de Direito Processual Penal,* 527, a obtenção a todo o custo do acordo do condenado ao plano poderia bloquear o funcionamento do regime, contrariando a possibilidade de aplicação do mesmo a situações julgadas convenientes, mesmo com o elemento perturbador que consistirá nessa falta de adesão do delinquente ao plano, fundamento essencial da educação e correcção.

Em tais termos, embora excepcionalmente, o julgador bem pode decidir-se pelo regime de prova, embora sem o acordo do condenado.

Veja-se o art. 54.º do CP, com as respectivas anots., no nosso *Código Penal Anotado.*

ARTIGO 495.º
(Falta de cumprimento das condições de suspensão)

1. Quaisquer autoridades e serviços aos quais seja pedido apoio

Código de Processo Penal

ao condenado no cumprimento dos deveres, regas de conduta ou outras obrigações impostos comunicam ao tribunal a falta de cumprimento, por aquele, desses deveres, regras de conduta ou obrigações, para efeitos do disposto nos artigos 51.º, n.º 3, 52.º, n.º 3, 55.º e 56.º do Código Penal.

2. O tribunal decide por despacho, depois de recolhida a prova, obtido parecer do Ministério Público e ouvido o condenado na presença do técnico que apoia e fiscaliza o cumprimento das condições da suspensão.

3. A condenação pela prática de qualquer crime cometido durante o período de suspensão é imediatamente comunicada ao tribunal competente para a execução, sendo-lhe remetida cópia da decisão condenatória.

4. Para os efeitos do disposto no n.º 1, a decisão que decretar a imposição de deveres, regras de conduta ou outras obrigações é comunicada às autoridades e serviços aí referidos.

---

1. O texto do n.º 1 foi introduzido pela Lei n.º 59/98, de 25 de Agosto, que porém se limitou a aditar a parte final deste dispositivo, a partir de *regras de conduta ou obrigações*. O n.º 4 foi aditado pela apontada Lei.

Os n.º 2 foi introduzido pela Lei n.º 48/2007, de 29 de Agosto. O texto não era o originário, mas o que resultava do Dec.-Lei n.º 317/95, de 28 de Novembro. Em relação à versão anterior foi aditada a locução final *na presença do técnico que apoia e fiscaliza o cumprimento das condições da suspensão*.

O texto do n.º 3 também não é o originário, mas o que foi introduzido pelo apontado Dec.-Lei n.º 317/95.

Corresponde ao art. 491.º, n.ºs 1, 2 e 3 da versão originária.

2. A versão originária, do art. 491.º, continha ainda um n.º 4, cujo texto era o seguinte:

Se, findo o período da suspensão, se encontrar processo por crime que possa determinar a sua revogação ou incidente processual por falta de cumprimento dos deveres impostos, a pena só é declarada extinta quando o processo ou incidente findarem sem terem conduzido à revogação ou à prorrogação do período de suspensão.

Dispositivo idêntico passou para o art. 57.º, n.º 2, do CP em virtude da revisão deste diploma levada a efeito pelo Dec.-Lei n.º 48/95, de 15 de Março. Por isso deixou de ser incluída no CPP.

3. Não existe agora disposição paralela à do § 5.º do art. 635.º do CPP de 1929, na redacção introduzida pelo Dec.-Lei n.º 185/72, de 31 de Maio, onde se dispunha que, se posteriormente ao despacho que declarou sem efeito a pena suspensa se verificar que o réu, durante o período da suspensão, cometeu qualquer crime que determine a caducidade da suspensão, aquele despacho será livremente revogável.

1122

Artigo 495.º

Assim, se por despacho transitado a pena foi indevidamente declarada extinta, porque o tribunal não foi informado em tempo útil da existência de processo pendente durante o período da suspensão e do qual resultou a condenação do delinquente por crime doloso, parece não haver hoje meio viável para permitir reparar o erro, a não ser através do recurso extraordinário de revisão, se se verificarem os respectivos pressupostos.

Veja-se, sobre este ponto, Lopes de Almeida, *Jornadas de Direito Processual Penal,* 525.

4. *Jurisprudência:*

— I — A modificação dos deveres que condicionam a suspensão da execução da pena, bem como a revogação dessa suspensão, podem ser decididas por despacho (e por maioria de razão por sentença ou acórdão), sem necessidade de, para o efeito, se realizar julgamento. II — Não existe ofensa de caso julgado nem violação de lei quando, em nova sentença que efectua um cúmulo jurídico, se não mantém a suspensão da execução de uma pena parcelar que entra na formação do cúmulo. (Ac. STJ de 7 de Fevereiro de 1990; *BMJ,* 394, 237);

— Se um arguido condenado em pena cuja execução ficou suspensa cometeu novo crime no período da suspensão, é ao tribunal que proferiu aquela condenação que compete reapreciar o caso. (Ac. STJ de 14 de Fevereiro de 1990; *BMJ,* 394, 379);

— I — Existindo incumprimento dos deveres a que tenha ficado subordinada a suspensão da execução da pena de prisão, e antes de decidir sobre as medidas a tomar, o tribunal deve notificar o arguido para esclarecer as razões do seu procedimento e solicitar ao IRS a elaboração de inquérito sobre as condições de vida do mesmo e os motivos da violação dos deveres impostos. II — Nas medidas a tomar, o tribunal deve optar pelas menos gravosas, e só decidir por uma quando conclua pela inadequação da que imediatamente a antecede. (Ac. RL de 28 de Maio de 1996; *CJ,* XIX, tomo 3, 143);

— Os deveres fixados como condição da suspensão da pena só são condicionantes da suspensão enquanto esta se mantém. Terminado o período fixado para a suspensão, esta deixa de estar subordinada ao cumprimento, pelo arguido, dos deveres que a condicionavam. Consequentemente, o prazo para o cumprimento de obrigação condicionante da suspensão da execução da pena não pode ser superior ao da própria suspensão. (Ac. STJ de 5 de Novembro de 1997; *BMJ,* 471, 31);

— A norma constante do n.º 2 do artigo 495.º do Código de Processo Penal não sofre de inconstitucionalidade. (Ac. do Trib. Constitucional n.º 164/99, de 10 de Março de 1999, proc. 533/98; *DR,* II série, de 28 de Fevereiro de 2000);

– A revogação da suspensão da execução da pena sem prévia audição do arguido constitui nulidade insanável. (Ac. RE de 22 de Fevereiro de 2005; *CJ,* XXX, tomo I, 267);

– A omissão da concessão ao arguido da faculdade prevista no n.º 2 do art. 495.º do CPP, de se pronunciar sobre o incumprimento das condições a que estava subordinada a suspensão da pena a que fora condenado, configura a nulidade insanável estabelecida na alínea c) do art. 119.º do CPP. (Ac. RL de 1 de Março de 2005; *CJ,* XXX, tomo 2, 123).

Código de Processo Penal

CAPÍTULO III

DA EXECUÇÃO DA PRESTAÇÃO DE TRABALHO A FAVOR DA COMUNIDADE E DA ADMOESTAÇÃO

ARTIGO 496.°
(Prestação de trabalho a favor da comunidade)

1. Se o tribunal decidir aplicar a prestação de trabalho a favor da comunidade solicita aos serviços de reinserção social a elaboração de um plano de execução.

2. Os serviços de reinserção social elaboram o plano de execução no prazo de 30 dias.

3. Transitada em julgado, a condenação é comunicada aos serviços de reinserção social e à entidade a quem o trabalho deva ser prestado, devendo aqueles proceder à colocação do condenado no posto de trabalho no prazo máximo de três meses.

---

1. O texto dos n.ºˢ 1 e 2 deste artigo foi introduzido pela Lei n.° 48/2007, de 29 de Agosto, em substituição do anterior, que não era o originário, mas o que resultava do Dec.-Lei n.° 317/95, de 28 de Novembro.

O texto do n.° 3 é o que resulta do apontamento Dec.-Lei e de alteração introduzida pela Lei n.° 59/98, de 25 de Agosto, consistente no dever de comunicar também a condenação aos serviços de reinserção social.

Corresponde ao art. 498.°, n.ºˢ 1, 2 e 3 da versão originária, tendo o n.° 4 desta versão passado para o n.° 2 do actual art. 498.°.

O referido art. 498.° da versão originária reproduzia o art. 498.° do Proj. e correspondia ao art. 39.° do Dec.-Lei n.° 402/82, de 23 de Setembro, vigente à data da entrada em vigor do Código.

Não havia disposições correspondentes no CPP de 1929, pois que esta pena era desconhecida na plena vigência desse diploma.

2. Por razões conjunturais e por dificuldades de execução, esta pena não detentiva não vem sendo aplicada com a frequência desejável, não obstante ser das mais adequadas em sede de reinserção social.

Procurando superar essas razões conjunturais e dificuldades de execução, a Lei n.° 75/97, de 18 de Julho, autorizou o Governo a estabelecer medidas que viabilizem a aplicação e a execução desta pena, o que veio a ser afeito através do Dec.-Lei n.° 375/97, de 24 de Dezembro havendo fundadas esperanças de que não fiquem frustradas as expectativas e as virtualidades desta pena não detentiva e em que o trabalho do delinquente é introduzido no circuito de produção de bens ou serviços de interesse comunitário, ao lado da actividade normal dos cidadãos inteiramente livres.

Deve ainda registar-se o incitamento a mais frequente aplicação desta medidda, mormente através da introdução de recentes dispositivos no CP e no CPP.

1124

Artigo 498.º

ARTIGO 497.º

(Admoestação)

1. A admoestação é proferida após trânsito em julgado da decisão que a aplicar.

2. A admoestação é proferida de imediato se o Ministério Público, o arguido e o assistente declararem para a acta que renunciam à interposição de recurso.

3. O tribunal executa a admoestação de forma a que esta se não confunda com a alocução referida no artigo 375.º, n.º 2.

---

1. O texto deste artigo foi introduzido na Código pelo Dec.-Lei n.º 317/95, de 28 de Novembro, por proposta da CRCPP, que o aprovou na 23.ª sessão, em 24 de Março de 1992.

Não havia dispositivo correspondente na versão originária do Código, nem tão-pouco no direito anterior.

2. Este artigo veio colmatar uma lacuna do Código, e mesmo de todo o direito anterior.

Sabendo-se que as sanções penais são executadas após o trânsito em julgado das decisões que as aplicam e que a admoestação é uma pena, logo se intui que o arguido só pode ser admoestado depois do trânsito da decisão que lhe aplicou esta pena, ou de renunciar ao recurso. Não era curial a prática a que por vezes se assistia de admoestar os arguidos logo após a leitura da decisão.

Os dispositivos dos n.ºs 1 e 2 colmataram a lacuna que se verificava.

O do n.º 1 afigura-se até desnecessário, pois que é afloramento do art. 467.º, n.º 1.

O do n.º 2 tem uma razão pragmática, evitando na generalidade dos casos, uma futura tramitação para aplicação da pena.

O dispositivo do n.º 3 destina-se a acentuar a natureza penal da pena de admoestação, que nada tem a ver com a alocução referida no art. 375.º, n.º 2.

3. *Jurisprudência:*

— A admoestação prevista como medida de correcção no art. 6.º, n.º 2, al. *a)* do Dec.-Lei n.º 401/82, coexiste com a pena de admoestação estipulada no art. 60.º do CP, não estando por isso a sua aplicação sujeita aos requisitos impostos neste último artigo, mas apenas dependente da verificação dos pressupostos legais expressos naquele outro preceito. (Ac. STJ de 14 de Dezembro de 2000; *CJ, Acs. STJ*, VIII, tomo 3, 256).

ARTIGO 498.º

**(Suspensão provisória, revogação, extinção, substituição
e modificação da execução)**

1. O tribunal pode solicitar informação aos serviços de reinserção social para o efeito do disposto no artigo 59.º, n.º 1, do Código Penal.

1125

Código de Processo Penal

2. Finda a prestação de trabalho, ou sempre que no seu decurso se verificarem anomalias graves, os serviços de reinserção social enviam ao tribunal o relatório respectivo.

3. À suspensão provisória, revogação, extinção e substituição é correspondentemente aplicável o disposto no artigo 495.º, n.os 2 e 3.

4. Sempre que se verifiquem circunstâncias ou anomalias que possam justificar alterações à modalidade concreta da prestação de trabalho, os serviços de reinserção social comunicam esses factos ao tribunal, fornecendo-lhe, desde logo, sempre que possível, os indicadores necessários à modificação da prestação de trabalho.

5. No caso previsto no número anterior, o tribunal pode dispensar a recolha de prova e a audição do condenado que tiver manifestado adesão à modificação indicada pelos serviços de reinserção social, decidindo imediatamente por despacho, depois de ouvido o Ministério Público.

---

1. O texto dos n.os 1 e 3 foi introduzido pelo Dec.-Lei n.º 317/95, de 28 de Novembro, por proposta da CRCPP, que aprovou este artigo na 23.ª sessão, em 24 de Março de 1992. O n.º 1 sofreu porém ligeira alteração — substituição de *parecer* por *informação* — introduzida pela Lei n.º 59/98, de 25 de Agosto, que também introduziu alterações no n.º 3 e aditou os dispositivos dos n.os 4 e 5.

O n.º 1 não tinha correspondente na versão originária do Código, certamente por se entender desnecessário, em vista do n.º 4 do art. 498.º dessa versão. O n.º 2 reproduz o n.º 4 do art. 498.º da referida versão.

2. *Jurisprudência:*
— A aplicação da pena prevista no art. 388.º, n.º 3, do CP, por não cumprimento de uma decisão que tenha condenado o arguido na pena de prestação de trabalho a favor da comunidade deve ser feita em processo autónomo, distinto daquele em que essa pena tenha sido aplicada, embora o processo inicial deva prosseguir até ao cumprimento ou extinção da sanção originariamente imposta. (Ac. RE de 7 de Maio de 1991; *BMJ*, 377);
— Não há que observar o disposto no art. 498.º do CPP quando se trate de substituir, na fase executiva, a multa aplicada na sentença. (Ac. RE de 28 de Março de 1995; *CJ*, XX, tomo 2, 278).

CAPÍTULO IV

DA EXECUÇÃO DAS PENAS ACESSÓRIAS

ARTIGO 499.º

(Decisão e trâmites)

1. A decisão que decretar a proibição ou a suspensão de exercício de função pública é comunicada ao dirigente do serviço ou organismo de que depende o condenado.

1126

Artigo 499.º

2. A decisão que decretar a proibição ou a suspensão de exercício de profissão ou actividade que dependa de título público ou de autorização ou homologação de autoridade pública é comunicada, conforme os casos, ao organismo profissional em que o condenado esteja inscrito ou à entidade competente para a autorização ou homologação.
3. O tribunal pode decretar a apreensão, pelo tempo que durar a proibição, dos documentos que titulem a profissão ou actividade.
4. A incapacidade eleitoral é comunicada à comissão de recenseamento eleitoral em que o condenado se encontrar inscrito ou dever fazer a inscrição.
5. A incapacidade para exercer o poder paternal, a tutela, a curatela, a administração de bens ou para ser jurado é comunicada à conservatória do registo civil onde estiver lavrado o registo de nascimento do condenado.
6. Para além do disposto nos números anteriores, o tribunal ordena as providências necessárias para a execução da pena acessória.

1. O texto deste artigo foi introduzido pelo Dec.-Lei n.º 317/95, de 28 de Novembro, por proposta da CRCPP, que o aprovou na 23.ª sessão, em 24 de Março de 1992.
Os n.ºs 1, 2 e 3 correspondem aos n.ºs 1 e 2 do art. 499.º da versão originária do Código, com as alterações impostas pela revisão do CP levada a efeito pelo Dec.-Lei n.º 48/95, de 15 de Março. Os n.ºs 4, 5 e 6 reproduzem os n.ºs 3, 4 e 5 da referida versão originária. Esta versão reproduzia o art. 499.º do Proj. e correspondia ao art. 40.º do Dec.-Lei n.º 402/82, de 23 de Setembro, vigente à data da entrada em vigor do Código.

2. A revisão do CP referida na anot. anterior procurou clarificar a distinção entre penas acessórias e efeitos das penas, matéria em que tem reinado muita confusão. Veja-se, a este respeito, a discussão travada no seio da Comissão de Revisão do CP, nas 5.ª, 8.ª, 10.ª e 48.ª sessões. O Prof. Figueiredo Dias abordou a distinção no *Direito Penal Português*, 157 e segs. Também a abordámos em anot. ao art. 65.º do nosso *Código Penal Anotado*, para onde remetemos.
Embora o CP não faça uma enumeração expressa das penas acessórias, podem somente distinguir-se as seguintes:
— Proibição do exercício de função;
— Suspensão do exercício de função;
— Proibição do exercício de profissão ou actividade titulada;
— Suspensão do exercício de profissão ou actividade titulada; e
— Proibição de conduzir veículos motorizados.
Outras penas acessórias existem ainda, previstas em leis extravagantes.
A execução das penas acessórias encontra-se regulada neste artigo, com excepção da de proibição de conduzir veículos motorizados, regulada no artigo seguinte.

1127

Código de Processo Penal

ARTIGO 500.º

(Proibição de condução)

1. A decisão que decretar a proibição de conduzir veículos motorizados é comunicada à Direcção-Geral de Viação.

2. No prazo de dez dias a contar do trânsito em julgado da sentença, o condenado entrega na secretaria do tribunal, ou em qualquer posto policial, que a remete àquela, a licença de condução, se a mesma não se encontrar já apreendida no processo.

3. Se o condenado na proibição de conduzir veículos motorizados não proceder de acordo com o disposto no número anterior, o tribunal ordena a apreensão da licença de condução.

4. A licença de condução fica retida na secretaria do tribunal pelo período de tempo que durar a proibição. Decorrido esse período, a licença é devolvida ao titular.

5. O disposto nos n.ºs 2 e 3 é aplicável à licença de condução emitida em país estrangeiro.

6. No caso previsto no número anterior, a secretaria do tribunal envia a licença à Direcção-Geral de Viação, a fim de nela ser anotada a proibição. Se não for viável a apreensão, a secretaria, por intermédio da Direcção-Geral de Viação, comunica a decisão ao organismo competente do país que tiver emitido a licença.

---

1. Este artigo foi introduzido no Código pelo Dec.-Lei n.º 317/95, de 28 de Novembro, por proposta da CRCPP, que o discutiu na 23.ª sessão, em 24 de Março de 1992.

O regime de execução desta sanção consta também do art. 69.º do CP, na redacção introduzida pela Lei n.º 77/2001, de 13 de Julho, que completou o constante deste artigo do CPP.

O prazo de 10 dias estabelecido no n.º 2 foi fixado pela Lei n.º 59/98, de 25 de Agosto (na versão originária o prazo era de 5 dias), em virtude de os prazos em processo penal terem passado a correr continuamente, como em processo civil.

Não existiam dispositivos correspondentes na versão originária do Código, pois que a pena acessória de proibição de conduzir veículos motorizados não se encontrava prevista no CP, e foi introduzida neste diploma pelo Dec.-Lei n.º 48/95, de 15 de Março.

2. A execução da pena acessória de proibição de conduzir veículos motorizados aplicada a titular de licença de condução emitida em país estrangeiro e de passagem por Portugal suscita dificuldades que foram abordadas no seio da CRCPP, a qual optou pelo dispositivo maleável do n.º 6.

O n.º 5 do art. 69.º do CP, introduzido pela Lei n.º 77/2001, de 13 de Julho, completando o disposto nos n.ºs 5 e 6 deste artigo do CPP, veio estabelecer o seguinte:

1128

Artigo 501.º

Tratando-se de título de condução emitido em país estrangeiro com valor internacional, a apreensão pode ser substituída por anotação naquele título, pela Direcção-Geral de Viação, da proibição decretada. Se não for viável a anotação, a secretaria, por intermédio da Direcção-Geral de Viação, comunica a decisão ao organismo competente do país que tiver emitido o título.

3. *Jurisprudência:*
— I — O art. 500.º, n.º 3, do CPP é adjuvante do disposto no art. 69.º, n.º 3, do CP, não podendo retirar-se daquela norma o entendimento de que deixou de ser sancionada com o crime de desobediência a falta de entrega da carta de condução na secretaria do tribunal ou num posto policial, quando for aplicada medida de inibição de conduzir. II — A prática do crime de desobediência resulta, nesse caso, da notificação para fazer a entrega de tal documento, o que integra o disposto na al. *b)* do n.º 1 do art. 348.º do CP. (Ac. RP de 5 de Novembro de 1997; *BMJ*, 471, 456);
— A pena acessória de inibição de conduzir tem de ser cumprida de forma contínua no tempo, sem qualquer interrupção. (Ac. RP de 10 de Dezembro de 1997; *CJ*, XXII, tomo 5, 239);
— I — O cumprimento da pena acessória de conduzir veículos autorizados inicia-se no momento em que transita em julgado a sentença que a aplica, se a licença de condução estiver apreendida, e no momento em que o condenado a entrega, colocando-a à ordem do tribunal, nos demais casos. II — Por isso, se o condenado em tal pena não entrega a licença de condução, deve o juiz, a requerimento do MP, ordenar a sua apreensão. (Ac. RG de 18 de Dezembro de 1992; *CJ*, XXVII, tomo 5, 202).

TÍTULO IV

DA EXECUÇÃO DAS MEDIDAS DE SEGURANÇA

CAPÍTULO I

DA EXECUÇÃO DAS MEDIDAS DE SEGURANÇA PRIVATIVAS DA LIBERDADE

ARTIGO 501.º
(Decisões sobre o internamento)

1. A decisão que decretar o internamento especifica o tipo de instituição em que este deve ser cumprido e determina, se for caso disso, a duração máxima e mínima do internamento.

2. O início e a cessação do internamento efectuam-se por mandado do tribunal.

1129

Código de Processo Penal

1. Esta redacção foi introduzida pelo Dec.-Lei n.º 317/95, de 28 de Novembro, e reproduz o art. 500.º da versão originária, que por sua vez reproduzia o art. 500.º do Proj. e correspondia aos arts. 538.º e 540.º do Aproj. e 41.º do Dec.-Lei n.º 402/82, de 23 de Setembro, que vigorava à data da entrada em vigor do Código. Não havia disposições correspondentes no CPP de 1929.

2. Este artigo e os seguintes, até ao art. 507.º, estabelecem a tramitação necessária, dentro do processo penal, para a execução da medida de segurança de internamento de inimputáveis, estabelecida nos arts. 91.º a 95.º do CP.

Além das normas constantes deste Código e do CP aplicam-se as respeitantes aos tribunais de execução das penas relativamente ao processo de segurança, constantes dos arts. 51.º e segs. do Dec.-Lei n.º 783/76, de 29 de Outubro, transcrito no final desta obra.

3. A medida de segurança de internamento que se aplica a inimputáveis ou a imputáveis portadores de anomalia psíquica destaca-se pela sua importância prática e tem os seus pressupostos fixados no art. 91.º do CP.

Neste art. 501.º estabelece-se o conteúdo da decisão que decreta o internamento: ela conterá não só a indicação do tipo de estabelecimento onde o internamento será cumprido como determinará, se for caso disso, a duração máxima e mínima dessa medida de segurança.

O início e a cessação do internamento efectuam-se por meio de mandado judicial (n.º 2).

4. *Jurisprudência:*

— I — O CP e o CPP respeitam os princípios e as regras do Dec.-Lei n.º 265/79, de 1 de Agosto, no tocante à execução da medida de internamento de inimputáveis, a que se referem os arts. 91.º e segs. daquele primeiro diploma. II — Não obstante a revogação tácita do n.º 2 do art. 42.º do Dec.-Lei n.º 402/82, de 23 de Setembro, pelo CPP, os inimputáveis internados nos termos do art. 91.º do CP poderão cumprir essa medida de segurança em regime aberto, *ex vi* do art. 218.º do Dec.-Lei n.º 265/79, desde que se verifiquem os pressupostos definidos no art. 14.º, n.º 2, desse diploma legal. III — Na execução da referida medida de segurança, *ex vi* e nos termos do art. 221.º do Dec.-Lei n.º 265/79, poderão ser concedidas aos inimputáveis pela DGSP ou pelo director do respectivo estabelecimento, as licenças de saída a que se refere o n.º 3 do art. 49.º deste diploma legal, desde que sejam observados os requisitos estabelecidos nas respectivas disposições legais. (Ac. TC de 21 de Janeiro de 1990, Proc. 98/89; *DR,* II série, de 6 de Agosto de 1990);

— I — O juiz, na sentença, não tem que fixar limite mínimo à medida de internamento aplicada a um inimputável que cometeu um crime de dano e dois crimes de ameaça. Tem, no entanto, que fixar limite máximo. II — O limite máximo da medida de internamento não pode, em tal caso, exceder o limite máximo da pena correspondente ao tipo de crime cometido. (Ac. RP de 18 de Setembro de 2002; *CJ,* XXVII, tomo 4, 205).

1130

ARTIGO 502.º
(Comunicação da sentença a diversas entidades)

1. O Ministério Público envia ao Tribunal de Execução das Penas, aos serviços prisionais e de reinserção social e à instituição onde o internamento se efectuar, no prazo de cinco dias após o trânsito em julgado, cópia de sentença que aplicar medida de segurança privativa da liberdade.

2. O Ministério Público indica expressamente a data calculada para o efeito previsto no artigo 93.º, n.ºs 2 e 3, do Código Penal e comunicará futuramente eventuais alterações que se verificarem na execução da medida de segurança.

3. Em caso de recurso da decisão que aplicar medida de segurança de internamento e de o arguido se encontrar privado da liberdade, o Ministério Público envia aos serviços prisionais cópia da decisão, com a indicação de que dela foi interposto recurso.

---

1. O texto deste artigo foi introduzido no Código pelo Dec.-Lei n.º 317/95, de 28 de Novembro, por proposta da CRCPP, que o aprovou na 23.ª sessão, em 24 de Março de 1992.

Não havia na versão originária disposição correspondente a propósito da medida de segurança privativa da liberdade, aplicando-se então, na vigência dessa versão, os dispositivos do art. 469.º, inserto nas disposições gerais.

2. Trata-se de dispositivos correspondentes aos do art. 477.º, estes relativos às penas privativas de liberdade.

ARTIGO 503.º
(Processo individual)

1. Na instituição onde o internamento se efectuar é organizado um processo individual, no qual se registam ou juntam as comunicações recebidas do tribunal e os elementos a este fornecidos, bem com os relatórios de avaliação periódica dos efeitos do tratamento sobre a perigosidade do internado.

2. Anualmente e sempre que as condições o justificarem, ou o Tribunal de Execução das Penas o solicitar, o director da instituição remete para o processo organizado naquele tribunal o relatório de avaliação periódica.

---

1. A redacção deste artigo foi introduzida pelo Dec.-Lei n.º 317/95, de 28 de Novembro. Reproduz porém o art. 501.º da versão originária, que por

1131

Código de Processo Penal

sua vez reproduzia o art. 501.° do Proj. e correspondia aos arts. 541.° do Aproj. e 44.° do Dec.-Lei n.° 402/82, de 23 de Setembro, que vigorava à data da entrada em vigor do Código. Não havia disposições correspondentes no CPP de 1929.

2. O processo individual regulado neste artigo é organizado e fica no estabelecimento onde o internamento se efectua; dele constam obrigatoriamente os elementos referidos no n.° 1 e facultativamente os que se afigurarem de utilidade. Se o delinquente internado mudar de estabelecimento, o processo individual acompanhá-lo-á, sendo portanto remetido para o novo estabelecimento.

Os relatórios de avaliação periódica dos efeitos do internamento sobre a perigosidade do internado, para além de serem juntos ao processo individual do internado, são enviados ao Tribunal de Execução das Penas, para possibilitar a decisão deste tribunal sobre a cessação ou manutenção do estado de perigosidade criminal e possível revisão da situação do internado.

ARTIGO 504.°
(Revisão, prorrogação e reexame do internamento)

1. Até dois meses antes da data calculada para a revisão obrigatória da situação do internado, o Tribunal de Execução das Penas ordena:

   a) Perícia psiquiátrica ou sobre a personalidade a realizar, sempre que possível, no próprio estabelecimento em que se encontra o internado, devendo o respectivo relatório ser-lhe apresentado dentro de trinta dias;

   b) Oficiosamente ou a requerimento do Ministério Público, do internado ou do defensor, as diligências que se afigurem com interesse para a decisão.

2. Até à mesma data os serviços de reinserção social enviam relatório contendo análise do enquadramento familiar e profissional do internado.

3. A revisão obrigatória da situação do internado tem lugar com audição do Ministério Público, do defensor e do internado, só podendo a presença deste ser dispensada se o seu estado de saúde tornar a audição inútil ou inviável.

4. O tribunal pode aplicar correspondentemente o disposto nos n.ºs 1 e 3 quando a revisão for requerida, bem como solicitar aos serviços de reinserção social o relatório referido no n.º 2.

5. À decisão sobre a prorrogação do internamento previsto no artigo 92.º, n.º 3, do Código Penal é correspondente aplicável o disposto nos n.ºs 1, 2 e 3.

6. Ao reexame previsto no artigo 96.º do Código Penal é correspondentemente aplicável o disposto nos n.ºs 1, 2 e 3.

1132

Artigo 506.º

1. Este artigo foi introduzido no Código pelo Dec.-Lei n.º 317/95, de 28 de Novembro, por proposta da CRCPP, que o aprovou na 23.ª sessão, em 24 de Março de 1992. Correspondia-lhe, na versão originária, o art. 503.º, sobre revisão obrigatória da medida de internamento, o qual por sua vez reproduzia o art. 503.º do Proj.

2. Este artigo destina-se, em especial, a estabelecer as medidas processuais necessárias para uma correcta aplicação dos comandos do art. 93.º do CP sobre a revisão da situação do internado.

A disposição do n.º 3 destina-se a fazer respeitar, até onde é possível, o princípio do contraditório. A ressalva da parte final deste n.º 2 tem um fundamento óbvio: é que a própria inimputabilidade pode desaconselhar a audição do inimputável, porque o seu estado de saúde pode tornar a diligência inútil, ou mesmo inviável. Há uma disposição paralela no art. 509.º, *in fine*.

ARTIGO 505.º

(Revogação da liberdade para prova)

À revogação da liberdade para prova é correspondentemente aplicável o disposto no artigo 495.º, devendo ser ouvido obrigatoriamente o defensor.

Este artigo foi introduzido no Código pelo Dec.-Lei n.º 317/95, de 28 de Novembro, por proposta da CRCPP, que o aprovou na 23.ª sessão, em 24 de Março de 1992. Não tinha correspondente na versão originária do Código.

Trata-se de um dispositivo que é reflexo do paralelismo com a revogação da suspensão da pena de prisão e do princípio contraditório.

ARTIGO 506.º

(Disposições aplicáveis)

É correspondentemente aplicável à medida de internamento o disposto nos artigos 479.ºa 482.º.

1. O texto deste artigo foi introduzido pelo Dec.-Lei n.º 317/95, de 28 de Novembro, por proposta da CRCPP, que o aprovou na 23.ª sessão, em 24 de Março de 1992. Reproduz, *mutatis mutandis*, o art. 506.º da versão originária do Código, que por sua vez reproduzia o art. 506.º do Proj.

2. A medida de segurança de internamento tem de comum com a pena de prisão o representarem ambas uma privação de liberdade; daí que algumas disposições relativas a esta pena — justamente as que aqui são referidas — lhe possam ser aplicadas.

1133

Código de Processo Penal

3. *Pareceres:*
— I — O CP e o CPP vigentes respeitam os princípios e regras do Dec.--Lei n.º 265/79, de 1 de Agosto, no tocante à execução da medida de internamento de inimputáveis, a que se referem os arts. 91.º e segs. daquele primeiro diploma legal. Consequentemente: II — Não obstante a revogação tácita do n.º 2 do art. 42.º do Dec.-Lei n.º 402/82, de 23 de Setembro, pelo CPP, os inimputáveis internados nos termos do art. 91.º do CP poderão cumprir essa medida de segurança em regime aberto, *ex vi* do art. 218.º do Dec.-Lei n.º 265/79, desde que se verifiquem os pressupostos definidos no art. 14.º, n.º 2, deste diploma legal. III — Na execução da referida medida de segurança, *ex vi* e nos termos do art. 221.º do Dec.-Lei n.º 265/79, poderão ser concedidos aos inimputáveis, pela DGSP ou pelo director do respectivo estabelecimento, as licenças de saída a que se refere o n.º 3 do art. 49.º deste diploma legal, desde que sejam observados os requisitos estabelecidos nas respectivas disposições legais. (Parecer da PGR de 25 de Janeiro de 1990, Proc. n.º 98/89; DR, II série, de 6 de Agosto do mesmo ano).

CAPÍTULO II

DA EXECUÇÃO DA PENA E DA MEDIDA DE SEGURANÇA PRIVATIVA DE LIBERDADE

ARTIGO 507.º
(Execução da pena e da medida de segurança privativas da liberdade)

1. O requerimento para a substituição do tempo de prisão por prestação de trabalho a favor da comunidade, nos termos do artigo 99.º do Código Penal, é apresentado até 60 dias antes da data calculada para a revisão obrigatória ou no requerimento da revisão, devendo o internado indicar as habilitações profissionais e literárias, a situação profissional e familiar, bem como, se possível, mencionar alguma instituição em que pretenda prestar trabalho.

2. É correspondentemente aplicável o disposto no artigo 490.º, n.ºs 2 e 3.

3. A decisão tomada nos termos do n.º 6 do artigo 99.º do Código Penal é sempre precedida de audição do defensor.

---

1. Este artigo foi introduzido no Código pelo Dec.-Lei n.º 317/95, de 28 de Novembro, por proposta da CRCPP, que o aprovou na 23.ª sessão, em 24 de Março de 1992.
Não havia dispositivos correspondentes na versão originária do Código.

Artigo 508.º

2. A revisão do CP levada a efeito pelo Dec.-Lei n.º 48/95, de 15 de Março, introduziu nesse diploma o art. 99.º, para regular o caso de o mesmo delinquente se encontrar, simultaneamente, condenado em pena de prisão e em medida de segurança de internamento, sobre o qual a versão originária era omissa. Embora o art. 99.º do CP já inclua normas de execução, nomeadamente estabelecendo que a medida de internamento é executada antes da pena de prisão, é no entanto omisso quanto à generalidade dessas normas, que têm sede mais adequada no CPP.

As disposições que se contêm neste art. 507.º são, portanto, as normas de execução aplicáveis no caso previsto no art. 99.º do CP, ou seja no caso de o mesmo delinquente estar simultaneamente condenado em pena de prisão e em medida de segurança de internamento e haver que executar estas reacções criminais.

Vejam-se, no nosso *Código Penal Anotado*, as anots. ao art. 99.º.

CAPÍTULO III

DA EXECUÇÃO DAS MEDIDAS DE SEGURANÇA NÃO PRIVATIVAS DE LIBERDADE

ARTIGO 508.º
(Outras medidas de segurança)

1. À interdição de actividade é correspondentemente aplicável disposto no artigo 499.º, n.ºs 2 e 3.

2. A decisão que decretar a cassação da licença de condução e a interdição de concessão de licença é comunicada à Direcção-Geral de Viação, que a comunicará a quaisquer outras entidades legalmente habilitadas a emitir essa licença.

3. À decisão prevista no número anterior é correspondentemente aplicável o disposto nos n.ºs 2 e 3 do artigo 500.º.

4. É correspondentemente aplicável à licença de condução emitida em país estrangeiro o disposto nos números 2, 3, 5 e 6 do artigo 500.º.

5. A prorrogação do período de interdição e o reexame da situação que fundamentou a aplicação da medida são decididos pelo tribunal precedendo audição do Ministério Público, do defensor e das pessoas a elas sujeitas, salvo se, quanto a estas, o seu estado tornar a audição inútil ou inviável.

6. À aplicação das regras de conduta é correspondentemente aplicável o disposto no número anterior e no artigo 492.º.

---

1. Os n.ºs 1 a 5 deste artigo foram introduzidos pelo Dec.-Lei n.º 317/95, de 28 de Novembro, por proposta da CRCPP, que os aprovou na 23.ª sessão, em 24 de Março de 1992. Na versão originária correspondiam a este artigo os

Código de Processo Penal

arts. 507.º e 508.º; o n.º 4, porém, não tinha correspondente, porque as reacções aí previstas não o eram na versão originária do CP.
O n.º 6 foi introduzido pela Lei n.º 59/98, de 25 de Agosto.

2. Os dispositivos deste artigo regulam a execução das medidas de segurança não privativas da liberdade previstas nos arts. 100.º a 103.º do CP.

TÍTULO V
DA EXECUÇÃO DA PENA RELATIVAMENTE INDETERMINADA

ARTIGO 509.º
(Execução da pena relativamente indeterminada)

1. No prazo de 30 dias após a entrada no estabelecimento prisional, os serviços técnicos prisionais elaboram plano individual de readaptação, que inclui os regimes de trabalho, aprendizagem, tratamento e desintoxicação que se mostrem adequados. Para tanto são recolhidas as informações necessárias de quaisquer entidades públicas ou privadas e utilizada, sempre que possível, a colaboração do condenado.

2. O plano individual de execução e as suas modificações, exigidas pelo progresso do delinquente e por outras circunstâncias relevantes, são submetidos a homologação do Tribunal de Execução das Penas e comunicados ao delinquente.

3. Ao processo de liberdade condicional e respectiva decisão é aplicável o disposto nos artigos 484.º e 485.º.

4. Até se mostrar cumprida a pena que concretamente caberia ao crime cometido, são remetidos novos relatórios e pareceres, nos termos do artigo 484.º.

a) Decorrido um ano sobre a não concessão da liberdade condicional;
b) Decorridos dois anos sobre o início da continuação do cumprimento da pena quando a liberdade condicional for revogada. Se a liberdade condicional não for concedida, novos relatórios e parecer são remetidos até dois meses antes de decorrido cada período ulterior de um ano.

5. À revisão da situação do condenado é correspondentemente aplicável o disposto no artigo 504.º, n.ºs 1, 2, 3 e 4.

6. À revogação da liberdade para prova é correspondentemente aplicável o diposto no artigo 495.º.

1136

Artigo 511.º

7. O despacho de revogação da liberdade condicional ou de revogação da liberdade para prova é notificado ao recluso e são remetidas cópias ao director do estabelecimento e aos serviços de reinserção social.

---

1. Este artigo foi introduzido pelo Dec.-Lei n.º 317/95, de 28 de Novembro, por proposta da CRCPP, que o aprovou na 22.ª sessão, em 23 de Março de 1992. A Lei n.º 48/2007, de 29 de Agosto, introduziu ligeiras alterações nos n.os 1 e 2, consistentes na substituição, no n.º 1, de readaptação do condenado em por execução da; e no n.º 2 substituição de readaptação por execução.

Não havia dispositivo correspondente na versão originária do Código.

O texto do n.º 1 foi introduzido pela Lei n.º 59/98, de 25 de Agosto, que porém somente substituiu *os serviços de reinserção social* pelos *serviços técnicos prisionais, com a colaboração dos serviços de reinserção social* no dever de elaborar o plano individual de readaptação do condenado.

Ver anot. 1 ao art. 467.º.

2. Com este artigo fica preenchida uma lacuna revelada pela versão originária do Código, que não tinha dispositivos onde se contivessem as especialidades da execução da pena relativamente indeterminada.

TÍTULO VI

DA EXECUÇÃO DE BENS E DESTINO DAS MULTAS

ARTIGO 510.º

(Lei aplicável)

Em tudo o que não for especialmente previsto neste Código, a execução de bens rege-se pelo disposto no Código de Processo Civil e no Regulamento das Custas Processuais.

---

1. A redacção deste artigo foi introduzida pela Lei n.o 34/2008, de 26 de Fevereiro, que aprovou o Regulamento das Custas Processuais e alterou vários diplomas legais, revogando ainda o Código das Custas Judiciais.

A redacção anterior à actual, a seguir *rege-se pelo* era a seguinte:

Código das Custas Judiciais e, subsidiariamente, pelo Código de Processo Civil.

2. A execução de bens e multas em processo penal é regulada neste título do CPP e, subsidiariamente, no Código de Processo Civil e no Capítulo III (arts. 35.º e 36.º) do Título III do Regulamento das Custas Processuais.

ARTIGO 511.º

(Ordem dos pagamentos)

Com o produto dos bens executados efectuam-se os pagamentos pela ordem seguinte:

1137

Código de Processo Penal

1.º — As multas penais e as coimas;
2.º — A taxa de justiça;
3.º — Os encargos liquidados a favor do Estado e do Instituto de Gestão Financeira e das Infra-Estruturas da Justiça, I. P.
4.º — Os restantes encargos, proporcionalmente;
5.º — As indemnizações.

---

1. Reproduz, com excepção da alteração introduzida no n.º 3 e adiante anotada, o art. 511.º do Proj. e corresponde, com alterações de pouco significado, aos arts. 546.º do Aproj.; 644.º do CPP de 1929, na redacção introduzida pelo Dec.-Lei n.º 185/72, de 31 de Maio e 49.º do Dec.-Lei n.º 402/82, de 23 de Setembro, que vigorava à data da entrada em vigor do Código.

A revisão do Código levada a efeito pela Lei n.º 59/98, de 25 de Agosto, no n.º 2, procedeu à substituição da designação de *imposto de justiça* por *taxa de justiça;* no n.º 3 procedeu à substituição de *Cofres* por *Cofre Geral dos Tribunais;* e no n.º 4 procedeu à substituição de *custas* por encargos. Tratou-se de adaptação da terminologia do Código em matéria de custas e de taxa de justiça à terminologia do Código das Custas Judiciais aprovado pelo Dec.-Lei n.º 224-A/96, de 26 de Novembro. Já anteriormente o art. 2.º do Dec.--Lei n.º 387-D/87, de 29 de Dezembro, procedera à substituição da designação de *imposto de justiça* pela de *taxa de justiça.*

O n.º 3 tem a redacção introduzida pela Lei n.º 34/2008, de 26 de Fevereiro, diploma que aprovou o Regulamento das Custas Processuais, revogou o Código das Custas Judiciais e alterou diversos outros diplomas.

A redacção anterior deste n.º 3, a seguir a *Estado,* era a seguinte:
do Cofre Geral dos Tribunais e do Serviço Social do Ministério da Justiça.

2. Com excepção da referência feita no n.º 1.º às coimas, não se nota qualquer alteração de fundo em relação ao regime anterior, que vigorava desde o Dec.-Lei n.º 185/72, de 31 de Maio.

As multas penais e as coimas vêm graduadas em primeiro lugar porque têm natureza penal ou são resultado de contraordenação, e podem dar lugar a prisão alternativa.

O imposto de justiça (agora taxa de justiça) há muito deixou de ser convertido em prisão, mas continua a justificar-se a sua graduação em segundo lugar, pela estreita ligação com a condenação e porque se destina a compensar o Estado pelo despêndio com o processo.

ARTIGO 512.º

(Destino das multas)

Salvo disposição da lei em contrário, a importância das multas e das coimas cobradas em juízo tem o destino fixado no Regulamento das Custas Processuais.

1138

Artigo 512.º

1. A redacção actual deste artigo foi introduzida pela Lei n.º 34/2008, de 26 de Fevereiro, que aprovou o Regulamento das Custas Processuais e alterou vários diplomas legais, revogando ainda o Código das Custas Judiciais.

O texto anterior já não era o originário, mas o introduzido pela Lei n.º 59//98, de 25 de Agosto.

2. O destino das custas processuais cobradas em processo penal é fixado por portaria dos membros do Governo responsáveis pela área das Finanças e da Justiça, como se estabelece no art. 39.º do Regulamento das Custas Processuais.

Até ao momento em que elaboramos esta anotação ainda não foi publicada portaria sobre o destino das custas processuais cobradas em processo penal.

LIVRO XI

DA RESPONSABILIDADE POR CUSTAS

ARTIGO 513.º

(Responsabilidade do arguido por custas)

1. Só há lugar ao pagamento da taxa de justiça quando ocorra condenação em 1.ª instância e decaimento total em qualquer recurso.

2. O arguido é condenado em uma só taxa de justiça, ainda que responda por vários crimes, desde que sejam julgados em um só processo.

3. A condenação em taxa de justiça é sempre individual e o respectivo quantitativo é fixado pelo juiz, a final, nos termos previstos no Regulamento das Custas Processuais.

4. A dispensa da pena não liberta o arguido da obrigação de pagar custas.

---

1. O texto actual deste artigo foi introduzido pela Lei n.º 34/2008, de 26 de Fevereiro, que aprovou o Regulamento das Custas Processuais. O texto anterior reproduzia os arts. 513.º do Proj. e 548.º do Aproj. e correspondia a disposições do art. 156.º do CPP de 1929, há muito revogadas pelo Código das Custas Judiciais, arts. 171.º a 182.º, estes também objecto de sucessivas alterações.

Os n.ᵒˢ 1 e 3 correspondem, sem relevante alteração de fundo, aos dispositivos anteriores com os mesmos números.

O n.º 2 mantém a redacção anterior.

O n.º 4 reproduz o artigo 521.º anterior à apontada Lei n.º 34/2008.

A Lei n.º 59/98, de 25 de Agosto, no art. 3.º procedeu à alteração de designação de *imposto de justiça* pela de *taxa de justiça* pelas razões apontadas nas anots. a outros artigos anteriores e *infra*.

Particularmente de notar que a designação de *imposto de justiça* foi substituída pela de *taxa de justiça* pelo art. 2.º do Dec.-Lei n.º 387-D/87, de 29 de Dezembro, cujo relatório dá conta das razões justificativas da substituição.

Código de Processo Penal

Não vemos nesta substituição qualquer inconstitucionalidade, designadamente orgânica, pois que se não trata, estruturalmente, de um imposto, mas de uma taxa, dado o carácter bilateral e sinalagmático e a correspondente contraprestação por parte de Estado. Por outro lado, não se trata de matéria específica de processo penal, que bem podia ser tratada fora do CPP, no Código de Custas Jucidiais ou em qualquer outro diploma, onde teria sede mais adequada do que neste Código. Assim sucede no direito comparado. Vejam-se, no sentido que sustentamos, com a respectiva fundamentação, os acs. TC sumariados na *jurisprudência, infra.*

2. Em matéria de responsabilidade por taxa de justiça e por custas judiciais a Lei de Autorização legislativa — n.º 43/86, de 26 de Setembro — não tomou posição, não sendo assim estabelecidos quaisquer parâmetros limitativos para a Comissão encarregada de elaborar o Projecto de Código e para o Governo.

Nesta matéria o Código seguiu a orientação de definir as fontes da responsabilidade, deixando para lei especial, ou seja para o Código das Custas Judiciais, a fixação dos quantitativos.

E quanto às fontes da responsabilidade seguiu-se de perto o sistema vigente à data de entrada em vigor do Código. Porém, para além de alterações de pormenor, foi necessário definir a responsabilidade quanto a taxa de justiça e custas dos arguidos a quem era revogado o regime de prova, pois que isso implicava um julgamento suplementar para fixação da pena, parecendo criteriosa a orientação que foi seguida, de tais arguidos pagarem metade da taxa de justiça que tivesse sido fixada na decisão que decretara o regime e as custas que fossem devidas (art. 522.º da versão originária).

Estabeleceu-se o regime de responsabilidade das partes civis e o do arguido no caso de isenção de pena, que suscitavam dúvidas no regime anterior.

3. Não devem confundir-se os casos de dispensa da pena com os de isenção de pena. Nestes últimos não há culpa, nem consequentemente censura ou condenação. Sobre a distinção, e mais pormenorizadamenbte, vejam-se as anots. ao art. 74.º do CP, no nosso *Código Penal Português anotado e comentado.* Note-se que, embora o CP evite meticulosamente o uso da expressão *isenção de pena,* é certo que consagra casos de isenção, e que eles existem, com essa designação, na legislação penal extravagante, onde continua a reinar alguma confusão na delimitação dos conceitos, sendo sempre necessária uma debruçada atenção para distinguir se se trata de caso de dispensa ou de isenção da pena. Nos casos de isenção de pena não há lugar a tributação em taxa de justiça ou custas.

4. *Jurisprudência:*
— I — O art. 168.º, n.º 1, al. a) da CRP, ao atribuir à Assembleia da República competência para legislar sobre criação de impostos, só a estes se reporta, e não também às taxas, pois estas pode ser o Governo a criá-las e a estabelecer-lhes os respectivos montantes. II — O antigo imposto de justiça era uma taxa, e não um imposto, e taxa é de igual modo a *taxa de justiça* criada pelo Dec.-Lei n.º 387-D/87, de 29 de Dezembro. III — Na verdade, o que distingue a taxa do imposto é a natureza bilateral daquela ou o seu carácter sinalagmático, pois que à prestação do particular corresponde uma contraprestação directa e específica por parte do Estado, não sendo necessário que o montante da taxa corresponda ao custo do bem ou serviço que constitui a contraproposta do Estado. IV — Assim, ao editar as normas que substituíram

1142

Artigo 514.º

o imposto de justiça pela taxa de justiça, o Governo fez uso da sua competência própria, pelo que tais normas não enfermam do vício da inconstitucionalidade orgânica. (Ac. TC de 14 de Março de 1990; *AJ*, n.º 7, 38);

— O chamado *imposto de justiça não* é um imposto, mas uma taxa, pelo que o Governo tinha competência própria para substituir o imposto de justiça pela taxa de justiça, como o fez através do Dec.-Lei n.º 387-D/87, de 29 de Dezembro, sem necessidade de se dotar de autorização legislativa, pois só é da exclusiva competência da AR legislar sobre a criação de impostos. (Ac. TC de 3 de Maio de 1990; *AJ*, n.º 9, 32);

— As normas dos arts. 513.º e segs. do CPP só contemplam a responsabilização segundo as normas do processo civil das partes civis que não sejam arguidos ou assistentes pelo imposto cível do pedido que haja sido deduzido. II — Do cotejo das disposições que prevêem, por um lado, as condenações dos assistentes e dos arguidos e, por outro, das partes civis que não possuam qualquer dessas qualidades, resulta que, ao passo que os primeiros não devem ser tributados autonomamente pela sua intervenção no pedido cível, já quanto aos últimos, que não são sujeitos penais, se impõe a responsabilização pela sua actuação como simples partes civis. (Ac. STJ de 26 de Setembro de 1991; *BMJ*, 409, 677);

— O arguido requerente da instrução não tem de pagar taxa de justiça, quando não é pronunciado. (Acs. RC de 2 de Junho de 1993 e de 9 de Fevereiro de 1994; *CJ*, XVIII, tomo 3, 74 e XIX, tomo 1, 57);

— I — A responsabilidade por custas referida no CPP diz respeito apenas às custas da parte crime, e não às da parte cível. II — Assim, não é de isentar o arguido do pagamento das custas do pedido cível, quando lhe é imputável a extinção da instância por tal pedido. (Ac. RC de 14 de Fevereiro de 1996; *CJ*, XXI, tomo 2, 42);

— Requerida a instrução nos termos do art. 287.º do CPP só a final é devida taxa de justiça, se for caso disso, devendo ser fixada em função da complexidade das diligências efectuadas e da situação económica de quem a requer. (Ac. RL de 20 de Março de 1996; *CJ*, XXI, tomo 2, 145);

— Só a realização da instrução, e não o respectivo pedido de abertura, é que é passível de taxa de justiça, a qual não assume, portanto, a natureza de preparo, mas de uma taxa sanção, a pagar a final, se o requerente não ficar isento. (Ac. RL de 26 de Março de 1996; *CJ*, XXI, tomo 2, 145);

— O indeferimento do requerimento em que se solicita, sem prejuízo da ponderação do recurso interposto, a revogação do regime deprisão preventiva e a sua substituição pela liberdade provisória, é tributável — art. 212.º, n.º 4, do CPP. (Ac. STJ de 2 de Outubro de 1996, proc. n.º 47.295-3.ª);

— O arguido que requereu a instrução apenas tem de pagar a taxa de justiça a que se reporta o n.º 1 do art. 83.º do Código das Custas Judiciais, e não qualquer outra, no final da instrução, por ter decaído. (Ac. RC de 8 de Maio de 2002; *CJ*, XXVII, tomo 3, 42).

ARTIGO 514.º

(Responsabilidade do arguido por encargos)

1. Salvo quando haja apoio judiciário, o arguido condenado é responsável pelo pagamento, a final, dos encargos a que a sua actividade houver dado lugar.

Código de Processo Penal

2. Se forem vários os arguidos condenados em taxa de justiça e não for possível individualizar a responsabilidade de cada um deles pelos encargos, esta é solidária quando os encargos resultarem de uma actividade comum e conjunta nos demais casos, salvo se outro critério for fixado na decisão.

3. Se o assistente for também condenado no pagamento de taxa de justiça, a responsabilidade pelos encargos que não puderem ser imputados à simples actividade de um ou de outro é repartida por ambos de igual modo.

---

1. O texto dos n.ᵒˢ 1 e 3 deste artigo foi introduzido pela Lei n.º 34/2008, de 26 de Fevereiro, diploma que aprovou o Regulamento das Custas Processuais.

Excepto quanto à referência feita no n.º 1 à ressalva do apoio judiciário e à repartição equititiva (anteriormente conjunta) pelo arguido e pelo assistente, feita no n.º 3, não existem relevantes alterações de fundo relativamente ao regime da versão anterior, que reproduzia o art. 514.º do Proj. e corresponde de perto aos arts. 549.º do Aproj. e 173.º do Cód. das Custas Judiciais, então vigente.

A Lei n.º 59/98, de 25 de Agosto, como se apontou na anot. 1 ao art. 511.º, procedeu a alterações meramente formais no texto deste artigo, que consistiram na substituição da designação de *imposto de justiça* pela de *taxa de justiça* e de *custas* por *encargos*.

2. O processo penal está sujeito a custas, como estabelece logo no art. 1.º do Regulamento das Custas Processuais e nas leis do processo.

O conceito de custas está pensado no Regulamento na tríplice vertente de taxa de justiça, encargos e custas de parte.

A taxa de justiça é a prestação pecuniária que o Estado, em regra, exige aos utentes dos serviços judiciários no quadro da função jurisdicional por eles causada ou da qual beneficiem.

Os encargos são, essencialmente, as despesas que as partes realizam nas acções, nos recursos, nos incidentes e nos procedimentos.

As custas de parte são, essencialmente, a prestação pecuniária que a parte com ganho de causa tem a receber da parte vencida, na respectiva proporção, relativamente a determinadas despesas que teve de fazer no processo.

O Título II do mesmo Código trata das custas criminais, que compreendem a taxa de justiça e os encargos.

Da taxa de justiça trata a Secção II, arts. 82.º a 88.º e dos encargos trata a Secção III, arts. 89.º a 95.º, ainda do mesmo diploma.

3. Este artigo, como se referiu, acompanhou muito de perto o art. 173.º do Cód. das Custas Judiciais então em vigor, cujas soluções perfilhou, e que posteriormente não sofreram alterações profundas. A introdução no CPP ficou a dever-se à orientação tendencial de vir a incluir nas leis processuais o *se* e o *quando* da condenação em taxa e em custas, deixando os quantitativos para o Cód. das Custas Judiciais. Agora Regulamento das Custas Judiciais.

1144

Artigo 515.º

4. *Jurisprudência:*
— É da responsabilidade do arguido o pagamento do custo dos anúncios a declará-lo contumaz, nos casos em que, posteriormente, o processo venha a ser arquivado por ter ocorrido desistência da queixa. (Ac. RE de 15 de Junho de 1993; *CJ,* XVIII, tomo 3, 302);
— Sendo o arguido absolvido do crime mas condenado no pedido cível, as custas devem ser por ele suportadas. (Ac. RP de 29 de Setembro de 1993; *CJ,* XVIII, tomo 4, 257);
— I — A responsabilidade por custas a que refere o CPP diz apenas respeito às da parte crime, e não às da parte cível. II — Assim, não é de isentar o arguido do pagamento das custas do pedido cível, quando lhe é imputável a extinção da instância por tal pedido. (Ac. RC de 14 de Fevereiro de 1996; *CJ,* XXI, tomo 2, 42).

ARTIGO 515.º
(Responsabilidade do assistente por custas)

1. É devida taxa de justiça pelo assistente nos seguintes casos:

a) Se o arguido for absolvido ou não for pronunciado por todos ou por alguns crimes constantes da acusação que haja deduzido ou com que se haja conformado;

b) Se decair, total ou parcialmente, em recurso que houver interposto, a que houver dado adesão ou em que tenha feito oposição;

c) Se ficar vencido em incidente que tiver requerido ou em que tiver sido opositor; (Revogada).

d) Se fizer terminar o processo por desistência ou abstenção injustificada de acusar;

e) Se, por mais de um mês, o processo estiver parado por negligência sua; (Revogada).

f) Se for rejeitada acusação que houver deduzido.

2. Havendo vários assistentes, cada um paga a respectiva taxa de justiça.

3. *Os limites em que a taxa de justiça deve ser fixada, nos casos do n.º 1, alíneas a), e b), são os correspondentes ao processo que caberia ao crime mais grave compreendido na parte da acusação julgada improcedente.* (Revogado).

---

1. Com excepção do que adiante se especifica, reproduz o art. 515.º do Proj.

A Lei n.º 59/98, de 25 de Agosto, procedeu à substituição da designação de *imposto de justiça* pela *taxa de justiça,* pelas razões já apontadas em anotações a anteriores artigos.

Código de Processo Penal

A Lei n.º 34/2008, de 26 de Fevereiro, que aprovou o Regulamento das Custas Processuais, revogou as alíneas *c)* e *e)* e o n.º 3 deste artigo, em virtude de as partes passarem a pagar uma única taxa de justiça, no início de cada acção, do recurso, do procedimento ou do incidente, calculada com base em tabela, por recurso à unidade de conta, que é automaticamente actualizada de harmonia com o indexante dos apoios sociais.

2. Em face da redacção da parte final da al. *a)* do n.º 1, não há mais lugar a dúvidas sobre se o assistente é condenado em taxa de justiça quando, em processo por crime público ou quase-público em que o arguido foi absolvido ou não pronunciado, se limita a conformar-se com a acusação deduzida pelo MP. A questão, que deu origem a dúvidas na vigência do art. 175.º do Cód. das Custas Judiciais, foi resolvida pela lei em sentido afirmativo.

3. *Jurisprudência fixada:*
— A taxa de justiça paga pela constituição de assistente, nos termos do artigo 519.º, n.º 1, do Código de Processo Penal, deve ser levada em conta naquela em que aquele venha a ser condenado por ter feito terminar o processo por desistência de queixa, por força do artigo 515.º, n.º 1, alínea *d)*, daquele Código. (Ac. do Pleno das secções criminais do STJ, de 1 de Abril de 2004; *DR*, I-A série, de 7 de Maio do Mesmo ano).

4. *Jurisprudência:*
— O assistente deve ser condenado em taxa de justiça, nos termos da al. *d)* do n.º 1 do art. 515.º do CPP, se fez terminar o processo por desistência da queixa quanto a dois crimes semi-públicos, embora o processo tenha continuado para conhecimento de um outro crime. (Ac. RP de 21 de Fevereiro de 1990; *BMJ*, 394, 536);
— I — Se o assistente, devidamente notificado para deduzir acusação por crime cujo procedimento depende de acusação particular, a não deduz, o processo não prossegue, havendo lugar a condenação em taxa de justiça e custas, a decretar pelo juiz. (Ac. RC de 31 de Março de 1993; *CJ*, XVIII, tomo 2, 67);
— O indeferimento do pedido de constituição de assistente configura um incidente, e consequentemente determina a condenação do requerente em custas. (Ac. RL de 10 de Dezembro de 1997; *CJ*, XXII, tomo 5, 151);
— Não deve ser condenado no pagamento de taxa de justiça por abstenção injustificada de acusar — art. 515.º, n.º 1, al. *d)*, do CPP — o assistente que não deduz acusação por a insuficiência de prova o ter convencido de que uma sua acusação estaria votada ao insucesso. (Ac. RC de 23 de Setembro de 1998; *CJ*, XXIII, tomo 4, 52);
— I — Deve ser condenado em custas o assistente que, notificado para deduzir acusação por crime particular, a não deduziu, nem veio ao processo explicar as razões da sua decisão de não acusar. II – O despacho que, em tal caso condenou o assistente em custas é por este recorrível, mesmo que ele litigue com apoio judiciário. (Ac. RP de 9 de Novembro de 2005; *CJ*, XXX, tomo 5, 215).

Artigo 517.º

ARTIGO 516.º

(Arquivamento ou suspensão do processo)

Não é devida taxa de justiça quando o processo tiver sido arquivado ou suspenso, nos termos dos artigos 280.º e 281.º.

1. Reproduz o art. 516.º do Proj. Não havia disposições correspondentes no direito anterior. Quanto à designação de *taxa de justiça,* em substituição da originária de *imposto de justiça,* vejam-se as anots. a artigos anteriores, *maxime* ao art. 513.º.

2. Este artigo estabelece que não há lugar a condenação em taxa de justiça, nem consequentemente nas custas que lhe são inerentes, nos casos de arquivamento com dispensa ou isenção de pena e de suspensão provisória do processo, previstos nos arts. 280.º e 281.º. Trata-se de casos de bagatelas penais ou em que, de algum modo, funciona o princípio da oportunidade e em que, por não chegar a haver julgamento, a actividade processual se presume, em regra, reduzida. Por isso, e ainda de algum modo por razões de política criminal, a lei optou aqui pela não tributação.

ARTIGO 517.º

(Casos de isenção do assistente)

O assistente é isento do pagamento de taxa de justiça quando, por razões supervenientes à acusação que houver deduzido ou com que se tiver conformado e que lhe não sejam imputáveis, o arguido não for pronunciado ou for absolvido.

1. O texto deste artigo foi introduzido pela Lei n.º 34/2008, de 26 de Fevereiro, correspondendo, sem alteração de fundo, à alínea *b)* do n.º 1 da versão anterior.
A alínea *b)* do n.º 1 da versão anterior foi eliminada pela apontada Lei, que isentava o assistente do pagamento de imposto no caso do n.º 3 do art. 287.º então em vigor e correspondente ao actual art. 284.º, n.º 2, alínea *a)*. Trata-se de uma actividade do assistentes que, apesar de reduzida, é agora tributável.

2. Este artigo destina-se a colmatar uma lacuna do Cód. das Custas Judiciais, que deu origem a dúvidas na vigência deste diploma. Quer a regra da causalidade quer a do decaimento, sem qualquer desvio, funcionavam mal nos casos agora previstos, e podiam mesmo dar origem a injustiças flagrantes, pois os assistentes, para além de verem frustradas as justas expectativas de condenação dos arguidos, por circunstâncias supervenientes, viam-se ainda frequentemente confrontados com uma condenação em taxa de justiça e em custas que, em princípio, deveria ser suportada pelo arguido.

1147

Código de Processo Penal

Através das disposições deste artigo resolvem-se, pelo modo mais justo, tais situações, dentre as quais se podem configurar, além de muitos outros, o caso dos arguidos inimputáveis (ver art. 376.°, n.° 3); o de uma lei nova, antes do julgamento, retirar a natureza de crime aos factos por que o assistente deduziu acusação, etc.

ARTIGO 518.°

(Responsabilidade do assistente por encargos)

Quando o procedimento depender de acusação particular, o assistente condenado em taxa paga também os encargos a que a sua actividade houver dado lugar.

---

1. Reproduz o art. 518.° do Proj. e a 1.ª parte do art. 176.° do Cód. das Custas Judiciais em vigor aquando da entrada em vigor do Código. O texto actual deste artigo é resultante da Lei n.° 59/98, de 25 de Agosto, diploma que somente substituiu a designação de *custas* por *encargos* e de *imposto* por *taxa,* pelas razões apontadas na anot. 1 ao art. 513.°.

2. Como se deduz deste artigo, a condenação do assistente em encargos fica agora só dependente da verificação cumulativa de duas condicionantes: que haja lugar a condenação em taxa de justiça (afloramento do carácter inerente dos encargos) e que os encargos tenham sido causados por actividade do assistente. Não importa agora, portanto, que o assistente tenha ou não agido apenas como auxiliar do MP e sem oposição deste, pois não foi reproduzida a 2.ª parte do art. 176.° do Cód. das Custas Judiciais então vigente.

ARTIGO 519.°

(Taxa devida pela constituição de assistente)

1. A constituição de assistente dá lugar ao pagamento de taxa de justiça.

2. *O pagamento previsto no número anterior é efectuado nos termos fixados no Código das Custas Judiciais.* (Revogado).

3. No caso de morte ou incapacidade do assistente o pagamento da taxa já efectuado aproveita àqueles que se apresentarem em seu lugar, a fim de continuarem a assistência.

---

1. O texto deste artigo foi introduzido pelo Dec.-Lei n.º 34/2008, de 26 de Fevereiro, diploma, que aprovou o Regulamentoi das Custas Processuais mantendo porém o n.º 3 da versão anterior. Em relação a esta versão apontam-se a harmonização com o Regulamento das Custas Processuais efectuada no n.º 1 e a eliminação do n.º 2. Ver, sobre isto, anotação 1 ao art. 515.º.

1148

Artigo 519.º

2. De harmonia com o art. 8.º, n.º 1, do Regulamento das Custas Processuais, a taxa de justiça pela cinstituição como assistente é autoliquidada no montante de 1UC, podendo ser corrigida, a final, pelo juiz, para um valor entre 1UC e 1OUC, tendo em consideração o desfecho do processo e a concreta actividade processual do assistente.

3. O STJ, por assento de 11 de Dezembro de 1974; *DG* de 28 de Janeiro de 1975, firmou jurisprudência no sentido de que o imposto de justiça pago pela constituição de assistente na acção penal não é levado em conta no novo imposto em que o dito assistente venha a ser condenado por ter feito terminar o processo por perdão.

Cremos que esta solução, que era válida na versão originária do Código, deixou de o ser, perante posteriores alterações, tanto no texto deste artigo como no Regulamento das Custas Processuais. A jurisprudência mostrava-se hesitante e contraditória, até que o Pleno das secções criminais do STJ fixou orientação contrária à do assento acima referenciado, de 11 de Dezembro de 1974, que portanto caducou.

Ver *infra, jurisprudência fixada* e *jurisprudência.*

4. *Jurisprudência fixada:*

— A taxa de justiça paga pela constituição de assistente, nos termos do artigo 519.º, n.º 1, do Código de Processo Penal, deve ser levada em conta naquela em que aquele venha a ser condenado por ter feito terminar o processo por desistência de queixa, por força do artigo 515.º, n.º 1, alínea *d)*, daquele Código. (Ac. do Pleno das secções criminais do STJ, de 1 de Abril de 2004; *DR*, I-A série, de 7 de Maio do Mesmo ano);

— No domínio da vigência do artigo 519.º, n.º 1, do Código de Processo Penal e do artigo 80.º, n.ᵒˢ 1 e 2, do Código das Custas Judiciais, na redacção anterior ao Dereto-Lei n.º 324/03, de 27 de Dezembro, no caso de não pagamento, no prazo de dez dias, da taxa de justiça devida pela constituição de assistente, a secretaria deve notificar o requerente para, em cinco dias, efectuar o pagamento da taxa de justiça, acrescida de igual montante. (Ac. do Pleno das secções criminais do STJ de 16 de Fevereiro de 2005, proc. n.º 242/04; *DR*, I-A série, de 31 de Março de 2005.

5. *Jurisprudência:*

— O assistente que interpõe recurso do despacho de não pronúncia não está dispensado do pagamento da taxa de justiça devida por essa interposição, pois que não é caso de aplicar a parte final do art. 519.º, n.º 1, do CPP. (Ac. RP de 18 de Dezembro de 1996; *CJ*, XXI, tomo 5, 246);

— O pagamento inicial da taxa de justiça devida nos termos do n.º 1 do art. 519.º do CPP é condição da constituição como assistente, sendo-lhe inaplicável o disposto nos n.ᵒˢ 1, 2 e 3 do art. 80.º do CCJ. (Ac. RL de 4 de Abril de 2000; *CJ*, XXV, tomo 2, 150);

— No caso de não ser paga, nos dez dias imediatos à apresentação do respectivo requerimento, a quantia devida pela constituição de assistente, a secretaria deverá notificar o requerente para efectuar o pagamento em dobro, nos cinco dias imediatos. (Acs. RL de 19 de Outubro de 2000; *CJ*, XXV, tomo 4, 149 e de 26 de Abril de 2001, *ibidem*, XXVI, tomo 2, 126);

1149

Código de Processo Penal

— Os juízes estão sujeitos a custas sempre que sejam parte em qualquer acção cujo objecto não tenha a ver com o exercício das suas funções — cfr. art. 17.º, n.º 1, al. *g)*, da Lei 10/99, de 5 de Maio, na redacção resultante da Lei n.º 143/99, de 31 de Agosto. (Ac. STJ de 4 de Julho de 2002, proc. n.º 373/ /02-5.a; SASTJ, n.º 63, 75);

— Quando no momento de apreciação de requerimento para ser admitido como assistente a representação do requerente não esteja assegurada por advogado ou não se mostre paga a taxa de justiça devida, o interessado deve ser notificado para suprir aquelas omissões, antes de ser indeferido o pedido. (Ac. RL de 2 de Outubro de 2002, *CJ*, XXVIII, tomo 4, 131);

— A falta de pagamento tempestivo da taxa de justiça devida pela constituição de assistente não determina o indeferimento do respectivo requerimento, devendo, antes, notificar-se o requerente para suprir a omissão, em conformidade com o disposto no n.º 2 do art. 80.º do CCJ. (Ac. RL de 15 de Maio de 2003; *CJ*, XXVIII, tomo 3, 127);

— I — O pagamento da taxa de justiça devida pela constituição de assistente deve ser feito antes de os autos serem apresentados ao juiz para prolação do despacho de admissão ou não do requerente naquela qualidade. II — Para fazer esse pagamento, deve o requerente tomar a iniciativa de levantar as guias respectivas, pois não há lugar a qualquer despacho ou notificação prévia. III — No caso não tem aplicação o art. 80.º, n.º 2, do CCJ, que apenas rege para a abertura de instrução ou para a admissão de recurso. (Ac. RG de 30 de Junho de 2003; *CJ*, XXVIII, tomo 3, 302).

ARTIGO 520.º
(Responsabilidade do denunciante)

Paga também custas o denunciante, quando se mostrar que denunciou de má fé ou com negligência grave.

---

1. A redacção deste artigo foi introduzida pela Lei n.º 34/2008, de 26 de Fevereiro, diploma que aprovou o Regulamento das Custas Processuais. Trata- -se porém de dispositivo igual ao que constava da alínea *c)* deste artigo 520.º anteriormente à referida Lei. As alíneas *a)* e *b)* do anterior texto do artigo tratavam-se do pagamento de custas pelas partes civis e por quem não for sujeito no processo cuja tributação passou a ser tratada pelas normas do processo civil e, subsidiariamente pelo disposto no Regulamento das Custas Processuais, como se dispõe nos arts. 523.º e 524.º.

2. Nos termos do art. 8.º, n.º 3, do Regulamento das Custas Processuais, para o denunciante que deva pagar custas, nos termos deste art. 520.º, é fixado pelo juiz um valor entre 1 UC e 5 UC.

Como no regime anterior à Lei n.º 34/2008, já que os dispositivos se mantiveram, as custas a pagar pelo denunciante de má fé ou com negligência grave são cumuláveis com o pagamento de uma soma entre 6UC e 2OUC, nos termos do art. 277.º, n.º 5, aplicada ao denunciante pela utilização abusiva do processo. Na realidade trata-se de tributação de

Artigo 521.º

actividades diferentes: custas da actividade processual e utilização abusiva do processo.

3. A condenação em custas é decretada pelo juiz, sendo para o efeito concluso ao juiz de instrução, se dever ser decretada durante o inquérito.

4. *Jurisprudência fixada:*
— O art. 520.º, al. *a)*, do CPP não exclui a condenação em pagamento de imposto de justiça e custas o assistente que decair no pedido cível formulado em processo penal. (Ac. do Plenário das secções criminais do STJ de 27 de Janeiro de 1993; *DR*, I série-A, de 10 de Março do mesmo ano). *Nota* – Ver anot. 1, pois este assento deixou de ter aplicação.

5. *Jurisprudência:*
— A requerente do pedido cível que não é assistente nem arguida paga custas pela desistência do pedido (art. 520.º, al. a), do CPP). (Ac. RC de 20 de Setembro de 1989; *CJ,* XIV, tomo 4, 82);
— I — Terminado o processo por desistência da queixa de quem não é assistente, não há lugar a condenação em taxa de justiça. II — Todavia, se nesse processo o queixoso tiver deduzido pedido cível, as custas a este relativas são suportadas pelo desistente. (Ac. RC de 9 de Maio de 1990; *CJ,* XV, tomo 3, 69);
— Não há lugar ao pagamento de taxa de justiça nem de custas quando o ofendido, não assistente, desiste da queixa e do pedido cível. (Ac. RC de 30 de Maio de 1990; *CJ,* XV, tomo 3, 76);
— A disciplina do art. 520.º do CPP é apenas aplicável à tributação da acção penal. Por isso, o assistente que decai na acção cível deve ser também condenado nas respectivas custas. (Ac. RP de 13 de Junho de 1990; *CJ,* XV, tomo 3, 247);
— A desistência da queixa, mesmo sem oposição do arguido, não é tributável, pelo que, não devendo o mesmo ser condenado em taxa de justiça, também não tem que suportar quaisquer encargos, designadamente honorários. (Ac. RE de 17 de Fevereiro de 1998; *CJ,* XXIII, I, 282). *Nota* — Além do ac. RC de 30 de Maio de 1990, sumariado *supra*, há vários acs. dos tribunais superiores todos no mesmo sentido;
— Os juízes estão sujeitos a custas sempre que sejam parte em qualquer acção cujo objecto não tenha a ver com o exercício das suas funções — cfr. art. 17.º, n.º 1, al. *g)*, da Lei n.º 10/99, de 5 de Maio, na redacção resultante da Lei n.º 143/99, de 31 de Agosto. (Ac. STJ de 4 de Julho de 2002, proc. n.º 373/ /02-5.a; *SASTJ*, n.º 63, 75).

ARTIGO 521.º

(Regras especiais)

1. À prática de quaisquer actos em processo penal é aplicável o disposto no Código de Processo Civil quanto à condenação no pagamento de taxa sancionatória excepcional.

Código de Processo Penal

2. Quando se trate de actos praticados por pessoa que não for sujeito processual penal e estejam em causa condutas que entorpeçam o andamento do processo ou impliquem a disposição substancial de tempo e meios, pode o juiz condenar o visado ao pagamento de uma taxa fixada entre 1UC e 3UC.

---

1. O texto deste artigo foi introduzido pelo Dec.-Lei n.º 34/2008, de 26 de Fevereiro, diploma que aprovou o Regulamento das Custas Processuais.
O n.º 1 é um dispositivo sem antecedentes expresso no CPP.
O n.º 2 é um dispositivo correspondente ao da alínea *b)* do art. 520.º, na redacção anterior à aludida Lei n.º 34/2008.

2. A taxa sancionatória excepcional a que alude o n.º 1 é aplicada nos casos excepcionais previstos no art. 447.º-B do CPC, introduzido pela Lei n.º 34/2008, do seguinte teor:
Por decisão fundamentada do juiz, e em casos excepcionais, pode ser aplicada uma taxa sancionatória aos requerimentos, recursos, reclamações, pedidos de rectificação, reforma ou de esclarecimento quando estes, sendo considerados manifestamente improcedentes:
a) Sejam resultado exclusivo da falta de prudência ou diligência da parte, não visem discutir o mérito da causa e se revelem meramente dilatórios; ou
b) Visando discutir também o mérito causa, sejam manifestamente improcedentes por força da existência de jurisprudência em sentido contrário e resultem exclusivamente da falta de diligência e prudência da parte.

A taxa sancionatória excepcional é fixada pelo juiz entre 2UC e 15 UC (Art. 10.º do Regulamento das Custas Processuais).

ARTIGO 522.º

(Isenções)

1. O Ministério Público está isento de custas e multas.

2. *Os arguidos presos gozam de isenção de taxa de justiça pela interposição de recurso em primeira instância; gozam ainda de isenção nos incidentes que requererem ou a que fizerem oposição.* (Revogado).

---

1. O texto deste artigo é resultante da Lei n.º 59/98, de 25 de Agosto e de alteração introduzida no n.º 1 pela Lei n.º 48/2007, de 29 de Agosto, consisitente do aditamento de *multas*, no final desse dispositivo.
Com ressalva do que adiante se especifica, reproduz o art. 523.º da versão originária do Código e o artigo com o mesmo número do Aproj. e corresponde ao art. 183.º, n.ᵒˢ 1 e 2 do Cód. das Custas Judiciais em vigor à data da entrada em vigor do Código, na redacção introduzida pelo Dec.-Lei n.º 47692, de 11 de Maio de 1967.

1152

Artigo 522.º

A alteração da numeração ficou a dever-se à eliminação do art. 522.º da versão originária, cujo dispositivo deixara de ter campo de aplicação após a revisão do CP levada a efeito pelo Dec.-Lei n.º 48/95, de 15 de Março ter integrado o regime de prova na suspensão da pena de prisão. Para este ponto tínhamos chamado a atenção nas 6.ª e 7.ª edições desta obra.

A Lei n.º 59/98, de 25 de Agosto substituiu a designação de *imposto de justiça* pela de *taxa de justiça* e integrou esta nas custas. Daí a alteração da terminologia, como ficou apontado em anot. ao art. 511.º. Também o texto introduzido pela apontada Lei eliminou a referência ao pagamento de taxa de justiça inicial no tribunal superior, por ter sido abolida pelo Cód. das Custas Judiciais aprovado pelo Dec.-Lei n.º 224-A/96, de 26 de Novembro.

O n.º 2 foi revogado pelo art. 25.º do Dec.-Lei n.º 34/2008, de 26 de Fevereiro, diploma que aprovou o Regulamento das Custas Processuais.

Não encontramos, neste Dec.-Lei ou em qualquer outro diploma, alteração introduzida no n.º 1, dispositivo que, porém, no anexo II do Regulamento das Custas Processuais, se encontra com omissão da parte final – *e multas*. Em tais termos vai este número, que constitui agora a totalidade do artigo, inserido como anteriormente, porque não alterado pelo Dec.-Lei n.º 34/2008, de 26 de Fevereiro. Assim, em nosso entendimento, o MP, em processo penal, está isento, não só de custas, mas também de multas. Este entendimento é reforçado pela constatação de que o Dec.-Lei aludido, nos arts. 1.º, alínea *c)* e 25.º, n.º 2, alínea *c)* determinou tão-só a revogação do n.º 2 deste art. 522.º, e não qualquer alteração a introduzir no n.º 1.

2. Durante a vigência deste artigo com a redação anterior à actual duvidava-se se o MP estava isento do pagamento de multas pela prática de actos processuais fora do prazo, designadamente nos casos dos n. 5 e 6 do art. 145.º do CPC, tendo mesmo sucedido que, na dúvida, alguns magistrados do MP pagaram multas. Ficou clarificado, com a redacção introduzida no n.º 1, que o MP está isento do pagamento de multas. Ver *supra,* anot. 1.

3. Como foi anotado *supra,* anot. 1, o n.º 2 deste artigo foi revogado pelo artigo 25.º do Dec.-Lei n.º 34/2008, de 26 de Fevereiro, diploma que aprovou o Regulamento das Custas Processuais e revogou o Código das Custas Judiciais e outros diplomas e dispositivos.

O que neste n.º 2 se dispunha sobre isenções de que gozavam os arguidos presos foi substituído pelos dispositivos do art. 4.º, alínea *j),* do Regulamento das Custas Processuais, do seguinte teor:

1. Estão isentos de custas:

....

j) Os arguidos detidos, sujeitos a prisão preventiva ou a cumprimento de prisão efectiva, em estabelecimento prisional, quando a secretaria do Tribunal conclua pela insuficiência económica nos termos da lei de acesso ao direito e aos tribunais, em quaisquer requerimentos ou oposições, nos *habeas corpus* e nos recursos interpostos em 1.ª instância, desde que a situação se mantenha no momento do devido pagamento.

Como se pantenteia, são mais restritivos estes novos dispositivos que os do anterior n.º 2, ora revogado. A isenção deixou de beneficiar os presos pelo

1153

Código de Processo Penal

simples facto de o estarem, sendo ainda necessária a existência do demais circunstancionalismo exigido por esta alínea *j)*. Para além disto, a alínea exige ainda a prisão em estabelecimento prisional e no momento do devido pagamento. Deixaram, portanto, de beneficiar de isenção os arguidos em prisão domiciliária – obrigação de permanência na habitação.

Quanto a arguidos presos em estabelecimento prisional, designadamente os requerentes da providência de *habeas corpus* (que tem de ser decidida com extrema celeridade) e às partes que beneficiarem de apoio judiciário, estão dispensados de pagamento prévio de taxa de justiça, conforme se dispõe nas alíneas *b)* e *c)* do artigo 15.º do Regulamento das Custas Processuais, do seguinte teor:

Ficam dispensados do pagamento prévio da taxa de justiça:

a) O Estado, incluindo os seus serviços e organismos ainda que personalizados, as Regiões Autónomas e as autarquias locais, quando demandem ou sejam demandados nos tribunais administrativos ou tributários, salvo em matéria administrativa contratual e pré-contratual e relativas às relações laborais com os funcionários, agentes e trabalhadores do Estado;

b) As partes que beneficiarem de apoio judiciário na modalidade respectiva, nos termos fixados em legislação especial;

c) Os arguidos nos processos criminais ou nos *habeas corpus* e nos recursos que apresentem em quaisquer tribunais.

4. *Jurisprudência:*

— Os arguidos presos que estão isentos de taxa de justiça são tanto aqueles que se encontram presos à ordem do processo em que é interposto o recurso que daria lugar ao pagamento da taxa de justiça como aqueles que se encontram nessa situação, mas à ordem de outro processo. (Ac. RL de 8 de Fevereiro de 1995; *CJ*, XX, tomo 1, 160);

— Por beneficiar da presunção de insuficiência económica imanente do art. 523.º, n.º 2, do CPP, não deve o arguido preso ser condenado, no despacho de pronúncia, em taxa de justiça pela realização da instrução que requereu. (Ac. RC de 4 de Dezembro de 1996; *CJ, Acs. do STJ*, XXI, tomo 5, 60);

— I — A instrução criminal não constitui um incidente da instância criminal, mas sim uma fase processual facultativa. II — Assim, quando requeiram abertura de instrução, os arguidos presos não gozam, só por essa circunstância, de isenção do pagamento da taxa de justiça correspondente. (Ac. RL de 23 de Janeiro de 2001; *CJ*, XXVI, tomo 1, 138);

— Os juízes estão sujeitos a custas sempre que sejam parte em qualquer acção cujo objecto não tenha a ver com o exercício das suas funções — cfr. art. 17.º, n.º 1, al. *g)*, da Lei n.º 10/99, de 5 de Maio, na redacção resultante da Lei n.º 143/99, de 31 de Agosto. (Ac. STJ de 4 de Julho de 2002, proc. n.º 373/02-5.ª; *SASTJ*, n.º 63, 75).

Artigo 524.º

ARTIGO 523.º

(Custas no pedido cível)

À responsabilidade por custas relativas ao pedido de indemnização civil são aplicáveis as normas do processo civil.

1. Este artigo foi introduzido pela Lei n.º 59/98, de 25 de Agosto. Não havia dispositivo correspondente no CPP.

2. O dispositivo deste artigo específico sobre a responsabilidade por custas no pedido de indemnização civil deduzido em processo penal, mandando aplicar as normas do processo civil, destinou-se a remover dúvidas anteriores nesta matéria, que surgiram perante a formulação do art. 520.º relativo a custas criminais.

Ficou expressamente consagrada a solução que, até onde alcançamos, vinha sendo predominantemente seguida e que manifestamente se impunha.

Este artigo só tem campo de aplicação no caso de haver pedido de indemnização deduzido, mesmo que informalmente através de simples declaração no processo, com indicação dos prejuízos sofridos e das provas a apresentar (arts. 75.º, n.º 2 e 77.º, n.os 2, 3, 4 e 5) e não no caso de reparação da vítima, nos termos do art. 82.º-A.

3. *Jurisprudência:*

— O demandante civil que não teve qualquer intervenção na desistência da queixa apresentada, não tendo dado causa à inutilidade superveniente da lide, não está obrigado ao pagamento das custas cíveis. (Ac. RE de 22 de Fevereiro de 2007; *CJ,* ano XXXII, tomo 1, 260);

— A transacção sobre pedido de indemnização cível enxertado em processo crime não dispensa do pagamento de custas, nos termos do art. 66.º, n.º 1, da Lei n.º 60-A/2005, de 30 de Dezembro. (Ac. RE de 6 de Março de 2007; *CJ,* ano XXXII, tomo 2, 253).

ARTIGO 524.º

(Disposições subsidiárias)

É subsidiariamente aplicável o disposto no Regulamento das Custas Processuais.

O texto deste artigo foi introduzido pela Lei n.º 59/98, de 25 de Agosto. Com ressalva do que adiante se aponta, reproduz o art. 524.º da versão originária do Código e do Aproj.

A apontada Lei, procedeu à actualização da terminologia, como se apontou na anot. 1 ao art. 511.º e eliminou a referência à responsabilidade por custas, por se tratar de matéria regulada no Código de Processo Penal.

A Lei n.º 34/2008, de 26 de Fevereiro, diploma que aprovou o Regulamento das Custas Processuais, introduziu, no final, a designação deste Regulamento, em substituição de Código das Custas Judiciais, por ter revogado este diploma.

1155

ÍNDICE ALFABÉTICO

A

Abertura da audiência para aplicação retroactiva de lei penal mais favorável – art. 371.º – A.
Abreviaturas — art. 94.º, n.º 5
Acareação — art. 146.º
Aceleração de processo atrasado — arts. 108.º a 110.º
Acórdão — arts. 97.º e 425.º
Acta — art. 362.º
Actos decisórios — art. 97.º
Actos processuais:

— Aceleração — arts. 108.º a 110.º
— Assinatura — art. 95.º
— Assistência aos actos — art. 87.º
— Auto — arts. 99.º e segs.
— Certidões — arts. 89.º e 90.º
— Comunicação — art. 111.º
— Consulta do processo — arts. 89.º e 90.º
— Convocação — art. 112.º
— Documentação dos actos — arts. 92.º e segs.
— Forma dos actos — art. 94.º
— Manutenção da ordem — art. 85.º
— Meios de comunicação social — art. 88.º
— Notificações — arts. 113.º e segs.
— Oralidade — art. 96.º
— Prática extemporânea de actos processuais — art. 107.º-A
— Prazo — arts. 104.º a 107.º

— Publicidade — art. 86.º
— Quando se praticam — art. 103.º
— Reforma de auto — art. 102.º
— Segredo de Justiça — art. 86.º
— Tempo — arts. 103.º e segs.
Acusação:

— Particular — arts. 50.º e 285.º
— Pelo assistente — arts. 284.º e 285.º
— Pelo MP — art. 283.º

Admoestação — art. 497.º
Alegações:

— Orais, no julgamento — art. 360.º
— Nos recursos — arts. 423.º e 434.º

Alteração não substancial dos factos descritos na acusação ou na pronúncia — art. 358.º
Alteração substancial dos factos — arts. 1.º, n.º 1, al. *f)* (definição) e 359.º (dos factos descritos na acusação ou na pronúncia)
Anomalia psíquica posterior — art. 483.º
Aplicação da lei processual:

— No espaço — art. 6.º
— No tempo — art. 5.º

Aposição e levantamento de selos — art. 184.º
Apreensão de correspondência — art. 252.º

1157

Código de Processo Penal

Apreensões — arts. 178.º a 186.º e 252.º
Apresentação periódica — art. 189.º
Aquisição da notícia do crime — art. 241.º
Arguido:

— Comunicação que lhe é feita do interrogatório, acareação ou reconhecimento — art. 272.º
— Constituição — arts. 58.º e 59.º
— Contumácia — arts. 336.º, 337.º e 473.º
— Declarações — arts. 140.º e segs.
— Defensor — art. 62.º
— Definição — art. 57.º
— Direitos e deveres — art. 61.º
— Estatuto — art. 61.º
— Exposições, memoriais e requerimentos — art. 98.º
— Falta a julgamento — art. 333.º
— Posição processual — art. 60.º
— Presença no julgamento — art. 332.º
— Qualidade de — art. 57.º

Arquivamento do inquérito — arts. 277.º e 280.º
Arquivamento do processo — arts. 384.º (proc. sumário) 395.º (proc. sumaríssimo) e 516.º (imp. de justiça)
Arresto preventivo — art. 228.º
Assinatura dos autos — art. 95.º
Assistente:

— Acusação — arts. 284.º e 285.º
— Atribuições — art. 69.º
— Falta a julgamento — art. 331.º
— Legitimidade — art. 68.º
— No processo sumário — art. 388.º
— No processo sumaríssimo — art. 393.º
— Quando pode intervir — art. 68.º, n.º 2
— Quem pode constituir-se — art. 68.º
— Representação judiciária — art. 70.º

Audiência — arts. 321.º e segs.
Auto de inquérito — art. 275.º

Auto de notícia — art. 243.º
Autoridade judiciária — art. 1.º, n.º 1, al. b) (definição)
Autoridade de polícia criminal — art. 1.º, n.º 1, al. d) (definição)

B

Buscas — arts. 174.º a 177.º e 251.º

C

Caso julgado — arts. 4.º, anot. 5, 84.º e 467.º, n.º 1
Caução — arts. 197.º e 206.º e segs.

— Cumulação com outra medida — art. 205.º
— Económica — art. 227.º
— Prestação — art. 206.º
— Quando pode ser imposta — art. 197.º
— Quebra — art. 208.º
— Reforço — art. 207.º

Certidões — arts. 89.º, 90.º e 274.º
Certificado do registo criminal — art. 274.º
Coimas (destino das) — art. 512.º
Competência:

— Conexão de processos — arts. 24.º e segs.
— Conflitos de — arts. 34.º e segs. e 266.º, n.º 3
— Disposições aplicáveis — art. 10.º
— Júri — art. 13.º
— Órgãos de polícia criminal — art. 55.º
— Para novo julgamento — art. 426.º-A
— Prorrogação de competência — art. 31.º
— Relações — art. 12.º
— Supremo Tribunal de Justiça — art. 11.º
— Territorial — arts. 19.º e segs.
— Tribunal colectivo — art. 14.º
— Tribunal de Execução de Penas — art. 18.º

1158

Índice Alfabético

— Tribunal do júri — art. 13.º
— Tribunal singular — art. 16.º

Compromisso — arts. 91.º e 156.º

Comunicação da detenção — art. 259.º

Comunicação da notícia do crime — art. 248.º

Comunicação dos actos processuais — art. 111.º

Concurso de crimes arts. 52.º (legitimidade do MP) e 471.º e 472.º (conhecimento superveniente)

Conexão de processos — art. 24.º e segs. (competência)

Confissão — arts. 141.º e 344.º

Conflitos de competência — arts. 34.º e segs. e 266.º, n.º 3

Consulta do processo — arts. 89.º e 90.º

Consultores técnicos — arts. 155.º e 350.º

Contestação — art. 315.º

Contumácia — arts. 336.º, 337.º e 476.º

Conversas informais — art. 126.º, anot. 2, K

Convicções pessoais — art. 130.º

Convocação para acto processual — art. 112.º

Cópias e certidões (junção) — art. 183.º

Correspondência — arts. 179.º e 252.º (apreensão)

Crime — art. 1.º, n.º 1, al. *a)* (definição)

Criminalidade violenta ou altamente organizada — arts. 1.º, n.º 2; 143.º, n.º 4; 174.º, n.º 4, al. *c)*; e 177.º, n.º 2

Custas — arts. 513.º a 524.º

D

Debate instrutório:

— Acta — art. 305.º
— Actos supervenientes — art. 299.º
— Adiamento — art. 300.º

— Alteração de factos — arts. 303.º
— Continuidade — art. 304.º
— Decurso do debate — art. 302.º
— Designação da data — art. 297.º
— Disciplina, direcção e organização — art. 301.º
— Finalidade — art. 298.º

Decisões inexequíveis — art. 468.º

Declaração e incompetência — arts. 32.º e 33.º

Declarações:

— Arguido — arts. 140.º e segs.
— Assistente — art. 145.º
— Documentação em julgamento — art. 363.º
— Para memória futura — arts. 271.º e 294.º
— Partes civis — art. 145.º

Defensor:

— Direitos — art. 63.º
— Falta a julgamento — art. 330.º
— Momento da constituição — art. 62.º
— Nomeação — art. 62.º, n.os 2 e 3
— Nomeado — art. 66.º
— Obrigatoriedade de assistência — art. 64.º
— Substituição — art. 67.º
— Vários arguidos — art. 65.º

Definições legais — art. 1.º

Denúncia:

— A entidade incompetente para o procedimento — art. 245.º
— Auto — art. 243.º
— Facultativa — art. 244.º
— Forma, conteúdo e espécies — art. 246.º
— Obrigatória — art. 242.º
— Registo e certificado — art. 247.º

Depoimento:

— Indirecto — art. 129.º
— Objecto e limites — art. 128.º

Despacho de pronúncia ou de não

1159

Código de Processo Penal

pronúncia — art. 308.º

Detenção:

— Comunicação — art. 259.º
— Condições gerais — art. 260.º
— Finalidade — art. 254.º
— Flagrante delito — art. 255.º
— Fora de flagrante delito — art. 257.º
— Ilegal e *habeas corpus* — art. 220.º
— Libertação imediata — art. 261.º
— Mandado — art. 258.º

Dever de colaboração — art. 9.º, n.º 2

Dever de comunicação de detenção — art. 259.º

Dever de testemunhar — art. 131.º

Dispensa de pena — arts. 280.º, 375.º e 521.º

Documentação de declarações orais em julgamento — art. 363.º

Documentos:

— Falsos — art. 170.º
— Ver *prova documental*

E

Encerramento do inquérito — arts. 276.º a 285.º

Encerramento da instrução — arts. 306.º a 310.º

Escusas — arts. 43.º a 47.º

Escutas telefónicas — arts. 187.º a 190.º

Exames:

— No local — art. 354.º
— Pessoas no local do exame — art. 173.º
— Pressupostos — art. 171.º
— Quando têm lugar — art. 171.º
— Sujeitos a exame — art. 172.º

Execuções:

— Admoestação — art. 497.º
— Bens — arts. 510.º e 511.º
— Contumácia — art. 476.º
— Disposições gerais — arts. 467.º a 473.º
— Extinção — art. 475.º
— Interdição de actividade profis-

sional — art. 507.º

— Internamento — arts. 500.º a 506.º
— Liberdade condicional — arts. 484.º a 486.º
— Medidas de segurança — arts. 501.º a 508.º
— Multas — arts. 489.º a 491.º e 512.º
— Pena de prisão — arts. 477.º a 483.º
— Pena relativamente indeterminada — art. 509.º
— Pena suspensa — arts. 492.º a 495.º
— Penas acessórias — arts. 499.º e 500.º
— Prestação de trabalho a favor da comunidade — art. 496.º
— Prisão por dias livres — arts. 487.º e 488.º
— Semidetenção — arts. 487.º e 488.º
— Suspensão — art. 473.º

Exercício da função jurisdicional penal — art. 9.º

Exposições — art. 98.º

Extradição — art. 233.º

F

Falsidade de documento — art. 170.º

Falta a julgamento do MP, do defensor ou do representante do assistente ou das partes civis — art. 330.º

Falta a julgamento do assistente, de testemunhas, peritos, consultores técnicos ou das partes civis — art. 331.º

Falta injustificada de comparecimento — arts. 116.º, 330.º e 331.º

Fixação de jurisprudência — arts. 437.º a 448.º

Flagrante delito:

— Definição — art. 256.º
— Detenção em — art. 255.º
— Forma da documentação — art. 364.º

1160

Índice Alfabético

H

Habeas corpus:

— Em virtude de detenção ilegal — art. 220.º
— Em virtude de prisão ilegal — art. 222.º
— Incumprimento da decisão — art. 224.º
— Procedimento — arts. 221.º e 223.º

I

Identificação de suspeito — art. 250.º
Impedimentos — arts. 39.º e 42.º
Impedimentos de testemunhas — art. 133.º
Imposto de justiça — arts. 513.º a 524.º
Imunidades — art. 139.º
Incompetência — arts. 32.º e 33.º (declaração de)
Indemnização civil — ver *Partes civis*
Indemnização por privação da liberdade ilegal ou injustificada — arts. 225.º e 226.º
In dubio pro reo — art. 126.º, anot. 3, al. *l)*
Inexequibilidade das decisões — art. 468.º
Inexistência — art. 118.º, anot. 3
Informação dos serviços de reinserção social — art. 1.º, n.º, al. *h)*

Inquérito:

— Actos de inquérito — arts. 267.º a 275.º
— Arquivamento — arts. 277.º e 280.º
— Competência — art. 264.º
— Direcção — art. 263.º
— Encerramento — arts. 276.º a 285.º
— Finalidade e âmbito — art. 262.º
— Intervenção hierárquica — art. 278.º
— Magistrado (contra) — art. 265.º
— Parlamentar — art. 262.º, anot. 6
— Prazos — art. 276.º
— Reabertura — art. 279.º

— Suspensão provisória do processo — art. 281.º
— Transmissão dos autos — art. 266.º

Instrução:

— Actos de instrução — arts. 290.º a 296.º
— Auto — art. 296.º
— Conteúdo — art. 289.º
— Debate instrutório — arts. 297.º a 305.º
— Decisão instrutória — art. 307.º
— Direcção e natureza — art. 288.º
— Encerramento — arts. 306.º a 310.º
— Finalidade e âmbito — art. 286.º
— Provas admissíveis — art. 292.º
— Recurso da decisão instrutória — art. 310.º
— Requerimento para abertura — art. 287.º

Integração de lacunas da lei — art. 4.º
Interdição de actividade profissional — art. 507.º
Internamento — arts. 501.º a 508.º
Internamento preventivo — art. 202.º, n.º 2

Intérpretes:

— Compromisso — art. 91.º, n.º 2
— Nomeação — art. 92.º

Intervenção hierárquica (no inquérito) — art. 278.º
Irregularidades processuais — art. 123.º

J

Juiz de instrução:

— Actos a praticar durante o inquérito — arts. 268.º e 269.º
— Competência — art. 17.º

Julgamento — arts. 311.º a 380.º

— Actos introdutórios — arts. 329.º a 339.º

Código de Processo Penal

— Actos preliminares — arts. 311.º a 320.º
— Audiência — arts. 321.º a 328.º
— Documentação da audiência — arts. 362.º a 364.º
— Produção de prova — arts. 340.º a 361.º
— Sentença — arts. 365.º a 380.º

Júri:

— Competência — art. 13.º
— Perguntas sobre factos — art. 345.º
— Sentença — art. 365.º
— Votação — art. 365.º

Jurisdição (obstrução ao exercício) — arts. 37.º e 38.º
Justificação da falta de comparecimento — art. 117.º
Justo impedimento — art. 107.º, n.º 2

L

Legalidade do processo — art. 2.º
Legalidade da prova — art. 125.º
Lei processual penal:

— Aplicação no espaço — art. 6.º
— Aplicação no tempo — art. 5.º
— Aplicação subsidiária — art. 3.º
— Integração de lacunas — art. 4.º

Liberdade condicional — arts. 484.º a 486.º
Língua dos actos — art. 92.º
Livre apreciação da prova — art. 127.º

M

Mandato de comparência ou notificação — art. 273.º
Mandado de detenção europeu — art. 258.º, art. 5.
Mandado de detenção — arts. 258.º e 273.º
Manutenção da ordem nos actos processuais — art. 85.º
Mediação em processo penal — art. 262.º, anot. 8.

Medidas cautelares e de polícia — arts. 248.º a 253.º
Medidas de coacção — arts. 196.º e segs.
Medidas especiais de protecção — art. 139.º
Medidas de garantia patrimonial — arts. 227.º e 228.º
Medidas de segurança — arts. 501.º a 508.º
Meios de comunicação social — art. 88.º
Memória futura (declarações para) — arts. 271.º e 294.º
Memoriais — art. 98.º
Métodos proibidos de prova — art. 126.º
Ministério Público:

— Acusação — art. 283.º
— Falta a julgamento — art. 330.º
— Impedimentos, recusas e escusas — art. 54.º
— Legitimidade para a promoção do processo penal — arts. 48.º a 53.º
— Legitimidade para recorrer — art. 401.º
— Posição e atribuições no processo — art. 53.º

Modificabilidade da decisão recorrida — art. 431.º
Mudo — art. 93.º
Multas — arts. 489.º a 491.º e 512.º

N

Narcoanálise — art. 126.º, anot. 2, al. d)
Notícia do crime:

— Aquisição — art. 241.º
— Auto — art. 243.º
— Comunicação — art. 248.º

Notificações:

— Casos especiais — art. 114.º
— Realização difícil — art. 115.º
— Regras gerais — art. 113.º

Nulidades:

— Arguição — art. 120.º

1162

Índice Alfabético

— De sentença — art. 379.º

— Dependentes de arguição — art. 120.º

— Efeitos da declaração de nulidade — art. 122.º

— Insanáveis — art. 119.º

— Irregularidades — art. 123.º

— Princípio da legalidade — art. 118.º

— Sanação — art. 121.º

O

Objecto da prova — art. 124.º

Objecto e limite do depoimento — art. 124.º

Obrigação de apresentação periódica — art. 198.º

Obrigação de permanência na habitação — art. 201.º

Obstrução ao exercício da jurisdição — arts. 37.º e 38.º

Órgãos de polícia criminal:

— Competência — art. 55.º

— Definição — art. 1.º, n.º 1, al. c)

— Dependência funcional — art. 56.º

— Orientação — art. 56.º

P

Pareceres de advogados, jurisconsultos ou técnicos — art. 165.º, n.º 3

Partes civis:

— Caso julgado — art. 84.º

— Contestação — art. 78.º

— Conversão do pedido — art. 81.º

— Decisão sobre o pedido de indemnização civil — art. 377.º

— Dedução do pedido civil — arts. 71.º e segs.

— Desistência — art. 81.º

— Dever de informação — art. 75.º

— Exequibilidade provisória — art. 83.º

— Formulação do pedido — art. 77.º

— Julgamento — art. 80.º

— Legitimidade — art. 74.º

— Liquidação em execução de sentença — art. 82.º

— Pedido em separado — art. 72.º

— Poderes processuais — art. 74.º

— Princípios de adesão — art. 71.º

— Processo sumário — art. 388.º

— Processo sumaríssimo — art. 393.º

— Reenvio para os tribunais civis — art. 82.º

— Renúncia — art. 81.º

— Representação — art. 76.º

— Responsabilidade meramente civil — art. 73.º

Pedido de informação de suspeito — art. 250.º

Pena relativamente indeterminada — art. 509.º

Pena suspensa — arts. 492.º a 495.º

Penas acessórias — arts. 499.º e 500.º

Perícias médico legais e forenses — art. 159.º

Peritos — arts. 91.º, n.º 2 e 156.º, n.º 1 (compromisso) e 151.º a 153.º (prova pericial)

Permanência na habitação — art. 201.º

Prazo:

— Actos processuais — arts. 104.º a 107.º

— Contagem — art. 104.º

— Excesso — art. 105.º

— Inquérito — art. 276.º

— Normal — art. 105.º

— Prisão preventiva — arts. 215.º e 216.º

— Renúncia — art. 107.º

— Termos — art. 106.º

Prerrogativas — art. 139.º

Prestação de trabalhos a favor da comunidade — arts. 496.º a 498.º

Presunções — art. 126.º, anot. 2, al. i)

Princípios:

— Adequação necessidade e proporcionalidade das medidas de coac-

1163

Código de Processo Penal

ção e de garantia patrimonial — art. 193.º
— Adesão — art. 71.º
— Concentração — art. 321.º, anot. 4
— Continuidade da audiência — arts. 321.º, anot. 4 e 328.º
— Contraditoriedade — arts. 321.º, anot. 4 e 327.º
— Exclusividade dos tribunais para o julgamento das causas penais — art. 8.º
— Imediação — art. 321.º, anot. 4
— Investigação — arts. 321.º, anot. 4 e 340.º
— Legalidade das medidas de coacção e de garantia patrimonial — art. 191.º
— Legalidade das nulidades — art. 118.º
— Legalidade do processo — art. 2.º
— Legalidade da prova — art. 125.º
— Oralidade — art. 321.º, anot. 4
— Suficiência do processo penal — art. 7.º

Prisão por dias livres — arts. 487.º e 488.º
Prisão preventiva:

— Casos especiais — art. 209.º
— Ilegal e *habeas corpus* — art. 222.º
— Prazos — arts. 215.º e 216.º
— Quando pode ser imposta — arts. 202.º e 209.º
— Substituição por internamento preventivo — art. 202.º, n.º 2
— Suspensão da execução — art. 211.º

Processo abreviado — arts. 391.º-A a 391.º-E
Processo comum:

— Actos introdutórios — arts. 329.º a 339.º
— Actos preliminares — arts. 311.º a 320.º
— Audiência — arts. 321.º a 328.º
— Documentação da audiência — arts. 362.º a 364.º

— Produção da prova — arts. 340.º a 361.º
— Saneamento do processo — art. 311.º
— Sentença — arts. 365.º a 380.º
Processo penal:

— Comum — arts. 311.º a 380.º
— Inquérito — arts. 262.º a 285.º
— Instrução — arts. 286.º a 310.º
— Publicidade — art. 86.º
— Suficiência — art. 7.º
— Sumário — arts. 381.º a 391.º
— Sumaríssimo — arts. 392.º a 398.º

Processos especiais — arts. 381.º a 398.º
Processo sumário — arts. 381.º a 391.º

— Adiamento da audiência — art. 386.º
— Apresentação do detido ao MP e a julgamento — art. 382.º
— Arquivamento ou suspensão do processo — art. 384.º
— Assistente e partes civis — art. 388.º
— Impossibilidade de audiência imediata — art. 387.º
— Notificações — art. 383.º
— Princípios gerais do julgamento — art. 385.º
— Quando tem lugar — art. 381.º
— Tramitação — art. 389.º
— Recursos — art. 391.º
— Reenvio do processo para a forma comum — art. 390.º

Processo sumaríssimo — arts 392.º a 398.º

— Arquivamento ou suspensão do processo — art. 395.º
— Assistente e partes civis — art. 393.º
— Audiência e condenação — art. 396.º
— Comparência do arguido — art. 397.º
— Quando tem lugar — art. 392.º

Índice Alfabético

— Reenvio do processo para outra forma — art. 398.º
— Requerimento — art. 394.º

Proibição de permanência, de ausência e de contactos — art. 200.º

Proibições de provas — arts. 118.º, n.º 3 e anot. 5; 126.º e 355.º

Protestos — art. 362.º, n.º 2

Prova:

— Acareação — art. 146.º
— Documental — arts. 164.º a 170.º e 183.º
— Legalidade — art. 125.º
— Livre apreciação — art. 127.º
— Meios de prova — arts. 128.º e segs.
— Objecto — art. 124.º
— Pericial — arts. 151.º a 163.º, 350.º e 351.º
— Produção, no julgamento — arts. 340.º a 364.º
— Proibição de valoração — art. 355.º
— Providências cautelares — art. 249.º
— Tema — art. 124.º
— Testemunhal — arts. 128.º a 139.º

Providências cautelares quanto a meios de prova — art. 249.º

Publicidade do processo — art. 86.º

Q

Queixa — art. 49.º

Questões prévias ou incidentais — art. 338.º

R

Reabertura do inquérito — art. 279.º

Reconhecimento:

— De objectos — art. 148.º
— De pessoas — art. 147.º
— Pluralidade de reconhecimentos — art. 149.º

Reconstituição do facto — art. 150.º

Recursos:

— Acórdão — art. 425.º
— Âmbito — art. 402.º
— Audiência — arts. 422.º, 423.º e 435.º
— Conferência — art. 419.º
— Decisões que não admitem — art. 400.º
— De decisão instrutória — art. 310.º
— De decisão proferida contra jurisprudência obrigatória — art. 446.º
— De decisão sobre medidas de coacção — art. 219.º
— De dispositivo relativo à falsidade de um documento — art. 170.º, n.º 2
— Deliberação — art. 424.º
— Efeito — arts. 408.º e 438.º
— Exame preliminar — art. 417.º
— Expedição — art. 414.º
— Extraordinários — arts. 437.º a 466.º
— Fixação de jurisprudência — arts. 437.º a 448.º
— Fundamentos — arts. 410.º e 437.º
— Interposição e notificação — arts. 411.º e 438.º
— Legitimidade para recorrer — art. 401.º
— Limitação — art. 403.º
— Motivação — art. 412.º
— No interesse da unidade do direito — art. 447.º
— Obrigatórios — art. 446.º
— Ordinários — arts. 399.º a 436.º
— Perante as relações — arts. 427.º a 431.º
— Perante o Supremo Tribunal de Justiça — arts. 432.º a 436.º
— Princípios gerais — arts. 399.º a 409.º
— Processo sumário — art. 391.º
— Reclamação contra despacho que o não admite ou o retém — art. 405.º
— Reenvio do processo para novo julgamento — arts. 426.º e 436.º

1165

Código de Processo Penal

— *Reformatio in pejus* (proibição de) — art. 409.º
— Rejeição — art. 420.º
— Renovação da prova — art. 430.º
— Renúncia a alegações orais — art. 434.º
— Resposta — art. 413.º
— Revisão — arts. 449.º a 466.º
— Subida — arts. 406.º e 407.º
— Subordinado — art. 404.º
— Sustentação ou reparação da decisão — art. 414.º
— Tramitação unitária — arts. 410.º a 426.º
— Vistos — art. 418.º

Recusas — arts. 43.º a 47.º
Reenvio do processo para novo julgamento — art. 426.º
Reforma de auto perdido, extraviado ou destruído — art. 102.º
Reformatio in pejus — art. 409.º
Relações:

— Competência — art. 12.º
— Recursos — arts. 427.º a 431.º

Relações com autoridades estrangeiras — arts. 229.º e segs.
Relatório social — arts. 1.º, n.º 1, al. *g)* (definição); 370.º (no julgamento)
Renovação da prova — art. 430.º
Renúncia ao decurso de prazo — art. 107.º
Reproduções mecânicas — arts. 167.º e 168.º
Reparação da vítima em casas especiais — art 82.º-A
Requerimentos — art. 98.º
Responsabilidade civil — ver *Partes civis*
Responsabilidade por custas — arts. 513.º a 524.º
Restituição de objectos apreendidos — art. 186.º
Revisão:

— Admissibilidade — art. 449.º
— Anulação de sentenças inconciliáveis — art. 458.º

— Autorização — art. 457.º
— De despacho — art. 464.º
— Formulação do pedido — art. 451.º
— Fundamentos — art. 449.º
— Indemnização — art. 462.º
— Informação e remessa do processo — art. 454.º
— Legitimidade — arts. 450.º e 465.º
— Meios de prova e actos urgentes — art. 459.º
— Negação — art. 456.º
— Novo julgamento — art. 460.º
— Prioridade dos actos judiciais — art. 466.º
— Produção de prova — art. 453.º
— Sentença absolutória no juízo de revisão — art. 461.º
— Sentença condenatória no juízo de revisão — art. 463.º
— Tramitação — arts. 452.º e 455.º

Revisão e confirmação de sentença penal estrangeira — arts. 234.º e segs.
Revistas — arts. 174.º a 177.º e 251.º
Rogatórias ao estrangeiro — arts. 230.º a 232.º
Rol de testemunhas — arts. 315.º e 316.º

S

Sanação de nulidades — art. 121.º
Saneamento do processo — art. 311.º
Secretário — art. 366.º
Segredo:

— Bancário — art. 181.º
— Da deliberação e votação da sentença — art. 367.º
— De Estado — arts. 137.º e 182.º
— De funcionário — art. 136.º
— De justiça — art. 86.º
— Profissional — arts. 135.º e 182.º

Selos (aposição e levantamento) — art. 184.º
Semidetenção — arts. 487.º e 488.º
Sentença — arts. 365.º a 380.º

1166

Índice Alfabético

— Absolutória — art. 376.º
— Casos de especial complexidade — art. 373.º
— Condenatória — art. 375.º
— Correcção — art. 380.º
— Decisão sobre o pedido de indemnização civil — art. 377.º
— Deliberação e votação — art. 365.º
— Elaboração e assinatura — art. 372.º
— Nulidade — art. 379.º
— Publicação — art. 378.º
— Requisitos gerais — art. 374.º
— Segredo da deliberação e votação — art. 367.º

Separação de processos — art. 30.º
Suficiência do processo penal — art. 7.º
Supremo Tribunal de Justiça:

— Competência — art. 11.º
— Recursos — arts. 432.º a 436.º

Surdo, mudo ou surdo-mudo — art. 93.º
Suspeito — arts. 1.º, n.º 1, al. *e)* (definição) e 250.º (identificação)
Suspensão da execução da prisão preventiva — art. 211.º
Suspensão do exercício de profissão, função, actividade e de direitos — art. 199.º
Suspensão do processo:

— Processo sumário — art. 384.º
— Processo sumaríssimo — art. 395.º

Suspensão provisória do processo — arts. 281.º e 282.º

T

Taxa de justiça — arts. 513.º a 524.º
Termo de identidade e residência — art. 196.º
Terrorismo — arts. 1.º, n.º 2 (definição); 143.º, n.º 4; 174.º, al. *c)* e 177.º, n.º 2
Testemunhas:

— Capacidade e dever de testemunhar — art. 131.º
— Falta a julgamento — art. 331.º
— Impedimentos — art. 133.º
— Imunidades e prerrogativas — art. 139.º
— Juramento — art. 91.º
— Prova testemunhal — arts. 128.º a 139.º

Tribunal colectivo — art. 14.º (competência)
Tribunal de execução de penas — art. 18.º (competência)
Tribunal do júri — art. 13.º (competência)
Tribunal singular — art. 16.º (competência)

U

Unidade de conta processual — art. 1.º, n.º 1, al. *h)* (definição)
Uniformização de jurisprudência — arts. 437.º a 448.º

V

Vítima (reparação em casos especiais) — art. 82.º-A
Vozes públicas — art. 130.º

ÍNDICE REMISSIVO

Prefácio	5
Decreto-Lei n.º 78/87, de 17 de Fevereiro	9
Lei n.º 90-B/95, de 1 de Setembro	29
Decreto-Lei n.º 317/95, de 28 de Novembro	35
Lei n.º 59/98, de 25 de Agosto, contendo alterações ao Código de Processo Penal	39
Lei n.º 27-A/2000, de 17 de Novembro, autorizando o Governo a alterar o Código de Processo Penal	43
Decreto-Lei n.º 320-C/2000, de 15 de Dezembro, contendo alterações ao Código de Processo Penal	48
Lei n.º 48/2007, de 28 de Agosto	50

CÓDIGO DE PROCESSO PENAL

DISPOSIÇÕES PRELIMINARES E GERAIS

PARTE PRIMEIRA

LIVRO I

DOS SUJEITOS DO PROCESSO

Título I — **Do Juiz e do Tribunal**	79
Capítulo I — Da jurisdição	79
Capítulo II — Da competência	82
Secção I — Competência material e funcional	82
Secção II — Competência territorial	110
Secção III — Competência por conexão	115
Capítulo III — Da declaração de incompetência	130
Capítulo IV — Dos conflitos de competência	134
Capítulo V — Da obstrução ao exercício da jurisdição	140
Capítulo VI — Dos impedimentos, recusas e escusas	145
Título II — **Do Ministério Público e dos órgãos de Polícia Criminal**	160

1169

Código de Processo Penal

Título III — **Do arguido e do seu defensor** 181
Título IV — **Do assistente** 209
Título V — **Das partes civis** 218

LIVRO II
DOS ACTOS PROCESSUAIS

Título I — **Disposições gerais** 248
Título II — **Da forma dos actos e da sua documentação** 271
Título III — **Do tempo dos actos e da aceleração do processo** 288
Título IV — **Da comunicação dos actos e da convocação para eles** ... 305
Título V — **Das nulidades** 325

LIVRO III
DA PROVA

Título I — **Disposições gerais** 343
Título II — **Dos meios de prova** 356

    Capítulo I — Da prova testemunhal 356
    Capítulo II — Das declarações do arguido, do assistente e das
    partes civis 382
    Capítulo III — Da prova por acareação 394
    Capítulo IV — Da prova por reconhecimento 395
    Capítulo V — Da reconstituição do facto 398
    Capítulo VI — Da prova pericial 340
    Capítulo VII — Da prova documental 421

Título III — **Dos meios de obtenção da prova** 429

    Capítulo I — Dos exames 429
    Capítulo II — Das revistas e buscas 433
    Capítulo III — Das apreensões 443
    Capítulo IV — Das escutas telefónicas 456

LIVRO IV
DAS MEDIDAS DE COACÇÃO E DE GARANTIA
PATRIMONIAL

Título I — **Disposições gerais** 475
Título II — **Das medidas de coacção** 485

    Capítulo I — Das medidas admissíveis 485
    Capítulo II — Das condições de aplicação das medidas 504
    Capítulo III — Da revogação, alteração e extinção das medidas 510
    Capítulo IV — Dos modos de impugnação 530
    Capítulo V — Da indemnização por privação da liberdade ilegal
    ou injustificada 557

Título III — **Das medidas de garantia patrimonial** 564

1170

Índice Remissivo

LIVRO V
RELAÇÕES COM AUTORIDADES ESTRANGEIRAS E ENTIDADES JUDICIÁRIAS INTERNACIONAIS

Título I — **Disposições gerais** 569
Título II — **Da revisão e confirmação de sentença penal estrangeira** 581

PARTE SEGUNDA

LIVRO VI
DAS FASES PRELIMINARES

Título I — **Disposições gerais** 583

Capítulo I — Da notícia do crime 587
Capítulo II — Das medidas cautelares e de polícia 595
Capítulo III — Da detenção 606

Título II — **Do inquérito** 626

Capítulo I — Disposições gerais 626
Capítulo II — Dos actos de inquérito 643
Capítulo III — Do encerramento do inquérito 667

Título III — **Da instrução** 688

Capítulo I — Disposições gerais 688
Capítulo II — Dos actos de instrução 700
Capítulo III — Do debate instrutório 705
Capítulo IV — Do encerramento da instrução 715

LIVRO VII
DO JULGAMENTO

Título I — **Dos actos preliminares** 727
Título II — **Da audiência** 747

Capítulo I — Disposições gerais 747
Capítulo II — Dos actos introdutórios 760
Capítulo III — Da produção da prova 780
Capítulo IV — Da documentação da audiência 829

Título III — **Da sentença** 833

LIVRO VIII
DOS PROCESSOS ESPECIAIS

Título I — **Do processo sumário** 883
Título II — **Do processo abreviado** 892
Título III — **Do processo sumaríssimo** 898

1171

Código de Processo Penal

LIVRO IX
DOS RECURSOS

Título   I — **Dos recursos ordinários** 907

   Capítulo   I — Princípios gerais 907
   Capítulo   II — Da tramitação unitária 947
   Capítulo   III — Do recurso perante as relações 1004
   Capítulo   IV — Do recurso perante o Supremo Tribunal de Justiça   1014

Título   II — **Dos recursos extraordinários** 1028

   Capítulo   I — Da fixação de jurisprudência 1028
   Capítulo   II — Da revisão 1058

LIVRO X
DAS EXECUÇÕES

Título   I — **Disposições gerais** 1089
Título   II — **Da execução da pena de prisão** 1102

   Capítulo   I — Da prisão 1102
   Capítulo   II — Da liberdade condicional 1110
   Capítulo   III — Da execução da prisão por dias livres e em re-
                gime de semidetenção ou permanência na habitação   1114

Título   III — **Da execução das penas não privativas de liberdade** 1116

   Capítulo   I — Da execução da pena de multa 1116
   Capítulo   II — Da execução da pena suspensa 1119
   Capítulo   III — Da execução da prestação de trabalho a favor da
                comunidade e da admoestação 1124
   Capítulo   IV — Da execução das penas acessórias 1126

Título   IV— **Da execução das medidas de segurança** 1129

   Capítulo   I — Da execução das medidas de segurança privativas
                da liberdade 1129
   Capítulo   II — Da execução da pena e da medida de segurança
                privativa de liberdade 1134
   Capítulo   III — Da execução das medidas de segurança não pri-
                vativas de liberdade 1135

Título   V — **Da execução da pena relativamente indeterminada** 1136

Título   VI — **Da execução de bens e destino das multas** 1137

LIVRO XI
DA RESPONSABILIDADE POR CUSTAS   1141

Índice alfabético 1157
Índice remissivo 1169

1172

Índice Remissivo

LEGISLAÇÃO PROCESSUAL PENAL COMPLEMENTAR

Declaração Universal dos Direitos do Homem, de 10 de Dezembro de 1948.

Lei n.º 65/78, de 13 de Outubro. (Aprova, para ratificação, a Convenção Europeia dos Direitos do Homem).

Dec.-Lei n.º 265/79, de 1 de Agosto. (Reestruração dos Serviços que têm a seu cargo as medidas privativas da liberdade, parcialmente transcrito em anot. ao art. 480.º).

Lei n.º 28/82, de 13 de Novembro. (Organização, funcionamento e processo do Tribunal Constitucional).

Lei n.º 34/87, de 16 de Julho. (Lei da Responsabilidade dos titulares de cargos políticos).

Dec-Lei n.º 387-A/87, de 29 de Dezembro. (Processamento de selecção de jurados).

Dec-Lei n.º 17/91, de 10 de Janeiro. (Processamento e julgamento de contravenções e transgressões).

Dec.-Lei n.º 423/91, de 30 de Outubro. (Regime jurídico de protecção de vítimas de crimes violentos).

Dec.-Lei n.º 434/91, de 28 de Dezembro. (Regime jurídico do cheque sem provisão).

Decreto Regulamentar n.º 4/93, de 22 de Fevereiro. (Regulamenta as condições em que o Estado indemniza as vítimas de crimes violentos).

Lei n.º 5/93, republicada com a Lei n.º 15/2007, de 3 de Abril. (Inquéritos parlamentares).

Lei n.º 36/94, de 29 de Setembro. (Medidas de combate à criminalidade económica e financeira).

Dec.-Lei n.º 81/95, de 22 de Abril. (Combate à oferta e ao uso da droga).

Lei n.º 36/96, de 22 de Agosto. (Execução de penas de condenados em pena de prisão afectados de doença grave e irreversível em fase terminal, transcrita em anot. ao art. 477.º).

Dec.-Lei n.º 375/97, de 24 de Dezembro. (Procedimentos e regras técnicas destinados a facilitar e promover a organização das condições práticas de aplicação e execução da pena de prestação de trabalho a favor da comunidade).

Dec.-Lei n.º 381/98, de 27 de Novembro. (Regime jurídico da identificação criminal e de contumazes).

Lei n.º 93/99, de 14 de Julho. (Aplicação de medidas de protecção de testemunhas em processo penal).

Lei n.º 122/90, de 20 de Agosto. (Regulamenta a vigilância electrónica prevista no art. 201.º do CPP).

Lei n.º 144/99, de 11 de Agosto. (Lei da cooperação judiciária internacional em matéria penal).

1173

Código de Processo Penal

Lei n.º 101/2001, de 25 de Agosto. (Regime jurídico das acções encobertas para fins de prevenção e investigação criminal).

Lei n.º 5/2002, de 11 de Janeiro. (Medidas de combate à criminalidade organizada e económico-financeira e alteração da Lei n.º 36/94 de 29 de Setembro).

Dec.-Lei n.º 93/2003, de 30 de Abril. (Cooperação entre a PJ e os órgãos da Administração Tributária).

Lei n.º 52/2003, de 22 de Agosto. (Lei de combate ao terrorismo).

Lei n.º 53/2003, de 22 de Agosto. (Afastamento de nacionais de países terceiros).

Dec.-Lei n.º 190/2003, de 22 de Agosto. (Protecção de testemunhas em processo penal).

Lei n.º 65/2003, de 23 de Agosto. (Mandado de detenção europeu).

Lei n.º 34/2004, de 29 de Julho. Alterada pela Lei n.º 47/2007, de 28 de Agosto. (Regime de acesso ao Direito e aos tribunais e patrocínio em processo penal, parcialmente transcrita em anotação ao art. 62.º)

Lei n.º 42/05, de 29 de Agosto. (Férias judiciais, parcialmente transcrita em anotação ao art. 103.º).

Lei n.º 45/04, de 10 de Agosto. (Regime jurídico da realização de perícias médico--legais e forenses).

Lei n.º 17/2006, de 23 de Maio. (Aprova a Lei Quadro da Política Criminal).

Dec.-Lei n.º 11/2007, de 19 de Janeiro. (Define o regime jurídico da avaliação, utilização e alienação de bens apreendidos pelos órgãos de polícia criminal).

Portaria n.º 170/2007, de 6 de Fevereiro. (Estabelece os requsitos de apresentação de requerimentos de certificados do registo criminal e da respectiva transmissão, por via electrónica, aos serviços de identificação criminal da Direcção-Geral da Administração da Justiça).

Lei n.º 21/2007, de 12 de Junho. (Regime de mediação penal relativa ao estatuto da vítima em processo penal – transcrita em anot. ao art. 262.º).

Lei n.º 23/07, de 4 de Julho. (Regime de entrada, permanência, saída e afastamento de estrangeiros do território nacional).

Lei n.º 51/2007, de 31 de Agosto. (Sobre orientação da política criminal).

Lei n.º 67/07, de 31 de Dezembro. (Responsabilidade civil extracontractual do Estado e demais entidades públicas).

Lei n.º 19/2008, de 21 de Abril. (Aprova medidas de combate à corrupção).

Lei n.º 20/2008, de 21 de Abril. (Cria o novo regime penal de corrupção no comércio internacional e no sector privado, dando cumprimento à Decisão Quadro n.º 2003/568/JAI, do Conselho, de 22 de Julho).

Lei n.º 25/2008, de 5 de Junho. (Estabelece medidas de natureza preventiva e repressiva de combate ao branqueamento de vantagens de proveniência ilícita e

1174

Índice Remissivo

ao financiamento do terrorismo, e transpõe para a ordem jurídica interna as Directivas n.ᵒˢ 2005/60/CE, do Parlamento Europeu e do Conselho, de 26 de Outubro, e 2006//70/CE, da Comissão, de 1 de Agosto. Procede à 2.ª alteração à Lei n.º 52/2003, de 22 de Agosto e revoga a Lei n.º 11/2004, de 27 de Março).

Lei n.º 37/2008, de 6 de Agosto. (Aprova a Lei Orgânica da Polícia Judiciária e altera a Lei n.º 275-A/2000, de 9 de Novembro).

Lei n.º 49/2008, de 27 de Agosto. (Aprova a Lei de Organização e Investigação Criminal e revoga a Lei n.º 21/2000, de 19 de Agosto).

Lei n.º 52/2008, de 28 de Agosto. (Lei de Organização e Funcionamento dos Tribunais — LOFTJ).

Lei n.º 53/2008, de 29 de Agosto. (Aprova a Lei de Segurança Interna e revoga a Lei n.º 20/87, de 12 de Junho; o Dec.-Lei n.º 61/88, de 27 de Fevereiro e o Dec.-Lei n.º 173/2004, de 21 de Julho).

1175